De belangrijkste Prisma woordenboeken:

miniwoordenboeken
- voor cursus en vakantie
- in klein formaat
- in 24 talen, waaronder Turks, Fries, Afrikaans, Arabisch en Fins

basisonderwijs woordenboeken
- voor beginnende taalleerders, de basisschool, lagere school
- glasheldere uitleg en voorbeelden
- met illustraties
- Nederlands (verklarend), Frans en Engels

vmbo woordenboeken
- voor de beginnende woordenboekgebruiker
- aansluitend bij het vmbo/mbo, bso/tso en de onderbouw havo/vwo, onderbouw tso/aso
- actuele informatie over de hedendaagse basiswoordenschat
- zeer toegankelijk, veel voorbeeldzinnen
- Nederlands (verklarend), Engels

pocketwoordenboeken
- voor de middelbare scholier
- elk jaar bijgewerkt
- overzichtelijk: trefwoorden en tabs in kleur
- het pocketwoordenboek met de meeste trefwoorden
- Nederlands (verklarend), Engels, Frans, Duits, Spaans, Italiaans en Fries

handwoordenboeken
- voor bovenbouw havo/vwo, bovenbouw tso/aso, studie en beroep
- gebonden, duurzame uitvoering
- veel voorbeeldzinnen en uitdrukkingen, kaderteksten met weetjes
- Nederlands (verklarend), Engels, Frans en Duits

PRISMA POCKETWOORDENBOEK

Engels
Nederlands

drs. M.E. Pieterse-van Baars

prisma

Prisma maakt deel uit van Uitgeverij Unieboek | Het Spectrum bv
Postbus 97
3990 DB Houten

Pocketwoordenboek Engels - Nederlands

Oorspronkelijke auteurs: drs. F.J.J. van Baars en drs. J.G.J.A. van der Schoot
Bewerking: drs. M.H.M. Schrama, P. Gargano MEd., dr. F. Veldman, drs. J.L. Bol, drs. M.L. Albers,
drs. R.E.H. Mitchell-Schuitevoerder MA
Omslagontwerp: Raak Grafisch Ontwerp
Typografie: M. Gerritse

ISBN 978 90 491 00 69   8
ISBN met cd-rom 978 90 491 0070 4
NUR 627
42ste druk

www.prisma.nl
www.prismawoordenboeken.be
www.unieboekspectrum.nl

Een taal leer je samen met Prisma

Een breed aanbod
De Prisma pocketwoordenboeken worden al meer dan 50 jaar aanbevolen door docenten in het middelbaar onderwijs. Voor het basisonderwijs en voor het vmbo heeft Prisma aparte woordenboeken ontwikkeld, zeer toegankelijk en speciaal afgestemd op die twee onderwijsniveaus. Voor studie en beroep is er de reeks dikke Prisma handwoordenboeken, met twee delen in één band zodat je alle informatie over een taal handig bij elkaar hebt. En voor een buitenlandse reis is een praktisch klein boekje uit de uitgebreide reeks Prisma miniwoordenboeken de beste keuze.

Dit woordenboek
In dit woordenboek vind je tienduizenden trefwoorden op alle gebieden, met duizenden voorbeeldzinnen om ze op de juiste manier te gebruiken. De Prisma pocketwoordenboeken worden voortdurend actueel gehouden door een netwerk van bewerkers. Dit woordenboek is helder geformuleerd en overzichtelijk ingedeeld, zodat je snel kunt vinden wat je zoekt.

Prisma online
Met een Prisma online abonnement kun je overal inloggen en heb je altijd snel toegang tot de (ver)taalinformatie die je nodig hebt. Neem een abonnement op www.prisma.nl of www.prismawoordenboeken.be. Heb je belangstelling voor een proefabonnement, ga dan naar www.prisma.nl/proefabonnement/2010.

Woordenboeken, taaltrainingen en taalbeheersing
Prisma is gespecialiseerd in uitgaven voor gebruik bij het leren van een taal. Om helderheid te brengen in het aanbod zijn de uitgaven onderverdeeld in drie hoofdgroepen: *Woordenboeken*, *Taaltrainingen* en uitgaven op het gebied van *Taalbeheersing*. Aan de kleur in de bovenbalk van het omslag is te zien om wat voor soort uitgave het gaat: woordenboeken zijn geel/oranje, taaltrainingen groen en uitgaven op het gebied van taalbeheersing blauw. De lichtste tint: eenvoudig van inhoud. De donkerste tint: het hoogste niveau.

Gebruiksaanwijzing

In dit woordenboek vind je veel **woorden met hun vertaling**. Soms heeft een trefwoord meerdere vertalingen. *Jam* kan bijvoorbeeld 'opstopping' betekenen, maar ook 'marmelade' of 'storing'. *Cure* kan een zelfstandig naamwoord zijn, maar ook een werkwoord. Daarom geven we **extra informatie** als dat nodig is, bijvoorbeeld over de betekenis of over de grammatica. We geven ook voorbeelden hoe woorden voorkomen in combinatie met andere woorden. Hieronder beschrijven we kort wat je kunt aantreffen.

Alle **trefwoorden** drukken we vet en blauw. Varianten erop en verwijzingen ernaar ook.

De **uitspraak** van de trefwoorden geven we weer in fonetisch schrift, tussen vierkante haken. Van de samengestelde trefwoorden (met een koppelteken of een spatie) is de uitspraak te vinden onder de afzonderlijke delen.Van afkortingen geven we alleen de uitspraak als die anders is dan de losse letters. Een verklaring van de uitspraaktekens staat op pagina 11.

Als een trefwoord meerdere **woordsoorten** heeft, geven we dat aan met blauwe Romeinse cijfers. Zoek je bijvoorbeeld de vertaling van *play*, dan vind je eerst (I) het werkwoord en een paar regels daarna (II) het zelfstandig naamwoord.

Als een trefwoord meerdere **betekenissen** heeft, dan staan daar blauwe bolletjes voor met daarin het nummer van de betekenis. Zoek je dus naar de vertaling van *glow*, dan kom je achter elk blauw bolletje een nieuwe vertaling tegen (zn ❶ gloed ❷ blos ❸ warm gevoel). Als twee vertalingen ongeveer hetzelfde betekenen, staat er geen bolletje, maar een komma tussen. Bij *goof* staat bijvoorbeeld 'sufferd, kluns'.
Engelse werkwoorden komen vaak voor in vaste combinatie met een **voorzetsel**, bijvoorbeeld *take off*. Deze krijgen ook een bolletje ervóór en zijn blauw gedrukt, zodat je ze snel vindt.

Bij een trefwoord vind je ook vaak **voorbeeldzinnen**. Deze laten zien hoe je het woord in combinatie met andere woorden kunt tegenkomen, bijvoorbeeld bij *sale* ('for sale': te koop) of *name* ('Christian name': voornaam). Soms betekent de combinatie iets heel anders dan de woorden los, bijvoorbeeld 'hit the roof': barsten van woede (en niet 'het dak slaan').

Extra informatie over de betekenis van een woord geven we met **labels**: <u>muz</u> betekent dat het woord te maken heeft met muziek, <u>min</u> betekent dat het woord een minachtende lading heeft. Ook tussen geknikte **haakjes** vind je soms extra informatie, die je helpt de juiste vertaling te kiezen, bijvoorbeeld dat een vertaling alléén gebruikt wordt ⟨bij rugby⟩.

Op **pagina 10** kun je zien hoe dit alles er in het boek uitziet.

Extra tips

★ Als je op zoek bent naar de vertaling van een uitdrukking of idioom, kijk dan eerst bij het **eerste zelfstandig naamwoord** dat daarin voorkomt. 'stand in line' vind je bij *line*, niet bij *stand* of *in*. Staan er meerdere zelfstandige naamwoorden in de zin, kijk dan ook eerst bij het eerste: 'race against time' vind je bij het trefwoord *race*, niet bij *time*.
Als je de gezochte vertaling niet bij het eerste zelfstandig naamwoord vindt, kijk dan bij het tweede, enzovoort.

★ Veel combinaties van woorden met **voorzetsels** (*at, by, for, through, with*) vind je bij de (werk)woorden waar ze vaak bij voorkomen: 'pull about' vind je bij *pull*, niet bij *about*; 'be in labour' vind je bij *labour*, niet bij *be* of *in*.

★ Zoek bij de **hele vorm** van het woord, niet bij de vervoeging of verbuiging: 'walked' vind je dus bij *walk*; 'stations' vind je bij *station*. Bij onregelmatige vervoegingen en verbuigingen vind je een verwijzing naar het juiste woord, bijvoorbeeld van *knew* naar *know*, van *mice* naar *mouse*.

★ Een aantal woorden kun je op meerdere manieren uitspreken. *Lead* (uitgesproken met ie-klank) betekent onder meer 'leiden' en *lead* (uitgesproken met è-klank) onder meer 'lood'. Deze woorden staan in het boek als afzonderlijke trefwoorden:
    lead[1] [li:d] [...]
    lead[2] [led] [...]
Hetzelfde geldt voor woorden met meerdere klemtonen:
    defect[1] ['di:fekt/dɪ'fekt] [...]
    defect[2] [dɪ'fekt] [...]

★ Als je iets in het woordenboek niet begrijpt, zoek dan in de lijsten met **bijzondere tekens** en **afkortingen** hierna. Als die geen uitkomst bieden, mail ons dan: redactie@prisma.nl.

Beknopte grammatica

Achter in dit woordenboek vind je een beknopte grammatica van het Engels.

Bijzondere tekens

Voorbeelden van het gebruik van onderstaande tekens worden gegeven op pagina 10.

I, II enz.   Als een trefwoord meerdere woordsoorten heeft (bv. overgankelijk én onovergankelijk werkwoord), worden deze voorafgegaan door blauw gedrukte romeinse cijfers.

❷   Als een trefwoord meerdere betekenissen heeft, worden deze voorafgegaan door een blauw bolletje met het nummer van de betekenis erin. Ook vaste combinaties van het trefwoord met een voorzetsel worden gezien als een aparte betekenis.

★   Na een blauwe ster volgt een voorbeeldzin.

▼   Na een blauw omgekeerd driehoekje volgt een voorbeeldzin die minder letterlijk, meer idiomatisch is.

[...]   Tussen rechte haken staat uitspraakinformatie. Voor een verklaring van de tekens zie pagina 11.

[...]   Tussen rechte haken staat extra grammaticale informatie.

⟨...⟩   Tussen geknikte haken staat extra uitleg over de betekenis of de vertaling daarvan.

~   Een tilde vervangt vaak het trefwoord in voorbeeldzinnen en zegswijzen.

/   Een schuine streep scheidt woorden die onderling verwisselbaar zijn.

≈   Een equivalentieteken geeft aan dat de vertaling een benadering is van het vertaalde. Een exactere vertaling is in dat geval niet te geven.

→   Een pijl verwijst voor meer informatie naar het erop volgende trefwoord.

Lijst van gebruikte afkortingen

aanw vnw	aanwijzend voornaamwoord
aardk	aardrijkskunde
admin	administratie
afk	afkorting
agrar	agrarisch, landbouw
anat	menselijke anatomie
Angl	Anglicaans
Aus	Australisch Engels, Australië
auto	auto's en motoren
audio-vis	audiovisueel
betr vnw	betrekkelijk voornaamwoord
bez vnw	bezittelijk voornaamwoord
bijw	bijwoord
biol	biologie, milieu
BN	Belgisch Nederlands
bnw	bijvoeglijk naamwoord
bouw	bouwkunde, architectuur
chem	chemie
comm	communicatie, voorlichting, reclame
comp	computer
cul	culinaria, voeding
deelw.	deelwoord
dial	dialect
dierk	dierkunde
drukk	drukkerij- en uitgeverijwezen
econ	economie
elek	elektronica
euf	eufemistisch
ev	enkelvoud
fig	figuurlijk
filos	filosofie
form	formeel
GB	vooral Brits-Engels, Groot-Brittannië
geo	geografie
gesch	geschiedenis
gmv	geen meervoud
her	heraldiek
humor	humoristisch
hww	hulpwerkwoord
id.	(verbuiging) identiek
iem.	iemand
infin.	infinitief
inform	informeel
iron	ironisch
IT	informatietechnologie
jeugdt	jeugdtaal
jur	juridisch, recht
kunst	beeldende kunst
kww	koppelwerkwoord
landb	landbouw
lett	letterlijk
lit	literatuur, letterkunde
luchtv	luchtvaart
lw	lidwoord
m	mannelijk
med	medisch, geneeskunde
media	media: televisie, radio, tijdschriften
meetk	meetkunde
mil	militair
min	minachtend, afkeurend
muz	muziek
mv	meervoud

myth	mythologie
natk	natuurkunde
NZ	vooral Nieuw-Zeelands, Nieuw-Zeeland
o	onzijdig
omschr	omschrijvend
onb telw	onbepaald telwoord
onb vnw	onbepaald voornaamwoord
onderw	onderwijs en wetenschappen
onov	onovergankelijk (zonder object)
onp	onpersoonlijk
onr.	onregelmatig
onv	onvervoegbaar
o.s.	oneself
o.t.t.	onvoltooid tegenwoordige tijd
oud	ouderwets
ov	overgankelijk (met object)
o.v.t.	onvoltooid verleden tijd
p.	persoon
pers vnw	persoonlijk voornaamwoord
plantk	plantkunde
plat	plat, ordinair
pol	politiek
psych	psychologie
reg	regionaal
rel	religie
samentr.	samentrekking
sb	somebody
scheepv	scheepvaart
scheik	scheikunde
sport	sport, lichamelijke oefening
sterrenk	sterrenkunde
sth	something
taalk	taalkunde
techn	techniek, mechanica
teg.	tegenwoordig
telw	telwoord
ton	toneel, theater
tw	tussenwerpsel
typ	typografie
uitr vnw	uitroepend voornaamwoord
USA	vooral Amerikaans Engels, Verenigde Staten
v	vrouwelijk
v.	van
v.d.	van de
v.e.	van een
v.h.	van het
viss	visserij
voetb	voetbal
volt.	voltooid
voorv.	voorvoegsel
vr vnw	vragend voornaamwoord
vulg	vulgair
vw	voegwoord
vz	voorzetsel
wisk	wiskunde
wkd vnw	wederkerend voornaamwoord
wkg vnw	wederkerig voornaamwoord
ww	werkwoord
www	internet
z.	zich
zn	zelfstandig naamwoord

liberal ['lɪbərəl] I *zn* liberaal II *bnw* ❶ liberaal ❷ overvloedig, royaal ★ ~ *of* royaal met ❸ ruimdenkend, onbevooroordeeld ★ ~ *arts* vrije kunsten, alfawetenschappen ⟨in de VS⟩ ★ ~ *education* brede ontwikkeling   — trefwoorden en eventuele varianten zijn vet gedrukt

liberalism ['lɪbərəlɪzəm] *zn* liberalisme   — uitspraakweergave staat tussen rechte haken

libertine ['lɪbəti:n] I *zn* vrijdenker, losbol II *bnw* vrijdenkend, losbandig   — romeinse cijfers gaan vooraf aan een nieuwe woordsoort

liberty ['lɪbəti] *zn* vrijheid ★ *be at* ~ vrij / onbezet zijn ★ *set at* ~ in vrijheid stellen ★ *liberties* [mv] rechten, privileges ★ *take liberties* zich ⟨ongepaste⟩ vrijheden ⟨met iemand⟩ veroorloven   — tussen rechte haken wordt extra grammaticale informatie gegeven

Liberty Hall *zn* fig een vrijgevochten bende

librate [laɪ'breɪt] *onov ww* ❶ zich in evenwicht houden ❷ schommelen, trillen   — cijfers in blauwe bolletjes gaan vooraf aan de verschillende betekenissen van een trefwoord

Libyan ['lɪbɪən] I *zn* Libiër II *bnw* Libisch   — pijltjes verwijzen naar een ander trefwoord

lice [laɪs] *zn mv* → louse

licence ['laɪsəns], USA **license** *zn* ❶ verlof, vergunning, licentie ⟨vnl. om drank te verkopen⟩, vrijheid, losbandigheid ★ *artistic* ~ artistieke vrijheid ❷ diploma, (rij)bewijs, brevet   — woordsoorten zijn cursief gedrukt

license plate *zn* USA nummerbord

lid [lɪd] *zn* ❶ deksel ★ *blow / take the lid off* de waarheid aan het licht brengen ★ *keep a / the lid on* geheimhouden ★ *that puts the lid on it* dat doet de deur dicht ★ *with the lid off* onverbloemd, open en bloot, in volle glorie ▼ *inform flip your lid* over de rooie raken ❷ ooglid ★ *without batting an eye(lid)* zonder een spier te vertrekken ❸ USA drankverbod   — omgekeerde blauwe driehoekjes gaan vooraf aan voorbeeldzinnen die minder letterlijk en meer uitdrukking zijn

life raft *zn* reddingsboot / -vlot   — onderstreepte labels geven extra informatie over stijl, herkomst of vakgebied

life sentence *zn* levenslange gevangenisstraf

life vest *zn* USA reddingsvest

lifetime ['laɪftaɪm] *zn* mensenleven, levensduur ★ *a* ~ *career* een beroep voor het leven ★ *the chance of a* ~ de kans van je leven   — tildes vervangen de vorm van het trefwoord

life-size ['laɪfsaɪz], **life-sized** ['laɪfsaɪzd] *bnw* levensgroot

lift [lɪft] I *ov ww* ❶ verheffen, opslaan ⟨van ogen⟩, omhoog steken ★ *lift up one's horn* eerzuchtig of trots zijn ❷ opheffen, hijsen ★ *lift sb down* iem. van de wagen aftillen / uit de auto helpen ★ *lift a hand* een hand uitsteken ⟨om iets te doen⟩ ★ *lift one's hand* een eed afleggen ★ *lift up one's heel* schoppen ★ *lifting power* hefvermogen, trappen ❸ inpikken, stelen, wegvoeren ⟨van vee⟩ ❹ rooien ⟨van aardappelen⟩ II *onov ww* ❶ omhoog getild worden, zich verheffen, kromtrekken ⟨van vloer⟩ ❷ wegtrekken, optrekken ⟨van mist⟩ ❸ ~ **off** opstijgen ⟨van vliegtuig⟩ III *zn* ❶ GB lift ❷ (terrein)verhoging ❸ opwaartse druk, stijgkracht ⟨van vliegtuigvleugel⟩ ❹ het (iemand laten) meerijden ★ *give sb a lift* iem. een lift geven   — schuine strepen staan tussen uitwisselbare varianten; tussen geknikte haken wordt extra informatie gegeven; blauwe sterretjes gaan vooraf aan voorbeeldzinnen

loaf [ləʊf] I *zn* [mv: **loaves**] brood ★ *French loaf* stokbrood ★ fig *half a loaf is better than no bread* een half ei is beter dan een lege dop ★ straatt *use your loaf!* gebruik je hersens! II *ov ww* rondslenteren, lummelen ★ *loaf away one's time* z'n tijd verlummelen

liquorice ['lɪkərɪs] *zn* zoethout drop ★ ~ *allsorts* ≈ Engelse drop   — een equivalentieteken geeft aan dat de volgende vertaling een benadering is

Uitspraak

ɑː	als **a**	in father ['fɑːðə]
æ	als **a**	in man [mæn]
aɪ	als **i**	in time [taɪm]
aɪə	als **ire**	in fire ['faɪə]
aʊ	als **ou**	in house [haʊs]
aʊə	als **our**	in sour ['saʊə]
ɑ̃	als **an**	in seance ['seɪɑ̃s]
ʌ	als **u**	in cup [kʌp]
b	als **b**	in but [bʌt]
d	als **d**	in day [deɪ]
e	als **e**	in bed [bed]
eə	als **ai**	in fair [feə]
eɪ	als **ay**	in day [deɪ]
ɜː	als **er**	in service ['sɜːvɪs]
ə	als **a**	in ago, villa [ə'gəʊ], [vɪlə]
f	als **f**	in father ['fɑːðə]
g	als **g**	in gun [gʌn]
h	als **h**	in hat [hæt]
iː	als **ee**	in three [θriː]
ɪ	als **i**	in it [ɪt]
ɪə	als **ear**	in near [nɪə]
j	als **y**	in you [juː]
k	als **c**	in come [kʌm]
l	als **l**	in late, mile [leɪt], [maɪl]
m	als **m**	in man [mæn]
n	als **n**	in no [nəʊ]
ŋ	als **ng**	in song [sɒŋ]
əʊ	als **o**	in so [səʊ]
ɔː	als **or**	in sport [spɔːt]
ɒ	als **o**	in not [nɒt]
ɔɪ	als **oy**	in boy [bɔɪ]
p	als **p**	in park [pɑːk]
r	als **r**	in right [raɪt]
s	als **s**	in song [sɒŋ]
ʃ	als **sh**	in fish [fɪʃ]
t	als **t**	in take [teɪk]
θ	als **th**	in thing [θɪŋ]
ð	als **th**	in the [ðɪ]
uː	als **oe**	in shoe [ʃuː]
ʊ	als **oo**	in good [gʊd]
ʊə	als **oor**	in boor ['bʊə]
v	als **v**	in very ['verɪ]
w	als **w**	in way [weɪ]
x	als **ch**	in het Nederlands toch, Schots loch [lɒx]
z	als **z**	in zero ['zɪərəʊ]
ʒ	als **s**	in measure ['meʒə]

' betekent dat de volgende lettergreep beklemtoond is
: betekent dat de klank lang is

A

a [ə, eɪ] **I** zn, letter a ★ A as in Abel de a van Anton **II** lw ❶ een ❷ een zekere ★ twice a day twee keer per dag ★ a Mr Hobbs een zekere meneer Hobbs **III** zn/ answer

a- [eɪ] voorv a-, on-, niet ★ amoral amoreel ★ atypical atypisch

A [eɪ] **I** zn ❶ muz A ❷ onderw ≈ 80 - 100% ⟨schoolcijfer⟩ ★ he needs A grades for Oxford University hij heeft hoge cijfers nodig voor de universiteit van Oxford ★ A1 eersteklas, inform geweldig **II** afk, Advanced (levels) VWO examen ★ she needs three A levels to go to university ze moet in drie vakken eindexamen doen om naar de universiteit te kunnen

AA afk ❶ GB Automobile Association ≈ ANWB ❷ Alcoholics Anonymous Anonieme Alcoholisten ★ AA road service ≈ Wegenwacht

abandon [ə'bændən] **I** ov ww ❶ in de steek laten, verlaten ❷ sport afgelasten ❸ opgeven ⟨van hoop / poging enz.⟩ ❹ ~ to overgeven aan ★ he ~ed himself to his fate hij gaf zich aan zijn lot over **II** zn losheid, ongedwongenheid, overgave ★ do sth with ~ iets met overgave doen

abandoned [ə'bændənd] bnw ❶ verlaten ❷ losbandig, verdorven ❸ ongeremd, uitbundig

abashed [ə'bæʃt] ov ww verlegen, beschaamd

abate [ə'beɪt] **I** ov ww ❶ verlagen ⟨van prijs⟩ ❷ doen afnemen, verminderen **II** onov ww afnemen, minder worden ★ the wind ~d de wind nam af

abattoir ['æbətwɑː] zn abattoir, slachthuis

abbey ['æbɪ] zn abdij(kerk)

abbot ['æbət] zn abt

abbr. afk ❶ abbreviation afk., afkorting ❷ abbreviated afgekort

abbreviate [ə'briːvɪeɪt] ov ww af- / be- / verkorten

abbreviation [əbriːvɪ'eɪʃən] zn afkorting ★ W is an ~ for west W is een afkorting voor west

ABC [eɪbiː'siː] afk abc ▼ (as) easy as ABC kinderlijk eenvoudig

abdicate ['æbdɪkeɪt] **I** ov ww ❶ afstand doen ⟨van de troon⟩ ❷ afschuiven ★ ~ (from) the throne afstand doen van de troon ★ ~ all responsibilities alle verantwoordelijkheid afstoten / afschuiven **II** onov ww aftreden

abdication [æbdɪ'keɪʃən] zn (het) aftreden, troonsafstand

abdomen ['æbdəmən] zn ❶ anat onderbuik ❷ achterlijf ⟨van insect⟩

abdominal [æb'domɪnl] **I** bnw anat buik-, onderbuik- **II** zn mv buikspieren

abduct [əb'dʌkt] ov ww ontvoeren

abduction [æb'dʌkʃən] zn ontvoering

abet [ə'bet] ov ww (mee)helpen (aan iets slechts) ★ jur accused of aiding and abetting beschuldigd van medeplichtigheid

abeyance [ə'beɪəns] zn form latent, hangende, onbeslist ★ hold in ~ in afwachting van

abhor [əb'hɔː] ov ww form verafschuwen, walgen van

abhorrence [əb'horəns] zn form afschuw (**of** van)

abide [ə'baɪd] [onregelmatig] **I** ov ww form verdragen, dulden ★ I cannot ~ him ik kan hem niet uitstaan **II** onov ww ❶ form blijven ❷ ~ by trouw blijven aan ❸ zich schikken naar, zich houden aan ⟨de regel⟩

ability [ə'bɪlətɪ] zn ❶ vermogen, bevoegdheid ❷ talent, bekwaamheid ★ to the best of one's ~ naar beste kunnen

abject ['æbdʒekt] bnw ❶ rampzalig ❷ verachtelijk ★ ~ misery diepe ellende ★ ~ poverty bittere armoede

ablaze [ə'bleɪz] bijw ❶ in lichterlaaie ★ set ~ in vuur en vlam zetten ❷ schitterend, stralend ★ ~ with colour schitterende kleuren ★ fig ~ with excitement gloeiend van opwinding

able ['eɪbl] bnw ❶ bekwaam, kundig ❷ ★ be able to in staat om, kunnen ★ I'm perfectly able to manage myself ik kan het heel goed zelf af

ably ['eɪblɪ] bijw → able

abnormal [æb'nɔːml] bnw ❶ abnormaal, afwijkend ❷ uitzonderlijk

aboard [ə'bɔːd] **I** vz aan boord van ⟨schip, vliegtuig, trein, bus⟩ **II** bijw aan boord ★ all ~! iedereen instappen!

abode [ə'bəʊd] **I** zn form verblijf, woonplaats ★ of / with no fixed ~ zonder vaste woon- of verblijfplaats **II** ww [verleden tijd + volt. deelw.] → abide

abolish [ə'bolɪʃ] ov ww afschaffen

abolition [æbə'lɪʃən] zn afschaffing

abolitionist [æbə'lɪʃənɪst] zn voorstander v. afschaffing ⟨van wet, systeem, slavernij enz.⟩

abominable [ə'bomɪnəbl] bnw afschuwelijk

abominate [ə'bomɪneɪt] ov ww verafschuwen

abomination [əbomɪ'neɪʃən] zn gruwel, afschuw ★ what an ~ these flats are! wat zijn die flats oerlelijk!

aboriginal [æbə'rɪdʒɪnl] **I** zn oorspronkelijke bewoner ⟨van Australië⟩ **II** bnw oorspronkelijk, inheems, autochtoon

aborigine [æbə'rɪdʒəniː] zn oorspronkelijke bewoner van Australië

abort [ə'bɔːt] **I** ov ww ❶ aborteren ❷ comp luchtv (voortijdig) afbreken, stoppen ★ the plane's descent was ~ed de daling van het vliegtuig werd voortijdig afgebroken ❸ doen mislukken **II** onov ww ❶ voortijdig bevallen, een miskraam hebben ❷ mislukken

abortion [ə'bɔːʃən] zn ❶ abortus ❷ miskraam ❸ mislukking

abortive [ə'bɔːtɪv] bnw mislukt ★ an ~ attempt een mislukte poging ★ prove ~ verkeerd uitvallen, falen

abound [ə'baʊnd] onov ww ❶ overvloedig aanwezig zijn ❷ ~ in/with rijk zijn aan, wemelen van

about [ə'baʊt] **I** bijw ❶ om, in omloop ★ there is a lot of measles ~ er gaat veel mazelen rond ❷ ongeveer, bijna ★ it's ~ 20 miles het is ongeveer 20 mijl ★ that's ~ all / it dat is het zo'n beetje ❸ aanwezig, in de buurt ★ there is nobody ~ er is niemand aanwezig ❹ andersom, omgekeerd ★ turn it ~ draai het om **II** vz ❶ over, betreffende ★ there's sth strange ~ it er is iets vreemds mee / aan ★ can you do sth ~ it? kun je er iets aan doen? ❷ om.....heen, rondom,

ab

in de buurt van ★ *I haven't any money ~ me* ik heb helemaal geen geld bij me ❸ omstreeks, ongeveer ★ *be ~ to* op het punt staan om ★ *not be ~ to* niet van plan zijn om

about-face, about-turn *zn* ook *fig* totale ommekeer, ommezwaai, rechtsomkeert

above [ə'bʌv] **I** *vz* ❶ boven ★ *~ all* vooral, bovenal ❷ verheven boven ★ *~ yourself* verwaand ❸ hoger dan, meer dan ★ *not be ~* je niet te goed voelen voor, in staat zijn om ❹ harder dan ⟨van geluid⟩ **II** *bijw* ❶ boven ❷ meer dan ❸ hierboven ★ *imposed from ~* van hogerhand opgelegd **III** *bnw* bovengenoemd, bovenstaand, hierboven ★ *the examples ~* de bovenstaande voorbeelden **IV** *zn* bovengenoemde(n), bovenstaande(n) ★ *~ form the ~* het bovenstaande

abrasion [ə'breɪʒən] *zn* schaafwond

abrasive [ə'breɪsɪv] **I** *zn* schuurmiddel, slijpmiddel **II** *bnw* krassend, schurend, ruw, *fig* scherp ★ *his words were ~* zijn woorden waren scherp

abreast [ə'brest] *bijw* naast elkaar ★ *three ~* drie naast elkaar ★ *keep ~ of* op de hoogte blijven van, gelijke tred houden met

abridge [ə'brɪdʒ] *ov ww* in- / verkorten

abroad [ə'brɔːd] *bijw* in / naar het buitenland ★ *we usually go ~ for our holidays* we gaan meestal naar het buitenland op vakantie

abrupt [ə'brʌpt] *bnw* ❶ abrupt, plotseling ❷ kortaf, bruusk

abscess ['æbses] *zn* abces, ettergezwel

abscond [əb'skɒnd] *onov ww* stil er tussenuit trekken, zich aan het gerecht onttrekken ★ *twenty prisoners ~ed* twintig gevangenen ontsnapten

abseil ['æbseɪl] *ww* sport abseilen

absence ['æbsəns] *zn* afwezigheid, absentie ★ *~ of* afwezigheid van, gebrek aan ★ *take over in the ~ of the teacher* overnemen bij afwezigheid van de docent

absent¹ ['æbsənt] *bnw* afwezig ★ *~ with apologies* afwezig met kennisgeving ★ *~ colleague* afwezige collega

absent² [æb'sent] *wkd ww* ★ *~ o.s.* zich verwijderen, niet gaan

absentee [æbsən'tiː] *zn* ❶ afwezige ❷ iemand die niet in zijn land of huis verblijft ★ *~ landlord* verhuurder die elders woont

absenteeism [æbsən'tiːɪzəm] *zn* werk- / schoolverzuim

absent-minded [æbsənt'maɪndɪd] *bnw* verstrooid, afwezig

absolute ['æbsəluːt] *bnw* ❶ absoluut, geheel ★ muz *~ pitch* absoluut gehoor ❷ volkomen, onbetwistbaar, onvoorwaardelijk ★ *I ~ly agree!* ik ben het volkomen met je eens! ❸ onbeperkt ⟨vnl. pol.⟩ ★ *~ power* absolute macht

absolutely ['æbsəl'uːtlɪ] *bijw* → **absolute**

absolve [əb'zɒlv] *ov ww* ❶ de absolutie geven, vergeven ❷ *~ from/of* vrijspreken van

absorb [əb'zɔːb] *ov ww* ❶ absorberen, in zich opnemen, opslorpen ❷ *fig* geheel in beslag nemen ★ *~ed in thought* in gedachten verzonken

absorbent [əb'zɔːbənt] *bnw* absorberend ★ USA *~ cotton* verbandwatten

absorbing *bnw* boeiend

absorption [əb'zɔːpʃən] *zn* ❶ absorptie(vermogen) ❷ *fig* (het) opgaan (in)

abstain [əb'steɪn] *onov ww* ★ *~ from* afzien van, zich onthouden van ⟨alcohol, seks of stemmen⟩ ★ *she ~ed* ze dronk niet ★ *ten voted in favour, four ~ed* tien stemden voor, vier onthielden zich van stemmen

abstention [əb'stenʃən] *zn* onthouding ⟨van alcohol, seks of stemmen⟩

abstinence ['æbstɪnəns] *zn* onthouding ⟨van alcohol, seks of stemmen⟩

abstract¹ ['æbstrækt] **I** *bnw* abstract, theoretisch **II** *zn* ❶ abstract kunstwerk ❷ abstractum, abstract begrip ❸ samenvatting ★ *in the ~* in theorie, in abstracto

abstract² [æb'strækt] *ov ww* ❶ eruit halen, onttrekken ❷ afleiden, abstraheren, (schriftelijk) samenvatten

abstracted [əb'stræktɪd] *bnw* verstrooid, in gedachten verzonken

abstraction [əb'strækʃən] *zn* ❶ abstractie ❷ verstrooidheid ★ *momentary ~* een moment van verstrooidheid ★ *in ~* in gedachten verzonken ❸ techn onttrekking ★ *the ~ of water from a river* de onttrekking van water uit een rivier

abstract noun *zn* abstract zelfstandig naamwoord

abstruse [əb'struːs] *bnw* ingewikkeld, moeilijk te begrijpen

absurd [əb'sɜːd] *bnw* absurd, dwaas, ongerijmd, belachelijk

absurdity [əb'sɜːdətɪ] *zn* absurditeit, dwaasheid, ongerijmdheid, zinloosheid ★ *the ~ of the situation* het absurde van de situatie

abundance [ə'bʌndəns] *zn* overvloed

abundant [ə'bʌndənt] *bnw* overvloedig, rijk (in / aan), wemelend van ★ *the Mediterranean diet is ~ in red wine* de mediterrane keuken is rijk aan rode wijn

abuse¹ [ə'bjuːs] *zn* ❶ misbruik ⟨ook seksueel⟩, geweldpleging ❷ scheldwoorden ★ *scream ~ at sb* iem. uitschelden ★ *a stream of ~* een scheldkanonnade

abuse² [ə'bjuːz] *ov ww* ❶ misbruiken ⟨ook seksueel⟩, aanranden ❷ uitschelden ★ *~ o.s.* masturberen

abusive [ə'bjuːsɪv] *bnw* ❶ beledigend, gewelddadig ★ *~ language* beledigende taal ★ *~ behaviour* gewelddadig gedrag ❷ illegaal ★ *~ practices* illegale praktijken

abysmal [ə'bɪzml] *bnw* verschrikkelijk slecht, bodemloos, hopeloos ★ *an ~ failure* een gruwelijke mislukking ★ *~ homework* vreselijk slecht huiswerk

abyss [ə'bɪs] *zn* ❶ kloof, afstand ★ *the ~ between the two nations* de kloof tussen de twee naties ❷ afgrond, *fig* hel, bodemloze put

AC, ac *afk* ❶ alternating current wisselstroom ❷ USA airconditioning

academic [ækə'demɪk] **I** *bnw* ❶ academisch ❷ theoretisch, speculatief ★ *it was all ~ anyway* in de praktijk deed het niet ter zake ❸ leergierig, studieus **II** *zn* hoogleraar, universitair docent, student

academy [ə'kædəmɪ] *zn* ❶ academie, genootschap ❷ instituut voor speciale opleiding ❸ (in Schotland) gymnasium ❹ USA particuliere middelbare school

accede [æk'si:d] *onov ww* ❶ ~ to instemmen met ★ *the government ~d to their request* de regering stemde in met hun verzoek ❷ toetreden tot ★ ~ *to the throne* de troon bestijgen

accelerate [ək'seləreɪt] I *onov ww* versnellen, optrekken van auto ★ *the car ~d towards her* de auto trok kwam steeds sneller op haar af II *ov ww* versnellen, bespoedigen ★ *the shock ~d his birth* de schok versnelde zijn geboorte

acceleration [əksələ'reɪʃən] *zn* versnelling, bespoediging, auto acceleratie

accelerator [ək'seləreɪtə] *zn* gaspedaal

accent ['æksənt] *zn* ❶ accent, uitspraak ❷ accent(teken) ⟨op letter⟩, nadruk ⟨op woord of lettergreep⟩

accented [æk'sentɪd] *bnw* met accent ★ *heavily ~ English* Engels met een zwaar accent

accentuate [æk'sentjʊeɪt] *ov ww* accentueren, beklemtonen

accept [ək'sept] *ov+onov ww* accepteren, aannemen, aanvaarden

acceptable [ək'septəbl] *bnw* ❶ (algemeen) aanvaardbaar, aannemelijk, acceptabel ❷ aangenaam, welkom ★ *coffee would be most ~* koffie zou zeer welkom zijn

acceptance [ək'septns] *zn* ❶ aanvaarding ★ *the idea is finding ~* het idee begint ingang te vinden ★ ~ *of one's fate* berusting in zijn lot ❷ econ acceptatie ❸ gunstige ontvangst ❹ instemming, goedkeuring

access ['ækses] I *zn* toegang (to tot) ★ *gain ~ to* toegang verkrijgen tot II *ov ww* ❶ zich toegang verschaffen tot ★ *he ~ed the hall* hij betrad de zaal ❷ comp opvragen

accessible [ək'sesɪbl] *bnw* toegankelijk, bereikbaar

accessory [ək'sesərɪ] *zn* ❶ accessoire, iets bijkomstigs ❷ medeplichtige ★ *an ~ before / after the fact* medeplichtige door aansporing / door steun achteraf

accident ['æksɪdnt] *zn* ❶ ongeluk, ongeval ❷ toeval ★ *by ~* bij toeval, per ongeluk ★ GB ~ *and emergency (A&E)* eerste hulp ★ *-s will happen* ≈ een ongeluk zit in een klein hoekje

accidental [æksɪ'dentl] *bnw* toevallig

accidental death *zn* dood ten gevolge van een ongeluk

accident-prone *bnw* geneigd tot ongelukken

acclaim [ə'kleɪm] I *zn* gejuich, bijval II *ov ww* ❶ toejuichen ❷ uitroepen tot ★ *a highly ~ed work of art* een hooggeprezen kunstwerk

acclamation [æklə'meɪʃən] *zn* ❶ gejuich, toejuiching ❷ acclamatie ★ *by ~* bij acclamatie, door algemene luide instemming

acclimatization, acclimatisation [əklaɪmətaɪ'zeɪʃn] *zn* acclimatisering, gewenning

acclimatize, acclimatise [ə'klaɪmətaɪz] *ov+onov ww* acclimatiseren, wennen (to aan)

accommodate [ə'kɒmədeɪt] *ov ww* ❶ huisvesten, onderbrengen ★ *the apartment can ~ four people* het is een vierpersoons appartement ❷ verzoenen ❸ van dienst zijn ★ ~ *sb's wishes*

aan iemands wensen tegemoetkomen ★ ~ *sb with sth* iem. met iets van dienst zijn ❹ ~ **to** aanpassen aan ❺ ~ **with** voorzien van

accommodating [ə'kɒmədeɪtɪŋ] *bnw* inschikkelijk, coulant

accommodation [əkɒmə'deɪʃən], USA **accommodations** I *zn* ❶ logies, onderdak, huisvesting ★ *sheltered ~* aanleunwoningen ❷ schikking, regeling, aanpassing ★ *a suitable ~ between the parties* een geschikte regeling tussen de partijen II *zn mv* USA pension

accompaniment [ə'kʌmpənɪmənt] *zn* muz begeleiding, bijkomstig iets

accompany [ə'kʌmpənɪ] *ov ww* ❶ vergezellen, begeleiden ❷ gepaard gaan met ❸ ~ **by** vergezeld doen gaan van ★ *the food was accompanied by excellent wine* het eten ging vergezeld van een uitstekende wijn

accomplice [ə'kʌmplɪs] *zn* medeplichtige

accomplish [ə'kʌmplɪʃ] *ov ww* ❶ tot stand brengen ❷ volbrengen ❸ bereiken

accomplished [ə'kʌmplɪʃt] *bnw* ❶ begaafd, (veelzijdig) getalenteerd ❷ volleerd, deskundig ❸ volbracht, voltooid ★ *an ~ fact* een voldongen feit

accomplishment [ə'kʌmplɪʃmənt] *zn* ❶ prestatie ❷ bekwaamheid, talent ★ *his technical ~s* zijn technische bekwaamheden ❸ voltooiing, (het) tot stand brengen ★ *a sense of ~* het gevoel iets volbracht te hebben

accord [ə'kɔːd] I *zn* ❶ akkoord ★ *in ~ with (sth, sb)* in overeenstemming met ★ *of your own ~* uit eigen beweging ★ *with one ~* eenstemmig ❷ pol overeenkomst, verdrag ★ *draw up an ~* een verdrag opstellen II *ov ww* form verlenen ★ *power ~ed to the president* macht verleend aan de president III *onov ww* overeenstemmen ★ *the parties ~ed* de partijen stemden overeen

accordance [ə'kɔːdns] *zn* ★ *in ~ with* in overeenstemming met ★ *in ~ with the rules* overeenkomstig de regels

accordingly [ə'kɔːdɪŋlɪ] *bijw* dienovereenkomstig, derhalve

according to [ə'kɔːdɪŋ'tʊ] *vz* volgens, naar gelang van

accost [ə'kɒst] *ov ww* aanklampen, lastig vallen ★ *reporters ~ed the footballers* verslaggevers vielen de voetballers lastig

account [ə'kaʊnt] I *zn* ❶ verslag, beschrijving ★ *detailed ~* uitvoerig verslag ★ *by / from all ~s* volgens veel mensen ★ *by your own ~* volgens eigen zeggen ★ *give a good / poor ~ of yourself* je van je goede / slechte kant laten zien ❷ rekening ★ *capital ~* kapitaalrekening ★ ~*s* boekhouding ★ *terminal ~* driemaandelijkse rekening ❸ verklaring ★ *call sb to ~* iem. ter verantwoording roepen ❹ (vaste) klant, opdrachtgever ❺ belang, waarde ★ *of no / little ~* van geen / weinig belang ★ *on sb's ~* ten behoeve van iem. ★ *put / turn sth to good ~* zijn voordeel doen met ❻ beschouwing, aandacht ★ *take ~ of sth / take sth into ~* rekening houden met ★ *leave sth out of ~* iets buiten beschouwing laten ▼ *on your own ~* voor eigen rekening, uit eigen beweging ▼ *on ~ of* vanwege ▼ *on no / not on any ~* in geen geval ★ *on this / that ~*

ac

om deze reden / daarom **II** *ov ww* rekenen (**to** tot, **among** onder), beschouwen als ★ *she was ~ed among the victims* zij werd tot de slachtoffers gerekend **III** *onov ww* ~ **for** veroorzaken, verklaren, uitleggen, vormen, uitmaken, verantwoorden ★ *be called / brought to ~ for* ter verantwoording worden geroepen ★ *our antiaircraft guns ~ed for three enemy bombers* ons luchtdoelgeschut heeft drie vijandelijke bommenwerpers uitgeschakeld ★ *there's no ~ing for taste* over smaak valt niet te twisten

accountability [əkaʊntəˈbɪlətɪ] *zn*
❶ verantwoordelijkheid, aansprakelijkheid
❷ verklaarbaarheid ★ *parental ~* ouderlijke aansprakelijkheid ❸ fin rekenplichtigheid

accountable [əˈkaʊntəbl] *bnw*
❶ verantwoordelijk, aansprakelijk
❷ verklaarbaar

accountancy [əˈkaʊntənsɪ] *zn* ❶ (het) boekhouden ❷ comptabiliteit ❸ beroep van (hoofd)boekhouder / accountant

accountant [əˈkaʊntənt] *zn* boekhouder ★ *certified public ~* registeraccountant ★ *chartered ~* beëdigd accountant, hoofdboekhouder

accounting [əˈkaʊntɪŋ] *zn* ❶ boekhouding ❷ verrekening

accredit [əˈkredɪt] *ov ww* ~ **to** toeschrijven aan, geloof hechten aan ★ *no value was ~ed to his story* aan zijn verhaal werd geen waarde gehecht

accumulate [əˈkjuːmjʊlət] **I** *ov ww* verzamelen **II** *onov ww* (zich) ophopen

accumulation [əkjuːmjʊˈleɪʃən] *zn* ophoping, opeenhoping, verzameling ★ *the ~ of papers on her desk* de opeenhoping van papieren op haar bureau

accumulative [əˈkjuːmjʊlətɪv] *bnw* opstapelend, aangroeiend ★ *the ~ effects of pollution* de opstapelende gevolgen van vervuiling

accuracy [ˈækjʊrəsɪ] *zn* nauwkeurigheid

accurate [ˈækjʊrət] *bnw* nauwkeurig, stipt

accusation [əkjuːˈzeɪʃən] *zn* beschuldiging ★ *bring an ~ (of murder) against* een aanklacht (wegens moord) indienen tegen

accuse [əˈkjuːz] *ov ww* beschuldigen, aanklagen

accused [əˈkjuːzd] *bnw* ★ *the ~* de verdachte(n)

accustom [əˈkʌstəm] *ov ww* wennen ★ *~ o.s. to sth* wennen aan iets.

accustomed [əˈkʌstəmd] **I** *bnw* gebruikelijk ★ *be / grow ~ to sth* gewend zijn / raken aan iets **II** *ww* [volt. deelw.] → accustom

AC/DC [ˈeɪsiːˈdiːsiː] *bnw* ❶ *Alternating Current / Direct Current* wisselstroom / gelijkstroom ❷ straatt biseksueel

ace [eɪs] *zn* ❶ aas ⟨kaartspel⟩ ❷ uitblinker ⟨in competitie⟩ ❸ sport ace ★ GB *have an ace up your sleeve* een troef achter de hand houden ★ USA *have an ace in the hole* een troef achter de hand houden ★ *hold all the aces* alle troeven in handen hebben ★ *he was / came within an ace of losing* het scheelde maar een haartje of hij had verloren

acetic [əˈsiːtɪk] *bnw* azijn- ★ ~ *acid* azijnzuur

ache [eɪk] **I** *zn* voortdurende pijn ★ *aches and*

pains allerlei pijntjes **II** *onov ww* ❶ pijn doen, pijn lijden ★ *I am aching all over* alles doet me pijn ❷ hunkeren (**for** naar) ★ *she ached to see him* zij verlangde er hevig naar hem te zien

achievable [əˈtʃiːvəbl] *bnw* ❶ uitvoerbaar ❷ bereikbaar, met kans van slagen ★ *the mountain summit is ~* de bergtop is haalbaar

achieve [əˈtʃiːv] *ov ww* volbrengen, bereiken ⟨van doel⟩, behalen ⟨van succes⟩

achievement [əˈtʃiːvmənt] *zn* succes, prestatie

acid [ˈæsɪd] **I** *zn* ❶ zuur ❷ straatt lsd ★ *citric acid* citroenzuur ★ *cyanic acid* blauwzuur ★ *lactic acid* melkzuur **II** *bnw* ❶ zuur ❷ scherp

acidity [əˈsɪdətɪ] *zn* zuurtegraad, zuurheid

acid test *zn* ❶ scheik zuurproef ❷ fig lakmoesproef

acknowledge [əkˈnɒlɪdʒ] *ov ww* ❶ toegeven ⟨van fout e.d.⟩ ❷ erkennen, bevestigen ★ *please ~ receipt of this letter* de ontvangst van deze brief graag bevestigen ❸ beantwoorden ⟨van groet enz.⟩ ❹ blijk geven van ❺ dank betuigen

acknowledgement [əkˈnɒlɪdʒmənt] *zn* ❶ erkenning, bevestiging ❷ erkentelijkheid, dankbetuiging ★ *with due ~* met gepaste erkentelijkheid ❸ beantwoording ⟨van groet⟩

acne [ˈæknɪ] *zn* acne, jeugdpuistjes

acorn [ˈeɪkɔːn] *zn* plantk eikel

acoustic [əˈkuːstɪk], USA **acoustical** [əˈkuːstɪkl] *bnw* gehoor / geluid betreffend, akoestisch

acoustics [əˈkuːstɪks] *zn mv* geluidsleer, akoestiek

acquaint [əˈkweɪnt] *ov ww* ★ ~ **s.o.s. with** zich vertrouwd maken met, zich op de hoogte stellen van ★ ~ *sb with* iem. in kennis stellen van

acquaintance [əˈkweɪntəns] *zn* ❶ kennis ⟨persoon⟩ ❷ kennismaking ❸ bekendheid ★ *make s.o.'s ~* kennis maken met iem.

acquainted [əˈkweɪntɪd] *bnw* ❶ bekend, vertrouwd ★ *I'm not ~ with him* Ik ken hem niet ❷ op de hoogte

acquiesce [ækwɪˈes] *onov ww* ❶ berusten ❷ ~ **in** zich neerleggen bij

acquiescence [ækwɪˈesəns] *zn* berusting

acquire [əˈkwaɪə] *ov ww* ❶ verwerven ⟨vnl. van kennis⟩, verkrijgen ❷ aanleren ★ *an ~d taste* iets wat men moet / heeft léren waarderen

acquisition [ækwɪˈzɪʃən] *zn* verwerving ⟨ook van kennis⟩, aanwinst ⟨van voorwerpen enz.⟩

acquit [əˈkwɪt] *ov ww* jur vrijspreken ★ ~ *o.s. well / badly* het er goed / slecht afbrengen

acquittal [əˈkwɪtl] *zn* jur vrijspraak

acre [ˈeɪkə] *zn* acre (4047 m²) ★ fig *acres of space* enorm veel ruimte

acrid [ˈækrɪd] *bnw* ❶ ook fig bijtend, scherp ❷ penetrant ★ ~ *smell* penetrante geur

acrimonious [ækrɪˈməʊnɪəs] *bnw* ❶ bitter ❷ bits, fel

acrobat [ˈækrəbæt] *zn* acrobaat

acrobatic [ækrəˈbætɪk] *bnw* acrobatisch

acronym [ˈækrənɪm] *zn* acroniem, letterwoord

across [əˈkrɒs] *vz* ❶ van de ene naar de andere kant, overdwars, in een bepaalde richting, naar, horizontaal (in denksport) ★ *he walked ~ the street* hij liep naar de overkant (van de straat) ★ *the crater was 30 yards ~* de krater had een doorsnee van 30 meter ❷ tegenover, aan de overkant ★ *he parked ~ from the station* hij

ad

parkeerde tegenover het station ★ *she sat down ~ from him* zij ging tegenover hem zitten ❷ overal, op / over 〈deel van lichaam〉 ★ *scars ~ the body* lidtekens over het lichaam ★ *her children are scattered ~ the world* haar kinderen zitten overal in de wereld

act [ækt] **I** *onov ww* ❶ acteren ❷ optreden, iets doen, handelen ★ *act for / on behalf of sb* optreden namens iem. ❸ zich gedragen, doen alsof ★ <u>inform</u> *act the goat* ongein trappen ❹ ~ **up** slecht functioneren, lastig zijn, last geven 〈van lichaamsdeel〉 ★ *my computer is acting up again* mijn computer doet weer vreemd ❺ ~ **(up)on** handelen volgens **II** *zn* ❶ handeling, daad ★ *in the act* op heterdaad ★ <u>inform</u> *get in on the act* meedoen, zorgen dat je erbij bent ★ <u>inform</u> *get one's act together* de boel op orde brengen, zijn zaakjes voor elkaar krijgen ❷ wet ★ <u>jur</u> *Municipal Corporation Act* gemeentewet ★ *licensing act* drankwet ❸ bedrijf 〈toneel〉 ★ <u>ton</u> *double act* duo ★ *put on an act* zich aanstellen, komedie spelen ❹ nummer 〈variété〉 ★ *clean up your act* je leven beteren ▼ <u>jur</u> *act of God* natuurramp, force majeure

acting ['æktɪŋ] **I** *zn* (het) acteren **II** *bnw* waarnemend ★ ~ *head* waarnemend hoofd

action ['ækʃən] *zn* ❶ handeling, daad, actie ★ *take ~* iets doen, handelend optreden, stappen ondernemen ★ *~s speak louder than words* geen woorden maar daden ★ *want a piece / slice of the ~* een graantje willen mee pikken ★ *that's where the ~ is* daar gebeurt het allemaal ❷ <u>jur</u> proces ❸ werking, effect ❹ mechaniek

action replay *zn* herhaling 〈van beelden van sportwedstrijden〉

activate ['æktɪveɪt] *ov ww* ❶ aanzetten, activeren ❷ ontketenen ❸ radioactief maken

active ['æktɪv] **I** *bnw* actief, werkzaam, werkend **II** *zn* taalk bedrijvende vorm

activity [æk'tɪvəti] *zn* werk(zaamheid), bedrijvigheid, activiteit, bezigheid

actor ['æktə] *zn* acteur, toneelspeler

actress ['æktrəs] *zn* actrice, toneelspeelster

actual ['æktʃʊəl] *bnw* (daad)werkelijk, feitelijk ★ *in ~ fact* in feite, eigenlijk vond ik haar best aardig

actually ['æktʃʊəli] *bijw* ❶ werkelijk, wezenlijk ★ *I saw him, but didn't ~ talk to him* ik heb hem wel gezien, maar niet echt met hem gesproken ❷ eigenlijk, feitelijk, in werkelijkheid, waarachtig, zowaar ★ *he ~ refused!* hij weigerde nota bene / zowaar!, hij waagde het te weigeren! ❸ trouwens ★ *~, he looks like his mother* hij lijkt trouwens op zijn moeder ★ *it is not true, ~* het is trouwens niet waar

actuate ['æktʃʊeɪt] *ov ww* ❶ veroorzaken, in beweging zetten ❷ drijven ★ *she was ~d by jealousy* ze werd gedreven door jaloezie

acumen ['ækjʊmən] *zn* scherpzinnigheid, inzicht ★ *business ~* zakelijk inzicht

acupuncture ['ækju:pʌŋktʃə] *zn* acupunctuur

acute [ə'kju:t] *bnw* ❶ acuut, intens, hevig 〈van ziekte, pijn〉 ❷ scherpzinnig ❸ nijpend ★ *an ~ shortage* een nijpend tekort ❹ scherp 〈van gehoor, hoek〉 ★ *~ hearing* scherp gehoor

ad [æd] *zn* <u>inform</u> → **advertisement**

AD *afk, Anno Domini* A.D., na Christus, in het jaar onzes Heren

adamant ['ædəmənt] *bnw* onvermurwbaar, keihard

adapt [ə'dæpt] **I** *ov ww* aanpassen, bewerken **II** *onov ww* zich aanpassen

adaptability [ədæptə'bɪlətɪ] *zn* ❶ aanpassingsvermogen ❷ souplesse

adaptable [ə'dæptəbl] *bnw* aanpasbaar, soepel, flexibel ★ *people are not always ~ to change* mensen kunnen zich niet altijd gemakkelijk aanpassen

adaptation [ædæp'teɪʃən] *zn* ❶ bewerking 〈van roman, film〉 ❷ aanpassing ★ *~ to the curriculum* aanpassing van het rooster

adapter *zn* ❶ techn tussenstuk, verdeel- / verloopstekker ❷ bewerker

adaptive [ə'dæptɪv] *bnw* ❶ aanpasbaar ❷ soepel, flexibel

add [æd] **I** *ov ww* ❶ toevoegen (**to** aan) ★ *"I don't like it", she added* "ik vind het niet mooi", voegde ze eraan toe ★ *add insult to injury* de ene belediging op de andere stapelen ❷ optellen **II** *onov ww* ❶ ~ **to** vergroten, verhogen, bijdragen tot ★ *it added to the excitement* het verhoogde de spanning ❷ <u>inform</u> ~ **up** kloppen, optellen, neerkomen op ★ *this doesn't add up* dit klopt niet

added ['ædɪd] *bnw* toegevoegd, extra ★ *~ value* toegevoegde waarde ★ *for ~ protection of the skin* voor extra beveiliging van de huid

adder ['ædə] *zn* adder

addict ['ædɪkt] *zn* verslaafde

addicted [ə'dɪktɪd] *bnw* verslaafd ★ *become ~ to drugs* verslaafd raken aan drugs

addiction [ə'dɪkʃən] *zn* verslaving, verslaafdheid

addictive [ə'dɪktɪv] *bnw* verslavend

addition [ə'dɪʃən] *zn* ❶ optelling, het optellen, bijvoegsel ❷ aanwinst ❸ vermeerdering, toevoeging ★ *in ~* bovendien ★ *in ~ to* behalve, naast ★ *an ~ to the family* gezinsuitbreiding

additional [ə'dɪʃənl] *bnw* additioneel, bijkomend, extra

additive ['ædətɪv] **I** *zn* toevoeging, additief ★ *preservatives and ~s* conserveringsmiddelen en andere toevoegingen **II** *bnw* toevoegend, toevoegings-, additief

add-on *zn* uitbreidingsmogelijkheid, <u>comp</u> randapparatuur

address [ə'dres] **I** *zn* ❶ adres ❷ toespraak ★ *form / mode of ~* correcte manier van aanspreken / aanschrijven ★ *in case of change of ~* indien verhuisd **II** *ov ww* ❶ adresseren ❷ toespreken, aanspreken ★ *~ the crowd* de menigte toespreken ❸ behandelen, aan de orde stellen ★ *~ a problem* een probleem aanpakken

addressee [ædre'si:] *zn* geadresseerde

adept [æ'dept] **I** *zn* deskundige **II** *bnw* deskundig (**at, in** in), bedreven

adequacy ['ædɪkwəsɪ] *zn* geschiktheid, adequaatheid

adequate ['ædɪkwət] *bnw* ❶ voldoende ❷ geschikt, adequaat

adhere [əd'hɪə] *onov ww* ❶ (zich) houden (**to** aan) ❷ trouw blijven aan, aanhangen

adherent [əd'hɪərənt] *zn* aanhanger, volgeling

adhesive [əd'hi:sɪv] **I** *zn* kleefmiddel **II** *bnw*

ad

(zelf)klevend ★ ~ *tape* plakband

adjacent [ə'dʒeɪsənt] *bnw* ❶ aangrenzend (**to** aan), aanliggend ★ *an ~ house* een aangrenzende woning ❷ nabijgelegen

adjective ['ædʒɪktɪv] *zn* bijvoeglijk naamwoord, adjectief

adjoin [ə'dʒɔɪn] **I** *ov ww* samenvoegen, aangrenzen ★ *the sitting room ~s the dining room* de zitkamer grenst aan de eetkamer **II** *onov ww* aangrenzen, samenvoegen ★ *the gardens ~ed* de tuinen grensden aan elkaar

adjourn [ə'dʒɜːn] **I** *ov ww* verdagen ★ *the meeting was ~ed* de vergadering werd geschorst **II** *onov ww* op reces gaan

adjudicator [ə'dʒuːdɪkeɪtə] *zn* scheidsrechter, arbiter, jurylid

adjunct ['ædʒʌŋkt] *zn* ❶ toevoegsel, bijkomstige omstandigheid ❷ assistent ❸ <u>taalk</u> bepaling

adjust [ə'dʒʌst] *ov+onov ww* ❶ schikken, regelen ❷ instellen ⟨van instrument⟩, afstellen ⟨van apparatuur⟩, afregelen, bijstellen ★ *~ed for inflation* gecorrigeerd voor inflatie ★ *a well-~ed child* een goed aangepast kind ★ *~ your seatbelt* je veiligheidsgordel verstellen ❸ ~ *to* aanpassen aan, afstemmen op

adjustable [ə'dʒʌstəbl] *bnw* verstel- / regelbaar

adjustment [ə'dʒʌstmənt] *zn* ❶ regeling ❷ <u>techn</u> instelling ❸ aanpassing, bijstelling

ad-lib [æd'lɪb] **I** *zn* kwinkslag, geestigheid **II** *bnw* spontaan, geïmproviseerd **III** *ov ww* improviseren ★ *he ~bed his entire speech* hij verzon zijn gehele toespraak ter plekke **IV** *bijw* ❶ vrijelijk, onbeperkt ❷ ongedwongen

admin ['ædmɪn] *zn* administration → administration

administer [əd'mɪnɪstə] *ov ww* ❶ beheren, besturen ❷ toedienen ⟨van medicijn⟩ ⟨van schade, schop, stomp⟩ ⟨van straf⟩ ★ ~ *help* hulp verlenen ★ ~ *justice* recht spreken ❸ uitvoeren ⟨van wet⟩

administration [ədmɪnɪ'streɪʃən] *zn* ❶ administratie ❷ bestuur, beheer, regering ★ *the Kennedy Administration lasted about 1000 days* de regering van Kennedy bestond ongeveer duizend dagen ❸ dienst ⟨van openbare instelling⟩ ★ *the university ~* het bestuur van de universiteit ❹ toediening, het toedienen ⟨van medicijn enz.⟩ ❺ toepassing ⟨van wet⟩

administrative [əd'mɪnɪstrətɪv] *bnw* ❶ administratief ❷ beheers-, bestuurs-

administrator [əd'mɪnɪstreɪtə] *zn* ❶ administrateur, beheerder ❷ executeur, curator

admirable ['ædmərəbl] *bnw* ❶ bewonderenswaardig ❷ prachtig, uitstekend ★ *an ~ piece of work* een uitstekend werkstuk

admiral ['ædmərəl] *zn* admiraal ★ <u>GB</u> *the Admiralty* ≈ het ministerie van marine

admiration [ædmɪ'reɪʃən] *zn* ❶ bewondering ~ **gaze in admiration** vol bewondering aanstaren ★ *be in ~ of* vol bewondering zijn voor ❷ ~ **for** respect voor ★ *I am full of ~ for his work* ik sta vol respect voor zijn werk

admire [əd'maɪə] *ov ww* bewonderen (**for** om) ★ *I ~ him for his courage* ik bewonder hem om zijn moed

admirer [əd'maɪərə] *zn* aanbidder, bewonderaar ★ *a secret ~* een stille aanbidder

admission [əd'mɪʃən] *zn* ❶ toegang, toelating ❷ entreegeld ❸ opname ⟨in ziekenhuis, inrichting⟩ ❹ erkenning ★ *by his own ~* volgens eigen zeggen

admit [əd'mɪt] *ov ww* ❶ erkennen, toegeven ★ *he ~ted defeat* hij gaf zich gewonnen ❷ toelaten, toegang verlenen ★ *she was ~ted to the club* zij mocht tot de club toetreden ❸ opnemen ★ *be ~ted to hospital* in het ziekenhuis opgenomen worden ❹ aannemen, accepteren ★ ~ *the truth* de waarheid accepteren ❺ <u>jur</u> ontvankelijk verklaren ★ *the evidence was ~ted as valid* het bewijsmateriaal werd geldig verklaard

admittance [əd'mɪtns] *zn* toegang ★ *no ~* verboden toegang

admittedly [əd'mɪtɪdlɪ] *bijw* ❶ toegegeven, zoals algemeen erkend wordt ❷ weliswaar

admonish [əd'mɒnɪʃ] *ov ww* ❶ waarschuwen (**of**, **against** voor, tegen), berispen ❷ aanmanen, aansporen

admonition [ædmə'nɪʃən] *zn* ❶ waarschuwing ❷ aanmaning

ado [ə'duː] *zn* drukte ★ *much ado about nothing* veel drukte om niks

adolescence [ædə'lesəns] *zn* puberteit, adolescentie

adolescent [ædə'lesənt] **I** *zn* puber, adolescent **II** *bnw* opgroeiend

adopt [ə'dɒpt] *ov ww* ❶ adopteren ❷ aannemen, overnemen ★ ~ *an attitude* een houding aannemen ❸ kiezen, aanvaarden, goedkeuren ★ *my ~ed country* mijn tweede vaderland

adoption [ə'dɒpʃən] *zn* ❶ adoptie ❷ overneming ★ *adopt a word* een woord overnemen

adoptive [ə'dɒptɪv] *bnw* ★ *an ~ parent* een adoptiefouder

adorable [ə'dɔːrəbl] *bnw* aanbiddelijk, schattig

adoration [ædə'reɪʃən] *zn* ❶ aanbidding ❷ liefde, verering

adore [ə'dɔː] *ov ww* ❶ aanbidden, adoreren ❷ dol zijn op

adorn [ə'dɔːn] *ov ww* versieren

adrenalin [ə'drenəlɪn] *zn* adrenaline ★ *the ~(e) was going* de adrenaline stroomde

adrift [ə'drɪft] *bijw* ook *fig* stuurloos, op drift, losgeslagen ★ *cast / set sb ~* iem. de woestijn in sturen

ADSL *afk,* <u>comp</u> *Asymmetrical Digital Subscriber Line* ADSL

adult ['ædʌlt, æ'dʌlt] **I** *zn* volwassene **II** *bnw* ❶ volwassen ❷ <u>euf</u> pornografisch, porno- ★ *an ~ film* een pornofilm

adult education *zn* volwassenenonderwijs

adulterate [ə'dʌltəreɪt] *ov ww* ❶ vervalsen ❷ aanlengen, versnijden ⟨van drinken⟩ ★ *un~d nonsense* klinkklare onzin

adulterer [ə'dʌltərə] *zn* overspelige man

adulteress [ə'dʌltərəs] *zn* overspelige vrouw

adulterous [ə'dʌltərəs] *bnw* overspelig

adultery [ə'dʌltərɪ] *zn* overspel

adulthood ['ædʌlthʊd] *zn* volwassenheid

advance [əd'vɑːns] **I** *zn* ❶ opmars ⟨van leger⟩ ❷ ook *fig* vooruitgang ★ *in ~* van tevoren, bij voorbaat, voor(uit) ❸ voorschot ⟨van geld⟩

❶ toenadering (seksueel) ★ *make ~s* avances maken ❷ ontwikkeling **II** *bnw* ★ *an ~ booking* een reservering (vooraf) ★ *~ notice* vooraankondiging ★ *~ party / group* vooruitgestuurde groep ★ *~ payment* vooruitbetaling **III** *ov ww* ❶ vervroegen (van datum), naar voren brengen (van plan) ❷ ontwikkelen, bevorderen ★ *they ~d their ideas* ze ontwikkelden hun ideeën ❸ verhogen (van prijzen) ❹ lenen, voorschieten **IV** *onov ww* ❶ vooruitgaan, vorderen ★ *her son ~d well at school* haar zoon ging op school goed vooruit ❷ vooruitkomen, naderen, oprukken (van leger) ★ *the water ~d quickly* het water naderde snel ❸ stijgen (van aandelen)

advanced [əd'vɑ:nsəd] *bnw* ❶ modern, geavanceerd ❷ (ver)gevorderd ★ *~ English* Engels voor gevorderden ★ *of ~ years / ~ in age* op gevorderde leeftijd ★ GB onderw *Advanced Level* ≈ vwo-eindexamen

advancement [əd'vɑ:nsmənt] *zn* ❶ bevordering, vooruitgang, verbetering ❷ promotie

advance payment *zn* vooruitbetaling

advantage [əd'vɑ:ntɪdʒ] *zn* gunstige omstandigheid, voordeel ★ *take ~ of sb / sth* misbruik maken van iemand / iets ★ *turn sth to one's ~* zijn voordeel doen met ★ *to sb's (good / best) ~* in iemands voordeel

advantaged [əd'vɑ:ntɪdʒd] *bnw* bevoorrecht, geprivilegieerd

advantageous [ædvən'teɪdʒəs] *bnw* voordelig, gunstig

advent, Advent ['ædvent] *zn* advent, komst (van de Heer)

adventure [əd'ventʃə] *zn* ❶ avontuur ❷ risico ❸ speculatie

adventurer [əd'ventʃərə] *zn* avonturier

adventurous [əd'ventʃərəs] *bnw* avontuurlijk

adverb ['ædvɜ:b] *zn* bijwoord

adverbial [əd'vɜ:bɪəl] *bnw* bijwoordelijk

adversary ['ædvəsəri] *zn* tegenstander

adverse ['ædvɜ:s] *bnw* ❶ ongunstig, vijandig, nadelig ★ *~ weather conditions* slechte weersomstandigheden ★ *~ balance of trade* passieve handelsbalans ❷ *~ to* tegen ★ *be ~ to the plans* tegen de plannen zijn

adversity [əd'vɜ:səti] *zn* tegenspoed

advert ['ædvɜ:t] *zn* inform → **advertisement**

advertise ['ædvətaɪz] **I** *ov ww* ❶ adverteren ❷ aankondigen, ruchtbaarheid geven **II** *onov ww* ❶ reclame maken, adverteren ❷ *~ for* vragen om (via advertentie)

advertisement [əd'vɜ:tɪsmənt] *zn* ❶ advertentie, reclame ❷ aankondiging ★ *classified ~* kleine advertentie ★ *poor ~* slechte reclame ★ *the adverts* reclameblok (televisie)

advertiser ['ædvətaɪzə] *zn* ❶ adverteerder ❷ advertentieblad

advertising ['ædvətaɪzɪŋ] *zn* reclame, publiciteit

advice [əd'vaɪs] *zn* ❶ advies, raad ❷ bericht ★ *a piece / bit of ~* een advies ★ *~ column* vragenrubriek (in krant, tijdschrift)

advisable [əd'vaɪzəbl] *bnw* raadzaam

advise [əd'vaɪz] **I** *ov ww* ❶ van advies dienen, aanraden, raad geven ★ *he ~d her to go* hij ried haar aan om te gaan ❷ informeren, inlichten

★ *well-~d* weloverwogen, verstandig ★ *be well ~d* verstandig doen **II** *onov ww* ~ **against** af- / ontraden

adviser [əd'vaɪzə] *zn* adviseur, raadgever

advisory [əd'vaɪzərɪ] *bnw* adviserend, advies-

advocacy ['ædvəkəsɪ] *zn* ❶ advocatuur ❷ voorspraak, verdediging, steun

advocate¹ ['ædvəkət] *zn* ❶ advocaat, verdediger ❷ voorstander

advocate² ['ædvəkeɪt] *ov ww* voorstaan, aanbevelen ★ *he ~d red wine* hij beval rode wijn aan

aerial ['eərɪəl] **I** *zn* antenne **II** *bnw* ❶ lucht-, luchtig ★ *~ reconnaissance* luchtverkenning ❷ bovengronds

aero- [-'eərəʊ] *voorv* aero-, lucht-, luchtvaart-

aerobatics [eərə'bætɪks] *zn mv* (het) stuntvliegen, luchtacrobatiek

aerobic [eə'rəʊbɪk] *bnw* aerobic ★ *~ dancing* aerobic dansen

aerobics [eə'rəʊbɪks] *zn mv* aerobics

aerodrome ['eərədrəʊm] *zn* oud (klein) vliegveld

aerodynamic [eərəʊdaɪ'næmɪk] *bnw* aerodynamisch

aerodynamics [eərəʊdaɪ'næmɪks] *zn mv* aerodynamica

aeronautics [eərəʊ'nɔ:tɪks] *zn mv* luchtvaartkunde

aeroplane ['eərəpleɪn] *zn* GB vliegtuig

aerosol ['eərəsɒl] *zn* ❶ spray, spuitbus ❷ drukgas

aerospace ['eərəʊspeɪs] *zn* ❶ wereldruim, heelal ❷ ruimtevaarttechnologie / -industrie

aesthetic [i:s'θetɪk] *bnw* esthetisch ★ *the building has little ~ appeal* het gebouw is weinig aantrekkelijk

aesthetics, esthetics [i:s'θetɪks] *zn mv* esthetica, schoonheidsleer ★ *the roof fits the building's ~* het dak past bij het gebouw

afar [ə'fɑ:] *bijw* in de verte ★ *from afar* van verre

affability [æfə'bɪlətɪ] *zn* vriendelijkheid, welwillendheid, innemendheid

affable ['æfəbl] *bnw* vriendelijk, welwillend, innemend

affair [ə'feə] *zn* ❶ zaak, kwestie ❷ ding, zaakje, geschiedenis ❸ verhouding ★ *a state of ~s* situatie ★ *current ~* actualiteiten

affect [ə'fekt] *ov ww* ❶ beïnvloeden ★ *it ~ed the economy* het beïnvloedde de economie ❷ aantasten ★ *sweets ~ your teeth* snoep tast je tanden aan ❸ ontroeren ★ *his offer of help ~ed her* zijn aanbod om te helpen ontroerde haar ❹ voorwenden ★ *she ~ed sickness* ze wendde ziekte voor ❺ bij voorkeur dragen / gebruiken, enz. ★ *~ed by famine* getroffen door hongersnood

affected [ə'fektɪd] *bnw* aanstellerig, gemaakt ★ *~ mannerisms* aanstellerige maniertjes ★ *an ~ style* een gekunstelde stijl

affection [ə'fekʃən] *zn* ❶ genegenheid ❷ tederheid ❸ med aandoening ★ *play on sb's ~s* met iemands gevoelens spelen

affectionate [ə'fekʃənət] *bnw* hartelijk, warm ★ *puppies are very ~* jonge hondjes zijn erg aanhankelijk ★ *yours ~ly* veel liefs (in informele correspondentie)

affiliate [ə'fɪlɪeɪt] *ov+onov ww* (zich) aansluiten

af

(to/with bij)
affiliated [ə'fɪlɪeɪtɪd] *bnw* ❶ aangesloten (**to** bij), lid (van) ❷ verbonden (**with** met) ★ ~ *society* aangesloten vereniging

affiliation [əfɪlɪ'eɪʃən] *zn* ❶ connectie, band ★ ~ *to a political group* banden met een politieke groepering ❷ filiaal, afdeling

affinity [ə'fɪnətɪ] *zn* affiniteit, verwantschap, overeenkomst

affirm [ə'fɜːm] *ov ww* ❶ verzekeren, bevestigen ★ *she ~ed she would come* ze bevestigde dat ze zou komen ❷ verklaren, eed afleggen ★ ~ *loyalty to the queen* eed van trouw aan de koningin afleggen

affirmation [æfə'meɪʃən] *zn* bevestiging ★ *she nodded in* ~ ze knikte instemmend

affirmative [ə'fɜːmətɪv] **I** *bnw* bevestigend ★ USA ~ *action* voorkeursbehandeling, positieve discriminatie **II** *zn* bevestiging ★ *reply in the* ~ bevestigend antwoorden

affix¹ ['æfɪks] *zn* taalk achter- / in- / voorvoegsel

affix² [ə'fɪks] *ov ww* ~ **on/to** aanhechten, (vast)plakken aan / op

afflict [ə'flɪkt] *ov ww* teisteren, kwellen, treffen ★ *~ed with a disease* lijdend aan een ziekte

affliction [ə'flɪkʃən] *zn* ❶ leed, kwelling ❷ aandoening ★ *a terrible* ~ een vreselijke aandoening ❸ nood, ramp

affluence ['æfluəns] *zn* rijkdom, welvaart

affluent ['æfluənt] *bnw* ❶ rijk ❷ overvloedig ★ *the* ~ *society* de welvaartsstaat

afford [ə'fɔːd] *ov ww* ❶ zich veroorloven ★ *I can't* ~ *the money* ik kan me het geld niet veroorloven ❷ verschaffen, bieden ★ *the window* ~*s beautiful views* het raam biedt prachtig uitzicht

affray [ə'freɪ] *zn* jur opstootje, vechtpartij, rel ★ *guilty of* ~ schuldig aan ongeregeldheden

affront [ə'frʌnt] **I** *zn* belediging **II** *ov ww* beledigen

afield [ə'fiːld] *bijw* op het veld ★ *far* ~ ver van huis, ver weg ★ *they came from far* ~ ze kwamen ver weg

aflame [ə'fleɪm] *bijw* in vuur en vlam, vlammend ★ *cheeks* ~ (met) wangen vuurrood van opwinding

afloat [ə'fləʊt] *bnw* ❶ drijvend, vlot ★ *stay / keep* ~ het hoofd boven water houden ❷ op zee ❸ op gang ★ *set* ~ in omloop brengen, op touw zetten ❹ onzeker ❺ overstroomd

afoot [ə'fʊt] *bnw* oud te voet ★ *the game is* ~ het spel is begonnen ★ *what is* ~? wat is er aan de hand?

aforementioned [ə'fɔːmenʃənd] *bnw* voornoemd

aforesaid [ə'fɔːsed] *bnw* voornoemd(e)

afraid [ə'freɪd] *bnw* ❶ bang (**of** voor) ★ *I'm* ~ *we cannot help you* wij kunnen u helaas niet helpen ★ ~ *of the dog* bang voor de hond ❷ bezorgd (**for** om) ★ ~ *for their safety* bezorgd om hun veiligheid

afresh [ə'freʃ] *bijw* opnieuw, van voren af aan ★ *let's start* ~ laten we opnieuw beginnen

Africa ['æfrɪkə] *zn* Afrika

African ['æfrɪkən] **I** *zn* Afrikaan(se) **II** *bnw* Afrikaans

African American I *zn* Amerikaan(se) met

Afrikaanse voorouders **II** *bnw* omschr als / van Amerikanen met Afrikaanse voorouders ★ ~ *music* muziek van Amerikanen met Afrikaanse voorouders

Afro ['æfrəʊ] *zn* afro (uiterlijk) ⟨kapsel⟩

Afro- ['æfrəʊ-] *voorv* Afrikaans-

after ['ɑːftə] **I** *bijw* daarna, later ★ *the king died* ~ de koning stierf daarna **II** *vw* nadat ★ ~ *he had spoken to her, she left* nadat hij met haar had gesproken, vertrok ze **III** *vz* ❶ na ★ ~ *lunch* na het middageten ❷ achter ★ *she slammed the door* ~ *her* ze sloeg de deur achter zich dicht ❸ achterna ★ *the police were* ~ *him* de politie zocht hem ❹ naar, in navolging van ★ *they named her* ~ *her mother* ze vernoemden haar naar haar moeder ❺ volgend op ★ ~ *all* tenslotte, toch nog ★ *day* ~ *day* dag in dag uit ★ *time* ~ *time* steeds weer ★ *be* ~ *money* op geld uit zijn

aftercare ['ɑːftəkeə] *zn* nazorg

after-effect ['ɑːftərɪfekt] *zn* nawerking

after-hours *bnw* na sluitingstijd, na kantoortijd

afterlife ['ɑːftəlaɪf] *zn* leven na de dood

aftermath ['ɑːftəmæθ] *zn* ❶ fig naweeën ❷ naspel, nasleep ★ *in the* ~ *of the war* in de nasleep van de oorlog

afternoon [ɑːftə'nuːn] *zn* (na)middag

afternoon tea *zn* ★ ~ / *five o'clock tea* lichte maaltijd met thee, broodjes, zoetigheid

afters ['ɑːftəz] *zn mv* inform toetje ★ *what's for* ~? wat krijgen we toe?

after-sales service *zn* (klanten)service, serviceafdeling

aftertaste ['ɑːftəteɪst] *zn* nasmaak

afterthought ['ɑːftəθɔːt] *zn* ❶ latere / nadere overweging ❷ inform nakomertje

afterwards ['ɑːftəwədz] *bijw* naderhand, daarna

again [ə'gen] *bijw* ❶ weer, opnieuw, nog eens ★ ~ *and* ~ herhaaldelijk ★ *as much* ~ tweemaal zoveel ★ *all over* ~ weer opnieuw ★ *now and* ~ nu en dan ★ *every now and* ~ telkens weer ★ *once* ~ alweer ❷ daarentegen, bovendien, trouwens ★ *then / there* ~ aan de andere kant ❸ ook (al) weer ★ *what was her name* ~? hoe heette ze ook (al) weer?

against [ə'geɪnst] *vz* ❶ tegen(over) ❷ ongunstig ★ *over* ~ (recht) tegenover

age [eɪdʒ] **I** *zn* ❶ leeftijd, ouderdom ★ *age of consent* leeftijd waarop je handelingsbekwaam wordt ★ *of an age* van dezelfde leeftijd ★ *under age* minderjarig ★ *come of age* meerderjarig worden ❷ tijdperk, eeuw ★ *in this day and age* vandaag de dag, tegenwoordig **II** *zn mv* eeuwigheid ★ *it took ages* het duurde een eeuwigheid ★ *the dark ages* de donkere middeleeuwen **III** *ov ww* doen verouderen, laten rijpen **IV** *onov ww* ouder worden, verouderen ★ *he's aged so well!* wat ziet hij er goed uit voor zijn leeftijd!

aged ['eɪdʒɪd] **I** *bnw* bejaard, oud ★ *a boy aged five* een jongen van vijf jaar **II** *zn* ★ *the aged* mensen op leeftijd, de bejaarden

ageless ['eɪdʒləs] *bnw* (leef)tijdloos, eeuwig

agency ['eɪdʒənsɪ] *zn* ❶ bureau, agentschap ★ *temping* ~ uitzendbureau ❷ bemiddeling ★ *by / through the* ~ *of* door toedoen van

agenda [ə'dʒendə] *zn* ❶ agenda ⟨van vergadering⟩ ❷ werkprogramma ★ *hidden ~* geheime agenda, verborgen motieven en doelstellingen

agent ['eɪdʒənt] *zn* ❶ agent, zaakwaarnemer ★ *a travel ~* een reisbureau ★ *a free ~* onafhankelijk persoon ❷ tussenpersoon ❸ impresario ❹ (geheim)agent ★ *double ~* dubbelspion ❺ middel ❻ scheik agens ❼ comp hulpprogramma

age-old *bnw* eeuwenoud

agglomerate[1] [ə'glomərət] **I** *zn* agglomeraat ⟨een grote verzameling⟩ ★ *a media ~ in the centre of town* een media agglomeraat in het stadscentrum **II** *bnw* opeengehoopt / -gestapeld

agglomerate[2] [ə'gloməreɪt] **I** *ov ww* opeenhopen ★ *~ functions* functies bijeenbrengen **II** *onov ww* opeenstapelen ★ *particles ~ quickly* deeltjes stapelen zich snel op

agglomeration [əglomə'reɪʃən] *zn* opeenhoping, (ongeordende) verzameling

agglutinate [ə'glu:tɪnət] *bnw* ❶ (vast)gelijmd ❷ biol agglutinerend

aggravate ['ægrəveɪt] *ov ww* (ver)ergeren ★ *he ~d the situation* hij verergerde de situatie

aggravation ['ægrəveɪʃən] *zn* ❶ verergering ❷ ergernis, irritatie

aggregate[1] ['ægrɪgət] **I** *zn* ❶ totaal, geheel ❷ bouw zand, grint ★ *in (the) ~* in totaal ★ sport *on ~* totaalscore **II** *bnw* gezamenlijk

aggregate[2] ['ægrɪgeɪt] **I** *ov ww* verzamelen, samenvoegen **II** *onov ww* zich ophopen, zich verenigen ★ *birds ~ at the end of the summer* vogels verzamelen zich aan het eind van de zomer

aggression [ə'greʃən] *zn* ❶ agressie ❷ aanval, strijdlust

aggressive [ə'gresɪv] *bnw* ❶ agressief, strijdlustig ❷ ondernemend, dynamisch, ambitieus

aggressor [ə'gresə] *zn* aanvaller, agressor

aggrieved [ə'gri:vd] *bnw* ❶ gekrenkt, gekwetst ❷ jur aangetast in eer en goede naam

aggro ['ægrəʊ] *zn* ❶ straatt (het) ruzie zoeken ❷ agressie ❸ irritatie ★ *I am getting a lot of ~ at work* ik heb veel gedonder (kritiek) op mijn werk

aghast [ə'gɑ:st] *bnw + bijw* verbijsterd, ontzet

agile ['ædʒaɪl] *bnw* ❶ vlug en lenig ❷ fig alert, waakzaam ★ *an ~ mind* een alerte geest

agility [ə'dʒɪlətɪ] *zn* ❶ ook fig lenigheid ❷ waakzaamheid

agitate ['ædʒɪteɪt] **I** *ov ww* ❶ verontrusten ❷ schudden, roeren ⟨van vloeistof⟩ ❸ opruien **II** *onov ww* ageren ★ *~ for / against* actie voeren voor / tegen

agitated ['ædʒɪteɪtɪd] *bnw* opgewonden, geërgerd

agitation [ædʒɪ'teɪʃən] *zn* ❶ opwinding, agitatie ❷ actie ❸ (het) schudden / roeren ⟨van vloeistof⟩

agitator ['ædʒɪteɪtə] *zn* onruststoker, agitator

AGM *afk, annual general meeting* jaarvergadering

ago [ə'gəʊ] *bijw* geleden

agonize, agonise ['ægənaɪz] *onov ww* ❶ in doodsangst verkeren, fig gekweld worden ★ *he agonised in his dreams* hij werd in zijn dromen

gekweld ❷ ~ **about/over** zich het hoofd breken over

agonizing ['ægənaɪzɪŋ] *bnw* kwellend, hartverscheurend ★ *an ~ death* een smartelijke dood ★ *an ~ decision* een pijnlijke / moeilijke beslissing

agony ['ægənɪ] *zn* ❶ (ondraaglijke) pijn ★ *be / lie in ~* creperen van de pijn ❷ bezoeking, ellende, foltering ★ *pile on the ~* het er dik bovenop leggen ❸ (doods)angst, doodsstrijd ★ *mortal ~* doodsangst

agony column *zn* brievenrubriek over persoonlijke problemen

agrarian [ə'greərɪən] *bnw* m.b.t. grondbezit / landbouw, agrarisch

agree [ə'gri:] **I** *onov ww* ❶ het eens zijn, overeenstemmen (**on/upon/about** over) ❷ akkoord gaan, instemmen (**to** met) ★ *~ to differ / dis~* zich bij een meningsverschil neerleggen ❸ overweg kunnen (**with** met) ★ *this food doesn't ~ with me* dit eten valt niet goed ★ *life here certainly ~s with you!* het leven hier doet je goed! **II** *ov ww* ❶ overeenkomen, afspreken ★ *~d!* afgesproken! ★ *they ~d a price* ze werden het eens over een prijs ❷ goedkeuren

agreeable [ə'gri:əbl] *bnw* ❶ aangenaam, prettig ❷ aanvaardbaar ★ *be ~ to* bereid zijn iets te doen / te aanvaarden ★ *be ~ to helping sb* bereid zijn iem. te helpen

agreement [ə'gri:mənt] *zn* ❶ afspraak, overeenkomst ★ *verbal ~* mondelinge afspraak ❷ jur contract, verdrag ★ *collective ~* cao-overeenkomst ★ *as per ~* volgens contract ❸ instemming, goedkeuring

agricultural [ægrɪ'kʌltʃərəl] *bnw* landbouw-

agriculture ['ægrɪkʌltʃə] *zn* landbouw

aground [ə'graʊnd] *bijw* aan de grond ★ *the ship ran ~* het schip zat aan de grond

ahead [ə'hed] *bijw* ❶ voor, vooruit ★ *go ~!* ga je gang! ★ *straight ~* rechtdoor ★ *we are ~ of schedule* we lopen vóór op ons schema ★ *get ~* vooruitkomen, carrière maken ★ *be ~* voor liggen / lopen / staan / zijn ★ *~ of his time* zijn tijd vooruit ❷ van tevoren ★ *weeks ~* weken van te voren ❸ in het verschiet ★ *the task that lies ~* de taak die op ons wacht

ahead of *vz* ❶ voor ⟨tijd en plaats⟩ ❷ vroeger, eerder ★ *he was way ~ his time* hij was zijn tijd ver vooruit

aid [eɪd] **I** *zn* ❶ hulp, bijstand ★ *come to sb's aid* iem. helpen ★ *first aid* EHBO, eerste hulp (bij ongelukken) ★ *foreign aid* ontwikkelingshulp ★ *in aid of* ten dienste van ❷ hulpmiddel ❸ helper, naaste medewerker **II** *ov ww* ❶ helpen ❷ bevorderen ★ *accused of aiding and abetting* beschuldigd van medeplichtigheid

aide [eɪd] *zn* assistent, naaste medewerker ⟨vooral pol.⟩ ★ mil *aide-de-camp* adjudant (te velde)

Aids [eɪdz] *zn, Acquired Immune Deficiency Syndrome* aids

Aids inhibitor *zn* aidsremmer

ail [eɪl] *onov ww* oud mankeren ★ *what ails you?* wat mankeert jou?

ailing ['eɪlɪŋ] *bnw, form ook fig* ziekelijk, noodlijdend ★ *my ~ mother* mijn ziekelijke

ai

moeder

ailment ['eɪlmənt] *zn* (niet zo ernstige) kwaal
aim [eɪm] **I** *zn* ❶ doel, bedoeling ❷ (het) richten ★ *have an excellent aim* uitstekend kunnen schieten ★ *take aim at* richten op **II** *onov ww* ❶ mikken ❷ ook *fig* richten ★ *aim at achieving good results* zich richten op goede resultaten ❸ ~ *at/for/to* streven naar, gericht zijn op, richten op ★ *that comment was aimed at you* die opmerking was op jou gericht
aimless ['eɪmləs] *bnw* doelloos, zinloos
ain't [eɪnt] *samentr* ❶ am / are / is not → be ❷ has / have not → have
air [eə] **I** *zn* ❶ (de) lucht, het luchtruim ★ *air conditioned* met luchtbehandeling ★ *compressed air* perslucht ★ *float / walk on air* in de wolken zijn ★ *by air* per vliegtuig (luchtpost) ★ *hot air* gebakken lucht, poeha ★ *up in the air* onbeslist, onzeker ❷ houding, voorkomen ★ *airs and graces* verwaandheid ❸ melodie ❹ radio ★ *on / off the air* uitgezonden / niet uitgezonden **II** *ov ww* ❶ luchten ★ *air the room* de kamer luchten ❷ lucht geven aan ★ *air grievances* klachten uiten ❸ *USA* uitzenden ★ *his new program aired yesterday* zijn nieuwe programma is gisteren uitgezonden
airborne ['eəbɔ:n] *bnw* in de lucht ★ ~ *troops* luchtlandingstroepen
airbrush ['eəbrʌʃ] **I** *zn* verfspuit **II** *ov ww* ❶ iets verven m.b.v. een verfspuit ❷ retoucheren van een foto
air cargo *zn* luchtvracht
air conditioning *zn* (systeem van) luchtbehandeling
aircraft ['eəkra:ft] *zn* [mv: **aircraft, aircrafts**] vliegtuig ★ ~ *carrier* vliegdekschip
airfield ['eəfi:ld] *zn* vliegveld
air force ['eə fɔ:s] *zn* luchtmacht ★ *Airforce 1* Airforce 1 (het vliegtuig van de president van de V.S.)
air hostess *zn* stewardess
airless ['eəls] *bnw* bedompt, zonder lucht
airlift ['eəlɪft] **I** *zn* luchtbrug **II** *ov ww* per luchtbrug vervoeren
airline ['eəlaɪn] *zn* luchtvaartmaatschappij
airliner ['eəlaɪnə] *zn* lijnvliegtuig
airlock ['eəlɒk] *zn* luchtsluis, luchtbel (in een leiding)
airmail ['eəmeɪl] *zn* luchtpost
airplane ['eəpleɪn] *zn USA* vliegtuig
air pollution *zn* luchtvervuiling
airport ['eəpɔ:t] *zn* luchthaven
air raid [eə reɪd] *zn* luchtaanval
airship ['eəʃɪp] *zn* luchtschip
airsick ['eəsɪk] *bnw* luchtziek
airspace ['eəspeɪs] *zn* luchtruim (van land)
airstrip ['eəstrɪp] *zn* landingsbaan / -terrein
airtight ['eətaɪt] *bnw* luchtdicht
air traffic controller *zn* (lucht)verkeersleider
airy ['eərɪ] *bnw* ❶ fris (van ruimte enz.) ❷ luchtig, zorgeloos ❸ vluchtig, oppervlakkig ★ *airy fairy* wazig
aisle [aɪl] *zn* ❶ zijbeuk (van gebouw) ❷ gangpad (in kerk), pad tussen stellingen (in supermarkt) ★ *go / walk down the* ~ trouwen
aitch [eɪtʃ] *zn* (de letter) h ★ *drop one's* ~*es* de H niet uitspreken (Cockney)

ajar [ə'dʒɑ:] *bijw* op een kier
AK *afk, Alaska* staat in de VS
akimbo [ə'kɪmbəʊ] *bijw* ★ *(with) arms* ~ (met de) handen in de zij
akin [ə'kɪn] *bijw* ★ *akin to* verwant aan, lijkend op ★ *a fruit akin to an apple* een vrucht die op een appel lijkt
AL *afk, Alabama* staat in de VS
alacrity [ə'lækrətɪ] *zn* ❶ enthousiasme ★ *she accepted his invitation with* ~ ze aanvaardde zijn uitnodiging met enthousiasme ❷ gretigheid
alarm [ə'lɑ:m] *zn* ❶ schrik, ontsteltenis ★ *there is no cause for* ~ er is geen reden tot paniek ❷ alarm (ook van auto, brand enz.) ★ *sound the* ~ alarm slaan **II** *ov ww* ❶ alarmeren ❷ verontrusten
alarm bell *zn* noodklok
alarm clock *zn* wekker
alarmed [ə'lɑ:md] *bnw* ❶ verschrikt ★ *he was* ~ hij was verschrikt ❷ beveiligd ★ *the house was* ~ het huis was beveiligd
alarming [ə'lɑ:mɪŋ] *bnw* alarmerend, verontrustend
alarmist [ə'lɑ:mɪst] *bnw* onrust zaaiend
alas [ə'læs] *tw* helaas!, ach!
Albanian [æl'beɪnɪən] **I** *zn* (het) Albanees **II** *bnw* Albanees
albatross ['ælbatrɒs] *zn* albatros
albeit [ɔ:l'bi:ɪt] *bijw* zij het, al is het dan, ofschoon ★ ~ *the truth* al zij het de waarheid
album ['ælbəm] *zn* ❶ album ❷ langspeelplaat, cd
albumen ['ælbjʊmɪn] *zn* eiwit, albumine
alchemy ['ælkəmɪ] *zn* ❶ alchemie ❷ toverkunst
alcohol ['ælkəhɒl] *zn* alcohol
alcoholic [ælkə'hɒlɪk] **I** *zn* alcoholist ★ *Alcoholics Anonymous* Anonieme Alcoholisten **II** *bnw* alcoholhoudend, alcoholisch
alcoholism ['ælkəhɒlɪzəm] *zn* alcoholisme, drankzucht
alcopop ['ælkoʊpɒp] *zn* mixdrankje (van frisdrank en alcohol)
alcove ['ælkəʊv] *zn* alkoof, nis
alder ['ɔ:ldə] *zn* elzenboom
alderman ['ɔ:ldəmən] *zn* wethouder
ale [eɪl] *zn* bier
alec ['ælɪk] *zn inform* ★ *smart alec* wijsneus
alert [ə'lɜ:t] **I** *zn* (lucht)alarm ★ *red* ~ hoogste alarmfase ★ *on red* ~ extra waakzaam ★ *on the* ~ op zijn hoede ★ *on (full)* ~ een en al waakzaamheid **II** *bnw* waakzaam, op z'n hoede **III** *ov ww* alarmeren, alarm slaan
A level ['əʊlevəl] *GB afk, advanced level* ≈ vwo-eindexamen ★ *pass one's* ~*s* ≈ zijn eindexamen vwo halen
alfresco [æl'freskəʊ] **I** *bnw* in de open lucht, buiten ★ *an* ~ *meal* een maaltijd buiten **II** *bijw* in de open lucht, buiten ★ *dine* ~ buiten dineren
alga ['ælgə] *zn* [mv: **algae**] alg(e), zeewier
algebra ['ældʒəbrə] *zn* algebra
Algerian [æl'dʒɪərɪən] **I** *zn* Algerijn **II** *bnw* Algerijns
alias ['eɪlɪəs] **I** *zn* alias, schuilnaam, *comp* pseudoniem **II** *bijw* alias, anders genoemd
alibi ['ælɪbaɪ] *zn* ❶ alibi ❷ uitvlucht, excuus
alien ['eɪlɪən] **I** *zn* ❶ buitenaards wezen

❷ buitenlander **II** *bnw* ❶ vreemd ★ *~ to* strijdig met, vreemd aan ★ *the French culture is ~ to her* de Franse cultuur is haar vreemd ❷ buitenaards ❸ buitenlands

alienate ['eɪliəneɪt] *ov ww* vervreemden

alienation [eɪliə'neɪʃən] *zn* vervreemding

alight [ə'laɪt] **I** *onov ww* ❶ afstijgen, uitstappen ★ *this stop is for ~ing only* dit is een uitstaphalte ❷ landen, neerstrijken ★ *~ on / upon sth* iets toevallig aantreffen, op iets komen **II** *bijw* ❶ verlicht ★ *eyes ~ with excitement* ogen die schitteren van opwinding ❷ brandend ★ *the house was ~* het huis stond in brand

align [ə'laɪn] *onov ww* ❶ op één lijn brengen / zetten, uitlijnen (van wielen) ❷ aanpassen ★ *~ o.s. with* zich aansluiten bij ★ *non~ed countries* niet-gebonden landen

alignment [ə'laɪnmənt] *zn* ❶ (het) in één lijn staan (met), opstelling in een rechte lijn ★ *out of ~ (with sth)* niet in lijn staan (met iets) ❷ (het) richten, richting ❸ rooilijn ❹ *fig* politieke steun

alike [ə'laɪk] *bijw* ❶ hetzelfde ❷ gelijk, gelijkend op ❸ op dezelfde wijze ★ *men and women ~* zowel mannen als vrouwen

alimentary canal [ælɪ'mentərɪ kə'næl] *bnw* spijsverteringskanaal

alimony ['ælɪmənɪ] *zn* alimentatie, onderhoud

alive [ə'laɪv] *bijw* ❶ in leven, levend ★ *be ~ to* zich bewust zijn van ★ *look ~!* schiet op! ❷ levendig ★ *~ and kicking* springlevend ★ *ook fig be ~ with* vol van, wemelen van ★ *she was ~ with happiness* ze straalde van geluk

alkaline ['ælkəlaɪn] *bnw* alkalisch

all [ɔːl] **I** *telw* al(le) ★ *all her children are sick* al haar kinderen zijn ziek ★ *all but one* alles / allen op één na ★ *inform of all people / things!* uitgerekend...!, nota bene...! **II** *onbep vnw* ❶ alle(n), alles, allemaal ★ *in all* in totaal ★ *is he as clever as all that?* is hij inderdaad zo knap? ★ *he jumped into the pool, clothes and all* hij sprong in het zwembad met kleren en al ★ *she was all smiles* zij was een en al glimlach ★ *'I'm starving.' 'Yeah, me and all.'* 'Ik rammel van de honger.' 'Ja, ik ook.' ★ *in all* in totaal ★ *I wonder if he'll come at all* ik vraag me af of hij überhaupt wel komt ★ *not at all* helemaal niet, niets te danken ★ *after all* tenslotte, toch nog, per slot van rekening ❷ het enige / alles wat ★ *that's all I have* dat is alles wat ik heb **III** *bijw* helemaal, geheel, een en al ★ *all along* vanaf het begin ★ *all the better / faster enz.* veel beter / sneller enz. ★ *all but* bijna ★ *I'm all but broke* ik ben zo goed als failliet / blut ★ *iron it must be all of 100 meters* het is zeker 100 meter ★ *all over* overal ★ *that's him all over* net iets voor hem ★ *all (a)round* in elk opzicht, voor iedereen ★ *inform he's not all there* hij heeft ze niet allemaal op een rijtje ★ *be all for sth / for doing sth* sterk vóór iets zijn ★ *inform be all over sb* zichtbaar dol op iem. zijn

allay [ə'leɪ] *ov ww* ❶ verminderen ❷ tot bedaren brengen

all-clear *zn* ❶ toestemming, verlof ❷ goedkeuring (gezondheid) ★ *his doctor gave him the ~* zijn dokter zei dat alles nu in orde was

allegation [ælɪ'geɪʃən] *zn* bewering, aantijging ★ *wrong ~s* valse beweringen

allege [ə'ledʒ] *ov ww* beweren, aanvoeren ★ *he ~d that he had been attacked* hij beweerde dat hij was aangevallen

alleged [ə'ledʒd] *bnw* zogenaamd, zogeheten, zogenoemd ★ *his ~ friends* zijn zogenaamde vrienden

allegedly [ə'ledʒɪdlɪ] *bijw* zogezegd, naar verluidt ★ *the objects ~ stolen* de voorwerpen waarvan beweerd wordt dat zij gestolen zijn

allegiance [ə'liːdʒəns] *zn* (eed van) trouw ★ *swear ~ to* trouw zweren aan

allegorical [ælɪ'gɒrɪkl] *bnw* allegorisch

allegory ['ælɪgərɪ] *zn* allegorie

all-embracing *bnw* allesomvattend ★ *an ~ programme* een allesomvattend programma

allergen ['ælədʒən] *zn* allergeen

allergic [ə'lɜːdʒɪk] *bnw* ❶ allergisch ❷ afkerig ★ *she's ~ to spinach* ze heeft een hekel aan spinazie

allergy ['ælədʒɪ] *zn* ❶ allergie ❷ afkeer (to van)

alleviate [ə'liːvɪeɪt] *ov ww* verzachten, verlichten ★ *the tablets ~d the pain* de tabletten verlichtten de pijn

alleviation [əliːvɪ'eɪʃən] *zn* ❶ verlichting ❷ verzachtend / kalmerend middel

alley ['ælɪ] *zn* ❶ steeg, pad ❷ kegelbaan ❸ doorgang ★ *blind ~* doodlopende steeg, dood spoor ★ *fig be up a blind ~* vastgelopen zijn ★ *inform right up your ~* precies in je straatje

alliance [ə'laɪəns] *zn* ❶ verdrag, verbond ★ *marriage is an ~* het huwelijk is een verbintenis ❷ verwantschap ★ *in ~ with* geallieerd met

allied ['ælaɪd] *bnw* ❶ geallieerd ❷ verbonden (to met) ★ *the ~ forces / the Allies* de geallieerden

alligator ['ælɪgeɪtə] *zn* alligator

all-in *bnw* allen / alles inbegrepen, totaal ★ *the price is ~* alles is bij de prijs inbegrepen

all-night *bnw* de hele nacht durend / geopend

allocate ['æləkeɪt] *ov ww* toewijzen, bestemmen ★ *the seats were ~d to them* de plaatsen werden hen toegewezen

allocation [ælə'keɪʃən] *zn* toewijzing

allot [ə'lɒt] *ov ww* ❶ toewijzen, toebedelen ❷ bestemmen (to, for voor) (van geld enz.) ★ *within the time ~ted* binnen de beschikbare tijd

allotment [ə'lɒtmənt] *zn* ❶ volkstuintje ❷ toegewezen deel, contingent ❸ toewijzing

all-out *bnw* volledig, intensief, krachtig, met volle kracht ★ *an ~ effort* een uiterste inspanning

allow [ə'laʊ] *ov ww* ❶ toelaten, toestaan, toekennen ★ *~ o.s.* zich veroorloven ★ *~ me* staat u mij toe ★ *he ~ed her more money* hij kende haar meer geld toe ❷ mogen ★ *he was ~ed to stay up* hij mocht opblijven ❸ uittrekken (geld) ★ *~ money for your holidays* geld uittrekken voor je vakantie ❹ *form* erkennen, toegeven ★ *he ~ed that she should be punished* hij gaf toe dat ze gestraft moest worden ❺ *~ for* rekening houden met, mogelijk maken ★ *~ for shrinkage* houd rekening met krimpen ★ *~ time for this to happen* genoeg tijd uittrekken om dit mogelijk

al

allowance [ə'lauəns] zn ❶ toelage ❷ vergoeding, tegemoetkoming ‹kosten› ❸ belastingvrije som ❹ USA zakgeld ❺ vergunning ★ *family ~ kinderbijslag* ★ *make ~(s) for* rekening houden met, in aanmerking nemen dat

alloy ['ælɔɪ] I zn ❶ legering ❷ allooi, gehalte II ov ww legeren, mengen

all-purpose bnw voor alle doeleinden ★ *~ scissors* schaar voor alle doeleinden

all-round bnw allround, veelzijdig

all-rounder zn allrounder, veelzijdig persoon

all-terrain bnw voor alle terrein geschikt ★ *~ vehicle* terreinwagen ★ *~ bike* alt terrainbike

all-time ['ɔːl'taɪm] bnw beste / beroemdste / grootste, enz. van alle tijd, onovertroffen ★ *an ~ favourite* ≈ een tijdloze klassieker ★ *an ~ low* een dieptepunt

allude [ə'luːd] onov ww ~ to zinspelen op ★ *~ to an unpleasant situation* zinspelen op een onplezierige situatie

allure [ə'ljuə] zn aantrekkingskracht, verleidelijkheid ★ *the ~ of working in the city* de leuke aspecten van werken in de stad

alluring [ə'ljuərɪŋ] bnw verleidelijk ★ *an ~ proposal* een verleidelijk aanbod

allusion [ə'luːʒən] zn toespeling, zinspeling

allusive [ə'luːsɪv] bnw form zinspelend ★ *he was ~* hij zinspeelde erop

ally¹ ['ælaɪ] zn bondgenoot, medestander ★ *he found an ally in her* hij vond in haar een medestander

ally² [ə'laɪ] ov ww ~ to/with (zich) verenigen met, een verbond sluiten met ★ *England did not want to ally with France* Engeland wilde niet met Frankrijk een verbond sluiten

almanac ['ɔːlmənæk] zn almanak

almighty [ɔːl'maɪti] bnw almachtig ★ *the Almighty* God

almond ['ɑːmənd] zn amandel

almost ['ɔːlməust] bijw bijna

alms [ɑːmz] zn mv gesch aalmoes, aalmoezen

alone [ə'ləun] I bijw ❶ alleen ❷ eenzaam ★ *leave / let him ~* laat hem met rust ★ *let ~ the danger* nog afgezien van het gevaar ★ *leave / let well ~* wees ermee tevreden ★ *go it ~* iets in z'n eentje doen II bnw ★ *you are not ~ in knowing* je bent niet de enige die het weet

along [ə'lɒŋ] I bijw ❶ (er)langs, door ❷ met... mee, vergezeld van ★ *get ~ with a person* met iem. kunnen opschieten ★ *go ~ with sth* in iets meegaan ‹vnl. argument› ★ *I knew all ~* ik heb het al die tijd geweten ★ *all ~* altijd wel ★ *take ~* meenemen ★ *we walked happily ~* we liepen vrolijk door / verder ★ *why didn't you come ~?* waarom ging je niet mee? ★ *the work's coming ~ fine* het werk schiet lekker op ★ *she was sacked ~ with 200 others* ze werd samen met 200 anderen ontslagen II vz langs ★ *~ the canal* langs het kanaal

alongside [əlɒŋ'saɪd] vz ❶ langszij ★ *the car stopped ~ him* de auto stopte naast hem ❷ naast, behalve ★ *she teaches maths ~ physics* ze onderwijst behalve natuurkunde ook wiskunde

aloof [ə'luːf] I bijw op een afstand, gereserveerd

★ *she held ~* ze hield zich afzijdig II bnw gereserveerd, koel, afzijdig ★ *she is very ~* ze is zeer gereserveerd

aloud [ə'laud] bijw hardop

alp [ælp] zn ❶ alpenweide ❷ alp, bergtop ★ *the Alps* de Alpen

alphabet ['ælfəbet] zn alfabet, ABC ★ *manual ~* handalfabet

alphabetical [ælfə'betɪkl] bnw alfabetisch

alpine ['ælpaɪn] I bnw alpen-, berg- ★ *~ horn* alpenhoorn II zn alpenplant

already [ɔːl'redɪ] bijw reeds, al, nu al

alright, all right I bnw ❶ gezond en wel, veilig ★ *he is ~* hij is gezond en wel II bnw goed, voldoende, geoorloofd ★ *was the tea ~?* was de thee goed? ★ *it is ~ to go?* mag ik gaan? ★ *it's ~ for some* sommige mensen zit alles mee III tw ❶ goed, in orde, oké, inderdaad ★ *she's crazy ~* ze is écht gek ★ *oh yes, it's him ~* dat is 'm zonder enige twijfel ❷ afgesproken

Alsatian [æl'seɪʃən] zn ❶ Duitse herder(shond) ❷ Elzasser

also ['ɔːlsəu] bijw ook, bovendien

altar ['ɔːltə] zn altaar ★ *~ boy* misdienaar

alter ['ɔːltə] ov ww ❶ wijzigen ❷ vermaken ‹van kleding›

alteration [ɔːltə'reɪʃən] zn ❶ wijziging, verandering ❷ verbouwing ‹van huis enz.›

altercation [ɔːltə'keɪʃən] zn woordenwisseling, gekrakeel

alternate¹ [ɔːl't3ːnət] bnw ❶ af- / verwisselend, beurtelings ❷ USA alternatief, vervangend ★ *on ~ days* om de dag

alternate² ['ɔːltəneɪt] onov ww afwisselen ★ *alternating current* wisselstroom ★ *~ between hope and despair* heen en weer geslingerd worden tussen hoop en wanhoop

alternation [ɔːltə'neɪʃən] zn afwisseling

alternative [ɔːl't3ːnətɪv] I zn andere / tweede mogelijkheid ‹bij keuze›, alternatief II bnw alternatief

alternatively [ɔːl't3ːnətɪvlɪ] bijw anders, in het andere / tweede geval

although [ɔːl'ðəu] bijw hoewel, ofschoon

altitude ['æltɪtjuːd] zn hoogte

alto ['æltəu] zn alt‹stem›, altpartij, altinstrument

altogether [ɔːltə'geðə] bijw ❶ helemaal, in alle opzichten ❷ in totaal ❸ bij elkaar genomen ★ *that is not ~ true* dat is niet helemáál waar

altruism ['æltruːɪzəm] zn onbaatzuchtigheid, altruïsme

aluminium [æl(j)u'mɪnɪəm], USA **aluminum** [æ'luːmɪnəm] zn aluminium

alumni [ə'lʌmniː] zn mv → **alumnus**

alumnus [ə'lʌmnəs] zn [mv: **alumni**] oud-leerling

always ['ɔːlweɪz] bijw ❶ altijd, steeds ❷ altijd nog

Alzheimer's disease zn ziekte van Alzheimer

am [æm] ww → **be**

a.m., USA A.M. afk, ante meridiem a.m., vóór 12 uur 's middags ★ *8.30 a.m.* 8.30, half negen 's ochtends

amalgam [ə'mælgəm] zn ❶ mengsel ❷ amalgaam

amalgamate [ə'mælgəmeɪt] ov+onov ww ❶ een fusie aangaan, fuseren ❷ verenigen, integreren ❸ techn amalgameren

amateur ['æmətə] zn amateur, liefhebber

amateurish ['æmətərɪʃ] bnw amateuristisch

amaze [ə'meɪz] ov ww verbazen, verwonderen ★ you never cease to ~ me! je blijft me verbazen!

amazed [ə'meɪzd] bnw verbaasd (at over) ★ I was ~ at her deceit ik was verbaasd over haar bedrog

amazement [ə'meɪzmənt] zn verbazing ★ she looked at me in ~ zij keek mij verbaasd aan

amazing [ə'meɪzɪŋ] bnw verbazingwekkend

amazon ['æməzən] I zn amazone II bnw van / uit het Amazonegebied

ambassador [æm'bæsədə] zn ambassadeur, afgezant

amber ['æmbə] I zn barnsteen, gele amber II bnw oranje ⟨van verkeerslicht⟩

ambidextrous [æmbɪ'dekstrəs] bnw links- en rechtshandig

ambience ['æmbɪəns], **ambiance** zn sfeer, ambiance

ambient ['æmbɪənt] bnw omringend ★ ~ temperature omgevingstemperatuur

ambiguity [æmbɪ'gju:ətɪ] zn ambiguïteit, dubbelzinnigheid

ambiguous [æm'bɪgjʊəs] bnw ❶ ambigu, dubbelzinnig ❷ vaag, onduidelijk

ambition [æm'bɪʃən] zn ❶ eerzucht, ambitie ❷ streven, ideaal

ambitious [æm'bɪʃəs] bnw ❶ eerzuchtig, ambitieus ❷ groots, grootscheeps ★ isn't this a bit ~? is dit niet te hoog gegrepen?

ambivalence [æm'bɪvələns] zn ambivalentie, dubbelwaardigheid

ambivalent [æm'bɪvələnt] bnw ambivalent

amble ['æmbl] I zn ❶ (rustige) wandeling ❷ telgang II onov ww kuieren, in telgang lopen

ambulance ['æmbjʊləns] zn ❶ ambulance, ziekenwagen ❷ veldhospitaal ⟨verplaatsbaar⟩

ambulant ['æmbjʊlənt] bnw in beweging, rondtrekkend

ambush ['æmbʊʃ] I zn hinderlaag II ov ww in hinderlaag laten lopen / vallen III onov ww in hinderlaag liggen

ameliorate [ə'mi:lɪəreɪt] I ov ww verbeteren II onov ww beter worden

amen ['ɑ:men/'eɪmen] zn amen ★ amen to that daar ben ik het zeker mee eens

amenable [ə'mi:nəbl] bnw handelbaar, volgzaam ★ ~ to ontvankelijk / vatbaar voor

amend [ə'mend] ov ww ❶ wijzigen ❷ zich (ver)beteren, amenderen

amendment [ə'mendmənt] zn amendement ★ USA pol the First Amendment het recht op vrijheid van meningsuiting

amends [ə'mendz] zn mv ★ make ~ het weer goedmaken

amenity [ə'mi:nətɪ] zn ❶ [meestal mv] voorziening, faciliteit ★ public amenities openbare voorzieningen ❷ [meestal mv] aantrekkelijke kant, goede ligging

America [ə'merɪkə] zn Amerika

American [ə'merɪkən] I zn Amerikaan II bnw Amerikaans ★ as ~ as apple pie typisch Amerikaans

Americanism [ə'merɪkənɪzəm] zn amerikanisme

Americanize, **Americanise** [ə'merɪkənaɪz] ww ❶ veramerikaniseren ❷ taalk amerikanismen gebruiken

amiable ['eɪmɪəbl] bnw beminnelijk, vriendelijk

amicability [æmɪkə'bɪlətɪ] zn vriend(schapp)elijkheid

amicable ['æmɪkəbl] bnw vriendschappelijk

amicably [æ'mɪkəblɪ] bijw op vriendschappelijke toon ★ ~ part ~ in goede verstandhouding uit elkaar gaan

amid [ə'mɪd], **amidst** [ə'mɪdst] vz te midden van, tussen

amiss [ə'mɪs] I bijw verkeerd, te onpas ★ take sth ~ iets kwalijk nemen, iets verkeerd begrijpen / opvatten ★ not come / go ~ welkom zijn II bnw verkeerd ★ what's ~? wat is er aan de hand?

ammonia [ə'məʊnɪə] zn ammoniak

ammunition [æmjʊ'nɪʃən] zn (am)munitie

amnesia [æm'ni:zɪə] zn geheugenverlies

amnesty ['æmnɪstɪ] zn amnestie

amok [ə'mɒk] bijw ★ run amok amok maken, als een bezetene tekeergaan

among [ə'mʌŋ], **amongst** [ə'mʌŋst] vz te midden van, onder ★ let's keep it ~ ourselves laten we het onder ons houden ★ talk ~ yourselves iets in een besloten groep bespreken

amoral [eɪ'mɒrəl] bnw amoreel

amorous ['æmərəs] bnw ❶ verliefd (of op) ❷ liefdes-

amorphous [ə'mɔ:fəs] bnw amorf, vormloos

amount [ə'maʊnt] I zn ❶ bedrag ★ to the ~ of ten bedrage van ❷ grootte, hoeveelheid, mate, omvang ★ any ~ of sth een berg, heleboel ★ no ~ of sth geen enkel(e) II onov ww ~ to bedragen, neerkomen op ★ it ~s to het komt neer op

amp [æmp] zn ❶ ampère ❷ inform versterker

ampersand ['æmpəsænd] zn ampersand (teken: &)

amphetamine [æm'fetəmi:n] zn amfetamine

amphibian [æm'fɪbɪən] I zn ❶ amfibie ❷ amfibievliegtuig / -voertuig II bnw amfibisch, amfibie-

amphitheatre, USA **amphitheater** ['æmfɪθɪətə] zn amfitheater

ample ['æmpl] bnw ❶ ruim, ampel, uitvoerig, overvloedig ❷ gezet ⟨van figuur⟩

amplification [æmplɪfɪ'keɪʃən] zn ❶ versterking ⟨geluidstechniek⟩ ❷ uitweiding, nadere verklaring

amplifier ['æmplɪfaɪə] zn versterker

amplify ['æmplɪfaɪ] ov ww ❶ versterken ⟨van geluid, beeld⟩ ❷ vergroten ❸ uitbreiden, uitweiden

amputate ['æmpjʊteɪt] ov ww amputeren, afzetten

amputation [æmpjʊ'teɪʃən] zn amputatie

amuck [ə'mʌk] bijw → **amok**

amuse [ə'mju:z] ov ww ❶ amuseren, vermaken ❷ aangenaam bezig houden ★ I am not ~d ik vind het niet leuk

amusement [ə'mju:zmənt] zn amusement, plezier

amusement arcade zn gokhal, automatenhal

amusing [ə'mju:zɪŋ] bnw amusant, vermakelijk

an [æn] lw → **a**

anabolic ['ænə'bɒlɪk] I zn anabool II bnw anabool ★ ~ steroids anabole steroïden

anaemia [ə'ni:mɪə] zn ❶ bloedarmoede, anemie

an

❷ lusteloosheid

anaemic [ə'ni:mɪk] *bnw* ❶ bloedarm, anemisch ❷ lusteloos ★ *an ~ performance* een bloedeloze voorstelling

anaesthesia [ænɪs'θi:zɪə] *zn* ❶ anesthesie ❷ narcose, verdoving

anaesthetic [ænɪs'θetɪk] I *zn* verdovingsmiddel II *bnw* verdovend

anaesthetist [ə'ni:sθətɪst] *zn* anesthesist

anaesthetize, anaesthetise [ə'ni:sθətaɪz] *ov ww* verdoven, onder narcose brengen

anal ['eɪnl] *bnw* anaal, aars-

analgesic ['ænəl'dʒi:sɪk] I *zn* analgeticum, pijnstillend middel II *bnw* pijnstillend

analog ['ænəlɒg] USA → **analogue**

analogous [ə'næləgəs] *bnw* analoog (to met), overeenkomstig

analogue ['ænəlɒg] I *zn* ❶ analoog ❷ parallel II *bnw* ❶ analoog ❷ met wijzerplaat ⟨van klok, horloge⟩

analogy [ə'nælədʒɪ] *zn* analogie, overeenkomst ★ *on the ~ of / by ~ with* naar analogie van

analyse, analyze ['ænəlaɪz] *ov ww* ❶ analyseren ❷ ontleden ❸ aan psychoanalyse onderwerpen

analysis [ə'næləsɪs] *zn* ❶ analyse ★ *in the final / last ~* in laatste instantie, uiteindelijk ❷ psychoanalyse

analyst ['ænəlɪst] *zn* ❶ analist ❷ (psycho)analyticus

analytical [ænə'lɪtɪkl], **analytic** [ænə'lɪtɪk] *bnw* analytisch

analyze *ov ww* USA → **analyse**

anarchism ['ænəkɪzəm] *zn* anarchisme

anarchist ['ænəkɪst] *zn* anarchist

anarchy ['ænəkɪ] *zn* anarchie

anathema [ə'næθəmə] *zn* banvloek, vervloekt iets of iemand, gruwel ★ *democracy is an ~ to them* democratie is hun een gruwel

anatomist [ə'nætəmɪst] *zn* anatoom

anatomy [ə'nætəmɪ] *zn* ❶ anatomie ❷ bouw, structuur ⟨van lichaam⟩ ❸ analyse, onderzoek ★ *human ~* menselijk lichaam ★ *morbid ~* pathologische anatomie

ancestor ['ænsestə] *zn* ❶ voorvader ❷ oertype, prototype

ancestral [æn'sestrəl] *bnw* ❶ voorouderlijk ❷ prototypisch

ancestry ['ænsestrɪ] *zn* ❶ voorouders ❷ afkomst

anchor ['æŋkə] I *zn* ❶ anker ★ *drop* ~ het anker uitwerpen ★ *ride at* ~ voor anker liggen ★ *weigh* ~ het anker lichten ❷ steun II *ov ww* (ver)ankeren III *onov ww* voor anker gaan

anchorage ['æŋkərɪdʒ] *zn* ❶ verankering ❷ ligplaats ❸ *fig* steun

anchovy ['æntʃəvɪ] *zn* ansjovis

ancient ['eɪnʃənt] *bnw* ❶ (zeer) oud ❷ uit de (klassieke) oudheid ★ *fig ~ history* oude koeien ★ *the Ancients* de Klassieken ⟨i.h.b. Grieken en Romeinen⟩

ancillary [æn'sɪlərɪ] I *zn* assistent II *bnw* ❶ ondergeschikt, bijkomend ❷ hulp-, ondersteunend ★ *~ industries* toeleveringsbedrijven

and [ænd] *vw* en ★ *try and come* probeer te komen

anecdote ['ænɪkdəʊt] *zn* anekdote

anemia [ə'ni:mɪə] *zn* → **anaemia**

anemic [ə'ni:mɪk] *bnw* → **anaemic**

anemone [ə'nemənɪ] *zn* anemoon

anesthesia *zn* USA → **anaesthesia**

anesthetic USA → **anaesthetic**

anesthetist *zn* USA → **anaesthetist**

anesthetize *ov ww* USA → **anaesthetize**

anew [ə'nju:] *bijw* ❶ opnieuw ★ *she started anew in a different city* ze begon een nieuw leven in een andere stad ❷ anders

angel ['eɪndʒəl] *zn* ❶ *ook fig* engel ❷ schat ❸ inform sponsor ★ *guardian* ~ beschermengel

angelic [æn'dʒelɪk] *bnw* engelachtig

anger ['æŋgə] I *zn* woede II *ov ww* boos maken, tergen III *onov ww* boos worden ★ *she* ~*s quickly* ze wordt snel boos

angle ['æŋgl] I *zn* ❶ hoek ★ *acute* ~ scherpe hoek ★ *right* ~ rechte hoek ★ *at an* ~ (to) schuin (op) ★ *at right* ~*s to* haaks op ★ ~ *parking* schuin parkeren ★ *dead* ~ dode hoek ★ *blind* ~ dode hoek, blinde vlek ❷ gezichtspunt ★ *from all* ~*s* van meerdere kanten ★ *it gave her a whole new* ~ *on life* het gaf haar een heel nieuwe kijk op het leven II *ov ww* ~ **to(wards), at** richten op ★ *he* ~*d the light towards me* hij richtte het licht op me ★ *the magazine is* ~*d at teenagers* het tijdschrift is voor tieners bedoeld III *onov ww* ❶ zich kronkelen, buigen ❷ hengelen ★ ~ *for compliments* vissen naar complimentjes

angler ['æŋglə] *zn* hengelaar

Anglican ['æŋglɪkən] I *bnw* anglicaans ★ *the ~ church* de anglicaanse kerk ⟨de Engelse staatskerk⟩ II *zn* anglicaan

anglicism ['æŋglɪsɪzəm] *zn* anglicisme

anglicize, anglicise ['æŋglɪsaɪz] *ov ww* verengelsen

angling ['æŋglɪŋ] *zn* hengelsport

Anglo- ['æŋgləʊ] *voorv* Engels, van Britse / Engelse oorsprong

Anglo-American *bnw* Anglo-Amerikaans

Anglophile ['æŋgləʊfaɪl] *zn* anglofiel (met voorliefde voor alles wat Engels is)

Anglo-Saxon [æŋgləʊ'sæksən] I *zn* ❶ Angelsakser ❷ (typische) Engelsman II *bnw* ❶ Oud-Engels, Angelsaksisch ❷ USA Engels

angry ['æŋgrɪ] *bnw* ❶ boos (at, with op; about, at over) ★ *he's* ~ *at / with me* hij is boos op mij ★ *what is she* ~ *about?* waar is ze boos over? ❷ dreigend ❸ pijnlijk, ontstoken ★ ~ *clouds* dreigende wolken ★ ~ *wound* ontstoken wond

anguish ['æŋgwɪʃ] I *zn* ❶ (zielen)smart ❷ angst ❸ pijn, lijden ★ *be in* ~ angsten uitstaan II *onov ww* ❶ pijn lijden, angst hebben ❷ ~ **about/ over** angst hebben over

anguished ['æŋgwɪʃt] *bnw* vol smart, vol angst, gekweld

angular ['æŋgjʊlə] *bnw* ❶ hoekig ❷ benig, knokig ★ ~ *features* hoekige gelaatstrekken

animal ['ænɪml] I *zn* ❶ dier ❷ dierlijk wezen ★ *domesticated* ~ huisdier, getemd dier II *bnw* dierlijk

animate ['ænɪmeɪt] I *bnw* levend II *ov ww* ❶ bezielen, tot leven brengen ❷ animeren ❸ een animatiefilm maken

animated ['ænɪmeɪtɪd] *bnw* levend(ig), bezield ★ *an* ~ *discussion* een levendig gesprek ★ ~

cartoon tekenfilm

animation [æni'meɪʃən] *zn* ❶ levendigheid, enthousiasme ❷ (het maken van een) tekenfilm

animosity [ænɪ'mɒsətɪ] *zn* vijandigheid

aniseed ['ænɪsiːd] *zn* anijszaad(je)

ankle ['æŋkl] *zn* enkel

anklet ['æŋklət] *zn* ❶ enkelstuk, enkelkettinkje ❷ USA sok

annals ['ænlz] *zn mv* annalen, jaarboeken

annex¹, GB **annexe** ['æneks] *zn* ❶ aanhangsel ‹van document› ❷ bijgebouw, dependance

annex² [ə'neks] *ov ww* ❶ annexeren ❷ aanhechten ‹toevoegen als bijlage›

annexation ['ænek'seɪʃn] *zn* annexatie, inlijving

annihilate [ə'naɪəleɪt] *ov ww* ❶ vernietigen ❷ (volledig) verslaan

annihilation [ənaɪə'leɪʃən] *zn* vernietiging

anniversary [ænɪ'vɜːsərɪ] *zn* (jaarlijkse) gedenkdag ★ *20th wedding* ~ 20e trouwdag

annotate ['ænəteɪt] *ov ww* annoteren, aantekeningen maken

annotation [ænə'teɪʃən] *zn* annotatie, aantekening

announce [ə'naʊns] *ov ww* aankondigen, bekendmaken, omroepen ★ *we regret to ~ the death of our grandmother* met leedwezen geven geven wij kennis van het overlijden van onze grootmoeder

announcement [ə'naʊnsmənt] *zn* aankondiging, bekendmaking

announcer [ə'naʊnsə] *zn* aankondiger, omroeper

annoy [ə'nɔɪ] *ov ww* ❶ ergeren ❷ lastig vallen

annoyance [ə'nɔɪəns] *zn* ❶ ergernis, irritatie ★ *much to her ~* tot haar grote ergernis ❷ last, hinder

annoyed [ə'nɔɪd] *bnw* geïrriteerd ★ ~ *with sb* geïrriteerd over iem. ★ ~ *with sth* geïrriteerd over iets

annoying [ə'nɔɪɪŋ] *bnw* hinderlijk, vervelend

annual ['ænjʊəl] I *bnw* jaar-, jaarlijks ★ ~ *income* jaarinkomen ★ ~ *general meeting* jaarvergadering II *zn* ❶ jaarboekje ❷ éénjarige plant

annuity [ə'nju:ətɪ] *zn* lijfrente, jaargeld

annul [ə'nʌl] *ov ww* ❶ tenietdoen ❷ ongeldig / nietig verklaren

annulment [ə'nʌlmənt] *zn* ❶ tenietdoening ❷ ongeldig- / nietigverklaring

Annunciation [ənʌnsɪ'eɪʃən] *zn* ★ ~ *(day)* Maria-Boodschap (25 maart)

anodyne ['ænədaɪn] I *zn* pijnstillend / kalmerend middel II *bnw* ❶ pijnstillend ❷ kalmerend, sussend

anoint [ə'nɔɪnt] *ov ww* ❶ insmeren, zalven ‹vooral rel.› ❷ inform aftuigen

anomalous [ə'nɒmələs] *bnw* abnormaal, onregelmatig, uitzonderings- ★ *the ~ expansion of water* de buitengewone toename van water

anomaly [ə'nɒməlɪ] *zn* anomalie, onregelmatigheid

anon. [ə'nɒn] *afk, anonymous* anon., anoniem

anonymity [ænə'nɪmətɪ] *zn* anonimiteit, naamloosheid

anonymous [ə'nɒnɪməs] *bnw* anoniem, naamloos ★ *a dull and ~ landscape* een saai, karakterloos landschap

anorectic [ænə'rektɪk] *bnw* anorectisch

anorexia [ænə'reksɪə] *zn* anorexia (nervosa), magerzucht

another [ə'nʌðə] *onbep vnw* ❶ nog een ★ *that's ~ matter* dat is iets heel anders ★ *for one reason or* ~ om de een of andere reden ❷ een ander ★ *would you like a ~ biscuit?* wil je nog een koekje? ❸ een tweede ★ *Iraq is becoming ~ Vietnam* Irak wordt een tweede Vietnam ★ *one* ~ elkaar

answer ['ɑːnsə] I *zn* antwoord ★ *have / know all the ~s* van alle markten thuis zijn, iron denken dat men alles weet II *ov ww* antwoorden op, beantwoorden (aan) ❷ reageren op ★ ~ *the door* opendoen ‹na kloppen / bellen› ★ ~ *the phone* de telefoon opnemen ❸ *does this ~ your requirements?* voldoet dit aan je eisen? III *onov ww* ❶ antwoorden ❷ voldoende zijn ❸ ~ **back** een brutaal antwoord geven ❹ ~ **for** instaan voor, boeten voor ★ *have a lot to* ~ *for* heel wat op zijn geweten hebben ❺ ~ **to** luisteren naar, reageren op, verantwoorden tegenover, beantwoorden aan ★ ~ *to the name of* luisteren naar de naam

answerable ['ɑːnsərəbl] *bnw* ❶ verantwoording verschuldigd, aansprakelijk ★ *you are ~ for your behaviour* je bent aansprakelijk voor je gedrag ❷ te beantwoorden

answering machine *zn* antwoordapparaat

answerphone ['ɑːnsəfəʊn] *zn* antwoordapparaat

ant [ænt] *zn* mier ★ *have ants in one's pants* geen rust in zijn kont hebben

antagonism [æn'tægənɪzəm] *zn* ❶ antagonisme ❷ tegenstrijdig principe ❸ vijandschap ★ *his proposal met with a lot of ~* zijn voorstel riep veel verzet op

antagonist [æn'tægənɪst] *zn* antagonist, tegenstander

antagonistic [æntægə'nɪstɪk] *bnw* antagonistisch, tegenwerkend, vijandig

antagonize, antagonise [æn'tægənaɪz] *ov ww* ❶ tegen zich in het harnas jagen ❷ tegengaan / -werken

Antarctic [ænt'ɑːktɪk] *zn* het zuidpoolgebied ★ *the ~* Antarctica

Antarctic Ocean *zn* Zuidelijke IJszee

ante ['ænti] I *zn* ★ *raise / up the ante* z'n eisen opschroeven II *ov ww* ~ **up** ophoesten ‹van geld›

ante- ['ænti] *voorv* voor-, vooraf

antecedent [æntɪ'siːdənt] I *zn* ❶ (het) voorafgaande, voorgeschiedenis ❷ ook taalk antecedent ★ ~*s* [mv] voorouders, verleden II *bnw* voorafgaand

antedate [æntɪ'deɪt] I *zn* antidatering II *ov ww* ❶ antidateren, te vroeg dateren ❷ voorafgaan aan ❸ vervroegen

antelope ['æntɪləʊp] *zn* antilope, leer van antilope

antenatal [æntɪ'neɪtl] *bnw* prenataal ★ ~ *clinic* kliniek voor a.s. moeders ★ ~ *exercises* zwangerschapsgymnastiek

antenna [æn'tenə] *zn* [mv: **antennae**] ❶ voelspriet ❷ antenne

antepenultimate [æntɪpɪ'nʌltɪmət] I *zn* op twee na de laatste lettergreep II *bnw* op twee na

an

laatste, voorvoorlaatst

anterior [æn'tɪərɪə] *bnw* ❶ voor-, voorste ★ ~ *part of the brain* voorste deel van de hersenen ❷ voorafgaand (**to** aan), vroeger ★ *the king ~ to Queen Elizabeth I* de koning voorafgaand aan koningin Elizabeth I

ant heap *zn* mierenhoop

anthem ['ænθəm] *zn* religieuze koorzang ★ *national* ~ volkslied

anthology [æn'θɒlədʒɪ] *zn* bloemlezing

anthropologist [ænθrə'pɒlədʒɪst] *zn* antropoloog

anthropology [ænθrə'pɒlədʒɪ] *zn* antropologie, leer van de mens

anthropomorphic [ænθrəpə'mɔːfɪk] *bnw* antropomorf, mensachtig

anti ['ænti/'æntaɪ] **I** *zn* tegenstander **II** *vz* tegen

anti- ['ænti/'æntaɪ] *voorv* tegen-, anti- ★ *~American* anti-Amerikaans

anti-aircraft [æntɪ'eəkrɑːft] *bnw* ★ ~ *guns* luchtafweergeschut

antibiotic [æntɪbaɪ'ɒtɪk] **I** *zn* antibioticum **II** *bnw* antibiotisch, bacteriebestrijdend

antibody ['æntɪbɒdɪ] *zn* antilichaam, antistof

anticipate [æn'tɪsɪpeɪt] *ov ww* ❶ verwachten, tegemoetzien ★ *war is widely* ~d er wordt algemeen oorlog verwacht ❷ anticiperen, vooruitlopen op ❸ voorkomen, vóór zijn ❹ voorvoelen / -zien

anticipation [æntɪsɪ'peɪʃən] *zn* ❶ voorgevoel ❷ verwachting ★ *in* ~ bij voorbaat ★ *in* ~ *of* in afwachting van

anticipatory [æn'tɪsɪpətərɪ] *bnw* anticiperend

anticlimax [æntɪ'klaɪmæks] *zn* anticlimax

anticlockwise [æntɪ'klɒkwaɪz] *bnw + bijw* USA tegen de wijzers van de klok in, linksom draaiend

antics ['æntɪks] *zn mv* capriolen, potsierlijk gedrag ★ *he is up to his* ~ *again* hij doet weer eens gek

anticyclone [æntɪ'saɪkləʊn] *zn* gebied met hoge luchtdruk, anticycloon

antidotal [æntɪ'dəʊtl] *bnw* als tegengif

antidote ['æntɪdəʊt] *zn* tegengif (**against, for** tegen)

antifreeze [æntɪ'friːz] *zn* antivries

anti-lock *bnw* ★ ~ *braking system* antiblokkeersysteem

anti-nuclear [æntɪ'njuːklɪə] *bnw* antikernwapen(s), tegen kernenergie

antipathetic [æntɪpə'θetɪk] *bnw* antipathiek ★ ~ *to new ideas* niet openstaand voor nieuwe ideeën

antipathy [æn'tɪpəθɪ] *zn* antipathie, afkeer

antiquarian [æntɪ'kweərɪən] **I** *zn* ❶ oudheidkundige ❷ antiquaar, antiquair **II** *bnw* oudheidkundig

antiquated ['æntɪkweɪtɪd] *bnw* verouderd, achterhaald ★ ~ *central heating* verouderde centrale verwarming

antique [æn'tiːk] **I** *zn* antiek voorwerp **II** *bnw* antiek, oud

antique dealer *zn* antiquair

antiquity [æn'tɪkwətɪ] *zn* ❶ (de) oudheid ❷ ouderdom ★ *antiquities* [mv] oudheden

anti-Semitic *bnw* antisemitisch

anti-Semitism *zn* antisemitisme

antiseptic [æntɪ'septɪk] **I** *zn* ontsmettend middel **II** *bnw* antiseptisch, ontsmettend

antisocial [æntɪ'səʊʃəl] *bnw* ❶ asociaal ❷ ongezellig

anti-terrorist *bnw* ★ ~ *organization* antiterreurorganisatie

antithesis [æn'tɪθəsɪs] *zn* antithese, tegenstelling, contrast

antitoxin [æntɪ'tɒksɪn] *zn* tegengif, antitoxine

antler ['æntlə] *zn* [meestal mv] gewei

antonym ['æntənɪm] *zn* antoniem, tegengestelde ⟨woord met tegengestelde betekenis⟩

anus ['eɪnəs] *zn* anus, aars(opening)

anvil ['ænvɪl] *zn* ook anat aanbeeld

anxiety [æŋ'zaɪətɪ] *zn* ❶ angst ❷ bezorgdheid (**about, for** om) ★ ~ *about his safety* bezorgdheid om zijn veiligheid ❸ verlangen (**for, to** naar) ★ *an* ~ *to please* een sterk verlangen om aardig gevonden te worden

anxious ['æŋkʃəs] *bnw* ❶ bezorgd (**about** over), nerveus ❷ verontrust ❸ verlangend (**for** naar) ★ ~ *moments* angstige ogenblikken ★ *he was* ~ *to leave* hij stond te popelen om te vertrekken, hij wilde graag vertrekken

any ['enɪ] *onbep vnw* ❶ enig(e), enkele, wat ★ *are there any apples?* zijn er ook appels? ❷ ieder(e), elk(e), wie / welke(e) ook ★ *any pen will do* elke pen is goed ★ *they are as good as any* ze zijn zo goed als welke dan ook ★ *any time!* graag gedaan! ★ *at any time* steeds, altijd, geen dank! ❸ een, iemand, niet(s), iets ★ *not just any person* niet zo maar iem., een bijzonder iem. ★ *inform I'm not having any of it* ik wil dit absoluut niet, er komt niets van in! ★ *I'm afraid I'm not any the wiser after that class* ik ben bang dat ik van die les niets heb opgestoken

anybody ['enɪbɒdɪ] *onbep vnw* → **anyone**

anyhow ['enɪhaʊ] *bijw* ❶ hoe dan ook, in ieder geval ★ *I will come* ~ ik kom in ieder geval ❷ nonchalant, ongeregeld ★ *she dresses* ~ ze kleedt zich slordig

anymore ['eni'mɔː] *bijw* [met ontkenning] meer ★ *I don't live in Utrecht* ~ ik woon niet meer in Utrecht

anyone ['enɪwʌn] *onbep vnw* ❶ iemand ★ *would* ~ *help me, please?* is er iem. die mij wil helpen? ❷ wie dan ook, iedereen ★ ~ *who is* ~ iedereen die iets te betekenen heeft ★ *it could happen to* ~ het kan iederéén overkomen

anything ['enɪθɪŋ] *onbep vnw* ❶ iets ❷ wat dan ook, (van) alles ★ ~ *but* allesbehalve ★ *not for* ~ voor niets ter wereld ★ *as fast as* ~ zo snel als wat ★ *if* ~ *this is better* dit is mogelijk nog beter

anyway ['enɪweɪ] *bijw* ❶ althans, tenminste, in ieder geval, toch, nou ja, eigenlijk ★ *she wasn't invited but came* ~ ze was niet uitgenodigd maar kwam toch ★ ~, *I don't want to talk about it* ik wil er eigenlijk niet over praten ❷ hoe dan ook

anywhere ['enɪweə] *bijw* ❶ ergens ❷ waar dan ook, overal ★ *miles from* ~ mijlenver van alles verwijderd ★ *there weren't* ~ *near enough chairs* er waren bij lange niet genoeg stoelen ★ *we are not getting* ~ *(with this)* zo komen we (hiermee) geen klap verder

AOB *afk, any other business* wat verder ter tafel komt

aorta [er'ɔːtə] *zn* aorta, hoofdslagader

apart [ə'pɑːt] *bijw* ❶ apart, los, afzonderlijk ★ *set ~ scheiden ★ ~ from* afgezien van / *joking ~* zonder dollen / gekheid ★ *John ~, not one of them is suitable* behalve John is niemand geschikt ❷ van / uit elkaar, gescheiden ⟨van tijd, plaats⟩ ★ *poles / worlds ~* hemelsbreed van elkaar verschillend ★ *tell ~* onderscheiden ❸ aan stukken ★ *take ~* uit elkaar halen, demonteren, kritisch analyseren, afkraken

apartment [ə'pɑːtmənt] *zn* ❶ USA appartement, flat ❷ vertrek ★ *~ block* flatgebouw ★ USA *~ house* klein flatgebouw

apathetic [æpə'θetɪk] *bnw* apathisch, lusteloos

apathy ['æpəθɪ] *zn* apathie, lusteloosheid

ape [eɪp] **I** *zn* mensaap, staartloze aap ★ USA *go ape(shit)* razend / knettergek worden **II** *ov ww* na-apen

aperitif [əpera'tɪv] *zn* aperitief

aperture ['æpətʃə] *zn* opening, spleet, audio-vis diafragma ⟨van fototoestel⟩

apex ['eɪpeks] *zn* ook fig top(punt) ★ *the apex of the roof* het hoogste punt van het dak ★ fig *the apex of his career* de top van zijn loopbaan

aphorism ['æfərɪzəm] *zn* aforisme, kernachtig gezegde

aphrodisiac [æfrə'dɪziæk] *zn* afrodisiacum ⟨libidoverhogend middel⟩

apiece [ə'piːs] *bijw* per stuk

aplomb [ə'plɒm] *zn* zelfverzekerdheid, aplomb

apnoea, apnea [ap'niːə] *zn* ademstilstand / -onderbreking

apocalypse [ə'pɒkəlɪps] *zn* ❶ openbaring, onthulling ❷ einde / vernietiging van de wereld

apologetic [əpɒlə'dʒetɪk] *bnw* verontschuldigend

apologize, apologise [ə'pɒlədʒaɪz] *onov ww* zich verontschuldigen

apology [ə'pɒlədʒɪ] *zn* verontschuldiging

apoplexy ['æpəpleksɪ] *zn* oud beroerte, apoplexie

apostle [ə'pɒsəl] *zn* ❶ apostel ❷ aanhanger

apostrophe [ə'pɒstrəfɪ] *zn* taalk apostrof, weglatingsteken

appal, USA **appall** [ə'pɔːl] *ov ww* ontstellen, ontzetten ★ *I was ~led at the news* ik was diep geschokt door het nieuws

appalling [ə'pɔːlɪŋ] *bnw* ❶ ontstellend, verbijsterend ❷ heel slecht ★ *~ weather conditions* zeer slechte weersomstandigheden

apparatus [æpə'reɪtəs] *zn* ❶ apparaat, apparatuur ❷ anat organen ★ *respiratory ~* ademhalingsorganen

apparent [ə'pærənt] *bnw* ❶ duidelijk ❷ ogenschijnlijk ★ *with no ~ reason* zonder aanwijsbare reden

apparently [ə'pærəntlɪ] *bijw* blijkbaar, kennelijk

apparition [æpə'rɪʃən] *zn* spook(verschijning)

appeal [ə'piːl] **I** *zn* ❶ aantrekkingskracht ★ *have a wide ~* in brede kring gehoor vinden ❷ jur beroep, appel, bezwaarschrift ★ *lodge an ~* beroep aantekenen ★ *Court of Appeal* Hof van Appel ❸ oproep, smeekbede ★ *an ~ for help* een smeekbede om hulp **II** *onov ww* ❶ in beroep gaan ❷ dringend verzoeken ★ *~ against a decision* beroep aantekenen tegen een beslissing ★ *~ for calm* verzoeken om stilte ❸ *~ to* beroep doen op, zich beroepen op, aantrekkingskracht uitoefenen, aanspreken ★ *~ to commons sense* een beroep doen op gezond verstand ★ *the idea ~ed to me* het idee sprak me aan

appealing [ə'piːlɪŋ] *bnw* ❶ aantrekkelijk ❷ smekend ★ *an ~ look* een smekende blik

appear [ə'pɪə] **I** *onov ww* verschijnen ★ *she ~s regularly on television* ze verschijnt regelmatig op televisie **II** *hww* blijken, lijken ★ *she ~ed to be sick* ze bleek ziek te zijn ★ *that does not ~ to be a good idea* dat lijkt geen goed idee

appearance [ə'pɪərəns] *zn* ❶ uiterlijk, schijn ★ *keep up ~s* de schijn redden, stand ophouden ★ *to all ~s* te zien, kennelijk ★ *~s are deceptive* schijn bedriegt ❷ verschijning, (het) optreden ★ *make an ~* optreden ★ *put in an ~* zich even laten zien

appease [ə'piːz] *ov ww* ❶ verzoenen, sussen, bevredigen ★ *the speech ~d them* de toespraak kalmeerde hen ❷ stillen ⟨van honger⟩

appeasement [ə'piːzmənt] *zn* verzoening, verzoeningspolitiek door concessies, kalmering

append [ə'pend] *ov ww* bijvoegen, aanhechten

appendage [ə'pendɪdʒ] *zn* ❶ bijvoegsel, aanhangsel ❷ med aanhangsel

appendectomy [æpɪn'dektəmɪ] *zn* blindedarmoperatie

appendices [ə'pendɪsiːz] *zn mv* → **appendix**

appendicitis [əpendɪ'saɪtɪs] *zn* blindedarmontsteking

appendix [ə'pendɪks] *zn* [mv: **appendices**] ❶ aanhangsel, appendix ❷ anat blindedarm, appendix

appertain [æpə'teɪn] *onov ww* **~ to** behoren aan / bij / tot, betreffen ★ *these duties ~ to his work* deze taken horen bij zijn werk

appetite ['æpɪtaɪt] *zn* ❶ eetlust ❷ begeerte (**for** naar)

appetizer, appetiser ['æpɪtaɪzə] *zn* ❶ aperitief ❷ voorgerecht

appetizing, appetising ['æpɪtaɪzɪŋ] *bnw* ❶ de eetlust opwekkend ❷ smakelijk

applaud [ə'plɔːd] **I** *ov ww* toejuichen ★ *they ~ed his arrival* ze juichten zijn komst toe **II** *onov ww* applaudisseren

applause [ə'plɔːz] *zn* applaus, bijval

apple ['æpl] *zn* appel ★ *~ dumpling* appelbol ★ *the Big Apple* New York ★ *~ of s.o.'s eye* iemands oogappel

applecart ['æplkɑːt] *zn* ★ *to upset the ~* iemands plannen verijdelen

apple pie *zn* appeltaart ★ *as American as ~* typisch Amerikaans ★ *left in ~ order* keurig netjes achtergelaten

appliance [ə'plaɪəns] *zn* toestel, apparaat, middel ★ *domestic ~s* huishoudelijke apparaten

applicable ['æplɪkəbl] *bnw* ❶ toepasselijk ❷ doelmatig ★ *~ to* van toepassing op

applicant ['æplɪkənt] *zn* sollicitant

application [æplɪ'keɪʃən] *zn* ❶ toepassing, gebruik ★ *for outward ~ only* alleen voor uitwendig gebruik ❷ aanvraag(formulier), verzoek ❸ toewijding ❹ comp applicatie, toepassingsprogramma

applied [ə'plaɪd] *bnw* toegepast
apply [ə'plaɪ] **I** *ov ww* ❶ aanleggen, aanbrengen ★ ~ *glue* lijm aanbrengen ❷ toepassen, gebruiken ★ ~ *pressure* druk uitoefenen ★ ~ *the brakes* remmen ★ ~ *o.s. (to)* zich toeleggen (op), zich inspannen (voor) ★ *applied art* kunstnijverheid **II** *onov ww* ❶ van toepassing zijn, gelden ❷ **for** solliciteren naar, aanvragen ❸ ~ **to** zich wenden tot
appoint [ə'pɔɪnt] *ov ww* ❶ aanstellen ★ ~ *a person* iem. aanstellen ❷ vaststellen ★ ~ *a time* een tijd vaststellen ❸ uitrusten, voorzien ★ *be well ~ed* welvoorzien zijn, goed uitgerust zijn
appointment [ə'pɔɪntmənt] *zn* ❶ afspraak ❷ benoeming ★ *by ~ only* alleen volgens afspraak
apportion [ə'pɔːʃən] *ov ww* toebedelen
appraisal [ə'preɪzl] *zn* ❶ beoordeling ❷ waardebepaling ★ *staff / performance ~* beoordeling, evaluatie
appraise [ə'preɪz] *ov ww* ❶ schatten ❷ evalueren
appreciable [ə'priːʃəbl] *bnw* ❶ schatbaar ❷ merkbaar, aanzienlijk ★ *an ~ amount* een aanzienlijke hoeveelheid
appreciate [ə'priːʃɪeɪt] **I** *ov ww* ❶ appreciëren, waarderen ★ *I'd ~ it if you rang first* ik zou het op prijs stellen als je eerst belde ❷ begrijpen, inzien ★ *he doesn't ~ how I feel* hij begrijpt niet hoe ik me voel ❸ verhogen in koers / prijs **II** *onov ww* in waarde stijgen
appreciation [əpriːʃɪ'eɪʃən] *zn* ❶ appreciatie, waardering ❷ beoordeling ❸ waardevermeerdering
appreciative [ə'priːʃətɪv] *bnw* waarderend, erkentelijk ★ ~ *comments* waarderende opmerkingen
apprehend [æprɪ'hend] *ov ww* ❶ <u>form</u> begrijpen ❷ arresteren ★ *the thief was ~ed at the border* de dief werd aan de grens aangehouden ❸ vrezen
apprehension [æprɪ'henʃən] *zn* ❶ ongerustheid, vrees ★ *a sense of ~* een beklemd gevoel ❷ arrestatie ❸ begrip ★ *slow ~* langzaam begrip
apprehensive [æprɪ'hensɪv] *bnw* ongerust
apprentice [ə'prentɪs] **I** *zn* leerjongen **II** *ov ww* ❶ in de leer doen / nemen ❷ ~ **to** in de leer doen bij ★ *he was ~d to a printer* hij ging in de leer bij een drukker
apprenticeship [ə'prentɪsʃɪp] *zn* leerlingschap, leerjaren
approach [ə'prəʊtʃ] **I** *ov ww* ❶ naderen ★ *the plane ~ed the runway* het vliegtuig naderde de landingsbaan ❷ benaderen, aanpakken ★ *he ~ed the matter carefully* hij pakte de zaak voorzichtig aan **II** *zn* ❶ nadering ❷ toegang(sweg) ★ *an ~ road* een invalsweg ❸ benadering, aanpak
approachable [ə'prəʊtʃəbl] *zn* <u>ook fig</u> toegankelijk ★ *the shops are ~ from the west* de winkels zijn van de westkant toegankelijk ★ *he is very friendly and ~* hij is zeer vriendelijk en toegankelijk
approbation [æprə'beɪʃən] *zn* (officiële) goedkeuring
appropriate[1] [ə'prəʊprɪət] *bnw* ❶ geschikt (**to, for** voor) ❷ passend ★ *take ~ measures* passende maatregelen treffen

appropriate[2] [ə'prəʊprɪeɪt] *ov ww* ❶ zich toe-eigenen ❷ toewijzen, bestemmen ★ ~ *money for the park* geld voor het park bestemmen
approval [ə'pruːvl] *zn* goedkeuring ★ *on ~* op zicht ★ *meet with ~* bijval vinden
approve [ə'pruːv] *onov ww* ❶ akkoord gaan ★ *an ~d method* een beproefde methode ❷ ~ **of** goedkeuren
approx *afk, approximate(ly)* ongeveer, bij benadering
approximate[1] [ə'prɒksɪmət] *bnw* bij benadering (aangegeven)
approximate[2] [ə'prɒksɪmeɪt] *ov ww* (be)naderen, schatten
approximately [ə'prɒksɪmətlɪ] *bijw* bij benadering, ongeveer
approximation [ə'prɒksɪ'meɪʃn] *zn* benadering, schatting
Apr. *afk, April* apr, april
apricot ['eɪprɪkɒt] *zn* abrikoos
April ['eɪprɪl] *zn* april ★ ~ *Fools' Day / All Fools' Day* één april ★ ~ *fool* slachtoffer van aprilgrap
apron ['eɪprən] *zn* ❶ schort ❷ voortoneel ❸ verhard deel van vliegveld ★ *be tied to s.o.'s ~ strings* aan iemands leiband lopen
apt [æpt] *bnw* ❶ geschikt, passend ❷ geneigd ❸ gevat, kien ★ *an apt remark* een passende / gevatte opmerking
aptitude ['æptɪtjuːd] *zn* ❶ aanleg ❷ neiging ❸ geschiktheid ★ ~ *test* geschiktheidsonderzoek
aquaplane ['ækwəpleɪn] **I** *zn* waterskiplank **II** *onov ww* ❶ waterskiën ❷ over een glad oppervlak glijden, planeren
aquarium [ə'kweərɪəm] *zn* aquarium
Aquarius [ə'kweərɪəs] *zn* Waterman ⟨sterrenbeeld⟩
aquatic [ə'kwætɪk] *bnw* water-
aqueduct ['ækwɪdʌkt] *zn* aquaduct, waterleidingbuis
aqueous ['eɪkwɪəs] *bnw* water-, waterachtig
AR *afk, Arkansas* staat in de VS
Arab ['ærəb] **I** *zn* Arabier **II** *bnw* Arabisch ⟨met betrekking tot het volk⟩
Arabia [ə'reɪbɪə] *zn* Arabië
Arabian [ə'reɪbɪən] *bnw* Arabisch ★ ~ *Nights* Duizend-en-een-nacht
Arabic ['ærəbɪk] **I** *zn* (het) Arabisch **II** *bnw* Arabisch ⟨taal⟩
arable ['ærəbl] *bnw* bebouwbaar ★ ~ *land* (land)bouwgrond ★ ~ *farming* akkerbouw
arbiter ['ɑːbɪtə] *zn* ❶ scheidsrechter, arbiter ★ *the audience is the final ~* het publiek is de uiteindelijke scheidsrechter ❷ iemand die de toon aangeeft ⟨in smaak, mode, stijl⟩ ★ *the ~s of fashion* de toonaangevende modeontwerpers
arbitrary ['ɑːbɪtrərɪ] *bnw* willekeurig, arbitrair
arbitrate ['ɑːbɪtreɪt] **I** *onov ww* scheidsrechterlijk optreden, beslissen, bemiddelen ★ *the ombudsman ~s between the parties* de ombudsman bemiddelt tussen de partijen **II** *ov ww* als scheidsrechter laten regelen ★ *the insurance ~s claims* de verzekering regelt schadevergoedingen
arbitration [ɑːbɪ'treɪʃən] *zn* arbitrage ★ *go to ~* voorleggen aan een arbitragecommissie
arbitrator ['ɑːbɪtreɪtə] *zn* scheidsrechter ⟨bij

geschillen›, arbiter, bemiddelaar
arbour, USA **arbor** ['ɑ:bə] *zn* prieel
arc [ɑ:k] *zn* (cirkel)boog
arcade [ɑ:'keɪd] *zn* ❶ galerij
❷ speelautomatenhal ★ *shopping ~*
winkelgalerij
arch [ɑ:tʃ] **I** *zn* boog, gewelf, voetholte **II** *bnw*
ondeugend, schalks **III** *ov ww* welven ★ *the cat
arched its back* de kat welfde zijn rug **IV** *onov
ww* zich welven
arch- [ɑ:tʃ] *voorv* aarts-
archaeological [ɑ:kɪə'lɒdʒɪkl] *bnw*
archeologisch, oudheidkundig
archaeologist [ɑ:kɪ'ɒlədʒɪst] *zn* archeoloog,
oudheidkundige
archaeology [ɑ:kɪ'ɒlədʒɪ] *zn* archeologie,
oudheidkunde
archaic [ɑ:'keɪk] *bnw* archaïsch, verouderd
archangel ['ɑ:keɪndʒəl] *zn* aartsengel
archbishop [ɑ:tʃ'bɪʃəp] *zn* aartsbisschop
archdeacon [ɑ:tʃ'di:kən] *zn* aartsdiaken
archer ['ɑ:tʃə] *zn* boogschutter ★ *Archer*
Boogschutter ‹sterrenbeeld›
archery ['ɑ:tʃərɪ] *zn* (het) boogschieten
archetype ['ɑ:kɪtaɪp] *zn* archetype,
oorspronkelijk model
archipelago [ɑ:kɪ'peləgəʊ] *zn* archipel
architect ['ɑ:kɪtekt] *zn* architect, ontwerper,
maker ★ *naval ~* scheepsbouwkundig ingenieur
architectural [ɑ:kɪ'tektʃərəl] *bnw* bouwkundig,
architectonisch
architecture ['ɑ:kɪtektʃə] *zn* architectuur,
bouwkunde
archive ['ɑ:kaɪv] **I** *zn* [vaak mv] archief **II** *ov ww*
archiveren
archivist ['ɑ:kɪvɪst] *zn* archivaris
archway ['ɑ:tʃweɪ] *zn* overwelfde / overdekte
(in)gang, poort
Arctic ['ɑ:ktɪk] **I** *zn* noordpoolgebied **II** *bnw*
❶ Arctisch, noordpool- ❷ ijskoud
Arctic Ocean *zn* Noordelijke IJszee
ardent ['ɑ:dnt] *bnw* vurig, ijverig ★ ~ *supporter*
vurige supporter
ardour, USA **ardor** ['ɑ:də] *zn* ❶ gloed, bezieling
★ *nothing could stop his ~* niets kon zijn
enthousiasme tegenhouden ❷ ijver ★ *she
worked with great ~* ze werkte zeer ijverig
arduous ['ɑ:dju:əs] *bnw* ❶ steil ❷ inspannend,
lastig ★ *an ~ task* een moeilijke taak
are [ɑ:] *ww* [o.t.t.] → **be**
area ['eərɪə] *zn* ❶ oppervlakte, gebied ★ *built-up
area* bebouwde kom ★ *depressed / distressed area*
gebied met hoge werkeloosheid ★ *no-go area*
verboden terrein ★ *wooded area* bosgebied ❷ fig
★ *an area of interest* een interessegebied
area code USA *zn* netnummer, kengetal
arena [ə'ri:nə] *zn* ❶ arena, strijdperk ❷ fig toneel
aren't [ɑ:nt] *samentr, are not* → **be**
argot ['ɑ:gəʊ] *zn* slang, Bargoens, jargon
arguable ['ɑ:gjʊəbl] *bnw* betwistbaar,
aanvechtbaar ★ *improvement is ~* verbetering is
aanvechtbaar
argue ['ɑ:gju:] **I** *ov ww* ❶ redetwisten over ★ ~ *a
point* een kwestie bespreken ★ ~ *the toss* een
onherroepelijk besluit aanvechten ❷ betogen,
aanvoeren, beredeneren ★ ~ *sb into / out of sth*

iem. overhalen iets (niet) te doen ❸ duiden op
II *onov ww* ❶ debatteren, argumenteren ★ *she is
successful, you can't ~ with that* ze is succesvol,
dat is gewoon een feit / dat is buiten kijf
❷ ruzie maken
argument ['ɑ:gjʊmənt] *zn* ❶ betoog
❷ woordentwist, woordenwisseling, ruzie
❸ argument ★ *close ~* waterdichte redenering
argumentation [ɑ:gjʊmən'teɪʃən] *zn*
bewijsvoering, argumentatie
argumentative [ɑ:gjʊ'mentətɪv] *bnw* twistziek
aria ['ɑ:rɪə] *zn* aria
arid ['ærɪd] *bnw* ook fig dor, droog, onvruchtbaar
★ *the land was arid* de grond was onvruchtbaar
Aries ['eri:z] *zn* Ram ‹sterrenbeeld›
arise [ə'raɪz] *onov ww* [onregelmatig] ❶ zich
voordoen ❷ tot gevolg hebben ❸ opstaan,
verrijzen ★ *when the need ~s* indien nodig
❹ ~ *from/out of* voortkomen uit, ontstaan uit
arisen [ə'rɪzən] *ww* [volt. deelw.] → **arise**
aristocracy [ærɪ'stɒkrəsɪ] *zn* aristocratie, adel
aristocrat ['ærɪstəkræt] *zn* aristocraat
aristocratic [ærɪstə'krætɪk] *bnw* aristocratisch
arithmetic [ærɪθ'metɪk] *zn* rekenkunde ★ *mental
~* hoofdrekenen
ark [ɑ:k] *zn* ❶ ark ❷ reg kist, mand, doos ★ *Ark of
the Covenant / of Testimony* Ark des Verbonds
★ *Noah's ark* de ark van Noach ★ *out of the ark*
uit het jaar nul
arm [ɑ:m] **I** *zn* ❶ arm ★ *keep sb at arm's length*
iem. op afstand houden ★ *twist sb's arm* iem.
het mes op de keel zetten ★ *make a long arm for
sth* reiken naar iets ★ *upper / lower arm* boven- /
onderarm ★ *cost / pay an arm and a leg* je blauw
betalen ❷ mouw ❸ armleuning ❹ molenwiek
❺ tak ‹van organisatie› ❻ [vaak mv] wapen
★ *take up arms against* de wapenen opnemen
tegen ★ *up in arms* gevechtsklaar ★ *up in arms
about sth* verontwaardigd over iets,
gealarmeerd door iets **II** *ov ww* bewapenen
III *onov ww* zich wapenen
armadillo [ɑ:mə'dɪləʊ] *zn* gordeldier
armament ['ɑ:məmənt] *zn* ❶ bewapening,
wapentuig ❷ krijgsmacht ★ *nuclear ~*
kernbewapening
armchair [ɑ:m'tʃeə] *zn* leunstoel ★ min ~ *socialist*
salonsocialist ★ ~ *traveller* iem. die alleen over
reizen leest
armed [ɑ:md] *bnw* ❶ gewapend ❷ uit- /
toegerust ❸ met armen ★ ~ *forces / services*
strijdkrachten
armful ['ɑ:mfʊl] *zn* armvol
armhole ['ɑ:mhəʊl] *zn* armsgat
armistice ['ɑ:mɪstɪs] *zn* wapenstilstand
★ *Armistice Day* (verjaar)dag van de
wapenstilstand ‹11 november 1918›
armlock ['ɑ:mlɒk] *zn* houdgreep
armour, USA **armor** ['ɑ:mə] *zn* ❶ bepantsering,
pantservoertuigen, wapenrusting ❷ harnas,
duikerpak
armoured, USA **armored** *bnw* gepantserd,
gewapend, bewapend
armoury, USA **armory** ['ɑ:mərɪ] *zn*
(wapen)arsenaal, wapenzaal, -depot, -magazijn
armpit ['ɑ:mpɪt] *zn* oksel
arms [ɑ:mz] *zn mv* → **arm**

ar

arms race *zn* bewapeningswedloop
arms talks *zn mv* ontwapeningsonderhandelingen
army ['ɑːmɪ] *zn* ❶ leger ❷ menigte ★ *army of bees* zwerm bijen
A-road *zn* ≈ rijksweg
aroma [ə'rəʊmə] *zn* aroma, (lekkere) geur
aromatic [ærə'mætɪk] *bnw* geurig, aromatisch
arose [ə'rəʊz] *ww* [verleden tijd] → **arise**
around [ə'raʊnd] I *bijw* ❶ ongeveer, omstreeks ❷ ook fig rond ★ *this team is better all* ~ dit team is in elk opzicht beter ★ *the news got* ~ het nieuws verbreidde zich ★ *they sat* ~ *looking bored* ze hingen verveeld rond ★ *the other way* ~ omgekeerd ❸ in het rond, in de buurt, verspreid ★ *have been* ~ het klappen van de zweep kennen II *vz* rond(om), (in het) rond, om... heen ★ *they live* ~ *the corner* ze wonen om de hoek
arousal [ə'raʊzəl] *zn* ❶ opwinding ⟨ook seksueel⟩ ❷ geprikkeldheid
arouse [ə'raʊz] *ov ww* ❶ opwinden ⟨ook seksueel⟩ ❷ prikkelen ❸ uitlokken
arr. *afk* ❶ *arranged* gearrangeerd ❷ *arrival* aankomst
arrange [ə'reɪndʒ] *ov ww* ❶ schikken, ordenen ★ ~ *flowers* bloemen schikken ❷ regelen, afspreken ★ *let's* ~ *a time* een tijd afspreken ❸ muz arrangeren
arrangement [ə'reɪndʒmənt] *zn* ❶ regeling, afspraak ❷ ordening ★ muz arrangement, bewerking ★ *make* ~*s* voorzorgsmaatregelen nemen
array [ə'reɪ] I *zn* ❶ serie, reeks, rits, stoet ❷ wisk matrix ❸ mars- / slagorde II *ov ww* ❶ opstellen ❷ uitdossen
arrears [ə'rɪəz] *zn mv* achterstallige schuld ★ *pay in* ~ achteraf betalen
arrest [ə'rest] I *zn* ❶ arrest, arrestatie ★ *under* ~ aangehouden / gearresteerd zijn ★ *under house* ~ onder huisarrest ❷ stilstand ★ med *cardiac* ~ hartstilstand II *ov ww* ❶ arresteren, treffen, boeien ★ ~ *(the) attention* de aandacht boeien ❷ form tegenhouden, stuiten ★ ~*ed development* tot stilstand gekomen ontwikkeling
arresting [ə'restɪŋ] *bnw* boeiend, opvallend, verrassend ★ *an* ~ *outfit* een opvallend kostuum
arrival [ə'raɪvəl] *zn* ❶ (aan)komst ❷ aangekomene
arrive [ə'raɪv] *onov ww* ❶ aankomen, arriveren ❷ fig er komen ★ *she has* ~*d* zij heeft het gemaakt ⟨succes⟩
arrogance ['ærəgəns] *zn* arrogantie, aanmatiging
arrogant ['ærəgənt] *bnw* arrogant, aanmatigend
arrow ['ærəʊ] *zn* pijl
arrowhead ['ærəʊhed] *zn* ❶ pijlpunt ❷ plantk pijlkruid
arse [ɑːs] I *zn* ❶ GB vulg reet, kont ❷ vulg klootzak ★ *shift your arse!* verdwijn!, rot op! ★ *get off your arse!* schiet toch eens op! ★ *my arse!* m'n reet!, ga toch weg! ★ *work one's arse off* zich in het zweet werken II *onov ww* ~ **about/around** (aan / rond)klooien
arsenal ['ɑːsənl] *zn* ook fig arsenaal, wapendepot
arsenic ['ɑːsnɪk] *zn* arsenicum
arson ['ɑːsən] *zn* brandstichting

arsonist ['ɑːsənɪst] *zn* brandstichter
art [ɑːt] *zn* ❶ ⟨vaak mv⟩ kunst ★ *arts and crafts* kunst en ambacht ★ *fine arts* schone kunsten ★ *visual arts* beeldende kunst ❷ vaardigheid ★ *get sth down to a fine art* iets perfect leren beheersen ★ *black arts* zwarte kunst ★ *martial arts* ⟨oosterse⟩ vechtsporten
artefact [ɑːtɪfækt, ɑːtɪfækt], **artifact** *zn* ❶ artefact ❷ kunstproduct, kunstvoorwerp
arterial [ɑː'tɪərɪəl] *bnw* van de slagader, van ~ ~ *road* hoofdverkeersweg
artery ['ɑːtərɪ] *zn* ❶ slagader ❷ verkeersader
artful ['ɑːtfʊl] *bnw* listig, gekunsteld, kundig
arthritic [ɑː'θrɪtɪk] *bnw* jichtig
arthritis [ɑː'θraɪtɪs] *zn* artritis, gewrichtsontsteking
artichoke ['ɑːtɪtʃəʊk] *zn* artisjok
article ['ɑːtɪkl] *zn* ❶ artikel ⟨ook van contract⟩ ★ ~*s of association* statuten ⟨van bedrijf enz.⟩ ❷ voorwerp, deel van een set ★ ~*s* [mv] spullen, zaken ❸ taalk lidwoord
articulate¹ [ɑː'tɪkjʊlət] *bnw* ❶ welbespraakt, zich gemakkelijk uitdrukkend ❷ verstaanbaar, gearticuleerd ❸ geleed
articulate² [ɑː'tɪkjʊleɪt] *ov ww* ❶ zich duidelijk uitdrukken ❷ articuleren, duidelijk uitspreken ❸ aaneenkoppelen ⟨met gewricht enz.⟩ ★ ~*d bus* gelede bus, harmonicabus ★ GB ~*d lorry* truck met aanhanger / oplegger
articulation [ɑːtɪkjʊ'leɪʃən] *zn* articulatie
artifice ['ɑːtɪfɪs] *zn* list, kunstgreep ★ *her appeal was her lack of* ~ haar aantrekkingskracht was dat ze argeloos was
artificial [ɑːtɪ'fɪʃəl] *bnw* ❶ kunst-, namaak- ❷ kunstmatig ❸ gekunsteld, onnatuurlijk ★ ~ *fibres* kunstvezels ★ ~ *limb* kunstlidmaat, prothese
artillery [ɑː'tɪlərɪ] *zn* artillerie, geschut ★ *mounted* ~ veldartillerie
artisan [ɑːtɪ'zæn] *zn* handwerksman
artist ['ɑːtɪst] *zn* ❶ kunstenaar ⟨vnl. beeldend⟩ ❷ artiest(e)
artiste [ɑː'tiːst] *zn* ⟨variété-⟩artiest
artistic [ɑː'tɪstɪk] *bnw* artistiek, kunst-
artless ['ɑːtləs] *bnw* ❶ ongekunsteld ❷ naïef ❸ onhandig
artwork ['ɑːtwɜːk] *zn* artwork, (reclame)tekeningen
arty ['ɑːtɪ] *bnw* artistiekerig
as [æz] I *bijw* zo, zoals, als, even ★ *as... as* even als, (net) zoals ★ *as against / opposed to* in tegenstelling tot / tegenover ★ *as it is* op zichzelf ★ *as it were* als het ware ★ *it was as much as I could do* meer kon ik niet doen ★ *as much as 20 euros* maar liefst 20 euro ★ *as soon as* zodra ★ *as yet* alsnog / tot nu toe ★ *as you please / wish* zoals u wilt / wenst, zo je wenst / wat je maar wil(t) ★ *mil as you were!* doorgaan! ★ *as for / to / regards* wat betreft ★ *as from / of* vanaf / met ingang van ★ *as of now* nu ★ *as of January first* met ingang van / per 1 januari ★ *as such* als zodanig II *vz* als ★ *he inquired as to what it was all about* hij vroeg waar het allemaal om ging ★ *it came as a shock* het kwam als een schok III *vw* ❶ ⟨zo⟩als ❷ aangezien ❸ naarmate ❹ terwijl ★ *as if / though* alsof ★ *old as I am,...*

hoe oud ik ook ben,...., ook al ben ik oud,... ★ *so as to* teneinde, om

asap *afk, as soon as possible* z.s.m., zo spoedig mogelijk

asbestos [æz'bestɒs] *zn* asbest

ascend [ə'send] *ov ww* ❶ opgaan, opvaren <u>ook muz</u> stijgen, bestijgen, beklimmen ★ ~ *the throne* de troon bestijgen

Ascension Day [ə'senʃən deɪ] *zn* Hemelvaartsdag

ascent [ə'sent] *zn* ❶ be- / opstijging ❷ helling, klim ❸ trap ❹ fig opkomst

ascertain [æsə'teɪn] *ov ww* <u>form</u> vaststellen, te weten komen ★ ~ *the cause* vaststellen wat de oorzaak was

ascertainable [æsə'teɪnəbl] *bnw* vast te stellen

ascetic [ə'setɪk] **I** *zn* asceet **II** *bnw* ascetisch

ASCII [ˈæskɪ] *afk, American Standard Code for Information Interchange* ASCII

ascribe [ə'skraɪb] *ov ww* toeschrijven (**to** aan)

asexual [eɪ'seksjʊəl] *bnw* geslachtloos, aseksueel

ash [æʃ] *zn* ❶ as ❷ es ⟨boom⟩ ★ *the town was reduced to ashes* de stad werd in de as gelegd ★ *Ash Wednesday* Aswoensdag

ashamed [ə'ʃeɪmd] *bnw* beschaamd ★ *be ~ for* zich schamen voor ★ *be ~ of* zich schamen over

ashen [ˈæʃən] *bnw* ❶ asgrauw ❷ doodsbleek ★ *~ faced* lijkbleek

ashore [ə'ʃɔː] *bijw* aan land / wal

ashtray [ˈæʃtreɪ] *zn* asbak

Asia [ˈeɪʃə] *zn* Azië

Asian [ˈeɪʃən] **I** *zn* Aziaat **II** *bnw* Aziatisch

Asiatic [eɪʃiˈætɪk] *bnw* Aziatisch

aside [ə'saɪd] **I** *zn* ❶ terzijde ⟨toneel⟩ ❷ terloops gemaakte opmerking **II** *bijw* terzijde ★ ~ *from* afgezien van ★ *brush / sweep ~* terzijde schuiven ★ *leaving ~* afgezien van ★ *set ~* reserveren ★ *take / draw ~* apart nemen

ask [ɑːsk] **I** *ov ww* ❶ vragen (naar), verzoeken ★ *ask a question* een vraag stellen ★ *don't drop that, I ask you!* laat dat alsjeblieft niet vallen! ★ *it is yours for the asking* je hoeft het maar te vragen en je hebt / krijgt het ★ *asked price* laat-, verkoopkoers ★ *don't ask!* daar kunnen we het beter niet over hebben ★ <u>straatt</u> *ask me another* ik zou het niet weten ★ *that's asking* dat gaat je niets aan, ik ga het je niet vertellen ❷ verlangen, eisen ★ *that's asking a lot* dat is wel heel veel gevraagd ❸ uitnodigen ★ *she wasn't asked* ze was niet uitgenodigd ❹ ~ **after/about** vragen naar ❺ ~ **for** vragen om / naar, uitlokken ❻ ~ **out** uitnodigen mee uit te gaan ❼ ~ **round** thuis uitnodigen **II** *onov ww* vragen ★ *it's there for the asking* het is zo te krijgen

askance [ə'skæns] *bijw* ❶ van terzijde ❷ achterdochtig ★ *look ~ at a person* iem. wantrouwend / kritisch aankijken ❸ dubbelzinnig

askew [ə'skjuː] *bijw* scheef ★ *she had her hat ~* haar hoed zat scheef

asleep [ə'sliːp] **I** *bnw* in slaap ★ *be ~* slapen ★ *fast / sound ~* in (een) diepe slaap **II** *bijw* ★ *drop / fall ~* in slaap vallen

AS level, A / S level *afk, advanced supplementary level* ≈ examen op 5 vwo-niveau

asparagus [ə'spærəgəs] *zn* asperge

aspect [ˈæspekt] *zn* ❶ aspect, gezichtspunt ★ *in every ~* in elk opzicht ❷ aanblik, ligging ★ *a house with a southern ~* een huis op het zuiden ❸ zijde ★ *viewed from every ~* van alle kanten bekeken

aspen [ˈæspən] *zn* esp

asperity [æ'sperətɪ] *zn* ❶ strengheid ❷ guurheid, bittere kou ❸ scherpheid ★ *say sth with some ~* op wat strenge / onvriendelijke toon iets zeggen ★ *asperities* [mv] narigheid, misère

asphalt [ˈæsfælt] **I** *zn* asfalt **II** *ov ww* asfalteren

asphyxia [æs'fɪksɪə] *zn* verstikking(sdood)

asphyxiate [æs'fɪksɪeɪt] *ov ww* doen (ver)stikken

aspirant [ˈæspɪrənt] **I** *zn* kandidaat, gegadigde **II** *bnw* strevend, eerzuchtig

aspirate[1] [ˈæspərət] *zn* taalk geaspireerde klank

aspirate[2] [ˈæspəreɪt] *ov ww* taalk aspireren, met aanblazing uitspreken

aspiration [æspɪ'reɪʃən] *zn* ❶ streven ❷ taalk geaspireerde klank

aspire [ə'spaɪə] *onov ww* streven (**to**, **after** naar), trachten ★ ~ *to better things* streven naar het betere

aspiring [ə'spaɪərɪŋ] *bnw* ❶ strevend, verlangend ❷ eerzuchtig ★ *an ~ student* een ambitieuze leerling ❸ hoog

aspirin [ˈæsprɪn] *zn* aspirine

ass [æs] *zn* ❶ GB ezel ⟨dier⟩ ❷ USA vulg kont, reet ❸ GB min kluns ★ *inform kick ass* geweldig zijn

assail [ə'seɪl] *ov ww* bestormen, aanvallen

assailant [ə'seɪlənt] *zn* aanvaller

assassin [ə'sæsɪn] *zn* sluip- / huurmoordenaar

assassinate [ə'sæsɪneɪt] *ov ww* vermoorden

assassination [əsæsɪ'neɪʃən] *zn* sluip- / huurmoord

assault [ə'sɔːlt] **I** *zn* ❶ geweldpleging, aanval, (seksuele) aanranding ★ *criminal / indecent ~* aanranding / verkrachting, ontuchtige handeling ★ <u>jur</u> *~ and battery* mishandeling, geweldpleging ❷ mil bestorming **II** *ov ww* ❶ aanvallen ❷ mil bestormen

assault course *zn* stormbaan

assay [ə'seɪ] **I** *zn* analyse **II** *ov ww* ❶ toetsen, analyseren ❷ vaststellen van gehalte (metaal)

assemble [ə'sembl] **I** *ov ww* ❶ assembleren ❷ monteren, in elkaar zetten **II** *onov ww* bijeenkomen, zich verzamelen

assembly [ə'semblɪ] *zn* ❶ montage ★ ~ *line* lopende band ★ ~ *shop* montagehal, -werkplaats ❷ vergadering ★ *constituent ~* constituerende vergadering (bevoegd tot grondwetswijziging) ❸ verzameling ★ *an ~ of birds* een samenscholing van vogels ❹ dagopening ⟨van school⟩

assent [ə'sent] **I** *zn* instemming ★ *Royal Assent* koninklijke bekrachtiging ⟨van wet⟩ **II** *onov ww* instemmen (**to** met)

assert [ə'sɜːt] *ov ww* ❶ beweren ❷ laten / doen gelden ★ ~ *yourself* voor jezelf opkomen

assertion [ə'sɜːʃən] *zn* ❶ bewering, bevestiging ❷ handhaving

assertive [ə'sɜːtɪv] *bnw* ❶ stellig, beslist ❷ zelfverzekerd, aanmatigend

assess [ə'ses] *ov ww* ❶ vaststellen ❷ waarderen, beoordelen ❸ (in)schatten ❹ belasten ★ *~ed work* (school)werk dat cijfermatig beoordeeld

as

zal worden

assessable [ə'sesəbl] bnw ❶ belastbaar ❷ beoordeelbaar

assessment [ə'sesmənt] zn beoordeling, evaluatie ★ continuous ~ doorlopende beoordeling

assessor [ə'sesə] zn ❶ expert ❷ taxateur ★ external ~ gecommitteerde ⟨bij examen⟩

asset ['æset] zn ❶ aanwinst ★ she's quite an ~ to the business ze is echt een aanwinst voor het bedrijf ❷ econ creditpost ❸ voordeel, pluspunt ★ the swimming pool is an ~ to the town het zwembad is een pluspunt voor de stad ❹ goed, bezit ★ be a great ~ veel waard zijn

assets ['æsets] zn mv activa, bezit ★ ~ and liabilities activa en passiva ★ capital ~ vaste activa, kapitaalgoederen ★ frozen ~ bevroren tegoeden

asshole ['ɑːshəʊl] zn vulg klootzak, lul

assign [ə'saɪn] ov ww ❶ toewijzen (to aan), toekennen (to aan), toebedelen (to aan) ★ they were ~ed different jobs zij zijn verschillende taken toegewezen ❷ opdragen ★ ~ homework huiswerk opgeven ❸ ook mil detacheren (to aan) ❹ jur overdragen (to aan) ❺ vaststellen ★ they ~ed a date ze stelden een datum vast

assignation [æsɪg'neɪʃən] zn ❶ form taak ❷ (geheime) afspraak, rendez-vous ★ Juliet's ~ with Romeo Juliets geheime afspraak met Romeo ❸ toewijzing

assignee [æsaɪ'niː] zn gevolmachtigde, curator ⟨bij faillissement⟩

assignment [ə'saɪnmənt] zn ❶ opdracht, taak ★ a written ~ een geschreven opdracht ❷ toewijzing ❸ jur overdracht ❹ USA benoeming ★ be on ~ uitgezonden zijn (met opdracht)

assimilate [ə'sɪmɪleɪt] I ov ww ❶ assimileren ❷ opnemen, zich eigen maken II onov ww ❶ zich assimileren ❷ opgenomen / gelijk worden

assimilation [əsɪmɪ'leɪʃən] zn assimilatie, opneming

assimilation rate zn opnamecapaciteit / -snelheid

assist [ə'sɪst] I ov ww ❶ bijstaan, assisteren ❷ hulp verlenen ★ he ~ed the police hij verleende hulp aan de politie II onov ww ❶ ~ at iets bijwonen ★ he ~ed at the meeting hij woonde de vergadering bij ❷ ~ in ergens bij helpen ★ she ~ed in keeping the peace zij hielp om de vrede te bewaren ❸ ~ with ★ she helped him with money ze hielp hem met geld

assistance [ə'sɪstəns] zn ❶ hulp, steun ❷ inform sociale bijstand ★ be of ~ to sb iem. helpen / van dienst zijn ★ lend ~ hulp verlenen

assistant [ə'sɪstnt] I zn assistent, bediende II bnw adjunct-★ USA Can onderw ~ professor ≈ universitair docent

associate¹ [ə'səʊʃrət] I zn ❶ compagnon, partner ❷ metgezel, collega II bnw ❶ verbonden ❷ begeleidend ❸ mede-★ USA Can onderw ~ professor ≈ universitair hoofddocent

associate² [ə'səʊʃreɪt] onov ww ❶ (zich) verenigen, zich associëren ★ smoking has been ~d with lung cancer roken is in verband gebracht met longkanker ❷ ~ with omgaan

met ★ ~ yourself with je aansluiten bij

associated [ə'səʊʃreɪtɪd] bnw ❶ gepaard gaand met ❷ banden hebbend met, gerelateerd zijnd aan

association [əsəʊsɪ'eɪʃən] zn ❶ vereniging ❷ samenwerking ❸ associatie ❹ verband ★ by ~ door samenwerking ★ in ~ with in samenwerking met ★ wrecking ~ bergingsmaatschappij ★ buying ~ inkoopcombinatie

assorted [ə'sɔːtɪd] bnw ❶ bij elkaar passend ❷ gemengd, gesorteerd ★ ill-~ slecht bij elkaar passend ★ ~ toffees gemengde toffees

assortment [ə'sɔːtmənt] zn ❶ assortiment ★ an unlike-~ of people een niet voor de hand liggende combinatie van mensen ❷ sortering

assuage [ə'sweɪdʒ] ov ww verzachten, lenigen, kalmeren ★ ~ one's conscience zijn geweten sussen

assume [ə'sjuːm] ov ww ❶ aannemen, veronderstellen ★ I ~ he is wrong ik veronderstel dat hij het mis heeft ★ he ~d a look of innocence hij keek alsof hij onschuldig was ★ let's ~ stel dat ★ assuming (that) ervan uitgaand (dat) ❷ op zich nemen ★ ~ responsibility for verantwoordelijkheid nemen voor

assumed [ə'sjuːmd] bnw ❶ aangenomen, verzonnen ❷ verondersteld ★ under an ~ name onder een valse naam

assumption [ə'sʌmpʃən] zn ❶ veronderstelling, vermoeden ❷ aanvaarding ❸ overname ⟨van macht⟩ ★ with an ~ of modesty met gespeelde bescheidenheid ★ Assumption (Day) Maria-Hemelvaart

assurance [ə'ʃɔːrəns] zn ❶ verzekering, belofte ❷ zelfvertrouwen ❸ GB (levens)verzekering ❹ zekerheid

assure [ə'ʃɔːə] ov ww ❶ verzekeren ❷ zekerheid verschaffen ★ I can ~ you je kunt gerust zijn, ik beloof je

assured [ə'ʃɔːd] bnw ❶ zelfverzekerd ❷ zeker, stellig ★ you may rest ~ that u kunt ervan op aan dat

asterisk ['æstərɪsk] zn asterisk, sterretje

asthma ['æsmə] zn astma

asthmatic [æs'mætɪk] I zn astmapatiënt, astmaticus II bnw astmatisch

astir [ə'stɜː] bnw ❶ opgewonden ★ the crowds are all ~ de menigte is helemaal opgewonden ❷ op de been ★ she was ~ before anyone else ze was als eerste op

astonish [ə'stɒnɪʃ] ov ww verbazen ★ be ~ed at zich verbazen over

astonishing [ə'stɒnɪʃɪŋ] bnw verbazingwekkend

astonishment [ə'stɒnɪʃmənt] zn (stomme) verbazing ★ he looked at me in ~ hij keek me in stomme verbazing aan

astound [ə'staʊnd] ov ww ❶ zeer verbazen ❷ ontstellen ★ be ~ed by ontzet zijn door

astounding [ə'staʊndɪŋ] bnw verbazingwekkend

astray [ə'streɪ] bnw op een dwaalspoor, op het slechte / verkeerde pad ★ go ~ verdwalen ★ lead sb ~ iem. op een dwaalspoor / het slechte pad brengen

astride [ə'straɪd] bijw schrijlings

astrology [ə'strɒlədʒɪ] zn astrologie,

sterrenwichelarij

astronaut [ˈæstrənɔːt] *zn* astronaut, ruimtevaarder

astronomer [əˈstrɒnəmə] *zn* astronoom, sterrenkundige

astronomic [ænˈɑːkɪk] *bnw* fig enorm

astronomical [æstrəˈnɒmɪkl] *bnw* astronomisch

astronomy [əˈstrɒnəmɪ] *zn* astronomie, sterrenkunde

astute [əˈstjuːt] *bnw* scherpzinnig, slim, schrander ★ *an ~ judge of character* een goede mensenkenner

astuteness [əˈstjuːtnəs] *zn* scherpzinnigheid, slimheid, geslepenheid

asylum [əˈsaɪləm] *zn* ❶ ook pol asiel, schuilplaats ★ fig *he was offered ~* hij kreeg asiel aangeboden ❷ oud gesticht ★ min *lunatic ~* gekkenhuis

asylum seeker *zn* asielzoeker

asymmetric [eɪsɪˈmetrɪk], **asymmetrical** [eɪsɪˈmetrɪkl] *bnw* asymmetrisch

asymmetry [erˈsɪmətrɪ] *zn* asymmetrie

at [æt] *vz* ❶ op, in, bij, aan ⟨plaats⟩ ★ *he must be out at lunch* hij is vermoedelijk aan het lunchen ★ *that's where it's at!* daar is het te doen!, daar moet je zijn! ❷ om, in, tijdens ⟨tijd⟩ ❸ op ⟨leeftijd⟩ ❹ naar ⟨richting⟩ ❺ op, vanaf ⟨afstand⟩ ❻ in, op ⟨situatie⟩ ★ *I'm good at French* ik ben goed in Frans ★ *she was at her best / worst* zij was op haar best / slechst ❼ met ⟨snelheid⟩ ❽ vanwege, met ⟨oorzaak⟩ ❾ op ⟨reactie⟩ ❿ voor ⟨in ruil voor⟩ ★ *I've got a new help and a good one at that* ik heb een nieuwe hulp en (nog) een goeie ook

ate [et, eɪt] *ww* [verleden tijd] → eat

atheism [ˈeɪθiɪzəm] *zn* atheïsme

atheist [ˈeɪθiɪst] *zn* atheïst

athlete [ˈæθliːt] *zn* atleet ★ *~'s foot* zwemmerseczeem, voetschimmel

athletic [æθˈletɪk] *bnw* atletisch

athletics [æθˈletɪks] *zn mv* atletiek, sport

Atlantic [ətˈlæntɪk] *zn* ★ *the ~ (Ocean)* de Atlantische Oceaan

atlas [ˈætləs] *zn* atlas

ATM *afk,* USA *Automated Teller Machine* geld- / pinautomaat

ATM-card *zn* pinpas

atmosphere [ˈætməsfɪə] *zn* ❶ atmosfeer, dampkring ❷ fig sfeer ★ *there was a good ~ at the party* er was een goede sfeer op het feestje

atmospheric [ætməsˈferɪk] *bnw* atmosferisch

atmospherics [ætməsˈferɪks] *zn mv* ❶ atmosferische storingen, luchtstoringen ❷ sfeerbepalende elementen

atom [ˈætəm] *zn* ❶ atoom ❷ greintje ★ *not an atom of sense* geen greintje logica

atomic [əˈtɒmɪk] *bnw* atoom-, kern- ★ *Atomic Age* atoomtijdperk

atomize, atomise [ˈætəmaɪz] *ov ww* ❶ verstuiven ❷ versplinteren ❸ vernietigen door atoomwapens

atomizer, atomiser [ˈætəmaɪzə] *zn* verstuiver, sproeier, vaporisator

atone [əˈtəʊn] *onov ww* ★ *~ for* weer goedmaken, boeten voor

atonement [əˈtəʊnmənt] *zn* verzoening ★ *make ~ for* weer goedmaken, boeten voor ★ *Day of Atonement* Grote Verzoendag

atrocious [əˈtrəʊʃəs] *bnw* gruwelijk, monsterachtig, wreed ★ *an ~ accent* een vreselijk accent

atrocity [əˈtrɒsətɪ] *zn* gruweldaad, wreedheid

atrophy [ˈætrəfɪ] **I** *zn* atrofie, verschrompeling **II** *onov ww* wegkwijnen, verschrompelen

attach [əˈtætʃ] **I** *ov ww* ❶ aanhechten, aansluiten, verbinden ❷ ~ to vastmaken aan ★ *be ~ed to sb* aan iem. gehecht zijn ★ ~ *importance to sth* belang aan iets toekennen ★ ~ *yourself to sb* je aan iem. vastklampen **II** *onov ww* vastzitten ★ *this part ~es to that* dit deel zit vast aan dat deel / dit deel moet vast aan dat deel

attaché case [əˈtæʃeɪ keɪs] *zn* attachékoffer

attached [əˈtætʃt] *bnw* ❶ (aan)gehecht ❷ verbonden (to met)

attachment [əˈtætʃmənt] *zn* ❶ binding, verbinding ❷ psych hechting ❸ techn hulpstuk ❹ comp attachment, emailbijlage ❺ jur beslag, beslaglegging

attack [əˈtæk] **I** *zn* ❶ aanval ❷ muz inzet ★ *play in ~* in een aanvallende positie spelen **II** *ov ww* ❶ aanvallen ❷ aanpakken ★ *let's ~ the problem* laten we het probleem aanpakken ❸ beschadigen, aantasten ❹ (fel) bekritiseren

attacker [əˈtækə] *zn* aanvaller

attain [əˈteɪn] *ov ww* form bereiken, verwerven ★ ~ *high speeds* hoge snelheden bereiken

attainable [əˈteɪnəbl] *bnw* bereikbaar, verkrijgbaar

attainment [əˈteɪnmənt] **I** *zn* verworvenheid **II** *zn* [meestal mv] capaciteit, prestatie ★ *low ~s of the students* lage prestaties van de leerlingen

attempt [əˈtempt] **I** *zn* ❶ poging ❷ sport recordpoging ❸ aanslag ★ *an ~ on the minister's life* een (moord)aanslag op de minister **II** *ov ww* ❶ pogen ❷ aanvallen ★ ~*ed rape / murder* poging tot verkrachting / moord

attend [əˈtend] **I** *ov ww* ❶ bijwonen, aanwezig zijn ★ *our children ~ the same school* onze kinderen zitten op dezelfde school ❷ begeleiden ★ ~ *a machine* een machine bedienen **II** *onov ww* ~ to zorgen voor, verzorgen, opletten ★ *are you being ~ed to?* wordt u al geholpen?

attendance [əˈtendəns] *zn* ❶ aanwezigheid, opkomst ★ USA *take ~* absenten opnemen ❷ verzorging, bediening ★ *be in ~ on sb* iem. begeleiden / bedienen ★ *dance ~ on sb* iem. op zijn wenken bedienen

attendant [əˈtendənt] **I** *zn* bediende, begeleider ★ *a lavatory ~* een toiletjuffrouw **II** *bnw* ❶ aanwezig ❷ bijhorende ★ ~ *circumstances* bijkomende omstandigheden ❸ bedienend

attention [əˈtenʃən] *zn* aandacht, attentie ★ *(for the) ~ of* ter attentie van ★ *pay ~ to* aandacht schenken aan ★ *pay close ~!* let goed op! ★ *attract / catch sb's ~* iemands aandacht trekken ★ *bring to sb's ~* onder iemands aandacht brengen ★ *call ~ to* aandacht vragen voor ★ mil ~*!* geef acht! ★ mil *stand at / to ~* in de houding staan

attention span *zn* concentratieduur

attentive [əˈtentɪv] *bnw* aandachtig, attent

at

attenuate [əˈtenjʊərt] *ov ww* ❶ verzachten ❷ verdunnen, ver- / afzwakken ★ *attenuating circumstances* verzachtende omstandigheden

attest [əˈtest] *ov ww* ❶ plechtig verklaren ❷ getuigen van ❸ *jur* waarmerken ★ *~ to sth* getuigenis afleggen van

attic [ˈætɪk] *zn* zolder(kamer) ★ *in the ~* op zolder

attire [əˈtaɪə] *zn* ❶ kledij, gewaad ❷ tooi ★ *suitable ~* gepaste kledij

attitude [ˈætɪtjuːd] *zn* ❶ houding, attitude ★ *what is your ~ to...?* hoe staat u tegenover...? ❷ zienswijze

attn, USA **attn.** *afk, for the attention of* t.a.v., ter attentie van

attorney [əˈtɜːnɪ] *zn* ❶ USA advocaat ❷ procureur, gevolmachtigde ★ USA *Attorney General* procureur-generaal, minister van justitie

attract [əˈtrækt] *ov ww* (aan)trekken, boeien ★ *it has ~ed much criticism* het heeft veel kritiek uitgelokt / losgemaakt

attraction [əˈtrækʃən] *zn* ❶ aantrekking(skracht) ❷ attractie

attractive [əˈtræktɪv] *bnw* aantrekkelijk, bekoorlijk

attributable [əˈtrɪbjʊtəbl] *bnw* toe te schrijven (**to** aan)

attribute[1] [ˈætrɪbjuːt] *zn* kenmerk, eigenschap, attribuut ★ *attractive physical ~s* aantrekkelijke fysieke eigenschappen

attribute[2] [əˈtrɪbjuːt] *ov ww* toeschrijven (**to** aan) ★ *the work is widely ~d to Van Gogh* het werk wordt algemeen toegeschreven aan Van Gogh

attributive [əˈtrɪbjʊtɪv] **I** *zn* taalk bijvoeglijke bepaling **II** *bnw* ❶ toekennend ❷ taalk attributief

attrition [əˈtrɪʃən] *zn* ❶ form wrijving, (af)schuring, (af)slijting ★ *war of ~* uitputtingsslag ❷ natuurlijk verloop ❸ studie-uitval ❹ rel berouw

attune [əˈtjuːn] *ov ww* ❶ afstemmen ★ *they are well ~d to each other* ze zijn goed op elkaar afgestemd ❷ **~ to** aanpassen aan

ATV *afk, all-terrain vehicle* terreinwagen

atypical [eɪˈtɪpɪkəl] *bnw* atypisch, afwijkend ★ *~ autumn weather* ongewoon herfstweer

AU *afk, African Union* AU, Afrikaanse Unie

aubergine [ˈəʊbədʒiːn] *zn* GB aubergine

auburn [ˈɔːbən] *bnw* kastanjebruin ⟨vnl. van haar⟩

auction [ˈɔːkʃən] **I** *zn* veiling ★ *a Dutch ~* een veiling bij afslag ★ *the fish ~* de visafslag **II** *ov ww* ❶ veilen, openbaar bij opbod verkopen ❷ *~* **off** bij opbod uit- / verkopen

auctioneer [ˌɔːkʃəˈnɪə] *zn* veilingmeester

audacious [ɔːˈdeɪʃəs] *bnw* ❶ dapper, vermetel ★ *the takeover was an ~ move* de overname was een gedurfde zet ❷ onbeschaamd

audacity [ɔːˈdæsətɪ] *zn* ❶ dapperheid, vermetelheid ❷ onbeschaamdheid ★ *she had the ~ to suggest it was my fault* ze had de brutaliteit om te suggereren dat het mijn schuld was

audible [ˈɔːdɪbl] *bnw* hoorbaar

audience [ˈɔːdɪəns] *zn* ❶ toehoorders, publiek ★ *captive ~* zeer geboeid publiek ❷ audiëntie

audio- [ˈɔːdɪəʊ] *voorv* audio-, geluids-, gehoor-

audioconferencing [ˈɔːdɪəʊˈkɒnfərensɪŋ] *zn* (het) telefonisch vergaderen

audio-visual *bnw* audiovisueel ★ *~ aids / materials* audiovisuele middelen

audit [ˈɔːdɪt] **I** *zn* accountantsonderzoek **II** *onov ww* de boekhouding controleren

audition [ɔːˈdɪʃən] **I** *zn* ❶ beluisteren ❷ auditie **II** *onov ww* auditie doen

auditor [ˈɔːdɪtə] *zn* ❶ accountant ❷ USA toehoorder, auditor

auditorium [ˌɔːdɪˈtɔːrɪəm] *zn* gehoorzaal, aula

auditory [ˈɔːdɪtərɪ] *bnw* gehoor-, auditief

Aug. *afk, August* aug, augustus

augment [ɔːɡˈment] *ov+onov ww* (doen) toenemen ★ *~ one's income* zijn inkomen aanvullen

August [ˈɔːɡəst] *zn* augustus

aunt [ɑːnt] *zn* tante

auntie [ˈɑːntɪ] *zn inform* tante(tje)

au pair [ou ˈpeə] *bnw* ★ *~ girl* au pair(meisje)

aura [ˈɔːrə] *zn* aura, sfeer, uitstraling ★ *an aura of confidence* een zelfverzekerde uitstraling

aural [ˈɔːrəl] *bnw* ❶ oor- ❷ akoestisch

auspices [ˈɔːspɪsɪz] *zn mv* auspiciën ★ *under the ~ of* onder auspiciën / bescherming van

auspicious [ɔːˈspɪʃəs] *bnw* veelbelovend, gunstig ★ *an ~ moment to have elections* een gunstig moment om verkiezingen te houden

Aussie [ˈɒzi, ˈɒsi] *inform* **I** *zn* Australiër **II** *bnw* Australisch

austere [ɔːˈstɪə] *zn* ❶ sober ★ *the cathedral is large and ~* de kathedraal is groot en sober ❷ grimmig, streng ★ *he looks ~* hij ziet er streng uit

austerity [ɒˈsterətɪ] *zn* ❶ soberheid ❷ strengheid

Australasia *zn* Australië, Nieuw-Zeeland en naburige eilanden

Australasian [ɒstrəˈleɪʒən] **I** *zn* bewoner van Australië of de naburige eilanden **II** *bnw* m.b.t. Australië en de naburige eilanden

Australia [ɒˈstreɪlɪə] *zn* Australië

Australian [ɒˈstreɪlɪən] **I** *zn* Australiër **II** *bnw* Australisch

Austria [ˈɒstrɪə] *zn* Oostenrijk

Austrian [ˈɒstrɪən] **I** *zn* Oostenrijker **II** *bnw* Oostenrijks

authentic [ɔːˈθentɪk] *zn* authentiek, echt, origineel ★ *the letter is an ~ document* de brief is een origineel document

authenticate [ɔːˈθentɪkeɪt] *ov ww* ❶ de authenticiteit bevestigen / staven ★ *Rembrandt's paintings were ~d* de authenticiteit van Rembrandts schilderijen werd bevestigd ❷ de rechtsgeldigheid bevestigen / staven, legaliseren

authenticity [ɔːθenˈtɪsətɪ] *zn* ❶ authenticiteit, echtheid ❷ betrouwbaarheid

author [ˈɔːθə] **I** *zn* ❶ schrijver, auteur ★ *a best-selling ~* een successchrijver ❷ schepper, bedenker ❸ *jur* dader **II** *ov ww* schrijven ★ *she has ~ed several articles* ze heeft verscheidene artikels geschreven

authorisation *zn* GB → authorization

authoritarian [ɔːθɒrɪˈteərɪən] *bnw* autoritair, eigenmachtig

authoritative [ɔːˈθɒrɪtətɪv] *bnw* gezaghebbend

authority [ɔːˈθɒrətɪ] *zn* ❶ autoriteit, gezag ★ *under the ~ of* op gezag van ★ *carry ~* invloedrijk zijn ❷ expert ❸ machtiging ★ *written ~* schriftelijke toestemming ❹ overheid(spersoon) ❺ gezaghebbende bron ★ *have it on good ~* iets uit betrouwbare bron hebben

authorization [ɔːθəraɪˈzeɪʃən] *zn* ❶ machtiging, volmacht, autorisatie ❷ goedkeuring

authorize, authorise [ˈɔːθəraɪz] *ov ww* ❶ machtigen ❷ goedkeuren

authorship [ˈɔːθəʃɪp] *zn* auteurschap

autism [ˈɔːtɪzm] *zn* autisme

autistic [ɔːˈtɪstɪk] *bnw* autistisch

auto [ˈɔːtəʊ] *zn* USA auto

autobiographical [ɔːtəʊbaɪəˈɡræfɪkl] *bnw* autobiografisch

autobiography [ɔːtəʊbaɪˈɒɡrəfɪ] *zn* autobiografie

autocracy [ɔːˈtɒkrəsɪ] *zn* alleenheerschappij

autocrat [ˈɔːtəkræt] *zn* alleenheerser

autograph [ˈɔːtəɡrɑːf] **I** *zn* handtekening **II** *ov ww* signeren ★ *~ed book / copy* door de schrijver gesigneerd boek

automate [ˈɔːtəmeɪt] **I** *ov ww* automatiseren **II** *onov ww* automatisch werken, geautomatiseerd zijn ★ *~d teller machine* geld- / pinautomaat

automatic [ɔːtəˈmætɪk] **I** *bnw* ❶ automatisch ★ *be on ~ pilot* op de automatische piloot vliegen / gaan ❷ werktuiglijk **II** *zn* automatisch wapen

automation [ɔːtəˈmeɪʃən] *zn* automatisering

automatism [ɔːˈtɒmətɪzəm] *zn* automatisme, automatische handeling

automaton [ɔːˈtɒmətn] *zn* automaat, robot

automobile [ˈɔːtəʊmoʊˈbiːl] *zn* USA auto

autonomous [ɔːˈtɒnəməs] *bnw* autonoom, met zelfbestuur

autonomy [ɔːˈtɒnəmɪ] *zn* autonomie, zelfbestuur

auto pilot *zn* automatische piloot

autopsy [ˈɔːtɒpsɪ] *zn* autopsie, lijkschouwing

autosearch [ˈɔːtəʊsɜːtʃ] *zn* comp automatische zoekfunctie

autoteller [ˈɔːtəʊtelə] *zn* geldautomaat

autumn [ˈɔːtəm] *zn* ook fig herfst

autumnal [ɔːˈtʌmnl] *bnw* herfstachtig

auxiliary [ɔːɡˈzɪljərɪ] **I** *zn* ❶ hulpstuk ❷ helper ❸ taalk hulpwerkwoord **II** *bnw* ❶ hulp- ★ *~ nurse* hulpverpleger ❷ aanvullend, reserve- ★ *~ power source* aanvullende krachtbron

avail [əˈveɪl] **I** *zn* baat, nut ★ *of / to no ~* nutteloos, vergeefs ★ *of little ~* van weinig nut **II** *ov ww* baten **III** *wkd ww* ★ *~ o.s. of* gebruik maken van

availability [əˈveɪləbɪlətɪ] *zn* beschikbaarheid, aanwezigheid ★ *this offer is subject to ~* dit aanbod geldt zolang de voorraad strekt

available [əˈveɪləbl] *bnw* ❶ beschikbaar ★ *not ~ for comment* niet beschikbaar voor commentaar ❷ geldig

avalanche [ˈævəlɑːnʃ] *zn* ook fig lawine

avarice [ˈævərɪs] *zn* hebzucht, gierigheid

avaricious [ævəˈrɪʃəs] *bnw* hebzuchtig, gierig

Ave., USA **Av.** *afk, Avenue* str. ⟨straat⟩

avenge [əˈvendʒ] *ov ww* wreken

avenger [əˈvendʒə] *zn* wreker

avenue [ˈævənjuː] *zn* ❶ brede straat, laan ❷ fig weg ⟨manier⟩

average [ˈævərɪdʒ] **I** *zn* ❶ gemiddelde ★ *above ~* meer dan gemiddeld ★ *on ~* doorgaans ❷ jur scheepv averij **II** *bnw* gemiddeld, middelmatig, gewoon **III** *ov ww* het gemiddelde berekenen / halen over ★ *they ~d 30 miles an hour* ze haalden het gemiddelde van 30 mijl per uur **IV** *onov ww* ~ *out* gemiddeld neer / uitkomen op ★ *it ~s out at over £1,000 per month* het komt gemiddeld neer op ruim £1000 per maand

averse [əˈvɜːs] *bnw* afkerig (to van), afwijzend ★ *not ~ to a pint of stout* niet afkerig van een biertje

aversion [əˈvɜːʃən] *zn* afkeer (to, for, from van)

avert [əˈvɜːt] *ov ww* afwenden ★ *~ one's eyes / gaze* de blik afwenden

avian [ˈeɪvɪən] *bnw* vogel-, ornithologisch

aviary [ˈeɪvɪərɪ] *zn* volière, vogelverblijf ⟨in dierentuin⟩

aviation [eɪvɪˈeɪʃən] *zn* vliegsport, luchtvaart

avid [ˈævɪd] *bnw* ❶ begerig (for naar) ❷ gretig ❸ fervent ★ *avid for revenge* wraakzuchtig ★ *an avid reader* een fervent lezer

avocado, GB **avocado pear** *zn* avocado

avoid [əˈvɔɪd] *ov ww* vermijden ★ *~ sb / sth like the plague* iemand / iets mijden als de pest

avoidable [əˈvɔɪdəbl] *bnw* vermijdbaar, te vermijden

avoidance [əˈvɔɪdəns] *zn* ❶ vermijding ❷ ontwijking ★ *tax ~* belastingontduiking

avow [əˈvaʊ] *ov ww* erkennen, bekennen

avowal [əˈvaʊəl] *zn* (openlijke) bekentenis ★ *a public ~* een openbare belofte

avowed [əˈvaʊd] *bnw* openlijk, erkend, verklaard ★ *an ~ enemy* een gezworen vijand

await [əˈweɪt] *ov ww* (af)wachten, te wachten staan ★ *she didn't know what was ~ing her* ze wist niet wat haar te wachten stond

awake [əˈweɪk] **I** *bnw* wakker ★ *wide ~* klaarwakker **II** *ov ww* [onregelmatig] wekken, wakker maken ★ *~ sb to sth* iem. bewust maken van iets **III** *onov ww* [onregelmatig] wakker worden ★ *~ to sth* zich bewust worden van iets

awaken [əˈweɪkən] *ww* → **awake**

awakening [əˈweɪkənɪŋ] *zn* ❶ (het) ontwaken ❷ bewustwording ★ *rude ~* onzachte kennismaking

award [əˈwɔːd] **I** *zn* ❶ bekroning, prijs ★ *an ~-winning TV-programme* een bekroond tv-programma ❷ toekenning ⟨van schadevergoeding enz.⟩ ❸ uitspraak ⟨via arbitrage⟩ ❹ (studie)toelage **II** *ov ww* ❶ toekennen ❷ jur opleggen, beslissen

aware [əˈweə] *bnw* ❶ bewust ❷ bekend ★ *be ~ of* zich bewust zijn van ★ *as far as I'm ~* voor zover mij bekend

awareness [əˈweənəs] *zn* bewustzijn

awash [əˈwɒʃ] *bnw* ❶ onder water, overspoeld ★ *fig ~ with* vol van ❷ ronddrijvend ❸ straatt aangeschoten, tipsy

away [əˈweɪ] **I** *bijw* ❶ weg, niet aanwezig, op afstand, van huis ★ *away from* op een afstand van ★ *hide / put sth away* iets ver- / opbergen ❷ ver ★ *far / miles away* ver hiervandaan ❸ op een andere plaats ❹ sport uit(-) ★ *play away* (een) uit(wedstrijd) spelen ▼ *talk away* maar raak praten **II** *bnw* ★ *an away game* uitwedstrijd

aw

III *zn sport* (gewonnen) uitwedstrijd
awe [ɔ:] **I** *zn* ontzag ★ *be / stand in awe of* groot respect / ontzag hebben voor **II** *ov ww* ontzag inboezemen
awe-inspiring [ˈɔ:ɪnspaɪərɪŋ] *bnw* ontzagwekkend, verbluffend, prachtig
awesome [ˈɔ:səm] *bnw* ❶ ontzagwekkend, vreselijk ❷ USA fantastisch
awestricken [ˈɔ:strɪkən] *bnw* vol ontzag
awestruck *bnw* → awestricken
awful [ˈɔ:fʊl] *bnw* ❶ afschuwelijk ★ *an ~ painting* een afschuwelijk schilderij ❷ ontzaglijk ★ *inform an ~ lot of money* ontzaglijk veel geld
awfully [ˈɔ:fʊlɪ] *bijw* ontzettend, enorm ★ *John is ~ clever* John is enorm slim
awhile [əˈwaɪl] *bijw* een poosje, even
awkward [ˈɔ:kwəd] *bnw* ❶ pijnlijk, gênant ★ *there was an ~ silence* er viel een pijnlijke stilte ❷ lastig, gevaarlijk ★ *he found himself in an ~ situation* hij was in een lastige situatie terechtgekomen ❸ opgelaten ★ *she felt ~ in his company* ze voelde zich in zijn gezelschap opgelaten ❹ onhandig
awning [ˈɔ:nɪŋ] *zn* zonnescherm, markies, luifel
awoke [əˈwəʊk] *ww* [verleden tijd + volt. deelw.] → awake
awoken [əˈwəʊkən] *ww* [volt.deelw.] → awake
awry [əˈraɪ] **I** *bnw* schuin, scheef ★ *his tie was awry* zijn stropdas zat scheef **II** *bijw* verkeerd ★ *all his plans had gone awry* al zijn plannen waren in de war gelopen
axe [æks] **I** *zn* bijl ★ *apply the axe* de botte bijl hanteren (bezuinigen) ★ *inform get the axe* de zak krijgen, gestopt / stilgelegd worden (van project) ★ *have an axe to grind* uit eigen belang handelen **II** *ov ww* ❶ vermoorden (met bijl) ❷ afschaffen wegens bezuiniging ❸ ontslaan
axes [ˈæksəs] *zn mv* → axis
axis [ˈæksɪs] *zn* [mv: axes] ❶ techn as ❷ wisk as ❸ pol as ★ *axis of evil* as van het kwaad ❹ anat draaier
axle [ˈæksl] *zn* techn (draag)as
AZ *afk, Arizona* staat in de VS
azalea [əˈzeɪlɪə] *zn* azalea
azure [ˈæʒə] *bnw* hemelsblauw ★ *~ stone* lapis lazuli

B

b [bi:] *zn, letter* b ★ *B as in Benjamin* de b van Bernard
B *zn* ❶ muz B ❷ onderw ≈ 8 (schoolcijfer)
B2B *afk, business-to-business* b2b (van bedrijf naar bedrijf)
BA, USA **B.A.** *afk, Bachelor of Arts* B.A., bachelor in de geesteswetenschappen
babble [ˈbæbl] **I** *zn* ❶ getater, gekeuvel ❷ geleuter ❸ (baby)gebrabbel **II** *onov ww* ❶ *~ away/on* babbelen, leuteren ❷ kabbelen (van water)
babbler [ˈbæblər] *zn* leuteraar, babbelkous
babe [beɪb] *zn* ❶ inform schatje, liefje ❷ inform mooie meid ❸ oud dicht baby ★ *babes in the wood* naïevelingen
babel [ˈbeɪbl] *zn* ❶ (spraak)verwarring ❷ rumoer
baboon [bəˈbu:n] *zn* baviaan
baby [ˈbeɪbɪ] **I** *zn* ❶ baby, zuigeling ★ *throw the baby out with the bathwater* het kind met het badwater weggooien ★ *leave sb holding the baby* iem. met de gebakken peren laten zitten ★ *this project is his baby* dit project is zijn troetelkind ❷ de jongste ❸ fig klein kind ❹ inform schatje **II** *ov ww* als (een) kind behandelen
babybattering [ˈbeɪbɪˈbætərɪŋ] *zn* babymishandeling
baby blues *zn* inform postnatale depressie
baby boom *zn* geboortegolf
baby boomer *zn* iemand van de geboortegolfgeneratie
baby carriage USA *zn* kinderwagen
baby fat *zn* babyvet
baby grand *zn* kleine vleugel (piano)
Babygro® [ˈbeɪbɪgrəʊ] GB *zn* boxpakje
babyhood [ˈbeɪbɪhʊd] *zn* babytijd
babyish [ˈbeɪbɪʃ] *bnw* kinderachtig, kinderlijk
babyshower USA *zn* babyshower, feestje met cadeaus voor een aanstaande moeder
babysit [ˈbeɪbɪsɪt] **I** *zn* kinderoppas **II** *onov ww* babysitten, op kinderen oppassen **III** *ov ww* oppassen op
babysitter [ˈbeɪbɪsɪtə] *zn* kinderoppas
baby tooth *zn* melktand
baccalaureate [bækəˈlɔ:rɪət] onderw *zn* ❶ de graad van bachelor (aan universiteit) ❷ eindexamen vwo (o.a. in Frankrijk, op internationale scholen) ★ *International Baccalaureate* Internationaal Baccalaureaat (internationaal erkend schooldiploma) ❸ USA afscheidstoespraak (na eindexamen)
bachelor [ˈbætʃələ] *zn* ❶ vrijgezel ★ *confirmed ~* verstokte vrijgezel ❷ onderw bachelor (laagste academische graad) ★ *Bachelor of Science* ≈ bachelor in de exacte wetenschappen
bacilli [bəˈsɪlaɪ] *zn mv* → bacillus
bacillus [bəˈsɪləs] *zn* [mv: bacilli] bacil
back [bæk] **I** *zn* ❶ rug ★ *back to back* rug aan rug ★ *inform (flat) on your back* ziek in bed ★ *behind sb's back* achter iemands rug (om) ★ *be on sb's back* iem. jennen ★ *get / put sb's back up* iem. irriteren ★ *get off sb's back* iem. met rust laten ★ *you scratch my back and I'll scratch yours* ≈ de

ene dienst is de andere waard ★ *have your back against the wall* met je rug tegen de muur staan ★ *put your back into sth* erg je best doen voor iets ★ *turn your back* je omdraaien ★ *turn your back on sb / sth* iemand / iets de rug toekeren ★ <u>inform</u> *be glad to see the back of sb / sth* blij van iemand / iets af te zijn, iemand / iets liever zien gaan dan komen ★ *break the back of sth* het grootste deel v. iets af / klaar hebben ❷ achterkant ★ *back to front* achterstevoren ★ *at / in the back of your mind* in je achterhoofd ★ <u>humor</u> *off the back of a lorry* van de vrachtwagen gevallen (gestolen) ★ *the back of beyond* een verloren uithoek ❸ rugleuning ❹ <u>sport</u> achterspeler **II** *bnw* ❶ achter(-) ❷ terug- ❸ ver (weg) ❹ oud (van tijdschriften, enz.) ❺ achterstallig (bv. van huur) **III** *bijw* ❶ achter(uit) ★ *back and forth* heen en weer ★ <u>USA</u> *back of* achter, aan de achterkant van ❷ op afstand ★ *stand back, please* houdt afstand, alstublieft ❸ terug ★ *as far back as 1950* al in 1950 ★ *be back where you started* terug zijn bij af **IV** *ov ww* ❶ achteruitrijden ★ *back the car into / onto a ferry* de auto achteruit de veerboot in- / oprijden ❷ (onder)steunen, bijstaan ★ *back a loan* een lening garanderen ❸ wedden op ★ *back the wrong / right horse* op het verkeerde / goede paard wedden ❹ liggen achter ★ *our house is backed by a park* ons huis grenst aan een park ❺ ~ **up** achteruitrijden, steunen, <u>IT</u> een reservekopie maken van **V** *onov ww* ❶ achteruitgaan / -rijden ❷ krimpen (v. wind) ❸ ~ **away from** achteruit weglopen van, terugdeinzen voor, zich terugtrekken van / uit ❹ ~ **down on/from** terugkrabbelen van / voor, toegeven aan ★ *back down on a decision* op een besluit terugkomen ❺ ~ **off** zich terugtrekken ★ *the crowd backed off* de menigte deinsde terug ★ *back off, don't yell at her* schei uit, niet zo schreeuwen tegen haar ❻ ~ **off from** intrekken (steun, bewering enz.) ❼ ~ **onto** achteruitrijden op, grenzen aan (v. gebouw) ❽ ~ **out** zich achterwaarts verwijderen, achteruit wegrijden, terugkrabbelen ❾ ~ **up** achteruitrijden, verstopt raken

backache ['bækeɪk] *zn* rugpijn

backbencher [bæk'bentʃə] *zn* gewoon Lagerhuislid

backbiting ['bækbaɪtɪŋ] *zn* roddel, achterklap

backbone ['bækbəʊn] *zn* ❶ ruggengraat ❷ wilskracht ★ *not have the ~ to face the truth* het lef niet hebben om de waarheid onder ogen te zien

back-breaking *bnw* slopend, zwaar

backchat ['bæktʃæt] <u>GB</u> *zn* tegenspraak, brutaal antwoord

backcloth ['bækklɒθ] <u>GB</u> *zn* ❶ <u>ton</u> doek / scherm ❷ <u>fig</u> achtergrond

back door *zn* achterdeur ★ <u>fig</u> *come in through the ~* via een achterdeurtje binnenkomen

back-door *bnw* geheim, achterbaks

backdrop ['bækdrɒp] *zn* ❶ <u>ton</u> doek / scherm ❷ <u>fig</u> achtergrond

backer ['bækə] *zn* financier, sponsor

backfire ['bækfaɪə] *onov ww* ❶ terugslaan (van

motor) ❷ averechts werken, mislopen

backgammon ['bækgæmən] *zn* backgammon(spel)

background ['bækgraʊnd] *zn* achtergrond

backhand ['bækhænd] *sport zn* slag met de rug v.d. hand naar voren, backhand

backhanded ['bækhændɪd] *bnw* ❶ met de backhand ❷ dubbelzinnig, indirect ★ *a ~ compliment* een dubieus compliment

backhander ['bækhændə] <u>GB</u> *zn* smeergeld

backhoe ['bækhəʊ] *zn* graafmachine

backing ['bækɪŋ] *zn* ❶ steun, medestanders ❷ <u>muz</u> begeleiding ❸ achterkantversteviging (bv. van boek)

backlash ['bæklæʃ] *zn* verzet, heftige reactie

backlog ['bæklɒg] *zn* achterstallig werk ★ *clear the ~* de achterstand wegwerken

backmost ['bækməʊst] *bnw* achterst(e)

backpack ['bækpæk] *zn* rugzak ★ *go ~ing* vakantie houden, (rond)trekken (als rugzaktoerist)

backpacker ['bækpækə] *zn* rugzaktoerist

back-pedal [bæk'pedl] *onov ww* ❶ terugtrappen (fiets) ❷ <u>fig</u> terugkrabbelen ★ *backpedal on a statement* (haastig) terugkomen op een uitspraak

backrest ['bækrest] *zn* rugleuning

backscratching ['bækskrætʃɪŋ] <u>inform</u> <u>min</u> *zn* vriendjespolitiek, handjeklap

backseat [bæk'si:t] *zn* zitplaats achterin ★ *take a ~* zich op de achtergrond houden

backseat driver *zn* ❶ <u>iron</u> meerijder (betweterige passagier) ❷ betweter

backside [bæk'saɪd] <u>inform</u> *zn* achterste ★ *get off your ~!* kom eens van je luie reet!

backslapping ['bækslæpɪŋ] *zn* joviaal gedrag

backslash ['bækslæʃ] *zn* backslash, schuine streep naar links / achter (teken)

backsliding ['bækslaɪdɪŋ] *zn* het terugvallen in oude fouten

backspace *zn* terugtoets

backstabbing ['bækstæbɪŋ] *zn* zwartmakerij

backstage [bæk'steɪdʒ] *bijw* achter het toneel, achter de schermen ook <u>fig</u>

backstairs [bæk'steəz] *bnw* heimelijk, onderhands, achterbaks ★ *~ gossip* roddel en achterklap

backstreet ['bækstri:t] **I** *zn* achterafstraatje **II** *bnw* illegaal, clandestien ★ *~ abortion* illegale abortus

backstroke ['bækstrəʊk] *zn* rugslag

backtrack ['bæktræk] *onov ww* ❶ op zijn schreden terugkeren ❷ <u>fig</u> terugkrabbelen ★ *~ on a promise* (haastig) terugkomen op een belofte

back-up ['bækʌp] **I** *zn* ❶ <u>comp</u> reservekopie ❷ steun ❸ <u>USA</u> reservespeler **II** *bnw* reserve- ★ <u>comp</u> *~ copy* reservekopie

backward ['bækwəd] **I** *bnw* ❶ achterwaarts, achteruit, terug ★ <u>fig</u> *a ~ step* een stap achteruit ❷ achter(lijk), achtergebleven (in ontwikkeling) ★ *she's not ~ in coming forward* ze is niet verlegen **II** *bijw*, **backwards** <u>USA</u> → **backwards**

backwards ['bækwədz], **backward** ['bækwəd] *bijw* ❶ naar achteren, achteruit ook <u>fig</u> , terug ★ *take a step ~* een stap naar achteren doen ★ *bend / lean over ~ (to help sb)* zijn uiterste best

ba

doen (om iem. te helpen) ★ ~ *and forwards* heen en weer ❷ achterstevoren ★ *know your lines* ~ je tekst van achter naar voren kennen ★ *a journey* ~ *in time* een reis terug in de tijd

backwash ['bækwɒʃ] zn ❶ terugslag, nasleep ❷ terugloop ⟨van water⟩

backwater ['bækwɔːtə] zn ❶ nauwelijks stromend binnenwater ❷ min achtergebleven gebied ★ *he lives in a cultural* ~ hij woont in een cultureel achterlijk gebied

backwoods ['bækwʊdz] zn mv binnenlanden

backyard [bæk'jɑːd] zn USA achtertuin ★ *nobody wants a factory in their own* ~ niemand wil een fabriek vlak in de buurt ★ *I know it like my own* ~ ik ken het als mijn broekzak ★ *the MP was facing opposition in their own* ~ het Parlementslid werd tegengewerkt door zijn eigen achterban

bacon ['beɪkən] zn spek ★ inform *bring home the* ~ succes hebben, de kost verdienen ★ inform *save his* ~ zijn hachje redden

bacteria [bæk'tɪərə] zn mv → **bacterium**

bacterial [bæk'tɪərəl] bnw bacterie-, bacterieel

bacteriology [bæktɪərɪ'ɒlədʒɪ] zn bacteriologie

bacterium [bæk'tɪərəm] zn [mv: **bacteria**] bacterie

bad [bæd] I bnw ❶ slecht, ondeugdelijk ★ *I'm bad at sports* ik ben niet goed in sporten ★ *not bad!* niet slecht! ★ *from bad to worse* van kwaad tot erger ★ *feel bad about sth* je schuldig voelen over iets ★ *feel bad for sb* medelijden hebben met iem. ★ *too bad!* jammer!, pech! ❷ hevig, ernstig ★ *his headache is getting worse* zijn hoofdpijn wordt erger ❸ ondeugend ★ *bad boy* stoute jongen ❹ schadelijk ★ *smoking is bad for your health* roken is slecht voor je gezondheid ❺ pijnlijk ⟨bv. voeten⟩ ❻ bedorven ⟨voedsel⟩ ★ *go bad* bederven II zn ❶ slechte zaak ★ *take the bad with the good* iets op de koop toe nemen ★ *my bad!* mijn fout! ❷ schuld ★ *we were £50 to the bad* we waren er £50 op achteruit gegaan III bijw, USA inform heel erg, in hoge mate ★ *want sth real bad* iets heel graag willen ★ *have got it bad* het flink te pakken hebben, erg verliefd zijn

baddie, baddy ['bædɪ] GB inform zn slechterik, schurk

bade [bæd] [beɪd] ww [verleden tijd] → **bid**

badge [bædʒ] zn ❶ badge, embleem ❷ (politie)penning, insigne ❸ naambordje

badger ['bædʒə] I zn das ⟨dier⟩ II ov ww lastig vallen ★ *she ~ed him into going* ze zeurde net zolang totdat hij ging

badly ['bædlɪ] bnw + bijw ❶ slecht ★ *be* ~ *off* slecht af zijn, arm zijn ★ *be* ~ *off for sth* iets tekort komen, te weinig hebben van iets ❷ erg, zeer ★ *need sth* ~ iets hard nodig hebben ★ ~ *wounded* zwaar gewond

badmouth ['bædmaʊθ] inform ov ww kwaadspreken over, kritiek hebben op

bad-tempered bnw slechtgehumeurd

baffle ['bæfəl] ov ww verbijsteren

baffling ['bæflɪŋ] bnw verbijsterend, ongelooflijk ★ *a* ~ *problem* een probleem dat onoplosbaar lijkt, een raadsel

bag [bæg] I zn ❶ zak, tas ★ *an overnight bag* een weekendtas ★ *pack your bags* je biezen pakken,

vertrekken ★ *bag and baggage* met zijn hele hebben en houden ★ GB *bags of sth* [mv] heel veel van iets ★ inform *it's in the bag* dat zit (wel) goed, dat is kat in het bakkie ★ *that's (not) my bag* daar ben ik (niet) goed in, dat is niets voor mij ★ *be a bag of bones* vel over been zijn ★ USA inform *leave sb holding the bag* het iem. alleen laten opknappen ★ *mixed bag* ratjetoe ★ *lucky bag* grabbelton ❷ wal ⟨onder oog⟩ ❸ vangst ❹ min vrouw ★ *old bag* oud wijf II ov ww ❶ in een tas doen ❷ bemachtigen, buit maken ★ *bag the best seats* de beste plaatsen inpikken ❸ inform vangen, schieten ⟨wild⟩ ❹ sport scoren III onov ww (op)zwellen, wijder worden

bagel ['beɪgl] USA zn rond broodje

baggage ['bægɪdʒ] zn bagage

baggage room zn bagagedepot

baggy ['bægɪ] bnw uitgezakt, flodderig ★ ~ *trousers* ruimvallende broek

bag lady zn zwerfster

bagpipes ['bægpaɪps] zn mv doedelzak

bail [beɪl] I zn ❶ borg(tocht) ★ *stand bail / put up bail for sb* borg staan voor iem. ★ *jump / skip bail* ertussenuit knijpen nadat vrije borgtocht is verleend ❷ bail ⟨cricket⟩ II ov ww ❶ borg staan voor ★ *be bailed* op borgtocht vrijkomen ❷ (leeg)hozen ❸ ~ **out** door borgtocht vrij krijgen, uit de puree helpen III onov ww, USA inform ermee kappen

bailiff ['beɪlɪf] zn ❶ GB deurwaarder ❷ GB rentmeester ❸ USA gerechtsdienaar

bait [beɪt] I zn (lok)aas ★ fig *rise to the bait / take the bait* happen, erin trappen II ov ww ❶ van aas / voer voorzien ❷ sarren

bake [beɪk] I ov ww bakken II onov ww bakken

baker ['beɪkə] zn bakker ★ *I'm going to the ~'s* ik ga naar de bakker(swinkel) ★ *a ~'s dozen* dertien

bakery ['beɪkərɪ] zn bakkerij, bakkerswinkel

baking ['beɪkɪŋ] bnw ❶ bak- ❷ snikheet

baking powder zn bakpoeder

balaclava ['bæləklɑːvə], **balaclava helmet** zn bivakmuts

balance ['bæləns] I zn ❶ lett balans, evenwicht ⟨van lichaam⟩ ★ *off* ~ uit evenwicht ★ fig *catch / throw sb off* ~ iem. overrompelen ❷ fig balans, evenwicht ⟨gelijke hoeveelheid⟩ ★ ~ *of power* machtsevenwicht ★ *redress the* ~ het evenwicht herstellen ★ *strike a* ~ een compromis vinden ★ *on* ~ alles in aanmerking genomen ❸ weegschaal ★ *shift / turn the* ~ de balans doen doorslaan ★ *be / hang in the* ~ onzeker zijn ❹ econ saldo ★ ~ *of trade* handelsbalans ❺ econ restbedrag II ov ww ❶ (af)wegen, overwegen ❷ opwegen tegen ❸ in evenwicht houden / brengen ★ econ ~ *the books* boeken afsluiten ★ *be well* ~*d* evenwichtig zijn ⟨v. persoon bv.⟩ III onov ww ❶ in evenwicht zijn ❷ econ sluiten ⟨v. balans⟩ ★ ~ *the books* de boeken kloppen ❸ ~ **out** elkaar compenseren

balance sheet econ zn balans

balancing act zn koorddansnummer ook fig ★ *do a* ~ *between* career and motherhood proberen werk en gezin te combineren

balcony ['bælkənɪ] zn balkon

bald [bɔːld] bnw ❶ kaal ★ *as bald as a coot* zo kaal als een luis ❷ sober, onopgesmukt ★ *the bald*

truth de naakte waarheid
bald-faced *bnw* schaamteloos ★ ~ *lie* onbeschaamde leugen
balding [ˈbɔːldɪŋ] *bnw* kalend
baldly [ˈbɔːldlɪ] *bijw* gewoonweg, zonder omwegen
baldy, baldie [ˈbɔːldɪ] *inform zn* kale
bale [beɪl] **I** *zn* baal **II** *ov ww* ❶ in balen pakken ❷ GB (leeg)hozen ❸ → **bail III** *onov ww* ~ **out** met parachute uit vliegtuig springen
baleful [ˈbeɪlfʊl] *form bnw* ❶ onheilspellend ❷ verderfelijk
balk [bɔːk] *ww* USA → **baulk**
ball [bɔːl] **I** *zn* ❶ sport bal ★ *ball and chain* belemmering ★ *be on the ball* bij de les zijn ★ *carry the ball* het heft in handen nemen ★ *the ball is in your court* het initiatief is aan jou ★ *get / set / start the ball rolling* de zaak aan het rollen brengen ★ inform *play ball* USA honkbal spelen, fig meehelpen, meedoen ★ USA inform *the whole ball of wax* alles, het hele zaakje ★ USA *drop the ball* miskleunen ❷ bol (vorm) ❸ bal ⟨dansfeest⟩ ★ *fancy-dress ball* gemaskerd bal ★ *masked ball* gemaskerd bal ★ inform *have a ball* zich vermaken, een leuke tijd hebben ❹ biol bal ⟨v. voet⟩, muis ⟨v. hand⟩ ❺ sport wijd ⟨honkbal⟩ ❻ [mv] → **balls II** *ov ww* ❶ (samen)ballen ★ *he balled (up) his fists* hij balde zijn vuisten ❷ USA vulg neuken **III** *onov ww* zich ballen
ballad [ˈbæləd] *zn* ballade
ballast [ˈbæləst] *zn* ballast
ball bearing *zn* kogellager
ballet [ˈbæleɪ] *zn* ballet
ball game *zn* ❶ balspel ★ fig *a different / new ~* een nieuwe situatie ❷ USA honkbalwedstrijd
ballistic [bəˈlɪstɪk] *bnw* ballistisch ★ *go ~* in woede uitbarsten
ballistics [bəˈlɪstɪks] *zn* ballistiek
ball lightning *zn* bolbliksem
balloon [bəˈluːn] **I** *zn* ❶ ballon ★ *captive ~* kabelballon ★ *go down like a lead ~* totaal mislukken ★ *when the ~ goes up* als de ellende begint **II** *onov ww* ❶ bol staan ❷ opzwellen ❸ ★ *go ~ing* ballonvaren
balloonist [bəˈluːnɪst] *zn* ballonvaarder
ballot [ˈbælət] **I** *zn* ❶ stemming, stemronde, aantal uitgebrachte stemmen ★ *put sth to the ~* over iets laten stemmen ❷ loting **II** *onov ww* ❶ stemmen ★ *~ for a strike* voor een staking stemmen ❷ loten ❸ balloteren
ballot box *zn* stembus
ballpark [ˈbɔːlpɑːk] USA *zn* honkbalstadion ★ *be in the same ~* niet veel verschillen
ballpark figure *inform zn* ruwe schatting
ballroom [ˈbɔːlruːm] *zn* balzaal, danszaal
ballroom dancing *zn* stijldansen
balls I *zn mv* ❶ kloten, (teel)ballen ★ plat *have sb by the ~* iem. bij de kloten hebben ❷ inform lef ★ *have (a lot of) ~* USA inform gelul, onzin **II** *ov ww* plat ★ *~ sth up* iets naar de kloten helpen
balls-up GB plat *zn* knoeiboel ★ *make a ~ of sth* iets helemaal verpesten
ballyhoo [bælɪˈhuː] *inform zn* trammelant,

drukte
balm [bɑːm] *zn* ook fig balsem
balmoral [bælˈmɒrəl] *zn* Schotse baret
balmy [ˈbɑːmɪ] *bnw* zacht, mild ⟨v. weer⟩
baloney [bəˈləʊnɪ] *zn* inform nonsens, flauwekul
balsam [ˈbɔːlsəm] *zn* ook fig balsem
Baltic [ˈbɔːltɪk] *bnw* Baltisch ★ ~ *Sea* Oostzee
balustrade [bæləˈstreɪd] *zn* balustrade, reling
bamboo [bæmˈbuː] *zn* bamboe
bamboozle [bæmˈbuːzl] *ov ww* beetnemen
ban [bæn] **I** *zn* ❶ verbod ★ *put a ban on* verbieden ❷ ban(vloek) **II** *ov ww* ❶ verbieden ❷ verbannen, uitbannen
banal [bəˈnɑːl] *bnw* banaal
banality [bəˈnælətɪ] *zn* banaliteit
banana [bəˈnɑːnə] *zn* banaan▼ inform *go ~s* boos / gek worden
banana split *zn* roomijs met banaan en slagroom
band [bænd] **I** *zn* ❶ muz band, orkestje, kapel ★ *military band* militaire kapel ❷ groep(je) ❸ band, lint, (trouw)ring ❹ rand, strook ❺ bandbreedte **II** *ov ww* ❶ strepen ❷ ringen ⟨v. vogels⟩ ❸ naar niveau / tariefgroep indelen **III** *onov ww* ~ **together** zich tot groep verenigen
bandage [ˈbændɪdʒ] **I** *zn* verband, zwachtel **II** *ov ww* verbinden ★ ~ *up* verbinden
Band-Aid *zn* ❶ USA pleister ❷ fig noodverbandje, lapmiddel ★ *a ~ solution* een tijdelijke oplossing
B and B, B&B, b and b, b&b *afk*, *Bed and Breakfast* bed en breakfast, halfpension
bandit [ˈbændɪt] *zn* bandiet, (struik)rover ★ *one-armed ~* gokautomaat
banditry [ˈbændɪtrɪ] *zn* roverij
bandmaster [ˈbændmɑːstə] *zn* kapelmeester
bandolier, bandoleer [bændəˈlɪə] *zn* patroongordel
band saw *zn* lintzaag
bandstand [ˈbændstænd] *zn* muziektent
bandwagon [ˈbændwægən] *zn* muziekwagen ★ *climb / jump on the ~* met de massa / mode meedoen, aan de kant v.d. winnaar gaan staan
bandy-legged *bnw* met O-benen
bane [beɪn] *zn* ❶ vloek, pest★ *you are the bane of my life* je bent een nagel aan mijn doodkist ❷ vergif
bang [bæŋ] **I** *zn* ❶ klap, smak, knal ★ sterrenk *the Big Bang* de oerknal ★ *sonic bang* supersone knal ★ inform *the party went with a bang* het was een knalfeest ★ *go out with a bang* eindigen met een knal, een grootse apotheose hebben ★ USA *more bang for the buck* meer waar voor je geld **II** *ov ww* ❶ hard slaan, knallen, smakken ★ *bang his hand on the table* met zijn hand op de tafel slaan ★ *he banged the money on the counter* hij smeet het geld op de toonbank ★ *bang the door behind me* de deur achter mij dichtslaan★ *bang one's head against a brick wall* met het hoofd tegen de muur lopen ❷ vulg neuken ❸ rammelen ★ *bang out a tune* een melodie luid en onzuiver spelen ❹ ~ **up** GB (voor een nacht) opsluiten, USA vernielen **III** *onov ww* ❶ hard slaan, knallen ★ *he's banging on the door* hij bonst op de deur

ba

❷ **~ about/around** (rond)stommelen ❸ **~ into** aanlopen tegen ❹ GB **~ on about** doordrammen over **IV** *bijw* ❶ boem ★ GB *bang goes that!* dat kunnen we wel vergeten! ★ *go bang* uit elkaar klappen ❷ precies ★ *bang on target!* precies raak / goed! **V** *tw* pats!, boem!

banger ['bæŋə] GB *zn* ❶ rammelkast ⟨auto⟩ ❷ worstje ❸ vuurwerk

bangle ['bæŋgl] *zn* ❶ armband ❷ enkelband

bang-up [bæŋ ʌp] USA *inform bnw* piekfijn, prima

banish ['bænɪʃ] *ov ww* verbannen

banishment ['bænɪʃmənt] *zn* ballingschap, verbanning

banister ['bænɪstə] *zn* trapleuning

bank [bæŋk] **I** *zn* ❶ econ bank ★ *national bank* centrale bank ★ *it won't break the bank!* zó duur is het nu ook weer niet! ★ *laugh all the way to the bank* snel veel geld verdienen ❷ oever ★ *the left bank* de linkeroever ❸ zandbank ❹ wolkenbank ❺ berm **II** *ov ww* ❶ storten ⟨bij bank⟩ ❷ verdienen ❸ opstapelen ★ *bank up earth* aarde ophopen ★ *bank up a fire* veel kolen op het vuur gooien ❸ indammen **III** *onov ww* ❶ bankrekening hebben ★ *bank with* bankieren bij ❷ hellen, schuin gaan ❸ **~ on** vertrouwen op, rekenen op

bankable [bæŋkəbl] *bnw* volle zalen trekkend ★ *a ~ star* een ster die veel publiek trekt

bank account *zn* bankrekening

bank balance *zn* saldo

bank card *zn* GB bankpasje

banker ['bæŋkə] *zn* bankier

banker's card *zn* GB bankpasje

bank holiday *zn* GB officiële vrije dag

banking ['bæŋkɪŋ] *zn* bankwezen

banknote ['bæŋknəʊt] GB *zn* bankbiljet

bank rate *zn* bankdisconto

bank roll [bæŋk rəʊl] **I** *zn* USA fonds(en) **II** *ww* financieel steunen

bankrupt ['bæŋkrʌpt] **I** *bnw* failliet ★ *fig ~ of new ideas* met een totaal gebrek aan nieuwe ideeën **II** *ov ww* failliet doen gaan

bankruptcy ['bæŋkrʌptsɪ] *zn* faillissement

bank statement *zn* bankafrekening

banner ['bænə] *zn* ❶ banier ★ *under the ~ of* onder de vlag van ❷ spandoek ❸ comp banner

banner headline *zn* kop over hele pagina v. krant

bannister ['bænɪstə] *zn* trapleuning

banquet ['bæŋkwɪt] **I** *zn* banket, feestmaal **II** *ov ww* feestelijk onthalen **III** *onov ww* feesten, smullen

banshee ['bænʃiː] *zn* vrouwelijke geest die dood aankondigt

banter ['bæntə] **I** *zn* plagerij, scherts ★ *they engaged in some friendly ~* zij plaagden wat over en weer **II** *onov ww* schertsen ★ *~ with sb* grappen maken met iem.

Bap., Bapt. *afk, Baptist* baptist

baptise *ww* → baptize

baptism ['bæptɪzəm] *zn* doop

baptismal [bæp'tɪzməl] *bnw* doop- ★ *~ name* doopnaam

baptist ['bæptɪst] *zn* ❶ doopsgezinde ❷ doper

baptize, baptise [bæp'taɪz] *ov ww* ❶ dopen

❷ noemen

bar [bɑː] **I** *zn* ❶ bar ⟨horeca⟩ ★ *public bar* bar ⟨GB binnen een pub⟩ café ❷ reep ⟨chocolade⟩, stuk ⟨zeep⟩ ❸ balk, tralie, sport ⟨doel⟩lat ★ *inform behind bars* achter de tralies ❹ staaf, stang ❺ slagboom ❻ zandbank ⟨voor haven- of riviermonding⟩ ❼ belemmering, bezwaar ❽ muz GB maat ❾ natk bar → Bar **II** *ov ww* ❶ versperren, beletten ★ *bar him from leaving the country* hem beletten het land te verlaten ★ *no holds barred* alles is toegestaan ⟨in gevecht, wedstrijd⟩ ❷ grendelen **III** *vz* behalve ★ *bar none* zonder uitzondering ★ *bar two* op twee na

Bar [bɑː] *zn* balie, advocatuur ★ *call to the Bar* toelaten als advocaat

barb [bɑːb] *zn* ❶ weerhaak ❷ steek onder water

barbarian [bɑːˈbeərɪən] *zn* ❶ barbaar ❷ onbeschaafd persoon

barbaric [bɑːˈbærɪk] *bnw* barbaars, wreed

barbarity [bɑːˈbærətɪ] *zn* barbaarsheid, wreedheid

barbarous ['bɑːbrəs] *bnw* barbaars, wreed

barbecue ['bɑːbɪkjuː] **I** *zn* ❶ barbecue, feest ❷ groot braadrooster **II** *ov ww* ❶ voedsel bereid op barbecue **II** *ov ww* barbecueën

barbed ['bɑːbd] *bnw* ❶ met weerhaken ★ *~ wire* prikkeldraad ❷ fig kritisch / sarcastisch

barbell ['bɑːbel] *zn* halter

barber ['bɑːbə] *zn* herenkapper ★ *the ~'s* de kapper

barbie ['bɑːbɪ] *zn, inform* GB → barbecue

bar code *zn* streepjescode

bare [beə] **I** *bnw* ❶ naakt, bloot ★ *walk in bare feet* op blote voeten lopen ★ *with one's bare hands* met zijn blote handen ❷ onbedekt, kaal, leeg ★ *bare walls* kale muren ★ *lay bare* blootleggen, aan het licht brengen ❸ fig naakt ⟨van alle overbodigheid ontdaan⟩, essentieel ★ *the bare bones* de belangrijkste elementen ★ *the bare essentials* het allernoodzakelijkste ★ *the bare minimum* het absolute minimum **II** *ov ww* blootleggen, ontbloten ★ *bare all* alle kleren uitdoen, niets verbergen ★ *bare one's soul* zijn ziel en zaligheid blootleggen ★ *bare one's teeth* de tanden laten zien

bareback ['beəbæk] *bnw* zonder zadel

barefaced ['beəfeɪst] *bnw* schaamteloos ★ *~ lie* onbeschaamde leugen

barefoot [beəˈfʊt], **barefooted** [beəˈfʊtɪd] *bnw* blootsvoets

bareheaded [beəˈhedɪd] *bnw* blootshoofds

barely ['beəlɪ] *bijw* nauwelijks, amper, ternauwernood

bareness ['beənəs] *zn* naaktheid, kaalheid

barf ['bɑːf] *onov ww, inform* USA kotsen

barfly ['bɑːflaɪ] *zn, inform* kroegloper

bargain ['bɑːgɪn] **I** *zn* ❶ koopje ★ *into the ~* op de koop toe ❷ afspraak ★ *drive a ~* een transactie sluiten ★ *drive a hard ~* iem. het vel over de oren halen ★ *keep one's side of the ~* zich aan zijn afspraak houden ★ *make / strike a ~ with sb* het eens worden met iem., een overeenkomst sluiten met iem. ★ *make the best of a bad ~* zich zo goed mogelijk (in iets) schikken ★ *a wet ~* een overeenkomst die met een borrel beklonken wordt **II** *onov ww* onderhandelen, marchanderen ★ ~ *for / on sth* verwachten dat iets gebeurt ★ *get more than he ~ed for* meer krijgen dan waar hij op rekende **III** *ov ww* ruilen ★ ~ *away their freedom* hun vrijheid verkwanselen

bargaining chip, GB **bargaining counter** *zn* troef ⟨bij onderhandelingen⟩

barge [bɑːdʒ] **I** *zn* aak, praam, schuit **II** *onov ww* ❶ zich lomp bewegen ❷ inform ~ *in/into* binnenvallen ★ *he is always barging in* hij bemoeit zich overal mee

baritone ['bærɪtəʊn] *zn* bariton

bark [bɑːk] **I** *zn* ❶ schors, bast ❷ geblaf ★ fig *his bark is worse than his bite* ≈ blaffende honden bijten niet **II** *ov ww* ❶ brullen ❷ GB schaven ⟨van huid⟩ **III** *onov ww* blaffen ★ *bark at sb* blaffen tegen iem., fig iem. afblaffen ★ *bark up the wrong tree* aan het verkeerde adres zijn ★ GB *barking mad* knettergek

barley ['bɑːlɪ] *zn* gerst

barmaid ['bɑːmeɪd] *zn* barmeisje

barman ['bɑːmən] *zn* barman, barkeeper

barmy ['bɑːmɪ] *bnw*, inform GB getikt

barn [bɑːn] *zn* schuur ★ *a barn of a house* een kast van een huis ★ *Dutch barn* open schuur ★ *were you born in a barn?* moet je de deur niet dichtdoen? ★ fig *close the barn door after the horse has escaped* de put dempen als het kalf verdronken is

barnacle ['bɑːnəkl] *zn* eendenmossel, zeepok ★ ~ *(goose)* brandgans

barn dance *zn* volksdansen, boerenbal

barn owl *zn* kerkuil

barnstorm ['bɑːnstɔːm] *onov ww* op tournee gaan ⟨van acteurs, politici⟩

barnstorming ['bɑːnstɔːmə] *bnw* sensationeel

barnyard ['bɑːnjɑːd] *zn* boerenerf

barometer [bə'rɒmɪtə] *zn* barometer

baron ['bærən] *zn* ❶ baron, fig magnaat ❷ gesch edelman

baroness ['bærənɪs] *zn* barones

baronet ['bærənɪt] *zn* GB baronet ⟨laagste erfelijke rang⟩

baronial [bə'rəʊnɪəl] *bnw* ❶ van een baron ❷ statig

baroque [bə'rɒk] *bnw* barok

barque [bɑːk] *zn* bark

barrack ['bærək] **I** *zn* ❶ kazerne ❷ barak, keet **II** *ov ww* in kazerne onderbrengen

barracks ['bærəks] *zn mv* kazerne ★ *their ~ is / are near Hereford* hun kazerne ligt vlakbij Hereford

barrage ['bærɑːʒ] *zn* ❶ ook fig spervuur ❷ stuwdam, versperring

barrel ['bærəl] *zn* ❶ vat ⟨ook als inhoudsmaat voor olie: 159 liter⟩ ★ inform *life's not a ~ of fun / laughs* het leven is geen lolletje ★ inform *have / get sb over a ~* iem. in de tang hebben ★ *scrape the (bottom of the)* ~ de laatste reserves verbruiken ❷ cilinder, loop ⟨van geweer / kanon⟩

barrel organ ['bærəl ɔːgən] *zn* draaiorgel

barren ['bærən] *zn* onvruchtbaar, dor ★ *have a ~ patch* tijdelijk geen succes hebben

barricade [bærɪ'keɪd] **I** *zn* barricade ★ *go to the ~s* op de barricades staan **II** *ov ww* barricaderen ★ ~ *yourself in your room* je in je kamer opsluiten

barrier ['bærɪə] *zn* ❶ draghek ❷ fig barrière, hinderpaal, grens

barrier reef *zn* barrièrerif

barring ['bɑːrɪŋ] *vz* behalve, behoudens

barrister ['bærɪstə] *zn* GB advocaat, pleiter

barrow ['bærəʊ] *zn* ❶ GB handkar ❷ kruiwagen ❸ grafheuvel

bartender ['bɑːtendə] *zn* USA barman / -keeper / -meisje

barter ['bɑːtə] **I** *zn* ruilhandel **II** *onov ww* ruilhandel drijven **III** *ov ww* ruilen

basal ['beɪsəl] *bnw* basis-, grond-

base [beɪs] **I** *zn* ❶ basis, voet(stuk), mil basis(kamp) ❷ grondgetal ❸ scheik base ❹ sport honk ★ inform USA *off base* bij het verkeerde eind ★ *touch base with sb* vragen hoe het met iem. gaat **II** *ov ww* ❶ vestigen ❷ ~ *on* baseren op, als basis gebruiken voor ★ *where did he base his theory on?* waarop baseerde hij zijn theorie? **III** *bnw* ❶ laag, gemeen ❷ onedel ★ *base metal* onedel metaal

baseball ['beɪsbɔːl] *zn* honkbal

baseboard *zn* USA plint

baseless ['beɪsləs] *bnw* ongegrond

baseline ['beɪslaɪn] *zn* ❶ sport achterlijn ❷ techn basis, uitgangspunt

basement ['beɪsmənt] *zn* souterrain

base rate *zn* GB basistarief

bases ['beɪsiːz] *zn mv* → basis

bash [bæʃ] inform **I** *zn* ❶ dreun, slag ★ GB *have a bash at* het (maar) eens proberen ❷ feest **II** *ov ww* ❶ hard slaan, rammen ❷ ~ *up* in elkaar slaan ❸ ~ *in/down* inslaan, kapotslaan ❹ fig uithalen naar, scherp kritiseren **III** *onov ww* ❶ botsen ❷ ~ GB *on/away* doorwerken, doorploeteren

bashful ['bæʃfʊl] *bnw* bedeesd, verlegen

-bashing ['bæʃɪŋ] *voorv* ❶ het afranselen ❷ het afkraken ★ *Bible~* het fanatiek propageren van de Bijbel ★ *union~* het fel uithalen naar de vakbonden

basic ['beɪsɪk] *bnw* ❶ fundamenteel, elementair, basis- ★ ~ *pay* basisloon ❷ scheik basisch

basically ['beɪsɪklɪ] *bijw* in wezen, eigenlijk, voornamelijk

basics ['beɪsɪks] *zn mv* ❶ basisbehoeften ❷ grondbeginselen ★ *get / go back to* ~ teruggaan naar de basis

basil ['bæzl] *zn* basilicum

basin ['beɪsn] *zn* ❶ GB wastafel / -bak ❷ kom ❸ aardk stroomgebied, bekken, laagte ❹ haven, dok, bassin ⟨kom van havens, dokken⟩

basis ['beɪsɪs] *zn* [mv: **bases**] basis, grondslag ★ *the ~ of / for sth* het belangrijkste deel van iets ★ *on the ~ of* op grond van

bask [bɑːsk] *onov ww* zich koesteren

basket ['bɑːskɪt] *zn* mand, korf ★ *make / shoot a ~* scoren ⟨bij basketbal⟩ ★ econ ~ *of currencies* mandje van valuta

basketball ['bɑːskɪtbɔːl] *zn* basketbal

basket case inform *zn*. ❶ arm / achtergebleven land ❷ noodlijdende organisatie ❸ zenuwpees, halvegare

basket chair *zn* rieten stoel

Basque [bɑːsk] **I** *zn* ❶ Bask(ische) ❷ Baskisch ⟨de

ba

taal) II *bnw* Baskisch
bass¹ [beɪs] I *zn* ❶ baspartij, lage tonen
❷ bas(stem) ❸ basgitaar★ *muz double bass*
contrabas II *bnw* bas- (van stem of instrument)
bass² [bæs] *zn* ❶ (zee)baars ❷ bast
bass clef [ˈbeɪs klef] *zn* muz bassleutel
bassoon [bəˈsuːn] *zn* fagot
bastard [ˈbɑːstəd] *zn* ❶ inform min rotzak
❷ inform vent★ *lucky~!* bofkont!★ *poor~!*
arme ziel! ❸ inform rotding, kreng★ *a~ of a
problem* een hels probleem ❹ bastaard (onecht
kind)
bastardize, bastardise [ˈbɑːstədaɪz] *ov ww*
verbasteren, onnauwkeurig weergeven
baste [beɪst] *ov ww* ❶ met vet overgieten (tijdens
braden), bedruipen ❷ rijgen (naaiwerk)
bastion [ˈbæstiən] *zn* ook fig bastion, bolwerk
bat [bæt] I *zn* ❶ slaghout, bat★ *be at bat* aan slag
zijn★ GB *off one's own bat* op eigen houtje
★ USA inform *(right) off the bat* ogenblikkelijk
❷ vleermuis★ *have bats in the belfry* kierewiet
zijn★ *like a bat out of hell* razendsnel★ *(as) blind
as a bat* zo blind als een mol II *ov ww* ❶ slaan
★ *bat your eyes / eyelashes* knipperen met de
ogen★ *without batting an eye(lid)* zonder een
spier te vertrekken ❷ *~ around* bediscussiëren
III *onov ww* aan slag zijn, batten★ USA inform
go to bat for sb iem. helpen
batch [bætʃ] *zn* ❶ partij, groep, stel ❷ baksel
❸ comp batch
bate [beɪt] *ov ww* verminderen★ *with bated
breath* met ingehouden adem
bath [bɑːθ] I *zn* bad, badkuip, badwater★ *run a
bath* een bad laten vollopen★ *take a bath* een
bad nemen, USA zwaar verlies lijden II *ov ww*
in bad doen, wassen
bathe [beɪð] *ov ww* ❶ baden, natmaken,
schoonmaken (wond)★ *~d in sweat* badend in
het zweet ❷ USA wassen (bijvoorbeeld baby)
❸ doen baden (in licht)
bather [ˈbeɪðə] *zn* ❶ bader, zwemmer ❷ Aus [mv]
★ *~s* zwempak / -broek
bathing [ˈbeɪðɪŋ] *zn* het baden, het zwemmen
bathing cap *zn* badmuts
bathing suit *zn* badpak
bathrobe [ˈbɑːθrəʊb] *zn* ❶ badjas ❷ USA
kamerjas
bathroom [ˈbɑːθruːm] *zn* ❶ badkamer ❷ USA wc
bathtub [ˈbɑːθtʌb] *zn* badkuip
baton [ˈbætn] *zn* ❶ dirigeerstok ❷ gummistok
❸ staf ❹ estafettestokje★ fig *pass / hand over the
~* het stokje overhandigen
batsman [ˈbætsmən] *zn* sport batsman, slagman
battalion [bəˈtæliən] *zn* bataljon
batten [ˈbætn] I *zn* lat, vloerplank II *ov ww*
~ down (met latten) versterken, afsluiten
III *onov ww~ min* on parasiteren op
batter [ˈbætə] I *zn* ❶ beslag ❷ slagman II *ov ww*
❶ rammen, beuken tegen★ *~ down the door* de
deur inrammen★ *~ed to death* doodgeslagen
❷ deuken★ *his confidence was~ed* zijn
vertrouwen werd gehavend III *onov ww* beuken
★ *~ away at sth* ergens tegenaan rammen /
beuken
battering *zn* mishandeling★ fig *take a~* het
zwaar te verduren krijgen

battering ram [ˈbætərɪŋ ræm] *zn* stormram
battery [ˈbætəri] *zn* ❶ batterij, accu★ *dry~*
batterij (met vaste chemicaliën)★ *a car with a
GB flat / USA dead~* een auto met een lege accu
★ fig *recharge a~* jezelf weer opladen ❷ reeks,
flinke groep ❸ mil batterij ❹ GB legbatterij
❺ jur geweldpleging
battery charger *zn* batterij(op)lader
battery farm *zn* GB legbatterij
battle [ˈbætl] I *zn* strijd, veldslag★ *do~ over sth*
strijd leveren over iets★ *fight a losing~* een
hopeloze strijd leveren★ *it's half the~* hiermee
is de strijd al voor de helft gewonnen II *onov
ww* strijden
battle array *zn* slagorde
battleaxe [ˈbætlæks] *zn* ❶ strijdbijl ❷ inform
kenau
battlecruiser [ˈbætlkruːzə] *zn* slagkruiser
battle cry *zn* strijdkreet
battledress [ˈbætldres] *zn* veldtenue
battlefield [ˈbætlfiːld] *zn* slagveld, strijdtoneel
battleground [ˈbætlɡraʊnd] *zn* gevechtsterrein,
slagveld
battlements [ˈbætlmənts] *zn* kantelen
battleship [ˈbætlʃɪp] *zn* slagschip
batty [ˈbæti] *bnw* inform gek, maf
bauble [ˈbɔːbl] *zn* ❶ snuisterij, prul ❷ GB kerstbal
baud [bɔːd] *zn* baud (snelheidsmaat voor
overbrenging van informatie)
baulk, USA balk [bɔːk] *onov ww* ❶ bezwaar
hebben★ *~ at the high prices* terugschrikken
voor de hoge prijzen ❷ weigeren (van paard)
bawdy [ˈbɔːdi] *bnw* grof★ *~ talk* schuine
grappen
bawl [bɔːl] I *ov ww* ❶ brullen, schreeuwen
❷ inform *~ out* de mantel uitvegen,
uitkafferen II *onov ww* schreeuwen★ *a bawling
baby* een brullende baby
bay [beɪ] I *zn* ❶ baai ❷ vak, ruimte ❸ nis, erker
❹ vos (paard) ❺ geblaf★ *at bay* in het nauw
gedreven★ *bring to bay* in het nauw drijven
★ *hold / keep at bay* in bedwang houden
❻ laurierboom II *onov ww* blaffen★ fig *be
baying for blood* bloed willen zien
bay leaf *zn* laurierblad
bayonet [ˈbeɪənet] *zn* bajonet
bayonet catch *zn* bajonetsluiting
bayou [ˈbaɪuː] *zn* moerassige rivierarm (in
Amerika)
bay window *zn* erkerraam
bazaar [bəˈzɑː] *zn* ❶ oosterse markt ❷ bazaar,
fancy fair
b & b afk, bed and breakfast logies met ontbijt
BBC afk, British Broadcasting Corporation Britse
Radio en Televisie Omroep
BBQ afk, barbecue BBQ
BC afk, Before Christ v.C., v.Chr., vóór Christus
BCE afk, Before the Common Era v.C., v.Chr., vóór
Christus
be [biː] *onov ww* [onregelmatig] ❶ zijn, bestaan,
plaatshebben★ *leave / let sb / sth be* iemand /
iets met rust laten★ inform *been there, done
that* dat heb ik al achter de rug★ *as / that was
voormalig* ❷ liggen, staan, (ver)blijven★ *your
socks are in the drawer* je sokken liggen in de la
❸ bezoeken, langskomen★ GB inform *sb's been*

and ruined the lawn ze hebben het gazon verpest ❹ ~ **for** zijn voor, voorstander zijn van ❺ ~ **from** van(daan) komen ❻ ~ **in** aanwezig / binnen zijn, in de mode zijn, aan het bewind zijn, sport aan slag zijn ★ *he is not in* hij is niet thuis ★ *the tide is in* het is vloed ★ *there is nothing in it* het is niet van belang, er is niets van aan ★ *the communists are in* de communisten regeren ❼ ~ **in for** tegemoetzien ★ *you're in for a nasty surprise* er staat je een onaangename verrassing te wachten ★ *you're in for it* er zwaait wat voor je, je bent erbij ★ *be in for a job* kandidaat zijn voor een betrekking ★ inform *he's in for murder* hij zit gevangen wegens moord ❽ ~ **in on** betrokken zijn bij, weten van ★ *be in on it* van de partij zijn ★ *be in on a secret* van een geheim op de hoogte zijn ❾ ~ **in with** het eens zijn met, bevriend zijn met ★ *he's in with my neighbour* hij is goede maatjes met mijn buurman ❿ ~ **off** afgesloten zijn ⟨elektra / gas / water⟩, verwijderd zijn, niet doorgaan, afgelast zijn, weg zijn, starten, ervandoor gaan / zijn, niet in orde zijn ★ *the gas is off* het gas is afgesloten ★ *how far off is it?* hoe ver is het? ★ *his guess was far off* hij sloeg de plank helemaal mis ★ *he's off* hij slaapt, hij staat klaar om weg te gaan, hij is (al) weg, hij zit op zijn stokpaardje ★ *I'm off smoking* ik rook niet meer ★ *when they saw the police, the hooligans were off* toen ze de politie zagen, namen de herrieschoppers de benen ★ *how are you off for money?* hoeveel geld heb je nog? ★ *be badly off* er slecht voorstaan ★ *be well off* er warmpjes bij zitten ★ *they are well off for ze* zijn goed voorzien van ★ *the meat is a bit off* het vlees is niet helemaal fris ★ *his colour looks (a little) off* hij ziet er wat ziekelijk uit ⓫ ~ **on** aan / op zijn, doorgaan, in behandeling zijn, bezig zijn, aan de gang zijn, aan de beurt zijn, meedoen, gevorderd zijn, tipsy zijn, gebruiken, verslaafd zijn aan ★ *the light is still on* het licht is nog aan ★ *the kettle is on* het water staat op ★ *what's on?* wat is er aan de hand? ★ inform *that just isn't on* daar is geen sprake van ★ *the work is well on* het werk schiet goed op ★ *he is well on in his sixties* hij is ver over de zestig ★ *what's on at the cinema?* welke film draait er? ★ *the drinks are on me* ik trakteer ★ *are you on?* doe je mee? ★ *he's on the staff* hij hoort bij de staf ★ *be on to* iem. door hebben ★ *what's he on about?* waar heeft hij het over? ★ *he's always on at / to me* hij heeft altijd wat op me aan te merken ★ *be on drugs / alcohol* verslaafd zijn aan drugs / alcohol, (regelmatig) drugs / alcohol gebruiken ⓬ ~ **out** gepubliceerd zijn, (er)buiten / eruit zijn, om / weg zijn, in staking zijn, werkloos zijn, onmogelijk zijn ★ *the book will be out in March* het boek zal in maart verschijnen ★ *the results are out* de resultaten zijn bekendgemaakt ★ *the invitations are out* de uitnodigingen zijn verzonden ★ *the girl is out* het meisje heeft haar debuut gemaakt ★ *Labour is out* Labour is niet (meer) aan de macht ★ *you are far out* je zit er ver naast ★ *I am ten pounds out* ik kom 10 pond tekort ★ *he is out in A* hij zit helemaal in A ★ *my arm is out* mijn arm is uit de kom ★ *he is out*

and about hij is weer hersteld ★ *the teachers are out* de leraren staken ★ *the river is out* de rivier is buiten haar oevers getreden ★ *hot pants are out* hotpants zijn uit de mode ★ *the secret is out* het geheim is uitgelekt ★ *the stars are out* de sterren staan aan de hemel ★ *the tide is out* het is eb ★ *this book is always out* dit boek is altijd uitgeleend ★ *be out with a person* ruzie hebben met iem. ★ *be out of...* zonder... zitten, geen... meer hebben ★ *they are out for blood* ze willen bloed zien ★ *I'm all out for his plan* ik voel er alles voor ★ *he's out for himself* hij heeft zijn eigen voordeel op het oog ★ *driving home was out* naar huis rijden was uitgesloten ⓭ ~ **over** over / uit / voorbij zijn, op bezoek zijn, overschieten ★ *that's over and done with* dat is helemaal voorbij ⓮ ~ **through** het niet meer zien zitten, klaar zijn, er doorheen zijn ⓯ ~ **up** hoger / gestegen zijn, op / wakker zijn, op / over / voorbij zijn, aan de gang / hand zijn, ter discussie staan ★ *petrol is up again* de benzine is weer duurder ★ *his blood is up* zijn bloed kookt ★ *the road is up* de weg is opengebroken ★ *his spirit was up* hij was opgewekt ★ *be up and about* in de weer zijn, op de been zijn ★ *be full up* geheel bezet / uitverkocht zijn ★ *the game is up* het spel is voorbij ★ *the House is up* het Parlement is met reces ★ *Mr. X is up* meneer X is aan het woord ★ *be up against* in conflict komen met, staan tegenover ★ *she's up for election* zij stelt zich kandidaat ★ *be up in arms* onder de wapenen zijn ★ *what's up with him?* wat is er met hem aan de hand? ★ *be well up in a subject* veel weten van een onderwerp ★ *her name was up* ze ging over de tong ⓰ ~ **up to** doen, doorhebben ★ *she's up to anything* ze is voor alles te vinden ★ *be up to a task* opgewassen zijn tegen een taak ★ *it's up to you* het (initiatief) is aan u ★ *be up to sth* iets in zijn schild voeren ★ *I'm up to his tricks* ik doorzie zijn streken **II** *kww* [onregelmatig] ❶ zijn ★ *be that as it may* hoe dan ook ★ *as happy as can be* zo blij als maar kan ★ *how are you?* hoe maakt u het?, hoe gaat het met je? ★ *how is it that...* hoe komt het dat... ★ *it was a long time before...* het duurde lang voordat... ★ *be about to...* op het punt staan om... ★ *don't be long!* blijf niet lang weg! ★ *whose are these gloves?* van wie zijn deze handschoenen? ❷ form bestaan ★ *when the sun ceases to be* als de zon ophoudt te bestaan ❸ worden ★ *a teacher-to-be* een leraar in wording ★ *the bride to be* de aanstaande bruid ★ *she was to be a great author* zij zou een groot auteur worden ★ *he is to be married next month* hij gaat volgende maand trouwen ★ *you are to be home by midnight* je moet (uiterlijk) om middernacht thuis zijn ★ *he is to send it* hij moet het verzenden ★ *it is nowhere to be found* het is nergens te vinden ❹ kosten ★ *how much are these books?* wat kosten deze boeken?

beach [biːtʃ] **I** *zn* strand **II** *ov ww* op het strand zetten ★ *~ed whale* gestrande walvis

beach ball *zn* strandbal ⟨voorwerp⟩

beach bum *zn* strandliefhebber, jonge vent die op het strand rondhangt

beachcomber ['biːtʃkəʊmə] *zn* strandjutter

be

beachfront [ˈbiːtʃ frʌnt] *bnw* aan / vlakbij het strand ⟨v. pand enz.⟩

beachhead [ˈbiːtʃhed] *zn* ❶ bruggenhoofd ❷ *fig* voet aan de grond

beacon [ˈbiːkən] ❶ baken, vuurtoren ❷ *fig* lichtend voorbeeld ❸ bakenzender

bead [biːd] *zn* ❶ kraal ★ *say / tell one's beads* rozenkrans bidden ❷ parel ⟨van zweet⟩ ❸ vizierkorrel ★ USA *draw / get a bead on sb* het vizier richten op iem.

beaded *bnw* van kralen voorzien, met zweetdruppeltjes

beading *zn* met kralen versierd handwerk, kraal ⟨lijstwerk⟩

beady [ˈbiːdɪ] *bnw* ❶ kraalvormig, kraal-★ GB *keep a ~ eye on* strak in de gaten houden, geen seconde uit het oog verliezen ❷ parelend

beagle [ˈbiːgl] *zn* beagle, brak ⟨drijfhond⟩

beak [biːk] *zn* ❶ (scherpe) snavel ❷ tuit ❸ straatt neus

beaker [ˈbiːkər] *zn* beker(glas)

be-all *zn* essentie ★ *the ~ and end-all* de alfa en de omega, het enige wat telt

beam [biːm] **I** *zn* ❶ straal, stralenbundel, lichtbundel ★ *on full beam* met groot licht ★ GB *be off beam* er naast zitten ❷ brede glimlach ❸ balk, GB evenwichtsbalk **II** *ov ww* ❶ uitstralen, afgeven ❷ stralend zeggen ❸ uitzenden (op tv) ❹ ~ *up* omhoogstralen ⟨sciencefiction⟩ **III** *onov ww* ❶ stralen ★ *the sun beams down on the fields* de zon schijnt op de velden ❷ glunderen

beamer [ˈbiːmə] *zn* beamer ⟨projector⟩

bean [biːn] *zn* boon ★ *baked beans* witte bonen in tomatensaus ★ *French / green bean* sperzieboon ★ GB *broad bean* tuinboon ★ *full of beans* in een opgewekte stemming ★ GB *not have a bean* platzak zijn ★ *spill the beans* zijn mond voorbijpraten ★ USA *not know beans about sth* geen snars verstand hebben van iets

beanbag [biːn bæg] *zn* zitzak

bean curd [ˈbiːn kɜːd] *zn* tofee, tahoe

beanie [ˈbiːniː] *zn* (wollen) muts

beanpole [ˈbiːnpəʊl] *zn* bonenstaak *ook fig* , lange slungel

bean sprouts [biːn spraʊts] *zn mv* taugé

bear [beə] **I** *zn* ❶ beer ★ *white bear* ijsbeer ★ *like a bear with a sore head* slechtgehumeurd ❷ *fin* baissier **II** *ov ww* [onregelmatig] ❶ (ver)dragen, dulden, uitstaan ★ *bear the responsibility for sth* de verantwoordelijkheid voor iets dragen ★ *bear comparison with* de vergelijking doorstaan met ★ *I can't bear that teacher* ik heb een hekel aan die leraar ★ *bear a hand* een handje helpen ★ *bring to bear* toepassen, laten gelden ★ *bring one's influence to bear* zijn invloed laten gelden ❷ dragen, vertonen ★ *the contract bore your signature* jouw handtekening stond op het contract ❸ baren ⟨kind⟩, voortbrengen ★ *bear fruit* vruchten dragen, fig vruchten afwerpen ❹ opbrengen, opleveren ⟨rente⟩ ❺ ~ *out* bevestigen ▾ *bear yourself well* je goed gedragen / houden ▾ *be borne in on sb* tot iem. doordringen **III** *onov ww* ❶ slaan ★ *his heart is beating* zijn hart klopt ❷ zich een weg banen ★ fig *beat about the bush* eromheen draaien ❸ ~ *down on* branden op ⟨v. zon⟩ ❹ USA ~ *up*

aanhouden, naar links / rechts afslaan ❸ ~ *down on* snel afkomen op, druk uitoefenen op ❹ ~ *on/upon* betrekking hebben op ❺ ~ *up against/under* het hoofd bieden aan, zich goed houden onder ❻ ~ *with* geduld hebben met ★ *bear with me* heb even geduld, wacht even

bearable [ˈbeərəbl] *bnw* te (ver)dragen

beard [ˈbɪəd] **I** *zn* baard **II** *ov ww* tarten ★ *to ~ the lion in his den* zich in het hol van de leeuw wagen

bearded [ˈbɪədɪd] *bnw* ❶ met een baard ❷ met een staart ⟨komeet⟩

bearer [ˈbeərə] *zn* ❶ drager, houder ⟨van paspoort⟩, form toonder ❷ brenger ⟨van boodschap⟩ ❸ hoeder ⟨bv. van traditie⟩ ❹ stut

bear hug *zn* houdgreep, stevige omhelzing

bearing [ˈbeərɪŋ] *zn* ❶ invloed, verband ★ *this has no ~ on you* dit heeft niets met jou te maken ❷ gedrag, houding ❸ richting ⟨kompas⟩ ★ *lose your ~s* verdwalen, in verwarring raken ★ *get / find / take your ~s* je oriënteren ★ *take a ~* een peiling nemen

bearish [ˈbeərɪʃ] *bnw* ❶ lomp ❷ nors ❸ pessimistisch, dalend ⟨van effectenbeurs⟩

bearskin [ˈbeəskɪn] *zn* ❶ berenhuid ❷ berenmuts

beast [biːst] *zn* ❶ beest, viervoeter ★ *~ of burden* lastdier ★ *~ of prey* roofdier ❷ humor (vervelende) zaak ★ *the exam was a real ~* het was echt een rotexamen ★ *his new bike is an expensive ~* die nieuwe fiets van hem is een duur beestje

beastly [ˈbiːstlɪ] *bnw ook fig* beestachtig ★ *~ weather* hondenweer

beat [biːt] **I** *zn* ❶ slag, tik ❷ muz maat ★ *out of beat* uit de maat ❸ ronde, wijk ⟨van politie⟩ ★ *more police officers on the beat* meer politie / blauw op straat ❹ (jacht)terrein ❺ beatmuziek **II** *bnw* inform uitgeteld, (dood)op **III** *ov ww* [onregelmatig] ❶ slaan ★ *beat sb to death* iem. doodslaan ★ *the bird beat its wings* de vogel sloeg met zijn vleugels ★ *beat time* de maat slaan ❷ verslaan, verbeteren ⟨record⟩ ★ *beat if you can't beat them, join them* als je ze niet kunt verslaan, kun je ze maar beter te vriend houden ★ *I wanted to break up, but he beat me to it* ik wilde het uitmaken, maar hij was me voor ★ *can you beat that?* heb je ooit zoiets gehoord / gezien? ★ *that beats everything!* dat is het toppunt!, dat slaat alles! ★ *beats me!* het is me een raadsel! ★ *nothing beats the first kiss* er gaat niets boven de eerste kus ★ USA *beat him out of his money* iem. zijn geld listig afhandig maken ❸ ontkomen aan ★ *beat the traffic* de verkeersdrukte voor zijn ❹ bestrijden ❺ kloppen (ook metaal) ❻ mengen, klutsen ⟨ei⟩ ❼ ~ *down* overreden de prijs te verlagen ★ *beat down the price* de prijs drukken ❽ ~ *off* afweren, afslaan ⟨aanval enz.⟩ ❾ ~ *out* doven ⟨vuur⟩, uitdeuken ❿ ~ *up* aftuigen, opjagen, optrommelen ★ USA *beat yourself up over sth* jezelf de schuld van iets geven ▾ *inform beat it!* donder op! **IV** *onov ww* ❶ slaan ★ *his heart is beating* zijn hart klopt ❷ zich een weg banen ★ fig *beat about the bush* eromheen draaien ❸ ~ *down on* branden op ⟨v. zon⟩ ❹ USA ~ *up*

on aftuigen
beaten ['bi:tn] I *bnw* ❶ verslagen ❷ veel
betreden / gebaand, platgetreden ❸ gedreven
⟨van goud⟩ II *nw* [volt. deelw.] → **beat**
beater ['bi:tə] *zn* ❶ klopper ⟨eieren, mat, enz.⟩
❷ drijver ⟨bij jacht⟩
beat generation *zn* beat generation ⟨groep
schrijvers rond 1960⟩
beatify [bɪtɪfaɪ] *ww* zalig verklaren ⟨r.-k.⟩
beating ['bi:tɪŋ] *zn* ook *fig* pak slaag ★ *take some
~ moeilijk te overtreffen zijn*
beatitude [bi:'ætɪtju:d] *zn* zaligheid ★ *the
Beatitudes* de acht zaligheden
beat-up ['bi:t ʌp] *bnw* inform aftands
beaut [bju:t] USA Aus I *zn* prachtexemplaar
II *bnw* fantastisch
beautician [bju:'tɪʃn] *zn* schoonheidsspecialist
beautiful ['bju:tɪfʊl] *bnw* mooi, knap
beautify ['bju:tɪfaɪ] *ov ww* verfraaien
beauty ['bju:tɪ] *zn* schoonheid ★ *~ is in the eye of
the beholder* ≈ over smaak valt niet te twisten
★ *~ is only skin-deep* schoonheid is maar uiterlijk
★ *Sleeping Beauty* Schone Slaapster, Doornroosje
beauty mark *zn* USA schoonheidsvlekje
beauty parlour *zn* schoonheidssalon
beaver ['bi:və] I *zn* ❶ bever ★ inform *eager ~*
uitslover, harde werker ❷ beverbont ❸ vulg kut
II *onov ww* ★ inform *~ away at sth* ergens hard
aan werken
became [bɪ'keɪm] *ww* [verleden tijd] → **become**
because [bɪ'koz] *vw* omdat ★ *~ of* vanwege
beck [bek] *zn* ★ *be at sb's beck and call* altijd klaar
staan voor iem., iem. op zijn wenken bedienen
beckon ['bekən] *ov ww* ❶ wenken ❷ lonken naar
become [bɪ'kʌm] [onregelmatig] I *kww* worden
II *onov ww* ★ *~ of* worden van, aflopen met
★ *what will ~ of you* wat zal er van jou
terechtkomen III *ov ww* ❶ goed staan ★ *that
suit ~s you well* dat pak staat je goed ❷ passen,
sieren
becoming [bɪ'kʌmɪŋ] [form] *bnw* ❶ betamelijk,
passend ❷ flatterend ⟨van kleding enz.⟩
bed [bed] I *zn* ❶ bed ★ *bed and breakfast* (pension
voor) overnachting, logies met ontbijt
★ *convertible bed* opklapbed ★ *make the bed* het
bed opmaken ★ *take to one's bed* ziek worden
★ *wet the bed* bedplassen ★ *you've made your
bed, and now you must lie on it* wie zijn billen
brandt, moet op de blaren zitten ★ inform *get
out of bed on the wrong side* met het verkeerde
been uit bed stappen ★ inform *go to bed with sb*
met iem. naar bed gaan ★ GB *bed and board*
kost en inwoning ★ *separate / divorce from bed
and board* scheiden van tafel en bed ❷ leger
⟨van dier⟩ ❸ bedding ❹ (onder)laag, bed
⟨planten⟩ ★ *forcing bed* broeibak ★ *a bed of roses*
rozengeur en maneschijn II *ov ww* ❶ inbedden
❷ oud vrijen met ❸ ★ *~ down* naar bed brengen,
een slaapplaats geven ⟨ook dieren⟩ ❹ ★ *~ out*
uitplanten III *onov ww* gaan slapen ★ *we'll bed
down in the attic* wij zoeken wel een plaatsje op
zolder
bedazzle [bɪ'dæzəl] *ov ww* verblinden
bedbug ['bedbʌg] *zn* bedwants, wandluis
bedclothes ['bedkləʊðz] *zn mv* beddengoed
bedding ['bedɪŋ] *zn* ❶ beddengoed ❷ ligstro

❸ onderlaag
bedding plant *zn* tuinplant
bedeck [bɪ'dek] form *ov ww* (op)tooien, versieren
bedevil [bɪ'devəl] *ov ww* dwarszitten,
bemoeilijken, teisteren
bedfellow ['bedfeləʊ] *zn* bedgenoot / -genote
★ *fig make strange ~s* met vijanden vrienden
maken, niet echt bij elkaar horen
bedlam ['bedləm] *zn* ook *fig* gekkenhuis
bedraggled [bɪ'drægld] *bnw* ❶ doorweekt
❷ sjofel, gehavend ❸ besmeurd
bedridden ['bedrɪdn] *bnw* bedlegerig
bedrock ['bedrɒk] *zn* ❶ basis, fundament ❷ vast
gesteente ❸ laagste punt, minimum
bedroom ['bedru:m] *zn* slaapkamer
bedroom town *zn* slaapstad
bedside ['bedsaɪd] *zn* ★ *she remained at his ~* ze
week niet van zijn bed
bedside manner *zn* gedrag t.o.v. de patiënt in
bed
bedside table GB *zn* nachtkastje
bedsit ['bedsɪt], **bedsitter** ['bedsɪtə] GB *zn*
zit-slaapkamer
bedsore ['bedsɔ:] *zn* doorligplek
bedspread ['bedspred] *zn* sprei
bedstead ['bedsted] *zn* ledikant
bee [bi:] *zn* ❶ bij ★ *fig busy bee* bezige bij ★ *she
thinks she's the bee's knees* ze denkt dat ze heel
wat is ★ *have a bee in one's bonnet (about sth)*
(door iets) geobsedeerd zijn ❷ USA bijeenkomst
van buren ⟨voor gezelligheid en werk⟩
beech [bi:tʃ] *zn* beuk ★ *copper ~* bruine beuk
beef [bi:f] I *zn* ❶ rundvlees ★ *corned / corn beef*
cornedbeef ❷ inform klacht II *ov ww* inform
~ up groter / beter / interessanter maken
III *onov ww* inform klagen ★ *beef about sth*
ergens over klagen
beefcake ['bi:fkeɪk] *zn* straatt krachtpatser,
gespierde kerel
Beefeater ['bi:fi:tə] *zn* wacht bij de Tower of
London
beefsteak ['bi:fsteɪk] *zn* runderlapje, biefstuk
beeftea [bi:f'ti:] *zn* bouillon
beef tomato, beefsteak tomato *zn*
vleestomaat
beefy ['bi:fɪ] *bnw* stevig, gespierd
beehive ['bi:haɪv] *zn* ❶ bijenkorf ❷ humor hoog
opgestoken haar
beekeeper ['bi:ki:pə] *zn* bijenhouder, imker
beeline ['bi:laɪn] *zn* rechte lijn ★ *make a ~ for / to*
regelrecht afgaan op
been [bi:n] *ww* [volt. deelw.] → **be**
beep [bi:p] I *zn* ❶ pieptoon, piep(je) ❷ getoeter
II *onov ww* ❶ piepen ❷ toeteren III *ov ww* USA
oppiepen
beer [bɪə] *zn* bier, biertje
beery ['bɪərɪ] *bnw* ❶ beneveld ❷ naar bier
ruikend
beeswax ['bi:zwæks] I *zn* bijenwas II *ov ww*
boenen
beet [bi:t] *zn* biet
beetle ['bi:tl] I *zn* ❶ kever, tor ★ *black ~* kakkerlak
❷ stamper II *onov ww* GB *~ off* wegglippen,
zich haasten
beetroot ['bi:tru:t] *zn* ❶ beetwortel ❷ GB rode
biet ★ *as red as a ~* knalrood worden

befall [bɪ'fɔ:l] **I** *ov ww* overkomen, gebeuren met **II** *onov ww* voorvallen, gebeuren

befit [bɪ'fɪt] *ov ww* betamen, passen

before [bɪ'fɔ:] **I** *bijw* ❶ vroeger, eerder ★ *I've seen this* ~ ik heb het eerder meegemaakt ★ *not last week, but the week* ~ niet verleden week, maar de week ervoor ❷ voorop / aan **II** *vz* voor ★ *the month* ~ *last* twee maanden geleden ★ *GB best* ~ *Oct 25* ten minste houdbaar tot 25 oktober ★ ~ *long* weldra, spoedig ★ *turn right* ~ *the restaurant* rechts afslaan voor het restaurant ★ *(and) not* ~ *time* geen moment te vroeg **III** *vw* voor, voordat ★ *write it down* ~ *you forget* schrijf het op voordat je het vergeet

beforehand [bɪ'fɔ:hænd] *bijw* van tevoren

befriend [bɪ'frend] *ov ww* ★ *be* ~*ed by* bevriend raken met

befuddled [bɪ'fʌdld] *bnw* beneveld, in de war

beg [beg] **I** *ov ww* smeken, bedelen, verzoeken ★ *beg, borrow or steal sth* iets hoe dan ook bemachtigen ★ *form beg leave to do sth* permissie vragen iets te doen ★ *I beg your pardon* pardon, wat zegt u? ★ *beg the question* ontwijkend antwoorden, iets als bewezen veronderstellen **II** *onov ww* ❶ smeken, bedelen ★ *he's begging for mercy* hij smeekt om genade ★ *go begging* uit bedelen gaan ★ *GB if it's going begging* als niemand het wil, als het blijft liggen ★ *I beg to differ* ik ben het er niet mee eens ❷ opzitten ⟨van hond⟩ ❸ ~ *off* zich (laten) verontschuldigen, het laten afweten

began [bɪ'gæn] *ww* [verleden tijd] → **begin**

beget [bɪ'get] *ov ww* [onregelmatig] ❶ *form* veroorzaken ❷ *oud* verwekken, voortbrengen

beggar ['begə] **I** *zn* ❶ bedelaar, schooier ★ ~*s can't be choosers* je mag een gegeven paard niet in de bek kijken ❷ *inform* (arme) kerel ★ *lucky* ~*!* bofkont! **II** *ov ww* ❶ tot de bedelstaf brengen ❷ te boven gaan ★ *it* ~*s belief / description* het is niet te geloven / beschrijven

begin [bɪ'gɪn] **I** *onov ww* [onregelmatig] beginnen ★ *to* ~ *with* ten eerste, om te beginnen, in het begin ★ *I couldn't (even)* ~ *to understand her* ik begreep haar absoluut niet **II** *ov ww* beginnen (aan)

beginner [bɪ'gɪnə] *zn* beginneling ★ ~*'s luck* beginnersgeluk

beginning [bɪ'gɪnɪŋ] *zn* begin, oorsprong ★ *from the very* ~ van het begin af aan ★ ~ *of the end* het begin van het einde ★ *in the* ~ *was the Word...* in den beginne was er het Woord... ★ *build up from small* ~*s* klein beginnen

begot [bɪ'gɒt] *ww* [verleden tijd] → **beget**

begotten [bɪ'gɒtn] *ww* [volt. deelw.] → **beget**

begrudge [bɪ'grʌdʒ] *ov ww* ❶ misgunnen ❷ met tegenzin doen / betalen / geven

beguile [bɪ'gaɪl] *ov ww* ❶ verleiden, bekoren ❷ ~ *into* verleiden tot

beguiling [bɪ'gaɪlɪŋ] *bnw* verleidelijk, bekoorlijk

begun [bɪ'gʌn] *ww* [volt. deelw.] → **begin**

behalf [bɪ'hɑ:f] *zn* ★ *on* ~ *of, USA ook in* ~ *of* namens, ten behoeve van ★ *in that* ~ in dat opzicht

behave [bɪ'heɪv] **I** *onov ww* zich gedragen ★ ~*!* gedraag je fatsoenlijk! ★ *be well* ~*d* fatsoenlijk zijn, beschaafd zijn **II** *wkd ww* zich (netjes)

gedragen ★ ~ *yourself!* gedraag je fatsoenlijk!

behaviour [bɪ'heɪvjə] *zn* ❶ gedrag ★ *be on your best* ~ je zo netjes mogelijk gedragen ★ *gross* ~ lomp gedrag ❷ werking

behead [bɪ'hed] *ov ww* onthoofden

beheld [bɪ'held] *ww* [verl. tijd + volt. deelw.] → **behold**

behind [bɪ'haɪnd] **I** *zn* achterste ★ *fall on your* ~ op je achterste vallen **II** *bijw* ❶ (er)achter, achteraan, achter de rug ★ *look* ~ omkijken ★ *shot from* ~ van achteren geschoten ❷ achterop ★ *get* ~ achterop raken ★ *be* ~ *with* achter zijn / lopen met ⟨werk enz.⟩ **III** *vz* ❶ achter ★ *we're right* ~ *you* we staan pal achter je, we komen meteen achter je aan ❷ achter op ★ *be* ~ *schedule* achter op schema liggen

behindhand [bɪ'haɪndhænd] *bnw* + *bijw* achter(op), te traag, te laat

behold [bɪ'həʊld] *ov ww* [onregelmatig] form aanschouwen, zien

beholden [bɪ'həʊldən] *bnw* form verschuldigd, verplicht

beholder [bɪ'həʊldə] *zn* form aanschouwer

beige [beɪʒ] *bnw* beige

being ['bi:ɪŋ] *zn* ❶ wezen ★ *a human* ~ een mens ❷ bestaan ★ *come into* ~ ontstaan ★ *call into* ~ in het leven roepen ❸ essentie

belabour [bɪ'leɪbə] *ov ww* te uitvoerig behandelen ★ ~ *a point* blijven hangen bij een onderwerp

belated [bɪ'leɪtɪd] *bnw* laat ★ *a* ~ *birthday card* een verlate verjaardagskaart ★ *a* ~ *acknowledgement* een late erkenning

belch [beltʃ] **I** *zn* boer, oprisping **II** *onov ww* boeren **III** *ov ww* uitspuwen ★ ~ *forth smoke* rook uitbraken

beleaguered [bɪ'li:gə] *bnw* ❶ belegerd ❷ zwaar bekritiseerd

belfry ['belfrɪ] *zn* klokkentoren

Belgian ['beldʒən] **I** *zn* Belg, Belgische **II** *bnw* Belgisch

Belgium ['beldʒəm] *zn* België

belie [bɪ'laɪ] *ov ww* ❶ verkeerde indruk geven van ❷ tegenspreken, logenstraffen

belief [bɪ'li:f] *zn* geloof, overtuiging ★ *beyond* ~ niet te geloven

believable [bɪ'li:vəbl] *bnw* geloofwaardig

believe [bɪ'li:v] **I** *ov ww* geloven ★ ~ *it or not* of je het gelooft of niet ★ ~ *(you) me* daar kun je van op aan ★ *don't you* ~ *it!* echt niet! ★ *I don't* ~ *it!* niet te geloven! ★ *if you* ~ *that, you'll* ~ *anything* ze kunnen jou ook alles wijs maken ★ *make* ~ doen alsof, wijsmaken ★ *seeing is believing* zien is geloven ★ *would you* ~ *(it)?* je houdt het niet voor mogelijk ★ *you('d) better* ~ *it!* dat is zeker waar! ★ *come to* ~ tot het besef gekomen **II** *onov ww* gelovig zijn ★ *he doesn't* ~ *in evolution* hij gelooft niet in de evolutietheorie

believer [bɪ'li:və] *zn* ❶ aanhanger ❷ gelovige

Belisha beacon *zn* knipperbol

belittle [bɪ'lɪtl] *ov ww* ❶ kleineren ❷ verkleinen

bell [bel] **I** *zn* ❶ bel ★ *answer the bell* (de deur) opendoen ★ *that rings a bell* dat klinkt bekend ★ *bells and whistles* toeters en bellen ★ *GB give sb a bell* iem. even bellen ❷ klok ⟨van de kerk⟩ **II** *ov ww* de bel aanbinden **III** *onov ww* brullen ‹van mannetjeshert›

bell-bottoms ['bel-bɒtəmz] *zn mv* jeans met wijde pijpen

bellboy ['belbɔɪ] *zn* piccolo

bellhop ['belhɒp] *zn* USA piccolo

bellicose ['belɪkəʊz] *bnw* agressief, oorlogszuchtig

belligerence [bə'lɪdʒərəns] *zn* ❶ vijandigheid, agressiviteit ❷ form status v. oorlogvoerende

belligerent [bə'lɪdʒərənt] I *zn* oorlogvoerende partij II *bnw* ❶ vijandig, agressief ❷ form oorlogvoerend

bellow ['beləʊ] I *zn* gebrul II *onov ww* loeien, brullen III *ov ww* (uit)brullen, schreeuwen

bellows ['beləʊz] *zn mv* ★ *(a pair of) ~* (blaas)balg

bell pepper USA *zn* → **pepper**

bell-push *zn* GB belknop

bell-ringer *zn* klokkenluider

belly ['belɪ] I *zn* ❶ buik ★ inform *go ~ up* op de fles gaan ❷ schoot ❸ ronding, bolle deel II *onov ww* bol staan III *ov ww* bol laten staan

bellyache ['belɪeɪk] inform I *zn* buikpijn II *onov ww* zeuren, klagen

belly button *zn* inform navel

belly dancer *zn* buikdanseres

bellyflop ['belɪflɒp] *ww* inform een buiklanding maken, plat op zijn buik gaan

bellyful ['belɪfʊl] *zn* ★ *have had a ~ of* de buik vol hebben van

belly laugh *zn* daverende lach

belong [bɪ'lɒŋ] *onov ww* ❶ horen ★ *this plate ~s in that cupboard* dit bord hoort in die kast ❷ *~ to* behoren aan / tot, lid zijn van ❸ thuishoren, erbij horen ★ *he does not quite ~* hij voelt zich niet echt / helemaal thuis

belongings [bɪ'lɒŋɪŋz] *zn mv* ❶ eigendom(men) ❷ bagage

beloved [bɪ'lʌvɪd] I *zn* geliefde II *bnw* geliefd

below [bɪ'ləʊ] I *bijw* beneden, onderaan ★ *it's three degrees ~* het is drie graden onder nul ★ *go ~* naar beneden gaan, benedendeks gaan II *vz* ❶ onder, beneden ★ *~ the surface* onder de oppervlakte ★ *be well ~ average* ver beneden het gemiddelde zijn ❷ ten zuiden van ❸ stroomafwaarts

belt [belt] I *zn* ❶ gordel, riem, sport band ‹als onderscheiding› ★ sport *black belt* zwarte band ★ *ook fig below the belt* onder de gordel ★ *belt and braces* dubbele veiligheidsmaatregelen ★ *have sth under one's belt* iets achter de kiezen hebben, iets ervaren hebben ❷ zone ❸ inform opdonder, klap II *ov ww* ❶ de riem doen om, omgorden ❷ inform afranselen, een opdoffer geven ❸ inform hard zingen / spelen ★ *belt out a song* een lied brullen III *onov ww* GB racen ★ *she belted down the stairs* ze kwam de trap afstormen ❷ GB *~ up* zijn veiligheidsriem omdoen ★ inform *belt up!* hou je kop!

bemoan [bɪ'məʊn] *ov ww* form bejammeren, beklagen

bemused [bɪ'mjuːzd] *bnw* ❶ verbijsterd ❷ verstrooid

bench [bentʃ] I *zn* ❶ bank ❷ rechtbank ★ *serve / sit on the ~* rechter zijn ★ *Queen's / King's Bench Division* afdeling v.h. hooggerechtshof ❸ GB zetel in het parlement ★ *back ~* bank voor

gewone leden ‹in het parlement› ★ *front ~* bank voor ministers en oppositieleiders ‹in het parlement› ❹ sport (reserve)bank, reserve ❺ werkbank II *ov ww* sport op de reservebank zetten

benchmark ['bentʃmɑːk] I *zn* ❶ maatstaf, criterium ❷ vast punt II *ov ww* als maatstaf gebruiken ★ *be ~ed against sth* afgezet worden tegen iets

bend [bend] I *zn* bocht, buiging ★ *bends and stretches* buig- en strekoefeningen ★ GB inform *drive sb round the bend* iem. stapelgek maken, iem. over zijn toeren jagen II *ov ww* ‹onregelmatig› ❶ buigen ★ *on bended knees* op de knieën ★ *bend the rules* de regels naar je hand zetten ★ *bend the truth* de waarheid verdraaien ★ *bend over backwards* zich tot het uiterste inspannen ★ inform *bend sb's ear* aan iemands hoofd zeuren, zijn hart luchten bij iem. ★ form *bend sb to sth* iem. aan je wil onderwerpen ❷ natk breken ‹licht› ❸ richten ‹ogen, stappen, aandacht› ★ form *bend your mind to sth* diep over iets nadenken ★ form *bend your efforts to sth* je helemaal concentreren op iets III *onov ww* (zich) buigen ★ *the road bends to the left* de weg buigt naar links

bender ['bendə] inform *zn* zuippartij ★ *go on a ~* het op een zuipen zetten, flink drugs gebruiken

bends inform *zn mv* caissonziekte

bendy ['bendɪ] *bnw* ❶ buigzaam ❷ bochtig

beneath [bɪ'niːθ] I *bijw* ❶ (er)onder ❷ ondergeschikt II *vz* onder, beneden ★ *~ the stars* onder de sterren ★ *he had married ~ him* hij was beneden zijn stand getrouwd

benediction [benɪ'dɪkʃən] *zn* ❶ zegen ❷ lof ‹r.-k.›

benefaction [benɪ'fækʃən] form *zn* ❶ goede daad, schenking ❷ liefdadigheid

benefactor ['benɪfæktə] form *zn* weldoener

benefactress [benɪ'fæktrəs] form *zn* weldoenster

benefice ['benɪfɪs] *zn* predikantsplaats

beneficent [bɪ'nefɪsənt] form *bnw* liefdadig

beneficial [benɪ'fɪʃəl] *bnw* heilzaam ★ *~ to our patients* goed voor de gezondheid van onze patiënten

beneficiary [benɪ'fɪʃərɪ] *zn* ❶ erfgenaam ❷ form begunstigde

benefit ['benɪfɪt] I *zn* ❶ voordeel, profijt ★ *for sb's ~* ten bate van iem., ten voordele van iem. ★ *give sb the ~ of the doubt* iem. het voordeel van de twijfel gunnen ❷ toelage, uitkering ★ *be on ~* bijstand trekken ★ *supplementary ~* aanvullende uitkering ❸ benefiet ‹wedstrijd / concert› II *onov ww* ❶ voordeel hebben ❷ *~ by/from* voordeel trekken uit III *ov ww* ten goede komen aan

benevolence [bə'nevələns] form *zn* ❶ welwillendheid, vriendelijkheid ❷ weldadigheid

benevolent [bə'nevələnt] *bnw* ❶ welwillend ❷ weldadig ★ *~ fund* ondersteuningsfonds

benign [bɪ'naɪn] *bnw* ❶ vriendelijk ★ *~ despot* verlicht despoot ❷ zacht, heilzaam ❸ goedaardig ‹van gezwel›

bent [bent] I *bnw* ❶ gebogen, krom ❷ GB inform corrupt, omkoopbaar ❸ *~ on* vastbesloten om,

be

be

geconcentreerd op **II** *ww* [verl. tijd + volt. deelw.] → **bend III** *zn* aanleg, voorliefde, neiging ★ *a bent for languages* aanleg voor talen **IV** → **bend**

benzene ['benzi:n] *zn* benzeen

benzine ['benzi:n] *zn* wasbenzine

bequeath [br'kwi:ð] form *ov ww* nalaten, vermaken

bequest [br'kwest] form *zn* legaat

berate [br'reɪt] *ov ww* form uitvaren tegen, uitschelden

bereave [br'ri:v] *ov ww* beroven ⟨figuurlijk⟩ ★ *the ~d* de nabestaanden

bereavement [br'ri:vmənt] *zn* ❶ verlies ❷ sterfgeval ★ *~ counselling* rouwbegeleiding

bereft [br'reft] *bnw* fig beroofd ★ *~ of hope* van iedere hoop verstoken ★ *utterly ~* diep bedroefd ⟨door overlijden⟩

beret ['bereɪ] *zn* baret, alpinomuts

berk [bɜ:k] *zn*, GB inform eikel, sukkel

Berlin [bɜ:'lɪn] *zn* Berlijn

Bermudas [bə'mju:dəz] *zn mv* ❶ Bermuda(-eilanden) ❷ → **Bermuda shorts**

Bermuda shorts *zn mv* bermuda, korte broek

berry ['berɪ] **I** *zn* ❶ bes ❷ ei ⟨van vis of kreeft⟩ **II** *onov ww* bessen vormen

berserk [bə'sɜ:k] *bnw* ★ *go ~* woest worden ★ *~ with excitement* gek van opwinding

berth [bɜ:θ] **I** *zn* ❶ lig-/ ankerplaats ★ *give sb a wide ~* iem. uit de weg gaan ❷ slaapplek, kooi ⟨op schip⟩, couchette ⟨in trein⟩ **II** *ov ww* afmeren

beseech [br'si:tʃ] *ov ww* [regelmatig + onregelmatig] smeken

beset [br'set] *ov ww* omringen, bestoken, van alle kanten aanvallen ★ *~ with problems* met problemen overladen ★ *~ting sin* zonde waarin men vervalt, slechte gewoonte

beside [br'saɪd] *vz* naast, in vergelijking met ★ *he sat ~ her* hij zat naast haar ★ *that is ~ the point* dat heeft er niets mee te maken ★ *~ o.s. with grief* buiten zichzelf van verdriet

besides [br'saɪdz] **I** *bijw* ❶ bovendien ❷ daarnaast ❸ trouwens **II** *vz* behalve, naast ★ *~ novels, he wrote travel books* naast romans schreef hij reisboeken

besiege [br'si:dʒ] *ov ww* ❶ belegeren ❷ bestormen ★ *~ him with questions* hem overstelpen met vragen

besmirch [br'smɜ:tʃ] *ov ww* ❶ besmeuren ❷ fig bezoedelen ⟨reputatie e.d.⟩

besom ['bi:zəm] *zn* bezem

besotted [br'sɒtəd] *bnw* stapelverliefd, verdwaasd ★ *be ~ with sb* stapelgek zijn op iem.

besought [br'sɔ:t] *ww* [verl. tijd + volt. deelw.] → **beseech**

bespeak [br'spi:k] *ov ww* [onregelmatig] getuigen van

bespectacled [br'spektəkld] *bnw* met bril

bespoke [br'spəʊk] **I** *bnw* GB op maat (gemaakt) ★ *~ suit* maatkostuum ★ *~ software* maat(werk)software **II** *ww* [o.v.t.] → **bespeak**

best [best] **I** *bnw + bijw* best(e) ★ *at best* op zijn best, hoogstens ★ *the best part* het beste deel ★ *we'll manage as best we can* we zullen er het beste van maken ★ *as best you can / may* zo

goed mogelijk ★ *he had best leave* hij kan beter weggaan ★ GB *best before* ten minste houdbaar tot **II** *zn* de / het beste ★ *all the best!* het allerbeste! ⟨groet⟩, sterkte! ★ *do / mean sth for the best* de beste bedoelingen hebben ★ *have / get the best of it / a bad job / things* het beste ervan maken ★ *to the best of my knowledge / belief* voor zover ik weet / op de hoogte ben ★ *with the best (of them)* met de besten, met wie dan ook ★ *it's all for the best* het is het beste zo ★ *hope for the best* het beste ervan hopen ★ *be past his best* zijn beste tijd gehad hebben **III** *ov ww* form verslaan, overtreffen

bestial ['bestɪəl] *bnw* beestachtig

bestiality [bestr'ælətɪ] *zn* ❶ beestachtigheid ❷ dierenseks

bestir [br'stɜ:] *ov ww* ★ form *~ o.s.* in actie komen, zich beijveren

bestow [br'stəʊ] *ov ww* form *~ upon* schenken aan

bestride [br'straɪd] *ov ww* dicht schrijlings (gaan) staan over / zitten op

best-seller [best'selə] *zn* bestseller, goed verkopend product, populair boek

bet [bet] **I** *zn* ❶ weddenschap ★ *make a bet* een weddenschap aangaan ❷ inzet ❸ inform inschatting ★ *one's best bet* z'n beste kans ★ *a good / safe bet* een veilige weddenschap / belegging ★ *a long bet* tien tegen één **II** *ov ww* [onregelmatig + regelmatig] wedden, verwedden, inform zeker weten ★ *I bet! / I'll bet!* nogal wiedes!, iron zal wel! ★ *you bet!* nou en of! ★ inform *wanna bet?* wedden van niet? **III** *onov ww* wedden ★ *bet on sth* op iets wedden ★ *don't bet on it! / I wouldn't bet on it!* daar zou ik maar niet op rekenen!

betel ['bi:tl] *zn* sirihpruim

betray [br'treɪ] *ov ww* ❶ verraden ❷ bedriegen, verleiden

betrayal [br'treɪəl] *zn* verraad

betrayer [br'treɪə] *zn* verrader

betrothal [br'trəʊðəl] *zn* form verloving

betrothed [br'trəʊðd] *zn* form verloofde

betted *ww* [verleden tijd + volt. deelw.] → **bet**

better ['betə] **I** *bnw + bijw* ★ *the ~ (of the two)* de beste (van de twee) ★ *~ off* beter af ★ *you'd ~!* dat is je geraden! ★ *you had ~ go* je moest maar liever gaan ★ *for ~ or worse* in voorspoed en tegenspoed ★ *all the ~* des te beter / meer ★ *get the ~ of sb* iem. de baas worden, iem. te slim af zijn ★ *little / no ~ than* weinig / nauwelijks beter dan ★ *that's (much) ~* dat is al (heel wat) beter ★ *the sooner / bigger / more / enz. the ~* hoe sneller / groter / meer / enz., hoe beter ★ *so much the ~* des te beter **II** *ov ww* verbeteren, overtreffen ★ *~ o.s.* zich beteren, zijn positie verbeteren

betterment ['betəmənt] *zn* verbetering

between [br'twi:n] **I** *bijw* ertussen, tussendoor ★ *in ~* tussenin, tussendoor **II** *vz* tussen ★ *~ meals* tussen de maaltijden door eten ★ *shall we share the pizza ~ us?* zullen we de pizza samen delen? ★ *~ you and me* ★ *~ ourselves* onder ons gezegd (en gezwegen) ★ *few and far ~* zeldzaam

betwixt [br'twɪkst] oud **I** *bijw* ertussen ★ *~ and*

between noch het één, noch het ander **II** *vz* tussen

bevel ['bevəl] **I** *zn* schuine rand / kant **II** *ov ww* afschuinen ★ *~led* een schuine rand / kant

beverage ['bevərɪdʒ] *zn* drank

bevy ['bevɪ] *zn* ❶ inform troep ❷ vlucht ⟨van vogels⟩

bewail [bɪ'weɪl] *ov ww* form bewenen

beware [bɪ'weə] **I** *onov ww* oppassen, op de hoede zijn ★ *~ of the dog!* pas op voor de hond! **II** *ov ww* oppassen voor

bewilder [bɪ'wɪldə] *ov ww* verbijsteren

bewildering [bɪ'wɪldərɪŋ] *bnw* verbijsterend

bewilderment [bɪ'wɪldəmənt] *zn* verbijstering

bewitch [bɪ'wɪtʃ] *ov ww* betoveren

bewitching [bɪ'wɪtʃɪŋ] *bnw* betoverend

beyond [bɪ'jɒnd] **I** *zn* onbekende, hiernamaals ★ *the great ~* het grote onbekende ★ *the back of ~* diep in het binnenland **II** *bijw* verder, bovendien, meer **III** *vz* ❶ verder dan, meer dan ★ *~ the 20%* boven de 20% ★ *it was ~ him* hij kon het zich niet voorstellen, het ging hem boven de pet ❷ aan de andere kant van ★ *~ the mountains* over de bergen ❸ naast, behalve

bi- [baɪ] *voorv* bi-, twee- ★ *bilingual* tweetalig

biannual [baɪ'ænjʊəl] *bnw* halfjaarlijks

bias ['baɪəs] **I** *zn* ❶ vooroordeel, neiging, voorkeur ★ *a practical bias* een praktijkgerichte instelling ❷ afwijking ⟨van richting⟩, effect ❸ diagonaal ⟨v.e. stof⟩ ★ *cut on the bias* scheef geknipt **II** *ov ww* ❶ bevooroordeeld maken ❷ scheef knippen

biased, biassed ['baɪəst] *bnw* bevooroordeeld ★ *be ~ towards* een vooroordeel hebben jegens, veel aandacht hebben voor

biathlon [baɪ'æθlən] *zn* biatlon

bib [bɪb] *zn* ❶ slabbetje, bef(je) ★ Aus *stick one's bib into sth* zich bemoeien met iets ❷ borststuk ❸ GB rugnummer

Bible ['baɪbl] *zn* Bijbel

biblical ['bɪblɪkl] *bnw* Bijbels

biblio- ['bɪblɪəʊ-] *voorv* boeken betreffende

bibliographer [bɪblɪ'ɒgrəfə] *zn* bibliograaf

bibliography [bɪblɪ'ɒgrəfɪ] *zn* bibliografie

bibliophile ['bɪblɪəfaɪl] *zn* bibliofiel, boekenliefhebber

bib overalls *zn mv* tuinbroek, salopette

bicameral [baɪ'kæmrəl] *bnw* bestaand uit 2 kamers / huizen ⟨van parlement⟩

bicarbonate [baɪ'kɑːbənɪt] *zn* ★ *~ (of soda)* dubbelkoolzuurzout, zuiveringszout, bakpoeder

bicentenary [baɪsən'tiːnərɪ], USA **bicentennial** [baɪsən'tenɪəl] **I** *zn* 200-jarige gedenkdag **II** *bnw* 200-jarig

biceps ['baɪseps] *zn* biceps

bicker ['bɪkə] *onov ww* kibbelen

bickering ['bɪkərɪŋ] *zn* gekibbel

bicycle ['baɪsɪkl] *zn* fiets, rijwiel

bid [bɪd] **I** *zn* ❶ bod ★ *no bid* (ik) pas ⟨bij bridge⟩ ❷ prijsopgave, offerte ❸ poging ★ *make a bid for* een poging doen om, een gooi doen naar ❹ uitnodiging, aanbod ⟨om lid te worden⟩ **II** *onov ww* [o.v.t.: bid, volt. deelw.: bid] ❶ bieden, een bod doen ★ *bid against each other* tegen elkaar (op)bieden ★ *what am I bid?* wie biedt? ⟨veiling⟩ ❷ offerte / prijsopgave indienen

III *ov ww* [o.v.t.: bid, volt. deelw.: bid] ❶ bieden ★ *they bid £1,000 for the painting* ze boden £1.000 voor het schilderij ❷ ~ **up** de prijs opdrijven van ★ *bid the price up* de prijs opdrijven **IV** *ov ww* [o.v.t.: bade, volt. deelw.: bidden] ❶ dicht bevelen, verzoeken ❷ form zeggen ★ *bid welcome* welkom heten ★ *bid farewell* vaarwel zeggen ★ *bid goodnight* goedenacht wensen

bidden ['bɪdn] *ww* [volt. deelw.] → **bid**

bidder ['bɪdə] *zn* bieder, gegadigde

bidding ['bɪdɪŋ] *zn* ❶ het bieden ⟨veiling, kaartspel⟩ ❷ inschrijving ⟨op een contract bijvoorbeeld⟩ ❸ aanbieding ❹ form bevel ★ *do s.o.'s ~* iem. gehoorzamen ★ *at s.o.'s ~* op iemands bevel

biddy ['bɪdɪ] *zn* min wijf, muts

bide [baɪd] *ov ww* ★ *bide one's time* zijn tijd / kans afwachten

bidet [biː'deɪ] *zn* bidet

biennial [baɪ'enɪəl] **I** *zn* tweejarige plant **II** *bnw* tweejarig

bier [bɪə] *zn* (lijk)baar, katafalk

biff [bɪf] inform **I** *zn* dreun **II** *ov ww* een klap geven

bifocals [baɪ'fəʊklz] *zn mv* dubbelfocusbril

bifold ['baɪfəʊld] *bnw* tweevoudig, dubbel

bifurcate[1] [baɪ'fɜːkeɪt] *bnw* gevorkt, gaffelvormig

bifurcate[2] ['baɪfəkeɪt] *onov ww* zich splitsen, zich vertakken

bifurcation [baɪfə'keɪʃən] *zn* vertakking, opsplitsing

big [bɪg] **I** *bnw + bijw* ❶ groot, omvangrijk ★ *we live in a great big house* wij wonen in een enorm groot huis ❷ belangrijk ★ *he's the big boss* hij is de grote baas ❸ groots ★ *have big plans* grootse plannen hebben ❹ populair ★ *that music is big in Germany* die muziek is populair in Duitsland ★ *be big on sth* goed in iets zijn, verzot zijn op iets ❺ groot(moedig) ★ iron *that's big of you* wat gul van je **II** *bijw* op indrukwekkende wijze ★ *go over big (with sb)* er in gaan als koek (bij iemand) ★ *make it big* veel succes hebben

bigamy ['bɪgəmɪ] *zn* bigamie

biggie ['bɪgiː] inform *zn* belangrijke zaak / persoon ★ USA *no ~!* maakt niet uit!

biggish ['bɪgɪʃ] *bnw* nogal dik / groot

big-headed *bnw* verwaand

big-hearted *bnw* ruimhartig

bight [baɪt] *zn* bocht, baai

bigot ['bɪgət] *zn* dweper, fanaat

bigoted ['bɪgətɪd] *bnw* dweepziek, onverdraagzaam

bigotry ['bɪgətrɪ] *zn* dweepzucht

big-ticket *bnw* inform duur

big time **I** *zn* top, succes ★ *make / hit the ~* een doorslaand succes zijn **II** *bijw* geweldig

big-time *bnw* succesvol, eersteklas ★ *~ lawyer* topadvocaat

big-timer *zn* top ⟨artiest, speler, atleet, enz.⟩

bigwig ['bɪgwɪg] *zn* inform hoge ome, hoge piet

bijou [biː'ʒuː] *bnw* klein maar fijn

bike [baɪk] inform **I** *zn* ❶ fiets ❷ motorfiets ★ GB *on your bike!* wegwezen! **II** *onov ww* fietsen

biker ['baɪkə] *zn* ❶ motorrijder ❷ mountainbiker

bilateral [baɪ'lætərəl] *bnw* bilateraal, tweezijdig

bi

bilberry ['bɪlbərɪ] *zn* blauwe bosbes
bile [baɪl] *zn* gal
bilge [bɪldʒ] *zn* ❶ buik ⟨v. vat⟩, ruim ⟨v. schip⟩ ❷ lenswater ❸ inform onzin
bilge water *zn* lenswater
bilingual [bar'lɪŋwəl] *bnw* tweetalig
bilious ['bɪljəs] *bnw* ❶ misselijk ❷ walgelijk ❸ form humeurig
bilk [bɪlk] *ov ww* oplichten
bill [bɪl] *I zn* ❶ rekening ❷ USA bankbiljet ❸ wet, wetsontwerp ★ GB *Bill of Rights* grondwet van 1689 ❹ aanplakbiljet ★ *double bill* programma met twee hoofdacts / speelfilms ❺ document ★ *bill of entry* douaneverklaring ★ *clean bill of health* verklaring v. goede gezondheid ★ *bill of indictment* akte van beschuldiging ★ *bill of sale* koopakte ★ *bill of lading* vrachtbrief ★ econ *bill of exchange* wissel ❻ lijst ★ *bill of fares* tarieflijst ⟨in bus, tram enz.⟩ ★ *bill of fare* menu ❼ snavel ▼ *fill / fit the bill* aan het doel beantwoorden ▼ inform GB *the (Old) Bill* de politie *II ov ww* ❶ op de rekening zetten ★ *be billed for sth* een rekening krijgen voor iets ❷ aankondigen ❸ volplakken met affiches ❹ boeken ▼ humor *bill and coo* minnekozen
billboard ['bɪlbɔːd] *zn* reclamebord
billet ['bɪlɪt] *I zn* ❶ mil kwartier ❷ inform baantje *II ov ww* mil ~ on inkwartieren bij
billfold ['bɪlfəʊld] *zn* USA portefeuille
billhook ['bɪlhʊk] *zn* kapmes, snoeimes
billiards ['bɪljədz] *zn mv* biljart, biljartspel ★ *play ~* biljarten
billion ['bɪljən] *zn* ❶ miljard ❷ oud GB biljoen
billow ['bɪləʊ] *I zn* ❶ ⟨rook⟩wolk ❷ dicht ⟨vloed⟩golf *II onov ww* ❶ in rookpluimen opstijgen ❷ golven, bollen
billposter ['bɪlpəʊstə] *zn* aanplakker
billsticker ['bɪlstɪkə] *zn* aanplakker
billy goat ['bɪlɪgəʊt] *zn* bok
bimbo ['bɪmbəʊ] min *zn* ❶ dom blondje ❷ sufferd
bimonthly [bar'mʌnθlɪ] *I zn* tweemaandelijks tijdschrift *II bnw* tweemaandelijks
bin [bɪn] *I zn* ❶ bak, bus, trommel, mand ❷ GB vuilnisbak ❸ scheepv voorraadruimte *II ww*, inform GB weggooien
binary ['baɪnərɪ] *I zn* ❶ wisk binair getal ❷ sterrenk dubbelster *II bnw* binair, tweevoudig, tweedelig
bind [baɪnd] [onregelmatig] *I ov ww* ❶ binden ⟨ook saus, beslag⟩, inbinden, verbinden, vastbinden ❷ verplichten, dwingen ❸ bekrachtigen ★ *bind the deal with a payment* de koop bevestigen met een betaling ❹ omboorden ⟨naaiwerk⟩ ❺ jur ~ over dagvaarden, onder curatele plaatsen ⟨i.v.m. openbare orde⟩ *II onov ww* ❶ binden ⟨v. saus⟩ ❷ pakken ⟨v. sneeuw⟩ *III zn* ❶ band, binding, gebondenheid ❷ inform moeilijkheid ★ *double bind* dilemma ★ *ironing is such a bind* strijken is zo vervelend ★ *in a bind* in de knoei
binder ['baɪndə] *zn* ❶ ⟨boek⟩binder ❷ omslag, band ❸ bindmiddel ❹ agrar maaibinder
binding ['baɪndɪŋ] *I zn* ❶ ⟨boek⟩band ❷ boordsel ❸ sport binding *II bnw* bindend
bind weed *zn* winde

binge [bɪndʒ] *I zn* ❶ braspartij, drinkgelag, fuif ★ *go on a ~* gaan stappen, de bloemetjes buiten zetten ★ *a chocolate ~* een bui waarin men veel chocola eet ★ *a shopping ~* een koopvlaag *II onov ww* zich te buiten gaan ★ ~ *and purge* vreten en braken
binge drinking ['bɪndʒ drɪŋkɪŋ] *ww* comazuipen
bin-liner *zn* GB vuilniszak
binman ['bɪnmən] *zn*, inform GB vuilnisman
binoculars [bɪ'nɒkjʊləz] *zn mv* verrekijker, veldkijker, toneelkijker
bio- ['baɪəʊ] *voorv* bio-, biologisch
biochemistry [baɪəʊ'kemɪstrɪ] *zn* biochemie
biodegradable [baɪəʊdɪ'greɪdəbl] *bnw* biologisch afbreekbaar
bio engineering *zn* biotechniek
biographer [bar'ɒgrəfə] *zn* biograaf
biographical [baɪə'græfɪkl] *bnw* biografisch
biography [bar'ɒgrəfɪ] *zn* levensbeschrijving
biological [baɪə'lɒdʒɪkl] *bnw* biologisch ★ ook fig *the ~ clock* de biologische klok
biologist [bar'ɒlədʒɪst] *zn* bioloog
biology [bar'ɒlədʒɪ] *zn* biologie
bionic [bar'ɒnɪk] *bnw* bionisch
biopic ['baɪəʊpɪk] *zn* inform filmbiografie
biopsy ['baɪɒpsɪ] *zn* biopsie
biosphere ['baɪəʊsfɪə] *zn* techn biosfeer
biotechnology [baɪəʊtek'nɒlədʒɪ] *zn* biotechnologie
bipartisan [baɪpɑːtɪ'zæn] *bnw* twee partijen-
bipartite [baɪ'pɑːtaɪt] *bnw* tweedelig, tweeledig
biped ['baɪped] *zn* tweevoeter ⟨vogel, mens⟩
biplane ['baɪpleɪn] *zn* tweedekker
birch [bɜːtʃ] *zn* ❶ berk ❷ roede
bird [bɜːd] *I zn* ❶ vogel ★ *bird of prey* roofvogel ★ *bird of passage* trekvogel, fig passant ★ *the bird has flown* de vogel is gevlogen ★ *the birds and the bees* de bloemetjes en de bijtjes ★ *birds of a feather (flock together)* soort zoekt soort ★ *a bird in the hand is worth two in the bush* beter één vogel in de hand dan tien in de lucht ★ *a little bird told me, that...* ≈ een kaboutertje heeft me ingefluisterd dat... ★ *the early bird catches the worm* de morgenstond heeft goud in de mond ★ inform *be (strictly) for the birds* onbenullig / oninteressant zijn ❷ inform meisje ❸ inform snuiter, type ★ *Big Bird* Pino ⟨Sesamstraat⟩ ▼ inform *give sb the bird* GB iem. uitjouwen / uitfluiten USA de middelvinger opsteken *II onov ww* vogels observeren ★ *go birding* vogels gaan kijken
birdbrain ['bɜːdbreɪn] *zn* inform onnozele hals
birdcage ['bɜːdkeɪdʒ] *zn* vogelkooi
bird dog *zn* jachthond ⟨die vogels apporteert⟩
bird flu *zn* inform vogelgriep
birdie ['bɜːdɪ] *zn* ❶ inform vogeltje ❷ golf birdie ❸ USA badminton shuttle
bird's-eye view *zn* vogelperspectief
bird table *zn* voederplank ⟨v. vogels⟩
bird-watcher *zn* vogelaar, vogelwaarnemer
biretta [bɪ'retə] *zn* bonnet ⟨van r.-k. priester⟩
Biro ['baɪrəʊ] *zn* GB balpen
birth [bɜːθ] *zn* ❶ geboorte, fig ontstaan ★ *give ~ to sb* het leven schenken aan iem. ★ *give ~ to sth* iets doen ontstaan ★ rel *new~* wedergeboorte ❷ afkomst ★ *German by ~* Duits van geboorte

birth certificate zn geboorteakte
birth control zn geboortebeperking
birthday ['bɜːθdeɪ] zn verjaardag ★ wish him a happy~ hem hartelijk feliciteren met zijn verjaardag
birthday honours zn mv ≈ lintjesregen
birthday suit zn iron adamskostuum
birthmark ['bɜːθmɑːk] zn moedervlek
birthplace ['bɜːθpleɪs] zn geboorteplaats
birth rate zn geboortecijfer
birthright ['bɜːθraɪt] zn geboorterecht
biscuit ['bɪskɪt] I zn ❶ GB biscuit, koekje ★ cheese and ~s kaas en crackers ★ digestive~ volkorenkoekje ❷ USA beschuitbol ▼ GB inform take the ~ alles overtreffen / slaan II bnw lichtbruin
bisect [baɪ'sekt] ov ww in tweeën delen
bisexual [baɪ'sekʃʊəl] bnw biseksueel
bisexuality [baɪseksjʊ'ælɪtɪ] zn biseksualiteit
bishop ['bɪʃəp] zn ❶ bisschop ❷ loper ⟨van schaakspel⟩
bison ['baɪs(ə)n] zn bizon
bistro ['biːstrəʊ, 'bɪs-] zn bistro
bit [bɪt] I zn ❶ inform beetje, stukje, kleinigheid ★ bit by bit beetje bij beetje ★ the (whole)... bit gedoe, praktijken ★ a bit much wat te veel ⟨gevraagd⟩ ★ a bit of... een beetje... ★ have a bit on the side vreemdgaan ★ GB bits and pieces / bobs spulletjes ★ do your bit steentje bijdragen ★ every bit as good as... zeker zo goed als... ★ not a bit / not one (little) bit helemaal niet ★ not a bit of it helemaal niet, geen sprake van ★ to bits aan stukken, heel veel ★ not a blind bit geen greintje ⟨niets, geen⟩ ❷ GB inform gedeelte ★ the first bit of the chapter het eerste gedeelte van het hoofdstuk ❸ comp bit ❹ bit ⟨van hoofdstel⟩ ★ take the bit between his teeth op hol slaan ⟨van paard⟩, fig iets enthousiast aanpakken ❺ boorijzer ❻ baard ⟨van sleutel⟩ ❼ bek ⟨van tang⟩ ❽ GB inform bits zakie ⟨genitaliën van man⟩ II ww ⟨verleden tijd⟩ → bite III ov ww bit aandoen, beteugelen
bitch [bɪtʃ] I zn ❶ teef ❷ min rotwijf ❸ inform groot probleem ★ life's a~ het leven is niet eenvoudig II onov ww inform hatelijk doen, klagen ★ ~ about / at sb op iem. kankeren
bitchy ['bɪtʃɪ] bnw inform hatelijk, boosaardig
bite [baɪt] I ov ww ⟨onregelmatig⟩ ❶ bijten ★ bite off more than you can chew teveel hooi op je vork nemen ★ fig be bitten by sth gegrepen zijn / worden door iets ★ once bitten, twice shy een ezel stoot zich geen tweemaal aan dezelfde steen ★ biter bit bedrieger bedrogen ❷ steken ⟨van insect⟩ ❸ ~ back inslikken ⟨woorden⟩ II onov ww ❶ bijten, happen ★ fig will the customer bite? zal de klant toehappen? ❷ steken ❸ voelbaar worden, pijn doen ❹ ~ back terugbijten III zn ❶ beet, hap ★ have a bite (at) een hap nemen ⟨van⟩ ★ have a quick bite snel even iets eten ★ a bite at / of the cherry een kans ❷ greep ❸ scherpte, pit ★ have no bite to it oninteressant zijn ❹ pittige smaak ❺ vinnige kou
bite-sized ['baɪtsaɪzd], **bite-size** bnw hapklaar ook fig
biting ['baɪtɪŋ] bnw ❶ bijtend ⟨koud⟩ ❷ scherp

⟨opmerking⟩
bit part zn bijrolletje ⟨in film⟩
bitten ['bɪtn] ww [volt. deelw.] → bite
bitter ['bɪtə] I bnw bitter ook fig, scherp ★ a~ blow een zware slag ★ a~ pill een bittere pil ★ to / until the~ end tot het bittere eind II zn bitter ⟨bier⟩ ★ a glass of (gin and)~s een bittertje
bittern ['bɪtn] zn dierk roerdomp
bitterness ['bɪtənəs] zn bitterheid
bitty ['bɪtɪ] bnw, GB inform samengeraapt
bitumen ['bɪtʃəmən] zn bitumen, asfalt
bituminous [bɪ'tjuːmɪnəs] bnw bitumineus ★ ~ coal vetkool
bivouac ['bɪvʊæk] I zn bivak II onov ww bivakkeren
bivvy I zn tent, schuilplaats II onov ww slapen in een tent / schuilplaats
biz [bɪz] zn ❶ inform →business ❷ amusementswereld ★ be the biz hartstikke goed zijn
bizarre [bɪ'zɑː] bnw bizar, vreemd
blab [blæb] I onov ww zijn mond voorbijpraten II ov ww eruit flappen, verklappen
blabber ['blæbə] onov ww kletsen
blabbermouth ['blæbəmaʊθ] inform zn kletskous, flapuit
black [blæk] I bnw ❶ zwart, donker ⟨ook v. huidskleur⟩, zonder melk ⟨v. koffie, thee⟩ ★ be in sb's~ books slecht aangeschreven staan bij iem. ★ not as~ as sb is painted niet zo kwaad als iem. afgeschilderd wordt ★ vuil ★ your hands are~ with oil je handen zien zwart van de olie ❷ somber ★ a~ day een zwarte dag ❸ lit boosaardig ★ his~ deeds zijn misdaden II zn ❶ zwart ★ (in)~ and white zwart-op-wit, zwart-wit ★ be in the~ uit de rode cijfers zijn, geld hebben ❷ zwarte, neger III ov ww ❶ GB boycotten ❷ zwart maken ❸ ~ out onleesbaar maken ⟨tekst⟩, verduisteren ⟨ramen bv.⟩ IV onov ww ~ out ⟨tijdelijk⟩ het bewustzijn verliezen
blackball ['blækbɔːl] ov ww deballoteren
blackberry ['blækbərɪ] zn braam
blackberrying ['blækberɪŋ] zn ★ go ~ bramenplukken
blackbird ['blækbɜːd] zn merel
blackboard ['blækbɔːd] zn schoolbord
blackcurrant [blæk'kʌrənt] zn zwarte bes
blacken ['blækən] I ov ww ook fig zwart maken II onov ww zwart worden
blackhead ['blækhed] zn mee-eter
blacking ['blækɪŋ] zn oud schoensmeer
blackjack ['blækdʒæk] zn ❶ eenentwintigen ⟨kaartspel⟩ ❷ ploertendoder
blackleg ['blækleg] zn, min GB stakingsbreker
blacklist ['blæklɪst] I zn zwarte lijst II ov ww op de zwarte lijst plaatsen
blackmail ['blækmeɪl] I zn chantage II ov ww chanteren
blackmailer ['blækmeɪlə] zn afperser, chanteur
blackout ['blækaʊt] zn ❶ verduistering ❷ fig radiostilte ❸ psych black-out
blacksmith ['blæksmɪθ] zn (hoef)smid
blackthorn ['blækθɔːn] zn sleedoorn
bladder ['blædə] zn ❶ anat blaas ❷ sport binnenbal
blade [bleɪd] zn ❶ lemmet, scheermesje,

schaatsijzer ❷ blad ⟨v. roeiriem, propeller, enz.⟩ ❸ (gras)spriet, halm ★ ~ of grass grasspriet

blading zn sport (het) skaten, (het) skeeleren

blag [blæg] ov ww, inform GB aftroggelen ★ blag your way into sth je ergens naar binnen lullen

blah [blɑ:] inform **I** zn blabla, gezwets ★ blah blah blah onzin, enzovoort enzovoort **II** bnw ❶ waardeloos ❷ beroerd ⟨v. gevoel⟩

blame [bleɪm] **I** ov ww ❶ de schuld geven aan, verwijten ★ ~ sb for sth iem. van iets de schuld geven ★ ~ sth on sb iem. van iets de schuld geven ★ you only have yourself to ~ eigen schuld, dikke bult ❷ veroordelen, berispen **II** zn ❶ schuld ★ put the ~ on sb iem. de schuld geven ❷ berisping

blameless ['bleɪmləs] bnw onschuldig, vrij van blaam

blameworthy ['bleɪmwɜ:ðɪ] bnw laakbaar, afkeurenswaardig

blanch [blɑ:ntʃ] **I** onov ww form bleek worden, verschieten van kleur **II** ov ww blancheren

blancmange [blə'mɒnʒ] zn GB (gelatine)roompudding

bland [blænd] bnw ❶ saai, nietszeggend ❷ flauw ⟨v. voedsel⟩ ❸ laconiek, nuchter

blandishments ['blændɪʃmənts] zn mv vleierij, geslijm

blank [blæŋk] **I** bnw ❶ blanco, leeg ★ my mind went ~ ik wist niets meer ❷ uitdrukkingsloos ⟨v. gezicht⟩, verbijsterd, stom ⟨v. verbazing⟩ ★ a ~ look een wezenloze blik ❸ bot ⟨v. weigering bv.⟩ **II** zn ❶ leegte, open ruimte ⟨op formulier⟩ ★ my mind is a ~ ik heb geen flauw idee ❷ losse flodder ❸ niet ⟨in loterij⟩ ★ draw a ~ buiten de prijzen vallen, fig bot vangen ❹ onleesbaar gemaakt woord **III** ov ww ❶ GB negeren ❷ ~ out wissen, uit de gedachten bannen **IV** onov ww ❶ een black-out krijgen ❷ ~ out leeg worden **V** ov ww

blanket ['blæŋkɪt] **I** zn ❶ (wollen) deken ★ fig wet ~ domper, spelbreker ❷ (dikke) laag ★ ~ of snow dik pak sneeuw **II** bnw allesomvattend, insluitend ★ a ~ ban een algemeen verbod op **III** ov ww met een deken bedekken

blankety-blank zn euf puntje, puntje, puntje

blare [bleə] **I** onov ww schallen, brullen **II** ov ww doen schallen ★ the radio ~d out music muziek schalde uit de radio **III** zn geschal, gebrul

blarney ['blɑ:nɪ] zn vleierij, geslijm ★ you have kissed the Blarney Stone jij kunt goed slijmen

blaspheme [blæs'fi:m] onov ww godslasterlijk spreken, spotten

blasphemous ['blæsfəməs] bnw (gods)lasterlijk

blasphemy ['blæsfəmɪ] zn blasfemie, godslastering

blast [blɑ:st] **I** zn ❶ explosie ❷ windstoot, stoot ⟨op stoomfluit, enz.⟩ ❸ felle kritiek ❹ USA dikke pret ▼ at full ~ in volle gang, voluit ▼ a ~ from the past iemand / iets van vroeger **II** ov ww ❶ opblazen, laten springen, schieten (op) ❷ doen verdorren ⟨planten⟩ ❸ fig vernietigen, aantasten ❹ blèren, tetteren, schetteren ❺ fel bekritiseren ❻ een poeier geven ⟨bal bv.⟩ ▼ GB inform ~ it! verdomme! **III** onov ww ❶ ~ away er op los knallen ❷ ~ off gelanceerd worden ⟨v. ruimteschip⟩, wegscheuren ⟨v. auto, enz.⟩

blasted ['blɑ:stɪd] bnw vervloekt

blast furnace ['blɑ:st fɜ:nɪs] zn hoogoven

blast-off zn lancering

blatant ['bleɪtnt] bnw schaamteloos, overduidelijk

blather ['blæðə] onov ww dom kletsen

blaze [bleɪz] **I** onov ww ❶ fel branden, (op)vlammen ★ his eyes were blazing with fury zijn ogen gloeiden v. woede ❷ schitteren, fel schijnen ⟨v. lamp bv.⟩ ❸ uitbarsten ❹ ~ away er op los schieten ⟨v. vuurwapen⟩ ❺ ~ up oplaaien, opvliegen **II** ov ww rondbazuinen ▼ ~ a trail een voortrekkersrol spelen **III** zn ❶ vlam(men), vuur(zee) ❷ gloed ❸ uitbarsting ⟨v. emotie⟩ ❹ bles

blazer ['bleɪzə] zn blazer, sportjasje

blazing ['bleɪzɪŋ] bnw ❶ (fel) brandend, verblindend ★ ~ hot gloeiend heet ❷ woedend ★ a ~ row slaande ruzie ❸ inform overduidelijk ★ a ~ fool een verdomde idioot

blazon ['bleɪzən] ov ww in alle glorie tonen, rondbazuinen

bleach [bli:tʃ] **I** ov ww bleken **II** onov ww bleek worden **III** zn bleekmiddel

bleak [bli:k] bnw ❶ somber, troosteloos ★ paint a ~ picture of the future een somber beeld van de toekomst schetsen ❷ guur ⟨v. weer⟩ ❸ kaal ⟨v. landschap bv.⟩

bleary ['blɪərɪ] bnw wazig ⟨v. blik⟩, slaperig ⟨v. ogen⟩

bleary-eyed [blɪərɪ 'aɪd] bnw met wazige blik

bleat [bli:t] **I** onov ww ❶ blaten ❷ jammeren **II** ov ww jammeren over **III** zn geblaat

bled [bled] ww [verl. tijd + volt. deelw.] → bleed

bleed [bli:d] [onregelmatig] **I** onov ww bloeden ★ ~ to death doodbloeden **II** ov ww ❶ laten bloeden, aderlaten ❷ fig uitzuigen, afpersen ★ ~ sb dry / white iem. volledig uitzuigen

bleeder ['bli:də] zn ❶ GB inform rotzak ❷ lijder aan bloederziekte

bleeding ['bli:dɪŋ] **I** bnw, inform GB verdomd **II** zn het bloeden

bleep [bli:p] **I** zn piepje **II** onov ww piepen **III** ov ww GB oppiepen

bleeper ['bli:pə] zn GB pieper ⟨om iemand op te roepen⟩

blemish ['blemɪʃ] **I** zn smet, klad **II** ov ww bevlekken, bekladden

blench [blentʃ] onov ww form terugdeinzen ⟨uit angst, enz.⟩

blend [blend] **I** ov ww mengen, vermengen **II** onov ww ❶ zich mengen, harmoniëren ❷ ~ in/into harmoniëren met, één geheel vormen met, goed passen bij **III** zn melange, mengsel

blender ['blendə] zn mixer, mengbeker

blent [blent] oud ww [verl. tijd + volt. deelw.] → blend

bless [bles] ov ww zegenen ★ be ~ed with gezegend zijn met ★ ~ o.s. een kruis slaan, zich gelukkig achten ★ ~ me! lieve hemel! ★ ~ you! gezondheid! ★ ~ him / her! de lieverd!

blessed ['blesɪd] bnw ❶ zalig, gezegend ❷ heerlijk ❸ inform vervloekt ★ not a ~ thing geen donder ★ the whole ~ day de godganse dag

bl

blessing ['blesɪŋ] *zn* zegen(ing) ★ *ask a ~* bidden ⟨aan tafel⟩ ★ *a mixed ~* geen onverdeeld genoegen ★ *a ~ in disguise* een geluk bij een ongeluk

blew [blu:] *ww* [verleden tijd] → **blow**

blight [blaɪt] **I** *ov ww* **❶** plantk aantasten, doen verdorren ⟨door ziekte⟩ **❷** bederven, beschadigen ★ *~ed hopes* verwoeste hoop **II** *zn* **❶** plantenziekte ⟨zoals meeldauw, brand, roest, enz.⟩ **❷** vernietigende invloed ★ *cast a ~ on* ernstig beschadigen, vergallen ★ *urban ~* vervallen stedelijk gebied

blimey ['blaɪmɪ] *tw*, GB inform verdorie!, verrek!

blimp [blɪmp] *zn* zeppelin

blind [blaɪnd] **I** *bnw* **❶** blind ★ *the ~* de blinden ★ *go ~ in one eye* aan één oog blind worden ★ *(as) ~ as a bat* zo blind als een mol ★ *~ to* blind voor ★ *turn a ~ eye to sth* net doen alsof je niets ziet ★ *the ~ leading the ~* de ene blinde leidt de andere ⟨onbetrouwbaar advies⟩ **❷** doodlopend ★ *a ~ alley* een doodlopende steeg / weg **❸** onzichtbaar ★ *a ~ corner* een blinde hoek ▼ GB *not a ~ bit* geen enkel **II** *ov ww* **❶** blind maken **❷** verblinden ★ *to ~ sb with science* iem. met feiten overdonderen **❸** blinderen **III** *zn* **❶** rolgordijn ★ *venetian ~* jaloezie, luxaflex **❷** voorwendsel ▼ *bijw* blind ★ luchtv *fly ~* instrumentvliegen ★ *cul booze ~* zonder vulling bakken ★ inform *~ drunk* stomdronken ★ *rob sb ~* iem. volledig bestelen

blinder [blaɪndə] *zn* sport schitterende prestatie ★ USA *~s* [mv] oogkleppen

blindfold ['blaɪndfəʊld] **I** *ov ww* blinddoeken **II** *zn* blinddoek **III** *bnw* + *bijw* geblinddoekt

blinding ['blaɪndɪŋ] *bnw* **❶** verblindend ★ *a ~ headache* een knallende hoofdpijn **❷** GB spectaculair

blindingly ['blaɪndɪŋlɪ] *bijw* uitermate ★ *~ obvious* zonneklaar

blindside ['blaɪndsaɪd] USA *ww* **❶** aan de zijkant raken **❷** overrompelen

blind side *zn* blinde hoek

blindworm ['blaɪndwɜ:m] *zn* dierk hazelworm

blink [blɪŋk] **I** *onov ww* knipperen ⟨v. ogen / licht⟩ ★ *~ at the facts* de ogen sluiten voor de feiten ★ *before you can ~* in 'n oogwenk **II** *ov ww* **❶** knipperen met **❷** *~ away/back* wegpinken ⟨tranen⟩ **III** *zn* **❶** knippering ⟨v. oog / licht⟩ ★ *in the ~ of an eye* in 'n oogwenk ★ inform *on the ~* defect **❷** glimp

blinker ['blɪŋkə] *zn* **❶** knipperlicht, richtingaanwijzer **❷** GB ★ *~s* [mv] oogkleppen

blinkered ['blɪŋkəd] *bnw* min met oogkleppen, kortzichtig

blip [blɪp] *zn* **❶** piep **❷** echo ⟨op radarscherm⟩ **❸** tijdelijke verslechtering, dip

bliss [blɪs] **I** *zn* geluk, gelukzaligheid ★ *wedded ~* huwelijksgeluk **II** *ov ww* inform *~ out* helemaal gelukkig maken

blissful ['blɪsfʊl] *bnw* (geluk)zalig

blister ['blɪstə] **I** *zn* blaar ★ *raise a ~* 'n blaar trekken **II** *onov ww* **❶** blaren krijgen **❷** bladderen ⟨v. verf⟩ **III** *ov ww* **❶** blaren doen krijgen **❷** doen bladderen ⟨verf⟩ **❸** USA scherp bekritiseren

blistering ['blɪstərɪŋ] *bnw* hevig ★ *in the ~ heat* in

de verschroeiende hitte ★ *~ criticism* vernietigende kritiek

blister pack *zn* doordrukverpakking

blithe [blaɪð] *bnw* **❶** min zorgeloos, roekeloos **❷** dicht vreugdevol

blitz [blɪts] **I** *zn* **❶** media (overrompelende) actie **❷** plotselinge aanval **❸** blitzkrieg **II** *ov ww* bombarderen **III** *onov ww* sport op flitsende wijze aanvallen

Blitz *zn* Blitz ⟨Duitse bomaanvallen op Engeland in 1940⟩

blizzard ['blɪzəd] *zn* **❶** hevige sneeuwstorm **❷** inform overweldigende hoeveelheid, lawine

bloated ['bləʊtɪd] *bnw* opgeblazen, pafferig

bloater ['bləʊtə] *zn* bokking

blob [blɒb] *zn* klodder, vlek, druppel

bloc [blɒk] *zn* blok, coalitie

block [blɒk] **I** *zn* **❶** blok ★ *~ and tackle* takelblok ★ *go on the ~* tentoongesteld worden, geveild worden ★ *put / lay your head on the ~* je reputatie op het spel zetten **❷** huizenblok, GB (groot) gebouw ★ *two ~s away (from here)* twee straten verder ★ *have been around the ~ a few times* al een tijdje meelopen, het klappen van de zweep kennen **❸** USA groot stuk land **❹** hoeveelheid ⟨aandelen, tijd, enz.⟩ **❺** blokkade **II** *ov ww* **❶** blokkeren ook fig , versperren, tegenhouden ★ *~ a road* een weg afsluiten ★ *~ a bill* een wetsontwerp blokkeren **❷** comp selecteren **❸** *~ in* insluiten, ruw schetsen / opzetten **❹** *~ off* afsluiten **❺** *~ out* buitensluiten, uitwissen **❻** *~ up* dichtmaken / -metselen ★ *my nose is ~ed up* mijn neus is verstopt

blockade [blɒ'keɪd] **I** *zn* blokkade **II** *ov ww* **❶** blokkeren **❷** afzetten

blockage ['blɒkɪdʒ] *zn* **❶** verstopping **❷** blokkade

blockbuster ['blɒkbʌstə] *zn* kassucces, bestseller

block calendar *zn* scheurkalender

blockhead ['blɒkhed] *zn* inform domkop

blockhouse ['blɒkhaʊs] *zn* **❶** bunker **❷** USA blokhuis

blog ['blɒg] comp **I** *zn* blog, weblog **II** *onov ww* een weblog bijhouden

bloke [bləʊk] *zn*, inform GB kerel, vent

blokeish, blokish ['bləʊkɪʃ] *bnw* GB echt-voor-mannen

blond [blɒnd] *bnw* → **blonde**

blonde [blɒnd] **I** *zn* blondine ★ *a dumb / dizzy ~* een dom blondje **II** *bnw* blond

blood [blʌd] *zn* **❶** bloed ★ *let ~* aderlaten ★ *make your ~ boil* je bloed doen koken ★ *be after / out for sb's ~* iemands bloed willen zien ★ *in cold ~* in koelen bloede ★ *make your ~ run cold* je bloed doen stollen, je koude rillingen bezorgen ★ *have ~ on your hands* bloed aan je handen hebben ★ *breed bad ~* kwaad bloed zetten ★ *~, sweat and tears* bloed, zweet en tranen ★ *get ~ from / out of a stone* ijzer met handen breken ★ *~ and guts* bloed / spanning en geweld ⟨in film⟩ **❷** bloedverwantschap, familie ★ *be / run in your ~* in het bloed zitten ★ fig *new / fresh ~* vers bloed ★ *~ is thicker than water* het hemd is nader dan de rok ★ *~ will tell* het bloed kruipt waar het niet gaan kan **❸** temperament ★ *sb's ~ is up* iem. is razend **II** *ov ww* inwijden, kennis

laten maken met
blood-and-thunder bnw sensatie-★ ~ novel sensatieroman
blood bank zn bloedbank
bloodbath ['blʌdbɑːθ] zn bloedbad
blood brother zn bloedbroeder
blood clot zn bloedstolsel
blood count zn bloedonderzoek
blood-curdling bnw bloedstollend
blood donor zn bloeddonor
blood group zn GB bloedgroep
blood heat zn lichaamswarmte
bloodhound ['blʌdhaʊnd] zn bloedhond
bloodied ['blʌdɪd] bnw met bloed bevlekt
bloodless ['blʌdles] bnw ❶ bloedeloos, zonder bloedvergieten ❷ bleek ❸ saai ❹ ongevoelig
bloodletting ['blʌdletɪŋ] zn aderlating
bloodlust ['blʌdlʌst] zn bloeddorst
blood money zn bloedgeld
blood poisoning zn bloedvergiftiging
blood pressure zn bloeddruk
blood-red bnw bloedrood
blood relation zn bloedverwant(e)
blood sausage zn GB bloedworst
bloodshed ['blʌdʃed] zn bloedvergieten
bloodshot ['blʌdʃɒt] bnw bloeddoorlopen
blood sport zn jacht, bloedige sport
bloodstain ['blʌdsteɪn] zn bloedvlek
bloodstained ['blʌdsteɪnd] bnw met bloed bevlekt
bloodstock ['blʌdstɒk] zn volbloedpaarden
bloodstream ['blʌdstriːm] zn bloedstroom
bloodsucker ['blʌdsʌkə] zn ook fig bloedzuiger
blood test zn bloedtest
bloodthirsty ['blʌdθɜːstɪ] bnw bloeddorstig
blood transfusion zn bloedtransfusie
blood type zn USA bloedgroep
blood vessel zn bloedvat, ader
bloody ['blʌdɪ] I bnw ❶ bloedig, bloederig ❷ bloeddorstig ❸ vulg verdomd ★ ~ nonsense verdomde onzin II ov ww met bloed bevlekken
bloody-minded bnw ❶ wreed ❷ inform dwars, obstinaat
bloom [bluːm] I zn ❶ bloei ★ in (full)~ in (volle) bloei ❷ bloem ❸ blos II onov ww ❶ bloeien ❷ floreren, gedijen
bloomer zn inform blunder
blooming ['bluːmɪŋ] bnw, inform GB vervloekt
blooper ['bluːpə] zn USA bloedgroep
blossom ['blɒsəm] I zn bloesem, bloei II onov ww tot bloei komen
blot [blɒt] I ov ww ❶ (af)vloeien ❷ (be)vlekken ★ blot your copybook slechte beurt maken ❸ ~ out aan het gezicht onttrekken, verduisteren, uitwissen ❹ ~ up absorberen II zn vlek, smet★ a blot on the landscape (landschap ontsierend) gebouw
blotch [blɒtʃ] zn vlek★ come out in ~es onder de vlekken komen te zitten
blotchy [blɒtʃɪ], GB **blotched** [blɒtʃt] bnw met vlekken, vlekkerig
blotter ['blɒtə] zn ❶ vloeiblok ❷ USA politieregister
blouse [blaʊz] zn bloes
blow [bləʊ] [onregelmatig] I ov ww ❶ blazen (op), snuiten (neus), toewerpen (handkus)

❷ techn doen doorbranden / -slaan (zekering)
❸ opblazen ❹ verraden (bv. dekmantel)
❺ verkwisten★ blow his inheritance zijn erfenis erdoorheen jagen ❻ verspelen (kans), verprutsen ❼ USA inform 'm smeren uit
❽ ~ away wegblazen, neerschieten, een verpletterende indruk maken op, USA in de pan hakken ❾ ~ down omblazen ❿ ~ off af- / wegblazen ⓫ ~ out uitblazen ⓬ ~ up opblazen, vergroten (foto) II onov ww ❶ blazen ★ blow hot and cold weifelen, veranderen als het weer ❷ waaien, stormen★ it's blowing het waait ❸ klinken, schallen ★ techn doorbranden / -slaan (v. zekering) ❺ inform blowen ❻ ~ down omwaaien ❼ ~ in/into binnen komen waaien ❽ ~ off afwaaien ❾ ~ out uitwaaien (v. vlam), springen (v. ruit bv.), uitrazen★ the storm blew itself out de storm ging liggen ❿ ~ over omverwaaien, overwaaien (v. ruzie), gaan liggen (v. storm) ⓫ ~ up ontploffen, losbarsten, (boos) uitvallen ★ his plans blew up in his face zijn plannen liepen voor hem verkeerd af III zn ❶ klap, slag ★ deal a blow to sb / sth iemand / iets een slag toebrengen★ without (striking) a blow zonder slag of stoot★ come to blows (over sth) slaags raken★ come as a blow een shock zijn★ soften / cushion the blow de klap verzachten★ blow by blow v. moment tot moment ❷ windvlaag, rukwind★ give your nose a good blow je neus eens goed snuiten ❸ inform cannabis
blow-dry ov ww föhnen
blower ['bləʊə] zn ❶ aanjager, ventilator ❷ inform telefoon
blowhard zn, USA inform opschepper
blow job ['bləʊ dʒɒb] zn vulg pijpbeurt★ give sb a~ iem. pijpen
blowlamp ['bləʊlæmp] zn soldeerlamp
blown ww [volt. deelw.] →**blow**
blowout ['bləʊaʊt] zn ❶ lekke band ❷ inform eetfestijn ❸ USA inform knalfeest ❹ USA inform eitje (gemakkelijke overwinning) ❺ (ongewilde) eruptie (bij oliewinning)
blowsy ['blaʊzi] bnw inform groot, dik en slonzig (v. vrouw)
blowtorch ['bləʊtɔːtʃ] zn USA soldeerlamp
blow-up ['bləʊ ʌp] I zn ❶ vergroting (v. foto) ❷ USA uitbarsting (v. woede, enz.) II bnw opblaasbaar
blowy ['bləʊi] bnw winderig
blowzy bnw →**blowsy**
BLT afk, Bacon, Lettuce and Tomato bacon, sla en tomaat
blubber ['blʌbə] I zn ❶ walvisspek II onov ww grienen III ov ww snikkend zeggen IV bnw dik (v. lippen)
bludgeon ['blʌdʒən] I zn knuppel II ov ww ❶ ranselen, aftuigen ❷ dwingen★ we were~ed into signing we werden tot ondertekening gedwongen
blue [bluː] I bnw ❶ blauw★ blue with cold blauw van de kou★ blue baby blauwe baby★ inform till you are blue in the face tot je blauw ziet ❷ inform somber ❸ inform porno-, schuin II zn ❶ blauw★ the blue de lucht / zee, het onbekende★ out of the blue als een donderslag

bij heldere hemel ❷ Oxford / Cambridge
sporter ★ *dark blue* donkerblauw ⟨kleur v.
universiteit v. Oxford⟩ ★ *light blue* lichtblauw
⟨kleur v. universiteit v. Cambridge⟩ ❸ Aus
inform fout, vergissing ❹ Aus inform ruzie
bluebell ['bluːbel] *zn* plantk wilde hyacint,
grasklokje
blueberry ['bluːberɪ] [GB bluːbərɪ] *zn* bosbes
blue-blooded *bnw* met blauw bloed ⟨adellijk⟩
bluebottle ['bluːbɒtl] *zn* bromvlieg
blue-collar *bnw* blauweboorden- ★ ~ *workers*
(fabrieks)arbeiders ⟨tegenover
kantoorpersoneel⟩
blue-eyed *bnw* GB ★ *sbd's* ~ *boy* iemands
lievelingetje
bluegrass ['bluːɡrɑːs] *zn* ❶ muz bluegrass ⟨soort
country⟩ ❷ plantk beemdgras
bluejay ['bluːdʒeɪ] *zn* dierk blauwe gaai
blue-on-blue *bnw* GB ★ *a* ~ *attack* aanval op
eigen troepen
blueprint ['bluːprɪnt] *zn* ook fig blauwdruk
blues [bluːz] *zn mv* muz blues ★ *have the* ~ in de
put zitten
blue-sky *bnw* onrealistisch
bluestocking ['bluːstɒkɪŋ] *zn* min blauwkous
bluff [blʌf] **I** *onov ww* bluffen **II** *ov ww*
❶ overbluffen ❷ met bluffen intimideren ★ ~ *sb
into doing sth* iem. zover krijgen iets te doen
★ *he ~ed his way through the audition* hij sloeg
zich met bluf door de auditie heen **III** *zn* bluf,
grote woorden ★ *call sb's* ~ iem. uitdagen te
doen wat hij zegt **IV** *bnw* openhartig, joviaal en
direct
bluish ['bluːɪʃ] *bnw* blauwachtig
blunder ['blʌndə] **I** *zn* blunder **II** *onov ww* ❶ een
blunder begaan ❷ ~ *about/around*
stommelen, strompelen ❸ ~ *into* ergens
tegenaan lopen, verzeild raken in ❹ ~ *on*
voortsukkelen, doorklunzen
blunderer ['blʌndərə] *zn* klungel, kluns
blunt [blʌnt] **I** *bnw* ❶ bot ★ *a* ~ *instrument* een
stomp voorwerp, een grove methode
❷ openlijk, direct, recht voor z'n raap ★ *to be* ~
om het ronduit te zeggen ❸ dom **II** *ov ww*
❶ afzwakken ❷ bot maken
blur [blɜː] **I** *zn* ❶ klad, veeg ❷ waas ❸ vage
omtrekken **II** *onov ww* vervagen, vertroebelen
★ *faces blur* gezichten vervagen **III** *ov ww*
troebel / vaag maken ★ *blurred vision* wazig
zicht ★ *blur the distinction between* geen
duidelijk onderscheid maken tussen
blurb [blɜːb] *zn* flaptekst ⟨op boek⟩, reclametekst
blurt [blɜːt] *ov ww* ~ *out* eruit flappen
blush [blʌʃ] **I** *zn* ❶ blos, rode gloed
❷ schaamrood ▼ *at first* ~ op het eerste gezicht
II *onov ww* blozen, zich schamen
bluster ['blʌstə] **I** *onov ww* ❶ brallen ❷ te keer
gaan, razen ❸ loeien, bulderen ⟨van wind⟩ **II** *zn*
❶ gebral ❷ geraas, gebulder, getier ❸ storm
blustery ['blʌstərɪ] *bnw* stormachtig
Blvd. *afk, boulevard* boulevard
BM *afk* ❶ *Bachelor of Medicine* bachelor in
geneeskunde ❷ *British Museum* Brits Museum
⟨in Londen⟩
BMI *afk, med Body-Mass-Index* BMI
BO *afk, body odour* lichaamsgeur ★ *you've got a*

terrible BO je stinkt vreselijk
boar [bɔː] *zn* [mv: **boar, boars**] ❶ wild zwijn
❷ beer ⟨mannetjesvarken⟩
board [bɔːd] **I** *zn* ❶ plank ★ *above* ~ open en
eerlijk ★ *ironing* ~ strijkplank ★ GB *skirting* ~
plint ❷ bord, paneel, aanplakbord,
schakelpaneel ★ *across the* ~ voor iedereen
(geldend) ❸ karton ❹ bestuur, commissie ★ ~ *of
directors* raad van commissarissen ★ *Board of
Trade* ministerie van handel, Kamer van
Koophandel ⟨in USA⟩ ★ *executive* ~raad van
bestuur ❺ kost ★ ~ *and lodging* kost en
inwoning ★ *full* ~ vol pension ★ *half / full* ~
half- / volpension ❻ scheepv boord ★ *ook fig on*
~ aan boord ★ GB *ook fig go by the* ~ overboord
slaan / vallen, overboord gegooid worden ★ *take
sth on* ~ overwegen, aannemen ⟨⟨advies, idee,
enz.⟩⟩ **II** *ov ww* ❶ aan boord gaan van ⟨schip⟩,
instappen in ⟨vervoersmiddel⟩ ❷ met planken
betimmeren ❸ fig aanklampen ❹ ~ *out*
uitbesteden ★ ~ *out sb* iem. in de kost doen
❺ ~ *with* in de kost doen bij **III** *onov ww*
❶ instappen ❷ laveren ❸ ~ *out* buitenshuis
eten ❹ ~ *with* in de kost zijn bij
boarder ['bɔːdə] *zn* ❶ interne leerling
❷ kostganger
board game *zn* bordspel
boarding ['bɔːdɪŋ] *zn* ❶ betimmering, schutting
❷ kost en inwoning
boarding card, boarding pass *zn* luchtv
instapkaart
boarding house *zn* kosthuis, pension
boarding school ['bɔːdɪŋskuːl] *zn* kostschool
board meeting *zn* bestuursvergadering
boardroom ['bɔːdruːm] *zn* bestuurskamer,
directiekamer
boardwalk ['bɔːdwɔːk] *zn* plankier
boast [bəʊst] **I** *onov ww* ❶ (kunnen) bogen op
❷ pochen, opscheppen ★ ~ *about / of your
achievements* opscheppen over je prestaties **II** *zn*
❶ grootspraak, bluf ❷ trots
boaster ['bəʊstə] *zn* opschepper
boastful ['bəʊstfʊl] *bnw* pocherig, opschepperig
boat [bəʊt] **I** *zn* ❶ boot ★ *Venetian boat* gondel
★ *be in the same boat* in hetzelfde schuitje zitten
★ *miss the boat* de boot missen ★ *push the boat
out* het breed laten hangen ★ *rock the boat*
dwarsliggen ❷ saus- / juskom **II** *ov ww* per
boot / schip vervoeren **III** *onov ww* ❶ met een
boot varen ❷ roeitochtje maken
boat bridge *zn* schipbrug
boater ['bəʊtə] *zn* strooien hoed
boathouse ['bəʊthaʊs] *zn* botenhuis
boating ['bəʊtɪŋ] *zn* ❶ boottochtje ★ *go* ~ een
boottochtje maken ❷ roeisport, zeilsport
boatman ['bəʊtmæn] *zn* ❶ botenverhuurder
❷ roeier
boat people *zn* bootvluchtelingen
boat race *zn* roeiwedstrijd
boatswain ['bəʊsn] *zn* scheepv bootsman
boatyard ['bəʊtjɑːd] *zn* scheepswerf
bob [bɒb] **I** *ov ww* ❶ knippen ⟨in bobmodel⟩
★ *bobbed hair* pagekop ❷ couperen ⟨staart⟩
❸ knikken ★ *he bobbed his head* hij knikte
II *onov ww* ❶ dobberen, op en neer bewegen
❷ GB een (knie)buiging maken ❸ ~ *about/*

bo

around ronddobberen ❹ ~ **under** onderduiken, naar beneden gaan ❺ ~ **up** opduiken, omhoog komen ▾ *bob for apples* appelhappen III *zn* ❶ buiging (kort), hoofdknik ❷ bob (kapsel) ❸ gecoupeerde staart ❹ bobslee ❺ *oud GB* shilling ★ *iron he's got a few bob* hij is behoorlijk rijk

Bob *zn* ★ *GB* inform *Bob's your uncle* klaar is Kees

bobbin ['bɒbɪn] *zn* klos, spoel

bobble ['bɒbl] I *zn GB* pompon (op muts) II *onov ww* ❶ *GB* pluizen ❷ stuiteren ⟨v. bal⟩ III *ov ww USA* verknoeien

bobby ['bɒbɪ] *zn, GB* inform politieagent

bobcat ['bɒbkæt] *zn* rode lynx

bobsleigh ['bɒbsleɪ] *GB*, *USA* **bobsled** *zn* bobslee

bobtail ['bɒbteɪl] *zn* gecoupeerde staart

bod inform *zn GB* persoon, vent ❷ lichaam

bode [bəʊd] *onov ww* voorspellen ★ *bode well / ill for sb / sth* (niet) veel goeds voor iem. / iets voorspellen

bodge [bɒdʒ] *GB ov ww* in elkaar flansen, verknoeien

bodice ['bɒdɪs] *zn* bovenlijfje

bodily ['bɒdəlɪ] I *bnw* lichamelijk ★ *~ harm* lichamelijk letsel II *bijw* ❶ lichamelijk ❷ in levenden lijve ❸ in zijn geheel

body ['bɒdɪ] I *zn* ❶ lichaam ★ *body and soul* met hart en ziel ★ *GB keep body and soul together* (net) overleven ★ *sell your body* je lichaam verkopen, zich prostitueren ❷ lijk ❸ persoon ❹ romp ❺ voorwerp ★ *the foreign body* het vreemde voorwerp ❻ groep, vereniging ★ *in a body* gezamenlijk, als één geheel ★ *the governing body* het bestuur ★ *corporate body* rechtspersoonlijk lichaam ❼ verzameling ★ *a body of water* een watermassa ★ *a body of evidence / information* een macht aan bewijsmateriaal / voornaamste deel ❽ carrosserie ❿ volheid ⟨v. wijn⟩, volume ⟨v. haar⟩ II *ov ww* form ★ *body forth* voorstellen, belichamen

body armour, *USA* **body armor** *zn* kogelvrij vest

body bag *zn* lijkzak

body blow *zn* ❶ zware tegenslag ❷ stoot op het lichaam ⟨boksen⟩

body clock *zn* biologische klok

body count *zn* aantal doden

body double *zn* audio-vis stand-in

bodyguard ['bɒdɪɡɑːd] *zn* lijfwacht

body language *zn* lichaamstaal

body mass index *zn* med body mass index ⟨voor bepaling overgewicht⟩, queteletindex

body odour, *USA* **body odor** *zn* lichaamsgeur

body politic *zn* natie

body search *zn* fouillering

body shop *zn* carrosseriebedrijf, autowerkplaats

bodywork ['bɒdwɜːk] *zn* carrosserie

Boer [bəʊə, bʊə] *zn* Zuid-Afrikaan ⟨v. Nederlandse afkomst⟩

B of E *afk* ❶ *Bank of England* Bank van Engeland ❷ *Board of Education* onderwijsraad

boffin ['bɒfɪn] *zn, GB* inform expert

bog [bɒɡ] I *zn* ❶ moeras, veen ❷ *GB* inform plee II *ov ww* ❶ ~ **down** vertragen, doen vastlopen ★ fig *get bogged down in / with details* zich verliezen in details ❷ inform *GB* ★ *bog off!* donder op!

bogey ['bəʊɡɪ] *zn* ❶ boze geest, boeman ❷ spookbeeld ★ *the ~ of inflation* het inflatiespook ❸ (balletje) droge snot

bogeyman ['bəʊɡɪmæn] *zn* boeman

boggle ['bɒɡl] I *zn* ❶ scrupule ❷ warboel II *ov ww* ❶ verprutsen ❷ verbijsteren ★ *it ~s the mind* het gaat je verstand te boven III *onov ww* ❶ terugschrikken, aarzelen ★ *the mind ~s at it* het gaat je verstand te boven

boggy ['bɒɡɪ] *bnw* moerassig, drassig

bog man *zn* [mv: **bog people**] veenlijk

bog roll *zn, GB* inform pleepapier

bog standard *bnw, GB* inform gemiddeld, gewoon(tjes)

bogus ['bəʊɡəs] *bnw* pseudo-, vals, gefingeerd

bogy *zn* → **bogey**

bohemian [bəʊ'hiːmɪən] I *zn* bohemien II *bnw* bohemien

boil [bɔɪl] I *onov ww* ❶ koken ★ *boil with anger* koken van woede ❷ ~ **down** inkoken ★ fig *it boils down to this* het komt hierop neer ❸ ~ **over** overkoken, exploderen, tot een uitbarsting komen, inform zieden van woede ❹ ~ **up** ontstaan ★ *feel anger boiling up inside me* de boosheid in mij voelen opkomen II *ov ww* ❶ (uit)koken, aan de kook brengen ❷ ~ **down** inkorten ❸ ~ **up** aan de kook brengen III *zn* ❶ kook, kookpunt ★ *come to the boil* beginnen te koken ★ *GB go off the boil* minder goed doen ★ *GB on the boil* aan de gang, lopend ❷ steenpuist

boiler ['bɔɪlə] *zn* boiler, (stoom)ketel

boiler suit *zn* overall, ketelpak

boiling point *zn* kookpunt

boisterous ['bɔɪstərəs] *bnw* luidruchtig, onstuimig

bok choy *zn USA* paksoi

bold [bəʊld] *bnw* ❶ moedig ❷ brutaal ★ *be / make so bold as to* zo vrij zijn om ★ inform *GB (as) bold as brass* (honds)brutaal ❸ krachtig, fors ★ *bold strokes of paint* krachtige verfstreken ❹ drukk vet ★ *printed in bold* vetgedrukt

boldface ['bəʊldfeɪs] *zn* drukk vetgedrukte letter

boldfaced [bəʊld'feɪst] *bnw* ❶ brutaal ❷ drukk vetgedrukt

bole [bəʊl] *zn* (boom)stam

Bolivian [bə'lɪvɪən] I *zn* ❶ Boliviaan, Boliviaanse ❷ Boliviaans ⟨de taal⟩ II *bnw* Boliviaans

bollard ['bɒlɑːd] *zn* ❶ bolder, meerpaal ❷ *GB* verkeerszuiltje

bollocking ['bɒləkɪŋ] *GB* vulg *zn* uitbrander

bollocks ['bɒləks] *GB* vulg *zn* ❶ gelul ❷ anat kloten

bolshie, bolshy ['bɒlʃɪ] *bnw, GB* inform obstinaat, dwars

bolster ['bəʊlstə] I *ww* (onder)steunen, versterken II *zn* peluw (lang stevig kussen)

bolt [bəʊlt] I *zn* ❶ grendel ❷ bout, pin ❸ bliksemflits ★ *a bolt from the blue* een donderslag bij heldere hemel ❹ rol ⟨stof⟩ ❺ schicht ⟨v. kruisboog⟩ ★ *shoot your bolt* je kruit verschieten ▾ *make a bolt for it / sth* de

benen nemen **II** *ov ww* ❶ vergrendelen ❷ vastschroeven ❸ schrokken ★ *bolt down food* eten opschrokken ❹ USA plotseling verlaten ⟨partij bv.⟩ ❺ zeven ⟨meel⟩ **III** *onov ww* ❶ er vandoor gaan, op hol slaan ⟨v. paard⟩ ★ *the child bolted towards the door* het kind vloog naar de deur ★ *the prisoner had bolted* de gevangene was ontsnapt ❷ plantk doorschieten **IV** *bijw* ★ *sit / stand bolt upright* kaarsrecht zitten / staan
bolt-hole ['bəʊlthəʊl] *zn* ❶ uitweg ❷ schuilplaats
bomb [bɒm] **I** *zn* ❶ bom ★ *plant a bomb* een bom plaatsen ★ *dirty bomb* radioactieve bom ★ mil *smart bomb* slimme bom ★ GB *go down a bomb / go (like) a bomb* lopen als een trein ★ *go like a bomb* scheuren ⟨in auto, enz.⟩ ★ *she's the bomb* zij is geweldig ❷ GB inform bom duiten ★ *make a bomb* een bom geld verdienen ❸ USA flop ❹ USA spuitbus ❺ USA sport dieptepass **II** *ov ww* ❶ bombarderen ❷ USA verprutsen ⟨test⟩ **III** *onov ww* ❶ GB scheuren, racen ❷ inform floppen
bombard [bɒm'bɑːd] *ov ww* bombarderen ★ ~ *sb with text messages* iem. met sms'jes bestoken
bombardier [bɒmbə'dɪə] *zn* ❶ bommenrichter ❷ korporaal bij de artillerie
bombardment [bɒm'bɑːdmənt] *zn* bombardement
bombast ['bɒmbæst] *zn* bombast, hoogdravende taal
bomb disposal *zn* ★ ~ *squad* de bom- / mijnopruimingsdienst
bomber ['bɒmə] *zn* ❶ bommenwerper ⟨vliegtuig⟩ ❷ bommengooier
bombing ['bɒmɪŋ] *zn* bomaanval, bombardement
bombproof ['bɒmpruːf] *bnw* bomvrij
bomb scare *zn* bomalarm
bombshell ['bɒmʃel] *zn* fig bom ★ *come as a ~* inslaan als een bom ★ *drop a ~* een sensationele mededeling doen ★ *a blond(e) ~* een blonde stoot ⟨vrouw⟩
bomb site *zn* gebombardeerde plek
bona fide ['bəʊnə 'faɪdi] *bijw* bonafide ⟨betrouwbaar⟩
bonanza [bə'nænzə] *zn* ❶ voorspoed ❷ groot aanbod
bond [bɒnd] **I** *zn* ❶ band ❷ obligatie ❸ USA jur borg ❹ jur contract, overeenkomst ❺ hechting ⟨door lijm bv.⟩ ❻ scheik verbinding ❼ verband ⟨in metselwerk⟩ ▼ *in bonds* [mv] in de boeien, geboeid **II** *ov ww* hechten, (aan elkaar) vastmaken **III** *onov ww* zich verbonden voelen, een band opbouwen
bondage ['bɒndɪdʒ] *zn* ❶ slavernij ❷ bondage
bondholder ['bɒndhəʊldə] *zn* obligatiehouder
bonding ['bɒndɪŋ] *zn* psych hechtingsproces
bone [bəʊn] **I** *zn* ❶ bot, been, graat ⟨v. vis⟩ ★ *chicken off the bone* kip zonder bot ★ *funny /* USA *crazy bone* telefoonbotje ⟨in elleboog⟩ ★ *bred in the bone* erfelijk ★ *bone of contention* twistappel ★ *close / near to the bone* op het randje, gewaagd ★ *cut / pare / trim to the bone* uitkleden tot op het bot ★ *feel sth in your bones* iets aan je water voelen ★ *have a bone to pick* een appeltje te schillen hebben ❷ kluif ❸ essentie ★ *to the (bare) bone* tot op het bot,

uitermate ▼ *make no bones about* open en eerlijk zijn **II** *bnw* van been, benen, ivoren **III** *bijw* zeer ★ GB *bone dry* aartslui ★ *bone dry* gortdroog **IV** *ov ww* ❶ uitbenen ❷ ontgraten **V** *onov ww* inform ~ *up* hard studeren ★ *bone up on a subject* in een onderwerp duiken
bone china *zn* fijn porselein
bonehead ['bəʊnhed] min *zn* sufferd
boneless ['bəʊnləs] *bnw* ❶ graatloos, zonder bot(ten) ❷ fig slap
boner ['bəʊnə] USA *zn* ❶ vulg stijve ⟨penis⟩ ❷ blunder
bonfire ['bɒnfaɪə] *zn* (vreugde)vuur
bonkers ['bɒŋkəz] inform *bnw* idioot ★ *go ~* gek worden
bonnet ['bɒnɪt] *zn* ❶ dames- / babyhoedje ⟨met strik onder kin⟩ ❷ (Schotse) baret ❸ GB motorkap
bonny, bonnie ['bɒnɪ] *bnw* aantrekkelijk, knap
bonus ['bəʊnəs] *zn* ❶ bonus, premie ❷ meevaller ★ *the added ~* het bijkomend voordeel
bony ['bəʊnɪ] *bnw* ❶ benig, knokig, mager ❷ met veel graten
boo [buː] **I** *zn* boe, boegeroep ★ *he couldn't say boo to a goose* hij is zo bang als een wezel **II** *ov ww* uitjouwen
boob [buːb] inform *zn* ❶ tiet ❷ domoor ❸ GB blunder
boob tube inform *zn* ❶ GB topje zonder schouderbandjes ❷ USA televisie
booby ['buːbɪ] inform *zn* ❶ tiet(je) ❷ klungel, uilskuiken
booby prize *zn* poedelprijs
booby trap *zn* valstrik, valstrikbom
booby-trap ['buːbɪtræp] *ov ww* een valstrikbom aanbrengen bij
boogeyman ['buːgɪmæn] *zn* USA → bogeyman
boogie ['buːgi] *onov ww* inform dansen op snelle popmuziek
boohoo [buː'huː] **I** *zn* geblèr **II** *onov ww* blèren, huilen
book [bʊk] **I** *zn* ❶ boek ★ *books* [mv] boekhouding ★ *comic book* stripboek ★ *hardback / paperback books* boeken met harde / slappe kaft ★ *book of reference* naslagwerk ★ *be in sb's good / bad books* bij iem. in een goed / slecht blaadje staan ★ GB *bring sb to book* iem. ter verantwoording roepen, zijn gerechte straf laten ondergaan ★ *without book* zonder gezag, uit het hoofd ★ *by the book* volgens het boekje ★ *in my book* volgens mij ★ *on our books* bij ons ingeschreven ★ *the law is on the books* het staat in de wet ★ *suit sb's book* in iemands kraam te pas komen ★ inform *throw the book at sb* iem. zwaar straffen ★ humor *I wrote the book on that subject* ik weet alles over dat onderwerp ★ *cook the books* knoeien met de boekhouding ❷ mapje ⟨postzegels, lucifers, enz.⟩ **II** *ov ww* ❶ boeken, bespreken ★ *booked up* vol, bezet, besproken ❷ noteren ❸ bekeuren ❹ GB ~ *in* inschrijven ⟨in hotel, enz.⟩ **III** *onov ww* ❶ een plaats bespreken ❷ GB ~ *in* inchecken
bookable ['bʊkəbl] *bnw* te reserveren / bespreken ★ USA *a ~ offence* overtreding waar je voor opgepakt kunt worden

bookcase ['bʊkkeɪs] zn boekenkast
bookend ['bʊkend] zn boekensteun
bookie ['bʊkɪ] zn inform → **bookmaker**
booking ['bʊkɪŋ] zn bespreking, reservering
booking clerk GB zn kaartjesverkoper
booking office GB zn reserverings- /
ticketbureau, kassa
bookish ['bʊkɪʃ] bnw ❶ geleerd ❷ pedant
bookkeeper ['bʊk kiːpə] zn boekhouder
bookkeeping ['bʊkkiːpɪŋ] zn boekhouding
booklet ['bʊklɪt] zn boekje
bookmaker ['bʊkmeɪkə] zn bookmaker ⟨bij
wedrennen⟩
bookmark ['bʊkmɑːk] I zn ❶ boekenlegger
❷ comp bladwijzer, bookmark ⟨markering v.
internetpagina⟩ II ov ww comp bookmarken
bookplate ['bʊkpleɪt] zn ex libris
bookseller ['bʊkselə] zn boekhandelaar
bookshelf ['bʊkʃelf] zn boekenplank
bookshop ['bʊkʃɒp] zn boekhandel
bookstall ['bʊkstɔːl] zn ❶ GB kiosk
❷ boekenstalletje
bookstore ['bʊkstɔː] zn USA boekwinkel
book token zn GB boekenbon
bookworm ['bʊkwɜːm] zn boekenwurm
Boolean ['buːlɪən] bnw comp booleaans
boom [buːm] I zn ❶ econ hoogconjunctuur, bloei
❷ forse toename, grote populariteit ❸ dreun,
donder ★ *sonic boom* supersone knal ❹ scheepv
giek ❺ ⟨haven⟩boom, versperring ❻ techn
statief ⟨v. camera, microfoon⟩ II onov ww
❶ econ grote vlucht nemen ❷ plotseling stijgen
⟨v. prijzen⟩ ❸ dreunen, bulderen ⟨v. stem⟩
boom box zn gettoblaster
boomerang [buːməraŋ] I zn boemerang II onov
ww een boemerangeffect hebben, averechts
werken
boom town zn snel gegroeide stad
boon [buːn] zn zegen
boon companion zn boezemvriend(in)
boondocks ['buːndɒks], **boonies** ['buːnɪz] zn mv,
USA inform fig rimboe
boondoggle ['buːndɒgl] zn, USA inform
verspilling van tijd en geld
boor [bʊə] zn lomperik
boost [buːst] I ov ww ❶ stimuleren, oppeppen,
verhogen ❷ opvoeren ⟨motor⟩ II zn
❶ aanmoediging, verhoging ❷ het opvoeren ⟨v.
motor⟩ ❸ USA duw (omhoog)
booster ['buːstə] zn ❶ stimulerend middel,
stimulans, oppepper ❷ techn booster ⟨extra
krachtbron⟩ ❸ luchtv hulp- / aanjaagraket
❹ USA aanprijzer, supporter
booster rocket zn luchtv hulp- / aanjaagraket
booster seat zn kinderzitje
boot [buːt] I zn ❶ hoge schoen, laars ★ fig *grow /
get too big for one's boots* naast zijn schoenen
gaan lopen ★ *get the boot / be given the boot*
eruit gegooid worden ★ *die with one's boots on*
in het harnas sterven, zijn vak beoefenen tot
aan zijn dood ★ *the boot is on the other foot* het
is precies andersom ★ GB inform *put / stick the
boot in* trap na geven, in elkaar trappen
★ inform *to boot* op de koop toe, bovendien
❷ GB laadbak, bagageruimte ⟨v. auto⟩ ❸ sport
trap, loeier ❹ USA wielklem II ov ww ❶ trappen

★ *boot sb out* iem. aan de dijk zetten ❷ comp
booten ⟨systeem opstarten⟩ ★ USA inform *be /
get booted* een wielklem hebben / krijgen
III onov ww comp opstarten
boot camp zn ❶ trainingskamp voor militairen
❷ tuchtkamp
bootee, **bootie** [buː'tiː, 'buːtiː] zn ❶ ⟨gebreid⟩
schoentje ⟨v. baby's⟩ ❷ kort dameslaarsje
booth [buːð] zn ❶ telefooncel, hokje ❷ kraam,
tent ❸ zithoek ⟨in restaurant⟩
bootlace ['buːtleɪs] zn veter
bootleg ['buːtleg] I bnw illegaal, zwart II ov ww
❶ smokkelen ⟨drank⟩ ❷ clandestien
produceren / verkopen, illegaal maken /
verspreiden ⟨geluidsopnamen⟩ III zn bootleg
⟨illegaal gemaakte geluidsopname⟩
bootstrap ['buːtstraːp] zn ★ *drag / pull yourself up
by your (own) ~s* op eigen kracht opklimmen
booty ['buːtɪ] zn ❶ buit ❷ USA inform kontje
booze [buːz] inform I zn ❶ drank ❷ zuippartij
II onov ww zuipen
boozer ['buːzə] inform zn ❶ zuiplap ❷ GB café
booze-up ['buːzʌp] zn, GB inform zuippartij
boozy ['buːzɪ] inform bnw ❶ drankzuchtig ❷ met
veel drank, dronken
bop [bɒp] I zn, inform GB dans op popmuziek
II onov ww, inform GB dansen op popmuziek
III ov ww 'n tik geven
borage ['bɒrɪdʒ] zn plantk bernage
borax ['bɔːræks] zn borax, boorzure zout
border ['bɔːdə] I zn ❶ grens(streek) ★ *the Border*
grensstreek tussen Engeland en Schotland
★ *cross the ~* de grens oversteken ❷ rand, zoom
❸ border ⟨in tuin⟩ II ov ww ❶ grenzen aan
❷ begrenzen, omzomen III onov ww ~ *on*
grenzen aan, liggen naast
borderland ['bɔːdəlænd] zn ❶ grensgebied
❷ overgangsgebied
borderline ['bɔːdəlaɪn] I zn grens, scheidslijn
II bnw grens-, op het randje ★ ~ *cases*
grensgevallen ★ *a ~ pass* een krappe voldoende
bore [bɔː] I ww [verleden tijd] → **bear** II ov ww
❶ vervelen ❷ boren III onov ww ~ *into*
indringend aankijken ⟨v. ogen⟩ IV zn
❶ vervelend iets / iemand, saai persoon
★ *cooking is such a bore* koken is zo vervelend
❷ diameter ⟨v. pijp⟩, kaliber ⟨v. vuurwapen⟩
❸ vloedgolf ❹ boorgat
bored [bɔːd] bnw ★ *be ~ stiff* je kapot vervelen
★ *be ~ to death / tears* je dood vervelen
boredom ['bɔːdəm] zn verveling
borehole ['bɔːhəʊl] zn boorgat
boric ['bɔːrɪk] bnw boor- ★ ~ *acid* boorzuur
boring ['bɔːrɪŋ] bnw vervelend, saai
born [bɔːn] bnw geboren ★ *born of* geboren uit
★ *well born* van goede huize ★ *be born to be (a
great poet)* voorbestemd zijn om (een groot
dichter) te worden ★ *born and bred* geboren en
getogen ★ *not be born yesterday!* niet van
gisteren zijn! ★ *you don't know you are born* je
weet niet hoe goed je het hebt ★ *a born driver*
een uitstekende chauffeur ★ *a born loser* een
geboren verliezer
born-again bnw herboren, fanatiek
borne [bɔːn] ww [volt. deelw.] → **bear**
borough ['bʌrə] zn stad(sdeel) ⟨met eigen

bestuur〉

borrow ['bɒrəʊ] **I** *ov ww* lenen, ontlenen ★ *~ money from sb* geld lenen van iem. ★ *be (living) on ~ed time* in geleende tijd leven **II** *onov ww* ❶ lenen ❷ overnemen

borrowing ['bɒrəʊɪŋ] *zn* ❶ het lenen, lening ❷ leenwoord

borstal ['bɔːstl] *zn* GB jeugdgevangenis, tuchthuis

bosom ['bʊzəm] *zn* ❶ boezem, borst ❷ schoot 〈v. familie〉 ★ *a ~ pal / friend* een boezemvriend(in)

bosomy *bnw inform* met grote borsten

boss [bɒs] **I** *zn* ❶ baas ★ *my own boss* eigen baas ❷ kopstuk ❸ rozet 〈aan plafond〉 **II** *ov ww* ~ **about/around** de baas spelen, commanderen

bossy ['bɒsɪ] *bnw* bazig

bossyboots ['bɒsɪbuːts] *zn, inform* GB bazig type

bosun ['bəʊsən] *zn* scheepv bootsman

botanical [bə'tænɪkl] *bnw* ★ *~ gardens* botanische tuin

botanist ['bɒtənɪst] *zn* plantkundige

botany ['bɒtənɪ] *zn* plantkunde

botch [bɒtʃ] **I** *ov ww* inform verknoeien ★ *~ sth up* iets verknallen ★ *a ~ed job* knoeiwerk **II** *zn* inform knoeiwerk

botcher ['bɒtʃə] *zn* inform knoeier, kluns

both [bəʊθ] *onbep vnw* allebei, beide(n) ★ *in both these countries* in deze beide landen ★ *(they) both take swimming lessons* beiden zijn op zwemles ★ *both... and...* zowel... als...

bother ['bɒðə] **I** *onov ww* zich de moeite nemen ★ *don't ~ about / with it* maak je er niet druk om / over ★ *don't ~* doe geen moeite, laat maar **II** *ov ww* lastigvallen, irriteren, hinderen ★ *I won't ~ you again* ik zal je niet meer lastigvallen ★ *not ~ yourself / your head with / about sth* je ergens niet druk over maken ★ *his elbow was ~ing him* hij had last van zijn elleboog ★ *be ~ed (about sb / sth)* (iemand / iets) belangrijk vinden ★ GB *can't be ~ed (to do sth)* je de moeite geven (iets te doen) **III** *zn* last, moeite, gezeur ★ *it's no ~* het is een kleine moeite ★ *go to the ~ (of)* de moeite nemen (om) ★ GB *get yourself into a spot of ~* jezelf in de nesten werken **IV** *tw* GB verdorie

bothersome ['bɒðəsəm] *bnw* ergerlijk, vervelend

bottle ['bɒtl] **I** *zn* ❶ fles ★ *break a ~* een fles (drank) aanbreken ★ *hit the ~* het op een drinken zetten ★ *take to the ~* naar de fles grijpen ❷ inform GB moed, lef **II** *ov ww* ❶ bottelen ❷ ~ **up** oppotten, opkroppen **III** *onov ww, inform* GB ~ **out** op het laatste moment ervan afzien

bottle bank *zn* GB glasbak

bottle-feed ['bɒtlfiːd] *ov ww* met de fles grootbrengen

bottle-green [bɒtl 'griːn] *bnw* donkergroen

bottleneck ['bɒtlnek] *zn* ❶ knelpunt, struikelblok ❷ wegversmalling

bottle-opener *zn* flesopener

bottom ['bɒtəm] *zn* ❶ bodem, onderkant ★ *~ of the hill* voet v.d. heuvel ★ *~ up* ondersteboven ★ *at the ~ of* onderaan ★ *start at the ~* onderaan (de ladder) beginnen ★ *lie / be at the ~ of* de oorzaak zijn van ★ *from the ~ of my heart* vanuit het diepst v. mijn hart

★ *get to the ~ of sth* iets tot op de bodem uitzoeken ★ *the ~ drops / falls out of sth* iets stort helemaal in ★ *knock the ~ out of sth* iets versjteren ★ *~s up!* proost! ❷ eind 〈v. straat, enz.〉 ★ *at the ~ of our garden* achterin de tuin ❸ zitvlak, kont ❹ [mv] ★ *~s* slipje, broek ❺ scheepsromp **II** *bnw* ❶ onderste ★ *~ drawer* onderste la ❷ laatste ★ *come ~* het laagst scoren ★ *you can bet your ~ dollar on it* daar kun je gif op innemen ❸ fundamenteel **III** *onov ww* ~ **out** het laagste punt bereiken

bottom gear *zn* GB laagste versnelling

bottomless ['bɒtəmləs] *bnw* bodemloos, onbeperkt ★ *a ~ pit* een bodemloze put

bottom line *zn* ❶ kern, essentie ❷ (bedrijfs)resultaat ❸ bodemprijs

bottommost ['bɒtəmməʊst] *bnw* onderste, laagste

bottom-up *bnw* van beneden af ★ *a ~ approach* eerst de details dan de algemene punten

botulism ['bɒtjʊlɪzm] *zn* botulisme

bouffant ['buːfãn] *bnw* wijd uitstaand 〈v. haar〉

bough [baʊ] *zn* grote tak

bought [bɔːt] *ww* [verleden tijd + volt. deelw.] → buy

boulder ['bəʊldə] *zn* grote kei

bounce [baʊns] **I** *onov ww* ❶ kaatsen, stuiteren ★ *the light ~s off the river* het licht wordt door de rivier weerkaatst ❷ springen, op-en-neer wippen ★ *he ~d across the street* hij stoof de straat over ❸ ongedekt zijn 〈v. cheque〉 ❹ (als onbestelbaar) terugkomen 〈v. e-mail〉 ❺ ~ **back** zich herstellen, er bovenop komen **II** *ov ww* ❶ (laten) stuiteren, kaatsen ★ *~ some ideas around* praten over een paar ideeën ❷ op-en-neer laten gaan, paardje laten rijden 〈op knie〉 ❸ weigeren 〈cheque〉 ❹ terugsturen 〈email〉 ❺ USA wegsturen ★ *~ sb from a post* iem. dwingen op te stappen ▼ GB *~ sb into sth* iem. tot iets dwingen **III** *zn* ❶ stuit ❷ plotselinge toename ❸ veerkracht ❹ energie, vitaliteit ▼ GB *on the ~* achter elkaar

bouncer ['baʊnsə] *zn* uitsmijter 〈in bar, enz.〉

bouncing ['baʊnsɪŋ] *bnw* gezond en levendig ★ *a ~ baby* een levendige baby

bouncy ['baʊnsɪ] *bnw* ❶ levendig, druk ❷ goed stuiterend 〈v. bal〉 ❸ veerkrachtig ★ GB *~ castle* springkasteel

bound [baʊnd] **I** *bnw* ❶ gebonden ★ *be ~ together by / in* nauw verbonden door ★ *~ up with* nauwverbonden met ★ *be ~ up in* in beslag genomen worden / zijn door ❷ zeker / waarschijnlijk (te gebeuren) ★ *it is ~ to happen* dat moet haast wel gebeuren ★ *I'll be ~* wis en waarachtig, zeker weten ★ USA *~ and determined* vastbesloten ❸ verplicht ❹ op weg naar, met bestemming ★ *homeward ~* op weg naar huis ❺ gebonden 〈v. boek〉 **II** *zn* ❶ sprong 〈naar voren / omhoog〉 ❷ [mv] ★ *~s* grenzen ★ *out of ~s* verboden toegang, onacceptabel, onredelijk **III** *ov ww* beperken, begrenzen **IV** *onov ww* ❶ springen ❷ stijgen **V** *ww* [verleden tijd + volt. deelw.] → bind

boundary ['baʊndərɪ] *zn* grens ★ *push back the boundaries* de grenzen verleggen

bounden ['baʊndən] *bnw* ★ *~ duty* dure plicht

bo

boundless ['baʊndləs] *bnw* grenzeloos
bounteous ['baʊntɪəs], **bountiful** ['baʊntɪfl]
form *bnw* ❶ gul ❷ overvloedig
bounty ['baʊntɪ] *zn* ❶ premie, beloning
❷ geschenk, gift ❸ gulheid
bounty hunter *zn* premiejager
bouquet [buːˈkeɪ] *zn* ❶ boeket ❷ bouquet ⟨v. wijn⟩
bourbon ['bɜːbən] *zn* bourbon ⟨whisky⟩
bourgeois ['bʊəʒwɑː] *bnw* ❶ bourgeois
❷ (klein)burgerlijk, bekrompen
bout [baʊt] *zn* ❶ tijdje, korte periode, vlaag
★ *drinking bout* drinkgelag ❷ aanval ★ *bout of fever* koortsaanval ❸ boks- / worstelwedstrijd
bovine ['baʊvaɪn] *bnw* ❶ runder- ❷ sloom, dom
bow¹ [baʊ] I *ov ww* buigen ★ *be bowed down by* gebukt gaan onder II *onov ww* ❶ (zich) buigen, knielen ★ *bow and scrape* hielen likken ❷ ~ *out* zich terugtrekken ❸ min ~ *down to* toegeven aan, zich schikken naar ❹ ~ *to* zich neerleggen bij ★ *bow to the inevitable* het onvermijdelijke accepteren III *zn* ❶ buiging ★ *ton take a / your bow* buigen naar het publiek ⟨om het applaus in ontvangst te nemen⟩ ❷ scheepv boeg
bow² [baʊ] I *zn* ❶ boog ★ *bow and arrow* pijl en boog ❷ strik ❸ strijkstok II *ov ww* muz strijken
bowdlerize, bowdlerise ['baʊdləraɪz] *ov ww* censureren
bowel movement *zn* ontlasting
bowels ['baʊəlz] *zn mv* darmen, ingewanden
★ med *move / open your* ~ zich ontlasten ★ *the ~ of the earth* het binnenste der aarde
bower ['baʊə] *zn* dicht prieel, schaduwrijk plekje in tuin
bowl [baʊl] I *zn* ❶ kom, schaal ❷ komvormig deel v.e. voorwerp, bak ⟨v. lepel⟩, (pijpen)kop, (closet)pot ❸ bal ⟨bij bowlen, enz.⟩ ❹ USA stadion, amfitheater II *ov ww* ❶ ~ *over* omverrijden ❷ van zijn stuk brengen III *onov ww* ❶ bowlen ❷ snel rijden
bow-legged [baʊˈlegɪd] *bnw* met O-benen
bowler ['baʊlə] *zn* ❶ sport bowler ❷ bolhoed
bowler hat *zn* bolhoed
bowling ['baʊlɪŋ] *zn* het bowlen, het kegelen
bowling alley ['baʊlɪŋælɪ] *zn* bowling- / kegelbaan
bowling green *zn* bowlingveld
bowsprit ['baʊsprɪt] *zn* boegspriet
bow tie [baʊˈtaɪ] *zn* vlinderdas
bow window [baʊˈwɪndəʊ] *zn* rond erkerraam
bow-wow *tw* woef
box [bɒks] I *zn* ❶ doos, kist, pak, trommel
★ *wooden box* kist(je) ★ *musical box* speeldoos
★ luchtv *black box* zwarte doos ❷ hokje ★ *tick a box* een hokje aanvinken ❸ aparte hoek, (theater)loge, nis ⟨in restaurant⟩ ❹ inform GB buis ⟨tv⟩ ❺ sport strafschopgebied ❻ postbus
❼ GB telefooncel ❽ buxus(boom) ▼ oud *a box on the ears* een oorvijg II *ov ww* ❶ boksen tegen
❷ in een doos verpakken ❸ ~ *in* insluiten, vrijheid van handelen ontnemen ❹ ~ *off* afscheiden ▼ oud *box sb's ears* iem. om de oren slaan III *onov ww* boksen ★ GB *box clever* het slim aanpakken
box calf *zn* boxcalf ⟨leer⟩
boxcar ['bɒkskɑː] *zn* USA gesloten

goederenwagon
boxer ['bɒksə] *zn* ❶ sport bokser ❷ bokser ⟨hond⟩
boxing ['bɒksɪŋ] *zn* boksen
Boxing Day ['bɒksɪŋ deɪ] *zn* GB tweede kerstdag
box junction *zn* GB kruispunt ⟨waar men niet mag stilstaan⟩
box lunch *zn* USA lunch ⟨in trommeltje⟩
box number *zn* antwoordnummer
box office *zn* reserveringsbureau, (theater)bespreekbureau, kassa
box-office *bnw* ★ ~ *success* kassucces, publiekstrekker ★ ~ *take* bruto opbrengst
boxroom ['bɒksruːm] *zn* GB berghok
boxwood ['bɒkswʊd] *zn* palmhout, buxushout
boy [bɔɪ] I *zn* ❶ jongen, zoon ❷ man, vent ★ *he's a local boy* hij komt hier uit de buurt ★ *the boys* club van (stoere) mannen ★ GB *the boys in blue* de politie ★ *boys will be boys* ≈ het zijn nou eenmaal jongens / mannen ★ *good boy!* braaf! ⟨tegen hond⟩ ❸ USA min bediende ⟨meestal een zwarte bediende⟩ II *tw* tjonge
boycott ['bɔɪkɒt] I *zn* boycot II *ov ww* boycotten
boyf *zn*, inform GB vriendje
boyfriend ['bɔɪfrend] *zn* vriendje ⟨partner⟩
boyhood ['bɔɪhʊd] *zn* jongensjaren
boyish ['bɔɪɪʃ] *bnw* jongensachtig
Boy Scout [bɔɪˈskaʊt] *zn*, USA oud padvinder
bozo ['bəʊzəʊ] *zn* min sukkel
BR afk, British Railways Britse Spoorwegen
bra [brɑː] *zn* beha
brace [breɪs] I *zn* ❶ klamp, beugel, (muur)anker
❷ steun ❸ techn kraag ❹ beugel ⟨in gebit⟩
❺ booromslag ★ techn ~ *and bit* booromslag
❻ drukk accolade ❼ GB koppel ⟨v. geschoten dieren⟩ II *ov ww* ❶ steunen, versterken ★ ~ *o.s. for* zich schrap zetten voor, zich voorbereiden op ★ ~ *o.s. against* zich schrap zetten tegen
❷ spannen ❸ opwekken ★ *a bracing breeze* een verfrissende wind
bracelet ['breɪslət] *zn* armband ★ inform ~*s* [mv] handboeien
braces ['breɪsɪz] *zn mv* ❶ GB bretels ❷ USA (gebits)beugel
bracing ['breɪsɪŋ] *bnw* verkwikkend, versterkend ⟨v. klimaat⟩
bracken ['brækən] *zn* (adelaars)varen(s)
bracket ['brækɪt] I *zn* ❶ taalk haakje ★ *between / in ~s* tussen haakjes ❷ groep, klasse ★ *in the 55-60 age* ~ in de leeftijdscategorie van 55-60 jaar ❸ steun ⟨aan muur⟩ ❹ muurplank, console, klamp II *ov ww* ❶ tussen haakjes zetten
❷ gelijkstellen, koppelen, in één adem noemen
❸ van steunen voorzien
brackish ['brækɪʃ] *bnw* brak
bract [brækt] *zn* plantk schutblad
bradawl ['brædɔːl] *zn* priem, els
brae [breɪ] *zn* steile helling / heuvel ⟨in Schotland⟩
brag [bræg] I *onov ww* opscheppen II *zn* blufpoker
braid [breɪd] I *zn* ❶ vlecht ❷ tres II *ov ww* vlechten
Braille, braille [breɪl] *zn* braille
brain [breɪn] I *zn* ❶ hersenen, verstand, brein ★ *the ~s* degene(n) met hersens, het brein ⟨dat achter iets zit⟩ ★ *blow sb's ~s out* iem. voor de kop

schieten ★ *have sth on the ~* ergens voortdurend aan denken ★ *pick sb's ~s* hulp vragen aan iem. die er meer van weet ★ *rack your ~s* je het hoofd breken ★ *turn sb's ~* iem. het hoofd op hol brengen ★ *inform beat one's ~s out* zich de hersens afpijnigen, iem. de hersens inslaan **II** *ov ww* de hersens inslaan

brainchild ['breɪntʃaɪld] *zn* geesteskind
brain damage *zn* hersenbeschadiging
brain-dead *bnw* ❶ hersendood ❷ <u>humor</u> stompzinnig, oerstom
brain death *zn* hersendood
brain drain *zn* kennisvlucht
brain fever *zn* hersenvliesontsteking
brainless ['breɪnləs] *bnw* dom, stom
brain power *zn* intelligentie, intellectueel vermogen
brainstorm ['breɪnstɔːm] **I** *zn* ❶ GB black-out ❷ USA lumineuze inval **II** *ov ww* brainstormen
brainstorming ['breɪnstɔːmɪŋ] *zn* het brainstormen
brain teaser *zn* hersenbreker, moeilijke puzzel / vraag
brain trust *zn* commissie v. deskundigen, adviesraad
brainwash ['breɪnwɒʃ] *ov ww* hersenspoelen
brainwave ['breɪnweɪv] *zn* ❶ lumineuze inval, ingeving ❷ hersengolf
brainy ['breɪnɪ] *bnw* <u>inform</u> intelligent
braise [breɪz] *ov ww* stoven, smoren ⟨vlees⟩
brake [breɪk] **I** *zn* rem ★ *put the ~s on sth* vertragen, stoppen ★ *act as a ~ on sth* een rem zijn op **II** *onov ww* remmen ★ *~ to a halt* remmend tot stilstand komen **III** *ov ww* remmen
brake cable *zn* remkabel
brake fluid *zn* remvloeistof
brake light *zn* remlicht
bramble ['bræmbl] *zn* ❶ braamstruik ❷ braam
bran [bræn] *zn* zemelen
branch [brɑːntʃ] **I** *zn* ❶ tak, zijtak ★ *a ~ of the family* een tak van de familie ❷ filiaal, departement, branche **II** *onov ww* ❶ zich vertakken, zich splitsen ❷ ~ **off** afslaan ❸ ~ **out** zich uitbreiden ⟨v. zaken⟩
branch manager *zn* vestigingsdirecteur
brand [brænd] **I** *zn* ❶ merk ★ *generic ~* huismerk ❷ brandmerk ❸ fakkel, brandend stuk hout **II** *ov ww* ook fig brandmerken ★ *be ~ed upon one's memory* in het geheugen gegrift staan
brandish ['brændɪʃ] *ov ww* (dreigend) zwaaien met
brand name *zn* merknaam
brand-new [brænd'njuː] *bnw* splinternieuw
brandy ['brændɪ] *zn* ❶ cognac ❷ brandewijn
brash [bræʃ] *bnw* ❶ brutaal, vrijpostig ❷ schreeuwerig ⟨dingen en plaatsen⟩
brass [brɑːs] **I** *zn* ❶ geelkoper, messing ❷ <u>inform</u> centen ❸ muz koperen instrumenten ★ *music for ~* muziek voor koper ❹ brutaliteit ★ *as bold as ~* zo brutaal als de beul ▼ *top / the ~* hoge pieten **II** *bnw* koperen
brass band *zn* fanfarekorps
brassière ['bræzɪə] *zn* form bustehouder
brassy ['brɑːsɪ] *bnw* ❶ koperachtig ❷ schetterend ❸ ordinair ❹ brutaal, onbeschaamd

brat [bræt] *zn* jochie, blaag
bravado [brə'vɑːdəʊ] *zn* vertoon van moed / lef, overmoed
brave [breɪv] **I** *bnw* dapper, flink **II** *ov ww* trotseren, tarten ★ *~ the elements* het slechte weer trotseren ★ *~ (it) out* zich er door heen slaan ★ *~ a difficult situation* een moeilijke situatie doorstaan
bravery ['breɪvərɪ] *zn* dapperheid, moed
brawl [brɔːl] **I** *zn* ruzie, knokpartij **II** *onov ww* ruziën
brawn [brɔːn] *zn* ❶ spieren ❷ GB zult, hoofdkaas
brawny ['brɔːnɪ] *bnw* gespierd
bray [breɪ] **I** *zn* ❶ gebalk ❷ geschetter **II** *onov ww* ❶ balken ❷ schetteren, schallen ⟨van trompet⟩
brazen ['breɪzən] **I** *bnw* ❶ brutaal ❷ schel ⟨v. klank⟩ ❸ koperen, koperkleurig **II** *ov ww* ★ *~ it out* zich ergens brutaal doorheen slaan
brazen-faced [breɪzən'feɪst] *bnw* onbeschaamd
brazier ['breɪzɪə] *zn* komfoor, stoof
Brazil [brə'zɪl] *zn* Brazilië
Brazilian [brə'zɪlɪən] **I** *zn* Braziliaan, Braziliaanse **II** *bnw* Braziliaans
breach [briːtʃ] **I** *zn* ❶ breuk ★ *~ of promise / faith* woordbreuk ★ *~ of the peace* ordeverstoring ❷ bres ★ *step into the ~* te hulp komen ★ *~ of security* gat in de beveiliging ❸ het breken ⟨v. golven⟩, branding **II** *ov ww* bres slaan, verbreken
bread [bred] *zn* ❶ brood ★ *~ and butter* besmeerde boterham, belangrijkste inkomstenbron ★ *make one's ~* zijn brood verdienen ★ *his ~ is buttered on both sides* het gaat hem zeer goed ★ <u>inform</u> *the best thing since sliced ~* de beste uitvinding sinds het wiel ❷ straatt oud poen
bread-and-butter *bnw* essentieel, basis- ★ *~ issue* belangrijke kwestie
breadbasket *zn* ❶ broodmand ❷ straatt maag
breadcrumb ['bredkrʌm] *zn* broodkruimel ★ *~s* paneermeel
breaded ['bredɪd] *bnw* gepaneerd
breadfruit ['bredfruːt] *zn* [mv: **breadfruit**] broodvrucht
breadline ['bredlaɪn] *zn* ★ *on the ~* zeer arm
breadroll ['bredrəʊl] *zn* broodje
breadth [bredθ] *zn* ❶ breedte, breedheid ★ *~ of vision* ruimdenkendheid ❷ baan ⟨v. stof⟩
breadwinner ['bredwɪnə] *zn* kostwinner
break [breɪk] [onregelmatig] **I** *ov ww* ❶ breken, kapotmaken, verbreken ⟨wet, regel⟩ ❷ onderbreken ❸ klein maken ⟨bankbiljet⟩ ❹ ~ **down** afbreken ook scheik , specificeren ❺ ~ **in** inwijden, africhten, inlopen ⟨schoenen⟩ ❻ ~ **off** afbreken, onderbreken, beëindigen ❼ ~ **up** in stukken breken, beëindigen **II** *onov ww* ❶ breken, kapotgaan ❷ ontsnappen ★ *~ free / loose / out from* zich losrukken van ★ *the news broke* het nieuws kwam naar buiten ❸ inbreken ★ *~ing and entering* inbraak ❹ ~ **away** from ontsnappen aan, zich losmaken van ❺ ~ **down** ineenstorten, kapotgaan, uiteenvallen ⟨in delen⟩, instorten ⟨geestelijk⟩, scheik afbreken ★ *~ down in tears* in tranen uitbarsten ★ *the talks broke down* de onderhandelingen mislukten ❻ ~ **for**

br

afstormen op ❼ ~ **in** inbreken, interrumperen ❿ ~ **into** inbreken in, beginnen, losbarsten in, aanspreken (voorraad), kleinmaken (bankbiljet) ★ ~ *into a run* plotseling beginnen te rennen ❿ ~ **off** afbreken, ophouden ⓫ ~ **out** uitbreken (van oorlog, ziekte bv.), ontsnappen ★ ~ *out in spots* onder de vlekjes komen te zitten ★ ~ *out of jail* uit de gevangenis ontsnappen ⓫ ~ **through** dóórbreken, doorbréken ★ ~ *through the wall* door de muur breken ★ ~ *through sb's defences* iemands verdediging doorbreken ⓬ ~ **up** in stukken breken, kapotgaan, eindigen, uit elkaar gaan (relatie), USA schaterlachen ★ *John and I broke up* John en ik zijn uit elkaar gegaan ★ GB *school ~s up* de schoolvakantie begint ⓭ ~ **up with** uitmaken met (relatie) III *zn* ❶ breuk, opening, gat ★ *a clean ~* een radicale breuk ★ inform *make a ~ for it* proberen te ontsnappen ❷ onderbreking, pauze ★ *have / take a ~* even pauzeren ★ inform *give me a ~!* houd toch op!, laat me met rust! ❸ muz intermezzo ❹ korte vakantie ❺ verandering ★ ~ *in the weather* weersomslag ★ ~ *of day / dawn* dageraad ❻ kans ★ *have a lucky ~* geluk hebben ❼ serie (bij biljarten) ❽ servicedoorbraak (bij tennis) ❾ econ plotselinge prijsdaling ▼ ~ *even* quitte spelen

breakable ['breɪkəbl] *bnw* breekbaar
breakage ['breɪkɪdʒ] *zn* ❶ breuk ❷ (vergoeding voor) gebroken waar
breakaway ['breɪkəweɪ] *zn* afscheiding, afgescheiden groep
breakdown ['breɪkdaʊn] *zn* ❶ instorting ★ *mental / nervous ~* zenuwinzinking ❷ defect, storing, (auto)pech ❸ specificatie
breakdown lane *zn* USA vluchtstrook
breakdown truck *zn* GB takelwagen
breaker ['breɪkə] *zn* brandingsgolf, stortzee
breakers ['breɪkəz] *zn mv* branding
break-even *zn* omslagpunt, evenwichtspunt, rentabiliteitsdrempel
breakfast ['brekfəst] I *zn* ❶ ontbijt ★ *have ~* ontbijten ★ *what's for ~?* wat hebben we bij het ontbijt? ★ *continental ~* ontbijt met koffie, broodjes enz. ★ *English ~* ontbijt met bacon, gebakken ei, witte bonen in tomatensaus enz. II *onov ww* ontbijten
break-in *zn* inbraak
breakneck ['breɪknek] *bnw* halsbrekend ★ *at ~ speed* met razende snelheid
breakout ['breɪkaʊt] *zn* ontsnapping, uitbraak
breakthrough ['breɪkθru:] *zn* doorbraak
break time *zn* GB pauze
break-up *zn* ❶ opheffing, opsplitsing ❷ inform scheiding (v. partner)
breakwater ['breɪkwɔ:tə] *zn* golfbreker, havendam
bream [bri:m] *zn* brasem
breast [brest] I *zn* ❶ borst, boezem ★ *make a clean ~ of sth* iets opbiechten ★ *beat one's ~* misbaar maken (in verdriet) ❷ voorkant II *ov ww* form trotseren, doorklieven, bestijgen
breastbone ['brestbəʊn] *zn* borstbeen
breastfeed ['bresti:d] I *onov ww* borstvoeding geven II *ov ww* borstvoeding geven aan

breast pocket *zn* borstzak
breaststroke ['breststrəʊk] *zn* schoolslag
breath [breθ] *zn* ❶ adem ★ *get a ~ of (fresh) air* een luchtje scheppen ★ *fig a ~ of fresh air* een frisse wind ★ *get one's ~ (back / again)* (weer) op adem komen ★ *hold one's ~* zijn adem inhouden ★ iron *don't hold your ~!* ik zou er maar niet op wachten! ★ *save your ~* bespaar je de moeite, houd je mond maar ★ *be short of ~* kortademig zijn ★ *in the same ~* in één adem(teug) ★ *one's dying / last ~* de laatste adem ★ *out of ~* buiten adem ★ *under one's ~* fluisterend ★ *take away one's ~* iem. de adem benemen ★ *the ~ of life* noodzaak ❷ zuchtje, zweempje ★ *a ~ of hope* een sprankje hoop
breathalyse, USA **breathalyze** ['breθəlaɪz] *ov ww* inform ademproef afnemen (alcoholcontrole), laten blazen
breathalyser, USA **breathalyzer** ['breθəlaɪzə] *zn* inform blaaspijpje (voor alcoholcontrole)
breath-catching *bnw* adembenemend
breathe [bri:ð] I *onov ww* ❶ ademen, ademhalen ★ ~ *(easily / freely) again* weer (vrijuit) kunnen ademen ❷ blazen ❸ fluisteren ❹ ~ **in** inademen ❺ ~ **out** uitademen II *ov ww* ❶ (in)ademen ★ ~ *new life into sth* iets nieuw leven inblazen ❷ uitblazen ★ ~ *one's last* de laatste adem(tocht) uitblazen ★ *don't ~ a word* geen woord erover ❸ fluisteren ❹ ~ **in** inademen ❺ ~ **out** uitademen
breather ['bri:ðə] *zn* korte rustpauze ▼ *heavy ~* hijger
breath freshener *zn* ademverfrisser
breathing ['bri:ðɪŋ] *zn* ademhaling
breathing-space ['bri:ðɪŋspeɪs] *zn* adempauze
breathless ['breθləs] *bnw* ❶ ademloos, buiten adem ❷ bladstil
breathtaking ['breθteɪkɪŋ] *bnw* ❶ adembenemend, wonderschoon ❷ schandelijk
breath test *zn* blaastest (alcoholcontrole)
breathy ['breθɪ] *bnw* hijgerig
bred [bred] *ww* [verl. tijd + volt. deelw.] → **breed**
breech [bri:tʃ] *zn* staartstuk (van geweer)
breech birth *zn* stuitbevalling
breech delivery *zn* stuitbevalling
breeches ['brɪtʃɪz] *zn mv* (rij)broek ★ fig *grow / get too big for one's ~* naast zijn schoenen gaan lopen
breed [bri:d] I *zn* ras, soort II *ov ww* [onregelmatig] ❶ kweken, fokken, fig voortbrengen ★ ~ *sth into sb* iem. iets met de paplepel ingeven ❷ opvoeden, grootbrengen ★ *well bred* goed opgevoed III *ov ww* zich voortplanten
breeder ['bri:də] *zn* fokker, kweker
breeder reactor *zn* kweekreactor
breeding ['bri:dɪŋ] *zn* ❶ het fokken, het kweken ❷ opvoeding, manieren
breeding ground *zn* broedplaats, kweekplaats
breeze [bri:z] I *zn* ❶ bries ❷ makkie, simpel karweitje II *onov ww* ❶ met zelfvertrouwen gaan ★ ~ *into the meeting room* de vergaderzaal binnenstuiven ❷ ~ **through** vliegen door
breeze block bouw GB zn B2-blok
breezy ['bri:zɪ] *bnw* ❶ winderig, fris ❷ joviaal

brethren ['breðrən] *zn mv* form → brother

breve [bri:v] *zn* ❶ muz brevis ⟨noot met lengte van twee hele noten⟩ ❷ taalk breve ⟨boogje boven korte klinker, teken ˘⟩

brevity ['brevətɪ] *zn* ❶ kortheid ❷ bondigheid

brew [bru:] **I** *ov ww* ❶ brouwen ⟨bier⟩ ❷ zetten ⟨thee / koffie⟩ ❸ fig broeien op ⟨plan e.d.⟩ ❹ ~ **up** zetten ⟨thee / koffie⟩ **II** *onov ww* ❶ trekken ⟨van thee⟩, doorlopen ⟨van koffie⟩ ❷ fig broeien, op til zijn ★ *sth is brewing* er broeit iets ★ *a storm is brewing* er is storm op komst **III** *zn* ❶ brouwsel, bier ❷ GB pot thee

brewer ['bru:ə] *zn* brouwer

brewery ['bru:ərɪ] *zn* brouwerij

briar ['braɪə], **brier** *zn* ❶ doornstruik, wilde roos ★ *sweet ~* egelantier ❷ boomheide

bribe [braɪb] **I** *zn* steekpenning, omkoopmiddel ★ *take a ~* smeergeld aannemen **II** *ov ww* omkopen

bribery ['braɪbərɪ] *zn* omkoping

brick [brɪk] **I** *zn* ❶ baksteen ★ *Dutch ~* baksteen ★ fig *drop a ~* in 'n mond voorbijpraten, een blunder begaan ★ fig *make ~s without straw* ijzer met handen willen breken ★ *~s and mortar* vastgoed ❷ blok ⟨v. bouwdoos⟩ **II** *bnw* van bakstenen **III** *ov ww* ❶ ~ **in/up** dichtmetselen ❷ ~ **off** ommuren

brickbat ['brɪkbæt] *zn* schimpscheut

bricklayer ['brɪkleɪə] *zn* metselaar

brickwork ['brɪkwɜ:k] *zn* metselwerk

brickworks ['brɪkwɜ:ks] *zn mv* steenbakkerij

bridal ['braɪdl] *bnw* bruids-

bride [braɪd] *zn* bruid ★ *~-to-be* aanstaande bruid

bridegroom ['braɪdgru:m] *zn* bruidegom

bridesmaid ['braɪdzmeɪd] *zn* bruidsmeisje

bridge [brɪdʒ] **I** *zn* ❶ brug ★ *burn your ~s* je schepen achter je verbranden ❷ rug ⟨v. neus⟩ ❸ kam ⟨v. snaarinstrument⟩ ❹ bridge ⟨kaartspel⟩ **II** *ov ww* overbruggen

bridgedrive ['brɪdʒdraɪv] *zn* bridgewedstrijd

bridgehead ['brɪdʒhed] *zn* bruggenhoofd

bridle ['braɪdl] **I** *zn* ❶ toom ❷ hoofdstel en bit ❸ beteugeling **II** *ov ww* beteugelen **III** *onov ww* ❶ gepikeerd / geïrriteerd raken

bridle path *zn* ruiterpad

brief [bri:f] **I** *bnw* kort, bondig ★ *in ~* kortom, in het kort **II** *zn* ❶ GB taakopdracht ★ jur *hold no ~ for sb / sth* iemand / iets niet steunen ★ fig *stick to one's ~* zijn boekje niet te buiten gaan ❷ jur dossier ❸ jur instructie ⟨voor advocaat⟩ ❹ GB inform advocaat ❺ USA kort verslag **III** *ov ww* instrueren

briefcase ['bri:fkeɪs] *zn* aktetas

briefing ['bri:fɪŋ] *zn* ❶ instructie(s) ❷ voorlichting

briefs [bri:fs] *zn mv* slip(je) ⟨v. man / vrouw⟩

brier ['braɪə] *zn* → **briar**

brig [brɪg] *zn* ❶ brik ❷ USA scheepsgevangenis

brigade [brɪ'geɪd] *zn* brigade

brigadier *zn* GB brigadegeneraal van het leger

brigadier general *zn* USA brigadegeneraal van het leger, de luchtmacht of de marine

bright [braɪt] *bnw* ❶ helder, stralend ★ *a ~ spot* lichtpuntje ★ *the ~ lights* het uitgaansleven ★ *look on the ~ side* de dingen van de zonzijde bezien ★ ook iron GB ~ *spark* slimmerik ❷ pienter ★ *as ~ as a button* zo helder als glas,

erg slim ❸ levendig ★ *~ and early* voor dag en dauw ❹ hoopvol ⟨bv. v. toekomst⟩

brighten ['braɪtn] **I** *ov ww* ❶ helder / licht maken ❷ ~ **(up)** opvrolijken ⟨vrolijk maken⟩, opfleuren **II** *onov ww* ❶ helder / licht worden ❷ ~ **(up)** opvrolijken ⟨vrolijk worden⟩, opfleuren

bright-eyed *bnw* met heldere / stralende ogen

brilliance ['brɪlɪəns] *zn* ❶ schittering, glans ❷ virtuositeit

brilliant ['brɪlɪənt] **I** *bnw* briljant, schitterend **II** *zn* briljant

brim [brɪm] **I** *zn* ❶ boord ❷ rand ★ *filled to the brim* tot(aan) de rand gevuld **II** *onov ww* ~ **over with** bruisen / overlopen van

brimful [brɪm'fʊl] *bnw* boordevol

brindle ['brɪndl], **brindled** ['brɪndld] *bnw* bruingeel met strepen ⟨v. dieren⟩

brine [braɪn] *zn* ❶ pekel ❷ het zilte nat ⟨zee⟩

bring [brɪŋ] [onregelmatig] *ov ww* ❶ brengen, binnenbrengen, inbrengen, meebrengen, aanvoeren ❷ indienen ⟨bv. klacht⟩ ❸ ~ **about** veroorzaken, wenden ⟨schip⟩ ❹ ~ **along** meebrengen, stimuleren ⟨in groei / bloei⟩ ❺ ~ **(a)round** meebrengen, bijbrengen ⟨uit bewusteloosheid⟩, overreden ★ *~ the conversation round to sth* het gesprek brengen op iets ❻ ~ **back** terugbrengen, meenemen, in de herinnering terugbrengen, herinvoeren ❼ ~ **down** neerleggen, neerhalen, verlagen, verslaan, doen landen ⟨een vliegtuig⟩ ❽ ~ **forth** opleveren, voortbrengen, baren ❾ ~ **forward** naar voren brengen, admin transporteren, vervroegen ❿ ~ **in** binnenhalen / -brengen, inbrengen, erbij halen, introduceren, indienen ⟨wetsontwerp⟩ ★ jur *~ in a verdict* uitspraak doen ⓫ ~ **on** veroorzaken ★ *you brought it on yourself* je hebt het jezelf op de hals gehaald ★ inform *~ it on!* kom maar op! ⓬ ~ **out** naar buiten brengen, tot uiting laten komen, uitbrengen, in de handel brengen ★ *~ sb out of himself* iem. helpen zich te ontplooien ⓭ ~ **over** laten (over)komen ⓮ ~ **through** er doorheen slepen ⓯ ~ **to** brengen tot, bijbrengen ⟨uit bewusteloosheid⟩ ⓰ ~ **under** brengen onder, onderdrukken ⓱ ~ **up** naar voren brengen, jur voorleiden, opvoeden, opgeven ⟨slijm, braaksel⟩ ▼ *you will ~ it off* jij komt er wel

brink [brɪŋk] *zn* rand

briny ['braɪnɪ] **I** *zn* inform zee **II** *bnw* zilt

brio ['bri:əʊ] *zn* levendigheid, vuur

brisk [brɪsk] **I** *bnw* ❶ levendig, kwiek ❷ fris, verkwikkend **II** *onov ww* ~ **(up)** levendig worden, opfleuren

brisket ['brɪskɪt] *zn* borststuk ⟨van rundvlees⟩

bristle ['brɪsl] **I** *zn* ❶ stoppel ❷ borstelhaar ★ *a brush with long ~s* een kwast met lange haren **II** *onov ww* ❶ nijdig worden ★ *it made him ~ with rage* het maakte hem woedend ❷ overeind gaan staan ⟨v. haar⟩ ❸ ~ **with** vol zitten met, wemelen van

bristly ['brɪslɪ] *bnw* ❶ borstelig ❷ stoppelig

Britain ['brɪtn] *zn* Brittannië

Britannic [brɪ'tænɪk] *bnw*, oud form Brits

British **I** *bnw* Brits ★ *the ~ Empire* het Britse Rijk **II** *zn mv* Britten

br

Britisher ['brɪtɪʃə] zn, USA inform Brit
Briton ['brɪtn] zn Brit, Britse
Brittany ['brɪtənɪ] zn Bretagne
brittle ['brɪtl] bnw ❶ bros, broos ❷ kil ⟨van lach bv.⟩
broach [brəʊtʃ] I zn ❶ braadspit ❷ boorstift II ov ww ❶ aanbreken ⟨bv. fles⟩ ❷ aansnijden ⟨onderwerp⟩
broad [brɔːd] I bnw ❶ breed, wijd, uitgestrekt ⟨v. gebied⟩ ★ GB it's as ~ as it's long 't is zo lang als het breed is, 't maakt niet uit ❷ algemeen, ruim ★ a ~ outline een ruwe samenvatting ★ ~ly (speaking) in het algemeen gesproken ❸ (over)duidelijk ⟨v. hint bv.⟩ ❹ vrijzinnig ⟨v. opvatting⟩ ❺ plat ⟨van taalgebruik, humor⟩ II zn, USA min meid
broadband ['brɔːdbænd] zn comm breedband
broad-based bnw breed ⟨v. draagvlak bv.⟩
broad-brush ['brɔːdbrʌʃ] bnw globaal
broadcast ['brɔːdkɑːst] I ov ww [onregelmatig] ❶ uitzenden ⟨radio / tv⟩ ❷ omroepen, rondbazuinen ❸ breedwerpig zaaien II onov ww uitzenden III zn uitzending ⟨radio / tv⟩ IV bnw ❶ uitgezonden ⟨radio / tv⟩ ❷ breedwerpig gezaaid
broaden ['brɔːdn] I ov ww ❶ breder maken ★ travel ~s the mind door reizen verruimt men de blik ❷ ~ out verbreden II onov ww ❶ breder worden ❷ ~ out breder worden
broad-minded [brɔːd'maɪndɪd] bnw ruimdenkend
broadsheet ['brɔːdʃiːt] zn ❶ kwaliteitskrant, krant (groot formaat) ❷ aan één kant bedrukt groot blad papier
brocade [brə'keɪd] zn brokaat
brochure ['brəʊʃə] zn brochure
brogue [brəʊɡ] zn ❶ accent ⟨vnl. Iers / Schots⟩ ❷ gaatjesschoen
broil [brɔɪl] USA I ov ww ❶ grilleren, op rooster braden ❷ verhitten ★ ~ing day snikhete dag II onov ww liggen bakken ⟨in de zon⟩
broiler ['brɔɪlə] USA zn ❶ braadkip, braadkuiken ❷ grill, grillpan ❸ braadrooster ❹ snikhete dag
broke [brəʊk] I zn platzak, bankroet ★ be flat ~ volkomen platzak zijn ★ inform go for ~ alles op één kaart zetten II ov ww [o.v.t.] → break
broken ['brəʊkən] I bnw ❶ gebroken, kapot, onderbroken ★ speak in ~ Dutch gebrekkig Nederlands praten ★ ~ home éénoudergezin ★ ~ marriage stukgelopen huwelijk ❷ oneffen ⟨terrein⟩ II ww [volt. deelw.] → break
broken-down bnw ❶ vervallen, kapot ❷ uitgeput, op
broken-hearted bnw geslagen, gebroken ⟨van verdriet⟩
broken-winded bnw dampig ⟨v. paard⟩
broker ['brəʊkə] zn ❶ (effecten)makelaar ❷ pandjesbaas
brokerage ['brəʊkərɪdʒ] zn ❶ makelaardij ❷ econ courtage
bromide ['brəʊmaɪd] zn ❶ scheik bromide ❷ gemeenplaats, banaliteit
bromine ['brəʊmiːn] zn scheik broom
bronchial ['brɒŋkɪəl] bnw bronchiaal, bronchiën-
bronchitis [brɒŋ'kaɪtɪs] zn bronchitis
bronze [brɒnz] I zn ❶ brons ❷ kunstwerk in

brons ❸ bronskleur ❹ derde prijs II bnw ❶ bronzen ❷ bronskleurig III ov ww ❶ bronzen ❷ bruinen
brooch [brəʊtʃ] zn broche
brood [bruːd] I zn ❶ broedsel ❷ humor gebroed II onov ww ❶ broeden ❷ ~ on/over tobben over
broodmare ['bruːdmeə] zn fokmerrie
broody ['bruːdɪ] bnw ❶ broeds ❷ bedrukt, somber
brook [brʊk] I zn beek II ov ww dulden ★ ~ no nonsense geen flauwekul dulden
brooklet ['brʊklət] zn beekje
broom [bruːm] I zn ❶ bezem ★ a new ~ sweeps clean nieuwe bezems vegen schoon ❷ brem II ov ww bezemen
broomstick ['bruːmstɪk] zn bezemsteel ★ marry over the ~ ongehuwd samenwonen
Bros, Bros. afk, Brothers gebr., gebroeders
broth [brɒθ] zn bouillon ★ Scotch ~ Schotse maaltijdsoep
brothel ['brɒθəl] zn bordeel
brother ['brʌðə] zn ❶ broer, rel broeder ★ big ~ instantie / autoriteit die teveel macht uitoefent ❷ collega ❸ makker
brotherhood ['brʌðəhʊd] zn broederschap
brother-in-law ['brʌðərɪnlɔː] zn zwager
brotherly ['brʌðəlɪ] bnw broederlijk
brought [brɔːt] ww [verl. tijd + volt. deelw.] → bring
brow [braʊ] zn ❶ voorhoofd ❷ wenkbrauw ★ knit one's brows het voorhoofd fronsen ❸ top ⟨van heuvel⟩ ❹ uitstekende rand ❺ scheepv loopplank
browbeat ['braʊbiːt] ov ww intimideren
brown [braʊn] I bnw ❶ bruin ★ GB as ~ as a berry zeer bruin ▼ in a ~ study in gepeins verzonken II zn bruin III ov ww bruin maken, bruineren ▼ GB inform ~ed off het spuugzat zijn IV onov ww bruin worden
brownie ['braʊnɪ] zn ❶ goede elf / kabouter ❷ kabouter ⟨padvindster (tussen 7-11 jaar)⟩ ❸ chocoladecakeje
brown-nose ov ww, inform min slijmen tegen, kontlikken
brownstone ['braʊnstəʊn] zn ❶ roodbruine zandsteen ❷ (voornaam) huis van roodbruine zandsteen
browse [braʊz] I onov ww ❶ naar informatie zoeken, bladeren, comp browsen, rondneuzen, grasduinen ★ ~ through the magazine het tijdschrift doorbladeren ❷ (af)grazen II ov ww ❶ rondneuzen in ❷ browsen (op) ⟨het web⟩ III zn ❶ het rondneuzen ❷ twijgen, scheuten ⟨voedsel voor dieren⟩
browser ['braʊzə] zn ❶ comp browser ❷ snuffelaar ⟨in winkel⟩
BRS afk, British Road Services Britse Wegenwacht
bruise [bruːz] I zn blauwe plek, (gekneusd) plekje ⟨op fruit⟩ II ov ww ❶ fijnstampen ❷ kneuzen ❸ kwetsen
bruiser ['bruːzə] zn inform rouwdouwer
bruising ['bruːzɪŋ] bnw uitputtend
brunch [brʌntʃ] zn brunch ⟨ontbijt en lunch ineen⟩
brunt [brʌnt] zn piek, grootste klap ⟨v. schok /

aanval⟩ ★ *bear / take the ~* het het hardst te verduren hebben

brush [brʌʃ] **I** *zn* ❶ borstel ★ *give a ~* lichtjes afborstelen ★ *as daft as a ~* zo gek als een deur ❷ kwast, penseel ★ *with a broad ~* in grote lijnen ❸ veeg ❹ confrontatie, onaangename ontmoeting ❺ plantk kreupelbos ❻ biol vossenstaart **II** *ov ww* ❶ borstelen, vegen ★ *~ your teeth* poets je tanden ❷ bestrijken ❸ fig *~ aside* opzij schuiven, negeren ❹ *~ down* afborstelen, fig de mantel uitvegen ❺ *~ off* afborstelen, fig de bons geven, afschepen ❻ *~ up* opfrissen ⟨van kennis⟩ **III** *onov ww* ❶ licht aanraken ❷ *~ past* licht aanraken in het voorbijgaan

brush-off *zn* afscheping ★ inform *give sb the ~* iem. bot afwijzen

brush stroke *zn* penseelstreek

brushwood ['brʌʃwʊd] *zn* ❶ kreupelhout ❷ sprokkelhout

brusque [brʊsk] *bnw* bruusk, kortaf

brusqueness ['brʊsknəs] *zn* bruuskheid

Brussels sprout *zn* spruit

brutal ['bru:tl] *bnw* ❶ wreed, beestachtig ❷ grof

brutality [bru:'tælətɪ] *zn* wreedheid, beestachtigheid

brutalize, brutalise ['bru:təlaɪz] *ov ww* ❶ onmenselijk behandelen ❷ verwilderen, verdierlijken

brute [bru:t] **I** *zn* ❶ bruut ❷ beest **II** *bnw* ❶ wreed ★ *~ force / strength* brute kracht ❷ redeloos

brutish ['bru:tɪʃ] *bnw* dierlijk, liederlijk

BS *afk* ❶ *British Standard* Britse Standaard ⟨normalisatie-instituut⟩ ❷ plat *bullshit* onzin, rotzooi ❸ → **BSc**

BSc *afk, onderw Bachelor of Science*≈ bachelor in de exacte wetenschappen

BSE [bi:esi:] *afk, bovine spongiform encephalopathy* BSE, gekkekoeienziekte

BST *afk, British Summer Time* Britse zomertijd

btw *afk, by the way* trouwens

bubble ['bʌbl] **I** *zn* ❶ (lucht)bel ❷ ook fig zeepbel ★ *the ~ burst* de zeepbel spatte uiteen, men kwam bedrogen uit ★ *burst sb's ~* iemands hoop de bodem in slaan **II** *onov ww* ❶ borrelen, bruisen ❷ *~ over with* overlopen van ★ *~ over with excitement* zijn mond niet kunnen houden van opwinding ❸ *~ up* opborrelen

bubble bath *zn* ❶ badschuim ❷ schuimbad

bubblegum ['bʌblgʌm] *zn* klapkauwgom

bubbly ['bʌblɪ] **I** *zn* inform champagne **II** *bnw* ❶ bruisend, sprankelend ❷ goedgemutst

bubonic [bju:'bɒnɪk] *bnw* ★ *~ plague* builenpest

buccaneer [bʌkə'nɪə] **I** *zn* ❶ boekanier ❷ gladde zakenman **II** *onov ww* zeeroverij plegen

buck [bʌk] **I** *zn* ❶ USA Aus dollar ★ *big bucks* een boel geld, goeie handel ★ inform *make a fast / quick buck* snel geld verdienen ❷ bok, ram, rammelaar ⟨mannetjesdieren⟩ ▼ *pass the buck* verantwoordelijkheid op iem. anders afschuiven ▼ *the buck stops here* de uiteindelijke verantwoordelijkheid ligt bij mij **II** *ov ww* ❶ afwerpen ❷ inform tegenwerken, zich verzetten tegen ★ *buck the trend* tegen de trend ingaan ❸ inform *~ up* moed inspreken / geven ▼ GB inform *buck your ideas up* ga eens aan de

slag **III** *onov ww* ❶ bokken ❷ *~ up* moed houden

bucket ['bʌkɪt] **I** *zn* emmer ★ inform *~s* [mv] grote hoeveelheden ★ *she cried ~s* ze huilde tranen met tuiten ★ euf *kick the ~* het hoekje omgaan ⟨sterven⟩ **II** *onov ww* inform *~ down* met bakken naar beneden komen ⟨v. regen⟩

bucketful ['bʌkɪtfʊl] *zn* emmer (vol)

bucket seat *zn* kuipstoel ⟨in auto / vliegtuig⟩

bucket shop *zn* ❶ kantoor voor beursspeculanten ❷ inform GB reisbureau voor goedkope vliegtickets

buckle ['bʌkl] **I** *onov ww* ❶ kromtrekken, verbuigen ★ *my knees ~d* mijn knieën knikten ❷ wankelen ❸ in elkaar zakken ❹ *~ down to* zich storten op ❺ USA *~ up* (veiligheids)riem omdoen **II** *ov ww* ❶ (vast)gespen ❷ kromtrekken, verbuigen **III** *zn* gesp, gordel

buckram ['bʌkrəm] **I** *zn* ❶ buckram, grof, stijf linnen ❷ stijfheid **II** *bnw* stijf

buckshot ['bʌkʃɒt] *zn* grove hagel

buckskin ['bʌkskɪn] *zn* ❶ hertenleer ❷ geitenleer

buck teeth [bʌk'tu:θ] *zn* vooruitstekende boventanden

buckwheat ['bʌkwi:t] *zn* boekweit

bucolic [bju:'kɒlɪk] *bnw* ❶ landelijk ❷ pastoraal

bud [bʌd] **I** *zn* ❶ knop ❷ kiem ★ *nip in the bud* in de kiem smoren ❸ USA inform *buddy* maat **II** *onov ww* ❶ uitbotten ❷ ontluiken ❸ zich ontwikkelen **III** *ov ww* oculeren, enten

Buddhism ['bʊdɪzəm] *zn* boeddhisme

Buddhist ['bʊdɪst] **I** *zn* boeddhist **II** *bnw* boeddhistisch

budding ['bʌdɪŋ] *bnw* aankomend, ontluikend ★ *a ~ artist* een aankomend kunstenaar

buddy ['bʌdɪ] **I** *zn* ❶ maat, kameraad ❷ partner ❸ buddy ⟨v. aidspatiënt⟩ **II** *onov ww* USA *~ up* goede maatjes worden

budge [bʌdʒ] *onov ww* zich verroeren ★ *don't ~* geef niet toe ★ GB inform *~ up a bit!* schuif eens wat op!

budgerigar ['bʌdʒərɪgɑ:] *zn* grasparkiet

budget ['bʌdʒɪt] **I** *zn* budget, begroting **II** *onov ww ~ for* een begroting maken voor, geld uittrekken voor **III** *ov ww ~ for* reserveren voor

budgetary ['bʌdʒɪtrɪ] *bnw* budgettair

budgie ['bʌdʒɪ] *zn* inform → **budgerigar**

buff [bʌf] **I** *zn* ❶ bruingeel ❷ bruingeel leer ❸ expert, liefhebber ▼ *in the buff* naakt ▼ *blind man's buff* blindemannetje **II** *bnw* bruingeel **III** *ov ww* polijsten

buffalo ['bʌfələʊ] *zn* ❶ bizon ❷ buffel

buffer ['bʌfə] **I** *zn* buffer **II** *ov ww* ❶ een buffer zijn voor ❷ comp in het buffergeheugen opslaan

buffet[1] ['bʌfɪt] **I** *zn* klap ⟨hand / vuist⟩ **II** *ov ww* ❶ worstelen ❷ slaan, stompen ★ *a ~ing wind* harde windstoten ★ *~ed by war* door oorlog geteisterd

buffet[2] ['bʊfeɪ] *zn* ❶ (lopend) buffet ❷ restauratie(wagon) ❸ buffet(kast)

bug [bʌg] **I** *ov ww* ❶ afluisteren ❷ lastigvallen, dwars zitten ❸ irriteren **II** *onov ww* USA *~ out* uitpuilen ▼ USA *bug off* lazer op **III** *zn* ❶ ziektekiem, bacil, ook fig virus ★ *be bitten by the (travel) bug* enthousiast worden ⟨voor reizen⟩

bu

❷ inform insect ❸ wandluis ❹ inform verborgen microfoon ❺ comp storing ❻ obsessie

bugaboo ['bʌgəbu:] zn ❶ spook(beeld), schrikbeeld ❷ oorzaak van overlast

bugbear ['bʌgbeə] zn ❶ spook(beeld), schrikbeeld ❷ oorzaak van overlast

bug-eyed bijw ❶ met uitpuilende ogen ❷ USA opgewonden

bugger ['bʌgə] GB straatt I ov ww ❶ ★ ~ it! verdomme! ❷ kapot maken ❸ ~ about/ around sollen met ❹ ~ up verpesten II onov ww ❶ ★ ~ off! donder op! ❷ ~ about/around donderjagen, rondklooien ❸ ~ off opdonderen, wegwezen III zn ❶ min klootzak ★ inform poor ~ arme drommel ★ inform tough ~ taaie rakker ❷ rotding ▼ ~ all geen sodemieter ⟨niets⟩ IV tw verdomme ⟨bij (onaangename) verrassing⟩

buggered ['bʌgəd] GB straatt bnw ❶ naar de kloten ❷ afgepeigerd ▼ I'll be ~! verdomme! ⟨verrast⟩ ▼ I'm ~ if I know ik heb Godverdomme geen idee

buggery ['bʌgərɪ] zn anaal geslachtsverkeer

buggy ['bʌgɪ] zn ❶ sportieve open auto ❷ GB wandelwagen ⟨kind⟩ ❸ licht rijtuigje

bugle ['bju:gl] zn ❶ signaalhoorn ❷ plantk zenegroen

bugle call zn hoornsignaal

bugler ['bju:glə] zn hoornblazer

build [bɪld] [onregelmatig] I ov ww ❶ bouwen ★ ~ a reputation een reputatie opbouwen ★ Rome was not built in a day Keulen en Aken zijn niet op één dag gebouwd ⟨gezegde⟩ ❷ samenstellen ❸ ontwikkelen ❹ ~ in inbouwen, opnemen in ❺ ~ on aan- / bijbouwen, baseren op ❻ ~ onto aanbouwen aan ❼ ~ up opbouwen, ontwikkelen, sterk(er) maken, ophemelen / prijzen ★ ~ up hopes verwachtingen wekken II onov ww ❶ bouwen ❷ groter / meer worden ★ tension is ~ing de spanning stijgt ❸ ~ on verder ontwikkelen, vertrouwen op ❹ ~ up groter / meer worden ❺ ~ up to zich voorbereiden op ❻ ~ (lichaams)bouw

builder ['bɪldə] zn ❶ bouwer ❷ aannemer

building ['bɪldɪŋ] zn gebouw

building block zn ook fig bouwsteen

building line zn rooilijn

building site zn bouwterrein, perceel

building society zn bouwfonds, hypotheekbank

build-up ['bɪldʌp] zn ❶ toename ❷ publiciteit, campagne ❸ opbouw, ontwikkeling ★ the ~ to the concert de voorbereidingstijd voor het concert

built [bɪlt] ww [verl. tijd + volt. deelw.] → build

built-in bnw ingebouwd

built-up bnw ★ ~ area bebouwde kom

bulb [bʌlb] I zn ❶ knol, (bloem)bol ❷ gloeilamp II onov ww bolvormig opzwellen

bulbous ['bʌlbəs] bnw ❶ bolvormig ❷ uitpuilend ⟨van ogen⟩ ★ ~ nose dikke ronde neus

Bulgarian [bʌl'geərɪən] I zn Bulgaar, Bulgaarse II bnw Bulgaars

bulge [bʌldʒ] I zn ❶ bobbel, bolling ❷ inform vetlaag ❸ piek, golf II onov ww uitpuilen

bulgy ['bʌldʒɪ] bnw ❶ uitpuilend ❷ opgezwollen ★ his bulging muscles zijn spierballen

bulk [bʌlk] I zn ❶ grote partij ❷ het grootste deel ❸ lading ❹ massa, omvang ★ load in bulk met stortgoederen laden II bnw in grote hoeveelheden ★ bulk buying inkoop in het groot III ov ww ~ up/out uitbreiden, dikker / groter maken IV onov ww ★ bulk large van groot belang / grote omvang lijken

bulk cargo zn lading stortgoederen

bulk goods zn mv bulkgoederen

bulky ['bʌlkɪ] bnw omvangrijk

bull [bʊl] I zn ❶ stier ⟨ook van olifant, walvis⟩ ★ a bull of a man grote, sterke, agressieve kerel ★ like a bull in a china shop als een olifant in een porseleinkast ★ fig take the bull by the horns de stier bij de horens vatten ❷ econ haussier ❸ pauselijke bul ❹ inform bullshit onzin ★ a load of bull gezeik ★ shoot the bull onzin vertellen ❺ inform blunder ★ Irish bull lachwekkende ongerijmdheid ❻ USA smeris II ov ww ★ bull the market de markt opdrijven III onov ww à la hausse speculeren

bulldog ['bʊldɒg] zn buldog

bulldog clip zn GB papierklem

bulldoze ['bʊldəʊz] ov ww ook fig platwalsen ★ he ~d her into selling hij dwong haar tot verkoop

bulldozer ['bʊldəʊzə] zn bulldozer

bullet ['bʊlɪt] zn ❶ kogel ⟨uit geweer⟩ ★ take a ~ geraakt worden door een kogel ★ inform bite the ~ de tanden op elkaar zetten ★ magic ~ wondermiddel ❷ drukk bullet ⟨opsommingsteken⟩

bulletin ['bʊlətɪn] zn bulletin

bulletin board zn ❶ comp bulletinboard ❷ USA mededelingenbord

bulletproof ['bʊlɪtpru:f] bnw kogelvrij

bullfight ['bʊlfaɪt] zn stierengevecht

bullfighter ['bʊlfaɪtə] zn stierenvechter

bullfinch ['bʊlfɪntʃ] zn goudvink

bullfrog ['bʊlfrɒg] zn (brul)kikvors

bullhead ['bʊlhed] zn stommerik

bull-headed [bʊl'hedɪd] bnw koppig

bullion ['bʊlɪən] zn ongemunt goud / zilver

bullish ['bʊlɪʃ] bnw ❶ stier-, stieren- ❷ optimistisch, stijgend ⟨van effectenbeurs⟩

bullock ['bʊlək] zn os

bullring ['bʊlrɪŋ] zn arena voor stierengevechten

bull session zn, USA inform groepsdiscussie

bull's-eye ['bʊlzaɪ] zn ❶ roos ⟨v. schietschijf⟩ ❷ ook fig schot in de roos

bullshit ['bʊlʃɪt] zn inform gelul, gezeik

bully ['bʊlɪ] I zn ❶ pestkop, kwelgeest ❷ bullebak, tiran ★ bully ⟨bij hockey⟩ II bnw uitstekend ★ iron ~ for you! wat knap van je! III ov ww ❶ pesten ❷ tiranniseren, koeioneren

bully boy zn, inform GB zware jongen

bulrush ['bʊlrʌʃ] zn lisdodde

bulwark ['bʊlwək] zn ❶ bolwerk, verschansing ⟨ook van schip⟩ ★ ~ of freedom bastion van de vrijheid ❷ golfbreker

bum [bʌm] inform I zn ❶ GB achterste ★ bums on seats het aantal bezoekers ❷ USA zwerver, nietsnut II bnw waardeloos ★ a bum deal een waardeloze overeenkomst III ov ww bedelen, bietsen IV onov ww ❶ rondzwerven ❷ ~ about/around nutteloos rondhangen

bu

bumbag ['bʌmbæg] *zn* GB heuptasje
bumble ['bʌmbl] *onov ww* ❶ zoemen
❷ mompelen ❸ aanrommelen, stuntelen
bumblebee ['bʌmblbiː] *zn* hommel
bumf [bʌmf] GB *zn* ❶ min paperassen,
papierrommel ❷ straatt pleepapier
bummer ['bʌmə] **I** *zn* tegenslag, vervelend iets
II *tw* klote!
bump [bʌmp] **I** *zn* ❶ bons ★ *fig back to earth with
a bump* met een klap terug op aarde ❷ botsing
❸ buil ❹ hobbel **II** *ov ww* ❶ bonzen tegen
❷ botsen tegen ❸ stoten ❹ inform verplaatsen
★ *be bumped from the flight* niet mee kunnen
vliegen ⟨door het overboeken⟩ ❺ USA afzetten,
ontslaan ❻ inform ~ **off** vermoorden ❼ inform
~ **up** verhogen, opkrikken ⟨prijs⟩ ★ *be bumped
up to* bevorderd worden tot **III** *onov ww*
❶ hobbelen ❷ inform ~ **into** bij toeval
ontmoeten, botsen tegen ❸ ~ **up against**
tegen het lijf lopen **IV** *bijw* ★ humor *things that
go bump in the night* enge geluiden in het
donker
bumper ['bʌmpə] **I** *zn* ❶ bumper ★ ~ *to* ~ bumper
aan bumper ❷ buffer ⟨van spoorwagen⟩ ❸ vol
glas **II** *bnw* zeer groot ★ *a* ~ *crop* een
recordoogst
bumper car *zn* USA botsautootje
bumph *zn* → **bumf**
bumpkin ['bʌmpkɪn] *zn* ★ *(country)* ~
boerenpummel / -kinkel
bumptious ['bʌmpʃəs] *bnw* verwaand
bumpy ['bʌmpɪ] *bnw* bultig, hobbelig ★ fig *give
sb a* ~ *ride* het iem. moeilijk maken
bun [bʌn] *zn* ❶ broodje ★ iron *have a bun in the
oven* in verwachting zijn ❷ haarwrong
❸ inform [mv] ★ *buns* billen
bunch [bʌntʃ] **I** *zn* ❶ bos ★ GB *in* ~*es* in twee
staartjes ⟨haardracht⟩ ❷ tros ❸ troep, stel ★ *the
best of a bad* ~ de minst kwade v.h. stel ★ iron
thanks a ~ nou, bedankt hoor **II** *ov ww*
❶ samenbinden ❷ verfrommelen **III** *onov ww*
❶ een bos / groep vormen ❷ ~ **together/up**
samenklitten ⟨v. mensen⟩
bundle ['bʌndl] **I** *zn* ❶ bundel, bos, pak ★ *a* ~ *of
fun / laughs* iem. die een hoop lol / plezier
heeft, lachebekje ★ *a* ~ *of joy* een baby, iron een
bron van vreugde ★ *a* ~ *of nerves* een
zenuwpees ★ GB inform *go a* ~ *on sth*
enthousiast worden over iets ❷ inform hoop
geld **II** *ov ww* ❶ bundelen, samenvoegen
❷ proppen, wegwerken ⟨persoon⟩ ❸ ~ **off**
wegsturen ❹ ~ **up** bundelen, warm aankleden
III *onov ww* ❶ zich haasten ⟨als groep⟩ ❷ ~ **up**
zich warm aankleden
bung [bʌŋ] **I** *zn* ❶ stop ❷ inform GB smeergeld
II *ov ww* ❶ verstoppen ★ *his nose is bunged up*
zijn neus is verstopt ❷ GB inform smijten,
dichtgooien ★ *just bung a pizza in the oven* gooi
maar een pizza in de oven ❸ ~ **up** dichtgooien
bungee jumping *zn* het bungeejumpen
bungle ['bʌŋgl] **I** *zn* prutswerk **II** *ov ww*
(ver)prutsen
bungler ['bʌŋglə] *zn* prutser
bunion ['bʌnjən] *zn* eeltknobbel ⟨op grote teen⟩
bunk [bʌŋk] **I** *zn* ❶ kooi, couchette ❷ ⟨stapel⟩bed
▼ GB inform *do a bunk* er tussenuit knijpen

II *onov ww* ❶ naar bed gaan, slapen ❷ GB
inform ~ **off** er tussenuit knijpen, spijbelen
bunk bed *zn* stapelbed
bunker ['bʌŋkə] **I** *zn* ❶ kolenruim ❷ mil sport
bunker **II** *ov ww* ❶ van brandstof voorzien
❷ sport in een bunker slaan
bunny ['bʌnɪ] *zn* konijntje ★ GB *a happy* ~ innig
tevreden mens
bunting ['bʌntɪŋ] *zn* ❶ gors ⟨vogel⟩ ❷ gekleurde
vlaggetjes / vaantjes
buoy [bɔɪ] **I** *zn* ton, boei **II** *ov ww* ❶ ⟨rugge⟩steun
geven ❷ ~ **up** drijvende houden, aanmoedigen
buoyancy ['bɔɪənsɪ] *zn* ❶ drijfvermogen
❷ opgewektheid, levendigheid ❸ veerkracht
buoyant ['bɔɪənt] *bnw* ❶ drijvend ❷ opgewekt,
vrolijk ★ *a* ~ *economy* een gezonde economie
burble ['bɜːbl] *onov ww* ❶ snateren, kwebbelen
❷ borrelen, kabbelen
burden ['bɜːdn] **I** *zn* ❶ last, taak, verplichting
★ jur ~ *of proof* bewijslast ❷ vracht ❸ tonnage
❹ refrein ❺ hoofdthema **II** *ov ww* ❶ belasten
❷ drukken
burdensome ['bɜːdnsəm] form *bnw* ❶ drukkend
❷ loodzwaar
burdock ['bɜːdɒk] *zn* plantk klis
bureau ['bjʊərəʊ] *zn* ❶ kantoor, dienst ❷ GB
schrijfbureau ❸ USA ladenkast
bureaucracy [bjʊə'rɒkrəsɪ] *zn* bureaucratie
bureaucrat ['bjʊərəkræt] *zn* bureaucraat
bureaucratic [bjʊərə'krætɪk] *bnw* bureaucratisch
burgeon ['bɜːdʒən] **I** *zn* knop **II** *onov ww* ❶ snel
groeien ❷ uitbotten
burger ['bɜːgə] *zn* ⟨ham⟩burger
burgess ['bɜːdʒɪs] *zn* burger
burglar ['bɜːglə] *zn* inbreker
burglar alarm *zn* alarminstallatie, inbraakalarm
burglar-proof ['bɜːgləpruːf] *zn* inbraakvrij
burglary ['bɜːglərɪ] *zn* inbraak
burgle ['bɜːgl] *ov ww* GB inbreken bij / in
burial ['berɪəl] *zn* begrafenis
burial grounds *zn* begraafplaats
burial service *zn* uitvaartplechtigheid / -dienst
burlap ['bɜːlæp] *zn* jute
burlesque [bɜː'lesk] **I** *zn* ❶ parodie ❷ USA revue,
variété **II** *bnw* burlesk, boertig, plat **III** *ov ww*
parodiëren
burly ['bɜːlɪ] *bnw* zwaar, stevig
burn [bɜːn] [regelmatig + onregelmatig] **I** *ov ww*
❶ ⟨ver⟩branden ★ *burnt offering* brandoffer, iron
aangebrand eten ❷ verstoken ❸ verteren
❹ ~ **away** wegbranden ❺ ~ **down** tot de
grond toe verbranden ❻ ~ **up** geheel
verbranden **II** *onov ww* ❶ ⟨ver⟩branden ★ *you
are burning!* je bent warm! ⟨bij raad- /
zoekspelletje⟩ ★ *be burning to...* branden van
verlangen om te... ❷ aanbranden ❸ ~ **down**
tot de grond toe verbranden, doven ❹ ~ **out**
uitbranden, opbranden ❺ ~ **up** geheel
verbranden, opvlammen, hoge koorts hebben
III *zn* ❶ brandwond ❷ beekje ⟨Schots⟩
burned [bɜːnd] *ww* [verleden tijd + volt. deelw.] →
burn
burner ['bɜːnə] *zn* pit ⟨van fornuis⟩, brander ★ fig
on the back ~ op een laag pitje
burning ['bɜːnɪŋ] *bnw* gloeiend, vurig ★ ~ *hot*
gloeiend heet ★ *a* ~ *issue / problem* een urgent /

bu

cruciaal probleem

burnish ['bɜːnɪʃ] *ov ww* polijsten, doen glanzen ★ *~ed brass / copper* gepolijst / gepoetst koper ★ *~ your reputation* je reputatie versterken

burnout ['bɜːnaʊt] *zn* ❶ burn-out (inzinking) ❷ het uitgebrand / doorgebrand zijn

burnt [bɜːnt] *ww* [verl. tijd + volt. deelw.] → **burn**

burp [bɜːp] I *onov ww* boeren, een boer laten II *ov ww* een boertje laten doen ⟨baby⟩ III *zn* boer

burqa ['bɜːkə], **burka** *zn* boerka

burr [bɜː] *zn* ❶ taalk brouw-r, keel-r ❷ brom ❸ plantk ook fig klit ❹ braam ⟨in metaal⟩

burrow ['bʌrəʊ] I *zn* hol, tunnel II *onov ww* ❶ een hol maken ❷ wroeten, zoeken ❸ fig zich begraven ❹ *ov ww* graven ❷ fig nestelen

bursar ['bɜːsə] *zn* ❶ thesaurier ⟨v. universiteit⟩ ❷ beursstudent

bursary ['bɜːsərɪ] *zn* ❶ thesaurie ❷ studiebeurs

burst [bɜːst] [onregelmatig] I *onov ww* ❶ (door-/open)breken ★ *the river ~ its banks* de rivier is buiten haar oevers getreden ⟨een pand enz.⟩ ★ *sb's bubble* iemands hoop de bodem in slaan ★ *~ing at the seams with...* barstensvol... ❷ ~ **upon** doordringen tot ★ *the truth ~ upon us* plotseling drong de waarheid tot ons door II *ov ww* ❶ barsten, (door)breken, (open)springen ★ *be ~ing to do sth* popelen om iets te doen ★ *the door ~ open* de deur vloog open ❷ ~ **in on/upon** (ruw) onderbreken ❸ ~ **into** uitbarsten in, binnenvallen / -stormen ⟨een pand enz.⟩ ★ *~ into tears / laughter / song* uitbarsten in tranen / gelach / gezang ★ *~ into blossom* in bloei schieten ★ *~ into flames* in brand vliegen ★ *~ into sight / view* opduiken, tevoorschijn komen ❹ ~ **out** uitbarsten, uitbreken, naar buiten dringen ❺ ~ **with** barsten van ★ *~ with health* blaken van gezondheid ★ *~ with joy* dolgelukkig zijn ★ *~ with pride* apetrots zijn III *zn* ❶ barst, scheur ❷ vlaag ❸ opwelling ▼ *~ of fire* salvo

bury ['berɪ] *ov ww* ❶ begraven ❷ verbergen ★ *bury your differences* je geschillen bijleggen

bus [bʌs] I *zn* [mv: **buses**, USA **busses**] ❶ bus ★ *take / catch the bus* de bus nemen ❷ inform kist ⟨vliegtuig⟩ ❸ inform wagen ⟨auto⟩ II *onov ww* met de bus gaan III *ov ww* per bus vervoeren

busboy ['bʌsbɔɪ] *zn* USA hulpkelner

busby ['bʌzbɪ] *zn* berenmuts

bush [bʊʃ] *zn* ❶ struik ★ *beat about the bush* om de hete brei heen draaien ❷ haarbos ❸ oerwoud, rimboe

bushed [bʊʃt] *bnw* inform bekaf

bushel ['bʊʃəl] *zn* schepel ★ inform USA *~s* [mv] massa's, stapels

Bushman ['bʊʃmən] *zn* Bosjesman

bush-ranger *zn* AUS struikrover

bushy ['bʊʃɪ] *bnw* ❶ ruig ★ *a ~ tail* een volle staart ★ *~ eyebrows* borstelige wenkbrauwen ❷ met struikgewas begroeid

business ['bɪznəs] *zn* ❶ handel, zaken ★ *~ is ~* zaken zijn zaken ★ *on ~* voor zaken ★ *get down to ~* ter zake komen ★ inform *be in ~* startklaar zijn, aan de slag zijn ★ *I mean ~* het is mij ernst ★ inform *big ~* (grote) zaken, flinke handel ★ *out*

of ~ zonder werk, buiten bedrijf ⟨wegens faillissement⟩ ★ inform *take care of ~* zijn zaakjes goed regelen ★ *~ as usual* de gewone gang van zaken ❷ bedrijf, zaak ❸ klandizie, omzet ❹ beroep ❺ taak ★ *that's none of your ~* dat gaat je niet aan ★ *go about one's ~* met de dagelijkse dingen bezig zijn ★ *send sb about his ~* iem. de laan uitsturen ★ *have no ~ to...* niet het recht hebben om... ★ *I am not in the ~ of doing sth* ik ben niet van plan om iets te doen ❻ kwestie ★ *any other ~* wat verder ter tafel komt ⟨agendapunt⟩ ★ *unfinished ~* nog niet afgehandelde kwesties ▼ inform *like nobody's ~* als geen ander ⟨heel snel of goed⟩

business card *zn* visitekaartje, adreskaartje

business end *zn* deel dat het werk uitvoert, uiteinde, fig essentie ★ *the business of a gun* de loop van het geweer

business hours *zn mv* kantooruren ★ *during ~* tijdens kantooruren

businesslike ['bɪznəslaɪk] *bnw* zakelijk

businessman ['bɪznəsmæn] *zn* zakenman

business park *zn* bedrijvenpark

business studies *zn mv* commerciële economie, bedrijfskunde

businesswoman ['bɪznəswʊmən] *zn* zakenvrouw

busk [bʌsk] *onov ww* GB optreden als straatmuzikant

busker ['bʌskə] *zn* GB straatmuzikant

buslane ['bʌsleɪn] *zn* busbaan

busman ['bʌsmən] *zn* buschauffeur

busman's holiday *zn* vakantie waarin men zijn beroep toch weer uitoefent

bus shelter *zn* bushokje, abri

bus stop *zn* bushalte

bust [bʌst] I *zn* ❶ buste, boezem, borstbeeld ❷ inform inval ⟨door de politie⟩ ❸ USA flop II *bnw* ❶ inform failliet ★ *go bust* failliet gaan ★ iron *Hollywood or bust!* ≈ alles of niets! ❷ GB kapot III *ov ww* ❶ kapotmaken ❷ arresteren ❸ een inval doen in ❹ inform *~ up* tegenhouden, verknallen ▼ *be busted* er gloeiend bij zijn IV *onov ww* ❶ kapotgaan ❷ inform *~ out* met geweld ontsnappen ❸ ~ **up** trammelant hebben, uit elkaar gaan

buster ['bʌstə] *zn* ❶ USA inform kerel ❷ [als tweede lid] bestrijder

bustle ['bʌsəl] I *zn* ❶ drukte ★ *the hustle and ~ of city life* de drukte van het stadsleven ❷ queue ⟨aan taille⟩ II *ov ww* opjagen III *onov ww* ~ **about** druk in de weer zijn

bustling ['bʌstlɪŋ] *bnw* bedrijvig

bust-up GB inform *zn* ❶ bonje ❷ einde

busty ['bʌstɪ] *bnw* rondborstig, met zware borsten

busy ['bɪzɪ] I *bnw* ❶ druk, (druk) bezig ★ *be busy doing sth* druk bezig zijn met iets ★ *get busy* aan de slag gaan ★ *keep sb busy* iem. bezighouden ★ *busy design* druk ontwerp ★ *as busy as a bee* zo bezig als een bij ★ plantk *busy Lizzie* vlijtig Liesje ❷ bemoeiziek ❸ bezet, in gesprek ⟨telefoonlijn⟩ II *ov ww* ★ *busy o.s.* zich bezighouden, zich bemoeien III *zn*, GB inform detective

busybody ['bɪzɪbɒdɪ] *zn* bemoeial

busywork [ˈbɪzɪwɜːk] zn USA tijdverdrijf

but [bʌt] I vw ❶ maar ★ strong, but not invincible sterk, maar niet onoverwinnelijk ★ but then (again) echter, daarentegen, maar ja ❷ behalve ★ no choice but to leave geen andere keuze dan weg te gaan ❸ slechts ★ we cannot but try wij kunnen het slechts proberen ★ you cannot but like him je moet hem wel aardig vinden ★ not but that... ondanks (het feit) dat... II vz behalve, zonder ★ but for you we would have lost zonder jou hadden we verloren ★ but for this als dit niet gebeurd was ★ the last but one op één na de laatste ★ who but you? wie anders dan jij? ★ anyone but me iedereen behalve ik ★ anything but this alles behalve dit ★ nothing but this uitsluitend dit ★ all but dead bijna dood III bijw slechts ★ I'm but 16 years old ik ben nog maar 16 jaar IV zn ★ no buts! geen gemaar!

butane [ˈbjuːteɪn] zn butaan(gas)

butch [bʊtʃ] zn ❶ macho ⟨man⟩ ❷ min manwijf ⟨lesbische⟩

butcher [ˈbʊtʃə] I zn slager ★ ~'s slagerij II ov ww ❶ slachten ❷ USA verknallen

butchery [ˈbʊtʃərɪ] zn slachting

butt [bʌt] I zn ❶ doelwit, fig mikpunt ⟨v. grap, kritiek enz.⟩ ❷ peuk ❸ ⟨dik⟩ achtereinde, geweerkolf ❹ vulg achterste, reet ★ get off your lazy butt! kom van je luie reet! ★ USA kick some butt er flink tegenaan gaan ❺ stoot ❻ GB ton II ov ww stoten ⟨met hoofd of hoorns⟩ III onov ww ❶ ~ in onderbreken in, zich indringen in ★ butt in on my affairs je bemoeien met mijn zaken ❷ USA ~ out ophoepelen

butter [ˈbʌtə] I zn ❶ boter ★ fig ~ wouldn't melt in her mouth ze ziet er uit als de geboren onschuld ❷ vleierij II ov ww ❶ beboteren ❷ ~ up slijmen

buttercup [ˈbʌtəkʌp] zn boterbloem

butterfingers [ˈbʌtəfɪŋɡəz] zn mv inform brokkenmaker

butterfly [ˈbʌtəflaɪ] zn ❶ vlinder ★ inform butterflies in your stomach vlinders in je buik ❷ sport vlinderslag

buttermilk [ˈbʌtəmɪlk] zn karnemelk

butterscotch [ˈbʌtəskɒtʃ] zn ❶ boterbabbelaar ❷ USA butterscotchsaus

buttery [ˈbʌtərɪ] I zn provisiekamer II bnw ❶ als boter, met boter (besmeerd) ❷ fig slijmerig, kruiperig

buttock [ˈbʌtək] zn bil, bilspier

button [ˈbʌtn] I zn ❶ knoop ❷ knop ★ USA on the ~ spijker op de kop, precies op tijd ★ at the touch of a ~ moeiteloos ★ he knows how to push my ~s hij weet hoe hij me kwaad kan maken ★ push the right ~s zeggen wat men graag wil horen ❸ button II ov ww ❶ (dicht)knopen ★ inform ~ it! kop dicht! ❷ ~ up dichtknopen, afronden III onov ww ❶ dichtgeknoopt worden, sluiten ★ the blouse ~s down the back de bloes heeft knopen aan de achterkant ❷ ~ up dichtgeknoopt worden

buttonhole [ˈbʌtnhəʊl] I zn ❶ knoopsgat ❷ GB corsage II ov ww aanklampen

buttress [ˈbʌtrɪs] I zn ❶ steunbeer, stut ❷ fig steun II ov ww form ondersteunen, onderbouwen ⟨een bewering enz.⟩

butty [ˈbʌtɪ] zn, GB inform boterham

buxom [ˈbʌksəm] bnw weelderig, mollig

buy [baɪ] I ov ww [onregelmatig] ❶ kopen, inkopen, verkrijgen ★ buy time tijd winnen ❷ omkopen ❸ fig slikken, geloven, pikken ❹ GB ~ in inkopen ⟨in grote hoeveelheden⟩ ❺ ~ off kopen van, omkopen, afkopen, uitkopen ❻ ~ out uitkopen ❼ ~ up opkopen ▼ inform (have) bought it om het leven komen II onov ww kopen ★ buy into a company je inkopen in een bedrijf ★ inform don't buy into that story dat verhaal moet je niet geloven III zn (aan)koop

buyer [ˈbaɪə] zn ❶ koper, klant ❷ inkoper

buyer's market [ˈbaɪəs ˈmɑːkɪt] zn econ kopersmarkt

buyout zn opkoop, bedrijfsovername

buzz [bʌz] I zn ❶ gezoem ❷ geroezemoes ❸ inform gerucht ❹ inform belletje, telefoontje ★ give sb a buzz iem. bellen ❺ positief gevoel, kick ★ a buzz of excitement een opgewonden sfeer II ov ww ❶ oproepen ⟨met een 'buzzer'⟩ ❷ inform laag scheren over ⟨v. vliegtuig⟩ ❸ ~ about/around rondfluisteren III onov ww ❶ zoemen, gonzen ❷ op de zoemer drukken ❸ ~ about/around druk in de weer zijn ❹ inform ~ off opdonderen ❺ ~ with gonzen van, duizelen van, trillen van ★ his head is buzzing with ideas in zijn hoofd gonst het van de ideeën

buzzard [ˈbʌzəd] zn ❶ GB buizerd ❷ USA gier

buzzer [ˈbʌzə] zn zoemer

buzz word zn modewoord

by [baɪ] I vz ❶ door ★ a play by Shakespeare een toneelstuk van Shakespeare ★ by o.s. geheel op eigen krachten, alleen ★ know sb by... iem. herkennen aan... ★ ten divided by two equals five tien gedeeld door twee is vijf ❷ bij, aan ★ by the river aan de rivier ★ north-east by east noordoost ten oosten ❸ met, per ★ travel by car met de auto reizen ❹ tegen ⟨een bep. tijd⟩ ★ by 10 o'clock tegen tienen ❺ van ★ a child by his second wife een kind van zijn tweede vrouw ★ Dutch by birth Nederlander van geboorte ❻ volgens ★ by my watch volgens mijn horloge ▼ by the hour uren achtereen, per uur ▼ by day / night overdag / 's nachts II bijw langs, nabij ★ drive by langsrijden ★ put by opzijzetten, sparen ★ inform by and large over het algemeen ★ form by and by straks, weldra

bye [baɪ] I tw tot ziens ★ bye for now tot kijk II zn sport ★ have a bye through to automatisch doorgaan naar

bye-bye [barˈbaɪ] tw tot ziens ★ inform GB go (to) ~s naar bed(je) gaan

by-election [ˈbaɪɪlekʃən] zn tussentijdse verkiezing

bygone [ˈbaɪɡɒn] I bnw vroeger II zn ★ let ~s be ~s geen oude koeien uit de sloot halen

by-law, bye-law [ˈbaɪlɔː] zn ❶ ⟨plaatselijke⟩ verordening ❷ regel ⟨club / bedrijf⟩

byline [ˈbaɪlaɪn] zn naamregel

BYO afk, Bring Your Own omschr neem je (eigen) drank mee ⟨naar restaurant⟩

bypass [ˈbaɪpɑːs] I zn ❶ rondweg ❷ omleiding ❸ med bypass II ov ww ❶ leiden om, gaan langs ❷ mijden, omzeilen ❸ med een bypass

aanbrengen om
by-product ['baɪprɒdʌkt] *zn* ❶ bijproduct
❷ neveneffect
bystander ['baɪstændə] *zn* omstander
byway ['baɪweɪ] *zn* binnenweg, zijweg ★ fig ~s
[mv] minder bekende gebieden
byword ['baɪwɜːd] *zn* spreekwoord, zegswijze
★ his name is a ~ for laziness zijn luiheid is
spreekwoordelijk

C

c [siː] **I** *zn*, letter c ★ C as in Charley de c van
Cornelis **II** *afk* ❶ century eeuw ❷ circa ca., circa
C I *zn* ❶ muz c, do ❷ onderw ≈ 7 à 8 (schoolcijfer)
II *afk*, Celsius C, Celsius
ca *afk*, circa ca., circa
CA *afk* USA California ⟨staat⟩
cab [kæb] *zn* ❶ taxi ❷ plaats van bestuurder ⟨in
bus, trein, vrachtauto⟩
cabaret ['kæbəreɪ] *zn* ❶ variété, show
❷ restaurant met theatervoorstelling
cabbage ['kæbɪdʒ] *zn* ❶ kool ❷ GB inform
kasplantje, vegeterend iemand
cabby, cabbie ['kæbɪ] *zn* inform taxichauffeur
cabin ['kæbɪn] *zn* ❶ hut, houten huisje ❷ scheepv
hut ❸ cabine ⟨in vliegtuig⟩
cabin crew *zn* cabinepersoneel ⟨in vliegtuig⟩
cabin cruiser *zn* motorjacht
cabinet ['kæbɪnət] *zn* ❶ kabinet, ministerraad
❷ kast ★ filing ~ archiefkast
cabinetmaker ['kæbɪnətmeɪkə] *zn* meubelmaker
cable ['keɪbl] **I** *zn* ❶ kabel ★ fibre-optic ~
glasvezelkabel ❷ kabeltelevisie ❸ oud telegram
II *ov ww* ❶ bekabelen ❷ oud telegraferen
cable car *zn* gondel ⟨van kabelbaan⟩
cable railway *zn* kabelspoor(weg), kabelbaan
cable television *zn* kabeltelevisie
caboodle [kə'buːdl] *zn* inform ★ the whole (kit
and) ~ het hele zootje, de hele handel
caboose [kə'buːs] *zn* USA personeelswagen
⟨laatste wagon v. goederentrein⟩
cache [kæʃ] *zn* ❶ geheime voorraad, geheime
bergplaats ⟨van wapens, explosieven⟩ ❷ comp
cachegeheugen
cachet ['kæʃeɪ] *zn* cachet, stijl, allure
cack-handed [kæk-'hændɪd] GB inform *bnw*
onhandig, met twee linkerhanden
cackle ['kækl] **I** *onov ww* ❶ kakelen ⟨van kip⟩
❷ het uitkraaien ⟨v.h. lachen⟩, hoog kakelend
lachen **II** *zn* ❶ gekakel ⟨van kip⟩ ❷ schelle lach,
gekraai
cacophony [kə'kɒfənɪ] *zn* kakofonie
cacti ['kæktaɪ] *zn mv* → **cactus**
cactus ['kæktəs] *zn* [mv: cacti] cactus
CAD *afk*, computer-aided design ontwerp m.b.v.
computer
cadaver [kə'deɪvə] med *zn* (menselijk) lijk
cadaverous [kə'dævərəs] *bnw* dicht lijkbleek, als
een levend lijk
caddie, caddy ['kædɪ] **I** *zn* sport caddie **II** *onov
ww* als caddie optreden
caddy ['kædɪ] *zn* ❶ GB theebusje ❷ USA tasje
⟨voor make-upspullen enz.⟩ ❸ → **caddie**
cadence ['keɪdns] *zn* ❶ stembuiging, intonatie
❷ muz cadens ❸ ritme
cadenza [kə'denzə] muz *zn* cadens
cadet [kə'det] mil *zn* cadet ★ naval ~ adelborst
cadge [kædʒ] GB inform **I** *ov ww* bietsen,
aftroggelen ★ he ~d a lift with his sister hij wist
een lift te versieren van / met zijn zus **II** *onov
ww* klaplopen
cadger ['kædʒə] GB inform *zn* bietser, klaploper
cadre ['kɑːdə] *zn* kader(lid)

caesarean, caesarean section med *zn*
keizersnede

cafe, café ['kæfeɪ] *zn* ❶ eethuisje, eetcafé ❷ USA
café, bar

cafeteria [kæfɪ'tɪərɪə] *zn*
zelfbedieningsrestaurant, kantine

cage [keɪdʒ] **I** *zn* kooi **II** *ov ww* opsluiten ⟨in kooi⟩

cagey ['keɪdʒɪ] *bnw* terughoudend, gesloten,
ontwijkend

cahoots [kə'hu:ts] *zn mv* ▼inform *be in ~ with*
onder een hoedje spelen met

caiman ['keɪmən] *zn* kaaiman ⟨krokodil⟩

cairn [keən] *zn* steenhoop ⟨als grens- of grafteken⟩

cajole [kə'dʒəʊl] *ov ww* door vleierij gedaan
krijgen ★ *~ sb into giving you money* van iem.
geld aftroggelen

cake [keɪk] **I** *zn* ❶ cake, taart, gebak(je) ★ *you
can't have your cake and eat it* je kunt niet alles
tegelijk hebben ★ *sell like hot cakes* als zoete
broodjes over de toonbank gaan ❷ blok ★ *a
cake of soap* een stuk zeep ▼USA inform *that
takes the cake* dat slaat alles **II** *ov ww* doen
aankoeken ★ *her boots were caked with mud*
haar laarzen zaten onder de modder **III** *onov
ww* aankoeken

CAL *afk, computer-assisted learning*
computerondersteund onderwijs

calabash ['kæləbæʃ] *zn* ❶ plantk kalebasboom
❷ kalebas, pompoen

calamitous [kə'læmɪtəs] *bnw* rampzalig

calamity [kə'læmətɪ] *zn* ramp(spoed), ellende

calciferous [kæl'sɪfərəs] *bnw* kalkhoudend

calcify ['kælsɪfaɪ] *ov+onov ww* verkalken,
verstenen

calculable ['kælkjʊləbl] *bnw* ❶ berekenbaar
❷ betrouwbaar

calculate ['kælkjʊleɪt] *ov ww* ❶ berekenen,
uitrekenen ❷ (in)schatten

calculated ['kælkjʊleɪtɪd] *bnw* bewust, opzettelijk
★ *~ risk* ingecalculeerd risico ▼*be ~ to do sth*
bedoeld zijn om iets te doen

calculating ['kælkjʊleɪtɪŋ] *bnw* min berekenend

calculation [kælkjʊ'leɪʃən] *zn* ook fig berekening
★ min *an act of cold ~* een daad uit koele
berekening

calculative ['kælkjʊlætɪv] *bnw* berekenend,
bedachtzaam

calculator ['kælkjʊleɪtə] *zn* (elektronische)
rekenmachine

calculi ['kælkjʊlaɪ] *zn mv* → calculus[2]

calculus[1] ['kælkjʊləs] *zn* [mv: **calculuses**]
berekening ★ *~ of probabilities* kansberekening
★ *differential ~* differentiaalrekening

calculus[2] *zn* [mv: **calculi**] med steentje ⟨in nier
enz.⟩

caldron ['kɔ:ldrən] *zn* USA → cauldron

calendar ['kæləndə] **I** *zn* ❶ kalender ❷ geplande
evenementen, lijst ❸ USA agenda ❹ jur rol **II** *ov
ww* inplannen

calf [kɑ:f] *zn* [mv: **calves**] ❶ kalf, jong ⟨v. olifant
bv.⟩ ★ *in / with calf* drachtig ⟨v. koe⟩ ★ *kill the
fatted calf for sb* iem. feestelijk onthalen
❷ kalfsleer ❸ kuit ⟨v. been⟩

calf love *zn* kalverliefde

calfskin ['kɑ:fskɪn] *zn* kalfsleer

calibrate ['kælɪbreɪt] *ov ww* kalibreren

calibration [kælə'breɪʃən] *zn* schaalverdeling

calibre, USA caliber ['kælɪbə] *zn* ook fig kaliber

calico ['kælɪkəʊ] *zn* ❶ katoen ❷ USA bedrukte
katoen

calico cat *zn* lapjeskat

caliph, calif ['keɪlɪf] *zn* kalief

caliphate ['kælɪfeɪt] *zn* kalifaat

call [kɔ:l] **I** *ov ww* ❶ noemen ❷ roepen, oproepen
(tot) ★ *call an election* een verkiezing
afkondigen ★ *call a meeting* een vergadering
bijeenroepen ★ *call a strike* oproepen tot staking
❸ opbellen ❹ kort bezoeken, langsgaan
❺ inviteren ⟨kaartspel⟩, bieden ⟨kaartspel⟩
❻ ~ **after** noemen naar ❼ ~ **back** terugbellen,
terugroepen ❽ form ~ **forth** oproepen,
uitlokken ❾ ~ **in** laten komen, uit de circulatie
halen ★ *call in the doctor* de dokter laten komen
❿ ~ **off** afgelasten, uitmaken ⟨verloving⟩, tot
de orde roepen ⟨hond bv.⟩ ⓫ ~ **out** de hulp
inroepen van, tot staking oproepen ⓬ ~ **up**
opbellen, oproepen ⟨tot militaire dienst, geest⟩,
sport opstellen ⟨in nationaal team⟩, doen
denken aan, in (zijn) herinnering roepen
II *onov ww* ❶ (uit)roepen ❷ ~ **at** stoppen ⟨v.
trein⟩ ❸ ~ **back** terugbellen / -komen ❹ ~ **for**
ophalen, roepen / vragen om, vereisen ★ *that
gesture wasn't called for* dat gebaar was niet op
zijn plaats ❺ ~ **in** opbellen, langs komen ★ *call
in sick* zich ziek melden ❻ ~ **on/upon** kort
bezoeken, een beroep doen op ❼ ~ **out**
uitroepen **III** *zn* ❶ telefoongesprek ★ *call
waiting* wisselgesprek ★ *long-distance call*
interregionaal telefoongesprek ★ *roaming call*
internationaal mobiel telefoongesprek ★ *collect
call* omschr telefoongesprek betaald door de
gebelde ★ *take the call* de telefoon
beantwoorden ❷ (uit)roep, oproep, roeping,
dicht aantrekkingskracht, signaal ★ *within call*
binnen gehoorsafstand ★ *on call* direct
opvorderbaar ⟨v. geld⟩, oproepbaar ⟨v. dokter
bv.⟩ ★ *be on call* dienst hebben ★ *vote by call*
hoofdelijk stemmen ★ *wind a call* een
(fluit)signaal geven ★ *humor the call of nature*
de drang om naar de wc te gaan ★ *go beyond
the call of duty* meer dan je plicht doen ❸ visite,
kort bezoek ★ *pay a call* een bezoek brengen
❹ aanleiding, noodzaak ★ *there's no call for
alarm* er is geen reden voor paniek ★ *have no
call to worry* je geen zorgen hoeven maken
❺ beroep, aanspraak ★ *there's not much call for
road salt now* er is nu niet veel vraag naar
strooizout ★ *have first call on* op de eerste plaats
komen ❻ beslissing ⟨ook bij sport⟩ ★ *make the
call* beslissen ★ *it's your call* ≈ jij mag het
zeggen / beslissen, ≈ je moet het zélf maar
weten ❼ bod ⟨kaartspel⟩ ▼fig *that was a close call*
dat was op het nippertje

callable ['kɔ:ləbl] *bnw* opvorderbaar

call box *zn* ❶ GB telefooncel ❷ USA praatpaal

call centre, USA call center *zn* callcenter,
telefonisch informatiecentrum

caller ['kɔ:lə] *zn* ❶ bezoeker ❷ beller

call girl *zn* callgirl, prostituée ⟨via telefoon⟩

calligrapher [kə'lɪgrəfə] *zn* kalligraaf

calligraphy [kə'lɪgrəfɪ] *zn* kalligrafie,
schoonschrift

ca

ca

calling ['kɔ:lɪŋ] *zn* ❶ roeping ❷ beroep

calling credit *zn* beltegoed

callisthenics [kælɪs'θenɪks] *zn mv* ❶ ritmische gymnastiek ❷ heilgymnastiek

callosity [kə'lɒsətɪ] *zn* ❶ eelt(knobbel) ❷ ongevoeligheid

callous ['kæləs] *bnw* ongevoelig

calloused, USA **callused** ['kæləst] *bnw* ❶ ruw en hard ⟨v. hand⟩ ❷ met eelt bedekt

callow ['kæləʊ] *bnw* min groen, onervaren

call sign *zn* roepletters, zendercode

call-up *zn* ❶ mil GB oproep ❷ sport uitnodiging voor nationale ploeg

callus ['kæləs] *zn* eelt(plek)

calm [kɑ:m] I *bnw* kalm, windstil II *ov ww* ❶ kalmeren ❷ ~ **down** tot bedaren brengen III *onov ww* ❶ bedaren, kalmeren ❷ ~ **down** tot bedaren komen, gaan liggen ⟨v. storm bv.⟩ IV *zn* windstilte, kalmte ★ *fig the calm before the storm* de stilte voor de storm

calorie ['kælərɪ] *zn* calorie

calumniate [kə'lʌmnɪeɪt] *ov ww* belasteren

calumny ['kæləmnɪ] *zn* laster

calve [kɑ:v] *ov+onov ww* (af)kalven

calves [kɑ:vz] *zn mv* → calf

calyx ['keɪlɪks] *zn* [mv: **calyces**] bloemkelk

cam [kæm] *zn* ❶ nok, kam ❷ tand ⟨v. wiel⟩

CAM *afk, computer aided manufacturing* productie m.b.v. computers

camber ['kæmbə] I *zn* ❶ welving ⟨v. weg, scheepsdek, enz.⟩ ❷ wielvlucht ⟨v. e. motorvoertuig⟩ II *ov+onov ww* schuin oplopen ⟨v. weg in bocht⟩

cambric ['kæmbrɪk] I *zn* batist II *bnw* batisten

came [keɪm] *ww* [verleden tijd] → come

camel ['kæml] *zn* ❶ kameel ❷ kameelhaar

cameo ['kæmɪəʊ] *zn* ❶ letterk karakterschets ❷ camee ❸ ~ *(appearance)* gastrol ⟨in film, enz.⟩

camera ['kæmrə] *zn* camera ★ *candid ~* verborgen camera ★ *jur in ~* met gesloten deuren

camomile ['kæməmaɪl] *zn* kamille

camouflage ['kæməflɑ:ʒ] I *zn* camouflage II *ov ww* camoufleren

camp [kæmp] I *zn* ❶ kamp(ement) ★ *break / strike camp* (tenten) opbreken ★ *pitch camp* zijn tenten opslaan ❷ inform nichterig gedrag II *onov ww* ❶ kamperen ❷ (zich) legeren ❸ ~ **out** ook fig kamperen III *bnw* ❶ inform verwijfd, nichterig ❷ inform bizar, overdreven, opzettelijk kitscherig

campaign [kæm'peɪn] I *zn* ❶ mil veldtocht ❷ campagne II *onov ww* een campagne voeren, op campagne zijn

campaigner [kæm'peɪnə] *zn* campagnevoerder, activist ★ *an old ~* een oudgediende

campanile [kæmpə'ni:lɪ] *zn* klokkentoren

camp bed *zn* veldbed

camper ['kæmpə] *zn* ❶ kampeerder ❷ kampeerauto

campfire ['kæmpfaɪə] *zn* kampvuur

camp follower *zn* ❶ aanhanger ❷ marketent(st)er

campground ['kæmpɡraʊnd] *zn* USA kampeerterrein, camping

camphor ['kæmfə] *zn* kamfer

campsite ['kæmpsaɪt] *zn* kampeerterrein, camping

camp stool *zn* vouwstoeltje

campus ['kæmpəs] *zn* campus, universiteitsterrein

camshaft ['kæmʃɑ:ft] *zn* nokkenas

can [kæn] I *hww* [onregelmatig] ❶ kunnen ❷ mogen ★ *can't be doing with sb / sth* niets moeten hebben v. iemand / iets II *ov ww* ❶ inblikken ❷ USA inform afdanken ❸ USA inform in de gevangenis zetten ❹ USA inform ophouden III *zn* ❶ USA kan, blikje, bus ❷ inmaakblik ❸ USA inform bajes ❹ USA inform plee ▼ *inform a can of worms* een beerput ▼ *media inform in the can* klaar (voor vertoning) ⟨v. film⟩ ▼ *carry the can* de schuld op je nemen

Canadian [kə'neɪdɪən] I *zn* Canadees II *bnw* Canadees

canal [kə'næl] I *zn* ❶ kanaal ❷ vaart, gracht II *ov ww* kanaliseren

canalize, canalise ['kænəlaɪz] *ov ww* ook fig kanaliseren

canard [kæ'nɑ:d] *zn* loos bericht

Canaries [kə'neərɪz] *zn mv*, **Canary Islands** Canarische Eilanden

canary [kə'neərɪ] I *zn* kanarie II *bnw* kanariegeel

cancel ['kænsəl] I *ov ww* ❶ annuleren, intrekken, afgelasten, afbestellen ★ *GB ~ a cheque* een cheque blokkeren ❷ schrappen, doorhalen ❸ opheffen, ongedaan maken ❹ afstempelen ❺ ~ **out** neutraliseren, compenseren II *onov ww* wisk ~ **out** tegen elkaar wegvallen

cancellation, USA **cancelation** [kænsə'leɪʃən] *zn* ❶ annulering ❷ afzegging ❸ ontbinding ⟨v. contract⟩

cancer ['kænsə] *zn* kanker ★ *Cancer* Kreeft (sterrenbeeld)

cancerous ['kænsərəs] *bnw* kankerachtig

candelabra [kændɪ'lɑ:brə], **candelabrum** [kændɪ'lɑ:brəm] *zn* [mv: **candelabra, candelabras**] kroonkandelaar

candid ['kændɪd] *bnw* ❶ oprecht ❷ onpartijdig ★ *~ photo* ongedwongen foto

candidacy ['kændɪdəsɪ], **candidature** ['kændɪdətʃə] *zn* kandidatuur

candidate ['kændɪdeɪt] *zn* kandidaat

candied ['kændɪd] *bnw* ❶ geglaceerd ❷ gekonfijt

candle ['kændl] *zn* kaars ▼ *cannot hold a ~ to sb / sth* het niet halen bij iemand / iets ▼ *not worth the ~* de moeite niet waard ▼ *burn the ~ at both ends* jezelf overbelasten

candlelight ['kændllaɪt] *zn* kaarslicht

Candlemas ['kændlməs] *zn* Maria-Lichtmis

candlestick ['kændlstɪk] *zn* kandelaar

candlewick ['kændlwɪk] *zn* kaarsenpit

candour, USA **candor** ['kændə] *zn* oprechtheid, openheid

candy ['kændɪ] I *zn* USA snoepgoed ★ *cotton ~* suikerspin II *ov ww* ❶ konfijten, glaceren ❷ tot suiker uitkristalliseren

candy-ass *zn* USA schijterd

candyfloss ['kændɪflɒs] *zn* suikerspin

candyman ['kændɪmæn] *zn*, USA inform drugsdealer

cane [keɪn] I *zn* ❶ riet, rotan ❷ wandelstok

❸ <u>gesch</u> Spaans rietje ⟨voor lijfstraf⟩ ★ *get the cane* met een rietje afgeranseld worden
❹ <u>plantk</u> stam, scheut ⟨v. druif, framboos, enz.⟩
II *ov ww* met het rietje geven, afranselen

cane sugar *zn* rietsuiker

canine ['keɪnaɪn] I *bnw* honden-, honds II *zn* <u>form</u> hond

canine tooth *zn* hoektand

canister ['kænɪstə] I *zn* ❶ trommel, bus, blik ❷ <u>mil</u> (granaat)kartets II *ov ww* in een trommel of blik doen

canker ['kæŋkə] I *zn* ❶ <u>plantk</u> kanker ❷ <u>fig</u> slechte invloed, kanker II *ov ww* aantasten met kanker

cankered ['kæŋkəd], **cankerous** ['kæŋkərəs] *bnw* ❶ aangetast ❷ kwaadaardig ❸ kankerachtig

canker rose *zn* heksenroos

canker sore *zn* mondzeer

cannabis ['kænəbɪs] *zn* cannabis, marihuana, hasj

canned [kænd] *bnw* ❶ ingeblikt ❷ <u>USA</u> dronken

cannery ['kænərɪ] *zn* conservenfabriek

cannibal ['kænɪbl] *zn* kannibaal

cannibalism ['kænɪbəlɪzəm] *zn* kannibalisme

cannibalistic [kænɪbə'lɪstɪk] *bnw* kannibaals

cannibalize, cannibalise ['kænɪbəlaɪz] *ov ww* kannibaliseren, alleen de onderdelen hergebruiken ⟨v. machines, voertuigen⟩

canning ['kænɪŋ] *zn* inmaak, het inblikken

cannon ['kænən] I *zn* ❶ kanon(nen) ★ <u>fig</u> *loose ~* ongeleid projectiel ⟨persoon⟩ ❷ boordwapen ❸ carambole ⟨bij biljart⟩ II *onov ww* ❶ vuren (met kanon) ❷ ~ *into* opbotsten tegen

cannonade [kænə'neɪd] I *zn* kanonnade II *ov ww* kanonneren

cannon ball *zn* kanonskogel

cannoneer [kænə'nɪə] *zn* kanonnier

cannon fodder *zn* kanonnenvlees

cannot ['kænɒt] *samentr*, can not → **can**

cannulate ['kænjuleɪt] *ov ww* <u>med</u> voorzien v. buisje

canny ['kænɪ] *bnw* slim, handig, verstandig ⟨vooral in zaken, politiek⟩

canoe [kə'nu:] I <u>GB</u> I *zn* kano II *onov ww* kanoën

canon ['kænən] *zn* ❶ kanunnik ❷ canon

canonic [kə'nɒnɪk] *bnw* ❶ <u>muz</u> als v.e. canon ❷ → **canonical**

canonical [kə'nɒnɪkl] *bnw* canoniek

canonization, canonisation [kænənər'zeɪʃən] *zn* heiligverklaring

canonize, canonise ['kænənaɪz] *ov ww* heilig verklaren

canon law *zn* kerkelijk recht

canoodle [kə'nu:dl] *ov+onov ww* <u>inform</u> knuffelen

can opener *zn* blikopener

canopy ['kænəpɪ] I *zn* ❶ baldakijn, hemel, luifel, overkapping ❷ bladerdak ❸ scherm ⟨v. parachute⟩ II *ov ww* overkappen

cant [kænt] *zn* ❶ vroom of huichelachtig gepraat ❷ <u>min</u> jargon, groepstaal ★ *thieves' cant* dieventaal

can't [kɑ:nt] *samentr*, can not → **can**

cantankerous [kæn'tæŋkərəs] *bnw* ruziezoekend, knorrig

cantata [kæn'tɑ:tə] *zn* cantate

canteen [kæn'ti:n] *zn* ❶ kantine ❷ veldfles ❸ <u>GB</u> ★ ~ *of cutlery* cassette ⟨v. bestek⟩

canter ['kæntə] I *onov ww* in handgalop gaan II *zn* handgalop, korte galop ★ *win at / in a ~* op je gemak winnen

canticle ['kæntɪkl] *zn* lofzang ★ *Canticles* [mv] Hooglied

ca

canton ['kænton] *zn* kanton

cantonal ['kæntonəl] *bnw* kantonnaal

canvas ['kænvəs] *zn* ❶ zeildoek, canvas, linnen ⟨schildersdoek⟩ ★ *under* ~ in een tent, <u>scheepv</u> onder vol zeil ❷ schilderij ⟨op linnen⟩ ❸ zeil ❹ vloer ⟨v. boksring⟩

canvass ['kænvəs] I *zn* ❶ opinieonderzoek ⟨bij verkiezingen⟩ ❷ werving II *ov ww* ❶ bezoeken ⟨om stemmen te werven⟩ ❷ onderzoeken, (opinie)onderzoek doen naar ❸ grondig bespreken III *onov ww* ❶ stemmen werven ⟨bij verkiezingen⟩ ❷ colporteren, klanten werven

canvasser ['kænvəsə] *zn* stemmenwerver, campagnevoerder ⟨bij verkiezingen⟩ ❷ colporteur

canyon ['kænjən] *zn* diep ravijn

cap [kæp] I *zn* ❶ muts, pet, <u>sport</u> pet v. geselecteerde speler ⟨in nationaal team⟩ ❷ kap(je), dop(je), hoed ⟨v. paddestoel⟩ ❸ kroon ⟨op tand⟩ ❹ bovengrens ⟨v. lening, uitgave⟩ ❺ slaghoedje, klappertje ❻ <u>inform</u> pessarium ★ *cloth cap* werkmanspet ▼ *cap in hand* nederig ▼ *if the cap fits(, wear it)* wie de schoen past(, trekke hem aan) II *ov ww* ❶ een muts, enz. opzetten ❷ beschermen met kap, dop, enz. ❸ overtreffen, overtroeven ❹ van slaghoedje voorzien ❺ selecteren als international ▼ *to cap it all* als klap op de vuurpijl, tot overmaat v. ramp

capability [keɪpə'bɪlətɪ] *zn* ❶ bekwaamheid, vermogen ❷ <u>mil</u> slagkracht

capable ['keɪpəbl] *bnw* ❶ in staat ★ ~ *of* geschikt voor, in staat om ❷ bekwaam, begaafd ❸ vatbaar

capacious [kə'peɪʃəs] *bnw* ruim

capacitate [kə'pæsɪteɪt] *ov ww* ❶ geschikt maken ❷ in staat stellen ❸ kwalificeren

capacity [kə'pæsətɪ] *zn* ❶ bekwaamheid, vermogen, vaardigheid ★ *diminished* ~ verminderde toerekeningsvatbaarheid ❷ (berg)ruimte, inhoud, volume ★ *filled / full to* ~ (stamp)vol ❸ hoedanigheid, positie ❹ capaciteit, kracht ⟨v. machine, fabriek, enz.⟩

capacity house *zn* stampvolle zaal

cape [keɪp] *zn* ❶ kaap ❷ cape

caper ['keɪpə] I *zn* ❶ <u>cul</u> kappertje ❷ <u>inform</u> onwettige praktijk, <u>fig</u> capriool ★ *a little* ~ een akkefietje ❸ sprongetje ★ *cut a little* ~ een bokkensprongetje maken ❹ komische actiefilm II *onov ww* <u>dicht</u> capriolen maken

capercaillie *zn* auerhoen

capillary [kə'pɪləri] I *zn* <u>anat</u> haarvat II *bnw* capillair, haarvormig ★ ~ *action* capillaire werking

capital ['kæpɪtl] I *zn* ❶ hoofdstad ❷ kapitaal, (bedrijfs)vermogen ★ <u>fig</u> *make* ~ *out of sth* profiteren van iets ❸ hoofdletter ★ *hospitality with a* ~ *H!* gastvrijheid met een hoofdletter! ⟨voor nadruk⟩ ❹ kapiteel II *bnw*

ca

❶ voornaamste, hoofd-, zeer belangrijk ★ ~ *letter* hoofdletter ❷ GB oud geweldig

capital gain zn vermogensaanwas ★ ~*s sharing* vermogensaanwasdeling

capital goods zn econ kapitaalgoederen

capital-intensive bnw kapitaalintensief

capitalism ['kæpɪtəlɪzəm] zn kapitalisme

capitalist ['kæpɪtəlɪst] I zn kapitalist II bnw kapitalistisch

capitalization, capitalisation [kæpɪtəlar'zeɪʃən] zn ❶ kapitalisatie ❷ drukk gebruik v. hoofdletters

capitalize, capitalise ['kæpɪtəlaɪz] ov+onov ww ❶ kapitaliseren ❷ munt slaan uit

capital levy zn vermogensbelasting

capital punishment zn doodstraf

capital sum zn uitkering ineens ⟨bv. van verzekering⟩

capitation [kæpɪ'teɪʃən] zn ❶ hoofdelijke omslag ❷ premie per hoofd

Capitol ['kæpɪtəl] zn USA Capitool ⟨zetel van het Congres⟩

capitulate [kə'pɪtjʊlert] onov ww capituleren

capitulation [kəpɪtjʊ'leɪʃən] zn capitulatie

capon ['keɪpən] zn kapoen

caponize, caponise ['keɪpənaɪz] ov ww castreren ⟨v. pluimvee⟩

caprice [kə'priːs] zn gril(ligheid)

capricious [kə'prɪʃəs] bnw grillig

Capricorn ['kæprɪkɔːn] zn Steenbok ⟨sterrenbeeld⟩

capriole ['kæprɪəʊl] zn capriool ⟨ook bij het hogeschoolrijden⟩, bokkensprong

capsicum ['kæpsɪkəm] zn Spaanse peper

capsize [kæp'saɪz] ov+onov ww (doen) kapseizen

capstone ['kæpstəʊn] zn ❶ deksteen ❷ USA fig kroon

capsule ['kæpsjuːl] zn ❶ capsule ❷ plantk doosvrucht, zaaddoos ❸ anat omhulsel, kapsel

Capt. afk, *Captain* kapt., kapitein

captain ['kæptɪn] I zn ❶ mil scheepv kapitein, luchtv gezagvoerder, sport aanvoerder, leider ★ ~ *of industry* grootindustrieel ❷ ploegbaas II ov ww aanvoeren, kapitein zijn van

caption ['kæpʃən] I zn opschrift, onderschrift, titel, ondertiteling ⟨bv. v. film⟩ II ov ww voorzien van onder- / opschrift

captious ['kæpʃəs] bnw vitterig, muggenzifterig

captivate ['kæptɪvert] ov ww boeien, betoveren

captive ['kæptɪv] I bnw ❶ gevangen ❷ fig geboeid II zn (krijgs)gevangene

captivity [kæp'tɪvətɪ] zn gevangenschap

captor ['kæptə] zn overmeesteraar, kaper

capture ['kæptʃə] I ov ww ❶ vangen, gevangen nemen, innemen, veroveren, bemachtigen ★ ~ *the headlines* de krantenkoppen halen ❷ vastleggen ⟨in woord, beeld, enz.⟩ II zn ❶ gevangenneming ❷ vangst, buit, prijs

car [kɑː] zn ❶ auto ❷ USA (spoor)wagon, tram ❸ wagen, kar(retje), schuit, gondel ❹ USA liftkooi

carafe [kə'ræf] zn karaf

caramel ['kærəməl] I zn karamel II bnw karamelkleurig

carat ['kærət] zn karaat ★ *the purest gold is 24* ~*s* het zuiverste goud is 24 karaats

caravan ['kærəvæn] zn ❶ GB caravan

❷ woonwagen ❸ karavaan

caraway ['kærəweɪ] zn karwij

carbide ['kɑːbaɪd] zn carbid

carbine ['kɑːbaɪn] zn karabijn

carbohydrate [kɑːbə'haɪdreɪt] zn koolhydraat

car bomb zn autobom, bomauto

carbon ['kɑːbən] zn ❶ scheik kool(stof) ❷ carbonpapier ❸ doorslag ⟨op carbonpapier⟩

carbonaceous [kɑːbə'neɪʃəs] bnw koolstofhoudend

carbonate ['kɑːbənert] I zn carbonaat II ov ww carboniseren

carbonated ['kɑːbənertɪd] bnw koolzuurhoudend

carbon copy zn ❶ doorslag ⟨met carbonpapier⟩ ❷ evenbeeld ★ *she's a ~ of her mother* zij is het evenbeeld van haar moeder

carbon dating zn koolstofdatering

carbonic acid zn scheik koolzuur

carboniferous [kɑːbə'nɪfərəs] bnw aardk koolstofhoudend ★ *Carboniferous age / period* het carboon

carbonization, carbonisation [kɑːbənaɪ'zeɪʃən] zn carbonisatie, verkoling

carbonize, carbonise ['kɑːbənaɪz] ov ww ❶ carboniseren ❷ verkolen

carbon monoxide zn koolmonoxide, kolendamp

carbon neutral bnw klimaatneutraal

carbon paper zn carbonpapier

car boot sale zn kofferbakverkoop

carboy ['kɑːbɔɪ] zn mandfles

carbuncle ['kɑːbʌŋkl] zn ❶ (steen)puist ❷ karbonkel

carburettor [kɑːbə'retə], USA **carburetor** [kɑːbə'rertə] zn carburateur

carcass, carcase ['kɑːkəs] zn ❶ karkas, romp ⟨v. geslacht dier⟩, min lijk ⟨v. mens⟩ ❷ wrak ⟨v. auto bv.⟩, rest, geraamte, skelet ⟨v. gebouw bv.⟩

carcinogen [kɑː'sɪnədʒən] zn kankerverwekkende stof

carcinogenic [kɑːsɪnə'dʒənɪk] bnw kankerverwekkend

carcinoma [kɑːsɪ'nəʊmə] zn carcinoom, kankergezwel

card [kɑːd] I zn ❶ kaart, wenskaart, speelkaart ★ sport *show sb a yellow / red card* iem. een gele / rode kaart geven [mv] kaartspel ★ *leading card* troef, krachtig argument ★ GB *get your cards* ontslag krijgen ★ *have a card up your sleeve* nog iets achter de hand hebben ★ *hold all the cards* alle troeven in handen hebben ★ *hold / keep / play your cards close to your chest* je niet in de kaart laten kijken ★ *lay / put your cards on the table* open kaart spelen ★ *it's on / in the cards that* het is waarschijnlijk dat ★ *play your cards right* het slim / goed spelen ❷ programma ⟨v. wedstrijd, enz.⟩ ❸ scorekaart ⟨bij golf enz.⟩ ❹ comp uitbreidingskaart ❺ techn (wol)kaarde ▾ *a knowing card* een gehaaid iem. ▾ *speak by the card* zich zeer precies uitdrukken II ov ww ❶ sport een kaart geven aan ❷ USA inform vragen zich te legitimeren ❸ kaarden ⟨wol⟩

cardboard ['kɑːdbɔːd] I zn karton II bnw kartonnen

card-carrying bnw ★ *a ~ member of the party* een officieel / actief lid van de partij

card game *zn* kaartspel

cardholder ['kɑːhəʊldə] *zn* bezitter van creditcard

cardiac ['kɑːdɪæk] *bnw* hart- ★ ~ *arrest* hartstilstand ★ ~ *failure* hartfalen

cardigan ['kɑːdɪgən] *zn* wollen vest

cardinal ['kɑːdɪnl] I *zn* ❶ kardinaal ❷ hoofdtelwoord ❸ kardinaalvogel II *bnw* ❶ voornaamst, kardinaal, fundamenteel ★ ~ *sin* rel hoofdzonde, fig doodzonde ❷ donkerrood

card index *zn* kaartsysteem

cardiologist [kɑːdɪ'ɒlədʒɪst] *zn* cardioloog

cardiology [kɑːdɪ'ɒlədʒɪ] *zn* cardiologie

card table ['kɑːdteɪbl] *zn* speeltafeltje

care [keə] I *zn* ❶ zorg, bezorgdheid ★ *take care* oppassen ★ *take care of* zorgen voor, passen op ★ *handle with care* pas op, breekbaar ★ *in sb's care* onder iemands hoede ★ *under the care of* onder het beheer van ★ *(in) care of, c / o* per adres ★ *not have a care in the world* helemaal zonder zorgen zijn ★ *care killed the cat* geen zorgen voor morgen ❷ verzorging ★ *coronary care* hartbewaking ★ *domiciliary care* thuiszorg / -verpleging ★ *medical care* gezondheidszorg ★ GB *in care* in een kindertehuis II *onov ww* ❶ erom geven ★ *who cares about the environment* wie bekommert zich om het milieu ★ *I don't care if you do* ik heb er niets op tegen, mij best ★ *who cares!* wat zou dat?, wat kan mij dat schelen? ★ *I don't care a damn / pin / rap / straw* het kan mij geen steek schelen ❷ ~ **for** zorgen voor, houden van, geven om III *ov ww* ❶ geven om ★ *I couldn't care less* het zal me een zorg zijn ❷(wel / graag) willen ★ *would you care to join me?* wilt u misschien met mij meegaan?

care assistant *zn* verzorger (v. zieken, bejaarden, gehandicapten)

careen [kə'riːn] *onov ww* ❶ scheepv overhellen ❷ USA voortdenderen

career [kə'rɪə] I *zn* ❶ carrière, loopbaan ❷ loop, ontwikkeling II *onov ww* voortdenderen

career coach *zn* loopbaanbegeleider

career day *zn* omschr open dag voor beroepsoriëntatie (op school)

career diplomat *zn* beroepsdiplomaat

careerism [kə'rɪərɪzəm] *zn* bezetenheid met carrière

careerist [kə'rɪərɪst] *zn* ❶ carrièrejager ❷ streber

careers officer *zn* beroepskeuzeadviseur, schooldecaan

career woman *zn* carrièrevrouw

carefree ['keəfriː] *bnw* zorgeloos

careful ['keəfʊl] *bnw* ❶ voorzichtig ❷ zorgvuldig ❸ nauwkeurig

careless ['keələs] *bnw* ❶ onvoorzichtig, onzorgvuldig, slordig ❷ onachtzaam ❸ achteloos

carer ['keərə], USA **caregiver** ['keəgɪvə(r)] *zn* mantelzorger

caress [kə'res] I *ov ww* liefkozen, strelen II *zn* liefkozing

caressing [kə'resɪŋ] *bnw* liefdevol, teder

caretaker ['keəteɪkə] *zn* ❶ GB conciërge ❷ huisbewaarder ❸ toezichthouder

care worker *zn* verzorger (v. zieken, bejaarden, gehandicapten)

careworn ['keəwɔːn] *bnw* afgetobd

cargo ['kɑːgəʊ] *zn* ❶ vracht ❷ scheepslading

cargo pants, cargoes *zn mv* ≈ legerbroek ⟨broek met veel zakken⟩

Caribbean [kærɪ'biːən] I *zn* ★ *the* ~ het Caribisch gebied II *bnw* Caribisch

caricature ['kærɪkətʃʊə] I *zn* karikatuur II *ov ww* tot een karikatuur maken

caricaturist [kærɪkə'tʃʊərɪst] *zn* cartoontekenaar, cartoonist

caries ['keəriːz] *zn* cariës, tandbederf

carillon [kə'rɪljən] *zn* ❶ carillon ❷ beiaard

caring ['keərɪŋ] *bnw* zorgzaam, verzorgend

carious ['keərɪəs] *bnw* med aangevreten ⟨v. botten, tanden⟩

carmine ['kɑːmaɪn] I *zn* karmijn II *bnw* karmijnrood

carnage ['kɑːnɪdʒ] *zn* slachting, bloedbad

carnal ['kɑːnl] *bnw* min vleselijk, zinnelijk

carnation [kɑː'neɪʃən] *zn* anjer

carnival ['kɑːnɪvəl] *zn* ❶ carnaval ❷ USA kermis

carnivore ['kɑːnɪvɔː] *zn* carnivoor, vleeseter

carnivorous [kɑː'nɪvərəs] *bnw* vleesetend

carol ['kærəl] I *zn* (kerst)lied II *ov+onov ww* (jubelend) zingen

carotid [kə'rɒtɪd] I *zn* halsslagader II *bnw* halsslagaderlijk

carousel [kærə'sel] *zn* ❶ USA draaimolen ❷ luchtv draaiende bagageband

carp [kɑːp] I *zn* karper II *onov ww* ❶ zeuren ❷ vitten

car park *zn* GB parkeerplaats / -garage enz.

carpenter ['kɑːpəntə] *zn* timmerman

carpentry ['kɑːpəntrɪ] *zn* ❶ timmerwerk ❷ het timmervak

carpet ['kɑːpɪt] I *zn* tapijt, loper ★ *fitted* ~ vaste vloerbedekking ★ *magic* ~ vliegend tapijt ▼*(be / get called) on the* ~ op het matje geroepen worden II *ov ww* ❶ met tapijt bedekken ❷ een uitbrander geven

carpetbagger ['kɑːpɪtbægə] *zn* avonturier

carpet-bomb *onov ww* ❶ een bommentapijt uitwerpen over ❷ econ reclamemateriaal versturen naar heel veel mensen ⟨vooral via e-mail⟩

carpeting ['kɑːpɪtɪŋ] *zn* tapijt

carpet sweeper *zn* rolveger

carpool *onov ww* carpoolen

car pool *zn* groep carpoolers

carriage ['kærɪdʒ] *zn* ❶ wagen, rijtuig, GB treinwagon ★ ~ *and pair / four* twee- / vierspan ❷ vervoer, vracht(prijs) ❸ techn slede ❹ form houding

carriageway ['kærɪdʒweɪ] *zn* verkeersweg, rijbaan, brugdek ★ GB *dual* ~ vierbaansweg

carrier ['kærɪə] *zn* ❶ vervoerbedrijf, expediteur, luchtvaartmaatschappij ❷ passagiersvliegtuig ❸ mil vervoermiddel v. mensen en materieel, vliegdekschip ❹ med drager v.e. ziekte, vector ❺ bagagedrager ❻ GB (boodschappen)tasje

carrier bag *zn* boodschappentas

carrier pigeon *zn* postduif

carriole ['kærɪəʊl] *zn* ❶ rijtuigje ❷ Canadese slee

carrion ['kærɪən] I *zn* kadaver, aas II *bnw* rottend, weerzinwekkend

carrion crow *zn* zwarte kraai

ca

carrot ['kærət] *zn* ❶ wortel(tje) ❷ lokmiddel ★ *~s* [mv] rooie ⟨scheldnaam voor roodharige⟩ ★ *hold out a ~ to sb* iem. een worst voor houden ★ *use the ~ and the stick approach* ≈ ⟨naar willekeur⟩ belonen en bestraffen

carry ['kærɪ] **I** *ov ww* ❶ dragen, vervoeren, transporteren, bij zich hebben / dragen, besmet zijn met, mee- / wegvoeren ★ *~ a gun* een wapen bij zich hebben ★ *fraud carries a sentence of five years* op fraude staat vijf jaar ★ *the packet carries a health warning* op het pakje staat een gezondheidswaarschuwing ★ *~ sth in your head* iets in je hoofd hebben, iets onthouden ❷ met zich meebrengen, impliceren ❸ steunen, goedkeuren ★ *~ a motion* een motie aannemen / steunen ❹ media publiceren, uitzenden ❺ verkopen, in het assortiment hebben ❻ invallen voor ❼ *oud* zwanger zijn van ▼ *~ things too far* de zaak te ver drijven ▼ *~ yourself* je gedragen, optreden ▼ *~ x to the 3rd power* x tot de 3e macht verheffen ▼ *be / get carried away* te hard van stapel lopen, je mee laten slepen ▼ *~ all / everything before you* in ieder opzicht succes hebben ❽ *~ back* terugvoeren *econ ~ forward* transporteren ❿ *~ off* het er goed vanaf brengen, winnen ⟨prijs, enz.⟩ ⓫ *~ on* doorgaan, voortzetten, volhouden, uitvoeren ⓬ *~ out* uitvoeren, vervullen ⓭ *~ over* meenemen, transporteren, overhevelen, uitstellen ⓮ *~ through* doorvoeren, erdoor helpen, tot een goed einde brengen **II** *onov ww* ❶ dragen ❷ reiken ❸ *~ on* doorgaan, rechtdoor gaan, *inform* tekeergaan, *oud* scharrelen ❹ *~ over* bijblijven, meekrijgen

carrycot ['kærɪkɒt] *zn* reiswieg

carrying agent *zn* expediteur

carrying capacity *zn* laadvermogen

carrying trade *zn* goederenvervoer, vrachtvaart

carry-on *zn inform* heisa, drukte ⟨om niks⟩

carry-over *zn* overblijfsel

carsick ['kɑːsɪk] *bnw* wagenziek

cart [kɑːt] **I** *zn* kar, wagen, USA winkelwagentje, USA serveerwagen ★ *put the cart before the horse* het paard achter de wagen spannen **II** *ov ww* ❶ ⟨per kar⟩ vervoeren ❷ *inform* zeulen ❸ *inform* afvoeren

cartcover ['kɑːtkʌvə] *zn* huif

cartel [kɑː'tel] *zn econ* kartel

cartilage ['kɑːtɪlɪdʒ] *zn* kraakbeen

cartload ['kɑːtləʊd] *zn* ❶ karrenvracht ❷ grote hoeveelheid

cartographer [kɑː'tɒɡrəfə] *zn* cartograaf, kaarttekenaar

cartography [kɑː'tɒɡrəfɪ] *zn* cartografie

cartomancy ['kɑːtəmænsɪ] *zn* het kaartleggen ⟨om voorspelling te doen⟩

carton ['kɑːtn] **I** *zn* karton, kartonnen doos ★ *a ~ of 200 cigarettes* een slof met 200 sigaretten **II** *ov ww* in karton verpakken

cartoon [kɑː'tuːn] *zn* ❶ spotprent ❷ stripverhaal ❸ tekenfilm ❹ voorstudie ⟨voor schilderij⟩

cartoonist [kɑː'tuːnɪst] *zn* spotprenttekenaar

cartridge ['kɑːtrɪdʒ] *zn* ❶ patroon ❷ vulling, cassette, cartridge ★ *blank ~* losse patroon ★ *mil live ~* scherpe patroon

cart track *zn* karrenspoor

cartwheel ['kɑːtwiːl] *zn* wagenrad ★ *turn ~s* radslagen maken

carve [kɑːv] **I** *ov ww* ❶ kerven, beeldhouwen, graveren ★ *~ your way* je een weg banen ❷ voorsnijden ⟨vlees⟩ ❸ *~ out* veroveren, bevechten ⟨baan of reputatie⟩ ★ *~ out one's fortune* zijn eigen fortuin scheppen ❹ *~ up* verdelen, steken, *GB* snijden ⟨in het verkeer⟩ **II** *onov ww* (voor)snijden

carver ['kɑːvə] *zn* ❶ houtsnijder, beeldhouwer ❷ graveur

carving ['kɑːvɪŋ] *zn* beeldhouwwerk, snijwerk

carving knife *zn* voorsnijmes

car wash *zn* autowasplaats

cascade [kæs'keɪd] **I** *zn* ❶ ⟨kleine⟩ waterval ❷ *comp* deels overlappende weergave van schermen **II** *onov ww* bruisend / golvend neerstorten

case [keɪs] **I** *zn* ❶ geval, zaak ★ *hard case* moeilijk geval, netelig punt ❷ ⟨rechts⟩zaak, proces, geding ❸ bewijs(materiaal), pleidooi ❹ huls, overtrek, foedraal, tas(je), etui, kist, koffer ★ *packing case* pakkist ★ *writing case* schrijfmap ❺ kast ❻ staat, toestand ❼ patiënt ❽ *taalk* naamval ★ *drukk lower case* kleine letter ▼ *drukk upper case* hoofdletter ▼ *as the case may be* al naargelang de omstandigheden ▼ *be on sb's case* zich bemoeien met iemands zaak ▼ *get off my case* laat me met rust ▼ *a case in point* een goed voorbeeld ▼ *in any case* in ieder geval, hoe dan ook ▼ *in case...* voor het geval dat... ▼ *just in case* voor alle zekerheid ▼ *in case of...* in geval van... ▼ *no case to...* geen aanleiding / ⟨rechts⟩grond om... ▼ *there's a case for / to...* er is wat voor te zeggen om... ▼ *I rest my case* daarmee heb ik wel genoeg gezegd, dit lijkt me overtuigend bewijs **II** *ov ww* ❶ in een huls of andere verpakking doen ❷ overtrekken

casebook ['keɪsbʊk] *zn* ❶ register met verslagen van rechtszaken ❷ patiëntenregister

case clock *zn* staande klok

case history *zn* ❶ ziektegeschiedenis ❷ dossier

case law *zn* jur jurisprudentie

caseload *zn* ❶ het aantal te behandelen cliënten / patiënten ❷ de totale praktijk van advocaat / arts

casemate ['keɪsmeɪt] *zn* kazemat

casement ['keɪsmənt] *zn* ⟨klein⟩ raam

case-sensitive *bnw comp* hoofdlettergevoelig

case study ['keɪsstʌdɪ] *zn* casestudy, beschrijving ⟨v. praktijkgeval⟩

casework ['keɪswɜːk] *zn* sociaal werk ⟨vnl. psychologisch gericht⟩

caseworker ['keɪswɜːkə] *zn* maatschappelijk werker ⟨vnl. psychologisch gericht⟩

cash [kæʃ] **I** *zn* ⟨contant⟩ geld, kas(geld), contant(en) ★ *ready cash* contanten ★ *digital cash* digitaal geld ★ *cash on delivery* onder rembours ★ *cash with order* vooruitbetaling ★ *inform cash in hand* contant ⟨mogelijk zwart⟩ ★ *be in cash* bij kas zijn ★ *be out of cash* niet bij kas zijn ★ *short of cash* slecht bij kas ★ *hard / USA cold cash* klinkende munt ★ *cash down / USA cash up front* contante betaling **II** *ov ww* ❶ innen, wisselen, verzilveren ⟨cheque⟩ ❷ *~ in* verzilveren, te gelde maken **III** *onov ww* ❶ *~ in*

★ *cash in on sth* v. iets profiteren ❷ <u>GB</u> ~ **up** de kas opmaken
cash card zn pinpas
cash cow zn melkkoe
cash crop zn marktgewas
cash desk zn kassa
cash dispenser zn geldautomaat
cashew [ˈkæʃuː] zn cashewnoot
cashier [kæˈʃɪə] I zn kassier, caissière II ov ww <u>mil</u> oneervol ontslaan
cash machine zn geldautomaat
cashmere [ˈkæʃmɪə] zn ❶ kasjmier ❷ sjaal
cashpoint [ˈkæʃpɔɪnt] zn geldautomaat
cash register zn kasregister
cash-starved bnw krap bij kas
cash-strapped bnw armlastig
casing [ˈkeɪsɪŋ] zn omhulsel, overtrek, verpakking, bekleding, bekisting
cask [kɑːsk] I zn vat, fust II ov ww op fust doen
casket [ˈkɑːskɪt] I zn ❶ kistje, cassette ❷ <u>USA</u> doodskist II ov ww in een kistje doen
casserole [ˈkæsərəʊl] zn ❶ stoofschotel ❷ stoofpan
cassette [kəˈset] zn cassette
cassock [ˈkæsək] zn ❶ soutane ❷ toog
cast [kɑːst] I zn ❶ bezetting, rolverdeling ❷ afgietsel, gietvorm ❸ gipsverband ❹ gooi, worp ❺ aard, type, soort, uiterlijk ⟨v. gezicht⟩ II ov ww [onregelmatig] ❶ toewijzen ⟨rol⟩, casten ❷ werpen ⟨blik, licht, schaduw, enz.⟩, uitwerpen ⟨hengel⟩, afwerpen ⟨huid⟩, opwerpen ⟨twijfel⟩ ❸ rangschikken, indelen ❹ uitbrengen ⟨stem⟩ ❺ trekken ⟨horoscoop⟩ ❻ techn gieten ★ *cast in the mould of* sterk lijkend op ❼ ~ **aside** afstand doen van, verwerpen ❽ ~ **down** deprimeren, neerslaan ⟨ogen⟩ ★ *be cast down* terneergeslagen zijn ❾ ~ **off** zich ontdoen van, losgooien ⟨boot⟩, afhechten ⟨breiwerk⟩ ❿ ~ **on** opzetten ⟨breiwerk⟩ ⓫ **dicht** ~ **out** verstoten III onov ww [onregelmatig] ❶ ~ **about/around for** ⟨koortsachtig⟩ zoeken ❷ ~ **off** losgegooid worden ⟨v. boot⟩, opgezet worden ⟨v. breiwerk⟩
castanets [kæstəˈnet] zn mv castagnetten
castaway [ˈkɑːstəweɪ] I zn schipbreukeling II bnw aangespoeld ⟨na schipbreuk⟩
caste [kɑːst] zn ❶ kaste ❷ kastenstelsel ★ *lose* ~ in stand achteruitgaan
caster [ˈkɑːstə] zn <u>USA</u> → castor
caster sugar zn fijne kristalsuiker
castigate [ˈkæstɪgeɪt] ov ww ernstig verwijten
castigation [kæstɪˈgeɪʃən] zn ernstig verwijt
casting [ˈkɑːstɪŋ] zn ❶ ton rolverdeling ❷ gietsel
cast iron I zn gietijzer II bnw, **cast-iron** ❶ gietijzeren ❷ ijzersterk
castle [ˈkɑːsəl] I zn ❶ kasteel ❷ toren ⟨schaakstuk⟩ ★ *(build)* ~s *in the air* luchtkastelen ⟨bouwen⟩ ★ *bouncy* ~ groot springkussen II ov+onov ww rokeren ⟨met schaken⟩
cast-off I zn afdankertje II bnw afgedankt
castor [ˈkɑːstə] zn ❶ wieltje ⟨onder meubel⟩ ❷ strooier ⟨v. suiker, enz.⟩
castor oil zn wonderolie
castor sugar zn fijne kristalsuiker
castrate [kæˈstreɪt] ov ww castreren
castration [kæˈstreɪʃən] zn castratie

casual [ˈkæʒʊəl] I bnw ❶ informeel, gemakkelijk ⟨ook v. kleding⟩, nonchalant ❷ toevallig, oppervlakkig ★ *a ~ acquaintance* een oppervlakkige kennis ❸ tijdelijk ⟨werk⟩, ongeregeld ❹ terloops ★ *glance ~ly through the mags* de tijdschriften vluchtig bekijken II zn ❶ tijdelijke kracht ❷ [mv] ★ *~s* informele kleding
casualty [ˈkæʒʊəltɪ] zn ❶ ongeluk, ramp ❷ slachtoffer ★ *casualties* [mv] doden en gewonden
casualty department zn eerste hulp ⟨afdeling in ziekenhuis⟩
casuistry [ˈkæzjuːɪstrɪ] zn drogreden
cat [kæt] zn ❶ kat ❷ biol katachtige ❸ inform vent ★ *fat cat* rijke stinkerd ▼ inform *that is the cat's whiskers / pyjamas* dat is geweldig, dat is je van het ▼ *let the cat out of he bag* een geheim verklappen ▼ *I was like a cat on hot bricks / on a hot tin roof* ik zat op hete kolen ▼ *like a cat that's got the cream* erg tevreden met jezelf ▼ <u>USA</u> *like the cat that got / ate / swallowed the canary* erg tevreden met jezelf ▼ *it's raining cats and dogs* het regent pijpenstelen ▼ *you look like sth the cat brought in* jij ziet er ellendig uit ▼ *I don't have / stand a cat in hell's chance* ik heb geen schijn van kans ▼ *play cat and mouse* een kat-en-muisspelletje spelen ▼ *put / set the cat among the pigeons* de kat op het leven binden ▼ *see which way the cat jumps* de kat uit de boom kijken ▼ *when the cat's away the mice will play* als de kat van huis is, dansen de muizen op tafel ▼ *like a scalded cat* als de gesmeerde bliksem
cataclysm [ˈkætəklɪzəm] zn ❶ ramp, overstroming, oorlog ❷ grote omwenteling
cataclysmic [kætəˈklɪzmɪk] bnw enorme beroering teweegbrengend
catacomb [ˈkætəkuːm] zn catacombe
catalogue [ˈkætəlɒg] I zn ❶ catalogus ❷ lijst, reeks II ov ww catalogiseren
catalyst [ˈkætəlɪst] zn katalysator
catalytic converter zn auto katalysator
catamaran [kætəməˈræn] zn catamaran
catamount [kætəˈmaʊnt], **catamountain** [kætəˈmaʊntɪn] zn poema
catapult [ˈkætəpʌlt] I zn katapult, luchtv lanceerinrichting II ov ww ❶ met een katapult af- / beschieten ❷ lanceren, slingeren III onov ww afgeschoten worden
cataract [ˈkætərækt] zn ❶ waterval ❷ med grauwe staar
catarrh [kəˈtɑː] zn ❶ med slijmvliesontsteking ❷ snot
catastrophe [kəˈtæstrəfɪ] zn catastrofe, ramp
catastrophic [kætəˈstrɒfɪk] bnw catastrofaal, rampzalig
cat burglar zn geveltoerist
catcall [ˈkætkɔːl] I zn ⟨afkeurend⟩ gejoel, schel gefluit II ov ww uitfluiten
catch [kætʃ] [onregelmatig] I ov ww ❶ ⟨op⟩vangen, grijpen, pakken, trekken ⟨aandacht⟩ ★ ~ *hold of your arm* je arm vastpakken ★ ~ *fire* vlam vatten ★ ~ *your eye* je blik vangen, je opvallen ★ ~ *a film* naar de film gaan ★ *I didn't* ~ *her name* ik heb haar naam niet goed gehoord ★ *you can* ~ *me at the office*

ik ben op mijn kantoor bereikbaar ❷ nemen, halen (bus, enz.) ❸ betrappen, verrassen, ontdekken, vinden ★ ~ *you red-handed* je op heterdaad betrappen ★ *caught by a storm* door een storm overvallen ★ *fig ~ you napping* je overrompelen ❹ oplopen, krijgen (v. ziekte) ★ ~ *cold* kouvatten ★ ~ *your death (of cold)* 'n zware verkoudheid oplopen ★ *inform ~ it* er flink van langs krijgen ❺ raken, treffen ★ ~ *sb on the nose* iem. een klap op zijn neus geven ❻ snappen, begrijpen ★ ~ *me!* dat kun je begrijpen! ❼ vastraken met ★ ~ *your finger in the door* met je vinger bekneld raken tussen de deur ❽ GB sport uitvangen ▼ ~ *your breath* je adem stokt, op adem komen ❾ ~ **at** betrappen op ❿ ~ **out** overvallen, klem zetten, erin laten lopen ⓫ ~ **up** inhalen II *onov ww* ❶ vast komen te zitten, blijven haken (aan spijker, enz.) ❷ besmettelijk zijn ❸ pakken, sluiten (v. grendel) ❹ vlam vatten ❺ ~ **at** grijpen naar ❻ ~ **on** populair worden, begrijpen ★ ~ *on to sth* iets snappen ❼ ~ **up** (achterstand) inhalen, bijpraten ★ ~ *up on some sleep* slaap inhalen ❽ ~ **up in** vastzitten, betrokken raken bij ❾ ~ **up with** eindelijk te pakken krijgen, achterhalen, inhalen, wegwerken (achterstand) III *zn* ❶ vangst, het vangen, buit, aanwinst ★ *a good ~* een goede partij (voor huwelijk) ❷ vangbal (balspel) ❸ sluiting, haak(je) ❹ valstrik, strikvraag ❺ hapering ▼ ~ *22* omschr onoplosbare situatie

catch-all *zn* vergaarbak ★ ~ *term* verzamelnaam

catcher ['kætʃə] *zn* ❶ vanger ❷ sport achtervanger

catching ['kætʃɪŋ] *bnw* ❶ besmettelijk ❷ aanstekelijk

catchment ['kætʃmənt] *zn* neerslag- / stroomgebied

catchment area *zn* ❶ verzorgingsgebied ❷ neerslag- / stroomgebied

catchphrase ['kætʃfreɪz] *zn* cliché, (populaire) kreet

catchy ['kætʃɪ] *bnw* ❶ pakkend, aantrekkelijk ❷ goed in het gehoor liggend

catechism ['kætɪkɪzəm] *zn* catechismus

catechumen [kætɪ'kju:mən] *zn* doop- / geloofsleerling

categorical [kætɪ'gɒrɪkl] *bnw* ❶ categorisch ❷ stellig

categorize, categorise ['kætɪgəraɪz] *ov ww* categoriseren

category ['kætɪgərɪ] *zn* categorie

catena [kæ'ti:nə] *zn* reeks, aaneenschakeling

catenary [kə'ti:nərɪ] *bnw* ketting-

cater ['keɪtə] *onov ww* ❶ cateren, voedsel verzorgen / leveren ❷ ~ **for** zorgen voor, leveren aan ★ ~ *for the needs of the elderly* voorzien in (alle) behoeften van ouderen ❸ ~ **to** ★ *mags ~ing to the masses* tijdschriften gericht op de grote massa

caterer ['keɪtərə] *zn* cateraar, cateringbedrijf

catering ['keɪtərɪŋ] *zn* catering, proviandering, receptie- / dinerverzorging

caterpillar ['kætəpɪlə] *zn* ❶ rups ❷ rupsband

caterwaul ['kætəwɔ:l] I *zn* kattengejank II *onov ww* krollen

catfish ['kætfɪʃ] *zn* ❶ meerval ❷ katvis

cat flap *zn* poezenluik

catgut ['kætgʌt] *zn* darmsnaar (v. schaap)

catharsis [kə'θɑ:sɪs] *zn* catharsis, loutering

cathedral [kə'θi:drəl] *zn* kathedraal

Catherine wheel *zn* vuurrad

cathode ['kæθəʊd] *zn* kathode

catholic ['kæθəlɪk] *bnw* ruim, veelzijdig

Catholic ['kæθəlɪk] I *zn* katholiek II *bnw* ❶ (rooms-)katholiek ❷ algemeen christelijk

Catholicism [kə'θɒlɪsɪzm] *zn* katholicisme

catkin ['kætkɪn] *zn* katje (aan wilg, hazelaar)

catnap ['kætnæp] *zn* hazenslaapje

cat's foot *zn* plantk hondsdraf

catsleep *zn* hazenslaapje

cat's paw *zn* omschr iemand die het vuile werk voor een ander opknapt

cat's tail, cattail ['kæterl] *zn* plantk lisdodde

catsuit ['kætsu:t] *zn* jumpsuit, bodystocking

cattery ['kætərɪ] *zn* poezenpension

cattle ['kætl] *zn* (rund)vee ★ *a herd of ~* een kudde koeien ★ *twenty head of ~* twintig stuks vee

cattle grid, USA cattle guard *zn* wildrooster

catty ['kætɪ] *bnw* kattig

catwalk ['kætwɔ:k] *zn* catwalk, plankier (bij modeshows), smal looppad (bv. langs brug)

Caucasian [kɔ:'keɪʒən] I *zn* blanke (v.h. Indo-Europese ras) II *bnw* blank (v.h. Indo-Europese ras)

caucus ['kɔ:kəs] *zn* ❶ (besloten) vergadering v. partijleden (over kandidaten en / of beleid) ❷ groepering

caught [kɔ:t] *ww* [verleden tijd + volt. deelw.] → catch

cauldron ['kɔ:ldrən] *zn* ❶ grote ketel ❷ heksenketel

cauliflower ['kɒlɪflaʊə] *zn* bloemkool

caulk [kɔ:k] *ov ww* breeuwen, waterdicht maken

causal ['kɔ:zəl] *bnw* causaal, oorzakelijk

causality [kɔ:'zælɪtɪ] *zn* causaliteit, oorzakelijkheid

causative ['kɔ:zətɪv] I *bnw* ❶ veroorzakend ❷ taalk causatief II *zn* taalk causatief

cause [kɔ:z] I *zn* ❶ oorzaak ❷ reden, motief, grond ★ *no ~ for concern* geen reden tot ongerustheid ❸ zaak, principe ★ *be for / in a good ~* voor een goede zaak zijn / werken ❹ rechtszaak, proces II *ov ww* veroorzaken, teweegbrengen, zorgen dat

'cause [kəs] *vw* inform → because

causeway ['kɔ:zweɪ] *zn* verhoogde weg (door nat gebied)

caustic ['kɔ:stɪk] *bnw* ❶ brandend, bijtend ❷ sarcastisch

cauterize, cauterise ['kɔ:təraɪz] *ov ww* ❶ med uit- / dichtbranden (v. wond) ❷ verharden, gevoelloos maken

caution ['kɔ:ʃən] I *zn* ❶ voorzichtigheid, omzichtigheid ★ *throw / cast ~ to the wind(s)* alle voorzichtigheid laten varen ❷ waarschuwing ❸ berisping II *ov ww* ❶ waarschuwen ★ *be ~ed* een waarschuwing krijgen ❷ berispen

cautionary ['kɔ:ʃənərɪ] *bnw* waarschuwend

cautious ['kɔ:ʃəs] *bnw* omzichtig, voorzichtig, behoedzaam

cavalcade [kævəl'keɪd] *zn* ❶ ruiterstoet ❷ (bonte)

optocht

cavalry ['kævəlrɪ] *zn* cavalerie

cavalryman ['kævəlrɪmən] *zn* cavalerist

cave [keɪv] I *zn* hol, grot II *ov+onov ww*
❶ uithollen, uitgraven ❷ ~ in instorten,
bezwijken, zwichten

caveat ['kævɪæt] *zn* ❶ *jur* caveat, protest
❷ voorbehoud

cave-in *zn* instorting, verzakking

caveman ['keɪvmæn] *zn* holbewoner

cavern ['kævən] *zn* hol, grot

cavernous ['kævənəs] *bnw* ❶ vol holen, grot-
❷ grotachtig

caviar, caviare ['kævɪɑ:] *zn* kaviaar

cavil ['kævɪl] I *zn* muggenzifterij II *onov ww*
vitten

caving ['keɪvɪŋ] *zn* ★*go* ~ grotten verkennen

cavity ['kævɪtɪ] *zn* ❶ holte ❷ gaatje (in tand /
kies)

cavity wall *zn* spouwmuur

cavort [kə'vɔ:t] *onov ww* dartelen, rondspringen

cavy ['keɪvɪ] *zn* cavia

caw [kɔ:] I *zn* gekras (v. kraai, enz.) II *onov ww*
krassen (v. kraai, enz.)

cay [keɪ] *zn* ❶ zandbank ❷ koraalrif

cayenne [keɪ'en] *zn* ★ ~ *(pepper)* cayennepeper

cayman ['keɪmən] *zn* → **caiman**

CBE *afk, Commander of the Order of the British
Empire* Commandeur in de Orde van het Britse
Rijk

cc *afk* ❶ *carbon copy* cc'tje ❷ *cubic
centimetre(s)* cc

CCTV *afk, closed-circuit television*
camerabewaking ★*CCTV footage* opname
gemaakt door bewakingscamera

CD *afk, Compact Disc* cd

CD-R *afk, Compact Disc Recordable* cd-r

CD-ROM *afk, Compact Disc Read Only Memory*
cd-rom

CDT *afk* ❶ *Central Daylight Time* Centrale
Daglichttijd (tijdzone in oostelijk-centraal USA)
❷ *GB onderw Craft, Design and Technology* ≈
handvaardigheid

cease [si:s] *ov+onov ww* ophouden

ceasefire ['si:sfaɪə] *zn* staakt-het-vuren,
wapenstilstand

ceaseless ['si:sləs] *bnw* onophoudelijk

cedar ['si:də] I *zn* ❶ *plantk* ceder ❷ cederhout
II *bnw* ceder(houten)

cede [si:d] *ov ww* form afstaan

Ceefax ['si:fæks] *zn* ≈ teletekst (v. BBC)

ceiling ['si:lɪŋ] *zn* ❶ plafond ❷ bovengrens, limiet
(v. loon, enz.) ❸ maximale hoogte (v. vliegtuig,
enz.) ▼*hit the* ~ ontploffen van woede

celeb [sə'leb] *zn* inform → **celebrity**

celebrant ['seləbrənt] *zn* ❶ priester die de mis
opdraagt ❷ *USA* feestvierder

celebrate ['seləbreɪt] I *ov ww* ❶ vieren,
❷ huldigen, loven ❸ opdragen (de mis) II *onov
ww* feestvieren

celebrated ['seləbreɪtɪd] *bnw* gevierd, beroemd

celebration [selə'breɪʃən] *zn* viering, feestelijke
herdenking, huldiging ★*lustral* ~
lustrumviering

celebrity [sɪ'lebrɪtɪ] *zn* ❶ roem ❷ beroemdheid
(persoon)

celerity [sɪ'lerɪtɪ] *zn* snelheid

celery ['selərɪ] *zn* selderie, bleekselderij

celestial [sɪ'lestɪəl] *bnw* ❶ hemels, hemel-
❷ goddelijk ★ ~ *body* hemellichaam ★*the
Celestial Empire* het Hemelse Rijk, China

celibacy ['selɪbəsɪ] *zn* celibaat, ongehuwde staat

celibate ['selɪbət] I *zn* ❶ ongehuwde ❷ celibaat,
ongehuwde staat II *bnw* ongehuwd, celibatair

cell [sel] *zn* ❶ cel, gevangeniscel, monnikscel,
bijencel ❷ *pol* groep(je)

cellar ['selə] I *zn* kelder II *ov ww* in kelder
bewaren

cellist ['tʃelɪst] *zn* cellist

cellophane ['seləfeɪn] *zn* cellofaan

cellphone ['selfəʊn] *zn* mobiele telefoon

cellular ['seljʊlə] *bnw* ❶ celvormig, met cellen
❷ luchtig ❸ mobiel (van telefoon)

cellulite ['seljʊlaɪt] *zn* cellulitis

cellulose ['seljʊləʊz] I *zn* cellulose II *bnw* v.
celstof

Celt [kelt] *zn* Kelt

Celtic ['keltɪk] *bnw* Keltisch

cement [sɪ'ment] I *zn* ❶ cement ❷ ook fig
bindmiddel, cohesie II *ov ww* ❶ met cement
verbinden / bestrijken ❷ bevestigen, versterken
❸ één worden

cement mixer *zn* betonmolen

cemetery ['semɪtərɪ] *zn* begraafplaats

censer ['sensə] *zn* wierookvat

censor ['sensə] I *zn* ❶ censor ❷ zedenmeester
II *ov ww* censuur uitoefenen over, censureren

censorious [sen'sɔ:rɪəs] *bnw* vol kritiek

censorship ['sensəʃɪp] *zn* ❶ ambt v. censor
❷ censuur

censure ['senʃə] I *ov ww* berispen, afkeuren,
kritiseren II *zn* berisping, terechtwijzing,
afkeuring

census ['sensəs] *zn* volkstelling

cent [sent] *zn* cent ★*per cent* procent

cent. [sent] *afk* ❶ *centigrade* Celsius ❷ *century*
eeuw

centaur ['sentɔ:] *zn* centaur (half mens, half
paard)

centenarian [sentɪ'neərɪən] I *bnw* honderdjarig
II *zn* honderdjarige

centenary [sen'ti:nərɪ], *USA* **centennial**
[sen'tenɪəl] I *zn* ❶ eeuw ❷ eeuwfeest II *bnw*
honderdjarig

center ['sentə] *zn USA* → **centre**

center- ['sentə-] *voorv USA* → **centre-**

centigrade ['sentɪɡreɪd] *bnw* met / op de schaal
v. Celsius

centimetre ['sentɪmi:tə] *zn* centimeter

centipede ['sentɪpi:d] *zn* duizendpoot

central ['sentrəl] *bnw* ❶ voornaamste, hoofd- ★ ~
government centrale overheid ★ ~ *locking*
centrale vergrendeling ★ ~ *processing unit, CPU*
centrale verwerkingseenheid, CVE ❷ centraal,
midden- ★*Central America* Midden-Amerika

centrality [sen'trælətɪ] *zn* centrale ligging

centralize, centralise ['sentrəlaɪz] *ov+onov ww*
centraliseren

centre, *USA* center ['sentə] I *zn* ❶ middelpunt,
midden ❷ centrum ❸ instelling, centrum ❹ fig
kern, bron, haard ❺ middenspeler ★ ~ *(forward)*
midvoor, centrumspits ★ ~ *of gravity*
zwaartepunt II *ov ww* ❶ in het midden plaatsen

❷ concentreren ❸ het midden zoeken / bepalen van ❹ sport voorzetten, naar het midden spelen

centre-, USA **center-** ['sentə] *voorv* midden-, centraal

centreboard, USA **centerboard** ['sentəbɔːd] *zn* middenzwaard ‹v. zeiljacht›

centrefold, USA **centerfold** ['sentəfəuld] *zn* ❶ uitklapplaat ‹in tijdschrift›, ≈ pin-up ❷ pin-upgirl

centremost, USA **centermost** ['sentəməust] *zn* middelste

centrepiece, USA **centerpiece** ['sentəpiːs] *zn* ❶ het belangrijkste ❷ middenstuk ‹tafelversiering›

centre stage, USA **center stage** *zn* middelpunt v. belangstelling

centricity [sen'trɪsətɪ] *zn* centrale ligging

centrifugal [sentrɪ'fjuːgl] *bnw* middelpuntvliedend

centripetal [sen'trɪpɪtl] *bnw* middelpuntzoekend

centrist ['sentrɪst] **I** *zn* iemand met gematigde politieke opvattingen **II** *bnw* centrum-, gematigd

centurion [sen'tjuərɪən] *zn* gesch centurio, honderdman

century ['sentʃərɪ] *zn* eeuw

CEO *afk*, econ *Chief Executive Officer* voorzitter v. Raad v. Bestuur ‹v. groot bedrijf›

ceramic [sɪ'ræmɪk] **I** *zn* ★ ~s [mv] keramiek **II** *bnw* keramisch

cereal ['sɪərɪəl] **I** *zn* ❶ graan ❷ graanproduct ‹als ontbijt› **II** *bnw* graan-

cerebellum [serɪ'beləm] *zn* kleine hersenen

cerebral ['serɪbrəl] *bnw* ❶ hersen- ★ ~ *palsy* spastische verlamming ❷ cerebraal, intellectueel

cerebrum ['serɪbrəm] *zn* grote hersenen

ceremonial [serɪ'məunɪəl] **I** *zn* ceremonieel, plechtigheid **II** *bnw* ceremonieel, plechtig

ceremonious [serɪ'məunɪəs] *bnw* ❶ ceremonieel, plechtstatig ❷ vormelijk

ceremony ['serɪmənɪ] *zn* ❶ ceremonie, plechtigheid ❷ vormelijkheid ❸ formaliteit(en) ★ *stand on* ~ hechten aan vormen ★ *without* ~ zonder plichtplegingen

cert [sɜːt] **I** *zn* inform → *certainty* **II** *bnw* inform → *certain*

cert. *afk* ❶ *certificate* certificaat ❷ *certified* gewaarmerkt

certain ['sɜːtn] *bnw* zeker ★ *he is* ~ *to come* hij komt zeker ▾ *for* ~ zeker, met zekerheid ▾ *make* ~ *(that)* zich ervan vergewissen (dat) ▾ *of a* ~ *age* niet jong maar ook niet oud

certainty ['sɜːtntɪ] *zn* zekerheid ★ *for a* ~ stellig

certifiable [sɜːtɪ'faɪəbl] *bnw* ❶ certificeerbaar ❷ rijp voor een inrichting

certificate[1] [sə'tɪfɪkət] *zn* ❶ certificaat, verklaring, bewijs, attest, akte ❷ diploma ★ ~ *of bankruptcy* verklaring v. opheffing / faillissement ★ *be married by* ~ huwen voor de ambtenaar v.d. burgerlijke stand

certificate[2] [sə'tɪfɪkeɪt] *ov ww* ❶ een certificaat geven, certificeren ❷ met een verklaring machtigen

certification [sɜːtɪfɪ'keɪʃən] *zn* ❶ verklaring, bevoegdheid ❷ verlening van diploma

certify ['sɜːtɪfaɪ] *ov ww* ❶ (officieel) verklaren, waarmerken, een diploma / certificaat uitreiken / verlenen ❷ krankzinnig verklaren ❸ getuigen

certitude ['sɜːtɪtjuːd] *zn* zekerheid

cervical ['sɜːvɪkəl] *bnw* ❶ anat hals-, nek- ❷ baarmoederhals- ★ ~ *cancer* baarmoederhalskanker ★ ~ *smear* uitstrijkje

cessation [se'seɪʃən] *zn* het ophouden, beëindiging

cession ['seʃən] *zn* ❶ afstand, overdracht ❷ cessie ★ ~ *of rights* overdracht van rechten

cesspit ['sesptɪ], **cesspool** ['sespuːl] *zn* beerput ook fig ★ ~ *of iniquity* poel v. ongerechtigheid

CET *afk*, *Central European Time* Midden-Europese tijd

cetacean [sɪ'teɪʃən] **I** *zn* walvis, walvisachtig zoogdier **II** *bnw* walvisachtig

cf. *afk*, *confer* ‹Latijn› vergelijk

chador ['tʃʌdə] *zn* chador

chafe [tʃeɪf] **I** *zn* schaafwond **II** *onov ww* ❶ zich ergeren ❷ pijn doen ‹door schuren› **III** *ov ww* schuren, (warm) wrijven, (open) schaven

chafer ['tʃeɪfə] *zn* (mei)kever

chaff [tʃɑːf] *zn* ❶ kaf ★ fig *separate / sort the* ~ *from the wheat* het kaf van het koren scheiden ❷ haksel ❸ stroken aluminiumfolie ‹tegen radardetectie›

chaffinch [tʃæfɪntʃ] *zn* vink

chagrin ['ʃægrɪn] *zn* ❶ teleurstelling ❷ verdriet

chain [tʃeɪn] **I** *zn* ❶ ketting ★ ~ *of office* ambtsketen ❷ reeks, keten **II** *ov ww* ❶ ketenen, aan de ketting leggen ★ fig *be* ~*ed to their desks* aan hun bureau gekluisterd zitten ❷ ~ *up* aan de ketting leggen, met een ketting vastmaken

chain gang *zn* ploeg geketende dwangarbeiders ★ *work on the* ~ dwangarbeid verrichten

chain letter *zn* kettingbrief

chain-link fence *zn* afrastering v. harmonicagaas

chain mail *zn* maliënkolder

chainsaw ['tʃeɪnsɔː] *zn* kettingzaag

chain-smoker *zn* kettingroker

chain store *zn* winkelketen

chain wheel *zn* kettingwiel

chair [tʃeə] **I** *zn* ❶ stoel, zetel ★ *easy* ~ leunstoel, fauteuil ★ *high* ~ kinderstoel ★ *musical* ~*s* stoelendans ‹spel› ❷ voorzitter, voorzitterschap ★ *be in the* ~ voorzitter zijn ★ *take / leave the* ~ de vergadering openen / sluiten ❸ leerstoel, hoogleraarschap ❹ USA inform de elektrische stoel **II** *ov ww* vóórzitten

chairman ['tʃeəmən] *zn* voorzitter ★ ~ *of the (supervisory) board* president-commissaris

chairmanship ['tʃeəmənʃɪp] *zn* voorzitterschap

chairperson ['tʃeəpɜːsən] *zn* voorzitter, voorzitster

chairwoman ['tʃeəwʊmən] *zn* voorzitster

chalet ['ʃæleɪ] *zn* ❶ chalet ❷ vakantiehuisje

chalice ['tʃælɪs] *zn* kelk

chalk [tʃɔːk] **I** *zn* ❶ krijt ★ *like* ~ *and cheese* verschillen als dag en nacht ❷ (kleur)krijtje ▾ *by (a) long* ~*(s)* verreweg ▾ *not by a long* ~ op geen stukken na **II** *ov ww* ❶ met krijt opschrijven ❷ ~ *out* schetsen, aangeven ❸ ~ *up* opschrijven, noteren, toeschrijven, krijten ‹keu›

★ ~ *up to experience* als een leermoment beschouwen

chalky ['tʃɔːkɪ] *bnw* ❶ krijtachtig ❷ krijtwit

challenge ['tʃælɪndʒ] **I** *zn* ❶ uitdaging, moeilijke zaak / taak ❷ <u>jur</u> wraking ❸ vraag om uitleg ❹ <u>med</u> immuniteitsonderzoek ★ *rise to the ~* de uitdaging aannemen, de handschoen oppakken **II** *ov ww* ❶ uitdagen ❷ aanvechten, betwisten ❸ opwekken, prikkelen ❹ aanhouden ❺ eisen, vragen ❻ <u>jur</u> wraken

challenge cup *zn* sport wisselbeker

challenged ['tʃælɪndʒd] *bnw* euf gehandicapt ★ <u>USA</u> *physically / mentally ~* lichamelijk / geestelijk gehandicapt

challenger ['tʃælɪndʒə] *zn* uitdager

challenging ['tʃælɪndʒɪŋ] *bnw* ❶ een uitdaging vormend ❷ euf gehandicapt

chamber ['tʃeɪmbə] *zn* ❶ vertrek, kamer ❷ pol kamer ❸ anat kamer, holte

chamberlain ['tʃeɪmbəlɪn] *zn* ❶ kamerheer ❷ penningmeester

chambermaid ['tʃeɪmbəmeɪd] *zn* kamermeisje

chamber music *zn* kamermuziek

chamber pot *zn* po

chameleon [kə'miːlɪən] *zn* ❶ kameleon ❷ min onstandvastig iemand, draaier

chamfer ['tʃæmfə] **I** *zn* schuine kant **II** *ov ww* afschuinen, soevereinen

chamois¹ ['ʃæmwɑː] *zn* gems

chamois² ['ʃæmwɑː -/'ʃæmɪ] *zn* gemzenleer, zeemleer

chamomile ['kæməmaɪl] *zn* kamille

champ [tʃæmp] **I** *zn, inform* champion kampioen **II** *onov ww* (hoorbaar) kauwen ★ fig *be ~ing at the bit* popelen **III** *ov ww* (hoorbaar) bijten op

champagne [ʃæm'peɪn] *zn* champagne

champers ['ʃæmpəz] *zn mv*, GB inform champagne

champion ['tʃæmpɪən] **I** *zn* ❶ kampioen ❷ voorvechter **II** *bnw + bijw* prima, geweldig **III** *ov ww* verdedigen, krachtig opkomen voor

championship ['tʃæmpɪənʃɪp] *zn* ❶ kampioenschap ❷ verdediging, krachtige steun

chance [tʃɑːns] **I** *zn* ❶ kans ❷ gelegenheid ❸ risico ❹ toeval ★ *leave nothing to ~* niets aan het toeval overlaten ▼ *as ~ would have it* het toeval wilde ▼ *the ~s are against it* er is niet veel kans ▼ *by ~* toevallig ▼ *by any ~* soms, misschien, toevallig ▼ *the ~s are that* er is veel kans dat ▼ *on the off ~* voor het geval iets onverhoopt toch goed zou uitpakken ▼ *stand a fair ~* kans hebben ▼ *a good ~* heel waarschijnlijk ▼ *take a ~* het erop wagen, de gelegenheid aangrijpen ▼ *do sth on the off ~* iets tegen beter weten in tóch proberen te doen ▼ *have an eye to the main ~* op eigen voordeel letten **II** *bnw* toevallig **III** *ov ww* wagen, riskeren **IV** *onov ww* ❶ gebeuren ★ *I ~d to see it* ik zag het toevallig ❷ ~ **on** toevallig tegenkomen

chancel ['tʃɑːnsəl] *zn* (priester)koor

chancellery ['tʃɑːnsələrɪ] *zn* ❶ kanselierschap ❷ kanselarij

chancellor ['tʃɑːnsələ] *zn* ❶ kanselier ❷ titulair hoofd v.e. universiteit ★ *vice ~* rector magnificus ★ <u>GB</u> *Lord Chancellor* ≈ minister van justitie,

voorzitter v.h. Hogerhuis en opperste rechter ★ <u>GB</u> *Chancellor of the Exchequer* minister v. financiën

chancy ['tʃɑːnsɪ] *bnw* gewaagd, riskant

chandelier [ʃændɪ'lɪə] *zn* kroonluchter

chandler ['tʃɑːndlə] *zn* handelaar in scheepsbenodigdheden

change [tʃeɪndʒ] **I** *ov ww* ❶ veranderen ★ *~ colour* verschieten v. kleur ❷ (ver)wisselen, verruilen, omruilen, ruilen ★ *~ oil* olie verversen ★ *~ jobs* van baan veranderen ★ *~ planes / trains at Detroit* in Detroit overstappen ❸ je verkleden, verschonen ★ *~ clothes* je omkleden ★ *get ~d* je omkleden ❹ schakelen ★ *~ gear* (over)schakelen ❺ ~ **around/round** verplaatsen ❻ ~ **back into** weer omtoveren tot **II** *onov ww* ❶ veranderen, (om)ruilen ❷ zich verkleden ★ *~ into a dress* een jurk aantrekken ❸ overstappen ❹ techn schakelen ❺ ~ **back into** zich weer verkleden ★ *~ back into work clothes* je werkkleding weer aantrekken ❻ <u>GB</u> auto ~ **down** terugschakelen ❼ ~ **into** overgaan in, zich verkleden ★ *~ into shorts* een korte broek aantrekken ❽ ~ **over** omschakelen, omzwaaien ❾ <u>GB</u> auto ~ **up** naar hogere versnelling schakelen **III** *zn* ❶ verandering, overgang ★ *a ~ of scene* een andere omgeving ★ *for a ~* voor de verandering ★ *~ for the better / worse* verandering ten goede / kwade ★ *~ of heart* verandering van inzicht, bekering ★ *~ of mind* verandering v. gedachten ★ *~ of life* menopauze, overgang ★ <u>GB</u> *ring the ~s (on sth)* (iets) anders aanpakken, (iets) grondig veranderen ❷ verwisseling, (ver)ruiling, verschoning ⟨v. kleding⟩ ❸ overstap ❹ kleingeld, wisselgeld ★ *loose ~* kleingeld ★ *keep the ~* het is goed zo ⟨ik hoef het wisselgeld niet⟩ ▼ *get no ~ out of sb* bij iem. aan het verkeerde adres zijn

changeability [tʃeɪndʒə'bɪlətɪ] *zn* veranderlijkheid

changeable ['tʃeɪndʒəbl] *bnw* veranderlijk

changeless ['tʃeɪndʒləs] *bnw* onveranderlijk

changeover ['tʃeɪndʒəʊvə] *zn* ❶ ommezwaai, omschakeling ❷ overgang

change-over ['tʃeɪndʒ-əʊvə] *bnw* ★ *~ switch* omschakelaar

changing room GB *zn* kleedkamer, kleedhokje

channel ['tʃænl] **I** *zn* ❶ kanaal, waterloop, stroombed, vaargeul ★ *the (English) Channel* Het Kanaal ★ *the Channel Islands* de Kanaaleilanden ❷ comm kanaal, station ★ fig *through the usual ~s* via de gebruikelijke kanalen, langs de gewone weg **II** *ov ww* kanaliseren, (in vaste banen) leiden ★ *~ money into ailing schools* geld in noodlijdende scholen stoppen

channel-hop, channel-surf *onov ww* audio-vis zappen

chant [tʃɑːnt] **I** *zn* ❶ lied, melodie, deun ❷ koraal, psalm ❸ zangerige toon ❹ (gescandeerde) kreet, spreekkoor **II** *ov ww* ❶ scanderen ❷ zingen, reciteren

chanter ['tʃɑːntə] *zn* ❶ voorzanger ❷ schalmeipijp ⟨v. doedelzak⟩

chaos ['keɪɒs] *zn* chaos

chaotic [keɪ'ɒtɪk] *bnw* chaotisch

chap [tʃæp] **I** *zn* ❶ kinnebak, kaak ❷ <u>GB</u> inform ch

kerel, vent **II** *ov+onov ww* splijten, kloven
chap. *afk, chapter* hoofdstuk
chapel ['tʃæpl] *zn* ❶ kapel, zijkapel ⟨v. kerk⟩
❷ (niet-anglicaanse) kerk ❸ kerkdienst ★ *be ~
niet tot de Engelse staatskerk behorend*
chaplain ['tʃæplɪn] *zn* ❶ veldprediker,
aalmoezenier ❷ huiskapelaan
chaplet ['tʃæplɪt] *zn* ❶ (bloemen)krans
❷ rozenkrans, rozenhoedje ❸ halssnoer
chapped ['tʃæpt] *bnw* met kloven ⟨handen⟩,
gesprongen ⟨lippen⟩
chapter ['tʃæptə] *zn* ❶ hoofdstuk ★ *fig ~ and verse*
tekst en uitleg ❷ episode, periode ⟨in leven⟩
❸ kapittel ❹ USA afdeling v.e. vereniging ▼ *~ of
accidents* reeks tegenslagen
chapter house *zn* ❶ kapittelhuis ❷ USA
studentenhuis
char [tʃɑː] **I** *ov+onov ww* (doen) verkolen,
branden, schroeien **II** *zn* oud, **charwoman**
werkster *inform* rommelen
character ['kærəktə] *zn* ❶ karakter, aard, natuur
★ *in / out of ~* typisch / helemaal niet typisch
★ *in ~ with* passend bij ❷ reputatie ❸ type,
snuiter ★ *she's quite a ~* zij is me er eentje
❹ personage, rol ⟨in film⟩ ★ *public ~* bekend
persoon / type ❺ teken, letter
character actor *zn* karakterspeler
characteristic [kærəktə'rɪstɪk] **I** *zn* ❶ kenmerk
❷ wisk index v. logaritme **II** *bnw* kenmerkend
characterization, characterisation
[kærəktərar'zeɪʃən] *zn* karakterisering
characterize, characterise ['kærəktəraɪz] *ov ww*
kenmerken
characterless ['kærəktələs] *bnw* karakterloos
character reference *zn* aanbevelingsbrief
charade [ʃə'rɑːd] *zn* schertsvertoning ★ *~s* hints
⟨spelletje⟩
charcoal ['tʃɑːkəʊl] *zn* houtskool
charge [tʃɑːdʒ] **I** *zn* ❶ (on)kosten, vergoeding,
prijs ★ *no ~ / free of ~* gratis ★ *at your ~* op jouw
kosten ★ *reverse ~s* degene die gebeld wordt de
gesprekskosten laten betalen ★ *GB call-out ~*
voorrijkosten ❷ USA inform kostenpost,
rekening ⟨v. hotel, enz.⟩ ❸ jur aanklacht,
beschuldiging ★ *face a ~* terechtstaan voor
★ *bring / press / prefer ~s against you* jou iets ten
laste leggen ★ *drop the ~s* een aanklacht
intrekken ❹ zorg, leiding ★ *be in / of ~of*
verantwoordelijk zijn voor ★ *in / under the ~ of*
onder de hoede van ★ *official in ~* dienstdoende
beambte ❺ form taak, plicht ❻ form humor
pupil ❼ aanval ❽ lading ⟨elektriciteit, emotie⟩
❾ lading, springstof ▼USA inform *get a ~ out of
sth* ergens een kick v. krijgen **II** *ov ww* ❶ in
rekening brengen, vragen, rekenen
❷ afboeken, afschrijven ⟨als kosten⟩, USA met
de creditcard betalen ★ *~ € 25 to your account*
€ 25 op je rekening laten schrijven ⟨die je later
betaalt⟩ ❸ jur beschuldigen, aanklagen
❹ aanvallen, losstormen op ❺ laden ★ *~ up*
opladen ❻ form gelasten, opdragen ❼ form
vullen ⟨glazen bv.⟩, verzadigen ⟨lucht bv.⟩ ★ *fig a
highly ~d atmosphere* een erg gespannen sfeer
III *onov ww* ❶ geld vragen ❷ aanvallen,
rennen, vliegen ★ *~ into sb* op iem. losstormen,
tegen iem. aanbotsen ★ *~ into a room* een

kamer binnenstormen ❸ opladen
chargeable ['tʃɑːdʒəbl] *bnw* ❶ te declareren
❷ belastbaar ⟨v. inkomen⟩
charge account *zn* USA klantenrekening
charge card *zn* klanten(krediet)kaart, klantenpas
chargehand ['tʃɑːdʒhænd] *zn* ploegbaas
charge nurse *zn* hoofdverpleegkundige
charger ['tʃɑːdʒə] *zn* oplader, acculader
chariot ['tʃærɪət] *zn* zegekar
charioteer [tʃærɪə'tɪə] *zn* wagenmenner
charisma [kə'rɪzmə] *zn* charisma, uitstraling
charitable ['tʃærɪtəbl] *bnw* ❶ liefdadig
❷ welwillend, mild
charity ['tʃærəti] *zn* ❶ liefdadigheid ★ *live on / off
~* van liefdadigheid leven ★ *~ begins at home* het
hemd is nader dan de rok
❷ liefdadigheidsinstelling ❸ (naasten)liefde
❹ mildheid ★ *judge with ~* met mildheid
beoordelen
charlady ['tʃɑːleɪdɪ] *zn* werkster
charlatan ['ʃɑːlətən] *zn* charlatan
Charles [tʃɑːlz] *zn* Karel
charley horse *zn, USA inform* kramp
charlotte ['ʃɑːlət] *zn* vruchtenpudding
charm [tʃɑːm] **I** *zn* ❶ charme ❷ betovering,
tovermiddel, toverwoord, toverspreuk ★ *work
like a ~* werken als een zonnetje ★ USA *third
time's a / the ~* driemaal is scheepsrecht
❸ deeltje ❹ amulet ★ *lucky ~* talisman **II** *ov
ww* ❶ charmeren, bekoren ❷ bezweren, met
magische kracht beschermen ★ *~ sth out of a
person* iem. iets (weten te) ontlokken
charmer ['tʃɑːmə] *zn* charmeur
charming ['tʃɑːmɪŋ] *bnw* charmant,
aantrekkelijk, allerliefst
charnel house ['tʃɑːnlhaʊs] *zn* knekelhuis
chart [tʃɑːt] **I** *zn* ❶ (zee- / weer)kaart ❷ grafiek,
tabel ★ *the ~s* de hitparade **II** *ov ww* ❶ in kaart
brengen ❷ plannen **III** *onov ww* in de hitparade
komen
charter ['tʃɑːtə] **I** *zn* ❶ handvest, oorkonde
★ *Olympic ~* Olympisch handvest
❷ oprichtingsakte, statuten ❸ octrooi, privilege
❹ GB vrijbrief ⟨voor slecht gedrag⟩ ❺ het
charteren **II** *ov ww* ❶ charteren, huren
❷ octrooi / privilege / recht verlenen aan
chartreuse [ʃɑː'trɜːz] *zn* ❶ lichtgroen
❷ chartreuse ⟨likeur⟩
charwoman ['tʃɑːwʊmən] *zn* werkster
chary ['tʃeərɪ] *bnw* behoedzaam ★ *~ of* huiverig
voor, karig met
chase [tʃeɪs] **I** *ov+onov ww* ❶ achtervolgen,
achterna zitten, vervolgen, najagen, proberen
te bereiken ❷ inform proberen te versieren
❸ inform achter de broek zitten ❹ inform
aflopen / -rennen ❺ techn drijven ⟨v. zilver⟩
II *ww* ❶ *~ away/out/off, etc* [ov] wegjagen
❷ USA *~ down* [ov] opsporen ❸ *~ up* [ov]
opsporen **III** *zn* ❶ vervolging, achtervolging
❷ het najagen ⟨v. succes, enz.⟩ ❸ jacht
❹ jachtterrein ❺ bejaagd wild, prooi ★ *in ~ of*
op jacht naar ▼*inform cut to the ~* ter zake
komen ▼*give ~* de achtervolging inzetten
chaser ['tʃeɪsə] *zn* ❶ koopstoot ❷ paard voor
steeplechase ❸ jager, achtervolger ❹ ciseleur,
drijver

chasm ['kæzəm] *zn* afgrond, kloof

chassis ['ʃæsɪ] *zn* chassis

chaste [tʃeɪst] *bnw* ❶ kuis ❷ eenvoudig, sober

chasten ['tʃeɪsən] *ov ww* kuisen

chastise [tʃæ'staɪz] *ov ww* kastijden, tuchtigen

chastity ['tʃæstətɪ] *zn* kuisheid

chasuble ['tʃæzjʊbl] *zn* kazuifel

chat [tʃæt] I *onov ww* ❶ kletsen, babbelen ❷ www chatten II *ov ww*, GB inform ~ up (proberen te) versieren III *zn* ❶ gesprek, babbel ❷ gepraat

château ['ʃætəʊ] *zn* kasteel, landhuis

chat show *zn* discussieprogramma, praatprogramma ⟨op radio of tv⟩

chatter ['tʃætə] I *zn* ❶ geklets, gekwebbel ❷ geratel ⟨v. machine⟩, gekwetter ⟨v. vogels⟩ ❸ geklapper ⟨v. tanden⟩ II *onov ww* ❶ kletsen, kwebbelen ❷ ratelen, kwetteren ❸ klapperen ⟨v. tanden⟩

chatterbox ['tʃætəbɒks] *zn* babbelkous

chatty ['tʃætɪ] *bnw* ❶ praatziek ❷ inform gezellig

chauffeur ['ʃəʊfə] *zn* chauffeur

cheap [tʃiːp] *bnw + bijw* ❶ goedkoop, voordelig ❷ v. weinig waarde ▾ ~ and cheerful niet duur maar prettig ▾ feel ~ je schamen, je rot / niet lekker voelen ▾ on the ~ voor een habbekrats ▾ ~ at the price waar voor het je geld ▾ go ~ weggaan voor een prikje ▾ this doesn't come ~ dit kost nogal wat

cheapen ['tʃiːpən] *ov+onov ww* ❶ je reputatie geweld aan doen ❷ in prijs verminderen / verlagen ❸ afbreuk doen aan

cheapskate ['tʃiːpskeɪt] *zn* vrek

cheat [tʃiːt] I *ov+onov ww* ❶ beetnemen ❷ afzetten ❸ valsspelen ❹ frauderen ❺ vreemdgaan ★ inform ~ on sb iem. ontrouw zijn ▾ ~ death aan de dood ontsnappen ❻ ~ (out) of aftroggelen, door de neus boren II *zn* ❶ bedrog, zwendel, afzetterij ❷ bedrieger, afzetter ❸ valsspeler

check [tʃek] I *ov ww* ❶ controleren, verifiëren ❷ stopzetten, tegenhouden, beteugelen, intomen ▾ ~ yourself je inhouden ❸ USA ⟨ter bewaring⟩ afgeven ⟨jas, enz.⟩ ❹ inchecken ❺ aankruisen, afvinken ⟨hokje, lijst⟩ ★ ~! akkoord! ❻ schaak zetten ❼ ~ against vergelijken met ❽ ~ in inschrijven, inchecken ❾ USA ~ off aankruisen, afvinken ❿ ~ out uitschrijven, onderzoeken, natrekken, uitproberen, USA lenen ⟨bibliotheekboek⟩, USA afrekenen ⟨bij kassa⟩ ⓫ ~ over/through nauwkeurig nakijken II *onov ww* ❶ controleren ★ ~ with your doctor before... raadpleeg je arts voordat... ❷ kloppen, overeenkomen ❸ het spoor bijster raken en blijven staan ⟨tijdens jacht⟩ ❹ ~ in zich melden, inchecken ❺ ~ into aankomen ⟨in hotel, enz.⟩, onderzoeken ❻ ~ on controleren ❼ ~ out vertrekken, zich uitschrijven, kloppen ⟨waar zijn⟩ ❽ ~ up on controleren III *zn* ❶ controle, proef, test, verificatie ❷ beteugeling, belemmering, rem, stop ★ hold / keep in ~ in toom houden ❸ ruitjespatroon ❹ schaak ⟨van koning⟩ ❺ USA rekening ⟨v. hotel, enz.⟩ ❻ USA → cheque ❼ USA vinkje, kruisje ❽ USA garderobe, vestiaire ❾ USA bonnetje, reçu ⟨v. garderobe, enz.⟩

check card *zn* USA → cheque card

checked [tʃekt] *bnw* geruit

checker ['tʃekə] *zn* ❶ USA caissière ❷ controle ❸ controleur

checkerboard ['tʃekəbɔːd] *zn* USA dambord

checkered *bnw* USA → chequered

checkers ['tʃekəz] *zn mv* USA damspel

check-in desk *zn* afhandelingsbalie

checklist ['tʃeklɪst] *zn* controlelijst

check mark *zn* USA streepje, kruisje ⟨v. afvinken⟩

checkmate ['tʃekmeɪt] *zn* schaakmat ook fig

checkout ['tʃekaʊt] *zn* kassa

checkpoint ['tʃekpɔɪnt] *zn* ❶ controlepost, controlepunt ❷ doorlaatpost

check-up ['tʃekʌp] *zn* controle(beurt), algeheel ⟨vnl. medisch⟩ onderzoek

Cheddar ['tʃedə] *zn* cul cheddarkaas

cheek [tʃiːk] *zn* ❶ wang ★ fig ~ by jowl dicht bij elkaar, met twee handen op één buik ★ fig turn the other ~ de andere wang toekeren ❷ brutaliteit, lef ❸ bil II *ov ww*, GB inform brutaal zijn tegen

cheekbone ['tʃiːkbəʊn] *zn* jukbeen

cheeky ['tʃiːkɪ] *bnw* brutaal

cheep [tʃiːp] I *zn* getjilp II *onov ww* tjilpen

cheer ['tʃɪə] I *zn* ❶ hoera(tje), gejuich ❷ aanmoediging, bijval ❸ (goede / vrolijke) stemming, vrolijkheid ❹ onthaal ❺ → cheers II *ov ww* ❶ (toe)juichen, aanmoedigen ❷ opvrolijken III *ww* ❶ ~ up [onov] moed scheppen ❷ [ov] opvrolijken ★ ~ up! kop op! ★ the results were ~ing de resultaten waren bemoedigend

cheerful ['tʃɪəfʊl] *bnw* vrolijk, opgeruimd

cheerfulness ['tʃɪəfʊlnəs] *zn* vrolijkheid, opgeruimdheid

cheerio [tʃɪərɪ'əʊ] *tw* inform dag!, tot ziens!

cheerless ['tʃɪələs] *bnw* triest, somber

cheers ['tʃɪəz] *tw* ❶ proost, gezondheid ❷ tot ziens ❸ bedankt

cheery ['tʃɪərɪ] *bnw* vrolijk, opgewekt

cheese [tʃiːz] I *zn* kaas ★ a chunk / piece / slice of ~ een stukje / plakje kaas ★ say ~ even lachen ⟨bij het maken v. foto⟩ II *ov ww* inform ~ off tot wanhoop brengen, frustreren, vervelen ★ be ~d off de pest in hebben

cheeseburger ['tʃiːzbɜːgə] *zn* cul kaasburger

cheesecake ['tʃiːzkeɪk] *zn* kwarktaart

cheese-paring I *zn* krenterigheid II *bnw* krenterig

cheese straw *zn* kaasstengel

cheesy ['tʃiːzɪ] *bnw* ❶ kaasachtig ❷ inform goedkoop, afgezaagd ❸ gemaakt ⟨v. lach⟩

chef [ʃef] *zn* chef-kok

chef-d'oeuvre [ʃer'dɜːvr] *zn* meesterstuk, meesterwerk

chemical ['kemɪkl] I *bnw* chemisch II *zn* scheikundige stof ★ ~s [mv] chemicaliën

chemise [ʃə'miːz] *zn* dameshemd

chemist ['kemɪst] *zn* ❶ GB apotheker ❷ drogist ❸ scheikundige ★ dispensing ~ apotheker

chemistry ['kemɪstrɪ] *zn* ❶ chemie, scheikunde ❷ (scheikundige) samenstelling v. eigenschappen ❸ fig werking v. iets tussen personen

chemotherapy [kiːməʊ'θerəpɪ], inform **chemo** ['kiːməʊ] *zn* med chemotherapie

ch

cheque [tʃek] zn cheque ★ *blank* ~ blanco cheque ★ *certified* ~ gedekte cheque
cheque card zn betaalpas
chequered ['tʃekəd] bnw geblokt ★ *the ~ flag* zwart-wit geblokte vlag ⟨bij finish autoraces⟩ ★ ~ *life* veelbewogen leven
cherish ['tʃerɪʃ] ov ww ❶ koesteren ❷ liefhebben
cherry ['tʃerɪ] I zn ❶ kers ★ ~ *bob* twee kersen aan één steeltje ★ ~ *brandy* kersenbrandewijn ❷ kersenboom, kersenhout ▼ *take two bites at a* ~ iets half doen, knoeien II bnw kerskleurig, cerise
cherry-pick ov ww de beste uitkiezen
cherubic [tʃə'ru:bɪk] bnw engelachtig
chervil ['tʃɜ:vɪl] zn kervel
chess [tʃes] zn schaakspel
chessboard ['tʃesbɔ:d] zn schaakbord
chessman ['tʃesmæn], **chess piece** zn schaakstuk
chest [tʃest] zn ❶ borst⟨kas⟩ ❷ koffer, kist ❸ kas ⟨bv. v. instelling⟩ ★ GB ~ *of drawers* ladekast, commode ★ *get sth off your* ~ iets opbiechten, je hart uitstorten
chesterfield ['tʃestəfi:ld] zn ❶ chesterfield ⟨soort sofa / bank⟩ ❷ Can bank, sofa
chestnut ['tʃesnʌt] I zn ❶ kastanje ❷ kastanjeboom II bnw kastanjebruin
chesty [tʃesti] bnw ❶ met weelderige boezem ❷ met zwakke longen
chevalier [ʃevə'lɪə] zn ridder, galante man
chevron ['ʃevrən] zn ❶ visgraatmotief ❷ mil (V-vormige) streep ⟨op mouw⟩
chew [tʃu:] I zn GB zuigsnoepje II onov ww ❶ kauwen, (af)kluiven ❷ inform ~ *on* overpeinzen III ov ww ❶ kauwen (op), bijten (op) ★ fig inform *chew the fat* kletsen ❷ inform ~ *over* nadenken over
chewing gum zn kauwgom
chic [ʃi:k] I bnw chic II zn stijl, elegantie
chicane [ʃɪ'keɪn] I zn auto chicane II ov+onov ww ❶ chicaneren ❷ bedriegen
chicanery [ʃɪ'keɪnərɪ] zn ❶ chicane(s) ❷ slimme drogreden
chichi ['ʃi:ʃi:] bnw gewild chic, opzichtig, protserig
chick [tʃɪk] zn ❶ kuiken(tje), jong vogeltje ❷ jong grietje
chicken ['tʃɪkɪn] I zn ❶ kip ★ fig *your ~s come home to roost* je oude fouten achtervolgen je ❷ kuiken ❸ inform lafaard ▼ *count your ~s before they are hatched* de huid verkopen voor de beer geschoten is II onov ww inform ~ *out* uit angst niet doen, ervoor terugschrikken
chicken feed zn ❶ USA kippenvoer ❷ kleingeld
chicken-hearted bnw USA laf, bang
chickenpox ['tʃɪkɪnpɒks] zn waterpokken
chicken wire zn kippengaas
chickpea ['tʃɪkpi:] zn keker, kikkererwt
chicory ['tʃɪkərɪ] zn ❶ cichorei ❷ Brussels lof, witlof ❸ USA andijvie
chide [tʃaɪd] ov+onov ww ❶ berispen ❷ tekeergaan
chief [tʃi:f] I zn leider, hoofd, chef, commandant ★ ~ *in* ~ in de eerste plaats, voornamelijk ▼ *too many ~s and not enough Indians* te veel bazen en te weinig knechten II bnw voornaamste, hoofd-, leidend(e)
Chief Constable zn (hoofd)commissaris v. politie

chiefly ['tʃi:flɪ] I bnw van of als een leider II bijw voornamelijk
chieftain ['tʃi:ftn] zn aanvoerder, hoofdman, opperhoofd
chiffon ['ʃɪfɒn] zn dun gaas ⟨v. zijde / nylon⟩
chilblain ['tʃɪlbleɪn] zn winter(aandoening) ★ ~*ed feet / hands* wintervoeten / -handen
child [tʃaɪld] zn [mv: **children**] kind ★ *as a* ~ als kind ★ *from a* ~ van kindsbeen af ▼ *be with* ~ zwanger zijn ▼ ~'*s play* kinderspel
child abuse zn kindermisbruik, kindermishandeling
childbearing ['tʃaɪldbeərɪŋ] zn het baren
child benefit zn kinderbijslag
childbirth ['tʃaɪldbɜ:θ] zn bevalling
childhood ['tʃaɪldhʊd] zn kindertijd ▼ *second* ~ kindsheid
childish ['tʃaɪldɪʃ] bnw kinderachtig
childless ['tʃaɪldləs] bnw kinderloos
childlike ['tʃaɪldlaɪk] bnw kinderlijk
childminder ['tʃaɪldmaɪndə] zn kinderoppas
childproof ['tʃaɪldpru:f] bnw kindveilig
children ['tʃɪldrən] zn mv → **child**
child soldier zn kindsoldaat
chill [tʃɪl] I zn ❶ kou, kilte ★ *cast a* ~ *over sth* ergens een domper op zetten ❷ verkoudheid ❸ koude rilling ★ *send a* ~ *down your spine* je de koude rillingen geven II bnw kil, koel III ov ww ❶ afkoelen ❷ ontmoedigen IV onov ww ❶ afkoelen ❷ beslaan ⟨v. ruit, enz.⟩ ❸ inform ~ *out* chillen, bijkomen
chilli ['tʃɪlɪ] zn ❶ Spaanse peper ❷ cul chili
chilling [tʃɪlɪŋ] bnw huiveringwekkend
chilly ['tʃɪlɪ] bnw ❶ kil ❷ huiverig
chimaera, chimera [kaɪ'mɪərə] zn hersenschim, schrikbeeld
chime [tʃaɪm] I zn ❶ klok, klokkenspel ❷ samenklank, harmonie II onov ww ❶ luiden ❷ samenklinken, harmoniëren ❸ ~ *in* ook iets zeggen ❹ ~ *in with* overeenstemmen met III ov ww luiden
chimney ['tʃɪmnɪ] zn ❶ schoorsteen ❷ rotskloof, spleet ⟨bergsport⟩
chimney jack zn gek ⟨op schoorsteen⟩
chimney piece zn schoorsteenmantel
chimney pot zn schoorsteen(pot)
chimney stack zn schoorsteen (op het dak)
chimney sweep zn schoorsteenveger
chimpanzee [tʃɪmpæn'zi:], inform **chimp** [tʃɪmp] zn chimpansee
chin [tʃɪn] zn kin ★ *double chin* onderkin ▼ *(keep your) chin up* hou de moed erin ▼ *take sth on the chin* je ergens moedig doorheen slaan
china ['tʃaɪnə] zn ❶ porselein ❷ porseleinen kopjes, bordjes enz.
China ['tʃaɪnə] China
china clay zn porseleinaarde
Chinese [tʃaɪ'ni:z] I zn ❶ Chinees ❷ taalk Chinees II bnw Chinees
chink [tʃɪŋk] I zn ❶ spleet ★ fig *a* ~ *of light* straaltje licht / hoop ★ fig *a* ~ *in sb's armour* een zwakke plek ❷ gerinkel ❸ min spleetoog, Chinees II onov ww rinkelen III ov ww klinken, doen rinkelen
chintz [tʃɪnts] zn chintz, bedrukte katoenen stof
chip [tʃɪp] I zn ❶ spaan(der), schilfer, splintertje

ch

❷ plakje, schijfje ❸ fiche ❹ comp chip ★ *chip and PIN / pin* PIN-systeem, het betalen met pinpas ★ *chips* [mv] GB patat, USA chips ★ *bargaining chip* troef ⟨bij onderhandelingen⟩ ★ *blue chip* goed aandeel, veilige investering ▼ *a chip off the old block* 'n aardje naar zijn vaartje ▼ *have a chip on your shoulder* een wrok koesteren **II** *ov ww* ❶ (af)hakken, (af)bikken ❷ beitelen ❸ sport een boogballetje geven **III** *onov ww* ❶ afbrokkelen, afschilferen ❷ ~ *away* stukjes wegbeitelen / uitsnijden ❸ fig langzaam zwakker maken ❹ ~ *in* in de rede vallen ❺ (zijn steentje) bijdragen ❻ ~ *off* afbreken ⟨klein stukje⟩

chipboard ['tʃɪpbɔːd] *zn* spaanplaat
chipmunk ['tʃɪpmʌŋk] *zn* USA wangzakeekhoorn
chipper ['tʃɪpə] *zn* ❶ houtversnipperaar ❷ patatsnijder **II** *bnw* opgewekt, vrolijk
chippie ['tʃɪpɪ] *zn* → **chippy**
chipping ['tʃɪpɪŋ] *zn* scherfje ★ ~s steenslag
chippy ['tʃɪpɪ] **I** *zn* ❶ inform snackbar ❷ inform timmerman **II** *bnw* inform prikkelbaar
chip shop *zn* inform snackbar
chiropodist [kɪ'rɒpədɪst] *zn* pedicure
chiropody [kɪ'rɒpədɪ] *zn* pedicure
chirp [tʃɜːp] **I** *ov+onov ww* ❶ tjilpen, kwelen ❷ opgewekt praten **II** *zn* getjilp
chirpy ['tʃɜːpɪ] *bnw* vrolijk
chirrup ['tʃɪrəp] *zn* → **chirp**
chisel ['tʃɪzəl] **I** *zn* beitel **II** *ov ww* ❶ beitelen, beeldhouwen ❷ bedriegen ★ ~ *sb out of some euros* iem. een paar euro lichter maken
chiselled, USA **chiseled** ['tʃɪzəld] *bnw* ❶ gebeiteld, gebeeldhouwd ❷ ★ ~ *features* krachtige trekken
chit [tʃɪt] *zn* ❶ briefje, bonnetje ❷ min oud brutaaltje ★ *chit of a girl* jong ding
chit-chat ['tʃɪttʃæt] *zn* inform gebabbel, gekeuvel
chivalrous ['ʃɪvəlrəs], **chivalric** ['ʃɪvəlrɪk] *bnw* ridderlijk
chivalry ['ʃɪvəlrɪ] *zn* ❶ ridderschap ❷ ridderlijkheid
chives ['tʃaɪvz] *zn mv* bieslook
chivvy ['tʃɪvɪ] *ov ww* ❶ inform opjagen ❷ aandringen ★ ~ *sb into sth* iem. tot iets aanzetten
chloride ['klɔːraɪd] *zn* chloride
chlorine ['klɔːriːn] *zn* chloor
chlorophyll ['klɒrəfɪl] *zn* chlorofyl, bladgroen
choc [tʃɒk] *zn* inform → **chocolate**
choc ice ['tʃɒkaɪs] *zn* ijsje met laagje chocola erop
chock [tʃɒk] **I** *zn* blok, klamp, klos **II** *ov ww* vastzetten
chock-a-block [tʃɒk ə 'blɒk] *bnw* tjokvol, propvol
chock-full [tʃɒk'fʊl] *bnw* propvol
chocolate ['tʃɒklət] **I** *zn* ❶ chocola, chocolaatje ❷ bonbon ★ *hot* ~ chocolademelk ★ *a bar / piece of* ~ een reep / stuk chocola **II** *bnw* chocoladebruin
choice [tʃɔɪs] **I** *zn* keuze, voorkeur ★ *multiple* ~ meerkeuze-★ *he had no* ~ *but to leave* hij moest wel weggaan ★ *by* ~ naar keuze ★ *of your* ~ naar eigen keuze ★ *not through* ~ *of his own* niet uit eigen vrije wil **II** *bnw* uitgelezen, met zorg gekozen ★ *the* ~*st ingredients* de ingrediënten van de hoogste kwaliteit ★ ~ *words* welgekozen

woorden, humor grof taalgebruik
choir ['kwaɪə] *zn* koor
choirboy ['kwaɪəbɔɪ] *zn* koorknaap
choirmaster ['kwaɪəmɑːstə] *zn* koordirigent
choke [tʃəʊk] **I** *onov ww* ❶ zich verslikken, stikken ❷ verstikken ❸ USA inform klunzen **II** *ov ww* ❶ wurgen, smoren ❷ verstikken ❸ verstoppen, afsluiten ❹ ~ *back* terugdringen ⟨tranen, enz.⟩ ❺ ~ *down* onderdrukken, inslikken, met moeite verwerken ❻ ~ *off* afsnijden, beperken ❼ (iemand) de mond snoeren ❽ ~ *out* met moeite uitbrengen ❾ ~ *up* een brok in de keel hebben **III** *zn* auto choke
choker ['tʃəʊkə] *zn* nauw sluitende halsketting
choleric ['kɒlərɪk] *bnw* opvliegend
choose [tʃuːz] *ov+onov ww* [onregelmatig] kiezen, verkiezen, wensen ★ ~ *not to marry* ervoor kiezen niet te trouwen ▼ *there is nothing / little to* ~ *between them* ze zijn nagenoeg hetzelfde
chooser ['tʃuːzə] *zn* → **beggar**
choosy ['tʃuːzɪ] *bnw* kieskeurig
chop [tʃɒp] **I** *ov+onov ww* ❶ (fijn)hakken, kappen ❷ sterk reduceren ▼ *chop and change* steeds (v. gedachten) veranderen ❸ ~ *down* omhakken ❹ ~ *off* afhakken ❺ ~ *up* fijnhakken **II** *zn* ❶ karbonade, kotelet ❷ slag, houw, stoot ❸ korte golfslag ★ *chops* [mv] kaken, trucjes ⟨virtuositeit⟩ ▼ *get the chops* de zak krijgen, afgeblazen worden (v. plan)
chophouse ['tʃɒphaʊs] *zn* eethuis (gespecialiseerd in steaks enz.)
chopper ['tʃɒpə] *zn* ❶ inform helikopter ❷ hakmes ❸ USA motorfiets ⟨met hoog stuur⟩ ★ ~s [mv] inform tanden
chopping board *zn* snijplank
choppy ['tʃɒpɪ] *bnw* taalk hortend en onsamenhangend ⟨v. stijl⟩ ★ ~ *sea* ruwe zee
chopstick ['tʃɒpstɪks] *zn* eetstokje
chopsuey [tʃɒp'suːɪ] *zn* tjaptjoi
choral ['kɔːrəl] *bnw* koraal-, koor-, zang-★ ~ *music* koormuziek ★ ~ *society* zangvereniging
chorale [kɔː'rɑːl] *zn* ❶ kerkgezang ❷ USA koor
chord [kɔːd] *zn* ❶ muz akkoord ❷ wisk koorde ★ *vocal* ~s stembanden ▼ *strike / touch a cord (with sb)* een gevoelige snaar raken (bij iemand)
chore [tʃɔː] *zn* ⟨onaangenaam⟩ karweitje ★ *household / domestic* ~s [mv] huishoudelijke taken
chorea [kɒ'rɪə] *zn* med sint-vitusdans
choreographer [kɒrɪ'ɒgrəfə] *zn* choreograaf
choreography [kɒrɪ'ɒgrəfɪ] *zn* choreografie
chorister ['kɒrɪstə] *zn* koorzanger, koorknaap
chortle ['tʃɔːtl] *onov ww* ❶ schateren ❷ grinniken
chorus ['kɔːrəs] **I** *zn* ❶ refrein ❷ koor ▼ *in* ~ in koor, allemaal samen **II** *ov ww* in koor zingen
chorus girl *zn* danseres ⟨in musical⟩
chose [tʃəʊz] *ww* [verleden tijd] → **choose**
chosen ['tʃəʊzən] *ww* [volt. deelw.] → **choose**
chough [tʃʌf] *zn* kauw ⟨vogel⟩
chow [tʃaʊ] *zn* ❶ inform eten ❷ chowchow ⟨hondenras⟩
chowder ['tʃaʊdə] *zn* dikke vissoep
Christ [kraɪst] *zn* Christus
christen ['krɪsən] *ov ww* ❶ dopen ❷ noemen ❸ inwijden

ch

Christendom ['krɪsəndəm] zn christenheid
christening ['krɪsnɪŋ] zn doop, het dopen
Christian ['krɪstɪən] I zn christen ★ ~ Democratic christendemocratisch II bnw christelijk
Christianity [krɪstɪ'ænətɪ] zn christendom
Christmas ['krɪsməs] zn Kerstmis
Christmas box zn kerstcadeautje ⟨voor leveranciers / werknemers⟩
Christmas carol zn kerstlied
Christmas Eve zn kerstavond
Christmas tree zn kerstboom
chromatic [krə'mætɪk] bnw chromatisch
chrome [krəʊm] zn chroom
chromium ['krəʊmɪəm] zn chroom ★ ~ plated verchroomd
chromosome ['krəʊməsoʊm] zn chromosoom
chronic ['krɒnɪk] bnw ❶ chronisch ❷ inform verschrikkelijk slecht
chronicle ['krɒnɪkl] I zn kroniek, geschiedenis II ov ww te boek stellen
chronicler ['krɒnɪklə] zn kroniekschrijver
chronograph ['krɒnəgrɑːf] zn ❶ precisietijdmeter ❷ stopwatch
chronological [krɒnə'lɒdʒɪkl] bnw chronologisch
chronology [krə'nɒlədʒɪ] zn chronologie
chrysalis ['krɪsəlɪs] zn pop ⟨v. insect⟩
chrysanthemum [krɪ'sænθəməm] zn chrysant
chubby ['tʃʌbɪ] bnw mollig
chuck [tʃʌk] I ov ww ❶ gooien, smijten ❷ ~ (in/up) stoppen, er de brui aan geven ❸ de bons geven ▼inform it's ~ing it down het regent dat het giet II onov ww ~ (up) overgeven III ww ❶ ~ away [ov] weggooien ❷ ~ off/out [ov] eruit smijten IV zn ❶ techn klem ⟨aan draaibank⟩ ❷ inform schatje ❸ schouderstuk ⟨v. rund⟩
chuckle ['tʃʌkl] I onov ww gniffelen, grinniken II zn lachje, gegrinnik
chuck steak zn schouderstuk ⟨v. rund⟩
chuffed [tʃʌft] bnw verrukt, verrast
chug [tʃʌg] I zn geronk II onov ww ronken, puffen ⟨v. motor⟩ III ov ww, USA inform naar binnen klokken ⟨drank(je)⟩
chum [tʃʌm] zn inform kameraad
chummy ['tʃʌmɪ] bnw inform gezellig ★ we are ~ we zijn goede maatjes met elkaar
chump [tʃʌmp] zn stomkop
chunk [tʃʌŋk] zn homp, brok, bonk, stuk
chunky ['tʃʌŋkɪ] bnw ❶ dik en zwaar, omvangrijk ❷ gezet, gedrongen ⟨v. postuur⟩ ❸ met grote brokken
church [tʃɜːtʃ] zn kerk ★ Church of England anglicaanse Kerk ★ Established Church staatskerk ★ Low Church calvinistische richting in de anglicaanse Kerk ★ go into / enter the Church geestelijke / predikant worden
churchgoer ['tʃɜːtʃgəʊə] zn kerkganger
churchwarden [tʃɜːtʃ'wɔːdn] zn kerkmeester, kerkvoogd
churchy ['tʃɜːtʃɪ] bnw kerks
churchyard ['tʃɜːtʃjɑːd] zn kerkhof
churlish ['tʃɜːlɪʃ] bnw form lomp, bot
churn [tʃɜːn] I zn ❶ karn ❷ melkbus II onov ww ❶ schuimen ❷ zieden ⟨van zee⟩ ❸ stampen ⟨van scheepsmotor⟩ ❹ omdraaien ⟨v. maag⟩ III ov ww ❶ karnen ❷ omroeren ❸ kwaad maken

❹ doen schuimen ❺ ~ out aan de lopende band produceren ❻ ~ up omwoelen ⟨v. grond⟩
chute [ʃuːt] zn ❶ glijbaan ❷ stortkoker ❸ inform parachute
CIA afk, USA Central Intelligence Agency Centrale Inlichtingendienst
ciborium [sɪ'bɔːrɪəm] zn ciborie
cicada [sɪ'kɑːdə] zn krekel
CID afk, Criminal Investigation Department opsporingsdienst, recherche
cider ['saɪdə] zn cider
c.i.f. afk, cost, insurance, freight kosten, verzekering, vracht
cigar [sɪ'gɑː] zn sigaar ▼USA close, but no ~ bijna goed, maar geen prijs ⟨antwoord, gok enz.⟩
cigarette [sɪgə'ret] zn sigaret
cigarette butt, cigarette end zn peuk
cigarette lighter zn aansteker
cigarette paper zn vloei
cinch [sɪntʃ] I zn ❶ inform makkie ❷ USA iets dat zeker is ❸ USA zadelriem II ov ww ❶ vastgespen ❷ USA singelen ⟨paard⟩
cinder ['sɪndə] zn sintel, slak ★ ~s [mv] as ▼burn sth to a ~ iets erg laten aanbranden / verbranden
Cinderella [sɪndə'relə] zn Assepoester
cinder track zn sport sintelbaan
cinema ['sɪnɪmɑː] zn GB bioscoop
cinematic [sɪnɪ'mætɪk] bnw film-
cinnamon ['sɪnəmən] I zn kaneel II bnw geelbruin
cipher ['saɪfə] zn ❶ code, geheimschrift ❷ nul ⟨cijfer⟩ ❸ onbelangrijk persoon ❹ GB monogram
circle ['sɜːkl] I zn cirkel, kring, ring ★ Arctic Circle noordpoolcirkel ★ ton dress ~ balkon eerste rang ★ ton upper ~ balkon tweede rang ▼come / turn full ~ op het beginpunt terugkeren II onov ww rondgaan, ronddraaien, rondcirkelen III ov ww omcirkelen
circlet ['sɜːklɪt] zn ❶ cirkeltje, ring ❷ band
circuit ['sɜːkɪt] zn ❶ circuit, kring, omtrek, sport racebaan ❷ ronde, rondgang ⟨v. rechter⟩ ❸ elek circuit, stroomkring ★ short ~ kortsluiting ★ put in / out the ~ stroom in- / uitschakelen ★ closed ~ television gesloten tv-systeem
circuitous [sɜː'kjuːɪtəs] bnw omslachtig ★ ~ route omweg
circuitry ['sɜːkɪtrɪ] zn elektriciteitsnet, elektrische installatie, bedrading
circular ['sɜːkjʊlə] I bnw cirkelvormig, rond(gaand) ★ ~ tour rondreis II zn circulaire
circulate ['sɜːkjʊleɪt] I onov ww ❶ circuleren, in omloop zijn ❷ rondlopen ⟨op receptie⟩ II ov ww laten circuleren, in omloop brengen
circulation [sɜːkjʊ'leɪʃən] zn ❶ omloop, circulatie, verspreiding ★ take out of ~ uit de roulatie nemen ❷ bloedsomloop ❸ oplage
circum- ['sɜːkəm] voorv om-, cirkel-
circumcise ['sɜːkəmsaɪz] ov ww besnijden
circumcision [sɜːkəm'sɪʒən] zn besnijdenis
circumference [sɜː'kʌmfərəns] zn wisk omtrek ⟨v. cirkel⟩
circumlocution [sɜːkəmlə'kjuːʃən] zn omhaal v. woorden
circumlocutory [sɜːkəmlə'kjuːtərɪ] bnw

omslachtig

circumscribe ['sɜ:kəmskraɪb] *ov ww* **①** begrenzen, beperken **②** omcirkelen

circumscription [sɜ:kəm'skrɪpʃən] *zn* **①** begrenzing **②** omtrek

circumspect ['sɜ:kəmspekt] *bnw* omzichtig

circumspection [sɜ:kəm'spekʃən] *zn* omzichtigheid

circumstance ['sɜ:kəmstns] *zn* **①** omstandigheid **②** (financiële) situatie ▾ *in / under no ~s* onder geen enkele voorwaarde

circumstantial [sɜ:kəm'stænʃəl] *bnw* **①** *jur* (afhankelijk) van de omstandigheden, indirect, bijkomstig ⟨bewijs⟩ **②** uitvoerig ⟨beschrijving⟩

circumvent [sɜ:kəm'vent] *ov ww* omzeilen, ontwijken

circumvention [sɜ:kəm'venʃən] *zn* **①** misleiding **②** ontduiking

circus ['sɜ:kəs] *zn* **①** circus **②** rond plein

cirrocumulus [sɪrəʊ'kju:mjʊləs] *zn* schapenwolkje(s)

cirrus ['sɪrəs] *zn* **①** vederwolk **②** *plantk* hechtrank

CIS *afk, Commonwealth of Independent States* GOS, Gemenebest van Onafhankelijke Staten

cissy I *zn* min mietje, homo II *bnw* min mietjesachtig, verwijfd

cistern ['sɪstn] *zn* **①** waterreservoir **②** stortbak

citadel ['sɪtədl] *zn* fort, citadel

citation [saɪ'teɪʃən] *zn* **①** citaat **②** *jur* dagvaarding **③** eervolle vermelding

cite [saɪt] *ov ww* **①** citeren, aanvoeren, noemen **②** eervol vermelden **③** USA *jur* dagvaarden

citizen ['sɪtɪzən] *zn* **①** (staats)burger **②** stedeling

citizenry ['sɪtɪzənrɪ] *zn* burgerij

citizenship ['sɪtɪzənʃɪp] *zn* **①** (staats)burgerschap **②** burgerrecht

citric ['sɪtrɪk] *bnw* citroen- ★ ~ *acid* citroenzuur

citron ['sɪtrən] *zn* soort citroen(boom)

city ['sɪti] *zn* (grote) stad ★ *the City* de city van Londen ⟨financieel en zakelijk centrum⟩ ★ *inner city* binnenstad

city council *zn* gemeenteraad

city hall *zn* USA gemeente- / stadhuis

cityscape ['sɪtɪskeɪp] *zn* **①** aanblik v. stad **②** stadsbeeld

city slicker *zn,* inform min stadse meneer / madam

civic ['sɪvɪk] *bnw* **①** stads- **②** burger-, burgerlijk

civic centre, USA **civic center** *zn* **①** bestuurscentrum **②** USA gemeenschapscentrum

civics ['sɪvɪks] *zn mv,* USA onderw maatschappijleer, staatsinrichting

civil ['sɪvəl] *bnw* **①** beschaafd, beleefd **②** privaatrechtelijk, civiel **③** burger- ★ ~ *war* burgeroorlog **④** burgerlijk (bv. huwelijk)

civilian [sɪ'vɪlɪən] I *zn* burger II *bnw* burger-

civility [sɪ'vɪlətɪ] *bnw* beleefdheid ★ *civilities* [mv] plichtplegingen

civilization, civilisation [sɪvɪlaɪ'zeɪʃən] *zn* **①** beschaving **②** beschaafde wereld

civilize, civilise ['sɪvɪlaɪz] *ov ww* beschaven

civvy ['sɪvɪ] *bnw* inform burger- ★ *in civvies* in burger(kleding) ★ *Civvy Street* de burgermaatschappij

CJ *afk, Chief Justice* opperrechter

cl *afk, centilitre* centiliter

clack [klæk] I *onov ww* klikken, tikken II *zn* geklik, getik

clad [klæd] *ww* [volt. deelw.] → **clothe**

claim [kleɪm] I *zn* **①** bewering **②** aanspraak, recht, eis, claim, vordering ★ *have a ~ on* recht hebben op, een vordering hebben op ★ *lay ~ to* claimen ★ *stake (out) a ~ to / for / on sth* iets opeisen II *ov ww* **①** beweren **②** aanspraak maken op, (op)eisen **③** ~ *back* terugvorderen

claimant ['kleɪmənt] *zn* **①** eiser **②** uitkeringsgerechtigde

clairvoyance [kleə'vɔɪəns] *zn* helderziendheid

clairvoyant [kleə'vɔɪənt] I *zn* helderziende II *bnw* helderziend

clam [klæm] I *zn* ≈ mossel II *onov ww* inform ~ *up* je mond stijf dicht houden

clamber ['klæmbə] I *onov ww* klauteren II *zn* zware beklimming

clammy ['klæmɪ] *bnw* **①** klam **②** kleverig, klef

clamorous ['klæmərəs] *bnw* luidruchtig, schreeuwerig

clamour, USA **clamor** ['klæmə] I *onov ww* **①** schreeuwen **②** protesteren, eisen II *zn* **①** geschreeuw, misbaar **②** luid protest, roep, eis

clamp [klæmp] I *ov ww* klampen, vastklemmen, op elkaar klemmen, krammen **②** stevig vasthouden **③** een wielklem bevestigen II *ww* **①** ~ *down (on)* ⟨onov⟩ onderdrukken, de kop indrukken **②** ~ *on* [ov] opleggen ⟨regel, wet, enz.⟩ III *zn* **①** klamp, klem, kram **②** (muur)anker **③** wielklem

clan [klæn] *zn* **①** clan ⟨stam in Schotse Hooglanden⟩ **②** familie **③** kliek

clandestine [klæn'destɪn] *bnw* clandestien

clang ['klæŋ] I *zn* **①** metalige klank **②** klokgelui, belgerinkel II *onov ww* klinken, kletteren, rinkelen III *ov ww* laten klinken

clanger ['klæŋə] *zn* inform blunder ★ *drop a ~* een flater slaan

clangour, USA **clangor** ['klæŋgə] *zn* form (voortdurend) gekletter

clank [klæŋk] I *onov ww* rammelen, kletteren II *ov ww* laten kletteren III *zn* metaalgerinkel

clap [klæp] I *onov ww* **①** klappen, slaan **②** applaudisseren, toejuichen II *ov ww* **①** klappen voor **②** klappen in ⟨handen⟩, slaan in ★ *clap in irons* in de boeien slaan ★ *clap in prison* in de gevangenis zetten **③** (stevig) zetten / plaatsen ★ *clap eyes on* zien ★ *clap a hand over your mouth* een hand voor je mond slaan ★ GB *clap hold of* vasthouden III *zn* **①** applaus **②** klap, slag ★ *clap of thunder* donderslag **③** inform ★ *the clap* druiper

clapped out inform *bnw* **①** doodop, uitgeteld **②** gammel

clapper ['klæpə] *zn* **①** klepel **②** ratel ▾ inform *run like the ~s* er als een haas vandoor gaan

claptrap ['klæptræp] *zn* mooie praatjes, geklets

claret ['klærət] I *zn* **①** rode bordeaux(wijn) **②** bloed II *bnw* wijnrood, bordeauxrood

clarification [klærəfɪ'keɪʃən] *zn* **①** opheldering **②** zuivering

clarify ['klærəfaɪ] I *ov ww* **①** ophelderen, verhelderen **②** helder / zuiver maken II *onov ww* helder / zuiver worden

cl

cl

clarinet [klærə'net] zn klarinet
clarion call ['klæriən kɔ:l] zn oproep tot actie
clarity ['klærəti] zn ❶ helderheid, klaarheid
❷ duidelijkheid
clash [klæʃ] I zn ❶ botsing, strijd ❷ conflict,
tegenstrijdigheid ❸ gekletter II onov ww
❶ botsen ★ these colours – deze kleuren vloeken
❷ kletteren ❸ ~ with in botsing komen met,
twisten over, vloeken met III ov ww ❶ doen
botsen ❷ doen kletteren
clasp [klɑ:sp] I zn ❶ gesp, slot ❷ greep, handdruk
❸ omhelzing II ov ww ❶ pakken, grijpen ★ ~
hands de hand drukken ❷ omhelzen,
omklemmen ❸ sluiten, dichthaken
class [klɑ:s] I zn ❶ klasse ⟨categorie⟩ ★ in a ~ of
your own een klasse apart ❷ klasse ⟨sociale
stand⟩ ★ the lower / upper ~(es) de lagere /
hogere kringen, het lagere / betere milieu
❸ ⟨school⟩klas ❹ les⟨uur⟩, cursus ★ cut ~
spijbelen ❺ klasse ⟨stijl⟩ II bnw van stand,
superieur III ov ww classificeren, indelen
class action zn rechtszaak ⟨door groep
belanghebbenden⟩
class-conscious bnw klassenbewust
classic ['klæsɪk] I zn ❶ klassiek werk, klassieke
schrijver ❷ klassieker ⟨film, enz.⟩ II bnw
❶ klassiek ❷ kenmerkend
classical ['klæsɪkl] bnw klassiek
classicism ['klæsɪsɪzəm] zn classicisme
classicist ['klæsɪsɪst] zn ❶ classicus ❷ navolger
van het classicisme
classifiable [klæsɪ'faɪəbl] bnw classificeerbaar
classification [klæsɪfɪ'keɪʃən] zn classificatie
classified ['klæsɪfaɪd] bnw ❶ geheim
❷ geclassificeerd
classify ['klæsɪfaɪ] ov ww ❶ rangschikken,
classificeren, in systeem onderbrengen
❷ geheim verklaren
classmate ['klɑ:smeɪt] zn klasgenoot
classroom ['klɑ:sru:m] zn leslokaal
classy ['klɑ:sɪ] bnw elegant, chic, duur
clatter ['klætə] I zn gekletter, geratel II ov+onov
ww kletteren, ratelen
clause [klɔ:z] zn ❶ taalk bijzin ★ coordinate ~
nevenschikkende bijzin ★ subordinate ~
onderschikkende bijzin ❷ jur clausule
claustrophobia [klɔ:strə'fəʊbɪə] zn claustrofobie
claustrophobic [klɔ:strə'fəʊbɪk] bnw
claustrofobisch
clavicle ['klævɪkl] anat zn sleutelbeen
claw [klɔ:] I zn ❶ klauw, poot, schaar ⟨van kreeft⟩
★ get your claws into sb iem. in je klauwen
krijgen, iem. afkraken ❷ ⟨klem⟩haak II ov ww
❶ krabben ❷ grissen, grijpen ❸ ~ back
terugvorderen ★ claw your way back langzaam
maar vastbesloten de weg terug gaan III onov
ww klauwen, graaien
claw hammer zn klauwhamer
clay [kleɪ] I zn schoon, zuiver, helder ❷ klei, leem, aarde II bnw van klei
clayey ['kleɪɪ] bnw kleiachtig
clean [kli:n] I bnw ❶ schoon, zuiver, helder
★ scrub the floor ~ de vloer schoonboenen ★ a ~
copy een schone kopie ❷ onschuldig ⟨v. humor,
netjes, eerlijk ⟨v. wedstrijd⟩, blanco ⟨v. strafblad⟩,
inform van de drugs / drank af ❸ glad, zonder
oneffenheden, helder ⟨v. stijl bv.⟩ ❹ vakkundig,

handig ★ a ~ shot een zuiver schot ❺ fris ⟨v.
smaak⟩ ▼ come ~ with sb about sth iem. een lang
verzwegen geheim vertellen II ov ww
❶ schoonmaken, reinigen ★ ~ the mud off your
shoes de modder van je schoenen poetsen ★ ~
the fish de vis schoonmaken ❷ ~ down
grondig schoonmaken ❸ ~ out opruimen,
schoonmaken, leegmaken, leegrovem, blut
maken ❹ ~ up schoonmaken, opruimen,
opknappen ★ fig ~ up the streets de straten
schoonvegen III onov ww ❶ schoon worden
❷ schoonmaken, schoonmaker zijn ❸ ~ up
opruimen, inform dikke winst maken ★ ~ up
after your children de rommel van je kinderen
opruimen IV bijw ❶ totaal ❷ schoon ★ keep it ~!
hou het netjes ★ keep / stay ~ geen drugs meer
gebruiken ★ come ~ bekennen V zn GB
schoonmaakbeurt
clean-cut [kli:n'kʌt] bnw ❶ verzorgd, netjes
❷ scherp omlijnd
cleaner ['kli:nə] zn ❶ schoonmaker ❷ stofzuiger,
schoonmaakmiddel ❸ ⟨dry-⟩~'s stomerij
▼ inform take sb to the ~s iem. van al zijn geld
afhelpen, iem. inmaken ⟨in wedstrijd⟩
cleaning ['kli:nɪŋ] zn schoonmaak ★ do the ~ and
cooking schoonmaken
cleaning lady, cleaning woman zn ★ ~
werkster, schoonmaakster
cleanliness ['klenlɪnəs] zn netheid, properheid
cleanly ['kli:nlɪ] bnw ❶ schoon, netjes ❷ zuiver,
nauwkeurig
cleanse [klenz] ov ww zuiveren, reinigen
cleanser ['klenzə] zn reinigingsmiddel
clean-shaven bnw gladgeschoren
cleansing ['klenzɪŋ] zn ⟨het⟩ schoonmaken
★ ethnic ~ etnische zuivering
clean-up ['kli:nʌp] zn schoonmaak
clear [klɪə] I bnw ❶ duidelijk, klaar, helder
★ crystal ~ kristalhelder ★ I am quite ~ about it
het is mij duidelijk ★ (as) ~ as day zonneklaar
★ inform humor as ~ as mud zo helder als
koffiedik ❷ glad ⟨v. huid⟩ ❸ zuiver, onbezwaard
⟨v. geweten⟩ ❹ vrij ★ ~ of vrij van, buiten ⟨bereik
van⟩ ❺ veilig ★ the coast is ~ de kust is veilig
❻ netto ★ a ~ € 100 profit een nettowinst van
€ 100 ❼ totaal, helemaal ★ three ~ days drie
volle dagen II bijw los, weg, vrij ★ keep ~ of
doors deuren vrijhouden ★ stand ~! uit de weg!
III ov ww ❶ opruimen, afruimen ⟨tafel⟩ ❷ vrij
maken, ontruimen ⟨gebouw enz.⟩, leegmaken
★ ~ a dish / plate een bord leegeten ★ ~ your
throat je keel schrapen ★ fig ~ the way / ground
for de weg vrijmaken voor ❸ wegnemen
⟨hindernis⟩, nemen ⟨horde⟩ ❹ verhelderen,
ophelderen, verduidelijken ★ fig ~ the air de
lucht zuiveren ❺ ⟨laten⟩ passeren ⟨douane⟩ ★ ~
inward / outward inklaren / uitklaren
❻ vrijspreken ❼ laten goedkeuren ⟨schuld⟩
❽ ⟨schoon⟩ verdienen ❾ ⟨schoon⟩ verdienen ❿ comp wissen
⓫ ~ away opruimen, afruimen ⓬ ~ out
wegdoen, opruimen, uitmesten ⓭ ~ up
opruimen IV onov ww ❶ ophelderen, helder
worden ❷ wegtrekken, optrekken, oplossen ⟨v.
file⟩ ❸ overgebreekt worden ❹ ~ away
optrekken ⟨van mist⟩ ❺ ~ off wegrennen,
verdwijnen ❻ ~ out er tussenuit knijpen

❼ ~ **up** opklaren, ophelderen, verdwijnen **V** *zn*
★ *in the* ~ uit de gevarenzone, vrij van
verdenking / schuld enz.
clearance [ˈklɪərəns] *zn* ❶ vergunning,
toestemming ❷ speling, ruimte ❸ ontruiming,
sloop ❹ *sport* het wegwerken 〈v. bal〉 ❺ *econ*
verrekening, boeking
clearance sale *zn* opruiming
clear-cut [klɪəˈkʌt] *bnw* scherpomlijnd
clear-headed *bnw* helder denkend, verstandig
clearing [ˈklɪərɪŋ] *zn* open plek in bos
clearing house *zn* ❶ verrekenkantoor
❷ informatiecentrum
clearly [ˈklɪəlɪ] *bijw* ❶ helder, duidelijk
❷ begrijpelijk ❸ ongetwijfeld
clear-sighted [klɪəˈsaɪtɪd] *bnw* ❶ scherpzinnig
❷ met scherpe blik
clearway [ˈklɪəweɪ] *zn* autoweg 〈met stopverbod〉
cleat [kliːt] *zn* ❶ klamp ❷ *scheepv* kikker
❸ antislipzool
cleavage [ˈkliːvɪdʒ] *zn* ❶ *inform* decolleté
❷ kloof, scheiding
cleave [kliːv] [regelmatig + onregelmatig] **I** *ov ww*
❶ kloven, splijten ❷ doorklieven **II** *onov ww*
(aan)kleven ★ ~ *to an idea* / *belief* trouw blijven
aan een idee / geloof
cleaver [ˈkliːvə] *zn* hakmes
cleavers [ˈkliːvəz] *zn* *plantk* kleefkruid
clef [klef] *zn* *muz* sleutel ★ *muz treble clef* g-sleutel
cleft [kleft] **I** *zn* spleet, barst **II** *bnw* ▼ *be (caught) in
a ~ stick* in de knel zitten **III** *ww* [verl. tijd + volt.
deelw.] → **cleave**
cleft lip *zn* hazenlip
cleft palate *zn* gespleten gehemelte
clemency [ˈklemənsɪ] *zn* genade
clement [ˈklemənt] *bnw* ❶ zacht ❷ mild
❸ tegemoetkomend
clench [klentʃ] *ov ww* ❶ dichtklemmen, op elkaar
klemmen 〈van tanden〉 ❷ ballen 〈van vuist〉
❸ vastgrijpen
clergy [ˈklɜːdʒɪ] *zn* geestelijkheid, geestelijken
clergyman [ˈklɜːdʒɪmən] *zn* dominee, priester
cleric [ˈklerɪk] *zn* ❶ geestelijke ❷ religieus leider
clerical [ˈklerɪkl] *bnw* ❶ administratief ❷ priester-
❸ dominees- ★ ~ *error* schrijffout
clerk [klɑːk] *zn* ❶ klerk, kantoorbediende
❷ secretaris, griffier ★ ~ *of works* bouwopzichter
★ *confidential* ~ procuratiehouder ★ *filing* ~
archiefmedewerker ★ *managing* ~
procuratiehouder ❸ *USA* winkelbediende
❹ *USA* receptionist(e)
clever [ˈklevə] *bnw* ❶ intelligent, slim ❷ handig
❸ *inform min* brutaal ★ ~ ~ eigenwijs ★ ~ *Dick* /
clogs eigenwijs ventje, wijsneus ★ *too* ~ *by half*
veel te eigenwijs ★ *don't you get* ~ *with me!* we
worden toch niet bijdehand!
cleverness [ˈklevənəs] *zn* ❶ slimheid
❷ handigheid
cliché, cliche [ˈkliːʃeɪ] *zn* cliché
click [klɪk] **I** *zn* ❶ klik, tik ❷ *comp* muisklik ❸ 〈op
teller〉 kilometer, mijl ★ *it's ten* ~*s to Utrecht* het
is tien kilometer naar Utrecht **II** *ov ww*
❶ knippen 〈met de vingers〉, klikken, klakken
〈met de tong〉 ❷ *comp* aanklikken 〈met muis〉
III *onov ww* ❶ *comp* klikken ❷ klikken, het
samen goed kunnen vinden, goed kunnen

cl

samenwerken ❸ plotseling duidelijk worden
★ *it* ~*s* het werkt, het gaat goed! ❹ *comp*
~ **through (to)** doorklikken naar
click-through rate, click rate *zn* *comp* aantal
hits 〈op website〉
client [ˈklaɪənt] *zn* ❶ cliënt, klant ❷ *comp* client
clientele [kliːɒnˈtel] *zn* clientèle, klantenkring
cliff [klɪf] *zn* ❶ klif ❷ steile rots(wand) 〈aan zee〉
cliffhanger [ˈklɪfhæŋə] *zn* *media* cliffhanger
〈spannende situatie die pas na een pauze wordt
opgelost〉
cliff-hanging [ˈklɪfhæŋɪŋ] *bnw* ❶ met onzekere
afloop ❷ sensatie-
climactic [klaɪˈmæktɪk] *bnw* een climax vormend,
heel spannend, heel belangrijk
climate [ˈklaɪmɪt] *zn* klimaat ★ *continental* ~
landklimaat ★ *benign* ~ zacht / heilzaam klimaat
climatic [klaɪˈmætɪk] *bnw* klimaat-
climax [ˈklaɪmæks] **I** *zn* ❶ hoogtepunt, climax
★ *come to* / *reach a* ~ tot een climax komen
❷ orgasme **II** *onov ww* ❶ een hoogtepunt
bereiken ❷ klaarkomen
climb [klaɪm] **I** *ov ww* beklimmen **II** *onov ww*
❶ klimmen ❷ stijgen ❸ opklimmen 〈in rang,
enz.〉 ❹ ~ **down** een toontje lager zingen, een
fout toegeven **III** *zn* ❶ klim ❷ helling ❸ stijging
climbdown [ˈklaɪmdaʊn] *zn* ❶ vernedering
❷ stap terug
climber [ˈklaɪmə] *zn* ❶ klimmer
❷ bergbeklimmer ❸ klimplant ★ *min social* ~
streber
clime [klaɪm] *zn,* humor *lit* → **climate**
clinch [klɪntʃ] **I** *ov ww* beklinken, sluiten
〈overeenkomst〉, de doorslag geven (voor)
II *onov ww* ❶ 〈met elkaar〉 in de clinch gaan
❷ *inform* elkaar omhelzen **III** *zn*
❶ omklemming ❷ *inform* ~ omhelzing
clincher [ˈklɪntʃər] *zn* afdoend argument
cling [klɪŋ] *onov ww* [onregelmatig]
❶ vastklemmen, kleven, hangen ❷ ~ **to** zich
vastklampen, trouw blijven aan
clinging [ˈklɪŋɪŋ], **clingy** [ˈklɪŋi] *bnw*
❶ nauwsluitend ❷ min aanhankelijk
cling-wrapped [ˈklɪŋræpd] *bnw* in folie verpakt
clinic [ˈklɪnɪk] *zn* ❶ kliniek ❷ klinisch onderwijs
❸ workshop
clinical [ˈklɪnɪkl] *bnw* ❶ klinisch, geneeskundig
❷ emotieloos ❸ *min* koel, zakelijk 〈v. vertrek,
enz.〉
clink [klɪŋk] **I** *onov ww* ❶ klinken ❷ rinkelen **II** *ov
ww* ❶ klinken met 〈glazen〉 ❷ laten rinkelen
III *zn* ❶ gerinkel ❷ *inform oud* gevangenis, nor
clinker [ˈklɪŋkə] *zn* ❶ sintel, slak ❷ klinker 〈steen〉
❸ *USA* mislukking, fiasco
clip [klɪp] **I** *zn* ❶ klem ❷ knipbeurt ❸ (video)clip,
(film)fragment ❹ *inform* mep ❺ patroonhouder
★ *a clip round the ear* een draai om de oren
▼ *USA at a fast* / *good* / *steady clip* snel **II** *ov ww*
❶ klemmen (**on** aan), (vast)hechten
❷ (af)knippen, kort knippen, snoeien, trimmen,
scheren 〈v. schapen〉 ❸ half uitspreken, afbijten
〈van woorden〉 ❹ een draai om de oren geven
❺ *inform* ~ **off** afknabbelen ★ *clip 5 seconds off
the world record* het wereldrecord verbeteren
met 5 seconden ❻ ~ **out** uitknippen
clipboard [ˈklɪpbɔːd] *zn* klembord

cl

clip joint zn peperdure nachtclub
clip-on bnw met een klem ★ a ~ tie een nepdasje
clipper ['klɪpə] zn ❶ schaar(tje) ❷ <u>scheepv</u> klipper ★ ~s [mv] tondeuse, kniptang
clipping ['klɪpɪŋ] zn (kranten)knipsel ★ ~s [mv] snoeisel
clique [kli:k] zn min kliek, clubje
clitoridectomy [klɪtərɪ'dektəmɪ] zn clitoridectomie, vrouwenbesnijdenis
clitoris ['klɪtərɪs] zn clitoris, kittelaar
cloak [kləʊk] I zn ❶ cape, mantel ❷ dekmantel II ov ww omhullen, verhullen
cloak-and-dagger bnw (onnodig) mysterieus ★ ~ story mysterieus spionageverhaal
cloakroom ['kləʊkru:m] zn ❶ <u>GB</u> garderobe ❷ <u>GB</u> toiletten
clobber ['klɒbə] I zn, inform <u>GB</u> kleren, spullen, boeltje II ov ww ❶ inform een pak rammel geven ★ get ~ed in de pan gehakt worden ❷ hard aanpakken
cloche [klɒʃ] zn stolp, beschermkap (voor jonge planten)
clock [klɒk] I zn ❶ klok, uurwerk ★ six o' ~ 6 uur ★ around / round the ~ de klok rond, 24 uur per dag ★ work against the ~ tegen de klok werken ★ fig beat the ~ iets doen binnen de gegeven tijd ★ the ~ is ticking de klok tikt door ★ turn the ~ back de klok terugzetten ❷ prikklok ❸ kilometerteller, meter II ov ww ❶ sport klokken, de tijd / snelheid opnemen van ❷ ~ up (laten) noteren (tijd / afstand), halen (snelheid bv.) III onov ww ❶ ~ in/on inklokken (op prikklok) ❷ ~ out/off uitklokken (op prikklok)
clock radio zn wekkerradio
clockwise ['klɒkwaɪz] bijw met de wijzers v.d. klok mee, rechtsom draaiend
clockwork ['klɒkwɜːk] zn uurwerk, raderwerk ★ regular like ~ met de regelmaat van de klok ▼ go / run like ~ gesmeerd lopen
clod [klɒd] zn ❶ kluit (aarde) ❷ inform stommeling
clodhopper ['klɒdhɒpə] zn ❶ min boerenpummel ❷ humor schuit (grote, zware schoen)
clog [klɒɡ] I zn klomp(schoen) II ov ww verstoppen ★ tears clogged her throat tranen verstikten haar keel III onov ww ~ (up) verstopt raken (with door)
cloister ['klɔɪstə] zn ❶ kloostergang, kruisgang ❷ kloosterleven
cloistered bnw afgezonderd, teruggetrokken
clone [kləʊn] I zn kloon II ov ww klonen
close¹ [kləʊs] I bnw ❶ dichtbij ❷ nabij, intiem, hecht, dik (v. vriendschap) ❸ nauwkeurig ❹ gesloten, dicht opeen ❺ nauwsluitend ❻ kortgeknipt ❼ op het nippertje ❽ streng bewaakt ❾ benauwd ❿ zwijgzaam, gesloten ⓫ gierig II bijw dicht(bij) ▼ ~ by / to / up dichtbij, vlakbij ▼ ~ at hand vlakbij ▼ ~ on / to bijna ▼ ~ up tot dicht tegen ▼ come ~ to bijna bereiken ▼ run sb / sth ~ bijna net zo goed zijn als III zn ❶ binnenplaats, erf, hofje ❷ speelveld ❸ terrein (rond kerkgebouw enz.) ❹ doodlopende straat
close² [kləʊz] I ov ww ❶ (af)sluiten, besluiten

❷ insluiten II onov ww ❶ (zich) sluiten ❷ dichter bij elkaar komen ❸ het slot vormen van III ww ❶ ~ down [onov] sluiten ❷ [ov] eindigen, opheffen ❸ ~ in [onov] slechter worden (v. weer) ❹ invallen (v. duisternis) ❺ korten (v.d. dagen) ★ ~ in on omsingelen ❻ ~ off [ov] afsluiten ❼ <u>USA</u> ~ out [ov] uitverkopen ❽ beëindigen ❾ ~ up [ov] blokkeren ❿ afsluiten, dichtdoen ⓫ [onov] dichtgaan, dichter bij elkaar gaan staan ★ he ~d up hij zei geen woord meer IV zn besluit, einde
close-clipped [kləʊs-'klɪpt] bnw kort geknipt
close-cropped [kləʊs-'krɒpt] zn → **close-clipped**
closed-circuit [kləʊzd 'sɜːkɪt] bnw via een gesloten circuit ★ ~ television camerabewaking
close-down ['kləʊzdaʊn] zn sluiting, stopzetting
close-fitting bnw nauwsluitend
close-knit bnw hecht
close-set bnw dicht bij elkaar
closet ['klɒzɪt] I zn ❶ <u>USA</u> kast ❷ (privé)kamertje, kabinet ▼ come out of the ~ uit de kast komen (zijn (homo)seksuele aard bekendmaken) II ov ww opsluiten
closing date zn sluitingsdatum
closure ['kləʊʒə] zn ❶ sluiting ❷ slot ❸ afsluiting
clot [klɒt] I zn kluit, klont(er) ★ clot of blood trombose II onov ww klonteren, stollen
cloth [klɒθ] zn ❶ laken, stof ❷ tafellaken, linnen ❸ doek, stofdoek, dweil ★ the ~ de geestelijkheid
clothe [kləʊð] [onregelmatig] ov ww ❶ kleden, bekleden ★ leather-clad motorists in leer gehulde motorrijders ★ snow-clad met sneeuw bedekt ❷ inkleden, omkleden
clothes [kləʊðz] zn mv kleding, kleren ★ casual ~ vrijetijdskleding
clothes hanger zn klerenhanger
clothes horse zn ❶ droogrek (voor kleren) ❷ min modepop
clothes line zn waslijn
clothes peg, USA **clothes pin** zn wasknijper
clothier ['kləʊðɪə] zn form handelaar in kleding
clothing ['kləʊðɪŋ] zn kleding
cloud [klaʊd] I zn wolk ★ every ~ has a silver lining achter de wolken schijnt de zon (gezegde) ★ inform on ~ nine in de zevende hemel ▼ under a ~ uit de gratie II ov ww ❶ bewolken, verduisteren, fig een schaduw werpen over ❷ vertroebelen ook fig III onov ww ~ over betrekken
cloudburst ['klaʊdbɜːst] zn wolkbreuk
cloud-capped bnw met de top in de wolken
cloud cuckoo land, USA **cloud land** zn min droomwereld
cloudless ['klaʊdləs] bnw onbewolkt
cloudy ['klaʊdɪ] bnw ❶ bewolkt ❷ troebel ❸ onduidelijk
clout [klaʊt] I zn ❶ (politieke) invloed ❷ klap, mep II ov ww meppen, slaan
clove [kləʊv] I zn ❶ kruidnagel ❷ ★ a ~ of garlic een teentje knoflook II ww [verleden tijd] → **cleave**
cloven ['kləʊvən] ww [volt. deelw.] → **cleave**
clover ['kləʊvə] zn klaver ★ four-leaf ~ klavertjevier ▼ be / live in ~ een prinsheerlijk leven leiden, op rozen zitten

cloverleaf ['kləʊvəli:f] *zn* ❶ klaverblad ❷ verkeersknooppunt

clown [klaʊn] I *zn* ❶ clown ❷ *ook fig* hansworst II *onov ww* de clown uithangen

clownish ['klaʊnɪʃ] *bnw* → **clown**

cloy [klɔɪ] I *ov ww* ❶ (over)verzadigen ❷ doen walgen II *onov ww* tegenstaan

cloying ['klɔɪŋ] *bnw* *ook fig* misselijk makend

cloze test *zn* onderw invuloefening

club [klʌb] I *zn* ❶ club, sociëteit, clubgebouw ❷ knuppel ❸ golfstick ❹ klaverkaart ★ *clubs* [mv] klaveren ▼ *be in the club* in verwachting zijn II *ov ww* met knuppel slaan III *onov ww* ❶ (zich) verenigen ❷ ★ *go clubbing* uitgaan ⟨in nachtclubs⟩ ❸ ~ **together** geld bij elkaar leggen

cluck [klʌk] I *zn* geklok ⟨als v.e. kip⟩ II *onov ww* klokken ⟨als een kip⟩

clue [klu:] I *zn* ❶ aanwijzing ❷ (sleutel tot) oplossing ▼ *I don't have a clue* ik heb geen idee, ik begrijp er niets van II *ov ww* ~ **in/up** informeren, bijpraten

clueless ['klu:ləs] *bnw* inform stom ★ ~ *about computers* geen flauw benul van computers

clump [klʌmp] I *zn* ❶ groep ⟨van bomen⟩ ❷ klomp, brok ★ *a ~ of hair* een pluk haar ❸ geklos ⟨v. schoenen⟩ II *ov ww* ❶ klonteren ❷ bij elkaar doen / planten III *onov ww* klossen

clumsiness ['klʌmzɪnəs] *zn* klungeligheid, onhandigheid

clumsy ['klʌmzɪ] *bnw* klungelig, onhandig

clung [klʌŋ] *ww* [verl. tijd + volt. deelw.] → **cling**

clunk [klʌŋk] *zn* bons, klap

cluster ['klʌstə] I *zn* ❶ cluster, groep, zwerm, troep ❷ bos, tros II *onov ww* ❶ zich groeperen ❷ ~ **together** bij elkaar komen

cluster bomb *zn* mil clusterbom

clutch [klʌtʃ] I *ov ww* stevig vasthouden ❷ vastgrijpen II *onov ww* ~ **at** grijpen naar III *zn* ❶ techn koppeling(spedaal) ❷ stel, groep ❸ greep, macht ❹ broedsel ❺ USA → **clutch bag** ★ inform *have in your ~es* in je macht / klauwen hebben

clutch bag *zn* avond- / damestasje ⟨zonder hengsel⟩

clutter ['klʌtə] I *ov ww* ~ **(up)** rommelig maken ★ ~ *(up) with* volstoppen met II *zn* ❶ rommel ❷ bende

c/o *afk, care of* p / a

co- [kəʊ] *voorv* co-, mede-

CO *afk* ❶ *Commanding Officer* bevelvoerend officier ❷ *Colorado* staat in de VS

coach [kəʊtʃ] I *zn* ❶ sport coach ❷ repetitor, privédocent ❸ bus, touringcar ❹ koets, rijtuig, spoorwagon ❺ USA tweede klas ⟨in vliegtuig⟩ ★ *to fly* ~ goedkoop vliegen II *ov ww* ❶ sport onderw begeleiden, coachen ❷ instrueren

coachman ['kəʊtʃmən] *zn* koetsier

coachwork ['kəʊtʃwɜːk] *zn* koetswerk, carrosserie

coagulate [kəʊˈægjʊleɪt] *onov ww* stremmen, stollen

coagulation [kəʊægjʊ'leɪʃən] *zn* stremming, stolling

coal [kəʊl] *zn* (steen)kool, kolen ★ *living coal* gloeiend kooltje ▼ *carry coals to Newcastle* water

naar de zee dragen ▼ *haul / rake sb over the coals* iem. flink de waarheid zeggen

coal black *bnw* pikzwart

coalesce [kəʊə'les] *onov ww* samensmelten, samenvallen

coal gas *zn* steenkolengas

coalition [kəʊə'lɪʃən] *zn* coalitie, verbond

coal mine *zn* kolenmijn

coalminer ['kəʊlmaɪnə] *zn* mijnwerker

coalmining ['kəʊlmaɪnɪŋ] *zn* kolenwinning

coal pit *zn* kolenmijn

coal tar *zn* koolteer

coarse [kɔːs] *bnw* ❶ grof, ruw ❷ platvloers ★ ~ *fish* zoetwatervis ⟨behalve zalm en forel⟩

coarsen ['kɔːsən] I *ov ww* ruw maken II *onov ww* ruw worden

coast [kəʊst] I *zn* kust ★ *the ~ is clear* de kust is veilig II *onov ww* ❶ (naar beneden) glijden, freewheelen ❷ zonder inspanning vooruitkomen ❸ langs de kust varen ❹ ~ **through** ★ *he ~ed through his exams* hij haalde zijn examen op zijn sloffen

coastal ['kəʊstl] *bnw* kust-

coaster ['kəʊstə] *zn* ❶ biervitje, onderzetter ❷ kustvaartuig

coast guard *zn* kustwacht(er)

coastline ['kəʊstlaɪn] *zn* kustlijn

coat [kəʊt] I *zn* ❶ jas, mantel ★ *coat and skirt* mantelpak ★ *coat of mail* maliënkolder ★ *cut your coat according to your cloth* de tering naar de nering zetten ❷ vacht, pels ❸ (dek)laag ▼ *coat of arms* familiewapen, wapenschild II *ov ww* (be)dekken, van een laag(je) voorzien

coat check *zn* ❶ USA garderobe ❷ USA toiletten

coat hanger *zn* kleerhanger

coating ['kəʊtɪŋ] *zn* laag(je)

coatroom ['kəʊtru:m] *zn* USA → **cloakroom**

coat stand *zn* kapstok

coat-tails ['kəʊtteɪlz] *zn mv* jaspanden ▼ *on sb's ~* je succes te danken hebben aan iem.

co-author *zn* medeauteur

coax [kəʊks] *ov ww* ❶ vleien, zover krijgen ❷ ~ **away from** met zachte hand verwijderen van ❸ ~ **into** overhalen om, verleiden tot ❹ ~ **out of** aftroggelen, ontlokken aan

cob [kɒb] *zn* ❶ maïskolf ❷ GB rond brood ❸ sterk paard ⟨met korte benen⟩ ❹ GB hazelnoot

cobalt ['kəʊbɔːlt] *zn* kobalt(blauw)

cobble ['kɒbl] I *zn* ❶ kinderkopje ⟨straatsteen⟩ ❷ Aus makker II *ov ww* ❶ bestraten ⟨met keien⟩ ❷ ~ **together** in elkaar flansen

cobbler ['kɒblə] *zn* ❶ USA vruchtentaart ❷ inform GB [mv] ~s flauwekul

cobblestone ['kɒblstəʊn] *zn* kinderkopje ⟨straatsteen⟩

cobweb ['kɒbweb] *zn* spinnenweb, spinrag ▼ *blow / clear the ~s away* uitwaaien

cocaine [kə'keɪn] *zn* cocaïne

cock [kɒk] I *zn* ❶ haan ❷ mannetje ❸ vulg lul, pik ❹ kraan, tap ❺ oud makker ❻ haan ⟨v. vuurwapen⟩ ★ *cock-and-bull story* broodjeaapverhaal ★ *cock of the walk* haantje-de-voorste ▼ *that cock won't fight* die vlieger gaat niet op II *ov ww* ❶ (op)steken, optillen ❷ (op)zetten ❸ (op)zetten ❹ de haan spannen ⟨v. vuurwapen⟩ ❺ GB inform ~ **up** verprutsen, verknallen

cock-a-doodle-doo [kɒkədu:dl'du:] zn kukeleku
cock-a-hoop [kɒkə'hu:p] bnw juichend, uitgelaten
cock-a-leekie [kɒkə'li:kɪ] zn kippensoep met prei en spek
cockatoo [kɒkə'tu:] zn kaketoe
cockchafer ['kɒktʃeɪfə] zn meikever
cockerel ['kɒkərəl] zn jonge haan
cockeyed ['kɒkaɪd] bnw ❶ scheef ❷ onzinnig, dwaas
cockfighting ['kɒkfaɪtɪŋ] zn hanengevechten
cockle ['kɒkl] zn kokkel ▼ warm the ~s of your heart je hart goed doen
cockney ['kɒknɪ] I zn ❶ geboren Londenaar ⟨uit het East End⟩ ❷ het Cockney ⟨Londens dialect⟩ II bnw cockney
cockpit ['kɒkpɪt] zn ❶ cockpit, stuurhut ❷ strijdtoneel
cockroach ['kɒkrəʊtʃ] zn kakkerlak
cocksure [kɒk'ʃɔ:] bnw ❶ stellig ❷ zelfbewust ❸ pedant
cocktail stick zn cocktailprikker
cock-up ['kɒkʌp] zn rotzooi, bende
cocky ['kɒkɪ] bnw verwaand, eigenwijs
coco ['kəʊkəʊ] zn kokospalm
cocoa ['kəʊkəʊ] zn ❶ cacao ❷ (een beker) chocolademelk
coconut ['kəʊkənʌt] zn kokosnoot
coconut matting zn kokosmat
coconut palm zn kokospalm
cocoon [kə'ku:n] I zn ❶ cocon ❷ omhulsel, fig geborgenheid II ov ww ❶ inspinnen ❷ afschermen III onov ww ergens knus in zitten / liggen, cocoonen
cod [kɒd] I zn ❶ kabeljauw ❷ inform grap II onov ww inform voor de gek houden
COD, cod afk, GB cash on delivery, USA collect on delivery rembours, betaling bij ontvangst
coddle ['kɒdl] ov ww ❶ vertroetelen ❷ zacht koken
code [kəʊd] I zn ❶ code ook comp ★ break / crack the code de code ontcijferen ★ dialling code kengetal ★ civil code Burgerlijk Wetboek ❷ reglement, gedragslijn ★ code of conduct gedragscode II ov ww coderen, in code overbrengen
codger ['kɒdʒə] zn ouwe baas, ouwe knar
codification [kəʊdɪfɪ'keɪʃən] zn codificatie
codify ['kəʊdɪfaɪ] ov ww codificeren
codswallop ['kɒdzwɒləp] zn gezwam in de ruimte, kletskoek
coeducation [kəʊedju:'keɪʃən] zn co-educatie, gemengd onderwijs
coefficient [kəʊ'fɪʃənt] zn coëfficiënt
coequal [kəʊ'i:kwəl] bnw gelijk(waardig)
coerce [kəʊ'ɜ:s] ov ww dwingen (into tot)
coercion [kəʊ'ɜ:ʃən] zn dwang
coercive [kəʊ'ɜ:sɪv] bnw dwang-
coeval [kəʊ'i:vəl] I zn tijdgenoot, leeftijdsgenoot II bnw ❶ even oud (with als) ❷ van gelijke duur
coexist [kəʊɪg'zɪst] onov ww co-existeren, naast elkaar leven, gelijktijdig bestaan
coexistence [kəʊɪg'zɪstəns] zn co-existentie
C. of E. afk, Church of England anglicaanse Kerk
coffee ['kɒfɪ] zn koffie ★ Irish ~ Irish coffee ⟨koffie

met whisky en slagroom⟩ ★ white ~ koffie met melk
coffee bar zn koffiebar
coffee break zn koffiepauze
coffee grounds zn mv koffiedik
coffee maker zn koffiezetapparaat
coffee shop zn café, koffiewinkel
coffee table zn salontafel(tje) ★ coffee-table book kijkboek
coffer ['kɒfə] zn (geld)kist
coffin ['kɒfɪn] I zn doodskist II ov ww kisten
cog [kɒg] zn tand ⟨v. wiel⟩ ▼ a cog in the machine / wheel een radertje in het grote geheel
cogency ['kəʊdʒənsɪ] zn overtuigingskracht
cogent ['kəʊdʒənt] bnw overtuigend
cogged [kɒgd] bnw getand
cogitate ['kɒdʒɪteɪt] ov+onov ww overdenken
cogitation [kɒdʒɪ'teɪʃən] zn overdenking
cognac ['kɒnjæk] zn cognac
cognate ['kɒgneɪt] I zn (bloed)verwant II bnw verwant (with aan)
cognition [kɒg'nɪʃən] zn ❶ het (bewust) kennen, kennis ❷ perceptie
cognizance, cognisance ['kɒgnɪzəns] zn kennis ▼ take ~ of nota nemen van
cognizant, cognisant ['kɒgnɪzənt] bnw bekend (of met), op de hoogte van
cogwheel ['kɒgwi:l] zn tandwiel, kamwiel
cohabit [kəʊ'hæbɪt] onov ww samenwonen
cohabitation agreement zn samenlevingscontract
cohere [kəʊ'hɪə] onov ww ❶ coherent zijn, (logisch) samenhangen (with met) ❷ samenwerken
coherence [kəʊ'hɪərəns] zn samenhang
coherent [kəʊ'hɪərənt] bnw samenhangend
cohesion [kəʊ'hi:ʒən] zn ❶ cohesie, samenhang ❷ natk scheik binding
cohesive [kəʊ'hi:sɪv] bnw ❶ samenhangend, coherent ❷ bindend, verbindend
coiffure [kwa:'fjʊə] zn kapsel
coign [kɔɪn] zn ★ ~ of vantage gunstige hoek / waarnemingspost
coil [kɔɪl] I zn ❶ spiraal(veer) ❷ tros ❸ bocht, kronkel ❹ rol ❺ inductie(spoel) ❻ med spiraaltje II ov ww oprollen, in bochten leggen III onov ww (zich) kronkelen
coin [kɔɪn] I zn ❶ munt ★ flip / toss a coin kruis of munt gooien ★ pay sb back in his own coin iem. met gelijke munt betalen ★ the other side of the coin de andere kant van de medaille ❷ geld II ov ww ❶ munten ★ GB fig be coining it (in) / be coining money geld verdienen als water ❷ verzinnen ★ coin a phrase een cliché gebruiken, een woordspeling maken
coinage ['kɔɪnɪdʒ] zn ❶ munt(stelsel) ❷ het munten ❸ neologisme
coincide [kəʊɪn'saɪd] onov ww ❶ samenvallen ❷ overeenstemmen
coincidence [kəʊ'ɪnsɪdns] zn ❶ toeval, samenloop van omstandigheden ❷ overeenstemming ★ what a ~! wat toevallig! ★ by (sheer) ~ door puur toeval
coincident [kəʊ'ɪnsɪdnt] bnw samenvallend
coincidental [kəʊɪnsɪ'dentl] bnw toevallig
coitus ['kəʊɪtəs], **coition** [kəʊ'ɪʃən] zn coïtus,

geslachtsdaad

coke [kəʊk] zn ❶ inform cocaïne ❷ cokes

Coke zn inform cola

col [kɒl] zn bergpas

colander ['kʌləndə] zn vergiet

cold [kəʊld] I bnw ❶ koud, koel ★ the cold facts / truth de naakte feiten / waarheid ★ cold news ontmoedigend nieuws ❷ bewusteloos ★ knock sb out cold iem. bewusteloos slaan II zn ❶ kou ★ cold front kou(de)front ★ leave sb out in the cold ook fig iem. in de kou laten staan, iem. aan zijn lot overlaten ❷ verkoudheid ★ a bad / heavy cold een zware verkoudheid ★ catch a cold verkouden worden

cold-blooded [kəʊld'blʌdɪd] bnw koelbloedig

cold-calling zn telemarketing

cold-hearted [kəʊld'hɑːtɪd] bnw harteloos

cold-shoulder ov ww de rug toekeren, negéren

coleslaw ['kəʊlslɔː] zn koolsalade

colic ['kɒlɪk] zn (darm)koliek

collaborate [kə'læbəreɪt] onov ww ❶ meewerken ❷ min collaboreren

collaboration [kəlæbə'reɪʃən] zn ❶ medewerking ❷ min collaboratie ★ in ~ with samen met

collaborator [kə'læbəreɪtə] zn ❶ medewerker ❷ min collaborateur

collapse [kə'læps] I onov ww ❶ ineenstorten, in elkaar zakken ★ ~ into laughter dubbel liggen van het lachen ❷ mislukken ❸ neerzijgen, neerploffen (in een stoel bv.) ❹ scherp dalen II ov ww inklappen, opvouwen ★ a ~d lung een klaplong III zn ❶ ineenstorting ★ be in a state of ~ op instorten staan ★ nervous ~ zenuwinzinking ❷ mislukking

collapsible [kə'læpsəbl] bnw opvouwbaar

collar ['kɒlə] I zn ❶ kraag, boord ❷ (hals)keten, (hals)band ❸ straatt arrestatie II ov ww ❶ vaak humor aanklampen ❷ straatt in de kraag vatten, arresteren

collarbone ['kɒləbəʊn] zn sleutelbeen

collate [kə'leɪt] ov ww ❶ verzamelen om te vergelijken (bv. cijfers) ❷ ordenen

collateral [kə'lætərəl] I bnw ❶ bijkomend, secundair ★ mil ~ damage collaterale / bijkomende schade ❷ zij aan zij, zijdelings ❸ verwant in de zijlijn II zn ❶ econ onderpand ❷ bloedverwant in de zijlijn

colleague ['kɒliːg] zn collega

collect [kə'lekt] I ov ww ❶ verzamelen ★ ~ rainwater regenwater opvangen ❷ innen, collecteren, innemen ❸ ophalen (kinderen bv.) ❹ in de wacht slepen, op de kop tikken (prijs, enz.) ❺ onder controle krijgen ★ ~ a horse een paard in toom houden ★ ~ your thoughts je gedachten ordenen ★ ~ to / yourself jezelf weer onder controle krijgen II onov ww zich verzamelen, samenkomen III bijw USA ★ call ~ collect bellen (op kosten van de ontvanger)

collection [kə'lekʃən] zn ❶ verzameling, collectie ❷ collecte, inzameling ❸ het verzamelen / ophalen ❹ lichting (v. brievenbus)

collective [kə'lektɪv] I bnw collectief, gezamenlijk, gemeenschappelijk ★ ~ bargaining cao-onderhandelingen II zn collectief

collective noun taalk zn verzamelnaam

collectivize, collectivise [kə'lektɪvaɪz] ov ww tot

collectief bezit maken

collector [kə'lektə] zn ❶ verzamelaar ❷ inzamelaar, collectant ❸ ontvanger ❹ techn collector

collector's item zn gezocht (verzamel)object

colleen [kɒ'liːn] zn meisje (in Ierland)

college ['kɒlɪdʒ] zn ❶ college, hogeschool, academie ★ be at / in ~ studeren ❷ faculteit ❸ college (groep mensen) ★ electoral ~ kiescollege, USA college van kiesmannen

collegiate [kə'liːdʒɪət] bnw ❶ studenten-, studentikoos ❷ bestaand uit verschillende 'colleges'

collide [kə'laɪd] onov ww botsen

collie ['kɒlɪ] zn collie (Schotse herdershond)

collier ['kɒlɪə] zn mijnwerker

colliery ['kɒlɪərɪ] zn kolenmijn

collision [kə'lɪʒən] zn ❶ botsing ❷ fig conflict ▼ be on a ~ course op ramkoers liggen / afstevenen op een conflict

colloquial [kə'ləʊkwɪəl] bnw tot de spreektaal behorend

colloquialism [kə'ləʊkwɪəlɪzəm] zn alledaagse uitdrukking

collusion [kə'luːʒən] zn complot

collywobbles ['kɒlɪwɒblz] zn mv ❶ inform de zenuwen ❷ inform buikpijn (v. zenuwen / angst)

colon ['kəʊlən] zn ❶ med dikke darm ❷ taalk dubbele punt

colonel ['kɜːnl] zn ❶ kolonel ❷ overste

colonial [kə'ləʊnɪəl] bnw koloniaal

colonialism [kə'ləʊnɪəlɪzəm] zn kolonialisme

colonist ['kɒlənɪst] zn kolonist

colonization, colonisation [kɒlənaɪ'zeɪʃən] zn kolonisatie

colonize, colonise ['kɒlənaɪz] ov+onov ww koloniseren

colonnade [kɒlə'neɪd] zn zuilengalerij

colony ['kɒlənɪ] zn kolonie

colophon ['kɒləfɒn] zn drukk colofon

color ['kʌlə] zn USA → colour

color- [ʹkʌlə-] zn USA → colour-

colossal [kə'lɒsl] bnw kolossaal

colossus [kə'lɒsəs] zn kolos

colour ['kʌlə] I zn ❶ kleur ❷ gelaatskleur, blos, tint ★ gain ~ weer kleur krijgen ★ lose ~ bleek worden ❸ (donkere) huidskleur ★ person / woman / man of ~ kleurling ❹ klank-/ toonkleur, timbre ❺ verf, kleurstof ❻ schijn, voorwendsel ❼ ★ show your true ~s je ware aard tonen ❽ ★ ~s [mv] clubkleuren, vaandel, nationale vlag ★ local ~ couleur locale ★ trooping the ~(s) vaandelparade ▼ off ~ niet gezond / lekker zijn, er niet goed uitzien, ongepast (v. grap) ▼ under the ~ of onder het voorwendsel dat ▼ with flying ~s met vlag en wimpel ▼ nail your ~s to the mast kleur bekennen ★ see the ~ of sb's money kijken of iem. kredietwaardig is II ov ww ❶ (in)kleuren, verven ❷ fig kleuren, een verkeerde voorstelling geven ❸ blozen ★ ~ at sb's remark een kleur krijgen door iemands opmerking

colour- kleur-, kleuren-

colour bar zn rassendiscriminatie

colour-blind bnw ❶ kleurenblind ❷ USA

CO

onbevooroordeeld t.o.v. ras
coloured [ˈkʌləd] *bnw* gekleurd ★ ~ *person* kleurling
colour-fast *bnw* kleurecht
colourful [ˈkʌləful] *bnw* ❶ kleurrijk ❷ interessant
colouring [ˈkʌlərɪŋ] *zn* ❶ kleur(sel) ❷ huid- / gelaatskleur
colourless [ˈkʌlələs] *bnw* ❶ kleurloos ❷ oninteressant
colour supplement *zn* kleurenbijlage
colt [kəʊlt] *zn* ❶ colt (vuurwapen) ❷ GB *sport* lid v. jong team
coltish [ˈkəʊltɪʃ] *bnw* dartel
column [ˈkɒləm] *zn* ❶ kolom, zuil ❷ column (artikel) ❸ mil colonne
com- [kɒm, kəm, kʌm] *voorv* com-, con-, samen-
coma [ˈkəʊmə] *zn* coma ★ *go into / be in a coma* in coma raken / zijn
comatose [ˈkəʊmətəʊs] *bnw* ❶ med comateus, diep bewusteloos ❷ humor doodop, slaperig
comb [kəʊm] I *zn* ❶ kam ★ *go over / through sth with a fine-tooth(ed) comb* iets zorgvuldig onderzoeken ❷ hanenkam ❸ honingraat II *ov ww* ❶ kammen ❷ doorzoeken ❸ ~ **out** gladkammen, nauwkeurig onderzoeken ❹ ~ **through** uitkammen, doorzoeken
combat [ˈkɒmbæt] I *zn* strijd, gevecht ★ *(un)armed ~* (on)gewapende strijd II *ov ww* bestrijden
combatant [ˈkɒmbətnt] *zn* strijder
combat fatigue *zn* oorlogsneurose
combative [ˈkɒmbətɪv] *bnw* strijdlustig
combats [ˈkɒmbæts] *zn mv* ≈ legerbroek (broek met veel zakken)
comb honey *zn* raathoning
combination [kɒmbɪˈneɪʃən] *zn* combinatie ★ *(motorcycle) ~* motor met zijspan
combination lock *zn* combinatieslot, cijfer- / letterslot
combine[1] [ˈkɒmbaɪn] *zn* syndicaat ★ ~ *harvester* maaidorser
combine[2] [kəmˈbaɪn] I *ov ww* verenigen, combineren ★ ~*d efforts* gezamenlijke inspanning II *onov ww* ❶ zich verenigen ❷ samenwerken, samenspelen
combust [kəmˈbʌst] I *ov ww* verbranden II *onov ww* ontbranden
combustible [kəmˈbʌstɪbl] *bnw* brandbaar
combustion [kəmˈbʌstʃən] *zn* verbranding ★ *spontaneous ~* zelfontbranding
come [kʌm] [onregelmatig] I *onov ww* ❶ komen, aankomen, gebeuren ★ *it comes as a relief* het was een opluchting ★ *you're as clever / stupid as they come* jij bent zo slim / stom als wat ★ *first come, first served* wie het eerst komt, het eerst maalt ★ *come to think of it* nu ik erover nadenk ★ inform *how come?* hoezo? ★ inform *how come the school is closed?* hoe komt het dat de school gesloten is? ★ *in weeks / years to come* (in) de komende weken / jaren ★ form *come what may* wat er ook gebeurt ★ form *come to pass* gebeuren ❷ verkrijgbaar zijn ❸ worden, gaan ★ *they came to appreciate his work* ze begonnen zijn werk te waarderen ★ *my laces have come undone* mijn veters zitten los ❹ inform klaarkomen ▼ inform *come again?* wat zeg je?

❺ ~ **about** gebeuren, ontstaan, tot stand komen ❻ ~ **across** tegenkomen, oversteken, overkomen (bv. grap, informatie), GB op de proppen komen ★ *you come across as trustworthy* je komt betrouwbaar over ❼ ~ **after** komen na, achterna komen ❽ ~ **along** meegaan, eraan komen, zich voordoen, goed vooruitgaan, zich ontwikkelen, opschieten ❾ ~ **apart** losgaan, uit elkaar vallen ★ fig *come apart at the seams* aan flarden liggen ❿ ~ **around/round** langskomen, terugkomen, in aantocht zijn (v. seizoen, enz.), (weer) bijkomen (na flauwte), (van mening) veranderen, bijtrekken (na ruzie), draaien (v. wind) ⓫ ~ **at** ook fig afkomen op, benaderen ⓬ ~ **away** weggaan, GB losraken ⓭ ~ **back** terugkomen, een reactie krijgen, weer voor de geest komen ★ *the name will come back to me* ik kom nog wel op de naam ⓮ ~ **back to** terugkomen op ⓯ ~ **before** belangrijker zijn dan, behandeld worden door ⓰ ~ **between** komen tussen ⓱ ~ **by** toevallig krijgen, (even) langskomen ★ *be hard to come by* moeilijk te krijgen / vinden zijn ⓲ ~ **down** naar beneden komen, instorten, neerstorten (v. vliegtuig), dalen, zakken (in prijs), overkomen (in zuidelijke richting, naar kleinere plaats), meegaan naar, overgeleverd worden (v. traditie), een beslissing nemen ★ *come down in favour of sth* voor iets zijn ⓳ ~ **down on** aanvallen, straffen, tekeergaan tegen ⓴ ~ **down to** reiken tot (bep. hoogte), bereiken, neerkomen op, nagelaten worden aan ㉑ ~ **down with** krijgen (ziekte) ★ *I'm coming down with the flu* ik heb de griep opgelopen ㉒ ~ **for** komen voor, ophalen, (dreigend) afkomen op ㉓ ~ **forth** tevoorschijn komen, voor de dag komen ㉔ ~ **forward** zich aanbieden, voor de dag komen ㉕ ~ **from** vandaan komen, (voort)komen uit, het resultaat zijn van ★ inform *(not) know where sb is coming from* (niet) weten wat iem. bezielt ㉖ ~ **in** binnenkomen, thuiskomen, aankomen (v. persoon, bericht bv.), binnenkomen (v. bus, trein, enz.), binnendringen (v. geluid, regen, enz.), opkomen (getij), in de mode komen, beginnen (v. seizoen), in werking treden, v. kracht worden (v. wet), zich mengen in (discussie), meedoen, aan de macht komen (v. regering), betrokken zijn bij ★ *come in on a discussion* je mengen in een discussie ★ *come in useful / handy* goed van pas komen ㉗ ~ **in for** te verduren krijgen, je op de hals halen ㉘ ~ **into** komen in, krijgen, erven, relevant zijn voor ★ *come into office* aan het bewind komen (v. regering) ★ *come into a fortune* een fortuin erven ★ *come into your own* erkenning krijgen ㉙ ~ **of** tot gevolg hebben, stammen uit ㉚ ~ **off** komen van, (af / uit)komen van, losraken, lukken, succes hebben, plaatsvinden, uit de strijd komen, afkomen van (bv. drugs) ★ *come off it!* schei ermee uit!, hoe kan dat nou? ㉛ ~ **on** vorderen (v. werk, enz.), beginnen, aangaan (v. licht, enz.), ton opkomen, vertoning / uitzending beginnen (v. film, nieuws, enz.), naderen (v. seizoen, weer, enz.), komen opzetten ⟨v. verkoudheid, enz.⟩, toevallig stuiten op, óverkomen ★ *come on!* kom op!, opschieten! ★ *come (on) in!* kom binnen! ★ inform *come on strong* het al te dik bovenop leggen ㊲ ~ **on to** aansnijden ⟨onderwerp⟩, inform flirten met ★ GB *it comes on to rain* het begint te regenen ㊳ ~ **out** (er) uitkomen, komen naar, tevoorschijn komen, aan het licht komen, uitkomen voor ⟨geaardheid⟩, debuteren, GB in staking gaan ★ *come out and say it* het eerlijk / hardop zeggen ★ *the stains do not come out* de vlekken gaan er niet uit ㉞ GB ~ **out in** ★ *come out in a rash* uitslag krijgen ㉟ ~ **out of** het resultaat zijn van ★ *come out of yourself* meer zelfvertrouwen hebben ㊱ GB ~ **out with** op de proppen komen met ㊲ ~ **over** even langskomen, óverkomen, overgaan / -lopen ⟨naar andere partij bv.⟩, begrepen worden, inform worden ★ *what has come over him?* waarom doet hij plotseling zo (raar)? ★ *come over (all) dizzy* plotseling duizelig worden ㊳ ~ **through** doorkomen, (duidelijk) overkomen, overleven, inform over de brug komen ㊴ ~ **to** komen tot / op, bijkomen, ten deel vallen ★ *it comes to € 5,99* het komt op € 5,99 ★ *that come easily / naturally to me* dat zit me in het bloed ★ *when it comes to your age, do you lie?* als het om je leeftijd gaat, lieg je dan? ★ *come to your senses* tot bezinning komen ★ *it comes to the same thing* het komt op hetzelfde neer ★ *it doesn't come to much* er komt niet veel van terecht ★ *come to nothing* niets van terechtkomen ★ *come to that / if it comes to that* trouwens ㊵ ~ **under** voorwerp worden van ⟨kritiek, enz.⟩, vallen onder ㊶ ~ **up** opkomen ⟨v. plant, zon, probleem, bv.⟩, (naar) boven komen, eruit komen ⟨voedsel⟩, komen (in noordelijke richting, naar grotere plaats), zich voordoen, naar voren brengen, ter sprake komen, ter behandeling komen ⟨rechtszaak⟩, verschijnen ⟨op beeldscherm⟩, binnenkort plaatsvinden, aankomen ⟨als student⟩, opsteken ⟨v. wind⟩, aangaan ⟨v. licht⟩, vooruitkomen ★ *come up in the world* vooruitkomen in de wereld ㊷ ~ **up against** te maken krijgen met ㊸ form ~ **upon** aantreffen, overvallen ⟨v. gevoel, gedachte⟩ ㊹ ~ **up to** komen tot ⟨bep. hoogte bv.⟩, afkomen op ⟨persoon bv.⟩, voldoen aan ㊺ ~ **up with** op de proppen komen met, over de brug komen met ⟨geld⟩ ㊻ ~ **with** komen met, geleverd worden met **II** *ov ww* afleggen ⟨afstand⟩ ★ *I've come a long way* ik kom van ver **III** *zn* vulg sperma

comeback ['kʌmbæk] *zn* ❶ comeback, terugkeer, hernieuwd optreden ❷ inform bijdehand antwoord ❸ verhaal, vergoeding

comedian [kə'miːdɪən] *zn* komiek

comedienne [kəmiːdɪ'en] *zn* vrouwelijke komiek

comedown ['kʌmdaʊn] *zn* ❶ inform vernedering, achteruitgang ❷ tegenvaller

comedy ['kɒmədɪ] *zn* komedie, blijspel

comely ['kʌmlɪ] *bnw* lit aantrekkelijk ⟨v. vrouw⟩

come-on ['kʌmɒn] *zn* inform aanmoediging ⟨vnl. seksueel⟩ ★ *give the* ~ avances maken

comer ['kʌmə] *zn* ❶ aangekomene, bezoeker ❷ inform USA veelbelovend iemand ★ *all* ~s

[mv] iedereen

comet ['kɒmɪt] *zn* komeet

comeuppance [kʌm'ʌpəns] *zn* inform verdiende loon

comfort ['kʌmfət] **I** *zn* ❶ comfort, gemak ★ *too close for* ~ al te dichtbij ❷ troost, bemoediging ★ *draw* ~ *from* troost putten uit ★ *cold / Dutch* ~ schrale troost ❸ welstand **II** *ov ww* troosten

comfortable ['kʌmftəbl] *bnw* ❶ comfortabel, gerieflijk, gemakkelijk ❷ rustig, op je gemak ❸ royaal, ruim ❹ bemiddeld

comfortably ['kʌmftəblɪ] *bijw* ❶ gerieflijk ❷ met gemak, zonder problemen ▾ *be* ~ *off* er warmpjes bij zitten

comfort eating *zn* troosteten

comforter ['kʌmfətə] *zn* ❶ trooster ❷ fopspeen ❸ USA dekbed, gewatteerde deken

comforting ['kʌmfətɪŋ] *bnw* troostend, troostrijk

comfortless ['kʌmfətləs] *bnw* ❶ troosteloos ❷ ongerieflijk

comfort stop *zn* sanitaire stop

comfrey ['kʌmfrɪ] *zn* plantk smeerwortel

comfy ['kʌmfɪ] *bnw* inform → **comfortable**

comic ['kɒmɪk] **I** *bnw* komisch **II** *zn* ❶ komiek ❷ stripverhaal, stripboek

coming ['kʌmɪŋ] **I** *zn* komst ▾ ~ *of age* het volwassen worden ⟨volgens de wet⟩ ★ ~*s and goings* komen en gaan **II** *bnw* ❶ komend, aanstaand ★ *this* ~ *Saturday* aanstaande zaterdag ❷ veelbelovend

coming-out [kʌmɪŋ-'aʊt] *zn* het openbaar maken, coming-out ⟨het openlijk uitkomen voor je geaardheid, politieke overtuiging, enz.⟩

comma ['kɒmə] *zn* komma

command [kə'mɑːnd] **I** *zn* ❶ bevel, order, ook comp commando ★ *be in* ~ *of* het bevel voeren over ★ *second in* ~ onderbevelhebber, eerste officier ⟨bij marine⟩ ❷ (leger)onderdeel ❸ beheersing, controle ★ ~ *of language* vaardigheid in taal ★ *be in* ~ *of the situation* de toestand onder controle hebben ▾ *at your* ~ tot je beschikking **II** *ov ww* ❶ bevelen, commanderen, het commando voeren over ❷ afdwingen ⟨bv. respect⟩ ❸ reiken, uitzicht bieden op ★ *this spot* ~*s a splendid view (of)* vanuit deze plek heb je een prachtig uitzicht (op) ❹ beschikken over

commandeer [kɒmən'dɪə] *ov ww* vorderen

commander [kə'mɑːndə] *zn* ❶ commandant ❷ gezagvoerder ★ ~ *in chief* opperbevelhebber

commanding [kə'mɑːndɪŋ] *bnw* ❶ bevelvoerend ❷ leidend ⟨v. positie⟩ ❸ indrukwekkend ❹ met goed uitzicht

commandment [kə'mɑːndmənt] *zn* gebod

commando [kə'mɑːndəʊ] *zn* commando, stoottroep(er)

commemorate [kə'meməreɪt] *ov ww* herdenken

commemoration [kəmemə'reɪʃən] *zn* herdenking

commemorative [kə'memərətɪv] *bnw* herdenkings-

commence [kə'mens] *ov ww* form aanvangen, beginnen

commencement [kə'mensmənt] *zn* ❶ form aanvang, opening ❷ USA plechtige uitreiking v. bul / diploma

CO

commend [kə'mend] *ov ww* ❶ prijzen
❷ aanbevelen
commendable [kə'mendəbl] *bnw*
❶ prijzenswaardig ❷ aanbevelenswaardig
commendation [kɒmen'deɪʃən] *zn* ❶ lof
❷ aanbeveling ❸ eervolle vermelding
commensurate [kə'menʃərət] *bnw* evenredig
(with/to aan)
comment ['kɒment] I *zn* commentaar, kritiek
II *onov ww* commentaar leveren, aan- of
opmerkingen maken
commentary ['kɒməntərɪ] *zn* ❶ reportage
❷ commentaar ❸ uiteenzetting ★ *running ~*
ooggetuigenverslag
commentate ['kɒmənteɪt] I *ov ww* een verslag
geven van II *onov ww* commentaar leveren (on
op)
commentator ['kɒmənteɪtə] *zn* ❶ commentator
❷ media verslaggever
commerce ['kɒmɜ:s] *zn* handel, verkeer
commercial [kə'mɜ:ʃəl] I *zn* reclameboodschap
(op radio), reclamefilm / -spot (op tv) II *bnw*
commercieel, handels-
commercialism [kə'mɜ:ʃəlɪzəm] *zn* min
handelsgeest
commercialize, commercialise [kə'mɜ:ʃəlaɪz] *ov
ww* tot handelsobject maken
commie ['kɒmɪ] *zn, USA* min communist
commingle [kə'mɪŋɡl] I *ov ww* vermengen
II *onov ww* zich vermengen
commiserate [kə'mɪzəreɪt] *ww* medelijden
hebben / betuigen (with met)
commiseration [kəmɪzə'reɪʃən] *zn* medeleven,
deelneming
commissariat [kɒmɪ'seərɪət] *zn* ❶ intendance
❷ voedselvoorziening
commissary ['kɒmɪsərɪ] *zn* ❶ mil voedsel- /
kledingmagazijn ❷ kantine (i.h.b. in filmstudio)
commission [kə'mɪʃən] I *zn* ❶ commissie
❷ provisie ★ *work on ~* op commissiebasis
werken ❸ opdracht ❹ mil aanstelling (tot
officier) ★ *get your ~* officier worden ★ *lose /
resign your ~* ontslagen worden, ontslag nemen
als officier ❺ het plegen (v. misdrijf) ▼ *in ~* in
actieve dienst ▼ *out of ~* buiten dienst II *ov ww*
❶ opdracht geven tot / aan ❷ mil aanstellen (als
officier)
commissionaire [kəmɪʃə'neə] *zn* GB portier
commissioned [kə'mɪʃənd] *bnw* ❶ gemachtigd
❷ in opdracht
commissioned officer *zn* officier
commissioner [kə'mɪʃənə] *zn* ❶ commissaris,
gevolmachtigde ❷ USA (hoofd)commissaris v.
politie ❸ hoofd v. departement ❹ commissielid,
USA hoofdbestuurslid (v. sportorganisatie) ▼ GB
~ for oaths jurist die beëdigde verklaringen
afneemt
commit [kə'mɪt] I *ov ww* ❶ plegen, bedrijven
❷ binden, committeren ★ *~ yourself* je
verplichten ❸ toevertrouwen, verwijzen,
toewijzen (geld bv.) ★ *~ to hospital* in een
ziekenhuis (laten) opnemen ★ *~ to memory* van
buiten leren ★ *~ to paper* opschrijven ★ *~ to
prison* gevangen zetten II *onov ww* zich binden,
vaste relatie aangaan
commitment [kə'mɪtmənt] *zn* ❶ verplichting,

toezegging ★ *make a ~ to sb* je aan iem. binden
❷ betrokkenheid, engagement ❸ toewijzing,
het laten opnemen in een inrichting
committal [kə'mɪtl] *zn* ❶ opsluiting (in
gevangenis / psychiatrische kliniek)
❷ teraardebestelling
committed [kə'mɪtɪd] *bnw* ❶ toegewijd
❷ geëngageerd
committee [kə'mɪtɪ] *zn* ❶ commissie, comité
❷ bestuur ★ *consultative ~* commissie van advies
commode [kə'məʊd] *zn* ❶ commode, ladekast
❷ USA toiletstoel
commodious [kə'məʊdɪəs] *bnw* form ruim en
geriefelijk
commodity [kə'mɒdɪtɪ] *zn* ❶ (handels)artikel,
product ❷ basisproduct, grondstof
commodore ['kɒmədɔ:] *zn* commodore (hoge
marineofficier)
common ['kɒmən] I *bnw* ❶ algemeen
(voorkomend) ❷ gemeenschappelijk ❸ gewoon
★ *~ sense* gezond verstand ★ *~ or garden* huis-,
tuin-, en keuken-, gewoon ❹ ordinair, vulgair
II *zn* ❶ onbebouwd (stuk) land ❷ meent,
gemeenschappelijke grond ★ USA *~s* [mv]
eetzaal (in school, college, enz.) ★ *(the)
Commons* het Lagerhuis ▼ *in ~ with* evenals,
gemeen(schappelijk) ▼ *sth out of the ~* iets
ongewoons
commoner ['kɒmənə] *zn* ❶ (gewoon) burger
❷ lid v. House of Commons ❸ niet-beursstudent
commonly ['kɒmənlɪ] *bijw* gewoonlijk,
gebruikelijk
commonplace ['kɒmənpleɪs] I *zn* ❶ gemeengoed
❷ gemeenplaats II *bnw* gewoon, alledaags
common room GB *zn* docentenkamer,
gezamenlijke ruimte voor leerlingen /
studenten
commonwealth ['kɒmənwelθ] *zn*
❶ gemenebest, aantal verbonden staten
❷ bepaalde staten van de VS ❸ USA
onafhankelijke staat met sterke band met de VS
★ *the (British) Commonwealth (of Nations)* Britse
Gemenebest, Britse Rijk
commotion [kə'məʊʃən] *zn* opschudding
communal ['kɒmjʊnl] *bnw* gemeente-,
gemeenschaps- ★ *~ spirit* gemeenschapszin
commune¹ ['kɒmju:n] *zn* ❶ commune
❷ gemeente (in Frankrijk, enz.)
commune² [kə'mju:n] *onov ww* ~ **with**
vertrouwelijk praten met, je één voelen met
communicant [kə'mju:nɪkənt] *zn* ❶ rel
communicant (r.-k.) ❷ deelnemer aan
Avondmaal (prot.)
communicate [kə'mju:nɪkeɪt] I *onov ww*
❶ communiceren, contact hebben ❷ in
verbinding staan ★ *communicating door*
tussendeur ❸ ~ **with** van gedachten wisselen
met II *ov ww* ❶ doorgeven, overbrengen
❷ verspreiden (ziekte)
communication [kəmju:nɪ'keɪʃən] *zn*
❶ communicatie, contact ❷ bericht (via
communicatiemiddel) ❸ verbinding
communication cord *zn* noodrem
communication skills *zn* communicatieve
vaardigheden
communicative [kə'mju:nɪkətɪv] *bnw*

❶ mededeelzaam **❷** communicatief

communion [kə'mju:nɪən] *zn* **❶** gemeenschap, omgang **❷** kerkgenootschap **❸** verbinding, verbondenheid ★ *Holy Communion* het Avondmaal ⟨prot.⟩, heilige communie ⟨r.-k⟩ ★ *in ~ with nature* één met de natuur

communiqué [kə'mju:nɪkeɪ] *zn* communiqué, bekendmaking ⟨vnl. aan de pers⟩

communism ['kɒmjʊnɪzəm] *zn* communisme

communist ['kɒmjʊnɪst] **I** *zn* communist **II** *bnw* communistisch

community [kə'mju:nətɪ] *zn* **❶** gemeenschap, buurt, bevolking, bevolkingsgroep **❷** biol kolonie

community care *zn* mantelzorg

community centre, USA **community center** *zn* buurthuis, wijkcentrum

community college, **community school** *zn* GB omschr voortgezet volwassenenonderwijs

community lawyers *zn* juridisch loket, wetswinkel

community library *zn* gemeentelijke bibliotheek

community property *zn* gemeenschappelijk eigendom ⟨v. man en vrouw⟩

community service *zn* **❶** vrijwilligerswerk **❷** dienstverlening, taakstraf

commutable [kə'mju:təbl] *bnw* **❶** goed bereikbaar ⟨in woon-werkverkeer⟩ **❷** form vervangbaar

commutation [kɒmju:'teɪʃən] *zn* **❶** jur omzetting van straf **❷** econ het afkopen en omzetten ⟨v. schuld of verplichting⟩

commutation ticket *zn* USA trajectkaart

commutative [kə'mju:tətɪv] *bnw* verwisselbaar

commutator ['kɒmju:teɪtə] *zn* natk stroomwisselaar

commute [kə'mju:t] **I** *onov ww* forenzen **II** *ov ww* **❶** veranderen, afkopen / omzetten ⟨schuld of verplichting⟩ **❷** verlichten ⟨straf⟩ **III** *zn* reis ⟨naar werk als forens⟩

commuter [kə'mju:tə] *zn* forens, pendelaar

commuter belt *zn* slaapsteden, buitenwijken

commuter train *zn* forenzentrein

compact[1] ['kɒmpækt] *zn* **❶** USA kleine auto **❷** poederdoos **❸** form verdrag, overeenkomst

compact[2] [kəm'pækt] **I** *bnw* **❶** compact, klein, vast, stevig, gedrongen **❷** bondig, beknopt **II** *ov ww* samenpakken, condenseren

companion [kəm'pænjən] **I** *zn* **❶** makker, metgezel, deelgenoot **❷** gezelschapsdame **❸** gezelschap **❹** bijbehorende deel, pendant **❺** handboek **II** *ov ww* form vergezellen

companionable [kəm'pænjənəbl] *bnw* gezellig

companionship [kəm'pænjənʃɪp] *zn* kameraadschap

companionway [kəm'pænjənweɪ] *zn* scheepv trap naar kajuit

company ['kʌmpənɪ] *zn* **❶** gezelschap ★ *keep sb ~* iem. gezelschap houden ★ *the ~ sb keeps* het gezelschap waarin iem. verkeert ★ *get into / keep bad ~* met verkeerde mensen in aanraking komen / omgaan ★ *be in good ~* niet de enige zijn ⟨die bv. een fout maakt⟩ ★ *two's ~, three's a crowd* drie is te veel ★ *part ~* uiteengaan **❷** bedrijf, firma, vennootschap, maatschappij

❸ toneelgezelschap **❹** bezoek(ers) **❺** genootschap **❻** mil compagnie ▾ *weep for ~* van de weeromstuit meehuilen

company car *zn* auto van de zaak

comparable ['kɒmpərəbl] *bnw* vergelijkbaar

comparative [kəm'pærətɪv] **I** *zn* taalk vergrotende trap **II** *bnw* vergelijkend **III** *bijw* betrekkelijk, relatief ★ *he was ~ly small* hij was betrekkelijk klein

compare [kəm'peə] **I** *ov ww* vergelijken **II** *onov ww* vergeleken worden ★ *nobody can ~ with* niemand kan de vergelijking doorstaan met

comparison [kəm'pærɪsən] *zn* vergelijking ★ *bear / stand ~ with* de vergelijking kunnen doorstaan met ★ *degrees of ~* trappen v. vergelijking ▾ *by ~* in vergelijking ▾ *there's no ~* niet te vergelijken

compartment [kəm'pɑ:tmənt] *zn* **❶** coupé **❷** afdeling, vak

compartmentalize, **compartmentalise** [kɒmpɑ:t'mentəlaɪz] *ov ww* in vakken onderverdelen

compass ['kʌmpəs] *zn* **❶** kompas **❷** form bereik ⟨ook van stem⟩, gebied, omtrek **❸** [mv] ★ *~es* passer ★ *a pair of ~es* een passer

compass bearing *zn* kompaspeiling

compassion [kəm'pæʃən] *zn* medelijden, medeleven

compassionate [kəm'pæʃənət] **I** *bnw* meelevend, medelijdend **II** *ov ww* medelijden hebben

compatibility [kəmpætə'bɪlətɪ] *zn* **❶** verenigbaarheid **❷** uitwisselbaarheid

compatible [kəm'pætəbl] *bnw* **❶** verenigbaar **❷** comp compatible ★ *~ with* aangepast aan, verenigbaar met

compatriot [kəm'pætrɪət] *zn* landgenoot

compel [kəm'pel] *ov ww* (af)dwingen, verplichten

compelling [kəm'pelɪŋ] *bnw* **❶** onweerstaanbaar, boeiend, fascinerend **❷** dwingend

compendium [kəm'pendɪəm] *zn* samenvatting

compensate ['kɒmpenseɪt] *ov ww* **❶** compenseren **❷** goedmaken, vergoeden

compensation [kɒmpen'seɪʃən] *zn* compensatie, (schade)vergoeding

compère ['kɒmpeə] **I** *zn* GB presentator **II** *ww* presenteren, als presentator optreden

compete [kəm'pi:t] *onov ww* wedijveren, concurreren, meedingen

competence ['kɒmpɪtns] *zn* **❶** (vak)bekwaamheid, competentie **❷** jur bevoegdheid

competent ['kɒmpɪtnt] *bnw* **❶** competent, (vak)bekwaam **❷** geschikt **❸** bevoegd

competition [kɒmpə'tɪʃən] *zn* **❶** concurrentie, competitie **❷** wedstrijd ★ *stiff ~* geduchte concurrentie ★ *be in ~ with* wedijveren met

competitive [kəm'petɪtɪv] *bnw* **❶** concurrerend **❷** prestatiegericht

competitor [kəm'petɪtə] *zn* **❶** concurrent, rivaal **❷** deelnemer

compilation [kɒmpɪ'leɪʃən] *zn* **❶** samenstelling **❷** verzameling

compile [kəm'paɪl] *ov ww* **❶** samenstellen **❷** bijeenbrengen **❸** comp compileren

compiler [kəm'paɪlə] *zn* **❶** samensteller, compilator **❷** comp compiler

co

complacency [kəm'pleɪsənsɪ], **complacence** [kəm'pleɪsəns] zn (zelf)genoegzaamheid

complacent [kəm'pleɪsənt] bnw (zelf)genoegzaam

complain onov ww klagen, een klacht indienen ★ ~ bitterly vreselijk klagen

complainant [kəm'pleɪnənt] zn eiser, aanklager

complaint [kəm'pleɪnt] zn ❶ klacht ❷ kwaal, aandoening ❸ jur aanklacht ★ a letter of ~ een klachtenbrief ★ no ground for ~ geen reden om te klagen ★ make a ~ je beklag doen ★ form file / lodge a ~ against sb iem. aangeven (bij de politie)

complaisant [kəm'pleɪzənt] bnw oud minzaam, inschikkelijk

complement ['kɒmplɪmənt] I ov ww aanvullen II zn ❶ aanvulling ❷ vereiste / toegestane hoeveelheid, vereist / toegestaan aantal ❸ taalk wisk complement

complementary [kɒmplɪ'mentərɪ] bnw aanvullend

complete [kəm'pliːt] I bnw ❶ compleet, volkomen, voltallig ★ a ~ and utter disaster een complete ramp ★ come ~ with... geleverd worden inclusief ★ ~ met... ❷ klaar, voltooid II ov ww ❶ voltooien, afmaken ❷ aanvullen ❸ invullen

completion [kəm'pliːʃən] zn ❶ voltooiing, afwerking ❷ invulling ⟨v. formulier⟩

complex ['kɒmpleks] I bnw ❶ ingewikkeld, complex ❷ taalk samengesteld II zn ❶ complex ❷ samenstel, geheel

complexion [kəm'plekʃən] zn ❶ gelaatskleur ❷ aanzien ▼ put a new / different ~ on sth iets een heel ander aanzien geven

complexity [kəm'pleksətɪ] zn complexiteit

compliance [kəm'plaɪəns] zn toestemming, nakoming, inwilliging ★ in ~ with overeenkomstig

compliant [kəm'plaɪənt] bnw ❶ meestal min meegaand ❷ volgens de regels

complicate ['kɒmplɪkeɪt] ov ww ingewikkeld maken

complicated ['kɒmplɪkeɪtɪd] bnw ingewikkeld, gecompliceerd

complication [kɒmplɪ'keɪʃən] zn complicatie

complicity [kəm'plɪsətɪ] zn medeplichtigheid

compliment ['kɒmplɪmənt] I zn compliment ★ econ ~s slip begeleidend briefje ★ please accept this with the ~s of dit wordt u aangeboden door II ov ww complimenteren (on met)

complimentary [kɒmplɪ'mentərɪ] bnw ❶ gratis ❷ complimenteus

comply [kəm'plaɪ] onov ww gehoorzamen, berusten ★ ~ with the UN resolution gehoor geven aan de VN-resolutie

component [kəm'pəʊnənt] I zn component, bestanddeel II bnw samenstellend

component part zn onderdeel

comport [kəm'pɔːt] onov ww form ★ ~ yourself je gedragen

comportment [kəm'pɔːtmənt] zn form gedrag

compose [kəm'pəʊz] ov+onov ww ❶ vormen, samenstellen ❷ componeren, schrijven ❸ kalmeren ★ ~ yourself tot bedaren komen

composed [kəm'pəʊzd] bnw rustig, bedaard, beheerst ★ be ~ of bestaan uit

composer [kəm'pəʊzə] zn componist

composite ['kɒmpəzɪt] I bnw samengesteld II zn ❶ samengesteld materiaal ❷ plantk composiet ❸ USA compositietekening, montagefoto

composition [kɒmpə'zɪʃən] zn ❶ samenstelling ❷ mengsel ❸ compositie, opstel ❹ schrijfvaardigheid ❺ schikking

compost ['kɒmpɒst] I zn compost, mengmest II ov ww ❶ bemesten met compost ❷ composteren

compost heap zn composthoop

composure [kəm'pəʊʒə] zn bedaardheid, kalmte, (zelf)beheersing

compote ['kɒmpəʊt] zn vruchtenmoes, compote

compound[1] ['kɒmpaʊnd] I zn ❶ combinatie, samenstel ❷ taalk samenstelling ❸ scheik verbinding ❹ kamp, omheind terrein (met gebouwen / huizen) II bnw samengesteld ★ ~ eye facetoog ★ ~ fracture gecompliceerde breuk

compound[2] [kəm'paʊnd] ov ww ❶ verergeren, vergroten ❷ samenstellen, (ver)mengen ❸ samengestelde interest betalen / in rekening brengen

comprehend [kɒmprɪ'hend] ov ww ❶ begrijpen ❷ inhouden, omvatten

comprehensibility [kɒmprɪhensə'bɪlətɪ] zn begrijpelijkheid

comprehensible [kɒmprɪ'hensɪbl] bnw begrijpelijk ★ easily / readily ~ gemakkelijk te begrijpen

comprehension [kɒmprɪ'henʃən] zn begrip, bevattingsvermogen ★ be beyond ~ het begrip te boven gaan, onbegrijpelijk zijn

comprehensive [kɒmprɪ'hensɪv] I bnw ❶ alles- / veelomvattend, uitgebreid ❷ onderw schoolbreed II zn scholengemeenschap

compress[1] ['kɒmpres] zn kompres

compress[2] [kəm'pres] ov ww samendrukken, comprimeren

compression [kəm'preʃən] zn ❶ samenpersing, compressie ❷ bondigheid, compactheid

compressor [kəm'presə] zn compressor

comprise [kəm'praɪz] ov ww ❶ bestaan uit, bevatten ★ be ~d of bestaan uit ❷ omvatten, vormen

compromise ['kɒmprəmaɪz] I zn compromis, vergelijk, tussenoplossing ★ reach a ~ tot een compromis komen II ov ww ❶ een compromis sluiten ❷ compromitteren, in gevaar brengen III onov ww tot een compromis komen

comptroller [kən'trəʊlə] zn → **controller**

compulsion [kəm'pʌlʃən] zn ❶ dwang ❷ psych dwangneurose, dwanggedachte

compulsive [kəm'pʌlsɪv] bnw ❶ dwingend ❷ dwangmatig ★ ~ drinker alcoholist ★ ~ liar aartsleugenaar ★ ~ reading boeiende lectuur

compulsory [kəm'pʌlsərɪ] bnw verplicht

compunction [kəm'pʌŋkʃən] zn wroeging, spijt

computation [kɒmpjuː'teɪʃən] zn berekening

compute [kəm'pjuːt] ov+onov ww ❶ rekenen ❷ berekenen

computer [kəm'pjuːtə] zn computer, elektronisch brein

computerate [kəm'pjuːtərət] bnw comp

computerkundig ★ *applicants need to be* ~
sollicitanten moeten met een computer om
kunnen gaan
computer game *zn* computerspelletje
computerization, computerisation
[kəmpju:tərər'zeɪʃən] *zn* automatisering
computerize, computerise [kəm'pju:təraɪz] **I** *ov
ww* met computer verwerken, in computer
opslaan **II** *ov+onov ww* op de computer
overgaan, automatiseren
computer-literate *bnw* computerkundig
computer science *zn* informatica
computing [kəm'pju:tɪŋ] *zn* comp informatica
comrade ['kɒmreɪd] *zn* kameraad
comradely ['kɒmreɪdlɪ] *bnw + bijw*
kameraadschappelijke
comsat ['kɒmsæt] *zn, communication satellite*
communicatiesatelliet
con [kɒn] **I** *zn* ❶ inform oplichterij, zwendel
❷ inform veroordeelde ❸ *contra* nadeel ★ *pros
and cons* voor en tegen **II** *ov ww* inform
oplichten ★ *con sb out of his money* iem. zijn
geld afhandig maken ★ *con sb into signing* met
mooie praatjes iem. overhalen te tekenen
con- [kɒn, kən] *voorv* con-, samen-
Con *afk, Conservative* lid v.d. Conservatieve Partij
concatenation [kən'kætɪneɪʃən] *ov ww*
aaneenschakeling
concave ['kɒnkeɪv] *bnw* concaaf, holrond
conceal [kən'si:l] *ov ww* verbergen, geheim
houden
concealment [kən'si:lmənt] *zn* ❶ het verborgen
houden ❷ geheimhouding
concede [kən'si:d] **I** *ov ww* ❶ toegeven
❷ toestaan, afstaan ★ ~ *a game* verliezen ★ *it
must be ~d that* toegegeven,... **II** *onov ww* zich
gewonnen geven, opgeven
conceit [kən'si:t] *zn* ❶ eigendunk, verwaandheid
❷ bizar idee ❸ lit stijlfiguur
conceited [kən'si:tɪd] *bnw* verwaand, arrogant
conceivable [kən'si:vəbl] *bnw* denkbaar
conceive [kən'si:v] **I** *onov ww* ❶ geloven, zich
voorstellen ❷ zwanger worden ❸ ~ **of**
bedenken **II** *ov ww* ❶ bedenken, voorstellen
❷ verwekken
concentrate ['kɒnsəntreɪt] **I** *onov ww* ❶ (zich)
concentreren ❷ samenkomen **II** *ov ww*
❶ concentreren ❷ samen laten komen ❸ scheik
inkoken, indikken **III** *zn* concentraat, extract
concentrated ['kɒnsəntreɪtɪd] *bnw*
❶ geconcentreerd, onverdund ❷ intens
concentration [kɒnsən'treɪʃən] *zn* concentratie
concentric [kən'sentrɪk] *bnw* concentrisch
concept ['kɒnsept] *zn* begrip, denkbeeld, idee
conception [kən'sepʃən] *zn* ❶ het ontstaan van
een idee ❷ begrip, idee, voorstelling ⟨mentaal⟩
❸ bevruchting ★ *immaculate* ~ onbevlekte
ontvangenis
conceptual [kən'septʃʊəl] *bnw* conceptueel,
begrips-★ ~ *framework* basisconcept
conceptualize, conceptualise [kən'septʃʊəlaɪz]
ov ww zich een beeld vormen van
concern [kən'sɜ:n] **I** *ov ww* ❶ betrekking hebben
op, aangaan ❷ gaan over ❸ verontrusten
❹ belangrijk vinden ▾ *as far as I'm* ~*ed* wat mij
betreft ▾ *to whom it may* ~ LS (Lectori Salutem)

⟨aanhef open brief⟩ **II** *wkd ww* zich
interesseren, zich inlaten **III** *zn* ❶ zorg,
bezorgdheid ★ *cause for* ~ reden voor
ongerustheid ★ *it is a matter of* ~ *to us all* het
gaat ons allemaal aan ★ *have no* ~ *for* zich niet
bekommeren om ❷ belang ❸ form
verantwoordelijkheid ❹ zaak, firma ★ *the whole
~* de hele zaak, het hele spul ★ *a going* ~ een
succesvolle onderneming ▾ *have no* ~ *with* niets
te maken hebben met
concerned [kən'sɜ:nd] *bnw* ❶ bezorgd (**about**
over) ❷ betrokken (**in** bij) ❸ geïnteresseerd
(**about/with** in)
concerning [kən'sɜ:nɪŋ] *bijw* betreffende, in
verband met
concert ['kɒnsət] *zn* ❶ concert ★ *The Beatles in* ~
een optreden van The Beatles
❷ overeenstemming ▾ *in* ~ gezamenlijk ▾ *work
in* ~ samenwerken ▾ form *in* ~ *with* in
samenwerking met
concerted [kən'sɜ:tɪd] *bnw* gezamenlijk
concert-goer ['kɒnsətgəʊə] *zn* concertganger
concert grand *zn* concertvleugel
concertina [kɒnsə'ti:nə] *zn* concertina ⟨kleine
zeshoekige accordeon⟩
concerto [kən'tʃeatəʊ] *zn* concert
concession [kən'seʃən] *zn* ❶ concessie
❷ vergunning, toestemming ❸ concessieveld /
-terrein, shop-in-shop ❹ korting, reductie
concessive [kən'sesɪv] *bnw* taalk toegevend
conch [kɒŋk] *zn* schelp(dier)
conciliate [kən'sɪlɪeɪt] *ov ww* ❶ form verzoenen
❷ kalmeren, gunstig stemmen
conciliation [kənsɪlɪ'eɪʃən] *zn* verzoening
conciliator [kən'sɪlɪeɪtə] *zn* bemiddelaar
conciliatory [kən'sɪlɪətrɪ] *bnw* verzoeningsgezind
concise [kən'saɪs] *bnw* beknopt
conclave ['kɒnkleɪv] *zn* conclaaf
conclude [kən'klu:d] **I** *ov ww* ❶ (be)sluiten,
beëindigen ★ *to be* ~*d* slot volgt ★ *an agreement
was* ~*d* er was een overeenkomst gesloten
❷ concluderen ❸ ~ **from** opmaken uit **II** *onov
ww* ❶ eindigen, aflopen ❷ tot een conclusie /
akkoord komen
conclusion [kən'klu:ʒən] *zn* conclusie, besluit ▾ *in
~* tenslotte ▾ *jump / leap to* ~*s* overhaaste
conclusies trekken
conclusive [kən'klu:sɪv] *bnw* beslissend,
overtuigend ★ jur ~ *evidence* doorslaggevend
bewijs
concoct [kən'kɒkt] *ov ww* ❶ bereiden, brouwen,
in elkaar draaien ❷ verzinnen
concoction [kən'kɒkʃən] *zn* ❶ brouwsel
❷ verzinsel
concomitant [kən'kɒmɪtnt] **I** *bnw* bijbehorend,
samengaand **II** *zn* begeleidend verschijnsel
concord ['kɒnkɔ:d] *zn* ❶ verdrag ❷ eendracht
★ *in* ~ *with* in harmonie met
concordance [kən'kɔ:dns] *zn* ❶ concordantie
❷ harmonie, overeenstemming
concordant [kən'kɔ:dnt] *bnw* harmonieus
concordat [kən'kɔ:dæt] *zn* concordaat
concourse ['kɒnkɔ:s] *zn* ❶ menigte, op- / samen- /
toeloop ❷ plein, (stations)hal, trefpunt
concrete ['kɒnkri:t] **I** *zn* ❶ beton ★ fig *be set in* ~ in
beton gegoten zijn **II** *bnw* ❶ v. beton

CO

❷ concreet, tastbaar III *ov ww* v.e. laag beton voorzien

concrete mixer *zn* betonmolen

concubine ['kɒŋkjʊbaɪn] *zn* concubine, bijzit

concupiscence [kən'kju:pɪsəns] *zn*, form vaak min wellust

concupiscent [kən'kju:pɪsənt] *bnw*, form vaak min wellustig

concur [kən'kɜ:] *onov ww* ❶ het eens zijn ❷ samenvallen

concurrence [kən'kʌrəns] *zn* ❶ overeenstemming ❷ het samenvallen

concurrent [kən'kʌrənt] *bnw* samenvallend, gelijktijdig

concuss [kən'kʌs] *ov ww* iemand een hersenschudding bezorgen ⟨door klap op het hoofd⟩ ★ *be ~ed* een hersenschudding oplopen

concussion [kən'kʌʃən] *zn* ❶ hersenschudding ❷ dreun, schok

condemn [kən'dem] *ov ww* ❶ afkeuren ❷ veroordelen ❸ onbruikbaar verklaren, onbewoonbaar verklaren ★ *be ~ed* afgekeurd / veroordeeld worden

condemnation [kɒndem'neɪʃən] *zn* afkeuring, veroordeling

condemnatory [kɒndem'neɪtərɪ] *bnw* afkeurenswaardig

condemned [kən'demd] *zn* veroordeelde

condemned cell *zn* dodencel

condensation [kɒnden'seɪʃən] *zn* ❶ condensatie ❷ inkorting ⟨v. tekst⟩

condense [kən'dens] *ov+onov ww* ❶ condenseren ❷ concentreren ❸ inkorten ⟨v. tekst⟩

condenser [kən'densə] *zn* condens(at)or

condescend [kɒndɪ'send] *onov ww* ❶ zich verwaardigen ❷ uit de hoogte doen, neerbuigend doen

condescending [kɒndɪ'sendɪŋ] *bnw* uit de hoogte, neerbuigend

condign [kən'daɪn] *bnw* passend, verdiend ⟨vnl. straf⟩

condiment ['kɒndɪmənt] *zn* ❶ kruiderij ❷ USA sausje, chutney

condition [kən'dɪʃən] I *zn* ❶ staat, toestand ❷ voorwaarde, conditie ❸ aandoening, kwaal ❹ rang, stand ▼ *~s* [mv] omstandigheden ★ *in ~* in vorm / conditie, gezond ★ *on ~ that* op voorwaarde dat ★ *out of ~* niet in vorm / conditie, niet gezond ▼ *on* / USA *under no ~* onder geen beding II *ov ww* ❶ conditioneren, trainen ❷ bepalen ❸ in goede staat brengen ❹ als voorwaarde stellen ★ *it is ~ed by* het hangt af van

conditional [kən'dɪʃənl] I *bnw* ❶ voorwaardelijk ❷ afhankelijk (**on/upon** van) II *zn* taalk voorwaardelijke bijzin

conditioner [kən'dɪʃənə] *zn* ❶ conditioner, crèmespoeling ❷ wasverzachter

condo ['kɒndoʊ] *zn* → **condominium**

condole [kən'dəʊl] I *ov ww* condoleren, je deelneming betuigen (**with** met, **on** met) ★ *~ sb on* / *with the death of* iem. condoleren met de dood van II *onov ww* *~ with* deelneming betuigen aan / *~ with sb on the loss of* iem. condoleren met het verlies van

condolence [kən'dəʊləns] *zn* deelneming, medeleven ★ *~s* [mv] condoleance ★ *my ~s!* gecondoleerd! ★ *give* / *offer* / *express your ~s* je medeleven betuigen

condom ['kɒndɒm] *zn* condoom

condominium [kɒndə'mɪnɪəm] *zn* ❶ USA (gebouw met) koopflats, koopflat (in een 'condominium') ❷ jur (gebied onder) gemeenschappelijk bestuur

condone [kən'dəʊn] *ov ww* gedogen, door de vingers zien

conducive [kən'dju:sɪv] *bnw* ★ *~ to* bevorderlijk voor

conduct[1] ['kɒndʌkt] *zn* ❶ gedrag, optreden ❷ beleid, wijze v. uitvoering ▼ *safe ~* / *passage* vrijgeleide, vrije doorgang

conduct[2] [kən'dʌkt] *ov ww* ❶ uitvoeren ❷ leiden, (aan)voeren ❸ dirigeren ❹ natk geleiden ▼ *~ yourself* je gedragen

conduction [kən'dʌkʃən] *zn* natk geleiding

conductive [kən'dʌktɪv] *bnw* natk geleidend

conductivity [kɒndʌk'tɪvəti] *zn* natk geleidend vermogen

conductor [kən'dʌktə] *zn* ❶ dirigent ❷ conducteur ❸ natk geleider

conductor rail *zn* stroomrail ⟨v. spoorweg⟩

conductress [kən'dʌktrəs] *zn* conductrice

conduit ['kɒndjʊt] *zn* ❶ techn leiding, geleidingsbuis ❷ fig doorvoerkanaal

cone [kəʊn] *zn* ❶ kegel ★ *paper cone* puntzak ❷ pylon ❸ ijshoorn ❹ plantk kegel ⟨v. spar, den bv.⟩

confab ['kɒnfæb] *zn* ❶ inform babbeltje ❷ USA vergadering

confabulation [kənfæbju'leɪʃn] *zn* ❶ form verzinsel ❷ form gesprek

confection [kən'fekʃən] *zn* ❶ gebak, lekkernij ❷ stijlvol kledingstuk, creatie ❸ bereiding

confectioner [kən'fekʃənə] *zn* banketbakker, snoepgoedfabrikant, snoepwinkel

confectionery [kən'fekʃənərɪ] *zn* ❶ gebak, snoepgoed ❷ banketbakkerij

confederacy [kən'fedərəsɪ] *zn* ❶ (ver)bond, statenbond, ⟨con⟩federatie ❷ complot

confederate[1] [kən'fedərət] I *zn* ❶ bondgenoot ❷ medeplichtige II *bnw* in een federatie verenigd

confederate[2] [kən'fedəreɪt] *onov ww* ❶ (zich) verbinden, een federatie vormen ❷ samenspannen

confederation [kənfedə'reɪʃən] *zn* (con)federatie

confer [kən'fɜ:] I *ov ww* verlenen II *onov ww* confereren, beraadslagen

conference ['kɒnfərəns] *zn* ❶ conferentie ❷ USA sport competitie, klasse ★ *in ~* in bespreking / vergadering

conference call *zn* telefonische vergadering

conferment [kən'fɜ:mənt] *zn* verlening

confess [kən'fes] I *ov ww* ❶ bekennen, erkennen ❷ (de) biecht afnemen II *onov ww* ❶ biechten ❷ *~ to* bekennen

confession [kən'feʃən] *zn* ❶ bekentenis, biecht ❷ (geloofs)belijdenis ❸ kerkgenootschap, gezindte ★ *have a ~ to make* iets moeten bekennen

confessional [kən'feʃənl] *zn* ❶ biechtstoel ❷ biecht

confessor [kənˈfesə] *zn* ❶ biechtvader ❷ biechteling ❸ belijder

confidant [kɒnfɪˈdænt] *zn* [v: **confidante**] ❶ vertrouweling ❷ deelgenoot (v. geheim)

confide [kənˈfaɪd] I *ov ww* ❶ vertrouwen ❷ toevertrouwen (**to** aan) II *onov ww* ~ **in** zich verlaten op, in vertrouwen nemen

confidence [ˈkɒnfɪdns] *zn* ❶ vertrouwen, zekerheid, overtuiging ★ *take sb into your* ~ iem. in vertrouwen nemen ★ *be in sb's* ~ iemands vertrouweling zijn ❷ zelfvertrouwen ❸ vertrouwelijke mededeling

confidence trick *zn* form (geval van) oplichting

confidence trickster *zn* form oplichter

confident [ˈkɒnfɪdnt] *bnw* ❶ vol zelfvertrouwen, vrijmoedig ❷ zeker, overtuigd

confidential [kɒnfɪˈdenʃəl] *bnw* vertrouwelijk

confiding [kənˈfaɪdɪŋ] *bnw* vertrouwend ★ *a* ~ *relationship* een vertrouwelijke relatie

configuration [kənfɪgjʊˈreɪʃən] *zn* ❶ formatie ❷ gedaante, vorm ❸ ook comp configuratie

confine [kənˈfaɪn] *ov ww* ❶ beperken, begrenzen ❷ opsluiten ★ *be* ~d *to your bed* in bed moeten blijven

confined [kənˈfaɪnd] *bnw* krap, nauw (ruimte) ★ *a* ~ *space* een besloten ruimte

confinement [kənˈfaɪnmənt] *zn* ❶ opsluiting, beperking ❷ bevalling ★ *date of* ~ datum waarop iem. uitgerekend is ★ *solitary* ~ eenzame opsluiting

confines [ˈkɒnfaɪnz] *zn mv* grenzen

confirm [kənˈfɜːm] *ov ww* ❶ bevestigen, bekrachtigen ❷ vaste aanstelling geven ❸ confirmeren, bevestigen (als lidmaat v. prot. kerk), het Heilig Vormsel toedienen (r-k)

confirmation [kɒnfəˈmeɪʃən] *zn* bevestiging (ook als lidmaat v. kerk)

confirmed [kənˈfɜːmd] *bnw* overtuigd

confiscate [ˈkɒnfɪskeɪt] *ov ww* confisqueren, in beslag nemen, afpakken

confiscation [kɒnfɪˈskeɪʃən] *zn* confiscatie, inbeslagneming

conflagration [kɒnfləˈgreɪʃən] *zn* grote brand

conflate [kənˈfleɪt] *ov ww* form samenvoegen

conflation [kənˈfleɪʃən] *zn* form samenvoeging

conflict¹ [ˈkɒnflɪkt] *zn* ruzie, strijd, conflict v ~ *of interests* tegenstrijdige belangen

conflict² [kənˈflɪkt] *onov ww* conflicteren, strijdig zijn, botsen

conflicting [kɒnˈflɪktɪŋ] *bnw* (tegen)strijdig

confluence [ˈkɒnfluəns] *ww* ❶ samenvloeiing (v. twee rivieren) ❷ versmelting

conform [kənˈfɔːm] I *onov ww* ~ **(to)** zich conformeren, zich aanpassen II *onov ww* ❶ ~ **(to/with)** zich voegen naar, naleven (v. regels) ❷ ~ **(to)** voldoen aan, overeenstemmen met

conformation [kɒnfɔːˈmeɪʃən] *zn* vorm, structuur

conformist [kənˈfɔːmɪst] *zn* ❶ conformist ❷ lid v. anglicaanse staatskerk

conformity [kənˈfɔːmətɪ] *zn* ❶ conformiteit, aanpassing, naleving ❷ overeenstemming v *in* ~ *with the regulations* conform de regels

confound [kənˈfaʊnd] *ov ww* ❶ verbazen, verwarren ❷ beschamen

confraternity [kɒnfrəˈtɜːnətɪ] *zn* broederschap

confront [kənˈfrʌnt] *ov ww* confronteren, tegenover elkaar staan / stellen, het hoofd bieden ★ *be* ~ed *with a killer* oog in oog staan met een moordenaar ★ ~ *sb with a plan* een plan voorleggen aan iem.

confrontation [kɒnfrʌnˈteɪʃən] *zn* confrontatie

confuse [kənˈfjuːz] *ov ww* ❶ in de war brengen ❷ verwarren

confused [kənˈfjuːzd] *bnw* ❶ verward, beduusd ❷ warrig

confusion [kənˈfjuːʒən] *zn* ❶ verwarring, chaos, paniek ❷ verbijstering ★ *to avoid* ~ om verwarring te voorkomen ★ *look at sb in* ~ iem. verbijsterd aankijken

confute [kənˈfjuːt] *ov ww* form weerleggen (v. argument) (iemand) tot zwijgen brengen

congeal [kənˈdʒiːl] *ov+onov ww* ❶ (doen) stollen ❷ fig overgaan in, veranderen

congenial [kənˈdʒiːnɪəl] *bnw* ❶ sympathiek, gelijkgestemd ❷ prettig ★ ~ *to* geschikt voor

congenital [kənˈdʒenɪtl] *bnw* aangeboren (v. ziekte, enz.) ★ *a* ~ *liar* een aartsleugenaar

congested [kənˈdʒestɪd] *bnw* ❶ overvol (v. wegen) ❷ med verstopt

congestion [kənˈdʒestʃən] *zn* ❶ verkeersopstopping ❷ med congestie, opeenhoping

congestion charge *zn* tol (voor stadscentrum)

conglomerate [kənˈglɒməreɪt] *zn* conglomeraat

conglomeration [kənglɒməˈreɪʃən] *zn* conglomeraat

congrats [kənˈgræts] *tw* inform gefeliciteerd

congratulate [kənˈgrætʃʊleɪt] *ov ww* feliciteren (**on** met)

congratulations [kəngrætʃʊˈleɪʃənz] I *zn mv* felicitaties, gelukwensen II *tw* gefeliciteerd!

congratulatory [kənˈgrætʃʊleɪtərɪ] *bnw* ★ *a* ~ *letter* een felicitatiebrief

congregate [ˈkɒŋgrɪgeɪt] I *ov ww* verzamelen II *onov ww* vergaderen, (zich) verzamelen

congregation [kɒŋgrɪˈgeɪʃən] *zn* ❶ congregatie ❷ gemeente (v. kerk)

congress [ˈkɒŋgres] *zn* ❶ congres ❷ USA ★ *Congress* Parlement (Senaat en Huis v. Afgevaardigden)

congressional [kənˈgreʃənəl] *bnw* congres-, USA betreffende het Congres

Congressman [ˈkɒŋgresmən] *zn* [v: **-woman**] Congreslid

congruence [ˈkɒŋgruəns] *zn* ❶ overeenstemming ❷ wisk congruentie

congruent [ˈkɒŋgruənt] *bnw* overeenstemmend, congruent

congruity [kɒŋˈgruːɪtɪ] *zn* (punt van) overeenstemming

congruous [ˈkɒŋgruəs] *bnw* overeenstemmend

conic [ˈkɒnɪk] I *zn* kegelsnede II *bnw* kegelvormig

conical [ˈkɒnɪkl] *bnw* kegelvormig, conisch

conifer [ˈkɒnɪfə] *zn* conifeer

coniferous [kəˈnɪfərəs] *bnw* ★ ~ *trees* naaldbomen

conjectural [kənˈdʒektʃərəl] *bnw* speculatief

conjecture [kənˈdʒektʃə] I *zn* gissing, vermoeden II *onov ww* gissen, vermoeden

conjoin [kənˈdʒɔɪn] *ov+onov ww* (zich) verenigen

conjoint [kənˈdʒɔɪnt] *bnw* verenigd

conjugal [ˈkɒndʒʊgl] *bnw* echtelijk, huwelijks- ★ ~

CO

rights huwelijksrechten

conjugate ['kɒndʒʊgeit] **I** *ov ww* taalk vervoegen **II** *onov ww* ❶ taalk vervoegd worden ❷ biol zich verbinden

conjugation [kɒndʒʊ'geiʃən] *zn* ❶ vervoeging ❷ conjugatie

conjunction [kən'dʒʌŋkʃən] *zn* ❶ taalk voegwoord ★ *coordinating* ~ nevenschikkend voegwoord ★ *subordinating* ~ onderschikkend voegwoord ❷ form samenloop ❸ sterrenk samenstand ▼ *in* ~ *with* in samenwerking met

conjunctive [kən'dʒʌŋktɪv] **I** *zn* taalk aanvoegende wijs **II** *bnw* verbindend ★ ~ *tissue* bindweefsel

conjunctivitis [kəndʒʌŋktɪ'vaitɪs] *zn* bindvliesontsteking

conjuncture [kən'dʒʌŋktʃə] *zn* ❶ crisis ❷ samenloop ⟨v. omstandigheden⟩

conjure ['kʌndʒə] *ov+onov ww* ❶ goochelen, (tevoorschijn) toveren ★ *a name to* ~ *with* een beroemde naam ❷ ~ *up* oproepen, voor de geest roepen

conjuror, conjurer ['kʌndʒərə] *zn* goochelaar

conk [kɒŋk] **I** *ov ww* een knal voor de kop geven **II** *onov ww* ~ **out** het opgeven ⟨v. machine⟩, in zwijm vallen, als een blok in slaap vallen, het loodje leggen ⟨v. persoon⟩ **III** *zn* GB kokkerd

con man *zn* oplichter, zwendelaar

connect [kə'nekt] **I** *ov ww* ❶ verbinden, koppelen, aansluiten ❷ in verband brengen ★ ~ *cell phones and cancer* mobieltjes in verband brengen met kanker ▼ *well* ~ed van goede familie, met goede connecties **II** *onov ww* ❶ in verbinding staan ❷ aansluiten, aansluiting hebben ★ fig *we* ~ed het klikte tussen ons, we hadden een band ❸ doel treffen, raak zijn

connection, connexion [kə'nekʃən] *zn* ❶ verband ★ *in* ~ *with* in verband met ★ form *in this / that* ~ in dit verband, in verband hiermee ❷ verbinding, aansluiting, koppeling ❸ relatie, connectie ❹ familielid, verwant ❺ inform USA drugsdealer

connective [kə'nektɪv] **I** *bnw* med verbindend ★ ~ *tissue* bindweefsel **II** *zn* taalk verbindingswoord

conning tower *zn* commandotoren ⟨van onderzeeboot⟩

connivance [kə'naivəns] *zn* samenspanning ★ *with the* ~ *of* met medeweten van

connive [kə'naiv] *onov ww* ❶ oogluikend toezien ❷ ~ *at* oogluikend toelaten ❸ ~ *with* onder een hoedje spelen met

connoisseur [kɒnə'sɜː] *zn* fijnproever, kenner

connotation [kɒnə'teiʃən] *zn* bijbetekenis, connotatie

connote [kə'nəʊt] *ov ww* form insluiten, suggereren, (ook nog) betekenen

connubial [kə'nju:biəl] *bnw* echtelijk, huwelijks-

conquer ['kɒŋkə] *ov+onov ww* ❶ veroveren ❷ overwinnen

conqueror ['kɒŋkərə] *zn* veroveraar, overwinnaar

conquest ['kɒŋkwest] *zn* verovering ★ gesch *the Norman Conquest* de verovering v. Engeland door de Normandiërs (1066) ★ *make a* ~ veroveren

consanguinity [kɒnsæŋ'gwɪnəti] *zn* bloedverwantschap

conscience ['kɒnʃəns] *zn* geweten ▼ *in all / good* ~ waarachtig ▼ *on your* ~ je schuldig voelen

conscience clause *zn* omschr bepaling waardoor gewetensbezwaren worden gerespecteerd

conscience-stricken *bnw* vol wroeging

conscientious [kɒnʃɪ'enʃəs] *bnw* gewetensvol, nauwgezet, scrupuleus

conscious ['kɒnʃəs] *bnw* ❶ (zich) bewust ❷ bij kennis ❸ weloverwogen ★ *environmentally* ~ milieubewust

consciousness ['kɒnʃəsnəs] *zn* bewustzijn ★ *lose* ~ het bewustzijn verliezen ★ *regain* ~ (weer) bijkomen

conscript[1] ['kɒnskrɪpt] *zn* dienstplichtige

conscript[2] [kən'skrɪpt] *ov ww* oproepen voor militaire dienst

conscription [kən'skrɪpʃən] *zn* dienstplicht

consecrate ['kɒnsɪkreit] *ov ww* ❶ (in)wijden ❷ consacreren

consecration [kɒnsɪ'kreiʃən] *zn* ❶ wijding ❷ consecratie ⟨deel v. r-k mis⟩

consecutive [kən'sekjʊtɪv] *bnw* ❶ (opeen)volgend ❷ taalk gevolgaanduidend

consensus [kən'sensəs] *zn* consensus, eenheid v. gevoelens, overeenstemming

consent [kən'sent] *zn* ❶ toestemming ★ *by common* ~ éénstemmig, met algemene instemming ★ *by mutual* ~ met wederzijds goedvinden ❷ vergunning **II** *onov ww* ❶ toestemmen ★ ~*ing adult* iem. die (volgens de wet) oud genoeg is om seks te bedrijven ❷ ~ *to* toestaan

consequence ['kɒnsɪkwəns] *zn* (logisch) gevolg ★ *in* ~ dientengevolge ★ *form in* ~ *of* ten gevolge van ★ *form of no* ~ van geen belang ★ *sb of* ~ iem. van gewicht / met invloed

consequent ['kɒnsɪkwənt] *bnw* ❶ consequent ❷ daaruit volgend / voortvloeiend

consequential [kɒnsɪ'kwenʃəl] *bnw* ❶ voortvloeiend, resulterend ❷ zwaarwegend, belangrijk

consequently ['kɒnsɪkwentli] *bijw* dus, derhalve

conservancy [kən'sɜːvənsi] *zn* ❶ milieu- / natuurbeheer ❷ raad / commissie v. toezicht ⟨op waterschap, monumenten, enz.⟩ ❸ het conserveren

conservation [kɒnsə'veiʃən] *zn* ❶ behoud, instandhouding ❷ milieubescherming, natuurbehoud ❸ monumentenzorg

conservation area *zn* ❶ (beschermd) natuurgebied ❷ beschermd stadsgezicht

conservationist [kɒnsə'veiʃənɪst] *zn* natuur- / milieubeschermer

conservatism [kən'sɜːvətɪzəm] *zn* conservatisme

conservative [kən'sɜːvətɪv] **I** *bnw* ❶ conservatief, behoudend ❷ gematigd ★ *Conservative* m.b.t. de Britse Conservatieve Partij ★ ~ *estimate* voorzichtige schatting **II** *zn* lid v.e. conservatieve partij, conservatief ★ *Conservative* lid v.d. Britse Conservatieve Partij

conservatoire [kən'sɜːvətwɑː] *zn* ❶ conservatorium ❷ toneelschool

conservator [kən'sɜːvətə] *zn* ❶ restaurateur ❷ conservator ⟨in museum⟩

conservatory [kən'sɜːvətərɪ] zn ❶ broeikas, serre ❷ <u>USA</u> → **conservatoire**

conserve [kən'sɜːv] I ov ww ❶ besparen op, zuinig zijn met ❷ in stand houden, bewaren, goed houden ⟨v. voedsel⟩ II zn jam, marmelade, ingemaakt fruit

consider [kən'sɪdə] I ov ww ❶ overwegen, nadenken over, rekening houden met ★ all things ~ed alles in aanmerking genomen ★ form ~ your position overwegen je baan op te zeggen ❷ beschouwen (als) ★ inform ~ it done! natuurlijk, geen probleem! II onov ww nadenken

considerable [kən'sɪdərəbl] bnw ❶ form aanzienlijk, veel ❷ belangrijk

considerate [kən'sɪdərət] bnw attent

consideration [kənsɪdə'reɪʃən] zn ❶ overweging ★ take into ~ in aanmerking nemen ★ in ~ of vanwege, in ruil voor ★ out of ~ for met het oog op ★ under ~ in beraad ❷ overtuiging ❸ consideratie, voorkomendheid, egards ❹ beloning, compensatie

considered bnw weloverwogen

considering [kən'sɪdərɪŋ] vw gezien (het feit)

consign [kən'saɪn] <u>form</u> ov ww ❶ deponeren, storten ❷ overleveren, overdragen ❸ verzenden ❹ ~ **to** toevertrouwen aan, verwijzen naar

consignee [kənsaɪ'niː] zn geadresseerde

consignment [kən'saɪnmənt] zn ❶ zending ❷ vracht

consist [kən'sɪst] onov ww ❶ ~ **in** bestaan in ❷ ~ **of** bestaan uit

consistency [kən'sɪstənsɪ], **consistence** [kən'sɪstəns] zn ❶ consistentie, vaste lijn ❷ dikte ⟨v. vloeistof⟩

consistent [kən'sɪstnt] bnw ❶ consequent, consistent, constant ❷ in lijn, strokend ★ be ~ with kloppen met

consolation [kɒnsə'leɪʃən] zn troost

consolatory [kən'sɒlətərɪ] bnw troostend

console¹ ['kɒnsəʊl] zn ❶ console ❷ bedieningspaneel

console² [kən'səʊl] ov ww troosten

consolidate [kən'sɒlɪdeɪt] I ov ww ❶ bevestigen, consolideren ❷ samenvoegen II onov ww samengaan, fuseren

consolidation [kənsɒlɪ'deɪʃən] zn consolidatie

consommé [kɒn'sɒmeɪ] zn heldere soep, bouillon

consonance ['kɒnsənəns] zn ❶ overeenstemming ❷ harmonie

consonant ['kɒnsənənt] I zn taalk medeklinker II bnw ❶ welluidend ❷ overeenstemmend ★ ~ to / with in overeenstemming met

consort¹ ['kɒnsɔːt] zn gemalin, gemaal

consort² [kən'sɔːt] onov ww ~ **with** zich inlaten met, optrekken met

consortium [kən'sɔːtɪəm] zn consortium, syndicaat

conspicuous [kən'spɪkjʊəs] bnw in het oog springend, opvallend▾ be ~ by absence schitteren door afwezigheid

conspiracy [kən'spɪrəsɪ] zn samenzwering

conspirator [kən'spɪrətə] zn samenzweerder

conspire [kən'spaɪə] onov ww ❶ samenzweren, samenspannen ❷ beramen

constable ['kʌnstəbl] zn politieagent

constabulary [kən'stæbjʊlərɪ] I zn politiekorps / -macht II bnw politie-

constancy ['kɒnstənsɪ] zn ❶ standvastigheid ❷ trouw, loyaliteit

constant ['kɒnstnt] I bnw ❶ voortdurend ❷ standvastig, trouw ★ ~ly steeds (maar) II zn constante

constellation [kɒnstə'leɪʃən] zn ❶ constellatie ❷ sterrenbeeld

consternation [kɒnstə'neɪʃən] zn consternatie, ontsteltenis

constipated ['kɒnstɪpeɪt] bnw verstopt ★ be ~ last hebben v. constipatie

constipation [kɒnstɪ'peɪʃən] zn verstopping ⟨v. darm⟩

constituency [kən'stɪtjʊənsɪ] zn ❶ pol kiesdistrict ❷ de kiezers, achterban ⟨in een district⟩ ❸ doelgroep

constituent [kən'stɪtjʊənt] I zn ❶ pol kiezer ❷ bestanddeel, onderdeel II bnw ❶ electoraal, kiezers- ❷ samenstellend, constituerend

constitute ['kɒnstɪtjuːt] ov ww ❶ vormen, uitmaken ❷ stichten, instellen ❸ aanstellen (tot), benoemen ❹ samenstellen

constitution [kɒnstɪ'tjuːʃən] zn ❶ constitutie, grondwet, (partij)programma ❷ gestel, constitutie ❸ constructie, opbouw ❹ instelling, vorming ⟨v. commissie, enz.⟩

constitutional [kɒnstɪ'tjuːʃənl] bnw constitutioneel, grondwettelijk ★ a ~ly elected government een wettig gekozen regering

constitutionalize, constitutionalise [kɒnstɪ'tjuːʃənəlaɪz] ov ww grondwettelijk maken

constrain [kən'streɪn] ov ww ❶ in- / beperken ❷ af- / bedwingen

constrained [kən'streɪnd] bnw geremd, geforceerd, onnatuurlijk

constraint [kən'streɪnt] zn ❶ beperking ❷ dwang ❸ geremdheid, (zelf)beheersing ★ without ~ ongedwongen

constrict [kən'strɪkt] ov ww ❶ samentrekken, nauwer / kleiner maken ❷ in- / beperken

constriction [kən'strɪkʃən] zn ❶ vernauwing, samentrekking ❷ benauwing, beklemming

construct [kən'strʌkt] ov ww construeren, (op)bouwen, aanleggen

construction [kən'strʌkʃən] zn ❶ constructie, (op)bouw, aanleg ❷ form betekenis, interpretatie ★ under ~ in aanleg / aanbouw

constructional [kən'strʌkʃənl] bnw constructief

constructive [kən'strʌktɪv] bnw opbouwend ⟨vnl. van kritiek⟩

constructor [kən'strʌktə] zn constructeur, aannemer, bouwer ⟨auto's, vliegtuigen⟩

construe [kən'struː] ov ww interpreteren, uitleggen

consul ['kɒnsəl] zn consul

consular ['kɒnsjʊlə] bnw consulair

consulate ['kɒnsjʊlət] zn consulaat

consult [kən'sʌlt] I ov ww consulteren, raadplegen II onov ww beraadslagen, overleggen

consultant [kən'sʌltənt] zn ❶ adviseur ❷ <u>med</u> specialist

consultant engineer zn technisch adviseur

consultation [kɒnsəl'teɪʃən] zn ❶ beraadslaging

CO

② consult ⟨bij arts⟩ **③** raadpleging
consultation paper zn discussienota
consultative [kən'sʌltətɪv] bnw advies-, adviserend
consulting room zn spreekkamer
consumable [kən'sju:məbl] **I** bnw econ verbruiks- **II** zn econ consumptieartikel
consume [kən'sju:m] **I** ov ww **①** consumeren, nuttigen **②** verbruiken **II** onov ww ver- / wegteren
consumer [kən'sju:mə] zn verbruiker, consument
consumer durables zn mv duurzame gebruiksgoederen
consumerism [kən'sju:mərɪzəm] zn **①** bescherming en bevordering van consumentenbelangen **②** consumentisme, sterke drang tot consumeren
consummate[1] [kən'sʌmət] bnw **①** volkomen, volmaakt **②** min doortrapt (bv. leugenaar)
consummate[2] ['kɒnsəmeɪt] ov ww voltooien, de laatste hand leggen aan ★ ~ a marriage een huwelijk consumeren
consummation zn **①** consummatie, voltrekking v. huwelijk door de coïtus **②** voltooiing, vervolmaking
consumption [kən'sʌmpʃən] zn **①** verbruik, consumptie **②** oud tuberculose, tering
cont. afk **①** contents inhoud **②** continued voortgezet
contact ['kɒntækt] **I** zn **①** contact, aanraking, raakpunt, betrekking (v. handel bv.) ★ stay in ~ contact houden **②** contactpersoon **③** med bacillendrager **④** contactlens **II** ov ww **①** in contact komen met, zich in verbinding stellen met **②** aanraken
contagion [kən'teɪdʒən] zn **①** besmetting **②** oud besmettelijke ziekte
contagious [kən'teɪdʒəs] bnw **①** besmettelijk (m.b.t. ziekte) **②** fig aanstekelijk
contain [kən'teɪn] ov ww **①** bevatten **②** beheersen, bedwingen, onder controle houden ★ ~ yourself je beheersen **③** deelbaar zijn door ★ 24 ~s 3 24 is deelbaar door 3
container [kən'teɪnə] zn container, bak, kist, bus, doos, vat (enz.)
container ship zn vrachtschip
contaminate [kən'tæmɪneɪt] ov ww **①** bevuilen, verontreinigen **②** form corrumperen, bederven ★ ~d soil vervuilde grond
contamination [kəntæmɪ'neɪʃən] zn **①** besmetting **②** contaminatie
contemplate ['kɒntəmpleɪt] **I** ov ww beschouwen, overpeinzen, overwegen **II** onov ww na- / overdenken, peinzen
contemplation [kɒntəm'pleɪʃən] zn overpeinzing, overdenking, bezinning, contemplatie (ook religieus) ▼ in ~ in overweging
contemplative [kən'templətɪv] bnw **①** beschouwend, bespiegelend **②** contemplatief
contemporaneous [kəntempə'reɪnɪəs] bnw **①** form gelijktijdig **②** even oud
contemporary [kən'tempərərɪ] **I** zn **①** tijdgenoot **②** leeftijdgenoot **II** bnw **①** van dezelfde tijd, even oud **②** hedendaags, eigentijds
contempt [kən'tempt] zn min- / verachting

★ beneath ~ beneden alle peil ★ in ~ of zonder respect voor ★ hold in ~ min- / verachten
contemptible [kən'temptɪbl] bnw verachtelijk
contemptuous [kən'temptjʊəs] bnw minachtend
contend [kən'tend] **I** ov ww form beweren **II** onov ww **①** strijden, wedijveren **②** ~ with te kampen hebben met
contender [kən'tendə] zn **①** mededinger **②** sport uitdager
content[1] [kən'tent] **I** zn → **contentment II** bnw **①** tevreden **②** bereid **III** ov ww tevredenstellen ★ ~ yourself with genoegen nemen met
content[2] ['kɒntent] zn **①** inhoud ★ ~s inhoud, inhoudsopgave, inboedel (v. woning) **②** gehalte **③** www content
contented [kən'tentɪd] bnw tevreden
contention [kən'tenʃən] zn **①** geschil, conflict **②** standpunt ▼ in ~ for strijden om / voor ▼ out of ~ for kansloos voor
contentious [kən'tenʃəs] bnw **①** controversieel, betwistbaar **②** twistziek ★ have a ~ nature altijd ruzie zoeken
contentment [kən'tentmənt] zn tevredenheid
contest[1] ['kɒntest] zn **①** wedstrijd **②** strijd ★ close ~ gelijkopgaande strijd ▼ be no ~ geen partij zijn
contest[2] [kən'test] ov ww **①** dingen naar, strijden om **②** betwisten, aanvechten
contestant [kən'testnt] zn deelnemer (aan wedstrijd)
context ['kɒntekst] zn samenhang ★ in the ~ of in verband met / tegen de achtergrond van ★ words used out of ~ uit hun verband gerukte woorden
contextual [kən'tekstju:əl] bnw contextueel, contextgebonden
contiguous [kən'tɪgjʊəs] bnw aangrenzend, naburig
continence ['kɒntɪnəns] zn **①** form zelfbeheersing, (seksuele) onthouding **②** continentie
continent ['kɒntɪnənt] zn vasteland, werelddeel ★ the Continent Europese vasteland ★ the Dark Continent omschr Afrika
continental [kɒntɪ'nentl] **I** zn, oud min bewoner v.h. Europese vasteland **II** bnw continentaal, het vasteland v. Europa / Amerika betreffende
contingency [kən'tɪndʒənsɪ] zn eventualiteit
contingent [kən'tɪndʒənt] **I** zn **①** contingent, aandeel **②** afvaardiging **II** bnw **①** form voorwaardelijk ★ ~ on afhankelijk van **②** bijkomend **③** onzeker, toevallig
continual [kən'tɪnjʊəl] bnw **①** herhaaldelijk **②** voortdurend
continuance [kən'tɪnjʊəns] zn **①** form voortduring, handhaving, duur **②** USA jur verdaging
continuation [kəntɪnjʊ'eɪʃən] zn **①** voortzetting, prolongatie **②** vervolg
continue [kən'tɪnju:] **I** ov ww door (laten) gaan met, voortzetten **II** onov ww blijven (bestaan), doorgaan, hervatten ★ thanks for your ~d interest bedankt voor je voortdurende belangstelling
continuity [kɒntɪ'nju:ətɪ] zn **①** continuïteit **②** logisch verband **③** media tekstboek (radio, tv), draaiboek (v. film)

continuous [kən'tɪnjʊəs] *bnw* ❶ onafgebroken ❷ ononderbroken ❸ voortdurend

contort [kən'tɔ:t] *ov ww* (ver)draaien, verwringen ★ *his face ~ed with anger* zijn gezicht vertrok v. woede

contortion [kən'tɔ:ʃən] *zn* (ver)draaiing ★ *facial ~s* bekkentrekkerij

contortionist [kən'tɔ:ʃənɪst] *zn* slangenmens

contour ['kɒntʊə] *zn* ❶ contour, omtrek ❷ hoogtelijn

contoured *bnw* ❶ met de omtrek(lijn), gevormd ❷ met hoogtelijnen

contour map *zn* kaart met hoogtelijnen

contra- ['kɒntrə] *voorv* contra-, tegen-

contraband ['kɒntrəbænd] **I** *zn* smokkelwaar / -handel **II** *bnw* smokkel-

contraception [kɒntrə'sepʃən] *zn* anticonceptie

contraceptive [kɒntrə'septɪv] **I** *zn* voorbehoedmiddel **II** *bnw* anticonceptie-

contract[1] ['kɒntrækt] *zn* contract, verdrag, overeenkomst ★ *by private ~* onderhands ★ USA *take out a ~ on sb* overeenkomen iem. te vermoorden

contract[2] [kən'trækt] **I** *ov ww* ❶ contracteren, aannemen, aangaan, sluiten ★ *~ an alliance* een bondgenootschap / alliantie sluiten ★ *~ a marriage* een huwelijk sluiten ❷ samentrekken, spannen ❸ oplopen ⟨ziekte bv.⟩ ❹ *~ out* uitbesteden **II** *onov ww* ❶ krimpen ⟨v. metaal bv.⟩, zich samentrekken ⟨v. spier bv⟩ ❷ zich verbinden ▼ *~ed ideas* bekrompen ideeën ❸ GB *~ in* zich verplichten tot ❹ GB *~ out* zich terugtrekken uit

contractable *bnw* besmettelijk

contractible [kən'træktɪbl] *bnw* samentrekbaar, intrekbaar

contractile [kən'træktaɪl] *bnw* samentrekbaar, samentrekkend

contraction [kən'trækʃən] *zn* ❶ samentrekking ook taalk ❷ med ⟨barens⟩wee

contractor [kən'træktə] *zn* ❶ aannemer(sbedrijf) ❷ econ leverancier ⟨v. goederen of diensten⟩

contractual [kən'træktʃʊəl] *bnw* contractueel

contract work *zn* aangenomen werk

contradict [kɒntrə'dɪkt] *ov ww* ontkennen, tegenspreken

contradiction [kɒntrə'dɪkʃən] *zn* ❶ tegenstrijdigheid ❷ tegenspraak ▼ *~ in terms* contradictio in terminis

contradictory [kɒntrə'dɪktərɪ] *bnw* tegenstrijdig, in tegenspraak

contradistinction [kɒntrədɪ'stɪŋkʃən] *zn* form onderscheid ▼ *in ~ to* in tegenstelling tot

contralto [kən'træltəʊ] *zn* alt

contraption [kən'træpʃən] *zn* uitvindsel, raar apparaat / toestel ⟨onnodig ingewikkeld⟩

contrariety [kɒntrə'raɪətɪ] *zn* ❶ tegenstrijdigheid ❷ inconsistentie

contrariwise [kən'treərɪwaɪz/'kɒntrərɪwaɪz] *bijw* ❶ daarentegen ❷ andersom

contrary[1] ['kɒntrərɪ] **I** *bnw* tegen(gesteld) ★ *~ to popular belief* in tegenstelling tot wat men denkt **II** *zn* tegengestelde ▼ *on / quite the ~* integendeel ▼ *to the ~* van het tegenovergestelde

contrary[2] [kən'treərɪ] *bnw* form dwars, tegen de draad in

contrast[1] ['kɒntrɑːst] *zn* contrast(werking) ★ *a sharp / stark / striking ~* een opvallend verschil ★ *by ~* in vergelijking ★ *in ~ to* in tegenstelling tot ★ *stand in total ~ to* een volledig contrast vormen met

contrast[2] [kən'trɑːst] **I** *ov ww* vergelijken, naast elkaar leggen **II** *onov ww* contrasteren ★ *~ sharply* fel afsteken (**with** bij / met)

contrastive [kən'trɑːstɪv] *bnw* contrastief, contrasterend

contravene [kɒntrə'viːn] *ov ww* ❶ overtreden ❷ in strijd zijn met

contravention [kɒntrə'venʃən] *zn* overtreding ★ *in ~ of* in strijd met

contribute [kən'trɪbjuːt] *ov+onov ww* bijdragen ★ *~ to a magazine* schrijven voor een blad

contribution [kɒntrɪ'bjuːʃən] *zn* ❶ bijdrage ❷ premie ⟨v. pensioen, enz.⟩ ❸ contributie

contributor [kən'trɪbjʊtə] *zn* ❶ ⟨journalistiek⟩ medewerker ❷ ★ *be a ~ to* een bijdrage leveren aan

contributory [kən'trɪbjʊtərɪ] *bnw* ❶ medebepalend, medeverantwoordelijk ❷ betaald door werkgever en werknemer ⟨bv. pensioen, verzekering⟩

contrite ['kɒntraɪt] *bnw* berouwvol

contrition [kən'trɪʃən] *zn* berouw

contrivance [kən'traɪvəns] *zn* ❶ gekunsteldheid ❷ toestel, vinding, ding ❸ slimme truc, list

contrive [kən'traɪv] *ov ww* ❶ klaarspelen, uitdenken ❷ voor elkaar boksen ❸ beramen

contrived [kən'traɪvd] *bnw* onnatuurlijk, gekunsteld

control [kən'trəʊl] **I** *zn* ❶ macht, gezag ★ *be in ~ (of sth)* de leiding hebben ⟨over iets⟩, (iets) in de hand hebben ❷ beheersing, controle ★ *beyond ~* onhandelbaar ★ *under ~* onder controle ★ *get / run / enz. out of ~* uit de hand lopen ❸ toezicht, beheer ❹ bestuur, leiding ❺ beteugeling, bediening ⟨v. apparaat⟩, besturing ⟨v. voertuig⟩ ★ *~s* [mv] knoppen, bedieningspaneel, besturing ★ *be at the ~s* aan de knoppen zitten ★ *dual ~* dubbele stuurinrichting ⟨v. auto⟩ ★ *remote ~* afstandsbediening ★ *out of ~* onbestuurbaar ⟨machine e.d.⟩, onhandelbaar ⟨persoon e.d.⟩, chaotisch ⟨situatie⟩ ❻ psych controle(groep) **II** *ov ww* ❶ beheren, leiden, besturen ❷ beheersen ❸ regelen ❹ zich beheersen, kalm blijven

control freak *zn* regelnicht / -neef

controllable [kən'trəʊləbl] *bnw* ❶ beheersbaar ❷ controleerbaar

controller [kən'trəʊlə] *zn* ❶ hoofd ⟨v. afdeling⟩, controller ❷ techn regelaar ❸ econ hoofd v. afdeling financiën

control panel *zn* bedieningspaneel

control stick, control lever *zn* luchtv stuurknuppel

control tower *zn* luchtv verkeerstoren

controversial [kɒntrə'vɜ:ʃəl] *bnw* controversieel

controversy [kɒntrə'vɜ:sɪ] *zn* ❶ controverse ❷ geschil, twistpunt, polemiek ★ *beyond ~* buiten kijf

contuse [kən'tju:z] *ov ww* kneuzen

contusion [kən'tju:ʒən] *zn* kneuzing

conundrum [kə'nʌndrəm] *zn* ❶ raadselachtige

CO

co

zaak ❷ woordraadsel

conurbation [kɒnɜːˈbeɪʃən] zn agglomeratie, verstedelijkt gebied

convalesce [kɒnvəˈles] onov ww herstellende zijn

convalescence [kɒnvəˈlesəns] zn herstel(periode)

convalescent [kɒnvəˈlesənt] **I** bnw herstellend ⟨v. ziekte⟩ **II** zn herstellende zieke

convection [kənˈvekʃən] zn natk convectie, warmtestuwing

convene [kənˈviːn] **I** ov ww bijeenroepen **II** onov ww bijeenkomen

convener, convenor [kənˈviːnə] zn ❶ iemand die vergaderingen uitschrijft ❷ vakbondsvertegenwoordiger ⟨in bedrijf⟩

convenience [kənˈviːnɪəns] zn gemak, gerief, comfort★ public~ openbaar toilet★ for (the sake of)~ voor het gemak, gemakshalve▼ at your~ waar / wanneer het u / jou schikt▼ at your earliest~ zo spoedig mogelijk ⟨zakenbrief⟩

convenience food zn gemaksvoedsel, kant-en-klaarmaaltijd(en)

convenience store zn USA buurtwinkel voor kleine boodschappen ⟨vaak open 24 uur per dag⟩

convenient [kənˈviːnɪənt] bnw geschikt ⟨v. moment, plaats, enz.⟩, gemakkelijk★~ for gunstig gelegen voor

convent [ˈkɒnvənt] zn ❶ klooster ❷ zustersschool ★~ school nonnenschool

convention [kənˈvenʃən] zn ❶ conventie, gebruik, gewoonte ❷ conventie, verdrag ⟨tussen staten⟩ ❸ bijeenkomst, vergadering, (partij)congres★ by~ gewoontegetrouw

conventional [kənˈvenʃənl] bnw ❶ behoudzuchtig ❷ conventioneel, vormelijk, traditioneel ❸ niet-nucleair ⟨v. bewapening⟩

conventionality [kənvenʃəˈnælətɪ] zn ❶ vormelijkheid ❷ gebruikelijkheid

converge [kənˈvɜːdʒ] **I** ov ww in één punt laten samenkomen **II** onov ww in één punt samenkomen

convergence [kənˈvɜːdʒəns] zn convergentie

convergent [kənˈvɜːdʒənt] bnw convergerend, convergent

conversant [kənˈvɜːsənt] bnw form bedreven, vertrouwd★~ with goed op de hoogte van

conversation [kɒnvəˈseɪʃən] zn conversatie, gesprek

conversational [kɒnvəˈseɪʃənl] bnw gespreks-

conversation piece zn ❶ onderwerp van gesprek ❷ genrestuk ⟨in schilderkunst⟩

converse¹ [ˈkɒnvɜːs] **I** zn (het) omgekeerde **II** bnw omgekeerd

converse² [kənˈvɜːs] onov ww converseren

conversion [kənˈvɜːʃən] zn ❶ omzetting, verbouwing★ fraudulent~ verduistering ⟨v. gelden⟩ ❷ bekering ❸ GB herontwikkeld gebouw ❹ sport conversie ⟨rugby⟩

convert¹ [ˈkɒnvɜːt] zn bekeerling

convert² [kənˈvɜːt] **I** ov ww ❶ omzetten, verbouwen ❷ bekeren **II** onov ww ❶ veranderen ❷ zich bekeren

converter, convertor [kənˈvɜːtə] zn elek convertor, omvormer

convertible [kənˈvɜːtɪbl] **I** bnw omkeerbaar, in- / verwisselbaar **II** zn cabriolet

convex [ˈkɒnveks] bnw convex, bol

convexity [kənˈveksətɪ] zn bolheid

convey [kənˈveɪ] ov ww ❶ mededelen, uitdrukken ❷ vervoeren

conveyance [kənˈveɪəns] zn ❶ form vervoer ❷ form vervoermiddel ❸ jur ⟨akte v.⟩ overdracht / transport

conveyor, conveyer [kənˈveɪə] zn ❶ vervoerder ❷ lopende band, transportband

conveyor belt zn lopende band, transportband

convict¹ [ˈkɒnvɪkt] zn veroordeelde, gevangene

convict² [kənˈvɪkt] ov ww schuldig bevinden, veroordelen

conviction [kənˈvɪkʃən] zn ❶ veroordeling ❷ overtuiging

convince [kənˈvɪns] ov ww overtuigen

convincing [kənˈvɪnsɪŋ] bnw overtuigend

convivial [kənˈvɪvɪəl] bnw ❶ feestelijk ❷ gezellig

convocation [kɒnvəˈkeɪʃən] zn ❶ ⟨kerkelijke⟩ synode, senaat ⟨v. universiteit⟩ ❷ oproep, convocatie ❸ USA ceremoniële uitreiking v. bul

convoke [kənˈvəʊk] ov ww bijeenroepen

convoluted bnw ❶ ingewikkeld ❷ gedraaid, gekronkeld

convolution [kɒnvəˈluːʃən] zn kronkel(ing), draaiing

convoy [ˈkɒnvɔɪ] **I** zn konvooi, escorte **II** ov ww begeleiden

convulse [kənˈvʌls] **I** ov ww (hevig) in beroering brengen★ be~d with laughter in een deuk liggen ⟨van het lachen⟩ **II** onov ww (krampachtig) samentrekken, stuiptrekken

convulsion [kənˈvʌlʃən] zn ❶ stuiptrekking ❷ opschudding

convulsive [kənˈvʌlsɪv] bnw ❶ verkrampt, spastisch ❷ schokkend ❸ stuiptrekkend

coo [kuː] onov ww ❶ koeren ❷ kirren ⟨v. baby⟩ → bill

cook [kʊk] **I** onov ww koken, bereiden★ inform sth is cooking er is iets loos **II** ov ww ❶ koken, klaarmaken ❷ knoeien met, vervalsen ❸ inform ~ up bekokstoven, verzinnen **III** zn kok▼ too many cooks spoil the broth teveel koks bederven de brij

cook book, cookery book zn kookboek

cooker [ˈkʊkə] zn fornuis, kookplaat

cookery [ˈkʊkərɪ] zn kookkunst★ French~ de Franse keuken

cookie [ˈkʊkɪ] zn ❶ USA koekje ❷ inform USA persoon, type ❸ comp cookie

cooking [ˈkʊkɪŋ] zn het koken★ French~ Frans eten★ home~ gewone pot / kost

cool [kuːl] **I** bnw ❶ koel & fris ⟨v. kleur⟩ ❸ kalm ★ cool, calm and collected bedaard ❹ kil, koud ❺ gaaf, cool ❻ onverstoord, onderkoeld▼ a cool hundred een slordige £100▼ (as) cool as a cucumber heel bedaard▼ inform play it cool rustig te werk gaan **II** ov+onov ww ❶ afkoelen ▼ cool it rustig▼ cool your heels lang staan wachten ❷ ~ down/off [onov] afkoelen **III** zn koelte▼ keep your cool je kalm houden▼ lose your cool boos / opgewonden worden **IV** bnw cool, gaaf

coolant [ˈkuːlənt] zn koelmiddel

cooler [ˈkuːlə] zn ❶ koeler, koelkan / -kuip / -vat ❷ USA verkoelende drank ⟨met ijs en (vaak) wijn⟩

cool-headed [ku:l'hedɪd] *bnw* koel, kalm

coolhunter ['ku:lhʌntə] *zn*, inform omschr iemand die op zoek is naar de nieuwste trend onder de jeugd ⟨met commercieel oogmerk⟩

coolie ['ku:lɪ] *zn*, oud min koelie

coon [ku:n] *zn*, USA min nikker

coop [ku:p] I *zn* kippenhok / -mand II *ov ww* ~ **in/up** opsluiten

co-op *zn* → **cooperation**

cooper ['ku:pə] *zn* kuiper

cooperate [kəʊ'ɒpəreɪt] *onov ww*
❶ samenwerken ❷ meewerken

cooperation, co-operation [kəʊɒpə'reɪʃən] *zn*
❶ samenwerking ❷ coöperatie

cooperative [kəʊ'ɒpərətɪv] *bnw* samen- / meewerkend, coöperatief

co-opt *ov ww* ❶ opnemen, erbij kiezen ❷ inlijven

coordinate[1] [kəʊ'ɔ:dɪnət] *zn* coördinaat

coordinate[2] [kəʊ'ɔ:dɪneɪt] I *ov ww* coördineren, laten samenwerken, combineren II *onov ww* samenwerken

coordination *zn* coördinatie

coot [ku:t] *zn* ❶ meerkoet ❷ inform USA uilskuiken

cop [kɒp] I *zn* agent, smeris ★ *play cops and robbers* diefje spelen ▼ inform GB *not much cop* niet veel soeps ▼ inform GB *it's a fair cop* ik ben erbij, dat zat er in II *ov ww* inform ❶ te verduren krijgen ❷ GB krijgen ▼ GB *cop a load of this* luister eens hier ▼ GB *cop hold of* sth op de kop tikken ▼ USA *cop a plea* schuld bekennen ⟨voor strafvermindering⟩ ▼ GB *cop it* er van langs krijgen, er geweest zijn *onov ww* inform ❶ zich terugtrekken ❷ GB ~ **off with** versieren ⟨man / vrouw⟩ ❸ ~ **out** er tussenuit knijpen, terugkrabbelen

co-partner *zn* compagnon

cope [kəʊp] I *onov ww* ❶ het aankunnen ❷ ~ **with** het hoofd bieden aan II *zn* koorkap, mantel

copier ['kɒpɪə] *zn* kopieerapparaat

co-pilot *zn* tweede piloot

copious ['kəʊpɪəs] *bnw* overvloedig, uitvoerig

copiousness ['kəʊpɪəsnəs] *zn* overvloed

cop-out *zn* smoes, uitvlucht

copper ['kɒpə] I *zn* ❶ (rood) koper ❷ koperen ketel ❸ oud koperen munt ❹ oud smeris II *bnw* koperen

copperplate ['kɒpəpleɪt] *zn* ❶ koper(druk)plaat ❷ kopergravure ❸ (ouderwets) schuinschrift

coppersmith ['kɒpəsmɪθ] *zn* koperslager

coppery ['kɒpərɪ] *bnw* koperachtig

coppice ['kɒpɪs], **copse** [kɒps] *zn* kreupelbosje

cop shop *zn* inform politiebureau

copter ['kɒptə] *zn* heli(kopter)

copula ['kɒpjʊlə] *zn* taalk koppelwerkwoord

copulate ['kɒpjʊleɪt] *onov ww* paren

copulation [kɒpjʊ'leɪʃən] *zn* paring, geslachtsdaad

copy ['kɒpɪ] I *zn* ❶ kopie, afschrift ❷ exemplaar ❸ kopij ★ *back copy* oud nummer ⟨v. tijdschrift⟩ ★ *complimentary copy* presentexemplaar ★ *fair copy* gecorrigeerde versie II *ov ww* ❶ kopiëren, overschrijven (**off/from** van) ❷ imiteren, nabootsen ❸ fotokopiëren ❹ ~ **in** cc'tje sturen

★ *make sure you're copied in* zorg ervoor dat je ook een cc'tje krijgt ❺ ~ **out** volledig kopiëren

copybook ['kɒpɪbʊk] I *zn* schoonschrift met voorbeelden II *bnw* perfect, volgens het boekje ★ ~ *drill* perfect verlopen oefening

copycat ['kɒpɪkæt] *zn* na-aper

copyright ['kɒpɪraɪt] I *zn* auteursrecht II *ov ww* (zich) verzekeren van het auteursrecht

copywriter ['kɒpɪraɪtə] *zn* tekstschrijver

cor [kɔ:], **cor blimey** *tw*, GB inform jemig

coral ['kɒrəl] I *zn* koraal(dier) II *bnw*
❶ koraalrood ❷ koralen

coralline ['kɒrəlaɪn] I *zn* koraalmos II *bnw*
❶ koraal- ❷ koraalrood

coral reef *zn* koraalrif

corbie ['kɔ:bɪ] *zn* raaf, kraai ⟨in Schotland⟩

cord [kɔ:d] *zn* ❶ streng, koord ❷ USA (elektrisch) snoer ❸ ribfluweel ★ *cords* [mv] ribfluwelen broek ★ *spinal cord* ruggenmerg ★ *umbilical cord* navelstreng ★ *vocal cords* [mv] stembanden

corded ['kɔ:dɪd] *bnw* ❶ geribd ❷ voorzien van een koord

cordial ['kɔ:dɪəl] I *bnw* form hartelijk, hartversterkend II *zn* ❶ likeur ❷ limonadesiroop

cordite ['kɔ:daɪt] *zn* cordiet

cordless ['kɔ:dləs] *bnw* draadloos

cordon ['kɔ:dn] I *zn* kordon II *ov ww* ~ **off** met een kordon afzetten

corduroy ['kɔ:dərɔɪ] *zn* ribfluweel ★ ~*s* [mv] ribfluwelen broek

core [kɔ:] I *zn* ❶ kern, binnenste ★ *hard core* harde kern ★ *be at the core of* ten grondslag liggen aan ★ *to the core* door en door ❷ comp kerngeheugen ❸ klokhuis ⟨v. appel⟩ II *ov ww* uitboren ⟨appel bv.⟩

core business *zn* kernactiviteit, voornaamste bezigheid

corer ['kɔ:rə] *zn* appelboor

co-respondent [kəʊrɪ'spɒndənt] *zn* jur als medeplichtige gedaagde (bij echtscheiding)

cork [kɔ:k] I *zn* kurk II *bnw* kurken- III *ov ww*
❶ kurken, met een kurk afsluiten ❷ ~ **up** kurken

corker ['kɔ:kə] *zn* inform 'n fantastisch iemand / iets

corkscrew ['kɔ:kskru:] I *zn* kurkentrekker II *onov ww* zich spiraalvormig bewegen

corm [kɔ:m] *zn* plantk knol

cormorant ['kɔ:mərənt] *zn* aalscholver

corn [kɔ:n] *zn* ❶ GB koren, graan ★ *ears / sheaves of corn* korenaren / -schoven ❷ USA maïs ★ *corn on the cob* maïskolf ★ *Indian corn* maïs ❸ inform iets banaals / sentimenteels ❹ likdoorn ★ *tread upon sb's corns* iem. op de tenen trappen

corn beef, corned beef *zn* cornedbeef

corn circle *zn* graancirkel

corn cob *zn* USA maïskolf

cornea ['kɔ:nɪə] *zn* hoornvlies

corned [kɔ:nd] *bnw* ❶ gezouten, ingemaakt ❷ USA inform dronken

cornel ['kɔ:nl] *zn* plantk kornoelje

corner ['kɔ:nə] I *zn* ❶ hoek ★ *see sth out of the ~ of your eye* iets zien vanuit je ooghoek ★ *(just) around / round the ~* om de hoek, vlakbij ★ *turn the ~* over het kritieke punt heenkomen

CO

★ *between / within the four ~s* binnen de perken ★ *in a ~* in het geheim ★ *in a tight ~* in een lastig parket ★ *drive sb into a ~* iem. in het nauw drijven ❷ hoekschop ▾ *min cut ~s* regels, enz. omzeilen, de gemakkelijkste weg kiezen **II** *ov ww* in de hoek drijven / zetten ★ *~ the market in cars* de automarkt veroveren **III** *onov ww* de bocht nemen ⟨v. auto bv.⟩

corner shop *zn* buurtwinkeltje

cornerstone ['kɔːnəstəʊn] *zn* ❶ hoeksteen, fundament ❷ essentieel deel

cornet ['kɔːnɪt] *zn* ❶ *muz* cornet ❷ (ijs)hoorn

cornfield ['kɔːnfiːld] *zn* koren- / maïsveld

cornflour ['kɔːnflaʊə] *zn* maïzena

cornflower ['kɔːnflaʊə] *zn* korenbloem

cornice ['kɔːnɪs] *zn* bouw (kroon)lijst, lijstwerk

Cornish ['kɔːnɪʃ] **I** *zn* taal v. Cornwall **II** *bnw* m.b.t. Cornwall

corn poppy, corn rose *zn* klaproos

cornrows ['kɔːnraʊz] *zn mv* (rijen) vlechtjes ⟨haarstijl v. vnl. zwarte vrouwen⟩

corn salad *zn* veldsla

cornstarch ['kɔːnstɑːtʃ] *zn* USA maïzena

corny ['kɔːnɪ] *bnw* afgezaagd, sentimenteel

corolla [kə'rɒlə] *zn* plantk bloemkroon

corollary [kə'rɒlərɪ] *zn* gevolg, uitvloeisel

corona [kə'rəʊn] *zn* [mv: **coronae**] ❶ sterrenk corona, kring om zon / maan ❷ plantk kroon

coronary ['kɒrənərɪ] *bnw* ❶ kroonvormig ❷ med hart-, m.b.t. de krans(slag)aderen

coronation [kɒrə'neɪʃən] *zn* kroning

coroner ['kɒrənə] *zn* lijkschouwer ★ *~'s inquest* gerechtelijk(e) lijkschouwing / vooronderzoek

coronet ['kɒrənɪt] *zn* ❶ kroontje ❷ diadeem

Corp. *afk* ❶ *Corporation* vennootschap ❷ *Corporal* korporaal

corpora ['kɔːpərə] *zn mv* → **corpus**

corporal ['kɔːprəl] **I** *zn* korporaal **II** *bnw* lichamelijk

corporal punishment *zn* ★ *~* lijfstraf

corporate ['kɔːpərət] *bnw* ❶ bedrijfs-, ondernemings- ❷ rechtspersoonlijkheid bezittend

corporation [kɔːpə'reɪʃən] *zn* ❶ onderneming, corporatie, maatschappij, rechtspersoon(lijk lichaam) ❷ USA bedrijf ★ *municipal ~* gemeentebestuur / -raad

corporation tax *zn* vennootschapsbelasting

corporeal [kɔː'pɔːrɪəl] *bnw* ❶ stoffelijk ❷ lichamelijk

corps [kɔː] *zn* ❶ (leger)korps, wapen ❷ corps ★ *diplomatic ~* corps diplomatique ★ *~ de ballet* groep balletdansers

corpse [kɔːps] *zn* lijk

corpulence ['kɔːpjʊləns] *zn* zwaarlijvigheid

corpulent ['kɔːpjʊlənt] *bnw* zwaarlijvig

corpus ['kɔːpəs] *zn* [mv: **corpora, corpuses**] ❶ corpus, verzameling teksten ❷ corpus, lichaam

corpuscle ['kɔːpʌsəl] *zn* anat (bloed)lichaampje

corpus delicti *zn* voorwerp van de misdaad

corral [kə'rɑːl] **I** *zn* kraal, omheining **II** *ov ww* ❶ in kraal drijven ❷ bijeendrijven

correct [kə'rekt] **I** *bnw* ❶ correct, goed, juist ❷ beleefd, gepast **II** *ov ww* ❶ corrigeren, verbeteren ★ *~ me if I'm wrong* corrigeer me als het niet zo is ❷ onderw nakijken ⟨corrigeren en becijferen⟩ ❸ terechtwijzen ★ *I stand ~ed* je hebt volkomen gelijk **III** *onov ww* ~ **for** corrigeren voor

correction [kə'rekʃən] **I** *zn* verbetering ★ *speak under ~* spreken onder voorbehoud **II** *tw* herstel ★ *~ - I do know* herstel - ik weet het wel

corrective [kə'rektɪv] **I** *bnw* verbeterend, correctief **II** *zn* correctie (middel)

correlate ['kɒrəleɪt] **I** *ov+onov ww* correleren, in onderling verband brengen / staan met **II** *zn* correlaat, onderling verband

correlation [kɒrə'leɪʃən] *zn* correlatie, onderling verband

correspond [kɒrɪ'spɒnd] *onov ww* ❶ corresponderen ❷ kloppen, overeenstemmen (**to/with** met) ❸ vergelijkbaar zijn (**to** met)

correspondence [kɒrɪ'spɒndəns] *zn* ❶ correspondentie, briefwisseling ❷ overeenstemming

correspondence course *zn* schriftelijke cursus

correspondence school *zn* instituut voor schriftelijk onderwijs

correspondent [kɒrɪ'spɒndənt] **I** *zn* correspondent **II** *bnw* overeenkomend, overeenkomstig

corresponding [kɒrɪ'spɒndɪŋ] *bnw* overeenkomstig

corridor ['kɒrɪdɔː] *zn* corridor, gang ▾ *the ~s of power* de wandelgangen

corrigendum [kɒrɪ'gendəm] *zn* (druk)fout

corrigible ['kɒrɪdʒɪbl] *bnw* verbeterbaar

corroborate [kə'rɒbəreɪt] *ov ww* form bekrachtigen, bevestigen

corroboration [kərɒbə'reɪʃən] *zn* bekrachtiging, bevestiging

corroborative [kərɒbə'reɪtɪv] *bnw* bevestigend

corrode [kə'rəʊd] **I** *ov ww* aantasten **II** *onov ww* wegteren, (ver)roesten, corroderen

corrosion [kə'rəʊʒən] *zn* corrosie, roest

corrosive [kə'rəʊsɪv] *bnw* ❶ corrosief, bijtend ❷ form ondermijnend

corrugate ['kɒrʊgeɪt] *ov+onov ww* rimpelen ★ *~d iron* golfplaat

corrugated ['kɒrʊgeɪt] *ov+onov ww* rimpelen

corrugation [kɒrə'geɪʃən] *zn* rimpeling

corrupt [kə'rʌpt] **I** *ov ww* ❶ corrumperen, omkopen ❷ beschadigen, aantasten, bederven **II** *bnw* ❶ corrupt, omkoopbaar ❷ aangetast, verknoeid, beschadigd ❸ verdorven, immoreel ❹ verbasterd (van tekst)

corruptible [kə'rʌptəbl] *bnw* ❶ omkoopbaar ❷ bederfelijk

corruption [kə'rʌpʃən] *zn* ❶ corruptie, omkoping ❷ verval, verloedering ❸ verbastering

corsage [kɔː'sɑːʒ] *zn* corsage

corselette, corselet [kɔːsə'let/'kɔːsəlet] *zn* corselet

corset ['kɔːsɪt] *zn* korset

cortège, cortege [kɔː'teʒ] *zn* (rouw)stoet

cortex ['kɔːteks] *zn* [mv: **cortices** 'kɔːtɪsiːz] ❶ plantk schors ❷ anat *cerebral / renal ~* hersen- / nierschors

cortical ['kɔːtɪkl] *bnw* m.b.t. de schors

coruscate ['kɒrəskeɪt] *onov ww* ❶ flikkeren, schitteren ❷ sprankelen

cos[1], **'cos** [kəs] *vw* inform → **because**
cos[2] *afk* wisk → **cosine**
cosh [kɒʃ] **I** *zn* ploertendoder, knuppel ▼ *under the cosh* onder zware druk **II** *ov ww* afrossen
co-signatory [kəʊ'sɪgnətərɪ] *zn* medeondertekenaar
cosine ['kəʊsaɪn] *zn* USA cosinus
cosmetic [kɒz'metɪk] **I** *zn* schoonheidsmiddel **II** *bnw* schoonheids-
cosmetician [kɒzmə'tɪʃən] *zn* USA schoonheidsspecialist(e)
cosmic ['kɒzmɪk] *bnw* kosmisch
cosmographer [kɒz'mɒgrəfə] *zn* kosmograaf
cosmography [kɒz'mɒgrəfɪ] *zn* kosmografie
cosmonaut ['kɒzmənɔ:t] *zn* ruimtevaarder
cosmopolitan [kɒzmə'pɒlɪtn] **I** *zn* wereldburger, kosmopoliet **II** *bnw* kosmopolitisch
cosmos ['kɒzmɒz] *zn* kosmos, heelal
cosset ['kɒsɪt] *ov ww* verwennen
cost [kɒst] **I** *zn* ❶ prijs, kosten, uitgaven ★ *cost of living* kosten v. levensonderhoud ★ *prime cost* primaire kosten ★ *at a cost of* voor het bedrag van ★ *but it will cost you* maar dat kost je een paar centen ★ *at cost* tegen kostprijs ★ *at all cost(s)* tot elke prijs ★ *at any cost* koste wat het kost, tot elke prijs ★ *count the cost (of sth)* de voor- en nadelen (van iets) overwegen, het moeten bezuren (om iets) ❷ schade ★ *know / learn / find sth to your cost* iets aan den lijve ondervinden **II** *ov ww* ❶ [onregelmatig] kosten ★ *this will cost you dear* dit zal je duur komen te staan ❷ [regelmatig] begroten ★ *the project was costed at € 10 million* het project werd begroot op € 10 miljoen
co-star I *zn* ton tegenspeler / -speelster **II** *onov ww* ton samen optreden
cost-benefit *zn* ★ ~ *analysis* kosten-batenanalyse
cost-cutting *zn* kostenbesparing, bezuiniging
cost-effective *bnw* rendabel
costing ['kɒstɪŋ] *zn* (kost)prijsberekening
costly ['kɒstlɪ] *bnw* kostbaar, duur
cost price *zn* kostprijs
cost reduction *zn* kostenverlaging
costume ['kɒstju:m] *zn* ❶ kostuum ❷ klederdracht ❸ inform badpak, zwempak
costume jewellery *zn* namaakjuwelen
cosy ['kəʊzɪ] **I** *bnw* ❶ gezellig, knus ❷ min dik ★ *have a cosy relationship with* nogal dik zijn met **II** *zn* ❶ theemuts ❷ eierwarmer **III** *onov ww* ❶ ~ **up** zich nestelen ❷ ~ **up to** in de gunst proberen te komen bij
cot [kɒt] *zn* ❶ (kinder)ledikantje ❷ USA veldbed, stretcher ❸ scheepv kooi
cot death *zn* wiegendood
cote [kəʊt] *zn* hok, kooi
coterie ['kəʊtərɪ] *zn* min kliek
cottage ['kɒtɪdʒ] *zn* ❶ huis(je) ❷ landhuis(je) ❸ vakantiehuisje
cottage cheese *zn* hüttenkäse, kwark
cottage hospital *zn* plattelandsziekenhuis
cottage industry *zn* huisnijverheid
cottage loaf *zn* boerenbrood
cottage pie *zn* soort jachtschotel
cottager ['kɒtɪdʒə] *zn* gesch (boeren)arbeider, dorpeling
cotter pin *zn* splitpen

cotton ['kɒtn] **I** *zn* ❶ katoen(plant) ❷ katoenen stof ❸ GB garen ❹ USA watten **II** *bnw* katoenen, van katoen ▼ ~ *candy* suikerspin **III** *onov ww* inform ❶ ~ **on** (het) snappen ❷ USA ~ **to** aardig vinden
cotton bud *zn* wattenstaafje
cottontail ['kɒtənteɪl] *zn* USA konijn
cotton wool *zn* GB watten ★ *medicated* ~ verbandwatten
couch [kaʊtʃ] **I** *zn* bank, sofa, divan ★ fig *on the* ~ in therapie **II** *ov ww* formuleren ★ ~*ed in vague terms* verwoord in vage termen **III** *onov ww* gaan liggen ⟨dieren⟩, klaar liggen voor de sprong
couchette [ku:'ʃet] *zn* couchette
couch potato *zn* humor ~ tv-verslaafde
cougar ['ku:gə] *zn* USA poema
cough [kɒf] **I** *onov ww* hoesten, kuchen **II** *ov ww* ❶ ophoesten ❷ inform ~ **up** over de brug komen, dokken, GB opbiechten **III** *zn* hoest, kuch
cough drop, cough sweet *zn* hoesttablet, keelpastille
cough mixture *zn* hoestdrank
could [kəd] *ww* [verleden tijd] → **can**
coulisse [ku:'li:s] *zn* coulisse
couloir ['ku:lwa:] *zn* bergspleet
council ['kaʊnsəl] *zn* ❶ raad(svergadering), gemeentebestuur ❷ concilie, synode ❸ vergadering ★ ~ *of war* krijgsraad ★ *hold* ~ *with* beraadslagen met
council estate *zn* wijk v. gemeentewoningen
council house *zn* gemeentewoning
councillor ['kaʊnsələ], USA **councilman** ['kaʊnsəlmæn] *zn* raadslid
council tax *zn* ≈ onroerendezaakbelasting
counsel ['kaʊnsəl] **I** *zn* ❶ form advies, raad(geving) ★ *take* ~ raadplegen, overleggen ★ *keep your own* ~ mening / plannen voor je houden ❷ jur advocaten, advocaat ★ ~ *for the defence* verdediger ★ ~ *for the prosecution* openbare aanklager ★ *King's / Queen's Counsel* titel voor uitmuntende advocaten **II** *ov ww* ❶ counselen, begeleiden ❷ form adviseren
counselling, USA **counseling** ['kaʊnsəlɪŋ] *zn* ❶ counseling (psychiatrie) ❷ psych hulpverlening ⟨ook sociaal⟩
counsellor ['kaʊnsələ] *zn* ❶ (studie)adviseur, (studenten)decaan ❷ USA raadsman / -vrouw ❸ USA leider v. jeugdkamp
count [kaʊnt] **I** *ov ww* ❶ tellen, optellen ★ *be able to* ~ *sth on (the fingers of) one hand* iets op een hand kunnen tellen ❷ rekenen ★ ~ *yourself lucky* van geluk spreken ▼ *stand up and be* ~*ed* kleur bekennen ❸ ~ **against** ❹ ~ **among** rekenen tot ❺ ~ **in** meerekenen ❻ ~ **out** uittellen ⟨ook bokser⟩, niet meerekenen ★ ~ *me out!* reken niet op mij!, ik doe niet mee! **II** *onov ww* ❶ tellen, optellen ★ ~ *(up) to 10* tot tien tellen ★ *... and* ~*ing* ... en de teller loopt nog ❷ meetellen, gelden ★ *make it* ~! maak er iets van! ❸ ~ **against** pleiten tegen ❹ ~ **down** aftellen ❺ ~ **for** meetellen als ★ ~ *for sth / nothing* iets / niets waard zijn ❻ ~ **on/upon** rekenen op **III** *zn* ❶ tel, telling, aantal ★ *out of* ~ ontelbaar ★ *at the last* ~

volgens de laatste telling / gegevens ★ *keep / lose ~* de tel bijhouden / kwijtraken ★ *lose all ~ of time* elk besef van tijd verliezen ★ *sport out / USA down for the ~* ook fig gevloerd ❷ punt, onderdeel ❸ jur punt v. aanklacht ★ jur *found guilty on all ~s* op alle punten schuldig bevonden ❹ graaf (niet-Engelse edelman)

countable ['kauntəbl] *bnw* telbaar

countdown ['kauntdaun] *zn* het aftellen

countenance ['kauntɪnəns] **I** *zn* gezicht(suitdrukking) **II** *ov ww* steunen, goedkeuren

counter ['kauntə] **I** *zn* ❶ toonbank, balie, loket ★ *over the ~* zonder recept (v. medicijnen) ★ *sell under the ~* clandestien / vanonder de toonbank verkopen ❷ USA aanrecht(blad) ❸ damsteen, fiche ❹ teller ❺ form tegenhanger, respons **II** *ov ww* ❶ weerleggen ❷ tegengaan **III** *onov ww* tegenwerpen **IV** *bijw* in tegengestelde richting, op tegengestelde wijze ★ *run ~ to* strijdig zijn met, indruisen tegen

counter- ['kauntə] *voorv* tegen-, contra-

counteract [kauntə'rækt] *ov ww* tegengaan, neutraliseren

counteraction [kauntə'rækʃən] *zn* tegenactie

counter-attack ['kauntərətæk] **I** *zn* tegenaanval **II** *onov ww* een tegenaanval doen, v. repliek dienen

counterbalance ['kauntəbæləns] **I** *ov ww* opwegen tegen, neutraliseren **II** *zn* tegenwicht

counterblast ['kauntəblɑːst] *zn* ❶ heftige reactie ❷ tegenstoot

countercharge ['kauntətʃɑːdʒ] **I** *zn* tegenaanklacht, tegenbeschuldiging **II** *onov ww* tegen(aan)klacht indienen

counterclaim ['kauntəkleɪm] *zn* jur tegeneis

counterclockwise [kauntə'klɒkwaɪz] *bijw* tegen de wijzers v.d. klok in, linksom draaiend

counterculture ['kauntəkʌltʃə] *zn* alternatieve cultuur

counterespionage [kauntər'espɪənɑːʒ] *zn* contraspionage

counterexample [kauntər'ɪgzɑːmpl] *zn* tegenvoorbeeld

counterfeit ['kauntəfɪt] **I** *bnw* nagemaakt, vals **II** *ov ww* vervalsen

counterfeiter ['kauntəfɪtə] *zn* valsemunter

counterfoil ['kauntəfɔɪl] *zn* bewaarstrookje (v. cheque)

counterintelligence [kauntərɪn'telɪdʒəns] *zn* contraspionage

countermand [kauntə'mɑːnd] *ov ww* afbestellen, annuleren

countermeasure ['kauntəmeʒə] *zn* tegenmaatregel

countermove ['kauntəmuːv] *zn* tegenzet

counteroffensive [kauntərə'fensɪv] *zn* tegenoffensief

counterpane ['kauntəpeɪn] *zn* gestikte deken, sprei

counterpart ['kauntəpɑːt] *zn* ❶ tegenhanger ❷ jur duplicaat

counterpoint ['kauntəpɔɪnt] *zn* ❶ contrapunt ❷ contrast

counterproductive [kauntəprə'dʌktɪv] *bnw* averechts werkend, contraproductief

countersign ['kauntəsaɪn] *ov ww* medeondertekenen

countersunk ['kauntəsʌŋk] *bnw* techn met platte kop (v. schroef)

counter-tenor *zn* hoge tenor

countertop ['kauntətɒp] *zn* USA aanrecht(blad)

countervailing ['kauntəveɪlɪŋ] *bnw* compenserend, tegenwicht vormend

counterweight ['kauntəweɪt] *zn* tegenwicht

countess ['kauntɪs] *zn* (niet-Engelse) gravin

countless ['kauntləs] *bnw* talloos

count noun, countable noun taalk *zn* telbaar naamwoord

countrified ['kʌntrɪfaɪd] *bnw* ❶ boers ❷ landelijk

country ['kʌntrɪ] *zn* ❶ land, natie, volk ★ *developing ~* ontwikkelingsland ★ *Low Countries* Lage Landen, Nederlanden ★ *native ~* vaderland ❷ platteland, de provincie, streek ★ *across ~* via binnenwegen ★ *in the ~* op het platteland, buiten ❸ land(erijen), velden ★ *farming ~* boerenland

❹ country-and-westernmuziek ▼ pol GB *go to the ~* verkiezingen uitschrijven

country club *zn* buitensociëteit

country cousin *zn* provinciaal

country dancing *zn* volksdansen

country house *zn* landhuis, buitenplaats

countryman ['kʌntrɪmən] *zn* ❶ landgenoot ❷ provinciaal, buitenman

country seat *zn* landgoed

countryside ['kʌntrɪsaɪd] *zn* platteland, regio

countrywide [kʌntrɪ'waɪd] *bnw* over het hele land verspreid

countrywoman ['kʌntrɪwumən] *zn* ❶ landgenote ❷ plattelandsvrouw

county ['kauntɪ] *zn* ❶ USA provincie ❷ graafschap, bestuurlijk gewest

county council *zn* ≈ Provinciale Staten, graafschapsraad

county court *zn* ≈ arrondissementsrechtbank

county family *zn* deftige plattelandsfamilie

county town *zn* hoofdstad v. graafschap / provincie

coup [kuː] *zn* ❶ coup, staatsgreep ❷ goede slag / zet

coupé ['kuːpeɪ] *zn* tweedeursauto, coupé

couple ['kʌpl] **I** *zn* paar(tje), tweetal ★ *a ~ of* twee, een paar ★ *a married ~* een getrouwd stel **II** *ov ww* ❶ koppelen ❷ associëren (**with** met) **III** *onov ww* paren

couplet ['kʌplɪt] *zn* twee rijmende versregels

coupling ['kʌplɪŋ] *zn* ❶ koppeling ❷ paring

coupon ['kuːpɒn] *zn* ❶ coupon ❷ (waarde)bon ★ *money-off ~* kortingsbon

courage ['kʌrɪdʒ] *zn* moed, durf, lef ★ *pluck up / summon ~* moed bijeenrapen ★ *take ~ from* moed putten uit ★ *take your ~ in both hands* alle moed bij elkaar rapen ★ *have the ~ of your convictions* voor jezelf opkomen ★ *Dutch ~* dronkenmansmoed

courageous [kə'reɪdʒəs] *bnw* moedig

courier ['kurɪə] *zn* ❶ koerier ❷ reisleider

course [kɔːs] **I** *zn* ❶ onderw cursus, leergang ❷ ook fig koers (gedragslijn) ❸ fig weg, aanpak ❹ loop (v. rivier), verloop, reeks (v. gebeurtenissen) ❺ gang (v. maaltijd) ❻ med kuur ❼ laag ⟨stenen⟩ ❽ weg, (ren)baan ★ ~ *of action* aanpak, gedragslijn ★ ~ *of exchange* wisselkoers ▼ *in* ~ *of (preparation)* in (voorbereiding) ▼ *in the* ~ *of* gedurende / in de loop van ▼ *in the* ~ *of time* op den duur / te zijner tijd ▼ *in due* ~ / *time* te zijner tijd ▼ *in the ordinary* ~ *of events* normaliter ▼ *of* ~ natuurlijk ▼ *be on* ~ *for* afstevenen op ▼ *run / take its* ~ zijn loop hebben ‖ *onov ww* snellen, stromen

coursework [ˈkɔːswɜːk] *zn* schoolonderzoeken

court [kɔːt] **I** *zn* ❶ hof (woning van vorst) ❷ <u>jur</u> rechtbank, gerechtshof ❸ <u>sport</u> baan ❹ binnenplaats ★ ~ *of appeal* hof v. appel ★ ~ *of inquiry / enquiry* enquêtecommissie ★ ~ *of justice / law* gerechtshof ★ *High Court (of Justice)* Hoge Raad ★ *Supreme Court* ≈ de Hoge Raad ★ *at* ~ aan het hof ★ *in* ~ voor het gerecht ★ *bring a case to* ~ een zaak voor het gerecht brengen ★ *settle sth out of* ~ iets in der minne schikken ★ *take sb to* ~ iem. voor het gerecht dagen ★ *hard* ~ gravelbaan ▼ *rule / throw sth out of* ~ iets terzijde schuiven ‖ *ov ww* ❶ vleien, in de gunst proberen te komen, het hof maken ❷ streven naar ❸ uitlokken ★ ~ *danger* het gevaar tarten ‖ *onov ww* verkering hebben

court card *zn* heer / boer / vrouw in kaartspel

court case *zn* <u>jur</u> rechtszaak

courteous [ˈkɜːtɪəs] *bnw* hoffelijk

courtesy [ˈkɜːtəsɪ] *zn* hoffelijkheid ★ *(have) the common* ~ het fatsoen (hebben) ★ *exchange of courtesies* v. beleefdheden

courtesy call *zn* beleefdheidsbezoek

courtesy title *zn* <u>omschr</u> uit hoffelijkheid (en niet rechtens) verleende titel

courthouse [ˈkɔːthaʊs] *zn* ❶ gerechtsgebouw ❷ <u>USA</u> ≈ provinciehuis

courtier [ˈkɔːtɪə] *zn* hoveling

courtly [ˈkɔːtlɪ] *bnw* hoffelijk

courtly love *zn, lit gesch* hoofse liefde

court martial *zn* krijgsraad

court-martial *ov ww* voor de krijgsraad brengen

court order *zn* rechterlijk bevel / vonnis, gerechtelijk bevel

courtroom [ˈkɔːtruːm] *zn* rechtszaal

courtship [ˈkɔːtʃɪp] *zn* ❶ <u>oud</u> hofmakerij, vrijerij, verkering ★ <u>dierk</u> ~ *display* baltsgedrag ❷ geflirt

courtyard [ˈkɔːtjɑːd] *zn* binnenplaats

cousin [ˈkʌzən] *zn* neef (zoon v. oom / tante), nicht (dochter v. oom / tante) ★ *first* ~ volle neef / nicht ★ *second* ~ achterneef / -nicht ★ *distant* ~ verre neef / nicht

cove [kəʊv] *zn* ❶ kleine baai ❷ <u>inform</u> kerel, vent

coven [ˈkʌvn] *zn* heksensamenkomst

covenant [ˈkʌvənənt] **I** *zn* verbond, verdrag **II** *ov ww* contractueel bestemmen voor

Coventry [ˈkɒvəntrɪ] *zn* Coventry ▼ *send sb to* ~ iem. negeren, doen of iem. lucht is

cover [ˈkʌvə] **I** *ov ww* ❶ bedekken, verbergen, bedekken ★ ~ *your tracks* je sporen uitwissen ❷ bestrijken, v. toepassing zijn op ❸ (financieel) dekken ❹ zich uitstrekken over, afleggen ⟨afstand⟩ ★ ~ *all the bases* niets aan het toeval overlaten ❺ <u>media</u> verslaan ★ ~ *a meeting* een vergadering verslaan ❻ invallen ❼ beschermen, dekken ★ ~ *your back* jezelf indekken ❽ nieuwe versie v. oud nummer opnemen ❾ ~ *over*

geheel bedekken ❿ ~ *up* verbergen, toedekken, in de doofpot stoppen **II** *onov ww* invallen **III** *zn* ❶ deksel, bedekking ★ ~*s* [mv] beddengoed ❷ kaft, boekomslag ★ *hard* ~ ingebonden ★ *from* ~ *to* ~ van het begin tot het einde ❸ <u>muz</u> cover ❹ dekking, bescherming, <u>fig</u> dekmantel ★ *break* ~ uit je schuilplaats komen ★ *run for* ~ / *take* ~ dekking zoeken ★ *under* ~ heimelijk, beschut ★ *under (the)* ~ *of* beschut door, onder het mom van, gedekt door ❺ invaller ▼ <u>econ</u> *under separate* ~ separaat

coverage [ˈkʌvərɪdʒ] *zn* ❶ dekking (ook v. verzekering) ❷ bericht- / verslaggeving ❸ bereik

coveralls [ˈkʌvərɔːlz] *zn mv* <u>USA</u> overall

cover charge *zn* couvert(kosten)

cover girl *zn* covergirl, fotomodel (op omslag tijdschrift)

covering [ˈkʌvərɪŋ] *zn* ❶ laag ❷ bedekking ❸ dek, hoes

coverlet [ˈkʌvəlɪt] *zn* gestikte deken, sprei

cover story *zn* coverstory, omslagartikel

covert [ˈkʌvət] **I** *bnw* heimelijk **II** *zn* struikgewas

cover-up *zn* doofpotaffaire

covet [ˈkʌvɪt] *ov ww* begeren

covetous [ˈkʌvɪtəs] *bnw* begerig, hebzuchtig

cow [kaʊ] **I** *zn* ❶ koe ★ <u>fig</u> *sacred cow* heilige koe ❷ wijfje ⟨v. bep. zoogdieren⟩ ★ *holy cow!* jezus mina! ▼ *till the cows come home* tot sint-juttemis **II** *ov ww* koeioneren, intimideren

coward [ˈkaʊəd] *zn* lafaard

cowardice [ˈkaʊədɪs] *zn* lafheid

cowardly [ˈkaʊədlɪ] *bnw + bijw* lafhartig

cowboy [ˈkaʊbɔɪ] *zn* ❶ cowboy, veedrijver ❷ beunhaas

cower [ˈkaʊə] *onov ww* (neer)hurken, ineenkrimpen

cowfish [ˈkaʊfɪʃ] *zn* zeekoe

cowhide [ˈkaʊhaɪd] *zn* rundleer

cowman [ˈkaʊmən] *zn* veehoeder, cowboy

co-worker *zn* ❶ collega ❷ teamgenoot

cowpat [ˈkaʊpæt] *zn* koeienvlaai

cowpox [ˈkaʊpɒks] *zn* koepokken

cowshed [ˈkaʊʃed] *zn* koestal

cowslip [ˈkaʊslɪp] *zn* <u>plantk</u> sleutelbloem

cox [kɒks] *ov+onov ww* sturen, besturen

coy [kɔɪ] *bnw* ❶ bedeesd ❷ koket, quasi-schuchter ❸ terughoudend

coyness [ˈkɔɪnəs] *zn* ❶ bedeesdheid ❷ terughoudendheid

coyote [kɔɪˈəʊtɪ] *zn* <u>USA</u> coyote, prairiewolf

cozy *bnw* <u>USA</u> → **cosy**

cp. *afk, compare* vergelijk

CPI *afk, Consumer Price Index* prijsindex v. verbruiksgoederen

crab [kræb] *zn* ❶ krab ❷ <u>techn</u> lier ❸ ★ *crabs* [mv] platjes, schaamluis ★ *catch a crab* een snoek slaan (misslag bij het roeien)

crab apple *zn* wilde appel

crabbed [ˈkræbɪd] *bnw* ❶ kriebelig, slecht leesbaar ⟨handschrift⟩ ❷ ontoegankelijk ⟨v. stijl⟩

crabby [ˈkræbɪ] *bnw* kribbig, nors

crack [kræk] **I** *zn* ❶ barst, scheur, kier, spleet ★ <u>fig</u> *slip / fall through the* ~*s* door de mazen van het net vallen ❷ (ge)knal, klap ★ <u>GB</u> *a (fair)* ~ *of the whip* een (eerlijke) kans ❸ dreun, oplawaai,

cr

mep ❻ inform gooi, poging ★ have a ~ at proberen, een gooi doen naar ❺ crack ⟨vnl. cocaïne⟩ ❻ inform grap, spottende opmerking ▼ the ~ of doom het laatste oordeel ▼ at the ~ of dawn bij het krieken v.d. dag **II** bnw prima, eersteklas **III** ov ww ❶ breken, scheuren, kraken, barsten ★ ~ a safe een kluis openbreken ❷ meppen, een dreun geven ❸ laten knallen, doen barsten ★ he ~ed his head against the wall he sloeg met zijn hoofd tegen de muur ★ inform ~ a bottle een fles openen ❹ een oplossing vinden van, ontcijferen ⟨code⟩, ook comp kraken ❺ stoppen, oprollen ★ ~ crime misdaad aanpakken ❻ vertellen ★ ~ a joke een mop vertellen ★ not all sb is ~ed up to be niet zo goed als ze van iem. zeggen **IV** onov ww ❶ scheuren, breken ★ the mirror ~ed de spiegel brak ❷ knallen ★ thunder ~ed er was een donderslag ❸ breken / overslaan ⟨v. stem⟩ ❹ ⟨geestelijk⟩ instorten ⟨onder druk⟩, bezwijken ❺ ~ down stevig aanpakken ❻ ~ up omvallen van het lachen, ⟨geestelijk⟩ instorten ▼ get ~ing aan de slag gaan

crackbrained ['krækbreɪnd] zn inform knettergek
cracked [krækt] bnw ❶ gescheurd, gekneusd ★ in a ~ voice met gebroken stem ❷ getikt, maf
cracker ['krækə] zn ❶ cracker, dun biscuitje ❷ knalbonbon, rotje ❸ GB inform iets heel goeds
crackerjack ['krækədʒæk] USA inform zn kei, eersteklas speler, enz.
crackers ['krækəz] bnw, inform GB stapelgek
crackhead zn USA crackgebruiker
cracking ['krækɪŋ] inform bnw ❶ snel ★ at a ~ pace met een stevige vaart ❷ GB oud uitstekend, geweldig
crackle ['krækl] **I** zn geknetter **II** onov ww knetteren, knappen ⟨v. vuur⟩, kraken ⟨v. telefoon⟩
crackling ['kræklɪŋ] zn ❶ geknetter ❷ kaantjes ★ USA ~s kaantjes
cracknel ['kræknl] zn krakeling
crackpot ['krækpɒt] **I** zn inform zonderling **II** bnw excentriek
cradle ['kreɪdl] **I** zn ❶ wieg ❷ bakermat ❸ GB hangstelling ⟨t.b.v. glazenwassers⟩ ❹ haak ⟨v. telefoon⟩ **II** ov ww wiegen
craft [krɑːft] **I** zn [geen mv] ❶ handvaardigheid ❷ vak, ⟨kunst⟩vaardigheid, ambacht ❸ sluwheid, list **II** zn [mv: craft] vaartuig ⟨boot, schip, enz.⟩, vliegtuig, ruimteschip **III** ov ww maken
craftsman ['krɑːftsmən] zn vakman, handwerksman
craftsmanship ['krɑːftsmənʃɪp] zn ❶ vakmanschap ❷ ⟨vak⟩bekwaamheid
crafty ['krɑːftɪ] bnw listig
crag [kræg] zn ❶ steile rots ❷ schelpzand
craggy ['krægɪ] bnw ❶ rotsig, woest ❷ fig verweerd, met sterke ⟨gelaats⟩trekken
cram [kræm] **I** ov ww ❶ proppen, overladen ★ cram sth down sb's throat iets met geweld aan iem. opdringen ★ cram down food eten naar binnen werken ❷ inpompen ⟨kennis⟩ **II** onov ww ❶ ⟨zich⟩ volstoppen ❷ blokken ⟨op leerwerk⟩
crammer ['kræmə] zn repetitor
cramp [kræmp] **I** zn kramp ★ ~s [mv] maagkramp

II ov ww belemmeren ▼ ~ sb's style belemmerende invloed uitoefenen op iemands gedrag
cramped [kræmpt] bnw ❶ benauwd, krap ❷ beknot ⟨in bewegingsvrijheid⟩ ❸ kriebelig ⟨v. handschrift⟩
crampon ['kræmpən] zn klimijzer
cranberry ['krænbərɪ] zn veenbes
crane [kreɪn] **I** zn ❶ ⟨hijs⟩kraan ❷ kraanvogel **II** ov ww ★ ~ your neck reikhalzen **III** onov ww de hals uitstrekken
crane fly zn langpootmug
cranesbill ['kreɪnzbɪl] zn plantk ooievaarsbek
cranium ['kreɪnɪəm] [mv: craniums / crania] zn schedel
crank [kræŋk] **I** zn ❶ GB zonderling ❷ USA narrig persoon ❸ kruk⟨stang⟩, crank ⟨v. fiets⟩ **II** ov ww ❶ fig aanzwengelen ❷ inform ~ out aan de lopende band produceren ❸ inform ~ up starten ⟨motor⟩, harder zetten ⟨muziek⟩, hoger zetten ⟨verwarming bv.⟩ **III** bnw GB ★ ~ call telefoontje v.e. gek
crankcase ['kræŋkeɪs] zn techn carter
crankshaft ['kræŋkʃɑːft] zn techn krukas
cranky ['kræŋkɪ] bnw ❶ inform bizar ❷ inform humeurig
cranny ['krænɪ] zn gaatje, spleetje
crap [kræp] vulg **I** zn ❶ gelul ★ load / bunch of crap alleen maar gelul ★ cut the crap geen gezeik ❷ rotzooi ❸ stront ★ have a crap schijten **II** bnw klote **III** onov ww ❶ schijten, bouten ❷ ~ on doorlullen
crappy ['kræpɪ] bnw vulg klote
crash [kræʃ] **I** ov ww ❶ te pletter laten slaan tegen, botsen op ★ ~ your car against the ~ barrier met je auto tegen de vangrail knallen ❷ neersmijten / -gooien ★ ~ a door shut een deur dichtknallen ❸ sport verpletterend verslaan ❹ inform onuitgenodigd binnenvallen **II** onov ww ❶ botsen, neerstorten, te pletter vallen ★ ~ into a tree tegen een boom opbotsen ★ a tile ~ed through the window met donderend geraas vloog er een tegel door het raam ❷ dreunen, knallen, ratelen ⟨v. donder⟩ ★ the door ~ed open de deur knalde open ❸ econ failliet gaan, ineenstorten ⟨v. prijzen, enz.⟩ ★ inform ~ and burn ten onder gaan ❹ sport verpletterend verslagen worden ❺ comp crashen ❻ inform pitten ❼ med een hartstilstand krijgen ❽ GB ~ about/around iets doen met veel kabaal ❾ inform ~ out schallen, schetteren, in slaap vallen **III** zn ❶ botsing ❷ klap ❸ econ val, krach ❹ comp crash, storing
crash barrier zn GB vangrail
crash-dive ww ❶ snel duiken ⟨v. onderzeeër⟩ ❷ plotseling neerstorten ⟨v. luchtvaartuig⟩
crash helmet zn valhelm
crashing ['kræʃɪŋ] bnw inform verpletterend
crash-land onov ww luchtv noodlanding maken
crass [kræs] bnw grof, bot
crate [kreɪt] **I** zn ❶ kist ❷ krat **II** ov ww ~ (up) verpakken in kist / krat
crater ['kreɪtə] zn ❶ krater ❷ bomtrechter
cravat [krə'væt] zn halsdoek, das, choker
crave [kreɪv] **I** ov ww smeken, verzoeken **II** onov

ww ❶ hunkeren, smachten ❷ ~ **for** vurig verlangen naar
craven ['kreɪvn] bnw lafhartig
craving ['kreɪvɪŋ] zn onweerstaanbare trek in iets
craw [krɔ:] zn krop
crawfish ['krɔ:fɪʃ] zn USA crayfish
crawl [krɔ:l] I onov ww ❶ kruipen, sluipen, langzaam vooruitkomen, niet opschieten ★ time ~s by de tijd kruipt voorbij ❷ slijmen ★ ~ to his boss de hielen van zijn baas likken ❸ ⟨zwemmen⟩ ❹ inform ~ with krioelen van ▼ it makes your skin / flesh ~ je krijgt er kippenvel van II zn ❶ slakkengangetje ❷ crawl(slag)
crawler ['krɔ:lə] zn ❶ kruiper ❷ GB min hielenlikker ❸ boxpakje ❹ USA (regen)worm
crawly ['krɔ:lɪ] bnw griezelig
crayfish ['kreɪfɪʃ] zn rivierkreeft, langoest
crayon ['kreɪən] I zn ❶ kleurpotlood, tekenkrijt ❷ pastel(tekening) II ov ww tekenen met crayon
craze [kreɪz] zn manie, rage
crazy ['kreɪzɪ] bnw ❶ gek, krankzinnig ❷ erg boos, woest ❸ buiten zinnen ★ ~ about dol / gek / stapel op ★ go ~ uit je dak gaan ▼ like ~ / mad als een idioot / heel hard, snel, enz.
creak [kri:k] I onov ww piepen, kraken ▼ ~ under the strain in zijn voegen kraken II zn gepiep, gekraak
creaky ['kri:kɪ] bnw ❶ krakend ❷ aftands
cream [kri:m] I zn ❶ room ★ clotted ~ dikke room ★ GB double ~ dikke room ★ whipped ~ geslagen room, slagroom ❷ gerecht met room ★ the ~ of mushroom soup champignoncrèmesoep ❸ crème ★ moisturizing ~ vochtregulerende crème ▼ ~ of the jest / joke het fijne / de kern van de grap ▼ the ~ of the ~ / crop de crème de la crème, het neusje van de zalm II bnw crème(kleurig) III ov ww ❶ tot room maken ★ ~ed potatoes aardappelpuree ❷ USA inform fig kloppen, inmaken ❸ ook fig ~ off afromen
creamer ['kri:mə] zn ❶ koffiemelkpoeder ❷ roomkan(netje)
creamery ['kri:mərɪ] zn karnhuis
cream puff zn roomsoes
cream tea zn thee met scones, jam en dikke room
creamy ['kri:mɪ] bnw ❶ smeuïg ❷ zacht, vol ❸ crème(kleurig)
crease [kri:s] I zn ❶ vouw, kreukel ❷ rimpel II ov ww ❶ een vouw maken in, kreukelen ❷ rimpelen ❸ inform GB ~ up in een deuk doen liggen III onov ww ❶ vouwen ❷ rimpelen ❸ inform GB ~ up in een deuk liggen
create [kri:'eɪt] ov ww ❶ scheppen, creëren, (aan)maken ❷ teweegbrengen ❸ benoemen
creation [kri:'eɪʃən] zn ❶ schepping, stichting ❷ vaak humor creatie ❸ comp het aanmaken v.e. bestand ★ (the) Creation de schepping
creative [kri:'eɪtɪv] bnw ❶ creatief ❷ artistiek ★ min ~ accounting creatief boekhouden ★ ~ director artistiek leider
creativity [kri:eɪ'tɪvətɪ] zn creativiteit
creator [kri:'eɪtə] zn schepper ★ the Creator God
creature ['kri:tʃə] zn ❶ schepsel, dier ❷ creatuur ★ a ~ of habit een gewoontedier ▼ from min the / a ~ of sb / sb's ~ protegé / bescherming
creature comforts zn alle geneugten des levens

crèche, creche [kreʃ] zn crèche
cred [kred] zn → street cred
credence ['kri:dns] zn geloof, geloofwaardigheid ★ gain ~ geloofwaardiger worden ★ lend ~ to sth iets geloofwaardig maken
credentials [krə'denʃəlz] zn mv ❶ kwalificaties, diploma's ❷ geloofsbrieven
credibility [kredə'bɪlətɪ] zn geloofwaardigheid
credibility gap zn vertrouwenscrisis, gebrek aan vertrouwen
credible ['kredɪbl] bnw geloofwaardig
credit ['kredɪt] I zn ❶ krediet, lening ❷ kredietwaardigheid ❸ credit(zijde) ❹ tegoed ❺ geloof, vertrouwen ❻ verdienste, eer ❼ goede naam, sieraad ❽ media vermelding in aftiteling ❾ onderw studiepunt(en) ★ ~s [mv] aftiteling ⟨v. film, enz.⟩ ★ calling ~ beltegoed ★ ~ where ~ is due ere wie ere toekomt ★ be a ~ to tot eer strekken ★ give sb ~ for iem. belonen voor ★ take the ~ for met de eer gaan strijken ▼ on the ~ side als pluspunt ▼ to sb's ~ het siert iem. ▼ do sb ~ / do ~ to sb iem. eer aan doen ▼ have to your ~ op je naam hebben II ov ww ❶ crediteren ❷ toeschrijven, toedichten ❸ geloven ★ ~ sb with iem. iets nageven
creditable ['kredɪtəbl] bnw ❶ form eervol, prijzenswaardig ❷ bewonderenswaardig
credit card zn creditcard
credit crunch zn kredietcrisis
credit note zn tegoedbon
creditor ['kredɪtə] zn crediteur, schuldeiser
credit transfer zn overboeking
creditworthy ['kredɪtwɜ:ðɪ] bnw kredietwaardig
credo ['kri:dəʊ] zn credo, geloofsbelijdenis
credulity [krə'dju:lətɪ] zn lichtgelovigheid
credulous ['kredjʊləs] bnw lichtgelovig
creed [kri:d] zn rel geloof(sbelijdenis) ★ the Creed het credo
creek [kri:k] zn ❶ kreek ❷ inham ❸ USA Aus riviertje ▼ up the ~ (without a paddle) in de nesten zitten
creel [kri:l] zn visfuik / -mand
creep [kri:p] I onov ww [onregelmatig] ❶ sluipen ❷ ook plantk kruipen ❸ bekruipen ❹ hielenlikken ❺ ~ in/into binnensluipen ❻ ~ up omhoogkruipen ❼ ~ up on besluipen, bekruipen II zn ❶ inform griezel ❷ slijmbal ▼ give sb the ~s iem. kippenvel bezorgen
creeper ['kri:pə] zn kruipdier / -plant, bodembedekker ▼ short-toed tree ~ boomkruiper
creepy ['kri:pɪ] bnw griezelig, eng
creepy-crawly zn insect, beestje
cremate [krɪ'meɪt] ov ww cremeren
cremation [krɪ'meɪʃən] zn crematie, lijkverbranding
crematorium [kremə'tɔ:rɪəm], **crematory** ['kri:mətɔ:rɪ] zn crematorium
creole ['kri:əʊl] I zn creool II bnw creools
crêpe, crepe [kreɪp] zn ❶ crêpe, krip ❷ rubber ❸ flensje
crepitate ['krepɪteɪt] onov ww knetteren
crept [krept] ww [verl. tijd + volt. deelw.] → creep
crescendo [krɪ'ʃendəʊ] bnw muz crescendo
crescent ['krezənt] zn ❶ maansikkel, halve maan ❷ rij huizen in halve cirkel ★ the Crescent de halvemaan ⟨islam⟩

cr

cress [kres] zn tuinkers, waterkers
cresset ['kresɪt] zn gesch bakenvuur
crest [krest] I zn ❶ top, heuveltop, (schuim)kop op golf ★ fig *the ~ of a / the wave* op het hoogtepunt ❷ her wapen ❸ kuif, kam ★ *gold~* goudhaantje II ov ww form de top bereiken van III onov ww koppen vormen (van golf)
crested ['krestɪd] bnw ❶ met wapen ❷ met een kam / kuif / pluim
crestfallen ['krestfɔːlən] bnw terneergeslagen
cretin ['kretɪn] zn idioot
Creutzfeldt-Jakobdisease zn med gekkekoeienziekte
crevasse [krə'væs] zn ❶ gletsjerspleet ❷ dijkdoorbraak
crevice ['krevɪs] zn spleet, scheur (in rots, enz.)
crew [kruː] I zn ❶ bemanning, personeel, (film)ploeg ❷ inform troep, groepje ★ *motley crew* zootje ongeregeld ★ roeiploeg ★ USA *go out for crew* bij een roeiploeg gaan II ov ww bemannen III onov ww bemanningslid zijn
crew cut zn crewcut (egaal kortgeknipt)
crewman ['kruːmən] zn bemanningslid
crew neck zn ronde hals
crib [krɪb] I zn ❶ USA kinderledikantje ❷ kribbe, voederbak ❸ kerststal ❹ inform spiekbriefje, gegapte tekst ❺ krib (in rivier) ❻ USA inform optrekje II onov ww ❶ spieken, frauderen (bij examen, enz.) ❷ plagiaat plegen
crib death zn USA wiegendood
crick [krɪk] zn ★ ~ *in the back* spit ★ ~ *in the neck* stijve nek
cricket ['krɪkɪt] zn ❶ krekel ❷ sport cricket▼ *not ~* niet fair / eerlijk
cricketer ['krɪkɪtə] zn cricketspeler
crier ['kraɪə] zn ❶ huiler ❷ omroeper, schreeuwer
crikey ['kraɪkɪ] tw allemachtig!
crime [kraɪm] zn misdaad ★ *capital ~* halsmisdaad ★ ~ *of violence* geweldsmisdrijf ★ *it's a ~* het is een schande ★ *commit a ~* een misdaad plegen ★ *organized ~* de georganiseerde misdaad
crime buster zn misdaadbestrijder
crime rate zn misdaadcijfer
criminal ['krɪmɪnl] I bnw ❶ misdadig, crimineel ❷ jur strafrechtelijk ❸ schandalig II zn misdadiger ★ *hardened ~s* doorgewinterde misdadigers
criminality [krɪmɪ'nælətɪ] zn criminaliteit
crimp [krɪmp] I ov ww ❶ plooien, plisseren ❷ krullen (haar) ❸ USA inform tegenwerken II zn plooi, krul
crimson ['krɪmzən] I zn karmijnrood II bnw karmijnrood ★ *go / turn ~* rood worden
cringe [krɪndʒ] I zn onderdanige buiging II onov ww ineenkrimpen, terugdeinzen
cringeworthy bnw gênant
crinkle ['krɪŋkl] I ov+onov ww rimpelen, kreukelen, (ver)frommelen II zn vouw, kreukel, rimpel, plooi
crinkly ['krɪŋklɪ] bnw ❶ gekreukeld, gerimpeld, verfrommeld ❷ gekruld
crinoline ['krɪnəlɪn] zn hoepelrok
cripes ['kraɪps] tw inform jeetje!
cripple ['krɪpl] I zn min invalide II ov ww ❶ verlammen ❷ verminken, beschadigen ★ *an emotional ~* een binnenvetter ★ *crippling debts*

verlammende schuldenlast
crisis ['kraɪsɪs] zn [mv: **crises**] crisis ★ pol *a ~ of confidence* vertrouwenscrisis ★ *midlife ~* midlifecrisis
crisp [krɪsp] I bnw ❶ bros, knappend, krokant ❷ knapperig, stevig, vers ❸ knisperend nieuw (v. papier, textiel, enz.) ❹ fris en helder (v. weer, lucht) ❺ knerpend (v. sneeuw, enz.) ❻ helder en duidelijk (v. opname) II zn ★ *(potato) ~s* [mv] chips▼ *burn sth to a ~* iets laten aanbranden / verbranden III ov ww krokant maken IV onov ww krokant worden
crispate ['krɪspeɪt] bnw plantk gekruld, golvend
crispbread ['krɪspbred] zn knäckebröd
crispy ['krɪspɪ] bnw → **crisp**
criss-cross ['krɪskrɒs] I bnw kriskras, kruiselings ★ *a ~ pattern* een patroon v. elkaar kruisende lijnen II zn wirwar, netwerk III ov ww (kriskras) doorkruisen / -snijden IV onov ww kriskras door elkaar gaan, kruisen
criterion [kra'tɪərɪən] zn criterium, maatstaf
critic ['krɪtɪk] zn ❶ criticus, recensent ❷ criticus, criticaster
critical ['krɪtɪkl] I bnw ❶ kritisch ★ ~ *thinking* kritisch / onafhankelijk denken ★ *receive ~ acclaim* lof toegezwaaid krijgen v. critici ★ *with a ~ eye* kritisch ❷ kritiek, cruciaal ★ *it's ~ to us* het is voor ons v. essentieel belang ★ ~ *care* intensive care ❸ hachelijk, kritiek ❹ natk kritisch ★ ~ *mass* kritische massa ★ ~ *path* kritisch traject ★ *wisk* m.b.t. een uiterste waarde II bijw uitermate ★ ~ *ly ill* ernstig ziek
criticism ['krɪtɪsɪzəm] zn ❶ kritiek ❷ kritische bespreking
criticize, criticise ['krɪtɪsaɪz] ov ww ❶ (be)kritiseren, kritiek uitoefenen ❷ beoordelen
critique [krɪ'tiːk] zn kritische analyse, (kunst)kritiek, recensie
croak [krəʊk] I onov ww ❶ kwaken (v. kikker), krassen (v. raaf bv.) ❷ met hese / schorre stem spreken ❸ vulg creperen II zn ❶ gekwaak, gekras ❷ schorheid, heesheid ★ *speak with a ~* met hese / schorre stem spreken
croaky ['krəʊkɪ] bnw ❶ schor, hees ❷ kwakend, krassend
crochet ['krəʊʃeɪ] I zn haakwerk II ov+onov ww haken (met wol, enz.)
crochet hook zn haaknaald
crock [krɒk] zn ❶ aardewerken pot(scherf) ❷ inform ouwe lul, ouwe muts ❸ inform ouwe brik▼ USA vulg *a ~ of shit* geouwehoer / bullshit
crocked ['krɒkt] bnw USA in de lorum
crockery ['krɒkarɪ] zn ❶ aardewerk, serviesgoed ❷ USA ovenvaste schalen, enz.
crocodile ['krɒkədaɪl] zn ❶ krokodil ❷ krokodillenleer ❸ lange rij kinderen die twee aan twee lopen▼ ~ *tears* krokodillentranen
croft [krɒft] zn perceeltje bouwland, kleine pachtboerderij (vnl. in Schotland)
crofter ['krɒftə] zn keuterboer, pachtboertje
cromlech ['krɒmlek] zn hunebed (in Wales)
crone [krəʊn] zn oud wijf
crony ['krəʊnɪ] zn min gabber
cronyism ['krəʊnɪɪzəm] zn vriendjespolitiek
crook [krʊk] I zn ❶ oplichter, boef ★ *on the ~*

oneerlijk ❷ kromte, bocht, haak ★ *the ~ of your arm / elbow* de ellebooggholte ❸ kromstaf **II** *ov ww* buigen

crooked ['krʊkɪd] *bnw* ❶ krom, gebogen, scheef, bochtig ❷ inform oneerlijk, onbetrouwbaar

croon [kruːn] *ov+onov ww* ❶ neuriën ❷ muz croonen, zwoel zingen

crop [krɒp] **I** *zn* ❶ gewas ❷ oogst, opbrengst ❸ groep mensen / aantal dingen bij elkaar, lichting ❹ zeer kort geknipt haar ❺ krop ⟨v. vogel⟩ ❻ zweep ★ *in / under crop* bebouwd ★ *out of crop* onbebouwd / braak **II** *ov ww* ❶ knippen ⟨v. haar⟩ ❷ afknippen, afsnijden ⟨v. foto⟩ ❸ afgrazen ⟨v. grasland⟩ ❹ bebouwen **III** *onov ww* ❶ een goede oogst opleveren ❷ ~ **up** zich (plotseling) voordoen, (plotseling) opduiken

crop circle *zn* graancirkel

crop dusting *zn* gewasbespuiting

cropper ['krɒpə] *zn* ★ *come a ~* een smak maken, finaal onderuit gaan / mislukken

crop rotation *zn* wisselbouw

crop top *zn* naveltruitje

croquet ['krəʊkeɪ] *zn* croquetspel

cross [krɒs] **I** *zn* ❶ kruis ❷ kruising, mengeling ❸ voetb kruispass, voorzet ★ mil *Victoria Cross* Victoriakruis ⟨onderscheiding⟩ ★ *(it was) a ~ between* (het hield) het midden tussen ★ *on the ~* overhoeks, diagonaal▼ *have a (heavy) ~ to bear* een (zwaar) kruis te dragen hebben **II** *ov ww* ❶ oversteken, passeren ❷ dwarsbomen ❸ kruisen ⟨v. dieren, planten⟩ ❹ dwars over elkaar leggen ★ ~ *yourself* een kruis maken ★ *with your legs ~ed* met de benen over elkaar ▼ ~ *that bridge when you come to it* geen zorgen voor morgen▼ ~ *your fingers* je vingers gekruist houden▼ ~ *my heart (and hope to die)* erewoord! / zeker weten!▼ ~ *sb's palm with silver* iem. omkopen / iemand betalen voor een gunst ▼ ~ *swords with sb* met iem. de degens kruisen **III** *onov ww* ❶ oversteken, gaan over / door ❷ (elkaar) kruisen ❸ sport voorzetten ⟨v. bal⟩ **IV** *ww* ❶ ~ **off** [ov] wegstrepen, doorstrepen ❷ ~ **out** [ov] wegstrepen, doorstrepen ❸ ~ **over** [onov] oversteken, overlopen **V** *bnw* uit zijn humeur ★ ~ *with* boos op

cross- [krɒs-] *voorv* zij-, dwars-, kruis-

crossbar ['krɒsbɑː] *zn* ❶ sport doellat ❷ stang ⟨v. herenfiets⟩

cross-beam *zn* dwarsbalk

cross-bench *zn* ★ ~ *mind* onafhankelijke of lauwe mentaliteit

cross-bencher *zn* onafhankelijk lid v. het Hogerhuis

cross-border *bnw* over de grens, grensoverschrijdend

crossbow ['krɒsbəʊ] *zn* kruisboog

cross-breed *bnw* ❶ over de grens (zich) kruisen ⟨genetisch⟩ **II** *zn* gekruist ras, kruising, bastaard

cross-buttock I *zn* heupworp / -zwaai ⟨worstelen⟩ **II** *ov ww* met heupworp vloeren

cross check *zn* contra controle / check

cross-check *ov ww* m.b.v. ander methode controleren, kruislings controleren

cross-country *bnw* ❶ dwars door het land, crosscountry ❷ (dwars) over / door een land ★ ~

race veldloop ★ ~ *train journeys* treinreizen dwars door een land

cross cultural *bnw* intercultureel

cross current *zn* ❶ dwarsstroom ❷ fig tegenkracht

cross-dresser *zn* travestiet

cross-dressing *zn* travestie

cross-examination *zn* kruisverhoor

cross-examine *ov ww* ❶ aan een kruisverhoor onderwerpen ❷ stevig aan de tand voelen, scherp ondervragen

cross-eyed *bnw* scheel

cross-fertilization, cross-fertilisation *zn* ook fig kruisbestuiving

cross-fertilize, cross-fertilise *ov ww* kruisen

crossfire ['krɒsfaɪə] *zn* kruisvuur ★ fig *get caught in the ~* tussen twee vuren raken

cross-grained *bnw* ❶ techn met dwarsnaad ❷ tegen de draad in, dwars

cross head *zn* kruiskopschroef

crossing ['krɒsɪŋ] *zn* ❶ overtocht ❷ oversteekplaats, overweg ★ GB *level ~* gelijkvloerse kruising ⟨v. weg en spoorlijn⟩ ❸ kruising, kruispunt

crossing guard *zn* klaar-over, verkeersbrigadier

cross-legged *bnw* in kleermakerszit

crossness ['krɒsnəs] *zn* ❶ slecht humeur ❷ dwars- / koppigheid

crossover ['krɒsəʊvə] *zn* ❶ oversteekplaats, viaduct, overstapplaats ❷ overstap / -gang ❸ muz twee genres gecombineerd

cross-ply *bnw* ★ ~ *tyres* diagonaalbanden

cross purposes *zn mv* tegenstrijdige belangen / doelstellingen ★ *we're talking at ~* je begrijpt me verkeerd

cross-question *ov ww* scherp / met strikvragen ondervragen

cross reference *zn* verwijzing

crossroads ['krɒsrəʊdz] *zn* [mv: **crossroads**] kruispunt▼ *at a ~* op een belangrijk punt

cross section *zn* dwarsdoorsnede

cross stitch *zn* kruissteek

cross street *zn* zij- / dwarsstraat

crosstalk ['krɒstɔːk] *zn* ❶ overspraak ❷ flitsend woordenspel

crosstown [krɒs'taʊn] *bijw* door de hele stad

crosswalk ['krɒswɔːk] *zn* USA (gemarkeerde) voetgangersoversteekplaats

crosswind *zn* zijwind

crosswise ['krɒswaɪz] *bnw* kruiselings, dwars over

crossword ['krɒswɜːd] *zn* kruiswoordpuzzel, cryptogram

crotch [krɒtʃ] *zn* kruis ⟨v. menselijk lichaam / broek⟩

crotchet ['krɒtʃɪt] GB muz *zn* kwartnoot

crotchety ['krɒtʃətɪ] *bnw* prikkelbaar, nors

crouch [kraʊtʃ] *onov ww* ❶ kruipen ook fig ❷ ~ **down** neerhurken, zich bukken

croup [kruːp] *zn* med kroep

crow [krəʊ] **I** *zn* ❶ kraai ★ *hooded crow* bonte kraai ★ fig *white crow* witte raaf ★ *as the crow flies* hemelsbreed ❷ gekraai▼ USA *eat crow* je ongelijk bekennen **II** *onov ww* ❶ kraaien ❷ ~ **about/over** juichen om / over, leedvermaak hebben over

cr

crowbar ['krəʊbɑ:] zn koevoet
crowd [kraʊd] I zn menigte, publiek, gedrang, troep, gezelschap, hoop ★ the ~ de grote massa ★ the madding ~ het jachtige leven, de jachtige maatschappij ★ follow / stand out from the ~ meedoen / zich onderscheiden v.d. massa ★ pass in a ~ er mee door kunnen II ov ww ❶ volproppen, samenpakken ❷ overstelpen ★ ~ sail alle zeilen bijzetten III onov ww ❶ (zich ver)dringen, (te) dicht op elkaar staan ❷ ~ around samendrommen ❸ ~ into naar binnen dringen ❹ ~ in on zich opdringen aan ❺ ~ out zich naar buiten dringen
crowded ['kraʊdɪd] bnw druk, vol, samengepakt
crowd pleaser zn inform iemand die op het publiek speelt
crowd-puller zn publiekstrekker
crown [kraʊn] I zn ❶ kroon, krans ❷ kruin, hoogste punt ❸ sport inform kampioenstitel ❹ bol ⟨v. hoed⟩ ❺ oud vijfshillingstuk ★ ~ imperial keizerskroon II ov ww ❶ kroon zetten op, (be)kronen, alles overtreffen ❷ een dam halen ⟨bij damspel⟩
crown case zn jur strafzaak
Crown court zn jur rechtbank voor strafzaken ⟨met jury⟩
crown jewel zn kroonjuweel
crown land zn kroondomein
Crown prince zn [v: Crown princess] kroonprins
Crown prosecutor zn jur openbare aanklager
crow's-feet zn mv kraaienpootjes ⟨rimpels rond de ogen⟩
crucial ['kru:ʃəl] bnw cruciaal, essentieel, kritiek ★ ~ test vuurproef
crucible ['kru:sɪbl] zn ❶ smeltkroes ❷ fig vuurproef
crucifix ['kru:sɪfɪks] zn kruisbeeld
crucifixion [kru:sɪ'fɪkʃən] zn kruisiging
crucify ['kru:sɪfaɪ] ov ww ❶ kruisigen ❷ inform fig aan de paal nagelen
crud [krʌd] zn ❶ inform viezigheid ❷ afval ❸ rotzak
crude [kru:d] I bnw ❶ globaal, grof ❷ ruw, onafgewerkt ❸ vulgair ❹ ruw, ongezuiverd ★ ~ oil ongeraffineerde / ruwe olie II zn ruwe olie
crudeness ['kru:dnəs], **crudity** ['kru:dətɪ] ❶ ruwheid, grofheid ❷ lompheid
cruel ['kru:əl] bnw gemeen, wreed
cruelty ['kru:əltɪ] zn wreedheid
cruet ['kru:ɪt] zn ❶ zout- / pepervaatje ❷ olie- / azijnflesje
cruise [kru:z] I zn ❶ cruise ❷ tocht II ov ww bevaren III onov ww ❶ varen, een cruise maken ❷ kruisen ⟨m.b.t. snelheid⟩ ❸ zoekend rondrijden, patrouilleren ❹ met gemak behalen ❺ jagen (for op) ⟨seksuele partner⟩ ★ cruising speed kruissnelheid
cruise control zn snelheidsregelaar / -begrenzer
cruise missile zn kruisraket
cruiser ['kru:zə] zn ❶ scheepv kruiser ❷ scheepv motorjacht ❸ USA politieauto
cruiserweight ['kru:zəweɪt] zn licht zwaargewicht
crumb [krʌm] zn kruim(el) ★ ~ of comfort schrale troost

crumble ['krʌmbl] I ov ww verkruimelen, (ver)brokkelen II onov ww kruimelen, afbrokkelen, vergaan ★ ~ into dust tot stof vergaan
crumbly ['krʌmblɪ] bnw kruimelig
crummy ['krʌmɪ] zn slecht, waardeloos
crumpet ['krʌmpɪt] zn ❶ plaatkoek ❷ plat lekker stuk
crumple ['krʌmpl] I ov ww ~ (up) kreuk(el)en, rimpelen, (ver)frommelen II onov ww ~ (up) kreuk(el)en, verschrompelen ★ her face ~d haar gezicht betrok
crumple zone zn techn kreukelzone
crunch [krʌntʃ] I zn ❶ knerpend geluid ❷ probleem ❸ plotseling tekort ⟨vnl. geld⟩ ❹ kritiek moment ★ when it comes to ~ als het erop aan komt II ov ww ❶ (kapot)knauwen ❷ doen knerpen ❸ ~ up verfrommelen III onov ww ❶ knerpen, knarsen ❷ knauwen
crunchy ['krʌntʃɪ] bnw ❶ krokant ❷ knapperig ❸ bijtgaar
crusade [kru:'seɪd] I zn kruistocht II onov ww campagne voeren
crusader [kru:'seɪdə] zn ❶ kruisvaarder ❷ gedreven actievoerder
crush [krʌʃ] I ov ww ❶ verpletteren ❷ proppen ❸ persen, pletten ❹ de kop indrukken II zn ❶ samengepakte mensenmassa, gedrang ❷ (hevige) verliefdheid ❸ geperst vruchtensap ★ have a ~ on sb verliefd zijn op iem.
crush barrier zn dranghek
crusher ['krʌʃə] zn pers
crushing ['krʌʃɪŋ] bnw ★ a ~ blow / defeat een verpletterende klap / nederlaag
crust [krʌst] zn ❶ (brood)korst ❷ cul korst ⟨op gerecht⟩ ❸ korst ⟨op zacht of vloeibaar materiaal⟩ ❹ inform the upper ~ aristocratie ▼ GB inform earn a / your ~ je brood verdienen
crustacean [krʌ'steɪʃən] I zn schaaldier II bnw m.b.t. schaaldieren
crusted ['krʌstɪd] bnw ❶ met een korst ❷ fig respectabel
crustie zn → crusty
crusty ['krʌstɪ] I bnw ❶ knapperig ❷ inform korzelig ★ ~ bread brood met knapperige korst II zn zwerver, schooier
crutch [krʌtʃ] zn ❶ kruk ❷ fig steun, toeverlaat ❸ → crotch
crux [krʌks] zn ❶ essentie, kern ❷ crux, probleem ★ the crux of the matter de kern v.d. zaak
cry [kraɪ] I onov ww ❶ huilen, schreeuwen, (uit)roepen ❷ schreeuwen ⟨v. dier⟩, janken ⟨v. wolf⟩, roepen ⟨v. vogel⟩, krijsen ⟨v. meeuw⟩ ▼ for crying out loud potverdorie ▼ it's no use crying over spilt milk gedane zaken nemen geen keer ⟨gezegde⟩ II ov ww huilen ★ cry yourself to sleep jezelf in slaap huilen III ww ❶ ~ down [ov] naar beneden halen ❷ ~ for [onov] schreeuwen om / van ❸ ~ off [onov] afzien van ❹ ~ out (against) [onov] (het) uitschreeuwen, luid protesteren ❺ ~ out for [onov] schreeuwen om IV zn ❶ kreet, (ge)schreeuw, uitroep ❷ schreeuw ⟨v. dier⟩, roep ⟨v. vogel⟩ ❸ huilbui, gehuil ❹ roep, smeekbede ❺ publieke opinie ❻ strijdkreet, leus ▼ a far cry from in de verste verte niet lijkend op ▼ in full cry enthousiaste

geluiden makend
crybaby ['kraɪbeɪbɪ] *zn* huilebalk
crying ['kraɪɪŋ] *bnw* ▾ a ~ shame
tenhemelschreiend ▾ a ~ need een
schreeuwende behoefte
crypt [krɪpt] *zn* crypte
cryptic ['krɪptɪk] *bnw* geheim(zinnig)
cryptogram ['krɪptəgræm] *zn* ❶ in geheimschrift
geschreven stuk ❷ cryptogram
cryptography [krɪp'tɒgrəfɪ] *zn* geheimschrift
crystal ['krɪstl] *zn* ❶ kristal ❷ horlogeglas
crystal-gazing *zn* waarzeggerij ⟨met glazen bol⟩
crystalline ['krɪstəlaɪn] *bnw* kristallijn,
transparant
crystallize, crystallise ['krɪstəlaɪz] **I** *ov ww*
❶ laten kristalliseren ❷ vaste vorm geven
II *onov ww* ❶ (uit)kristalliseren ❷ vaste vorm
aannemen
CSE *afk, onderw Certificate of Secondary
Education* ≈ vmbo-diploma
CST *afk, Aus Central Standard Time* Centrale
Standaardtijd ⟨tijdzone in centraal Australië⟩
ct, USA **ct.** *afk* ❶ *cent* cent ❷ *carat* karaat
CT *afk, Connecticut* staat in de VS
cu. *afk, cubic* kubiek
cub [kʌb] *zn* ❶ welp, jong ⟨v. beer, vos, leeuw⟩
❷ *fig* groentje ★ *Cubs* welpen ⟨padvinderij⟩
Cuban ['kju:bən] **I** *zn* Cubaan **II** *bnw* Cubaans
cubbyhole ['kʌbɪhoʊl] *zn* gezellig hoekje
cube [kju:b] **I** *zn* ❶ kubus ❷ blok(je)
❸ dobbelsteen **II** *ov ww* ❶ tot de
derdemacht verheffen ❷ in dobbelsteentjes
snijden
cube root *zn* wisk derdemachtswortel
cubic ['kju:bɪk] *bnw* ❶ kubiek ❷ kubusvormig
cubicle ['kju:bɪkl] *zn* ❶ hokje, stemhokje
❷ slaaphokje ❸ kleedhokje
cubism ['kju:bɪzəm] *zn* kubisme
cubist ['kju:bɪst] **I** *zn* kubist **II** *bnw* kubistisch
cuckold ['kʌkəʊld] **I** *zn* bedrogen echtgenoot
II *ww* echtgenoot / echtgenote bedriegen
cuckoo ['kʊku:] **I** *zn* koekoek **II** *bnw* gek, niet
goed snik
cuckoo clock *zn* koekoeksklok
cuckoo pint *zn* plantk aronskelk
cucumber ['kju:kʌmbə] *zn* komkommer
cud [kʌd] *zn* ▾ *cows chewing the cud* herkauwende
koeien ▾ *chew the cud* iets nog eens overdenken
cuddle ['kʌdl] **I** *ov ww* knuffelen **II** *onov ww*
❶ zich nestelen ❷ ~ up against knus gaan
liggen / zitten tegen **III** *zn* knuffel
cuddly ['kʌdlɪ] *bnw* aanhalig
cudgel ['kʌdʒəl] **I** *zn* knuppel ▾ *take up the ~s for
sb* het voor iem. opnemen **II** *ov ww*
(neer)knuppelen ▾ ~ *your brains about sth* je het
hoofd breken over iets
cue [kju:] **I** *zn* ❶ signaal, ton wachtwoord ★ *(right)
on cue* (precies) op het goede moment ★ *take
your cue from* een voorbeeld nemen aan ❷ keu
II *ov ww* een seintje geven
cuff [kʌf] **I** *zn* ❶ manchet ❷ USA broekomslag
❸ tikje ⟨met vlakke hand⟩ ❹ inform [mv] ★ *cuffs*
handboeien ▾ *off the cuff* voor de vuist weg **II** *ov
ww* ❶ een tikje geven ❷ inform handboeien
omdoen
cufflink *zn* manchetknoop

cuirass [kwɪ'ræs] **I** *zn* gesch kuras **II** *ov ww*
pantseren
cuisine [kwɪ'zi:n] *zn* cuisine, keuken, kookstijl
cul-de-sac ['kʌldəsæk] *zn* doodlopende steeg /
straat
culinary ['kʌlɪnərɪ] *zn* culinair, keuken-, kook-
cull [kʌl] **I** *zn* het afmaken ⟨v. zwakke beesten in
kudde⟩ **II** *ov ww* ❶ afmaken ⟨v. zwakke beesten
in kudde⟩ ❷ ~ from selecteren uit
culminate ['kʌlmɪneɪt] *onov ww* culmineren,
uitlopen, het toppunt bereiken
culmination [kʌlmɪ'neɪʃən] *zn* hoogtepunt,
toppunt
culottes [kju:'lɒts] *zn mv* broekrok
culpability [kʌlpə'bɪlətɪ] *zn* jur (verwijtbare)
schuld
culpable ['kʌlpəbl] *bnw* ❶ schuldig ❷ jur
verwijtbaar
culprit ['kʌlprɪt] *zn* ❶ schuldige ❷ boosdoener
❸ jur beschuldigde, beklaagde
cult [kʌlt] **I** *zn* ❶ rage, verering ❷ sekte ❸ cultus,
eredienst **II** *bnw* cult- ★ *cult movie* cultfilm ★ *cult
figure* idool
cultivable ['kʌltɪvəbl] *bnw* bebouwbaar,
ontginbaar
cultivate ['kʌltɪveɪt] *ov ww* ❶ agrar cultiveren,
bebouwen, ontginnen ❷ verbouwen, kweken
❸ vormen, ontwikkelen ⟨gedrag, houding, enz.⟩
❹ proberen voor je te winnen ▾ ~ *sb('s
friendship)* iemands vriendschap cultiveren
cultivated ['kʌltɪveɪtɪd] *bnw* ❶ gecultiveerd,
beschaafd, ontwikkeld ❷ agrar gebouwd,
ontgonnen ❸ plantk gekweekt
cultivation [kʌltɪ'veɪʃən] *zn* ❶ agrar cultivering,
bebouwing, ontginning ❷ beschaving,
ontwikkeling
cultivator ['kʌltɪveɪtə] *zn* ❶ boer, kweker ❷ agrar
kleine ploeg
cultural ['kʌltʃərəl] *bnw* cultureel
culture ['kʌltʃə] **I** *zn* ❶ cultuur, beschaving,
(algemene) ontwikkeling ★ ~ *of confession*
sorrycultuur ❷ med kweek ⟨v. bacteriën⟩, teelt
⟨v. gewassen⟩ **II** *ov ww* med kweken
cultured ['kʌltʃəd] *bnw* ❶ beschaafd, ontwikkeld
❷ med gekweekt ★ ~ *pearls* cultivéparels
culture shock *zn* cultuurschok
culture vulture *zn* cultuurvreter
culvert ['kʌlvət] *zn* duiker ⟨onder een weg, enz.
door⟩
cum [kʌm] *vz* ❶ met, inclusief ❷ tevens ★ onderw
cum laude met lof ★ *bed-cum-sitting room*
zit-slaapkamer
cumbersome ['kʌmbəsəm] *bnw* ❶ moeilijk
hanteerbaar, log ❷ moeizaam
cumin, cummin ['kʌmɪn] *zn* komijn
cumulate ['kju:mjʊleɪt] **I** *ov ww* ophopen **II** *onov
ww* z.ophopen
cumulative ['kju:mjʊlətɪv] *bnw* ❶ cumulatief,
aangroeiend ❷ op(een)hopend
cumuli ['kju:mjʊlaɪ] *zn mv* → cumulus
cumulus ['kju:mjʊləs] *zn* [mv: cumuli] cumulus,
stapelwolk
cuneiform ['kju:nɪfɔ:m] *zn* spijkerschrift
cunnilingus [kʌnɪ'lɪŋgəs] *zn* het beffen
cunning ['kʌnɪŋ] **I** *bnw* ❶ sluw ❷ knap **II** *zn*
❶ sluwheid ❷ slimheid

cu

cunt [kʌnt] *zn* ❶ vulg kut ❷ min klootzak, kutwijf

cup [kʌp] **I** *zn* ❶ kop(je) ⟨ook als maat⟩, beker(tje) ❷ sport (wedstrijd)beker ❸ kelk, rel (lijdens- / mis)kelk ❹ cup ⟨van bh⟩ ❺ vruchtenbowl, punch ❻ USA hole ⟨v. golfbaan⟩ ❼ USA sport toque ⟨bescherming v. genitaliën⟩ ★ *my cup was full* ik kon mijn geluk niet op / mijn verdriet niet aan ★ sport *lift the cup* winnen ▼ *inform in your cups* aangeschoten ▼ *not your cup of tea* niets voor jou **II** *ov ww* tot een kom vormen ★ *in cupped hands* in de (holte v. d.) handen ★ *cup your ear* de hand achter het oor houden ★ *cup your hands round sth* je handen om iets heenleggen, iets in je handen nemen

cupboard ['kʌbəd] *zn* ❶ kast ❷ GB ★ *built-in ~* inloopkast ▼ *have a skeleton in the ~* een geheim hebben ▼ *~ love* geveinsde liefde ⟨om iets te krijgen⟩

cupcake *zn* cakeje

cup final, Cup Final *zn* sport bekerfinale

cupful ['kʌpfʊl] *zn* kop(je) ⟨inhoudsmaat: ±250ml⟩ ★ *a ~ of flour* een kopje meel

cupidity [kju:'pɪdətɪ] *zn* heb- / graaizucht

cupola ['kju:pələ] *zn* koepel

cuppa ['kʌpə] *zn*, inform *cup of…* koppie / bakkie thee

cup tie *zn* bekerwedstrijd

cur [kɜ:] *zn* straathond

curable ['kjʊərəbl] *bnw* geneeslijk, te genezen

curate ['kjʊərət] *zn* ❶ hulppredikant ❷ kapelaan ⟨in r.k. kerk⟩ ▼ *a ~'s egg* deels goed, deels slecht

curative ['kjʊərətɪv] *bnw* geneeskrachtig

curator [kjʊə'reɪtə] *zn* ❶ curator ❷ conservator ⟨in museum⟩

curb [kɜ:b] **I** *zn* ❶ fig beteugeling, beperking ❷ USA → **kerb II** *ov ww* fig beteugelen, beperken ★ *curb your dogs!* hond in de goot!

curd [kɜ:d], **curds** [kɜ:dz] *zn* stremsel, kwark

curdle ['kɜ:dl] *ov+onov ww* (doen) stremmen, (doen) stollen

cure ['kjʊə] **I** *ov+onov ww* ❶ genezen, beter maken ❷ fig verhelpen ⟨probleem, enz.⟩ ❸ behandelen ⟨tegen bederf, rot enz.⟩ ★ *cure sb of a disease* iem. genezen van een ziekte **II** *zn* ❶ geneesmiddel, remedie, kuur, behandeling ❷ genezing ❸ fig middel, oplossing ❹ behandeling ⟨tegen bederf, enz.⟩ ★ *a cure for cancer* een middel tegen kanker

cure-all *zn* wondermiddel, panacee

curfew ['kɜ:fju:] *zn* ❶ avondklok ❷ USA ★ *have a 10 o'clock ~* om 10 uur thuis moeten zijn

curio ['kjʊərɪəʊ] *zn* rariteit

curiosity [kjʊərɪ'ɒsətɪ] *zn* ❶ nieuwsgierigheid ❷ rariteit ★ *idle ~* zomaar uit nieuwsgierigheid ▼ *~ killed the cat* ≈ je bent veel te nieuwsgierig ⟨gezegde⟩

curious ['kjʊərɪəs] *bnw* ❶ nieuwsgierig ❷ merkwaardig, eigenaardig ★ *~ about* nieuwsgierig naar ★ *be ~ to find out* graag willen weten ★ *be ~ as to what happened* nieuwsgierig zijn naar wat er gebeurd is

curl [kɜ:l] **I** *onov ww* ❶ krullen ❷ zich oprollen ❸ kronkelen, kringelen ⟨v. rook⟩ **II** *ov ww* ❶ doen krullen ❷ kronkelen om ❸ smalend optrekken ⟨v. mondhoeken⟩ **III** *ww* ~ **up** [ov + onov] (zich) oprollen, omkrullen, opkrullen ❷ [onov] ineenkrimpen [ov], ineen doen

krimpen ⟨v. schaamte⟩ **IV** *zn* krul

curler ['kɜ:lə] *zn* krulspeld

curlew ['kɜ:lju:] *zn* dierk wulp

curling ['kɜ:lɪŋ] *zn* curling, ijswerpen ⟨spel op ijs⟩

curly ['kɜ:lɪ] *bnw* gekruld, met krullen

curmudgeon [kə'mʌdʒən] *zn* oud zuurpruim

currant ['kʌrənt] *zn* ❶ krent ❷ bes

currency ['kʌrənsɪ] *zn* ❶ valuta, munteenheid ❷ gangbaarheid ❸ geldigheid ★ *paper ~* papiergeld ★ *foreign currencies* vreemde valuta ★ *gain ~* zich verspreiden

currency union *zn* monetaire unie

current ['kʌrənt] **I** *bnw* actueel, lopend, huidig ★ *~ affairs* actualiteiten ★ *his ~ book* zijn laatste / nieuwste boek ❷ gangbaar ❸ geldig, geldend **II** *zn* ❶ stroming ⟨v. lucht, water, enz.⟩, stroom ❷ tendens ❸ elek stroom ★ *alternating ~* wisselstroom ★ *direct ~* gelijkstroom

current account *zn* rekening-courant, lopende rekening

currently ['kʌrəntlɪ] *bijw* tegenwoordig, op het ogenblik

curricular [kə'rɪkjələ] *bnw* m.b.t. het curriculum

curriculum [kə'rɪkjələm] *zn* [mv: **curricula / curriculums**] curriculum, leerplan, onderwijsprogramma

curriculum vitae [kə'rɪkjələm 'vi:taɪ] *zn* curriculum vitae

curry ['kʌrɪ] **I** *zn* ❶ kerrie ❷ curry ⟨Indiaas gerecht⟩ **II** *ov ww* ❶ curry maken ❷ USA roskammen ▼ *~ min ~ favour with sb* een wit voetje bij iem. halen

curry powder *zn* kerriepoeder

curse [kɜ:s] **I** *zn* ❶ vloek ❷ vervloeking ❸ plaag ★ inform *the ~* menstruatie **II** *onov ww* vloeken **III** *ov ww* ❶ vervloeken ❷ plagen, kwellen ❸ ~ **with** gebukt gaan onder, opgezadeld zitten met

cursed ['kɜ:sɪd] *bnw* vervloekt

cursive ['kɜ:sɪv] *bnw* lopend, schuin ⟨v. handschrift⟩

cursory ['kɜ:sərɪ] *bnw* vluchtig, oppervlakkig

curt [kɜ:t] *bnw* kortaf, bits

curtail [kɜ:'teɪl] *ov ww* ❶ beperken ❷ inkorten

curtailment [kɜ:'teɪlmənt] *zn* ❶ beperking ❷ inkorting

curtain ['kɜ:tn] **I** *zn* ❶ gordijn, scherm, ton doek ★ *draw / pull the ~s* de gordijnen open- / dichtdoen ★ *the final ~* het einde / de dood ★ ton *drop the ~* het doek laten zakken ★ inform *be ~s (for sb)* een verloren zaak (voor iemand) zijn ★ *bring down the ~* en de dood ★ *bring down the ~ on sth* er een einde aan iets maken ❷ USA vitrage **II** *ov ww* ❶ voorzien van gordijnen ❷ GB ~ **off** afschermen ⟨met gordijn⟩

curtain call *zn* ton applaus ⟨na optreden waarmee artiest wordt teruggeroepen⟩

curtain-raiser *zn* ton voorprogramma

curtness ['kɜ:tnəs] *zn* kortaffheid, bitsheid

curtsy, curtsey ['kɜ:tsɪ] **I** *zn* reverence ★ *drop / make a ~ to* een reverence maken voor **II** *onov ww* een reverence maken

curvaceous [kɜ:'veɪʃəs] *bnw* inform met goed gevormde rondingen ⟨v. (vrouwelijk) lichaam⟩, welgevormd

curvature ['kɜ:vətʃə] *zn* kromming, boog, (ver)buiging

curve [kɜːv] **I** zn ❶ curve, gebogen lijn, bocht ★ *blind ~* gevaarlijke bocht ⟨in weg⟩ ❷ ronding, welving ⟨v. vrouw⟩ ❸ sport effectbal ★ fig USA *throw you a ~ (ball)* je in verwarring brengen **II** onov ww (zich) buigen, (zich) krommen, met een boog gaan

cushion [ˈkʊʃn] **I** zn ❶ kussen ❷ fig buffer, sport voorsprong ❸ band ⟨v. biljart⟩ **II** ov ww ❶ dempen ⟨val, schok⟩ ★ ~ *the blow* de klap verzachten ❷ beschermen

cushy [ˈkʊʃɪ] bnw, inform vaak: min gemakkelijk, fijn, lekker ▾ *a ~ number* een luizenbaantje, een makkie

cusp [kʌsp] zn ❶ techn (snij)punt ❷ sterrenk hoorn ⟨v.d. maan⟩

cuss [kʌs] inform → **curse**

cussed [ˈkʌsɪd] bnw inform koppig

custard [ˈkʌstəd] zn custard ⟨warme vla⟩

custard pie zn taart ⟨zoals gebruikt bij slapstick⟩

custodian [kʌˈstəʊdɪən] zn ❶ bewaker, conservator, hoeder ❷ USA conciërge

custody [ˈkʌstədɪ] zn ❶ voogdij ❷ jur bewaring, hechtenis, detentie ★ *in the ~ of* onder de hoede van ★ *remanded in ~* in voorarrest / voorlopige hechtenis ★ *take into police ~* in hechtenis nemen

custom [ˈkʌstəm] **I** zn ❶ gewoonte, gebruik ❷ GB econ klandizie ❸ ~s douane, invoerbelasting ★ *go through ~s* door de douane gaan ★ ~s *duty* / *duties* invoerbelasting **II** bnw op maat, aangepast

customary [ˈkʌstəmərɪ] bnw gebruikelijk

custom-built bnw op bestelling gemaakt, op maat gemaakt

customer [ˈkʌstəmə] zn ❶ klant ❷ inform type ⟨persoon⟩ ★ *a tough ~* een taaie

customize, customise [ˈkʌstəmaɪz] ov ww aanpassen (aan wensen gebruiker)

customs officer zn douanebeambte

cut [kʌt] **I** ov ww [onregelmatig] ❶ snijden, door- / af- / wegsnijden, uit- / weghakken, knippen, af- / bij- / wegknippen ★ comp *cut and paste* knippen en plakken ❷ couperen ⟨kaartspel⟩ ❸ slijpen ❹ verwonden, pijn doen ❺ verlagen, verminderen, inkorten ❻ verwijderen ❼ stoppen, verbreken ★ *cut an engine* een motor afzetten ❽ audio-vis monteren ⟨film⟩ ❾ versnijden ⟨drugs⟩ ❿ opnemen ⟨muziek, voor cd enz.⟩ ★ *cut short* onderbreken, de mond snoeren ▾ *cut it fine* precies afpassen ▾ *(not) cut it* het (niet) maken ⓫ ~ **back** snoeien, verlagen, verminderen ⓬ ~ **down** omhakken, verlagen, verminderen, kleiner maken ★ fig *cut sb down to size* iem. op zijn nummer zetten ⓭ ~ **in** laten meedelen ★ *cut sb in on the profit* iem. laten meedelen in de winst ⓮ ~ **off** afsnijden, isoleren, stopzetten, afsluiten, blokkeren, onderbreken, uitsluiten, onterven ⓯ ~ **out** (uit)snijden, (uit)knippen, verwijderen, uitschakelen, ophouden, stoppen, verdringen, uitsluiten, tegenhouden, ermee stoppen ★ *cut it out!* houd op!, schei uit! ⓰ ~ **up** in stukken snijden, verwonden, psych erg aangrijpen ★ *I was cut up about his death* zijn dood greep me erg aan **II** onov ww [onregelmatig] ❶ (zich laten) snijden, knippen, hakken ★ *cut loose from* zich (met moeite) losmaken van ❷ stoppen ★ *cut and run* er vandoor gaan ❸ ~ **across** overstijgen, strijdig zijn met, afsnijden, een kortere weg nemen ❹ ~ **back on** inkrimpen, bezuinigen ❺ ~ **down on** minderen ★ *cut down on smoking* minder gaan roken ❻ ~ **in** aanslaan ⟨van motor⟩, snijden ⟨met auto⟩, onderbreken ★ *cut in on a conversation* een gesprek interrumperen ❼ ~ **into** aansnijden, onderbreken, een aanslag doen op ❽ ~ **out** weigeren, afslaan ⟨v. motor⟩ ❾ ~ **out for** geschikt zijn voor ★ *be cut out for sth* geschikt zijn voor iets ❿ ~ **through** zich een weg banen door, dwars door iets heen gaan, klieven door ⟨water⟩ **III** zn ❶ snee, knip, (snij)wond ❷ iets dat is uit- / afgesneden, (uit- / afgesneden) stuk ★ *a cut of lamb* een stuk lamsvlees ❸ verlaging, vermindering ★ *a cut in pay* een loonsverlaging ❹ coupe, knipbeurt ⟨van haar⟩ ❺ snit ⟨van kleding⟩ ❻ (aan)deel ❼ audio-vis coupure, montage ★ *director's cut* montage van de regisseur ❽ opname ⟨van cd⟩ ▾ *a cut above sb / sth* een stuk beter dan iemand / iets ▾ *cut and thrust* fel debat **IV** bnw ❶ gesneden ❷ geslepen ⟨glas⟩

cut and dried bnw ❶ kant-en-klaar ❷ bij voorbaat vaststaand

cutaway [ˈkʌtəweɪ] bnw opengewerkt ⟨v. bouwtekening, enz.⟩

cutback [ˈkʌtbæk] zn bezuiniging

cute [kjuːt] bnw ❶ schattig ❷ inform USA leuk, sexy ❸ bijdehand

cutesy [ˈkjuːtsɪ] bnw inform aanstellerig

cuticle [ˈkjuːtɪkl] zn nagelriem

cutie [ˈkjuːtɪ] zn inform schatje, aardig iemand

cutlass [ˈkʌtləs] zn gesch kort zwaard

cutlery [ˈkʌtlərɪ] zn bestek

cutlet [ˈkʌtlɪt] zn kotelet

cut-off [ˈkʌtɒf] zn grens, limiet ★ ~s [mv] afgeknipte spijkerbroek

cut-out [ˈkʌtaʊt] zn ❶ uitsnede ❷ knipsel ❸ elek stroomonderbreker

cut-price, USA **cut-rate** bnw afgeprijsd ★ ~ *articles* afgeprijsde artikelen ★ ~ *store* discountwinkel

cutter [ˈkʌtə] zn ❶ snijder, snijmachine ❷ audio-vis montagetechnicus ❸ scheepv kotter ❹ scheepv sloep ★ ~s [mv] schaar, tang

cut-throat [ˈkʌtθrəʊt] bnw meedogenloos ★ ~ *competition* moordende concurrentie

cutting [ˈkʌtɪŋ] **I** zn ❶ GB knipsel ⟨uit krant, enz.⟩ ❷ stek ⟨v. plant⟩ ❸ GB doorgang **II** bnw ❶ scherp, grievend ⟨opmerking⟩ ❷ snijdend ⟨wind⟩

cutting-edge [ˈkʌtɪŋ ˈedʒ] bnw uiterst geavanceerd, experimenteel, innovatief

cuttlefish [ˈkʌtlfɪʃ] zn [mv: **cuttlefish**] inktvis

cutup [ˈkʌtʌp] zn, inform USA pias

CV afk, *curriculum vitae* cv, curriculum vitae

c.w.o. afk, *cash with order* vooruitbetaling

cyan [ˈsaɪən] zn drukk cyaan ⟨groenblauw⟩

cyanide [ˈsaɪənaɪd] zn scheik cyanide, cyaankali

cyber- [ˈsaɪbə] voorv cyber-, computer-

cybercafe [ˈsaɪbəkæfeɪ] zn internetcafé

cyberdating [ˈsaɪbədeɪtɪŋ] zn internetdaten

cybernetics [saɪbəˈnetɪks] zn mv cybernetica

cy

cy

cyborg ['saɪbɔːrg] *zn* cyborg ⟨mens-robot⟩
cycle ['saɪkl] **I** *zn* ❶ fiets, motorfiets ❷ cyclus
❸ omwenteling ❹ elek periode ❺ natk hertz
II *onov ww* ❶ fietsen ❷ in kring ronddraaien
cycle track *zn* fietspad
cyclic ['saɪklɪk], **cyclical** ['saɪklɪkl] *bnw* cyclisch, tot
een cyclus behorend
cycling ['saɪklɪŋ] *zn* het fietsen
cyclist ['saɪklɪst] *zn* fietser
cyclone ['saɪkləʊn] *zn* cycloon
Cyclops ['saɪklɒps] *zn* cycloop
cygnet ['sɪgnɪt] *zn* jonge zwaan
cylinder ['sɪlɪndə] *zn* cilinder, rol ▼*working / firing
on all ~s* op volle toeren draaien
cylindrical [sə'lɪndrɪkl] *bnw* cilindrisch
cymbal ['sɪmbl] *zn* muz cimbaal, bekken
cynic ['sɪnɪk] **I** *zn* cynicus **II** *bnw* cynisch
cynical ['sɪnɪkl] *bnw* cynisch
cynicism ['sɪnɪsɪzəm] *zn* cynisme
cypher ['saɪfə] → **cipher**
cypress ['saɪprəs] *zn* cipres
Cypriot ['sɪprɪət] **I** *zn* Cyprioot **II** *bnw* Cyprisch
cyst [sɪst] *zn* med cyste, (beurs)gezwel
czar [zɑː] *zn* tsaar
czarina [zɑː'riːnə] *zn* tsarina
Czech [tʃek] **I** *zn* Tsjech **II** *bnw* Tsjechisch
Czechoslovak [tʃekə'sləʊvæk] **I** *zn* gesch
Tsjecho-Slowaak **II** *bnw* gesch Tsjecho-Slowaaks

D

d [diː] *zn, letter* d ★ *D as in David* de d van Dirk
'd [d] *ww* ❶ *had* → **have** ❷ *would* → **will**
D *zn* ❶ muz d, re ❷ onderw ≈ 6 ⟨schoolcijfer⟩
DA USA *afk, District Attorney* officier van justitie
⟨bij arrondissementsrechtbank⟩
dab [dæb] **I** *ov ww* ❶ betten, deppen ★ *dab your
eyes with a handkerchief* je ogen droog / schoon
betten met een zakdoek ❷ ~ **off** weghalen,
wegvegen ⟨met zacht doekje, watten⟩ ❸ ~ **on**
op- / aanbrengen **II** *onov ww* betten, deppen
★ *dab at your eyes with a handkerchief* je ogen
droog / schoon betten met een zakdoek **III** *zn*
❶ veeg(je) ★ *a dab of paint* een likje verf ❷ tik(je)
❸ dierk schar
dabble ['dæbl] **I** *onov ww* ~ **in/at** liefhebberen in
II *ov ww* in het water spelen met ★ ~ *your feet
in the water* met je voeten in het water spelen /
badderen
dab hand GB inform *zn* kei (**at** in), expert
dachshund ['dæksnd] *zn* teckel
dad [dæd] *zn* inform pap, papa
daddy ['dædɪ] *zn* inform papa, pappie
daddy-long-legs inform *zn* ❶ GB langpootmug
❷ USA hooiwagen
dado *zn* ❶ lambrisering ❷ **dado rail** sierlijst ⟨als
afscheiding tussen lambrisering en rest van de
muur⟩
daffodil ['dæfədɪl] *zn* plantk narcis
daffy inform *bnw* maf, stom
daft [dɑːft] *bnw* inform stom, idioot, maf
dagger ['dægə] *zn* dolk ▼*be at ~s drawn* op voet
van oorlog staan ▼*look ~s at sb* vernietigend /
venijnig naar iem. kijken
Dáil ['dɔɪl], **Dáil Eireann** *zn* Iers Lagerhuis
daily ['deɪlɪ] **I** *bnw + bijw* dagelijks **II** *zn* dagblad
dainty ['deɪntɪ] **I** *bnw* ❶ sierlijk, teer, fijn ⟨v.
mensen / dingen⟩ ★ *a ~ eater* een kieskeurige
eter ❷ gracieus ⟨v. beweging⟩ ❸ verfijnd ⟨v.
smaak⟩ **II** *zn* lekkernij
dairy ['deərɪ] **I** *bnw* zuivel- ★ ~ *products / produce*
zuivelproducten ★ ~ *cattle* melkvee ★ ~ *farm*
melkveebedrijf **II** *zn* ❶ zuivelfabriek ❷ melkstal,
melkschuur ❸ zuivel, zuivelproducten
dairyman ['deərɪmən] *zn* ❶ melkboer
❷ melkveehouder
dais ['deɪs] *zn* podium
daisy ['deɪzɪ] *zn* madeliefje ★ *as fresh as a ~* zo fris
als 'n hoentje ★ *be pushing up (the) daisies* onder
de groene zoden liggen
dale [deɪl] *zn* dal ⟨in noorden v. Engeland⟩
dally ['dælɪ] *onov ww* ❶ oud treuzelen, talmen
❷ ~ **with** flirten / spelen met ★ *I'm ~ing with
the idea of starting my own business* ik speel met
het idee om voor mezelf te beginnen
Dalmatian [dæl'meɪʃən] *zn* dalmatiër ⟨hond⟩
dam [dæm] **I** *zn* (stuw)dam, dijk **II** *ov ww,* **dam
up** ❶ afdammen, indammen ❷ – onderdrukken
⟨woede, verdriet⟩
damage ['dæmɪdʒ] **I** *zn* ❶ schade ❷ ★ ~*s* [mv]
schadevergoeding, schadeloosstelling
★ *collateral ~* bijkomende / onbedoelde schade,
euf burgerslachtoffers ⟨v. mil. aanval⟩ ▼*what's*

the ~? wat is de schade?, wat kost 't? **II** *ov ww* ❶ beschadigen ❷ in diskrediet brengen, schaden

damage control, damage limitation *zn* schadebeperking

damaging *bnw* schadelijk, nadelig

damask ['dæməsk] *zn* damast

dame [deɪm] *zn* ❶ dame, vrouwe ⟨eretitel⟩ ❷ <u>USA</u> <u>inform</u> wijf

dammit ['dæmɪt] *tw* verdomme

damn [dæm] <u>inform</u> **I** *tw* verdomme **II** *bnw+bijw* vervloekt ★ *that damn cat!* die rotkat! ★ *you know damn well that...* je weet verdomd goed dat... ★ *you'll damn well do as you're told* je doet het om de dooie dood wel ▼*know damn all about sth* geen reet van iets afweten **III** *zn* ▼*I don't give / care a (tinker's) damn* het kan me geen donder schelen **IV** *ov ww* ❶ vervloeken, verdoemen ★ *damn it!* (wel) verdomme! ★ *well I'll be damned!* krijg nou wat! ★ *damn the fellow* die vervloekte kerel ★ *I'm damned if I know* ik mag hangen als ik het weet ★ *I'll be damned if I do it* Ik verdom het te doen ❷ afmaken, afkraken ★ *damn with faint praise* het graf in prijzen ★ *as near as damn it* zo goed als **V** *onov ww* vloeken

damnation [dæm'neɪʃən] **I** *zn* vervloeking, verdoemenis **II** *tw oud* verdoemenis

damned [dæmd] <u>inform</u> *bnw + bijw* ❶ vervloekt, verdoemd ❷ verdomd ★ *dammed proud* retetrots

damnedest <u>inform</u> *zn* ★ *do one's ~* zijn uiterste best doen

damning *bnw* vernietigend, bezwarend

damp [dæmp] **I** *bnw* vochtig, klam ▼*GB* <u>inform</u> *it was a bit of a damp squib* het viel erg tegen, het was een fiasco **II** *zn* vocht(igheid) ★ *rising damp* (vochtigheid door) opstijgend grondwater **III** *ov ww* ❶ bevochtigen ❷ *~ **down*** temperen, sussen

damp course *zn* bouw vochtwerende laag

dampen ['dæmpən] *ov ww* ❶ bevochtigen ❷ dempen ▼*nothing could ~ her enthusiasm* niets kon haar enthousiasme dempen

damper ['dæmpə] *zn* ❶ demper ⟨v. snaren⟩ ❷ regelklep ⟨v. kachel⟩ ★<u>inform</u> *put a ~ on sth* een domper op iets zetten

damp-proof *bnw* bestand tegen vocht, vochtwerend

damsel ['dæmzl] *zn* <u>lit</u> jongedame ★ *humor a ~ in distress* een jonkvrouw in nood

dance [dɑːns] **I** *ov ww* dansen **II** *onov ww* dansen ★ *~ to the music* dansen op de muziek ★ *~ to sb.'s tune* naar iems. pijpen dansen **III** *zn* ❶ dans ★ *would you like a ~?* wil je dansen? ❷ danskunst ❸ bal, dansfeest ▼*lead sb. a pretty ~* iem. het leven zuur maken

dance hall *zn* dancing, danszaal

dance music *zn* dance ⟨muziek met harde beat⟩

dancer ['dɑːnsə] *zn* danser, danseres

dancing ['dɑːnsɪŋ] *zn* het dansen, dans(kunst)

dandelion ['dændɪlaɪən] *zn* paardenbloem

dandruff ['dændrʌf] *zn* (hoofd)roos

dandy ['dændɪ] **I** *bnw*, <u>USA</u> <u>inform</u> prima, puik **II** *zn* dandy, fat

Dane [deɪn] *zn* Deen ▼*Great Dane* Deense dog

danger ['deɪndʒə] *zn* gevaar ★ *be in / out of ~* in / buiten gevaar zijn ★ *be in ~ of losing your job* (het) gevaar lopen je baan te verliezen

danger area *zn* gevarenzone

danger money *zn* gevarengeld

dangerous ['deɪndʒərəs] *bnw* gevaarlijk ★ *fig on ~ ground / territory* op gevaarlijk terrein

dangle ['dæŋgl] **I** *ov ww* laten bengelen ★ *~ sth before / in front of sb* iem. iets als een worst voor houden, iem. proberen te paaien met iets ▼*keep / leave sb dangling* iem. in het onzekere laten **II** *onov ww* bengelen

Danish ['deɪnɪʃ] **I** *bnw* Deens **II** *zn* <u>inform</u> Deens gebak ⟨soort koffiebroodje met vruchten en noten⟩

dank [dæŋk] *bnw* klam, vochtig, bedompt

dapper ['dæpə] *bnw* parmantig, kwiek, keurig (gekleed)

dappled ['dæpld] *bnw* gespikkeld, gevlekt

dare [deə] **I** *ov ww* uitdagen, tarten ★ *they dared him to ring the bell* ze daagden hem uit aan te bellen **II** *hww* durven ★ *she didn't dare (to) say it* ze durfde het niet te zeggen ▼*don't you dare!* waag het niet! ▼*I dare say...* waarschijnlijk..., ik neem aan dat..., dat zal wel **III** *zn* ★ *do sth for / USA on a dare* iets doen omdat je wordt uitgedaagd

daredevil ['deədevl] **I** *bnw* roekeloos, doldriest **II** *zn* waaghals, durfal

daring ['deərɪŋ] **I** *bnw* ❶ gedurfd ❷ gewaagd, uitdagend **II** *zn* durf, stoutmoedigheid

dark [dɑːk] **I** *bnw* ❶ donker ★ *darkly lit* slecht verlicht ❷ somber, zwart ❸ duister, geheim(zinnig) ★ *GB keep sth dark* iets geheim houden ❹ slecht, kwaad, snood **II** *zn* (het) donker, (het) duister ★ *before / after dark* voor / na het donker ▼*be in the dark (about sth)* (omtrent iets) in het duister tasten ▼*it was a shot / stab in the dark* het was maar een gok ▼<u>inform</u> *be whistling in the dark* bluffen

darken ['dɑːkən] **I** *ov ww* ❶ donker maken, verduisteren ★ *a ~ed room* een verduisterde kamer ❷ versomberen, triest stemmen, boos maken ▼*oud never ~ my door again!* je komt er bij mij niet meer in! **II** *onov ww* ❶ donker worden, verduisteren ❷ versomberen, triest worden, boos worden ★ *his face ~ed* hij keek boos

darkness ['dɑːknəs] *zn* het donker, duisternis ★ *in ~* in het donker

darkroom ['dɑːkruːm] *zn* donkere kamer, doka

darling ['dɑːlɪŋ] **I** *zn* lieveling ★<u>inform</u> *he is such a ~!* het is toch zo'n lieverd! ★ *he's the ~ of the BBC* hij kan bij de BBC geen kwaad doen **II** *bnw* geliefd, lief(ste) ★<u>inform</u> *a ~ dress!* een schattig jurkje!

darn [dɑːn] **I** *ov ww* stoppen ⟨sokken⟩ **II** *zn* stop ⟨in sok⟩ **III** *bnw + bijw*, **darned** verdraaid ★ *it's a darn good film* het is een verdraaid goede film ▼<u>USA</u> <u>inform</u> *I'll be darned!* krijg nou wat! **IV** *tw* verdorie ▼<u>USA</u> <u>inform</u> *darn it!* verdorie!

darned [dɑːnd] *bnw+bijw → **darn***

dart [dɑːt] **I** *onov ww* rennen, stuiven ★ *dart across the room* door de kamer stormen **II** *ov ww* ★ *dart a glance / look at sb* iem. een snelle blik toewerpen **III** *zn* ❶ pijltje ⟨bv. om dier te

da

da

verdoven⟩, dartpijltje ★ *darts* [mv] darts ⟨spel⟩
❷ plotselinge sprong, uitval ★ *make a dart for*
the door in een keer bij de deur zijn, naar de
deur stuiven ❸ figuurraad

dash [dæʃ] **I** *zn* ❶ spurt, snelle vaart, sprint ⟨ook
sport⟩ ★ *make a dash for the train* een sprint
trekken om de trein te halen ★ *make a dash for*
the pub zo snel mogelijk in de kroeg zien te
komen ★ *make a dash for it* snel proberen te
ontsnappen ❷ scheutje, tintje, tikje ★ *with a*
dash of brandy met een scheutje cognac
❸ gedachtestreepje ❹ auto USA dashboard ▼ *cut*
a dash een wervelende indruk maken **II** *onov*
ww, **dash off** snel lopen / weggaan, vlug weg
wezen, er snel vandoor gaan ★ *inform I must*
dash / have to dash ik moet er als een speer
vandoor **III** *ov ww* ❶ smijten, smakken, slaan
★ *dash to pieces* verpletteren ★ *dash sb's hope*
iemands hoop de bodem in slaan ❷ ~ **off** iets
haastig opschrijven / tekenen
dashboard [ˈdæʃbɔːd] *zn* ❶ auto dashboard
❷ instrumentenpaneel
dashing [ˈdæʃɪŋ] *bnw* ❶ aantrekkelijk (en
elegant⟩ ⟨v. man⟩ ❷ zwierig, chic ⟨v. ding⟩
data [ˈdeɪtə] *zn* data, informatie, gegevens
database *zn* database, databank
data entry *zn* gegevensinvoer
data processing *zn* comp dataverwerking
data protection *zn* comp wettelijke
bescherming v. computergegevens
date [deɪt] **I** *zn* ❶ datum ★ *date of birth*
geboortedatum ★ *at an early date* binnenkort
★ *at a later date* later ★ *due date* vervaldatum
⟨m.b.t. betalingen⟩, dag waarop je uitgerekend
bent ⟨m.b.t. geboorte⟩ ★ *out of date* verouderd,
verlopen ★ *to date* tot nu toe tot op dit momen
★ *up to date* modern, bij(gewerkt) ★ *bring up to*
date moderniseren, bijwerken ★ *fix / set a date*
een datum vaststellen ★ *marked with a use-by*
date voorzien van houdbaarheidsdatum ❷ GB
afspraak ★ *make a date with sb* met iem.
afspreken ❸ (romantisch) afspraakje ★ *blind date*
afspraak met onbekende ★ *have a hot date* een
spannend afspraakje hebben ❹ USA date
⟨partner, vriend of vriendin⟩ ❺ dadel **II** *ov ww*
❶ dateren, dagtekenen ❷ ouderdom vaststellen
van (bv. fossielen), de leeftijd verraden van ★ *I*
saw Springsteen in 1975. I suppose that really
dates me ik heb Springsteen in 1975 gezien; dan
weet je nu hoe oud ik ben ❸ (geregeld) uitgaan
met, verkering hebben met, daten met **III** *onov*
ww ❶ verouderen, uit de tijd raken
❷ (romantische) afspraakjes hebben, daten
❸ ~ **back to** dateren / stammen uit
datebook USA *zn* agenda
dated [ˈdeɪtɪd] *bnw* gedateerd, ouderwets
date line [ˈdeɪtlaɪn] *zn* ★ *the (international)* ~ de
(internationale) datumgrens ⟨meridiaan waar
de datum verspringt⟩
date rape *zn* verkrachting ⟨na avondje stappen⟩
dating agency *zn* relatiebureau,
bemiddelingsbureau
daub [dɔːb] **I** *zn* ❶ pleisterkalk ❷ lik ⟨verf⟩, veeg
⟨lippenstift⟩ ❸ kladschilderij **II** *ov ww*
bekladden, (be)smeren ★ *walls daubed with*
purple paint muren met paarse verf erop

gekwakt
daughter [ˈdɔːtə] *zn* dochter
daughter-in-law *zn* schoondochter
daunt [dɔːnt] *ov ww* ontmoedigen, bang maken
★ *a ~ing task* een afschrikwekkende opdracht
▼ form *nothing ~ed* onverschrokken, resoluut
dauntless [ˈdɔːntləs] form *bnw* onverschrokken,
resoluut
dawdle [ˈdɔːdl] *onov ww* treuzelen, lummelen,
slenteren
dawn [dɔːn] **I** *zn* ❶ dageraad, zonsopgang ★ *leave*
at dawn vertrekken bij het ochtendgloren ★ *we*
arrived as dawn broke wij kwamen aan bij het
krieken van de dag ★ *from dawn till dusk* van de
vroege ochtend tot de late avond ❷ de eerste
tekenen ⟨van een bepaalde periode, iets
nieuws⟩, begin **II** *onov ww* ❶ dagen, licht
worden ❷ aanbreken ❸ ~ **on** ★ *it dawned on me*
het begon me te dagen, het werd me duidelijk
day [deɪ] *zn* ❶ dag ★ *the day after tomorrow*
overmorgen ★ *the day before yesterday*
eergisteren ★ *a day per dag* ★ *all day (long)* de
hele dag ★ *by day* overdag ★ *during the day*
overdag ★ *for days* dagenlang ★ *soup of the day*
soep van de dag ★ *it's not his day* het is zijn dag
niet ⟨alles zit tegen⟩ ★ *the other day* onlangs
★ *one / some day* op zekere dag, op een goede
dag ★ *day after day* dag na / aan dag, dag in,
dag uit ★ *day by day* steeds, elke dag een beetje
★ *any day (now)* heel gauw ★ *from day one*
vanaf de allereerste dag, meteen ★ *from one day*
to the next van de ene op de andere dag ★ *name*
the day de (huwelijks)dag bepalen ★ *that makes*
my day dat maakt mijn dag goed ★ *take it /*
things one day at a time het rustig aan doen
❷ (bepaalde) tijd ★ *in my day* in mijn tijd, toen
ik jong was ★ *my day will come* mijn tijd komt
nog (wel) ★ *a day of reckoning* het uur der
waarheid ★ *have had your day* je beste tijd
gehad hebben ★ *these days* tegenwoordig ★ *one*
of these days vandaag of morgen ★ *one of those*
days een rotdag ★ *in this day and age* vandaag
de dag ★ *have seen / known better days* betere
tijden gekend hebben ★ *it's early days (yet)* we
staan nog maar aan het begin ▼ iron *that will be*
the day dat moeten we nog zien ▼ *all in a day's*
work niets bijzonders ▼ *(save) for a rainy day* 'n
appeltje voor de dorst (bewaren) ▼ *to the day*
precies, op de kop af ▼ *to this day* nu nog ★ *call it*
a day het welletjes vinden (voor vandaag),
ophouden ▼ *carry / win the day* de slag winnen
▼ *lose the day* de slag verliezen ▼ inform *(as)*
plain / clear as day overduidelijk, zo duidelijk als
wat
Day *zn* ★ *Day of Judgement* Dag des Oordeels ★ *All*
Souls' Day Allerzielen ★ *All Saints' Day*
Allerheiligen
daybreak [ˈdeɪbreɪk] *zn* het aanbreken v.d. dag,
zonsopgang
day care *zn* dagopvang ⟨voor kleine kinderen /
zieken / bejaarden⟩
day centre, day care centre, USA **day center**
zn dagverblijf ⟨voor kleine kinderen / zieken /
bejaarden⟩
daydream [ˈdeɪdriːm] **I** *zn* dagdroom **II** *onov ww*
dagdromen

daylight ['deɪlaɪt] zn daglicht ★ I haven't seen ~ for days ik ben in geen dagen buiten geweest ★ fig see ~ het snappen, het door krijgen ★ before ~ voor het licht wordt ★ in broad ~ op klaarlichte dag ▼ beat / knock the (living) ~s out of sb iem. flink aftuigen ▼ scare the (living) ~s out of sb iem. de stuipen op het lijf jagen

daylight robbery GB inform zn pure afzetterij, je reinste oplichterij

daylight saving time zn zomertijd

daylong ['deɪlɒŋ] bnw + bijw een hele dag durend

day nursery GB zn crèche

day off zn vrije dag

day out zn dagje uit

day pupil GB zn externe leerling

day release GB zn studiedag, studieverlof ★ study on ~ een dag per week naar school / cursus / college gaan ★ on ~ met / tijdens studieverlof

day return zn dagretour

day school zn dagschool ⟨i.t.t. internaat⟩

daytime ['deɪtaɪm] zn dag ⟨ook in samenstellingen⟩ ★ in the ~ overdag ★ ~ phone number (telefoon)nummer waar je overdag te bereiken bent ★ ~ television televisie overdag

day-to-day bnw ❶ dagelijks ★ on a ~ basis per dag ❷ van dag toto dag

day tripper zn dagjesmens

daze [deɪz] zn ▼ in a daze als verdoofd, verbijsterd

dazed bnw ⟨als⟩ verdoofd, verbijsterd

dazzle ['dæzl] I zn ❶ schittering, pracht ❷ iets schitterends / overweldigends ★ the ~ of her intelligence haar verbluffende / overweldigende intelligentie II ov ww ❶ verblinden ★ ~d by the light verblind door het licht ❷ verbluffen, verbijsteren ★ ~d by her charm totaal onder de indruk van haar charme

dazzling ['dæzlɪŋ] bnw ⟨oog⟩verblindend, verbijsterend

DC afk ❶ direct current DC ⟨gelijkstroom⟩ ❷ USA District of Columbia

D-Day ['di:deɪ] afk ❶ Decision Day dag van invasie ⟨WO II⟩ ❷ kritische begindag

de- [dɪ] voorv de-, ont-, af- ★ decapitate onthoofden ★ demilitarize demilitariseren

DE afk, Delaware staat in de VS

deacon ['di:kən] zn ❶ diaken ❷ ouderling

deaconess [di:kə'nes] zn lekenassistente ⟨protestantse kerk⟩, vrouwelijke diaken ⟨r.-k. en anglicaanse kerk⟩

deactivate [di:'æktɪveɪt] ov ww onschadelijk maken, demonteren ⟨bom⟩

dead [ded] I bnw ❶ dood ★ dead as a dodo dood als een pier ★ dead as a doornail dood als een pier ★ dead and gone dood en begraven ★ if he finds out, I'm dead (meat) als hij er achter komt, dan zwaait er wat ★ fig dead to the world in diepe slaap ★ over my dead body over mijn lijk ★ she wouldn't be seen / caught dead... zij zou zich dood schamen... ❷ achterhaald ⟨v. plan / idee⟩, in onbruik ★ a dead language een dode taal ❸ leeg ⟨v. batterij⟩, buiten werking ⟨v. machine / telefoon⟩ ★ go dead het niet meer doen, ermee ophouden ❹ doods, uitgestorven ⟨v. plaats⟩ ❺ inform slap ⟨v. handel⟩ ❻ inform

doodop ★ dead on one's feet doodmoe ❼ gevoelloos, ongevoelig ★ go dead gevoelloos worden ⟨v. ledematen e.d.⟩ ★ be dead to ongevoelig zijn voor ❽ dof ⟨v. kleur⟩, mat ⟨v. stem⟩ ❾ absoluut, totaal ★ dead silence / calm doodse stilte ★ dead centre precies in het midden ⟨v. bal⟩ ▼ a dead duck een fiasco ▼ dead in the water mislukt II zn ★ the dead de doden ▼ in the dead of night / at dead of night in het holst v.d. nacht ▼ in the dead of winter in hartje winter III bijw ❶ volkomen ★ dead on time precies / exact op tijd ★ dead against mordicus tegen ★ be dead set on getting sth vastbesloten zijn iets te krijgen ★ stop dead in your tracks plotseling stokstijf stilstaan ❷ uiterst ★ dead slow zeer langzaam ▼ cut sb dead iem. negeren

deadbeat ['dedbi:t] USA inform zn ❶ nietsnut, uitvreter ❷ wanbetaler

dead beat inform bnw doodop, bekaf

dead cert inform zn ★ it's a ~ het is 100% / absoluut zeker

deaden ['dedn] ov ww dempen ⟨geluid⟩, verzachten, verdoven ⟨pijn⟩

dead end zn ❶ doodlopende straat ❷ dood punt ★ come to a ~ tot niets leiden, op een dood punt komen

dead-end job zn uitzichtloze baan

deadline ['dedlaɪn] zn deadline, tijdslimiet ★ meet / miss a ~ een deadline halen / niet halen

deadlock ['dedlɒk] zn impasse ★ reach ~ in een impasse raken, vastlopen ⟨bv. v. onderhandelingen⟩

deadly ['dedlɪ] I bnw ❶ dodelijk, fataal ❷ compleet, totaal ★ in ~ earnest in alle ernst ❸ van een dodelijke precisie ★ a ~ striker een uiterst doeltreffende spits ❹ GB inform oersaai ▼ the seven ~ sins de zeven hoofdzonden II bijw uiterst ★ ~ serious uiterst serieus ★ ~ boring oersaai

deadpan ['dedpæn] bnw met uitgestreken / stalen gezicht

dead ringer inform zn dubbelganger ★ be a ~ for sb sprekend op iem. lijken

deaf [def] bnw ❶ doof ❷ ★ the deaf [zn] de doven ★ deaf to doof voor ★ oud deaf and dumb doofstom

deafen ['defən] ov ww doof maken ★ be ~ed by the noise of the racing cars niets kunnen horen door het lawaai van de raceauto's

deafening ['defənɪŋ] bnw oorverdovend

deal [di:l] I ov ww ⟨onregelmatig⟩ ❶ geven ⟨bij kaartspel⟩ ❷ dealen (in) ❸ ~ in ★ deal me in ik doe mee ❹ ~ out toekennen, uitdelen, delen ⟨kaarten⟩ II onov ww ❶ dealen ❷ ~ in handelen in, doen aan / in ★ she doesn't deal in gossip zij doet niet aan roddelen ❸ ~ with behandelen ⟨onderwerp⟩, aanpakken ⟨probleem⟩, zaken doen met ★ deal with stress omgaan met stress III zn ❶ transactie, overeenkomst ★ it's a deal! afgesproken! ★ cut / strike a deal een deal maken, elkaar tegemoet komen ❷ ⟨vuil⟩ zaakje, handeltje ❸ het geven, gift ⟨kaartspel⟩ ★ my deal ik moet geven ⟨bij kaartspel⟩ ❹ vurenhout ▼ iron big deal! geweldig!▼ a good / great deal aardig

de

de

wat ▼*fair / square deal* eerlijke behandeling
▼*raw / rough deal* onheuse behandeling ▼pol
New Deal economisch herstelplan v.d. VS ⟨1932⟩
▼inform *what's the deal?* wat gaan we doen?
dealer ['di:lə] *zn* ❶ handelaar ❷ dealer ❸ gever
⟨bij kaartspel⟩
dealing ['di:lɪŋ] *zn* ❶ behandeling, aanpak
❷ manier v. zaken doen ❸ het handelen ★ *have
~s with* zaken doen met, te maken hebben met
dealt [delt] *ww* [verleden tijd + volt. deelw.] →
deal
dean [di:n] *zn* ❶ rel deken ❷ onderw decaan ⟨v.
faculteit⟩ ❸ onderw studentenadviseur ⟨met
disciplinaire bevoegdheden⟩ ⟨in Oxford /
Cambridge⟩
deanery ['di:nərɪ] *zn* ❶ decanaat
❷ ambtsgebied / -woning v. deken
dear [dɪə] **I** *bnw* ❶ lief, dierbaar ★ *my dearest
friend* mijn beste / liefste vriend / vriendin ★ *his
children were dear to him* zijn kinderen waren
hem dierbaar ★ *Dear Sir* Geachte heer ⟨aanhef
boven brief⟩ ★ *Dear Sheila* Beste / Lieve Sheila
★ *what a dear little thing* wat een schatje ★ *run
for dear life* lopen voor je leven ❷ duur,
kostbaar **II** *tw* ★ *dear, oh dear!* goeie hemel! ★ *oh
dear!* o jee! **III** *zn* ❶ schat(je) ★ *would you be a
dear and get me a drink?* zou je zo goed willen
zijn om een drankje voor me te halen? ❷ liefste
❸ kindje ⟨v. oudere tot kind⟩
dearest ['dɪərɪst] **I** *bnw* ★ *her ~ wish* haar diepste
wens ★ oud *Dearest Janet* Lieve Janet ⟨aanhef
boven brief⟩ **II** *zn* oud liefste
dearie ['dɪərɪ] *zn*, GB oud liefje
dearly ['dɪəlɪ] *bijw* ❶ heel erg, zeer ❷ duur ★ *it
cost her ~* het heeft haar heel wat gekost ★ *pay ~
for sth* iets duur betalen, flink moeten boeten
voor iets
dearth [dɜ:θ] *zn* schaarste, gebrek
death [deθ] *zn* ❶ dood, (het) sterven ★ *~ and
destruction* dood en verderf ★ *the Black Death* de
Zwarte Dood ⟨pest⟩ ★ *be at ~'s door* op sterven
na dood zijn ★ *to the ~* tot aan de dood ★ *fight
to the ~* een gevecht op leven en dood ★ *put to ~*
ter dood brengen ★ *starve / bleed to ~*
doodhongeren / -bloeden ★ *be the ~ of sb*
iemands dood zijn ❷ sterfgeval ❸ einde,
vernietiging ★ *the ~ of apartheid* het einde van
apartheid ▼*feel like ~ warmed up / USA* over zo
ziek als een hond zijn ▼*look like ~ warmed-up* er
als een levend lijk uitzien ▼*to ~* heel erg,
extreem ▼*frighten / scare sb to ~* iem. de
doodschrik op het lijf jagen ▼*be worried to ~*
doodongerust zijn ▼*do sth to ~* iets tot vervelens
toe doen
deathbed ['deθbed] *zn* doodsbed
death blow *zn* doodklap, genadeslag
death certificate *zn* overlijdensakte
death knell *zn* doodsklok ★ *sound the ~ of / for*
de doodsklok luiden voor / over, het einde
betekenen voor
deathless ['deθləs] dicht *zn* onsterfelijk
deathly ['deθlɪ] *bnw + bijw* doods, dodelijk ★ *~
silence* doodse stilte ★ *~ silent* doodstil ★ *~ cold*
ijskoud
death penalty *zn* doodstraf
death rate *zn* sterftecijfer

death row *zn* dodencellen ★ *be on deathrow* in
een dodencel zitten, op executie wachten
death sentence *zn* doodstraf, doodvonnis ⟨ook
fig.⟩
death squad *zn* moordcommando,
doodseskader
death throes *zn mv* doodsstrijd
death toll *zn* aantal dodelijke slachtoffers
death trap ['deθtræp] *zn* levensgevaarlijk(e)
plek / gebouw / ding, val ★ *this tunnel is a ~ in
case of fire* bij brand kun je in deze tunnel geen
kant op
death warrant ['deθwɒrənt] *zn* executiebevel
★ *sign your own ~* je eigen doodvonnis tekenen
death wish *zn* doodsverlangen ★ *have a ~* dood
willen
debacle [deɪ'bɑ:kl] *zn* debacle, totale mislukking
debar [dɪ'bɑ:] *ov ww* uitsluiten, verhinderen ★ *be
~red from sth* uitgesloten worden van iets ★ *be
~red from doing sth* belet / verhinderd worden
iets te doen
debark [dɪ'bɑ:k] *onov ww* ontschepen, van boord
gaan
debarkation [di:bɑ:'keɪʃən] *zn* ontscheping ★ *our
port of ~* de haven waar we van boord gaan
debase [dɪ'beɪs] *ov ww* neerhalen, verenederen
debasement [dɪ'beɪsmənt] *zn* vernedering,
verlaging, verwording
debatable [dɪ'beɪtəbl] *bnw* aanvechtbaar,
betwistbaar ★ *it is highly ~ whether...* het valt
zeer te betwisten of...
debate [dɪ'beɪt] **I** *zn* debat (**about/on/over**
over) ★ *a lively / heated ~* een levendig / verhit
debat ★ *the subject under ~* het onderwerp v.
discussie ★ *be open to ~* ter discussie staan **II** *ov
ww* ❶ bespreken ❷ overwegen ★ *he ~d
divorcing her* hij overwoog van haar te scheiden
III *onov ww* ❶ debatteren ★ *~ about sth*
debatteren over iets ❷ overleggen ★ *~ with
yourself whether you should do it or not*
overdenken / je beraden of je het moet doen of
niet
debauched [dɪ'bɔ:tʃt] *bnw* losbandig, liederlijk
debauchery [dɪ'bɔ:tʃərɪ] *zn* losbandigheid
debenture [dɪ'bentʃə] *zn* econ obligatie
debilitate [dɪ'bɪlɪteɪt] *ov ww* verzwakken ⟨m.b.t.
(geestelijke) gezondheid⟩
debility [dɪ'bɪlətɪ] *zn* zwakte, zwakheid ⟨m.b.t.
(geestelijke) gezondheid⟩
debit ['debɪt] **I** *zn* debet, schuld, debetpost
★ *direct ~* automatische incasso / afschrijving
II *ov ww* debiteren, als debet(post) boeken ★ *the
sum of fifty pounds will be ~ed from your
account* het bedrag van vijftig pond zal van uw
rekening worden afgeschreven
debit card *zn* betaalpas, pinpas
debonair [debə'neə] *bnw* oud galant,
voorkomend
debrief [di:'bri:f] *ov ww* nabespreken,
ondervragen over uitgevoerde taak ⟨piloot,
spion, diplomaat e.d.⟩
debris ['debri:/də'bri:] *zn* ❶ puin, brokstukken,
resten ❷ (rondslingerend) afval
debt [det] *zn* (financiële) schuld ★ *national debt*
staatsschuld ★ *out of debt* vrij van schuld ★ *be in
debt* in de schulden zitten ★ *run into / up debt(s)*

schulden maken ▼ form *be in sb's debt* iem. dank verschuldigd zijn, *bij iem. in het krijt staan*

debt collector ['detkəlektə] *zn* incasseerder

debtor ['detə] *zn* schuldenaar, debiteur

debug [di:'bʌg] *ov ww* comp fouten opsporen en verwijderen

debunk [di:'bʌŋk] *ov ww* ❶ doorprikken, onderuithalen ⟨theorie⟩ ❷ tot ware proporties terugbrengen ⟨reputatie⟩

debut ['deɪbju:] **I** *zn* debuut ⟨ook in samenstellingen⟩ ★ *his ~ CD / novel* zijn debuut-cd / debuutroman **II** *onov ww* debuteren, voor het eerst spelen / optreden / publiceren

Dec. *afk, December* dec, december

decade ['dekeɪd] *zn* decennium, (periode van) tien jaar

decadence ['dekədns] *zn* decadentie

decadent ['dekədnt] *bnw* min decadent, genotzuchtig

decaf inform *zn* decafé, cafeïnevrije koffie

decaffeinated *bnw* cafeïnevrij

decamp [dɪ'kæmp] *onov ww* ervandoor gaan, met de noorderzon vertrekken

decant [dɪ'kænt] *ov ww* voorzichtig overschenken ⟨wijn, van fles in karaf⟩, decanteren

decanter [dɪ'kæntə] *zn* wijnkaraf

decapitate [dɪ'kæpɪteɪt] *ov ww* onthoofden

decathlete [də'kæθli:t] *zn* tienkamper

decathlon [dɪ'kæθlən] *zn* tienkamp

decay [dɪ'keɪ] **I** *onov ww* vervallen, bederven, rotten ★ *the ~ing city centre* het in verval rakende / verloederende stadscentrum **II** *zn* bederf, verval ★ *fall into ~* in verval raken

decease [dɪ'si:s] *zn* form het overlijden

deceased [dɪ'si:st] *bnw* form overleden, pas gestorven ★ *the ~* de overledene(n)

deceit [dɪ'si:t] *zn* bedrog, misleiding

deceitful [dɪ'si:tfʊl] *bnw* bedrieglijk, misleidend, oneerlijk

deceive [dɪ'si:v] *ov ww* bedriegen, misleiden ★ *~ yourself* jezelf voor de gek houden ★ *~ sb into doing sth* iem. (door list en bedrog) ertoe krijgen iets te doen

decelerate [di:'seləreɪt] *onov ww* vaart minderen ⟨v. voertuig⟩, langzamer gaan, afnemen ⟨v. groei⟩

deceleration [di:selə'reɪʃən] *zn* snelheidsvermindering ⟨v. voertuig⟩, afname ⟨v. groei⟩

December [di'sembə] *zn* december

decency ['di:sənsɪ] *zn* fatsoen ★ GB form *the decencies* [mv] goede omgangsvormen ★ *a lack of common ~* een gebrek aan goed fatsoen

decent ['di:sənt] *bnw* ❶ behoorlijk, fatsoenlijk, netjes, gepast ★ *a ~ pair of shoes* een goed / fatsoenlijk stel schoenen ★ *do the ~ thing* doen wat je hoort te doen ★ *oud don't come in, I'm not ~* niet binnenkomen, ik ben niet aangekleed ❷ inform geschikt, aardig ★ *a really ~ guy* een heel geschikte kerel

decentralize, decentralise [di:'sentrəlaɪz] *ov ww* decentraliseren

deception [dɪ'sepʃən] *zn* bedrog, misleiding

deceptive [dɪ'septɪv] *bnw* bedrieglijk, misleidend

decibel ['desɪbel] *zn* decibel

decide [dɪ'saɪd] **I** *ov ww* beslissen, uitmaken ★ *that ~d me* dat gaf de doorslag **II** *onov ww* ❶ beslissen ★ *the judge ~d in his favour* de rechter stelde hem in het gelijk ❷ ~ **against** ★ *~ against sth* besluiten iets niet te nemen / doen ★ *~ against doing sth* besluiten iets niet te doen ❸ ~ **on/upon** een besluit nemen over ★ *~ on the blue dress* besluiten de blauwe jurk te nemen, de blauwe jurk kiezen

decided [dɪ'saɪdɪd] *bnw* beslist, overduidelijk, onmiskenbaar

decider [dɪ'saɪdə] *zn* sport beslissingswedstrijd, beslissend doelpunt

deciduous [dɪ'sɪdjʊəs] *bnw* elk jaar zijn bladeren verliezend ★ *~ tree* loofboom

decimal ['desɪml] **I** *zn* wisk tiendelige / decimale breuk ★ *recurring ~s* repeterende decimalen **II** *bnw* tientallig, decimaal ★ wisk *~ fraction* tiendelig breuk ★ econ *go ~* overgaan op het decimale stelsel

decimate ['desɪmeɪt] *ov ww* decimeren, sterk uitdunnen, sterk verzwakken

decipher [dɪ'saɪfə] *ov ww* ontcijferen

decision [dɪ'sɪʒən] *zn* ❶ beslissing, besluit ★ *make / take a ~* een beslissing nemen ❷ vastberadenheid ★ *act with ~* besluitvaardig / resoluut optreden

decision-making *zn* besluitvorming

decisive [dɪ'saɪsɪv] *bnw* ❶ beslissend ❷ beslist ★ *take ~ action* doortastend optreden

deck [dek] **I** *zn* ❶ dek, verdieping ⟨v. bus, enz.⟩ ★ *main deck* eerste tussendek ⟨op schip⟩ ❷ USA spel kaarten ❸ USA veranda ❹ (cassette)deck **II** *ov ww* ❶ inform vloeren ❷ ~ **out** versieren, mooi aankleden

deckchair ['dektʃeə] *zn* dekstoel, (opvouwbare) ligstoel

deckhand ['dekhænd] *zn* dekmatroos

decking GB *zn* veranda

deck shoe *zn* gymschoen

declaim [dɪ'kleɪm] **I** *ov ww* declameren, voordragen **II** *onov ww* ~ **against** uitvaren tegen, luid protesteren tegen

declamation [deklə'meɪʃən] *zn* voordracht ⟨v. poëzie, rede⟩

declamatory [dɪ'klæmətərɪ] *bnw* form hoogdravend ⟨v. stijl, geschreven stuk⟩

declaration [deklə'reɪʃən] *zn* ❶ verklaring ★ *a ~ of war* een oorlogsverklaring ★ USA *the Declaration of Independence* de onafhankelijkheidsverklaring ★ *the Universal Declaration of Human Rights* Universele Verklaring van de Rechten van de Mens ❷ aangifte ⟨belasting enz.⟩

declare [dɪ'kleə] **I** *ov ww* ❶ verklaren, afkondigen, bekendmaken ★ *~ war on* de oorlog verklaren aan ⟨ook fig.⟩ ❷ vaststellen ★ *the Jamaican sprinter Bolt was ~d the winner* de Jamaicaanse sprinter Bolt werd tot winnaar uitgeroepen ❸ aangifte doen ⟨bij belasting enz.⟩, aangeven ⟨bij de douane⟩ **II** *onov ww* ~ **against/for** ★ *~ against / for sb / sth* zich tegen / voor iemand / iets uitspreken

declared [dɪ'kleəd] *bnw* erkend, openlijk ★ *a ~ opponent of this policy* een verklaard tegenstander van dit beleid

de

declassify [di:'klæsɪfaɪ] *ov ww* vrijgeven ⟨geheime informatie⟩

decline [dɪ'klaɪn] **I** *zn* afname, terugval, daling ★ *moral* ~ moreel verval ★ *be on the* ~ / *in* ~ afnemen, achteruit gaan ★ *fall into (a)* ~ in verval raken **II** *ov ww* ❶ (beleefd) afwijzen, (beleefd) weigeren ❷ taalk verbuigen **III** *onov ww* ❶ dalen, afnemen, achteruitgaan ❷ bedanken, (beleefd) weigeren

decode [di:'kəʊd] *ov ww* decoderen, omzetten uit code

décolletage [deɪkɒl'tɑːʒ] *zn* decolleté

décolleté [der'kɒlter] *bnw* gedecolleteerd, laag uitgesneden, met decolleté

decolonization, decolonisation [di:kɒlənaɪ'zeɪʃn] *ov ww* dekolonisatie

decommission [di:kə'mɪʃn] *ov ww* ontmantelen ⟨kernwapens, kernreactor⟩

decompose [di:kəm'pəʊz] *onov ww* rotten, zich ontbinden ★ *a decomposing body* een in staat van ontbinding verkerend lichaam, een half vergaan lichaam

decomposition [di:kɒmpəzɪʃən] *zn* ontbinding, afbraak, desintegratie

decompress [di:kəm'pres] *ov ww* druk verlagen, druk wegnemen

decongestant [di:kən'dʒestnt] *zn* anticongestiemiddel ⟨verlicht de benauwdheid bij een verkoudheid⟩

decontaminate [di:kən'tæmɪneɪt] *ov ww* ontsmetten

decor ['deɪkɔ:] *zn* inrichting, interieur ⟨v. kamer, huis⟩

decorate ['dekərert] *ov ww* ❶ versieren ❷ schilderen en / of behangen ❸ decoreren, ridderen

decoration [dekə'reɪʃən] *zn* ❶ versiering, decoratie ❷ het schilderen en / of behangen ❸ onderscheidingsteken, lintje

decorative ['dekərətɪv] *bnw* decoratief ★ ~ *plants* sierplanten

decorator ['dekəreɪtə] *zn* huisschilder, behanger, decorateur ★ *interior* ~ binnenhuisarchitect, interieurontwerper

decorous ['dekərəs] *bnw* waardig, fatsoenlijk

decorum [dɪ'kɔ:rəm] *zn* decorum, waardigheid, fatsoen

decoy[1] ['di:kɔɪ] *zn* ❶ lokmiddel ❷ lokeend, lokvogel

decoy[2] [di:'kɔɪ] *ov ww* lokken

decrease[1] ['di:kri:s] *zn* afname ★ *a* ~ *in fertility* een afname van de vruchtbaarheid ★ *a* ~ *of five per cent* een afname van vijf procent

decrease[2] [di:'kri:s] **I** *ov ww* verlagen, doen dalen, verminderen **II** *onov ww* afnemen, dalen

decree [dɪ'kri:] **I** *ov ww* bepalen, verordonneren, bevelen **II** *zn* ❶ bevel, decreet, gebod ❷ vonnis

decrepit [dɪ'krepɪt] *bnw* ❶ vervallen ⟨v. gebouw⟩, gammel ⟨v. voertuig⟩ ❷ versleten, afgeleefd ⟨v. persoon⟩

decrepitude [dɪ'krepɪtjuːd] *zn* ⟨toestand van⟩ verval, afgeleefdheid

decry [dɪ'kraɪ] *ov ww* openlijk afkeuren ★ ~ *as* uitmaken voor, bestempelen als

dedicate ['dedɪkeɪt] *ww* ❶ wijden, in dienst stellen van ★ ~ *three pages / hours to sth* drie

pagina's / uur besteden aan iets ❷ opdragen ★ ~ *a poem to sb* een gedicht opdragen aan iem. ❸ inwijden ⟨bv. een kerk⟩

dedicated ['dedɪkeɪtɪd] *bnw* ❶ toegewijd ❷ specifiek bedoeld voor ⟨een bepaald doel⟩ ★ *a* ~ *Arabic music channel* een zender / kanaal bestemd om alleen Arabische muziek uit te zenden

dedication [dedɪ'keɪʃən] *zn* ❶ toewijding ❷ plechtige opening ⟨v. gebouw enz.⟩ ❸ opdracht

deduce [dɪ'dju:s] *ov ww* afleiden, concluderen ★ *we can* ~ *from this* wij kunnen hier uit afleiden

deduct [dɪ'dʌkt] *ov ww* aftrekken, in mindering brengen

deductible [dɪ'dʌktɪbl] *bnw* aftrekbaar ⟨van de belasting⟩

deduction [dɪ'dʌkʃən] *zn* ❶ deductie, (logische) afleiding, conclusie ❷ aftrek, korting

deductive [dɪ'dʌktɪv] *bnw* deductief ★ *by* ~ *reasoning* door logisch af te leiden, door logisch te redeneren

deed [di:d] *zn* ❶ form daad ★ *a good deed* een goede daad ❷ [meestal mv] eigendomsakte

deem [di:m] *ov ww* achten ★ *deem sth necessary* iets nodig achten

deep [di:p] **I** *bnw* ❶ diep(liggend), hoog ⟨sneeuw⟩ ★ *a deep wound* een diepe wond ★ *deep in the woods* diep in het bos ❷ laag, zwaar ⟨v. geluid⟩ ❸ diepzinnig ⟨gesprek, persoon⟩, moeilijk, ontoegankelijk ★ *he is a deep one* hij is moeilijk te doorgronden ❹ ernstig, hevig, zwaar ⟨crisis⟩ ★ *deep sleep* diepe slaap ★ *a few deep breaths* een paar diepe / flinke ademhalingen ★ *deep in thought* diep in gedachten ★ *in deep trouble / water(s)* zwaar in de problemen ❺ donker ★ *deep blue / red* diep / donker blauw / rood **II** *bijw* diep ★ *four / six deep* vier / zes rijen dik ▼ *deep down* diep van binnen ★ *Iran's hatred of the US runs deep* Iraans haat tegenover de VS zit diep ▼ *still waters run deep* stille wateren hebben diepe gronden **III** *zn* lit ★ *the deep* de diepte, de zee

deepen ['di:pən] **I** *onov ww* ❶ dieper worden, toenemen ❷ donkerder worden ⟨v. kleur⟩, lager worden ⟨v. geluid, stem⟩ **II** *ov ww* dieper maken, verdiepen, doen toenemen

deep freeze, freezer, deep freezer *zn* diepvries → freezer

deep-fry *ov ww* frituren

deeply ['di:plɪ] *bijw* ❶ diep ❷ in hoge mate

deep-sea *bnw* diepzee-

deep-seated, deep-rooted *bnw* diepgeworteld, diepliggend

deep-set *bnw* diepliggend ⟨v. ogen⟩

deep-six USA inform *ov ww* begraven ⟨plan, project⟩, lozen

deer [dɪə] *zn* [mv: **deer**] hert(en)

deerstalker ['dɪəstɔ:kə] *zn* jachtpet ⟨met klep voor en achter⟩

deface [dɪ'feɪs] *ov ww* ❶ schenden, beschadigen ❷ bekladden

defacement [dɪ'feɪsmənt] *zn* ❶ schending ❷ bekladding

defamation [defə'meɪʃən] *zn* smaad, laster

defamatory [dɪˈfæmətərɪ] *bnw* lasterlijk
defame [dɪˈfeɪm] *ov ww* belasteren ★ ~ *sb's good name* iemands goede naam aantasten
default [dɪˈfɔːlt] **I** *zn* ❶ afwezigheid, gebrek ★ *judgement went by* ~ vonnis werd gewezen bij verstek ★ *by* ~ bij gebrek aan deelnemers, bij gebrek aan beter ★ *form in* ~ *of* bij gebrek aan ❷ comp standaardinstelling ❸ wanbetaling, verzuim ★ *be in* ~ *on a loan* verzuimen een lening (op tijd) af te betalen **II** *onov ww* ❶ in gebreke blijven, nalatig zijn ★ ~ *on your payments* je betalingsverplichtingen niet nakomen, niet (op tijd) betalen ❷ niet verschijnen ⟨bv. bij een wedstrijd⟩, verstek laten gaan ⟨voor de rechtbank⟩
defaulter [dɪˈfɔːltə] *zn* wanbetaler
defeat [dɪˈfiːt] **I** *ov ww* ❶ verslaan ❷ verwerpen ⟨voorstel⟩ ❸ doen mislukken ⟨plan⟩ ★ ~ *the object of the exercise* het doel van de oefening voorbijschieten ❹ form verbijsteren, niet kunnen vatten **II** *zn* ❶ nederlaag ★ *admit* ~ zich gewonnen geven ❷ mislukking
defeatism [dɪˈfiːtɪzəm] *zn* defaitisme
defecation [defəˈkeɪʃən] *zn* ontlasting
defect[1] [ˈdiːfekt/dɪˈfekt] *zn* gebrek, mankement, foutje
defect[2] [dɪˈfekt] *onov ww* overlopen ⟨naar tegenpartij⟩
defection [dɪˈfekʃən] *zn* afval(ligheid), ontrouw, het overlopen
defective [dɪˈfektɪv] *bnw* ❶ defect ❷ gebrekkig, beschadigd
defector [dɪˈfektə] *zn* overloper, verrader
defence [dɪˈfens] *zn* ❶ verdediging, defensie ★ ~s [mv] verdedigingswerken ★ *in sb's* ~ ter verdediging van iem. ★ *leap to sb's* ~ voor iem. in de bres springen ❷ afweermiddel ❸ sport de verdedigers, verdediging ❹ jur verweer ❺ jur ★ *the* ~ de verdediging, advocaat die verdachte verdedigt
defenceless [dɪˈfensləs] *bnw* weerloos
defend [dɪˈfend] *ov ww* verdedigen, beschermen ★ *the ~ing* de titelverdediger ★ ~ *sb from sth* iem. tegen iets beschermen
defendant [dɪˈfendənt] jur *zn* gedaagde
defender [dɪˈfendə] *zn* verdediger
defense *zn* USA → defence
defenseless *zn* USA → defenceless
defensible [dɪˈfensɪbl] *bnw* verdedigbaar, houdbaar
defensive [dɪˈfensɪv] **I** *bnw* verdedigend, defensief **II** *zn* ★ *on the* ~ in verdedigende houding, in het defensief
defer [dɪˈfɜː] **I** *ov ww* uitstellen **II** *onov ww* ~ *to* zich voegen naar, zich neerleggen bij
deference [ˈdefərəns] *zn* eerbied, eerbiediging ★ *in* ~ *to / out of* ~ *to* uit eerbied voor
deferential [defəˈrenʃəl] *bnw* eerbiedig
defiance [dɪˈfaɪəns] *zn* trotsering, uitdaging, (openlijk) verzet ★ *in* ~ *of* in strijd met, in weerwil van, ondanks
defiant [dɪˈfaɪənt] *bnw* uitdagend, tartend
deficiency [dɪˈfɪʃənsɪ] *zn* ❶ tekort, gebrek ❷ mankement, onvolkomenheid
deficient [dɪˈfɪʃənt] *bnw* ❶ ontoereikend ★ ~ *in* met een tekort aan, arm aan ❷ onvolkomen,

gebrekkig
deficit [ˈdefɪsɪt] *zn* ❶ econ tekort ★ *be in* ~ een tekort vertonen ❷ achterstand
defile [dɪˈfaɪl] *ov ww* ❶ bezoedelen, bevuilen ❷ onteren, ontwijden
definable [dɪˈfaɪnəbl] *bnw* definieerbaar
define [dɪˈfaɪn] *ov ww* beschrijven, omschrijven, definiëren, kenmerken ★ *sharply ~d against the sky* scherp afgetekend tegen de lucht
definite [ˈdefɪnɪt] *bnw* ❶ duidelijk, onmiskenbaar ❷ vastomlijnd ⟨plan⟩, definitief ⟨datum⟩ ❸ zeker, beslist ★ *be very* ~ *about sth* zeer stellig zijn over iets, geen twijfel laten bestaan over iets
definitely [ˈdefɪnɪtlɪ] *bnw* beslist, zeker ★ *I* ~ *will come tonight* ik kom vanavond beslist
definition [defɪˈnɪʃn] *zn* ❶ definitie ★ *by* ~ per definitie ❷ (beeld)scherpte
definitive [dɪˈfɪnɪtɪv] *bnw* ❶ definitief, onherroepelijk ❷ afdoend, meest gezaghebbend
deflate [dɪˈfleɪt] **I** *ov ww* ❶ leeg laten lopen ⟨band, ballon enz.⟩, doorprikken ⟨verwaandheid enz.⟩ ❷ kleineren, minder belangrijk maken ★ *totally ~d* geheel ontmoedigd ❸ econ de hoeveelheid geld inkrimpen, deflatie veroorzaken ★ ~ *the prices* ⟨door beleid⟩ de prijzen doen zakken **II** *onov ww* leeglopen ⟨v. band, ballon⟩
deflation [dɪˈfleɪʃən] *zn* econ deflatie
deflationary [diˈfleɪʃənrɪ] econ *bnw* ★ ~ *policy* deflatiepolitiek
deflect [dɪˈflekt] **I** *ov ww* ❶ afweren, doen afwijken ❷ afleiden ★ *not be ~ed from* vasthouden aan ★ ~ *attention from sth* de aandacht van iets afleiden **II** *onov ww* afketsen
deflection [dɪˈflekʃən] *zn* afbuiging, verandering van richting
deflower [dɪˈflaʊə] *ov ww* lit ontmaagden
defoliant [diːˈfəʊlɪənt] *zn* ontbladeringsmiddel
defoliate [diːˈfəʊlɪeɪt] *ov ww* ontbladeren
deforestation [diːfɒrɪˈsteɪʃən] *zn* ontbossing
deform [dɪˈfɔːm] **I** *ov ww* misvormen, deformeren, vervormen **II** *onov ww* misvormd raken
deformation [diːfɔːˈmeɪʃən] *zn* vervorming, misvorming, deformatie
deformed [dɪˈfɔːmd] *bnw* misvormd, mismaakt
deformity [dɪˈfɔːmətɪ] *zn* mismaaktheid, misvorming
defraud [dɪˈfrɔːd] *ov ww* bedriegen, oplichten ★ ~ *sb of $10 000* iem. oplichten voor $10.000
defray [dɪˈfreɪ] form *ov ww* bekostigen ★ ~ *costs / expenses* kosten vergoeden
defrock [diːˈfrɒk] *ov ww* uit het (priester)ambt ontzetten
defrost [diːˈfrɒst] **I** *ov ww* ontdooien **II** *onov ww* ontdooien
defroster [diːˈfrɒstə] *zn* voorruitverwarmer
deft [deft] *bnw* behendig, bedreven, knap
deftness [ˈdeftnəs] *zn* behendigheid
defunct [dɪˈfʌŋkt] *bnw* form ter ziele, niet meer bestaand ★ ~ *ideas* achterhaalde ideeën
defuse [diːˈfjuːz] *ov ww* ❶ onschadelijk maken ⟨bom⟩ ❷ de druk van de ketel halen van
defy [dɪˈfaɪ] *ov ww* ❶ ingaan tegen ⟨autoriteit,

wet, bevel⟩ ❷ te boven gaan ★ *it defies explanation* het valt niet uit te leggen ❸ trotseren, tarten ★ *defy all the odds and succeed* tegen alle verwachtingen in slagen ★ *defy sb to do sth* iem. uitdagen iets te doen

deg. *afk, degree* gr, graad

degenerate¹ [dɪ'dʒenərət] **I** *bnw* gedegenereerd, ontaard **II** *zn* ontaard / pervers persoon

degenerate² [dɪ'dʒenəreɪt] *onov ww* degenereren, ontaarden

degradable [dɪ'greɪdəbl] *bnw*, USA techn (chemisch) afbreekbaar

degradation [degrə'deɪʃən] *zn* ❶ vernedering ❷ achteruitgang ★ *environmental ~* achteruitgang van het milieu ❸ ontaarding, degeneratie

degrade [dɪ'greɪd] **I** *ov ww* ❶ vernederen ❷ verlagen, verslechteren ❸ scheik afbreken, desintegreren **II** *onov ww* scheik desintegreren, uiteenvallen

degrading [dɪ'greɪdɪŋ] *bnw* vernederend

degree [dɪ'griː] *zn* ❶ mate, graad ★ *a third ~ burn* een derdegraads verbranding ★ *to a ~* in zekere mate, tot op zekere hoogte ★ *by ~s* stukje bij beetje ❷ onderw universitaire graad ★ *a four-year ~ course* een universitaire studie van vier jaar ★ *have a ~ in physics* afgestudeerd zijn in natuurkunde ★ *take one's ~* afstuderen

dehumanize, dehumanise [di:'hjuːmənaɪz] *ov ww* ontmenselijken, van menselijkheid ontdoen

dehydrate [di:'haɪdreɪt] **I** *ov ww* drogen ⟨voedsel⟩ **II** *onov ww* uitdrogen

de-icer [di:'aɪsə] *zn* middel / apparaat tegen ijsvorming, middel / apparaat waarmee ijs verwijderd wordt

deify ['di:ɪfaɪ] form *ov ww* vergoddelijken, verafgoden

deign [deɪn] *onov ww* zich verwaardigen ★ *not ~ to answer* niet eens de moeite nemen om te antwoorden

deity ['di:əti] *zn* god(heid)

dejected [dɪ'dʒektɪd] *bnw* terneergeslagen, ontmoedigd

dejection [dɪ'dʒekʃən] *bnw* neerslachtigheid

delay [dɪ'leɪ] **I** *zn* vertraging, oponthoud ★ *without ~* zonder uitstel, meteen **II** *ov ww* uitstellen, vertragen ★ *suffer a ~ed reaction* last hebben van een vertraagde reactie ★ *the plane was ~ed for over two hours* het vliegtuig had een vertraging van meer dan twee uur **III** *onov ww* talmen, dralen

delectable [dɪ'lektəbl] *bnw* verrukkelijk

delegate¹ ['delɪgət] *zn* afgevaardigde

delegate² ['delɪgeɪt] *ov ww* ❶ delegeren ⟨taken, verantwoordelijkheden⟩, overdragen ❷ afvaardigen, opdragen

delegation [delɪ'geɪʃən] *zn* ❶ delegatie, afvaardiging ❷ het delegeren ⟨van taken, verantwoordelijkheden⟩, overdracht

delete [dɪ'liːt] *ov ww* wissen, schrappen

deletion [dɪ'liːʃən] *zn* doorhaling, schrapping, het wissen

deli ['deli] *afk* inform → **delicatessen**

deliberate¹ [dɪ'lɪbərət] *bnw* ❶ opzettelijk ❷ weloverwogen, bedachtzaam

deliberate² [dɪ'lɪbəreɪt] *onov ww* overwegen, overleggen ★ *~ on / about sth* overleggen over iets

deliberation [dɪlɪbə'reɪʃən] *zn* ❶ beraadslaging, overleg ★ *after much ~* na lang wikken en wegen ❷ behoedzaamheid, bedachtzaamheid

delicacy ['delɪkəsi] *zn* ❶ teerheid, fijnheid ❷ fijngevoeligheid, fijnzinnigheid, tact ❸ delicatesse

delicate ['delɪkət] *bnw* ❶ fragiel, teer, broos ❷ zwak ⟨v. gezondheid⟩ ❸ fijn en welgevormd ⟨v. handen⟩, delicaat, verfijnd ⟨voorwerp⟩, subtiel ⟨v. kleur, geur enz.⟩ ❹ tactvol, fijn(gevoelig) ❺ netelig, moeilijk

delicatessen [delɪkə'tesn] *zn* delicatessenwinkel

delicious [dɪ'lɪʃəs] *bnw* lekker, heerlijk

delight [dɪ'laɪt] **I** *zn* genot, vreugde, genoegen ★ *take ~ in* behagen scheppen in, zich amuseren met **II** *onov ww* behagen scheppen ★ *~ in bullying* het heerlijk vinden om te pesten **III** *ov ww* blij maken, in verrukking brengen ★ *I'd be ~ed* het zal mij een waar genoegen zijn, graag ★ *be ~ed with / at sth* erg blij zijn met iets

delightful [dɪ'laɪtfʊl] *bnw* verrukkelijk

delimit [dɪ'lɪmɪt] *ov ww* afbakenen

delineate [dɪ'lɪnɪeɪt] *ov ww* ❶ omlijnen ★ *clearly ~d ideas* duidelijk omlijnde ideeën ❷ tekenen

delinquency [dɪ'lɪŋkwənsi] *zn* misdadig gedrag ⟨vnl. v. jongeren⟩ ★ *juvenile ~* jeugdcriminaliteit

delinquent [dɪ'lɪŋkwənt] **I** *bnw* ❶ geneigd tot misdadig gedrag ⟨v. jongeren⟩ ❷ USA achterstallig ⟨met betaling⟩ **II** *zn* delinquent, jeugdige wetsovertreder ★ *juvenile ~* jeugdige crimineel / misdadiger

delirious [dɪ'lɪriəs] *bnw* ❶ ijlend ⟨v. koorts⟩ ❷ uitzinnig ⟨v. vreugde⟩

delirium [dɪ'lɪriəm] *zn* ❶ delirium, ijltoestand, ijlkoorts ❷ uitzinnigheid ⟨v. vreugde⟩

deliver [dɪ'lɪvə] **I** *ov ww* ❶ bezorgen, (af)leveren ❷ afsteken, houden ⟨speech enz.⟩ ❸ overhandigen, overdragen ❹ verlossen ⟨zwangere vrouw⟩ ❺ toebrengen ⟨klap⟩ ❻ oud bevrijden **II** *onov ww* doen wat je beloofd hebt ★ *~ on your promises* je beloften nakomen

deliverance [dɪ'lɪvərəns] *zn* bevrijding

delivery [dɪ'lɪvəri] *zn* ❶ het (af)leveren, bestelling, bezorging ★ USA *general ~* poste restante ★ *take ~ of* in ontvangst nemen van ★ GB *recorded ~* aangetekende bestelling ❷ bevalling, verlossing ❸ voordracht ❹ worp ⟨v. bal⟩

delivery costs *zn mv* (af)leveringskosten, bezorgkosten

delivery note *zn* afleveringsbon, vrachtbrief

delivery room *zn* verloskamer

delivery truck, delivery van *zn* bestelwagen

dell [del] *zn* nauw bebost dal

delouse [di:'laʊs] *ov ww* ontluizen

delta ['deltə] *zn* delta ⟨v. rivier⟩

delude [dɪ'luːd] *ov ww* misleiden ★ *~ o.s.* zichzelf iets wijsmaken

deluge ['delju:dʒ] **I** *zn* ❶ stortvloed ⟨v. klachten, brieven⟩ ❷ (zond)vloed **II** *ov ww* overstromen, overstelpen

delusion [dɪ'lu:ʒən] *zn* ❶ waanidee, waanvoorstelling ★ *be under the ~* in de waan verkeren ❷ (zelf)bedrog

delusive [dɪˈluːsɪv] *bnw* bedrieglijk, misleidend

delve [delv] *onov ww* speuren, graven ★ ~ *into sb's past* in iemands verleden graven / spitten ★ ~ *into your pocket for sth* in je zak (met je hand) naar iets zoeken, iets in je zak proberen te vinden

demagogic [ˈdeməˈgɒgɪk] *bnw* demagogisch

demagogue [ˈdeməgɒg] *zn* volksmenner, demagoog

demand [dɪˈmɑːnd] **I** *ov ww* ❶ eis, verlangen ★ *make great ~s on* veel vergen van ★ *meet / satisfy sb's ~s* aan iemands eisen voldoen ❷ vraag ★ *the ~ for sth* de vraag naar iets ★ *by popular ~* omdat er zoveel vraag naar is ★ *be in ~* in trek zijn, gewild zijn ★ *on ~* op verzoek ★ econ *supply and ~* vraag en aanbod **II** *ov ww* ❶ eisen, verlangen ❷ vragen, vergen, vereisen

demanding [dɪˈmɑːndɪŋ] *bnw* veeleisend

demarcate [ˈdiːmɑːkeɪt] form *ov ww* afbakenen, begrenzen

demarcation [diːmɑːˈkeɪʃən] form *zn* ❶ grens ❷ afbakening, begrenzing

demean [dɪˈmiːn] *ov ww* vernederen, verlagen ★ ~ *yourself* je verlagen ★ ~*ing to women* vrouwonvriendelijk

demeanour, USA **demeanor** [dɪˈmiːnə] form *zn* houding, gedrag

demented [dɪˈmentɪd] *bnw* ❶ inform krankzinnig ★ *drive sb ~* iem. hoorndol / stapelgek maken ❷ oud / med dement

dementia [dɪˈmenʃə] *zn* med dementie

demerara sugar [deməˈreərə] *zn* bruine (riet)suiker

demerge I *ov ww* afsplitsen, opsplitsen ⟨eerder gefuseerde bedrijven⟩ **II** *onov ww* zich afsplitsen / opsplitsen ⟨van eerder gefuseerde bedrijven⟩

demerit [diːˈmerɪt] *zn* ❶ gebrek, tekortkoming ❷ fout ❸ USA onderw slechte aantekening, minpunt ⟨op je rapport, voor slecht gedrag⟩

demesne [dɪˈmiːn] *zn* domein, landgoed

demigod [ˈdemɪgɒd] *zn* halfgod

demilitarize, **demilitarise** [diːˈmɪlɪtəraɪz] *ov ww* demilitariseren

demise [dɪˈmaɪz] *zn*, form / humor het ter ziele gaan, einde

demist [diːˈmɪst] *ov ww* condensvrij maken / blazen ⟨autoruit⟩

demo [ˈdeməʊ] inform *zn* ❶ demonstratie ★ *give sb a demo* iem. een demonstratie geven ❷ GB demonstratie, betoging ❸ muz demo ❹ USA auto waarin je even proefrit maakt

demobilization, **demobilisation** [diːməʊbələˈzeɪʃən] mil *zn* demobilisatie

demobilize, **demobilise** [diːˈməʊbɪlaɪz] mil **I** *ov ww* demobiliseren, laten afzwaaien **II** *onov ww* demobiliseren, afzwaaien

democracy [dɪˈmɒkrəsɪ] *zn* democratie

democrat [ˈdeməkræt] *zn* democraat ★ USA *Democrat* lid v.d. Democratische Partij

democratic [deməˈkrætɪk] *bnw* democratisch

democratize, **democratise** [dɪˈmɒkrətaɪz] *onov ww* democratiseren, democratisch(er) maken

demolish [dɪˈmɒlɪʃ] *ov ww* ❶ slopen, vernielen ★ fig *that ~ed his confidence* dat knakte zijn

zelfvertrouwen ❷ omverwerpen ⟨een theorie⟩ ❸ sport inmaken ❹ GB inform naar binnen werken

demolition [deməˈlɪʃən] *zn* sloop ★ GB *do a ~ job on a proposal* een voorstel volledig afkraken

demon [ˈdiːmən] *zn* ❶ boze geest, duivel, demoon ❷ bezetene, fanatiekeling ★ *a ~ for work* een echte werkezel ▼ GB humor *the ~ drink* sterkedrank, de fles

demonic [dɪˈmɒnɪk] *bnw* duivels, bezeten

demonstrable [deˈmɒnstrəbl] *bnw* aantoonbaar

demonstrate [ˈdemənstreɪt] **I** *ov ww* ❶ een demonstratie geven van, demonstreren ❷ bewijzen, aantonen ❸ tonen **II** *onov ww* demonstreren, betoging houden

demonstration [demənˈstreɪʃən] *zn* ❶ betoging, protestmars ❷ demonstratie ❸ bewijs ❹ uiting, betuiging

demonstrative [dɪˈmɒnstrətɪv] *bnw* demonstratief ⟨met gevoelens, gebaren⟩, extravert, open ⟨v. persoon⟩

demonstrator [ˈdemənstreɪtə] *zn* ❶ demonstrant, betoger ❷ demonstrateur

demoralize, **demoralise** [dɪˈmɒrəlaɪz] *ov ww* demoraliseren, moedeloos maken

demote [dɪˈməʊt] *ov ww* degraderen

demotivate [diːˈməʊtɪveɪt] *ov ww* demotiveren, ontmoedigen

demur [dɪˈmɜː] form **I** *onov ww* bezwaar maken, protesteren ★ ~ *at sth* bedenkingen hebben tegen iets **II** *zn* bezwaar ★ *without ~* zonder meer

demure [dɪˈmjʊə] *bnw* ingetogen, eerbaar ★ *a ~ dress* een zedige / keurige jurk

den [den] *zn* ❶ hol ⟨v. dier / misdadigers⟩ ❷ USA huiskamer ❸ oud GB (werk)kamer ❹ (geheime) hut ⟨v. kinderen⟩

denationalization, **denationalisation** [diːnæʃənələˈzeɪʃən] *zn* privatisering

denationalize, **denationalise** [diːˈnæʃənəlaɪz] *ov ww* privatiseren

deniable [dɪˈnaɪəbl] *bnw* loochenbaar, te ontkennen

denial [dɪˈnaɪəl] *zn* ❶ ontkenning ★ psych *be in ~* in de ontkenningsfase zitten ❷ ontzegging ⟨v. bepaalde rechten⟩

denigrate [ˈdenɪgreɪt] *ov ww* denigreren, kleineren

denim [ˈdenɪm] *zn* spijkerstof ★ *a ~ jacket* een spijkerjasje

denizen [ˈdenɪzən] *zn*, form humor bewoner

Denmark [ˈdenmɑːk] *zn* Denemarken

denominate [dɪˈnɒmɪneɪt] *ov ww* ❶ in (de genoemde valuta) uitdrukken ⟨v. bedrag. schuld enz.⟩ ★ *dollar~d bonds / debts* in dollars uitgedrukte obligaties / schulden ❷ (be)noemen, betitelen

denomination [dɪnɒmɪˈneɪʃən] *zn* ❶ gezindte, kerkgenootschap ❷ coupure, (munt)waarde ★ *notes of various ~s* bankbiljetten in verschillende coupures ★ *coins of various ~s* munten van verschillende waarden

denominational [dɪnɒmɪˈneɪʃnəl] *bnw* confessioneel ★ ~ *schools* bijzondere scholen ⟨op religieuze grondslag⟩

denominator [dɪˈnɒmɪneɪtə] wisk *zn* noemer ⟨in

de

breuk) ★ *lowest common ~* kleinste gemene deler ★ *common ~* gemene deler, gemeenschappelijke noemer

denote [dɪ'nəʊt] *ov ww* ❶ aanduiden, wijzen op ❷ betekenen

denouement [deɪ'nu:mənt] form *zn* ontknoping ⟨v. verhaal⟩

denounce [dɪ'naʊns] *ov ww* ❶ openlijk aan de kaak stellen, openlijk bekritiseren, hekelen ❷ aangeven, verklikken

dense [dens] *bnw* ❶ dicht, compact ★ *a ~ piece of writing* een compact stuk tekst ★ *a ~ly populated area* een dichtbevolkt gebied ❷ inform dom

density ['densətɪ] *zn* ❶ (bevolkings)dichtheid ❷ compactheid

dent [dent] **I** *zn* deuk ★ inform fig *make a dent in* een hap nemen uit, flink doen dalen **II** *ov ww* deuken, fig schaden ★ *he dented his car* hij reed een deuk in zijn auto ★ *this dented her reputation* hierdoor werd haar reputatie geschaad

dental ['dentl] *bnw* ❶ tand- ★ *~ care* gebitsverzorging ❷ tandheelkundig ★ *~ dam* cofferdam ⟨rubber lapje, gebruikt door de tandarts⟩, beflapje ★ *~ hygienist* mondhygiënist

dentine, USA dentin ['denti:n] *zn* tandbeen

dentist ['dentɪst] *zn* tandarts

dentistry ['dentɪstrɪ] *zn* tandheelkunde

dentures ['dentʃəz] *zn mv* kunstgebit

denudation [di:'nju'deɪʃən] *zn* ❶ erosie ❷ ontbossing

denude [dɪ'nju:d] *ov ww* ❶ blootleggen, kaal maken ★ *be ~d of* ontdaan van ❷ ontbossen

denunciation [dɪnʌnsɪ'eɪʃən] *zn* publieke afkeuring, het aan de kaak stellen, openlijke veroordeling

Denver boot *zn* USA wielklem

deny [dɪ'naɪ] *ov ww* ❶ ontkennen ★ *there's no denying that he was a great singer* het valt niet te ontkennen dat hij een geweldige zanger was ❷ verloochenen ⟨persoon, geloof⟩ ❸ ontzeggen, weigeren

deodorant [di:'əʊdərənt] *zn* deodorant

dep. *afk* ❶ *departure* vertrek ❷ *depart(s)* vertrek

depart [dɪ'pɑ:t] **I** *onov ww* ❶ vertrekken ❷ *~ for* vertrekken naar ❸ *~ from* vertrekken van / uit, afwijken van ★ form *~ from this life* heen- / doodgaan **II** *ov ww* USA verlaten, vertrekken uit ★ *he ~ed his job as chief editor* hij stapte op als hoofdredacteur, hij stopte met zijn werk als hoofdredacteur

departed [dɪ'pɑ:tɪd] form *bnw* overleden ★ *the ~* de overledene(n)

department [dɪ'pɑ:tmənt] *zn* ❶ departement ★ *the Department of Trade and Industry* ministerie v. Economische Zaken ❷ afdeling ⟨in winkel, bedrijf⟩ ★ fig inform *that's your ~* dat is jouw afdeling / pakkie-an ❸ onderw sectie, vakgroep

departmental [di:pɑ:t'mentl] *bnw* afdelings- ★ *~ manager* afdelingschef / -hoofd

department store *zn* warenhuis

departure [dɪ'pɑ:tʃə] *zn* ❶ vertrek, vertrektijd ★ *the next ~ for London will be at 10.00* de volgende bus / de volgende trein / het volgende vliegtuig naar Londen vertrekt om 10 uur

❷ afwijking ★ *a new ~* een nieuwe koers

depend [dɪ'pend] *onov ww* ❶ inform ervan afhangen ★ *that / it ~s* dat hangt er (maar) van af ❷ *~ on/upon* vertrouwen op, rekenen op, afhankelijk zijn van, afhangen van ★ *~ upon it!* reken maar! ★ *~ing on* afhankelijk van, al naargelang

dependable [dɪ'pendəbl] *bnw* betrouwbaar

dependant, dependent [dɪ'pendənt] *zn* afhankelijk persoon ⟨v.w.b. onderdak, voedsel, geld⟩ ★ *my ~s* zij die aan mij toevertrouwd zijn

dependence [dɪ'pendəns] *zn* ❶ afhankelijkheid ❷ verslaving ★ *drug / alcohol ~* drugs- / alcoholverslaving

dependency [dɪ'pendənsɪ] *zn* ❶ afhankelijkheid ❷ gebiedsdeel, gewest ❸ verslaving

dependent [dɪ'pendənt] **I** *zn* → **dependant** **II** *bnw* afhankelijk ★ *~ on / upon* afhankelijk van

depict [dɪ'pɪkt] *ov ww* ❶ afschilderen ★ *~ sb as a criminal* iem. afschilderen als een misdadiger ❷ uitbeelden, afbeelden

depiction [dɪ'pɪkʃən] *zn* afschildering

depilatory [dɪ'pɪlətərɪ] **I** *zn* ontharingsmiddel **II** *bnw* ontharings- ★ *~ appliance* epileerapparaat

deplane [di:'pleɪn] *onov ww* uitstappen ⟨uit vliegtuig⟩

deplete [dɪ'pli:t] *ov ww* leeghalen, uitputten ⟨v. voorraad⟩, verminderen

depletion [dɪ'pli:ʃən] *zn* het ledigen, uitputting, vermindering ★ *ozone ~* de vermindering van ozon

deplorable [dɪ'plɔ:rəbl] *bnw* betreurenswaardig, bedroevend slecht

deplore [dɪ'plɔ:] *ov ww* betreuren

deploy [dɪ'plɔɪ] *ov ww* plaatsen ⟨v. wapens⟩, inzetten ⟨v. troepen⟩ ★ *~ arguments* argumenten in stelling brengen ★ *~ resources* bronnen aanwenden

deployment [dɪ'plɔɪmənt] *zn* plaatsing ⟨v. wapens⟩, inzetting ⟨v. troepen, personeel⟩

depopulate [di:'pɒpjʊleɪt] *ov ww* ontvolken

deport [dɪ'pɔ:t] *ov ww* verbannen, deporteren, uitzetten

deportation [di:pɔ:'teɪʃən] *zn* deportatie, uitzetting

deportee [di:pɔ:'ti:] *zn* gedeporteerde

deportment [dɪ'pɔ:tmənt] *zn* ❶ gedrag, (lichaams)houding ❷ oud USA manieren

depose [dɪ'pəʊz] **I** *ov ww* ❶ afzetten ❷ ⟨onder ede⟩ verklaren **II** *onov ww* getuigen

deposit [dɪ'pɒzɪt] **I** *zn* ❶ aanbetaling ★ *put down a ~ on sth* een aanbetaling doen op iets ❷ waarborgsom ❸ storting, deposito ★ *on ~* in deposito ★ USA *direct ~* (salaris)overschrijving ❹ aardk bezinksel, afzetting **II** *ov ww* ❶ deponeren, in bewaring geven ❷ (op een rekening) storten, als waarborg storten ❸ (neer)leggen, (neer)zetten ❹ afzetten **III** *onov ww* neerslaan

deposit account GB *zn* depositorekening, spaarrekening

deposition [di:pə'zɪʃən] *zn* ❶ afzetting ⟨v. heerser⟩ ❷ aardk afzetting ❸ jur (getuigen)verklaring

depositor [dɪ'pɒzɪtə] *zn* depositeur, inlegger ⟨v.

geld bij een bank⟩

depository [dɪ'pɒzɪtərɪ] zn bewaarplaats, opslagplaats

depot ['depəʊ] zn ❶ depot ❷ GB remise ❸ USA klein (bus- / trein)station

deprave [dɪ'preɪv] ov ww bederven, slecht maken ★ a ~d man een verdorven / slecht mens

depravity [dɪ'prævɪtɪ] zn verdorvenheid, slechtheid ★ a life of ~ een verdorven leven

deprecate ['deprɪkeɪt] form ov ww afkeuren

deprecatory ['deprəkeɪtərɪ] form bnw ❶ afkeurend ❷ (zich) verontschuldigend

depreciate [dɪ'priːʃɪeɪt] I ov ww ❶ econ afschrijven ❷ kleineren, denigreren II onov ww in waarde verminderen, devalueren

depreciation [dɪpriːʃɪ'eɪʃən] zn ❶ econ afschrijving ❷ ontwaarding, waardevermindering

depredation [deprɪ'deɪʃən] form zn plundering, verwoesting

depress [dɪ'pres] ov ww ❶ deprimeren, neerslachtig maken ❷ form (neer)drukken ⟨economie, markt⟩, verlagen ⟨prijzen, lonen⟩ ❸ form indrukken ⟨pedaal, knop enz.⟩

depressant [dɪ'presənt] zn kalmerend middel

depressed [dɪ'prest] bnw ❶ gedeprimeerd ❷ med depressief ❸ onder de maat, achtergebleven ★ ~ prices te lage prijzen

depressing [dɪ'presɪŋ] bnw deprimerend

depression [dɪ'preʃən] zn ❶ med depressiviteit ❷ neerslachtigheid, gedrukte stemming ❸ econ depressie, crisis ❹ natk depressie, gebied v. lage luchtdruk ❺ form laagte

depressive [dɪ'presɪv] I zn depressief iemand II bnw depressief, neerslachtig

deprivation [deprɪ'veɪʃən] zn ontbering, gemis ★ the ~s of war de ontberingen van de oorlog ★ social ~ sociale armoe ★ sleep ~ slaapgebrek

deprive [dɪ'praɪv] ov ww beroven ★ ~ yourself of sth jezelf iets ontnemen / onthouden

deprived [dɪ'praɪvd] bnw arm, misdeeld

Dept. USA **Dept.** afk, Department departement

depth [depθ] zn ❶ diepte, fig diepgang ★ the ~s [mv] het dieptepunt, het diepste / laagste / hevigste (v. iets) ★ in the ~s of the night in het holst van de nacht ★ in the ~s of the country diep in het binnenland ★ in ~ grondig, diepgaand ★ lack ~ diepgang missen ❷ intensiteit ⟨v. gevoel⟩ ▼ be out of your ~ geen grond onder de voeten hebben, er niets (meer) van snappen

depth charge zn dieptebom

deputation [depjʊ'teɪʃən] zn afvaardiging, deputatie

depute [dɪ'pjuːt] ov ww afvaardigen, (vol)machtigen

deputize, deputise ['depjʊtaɪz] onov ww ~ for ★ ~ for sb (voor) iemand waarnemen, iemand (tijdelijk) vervangen

deputy ['depjʊtɪ] zn ❶ plaatsvervanger ⟨ook in samenstellingen⟩ ★ the ~ chairman de vicevoorzitter ❷ afgevaardigde ⟨in parlement v. sommige landen⟩ ❸ USA hulpsheriff

derail [dɪ'reɪl] I ov ww doen ontsporen ★ the train was ~ed de trein ontspoorde ★ fig ~ peace talks de vredesonderhandelingen doen / laten

mislukken II onov ww ontsporen ★ the train ~ed de trein ontspoorde

derailment [diː'reɪlmənt] zn ontsporing

deranged [dɪ'reɪndʒd] bnw (geestelijk) gestoord

derangement [dɪ'reɪndʒmənt] zn waanzin

derby ['dɑːbɪ] zn ❶ GB sport derby ⟨wedstrijd tussen ploegen uit dezelfde regio / stad⟩ ❷ sport race, wedstrijd ★ the Derby de Derby ⟨jaarlijkse paardenrennen, m.n. in Epsom⟩ ❸ USA bolhoed

deregulate [diː'regjʊleɪt] ov ww dereguleren

derelict ['derəlɪkt] I bnw ❶ verwaarloosd, vervallen ⟨v. gebouw⟩ ❷ verlaten ⟨v. land⟩ II zn form dakloze, zwerver

dereliction [derɪ'lɪkʃən] zn verwaarlozing, verval ★ ~ of duty plichtsverzuim

deride [dɪ'raɪd] ov ww uitlachen, belachelijk maken ★ he was ~d as a monster hij werd uitgemaakt voor een monster ★ he was ~d as insane hij werd voor gek uitgemaakt

derision [dɪ'rɪʒən] zn spot ★ (become) an object of ~ een voorwerp van spot (worden)

derisive [dɪ'raɪsɪv] bnw spottend, de spot drijvend

derisory [dɪ'raɪsərɪ] bnw ❶ form bespottelijk ★ a ~ £15 a week een belachelijk bedrag van £15 per week ❷ spottend

derivation [derɪ'veɪʃn] zn afleiding, afkomst ook taalk

derivative [də'rɪvətɪv] I zn ❶ derivaat, afgeleid product ❷ afgeleid woord, afleiding II bnw min afgeleid, niet oorspronkelijk

derive [dɪ'raɪv] I ov ww ~ from afleiden van, ontlenen aan, winnen / verkrijgen uit II onov ww ~ from voortkomen uit, afstammen van

dermatologist [dɜːmə'tɒlədʒɪst] zn med dermatoloog, huidarts

dermatology [dɜːmə'tɒlədʒɪ] zn med dermatologie, leer van de huidziekten

derogate ['derəgeɪt] form I ov ww denigreren, kleineren II onov ww ~ from afwijken van, afbreuk doen aan

derogatory [dɪ'rɒgətərɪ] bnw geringschattend, minachtend, beledigend

derrick ['derɪk] zn ❶ hijskraan, bok ❷ boortoren

descale [diː'skeɪl] ov ww ontkalken

descant ['deskænt] zn muz bovenstem, sopraan

descend [dɪ'send] I ov ww afdalen, afgaan, afkomen II onov ww ❶ (af)dalen ★ in ~ing order van boven naar beneden ❷ neerdalen, neerkomen ★ fig night / darkness ~ed at 6.30 pm de nacht viel / de duisternis zette in om halfzeven ❸ ~ from afstammen van, teruggaan op ★ be ~ed from sb van iem. afstammen ❹ form ~ into vervallen tot / in ★ ~ into chaos in een chaos raken ❺ ~ on (onverwacht) binnen- / overvallen ★ a deep depression ~ed on him hij werd overvallen door een diep gevoel van depressie ❻ ~ to zich verlagen tot

descendant [dɪ'sendənt] zn afstammeling

descent [dɪ'sent] zn ❶ (af)daling, neergang ook fig ❷ helling, afdaling ❸ afkomst ★ be of Spanish ~ van Spaanse afkomst zijn

describe [dɪ'skraɪb] ov ww beschrijven

description [dɪ'skrɪpʃən] zn ❶ beschrijving, omschrijving ★ pain that goes beyond ~ een onbeschrijfelijke pijn ★ it defies ~ er zijn geen woorden voor ❷ klasse, soort ★ vehicles of every

de

~ allerlei soorten voertuigen
descriptive [dɪˈskrɪptɪv] *bnw* beschrijvend
descry [dɪˈskraɪ] *ov ww* lit ontwaren, bespeuren
desecrate [ˈdesɪkreɪt] *ov ww* schenden, ontheiligen
desegregate [diːˈseɡrɪɡeɪt] *ov ww* rassenscheiding opheffen in
desegregation [diːseɡrɪˈɡeɪʃən] *zn* opheffing van rassenscheiding
deselect [diːsɪˈlekt] *ov ww* ❶ GB niet langer als kandidaat handhaven ⟨parlementslid⟩ ❷ comp uit menu verwijderen
desensitize, desensitise [diːˈsensɪtaɪz] *ov ww* ongevoelig(er) maken
desert¹ [ˈdezət] *zn* woestijn
desert² [dɪˈzɜːt] **I** *ov ww* in de steek laten, verlaten **II** *onov ww* mil deserteren **III** *zn* ▾ *get your (just)* ~s je verdiende loon krijgen
deserted *bnw* ❶ verlaten, leeg ❷ in de steek gelaten
deserter [dɪˈzɜːtə] *zn* deserteur
deserve [dɪˈzɜːv] *ov ww* verdienen, recht hebben op ★ *a medal* een lintje verdienen ★ *get what you* ~ je verdiende loon krijgen ★ ~ *all / everything you get* je verdiende loon krijgen
deservedly [dɪˈzɜːvɪdlɪ] *bijw* verdiend, terecht
deserving [dɪˈzɜːvɪŋ] *bnw* het nodig hebbend ★ *give money to one of the most* ~ *areas* geld geven aan een van de gebieden die het het hardst nodig hebben ★ *this is* ~ *of attention* dit verdient alle aandacht
desiccated [ˈdesɪkeɪtɪd] *bnw* ❶ gedroogd ⟨v. voedsel⟩ ❷ uitgedroogd
desideratum [dɪzɪdəˈrɑːtəm] *zn* [mv: **desiderata**] gewenst iets
design [dɪˈzaɪn] **I** *zn* ❶ ontwerp(tekening), schets ❷ vormgeving ❸ form plan, opzet ★ *by accident or* ~ per ongeluk of expres ★ *without* ~ zonder bijbedoeling ❹ patroon ▾ form *have* ~s *on* azen op ▾ form humor *have* ~s *on sb* een oogje op iem. hebben **II** *ov ww* ❶ ontwerpen ❷ vormgeven ❸ bedenken, ontwikkelen ❹ bestemmen, bedoelen ★ ~ *ed for / as* bestemd voor / als ★ *this was* ~ed *to help people who are in between jobs* dit was bedoeld om (tijdelijk) werklozen te helpen
designate [ˈdezɪɡneɪt] *ov ww* ❶ bestemmen ❷ (be)noemen ★ ~ *as* benoemen / bestempelen tot ❸ aanduiden, aangeven
designation [dezɪɡˈneɪʃən] *zn* ❶ bestemming, benoeming ❷ aanduiding
designer [dɪˈzaɪnə] **I** *zn* ontwerper **II** *bnw* merk- ★ ~ *clothes* designerkleding, haute-couturekleding
designer drug *zn* designerdrug ⟨chemische drug, bv. ecstasy⟩
desirability [dɪzaɪərəˈbɪlətɪ] *zn* ❶ wenselijkheid ❷ begeerlijkheid
desirable [dɪˈzaɪərəbl] *bnw* ❶ begeerlijk, aantrekkelijk ❷ wenselijk
desire [dɪˈzaɪə] **I** *zn* ❶ wens, verlangen ★ *they have no* ~ *to work for that company* ze willen niet voor dat bedrijf werken ❷ begeerte ★ *animal* ~s vleselijke lusten **II** *ov ww* ❶ wensen ★ *have the* ~d *effect* het gewenste effect hebben ★ *leave a lot / much / enz. to be* ~d veel te

wensen over laten ❷ begeren
desirous [dɪˈzaɪərəs] form *bnw* verlangend, begerig ★ *be* ~ *of peace* naar vrede verlangen ★ *be* ~ *of having children* naar kinderen verlangen
desist [dɪˈzɪst/dɪˈsɪst] form *onov ww* ❶ stoppen ❷ ~ *from* afzien van, ophouden met
desk [desk] *zn* ❶ schrijftafel, bureau, lessenaar ❷ balie ❸ afdeling ⟨bv. bij krant, zender⟩
desk clerk USA *zn* receptionist(e)
desk job *zn* kantoorbaan
desktop [ˈdesktɒp] *zn* ❶ bureaublad ❷ comp desktop, bureaublad
desktop publishing *zn* desktoppublishing, dtp ⟨elektronisch publiceren⟩
desolation [desəˈleɪʃən] *zn* ❶ eenzaamheid, ellende ❷ troosteloosheid
despair [dɪˈspeə] **I** *zn* wanhoop ▾ *be the* ~ *of sb* iem. tot wanhoop drijven **II** *onov ww* wanhopen ★ ~ *of having children* de hoop opgeven ooit kinderen te krijgen
despairing [dɪˈspeərɪŋ] *bnw* wanhopig
despatch [dɪˈspætʃ] GB → **dispatch**
desperado [despəˈrɑːdəʊ] *zn* oud desperado, roekeloos, nietsontziend persoon
desperate [ˈdespərət] *bnw* ❶ wanhopig, hopeloos, radeloos ★ *I'm* ~ *for a cigarette* ik snak naar een sigaret ❷ vreselijk ★ *be in* ~ *need of sth* iets heel erg nodig hebben ★ *a* ~ *shortage of water* een zeer ernstig tekort aan water
desperation [despəˈreɪʃən] *zn* wanhoop, vertwijfeling ★ *in* ~ wanhopig, vertwijfeld
despicable [ˈdespɪkəbl] *bnw* verachtelijk, gemeen
despise [dɪˈspaɪz] *ov ww* verachten
despite [dɪˈspaɪt] *vz* ondanks, in weerwil van
despoil [dɪˈspɔɪl] *ov ww* form plunderen
despondency [dɪˈspɒndənsɪ] *zn* wanhoop, moedeloosheid
despondent [dɪˈspɒndənt] *bnw* wanhopig, moedeloos
despot [ˈdespɒt] *zn* despoot, tiran
despotic [dɪˈspɒtɪk] *bnw* despotisch, als een tiran
despotism [ˈdespətɪzəm] *zn* despotisme, tirannie
dessert [dɪˈzɜːt] *zn* dessert, inform toetje
destabilize, destabilise [diːˈsteɪbɪlaɪz] *ov ww* destabiliseren, ontwrichten
destination [destɪˈneɪʃən] *zn* bestemming ★ *arrive at / reach your* ~ je bestemming bereiken, op je bestemming aankomen
destine [ˈdestɪn] *ov ww* bestemmen ★ *be* ~d *for a business career* voorbeschikt zijn voor een carrière in de zakenwereld ★ *a flight* ~d *for Dublin* een vlucht met bestemming Dublin
destiny [ˈdestɪnɪ] *zn* (nood)lot, bestemming
destitute [ˈdestɪtjuːt] *bnw* berooid, arm ★ form ~ *of* verstoken van
destitution [destɪˈtjuːʃən] *zn* armoede, behoeftigheid
destroy [dɪˈstrɔɪ] *ov ww* ❶ vernietigen, ruïneren ❷ afmaken ⟨dier⟩
destroyer [dɪˈstrɔɪə] *zn* ❶ mil torpedojager ❷ vernieler
destruction [dɪˈstrʌkʃən] *zn* vernietiging, vernieling
destructive [dɪˈstrʌktɪv] *bnw* vernietigend, verwoestend

desultory ['desəltərɪ] *bnw* form zonder plan, onsamenhangend ★ *in a ~ fashion / manner* onsystematisch, doelloos

detach [dɪ'tætʃ] **I** *ov ww* ❶ eraf halen, losmaken ❷ mil detacheren **II** *wkd ww* ~ *from* zich losmaken van, zich distantiëren van **III** *onov ww* losgaan

detachable [dɪ'tætʃəbl] *bnw* afneembaar

detached [dɪ'tætʃt] *bnw* ❶ vrijstaand ‹v. huis› ❷ emotieloos, afstandelijk ❸ objectief, onbevooroordeeld

detachment [dɪ'tætʃmənt] *zn* ❶ afstandelijkheid, onverschilligheid ❷ objectiviteit ❸ mil detachement

detail ['di:teɪl] **I** *zn* ❶ detail, bijzonderheid, onderdeel, bijzaak ★ *go into ~‹s›* nader op iets ingaan ★ *~s* [mv] inlichtingen, gegevens ‹zoals naam, adres enz.›, informatie ★ *a matter of ~* bijzaak ★ *in ~* grondig, volledig ❷ mil detachement ‹met bep. taak› **II** *ov ww* ❶ uitvoerig beschrijven / opnoemen, details geven over ❷ mil aanwijzen ‹voor speciale taak›

detain [dɪ'teɪn] *ov ww* ❶ vasthouden, gevangen houden, laten nablijven ‹op school› ❷ ophouden ★ *she has been ~ed by a traffic accident* zij is vertraagd / opgehouden door een verkeersongeluk

detainee [di:teɪ'ni:] *zn* gevangene

detect [dɪ'tekt] *ov ww* ❶ ontdekken, opsporen ❷ bespeuren

detection [dɪ'tekʃən] *zn* ❶ ontdekking, opsporing ★ *the ~ rate is too low* het opsporingspercentage is te laag ❷ speurwerk ★ *Morse is a master of ~* Morse is een meesterspeurder

detective [dɪ'tektɪv] *zn* detective, rechercheur ★ *private ~* privédetective

détente ['deɪtɒnt] *zn* pol detente, ontspanning

detention [dɪ'tenʃən] *zn* ❶ opsluiting, hechtenis ❷ schoolblijven ★ *give sb (a) ~* iem. laten nablijven

detention centre, USA **detention center** *zn* ❶ jeugdgevangenis ❷ detentiecentrum ‹voor illegalen›

deter [dɪ'tɜ:] *ov ww* afschrikken ★ *the price didn't ~ her from buying the dress* de prijs weerhield haar er niet van de jurk te kopen

detergent [dɪ'tɜ:dʒənt] *zn* ❶ schoonmaakmiddel, reinigingsmiddel ❷ (af)wasmiddel

deteriorate [dɪ'tɪərɪəreɪt] *onov ww* slechter worden, verslechteren, ontaarden

deterioration [dɪtɪərɪə'reɪʃən] *zn* verslechtering

determinable [dɪ'tɜ:mɪnəbl] form *bnw* bepaalbaar, vast te stellen

determinant [dɪ'tɜ:mɪnənt] form *zn* beslissende factor

determinate [dɪ'tɜ:mɪnət] form *bnw* vast, bepaald

determination [dɪtɜ:mɪ'neɪʃən] *zn* ❶ vastberadenheid ❷ bepaling ★ *the ~ of sth* het vaststellen van iets

determine [dɪ'tɜ:mɪn] **I** *ov ww* ❶ vaststellen, bepalen ❷ beslissen **II** *onov ww* besluiten ★ ~ *to buy a new car* besluiten een nieuwe auto te kopen

determined [dɪ'tɜ:mɪnd] *bnw* vastbesloten, vastberaden

determinism [dɪ'tɜ:mɪnɪzəm] *zn* filos determinisme, ontkenning v.d. vrije wil

deterrence [dɪ'terəns] *zn* afschrikking ★ *a policy of nuclear ~* een nucleaire afschrikkingspolitiek

deterrent [dɪ'terənt] **I** *zn* afschrikwekkend middel ★ *nuclear ~s* kernwapens als afschrikmiddel, nucleaire afschrikkingswapens **II** *bnw* afschrikwekkend

detest [dɪ'test] *ov ww* verafschuwen, haten

detestable [dɪ'testəbl] *bnw* afschuwelijk

dethrone [di:'θrəʊn] *ov ww* onttronen ook sport, afzetten

detonate ['detəneɪt] **I** *ov ww* doen ontploffen **II** *onov ww* ontploffen

detonator ['detəneɪtə] *zn* ontstekingsmechanisme, detonator

detour ['di:tʊə] **I** *zn* ❶ omweg ★ *make / take a ~* een omweg maken, omrijden ❷ omleiding **II** *onov ww* USA een omweg maken, omrijden

detox inform **I** *zn* ❶ ontwenning(skuur) ❷ ontslakking(skuur) **II** *onov ww* ❶ ontwennen, afkicken ❷ ontslakken **III** *ov ww* ❶ laten afkicken ❷ ontslakken

detract [dɪ'trækt] **I** *ov ww* afnemen, afleiden ★ ~ *attention from other important issues* de aandacht afleiden van andere belangrijke kwesties **II** *onov ww* ~ *from* afbreuk doen aan, kleineren

detraction [dɪ'trækʃən] *zn* geringschatting, het kleineren

detrain [di:'treɪn] USA form *onov ww* uitstappen ‹uit trein›

detriment ['detrɪmənt] form *zn* nadeel, schade ★ *to the ~ of* ten nadele van

detrimental [detrɪ'mentl] *bnw* schadelijk

detritus [dɪ'traɪtəs] *zn* ❶ resten, afval ❷ puin, gruis ‹door erosie›

deuce [dju:s] *zn* ❶ 40 gelijk ‹tennis›, twee ‹dobbelsteen / speelkaart› ❷ oud inform du(i)vel ★ *who the ~ do you think you are?* wie dent je verdorie wel dat je bent? ★ *what the ~ is he doing?* wat voert die bliksemse jongen uit?

devaluation [di:vælju:'eɪʃən] *zn* waardevermindering, devaluatie

devalue [di:'vælju:] **I** *ov ww* ❶ devalueren, in waarde doen dalen ❷ minder waarderen, onderschatten **II** *onov ww* devalueren, in waarde dalen

devastate ['devəsteɪt] *ov ww* verwoesten ★ fig *we were ~d by the news* het nieuws heeft ons diep geschokt

devastating ['devəsteɪtɪŋ] *bnw* ❶ verwoestend ❷ schokkend ❸ geweldig, indrukwekkend

devastation [devə'steɪʃən] *zn* verwoesting(en) ★ *cause ~* vernielingen / verwoestingen aanrichten

develop [dɪ'veləp] **I** *ov ww* ❶ ontwikkelen, doen ontstaan ❷ (last) krijgen (van) ‹ziekte, probleem› ★ ~ *pneumonia* longontsteking oplopen ❸ uitwerken ‹idee, thema› ❹ ontginnen, bouwrijp maken **II** *onov ww* ❶ zich ontwikkelen ★ ~ *into* zich ontwikkelen tot, worden ❷ ontstaan ‹van ziekte, probleem›, optreden

developer [dɪ'veləpə] *zn* ❶ projectontwikkelaar ❷ audio-vis ontwikkelaar ❸ productontwikkelaar

development [dɪ'veləpmənt] zn ❶ ontwikkeling
❷ nieuwbouwproject, projectontwikkeling

developmental [dɪveləp'mentl] bnw
ontwikkelings-, groei- ★ a ~ process een
ontwikkelingsproces, een groeiproces

deviance ['di:vɪəns], **deviancy** ['di:vɪənsɪ] form
zn afwijkend gedrag

deviant ['di:vɪənt] I zn afwijkend persoon II bnw
afwijkend, abnormaal

deviate ['di:vɪeɪt] onov ww afwijken, afdwalen

deviation [di:vɪ'eɪʃən] zn afwijking

device [dɪ'vaɪs] zn ❶ toestel, apparaat, uitvinding
❷ bom, wapen ★ nuclear ~ atoombom
❸ (hulp)middel ❹ truc, list ▼ leave sb to their own
~s iem. met rust laten

devil ['devəl] zn ❶ duivel, boze geest ★ the Devil
de Duivel ❷ inform kerel ★ poor ~ arme donder
★ lucky ~ geluksvogel ▼ GB inform be a ~! doe
eens gek!, spring eens uit de band ▼ better the ~
you know than the ~ you don't je weet wat je
hebt, niet wat je krijgt ▼ between the ~ and the
deep (blue) sea tussen twee vuren ▼ what / how /
why the ~ wat / hoe / waarom in 's hemelsnaam
▼ talk / speak of the ~ (and he is sure to appear) als
je over de duivel spreekt (trap je 'm op zijn
staart) ▼ when you sleep with the ~, there's always
hell to pay wie z'n gat (ver)brandt moet op de
blaren zitten

devilish ['devəlɪʃ] bnw duivels ★ ~ schemes
duivelse / snode plannen

devil-may-care bnw onverschillig, zorgeloos

devilment ['devəlmənt], **devilry** ['devrɪrɪ] form
zn baldadigheid, uitgelatenheid

devil's advocate zn advocaat v.d. duivel

devious ['di:vɪəs] bnw slinks ★ ~ route / path
omweg

devise [dɪ'vaɪz] ov ww bedenken, verzinnen,
beramen

devoid [dɪ'vɔɪd] bnw ★ ~ of all humour zonder
enig gevoel voor humor

devolution [di:və'lu:ʃən] zn ❶ pol decentralisatie
(v. bestuur), overdracht (van
bestuur(sbevoegdheden)) ❷ biol degeneratie

devolve [dɪ'vɒlv] I ov ww overdragen ★ ~ sth to /
on / upon sb iets aan iem. overdragen
(bevoegdheid, verantwoordelijkheid) II onov
ww jur ~ to toevallen aan (v. bezit, door
erfenis)

devote [dɪ'vəʊt] ov ww wijden, geven, besteden
(tijd, aandacht) ★ ~ yourself to sb / sth je geheel
wijden aan iemand / iets

devoted [dɪ'vəʊtɪd] bnw toegewijd, verknocht
★ ~ to gehecht aan, dol op, gewijd aan (van
programma, boek, tentoonstelling), besteed aan
(van ruimte, tijd e.d.)

devotee [devə'ti:] zn ❶ enthousiast liefhebber,
aanbidder ❷ rel aanhanger

devotion [dɪ'vəʊʃən] zn ❶ grote liefde,
toewijding ❷ godsvrucht ★ ~s [mv] gebeden,
godsdienstoefeningen

devotional [dɪ'vəʊʃənl] bnw godsdienstig

devour [dɪ'vaʊə] ov ww ❶ verslinden ook fig
❷ verteren (door vuur) ★ be ~ed by envy
verteerd worden door jaloezie

devout [dɪ'vaʊt] bnw vroom, toegewijd ★ ~ly
hope vurig hopen

dew [dju:] zn dauw

dewdrop ['dju:drɒp] zn dauwdruppel

dewlap ['dju:læp] zn halskwab (bij rund / hond)

dewy ['dju:ɪ] bnw bedauwd, dauwachtig

dewy-eyed bnw met vochtige ogen,
sentimenteel

dexterity [dek'sterɪtɪ] zn handigheid

dexterous ['dekstərəs], **dextrous** ['dekstrəs] bnw
handig

dextrose ['dekstrəʊs] zn druivensuiker

dhal zn dhal (Indiase linzenschotel)

diabetes [daɪə'bi:ti:z] zn suikerziekte, diabetes

diabetic [daɪə'betɪk] I zn suikerpatiënt,
diabeticus II bnw suikerziekte- ★ a ~ diet een
dieet voor diabetici ★ be ~ suikerziekte hebben
★ ~ women vrouwen met suikerziekte

diabolic [daɪə'bɒlɪk] bnw duivels, kwaadaardig

diabolical [daɪə'bɒlɪkl] bnw ❶ inform afgrijselijk,
vreselijk ❷ kwaadaardig, duivels

diadem ['daɪədem] zn diadeem

diagnose ['daɪəgnəʊz] ov ww de diagnose stellen
van / bij, constateren ★ she's been ~d with acute
leukaemia er is acute leukemie bij haar
vastgesteld, de diagnose bij haar is acute
leukemie

diagnosis [daɪəg'nəʊsɪs] zn diagnose

diagnostic [daɪəg'nɒstɪk] I bnw diagnostisch,
kenmerkend ★ a ~ examination een
diagnostisch onderzoek (om de ziekte vast te
stellen) ★ be ~ of AIDS op aids duiden,
kenmerkend zijn voor aids II zn ❶ symptoom
❷ comp diagnoseprogramma ★ ~s [mv]
diagnostiek

diagonal [daɪ'ægənl] I zn diagonaal II bnw
diagonaal

diagram ['daɪəgræm] zn diagram, schematische
voorstelling

diagrammatic [daɪəgrə'mætɪk] bnw schematisch

dial ['daɪəl] I ov ww comm draaien, kiezen ★ dial
999 999 bellen II zn ❶ wijzerplaat, zonnewijzer
❷ techn (afstem)schaal, (afstem)knop (op radio
e.d.) ❸ kiesschijf (v. oud type telefoon)

dialling code GB zn netnummer, kengetal

dialling tone GB zn kiestoon

dialogue ['daɪəlɒg] zn dialoog, gesprek

dial tone USA zn kiestoon

diameter [daɪ'æmɪtə] zn diameter, middellijn,
doorsnee

diametrical [daɪə'metrɪkl] bnw lijnrecht,
diametraal ★ ~ly opposed views volkomen
tegengestelde meningen

diamond ['daɪəmənd] zn ❶ diamant (ook in
samenstellingen) ★ a ~ necklace / bracelet een
diamanten halsketting / armband ★ rough ~
ongeslepen diamant, ruwe bolster, blanke pit
❷ ruit ★ ~s [mv] ruiten (speelkaart) ❸ sport USA
honkbalveld, gebied binnen de honken

diamond cutter zn diamantslijper

diaper ['daɪəpə] USA zn luier

diaphanous [daɪ'æfənəs] bnw doorschijnend,
ragfijn (v. stof)

diaphragm ['daɪəfræm] zn ❶ middenrif
❷ pessarium ❸ membraan

diarist ['daɪərɪst] zn dagboekschrijver

diarrhoea, USA **diarrhea** [daɪə'rɪə] zn diarree

diary ['daɪərɪ] zn ❶ dagboek ❷ GB agenda

diaspora [daɪˈæspərə] *zn* diaspora, verstrooiing ⟨van (gelovige) minderheid tussen andersdenkenden⟩

diatribe [ˈdaɪətraɪb] *zn* felle aanval ⟨met woorden⟩ ★ *launch a ~ against sth* fel van leer trekken tegen iets

dibs [dɪbz] USA inform *zn mv* ★ *dibs on the chocolate ice!* het chocolade-ijs is voor mij / wil ik! ▼ *have / get first dibs on sth* als eerste recht hebben op iets

dice [daɪs] **I** *zn* [mv: dice] ❶ dobbelsteen ★ *roll / throw / shake the dice* de dobbelstenen gooien / schudden ❷ dobbelspel ▼ inform *no dice* vergeet het maar, dat gaat (mooi) niet door **II** *zn mv* cul dobbelsteentjes **III** *onov ww* dobbelen ▼ *dice with death* met je leven spelen **IV** *ov ww* cul, *dice up* in dobbelsteentje snijden

dicey [ˈdaəsɪ] *bnw* inform link, riskant ★ *it looks a bit ~ to me!* ik vertrouw het voor geen meter!

dichotomy [daɪˈkɒtəmɪ] *zn* form zn tweedeling

dick [dɪk] *zn* ❶ vulg lul, pik ❷ min lul, zak, idioot

dickens [ˈdɪkɪnz] inform oud *zn* ❶ verdorie, in 's hemelsnaam ★ *what the ~ are you up to?* waar ben jij verdorie mee bezig? ❷ USA ★ *cute as the ~* verdomd knap

dicker [ˈdɪkə] USA *onov ww* ❶ kibbelen ❷ marchanderen ★ *~ over the price of a new car* afdingen op de prijs van een nieuwe auto

dickey *zn* front(je) ⟨kledingstuk⟩

dicky [ˈdɪkɪ] **I** *zn* ❶ front(je) ⟨kledingstuk⟩ ❷ kofferbak ⟨v. auto⟩ **II** *bnw*, GB inform zwak ⟨van hart⟩, wankel

dicky bird GB jeugdt *zn* vogeltje ★ *not say a ~* geen woord zeggen

dicta [ˈdɪktə] *zn mv* → **dictum**

dictate [dɪkˈteɪt] **I** *ov ww* ❶ dicteren ❷ opleggen, voorschrijven, commanderen **II** *onov ww* commanderen ★ *refuse to ~d* to zich niet laten commanderen, zich niet de wet laten voorschrijven **III** *zn* form voorschrift, bevel ★ *the ~s of conscience* de stem van het geweten

dictation [dɪkˈteɪʃən] *zn* ❶ dictee, dictaat ★ *take ~* opschrijven wat er gezegd wordt ❷ bevel

dictatorial [dɪktəˈtɔːrɪəl] *bnw* dictatoriaal ⟨van regering, heerser e.d.⟩, autoritair ⟨van houding, gedrag, toon⟩

dictatorship [dɪkˈteɪtəʃɪp] *zn* dictatuur

diction [ˈdɪkʃən] *zn* ❶ dictie, wijze v. uitspreken ❷ woordkeuze

dictionary [ˈdɪkʃənrɪ] *zn* woordenboek

dictum [ˈdɪktəm] *zn* [mv: dicta, dictums] gezegde, uitspraak

did [dɪd] *ww* [verleden tijd] → **do**[1]

didactic [daɪˈdæktɪk] *bnw* ❶ belerend, moraliserend ❷ schoolmeesterachtig

diddle [ˈdɪdl] inform *ov ww* bedriegen, afzetten ★ *~ sb out of his money* iem. zijn geld ontfutselen

die[1] [daɪ] **I** *onov ww* ❶ doodgaan, sterven, omkomen ★ *die of / from leukaemia* doodgaan aan leukemie ★ *I nearly died* ik schrok / schaamde me rot ★ *die laughing* je doodlachen ★ *never say die!* de moed niet opgeven! ★ *die in your bed* 'n natuurlijke dood sterven ❷ uitsterven, verdwijnen ❸ stilvallen ⟨van machine⟩ ❹ uitgaan ⟨van vuur⟩ ▼ inform *be*

dying for sth snakken naar iets ▼ inform *(it is sth) to die for* daar zou ik een moord voor doen ❺ *~ away/down* wegsterven, afnemen, wegkwijnen ❻ *~ back* afsterven ⟨van plant⟩ ❼ *~ off* uitsterven, een voor een sterven ⟨van mensen, dieren⟩ ❽ *~ out* (langzaam) uitsterven ⟨van ziektes, gewoontes, mensen, dieren⟩ **II** *ov ww* sterven ★ *die a natural death* een natuurlijke dood sterven ★ *die a hero / millionaire* als (een) held / miljonair sterven ▼ GB inform *die a / the death* floppen **III** *zn* [mv: dice] dobbelsteen ★ *the die is cast* de teerling is geworpen

die[2] *zn* ❶ muntstempel ❷ matrijs, gietvorm

diehard [ˈdaɪhɑːd] **I** *zn* ❶ aartsconservatief ❷ doorzetter, volhouder **II** *bnw* onverzettelijk, verstokt

diesel [diːzl] *zn*, **diesel oil** dieselolie, diesel ⟨auto met dieselmotor⟩

diesel engine *zn* dieselmotor

diet [ˈdaɪət] **I** *zn* ❶ voeding, voedsel ★ *have a balanced diet* evenwichtig / goed uitgebalanceerd eten ★ *survive on a diet of burgers and fries* dicht in leven houden met friet en hamburgers ❷ dieet ⟨ook in samenstellingen, met als betekenis light, caloriearm⟩ ★ *go on a diet* op dieet gaan ★ *diet cola* lightcola ❸ menu ★ *be fed a diet of soap operas* alleen maar soaps voorgeschoteld krijgen **II** *onov ww* lijnen

dietary [ˈdaɪətrɪ] *bnw* dieet-, voedsel- ★ *~ habits* eetgewoonten

dietetics [daɪəˈtetɪks] *zn mv* voedselleer

dietitian, dietician [daɪəˈtɪʃən] *zn* diëtist(e), voedingsdeskundige

differ [ˈdɪfə] *onov ww* ❶ verschillen ★ *~ from your sister in hair colour* een andere kleur haar hebben dan je zus ❷ van mening verschillen ★ *~ with sb about / on / over sth* over iets met iem. van mening verschillen

difference [ˈdɪfrəns] *zn* ❶ verschil ★ *a marked ~* een duidelijk verschil ★ *can you tell the ~?* kun je het verschil zien? ★ *make no ~* geen verschil uitmaken, niet uitmaken ★ *make all the ~* alles uitmaken ★ *same ~* maakt niks uit ★ *with a ~* bijzonder, anders dan anders ❷ onenigheid ★ *we've had our ~s...* we waren het niet altijd eens...

different [ˈdɪfrənt] *bnw* ❶ ander(e), verscheiden(e) ❷ verschillend ★ *~ from / to / than* anders dan ❸ inform anders, apart

differential [dɪfəˈrenʃəl] **I** *zn* verschil ⟨in hoeveelheid / waarde⟩ **II** *bnw* form verschillend, ongelijk

differentiate [dɪfəˈrenʃɪeɪt] **I** *ov ww* ❶ onderscheiden ❷ doen verschillen (van) **II** *onov ww* ❶ onderscheid / verschil maken, zich onderscheiden, differentiëren ❷ ongelijk behandelen ★ *not ~ between your sons and daughters* je zonen en dochters gelijk behandelen, geen verschil maken tussen je zonen en dochters

differentiation [dɪfərənʃɪˈeɪʃən] *zn* ❶ onderscheid, verschil ❷ differentiatie

difficult [ˈdɪfɪkəlt] *bnw* moeilijk, lastig

difficulty [ˈdɪfɪkəltɪ] *zn* ❶ probleem, moeilijkheid ★ *run into ~ / difficulties* in problemen komen

di

❷ moeite ★ *with great* ~ met veel moeite
❸ moeilijkheidsgraad
diffidence ['dɪfɪdns] *zn* gebrek aan zelfvertrouwen
diffident ['dɪfɪdnt] *bnw* bedeesd, verlegen
diffract [dɪ'frækt] *ov ww* natk breken ⟨licht⟩
diffraction [dɪ'frækʃən] *zn* natk breking ⟨v. licht⟩
diffuse[1] [dɪ'fju:s] *bnw* ❶ verspreid, verstrooid, diffuus ❷ omslachtig
diffuse[2] [dɪ'fju:z] **I** *ov ww* verspreiden, uitstralen **II** *onov ww* zich verspreiden
diffusion [dɪ'fju:ʒən] *zn* verspreiding, uitstraling
dig [dɪg] [onregelmatig] **I** *ov ww* ❶ graven, opgraven, uitgraven ❷ rooien ⟨aardappelen⟩ ❸ duwen, porren ❹ oud inform gaaf / cool vinden ❺ ~ *in* onderspitten ⟨bv. kunstmest⟩, ingraven ★ *dig yourself in* je verschansen ⟨soldaten⟩ ❻ ~ *out* opgraven, fig opdiepen, uitvissen ❼ ~ *over* omspitten ❽ ~ *up* uitgraven, rooien, fig oprakelen **II** *onov ww* ❶ graven ❷ zoeken ★ *dig for more information* zoeken / spitten naar meer informatie ⟨door de pers, politie⟩ ❸ ~ *in* je ingraven, je tijd afwachten, aanvallen ⟨op eten⟩ ❹ ~ *into* graven in ook fig, aanvallen op ⟨het eten⟩, aanspreken ⟨bv. spaargeld⟩ ★ *the edge of the table was digging into my stomach* de tafelrand drong zich / porde in mijn maag ★ *dig into sb's past* in iemands verleden spitten / duiken **III** *zn* ❶ por, stoot ★ *a dig in the ribs* een por in de zij ★ *have a dig at sb* iem. een steek onder water geven ❷ opgraving
digerati *zn mv* computerfanaten, computerfreaks
digest[1] [daɪ'dʒest] **I** *ov ww* ❶ verteren ❷ verwerken ⟨info⟩, in zich opnemen **II** *onov ww* verteren
digest[2] [ˈdaɪdʒest] *zn* samenvatting
digestible [daɪ'dʒestəbl] *bnw* ❶ licht verteerbaar ❷ begrijpelijk, te snappen ⟨van informatie⟩
digestion [daɪ'dʒestʃən] *zn* spijsvertering → digest[1]
digestive [daɪ'dʒestɪv] **I** *zn* ❶ spijsvertering bevorderend middel ❷ **digestive biscuit** volkorenkoekje **II** *bnw* ❶ de spijsvertering bevorderend ❷ spijsverterings-
digger ['dɪgə] *zn* ❶ graafmachine ❷ ⟨goud⟩delver
digit ['dɪdʒɪt] *zn* ❶ cijfer ⟨getal van 0-9⟩ ★ USA *double* ~*s* dubbele cijfers, tientallen ❷ anat vinger, teen, duim
digital ['dɪdʒɪtl] *bnw* digitaal ★ ~ *camera* / *watch* digitale camera, digitaal horloge
digitize, GB **digitise** *ov ww* digitaliseren
dignified [ˈdɪgnɪfaɪd] *bnw* waardig, statig
dignify ['dɪgnɪfaɪ] *ov ww* ❶ waardigheid geven aan, vereren ★ *not* ~ *sb's remark by reacting to it* ≈ iemands opmerking geen antwoord waardig achten ❷ opluisteren
dignitary ['dɪgnɪtərɪ] *zn* hoogwaardigheidsbekleder
dignity ['dɪgnətɪ] *zn* ❶ waardigheid ★ *stand on your* ~ erop staan respectvol behandeld te worden ❷ zelfrespect
digress [daɪ'gres] *onov ww* ❶ afdwalen ❷ ~ *on* uitweiden over
digression [daɪ'greʃən] *zn* uitweiding

dike [daɪk] *zn* → **dyke**
diktat ['dɪktæt] *zn* dictaat, van bovenaf opgelegde regeling
dilapidated [dɪ'læpɪdeɪtɪd] *bnw* vervallen, bouwvallig ⟨gebouw⟩, krakkemikkig ⟨voertuig⟩
dilapidation [dɪlæpɪ'deɪʃən] *zn* verval, bouwvalligheid
dilatation [daɪlə'teɪʃn], **dilation** [daɪ'leɪʃn] *zn* med verwijding, dilatatie ★ ~ *and curettage* ⟨dilatatie en⟩ curettage ⟨schoonschrapen van de baarmoeder⟩
dilate [daɪ'leɪt] **I** *onov ww* wijder worden, zich uitzetten **II** *ov ww* verwijden, uitzetten
dilatory ['dɪlətərɪ] form *bnw* traag ★ ~ *in doing sth* traag met iets zijn
dildo *zn* dildo ⟨kunstpenis⟩
dilemma [daɪ'lemə] *zn* dilemma ★ *be in a* ~ *about whether to return or not* voor een dilemma staan: terugkeren of niet
dilettante [dɪlə'tæntɪ] *zn* dilettant ⟨oppervlakkig kunst- / muziek- / ballet- / ... kenner⟩
diligence ['dɪlɪdʒəns] form *zn* toewijding, ijver
diligent ['dɪlɪdʒənt] form *bnw* ijverig
dill [dɪl] *zn* plantk dille
dilly-dally [ˈdɪlɪdælɪ] oud inform *onov ww* treuzelen, zeuren
dilute [daɪ'lju:t] **I** *ov ww* ❶ ⟨met water⟩ verdunnen, aanlengen ❷ afzwakken **II** *bnw* verdund
dilution [daɪ'lu:ʃən] *zn* verdunning, ⟨slap⟩ aftreksel ook fig
dim [dɪm] **I** *bnw* ❶ zwak ⟨licht / schijnsel⟩ ❷ donker, schemerig ★ *the dim and distant past* het grijs verleden ❸ flauw, vaag ❹ GB inform dom ❺ weinig hoopvol ⟨v. situatie⟩ ▼ *take a dim view of sb / sth* niet veel op hebben met iemand / iets **II** *ov ww* ❶ donker / schemerig maken ★ *dim the lights* de lichten dimmen ❷ temperen, vervagen **III** *onov ww* ❶ donker / schemerig worden ❷ vervagen, verflauwen
dime [daɪm] *zn* USA dubbeltje ⟨10 dollarcent⟩ ▼ inform *(these rappers are) a dime a dozen* ⟨van deze rappers zijn er⟩ dertien in een dozijn, ⟨deze rappers zijn⟩ niets bijzonders
dime novel *zn* USA stuiversroman
dimension [daɪ'menʃən] *zn* afmeting, omvang, dimensie
diminish [dɪ'mɪnɪʃ] **I** *onov ww* verminderen, afnemen **II** *ov ww* ❶ verminderen, verkleinen ❷ bagatelliseren, afbreuk doen aan
diminution [dɪmɪ'nju:ʃən] *zn* verkleining, vermindering, afname
diminutive [dɪ'mɪnjʊtɪv] *bnw* erg klein, miniatuur
dimple ['dɪmpl] *zn* ❶ kuiltje ❷ rimpeltje ⟨in wateroppervlak⟩
dimpled *bnw* met kuiltjes / een kuiltje ⟨van kin, wang⟩
dimwitted [dɪm'wɪtɪd] inform *bnw* traag van begrip, stom
din [dɪn] **I** *zn* kabaal **II** *ov ww* ★ *din sth into sb* er iets bij iem. inhameren
dine [daɪn] *onov ww* ❶ dineren ❷ ~ *in* thuis / in je hotel dineren ❸ ~ *off/on* zijn ⟨middag⟩maal doen met, ⟨bij het diner⟩ eten ❹ ~ *out* buitenshuis dineren

diner ['daɪnə] *zn* ❶ gast, eter ❷ USA (goedkoop) restaurantje

dinette *zn* USA eethoek / -kamer

ding I *zn* ❶ ping ⟨geluid van een bel(letje)⟩ ❷ USA deuk(je) ⟨in auto e.d.⟩ **II** *onov ww* 'ping' doen **III** *ov ww* ❶ USA licht beschadigen, (in)deuken ⟨auto e.d.⟩ ❷ USA fig raken, schade berokkenen

dingbat USA inform *zn* malloot, halvegare

ding-dong ['dɪŋdɒŋ] *zn* ❶ dingdong, bimbam ⟨geluid van bel⟩ ❷ GB inform fel gevecht, fikse ruzie

dinghy ['dɪŋɪ] *zn* ❶ (kleine) roei- / zeilboot ❷ rubberboot

dingo ['dɪŋgəʊ] *zn* [mv: **dingoes**] dingo ⟨Australische wilde hond⟩

dingy ['dɪndʒɪ] *bnw* smerig, vuil

dining car *zn* restauratiewagen

dining room *zn* eetkamer, eetzaal

dinkie ['dɪŋkɪ] *zn, double income, no kids* dinkie ⟨één van een stel tweeverdieners zonder kinderen⟩

dinkum ['dɪŋkəm] *bnw*, Aus inform onvervalst, echt

dinky ['dɪŋkɪ] *bnw* ❶ leuk, aardig ❷ USA klein, armzalig

dinner ['dɪnə] *zn* (warm) eten, middagmaal, diner ★ *what's for ~?* wat eten we vandaag? ★ *have ~* eten, het middagmaal gebruiken, dineren

dinner jacket *zn* smoking

dinner lady GB *zn* kantinejuf / -mevrouw ⟨op school⟩

dinner party *zn* dinertje

dinner service, dinner set *zn* eetservies

dinner table *zn* eettafel

dinosaur ['daɪnəsɔː] *zn* dinosaurus

dint [dɪnt] form *zn* ★ *by dint of hard work* door hard werken

diocesan [daɪˈɒsɪsn] *bnw* van / m.b.t. een bisdom

diocese ['daɪəsɪs] *zn* bisdom

dioxide [daɪˈɒksaɪd] *zn* scheik dioxide

dip [dɪp] **I** *ov ww* ❶ (even) indopen, dompelen ★ *dip candles* kaarsen trekken ★ *dip sheep* schapen dompelen ⟨om ze te ontdoen v. parasieten⟩ ❷ dimmen ⟨koplampen⟩ ❸ ~ **into** ★ *dip your hand into the water* je hand in het water steken **II** *onov ww* ❶ (even) duiken ❷ dalen, ondergaan ❸ hellen ❹ ~ **into** ★ *dip into a book* een boek vluchtig bekijken ★ *dip into your savings* je spaargeld aanspreken ▼ inform *dip into your pocket* in de buidel tasten, dokken **III** *zn* ❶ duik ook fig ❷ dip, inzinking ❸ kuil ⟨in oppervlak⟩ ❹ (dip)saus ❺ ★ *a dip into sth* snelle blik (in iets) ❻ knikje ⟨v. hoofd⟩ ▼ *lucky dip* grabbelton

diphtheria [dɪfˈθɪərɪə] *zn* difterie

diploma [dɪˈpləʊmə] *zn* diploma, getuigschrift ★ *take a ~ in IT* een cursus / college IT volgen / lopen

diplomacy [dɪˈpləʊməsɪ] *zn* diplomatie

diplomat ['dɪpləmæt] *zn* diplomaat

diplomatic [dɪpləˈmætɪk] *bnw* ❶ diplomatiek, tactvol ❷ m.b.t. diplomatieke dienst ★ *~ immunity* diplomatieke onschendbaarheid ★ *establish ~ relations with* diplomatieke betrekkingen aanknopen met

dip net *zn* schepnet

dipper ['dɪpə] *zn* dierk waterspreeuw ▼ oud GB *big ~* achtbaan ▼ USA *the Big Dipper* de Grote Beer

dippy ['dɪpɪ] inform *bnw* getikt

dipsomaniac [dɪpsəˈmeɪnɪæk] *zn* alcoholist

dipstick ['dɪpstɪk] *zn* peilstok

dip switch *zn* auto dimschakelaar

diptych ['dɪptɪk] *zn* tweeluik

dire ['daɪə] *bnw* zeer ernstig, gruwelijk ★ *be in dire need of help* snakken naar hulp

direct [daɪˈrekt] **I** *bnw+bijw* ❶ direct, rechtstreeks ❷ exact ★ *a ~ quote* een woordelijk / exact citaat ★ *they're ~ opposites* zij zijn totaal tegenovergesteld aan elkaar ❸ zonder omhaal, oprecht, openhartig **II** *ov ww* ❶ richten ❷ leiding geven aan, regisseren, dirigeren ❸ aanwijzingen geven ★ *~ sb to the station* iem. de weg wijzen naar het station ❹ voorschrijven, verordonneren ❺ adresseren ⟨post⟩ **III** *onov ww* ❶ regisseren ❷ leiden

direction [daɪˈrekʃən] *zn* ❶ richting, kant ★ *in the ~ of Amsterdam* naar / richting Amsterdam ★ *sense of ~* richtingsgevoel ★ *lack ~* geen doel hebben, niet weten wat je wilt ★ *~s* [mv] routebeschrijving ❷ bestuur, leiding, regie ★ *under the ~ of* onder leiding van ❸ instructie aanwijzing

directional [dəˈrekʃənl] *bnw* richtings- ★ *~ aerial* richtantenne

directive [dəˈrektɪv] **I** *zn* richtlijn **II** *bnw* leidend

directly [dəˈrektlɪ] **I** *bijw* ❶ rechtstreeks, direct ❷ precies, vlak ★ *~ opposite* recht tegenover ★ *~ below* vlak daaronder ❸ meteen **II** *vw* GB zodra

directness [dəˈrektnəs] *zn* directheid, openhartigheid

director [daɪˈrektə] *zn* ❶ directeur, directielid, hoofd ⟨v. afdeling⟩ ★ GB *managing ~* directeur ★ *be on the board of ~s* lid zijn van de raad van bestuur ❷ regisseur, dirigent ▼ *Director of Public Prosecutions* openbaar aanklager ⟨in Engeland / Wales⟩

directorate [daɪˈrektərət] *zn* ❶ raad v. bestuur ❷ directoraat ⟨v. ministerie⟩

directorial [daɪrekˈtɔːrɪəl] *bnw* ❶ regie- ❷ leidinggevend ❸ directeurs-

directorship [daɪˈrektəʃɪp] *zn* directeurschap, directeurspost

directory [daɪˈrektərɪ] *zn* ❶ gids, adresboek ❷ comp map, directory

dirge [dɜːdʒ] *zn* klaagzang

dirigible ['dɪrɪdʒɪbl] **I** *zn* zeppelin **II** *bnw* form bestuurbaar

dirk [dɜːk] *zn* dolk

dirt [dɜːt] *zn* ❶ vuil, modder ★ *treat sb like dirt* iem. als oud vuil behandelen ★ *eat dirt* door het stof gaan, slikken ⟨v. belediging⟩ ❷ USA aarde, grond ❸ roddel, laster ★ *dish the dirt on sb* roddelen over iem., praatjes rondstrooien over iem. ❹ inform stront, poep

dirt bike *zn* crossmotor

dirt cheap *bnw* spotgoedkoop

dirt farmer *zn* USA keuterboer

dirt poor *bnw* straatarm

dirt road, USA **dirt track** *zn* onverharde weg

dirt track *zn* sport crossbaan ⟨voor auto's, motoren⟩

dirty [dɜːti] I *bnw* ❶ vies, smerig ❷ schuin ⟨v. grap enz.⟩ ❸ gemeen, laag-bij-de-gronds ★ GB inform *do the ~ on sb* iem. gemeen behandelen ★ *give sb a ~ look* iem. vuil aankijken ❹ USA drugsverslaafd II *bijw*, GB inform ▼ *~ great / big* hartstikke groot ▼ *play ~* een smerig spelletje spelen III *ov ww* bevuilen, smerig maken

dis [dɪs] USA inform *ov ww* dissen, afzeiken

dis- [dɪs] *voorv* dis-, af-, on-, ont-

disability [dɪsəˈbɪlətɪ] *zn* ❶ handicap, belemmering ❷ invaliditeit ★ *full ~ (to work)* volledige arbeidsongeschiktheid

disability benefit *zn* ≈ WIA-uitkering

disability insurance *zn* arbeidsongeschiktheidsverzekering

disable [dɪsˈeɪbl] *ov ww* ❶ invalide maken, (arbeids)ongeschikt maken ❷ onklaar maken

disabled [dɪsˈeɪbld] *bnw* invalide, lichamelijk gehandicapt ★ *mentally ~* geestelijk gehandicapt ★ *the ~* [mv] de invaliden ★ *~ access / entrance* toegang / ingang voor invaliden

disabuse [dɪsəˈbjuːz] *ov ww* ❶ form uit de droom helpen ❷ *~ of* afbrengen van, genezen van ⟨een idee⟩

disadvantage [dɪsədˈvɑːntɪdʒ] I *zn* nadeel ★ *at a ~* in het nadeel ★ *work / be to sb's ~* in iemands nadeel werken / zijn II *ov ww* benadelen

disadvantaged [dɪsədˈvɑːntɪdʒd] *bnw* minder bevoorrecht, kansarm

disadvantageous [dɪsædvənˈteɪdʒəs] *bnw* nadelig

disaffected [dɪsəˈfektɪd] *bnw* afvallig, ontrouw, ontevreden

disaffection [dɪsəˈfekʃən] *zn* afvalligheid, ontrouw

disaffiliate [dɪsəˈfɪlɪeɪt] *onov ww* ★ *~ from an organisation* de relaties met een organisatie verbreken

disagree [dɪsəˈɡriː] *onov ww* ❶ het oneens zijn ❷ verschillen ❸ *~ with* tegenstander zijn van, ziek maken ★ *fish ~s with me* ik kan niet tegen vis

disagreeable [dɪsəˈɡriːəbl] *bnw* onaangenaam

disagreement [dɪsəˈɡriːmənt] *zn* ❶ meningsverschil, onenigheid ❷ verschil

disallow [dɪsəˈlaʊ] *ov ww* niet toestaan, afkeuren

disappear [dɪsəˈpɪə] *onov ww* verdwijnen

disappearance [dɪsəˈpɪərəns] *zn* verdwijning

disappoint [dɪsəˈpɔɪnt] *ov ww* ❶ teleurstellen ★ *I'm very ~ed in her* zij stelt me zeer teleur ❷ verijdelen, tenietdoen ★ *his expectations of success were ~ed* het succes dat hij verwachtte bleef uit

disappointing [dɪsəˈpɔɪntɪŋ] *bnw* teleurstellend, tegenvallend

disappointingly [dɪsəˈpɔɪntɪŋlɪ] *bijw* teleurstellend ★ *~, he didn't turn up* tot onze teleurstelling kwam hij niet opdagen

disappointment [dɪsəˈpɔɪntmənt] *zn* teleurstelling

disapprobation [dɪsəprəʊˈbeɪʃən] *zn* form afkeuring ⟨op morele gronden⟩

disapproval [dɪsəˈpruːvəl] *zn* afkeuring ★ *shake your head in ~* afkeurend het hoofd schudden ★ *look with ~* afkeurend kijken

disapprove [dɪsəˈpruːv] *onov ww* ❶ afkeuren, afwijzen ❷ *~ of* afkeuren

disapprovingly [dɪsəˈpruːvɪŋlɪ] *bijw* afkeurend

disarm [dɪsˈɑːm] I *ov ww* ❶ ontwapenen ook fig ★ *her ~ing personality* haar ontwapenende persoonlijkheid ❷ ontmantelen ⟨i.h.b. kernwapens⟩ II *onov ww* ontwapenen

disarmament [dɪsˈɑːməmənt] *zn* ontwapening

disarrange [dɪsəˈreɪndʒ] form *ov ww* in de war brengen

disarray [dɪsəˈreɪ] *zn* ❶ wanorde ★ *throw plans into ~* plannen in de war sturen ★ *be in complete ~* een grote bende zijn ❷ verwarring

disassociate [dɪsəˈsəʊʃɪeɪt] *ov ww* → **dissociate**

disaster [dɪˈzɑːstə] *zn* ramp ook fig , narigheid ★ *~ struck when the wheel came off* het noodlot sloeg toe toen het wiel eraf liep ★ *it's a recipe for ~* dat is vragen om ellende ★ *spell ~ for* een ramp betekenen voor

disaster area *zn* ❶ rampgebied ❷ inform ramp, puinhoop ⟨v. organisatie enz.⟩

disastrous [dɪˈzɑːstrəs] *bnw* rampzalig

disavow [dɪsəˈvaʊ] form *ov ww* ontkennen, loochenen, verwerpen

disavowal [dɪsəˈvaʊəl] *zn* verloochening, ontkenning

disband [dɪsˈbænd] I *ov ww* ontbinden II *onov ww* uiteengaan, ontbonden worden

disbar [dɪsˈbɑː] *ov ww* jur royeren ⟨vnl. advocaten⟩

disbelief [dɪsbɪˈliːf] *zn* ongeloof ★ *look on in ~* je ogen niet kunnen geloven

disbelieve [dɪsbɪˈliːv] I *ov ww* niet geloven II *onov ww* *~ in* niet geloven in

disbeliever [dɪsbɪˈliːvə] *zn* ongelovige

disburse [dɪsˈbɜːs] *ov ww* form (uit)betalen ⟨uit fonds⟩

disbursement [dɪsˈbɜːsmənt] form *zn* uitbetaling

disc [dɪsk] *zn* ❶ rond plaatje ❷ cd ❸ comp schijf ▼ med *slipped disc* hernia

disc brake *zn* auto schijfrem

discern [dɪˈsɜːn] *ov ww* ❶ onderscheiden, waarnemen ❷ bespeuren, ontwaren

discernible [dɪˈsɜːnəbl] *bnw* waarneembaar

discerning [dɪˈsɜːnɪŋ] *bnw* scherpzinnig, opmerkzaam

discernment [dɪˈsɜːnmənt] *zn* inzicht, onderscheidingsvermogen

discharge¹ [dɪsˈtʃɑːdʒ] I *ov ww* ❶ wegsturen, ontslaan ⟨uit ziekenhuis / baan⟩ ❷ ontslaan v. rechtsvervolging, vrijlaten ❸ lozen, uitstoten ❹ ontladen ⟨m.b.t. elektriciteit⟩ ❺ afvuren, lossen ⟨schot⟩ ❻ (in)lossen, betalen ⟨schuld⟩ ❼ vervullen ⟨plicht⟩ II *onov ww* ❶ zich ontladen ⟨van elektriciteit⟩ ❷ uitmonden

discharge² [ˈdɪstʃɑːdʒ] *zn* ❶ ontslag ⟨uit ziekenhuis / baan⟩ ★ *dishonourable ~* oneervol ontslag ⟨uit het leger⟩ ❷ lozing, uitstoot, ontlading ❸ afscheiding ⟨uit wond⟩ ❹ ontslag van rechtsvervolging, vrijspraak ❺ vervulling ⟨v. plicht⟩ ★ *~ of debts* betaling v. schulden

disciple [dɪˈsaɪpl] *zn* ❶ leerling, volgeling ❷ rel discipel

disciplinarian [dɪsɪplɪˈneərɪən] *zn* strenge leermeester

disciplinary [ˈdɪsɪplɪnərɪ] *bnw* disciplinair

discipline ['dɪsɪplɪn] I *zn* ❶ discipline, tucht, (handhaving v.) orde ★ *keep / maintain* ~ orde houden ❷ training, methode ❸ zelfbeheersing ❹ vak, tak v. wetenschap II *ov ww* ❶ disciplinaire maatregelen nemen ❷ leren gehoorzamen, discipline bijbrengen ★ ~ *yourself* je leren beheersen ★ *a very* ~d *person* een zeer gedisciplineerd iem.

disclaim [dɪs'kleɪm] *ov ww* ❶ ontkennen, van de hand wijzen ❷ afstand doen van

disclaimer [dɪs'kleɪmə] *zn* ❶ ontkenning, afwijzing ❷ jur disclaimer, bewijs v. afstand

disclose [dɪs'kləʊz] *ov ww* onthullen, bekendmaken

disclosure [dɪs'kləʊʒə] *zn* onthulling, openbaring, bekendmaking

discolour, USA discolor [dɪs'kʌlə] I *onov ww* verkleuren, verschieten II *ov ww* doen verkleuren

discomfit [dɪs'kʌmfɪt] form *ov ww* in verlegenheid brengen ★ *be* ~ted in verlegenheid verkeren, van zijn / haar stuk gebracht zijn

discomfiture [dɪs'kʌmfɪtʃə] form *zn* verlegenheid, verwarring

discomfort [dɪs'kʌmfət] I *zn* ❶ onbehaaglijkheid ❷ ongemak II *ov ww* onbehagen veroorzaken ★ *be* ~ed *by her presence* zich ongemakkelijk voelen door haar aanwezigheid

discompose [dɪskəm'pəʊz] form *ov ww* verwarren, verontrusten

discomposure [dɪskəm'pəʊʒə] form *zn* verontrusting, verwarring

disconcert [dɪskən'sɜːt] *ov ww* verwarren, verontrusten

disconcerting [dɪskən'sɜːtɪŋ] *bnw* verontrustend

disconnect [dɪskə'nekt] *ov ww* ❶ uitschakelen ❷ afsluiten ⟨gas, water enz.⟩ ❸ losmaken, loskoppelen ❹ verbinding verbreken ⟨v. telefoon / Internet⟩

disconnected [dɪskə'nektɪd] *bnw* los, onsamenhangend

disconsolate [dɪs'kɒnsələt] *bnw* form ontroostbaar, terneergedrukt

discontent [dɪskən'tent], **discontentment** [dɪskən'tentmənt] *zn* ontevredenheid ★ ~ *with / at* onvrede over

discontented [dɪskən'tentɪd] *bnw* ontevreden

discontinue [dɪskən'tɪnjuː] I *ov ww* ❶ niet voortzetten, stoppen, opheffen ❷ opzeggen II *onov ww* ophouden

discontinuity [dɪskɒntɪ'njuːətɪ] form *zn* ❶ onderbreking ❷ discontinuïteit, gebrek aan continuïteit / regelmaat

discontinuous [dɪskən'tɪnjʊəs] form *bnw* onderbroken, met onderbrekingen

discord ['dɪskɔːd] *zn* ❶ form tweedracht, onenigheid ❷ muz dissonant

discordant [dɪs'kɔːdnt] *bnw* ❶ strijdig, niet overeenstemmend ❷ muz dissonant

discotheque ['dɪskətek] oud *zn* discotheek

discount[1] ['dɪskaʊnt] *zn* korting ★ *at a* ~ met korting

discount[2] [dɪs'kaʊnt] *ov ww* ❶ buiten beschouwing laten ❷ weinig geloof / belang hechten aan, afdoen als ❸ in prijs verlagen, met korting verkopen

discounter ['dɪskaʊntə], **discount store** *zn* discountwinkel

discount rate fin *zn* ❶ wisseldisconto ❷ disconto ⟨rente van de centrale bank⟩

discourage [dɪs'kʌrɪdʒ] *ov ww* ❶ (ervan) afhouden, afschrikken ❷ ontmoedigen

discouragement [dɪs'kʌrɪdʒmənt] *zn* ❶ moedeloosheid ❷ ontmoediging ❸ afschrikking, het (ervan) afhouden

discourse[1] ['dɪskɔːs] form *zn* ❶ verhandeling, uiteenzetting ❷ gesprek, rede

discourse[2] [dɪs'kɔːs] form *onov ww* ~ *on/upon* een verhandeling houden over, (lang) spreken over

discourteous [dɪs'kɜːtɪəs] *bnw* form onhoffelijk, onbeleefd

discourtesy [dɪs'kɜːtəsɪ] *zn* form onbeleefdheid

discover [dɪ'skʌvə] *ov ww* ontdekken, tot de ontdekking komen

discoverer [dɪ'skʌvərə] *zn* ontdekker, uitvinder

discovery [dɪ'skʌvərɪ] *zn* ontdekking, vondst

discredit [dɪs'kredɪt] I *ov ww* ❶ in diskrediet brengen ❷ in twijfel trekken II *zn* schande, diskrediet ★ *bring* ~ *on the club* de club in diskrediet / opspraak brengen

discreditable [dɪs'kredɪtəbl] *bnw* form schandelijk

discreet [dɪ'skriːt] *bnw* ❶ discreet, kies, tactvol ❷ bescheiden

discrepancy [dɪs'krepənsɪ] *zn* verschil, tegenstrijdigheid, discrepantie

discrete [dɪ'skriːt] form *bnw* afzonderlijk, apart

discretion [dɪ'skreʃən] *zn* ❶ wijsheid, beleid, tact, voorzichtigheid ★ *use your* ~ naar eigen goedvinden handelen ★ *at sb's* ~ naar iemand eigen inzicht ❷ discretie, geheimhouding

discretionary [dɪ'skreʃənərɪ] *bnw* form naar eigen oordeel

discriminate [dɪ'skrɪmɪneɪt] I *ov ww* onderscheiden II *onov ww* ❶ discrimineren ❷ (een) onderscheid maken ❸ ~ **against** onderscheid maken ⟨ten nadele van⟩, discrimineren

discriminating [dɪ'skrɪmɪneɪtɪŋ] *bnw* scherpzinnig, opmerkzaam

discrimination [dɪskrɪmɪ'neɪʃən] *zn* ❶ discriminatie ★ ~ *against women* discriminatie van vrouwen ★ *reverse / positive* ~ positieve discriminatie ❷ inzicht, scherpzinnigheid ❸ form onderscheidingsvermogen

discriminatory [dɪ'skrɪmɪnətrɪ] *bnw* discriminerend

discursive [dɪ'skɜːsɪv] *bnw* onsamenhangend

discus ['dɪskəs] *zn* discus

discuss [dɪ'skʌs] *ov ww* bespreken, behandelen

discussion [dɪ'skʌʃən] *zn* ❶ bespreking, discussie ★ *it's still under* ~ daar praat men nog over, dat is nog in behandeling ❷ verhandeling (ofover)

disdain [dɪs'deɪn] I *zn* minachting II *ov ww* form hooghartig afwijzen / weigeren

disdainful [dɪs'deɪnfʊl] *bnw* minachtend, hooghartig

disease [dɪ'ziːz] *zn* ziekte, kwaal ★ *catch / contract / get a* ~ een ziekte oplopen ★ *Parkinson's* ~ ziekte van Parkinson ★ *kissing* ~

ziekte van Pfeiffer
diseased [dɪˈziːzd] *bnw* ❶ ziek(elijk) ❷ verziekt
disembark [dɪsɪmˈbɑːk] *onov ww* uitstappen, aan wal gaan
disembodied [dɪsɪmˈbɒdɪd] *bnw* zonder lichaam, onstoffelijk, niet tastbaar
disembowel [dɪsɪmˈbaʊəl] *ov ww* ❶ de ingewanden verwijderen, ontweien ⟨wild⟩ ❷ openrijten
disempower *ov ww* de macht ontnemen
disenchanted [dɪsɪnˈtʃɑːntɪd] *bnw* ontgoocheld, gedesillusioneerd
disenchantment [dɪsɪnˈtʃɑːntmənt] *zn* desillusie, ontgoocheling
disenfranchise [dɪsɪnˈfræntʃaɪz] *ov ww* het kiesrecht / de burgerrechten ontnemen
disengage [dɪsɪnˈgeɪdʒ] I *ov ww* ❶ vrijmaken, bevrijden ❷ – losmaken ❸ *mil* terugtrekken II *onov ww* ❶ losraken ❷ *mil* zich terugtrekken
disengaged [dɪsɪnˈgeɪdʒd] *bnw* los, vrij
disengagement [dɪsɪnˈgeɪdʒmənt] *zn* ❶ bevrijding ❷ terugtrekking ⟨v. troepen⟩ ❸ ongedwongenheid ❹ verbreking v. verloving
disentangle [dɪsɪnˈtæŋgl] *ov ww* ❶ ontwarren ❷ losmaken ❸ bevrijden
disestablish [dɪsɪˈstæblɪʃ] *form ov ww* de officiële status opheffen van ★ ~ *the Church* de Kerk van de Staat scheiden
disfavour, USA **disfavor** [dɪsˈfeɪvə] *zn* ❶ afkeer, tegenzin ★ *look upon sth with* ~ iets afkeuren, iets niet graag zien / hebben ❷ ongenade ★ *fall into* ~ *with sb* bij iem. in ongenade vallen
disfigure [dɪsˈfɪɡə] *ov ww* verminken, misvormen, ontsieren
disfigurement [dɪsˈfɪɡəmənt] *zn* mismaaktheid, verminking
disgorge [dɪsˈɡɔːdʒ] *ov ww* uitbraken *ook fig* , uitstoten
disgrace [dɪsˈgreɪs] I *zn* ❶ ongenade ❷ schande ★ *bring* ~ *on* te schande maken II *ov ww* ❶ in ongenade doen vallen ❷ te schande maken ★ ~ *yourself* je schandelijk gedragen
disgraceful [dɪsˈgreɪsfʊl] *bnw* schandelijk
disgruntled [dɪsˈɡrʌntld] *bnw* knorrig, ontevreden, teleurgesteld
disguise [dɪsˈgaɪz] I *zn* ❶ vermomming ★ *in* ~ vermomd ❷ dekmantel II *ov ww* ❶ vermommen, onherkenbaar maken ★ *~d voice* verdraaide stem ❷ verbergen, verhullen ★ ~ *your feelings* je gevoelens verbergen
disgust [dɪsˈɡʌst] I *zn* afschuw, walging ★ *in* ~ vol / met afkeer, walgend II *ov ww* doen walgen
disgusted [dɪsˈɡʌstɪd] *bnw* walgend, vol afkeer
disgusting [dɪsˈɡʌstɪŋ] *bnw* weerzinwekkend, walgelijk
disgustingly [dɪsˈɡʌstɪŋlɪ] *bijw soms humor* ★ ~ *healthy* walgelijk gezond
dish [dɪʃ] I *zn* ❶ schaal, schotel ★ *do the dishes* de afwas doen ❷ gerecht ❸ schotelantenne ❹ inform lekker ding / wijf II *ov ww* ❶ ~ *out* uitdelen ⟨dingen, kritiek, advies⟩, opscheppen ⟨eten⟩ ★ *dish it out* ervan langs geven ⟨kritiseren⟩ ❷ ~ *up* opdienen, opdissen
disharmony [dɪsˈhɑːmənɪ] *form zn* onenigheid, disharmonie

dishcloth [ˈdɪʃklɒθ] *zn* ❶ vaatdoek ⟨doekje waarmee wordt afgewassen i.p.v. een afwaskwast⟩ ❷ droogdoek, theedoek
dishearten [dɪsˈhɑːtn] *ov ww* ontmoedigen
dishevelled, USA **disheveled** [dɪˈʃevld] *bnw* slonzig, onverzorgd
dishonest [dɪsˈɒnɪst] *bnw* oneerlijk
dishonesty [dɪsˈɒnɪstɪ] *zn* oneerlijkheid
dishonour, USA **dishonor** [dɪsˈɒnə] *form* I *zn* oneer, schande II *ov ww* ❶ te schande maken ❷ schenden, niet nakomen ⟨beloften e.d.⟩
dishonourable [dɪsˈɒnərəbl] *bnw* ❶ schandelijk ❷ oneervol
dishpan USA *zn* afwasteil
dishtowel [ˈdɪʃtaʊəl] *zn* thee- / droogdoek
dishwasher [ˈdɪʃwɒʃə] *zn* ❶ vaatwasmachine ❷ bordenwasser
dishwater [ˈdɪʃwɔːtə] *zn* ❶ afwaswater ❷ *fig* slootwater▼ *as dull as* ~ oersaai
dishy [ˈdɪʃɪ] oud inform *bnw* zeer aantrekkelijk ⟨v. persoon⟩
disillusion [dɪsɪˈluːʒən] *ov ww* teleurstellen, ontgoochelen
disillusionment [dɪsɪˈluːʒənmənt] *zn* teleurstelling, desillusie, ontgoocheling
disincentive *zn* ontmoediging, factor om iets niet te (gaan) doen
disinclination [dɪsɪnklɪˈneɪʃən] form *zn* tegenzin
disinclined [dɪsɪnˈklaɪnd] form *bnw* met tegenzin ★ *be* / *feel* ~ *to do sth* geen zin hebben om iets te doen
disinfect [dɪsɪnˈfekt] *ov ww* ❶ ontsmetten ❷ comp virusvrij maken
disinfectant [dɪsɪnˈfektnt] *zn* ontsmettend middel
disinfection [dɪsɪnˈfekʃən] *zn* ontsmetting
disinformation *zn* (opzettelijk) valse / foutieve informatie
disingenuous [dɪsɪnˈdʒenjʊəs] form *bnw* onoprecht, oneerlijk
disinherit [dɪsɪnˈherɪt] *ov ww* onterven
disintegrate [dɪsˈɪntɪgreɪt] *onov ww* uit elkaar vallen, ontbinden
disintegration [dɪsɪntɪˈgreɪʃən] *zn* ontbinding, desintegratie, (het) uit elkaar vallen
disinter [dɪsɪnˈtɜː] *ov ww* ❶ opgraven ⟨dode⟩ ❷ fig oprakelen
disinterest [dɪsˈɪntrəst] *zn* ❶ ongeïnteresseerdheid ❷ belangeloosheid
disinterested [dɪsˈɪntrəstɪd] *bnw* ❶ belangeloos, onbevooroordeeld ❷ ongeïnteresseerd
disinterment [dɪsɪnˈtɜːmənt] *zn* ❶ opgraving ❷ onthulling
disinvest [dɪsɪnˈvest] *onov ww* investeringen terugtrekken, minder investeren
disjointed [dɪsˈdʒɔɪntɪd] *bnw* onsamenhangend, verward
disjunction [dɪsˈdʒʌŋkʃən] form *zn* scheiding, kloof
disk [dɪsk] *zn* ❶ comp disk, schijf ★ *floppy disk* diskette ★ *hard disk* harde schijf ❷ USA → disc
disk drive comp *zn* diskdrive, diskettestation
diskette comp *zn* diskette, floppy
dislike [dɪsˈlaɪk] I *ov ww* een hekel hebben aan, niet houden van II *zn* afkeer ★ *my likes and* ~s alles wat ik leuk en niet leuk vind ★ *take a* ~ *to*

een hekel krijgen aan

dislocate ['dɪsləkeɪt] *ov ww* ❶ ontwrichten 〈schouder e.d.〉 ❷ verstoren

dislocation [dɪslə'keɪʃən] *zn* ❶ ontwrichting 〈v. schouder e.d.〉 ❷ verstoring

dislodge [dɪs'lɒdʒ] *ov ww* ❶ loswrikken ❷ verjagen

disloyal [dɪs'bɪəl] *bnw* trouweloos, ontrouw

disloyalty [dɪs'bɪəltɪ] *zn* ❶ trouweloosheid, ontrouw ❷ trouweloze daad

dismal ['dɪzml] *bnw* ❶ triest, naar, akelig ❷ inform pover 〈v. kwaliteit〉, armzalig ★ *a ~ result* een treurig resultaat

dismantle [dɪs'mæntl] *ov ww* ❶ uit elkaar halen ❷ ontmantelen, (geleidelijk) een eind maken aan

dismay [dɪs'meɪ] **I** *zn* verbijstering, verslagenheid ★ *look at sb in ~* iem. ontsteld aankijken ★ *to my ~* tot mijn ontzetting **II** *ov ww* ontstellen, onthutsen, ontmoedigen

dismayed [dɪs'meɪd] *bnw* onthutst, ontsteld

dismember [dɪs'membə] *ov ww* ❶ (in stukken) scheuren, uiteenrukken ❷ (in stukken) verdelen

dismiss [dɪs'mɪs] *ov ww* ❶ verwerpen, van tafel vegen ❷ van je afzetten 〈angst, gedachte enz.〉 ★ *~ a subject* van een onderwerp afstappen ❸ ontslaan ❹ wegsturen ❺ jur niet ontvankelijk verklaren

dismissal [dɪs'mɪsəl] *zn* ❶ ontslag ❷ verwerping ❸ wegzending ❹ jur verklaring van onontvankelijkheid

dismissive *bnw* geringschattend, neerbuigend ★ *be ~ of* minachtend / neerbuigend doen over

dismount [dɪs'maʊnt] *onov ww* afstijgen, afstappen

disobedience [dɪsə'bi:dɪəns] *zn* ongehoorzaamheid ★ *civil ~* burgerlijke ongehoorzaamheid

disobedient [dɪsə'bi:dɪənt] *bnw* ongehoorzaam

disobey [dɪsə'beɪ] **I** *ov ww* niet gehoorzamen ★ *~ the rules* de regels overtreden **II** *onov ww* ongehoorzaam zijn

disobliging [dɪsə'blaɪdʒɪŋ] *form bnw* onvriendelijk, weinig behulpzaam, niet erg tegemoetkomend

disorder [dɪs'ɔ:də] *zn* ❶ wanorde ★ *be in (a state of) ~* een chaos / rotzooi zijn ❷ oproer, rel ❸ aandoening, stoornis, kwaal

disordered [dɪs'ɔ:dəd] *bnw* ❶ verward, ontregeld, ordeloos ❷ gestoord ★ *emotionally ~ children* kinderen met een emotionele stoornis

disorderly [dɪs'ɔ:dəlɪ] *bnw* ❶ slordig, wanordelijk ❷ aanstootgevend, opstandig, bandeloos ★ *they were drunk and ~* zij waren dronken en verstoorden de openbare orde

disorganized, disorganised [dɪs'ɔ:gənaɪzd] *bnw* ❶ slecht georganiseerd, rommelig ❷ inefficiënt 〈v. persoon〉

disorientate [dɪs'ɔ:rɪənteɪt], **disorient** [dɪs'ɔ:rɪent] *ov ww* desoriënteren ook fig, stuurloos maken ★ *be ~d by sth* gedesoriënteerd zijn door iets, in de war zijn door iets

disown [dɪs'əʊn] *ov ww* verstoten, verloochenen, niet meer erkennen

disparage [dɪ'spærɪdʒ] *ov ww* kleineren, afgeven op

disparaging [dɪ'spærɪdʒɪŋ] *bnw* geringschattend, kleinerend

disparate ['dɪspərət] *form bnw* wezenlijk verschillend, ongelijksoortig

disparity [dɪ'spærətɪ] *form zn* ongelijkheid, ongelijkwaardigheid, verschil

dispassionate [dɪ'spæʃənət] *bnw* onpartijdig, neutraal

dispatch [dɪ'spætʃ] *ov ww form* ❶ sturen, verzenden ❷ zich ontdoen van, wegwerken ❸ oud uit de weg ruimen *zn* ❶ bericht 〈over krijgsverrichtingen〉 ❷ reportage 〈voor krant〉 ❸ form verzending ▾ form *with ~* doeltreffend, (zeer) efficiënt

dispatch box *zn* ❶ aktetas, aktedoos 〈voor officiële stukken〉 ❷ ★ *the Dispatch Box* het spreekgestoelte (in Brits Lagerhuis)

dispatcher [dɪ'spætʃə] *zn* ❶ USA manager vertrektijden 〈bij transportbedrijf〉 ❷ coördinator noodvervoer

dispatch rider GB *zn* koerier, motorordonnans

dispel [dɪ'spel] *ov ww* verdrijven

dispensable [dɪ'spensəbl] *bnw* niet essentieel, niet onontbeerlijk

dispensary [dɪ'spensərɪ] *zn* apotheek

dispensation [dɪspen'seɪʃən] *zn* ❶ dispensatie, vrijstelling ❷ distributie ★ *the ~ of justice* het toepassen van recht

dispense [dɪ'spens] **I** *ov ww* ❶ uitdelen, verstrekken ★ *~ a range of healthy drinks* een assortiment van gezonde drankjes aanbieden / verstrekken ❷ toedienen ★ *~ justice* het recht toepassen, (het) recht laten geschieden ❸ klaarmaken (en verstrekken) 〈recept, medicijnen〉 **II** *onov ww form ~ with* het (kunnen) stellen zonder

dispenser [dɪ'spensə] *zn* automaat, houder

dispensing chemist GB *zn* apotheker

dispersal [dɪ'spɜ:səl] *zn* (ver)spreiding, verstrooiing, uiteendrijving

disperse [dɪ'spɜ:s] **I** *ov ww* ❶ uiteen doen gaan, uiteendrijven ❷ verspreiden **II** *onov ww* ❶ uiteengaan ❷ zich verspreiden

dispersion [dɪ'spɜ:ʃən] *zn* ❶ verspreiding ❷ het uiteenjagen ★ *the ~ (of the Jews)* de diaspora 〈v.d. Joden〉

dispirited [dɪ'spɪrɪtɪd] *bnw* ontmoedigd, moedeloos

dispiriting [dɪ'spɪrɪtɪŋ] *bnw* ontmoedigend

displace [dɪs'pleɪs] *ov ww* ❶ verdringen, verdrijven ❷ verplaatsen ❸ vervangen ❹ USA ontslaan, afzetten

displacement [dɪs'pleɪsmənt] *zn* ❶ (water)verplaatsing, verschuiving ❷ vervanging

display [dɪ'spleɪ] **I** *zn* ❶ tentoonstelling, uitstalling ★ *on ~* te zien ❷ vertoning ❸ vertoon, demonstratie ❹ beeldscherm, display **II** *ov ww* ❶ tentoonstellen, (ver)tonen, aan de dag leggen

displease [dɪs'pli:z] *form ov ww* niet aanstaan / bevallen, ergeren

displeased [dɪs'pli:zd] *bnw* ontevreden (with/about/at over)

displeasing [dɪs'pli:zɪŋ] *bnw* onaangenaam

displeasure [dɪs'pleʒə] *form zn* ongenoegen,

ergernis

disport [dɪ'spɔːt] oud humor ov ww ★ ~ o.s. zich ontspannen, zich vermaken

disposable [dɪ'spəʊzəbl] bnw ❶ wegwerp- ★ ~ gloves wegwerphandschoenen ❷ beschikbaar ★ ~ income besteedbaar inkomen

disposal [dɪ'spəʊzəl] zn opruiming ⟨van gevaarlijk afval, bommen enz.⟩, het wegdoen ▼ at your ~ tot uw beschikking

dispose [dɪ'spəʊz] I ov ww ❶ form rangschikken, plaatsen ❷ ~ to bewegen tot, brengen tot ★ this medicine ~s you to / towards sleep dit medicijn brengt je in slaap ★ be ~d to do sth geneigd zijn iets te doen, zin hebben iets te doen ★ ~d to depression met een depressieve inslag ★ well ~d to welgezind jegens II onov ww ~ of zich ontdoen van ⟨(gevaarlijk) afval⟩, afrekenen met ⟨tegenstander in sport⟩, uit de weg ruimen ⟨vijand, probleem⟩, afhandelen ★ ~ of an argument een argument ontzenuwen

disposition [dɪspə'zɪʃən] zn ❶ aard, aanleg, neiging ★ have a cheerful ~ een opgeruimd karakter hebben ★ have / show the ~ to do sth de neiging hebben iets te doen ❷ opstelling, plaatsing

dispossess [dɪspə'zes] ov ww afnemen, beroven, onteigenen ★ the ~ed [mv] de mensen die hun land / huis afgenomen is

disproportion [dɪsprə'pɔːʃən] form zn onevenredigheid, wanverhouding

disproportionate [dɪsprə'pɔːʃənət] bnw onevenredig, disproportioneel, niet in verhouding

disprove [dɪs'pruːv] ov ww weerleggen

disputable [dɪ'spjuːtəbl] bnw betwistbaar

disputation [dɪspju'teɪʃən] form zn geschil, dispuut

dispute [dɪ'spjuːt] I zn geschil, twist(gesprek), verschil van mening ★ a ~ about / over een conflict over / om ★ beyond ~ buiten kijf ★ the matter in ~ het punt van discussie ★ it's open to ~ er valt over te twisten II ov ww betwisten, fel discussiëren over ★ the issue remains hotly ~d over dit punt wordt nog heftig gediscussieerd ★ to ~ a will een testament aanvechten III onov ww redetwisten

disqualification [dɪskwɒlɪfɪ'keɪʃən] zn diskwalificatie, uitsluiting

disqualify [dɪs'kwɒlɪfaɪ] ov ww ❶ diskwalificeren, uitsluiten ❷ onbevoegd verklaren ★ he was disqualified from driving for sixteen months zijn rijbevoegdheid werd hem zestien maanden ontzegd, zijn rijbewijs werd voor anderhalf jaar ingenomen

disquiet [dɪs'kwaɪət] form zn onrust, ongerustheid

disquieting [dɪs'kwaɪətɪŋ] form bnw onrustbarend, verontrustend

disregard [dɪsrɪ'gɑːd] I ov ww negeren, zich niets aantrekken van II zn veronachtzaming, minachting ★ show a ~ for / of geen waarde hechten aan, negeren

disrepair [dɪsrɪ'peə] zn vervallen staat ★ fall into ~ in verval raken

disreputable [dɪs'repjʊtəbl] bnw berucht, (als) slecht (bekendstaand)

disrepute [dɪsrɪ'pjuːt] zn diskrediet ★ bring into ~ in opspraak brengen ★ fall into ~ in diskrediet raken

disrespect [dɪsrɪ'spekt] zn gebrek aan eerbied ★ no ~ intended ik bedoel het niet oneerbiedig (over Radiohead), but it wasn't their best gig ik wil niet oneerbiedig zijn (over Radiohead), maar het was niet hun beste optreden

disrespectful [dɪsrɪ'spektfʊl] bnw oneerbiedig, onbeschaamd

disrobe [dɪs'rəʊb] form I onov ww zich ontkleden II ov ww ontkleden

disrupt [dɪs'rʌpt] ov ww ontwrichten, verstoren

disruption [dɪs'rʌpʃən] zn ontwrichting, verstoring

disruptive bnw ontwrichtend, de orde verstorend, storend

diss [dɪs] ov ww → dis

dissatisfaction [dɪssætɪs'fækʃən] zn ontevredenheid, ongenoegen (with over)

dissatisfied [dɪs'sætɪsfaɪd] bnw ontevreden (with over), teleurgesteld

dissect [dɪ'sekt] ov ww ❶ ontleden ook fig ★ ~ a book / theory een boek / theorie grondig onderzoeken / analyseren ❷ (ver)delen

dissection [dɪ'sekʃən] zn ontleding ook fig , sectie

dissemble [dɪ'sembl] form I ov ww veinzen, verbergen II onov ww veinzen, doen alsof

dissembler [dɪ'semblə] form zn veinzer, huichelaar

disseminate [dɪ'semɪneɪt] form ov ww verspreiden ⟨van kennis, informatie⟩

dissemination [dɪsemɪ'neɪʃən] form zn verspreiding ⟨van kennis, informatie⟩

dissension [dɪ'senʃən] form zn onenigheid, verdeeldheid

dissent [dɪ'sent] I zn verschil v. inzicht ★ political ~ de afwijkende politieke opinie, het politieke tegengeluid II onov ww form van mening verschillen, afwijken van de algemeen geldende mening ★ a ~ing voice een tegengeluid ★ a ~ing opinion een afwijkende / andere mening ★ ~ing minister afgescheiden dominee

dissenter [dɪ'sentə] zn andersdenkende

dissertation [dɪsə'teɪʃən] zn verhandeling, scriptie, proefschrift

disservice [dɪs'sɜːvɪs] zn ▼ do sb a ~ iem. een slechte dienst bewijzen

dissidence ['dɪsɪdns] zn het anders denken, het hebben van een afwijkende mening

dissident ['dɪsɪdnt] I zn andersdenkende II bnw andersdenkend

dissimilar [dɪ'sɪmɪlə] bnw ongelijk

dissimilarity [dɪsɪmɪ'lærətɪ] zn verschil, ongelijkheid

dissimulate [dɪ'sɪmjʊleɪt] form I onov ww huichelen, veinzen II ov ww verbergen

dissimulation [dɪsɪmjʊ'leɪʃən] zn huichelarij, veinzerij

dissipate ['dɪsɪpeɪt] form I ov ww ❶ verspillen, verkwisten ❷ verdrijven, doen verdwijnen II onov ww verdwijnen

dissipated ['dɪsɪpeɪtɪd] bnw liederlijk, losgeslagen

dissipation [dɪsɪ'peɪʃən] form zn ❶ verspilling, verkwisting ❷ het (doen) verdwijnen

❸ losbandigheid

dissociate [dɪ'səʊʃɪeɪt] *ov ww* ❶ losmaken ★ ~ *yourself (from sb / sth)* je distantiëren (van iemand / iets) ❷ form scheiden ★ ~ *the two things* de twee dingen los zien van elkaar

dissolute ['dɪsəlu:t] *form bnw* losbandig

dissolution [dɪsə'lu:ʃən] *zn* ❶ het uiteenvallen, desintegratie, (geleidelijke) verdwijning ❷ ontbinding ⟨van parlement, huwelijk, overeenkomst⟩

dissolve [dɪ'zɒlv] I *ov ww* ❶ oplossen ★ *dissolving views* in elkaar overgaande lichtbeelden ❷ ontbinden ⟨parlement, huwelijk, overeenkomst⟩, opheffen ❸ doen verdwijnen ❹ ~ *into* ★ ~ *into tears / laughter* in huilen / lachen uitbarsten II *onov ww* ❶ (zich) oplossen ❷ zich ontbinden, verdwijnen

dissonance ['dɪsənəns] *zn* ❶ wanklank, dissonant ❷ form onenigheid

dissonant ['dɪsənənt] *bnw* ❶ onwelluidend, dissonant ❷ niet overeenstemmend

dissuade [dɪ'sweɪd] *ov ww* ❶ af- / ontraden ❷ ~ *from* afbrengen van, weerhouden van

dissuasion [dɪ'sweɪʒən] *zn* ontrading

distance ['dɪstns] I *zn* ❶ afstand, verte ★ *at a* ~ op afstand ★ *from a* ~ van een afstand ★ *in / into the* ~ in de verte ★ *within walking* ~ op loopafstand ★ *travel long* ~ reizen over een lange afstand ★ *call long* ~ interregionaal bellen ❷ afstandelijkheid, distantie ★ *keep one's* ~ afstand bewaren ★ *put some* ~ *between yourself and your parents* wat ruimte scheppen tussen jou en je ouders ▼ *go the (full)* ~ de hele wedstrijd uitspelen / -vechten, het tot het einde volhouden II *ov ww* ★ ~ *yourself from* afstand nemen van, je loslaten van

distance learning *zn* afstandsonderwijs

distant ['dɪstnt] *bnw* ❶ ver (weg) ❷ afstandelijk, op een afstand

distaste [dɪs'teɪst] *zn* afkeer, weerzin ★ *a* ~ *for sth* een hekel aan iets, een afkeer van iets

distasteful [dɪs'teɪstfʊl] *bnw* onaangenaam, weerzinwekkend

distemper [dɪs'tempə] *zn* ❶ infectieziekte ⟨v. honden, katten⟩ ❷ muurverf

distend [dɪ'stend] *form* I *ov ww* (doen) opzwellen II *onov ww* opzwellen

distension [dɪ'stenʃən] *form zn* zwelling

distil, USA **distill** [dɪ'stɪl] *ov ww* ❶ zuiveren, distilleren ❷ stoken, branden ❸ form distilleren, afleiden ⟨uit grote hoeveelheid gegevens / informatie⟩

distillation [dɪstɪ'leɪʃən] *zn* distillatie, distillaat ⟨product van distillatie⟩

distillery [dɪ'stɪləri] *zn* distilleerderij, stokerij

distinct [dɪ'stɪŋkt] *bnw* ❶ duidelijk ❷ apart, onderscheiden ★ ~ *from* niet hetzelfde als, anders dan ★ *as* ~ *from* in tegenstelling tot

distinction [dɪ'stɪŋkʃən] *zn* ❶ onderscheid, verschil ★ *draw a* ~ *between* onderscheid maken tussen ❷ aanzien, voornaamheid ★ *a writer of* ~ een vooraanstaand schrijver ★ *have the* ~ *of* de eer hebben om ❸ GB onderscheiding ★ *graduate with* ~ met lof afstuderen

distinctive [dɪ'stɪŋktɪv] *bnw* onderscheidend, kenmerkend

distinguish [dɪ'stɪŋgwɪʃ] I *ov ww* ❶ verschil zien, onderscheiden ❷ kenmerken ★ *this* ~*es her from her friends* hierin onderscheidt zij zich van haar vrienden ▼ ~ *yourself (as a painter / writer)* jezelf onderscheiden (als schilder / schrijver) II *onov ww* ~ **among/between** onderscheid maken tussen

distinguishable [dɪ'stɪŋgwɪʃəbl] *bnw* te onderscheiden, waarneembaar

distinguished [dɪ'stɪŋgwɪʃt] *bnw* ❶ voornaam, gedistingeerd ❷ befaamd

distort [dɪ'stɔ:t] *ov ww* ❶ vervormen, verwringen ★ ~*ed face* vertrokken gezicht ❷ verdraaien ⟨de waarheid, feiten⟩, vertekenen

distortion [dɪ'stɔ:ʃən] *zn* ❶ vervorming ❷ verdraaiing ⟨van de waarheid, feiten⟩

distract [dɪ'strækt] *ov ww* afleiden ★ ~ *attention from sth* de aandacht van iets afleiden

distracted [dɪ'stræktɪd] *bnw* ❶ verward, verontrust ❷ afgeleid, afwezig

distraction [dɪ'strækʃən] *zn* ❶ afleiding ❷ ontspanning ❸ verwarring ★ *drive sb to* ~ iem. hoorndol maken ★ *love sb to* ~ stapelgek zijn op iem.

distraught [dɪ'strɔ:t] *bnw* wanhopig ★ ~ *with grief* radeloos van verdriet

distress [dɪ'stres] I *zn* ❶ leed, pijn, angst ❷ nood, ellende ★ *in* ~ in nood, in moeilijkheden ★ *financial* ~ armoede II *ov ww* ❶ leed berokkenen, verdriet doen ❷ verontrusten

distressed [dɪ'strest] *bnw* ❶ van streek, overstuur ❷ (kunstmatig) oud gemaakt ⟨v. kleding / meubels⟩

distressing [dɪ'stresɪŋ] *bnw* pijn / angst veroorzakend, pijnlijk, verontrustend

distress signal *zn* noodsignaal

distribute [dɪ'strɪbju:t] *ov ww* ❶ uitdelen, verdelen ❷ distribueren ⟨goederen, producten⟩ ❸ verspreiden

distribution [dɪstrɪ'bju:ʃən] *zn* ❶ uitdeling, verdeling ❷ distributie ⟨van goederen / producten⟩ ❸ verspreiding

distributor [dɪ'strɪbjʊtə] *zn* ❶ groothandelaar ❷ techn (stroom)verdeler

district ['dɪstrɪkt] *zn* ❶ district, streek, gebied ❷ wijk

district attorney USA *zn* officier v. justitie ⟨in arrondissement⟩

district nurse *zn* wijkverpleegster

distrust [dɪs'trʌst] I *ov ww* wantrouwen II *zn* wantrouwen ★ *a deep* ~ *of* een diep wantrouwen jegens

distrustful [dɪs'trʌstfʊl] *bnw* wantrouwig

disturb [dɪ'stɜ:b] *ov ww* ❶ (ver)storen ❷ verplaatsen, beroeren ❸ verontrusten

disturbance [dɪ'stɜ:bəns] *zn* ❶ verstoring, stoornis ❷ beroering, opschudding ❸ relletje

disturbed [dɪ'stɜ:bd] *bnw* ❶ gestoord ★ *emotionally / mentally* ~ psychisch / geestelijk gestoord ❷ aangeslagen

disturbing [dɪ'stɜ:bɪŋ] *bnw* verontrustend, schokkend

disunited [dɪsju'naɪtɪd] *bnw* verdeeld, verscheurd, niet eensgezind

disunity [dɪs'ju:nəti] *zn* onenigheid ★ *political* ~ politieke verdeeldheid

di

disuse [dɪs'ju:s] *zn* ★ *fall into* ~ in onbruik raken

disused [dɪs'ju:zd] *bnw* niet meer in gebruik, verlaten

ditch [dɪtʃ] **I** *zn* sloot, greppel **II** *ov ww* ❶ inform afdanken ❷ inform de bons geven, dumpen, in de steek laten ❸ een noodlanding laten maken op zee ⟨een vliegtuig⟩ **III** *onov ww* een noodlanding maken op zee

ditchwater ['dɪtʃwɔːtə] *zn* ★ *as dull as* ~ oersaai

dither ['dɪðə] **I** *onov ww* aarzelen, dubben **II** *zn* opwinding, paniek ★ *be in a* ~ niet weten wat te doen, opgewonden / van streek zijn

ditto ['dɪtəʊ] **I** *zn* aanhalingsteken ⟨twee komma's voor woord / getal dat herhaald moet worden⟩ **II** *bijw* inform dezelfde, hetzelfde, (idem) dito

ditty ['dɪtɪ] *zn vaak humor* liedje, deuntje

ditzy USA inform *bnw* getikt, maf

diurnal [daɪ'ɜːnl] *bnw* ❶ biol overdag actief ★ ~ *animals* dagdieren ❷ form dagelijks

divan [dɪ'væn, USA 'daɪvæn] *zn* ❶ springbox ❷ divan, sofa

divan bed *zn* springbox

dive [daɪv] **I** *onov ww* ❶ duiken ★ *dive for cover* wegduiken ❷ kelderen ⟨van prijzen⟩ ❸ sport een schwalbe maken ❹ ~ **in** / *dive in!* tast toe! ❺ ~ **in/into** je ergens in / op storten ⟨onvoorbereid⟩ ❻ ~ **into** een greep doen in **II** *zn* ❶ duik, duikvlucht ★ *make a dive for* duiken naar, grijpen naar ★ fig *take a dive* kelderen ⟨van prijzen⟩ ❷ inform kroeg ⟨louche⟩ ❸ sport schwalbe ★ *take a dive* een schwalbe maken

dive-bomb *ww* in duikvlucht bombarderen

diver ['daɪvə] *zn* duiker

diverge [daɪ'vɜːdʒ] *onov ww* uiteenlopen, afwijken

divergence [daɪ'vɜːdʒəns] *zn* divergentie, het uiteenlopen, afwijking, verschil

divergent [daɪ'vɜːdʒənt] *bnw* uiteenlopend, afwijkend, verschillend

diverse [daɪ'vɜːs] *bnw* verschillend, gevarieerd

diversify [daɪ'vɜːsɪfaɪ] **I** *ov ww* ❶ variëren, afwisselen ❷ verscheidenheid aanbrengen in, diverser maken **II** *onov ww* diverser worden ★ ~ *into new products* het assortiment uitbreiden met producten andere producten

diversion [daɪ'vɜːʃən] *zn* ❶ omweg ❷ GB omleiding ook fig van geldstromen ❸ afleidingsmanoeuvre ❹ form verstrooiing, attractie

diversionary [daɪ'vɜːʃənəri] *bnw* afleidend

diversity [daɪ'vɜːsəti] *zn* variatie, verscheidenheid

divert [daɪ'vɜːt] *ov ww* ❶ omleiden ❷ een andere bestemming of richting geven ❸ afleiden ❹ form vermaken

divest [daɪ'vest] [form] *ov ww* ❶ ontdoen, afstand doen van ★ ~ *yourself of sth* je ontdoen van iets ★ ~ *yourself of your jacket* je jas uittrekken ❷ ontnemen, beroven ★ *she was* ~*ed of her power* haar was de macht ontnomen

divide [dɪ'vaɪd] **I** *ov ww* ❶ verdelen, (in)delen ★ ~ *and rule* verdeel en heers ★ ~*d against itself* onderling verdeeld ❷ scheiden ★ ~ *sth off* iets afscheiden ❸ wisk delen ★ *15* ~*d by 3 is 5* 15 gedeeld door 3 is 5 ❹ ~ **up** verdelen, (in)delen

II *onov ww*, **divide up** zich verdelen ❶ wisk delen ❷ zich splitsen ⟨van weg, cel⟩ **III** *zn* ❶ scheidslijn ❷ USA waterscheiding

dividend ['dɪvɪdend] *zn* ❶ dividend ★ fig *pay* ~*s* lonen, zich uitbetalen ❷ GB geldprijs in voetbaltoto

divider [dɪ'vaɪdə] *zn* ❶ kamerscherm ❷ (ver)deler, iets dat / iemand die een scheiding veroorzaakt ⟨bv. tussen arm en rijk, blank en zwart⟩ ▼ ~*s* [mv] (verdeel)passer

divination [dɪvɪ'neɪʃən] *zn* waarzeggerij, voorspelling

divine [dɪ'vaɪn] **I** *bnw* ❶ goddelijk ❷ oud inform fantastisch **II** *ov ww* raden, voorspellen **III** *onov ww* met een wichelroede lopen / zoeken

diving *zn* ❶ (het) duiken ❷ (het) schoonspringen

diving bell *zn* duikerklok

diving board *zn* duikplank

divinity [dɪ'vɪnəti] *zn* ❶ god(heid) ❷ goddelijkheid ❸ oud godgeleerdheid

divisible [dɪ'vɪzɪbl] *bnw* deelbaar

division [dɪ'vɪʒən] *zn* ❶ deling ook biol wisk , scheiding ★ wisk *long* ~ staartdeling ❷ verdeeldheid, meningsverschil ❸ afdeling, groep, branche ❹ sport mil divisie ❺ scheiding, scheidslijn ❻ stemming ⟨vóór of tegen⟩

divisional [dɪ'vɪʒənl] *bnw* divisie-, afdelings-, branche-

divisive [dɪ'vaɪsɪv] *bnw* leidend tot ongelijkheid of verdeeldheid

divisor [dɪ'vaɪzə] wisk *zn* deler

divorce [dɪ'vɔːs] **I** *zn* ❶ echtscheiding ★ *get a* ~ gaan scheiden ❷ form scheiding **II** *ov ww* ❶ scheiden van, zich laten scheiden van ⟨je echtgenoot / echtgenote⟩ ❷ form scheiden ★ *be* ~*d from reality* buiten de werkelijkheid staan **III** *onov ww* scheiden

divorcé [dɪvɔː'seɪ] USA *zn* gescheiden man

divorcee [dɪvɔː'siː] *zn* gescheiden persoon ⟨meestal vrouw⟩

divorcée [dɪvɔː'seɪ] USA *zn* gescheiden vrouw

divulge [daɪ'vʌldʒ] form *ov ww* openbaar maken, bekendmaken

divvy up ['dɪvi ʌp] inform *ov ww* (ver)delen

Dixie ['dɪksɪ] inform *zn* zuidelijke staten van de VS

Dixieland ['dɪksɪlænd] muz *zn* dixieland

DIY *afk,* do-it-yourself doe-het-zelf

dizzy ['dɪzɪ] **I** *bnw* ❶ duizelig ❷ duizelingwekkend ❸ USA inform maf, lijp **II** *ov ww* duizelig maken ★ *at a* ~*ing pace* met duizelingwekkende snelheid

DJ *afk,* disc jockey dj, deejay, diskjockey

DLitt *afk, Doctor of Letters* doctor in de letterkunde

DNA *afk,* deoxyribonucleic acid DNA ★ *DNA fingerprinting / profiling* DNA-vingerafdruktechniek- / profilering

do[1] [du:] [onregelmatig] **I** *ov ww* ❶ doen ★ *what do you do (for a living)?* wat doe je (voor de kost)? ★ *what can I do for you?* wat kan ik voor je doen / betekenen?, kan ik je helpen? ★ *do research / the dishes / the shopping* onderzoek / de afwas / de boodschappen doen ❷ leren, studeren ★ *she's doing chemistry* zij studeert scheikunde ❸ oplossen ⟨opgave, puzzel⟩

❹ maken, produceren ★ *do a drawing / sketch* een tekening maken ★ *do a translation* een vertaling maken ❺ maken, bereiden ★ *who's doing lunch today?* wie zorgt er vandaag voor de lunch? ★ *how would you like your steak done?* *well done* hoe wil je je biefstuk? goed doorbakken ❻ verkopen ★ *do drinks and sandwiches* drankjes en sandwiches verkopen ❼ ton spelen (voor), imiteren ★ *do King Lear* King Lear spelen / opvoeren ★ *do (a great) Michael Jackson* Michael Jackson (erg goed) imiteren / nadoen ❽ klaar zijn, afhebben, afkrijgen ★ *get sth done in time* iets op tijd afhebben ❾ afleggen (afstand), verbruiken (brandstof), een bepaalde snelheid rijden ★ *do 80 miles an hour* 120 kilometer per uur rijden ❿ bezoeken, bekijken ★ *we did Amsterdam in two days* we zijn twee dagen in Amsterdam geweest, we hebben Amsterdam in twee dagen bezichtigd ⓫ doorbrengen (tijd), zitten (tijd in gevangenis) ⓬ behandelen, helpen (klant) ⓭ inform ertussen nemen, oplichten, beroven ★ *he did me for £ 20* hij boorde me £ 20 door de neus ★ *do sb out of £ 20* iem. £ 20 lichter maken ★ *they did three supermarkets in one week* ze beroofden drie supermarkten in een week ⓮ bestraffen, beboeten ★ *be / get done for sth* gepakt worden voor iets ★ *they got done for speeding* ze kregen een boete voor te hard rijden ⓯ inform gebruiken (drugs) ⓰ inform seks hebben met ★ *do it with sb* het met iem. doen, iem. neuken ⓱ ~ **away with** afschaffen, wegdoen, eraf zien te komen ★ *do away with sb / yourself* iemand / jezelf van kant maken ⓲ inform ~ **for** ruïneren, doden, einde maken aan ★ *he is done for* het is met hem gedaan, hij is er geweest ⓳ inform ~ **in** ruïneren, bezeren, van kant maken ★ *do one's back in* je rug blesseren ★ *be done in* doodmoe / afgepeigerd zijn ⓴ inform ~ **out** grondig schoonmaken, inrichten en afwerken (kamer, keuken) ㉑ inform ~ **over** in elkaar slaan, aftuigen, GB overhoop halen (woning) USA helemaal opnieuw inrichten, USA opnieuw doen ★ *their place had been done over* er was bij hen ingebroken ㉒ ~ **to** ★ *do sth to sb* iem. iets aandoen (iets onaangenaams), iem. iets doen, iem. raken (m.b.t. gevoelens) ㉓ ~ **up** opknappen, opkalefateren, opruimen, inpakken, dichtknopen, sluiten (kleding) ★ *do yourself up* je optutten, je mooi maken ▼ inform *no can do* dat kan ik niet doen ▼ *that's done it* nu ben je de klos / pineut ▼ *that does it* de maat is vol ▼ *that is the done thing* dat is zoals het hoort **II** *onov ww* ❶ doen ★ *how do you do?* hoe maakt u het? ★ *how are you doing?* hoe staat het leven? ★ *wait till I have done* wacht tot ik klaar ben ❷ zich gedragen / ontwikkelen ★ *do well* het goed doen, slagen, winst maken ★ *she's doing well at school* ze doet het goed op school ★ *mother and child are doing well* moeder en kind maken het goed ★ *do well by sb* iem. goed behandelen ★ *you would do well to visit your uncle* je zou er goed aan doen je oom te bezoeken ❸ genoeg zijn, (ermee door) gaan ★ *it won't do* dat gaat (zo) niet, dat is niet genoeg

★ *that will do!* en zo is het genoeg! ❹ ~ **for** dienen als ★ *not do much for sb* iem. niet mooi staan ❺ ~ **up** dichtgaan (van kleding) ❻ ~ **with** nodig hebben, kunnen gebruiken, zin hebben in ★ *be / have / be (sth / nothing) to do with sb / sth* (iets / niets) te maken hebben met iemand / iets ★ *I've done with him!* ik heb het met hem gehad! ★ *be / have done with sth* klaar zijn met iets ★ *over and done with* afgelopen, klaar ❼ ~ **without** doen zonder, niet nodig hebben ⟨bij aanbod⟩ **IV** *zn* [mv: **dos, do's**] feest, sociaal gebeuren ▼ *dos / do's and don'ts* wat wel en wat niet mag

do² [dəu] *zn* → **doh**

dob [dɔb] GB inform *ov ww* ~ **in** verlinken

doc [dɔk] *zn* ❶ inform *doctor* dokter ❷ comp *document* documentje

docile ['dəʊsaɪl] *bnw* gedwee, volgzaam, handelbaar

docility [dəʊ'sɪlətɪ] *zn* gedweeheid, volgzaamheid

dock [dɔk] **I** *zn* ❶ dok ★ *dry dock* droogdok ★ *wet dock* drijvend dok ❷ haven ★ *the Liverpool docks* de haven(s) van Liverpool, het Liverpoolse havengebied ❸ beklaagdenbank ❹ USA aanlegsteiger, laadperron ❺ plantk zuring **II** *ov ww* ❶ dokken ❷ koppelen (in ruimtevaart), aansluiten (laptop) ❸ korten (op salaris) ❹ couperen **III** *onov ww* ❶ meren, dokken ❷ gekoppeld worden (in ruimtevaart)

docker ['dɔkə] *zn* dokwerker, havenarbeider

docket ['dɔkɪt] *zn* ❶ (pak)bon, (geleide)briefje, label (aan een pakje) ❷ USA jur rol (lijst van aanhangige zaken) ❸ USA agenda (v. vergadering)

dockland ['dɔklənd], **docklands** [mv] *zn* havengebied / -kwartier

dockyard ['dɔkjɑːd] *zn* ❶ scheepswerf ❷ haventerrein

doctor ['dɔktə] **I** *zn* ❶ dokter ★ *humor just what the ~ ordered* net wat we nodig hebben ❷ doctor **II** *ov ww* ❶ knoeien met, vervalsen ❷ vergiftigen, versnijden ★ *the food had been ~ed* er was iets in het eten gestopt ❸ inform helpen (castreren, steriliseren van dieren)

doctoral ['dɔktərəl] *bnw* doctors- ★ ~ *thesis* proefschrift

doctorate ['dɔktərət] *zn* doctoraat, titel / graad van doctor

doctrinaire [dɔktrɪ'neə] form *bnw* strikt, streng, doctrinair

doctrine ['dɔktrɪn] *zn* leer(stuk), dogma

docudrama ['dɔkjʊdrɑːmə] *zn* docudrama (film / tv-programma gebaseerd op de werkelijkheid)

document ['dɔkjʊmənt] **I** *zn* ❶ document, bewijsstuk ❷ comp document, gegevens- / tekstbestand **II** *ov ww* documenteren

do

do

documentary [dɒkjʊ'mentərɪ] **I** *zn* documentaire **II** *bnw* ❶ op de werkelijkheid gebaseerd ★ *a ~ film* een documentaire (film) ❷ gedocumenteerd

documentation [dɒkjʊmen'teɪʃən] *zn* documentatie

docusoap ['dɒkjʊsəʊp] *zn* docusoap ⟨amusementsprogramma op tv over bestaande mensen⟩

doddering ['dɒdərɪŋ], **doddery** ['dɒdərɪ] *bnw* wankelend, beverig, schuifelend ⟨door ouderdom⟩

doddle ['dɒdl] GB *inform zn* makkie

dodge [dɒdʒ] **I** *ov ww* ❶ ontwijken ❷ handig ontduiken ★ *~ paying taxes* belasting ontduiken **II** *onov ww* uitwijken ★ *~ behind a tree* achter een boom springen / duiken **III** *zn* ❶ slimmigheidje, truc, foefje ❷ ontwijkende beweging

dodgem ['dɒdʒəm] GB *zn* botsauto

dodger ['dɒdʒə] inform *zn* ontduiker ⟨ook in samenstellingen⟩ ★ *fare ~* zwartrijder ★ *tax ~* belastingontduiker

dodgy ['dɒdʒɪ] GB inform *bnw* ❶ listig, geslepen ❷ wankel, gammel, slecht ❸ riskant, link

dodo ['dəʊdəʊ] *zn* dodo ★ *(as) dead as a dodo* (zo) dood als een pier, totaal verouderd ❷ USA stom figuur

doe [dəʊ] *zn* ❶ hinde ❷ wijfje ⟨van haas, konijn⟩

doer ['duːə] *zn* doener, iemand die van aanpakken weet

does [dʌz] *ww* → **do**[1]

dog [dɒg] **I** *zn* ❶ hond ★ GB *the dogs* [mv] de (wind)hondenrennen ❷ mannetjeswolf, mannetjesvos ❸ USA inform fiasco, flop ❹ USA lelijk wijf ❺ inform (rot)vent ★ *a dirty dog* een schoft / hufter ▼ GB inform *a dog's breakfast / dinner* zooitje ★ *a case of dog eat dog* een strijd op leven en dood ▼ GB *a dog in the manger* iem. die de zon niet in het water kan zien schijnen ▼ *a dog's life* een ellendig bestaan ▼ *every dog has his day* het zit iedereen wel eens mee ▼ *give a dog a bad name (and hang him)* ≈ Barbertje moet hangen ▼ inform *go to the dogs* naar de haaien gaan ▼ *not have a dog's chance* geen schijn van kans hebben **II** *ov ww* ❶ achtervolgen ❷ volgen, iemands gangen nagaan

dog biscuit *zn* hondenkoekje, hondenbrok(je)

dog collar *zn* ❶ halsband ❷ inform priesterboord

dog days *zn mv* hondsdagen ⟨warmste tijd van het jaar⟩

dog-eared *zn* met ezelsoren

dog-end inform *zn* ❶ peukje ❷ laatste loodjes, staartje

dogfight ['dɒgfaɪt] *zn* ❶ luchtgevecht ❷ hevige knokpartij / ruzie ❸ (illegaal) hondengevecht

dogfish ['dɒgfɪʃ] *zn* hondshaai

dogged ['dɒgɪd] *bnw* vasthoudend, volhardend

doggerel ['dɒgərəl] *zn* rijmelarij

doggone ['dɒgɒn] USA inform oud *bnw+bijw* verdomd, verrekt ▼ *well, ~ it!* wel verdomd!

doggy, doggie ['dɒgɪ] **I** *zn* hondje **II** *bnw* honden- ★ *a ~ smell* een hondengeur / -lucht ★ *~ style / fashion* op z'n hondjes

doggy bag, doggie bag *zn* inform zak verstrekt door restaurant om rest v. maaltijd in mee te nemen

doggy-paddle *zn* → **dog-paddle**

dog handler *zn* agent v.d. hondenbrigade

doghouse ['dɒghaʊs] USA *zn* hondenhok ★ inform *be in the ~* eruit liggen, uit de gratie zijn

dogleg *zn* scherpe bocht

dogma ['dɒgmə] *zn* dogma

dogmatic [dɒg'mætɪk] *bnw* dogmatisch, autoritair

dogmatism ['dɒgmətɪzəm] *zn* dogmatisme, dogmatiek

do-gooder [duː'gʊdə] *zn* iron wereldverbeteraar

dog-paddle *zn* het op zijn hondjes zwemmen

dogsbody ['dɒgzbɒdɪ] *zn* manusje-van-alles, duvelstoejager

dogsled ['dɒgsled] *zn* hondenslee

dog tag *zn* ❶ hondenpenning ❷ USA mil inform identiteitsplaatje

dog-tired *bnw* doodmoe

dogwood ['dɒgwʊd] *zn* plantk kornoelje

doh [dəʊ] *zn* muz do

d'oh inform *tussenw* duh

doily ['dɔɪlɪ] *zn* (decoratief) onderleggertje, kleedje ⟨onder taartje / cake⟩

doing ['duːɪŋ] *zn* daad, handeling ★ *it's your ~* het komt door jou, het is jouw schuld ★ *take some ~* voeten in aarde hebben ★ *~s* [mv] activiteiten ★ *sb's ~s* iemands doen en laten

do-it-yourself *bnw* doe-het-zelf

doldrums ['dɒldrəmz] *zn mv* ❶ neerslachtigheid ★ *be in the ~* in de put zitten ❷ econ stagnatie ★ *be in the ~* stagneren, stilstaan ⟨van markten, bedrijven e.d.⟩

dole [dəʊl] **I** *zn* GB (werkloosheids)uitkering ★ *be on the dole* steun trekken ★ *in the dole queue* werkloos **II** *ov ww* **inform ~ out** uitdelen

doleful ['dəʊlfʊl] *bnw* somber, treurig

doll ['dɒl] **I** *zn* ❶ pop ❷ USA inform stuk, spetter **II** *ov ww* **inform ~ up** optutten

dollar ['dɒlə] *zn* dollar

dollar sign *zn* dollarteken ★ *see ~s* dollartekens in de ogen hebben, geld ruiken

dollop ['dɒləp] *zn* kwak ⟨jam, room e.d.⟩ ★ fig *a big ~ of luck* een grote portie geluk

doll's house, USA **doll house** *zn* poppenhuis

dolly ['dɒlɪ] *zn* ❶ inform popje ❷ dolly ⟨camerakarretje⟩

dolly bird ['dɒlɪːd] GB inform oud *zn* leuk (maar dom) meisje, modepopje

dolmen ['dɒlmən] *zn* dolmen, hunebed

dolorous ['dɒlərəs] form *bnw* treurig, droevig

dolphin ['dɒlfɪn] *zn* dolfijn

dolt [dəʊlt] oud *zn* domoor, stommeling

domain [də'meɪn] *zn* ❶ gebied, domein ★ *it's public ~* het is openbaar toegankelijk, het is voor iedereen te gebruiken ❷ www domein(naam)

domain name www *zn* domeinnaam

dombo inform *zn* stommerd, oen

dome [dəʊm] *zn* koepel

domed ['dəʊmd] *bnw* koepelvormig

domestic [də'mestɪk] **I** *bnw* ❶ huiselijk, huishoudelijk ★ *~ appliances* huishoudelijke apparaten ❷ binnenlands ❸ tam ★ *~ animals*

huisdieren **II** *zn* **❶** inform huiselijke ruzie, huiselijk geweld **❷** oud huishoudelijke hulp
domesticate [də'mestɪkeɪt] *ov ww* **❶** temmen, tot huisdier maken **❷** plantk cultiveren **❸** vaak humor aan huiselijk leven wennen ★ *be ~d* een goede huisman / huisvrouw zijn
domesticity [ˌdɒmə'stɪsətɪ] *zn* huiselijk leven
dome tent *zn* koepeltent
domicile ['dɒmɪsaɪl] form **I** *zn* woonplaats, domicilie **II** *ov ww* vestigen ★ *be ~d in* gevestigd zijn in / te, zijn / haar woonplaats hebben in
domiciliary [ˌdɒmɪ'sɪlɪərɪ] form *bnw* huis-, thuis-, woon-
dominance ['dɒmɪnəns] *zn* dominantie, overheersing
dominant ['dɒmɪnənt] *bnw* dominant, overheersend
dominate ['dɒmɪneɪt] **I** *ov ww* domineren, beheersen, overheersen **II** *onov ww* heersen, domineren, de overhand hebben
domination [ˌdɒmɪ'neɪʃən] *zn* overheersing
domineering [ˌdɒmɪ'nɪərɪŋ] *bnw* bazig
Dominican [də'mɪnɪkən] *zn* **❶** dominicaan ⟨in klooster⟩ **❷** inwoner Dominicaanse Republiek
dominion [də'mɪnɪən] form *zn* **❶** heerschappij **❷** gebied
Dominion [də'mɪnɪən] gesch *zn* deel v. Britse Gemenebest met zelfbestuur
domino ['dɒmɪnəʊ] *zn* domino⟨steen⟩ ★ ~*es* [mv] dominospel ★ *a set of ~es* een dominospel
don [dɒn] **I** *zn* **❶** docent aan een universiteit ⟨i.h.b. Oxford en Cambridge⟩ **❷** inform maffiabaas **II** *ov ww* form aandoen, aantrekken ⟨kleren⟩
donate [dəʊ'neɪt] *ov ww* **❶** schenken, geven **❷** bloed / orgaan geven
donation [dəʊ'neɪʃən] *zn* schenking, gift ★ *organ ~* orgaandonatie
done [dʌn] **I** *ww* [volt. deelw.] → **do**[1] **II** *bnw* **❶** gaar ★ *well done* volkomen gaar, doorbakken **❷** klaar, over **❸** – gepast, netjes ★ *that just isn't done in England* dat doe je niet in Engeland **III** *tw* aangenomen ⟨v. aanbod⟩, akkoord
dongle comp *zn* dongle ⟨apparaatje aan je computer dat je software beschermt⟩
donkey ['dɒŋkɪ] *zn* ezel ★ *talk the hind legs off a ~* iem. de oren van het hoofd praten
donkey jacket *zn* jekker
donkey's years GB inform *zn* lange tijd ★ *for / in ~* in geen eeuwen
donkey work ['dɒnkɪwɜːk] *zn* slavenwerk
donor ['dəʊnə] *zn* **❶** donateur, schenker **❷** donor ⟨van bloed, organen⟩
donor card *zn* donorcodicil, donorverklaring
don't [dəʊnt] *samentr*, *do not* → **do**[1]
donut ['dəʊnʌt] *zn* → **doughnut**
doodah ['duːdɑː], USA **doodad** ['duːdæd] *zn* inform dinges, ding⟨etje⟩
doodle ['duːdl] **I** *zn* krabbel, figuurtje **II** *onov ww* gedachteloos poppetjes tekenen
doom [duːm] **I** *zn* ondergang, ⟨nood⟩lot ★ *meet one's doom* de ondergang vinden ★ *spell doom for* de ondergang betekenen voor / van ★ *doom and gloom* een en al somberheid **II** *ov ww* ⟨ver⟩doemen, veroordelen ★ *doomed* ten dode opgeschreven ★ *doomed to failure* gedoemd te

mislukken
doomsayer *zn* onheilsprofeet, doemdenker
doomsday ['duːmzdeɪ] *zn* dag des oordeels ★ *till ~* tot sint-juttemis
door [dɔː] *zn* deur ★ *Dutch door* onder- en bovendeur ★ *a few doors down* een paar huizen verder ★ *answer the door* opendoen ★ *from door to door* huis aan huis ★ *deliver sth to your door* iets bij je thuis bezorgen ★ *show sb the door* iem. de deur wijzen, iem. eruit zetten ★ *out of doors* in de buitenlucht ★ *be on the door* bij de deur / ingang staan ⟨bv. als controleur⟩ ★ *close / shut the door on sth* de deur dichtgooien voor iets ★ *lay sth at a sb's door* iem. iets in de schoenen schuiven ★ *leave the door open (for sth)* ⟨de zaak⟩ open laten ★ *open the door (to)* mogelijk maken ⟨voor⟩ ★ *shut / slam the door in sb's face* voor iemands neus de deur dichtgooien, weigeren iem. te spreken
doorbell ['dɔːbel] *zn* huisbel, deurbel
do-or-die *bnw* erop of eronder
doorjamb USA *zn* deurstijl
doorkeeper ['dɔːkiːpə] *zn* portier
doorman ['dɔːmən] *zn* portier
doormat *zn* **❶** deurmat **❷** fig voetveeg
doorpost ['dɔːpəʊst] *zn* deurstijl
doorstep ['dɔːstep] *zn* **❶** stoep ★ *on the / your ~* op steenworp afstand **❷** inform dikke pil, dikke boterham
doorway ['dɔːweɪ] *zn* deuropening, ingang
dope [dəʊp] **I** *zn* **❶** drug⟨s⟩ ⟨i.h.b. cannabis; in VS heroïne⟩ **❷** doping ⟨pepmiddel⟩ **❸** inform sufferd **❹** inform info ★ *give me the dope on the new neighbours* vertel mij alle roddels over de nieuwe buren **II** *ov ww* doping geven ⟨aan mens of dier⟩ **❷** dope up drogeren, bedwelmen ★ *doped up* stoned
dopey ['dəʊpɪ] inform *bnw* **❶** suf, versuft **❷** dom
dork [dɔːk] *zn* malloot, mafkees, sufferd
dorm [dɔːm] *zn* inform → **dormitory**
dormant ['dɔːmənt] *bnw* slapend, ⟨nog⟩ niet actief, sluimerend
dormer ['dɔːmə], **dormer window** *zn* dakkapel
dormitory ['dɔːmɪtərɪ] *zn* slaapzaal
dormitory town *zn* slaap- / forenzenstad
Dormobile ['dɔːməbiːl] *zn* kampeerauto
dormouse ['dɔːmaʊs] *zn* [mv: dormice] relmuis
dorsal ['dɔːsəl] *bnw* van / aan de rug, rug-
dosage ['dəʊsɪdʒ] *zn* dosis, dosering
dose [dəʊs] **I** *zn* dosis ★ *small doses* kleine hoeveelheden, fig korte periodes ▼ GB oud inform *like a dose of salts* in een record tempo **II** *ov ww*, **dose up** een medicijn / middel toedienen ★ *dose yourself (up) with vitamin C* vitamine C nemen ★ *strawberries heavily dosed with pesticides* aardbeien die onder de bestrijdingsmiddelen zitten
dosh [dɒʃ] GB inform *zn* poen, pegels
doss [dɒs] inform **I** *onov ww* GB, **doss down** pitten ⟨op een geïmproviseerd bed⟩, **doss about / around** aanrommelen, rondklungelen **II** *zn* GB makkie
dosser ['dɒsə] GB *zn* **❶** zwerver, dakloze **❷** inform lamlul
dosshouse ['dɒshaʊs] GB inform *zn* opvanghuis voor daklozen

do

do

dossier ['dɒsɪə] zn dossier ★ a ~ on sb een dossier over iem.

dot [dɒt] I zn stip, punt ★ on the dot precies op tijd II ov ww ❶ stippen / punten zetten op, bestippelen ★ dot your i's and cross your t's de puntjes op de i zetten ❷ bezaaien ★ a lake dotted with boats een meer, bezaaid met boten

dotage ['dəʊtɪdʒ] zn ▼ be in your ~ seniel zijn

dotcom [dɒt'kɒm] zn econ dotcom, internetbedrijf

dote [dəʊt] onov ww ~ on/upon dol zijn op

doting ['dəʊtɪŋ] bnw dol / verzot (op), liefhebbend ⟨zonder enige kritiek⟩

dotty ['dɒtɪ] bnw ❶ niet helemaal goed snik ❷ dol op ★ ~ about horses gek op / met / van paarden

double ['dʌbl] I bnw ❶ dubbel, tweeledig ★ Anne's name is spelt with a ~ n Anne's naam is met twee n'nen ❷ dubbele ⟨hoeveelheid, omvang, sterkte⟩ ❸ tweepersoons- ★ ~ bed / room tweepersoonsbed / -kamer ▼ do a ~ take een late reactie vertonen II telw twee keer zoveel ★ ~ the size tweemaal zo groot ★ her income is ~ his zij verdient twee keer zoveel als hij III bijw dubbel, in tweeën ★ fold ~ dubbelvouwen ★ see ~ dubbelzien IV zn ❶ dubbele ★ ~ or quits / USA nothing het dubbele of niets ⟨risico bij het gokken⟩ ❷ tweepersoonskamer ❸ dubbelganger, evenbeeld ❹ stand-in, stuntman ⟨in films⟩ ❺ sport twee overwinningen of één seizoen ▼ ~s dubbelspel ⟨bij tennis⟩ ▼ play ~s or singles dubbel of enkel spelen ⟨bij tennis⟩ ▼ at / USA on the ~ in looppas, onmiddellijk, opschieten! V ov ww ❶ verdubbelen ❷ double over dubbelslaan, dubbelvouwen ★ ~ over/up doen ineenkrimpen ⟨van de pijn⟩, doen kromliggen ⟨van het lachen⟩ VI onov ww ❶ verdubbelen ❷ double up een dubbele functie hebben ★ ~ (up) as ook dienen als ❸ een tweehonkslag maken ⟨bij honkbal⟩ ❹ ~ back omkeren en terugkomen / terugkeren ❸ ~ over/up ineenkrimpen ⟨van de pijn⟩, kromliggen ⟨van het lachen⟩ ❹ ~ up (samen) delen, een kamer delen

double-barrelled, USA **double-barreled** [dʌbl'bærəld] bnw dubbelloops ⟨v. geweer⟩

double-breasted zn met 2 rijen knopen ⟨v. jas⟩

double-check ov ww tweemaal controleren

double-cross I ov ww dubbel spel spelen met, bedriegen II zn bedriegerij

double-dealer zn oplichter, bedrieger

double-dealing zn oplichterij

double-decker zn dubbeldekker

double-digit bnw met twee cijfers, in tientallen

double-edged bnw ❶ tweesnijdend ❷ fig met twee ⟨tegengestelde⟩ kanten eraan

double entendre zn dubbelzinnigheid

double-jointed bnw bijzonder lenig

double-quick [dʌbl'kwɪk] bnw supersnel

doublespeak ['dʌblspiːk], **doubletalk** ['dʌbltɔːk] zn dubbelzinnigheden, onzin

doublet ['dʌblɪt] zn gesch ★ ~ and hose wambuis en pofbroek

doubly ['dʌblɪ] bijw dubbel, extra

doubt [daʊt] I zn twijfel, onzekerheid ★ be in ~ twijfelen ⟨van iemand⟩, twijfelachtig / niet zeker zijn ⟨van iets⟩ ★ beyond ⟨any⟩ ~ ongetwijfeld ★ have your ~s ⟨about sth⟩ ⟨iets⟩ betwijfelen ★ if in ~ bij twijfel ★ without ~ ongetwijfeld ★ no ~ he's a nice guy, but... ongetwijfeld is hij een aardige man, maar... II ov ww betwijfelen, twijfelen aan III onov ww twijfelen ★ ~ing Thomas ongelovige Thomas

doubtful ['daʊtfʊl] bnw ❶ weifelend ❷ onwaarschijnlijk, twijfelachtig ❸ bedenkelijk, precair ★ of ~ quality van dubieuze kwaliteit

doubtless ['daʊtləs] bijw ongetwijfeld

douche [duːʃ] zn ⟨uit⟩spoeling ⟨v. vagina⟩

dough [dəʊ] zn ❶ deeg ❷ inform oud poen

doughnut ['dəʊnʌt] zn donut ⟨soort platte oliebol met een gat in het midden⟩

dour [dʊə] bnw streng, hard, koel, ongenaakbaar

douse [daʊs] ov ww ❶ overgieten ❷ blussen ⟨vuur⟩, uitdoen ⟨licht⟩

dove [dʌv] zn duif⟨je⟩ ook fig

dovecote, **dovecot** ['dʌvkɒt] zn duiventil

dovetail ['dʌvteɪl] I zn, **dovetail joint** zwaluwstaart⟨verbinding⟩ ⟨in timmervak⟩ II onov ww precies ⟨in / op elkaar⟩ passen III ov ww ❶ precies ⟨in / op elkaar⟩ laten passen ❷ met zwaluwstaarten verbinden

dovish ['dʌvɪʃ] bnw vredelievend

dowdy ['daʊdɪ] bnw ❶ slecht gekleed ⟨v. vrouw⟩, slonzig ❷ saai, onaantrekkelijk

dowel ['daʊəl] zn deuvel ⟨om bv. twee stukken hout met elkaar te verbinden⟩

down [daʊn] I bijw ❶ ⟨naar⟩ beneden, naar een lager niveau, naar / op een lager gelegen plaats, stroomafwaarts ❷ verticaal ⟨in kruiswoordpuzzel⟩ ❸ naar / in het zuiden ⟨v. een land⟩ ❹ op papier ★ write things down dingen opschrijven ❺ kwijt, verloren ★ be £200 down £200 kwijt zijn ▼ two goals down twee doelpunten achter ▼ six down and four to go zes gedaan en nog vier te gaan ▼ a long way down een heel eind weg ▼ down with fever met koorts in bed ▼ from... down to... van... tot ⟨aan⟩... ▼ not able to keep your food down je voedsel niet binnen kunnen houden ▼ be down for ingeschreven zijn voor, op de agenda staan ▼ inform be down on sb iem. niet mogen ▼ be down to sb iemands verantwoordelijkheid zijn, aan iem. te danken zijn ▼ be down to ⟨£2⟩ nog maar ⟨£2⟩ over hebben ▼ down under Australië en / of Nieuw-Zeeland ▼ down with...! weg met...! II vz van... af, langs, ⟨naar beneden⟩ in ★ throw sth down the well iets in de put gooien ★ down the river stroomafwaarts ★ down the road verderop de weg ★ go down the road de weg afgaan III ov ww ❶ snel naar binnen werken ⟨v. drinken, eten⟩ ❷ naar beneden halen, neerhalen IV bnw ❶ down ⟨depressief⟩ ❷ techn down ⟨niet operationeel⟩ V zn ❶ dons ❷ neergelegen land ❸ inform periode met tegenslag ▼ GB inform have a down on de pest hebben aan

down- [daʊn-] voorv neerwaarts, naar beneden

down and out bnw ❶ aan lager wal geraakt ❷ kansloos

down-and-out [daʊnən'aʊt] zn zwerver

down at heel bnw versleten, sjofel, armoedig

dr

(gekleed)

downbeat *bnw* ❶ somber, pessimistisch ❷ mat

downcast ['daʊnkɑːst] *bnw* ❶ terneergeslagen ❷ neergeslagen ⟨v. ogen⟩

downer ['daʊnə] *zn* ❶ kalmerend middel ❷ afknapper ★ *inform be on a* ~ erg depri zijn, niet lekker gaan

downfall ['daʊnfɔːl] *zn* ondergang, val

downgrade ['daʊngreɪd] *ov ww* ❶ degraderen, op een lager niveau plaatsen ❷ naar beneden halen ⟨waarde, belang enz.⟩

downhearted [daʊn'hɑːtɪd] *bnw* moedeloos

downhill [daʊn'hɪl] **I** *bijw* naar beneden ★ *fig go* ~ bergafwaarts gaan **II** *bnw* hellend, neerwaarts ▼ *be (all)* ~ / *be* ~ *all the way* van een leien dakje gaan ⟨na een moeilijk begin⟩ steeds slechter worden **III** *zn* afdaling ⟨skiën⟩

Downing Street *zn* *fig* de regering in Londen ⟨de ambtswoning v.d. minister-president staat in die straat⟩, de (Britse) premier

download ['daʊnləʊd] **I** *ov ww comp* downloaden **II** *zn comp* download

downmarket [daʊn'mɑːkɪt] *bnw* derderangs, gericht op een minder koopkrachtig publiek

downplay *ov ww* afzwakken, relativeren

downpour ['daʊnpɔː] *zn* stortbui

downright ['daʊnraɪt] *bnw + bijw* gewoon, echt, bot(weg), door en door ★ *be* ~ *rude* gewoon / echt onbeschoft zijn ★ *a* ~ *lie* een pure leugen

downscale [daʊn'skeɪl] *USA bnw* derderangs, gericht op het minder koopkrachtige publiek

downshift ['daʊnʃɪft] *onov ww* ❶ het rustiger aan gaan doen ❷ *USA* terugschakelen ⟨in auto enz.⟩

downsize ['daʊnsaɪz] **I** *ov ww econ* inkrimpen, bezuinigen op, snoeien in **II** *onov ww econ* inkrimpen, bezuinigen

downstage [daʊn'steɪdʒ] *bijw* vóór op het toneel

downstairs [daʊn'steəz] **I** *bnw+bijw* (naar) beneden **II** *zn* benedenverdieping

downstream [daʊn'striːm] *bnw + bijw* stroomafwaarts

down to earth *bnw* praktisch, realistisch

downtown [daʊn'taʊn] *USA* **I** *bnw* in het centrum **II** *bijw* het centrum in **III** *zn* binnenstad, centrum

downtrodden ['daʊntrɒdn] *bnw* onderdrukt

downturn ['daʊntɜːn] *zn* ❶ neergang ❷ daling, achteruitgang

downward ['daʊnwəd] *bnw + bijw* naar beneden, neerwaarts

downwards ['daʊnwədz] *bijw* naar beneden, neerwaarts

downwind ['daʊnwɪnd] *bnw + bijw* met de wind mee

downy ['daʊnɪ] *bnw* donzig

dowry ['daʊərɪ] *zn* bruidsschat

dowser ['daʊzə] *zn* wichelroedeloper

doyen ['dɔɪən] *form zn* [v: **doyenne**] nestor

doz. *afk, dozen* dozijn

doze [dəʊz] **I** *onov ww* ❶ dutten, soezen ❷ ~ *off* indutten **II** *zn* dutje, tukje

dozen ['dʌzən] *zn* dozijn, veel ★ *in* ~*s* in groten getale, bij tientallen

dozy ['dəʊzɪ] *inform bnw* ❶ soezerig, slaperig ❷ *GB* dom

DP *afk, data processing* gegevensverwerking

DPhil *afk, Doctor of Philosophy* doctor (in de wijsbegeerte)

Dr, Dr. *afk, Doctor* doctor

drab [dræb] *zn* saai, eentonig

draconian [drə'kəʊnɪən] *bnw* draconisch, zeer streng ⟨van maatregelen⟩

draft [drɑːft] **I** *zn* ❶ schets, ontwerp, concept, klad ❷ *USA* dienstplicht ❸ *USA* lichting, rekrutering ❹ wissel, cheque ❺ *USA* tocht, trek ▼ *USA* ~ van / uit het vat **II** *bnw USA* tap-, van het vat ★ ~ *beer* tapbier **III** *ov ww* ❶ ontwerpen, opstellen, schetsen ❷ *USA* oproepen ⟨voor mil. dienst⟩ ❸ selecteren ★ ~ *people in to do sth* mensen aantrekken om iets te doen

draft dodger *USA zn* dienstweigeraar

draftee [drɑː'ftiː] *USA zn* dienstplichtige

draftsman ['drɑːftsmən], **drafter** ['drɑːftə] *zn* ❶ opsteller ⟨van wetten, documenten⟩ ❷ *USA* ontwerper ❸ *USA* tekenaar

drafty ['drɑːftɪ] *bnw USA* tochtig

drag [dræg] **I** *ov ww* ❶ trekken, slepen ook comp ★ *drag sb along to sth* iemand ergens mee naar toe slepen / sleuren ★ *drag yourself out of bed* jezelf uit bed hijsen ★ *drag yourself away from the TV* je losrukken van de tv ❷ over de grond slepen ❸ dreggen in ⟨water, rivier⟩ ❹ ~ *down* omlaaghalen, deprimeren ❺ ~ *in* erbij slepen ⟨onbelangrijke zaken / details⟩, erbij betrekken ⟨andere personen⟩ ❻ ~ *into* erin betrekken ❼ ~ *out* rekken ⟨bv. vergadering⟩, eruit trekken ⟨informatie⟩ ★ *drag a confession out of sb* een bekentenis loskrijgen van iem. ❽ ~ *up* oprakelen ▼ *drag your feet / heels* de zaak traineren **II** *onov ww*, **drag by** lang duren, kruipen ⟨v. tijd⟩ ❶ niet opschieten ★ *drag behind* achterblijven ❷ slepen ★ *drag on the ground* over de grond slepen ❸ ~ *on* zich voortslepen **III** *zn* ❶ *inform* stomvervelend iemand / iets ❷ rem, blok aan het been ❸ *inform* trek, haal ⟨aan sigaret⟩ ❹ *inform* vrouwenkleding ⟨v. travestiet⟩ ★ *in drag* als vrouw verkleed ❺ luchtweerstand

dragon ['drægən] *zn* ❶ draak ❷ *GB* kenau

dragonfly ['drægənflaɪ] *zn* waterjuffer, libel

dragoon [drə'guːn] **I** *zn* dragonder **II** *ov ww form* ★ ~ *sb into sth* iem. dwingen iets te doen

drag queen *zn* (mannelijke) travestiet

drain [dreɪn] **I** *ov ww* ❶ afwateren, droogleggen, draineren, rioleren ❷ aftappen, afgieten ❸ leegmaken, opmaken ★ ~ *your glass* je glas leegdrinken ❹ uitputten ★ *emotionally* ~*ed* emotioneel uitgeput **II** *onov ww* ❶ leeg- / weglopen, afdruipen, afwateren ❷ wegtrekken ⟨van kleur op je gezicht⟩ **III** *zn* ❶ afvoerpijp, riool ★ *the* ~*s* [mv] de riolering ❷ ijzeren putdeksel ❸ *USA* gootsteen ❹ last, belasting ★ *be a* ~ *on your purse* veel kosten ❺ *med* drain ⟨slangetje om wondvocht af te voeren⟩ ▼ *inform down the* ~ naar de knoppen

drainage ['dreɪnɪdʒ] *zn* ❶ drainage ❷ riolering

drainer ['dreɪnə] *zn* afdruiprek / -plaat

draining board *zn* afdruiprek / -plaat

drainpipe ['dreɪnpaɪp] *zn* ❶ regenpijp ❷ afvoerbuis

drake [dreɪk] *zn* dierk woerd

dram [dræm] *zn* neut ⟨meestal whisky⟩

drama ['drɑːmə] *zn* ❶ toneel, toneelstuk ❷ drama

dramatic [drə'mætɪk] *bnw* ❶ veelzeggend, aangrijpend, dramatisch ❷ indrukwekkend ❸ toneel- ❹ overdreven

dramatics [drə'mætɪks] *inform zn mv* overdreven / theatraal gedrag

dramatist ['dræmətɪst] *zn* toneelschrijver

dramatization, dramatisation [dræmətər'zeɪʃən] *zn* ❶ toneelbewerking ❷ dramatisering, aanstellerij

dramatize, dramatise ['dræmətaɪz] **I** *ov ww* ❶ voor toneel bewerken ❷ dramatiseren, overdrijven **II** *onov ww* zich aanstellen

drank [dræŋk] *ww* [verleden tijd] → **drink**

drape [dreɪp] *ov ww* ❶ draperen, bekleden ❷ ⟨achteloos⟩ leggen om

drastic ['dræstɪk] *bnw* drastisch, doortastend ★ ~ *measures* ingrijpende maatregelen

draught [drɑːft] **I** *zn* ❶ GB tocht, trek ★ *sit in a* ~ in de tocht zitten ❷ form teug, slok, med drankje ▼ GB *on* ~ van / uit het vat **II** *bnw* GB tap-, van het vat ★ ~ *beer* tapbier

draughtboard ['drɑːftbɔːd] GB *zn* dambord

draught excluder GB *zn* tochtband / -strip / -lat

draughts [drɑːfts] GB *zn mv* damspel

draughtsman ['drɑːftsmən] GB *zn* ❶ ontwerper ❷ tekenaar

draughty, USA **drafty** ['drɑːftɪ] *bnw* tochtig

draw [drɔː] [onregelmatig] **I** *ov ww* ❶ trekken, slepen ★ *draw aside* apart nemen ★ *draw the line between* de grens trekken tussen ❷ tekenen, schetsen ❸ sluiten of openen ⟨gordijnen⟩ ❹ trekken ⟨wapen, publiek, conclusie⟩ ❺ losmaken ⟨als reactie⟩ ❻ uithoren, aan de praat krijgen ❼ trekken ⟨lot⟩ ★ *draw a blank* niet in de prijzen vallen, bot vangen ★ *draw the short straw* aan het kortste eind trekken ❽ sport gelijkspelen ★ *draw a game* een wedstrijd onbeslist laten ❾ econ opnemen ⟨geld⟩ ❿ betrekken, ⟨ergens uit⟩ tevoorschijn halen ★ *draw blood* bloed doen vloeien ⓫ inademen ★ *draw (USA a) breath* op adem komen ⓬ ~ *down* opnemen ⟨lening, geld⟩, minderen ⓭ ~ *in* erbij betrekken ⓮ ~ *off* uittrekken, aftappen ⓯ form ~ *on* aantrekken ⟨kleding⟩ ⓰ ~ *out* ⟨uit⟩rekken, opnemen ⟨geld⟩, uithoren, aan de praat krijgen ⓱ ~ *up* opstellen ⟨contract⟩, schrijven, aanschuiven ⟨stoel⟩ ★ *draw yourself up* je oprichten **II** *onov ww* ❶ tekenen, schetsen ❷ bewegen ⟨in genoemde richting⟩ ★ *draw to a close* tegen het einde lopen ★ *draw closer* dichterbij komen ★ *draw to a halt* stoppen ❸ pistool / zwaard trekken ❹ loten ❺ sport gelijk spelen ❻ trekken ⟨aan sigaret enz.⟩ ❼ ~ *away* terugwijken, vertrekken ❽ ~ *back* terugdeinzen, terugwijken ❾ ~ *in* korter worden ⟨van dagen, nachten⟩, binnenlopen ⟨trein⟩ ❿ ~ *into* ★ *the train drew into the station* de trein reed het station binnen ⓫ ~ *on* het einde naderen ⟨van seizoen⟩, voorbijgaan, een trek nemen van ⟨sigaret⟩ ⓬ ~ *on/upon* gebruik maken van, putten uit ⓭ ~ *out* lengen ⟨van dagen, avonden⟩, vertrekken ⟨van trein⟩ ⓮ ~ *up* vóórrijden, stoppen **III** *zn* ❶ loterij, trekking ❷ gelijkspel ❸ publiekstrekker ❹ trekje ⟨aan sigaret enz.⟩

drawback ['drɔːbæk] *zn* nadeel, gebrek, schaduwzijde

drawbridge ['drɔːbrɪdʒ] *zn* ophaalbrug

drawer ['drɔːə] *zn* ❶ lade ❷ econ trekker ⟨van een wissel⟩ ★ ~*s* [mv] oud onderbroekje

drawing ['drɔːɪŋ] *zn* ❶ tekening ❷ het tekenen

drawing board *zn* ★ *go back to the* ~ ⟨weer⟩ van voren af aan beginnen

drawing pin ['drɔːɪŋpɪn] GB *zn* punaise

drawing room ['drɔːɪŋruːm] oud *zn* salon, ontvangkamer

drawl [drɔːl] **I** *zn* lijzige manier van praten **II** *onov ww* lijzig praten

drawn [drɔːn] **I** *bnw* afgetobd ⟨van gezicht⟩, minnetjes **II** *ww* [volt. deelw.] → **draw**

dray [dreɪ] *zn* sleperswagen, bierwagen

dread [dred] **I** *ov ww* vrezen, duchten, opzien tegen ★ *inform I ~ to think what will happen to them* ik moet er niet aan denken wat er met hen zal gebeuren **II** *zn* angst ★ *live / be in ~ of* angst hebben voor

dreaded humor *bnw* gevreesd

dreadful ['dredfʊl] *bnw* vreselijk ★ *I'm ~ly busy at the moment* ik heb het momenteel heel erg druk / vreselijk druk

dreadlocks ['dredlɒks] *zn mv* dreadlocks, rastahaar

dream [driːm] **I** *zn* droom ★ *not in my wildest ~s* niet in mijn stoutste dromen ★ *go / work like a ~* gaan / werken als een tierelier ★ *in your ~s!* dat had je gedroomd! ★ *wet ~* natte droom ook fig **II** *ov ww* [regelmatig + onregelmatig] ❶ dromen ★ *I never ~t that I would get the job* Ik had nooit gedacht dat ik de baan zou krijgen ❷ ~ *up* verzinnen ⟨iets idioots⟩ **III** *onov ww* [regelmatig + onregelmatig] ❶ dromen ❷ ~ *of* ★ *I wouldn't ~ of asking her out* het zou niet in mijn hoofd opkomen om haar uit te vragen ❸ ~ *on* ★ iron ~ *on!* blijf maar lekker dromen!

dreamed [driːmd] *ww* [verleden tijd + volt. deelw.] → **dream**

dreamer ['driːmə] *zn* dromer

dreamland ['driːmlænd] *zn* ❶ droomwereld ❷ dromenland

dreamlike ['driːmlaɪk] *bnw* onwezenlijk

dreamt [dremt] *ww* [verl. tijd + volt. deelwoord] → **dream**

dream team *zn* dreamteam, best denkbare team

dream ticket *zn* ideale combinatie / team

dreamy ['driːmɪ] *bnw* ❶ dromerig, vaag ❷ inform geweldig

dreary ['drɪərɪ] *bnw* somber, akelig

dreck USA inform *zn* rotzooi, troep

dredge [dredʒ] **I** *ov ww* ❶ baggeren, dreggen ❷ bestrooien ❸ ~ *up* ophalen ⟨herinneringen⟩, oprakelen **II** *onov ww* baggeren, dreggen

dredger ['dredʒə] *zn* ❶ baggeraar, baggermachine ❷ strooibus

dregs [dregz] *zn mv* droesem, drab, bezinksel ★ fig *the* ~ *of society* het schuim der natie, het uitschot

drench [drentʃ] *ov ww* doorweken, kletsnat maken

dress [dres] **I** *zn* ❶ japon, jurk ❷ kleding, dracht ★ formal ~ avondkleding ★ full ~ ceremonieel tenue ⟨van militairen⟩ ★*fancy* ~ kostuum ⟨v. verkleedpartij⟩ **II** *ov ww* ❶ kleden ★*get* ~*ed* zich aankleden ❷ opmaken ⟨haar⟩ ❸ inrichten ⟨etalage⟩ ❹ bewerken ⟨hout, leer, steen⟩ ❺ aanmaken ⟨salade⟩, bereiden, schoonmaken ⟨vis, vogels⟩ ❻ verbinden ⟨wond⟩ ❼ ~ **down** op z'n kop geven ❽ ~ **up** verkleden, mooi(er) maken / voorstellen dan het is **III** *onov ww* ❶ zich (aan)kleden, zich verkleden, toilet maken ❷ ~ **down** zich zeer eenvoudig kleden ❸ ~ **up** zich mooi aankleden, zich verkleden, zich opdirken

dressage ['dresɑːʒ] *zn* dressuur

dress circle *zn* ton 1e balkon

dress code *zn* kledingvoorschrift

dressed *bnw* (aan)gekleed ★*be* ~ *to kill* er piekfijn / fantastisch uitzien ▼~ *(up) to the nines* onberispelijk gekleed

dresser ['dresə] *zn* ❶ GB dressoir, keukenkast ★*Welsh* ~ buffetkast ⟨met boven open planken voor borden⟩ ❷ USA ladekast ❸ ook ton kleder, kleedster ★*a snappy* ~ iem. die zich piekfijn kleedt

dressing ['dresɪŋ] *zn* ❶ (sla)saus, dressing ★*French* ~ vinaigrette ❷ verband ❸ vulling ⟨voor wild, gevogelte⟩

dressing-down *zn* uitbrander

dressing gown GB *zn* peignoir, kamerjas

dressing room *zn* kleedkamer

dressing table *zn* toilettafel

dressmaker ['dresmeɪkə] *zn* naaister

dress rehearsal *zn* generale repetitie

dress sense *zn* goede smaak ⟨in kleding⟩

dress uniform *zn* gala-uniform, ceremonieel tenue

dressy ['dresɪ] *bnw* chic, elegant

drew [druː] *ww* [verleden tijd] → **draw**

dribble ['drɪbl] **I** *onov ww* ❶ kwijlen ❷ druppelen ❸ dribbelen ⟨bij voetbal⟩ **II** *ov ww* ❶ kwijlen ❷ druppelen ❸ sport dribbelen met **III** *zn* ❶ straaltje, beetje ❷ kwijl ❸ dribbel ⟨bij voetbal⟩

dribs [drɪbz] *zn mv* ▼*in* ~ *and drabs* stukje bij beetje

dried [draɪd] **I** *bnw* gedroogd **II** *ww* [verl. tijd + volt. deelwoord] → **dry**

drier ['draɪə] **I** *zn* droger **II** *bnw* [vergrotende trap] → **dry**

driest ['draɪɪst] *bnw* [overtreffende trap] → **dry**

drift [drɪft] *zn* ❶ trek, gang, tendens ★~ *from capitalism* een zich langzaam afkeren van het kapitalisme ★*continental* ~ continentverschuiving ❷ scheepv drift, afwijking, afdrijving ❸ stroom ❹ hoop, massa ★*a* ~ *of daffodils* een massa narcissen ★~*s of snow* sneeuwhopen ❺ strekking, bedoeling ★inform *catch my* ~? snap je 'm? ★*get the* ~ globaal begrijpen **II** *onov ww* ❶ (af)drijven, glijden ⟨van blik⟩ ❷ (toevallig) verzeild raken ❸ ~ doelloos gaan ★~ *away from sth* iets geleidelijk verlaten, langzaam weggaan van iets ★*the conversation* ~*ed from music to literature* het gespreksonderwerp veranderde zomaar van muziek naar literatuur ❹ (zich) ophopen ⟨van sneeuw, zand enz.⟩ ❺ ~ **around/away** maar wat doen (zonder plan) ❻ ~ **apart** van elkaar vervreemden ❼ ~ **off** ★~ *off to sleep* in slaap sukkelen

drifter ['drɪftə] *zn* lanterfanter, zwerver

drift net *zn* drijfnet

driftwood ['drɪftwʊd] *zn* drijfhout

drill [drɪl] **I** *zn* ❶ boor(machine), drilboor ❷ exercitie, het drillen ❸ oefening ❹ dril ⟨stof⟩ ❺ zaaimachine **II** *onov ww* ❶ boren ❷ oefenen **III** *ov ww* ❶ boren ❷ drillen, africhten ❸ ~ **into** ★~ *sth into sb* iets erin stampen (bij iemand)

drily ['draɪlɪ] *bijw* → **dry**

drink [drɪŋk] **I** *zn* ❶ drank(je) ★*soft* ~ frisdrank ★*food and* ~ eten en drinken ❷ dronk, teug ❸ borrel ❹ het overmatig drinken ★*the worse for* ~ beschonken ★*drive sb to* ~ iem. wanhopig maken, iem. naar de fles doen grijpen ★*take to* ~ aan de drank raken **II** *ov ww* [onregelmatig] ❶ (op)drinken ★~ *and drive* rijden onder invloed ★~ *sb's health* op iemands gezondheid drinken ❷ ~ **away** verdrinken (geld, verdriet enz.) ❸ ~ **down** opdrinken ❹ ~ **in** gretig in zich opnemen ❺ ~ **up** opdrinken **III** *onov ww* [onregelmatig] ❶ drinken ★*I'll* ~ *to that!* helemaal mee eens! ❷ ~ **like a fish** drinken als een tempelier ❷ ~ **to** drinken op ❸ ~ **up** leegdrinken

drinkable ['drɪŋkəbl] *bnw* ❶ drinkbaar ❷ lekker

drink-driver GB *zn* dronken bestuurder

drink-driving GB *zn* het rijden onder invloed

drinker ['drɪŋkə] *zn* ❶ alcoholist ★*a hard / heavy* ~ een stevige drinker ❷ drinker

drinking problem USA *zn* drankprobleem, alcoholprobleem

drinking water *zn* drinkwater

drink problem GB *zn* drankprobleem, alcoholprobleem

drip [drɪp] **I** *ov ww* (laten) druppelen **II** *onov ww* ❶ druppelen ❷ ~ **with** druipen van **III** *zn* ❶ (ge)druppel ❷ infuus

drip-dry *bnw* strijkvrij ★*a* ~ *shirt* een 'no-iron' overhemd

drip-feed I *zn* infuus **II** *ov ww* via een infuus toedienen

dripping ['drɪpɪŋ] **I** *bnw* drijfnat **II** *zn* braadvet, afdruipend vleessap / vet

drive [draɪv] **I** *ov ww* [onregelmatig] ❶ (be)sturen, rijden ❷ (aan)drijven, voortdrijven ❸ (aan)jagen, brengen tot ★~ *crazy / mad* gek maken ★~ *sb to despair* iem. tot wanhoop drijven ❹ slaan, stoten ★~ *a nail into a wall* een spijker in een muur slaan ❺ hard slaan / schoppen (bal) ❻ ~ **away** wegrijden, wegjagen ❼ ~ **down** laten kelderen ⟨prijzen⟩ ❽ ~ **off/out** verdrijven ❾ ~ **up** opdrijven ⟨prijzen⟩ ▼~ *(sth) home* (iets) duidelijk maken **II** *onov ww* [onregelmatig] ❶ (auto)rijden ❷ beuken ⟨van golven⟩ ❸ ~ **at** ★*what are you driving at?* wat bedoel je? ❹ ~ **away** wegrijden ❺ ~ **off** wegrijden ❻ ~ **on** doorrijden ❼ ~ **up** voorrijden **III** *zn* ❶ rit, tocht ★*go for a* ~ een ritje maken ❷ drang ❸ energie ★*full of* ~ *and ambition* met veel energie en ambitie ❹ ~ (grootscheepse) actie, campagne ★*embark on a* ~ *to save energy* een campagne beginnen om energie te besparen ❺ sport slag ❻ wedstrijd ⟨kaartspel⟩ ❼ drijfjacht ❽ laan, dreef ⟨in straatnamen⟩ ❾ GB oprijlaan, oprit ❿ aandrijving ★left-hand / right-hand ~ *car*

dr

dr

auto met het stuur links / rechts ★ USA *all-wheel ~* vierwielaandrijving ⓫ comp (disk)drive

drive-by bnw ★ ~ *shooting / killing* beschieting / moord vanuit een rijdend voertuig

drive-in USA zn drive-inbioscoop / -restaurant

drivel ['drɪvəl] I zn, inform min gezwets, onzin II onov ww kletsen ★ ~ *on* doorleuteren

driven ['drɪvən] ww [volt. deelw.] → **drive** II bnw gedreven ★ a *market~ economy* een marktgestuurde economie

driver ['draɪvə] zn ❶ bestuurder, chauffeur, machinist ★ *designated* ~ Bob ⟨bewust onbeschonken bestuurder⟩ ❷ soort golfstick ❸ drijfveer ❹ comp besturingsprogramma

driver's license zn USA rijbewijs

drive-through USA zn drive-inrestaurant / -bank / -winkel

drive time zn spitsuur

driveway ['draɪvweɪ] zn oprijlaan, inrit

driving ['draɪvɪŋ] I zn het (auto)rijden II bnw ❶ energiek, stimulerend ★ *the* ~ *force* de drijvende kracht ❷ hevig ★ ~ *snow* hevige sneeuwval

driving licence zn GB rijbewijs

driving school zn autorijschool

driving seat zn plaats achter het stuur ★ fig *be in the* ~ het voor het zeggen hebben, de baas zijn

driving test zn rijexamen

drizzle ['drɪzəl] I zn motregen II onov ww motregenen III ov ww sprenkelen

drizzly ['drɪzlɪ] bnw druilerig, miezerig

droll [drəʊl] bnw iron grappig

dromedary ['drɒmɪdərɪ] zn dromedaris

drone [drəʊn] I zn ❶ gegons, dreun ❷ dar ❸ leegloper ❹ radiografisch bestuurd vliegtuig II onov ww ❶ ronken, dreunen, gonzen, brommen ❷ ~ **on** doorzeuren

drool [druːl] onov ww ❶ kwijlen ❷ ~ **over** dwepen met, smachtend kijken naar

droop [druːp] I ov ww ❶ (neer)hangen, dichtvallen (van ogen) ❷ zakken, verflauwen ★ *my spirits ~ed when I heard the news* ik raakte terneergeslagen / verloor de moed toen ik het nieuws hoorde II zn het (laten) hangen

droopy bnw hangend ★ *a* ~ *moustache* een hangsnor

drop [drɒp] I ov ww ❶ laten vallen, laten zakken ★ *drop anchor* ankeren ★ *drop a curtsy* een reverence maken ★ *drop your eyelids* de ogen neerslaan ★ *drop a hint* een wenk geven ★ *drop me a line* schrijf me eens ★ *drop your voice* je stem laten zakken ★ *let sth / sb drop* iets / iemands naam laten vallen (in een gesprek) ❷ droppen, afzetten, afgeven ★ *drop sb at his home* iem. thuis afzetten ❸ weglaten ★ *drop your h's* de h niet uitspreken ❹ ophouden met, niet meer omgaan met ★ *drop it!* schei uit! ★ *drop everything and come immediately* stop direct met alles en kom meteen ★ *drop your old friends* je oude vrienden dumpen / in de steek laten ★ *let's drop the subject* laten we het er niet meer over hebben ❺ inform verliezen (punten, geld) ❻ ~ **off** afzetten (persoon, op een plek), afgeven (iets) ❼ ~ **round** afgeven II onov ww ❶ vallen ★ *ready to drop* erbij neervallen (van vermoeidheid) ★ *it has dropped out of use* het is

niet meer in gebruik ❷ afnemen, minder worden, zakken ❸ naar beneden gaan ❹ ~ **away** afnemen ❺ ~ **back** afnemen, inhouden, langzamer gaan ❻ ~ **back/behind** achter(op) raken ❼ ~ **by/in/round** even langskomen, binnenwippen ❽ ~ **off** in slaap sukkelen, afnemen ❾ ~ **out** zich terugtrekken, zich van de maatschappij afkeren, een studie opgeven, uitvallen III zn ❶ druppel, fig greintje, beetje ★ *eye / ear drops* oog- / oordruppels ⟨als medicijn⟩ ★ *a drop in the ocean* / USA *bucket* een druppel op een gloeiende plaat ❷ val, daling, achteruitgang ★ *at the drop of a hat* plotsklaps, van de ene dag op de andere ❸ helling ❹ borreltje, slokje ❺ zuurtje ❻ dropping ❼ inform bezorging

drop-dead inform bw adembenemend ★ *a* ~ *gorgeous girl* een fantastisch mooi meisje

drop-in centre zn inloopcentrum (voor advies)

droplet ['drɒplət] zn druppeltje

dropout ['drɒpaʊt] zn drop-out ⟨iemand die school verlaat of zich van de maatschappij afkeert⟩

droppings ['drɒpɪŋz] zn mv uitwerpselen

drop shot zn dropshot ⟨bal die loodrecht naar beneden komt⟩

dross [drɒs] zn ❶ rommel ❷ metaalslakken

drought [draʊt] zn droogte

drove [drəʊv] I zn samengedreven kudde, mensenmenigte ★ *in ~s* in drommen II ww [verleden tijd] → **drive**

drover ['drəʊvə] zn veedrijver

drown [draʊn] I onov ww verdrinken II ov ww ❶ verdrinken ★ *be ~ed* verdrinken ★ *humor ~ your sorrows* je verdriet verdrinken ❷ drenken, onder water zetten ❸ **drown out** overstemmen

drowse [draʊz] onov ww dutten, soezen

drowsy ['draʊzɪ] bnw ❶ slaperig ❷ slaapverwekkend

drubbing ['drʌbɪŋ] inform sport zn pak slaag

drudge [drʌdʒ] zn werkezel, zwoeger

drudgery ['drʌdʒərɪ] zn saai werk

drug [drʌg] I zn ❶ drug ⟨verdovend middel⟩ ★ *hard drug* harddrug ★ *soft drug* softdrug ★ *be on drugs* aan de drugs zijn ★ inform *do drugs* drugs gebruiken ★ *push drugs* drugs verkopen ❷ medicijn, drankje II ov ww ❶ een drug / pepmiddel / medicijn geven ★ *they must have drugged his wine* ze moeten iets in zijn wijn gedaan hebben ★ *be drugged up to the eyeballs* onder de pillen zitten ❷ bedwelmen

drug addict zn drugsverslaafde

druggie, druggy [drʌgi] zn inform drugsgebruiker

druggist [drʌgɪst] zn USA apotheker, drogist

drug pusher zn drugshandelaar

drug runner zn drugskoerier

drugs squad zn USA narcoticabrigade

drugstore ['drʌgstɔː] zn USA drugstore ⟨combinatie van drogisterij, apotheek en parfumerie⟩

drum [drʌm] I zn ❶ trommel, (metalen) vat ❷ olievat ❸ muz trom(mel) ★ *bang / beat the drum for* (luidkeels) reclame maken voor, groot voorstander zijn van ★ *drums* [mv] drumstel

❹ geroffel, getrommel **II** *onov ww* trommelen, roffelen, drummen **III** *ov ww* ❶ trommelen, roffelen ★ *drum your fingers on the table* met je vingers op de tafel roffelen ❷ ~ **into** ★ *drum sth into sb's head* iets er bij iem. in heien / stampen ❸ ~ **up** proberen te krijgen

drumbeat ['drʌmbiːt] *zn* (ritmisch) tromgeroffel

drum kit *zn* drumstel, drums

drum major *zn* tamboer-majoor

drum majorette *zn* majorette

drummer ['drʌmə] *zn* drummer, tamboer

drumstick ['drʌmstɪk] *zn* ❶ trommelstok ❷ drumstick, boutje ⟨van kip e.d.⟩

drunk [drʌŋk] **I** *bnw* dronken *ook fig* ★ ~ *and disorderly* in (kennelijke) staat v. dronkenschap ★ *blind / roaring* ~ stomdronken **II** *zn* dronkaard **III** *ww* [volt. deelw.] → **drink**

drunkard ['drʌŋkəd] *zn oud* dronkaard

drunk-driver USA *zn* dronken bestuurder

drunk-driving USA *zn* het rijden onder invloed

drunken ['drʌŋkən] *bnw* dronken

dry [draɪ] **I** *bnw* ❶ droog ★ *run dry* opdrogen *ook fig* ★ *as dry as a bone* zo droog als kurk ★ *milk sb dry* iem. uitmelken ❷ sec, niet zoet, droog ⟨van wijn⟩ ★ *dry humour* droge humor ❹ nuchter ★ *dry humour* droge humor ❹ saai ❺ dorstig ❻ zonder alcohol ★ *a dry country* een land waar geen alcohol verkocht wordt **II** *ov ww* ❶ drogen, afdrogen ❷ ~ **off** opdrogen ❸ ~ **out** door en door droog laten worden, uitdrogen, laten afkicken ❹ ~ **up** afdrogen, laten opdrogen **III** *onov ww* drogen, af- / opdrogen **IV** *ww* ❶ ~ **off** opdrogen ❷ ~ **out** uitdrogen, afkicken ❸ ~ **up** opdrogen, opraken, minder worden, ophouden, niet verder kunnen ⟨van toneelspeler⟩, niets meer weten te zeggen, stokken ⟨van gesprek⟩

dry-clean *ov ww* chemisch reinigen

dry cleaner's *zn* stomerij ⟨voor chemische reiniging⟩

dryer, drier ['draɪə] *zn* droger, (haar)droogkap, wasdroger

dry-eyed *bnw* met droge ogen

drystone wall *zn* stapelmuur

drywall [draɪwɔːl] USA *zn* gipsplaat

DST *afk, daylight saving time* zomertijd

dual ['djuːəl] *bnw* dubbel, tweeledig

dub [dʌb] **I** *ov ww* ❶ betitelen (als), de bijnaam geven van ❷ nasynchroniseren ★ *a French film dubbed into English* een in het Engels nagesynchroniseerde Franse film ❸ muz dubben **II** *zn* muz dub

dubbin ['dʌbɪn] *zn* (leer)vet, leervus

dubious ['djuːbɪəs] *bnw* twijfelachtig ★ *be very ~ about* erg twijfelen aan

ducal ['djuːkl] *bnw* hertogelijk

duchess ['dʌtʃɪs] *zn* hertogin ★ *grand ~* groothertogin

duchy ['dʌtʃɪ] *zn* hertogdom

duck [dʌk] **I** *zn* [mv: **ducks, duck**] ❶ eend ★ *lame duck* sukkelaar, zwakkeling, USA niet herkiesbare ambtenaar / politicus ★ *sitting duck* gemakkelijke prooi ★ *get / have all your ducks in a row* alles keurig voor elkaar hebben ★ *(take to sth) like a duck to water* in zijn element zijn, iets is je op het lijf geschreven ❷ liefje, schatje **II** *ov ww* ❶ ontwijken ⟨klap, moeilijke vraag /

kwestie⟩ ❷ snel intrekken / weghalen ★ *duck one's head* snel bukken ❸ onderduwen **III** *onov ww* ❶ (weg)duiken ★ *duck into a room* snel een kamer in duiken / schieten ❷ zich bukken ❸ ontwijken ❹ ~ **out of** er onderuit komen, ontkomen aan

duckboards ['dʌkbɔːdz] *zn mv* loopplank ⟨op drassige grond⟩

duckling ['dʌklɪŋ] *zn* jonge eend

duckweed ['dʌkwiːd] *zn* (eenden)kroos

ducky ['dʌkɪ] **I** *zn, GB inform* schatje **II** *bnw, USA humor* geweldig fijn

duct [dʌkt] *zn* leiding, buis, kanaal

ductile ['dʌktaɪl] *bnw* uitrekbaar tot dunne draad ⟨v. metaal⟩, rekbaar

dud [dʌd] **I** *zn* ❶ inform blindganger ❷ inform fiasco, sof, iets dat het niet doet **II** *bnw* inform waardeloos, niet werkend ★ *GB a dud cheque* een ongedekte cheque

dude [duːd] *zn, USA inform* kerel

dude ranch *zn* USA vakantieboerderij

dudgeon ['dʌdʒən] *form zn* diepe wrok ★ *in high ~* woedend, hevig verontwaardigd

due [djuː] **I** *bnw* ❶ schuldig, verschuldigd, verplicht ★ *be due for* recht hebben op, verdienen, toe zijn aan ★ *due to* vanwege, door, te wijten aan ❷ gepast, juist ★ *with due care* met gepaste zorgvuldigheid ❸ verwacht ★ *be due* verwacht worden ★ *the next bus is due in ten minutes* de volgende bus moet er over tien minuten zijn ★ *your essay is due next Monday* volgende week maandag moet je je essay inleveren **II** *zn* waar je recht op hebt ★ *to give her her due* om haar recht te doen, om eerlijk te zijn ★ *dues* [mv] financiële verplichtingen, gelden, rechten **III** *bijw* precies ★ *sail due east* pal oost varen

duel ['djuːəl] **I** *zn* duel **II** *onov ww* duelleren

duet [djuːet] *zn* duet

duff [dʌf] **I** *bnw, GB inform* waardeloos **II** *zn, USA inform* kont **III** *ov ww, GB inform* ~ **up** aftuigen

duffel bag, duffle bag ['dʌfəlbæg] *zn* ❶ GB plunjezak ❷ USA weekendtas, reistas

duffel coat, duffle coat ['dʌfəlkəʊt] *zn* duffel, houtje-touwtjejas

duffer ['dʌfə] *inform zn* sufferd, stomkop

dug [dʌg] *ww* [verl. tijd + volt. deelw.] → **dig**

dugout ['dʌgaʊt] *zn* ❶ sport dug-out ❷ schuttersput ❸ kano gemaakt van uitgeholde boomstam

duh *tw* ❶ inform jeugdt ≈ da's nogal logisch, duh ❷ min jeugdt ≈ doe niet zo suf

DUI USA *afk, driving under the influence* rijden onder invloed

duke [djuːk] *zn* hertog

dukedom ['djuːkdəm] *zn* hertogdom

dulcimer ['dʌlsɪmə] *zn muz* hakkebord

dull [dʌl] **I** *bnw* ❶ saai ❷ somber, dof ⟨van licht, kleur, geluid, pijn⟩ ❸ somber, bewolkt ⟨van het weer⟩ ❹ dom, stom, sloom ⟨van persoon⟩ ❺ stomp, bot ⟨van mes enz.⟩ ❻ econ lusteloos, slap ⟨van handel⟩ **II** *ov ww* ❶ somber maken ❷ suf maken ❸ dempen ⟨geluid⟩ ★ *dull the pain* de pijn verzachten **III** *onov ww* ❶ somber worden ❷ dof / mat worden

du

dullard ['dʌləd] oud zn botterik

dullness ['dʌlnəs] zn saaiheid

duly ['djuːlɪ] bijw ❶ prompt, stipt ★ they duly began in March ze begonnen in maart zoals gepland ❷ naar behoren, terecht

dumb [dʌm] I bnw ❶ inform dom, stom ★ act dumb doen alsof je van niks weet ★ the dumb animal het stomme / arme dier ⟨om medelijden uit te drukken⟩ ❷ sprakeloos ★ be struck dumb met stomheid geslagen zijn, sprakeloos zijn ❸ oud stom ⟨m.b.t. handicap⟩ II ov ww ~ **down** versimpelen

dumb-bell ['dʌmbel] zn ❶ halter ❷ USA inform stommerik

dumbfound [dʌm'faʊnd] ov ww sprakeloos doen staan

dumbfounded [dʌm'faʊndɪd], **dumbstruck** ['dʌmstrʌk] bnw sprakeloos

dummy ['dʌmɪ] I zn ❶ (pas)pop, etalagepop ❷ lege verpakking, nepding, dummy ❸ USA inform stommerd ❹ sport schijnbeweging ❺ GB fopspeen ❻ blinde ⟨bij kaartspel⟩ II bnw namaak- ★ ~ **bomb** nepbom

dummy run zn ❶ repetitie ❷ mil oefenaanval

dump [dʌmp] I ov ww ❶ je ontdoen van, lozen ⟨waar het niet hoort⟩ ❷ opzadelen met ★ dump a problem on sb else iem. anders met een probleem opzadelen ❸ econ dumpen ❹ neergooien, storten ⟨vuil⟩ ★ dump computer data computerdata overzetten van één informatiedrager naar een andere ❺ de bons geven, dumpen, afserveren II onov ww ▼ USA inform dump on sb iem. er van langs geven, iem. fel bekritiseren III zn ❶ vuilnisbelt ❷ mil opslagplaats ❸ inform troosteloze plek, puinhoop ❹ comp het dumpen van data, kopie / lijst van gedumpte data ❺ inform het poepen ★ take / have a dump poepen, bouten ▼ down in the dumps depri, in de put

dumper ['dʌmpə] zn USA iemand die gevaarlijke stoffen loost / stort ⟨op verkeerde plek⟩

dumper truck, USA **dump truck** zn kiepauto

dumping ground zn stortplaats, vuilstort

dumpling ['dʌmplɪŋ] zn ❶ cul knoedel ❷ cul (appel)bol

Dumpster zn USA afvalcontainer

dumpy ['dʌmpɪ] bnw kort en dik

dun [dʌn] bnw grijsbruin

dunce [dʌns] oud zn domkop, langzame leerling

dunderhead ['dʌndəhed] zn sufferd

dune [djuːn] zn duin

dung [dʌŋ] zn mest

dungarees [dʌŋgə'riːz] zn mv ❶ GB tuinbroek ❷ USA oud spijkerbroek ⟨als werkbroek⟩

dungeon ['dʌndʒən] zn kerker

dunghill ['dʌŋhɪl] zn mesthoop

dunk [dʌŋk] ov ww ❶ soppen, dopen ❷ onderdompelen ❸ sport van bovenaf inwerpen ⟨bij basketbal⟩

dunno [də'nəʊ] samentr, inform do not know → know

duo ['djuːəʊ] zn ❶ duo, paar ❷ duet

duodenal [djuːəʊ'diːnl] bnw m.b.t. de twaalfvingerige darm

duodenum [djuːəʊ'diːnəm] zn twaalfvingerige darm

dupe [djuːp] I ov ww beetnemen ★ dupe sb into doing sth iem. met smoesjes / trucjes / bedrog ertoe krijgen iets te doen II zn dupe, gedupeerde, bedrogene

duplex ['djuːpleks] zn ❶ USA halfvrijstaand huis ❷ – maisonnette

duplicate[1] ['djuːplɪkət] I zn duplicaat, kopie ★ in ~ in duplo II bnw gekopieerd

duplicate[2] ['djuːplɪkeɪt] ov ww ❶ kopiëren, dupliceren ❷ nog een keer doen

duplicity [djuː'plɪsətɪ] zn onbetrouwbaarheid

durability [djʊərəbɪlətɪ] zn duurzaamheid

durable ['djʊərəbl] bnw duurzaam

duration [djʊə'reɪʃən] zn duur ★ form for the ~ of your stay in Italy gedurende uw verblijf in Italië ★ inform for the ~ voorlopig

duress [djʊə'res] form zn dwang

during ['djʊərɪŋ] vz gedurende, tijdens

dusk [dʌsk] zn (avond)schemering

dusky ['dʌskɪ] bnw duister, schemerig, donker ⟨van kleur⟩

dust [dʌst] I zn ❶ stof, gruis ★ clouds of dust stofwolken ★ bite the dust in het zand bijten ★ gathering dust ongebruikt ★ USA leave sb in the dust iem. ver achter je laten ★ let the dust settle / wait for the dust to settle afwachten ★ when the dust has settled als de rust is weergekeerd ❷ GB het afstoffen ★ give sth a dust ergens met de stofdoek overheen gaan II ov ww ❶ afstoffen ❷ dust **down** / **off** afkloppen, afschuieren, afborstelen ❸ bestuiven, bepoederen ❷ ~ **off** opfrissen ⟨kennis, vaardigheden⟩, weer uit de kast halen ⟨bv. oude plannen⟩

dustbin ['dʌstbɪn] zn GB vuilnisbak

dust bowl zn USA verdorde streek ⟨met veel zandstormen⟩

dustcart ['dʌstkɑːt] GB zn vuilniswagen

dust cover zn ❶ stofomslag ⟨van boek⟩ ❷ stoflaken ⟨over meubels⟩

duster ['dʌstə] zn ❶ stofdoek ❷ USA oud stofjas

dust jacket zn stofomslag ⟨van boek⟩

dustman ['dʌstmən] GB zn vuilnisman

dustpan ['dʌstpæn] zn blik ⟨van stoffer en blik⟩

dust sheet GB zn stoflaken ⟨over meubels⟩

dust-up GB inform zn gevecht, ruzie

dusty ['dʌstɪ] bnw ❶ stoffig ❷ mat, dof

Dutch [dʌtʃ] I bnw Nederlands ★ inform double ~ gebrabbel ★ go ~ de kosten delen II zn taalk Nederlands III zn mv Nederlanders

Dutchman ['dʌtʃmən] zn [v: **Dutchwoman**] Nederlander ★ I am a ~ if... ik mag een boon zijn als...

dutiable ['djuːtɪəbl] bnw belastbaar ⟨van goederen⟩

dutiful ['djuːtɪfl] bnw plichtmatig, plichtsgetrouw

duty ['djuːtɪ] zn ❶ plicht ★ act out of (a sense of) duty uit plichtsbesef handelen ❷ functie, dienst, taak ★ administrative duties administratief werk ★ be on duty dienst hebben, in functie zijn ★ be off duty geen dienst hebben, vrij zijn ★ GB do duty for fungeren als ❸ accijns, belasting ★ duties [mv] rechten, invoerrechten, uitvoerrechten, accijnzen

duty-bound form bnw moreel verplicht

duty-free I bnw belastingvrij, vrij van rechten

II *zn*, GB *inform* belastingvrije goederen
duty officer *zn* officier v. dienst
duvet ['du:veɪ] *zn* donzen dekbed
DVD [di:vi:'di:] *afk*, comp *digital versatile / video disc* dvd
dwarf [dwɔ:f] **I** *zn* [*mv*: **dwarfs, dwarves**] dwerg **II** *ov ww* nietig doen lijken, klein(er) doen lijken
dwarfism ['dwɔ:fɪzm] *zn* dwerggroei
dweeb [dwi:b] *zn*, USA *inform* nerd, sul
dwell [dwel] *onov ww* [onregelmatig] **●** wonen, verblijven **❷** ~ **on/upon** uitweiden over, (lang) stilstaan bij
dwelling ['dwelɪŋ], **dwelling house** form *zn* woning
dwelling place oud *zn* woonplaats, woning
dwelt [dwelt] *ww* [verleden tijd + volt. deelw.] → dwell
DWI USA *afk, driving while intoxicated* rijden onder invloed
dwindle ['dwɪndl], **dwindle away** *onov ww* afnemen, achteruitgaan
dye [daɪ] **I** *ov ww* verven ⟨haar, kleding⟩ **II** *zn* verf(stof)
dyed-in-the-wool *bnw* door de wol geverfd, doorgewinterd, onbuigzaam
dying ['daɪɪŋ] *bnw* stervend, sterf- ★ the ~ [*mv*] de stervenden ★ to my ~ day tot mijn laatste snik
dyke [daɪk] *zn* **●** dijk, dam, wal **❷** afwateringsgreppel, sloot **❸** vulg pot ⟨lesbienne⟩
dynamic [daɪ'næmɪk] **I** *zn* dynamiek, stuwkracht **II** *bnw* dynamisch, energiek
dynamics [daɪ'næmɪks] *zn mv* **●** dynamica **❷** muz dynamiek
dynamism ['daɪnəmɪzəm] *zn* dynamiek
dynamite ['daɪnəmaɪt] **I** *zn* dynamiet **II** *ov ww* met dynamiet vernielen
dynamo ['daɪnəməʊ] *zn* **●** dynamo **❷** inform fig drijvende / stuwende kracht, motor
dynasty ['dɪnəsti] *zn* dynastie
dysentery ['dɪsəntəri] *zn* dysenterie
dysfunctional [dɪs'fʌŋkʃənl] *bnw* verstoord, niet goed werkend
dyslexia [dɪs'leksɪə] *zn* dyslexie, woordblindheid
dyslexic *bnw* dyslectisch, woordblind
dyspepsia [dɪs'pepsɪə] *zn* spijsverteringsstoornis
dyspeptic [dɪs'peptɪk] *bnw* **●** met spijsverteringsklachten **❷** oud chagrijnig

E

e [i:] *zn*, letter e ★ *E as in Edward* de e van Eduard
e- [ɪ, e] *voorv* ⟨oaf⟩electronic⟨ / oaf⟩ elektronisch
E [i:] **I** *zn* **●** muz E, mi **❷** GB onderw ≈ 6- ⟨schoolcijfer⟩ **II** *afk, East(ern)* oost(elijk)
each [i:tʃ] *onbep vnw* elk, ieder ★ *$5 each* $5 per stuk ★ *each and everyone* allemaal
each other [i:tʃ 'ʌðə] *wkg vnw* elkaar
eager ['i:gə] *bnw* vurig (verlangend), gretig, enthousiast ★ *be ~ for sth* iets erg graag willen (hebben) ★ *they're ~ to please* zij zijn erg behulpzaam ★ *~ly await sth* met spanning op iets wachten
eagle ['i:gl] *zn* adelaar, arend
eagle-eyed *fig bnw* scherpziend
ear [ɪə] *zn* **●** oor ★ *deaf in one ear* doof aan één oor ★ *fall on deaf ears* geen gehoor vinden ★ *turn a deaf ear (to sb / sth)* doof zijn (voor iemand / iets) ★ *cock an ear* de oren spitsen ★ inform *be out on your ear* eruit geknikkerd zijn ★ *be up to your ears in sth* tot over je oren ergens in zitten ★ *my ears are burning* ze hebben het over mij ★ *this has come to / has reached my ears* dit is mij ter ore gekomen ★ *sb's ears are flapping* iem. probeert mee te luisteren ★ *in one ear and out the other* het ene oor in en het andere uit ★ *keep / have your ear to the ground* de vinger aan de pols houden, alles goed in de gaten houden **❷** gehoor ★ *have sb's ear / have the ear of sb* iemands aandacht hebben ★ *play it by ear* op het gehoor spelen, fig improviseren **❸** (koren)aar
earache ['ɪəreɪk] *zn* oorpijn
earbashing ['ɪəbæʃɪŋ] inform *zn* ★ *give sb an* ~ iem. de oren van het hoofd kletsen, iem. langdurig de les lezen
eardrum ['ɪədrʌm] *zn* trommelvlies
earful ['ɪəfʊl] inform *zn* ★ *give sb an* ~ iem. (onomwonden) de waarheid zeggen
earl [ɜ:l] *zn* (Britse) graaf
ear lobe *zn* oorlel
early ['ɜ:lɪ] **I** *bnw* **●** vroeg ★ *at the earliest* niet eerder dan **❷** spoedig ★ *an ~ recovery* een spoedig herstel **II** *bijw* **●** vroeg ★ ~ *on* in een vroeg stadium **❷** te vroeg ★ *an hour* ~ een uur te vroeg
earmark ['ɪəmɑ:k] *ov ww* **●** aanduiden ★ *she is being ~ed as the next president* zij wordt gezien als de volgende president **❷** reserveren, bestemmen
earn [ɜ:n] *ov ww* **●** verdienen ★ *earn a living* de kost verdienen ★ *well earned* welverdiend **❷** behalen, bezorgen ★ *the victory earned him fame* de overwinning bezorgde hem roem
earner ['ɜ:nə] *zn* **●** verdiener **❷** inform iets winstgevends ★ *a nice little* ~ een mooie bron van inkomsten
earnest ['ɜ:nɪst] **I** *bnw* ernstig, serieus ★ *I ~ly believe that* dat geloof ik echt **II** *zn* ernst ★ *in deadly* ~ bloedserieus ★ *be in* ~ het menen ★ *begin in* ~ pas echt beginnen
earnings ['ɜ:nɪŋz] *zn mv* **●** inkomsten ★ *~-related*

ea

ea

inkomensafhankelijk ❷ winst
earphones ['ɪəfəʊnz] zn mv koptelefoon
earpiece ['ɪəpiːs] zn oortelefoon
earplug ['ɪəplʌg] zn oordopje
earring ['ɪərɪŋ] zn oorring, oorbel
earshot ['ɪəʃɒt] zn ★ out of / within ~ buiten / binnen gehoorsafstand
ear-splitting bnw oorverdovend
earth [ɜːθ] I zn ❶ aarde ⟨wereld⟩ ★ why on ~? waarom in vredesnaam?, waarom toch eigenlijk? ★ cost / pay the ~ een vermogen kosten / betalen ❷ aarde ⟨materie⟩ ❸ grond⟨oppervlak⟩ ★ come back / down to ~ weer met beide benen op de grond komen te staan ❹ hol ⟨van vos, das⟩ ★ go to ~ onderduiken ★ run sth to ~ iets opsporen II ov ww ❶ techn aarden ❷ agrar ~ up aanaarden
Earth [ɜːθ] zn aarde ⟨planeet⟩
earthbound ['ɜːθbaʊnd] bnw ❶ aan de aarde gebonden ❷ op weg naar de aarde ❸ saai, ongeïnspireerd
earthen ['ɜːθən] bnw ❶ aarden ⟨vloer / wal⟩ ❷ van aardewerk
earthenware ['ɜːθənweə] zn aardewerk
earthling ['ɜːθlɪŋ] zn aardbewoner
earthly ['ɜːθlɪ] bnw aards, op aarde ★ no ~ chance geen schijn van kans ★ no ~ reason geen enkele reden
earthquake ['ɜːθkweɪk] zn aardbeving
earth science zn aardwetenschappen
earthwork ['ɜːθwɜːk] zn ❶ grondwerk ❷ aarden wal
earthworm ['ɜːθwɜːm] zn aardworm
earthy ['ɜːθɪ] bnw ❶ gronderig, aard- ★ in ~ colours in aardkleuren ❷ fig platvloers, laag-bij-de-gronds
earwax ['ɪəwæks] zn oorsmeer
earwig ['ɪəwɪg] zn oorworm
ease [iːz] I zn ❶ gemak ★ ease of use gebruiksvriendelijkheid ★ at (your) ease op je gemak ★ put sb at ease iem. op zijn gemak stellen ★ pass with ease met gemak slagen ❷ rust, comfort ★ a life of ease een luxeleventje ★ (stand) at ease op de plaats rust II ov ww ❶ verlichten ★ ease sb's mind iem. geruststellen ❷ vergemakkelijken ❸ losser maken ❹ ~ into langzaam inwerken ❺ ~ out (of) er geleidelijk uitwerken III onov ww ❶ voorzichtig bewegen / doen ❷ naar beneden gaan ⟨in prijs / waarde⟩ ❸ ~ off afnemen ⟨in hevigheid⟩, kalmer aan doen, minder worden ❹ ~ up kalmer aan doen, minder worden ★ ease up on alcohol kalmer aan doen met de alcohol
easel ['iːzəl] zn (schilders)ezel
easement ['iːzmənt] jur zn erfdienstbaarheid, recht van overpad
easily ['iːzəlɪ] bijw ❶ gemakkelijk ★ ~ bored gauw verveeld ❷ zonder twijfel ★ the best / the nicest / enz. absoluut de / het beste / mooiste / enz.
east [iːst] I zn het oosten ★ to the east of ten oosten van ★ the East het Oosten II bnw oostelijk, oost(en)- ★ the east wind de oostenwind ★ the east side de oostkant III bijw in / naar het oosten
eastbound ['iːstbaʊnd] bnw in oostelijke

richting, (op weg) naar het oosten
Easter ['iːstə] zn Pasen ★ ~ Day / Sunday eerste paasdag
easterly ['iːstəlɪ] I bnw oostelijk, oosten- II zn oostenwind
eastern ['iːstən] bnw ❶ oostelijk, oosten- ❷ oosters
Eastern ['iːstən] bnw oosters
easterner ['iːstənə] zn oosterling, iemand uit het oosten ⟨vooral uit het oosten v.d. VS⟩
easternmost ['iːstənməʊst] bnw meest oostelijk
eastward [iːstwəd] bnw + bijw oostwaarts
eastwards [iːstwədz] bijw naar het oosten, in oostelijke richting
easy ['iːzɪ] I bnw ❶ gemakkelijk ★ within easy reach goed bereikbaar ★ as easy as anything / as pie / as ABC / as falling off a log zo gemakkelijk als wat, een eitje ★ easy money gemakkelijk verdiend geld, mazzeltje ★ take the easy way out de gemakkelijkste weg kiezen ❷ comfortabel, relaxed ★ easy on the eye / ear leuk om te zien / horen ★ on easy street in goeden doen ❸ ongedwongen, op zijn gemak ★ inform I'm easy het maakt mij niet uit ❹ inform min willig, los van zeden ⟨van vrouw⟩ II bijw ❶ voorzichtig ★ easy does it rustig aan (dan breekt het lijntje niet) ★ go easy on sb iem. met mildheid behandelen ★ go easy on sth iets spaarzaam gebruiken ❷ gemakkelijk ★ easy come, easy go zo gewonnen, zo geronnen ★ take it easy het gemakkelijk opnemen, uitrusten ★ easier said than done gemakkelijker gezegd dan gedaan
easy-going bnw ontspannen, tolerant
eat [iːt] I onov ww ❶ eten, de maaltijd gebruiken ❷ ~ in thuis eten ❸ ~ out buiten de deur eten II ov ww ❶ eten ❷ op(vr)eten ★ inform what's eating you? wat zit je dwars? ❸ aantasten ❹ ~ away wegvreten, verteren ❺ ~ away at knagen aan, aanvreten ❻ ~ into aantasten, een bres schieten in ⟨reserves⟩ ❼ ~ out wegvreten ❽ ~ up (alles) opeten, verteren, opsouperen
eatable ['iːtəbl] bnw eetbaar
eaten [iːtn] ww [volt. deelw.] → eat
eater ['iːtə] zn ❶ eter ❷ gast (aan tafel) ❸ GB inform handappel / -peer
eatery ['iːtərɪ] inform zn eethuisje / -café
eating disorder zn eetstoornis
eats [iːts] inform zn mv (borrel)hapjes, eten
eaves [iːvz] zn mv (overhangende) dakrand
eavesdrop ['iːvzdrɒp] onov ww stiekem meeluisteren ★ ~ on sth iets afluisteren
eavesdropper ['iːvzdrɒpə] zn luistervink
ebb [eb] I zn ❶ eb ★ the ebb and flow of sth het op- en neergaan van iets ❷ verval, afname ★ at a low ebb in de put, aan lager wal II onov ww ~ away vervallen, afnemen
Ebola fever [iːˈbəʊlə fiːvə] med zn ebolakoorts
ebonite ['ebənaɪt] zn eboniet
ebony ['ebənɪ] I zn ❶ ebbenhout ❷ ebbenboom II bnw ❶ van ebbenhout ❷ ebbenbruin, zwart
ebullience [ɪˈbʌlɪəns] zn ❶ het bruisen van enthousiasme ❷ uitbundigheid
ebullient [ɪˈbʌlɪənt] bnw ❶ bruisend van energie ❷ uitbundig
e-business ['iː ˈbɪznəs] zn internetbedrijf

EC [i:'si:] *afk* ❶ *European Community* EG, Europese Gemeenschap ❷ *European Committee* EC, Europese Commissie

eccentric [ɪk'sentrɪk] **I** *bnw* ❶ zonderling, excentriek ❷ excentrisch **II** *zn* zonderling, excentriekeling

eccentricity [eksen'trɪsətɪ] *zn* excentriciteit

ecclesiastic [ɪkli:zɪ'æstɪk] **I** *zn* geestelijke **II** *bnw* → **ecclesiastical**

ecclesiastical [ɪkli:zɪ'æstɪkl], **ecclesiastic** [ɪkli:zɪ'æstɪk] *bnw* kerkelijk

ECG [i:si:'dʒi:] *afk, electrocardiogram* ECG, elektrocardiogram

echelon ['eʃəlɒn] *zn* ❶ echelon, rang ❷ formatie ⟨soldaten / vliegtuigen⟩

echo ['ekəʊ] **I** *zn* [mv: **echoes**] ❶ echo ❷ weerklank **II** *onov ww* ❶ weergalmen ❷ weerklank vinden **III** *ov ww* ❶ weerkaatsen ❷ herhalen

éclat ['eɪklɑ:] *zn* ❶ glans, luister ❷ aanzien

eclectic [ɪ'klektɪk] **I** *bnw* eclectisch **II** *zn* eclecticus

eclipse [ɪ'klɪps] **I** *zn* ❶ maans- / zonsverduistering ❷ verdwijning ★ *fig in* ~ op de achtergrond geraakt, van het toneel verdwenen **II** *ov ww* ❶ verduisteren ❷ *fig* overschaduwen

eco- ['i:kəʊ-] *voorv* eco-, ecologisch

ecological [i:kə'lɒdʒɪkl] *bnw* ecologisch ★ *~ly sustainable* ecologisch duurzaam

ecologist [ɪ'kɒlədʒɪst] *zn* ecoloog

ecology [ɪ'kɒlədʒɪ] *zn* ecologie

e-commerce ['i: 'kɒmɜ:s] *zn* handel via internet

economic [i:kə'nɒmɪk] *bnw* ❶ economisch ❷ lonend

economical [i:kə'nɒmɪkl] *bnw* ❶ zuinig ★ *euf be ~ with the truth* liegen, informatie achterhouden ❷ voordelig ❸ economisch ★ *~ly important* economisch van belang

economics [i:kə'nɒmɪks] *zn mv* ❶ economie ❷ economische aspecten

economist [ɪ'kɒnəmɪst] *zn* econoom

economize, economise [ɪ'kɒnəmaɪz] *ov ww* bezuinigen (**on** op)

economy [ɪ'kɒnəmɪ] *zn* ❶ economie ⟨van land / regio⟩ ★ *the black ~* het zwartgeldcircuit ★ *a controlled ~* een geleide economie ❷ (zuinig) beheer, spaarzaamheid ★ *a false ~* verkeerde zuinigheid ★ *be on an ~ drive* een zuinigheidscampagne voeren ❸ besparing ★ *economies of scale* besparingen door schaalvergroting ★ *travel ~ class* toeristenklasse reizen

economy pack [ɪ'kɒnəmɪ 'pæk] *zn* voordeelpak

ecstasy ['ekstəsɪ] *zn* extase

Ecstasy ['ekstəsɪ] *zn* XTC, ecstasy ⟨drug⟩

ecstatic [ɪk'stætɪk] *bnw* extatisch, verrukt ★ *~ally happy* dolgelukkig

ecumenical [i:kju:'menɪkl] *bnw* oecumenisch

eczema ['eksɪmə] *zn* eczeem, huiduitslag

ed. *afk* ❶ *edited* uitgegeven ❷ *edition* uitgave ❸ *editor* redacteur

eddy ['edɪ] **I** *zn* ❶ draaikolk ❷ dwarrelwind **II** *onov ww* ❶ (rond)draaien, kolken ❷ ronddwarrelen

edge [edʒ] **I** *zn* ❶ rand, kant ★ *inform on the edge of your seat* op het puntje van je stoel, geboeid ★ *be on edge* gespannen / ongedurig zijn ❷ snede, scherpe kant ★ *this knife has lost its edge* dit mes is bot geworden ★ *be at the cutting / leading edge of sth* het modernst / best zijn in iets ★ *give sb the edge of your tongue* iem. flink op zijn nummer zetten ★ *take the edge off sth* het ergste wegnemen ❸ voorsprong ★ *have the edge over sb* iem. vóór liggen op iem. **II** *ov ww* ❶ omzomen ❷ *~ out* verdringen, er langzaam uitwerken **III** *onov ww* ❶ zich (langzaam en voorzichtig) bewegen ★ *edge closer to sb* dichter naar iem. toekruipen ❷ *~ down* omlaagkruipen (v. prijzen, enz.)

edgeways ['edʒweɪz], **USA edgewise** ['edʒwaɪz] *bijw* op z'n kant ★ *not get a word in ~* er geen woord tussen krijgen

edging ['edʒɪŋ] *zn* rand, franje

edgy ['edʒɪ] *bnw* ❶ zenuwachtig, gespannen ❷ geïrriteerd

edible ['edɪbl] *bnw* eetbaar ★ *it was barely ~* het was eigenlijk niet te eten

edict ['i:dɪkt] *zn* edict, bevelschrift

edifice ['edɪfɪs] *form* bouwwerk

edify ['edɪfaɪ] *form ov ww* stichten, geestelijk verheffen

edifying [edɪ'faɪɪŋ] *bnw* stichtelijk, verheffend

edit ['edɪt] *ov ww* ❶ bewerken ⟨voor publicatie⟩ ❷ redigeren ❸ monteren ⟨van film, enz.⟩ ❹ *~ out* schrappen

edition [ɪ'dɪʃən] *zn* ❶ editie, uitgave ★ *third ~* 3e druk ❷ oplage

editor ['edɪtə] *zn* ❶ redacteur ❷ bewerker ❸ *comp* tekstverwerker

editorial [edɪ'tɔ:rɪəl] **I** *bnw* redactioneel **II** *zn* hoofdartikel

editorialize, editorialise [edɪ'tɔ:rɪəlaɪz] *onov ww* een subjectief verslag geven

editorship ['edɪtəʃɪp] *zn* redacteurschap

educate ['edjʊkeɪt] *ov ww* ❶ opleiden, onderwijzen ❷ opvoeden

education [edjʊ'keɪʃən] *zn* onderwijs, opleiding ★ *denominational ~* bijzonder onderwijs ★ *further ~* voortgezet onderwijs ★ *visiting China was quite an ~* ons Chinabezoek was een interessante ervaring

educational [edjʊ'keɪʃənl] *bnw* ❶ leerzaam ❷ onderwijs-

educationalist [edjʊ'keɪʃənəlɪst], **educationist** [edjʊ'keɪʃənɪst] *zn* onderwijsdeskundige

educative ['edjʊkeɪtɪv] *bnw* opvoedend

educator ['edjʊkeɪtə] *zn* ❶ onderwijzer(es) ❷ onderwijsdeskundige ❸ opvoeder

eel [i:l] *zn* paling, aal

eerie ['ɪərɪ] *bnw* ❶ eng, vreemd ★ *eerily quiet* akelig stil ❷ luguber

eff [ef] *euf inform onov ww* ❶ vloeken ★ *eff and blind* vloeken en tieren ❷ *~ off* ophoepelen

efface [ɪ'feɪs] *ov ww* ❶ uitwissen ★ *~ o.s.* zich wegcijferen ❷ *fig* overschaduwen

effect [ɪ'fekt] *zn* ❶ effect ★ *for ~* om indruk te maken ★ *with ~ from* geldend vanaf ❷ resultaat, (uit)werking ★ *...or words to that ~* ...of woorden van die strekking ★ *(a note) to the ~ that* (een briefje) dat er op neer kwam dat ★ *to good / bad / enz. ~* met een goed / slecht / enz. resultaat ★ *to no ~* tevergeefs ★ *bring / put / carry into ~* ten uitvoer brengen ★ *come into ~*

ef

ef

van kracht worden ★ *take* ~ uitwerking hebben, van kracht worden

effective [ɪ'fektɪv] *bnw* ❶ effectief, doeltreffend ❷ werkzaam ★ ~ *from April 1st* geldend vanaf 1 april

effectively [ɪ'fektɪvlɪ] *bijw* eigenlijk, in feite

effectiveness [ɪ'fektɪvnəs], **effectivity** [ɪfek'tɪvətɪ] *zn* ❶ doeltreffendheid ❷ uitwerking

effects [ɪ'fekts] *zn mv* bezittingen, goederen

effectual [ɪ'fektʃʊəl] *bnw* ❶ doeltreffend ❷ jur bindend

effectuate [ɪ'fektʃʊeɪt] form *ov ww* bewerkstelligen

effeminacy [ɪ'femɪnəsɪ] *zn* verwijfdheid

effeminate [ɪ'femɪnət] *bnw* verwijfd

effervesce [efə'ves] *onov ww* (op)bruisen, borrelen

effervescent [efə'vesənt] *bnw* ❶ borrelend ❷ bruisend ❸ fig uitgelaten

effete [ɪ'fiːt] *bnw* ❶ verzwakt, slap ❷ verwijfd ⟨van man⟩

efficacious [efɪ'keɪʃəs] *bnw* ❶ werkzaam ❷ kracht(dad)ig ❸ efficiënt

efficacy form ['efɪkəsɪ] *zn* ❶ uitwerking ❷ doeltreffendheid ❸ kracht(dad)igheid

efficiency [ɪ'fɪʃənsɪ] *zn* ❶ efficiëntie, doelmatigheid ❷ techn rendement

efficient [ɪ'fɪʃənt] *bnw* ❶ efficiënt, doeltreffend ❷ kracht(dad)ig ❸ bekwaam ❹ techn renderend

effigy ['efɪdʒɪ] *zn* (af)beeld(ing), beeldenaar ⟨op munt⟩

effluent ['eflʊənt] *zn* afvalwater, rioolwater

effort ['efət] *zn* ❶ (krachts)inspanning, poging ★ *a joint* ~ een gezamenlijke krachtsinspanning, met vereende krachten ★ *with some* ~ met moeite ★ *make every* ~ alles in het werk stellen ❷ prestatie ★ *good* ~, *chaps!* goed gedaan, jongens!

effortless ['efətləs] *bnw* moeiteloos, ongedwongen

effrontery [ɪ'frʌntərɪ] *zn* onbeschaamdheid ★ *he had the* ~ *to call me stupid* hij had het lef om mij stom te noemen

effusion [ɪ'fjuː.ʒən] *zn* ❶ uitstroming ❷ fig ontboezeming

effusive [ɪ'fjuː.sɪv] *bnw* (te) uitbundig ⟨m.b.t. dankbetuiging, enz.⟩

EFTA afk, European Free Trade Association EVA, Europese Vrijhandelsassociatie

e.g. afk, exempli gratia bv., bijvoorbeeld

egalitarian [ɪgælɪ'teərɪən] **I** *bnw* gelijkheids-, gelijkheid voorstaand **II** *zn* voorstander van gelijkheid

egg [eg] **I** *zn* ei ★ *a fried egg* een spiegelei ★ inform *have egg on your face* voor schut staan ★ inform *.put all your eggs in one basket* alles op één kaart zetten **II** *ov ww* ~ **on** aanzetten, ophitsen

egg cup ['egkʌp] *zn* eierdopje

egghead ['eghed] inform *zn* intellectueel

eggnog ['egnɒg] *zn* eierpunch, flip

eggplant ['egplɑːnt] USA *zn* aubergine

eggshell ['egʃel] **I** *zn* eierschaal ★ ~ *china* zeer dun porselein **II** *bnw* matglanzend ⟨van verf⟩

ego ['iːgəʊ] *zn* ❶ ego ❷ eigenwaarde, trots ❸ psych ik-bewustzijn

egocentric [iːgəʊ'sentrɪk] *bnw* egocentrisch

egoism ['iːgəʊɪzəm], **egotism** ['iːgəʊtɪzəm] *zn* egoïsme

egoist [iː'gəʊɪst], **egotist** ['egətɪst] *zn* egoïst

egoistic [iːgəʊ'ɪstɪk], **egoistical** [iːgəʊ'ɪstɪkl], **egotistic** [egə'tɪstɪk], **egotistical** [egə'tɪstɪkl] *bnw* egoïstisch

egotism ['iːgətɪzəm] *zn* → **egoism**

egotist ['egətɪst] *zn* → **egoist**

egotistic [egə'tɪstɪk], **egotistical** [egə'tɪstɪkl] *bnw* → **egoistic**

egregious [ɪ'griːdʒəs] form *bnw* schandelijk, stuitend ★ ~ *errors* koeien van fouten

egret ['iːgrət] *zn* zilverreiger

Egypt ['iːdʒɪpt] *zn* Egypte

Egyptian [ɪ'dʒɪpʃən] **I** *bnw* Egyptisch **II** *zn* Egyptenaar, Egyptische

Eid [iːd] rel *zn* islamitisch feest, suikerfeest

eider ['aɪdə], **eider duck** ['aɪdə dʌk] *zn* eidereend

eiderdown ['aɪdədaʊn] *zn* (dekbed van) eiderdons

eight [eɪt] **I** *telw* acht **II** *zn* boot voor acht roeiers, roeiploeg van acht

eighteen ['eɪ'tiːn] *telw* achttien

eighteenth [eɪ'tiːnθ] *telw* achttiende

eighth [eɪtθ] *telw* achtste

eightieth ['eɪtɪəθ] *telw* tachtigste

eighty ['eɪtɪ] *telw* tachtig ★ *the eighties* de jaren tachtig

Eire ['eərə] *zn* Ierland

either ['aɪðə, 'iːðə] **I** *vnw* ❶ allebei ★ ~ *colour is suitable* beide kleuren zijn geschikt ❷ één van beide ★ *select* ~ *of the two options* kies één van beide mogelijkheden **II** *vw* ★ ~... *or* of... of, hetzij... hetzij ★ *it's* ~*or* het is of het één of het ander **III** *bijw* ook ★ *if you don't go, I shan't* ~ als jij niet gaat, dan ga ik ook niet ★ *I don't understand it* ~ ik begrijp het evenmin

ejaculate [ɪ'dʒækjʊleɪt] *ov+onov ww* ejaculeren, een zaadlozing hebben

ejaculation [ɪdʒækjʊ'leɪʃən] *zn* ejaculatie, zaadlozing

eject [ɪ'dʒekt] **I** *ov ww* ❶ verdrijven, uitzetten ⟨met geweld⟩ ❷ uitwerpen **II** *onov ww* per schietstoel verlaten ★ *the pilot was able to* ~ *from the plane* de piloot kon het toestel per schietstoel verlaten

ejector seat, ejection seat *zn* schietstoel

eke [iːk] *ov ww* ~ **out** rekken ★ *eke out a living / livelihood* je met moeite in leven kunnen houden

elaborate[1] [ɪ'læbərət] *bnw* ❶ gedetailleerd ❷ met zorg uitgewerkt, uitgebreid ★ *an* ~ *ruse* een ingewikkelde list

elaborate[2] [ɪ'læbəreɪt] *ov ww* ❶ uitwerken ❷ ~ **on/upon** uitweiden over, nader bespreken

elaboration [ɪlæbə'reɪʃən] *zn* verfijnde uitwerking, precisering, detaillering ★ *this point needs* ~ dit punt moet verder worden uitgewerkt

elapse [ɪ'læps] *onov ww* verstrijken ⟨van tijd⟩

elastic [ɪ'læstɪk] **I** *bnw* ❶ elastisch, rekbaar, elastieken ★ *an* ~ *band* een elastiekje ❷ soepel, flexibel **II** *zn* elastiek

elasticity [iːlæ'stɪsətɪ] *zn* elasticiteit

elated [ɪ'leɪtɪd] *bnw* opgetogen ★ *she's* ~ *at / by*

her success ze is in de wolken met haar succes

elation [ɪˈleɪʃən] *zn* opgetogenheid

elbow [ˈelbəʊ] **I** *zn* elleboog ⟨ook van pijpleiding⟩ ★ <u>inform</u> *up to your ~s* tot over je oren ★ <u>inform</u> *get / give the ~* de bons krijgen / geven ★ <u>USA</u> <u>inform</u> *rub ~s with* in aanraking komen met, omgaan met **II** *ov ww* ⟨met de ellebogen⟩ dringen / duwen ★ *~ your way* je een weg banen

elbow grease <u>inform</u> *zn* zwaar werk ⟨vooral poets- / schoonmaakwerk⟩ ★ *it just needs a bit of ~* het heeft alleen maar een flinke poetsbeurt nodig

elbow room <u>inform</u> *zn* bewegingsruimte, armslag

elder [ˈeldə] **I** *bnw* ouder, oudste ⟨van twee⟩ **II** *zn* ❶ oudere, oudste ⟨van twee⟩ ★ *my ~s and betters* degenen die ouder en wijzer zijn dan ik ❷ ouderling ❸ <u>plantk</u> vlier

elderberry [ˈeldəberɪ] *zn* vlierbes

elderly [ˈeldəlɪ] *bnw* op leeftijd

eldest [ˈeldɪst] *bnw* oudste

elect [ɪˈlekt] **I** *ov ww* (ver)kiezen **II** *bnw* uitverkoren ★ *the president ~* de gekozen president ⟨nog niet in functie⟩

election [ɪˈlekʃən] *zn* verkiezing ★ *run for ~* meedoen aan de verkiezingen ★ *stand for ~* verkiesbaar zijn

electioneering [ɪlekʃəˈnɪə] *zn* verkiezingscampagne voeren

elective [ɪˈlektɪv] **I** *bnw* ❶ kies-, keuze- ❷ op verzoek ❸ facultatief **II** *zn* keuzevak

elector [ɪˈlektə] *zn* kiezer

electorate [ɪˈlektərət] *zn* electoraat, de kiezers

electric [ɪˈlektrɪk] *bnw* ❶ elektrisch ❷ opwindend ❸ opgewonden ⟨sfeer enz⟩

electrical [ɪˈlektrɪkl] *bnw* elektrisch

electric fence [ɪˈlektrɪk ˈfens] *zn* schrikdraad

electrician [ɪlekˈtrɪʃən] *zn* elektricien

electricity [ɪlekˈtrɪsətɪ] *zn* elektriciteit ★ *switch off the ~* de stroom uitschakelen

electrics [ɪˈlektrɪkz] *zn mv* ★ *the ~* de bedrading

electric shock *zn* ❶ elektrische schok ❷ <u>med</u> <u>inform</u> elektroshock

electrify [ɪˈlektrɪfaɪ] *ov ww* ❶ elektrificeren ❷ onder stroom zetten ❸ <u>fig</u> opwinden, enthousiast maken

electrocute [ɪˈlektrəkjuːt] *ov ww* elektrocuteren, terechtstellen op de elektrische stoel

electrocution [ɪlektrəˈkjuːʃən] *zn* elektrocutie

electrolysis [ɪlekˈtrɒləsɪs] *zn* elektrolyse

electronic [ɪlekˈtrɒnɪk] *bnw* elektronisch ★ *~ data processing* verwerking van informatie per computer ★ *~ tagging* elektronisch volgsysteem ⟨t.b.v. de politie⟩ ★ *~ shopping* elektronisch winkelen

electronics [ɪlekˈtrɒnɪks] *zn mv* elektronica

elegance [ˈelɪɡəns] *zn* elegantie

elegant [ˈelɪɡənt] *bnw* ❶ sierlijk, smaakvol ❷ elegant

elegy [ˈelədʒɪ] *zn* treurdicht / -zang

element [ˈelɪmənt] *zn* ❶ element, onderdeel ❷ iets, wat ★ *there's an ~ of danger* het kan gevaarlijk zijn

elemental [elɪˈmentl] *bnw* ❶ essentieel ❷ <u>dicht</u> v.d. de elementen, natuur-

elementary [elɪˈmentərɪ] *bnw* eenvoudig, elementair, basis- ★ *~ school* basisschool

elements [ˈelɪmənts] *zn mv* ★ *the ~* de elementen ⟨het weer⟩, de (grond)beginselen

elephant [ˈelɪfənt] *zn* olifant

elephantine [elɪˈfæntaɪn] *bnw* als een olifant, plomp

elevate [ˈelɪveɪt] *ov ww* ❶ bevorderen, promoveren ❷ opheffen, omhoog houden / brengen, verhogen ❸ verheffen, verheffen

elevation [elɪˈveɪʃən] *zn* ❶ bevordering, promotie ❷ verhoging ❸ hoogte, heuvel ❹ <u>bouw</u> aanzicht, gevel ★ *the rear ~* de achtergevel

elevator [ˈelɪveɪtə] <u>USA</u> *zn* lift

eleven [ɪˈlevən] **I** *telw* elf **II** *zn* elftal

elevenses [ɪˈlevənzɪz] <u>GB</u> <u>inform</u> *zn* thee / koffie met iets erbij ⟨rond elf uur⟩, elfuurtje

eleventh [ɪˈlevənθ] *telw* elfde ★ *at the ~ hour* te elfder ure

elf [elf] *zn* [mv: **elves**] elf, kabouter

elfin [ˈelfɪn] *bnw* elfen-, elfachtig, kabouterachtig

elicit [ɪˈlɪsɪt] *ov ww* ontlokken, loskrijgen ★ *~ a response from sb* iem. een antwoord ontlokken ★ *~ the truth* de waarheid aan het licht brengen

eligible [ˈelɪdʒəbl] *bnw* ❶ bevoegd ★ *~ to vote* met stemrecht ★ *you may be ~ for a loan* u komt misschien in aanmerking voor een lening ❷ geschikt, begeerd

eliminate [ɪˈlɪmɪneɪt] *ov ww* ❶ elimineren, uitschakelen ❷ uit de weg ruimen, liquideren ❸ uit- / verdrijven

elimination [ɪlɪmɪˈneɪʃən] *zn* ❶ eliminatie, schrappen ❷ uitschakeling ❸ liquidatie ❹ uitsluiting

elitist [ɪˈliːtɪst] *bnw* elitair

elixir [ɪˈlɪksɪə] <u>dicht</u> *zn* elixer, toverdrank ★ *the ~ of love* het liefdeselixer

elk [elk] *zn* ❶ eland ❷ <u>USA</u> wapitihert

ellipse [ɪˈlɪps] *zn* ellips, ovaal

ellipsis [ɪˈlɪpsɪs] *zn* <u>taalk</u> ellips, weglating

elliptical [ɪˈlɪptɪkl] *bnw* ❶ onvolledig, beknopt ❷ **elliptic** elliptisch

elm [elm], **elm tree** *zn* iep ★ *Dutch elm disease* iepziekte

elocution [eləˈkjuːʃən] *zn* voordracht(skunst)

elongate [ˈiːlɒŋɡeɪt] **I** *ov ww* ❶ (uit)rekken ❷ verlengen **II** *onov ww* langer worden

elongation [iːlɒŋˈɡeɪʃən] *zn* verlenging

elope [ɪˈləʊp] *onov ww* weglopen, er vandoor gaan ⟨om te trouwen⟩

elopement [ɪˈləʊpmənt] *zn* het weglopen ⟨om te trouwen⟩

eloquence [ˈeləkwəns] *zn* welsprekendheid

eloquent [ˈeləkwənt] *bnw* welsprekend, welbespraakt ★ *he writes ~ly* hij schrijft goed

else [els] *bijw* nog meer, anders ★ *anything else?* anders nog iets? ★ *did anyone else ring?* heeft er verder nog iem. gebeld? ★ <u>inform</u> *shut up or else!* kop dicht of er zwaait wat!

elsewhere [ˈelsweə] *bijw* elders, ergens anders

ELT *afk, English Language Teaching* onderwijs in de Engelse taal

elucidate [ɪˈluːsɪdeɪt] *ov ww* ophelderen, toelichten

elucidation [ɪluːsɪˈdeɪʃən] *zn* opheldering, toelichting

elude [ɪ'lu:d] *ov ww* ❶ ontwijken ★ *he managed to ~ the police* hij wist aan de politie te ontkomen ❷ ontgaan ★ *her name ~s me* ik kan niet op haar naam komen

elusive [ɪ'lu:sɪv] *bnw* ❶ onvindbaar, ongrijpbaar ★ *success can be ~* succes ligt soms net buiten het bereik ❷ ontwijkend

elves [elvz] *zn mv →* **elf**

'em [əm] *pers vnw*, them ze, hun, hen ★ *you just tell 'em!* vertel ze de waarheid maar!

emaciated [ɪ'meɪsɪeɪtɪd] *bnw* uitgeteerd, uitgemergeld

email, e-mail ['i:meɪl] **I** *zn* e-mail **II** *ov ww* e-mailen

emanate ['eməneɪt] *ov ww* ❶ uitstralen ❷ ~ **from** (voort)komen uit

emancipate [ɪ'mænsɪpeɪt] *ov ww* ❶ emanciperen ❷ vrij maken

emancipation [ɪmænsɪ'peɪʃən] *zn* ❶ emancipatie ❷ vrijmaking van slavernij

emasculate [ɪ'mæskjʊleɪt] *ov ww* ❶ ontmannelijken ❷ fig ontkrachten

embalm [ɪm'bɑ:m] *ov ww* balsemen

embankment [ɪm'bæŋkmənt] *zn* ❶ kade ❷ (spoor)dijk, opgehoogde weg

embargo [em'bɑ:gəʊ] **I** *zn* ❶ in- / uitvoerverbod ❷ embargo, (tijdelijk) publicatieverbod **II** *ov ww* een embargo leggen op

embark [ɪm'bɑ:k] **I** *ov ww* ❶ aan boord nemen, inschepen ❷ ~ **on/upon** zich begeven / wagen in, (ergens) aan beginnen **II** *onov ww* aan boord gaan, zich inschepen

embarkation [embɑ:'keɪʃən] *zn* inscheping

embarrass [ɪm'bærəs] *ov ww* ❶ in verlegenheid brengen ❷ in moeilijkheden brengen

embarrassing [ɪm'bærəsɪŋ] *bnw* lastig, pijnlijk, gênant

embarrassment [ɪm'bærəsmənt] *zn* ❶ verlegenheid, schaamte ★ *much to our ~* tot onze grote verlegenheid ★ *she's an ~ to her family* ze is een schande voor haar familie ❷ lastig pakket, moeilijkheid

embassy ['embəsi] *zn* ambassade, gezantschap

embattled [ɪm'bætld] *bnw* ❶ in moeilijkheden ❷ omringd door vijanden

embed, imbed [ɪm'bed] *ov ww* inbedden, insluiten ★ *the bullet is ~ded in his leg* de kogel zit vast in zijn been ★ *technology is ~ded in our culture* de technologie zit diep verankerd in onze cultuur

embellish [ɪm'belɪʃ] *ov ww* verfraaien, versieren, opsmukken

ember ['embə] *zn* gloeiend kooltje ★ *the ~s were still hot* de sintels waren nog heet

embezzle [ɪm'bezəl] *ov ww* verduisteren (van geld)

embitter [ɪm'bɪtə] *ov ww* verbitteren

emblazon [ɪm'bleɪzən] *ov ww* versieren

emblem ['embləm] *zn* ❶ embleem ❷ symbool

emblematic [emblə'mætɪk] *bnw* symbolisch ★ *be ~ of* symboliseren

embodiment [ɪm'bɒdɪmənt] *zn* belichaming

embody [ɪm'bɒdɪ] *ov ww* ❶ belichamen ❷ uitdrukken ❸ omvatten

embolden [ɪm'bəʊldn] *ov ww* aanmoedigen

embolism ['embəlɪzəm] med *zn* embolie

embossed [ɪm'bɒst] *ov ww* ❶ in reliëf ❷ gedreven (van metaal)

embrace [ɪm'breɪs] **I** *ov ww* ❶ omhelzen ❷ fig omarmen ★ *~ an opportunity* een gelegenheid aangrijpen ★ *he ~d communism* hij werd communist ❸ omvatten **II** *onov ww* elkaar omhelzen **III** *zn* omhelzing

embroider [ɪm'brɔɪdə] *ov ww* ❶ borduren ❷ opsmukken, versieren (van verhaal)

embroidery [ɪm'brɔɪdəri] *zn* borduurwerk

embroil [ɪm'brɔɪl] *ov ww* verwikkelen

embroilment [ɪm'brɔɪlmənt] *zn* ❶ verwikkeling ❷ twist

embryo ['embrɪəʊ] *zn* embryo, kiem ▼ *in ~* in embryonale toestand

embryonic [embrɪ'ɒnɪk] *bnw* nog niet ontwikkeld ★ *at an ~ stage* in een pril stadium

emcee [em'si:] USA inform *zn, MC, master of ceremonies* ceremoniemeester, programmaleider

emend [ɪ'mend] *ov ww* verbeteren, corrigeren

emendation [i:men'deɪʃən] *zn* ❶ verbetering, correctie (in tekst) ❷ het verbeteren (van tekst)

emerald ['emərəld] **I** *zn* smaragd **II** *bnw* ❶ smaragden ❷ smaragdgroen ★ *the Emerald Isle* Ierland

emerge [ɪ'mɜ:dʒ] *onov ww* ❶ naar buiten / tevoorschijn komen, zich vertonen ❷ (naar) boven komen ❸ zich voordoen ❹ blijken

emergence [ɪ'mɜ:dʒəns] *zn* ❶ opkomst, het verschijnen ❷ het bovenkomen

emergency [ɪ'mɜ:dʒənsi] *zn* ❶ onverwachte / onvoorziene gebeurtenis ❷ nood(toestand) ★ *in an ~* in geval van nood ★ *a state of ~* noodtoestand ★ *an ~ meeting* een spoedvergadering ❸ spoedgeval

emergency number *zn* alarmnummer

emergency room USA *zn* eerstehulpafdeling

emergency service *zn* hulpdienst (politie, brandweer en ambulance)

emergent [ɪ'mɜ:dʒənt], **emerging** [ɪ'mɜ:dʒɪŋ] *bnw* opkomend, zich ontwikkelend

emery board *zn* nagelvijl (met laagje amaril)

emetic [ɪ'metɪk] **I** *bnw* braakwekkend **II** *zn* braakmiddel

EMF *afk, European Monetary Fund* EMF, Europees Monetair Fonds

emigrate ['emɪgreɪt] *onov ww* emigreren

emigration [emɪ'greɪʃən] *zn* emigratie

émigré ['emɪgreɪ] *zn* emigrant (vaak om politieke redenen)

eminence ['emɪnəns] *zn* ❶ hoge positie ❷ eminentie

eminent ['emɪnənt] *bnw* eminent, verheven, vooraanstaand

eminently ['emɪnəntli] *bijw* in hoge mate, uiterst, bij uitstek

emissary ['emɪsəri] *zn* gezant

emission [ɪ'mɪʃən] *zn* ❶ afgifte, uitstraling ❷ uitlaatgas (van auto) ❸ emissie, uitstoot (van schadelijke gassen enz.)

emit [ɪ'mɪt] *ov ww* ❶ uiten ❷ uitzenden (van geluid, licht enz.) ❸ uitstoten (van schadelijke stoffen)

emollient [ɪ'mɒlɪənt] **I** *bnw* verzachtend **II** *zn* verzachtend middel

emotion [ɪ'məʊʃən] *zn* emotie, ontroering ★ *~s are running high* de emoties lopen hoog op
emotional [ɪ'məʊʃənl] *bnw* ❶ emotioneel, ontroerend ❷ gevoels- ❸ ontroerd, geroerd
emotive [ɪ'məʊtɪv] *bnw* (ont)roerend
empanel [ɪm'pænl] *ov ww* → **impanel**
empathize, empathise ['empəθaɪz] *onov ww* ❶ meeleven (**with** met) ❷ zich inleven (in)
empathy ['empəθɪ] *zn* empathie, het zich inleven
emperor ['empərə] *zn* keizer
emphasis ['emfəsɪs] *zn* [mv: **emphases**] ❶ accent ★ *the ~ is on the first syllable* de klemtoon ligt op de eerste lettergreep ❷ nadruk
emphasize, emphasise ['emfəsaɪz] *ov ww* de nadruk leggen op, benadrukken
emphatic [ɪm'fætɪk] *bnw* ❶ nadrukkelijk ❷ krachtig ★ *an ~ victory* een overduidelijke overwinning ❸ beslist
emphysema [emfɪ'siːmə] *med zn* emfyseem
empire ['empaɪə] *zn* imperium, keizerrijk
empirical [em'pɪrɪkl], **empiric** [em'pɪrɪk] *bnw* empirisch, gebaseerd op ervaring
employ [ɪm'plɔɪ] **I** *ov ww* ❶ in dienst hebben / nemen ❷ gebruiken ★ *she is busily ~ed making dinner* ze is druk bezig eten te koken **II** *zn* ★ *be in the ~ of* in dienst zijn van
employable [ɪm'plɔɪəbl] *bnw* bruikbaar, inzetbaar ★ *with her background, she is highly ~* met haar achtergrond komt ze zo aan de slag
employee [emplɔɪ'iː] *zn* werknemer
employer [ɪm'plɔɪə] *zn* werkgever
employment [ɪm'plɔɪmənt] *zn* ❶ werk, beroep ❷ werkgelegenheid ❸ tewerkstelling
employment agency *zn* uitzendbureau
employment office *zn* arbeidsbureau
employment package *zn* arbeidsvoorwaarden
emporium [em'pɔːrɪəm] *zn* grootwinkelbedrijf, warenhuis
empower [ɪm'paʊə] *ov ww* ❶ machtigen ❷ in staat stellen ❸ zelfvertrouwen geven
empress ['emprɪs] *zn* keizerin
empties ['emptɪz] *inform zn mv* lege flessen / glazen
emptiness ['emptɪnəs] *zn* leegheid, leegte
empty ['emptɪ] **I** *bnw* ❶ leeg ❷ *fig* nietszeggend **II** *ov ww* leeg maken, legen **III** *onov ww* leeg raken
empty-handed *bnw* met lege handen
empty-headed *bnw* dom, onnozel
emu ['iːmjuː] *zn* emoe
emulate ['emjʊleɪt] *ov ww* proberen te evenaren
emulation ['emjʊ'leɪʃən] *zn* ❶ wedijver ❷ nabootsing
emulsify [ɪ'mʌlsɪfaɪ] *ov ww* emulgeren
emulsion [ɪ'mʌlʃən] *zn* ❶ emulsie ❷ emulsieverf
enable [ɪ'neɪbl] *ov ww* ❶ in staat stellen, mogelijk maken ❷ machtigen
enact [ɪ'nækt] *ov ww* ❶ tot wet verheffen ❷ spelen (van rol) ★ *the scene being ~ed before them* het tafereel dat zich voor hun ogen afspeelde ❸ in praktijk brengen
enactment [ɪ'næktmənt] *zn* ❶ wet(geving) ❷ verheffing tot wet ❸ vertolking (van rol)
enamel [ɪ'næml] **I** *zn* ❶ vernis, email, lak ❷ tandglazuur **II** *ov ww* vernissen, emailleren,

lakken
enamoured, USA **enamored** [ɪ'næməd] *bnw* ★ *not ~ with* niet (zo) gelukkig zijn met ★ *dicht she was ~ of / with him* ze was verliefd / dol op hem
encamp [ɪn'kæmp] *onov ww* ❶ (zich) legeren ❷ kamperen
encampment [ɪn'kæmpmənt] *zn* kamp(ement)
encapsulate [ɪn'kæpsjuleɪt] *ov ww* ❶ inkapselen ❷ samenvatten
encase [ɪn'keɪs] *ov ww* omhullen, omsluiten
encephalitis [ensefə'laɪtəs/enkefə'laɪtɪs] *zn* hersenontsteking
enchant [ɪn'tʃɑːnt] *ov ww* ❶ betoveren ❷ verrukken ★ *they were ~ed by the view* ze waren gecharmeerd van het uitzicht
enchanter [ɪn'tʃɑːntə] *zn* tovenaar
enchanting [ɪn'tʃɑːntɪŋ] *bnw* aantrekkelijk, charmant, betoverend
enchantment [ɪn'tʃɑːntmənt] *zn* ❶ verrukking ❷ betovering
enchantress [ɪn'tʃɑːntrəs] *zn* ❶ tovenares ❷ betoverende vrouw
enchilada [entʃɪ'lɑːdə] *zn* enchilada (gevulde tortilla met chilisaus) ▼ *inform a big ~* een hoge pief ▼ *inform the whole ~* de hele mikmak
encircle [ɪn'sɜːkl] *ov ww* omringen, insluiten, omsingelen
encl. *afk, enclosed* ingesloten ⟨in zakenbrief⟩
enclose [ɪn'kləʊz] *ov ww* ❶ omgeven, omheinen ❷ insluiten, insluiten ⟨bij brief⟩ ★ *please find ~d* ingesloten vindt u
enclosure [ɪn'kləʊʒə] *zn* ❶ omheind gebied, besloten ruimte ❷ bijlage
encode [ɪn'kəʊd] *ov ww* coderen
encompass [ɪn'kʌmpəs] *ov ww* ❶ omgeven, omsluiten ❷ omvatten
encore ['ɒŋkɔː] **I** *zn* toegift **II** *tw* bis
encounter [ɪn'kaʊntə] **I** *ov ww* ❶ geconfronteerd worden met ❷ (onverwachts) ontmoeten, treffen **II** *zn* ❶ confrontatie ❷ ontmoeting ★ *his first sexual ~* zijn eerste seksuele ervaring
encourage [ɪn'kʌrɪdʒ] *ov ww* ❶ aanmoedigen, stimuleren ❷ bemoedigen
encouragement [ɪn'kʌrɪdʒmənt] *zn* aanmoediging
encroach [ɪn'krəʊtʃ] **I** *onov ww* opdringen, oprukken **II** *ov ww* ~ (up)on inbreuk maken op
encroachment [ɪn'krəʊtʃmənt] *zn* ❶ aantasting ❷ overschrijding
encrust [ɪn'krʌst] *ov ww* (met een korst) bedekken ★ *~ed with diamonds* bezet met diamanten
encumber [ɪn'kʌmbə] *ov ww* ❶ belemmeren, hinderen ★ *~ed by his plaster cast* gehandicapt door zijn gipsverband ❷ belasten ★ *~ed with a sick mother* belast met de zorg voor een zieke moeder ★ *~ed with shopping bags* beladen met boodschappentassen
encumbrance [ɪn'kʌmbrəns] *zn* last, hindernis
encyclopedia, encyclopaedia [ensaɪklə'piːdɪə] *zn* encyclopedie
end [end] **I** *zn* ❶ eind(e), uiteinde ★ *at an end* voorbij ★ *in the end* ten slotte, op den duur ★ *end of story* punt uit, einde verhaal ★ *from end to end* van het begin tot het eind ★ *for weeks on end* wekenlang ★ *inform no end*

en

of heel veel ★ at the end of the day ten slotte, als puntje bij paaltje komt ★ *at the end of his tether / USA rope* aan het einde van zijn krachten, ten einde raad ★ *reach the end of the line / road* in het laatste stadium komen, het breekpunt bereiken ❷ dood ★ *near his end* de dood nabij ★ *come to a bad / sticky end* lelijk / ongelukkig aan zijn eind komen, slecht aflopen, er slecht afkomen ❸ kant, zijde ★ *end to end* in de lengte, achter elkaar ★ inform *it made my hair stand on end* het deed me de haren te berge rijzen ★ *make both ends meet* de eindjes aan elkaar knopen, fig rondkomen ★ *go off the deep end* uit zijn vel springen, plotseling enorm tekeergaan ★ *jump in at the deep end* een sprong in het duister wagen ★ *be thrown in at the deep end* in het diepe gegooid worden, voor het blok gezet worden ★ *be on / at the receiving end* daar zijn / zitten waar de klappen vallen **II** *ov ww* beëindigen, een eind maken aan ★ inform *a party to end all parties* een feest zoals je nog nooit meegemaakt hebt ★ *end it all* zelfmoord plegen **III** *onov ww* ❶ eindigen ❷ ~ **up** belanden, eindigen (in), uitlopen op

endanger [ɪn'deɪndʒə] *ov ww* in gevaar brengen ★ *an ~ed species* een bedreigde diersoort

endear [ɪn'dɪə] *ov ww* geliefd maken

endearing [ɪn'dɪərɪŋ] *bnw* schattig, vertederend

endearment [ɪn'dɪəmənt] *zn* liefkozing ★ *terms of ~* liefkozende woorden, koosnaampjes

endeavour, USA endeavor [ɪn'devə] **I** *onov ww* proberen **II** *zn* poging, inspanning

endemic [en'demɪk] *bnw* inheems, plaatsgebonden

ending ['endɪŋ] *zn* ❶ einde ❷ het beëindigen ❸ taalk uitgang

endive ['endaɪv] *zn* ❶ andijvie ❷ USA witlof

endless ['endləs] *bnw* eindeloos ★ *he talked ~ly* praatte aan één stuk door

endo- ['endəʊ-] *voorv* in(wendig), binnen-

endocrinology [endəʊkrɪ'nɒlədʒɪ] *med zn* hormonenleer

endorse [ɪn'dɔːs] *ov ww* ❶ publiekelijk steun betuigen ❷ aanbevelen (in reclameboodschap) ❸ endosseren, handtekening zetten op achterkant (van cheque) ★ ~ *a (driver's) licence* achterop rijbewijs overtreding vermelden

endorsement [ɪn'dɔːsmənt] *zn* ❶ steunbetuiging ❷ aanbeveling van product (in reclameboodschap) ❸ vermelding van overtreding (op rijbewijs)

endow [ɪn'daʊ] *ov ww* ❶ schenken, begiftigen ★ *she's also ~ed with intelligence* ze is nog intelligent ook ★ inform *very well ~ed* groot geschapen (borsten / penis) ❷ subsidiëren

endowment [ɪn'daʊmənt] *zn* ❶ talent ❷ gift ❸ het schenken

end product *zn* ❶ eindproduct ❷ fig (het) uiteindelijke resultaat

endurance [ɪn'djʊərəns] *zn* ❶ lijdzaamheid, geduld, uithoudingsvermogen ★ *beyond ~* onverdraaglijk ❷ duurzaamheid

endure [ɪn'djʊə] **I** *ov ww* verdragen, uithouden **II** *onov ww* (voort)duren, in stand blijven

enduring [ɪn'djʊərɪŋ] *bnw* blijvend

end-user *zn* ge- / verbruiker

endways ['endweɪz], USA **endwise** ['endwaɪz] *bijw* ❶ overeind ❷ met het eind naar voren ❸ in de lengte

enema ['enɪmə] *zn* klysma, darmspoeling

enemy ['enəmɪ] **I** *zn* vijand **II** *bnw* vijandelijk

energetic [enə'dʒetɪk] *bnw* ❶ energiek ❷ krachtig

energize, energise ['enədʒaɪz] *ov ww* ❶ enthousiasmeren ❷ activeren, meer kracht / energie geven

energy ['enədʒɪ] *zn* ❶ energie, werkkracht ★ *be bursting with ~* boordevol energie zitten ★ *renewable ~* duurzame energie ❷ wilskracht

enervate ['enəveɪt] *ov ww* ontkrachten, verzwakken

enfeeble [ɪn'fiːbl] *ov ww* zwak maken

enforce [ɪn'fɔːs] *ov ww* ❶ (streng) handhaven ❷ (af)dwingen

enforceable [ɪn'fɔːsəbl] *bnw* af te dwingen

enforcement [ɪn'fɔːsmənt] *zn* ❶ handhaving ❷ dwang

enfranchise [ɪn'fræntʃaɪz] *ov ww* kies- / stemrecht verlenen

engage [ɪn'geɪdʒ] **I** *ov ww* ❶ verbinden, in beslag nemen ★ *she tried to ~ him in conversation* ze probeerde een gesprek met hem aan te knopen ❷ in dienst nemen ❸ techn koppelen, inschakelen ❹ ~ **in** deelnemen aan, zich begeven in **II** *onov ww* ❶ contact leggen ★ *she ~s easily with children* ze kan goed met kinderen omgaan ❷ slaags raken, de strijd aanbinden ❸ tech koppelen, inschakelen

engaged *bnw* ❶ verloofd ❷ bezig ★ *be ~ in / on* bezig zijn met ★ *she is otherwise ~* ze is met iets anders bezig ❸ GB bezet, in gesprek (van telefoon)

engagement [ɪn'geɪdʒmənt] *zn* ❶ verloving ❷ afspraak ❸ mil gevecht ❹ form betrokkenheid (**with** bij) ❺ dienstbetrekking

engaging [ɪn'geɪdʒɪŋ] *bnw* innemend, charmant

engender [ɪn'dʒendə] *ov ww* teweegbrengen, veroorzaken

engine ['endʒɪn] *zn* ❶ motor ★ *a twin-~d plane* een tweemotorig vliegtuig ❷ machine ❸ locomotief

engine driver *zn* machinist

engineer [endʒɪ'nɪə] **I** *zn* ❶ ingenieur ❷ technicus ❸ scheepv machinist ❹ luchtv boordwerktuigkundige ❺ USA treinmachinist ❻ geniesoldaat ❼ aanstichter **II** *ov ww* ❶ vaak min beramen, bekokstoven ❷ bouwen ❸ manipuleren

engineering [endʒɪ'nɪərɪŋ] *zn* ❶ (machine)bouwkunde ❷ techniek ❸ technische wetenschappen ★ *chemical ~* chemische technologie ❹ bouw, constructie ❺ manipulatie

English ['ɪŋglɪʃ] **I** *zn* ❶ Engels (taal) ★ *oud the King's / Queen's ~* algemeen beschaafd Engels ★ *in plain ~* in klare taal ❷ ★ *the ~* [mv] de Engelsen **II** *bnw* Engels

Englishman ['ɪŋglɪʃmən] *zn* Engelsman ★ *an ~'s home is his castle* een Engelsman is baas in eigen huis

English-speaking *bnw* Engelstalig

Englishwoman ['ɪŋglɪʃwʊmən] *zn* Engelse

engrave [ɪn'greɪv] ov ww graveren ★ be ~d on / in your heart / memory in het geheugen gegrift staan

engraver [ɪn'greɪvə] zn graveur

engraving [ɪn'greɪvɪŋ] zn ❶ gravure ❷ graveren

engross [ɪn'grəʊs] ov ww voor zich opeisen, geheel in beslag nemen ★ ~ed in a book verdiept in een boek

engrossing [en'grəʊsɪŋ] bnw boeiend

engulf [ɪn'gʌlf] ov ww ❶ overspoelen ❷ verzwelgen ★ ~ed by fear overmand door angst

enhance [ɪn'hɑːns] ov ww verhogen, vermeerderen, verbeteren

enhancement [ɪn'hɑːnsmənt] ov ww verhoging, vermeerdering, verbetering

enhancer [ɪn'hɑːnsə] zn versterkend(e) stof / middel ★ flavour ~s smaakstoffen

enigma [ɪ'nɪgmə] zn raadsel ★ she was an ~ to me ze was me een raadsel

enigmatic [enɪg'mætɪk] bnw raadselachtig, geheimzinnig

enjoin [ɪn'dʒɔɪn] ov ww voorschrijven, bevelen ★ jur ~ from verbieden

enjoy [ɪn'dʒɔɪ] I ov ww genieten (van) ★ ~ good health een goede gezondheid genieten ★ inform ~! geniet ervan! II wkd ww zich vermaken / amuseren

enjoyable [ɪn'dʒɔɪəbl] bnw prettig

enjoyment [ɪn'dʒɔɪmənt] zn ❶ plezier ❷ genoegen

enlarge [ɪn'lɑːdʒ] I ov ww ❶ vergroten, verruimen ❷ ~ (up)on uitweiden over, dieper ingaan op II onov ww groter worden

enlargement [ɪn'lɑːdʒmənt] zn ❶ vergroting ❷ uitbreiding

enlighten [ɪn'laɪtn] ov ww informeren, inlichten

enlightened [ɪn'laɪtnd] bnw verlicht

enlightenment [ɪn'laɪtnmənt] zn ❶ opheldering, verduidelijking ❷ verlichting

Enlightenment [ɪn'laɪtnmənt] zn ★ the ~ de Verlichting

enlist [ɪn'lɪst] I ov ww ❶ inroepen ⟨van hulp⟩ ❷ mil rekruteren, werven II onov ww dienst nemen ★ ~ in the army in dienst gaan

enlisted USA bnw zonder rang ★ an ~ man / woman een gewoon soldaat

enlistment [ɪn'lɪstmənt] zn ❶ het inroepen ⟨van hulp⟩ ❷ mil diensttijd

enliven [ɪn'laɪvən] ov ww verlevendigen, opvrolijken

enmesh [ɪn'meʃ] ov ww verstrikken ★ be ~ed in verstrikt zijn in

enmity ['enmətɪ] zn vijandschap

ennoble [ɪ'nəʊbl] ov ww ❶ adelen, veredelen ❷ in de adelstand verheffen ❸ verheffen, grotere waardigheid geven

enormity [ɪ'nɔːmətɪ] zn ❶ enormiteit, enorme omvang ❷ gruweldaad

enormous [ɪ'nɔːməs] bnw enorm, kolossaal

enough [ɪ'nʌf] bnw + bijw ❶ genoeg ★ nowhere near ~ bij lange na niet genoeg ★ ~ is ~ genoeg is genoeg, en daarmee uit ★ ~ said laten we er maar over ophouden, dat zegt genoeg ★ I've had ~ (of it) ik ben het zat ❷ redelijk ★ she seems nice ~ ze komt redelijk aardig over ★ would you

be kind ~ to zou je zo vriendelijk willen zijn om te

enquire [ɪn'kwaɪə], vooral USA **inquire** I onov ww form navragen, informeren II ov ww ❶ ~ about/after informeren naar, onderzoeken ❷ ~ into een onderzoek instellen naar ❸ form ~ of inlichtingen inwinnen bij

enquirer, inquirer [ɪn'kwaɪərə] zn onderzoeker, enquêteur

enquiring, inquiring [ɪn'kwaɪərɪŋ] bnw ❶ onderzoekend, vragend ❷ weetgierig

enquiry, inquiry [ɪn'kwaɪərɪ] zn ❶ (officieel) onderzoek ★ euf help the police with their inquiries ondervraagd worden door de politie ❷ aan- / navraag ❸ informatie ★ make enquiries inlichtingen inwinnen

enrage [ɪn'reɪdʒ] ov ww woedend maken

enraptured [ɪn'ræptʃəd] bnw verrukt

enrich [ɪn'rɪtʃ] ov ww rijk(er) maken, verrijken

enrichment [ɪn'rɪtʃmənt] zn verrijking ★ an ~ plant een (uranium)verrijkingsfabriek

enrol, USA **enroll** [ɪn'rəʊl] I onov ww zich (laten) inschrijven ★ ~l in a course zich opgeven voor een cursus II ov ww inschrijven, in dienst nemen

enrolment, USA **enrollment** [ɪn'rəʊlmənt] zn ❶ inschrijving ❷ aantal inschrijvingen

ensconce [ɪn'skɒns] I ov ww veilig wegstoppen ★ be ~d in veilig verstopt in II wkd ww zich (behaaglijk) nestelen

ensemble [ɒn'sɒmbl] zn ❶ (muziek)ensemble, groep ❷ ensemble ⟨dameskleding⟩

enshrine [ɪn'ʃraɪn] form ov ww ❶ vastleggen, (als kostbaar goed) bewaren ❷ in- / omsluiten

enshroud [ɪn'ʃraʊd] dicht ov ww (om)hullen

ensign ['ensaɪn] zn ❶ vlag, vaandel ❷ USA luitenant-ter-zee derde klasse

enslave [ɪn'sleɪv] ov ww ❶ (doen) verslaven ❷ tot slaaf maken

enslavement [ɪn'sleɪvmənt] zn slavernij

ensnare [ɪn'sneə] ov ww verstrikken

ensue [ɪn'sjuː] onov ww volgen, resulteren

en suite [ɒn 'swiːt] bnw ★ an ~ bathroom / a bathroom ~ een eigen (wc en) badkamer

ensure [ɪn'ʃɔː] ov ww ❶ verzekeren, waarborgen ❷ je vergewissen (van) ❸ veilig stellen ★ ~ against burglary tegen inbraak beveiligen

ENT afk, ear, nose and throat KNO, keel-, neus- en oor-

entail [ɪn'teɪl] ov ww tot gevolg hebben, met zich meebrengen ★ what is ~ed in the job? / what does the job ~? wat houdt de baan in?

entangle [ɪn'tæŋgl] ov ww verwikkelen ★ be ~d in / with verstrikt / verward zitten in

entanglement [ɪn'tæŋglmənt] zn ❶ ingewikkelde relatie ❷ het verstrikt raken

enter ['entə] I onov ww ❶ binnengaan ❷ lid worden, zich opgeven ❸ ton opkomen II ov ww ❶ binnengaan / -komen, binnendringen ★ it never ~ed my head het kwam nooit in mij op ★ ~ Parliament parlementslid worden ★ ~ politics de politiek ingaan ❷ toelaten ⟨als lid⟩ ❸ beginnen ⟨een activiteit⟩ ❹ zich inschrijven ⟨voor examen, wedstrijd, enz.⟩ ❺ invullen, invoeren ⟨gegevens⟩ ❻ form (officieel) verklaren ★ ~ a vote een stem uitbrengen ★ ~ a protest een protest indienen en

❼ boeken ❽ ~ **for** zich opgeven voor ⟨wedstrijd, examen, enz.⟩, toelaten tot ❾ ~ **into** erbij komen, een rol gaan spelen, aangaan ⟨van contract, enz.⟩, aanknopen, beginnen ★ *what he thinks doesn't* ~ *into it* wat hij denkt doet er niet toe ❿ form ~ **(up)on** aanvaarden, beginnen met

enteritis [entəˈraɪtɪs] zn darmontsteking

enterprise [ˈentəpraɪz] zn ❶ onderneming ❷ ondernemingsgeest, initiatief ★ *a man of* ~ een man met ondernemingszin / durf

enterprising [ˈentəpraɪzɪŋ] bnw ondernemend

entertain [entəˈteɪn] ov ww ❶ gastvrij onthalen / ontvangen ❷ onderhouden, aangenaam bezig houden, vermaken ❸ koesteren ⟨gevoelens⟩ ★ ~ *doubts* twijfels hebben ❹ in overweging nemen ⟨voorstel⟩

entertainer [entəˈteɪnə] zn conferencier, kleinkunstenaar, zanger(es)

entertaining [entəˈteɪnɪŋ] bnw amusant, onderhoudend

entertainment [entəˈteɪnmənt] zn amusement, vermaak

enthral, USA **enthrall** [ɪnˈθrɔːl] ov ww boeien, betoveren

enthrone [ɪnˈθrəʊn] ov ww kronen, installeren

enthronement [ɪnˈθrəʊnmənt] zn kroning, installering

enthuse [ɪnˈθjuːz] I ov ww enthousiast maken II onov ww enthousiast zijn, dwepen

enthusiasm [ɪnˈθjuːzɪæzəm] zn enthousiasme, geestdrift

enthusiast [ɪnˈθjuːzɪæst] zn enthousiasteling, geestdriftig bewonderaar

enthusiastic [ɪnθjuːzɪˈæstɪk] bnw enthousiast

entice [ɪnˈtaɪs] ov ww (aan- / ver)lokken, verleiden

enticement [ɪnˈtaɪsmənt] zn ❶ lokmiddel ❷ verlokking, verleiding

enticing [ɪnˈtaɪsɪŋ] bnw verleidelijk, verlokkelijk

entire [ɪnˈtaɪə] bnw ❶ (ge)heel ★ *be in* ~ *agreement* het er helemaal mee eens zijn ❷ compleet

entirely [ɪnˈtaɪəlɪ] bijw helemaal, totaal

entirety [ɪnˈtaɪərətɪ] zn geheel ★ *in its* ~ in z'n geheel

entitle [ɪnˈtaɪtl] ov ww ❶ betitelen ★ *her book is* ~*d 'Emma'* haar boek heeft de titel 'Emma' ❷ recht geven op ★ *be* ~*d to* recht hebben op, recht geven op

entitlement [ɪnˈtaɪtlmənt] zn ❶ recht (to op) ❷ betiteling ❸ USA uitkering

entity [ˈentətɪ] zn entiteit, eenheid

entomb [ɪnˈtuːm] ov ww begraven, bijzetten ⟨in grafkelder⟩

entombment [ɪnˈtuːmmənt] zn begrafenis, bijzetting ⟨in grafkelder⟩

entomologist [entəˈmɒlədʒɪst] zn insectenkundige

entomology [entəˈmɒlədʒɪ] zn insectenleer

entourage [ɒntʊəˈrɑːʒ] zn gevolg, begeleiding

entrails [ˈentreɪlz] zn mv ingewanden, binnenste

entrance[1] [ˈentrəns] zn ❶ ingang, toegang ★ *no* ~ verboden toegang ★ *an* ~ *exam* een toelatingsexamen ❷ intocht, binnenkomst, entree ★ *make your* ~ binnen- / opkomen ★ *an* ~

fee entreegeld ❸ (ambts)aanvaarding

entrance[2] [ɪnˈtrɑːns] ov ww verrukken

entrant [ˈentrənt] zn ❶ nieuweling ❷ deelnemer, inschrijver

entrapment [ɪnˈtræpmənt] zn ❶ vangst ⟨in val⟩ ❷ jur ontlokking van een bekentenis

entreat [ɪnˈtriːt] form ov ww smeken, bidden

entreaty [ɪnˈtriːtɪ] zn smeekbede

entrée [ˈɒntreɪ] zn ❶ hoofdgerecht, voorgerecht ❷ toegang

entrench, **intrench** [ɪnˈtrentʃ] ov ww ❶ stevig verankeren ★ *sexism is deeply* ~*ed here* seksisme is hier diepgeworteld ❷ mil verschansen

entrepreneur [ɒntrəprəˈnɜː] zn ondernemer

entrepreneurship [ɒntrəprəˈnɜːʃɪp] zn ondernemerschap

entrust [ɪnˈtrʌst] ov ww toevertrouwen ★ ~ *sb with sth* iem. iets toevertrouwen ★ ~ *sth to sb* iem. iets toevertrouwen

entry [ˈentrɪ] zn ❶ (binnen)komst, intocht ❷ ingang ❸ inzending ⟨voor wedstrijd⟩ ❹ boeking ❺ intekening, inschrijving, aantal inschrijvingen ❻ post ⟨in boekhouding⟩ ★ *by double / single* ~ dubbel / enkel ⟨bij boekhouden⟩ ❼ notitie ⟨in dagboek⟩ ❽ invoering ⟨van gegevens⟩

entwine [ɪnˈtwaɪn] ov ww ❶ ineenvlechten, ineenstrengelen ★ *their arms were* ~*d around each other* ze hielden elkaar in hun armen ❷ verbinden ★ *their destinies are* ~*d* hun lot is met elkaar verbonden

enumerate [ɪˈnjuːməreɪt] ov ww opnoemen, opsommen

enunciate [ɪˈnʌnsɪeɪt] ov ww ❶ (duidelijk) uitspreken ❷ form uiteenzetten, formuleren

envelop [ɪnˈveləp] ov ww ❶ omhullen ❷ omwikkelen, inwikkelen

envelope [ˈenvələʊp] zn ❶ envelop ❷ map

enviable [ˈenvɪəbl] bnw benijdenswaardig

envious [ˈenvɪəs] bnw afgunstig ★ ~ *of* jaloers op

environment [ɪnˈvaɪərənmənt] zn ❶ omgeving ❷ milieu

environmental [ɪnvaɪərənˈmentl] bnw milieu- ★ ~*ly friendly* milieuvriendelijk

environmentalist [ɪnvaɪərənˈmentəlɪst] zn ❶ milieudeskundige ❷ milieuactivist

environs [ɪnˈvaɪərənz] zn mv ❶ omstreken ❷ omgeving

envisage [ɪnˈvɪzɪdʒ] ov ww ❶ beschouwen ❷ voorzien, zich voorstellen

envoy [ˈenvɔɪ] zn (af)gezant

envy [ˈenvɪ] I zn (voorwerp van) afgunst, jaloezie, nijd ★ *green with envy* groen en geel van afgunst ★ *look on sb with envy* jaloers zijn op iem. ★ *it's the envy of all my friends* al mijn vrienden zijn hier jaloers op II ov ww benijden, jaloers zijn ★ *he envies me my car* hij benijdt mij mijn auto

enzyme [ˈenzaɪm] zn enzym

ephemeral [ɪˈfemərəl] bnw vluchtig, kortstondig

epic [ˈepɪk] I zn ❶ episch gedicht, epos ❷ historische actiefilm ⟨meestal lang⟩ ❸ humor lang en moeilijk karwei II bnw ❶ episch ❷ lang en moeizaam ❸ indrukwekkend

epicentre, USA **epicenter** [ˈepɪsentə] zn epicentrum

epicure ['epɪkjʊə] *zn* gastronoom, lekkerbek

epidemic [epɪ'demɪk] I *zn* epidemie II *bnw* epidemisch

epidermis [epɪ'dɜːmɪs] med *zn* opperhuid

epidural [epɪ'djʊərəl] med *zn* ruggenprik

epigram ['epɪgræm] *zn* puntdicht

epigraph [epɪ'grɑːf] *zn* ❶ epigraaf ❷ opschrift, motto

epilepsy ['epɪlepsɪ] *zn* epilepsie, vallende ziekte

epileptic [epɪ'leptɪk] I *zn* epilepsiepatiënt II *bnw* epileptisch

epilogue ['epɪlɒg], USA epilog *zn* slotwoord, naschrift

epiphany [ɪ'pɪfənɪ] *zn* openbaring

Epiphany [ɪ'pɪfənɪ] *zn* (feest van) Driekoningen ⟨6 januari⟩

episcopal [ɪ'pɪskəpl] *bnw* bisschoppelijk

episode ['epɪsoʊd] *zn* ❶ episode ❷ aflevering ⟨van serie⟩

epistle [ɪ'pɪsl] humor form *zn* brief

epistolary [ɪ'pɪstələrɪ] *bnw* ★ an ~ novel een briefroman

epitaph ['epɪtɑːf] *zn* ❶ grafschrift ❷ aandenken

epithet ['epɪθet] *zn* ❶ bijnaam ❷ USA scheldwoord

epitome [ɪ'pɪtəmɪ] *zn* toonbeeld, personificatie

epitomize, epitomise [ɪ'pɪtəmaɪz] *ov ww* ❶ het toonbeeld zijn van ❷ samenvatten, beknopt weergeven

epoch ['iːpɒk] *zn* ❶ tijdvak ❷ tijdperk

epoch-making ['iːpɒkmeɪkɪŋ] *bnw* baanbrekend, gewichtig

eponymous [ɪ'pɒnɪməs] *bnw* titel- ★ the ~ hero of the novel de titelheld van de roman

epoxy ['pɒksɪ], **epoxy resin** *zn* epoxyhars ★ a two-part ~ tweecomponentenlijm

equable ['ekwəbl] *bnw* evenwichtig, gelijkmatig ★ be in an ~ mood in een goed humeur zijn

equal ['iːkwəl] I *bnw* ❶ gelijk(matig) ★ an ~ fight een gelijk opgaand gevecht ★ on ~ terms op voet van gelijkheid ❷ dezelfde, hetzelfde ★ b squared is ~ to c squared b kwadraat is c kwadraat ❸ bestand ★ ~ to the task tegen de taak opgewassen II *zn* gelijke ★ be without ~ / have no ~ ongeëvenaard zijn, zonder weerga zijn III *ov ww* gelijk zijn aan, evenaren ★ 2 plus 2 ~s 4 2 plus 2 is 4

equality [ɪ'kwɒlətɪ] *zn* gelijkheid, gelijkwaardigheid

equalization, equalisation [iːkwələr'zeɪʃən] *zn* ❶ het gelijkmaken ❷ het evenredig verdelen

equalize, equalise ['iːkwəlaɪz] I *ov ww* gelijk maken / stellen II *onov ww* sport de gelijkmaker scoren

equalizer, equaliser ['iːkwəlaɪzə] *zn* sport gelijkmaker

equally ['iːkwəlɪ] *bijw* ❶ even ❷ gelijk(elijk) ❸ tegelijkertijd, evenzeer

equanimity [ekwə'nɪmətɪ] *zn* ❶ evenwichtigheid ❷ berusting ★ with ~ berustend

equate [ɪ'kweɪt] *ov ww* ❶ gelijkstellen, vergelijken ❷ ~ to/with gelijk zijn aan ★ ~ sth with sth else iets vereenzelvigen met iets anders

equation [ɪ'kweɪʒən] *zn* ❶ wisk scheik vergelijking ★ fig enter the ~ in het geding komen ❷ het gelijk maken / stellen

equator [ɪ'kweɪtə] *zn* ★ the ~ de evenaar

equatorial [ekwə'tɔːrɪəl] *bnw* equatoriaal

equerry [ɪ'kwerɪ] *zn* adjudant ⟨van lid koninklijk huis⟩

equestrian [ɪ'kwestrɪən] I *bnw* ruiter- II *zn* ruiter

equi- ['iːkwɪ, 'ekwɪ] *voorv* equi-, gelijk-

equidistant [iːkwɪ'dɪstənt] *bnw* op gelijke afstand

equilateral [iːkwɪ'lætərəl] meetk *bnw* gelijkzijdig ⟨van een driehoek⟩

equilibrium [iːkwɪ'lɪbrɪəm] *zn* evenwicht

equine ['iːkwaɪn] *bnw* paarden-

equinox ['iːkwɪnɒks] *zn* (dag- en-)nachtevening

equip [ɪ'kwɪp] *ov ww* ❶ uit- / toerusten ❷ klaar / geschikt maken

equipment [ɪ'kwɪpmənt] *zn* ❶ uitrusting, outillage ❷ gereedschap, apparatuur ★ a useful piece of ~ een bruikbaar stuk gereedschap ❸ het uitrusten / outilleren

equitable ['ekwɪtəbl] *bnw* ❶ billijk ❷ onpartijdig

equities ['ekwətɪz] econ *zn mv* aandelen

equity ['ekwətɪ] *zn* ❶ econ (netto) vermogen ❷ billijkheid

equivalence [ɪ'kwɪvələns] *zn* gelijkwaardigheid

equivalent [ɪ'kwɪvələnt] I *zn* equivalent II *bnw* gelijkwaardig ★ a cup is ~ to 250 ml een kop komt overeen met 250 ml

equivocal [ɪ'kwɪvəkl] *bnw* ❶ dubbelzinnig ❷ twijfelachtig, dubieus

equivocate [ɪ'kwɪvəkeɪt] *onov ww* dubbelzinnig spreken, er omheen draaien

equivocation [ɪkwɪvə'keɪʃən] *zn* dubbelzinnigheid, draaierij ★ endorse sth without ~ iets onvoorwaardelijk onderschrijven

er *tw* eh ⟨bij aarzeling⟩

ER *afk* ❶ med Emergency Room ≈ eerstehulpafdeling ❷ Elizabeth Regina koningin Elizabeth

era ['ɪərə] *zn* tijdperk

eradicate [ɪ'rædɪkeɪt] *ov ww* uitroeien

eradication [ɪrædɪ'keɪʃən] *zn* uitroeiing

erase [ɪ'reɪz] *ov ww* ❶ uitvegen, uitwissen ❷ comp wissen

eraser [ɪ'reɪzə] *zn* ❶ vlakgum ❷ bordenwisser

erasure [ɪ'reɪʒə] *zn* ❶ uitwissing ❷ vernietiging

ere [eə] dicht I *vz* vóór ★ ere long weldra II *vw* voordat

erect [ɪ'rekt] I *bnw* ❶ rechtop ❷ omhoogstaand ⟨penis / tepels⟩ II *ov ww* ❶ bouwen, oprichten ❷ opzetten ❸ neerzetten

erection [ɪ'rekʃən] *zn* ❶ erectie ❷ het oprichten / bouwen ❸ form (groot) gebouw

ergonomics *zn mv* ergonomie

ermine ['ɜːmɪn] *zn* hermelijn

erode [ɪ'rəʊd] I *ov ww* ❶ eroderen, wegbijten / -vreten, uitschuren ❷ fig uithollen ❸ fig verzwakken II *onov ww* eroderen, wegspoelen

erogenous [ɪ'rɒdʒɪnəs] *bnw* erogeen

erosion [ɪ'rəʊʒən] *zn* erosie, uitholling ⟨ook fig.⟩ ★ ~ of confidence het ondermijnen van vertrouwen

erotic [ɪ'rɒtɪk] *bnw* erotisch

erotica [ɪ'rɒtɪkə] *zn mv* erotische literatuur

eroticism [ɪ'rɒtɪsɪzəm] *zn* erotiek

err [ɜː] *ov ww* een fout begaan, zich vergissen ★ err on the side of caution het zekere voor het onzekere nemen

er

errand ['erənd] *zn* boodschap ★ *run ~s* boodschappen doen / rondbrengen

errant ['erənt] humor form *bnw* ❶ zondigend, van het rechte pad af ❷ ontrouw ⟨overspelig⟩

erratic [ɪ'rætɪk] *bnw* ❶ onregelmatig, onevenwichtig ❷ grillig, onvoorspelbaar

erratum [ɪ'rɑ:təm] drukk *zn* [mv: **errata**] erratum, fout

erroneous [ɪ'rəʊnɪəs] *bnw* onjuist, verkeerd

error ['erə] *zn* ❶ fout, vergissing ★ *due to human ~* door een menselijke fout ★ *due to an ~ of judgement* door een inschattingsfout ★ *in ~* per vergissing ❷ dwaling ★ *see the ~ of his ways* zijn dwaling inzien

error message comp *zn* foutmelding

ersatz ['eəzæts] *zn* surrogaat

erstwhile ['ɜ:stwaɪl] form *bnw* voormalig

erudite ['eru:daɪt] *bnw* erudiet

erupt [ɪ'rʌpt] *onov ww* ❶ uitbarsten ⟨van vulkaan⟩ ❷ losbarsten ❸ uitbarsten ⟨van gevoelens⟩ ★ *the crowd ~ed into cheers* het publiek barstte in gejuich uit ❹ opkomen ⟨van (huid)uitslag⟩

eruption [ɪ'rʌpʃən] *zn* ❶ uitbarsting ❷ (huid)uitslag

escalate ['eskəlert] I *onov ww* ❶ escaleren, verhevigen ★ *~ into war* escaleren tot een oorlog ❷ toenemen II *ov ww* laten escaleren

escalation [eskə'leɪʃən] *zn* ❶ stijging ⟨van prijzen⟩ ❷ verheviging ⟨van geweld / spanning⟩

escalator ['eskəleɪtə] *zn* roltrap

escapade ['eskəperd] *zn* escapade, wild avontuur

escape [ɪ'skeɪp] I *onov ww* ❶ ontsnappen ⟨ook van gas, enz.⟩, ontkomen ★ *she ~d unhurt* zij kwam er ongedeerd vanaf II *ov ww* ontgaan ⟨straf, enz.⟩ ★ *it has ~d my notice* het is aan mijn aandacht ontsnapt ★ *the name ~d him* de naam ontschoot hem ★ *we narrowly ~d death* wij ontkwamen ternauwernood aan de dood ★ *there was no escaping the fact* er was geen ontkomen aan III *zn* ❶ ontsnapping ★ *they had a narrow ~* ze ontsnapten op het nippertje ❷ vlucht

escape clause *zn* ontsnappingsclausule

escapee [ɪskeɪ'pi:] *zn* ontsnapte gevangene

escarpment [ɪ'skɑ:pmənt] *zn* steile (rots)wand ⟨langs plateau⟩

eschew [ɪs'tʃu:] form *ov ww* schuwen, mijden

escort¹ ['eskɔ:t] *zn* escorte, geleide

escort² [ɪ'skɔ:t] *ov ww* escorteren, begeleiden

escort agency *zn* escort service

esoteric [i:səʊ'terɪk] *bnw* esoterisch, voor ingewijden

esp. afk, *especially* vooral, speciaal

espalier [ɪ'spælɪə] *zn* leiboom

especially [ɪ'speʃlɪ] *bijw* ❶ vooral ❷ bijzonder ★ *not feeling ~ happy* niet erg vrolijk zijn

espionage ['espɪənɑ:ʒ] *zn* spionage

espousal [ɪ'spaʊzəl] form *zn* omhelzing, aannemen ⟨van idee, godsdienst, enz.⟩

espouse [ɪ'spaʊz] form *ov ww* aannemen ⟨van godsdienst, overtuiging, enz.⟩

Esq. afk, *Esquire* Dhr ★ *John Smith Esq.* de Weledele Heer John Smith

essay ['eseɪ] I *zn* ❶ essay, korte studie ❷ onderw opstel ★ *do an ~ on democracy* een opstel schrijven over democratie, een werkstuk maken over democratie ❸ form poging II *ov ww* form pogen

essayist ['eseɪɪst] *zn* essayschrijver

essence ['esəns] *zn* ❶ wezen, kern ★ *of the ~* van essentieel belang ❷ extract, parfum

essential [ɪ'senʃəl] I *bnw* wezenlijk, onontbeerlijk II *zn* het wezenlijke, het onontbeerlijke ★ *the bare ~s* de meest noodzakelijke dingen

essentially [ɪ'senʃəlɪ] *bijw* in wezen, essentieel

establish [ɪ'stæblɪʃ] I *ov ww* ❶ oprichten, vestigen ★ *well ~ed* lang bestaand, lang gevestigd, solide ❷ tot stand brengen ❸ vaststellen II *wkd ww* ❶ zichzelf bewijzen ❷ zich vestigen

establishment [ɪ'stæblɪʃmənt] *zn* ❶ instelling, organisatie ❷ hotel, grote zaak ❸ stichting, het tot stand brengen

Establishment *zn* ★ *the ~* de gevestigde orde

estate [ɪ'steɪt] *zn* ❶ landgoed ❷ GB stadsdeel, woonwijk ★ *real ~* onroerend goed ❸ jur boedel, nalatenschap ★ *USA ~ tax* successiebelasting

estate agent *zn* makelaar in onroerend goed

estate car GB *zn* stationcar

esteem [ɪ'sti:m] I *zn* achting ★ *hold sb in high ~* iem. hoogachten II *ov ww* achten, waarderen

esthetic USA *bnw* → aesthetic

esthetics USA *zn mv* → aesthetics

estimable ['estɪməbl] form *bnw* achtenswaardig

estimate¹ ['estɪmət] *zn* raming, schatting ★ *at a rough ~* ruwweg, grof geschat

estimate² ['estɪmeɪt] *ov ww* ❶ schatten, taxeren ❷ *~ at* schatten op, begroten op

estimation [estɪ'meɪʃən] *zn* ❶ schatting ❷ oordeel, mening ★ *in my ~* volgens mij ❸ achting ★ *go up in sb's ~* in iemands achting stijgen

estranged [ɪ'streɪndʒd] *bnw* vervreemd ★ *her ~ husband* haar ex-man

estrangement [ɪ'streɪndʒmənt] *zn* vervreemding

estrogen ['i:strədʒən] USA *zn* oestrogeen

estuary ['estjʊərɪ] *zn* trechtermonding ⟨van rivier⟩

et al. afk, *et alii* e.a., en anderen

etc. afk, *et cetera* enz., enzovoorts

etch [etʃ] *ov+onov ww* etsen ★ *be etched on your memory / heart / mind* in je geheugen gegrift staan

etching ['etʃɪŋ] *zn* ets

eternal [ɪ'tɜ:nl] *bnw* eeuwig

eternity [ɪ'tɜ:nətɪ] *zn* eeuwigheid

ethereal [ɪ'θɪərɪəl] *bnw* ❶ etherisch ❷ vluchtig ❸ hemels

ethical ['eθɪkl] *bnw* ethisch

ethics ['eθɪks] *zn mv* ethiek

ethnic ['eθnɪk] *bnw* ❶ etnisch ❷ volkenkundig

ethnography [eθ'nɒɡrəfɪ] *zn* etnografie

ethnologist [eθ'nɒlədʒɪst] *zn* etnoloog

ethnology [eθ'nɒlədʒɪ] *zn* volkenkunde

ethos ['i:θɒs] form *zn* ethos, zedelijke houding / motivatie

etymologist [etɪ'mɒlədʒɪst] *zn* etymoloog

etymology [etɪ'mɒlədʒɪ] *zn* etymologie, (studie van) woordafleiding

eucalyptus [ju:kə'lɪptəs] *zn* eucalyptus(boom)

Eucharist ['ju:kərɪst] rel *zn* ★ *the ~* de eucharistie, het Avondmaal

er

eugenic [ju:'dʒenɪk] *bnw* eugenetisch
eugenics [ju:'dʒenɪks] *zn mv* eugenese, eugenetica
eulogize, eulogise ['ju:lədʒaɪz] *ov ww* prijzen, loven ★ ~ *over sth* de loftrompet steken over iets
eulogy ['ju:lədʒɪ] *zn* lof(rede)
euphemism ['ju:fɪmɪzəm] *zn* eufemisme
euphemistic [ju:fə'mɪstɪk] *bnw* eufemistisch
euphoria [ju:'fɔ:rɪə] *zn* euforie, gelukzalig gevoel
euphoric [ju:'fɔrɪk] *bnw* euforisch ★ *he was not exactly ~ about the film* hij was niet bepaald enthousiast over de film
Eurasian [juə'reɪʒən] **I** *zn* Eurazier **II** *bnw* Euraziatisch, Europees-Aziatisch
euro ['jʊərəʊ] *zn* euro
Eurocrat ['jʊərəʊkræt] <u>soms min</u> *zn* eurocraat ⟨hoge euroambtenaar⟩
European [jʊərə'pɪən] **I** *zn* Europeaan **II** *bnw* Europees
euthanasia [ju:θə'neɪzɪə] *zn* euthanasie
evacuate [ɪ'vækjʊeɪt] *ov ww* ❶ evacueren ❷ ontruimen, ledigen ❸ ontlasten ⟨van ingewanden⟩
evacuation [ɪvækjʊ'eɪʃən] *zn* ❶ evacuatie ❷ ontruiming ❸ ontlasting ⟨van darmen⟩
evacuee [ɪvækju:'i:] *zn* evacué
evade [ɪ'veɪd] *ov ww* ontduiken / -wijken, vermijden, uit de weg gaan ⟨van probleem, enz.⟩
evaluate [ɪ'væljʊeɪt] *ov ww* evalueren, beoordelen
evaluation [ɪvæljʊ'eɪʃən] *zn* evaluatie, nabeschouwing, beoordeling
evanescent [i:və'nesənt] <u>dicht</u> *bnw* voorbijgaand, vluchtig
evangelical [i:væn'dʒelɪkl] **I** *bnw* evangelisch **II** *zn* evangelisch christen
evangelism [ɪ'vændʒəlɪzəm] *zn* evangelieprediking
evangelist [ɪ'vændʒəlɪst] *zn* evangelist ⟨evangelieschrijver / prediker⟩
evangelize, evangelise [ɪ'vændʒəlaɪz] *ov ww* evangeliseren, het evangelie verkondigen ★ ~ *for political change* politieke verandering preken
evaporate [ɪ'væpəreɪt] *ov+onov ww* ❶ (doen) verdampen ★ *~d milk* gecondenseerde melk ❷ verdwijnen ⟨van steun, zelfvertrouwen enz.⟩
evaporation [ɪvæpə'reɪʃən] *zn* ❶ verdamping, uitwaseming ❷ verdwijning ⟨van steun, zelfvertrouwen enz.⟩
evaporator [ɪ'væpəreɪtə] *zn* verdampingstoestel, verdamper
evasion [ɪ'veɪʒən] *zn* ontwijking, ontduiking ★ *tax ~* belastingontduiking
evasive [ɪ'veɪsɪv] *bnw* ontwijkend
eve [i:v] *zn* ❶ vooravond, dag vóór ★ *the eve of the elections* de vooravond van de verkiezingen ❷ <u>dicht</u> avond
even ['i:vən] **I** *bnw* ❶ effen ❷ even ⟨van getallen⟩ ❸ gelijk ★ *be even* quitte zijn ★ *get even with sb* iem. iets betaald zetten ❹ vlak ❺ gelijk- / regelmatig **II** *bijw* ❶ zelfs ★ *she never even saw him* ze zag hem niet eens ★ *even if I have to do it myself* al moet ik het ook zelf doen ★ *even though she can be annoying* hoewel ze irritant

kan zijn ❷ (zelfs) nog ★ *she's even taller than me* ze is zelfs nog groter dan ik ★ *even so* maar dan nog ★ *even now* maar nog steeds, (al)hoewel ★ *even then* ook toen al, desondanks ❸ <u>dicht</u> juist, net ★ *even as* op het zelfde ogenblik (dat) **III** *ov ww* ❶ gelijk maken, gelijkstellen ❷ ~ **out** gelijkmatig verdelen / -spreiden ❸ ~ **up** gelijk maken **IV** *onov ww* ~ **up** gelijk worden
even-handed *bnw* onpartijdig
evening ['i:vnɪŋ] *zn* avond ★ *in the ~* 's avonds ★ *he'll be here for the ~* hij zal de avond hier doorbrengen ★ *good ~!* goedenavond!
evening class *zn* avondschool / -cursus
evening dress *zn* ❶ avondkleding, avondjurk ❷ rok(kostuum), smoking
evenings ['i:vnɪŋz] <u>USA</u> *bijw* 's avonds ★ *he works ~* hij werkt 's avonds
evenly [i:vənlɪ] *bijw* ❶ gelijkmatig ❷ rustig
event [ɪ'vent] *zn* ❶ gebeurtenis, geval ★ *in any ~ / at all ~s* wat er ook gebeurt, in elk geval ★ *in the ~ of / that* in het geval dat er iets gebeurt ★ *in the normal course of ~s* gewoonlijk ❷ evenement ❸ <u>sport</u> nummer, wedstrijd
even-tempered *bnw* gelijkmatig van humeur
eventful [ɪ'ventful] *bnw* veelbewogen ★ *the day was not very ~* de dag was nogal saai
eventual [ɪ'ventʃʊəl] *bnw* uiteindelijk
eventuality [ɪventʃʊ'ælətɪ] *zn* mogelijke gebeurtenis ★ *in the ~ of* voor het geval dat
eventually [ɪ'ventʃʊəlɪ] *bijw* ten slotte, uiteindelijk
eventuate [ɪ'ventʃʊeɪt] <u>form</u> **I** *onov ww* aflopen **II** *ov ww* ~ **in** uitlopen op
ever ['evə] *bijw* ❶ ooit ★ *never (ever)!* nooit van mijn leven! ★ *did he ever!* en hoe! ★ *nothing ever happens here* hier gebeurt nooit wat ★ *as quick as you ever can* zo vlug als je maar kunt ★ *why ever did he do that?* waarom deed hij dat in hemelsnaam? ❷ altijd ★ *ever after* sindsdien, daarna ★ *for ever* eeuwig ★ *ever since* van toen af aan, sindsdien ★ *ever yours / yours ever* voor altijd de jouwe, je... ⟨onder brief⟩ ▼ *he may be ever so rich / be he ever so rich* al is hij nog zo rijk ▼ <u>inform</u> *ever so much* heel veel ▼ <u>inform</u> *ever so cold* erg koud
evergreen ['evəgri:n] *zn* ❶ groenblijvende plant ❷ blijvend populair nummer
everlasting [evə'la:stɪŋ] **I** *bnw* ❶ eeuwig(durend) ❷ voortdurend, onophoudelijk **II** *zn* strobloem
evermore [evə'mɔ:] *bijw* voor eeuwig
every ['evrɪ] *onbep vnw* ❶ ieder, elk ★ ~ *other day* om de andere dag ★ ~ *three days* om de 3 dagen ★ ~ *now and then / again* nu en dan ★ ~ *so often* nu en dan ★ ~ *which way* alle kanten op ★ *he's ~ bit his father* hij is precies zijn vader ❷ alle, alle mogelijke ★ *you have ~ reason to be worried* je hebt alle reden om je zorgen te maken
everybody ['evrɪbɒdɪ] *onbep vnw* iedereen
everyday ['evrɪdeɪ] *bnw* ❶ alledaags ❷ dagelijks
everyone ['evrɪwʌn] *onbep vnw* ❶ iedereen ❷ ~ *else but John was there* ze waren er allemaal behalve John
everything ['evrɪθɪŋ] *onbep vnw* alles ★ *how's ~ (with you)?* hoe gaat het (met je)? ★ *he left ~ else to charity* hij liet de rest na aan goede doelen ★ *have you got your tickets and ~?* heb je je

kaartjes en zo?

everywhere ['evrɪweə] *bijw* overal ★ ~ *else is booked out* overal elders is uitverkocht

evict [ɪ'vɪkt] *ov ww* uitwijzen, uitzetten

eviction [ɪ'vɪkʃən] *zn* uitzetting, ontruiming

evidence ['evɪdəns] **I** *zn* ❶ aanwijzing, teken ★ *on the ~ of* op grond van ★ *be in ~* opvallend aanwezig zijn ❷ bewijs, bewijsstuk / -materiaal ★ *jur circumstantial ~* indirect bewijs ★ *not a shred of ~* geen spoor van bewijs ❸ getuigenis ★ *be called in ~* als getuige worden opgeroepen ★ *give ~* getuigenis afleggen ★ *turn King's / Queen's / USA State's ~* getuigen tegen een medeverdachte ⟨in ruil voor minder straf⟩ **II** *ov ww* form bewijzen, tonen, getuigen (van)

evident ['evɪdənt] *bnw* duidelijk ★ *they played with ~ enjoyment* ze speelden met zichtbaar plezier ★ *it has become ~ to us* het is ons duidelijk geworden

evil ['iːvəl] **I** *bnw* ❶ kwaad, slecht, duivels ★ *oud the Evil One* de duivel ❷ uiterst onaangenaam ⟨van geur, enz.⟩ ★ *face the evil hour / day / moment* iets onplezierigs onder ogen zien **II** *zn* ❶ form het kwaad ❷ zonde ❸ onheil ★ *poverty and other social evils* armoede en ander sociaal onrecht ★ *the evils of prostitution* het onheil van de prostitutie

evil-doer *zn* boosdoener

evil-tempered *bnw* slechtgehumeurd

evince [ɪ'vɪns] form *ov ww* duidelijk tonen, aangeven

evocation [iːvəʊ'keɪʃən] *zn* ❶ evocatie ❷ beeldende / levensechte weergave

evocative [ɪ'vɒkətɪv] *bnw* ❶ herinneringen opwekkend ★ *be ~ of* doen denken aan ❷ beeldend ⟨van taal⟩

evoke [ɪ'vəʊk] *ov ww* oproepen, opwekken

evolution [iːvə'luːʃən] *zn* ❶ evolutie ❷ geleidelijke ontwikkeling

evolutionary [iːvə'luːʃənəri] *bnw* evolutie-

evolutionism [iːvə'luːʃənɪzm] *zn* evolutieleer

evolve [ɪ'vɒlv] **I** *ov ww* ontwikkelen **II** *onov ww* ❶ zich ontplooien ❷ geleidelijk ontstaan

ewe [juː] *zn* ooi

ex [eks] **I** *zn* inform ex **II** *vz* ❶ zonder ★ *ex VAT* zonder btw ❷ ⟨komend⟩ uit ★ *ex factory* af fabriek

ex- [eks-] *voorv* ex-, voormalig

exacerbate [ɪg'zæsəbeɪt] *ov ww* verergeren

exact [ɪg'zækt] **I** *bnw* exact, precies, nauwkeurig ★ *to be ~* om precies te zijn ❷ nauwgezet ❸ afgepast ⟨bedrag⟩ **II** *ov ww* form eisen ★ *~ revenge* wraak nemen

exacting [ɪg'zæktɪŋ] *bnw* veeleisend

exactitude [ɪg'zæktɪtjuːd] *zn* nauwkeurigheid

exactly [ɪg'zæktlɪ] *bijw* ❶ precies, juist, nauwkeurig ❷ eigenlijk ★ *not ~* eigenlijk niet, niet bepaald

exaggerate [ɪg'zædʒəreɪt] *ov ww* overdrijven

exaggerated [ɪg'zædʒəreɪtɪd] *bnw* overdreven

exaggeration [ɪgzædʒə'reɪʃən] *zn* overdrijving

exalt [ɪg'zɔːlt] form *ov ww* ❶ verheffen ❷ verheerlijken, loven, prijzen

exaltation [egzɔːl'teɪʃən] *zn* ❶ form verheerlijking ❷ verrukking

exalted [ɪg'zɔːltɪd] form *bnw* ❶ ook humor

verheven ❷ opgetogen, in vervoering

exam [ɪg'zæm] *zn* examen

examination [ɪgzæmɪ'neɪʃən] *zn* ❶ examen ★ *do / sit / take an ~* examen doen ❷ onderzoek ★ *on closer ~* bij nader onderzoek ★ *still under ~* nog in onderzoek ❸ jur verhoor

examination paper *zn* examenopgave

examine [ɪg'zæmɪn] *ov ww* ❶ onderzoeken ❷ jur ondervragen ❸ examineren ★ *you will be ~d on this subject* je zult over dit onderwerp geëxamineerd worden

examinee [ɪgzæmɪ'niː] *zn* examenkandidaat

examiner [ɪg'zæmɪnə] *zn* examinator

example [ɪg'zɑːmpl] *zn* voorbeeld ★ *a shining ~* een lichtend voorbeeld ★ *set an ~ for others* een voorbeeld zijn voor anderen ★ *for ~* bij voorbeeld ★ *make an ~ of sb* iem. ten voorbeeld stellen ⟨door hem / haar te straffen⟩

exasperate [ɪg'zɑːspəreɪt] [USA ɪg'zæspəreɪt] *ov ww* tergen, irriteren

exasperating [ɪg'zɑːspərətɪŋ] [USA ɪg'zæspərətɪŋ] *bnw* tergend, onuitstaanbaar

exasperation [ɪgzɑːspə'reɪʃən] [USA ɪgzæspə'reɪʃən] *zn* ergernis, frustratie

excavate ['ekskəveɪt] *ov ww* op- / uitgraven

excavation [ekskə'veɪʃən] *zn* opgraving

excavator ['ekskəveɪtə] *zn* graafmachine

exceed [ɪk'siːd] *ov ww* ❶ overschrijden ❷ te boven gaan, overtreffen ★ *~ expectations* de verwachtingen overtreffen

exceedingly [ɪk'siːdɪŋlɪ] *bijw* buitengewoon

excel [ɪk'sel] **I** *onov ww* uitblinken ★ *she ~led at acting* ze blonk uit in toneelspelen **II** *ov ww* overtreffen ★ *~ yourself* jezelf overtreffen

excellence ['eksələns] *zn* voortreffelijkheid ★ *the school is noted for its ~ in teaching* de school staat er bekend om dat er zo goed wordt lesgegeven

excellency ['eksələnsɪ] *zn* excellentie

excellent ['eksələnt] *bnw* uitstekend ★ *the snow is ~ for skiing* de sneeuw is geschikt voor skiën

except [ɪk'sept] **I** *vz* ~ (for) behalve, uitgezonderd **II** *vw* behalve, maar **III** *ov ww* uitzonderen ★ *open 9 to 5, Saturdays ~ed* geopend van 9 tot 5 behalve zaterdags

excepting [ɪk'septɪŋ] *vz* behalve, uitgezonderd

exception [ɪk'sepʃən] *zn* uitzondering ★ *the ~ that proves the rule* de uitzondering die de regel bevestigt ★ *take ~ to* zich ergeren aan, protesteren tegen

exceptional [ɪk'sepʃənl] *bnw* uitzonderlijk

excerpt ['eksɜːpt] *zn* ❶ fragment, passage ❷ uittreksel

excess[1] [ɪk'ses, 'ekses] *zn* overmaat, overschot, buitensporigheid ★ *an ~ of caffeine* te veel ★ *in ~ of* meer dan ★ *in an ~ of* in een vlaag van ★ *drink to ~* zich te buiten gaan aan drank ★ *~es* excessen, excessief / onacceptabel gedrag

excess[2] ['ekses] *bnw* ❶ bovenmatig ❷ extra-, over- ★ *~ fat* overtollig vet ★ *~ baggage* overgewicht ⟨van bagage⟩

excessive [ɪk'sesɪv] *bnw* buitensporig ★ *~ noise* buitensporig veel lawaai

exchange [ɪks'tʃeɪndʒ] **I** *zn* ❶ uitwisseling, ruil ★ *she cooked and I checked her report in ~* ze kookte en in ruil daarvoor keek ik haar rapport na ❷ woordenwisseling, gedachtewisseling ❸ beurs ❹ het wisselen (van geld) ❺ telefooncentrale **II** ov ww ❶ wisselen, omwisselen ❷ ruilen, uitwisselen ★ ~ *words with* *sb* een woordenwisseling met iem. hebben

exchangeable [ɪks'tʃeɪndʒəbl] bnw omwisselbaar

exchange rate zn wisselkoers

Exchequer [ɪks'tʃekə] zn ★ *the* ~ het ministerie van Financiën

excise[1] ['eksaɪz] zn accijns ★ *an increase in* ~ *duties* een verhoging van de accijnzen

excise[2] [ek'saɪz] form ov ww (chirurgisch) verwijderen, uitsnijden

excision [ɪk'sɪʒən] zn coupure, verwijdering

excitable [ɪk'saɪtəbl] bnw gauw opgewonden

excite [ɪk'saɪt] ov ww ❶ opwinden ❷ (op)wekken, oproepen ❸ prikkelen (seksueel) ❹ stimuleren

excited [ɪk'saɪtɪd] bnw ❶ opgewonden ★ *nothing* *to get* ~ *about* niets bijzonders ❷ nerveus ❸ geil

excitement [ɪk'saɪtmənt] zn ❶ opwinding ⟨ook seksueel⟩ ★ *in* ~ opgewonden, van opwinding ❷ iets opwindends ★ *what's all the* ~ *about?* waar komt al die opwinding vandaan?

exciting [ɪk'saɪtɪŋ] bnw opwindend, spannend

exclaim [ɪk'skleɪm] ov ww uitroepen

exclamation [eksklə'meɪʃən] zn uitroep

exclamation mark zn uitroepteken

exclude [ɪk'sklu:d] ov ww ❶ uitsluiten, niet toelaten, weren ★ ~*d from school* geschorst ⟨wegens wangedrag⟩ ❷ buiten beschouwing laten

excluding [ɪk'sklu:dɪŋ] vz zonder, niet inbegrepen

exclusion [ɪk'sklu:ʒən] zn uitsluiting ★ *to the* ~ *of* met uitsluiting van

exclusion zone zn verboden terrein

exclusive [ɪk'sklu:sɪv] **I** bnw ❶ exclusief, alleen- ★ *have* ~ *access to* als enige toegang hebben tot ★ ~ *of* exclusief, met uitsluiting van ★ *the two* *are mutually* ~ de twee sluiten elkaar uit ❷ exclusief ⟨van club / groep / kleding, enz.⟩ **II** zn primeur ⟨journalistiek⟩, exclusief artikel / interview

exclusively [ɪk'sklu:sɪvlɪ] bijw uitsluitend

excommunicate [ekskə'mju:nɪkeɪt] ov ww in de (kerkelijke) ban doen, excommuniceren

excommunication [ekskəmju:nɪ'keɪʃən] zn excommunicatie

ex-con inform zn, ex-convict voormalig gevangene

excrement ['ekskrɪmənt] zn uitwerpsel(en), ontlasting

excreta [ɪk'skri:tə] zn mv afscheidingsproducten, excreten

excrete [ɪk'skri:t] ov ww uit- / afscheiden

excretion [ɪk'skri:ʃən] zn uitscheiding

excruciating [ɪk'skru:ʃɪeɪtɪŋ] bnw ondraaglijk

excursion [ɪk'skə:ʃən] zn ❶ excursie, uitstapje ❷ uitweiding

excuse[1] [ɪks'kju:s] zn ❶ excuus, verontschuldiging ★ *there's no* ~ *for such* *behaviour* zulk gedrag is onvergeeflijk ❷ uitvlucht, smoes ★ *it's a good* ~ *for staying* *inside* het is een goede reden om binnen te blijven

excuse[2] [ɪks'kju:z] ov ww ❶ excuseren,

verontschuldigen ★ ~ *me for* neemt u me niet kwalijk dat ★ ~ *me, but where is...?* pardon, waar kan ik... vinden? ★ *you might be* ~*d for* *thinking...* het is begrijpelijk dat je dacht dat... ★ ~ *yourself* jezelf verontschuldigen, bedanken ⟨voor een uitnodiging⟩ ❷ vrijstellen ★ *may I be* ~*d?* mag ik gaan?

execute ['eksɪkju:t] ov ww ❶ uitvoeren, ten uitvoer brengen, vervullen ★ ~ *orders* een opdracht uitvoeren ❷ ter dood brengen ❸ maken / produceren ⟨van kunstwerk⟩

execution [eksɪ'kju:ʃən] zn ❶ terechtstelling, executie ❷ uitvoering ★ *carry / put into* ~ ten uitvoer brengen ❸ afwikkeling ⟨van plannen enz.⟩

executioner [eksɪ'kju:ʃənə] zn beul

executive [ɪg'zekjʊtɪv] **I** zn ❶ directeur, hoofd van afdeling ❷ directie, bestuur ❸ uitvoerende macht **II** bnw ❶ leidinggevend ❷ uitvoerend, verantwoordelijk

executor [ɪg'zekjʊtə] zn ❶ jur executeur-testamentair ❷ uitvoerder

exemplary [ɪg'zemplərɪ] bnw voorbeeldig

exemplify [ɪg'zemplɪfaɪ] ov ww als voorbeeld dienen

exempt [ɪg'zempt] **I** bnw vrijgesteld **II** ov ww vrijstellen, excuseren

exemption [ɪg'zempʃən] zn vrijstelling

exercise ['eksəsaɪz] **I** zn ❶ oefening, (lichaams)beweging ★ *shopping with children is* *an* ~ *in self-control* winkelen met kinderen is zelfbeheersing oefenen ❷ opgave, taak ★ *do* ~*s* *1, 2 and 4 for your homework* maak opgave 1, 2 en 4 als huiswerk ❸ uitoefening, gebruik **II** onov ww ❶ oefeningen doen / maken ❷ aan lichaamsbeweging doen, sporten **III** ov ww ❶ gebruik maken van, in acht nemen ❷ trainen, oefenen ★ *puzzles* ~ *the mind* puzzels trainen de hersens

exercise bike zn hometrainer

exercise book zn schrift

exert [ɪg'zɜ:t] **I** ov ww uitoefenen, aanwenden **II** wkd ww zich inspannen ★ *don't* ~ *yourself too* *much* span je niet al te erg in

exertion [ɪg'zɜ:ʃən] zn ❶ inspanning ❷ uitoefening, aanwending

exhalation [ekshə'leɪʃən] zn uitademing

exhale [eks'heɪl] ov+onov ww uitademen

exhaust [ɪg'zɔ:st] **I** ov ww ❶ uitputten, verbruiken ❷ uitputtend behandelen **II** zn ❶ uitlaatgas(sen) ❷ uitlaat ⟨van motor⟩

exhaustion [ɪg'zɔ:stʃən] zn uitputting ★ *he* *collapsed from* ~ hij stortte van uitputting in elkaar ★ *the* ~ *of the natural resources* de uitputting van de natuurlijke hulpbronnen

exhaustive [ɪg'zɔ:stɪv] bnw volledig, grondig

exhibit [ɪg'zɪbɪt] **I** ov ww ❶ tentoonstellen ❷ (ver)tonen, aan de dag leggen **II** zn ❶ tentoongesteld voorwerp, inzending ⟨op tentoonstelling⟩ ❷ jur bewijsstuk

exhibition [eksɪ'bɪʃən] zn ❶ tentoonstelling ★ *make an* ~ *of yourself* je aanstellen ★ *on* ~ tentoongesteld ❷ demonstratie ⟨van wat iemand kan⟩ ❸ studiebeurs

exhibitionism [eksɪ'bɪʃənɪzəm] zn ❶ aanstellerij ❷ exhibitionisme

ex

ex

exhibitor [ɪgˈzɪbɪtə] zn exposant

exhilarate [ɪgˈzɪləreɪt] ov ww opvrolijken, opwinden, een kick geven

exhilarating [ɪgˈzɪləreɪtɪŋ] bnw ❶ opwekkend, opbeurend ❷ opwindend

exhilaration [ɪgzɪləˈreɪʃən] zn opwinding, plezier, kick

exhort [ɪgˈzɔːt] ov ww aansporen, manen

exhortation [egzɔːˈteɪʃən] zn aansporing

exhume [eksˈhjuːm] ov ww opgraven (lijk)

exile [ˈeksaɪl] I zn ❶ verbanning, ballingschap ★ send sb into ~ iem. verbannen ❷ balling II ov ww verbannen

exist [ɪgˈzɪst] onov ww ❶ bestaan ★ does life ~ on Mars? is er leven op Mars? ❷ overleven ★ they managed to ~ on rice ze wisten zich met rijst in leven te houden

existence [ɪgˈzɪstns] zn bestaan ★ come into ~ ontstaan

existent [ɪgˈzɪstnt] bnw bestaand

exit [ˈeksɪt] I zn ❶ uitgang (van gebouw, voertuig enz.) ❷ vertrek (het weggaan) ★ make your exit weggaan, van het toneel verdwijnen ❸ afslag (van snelweg) II onov ww ❶ weggaan, verlaten (gebouw, voertuig enz.) ❷ ton afgaan

exodus [ˈeksədəs] zn uittocht

exonerate [ɪgˈzɒnəreɪt] ov ww ❶ zuiveren ❷ vrijstellen, ontlasten (van taak / plicht)

exoneration [ɪgzɒnəˈreɪʃən] zn ❶ zuivering ❷ vrijstelling, ontlasting (van taak / plicht)

exorbitant [ɪgˈzɔːbɪtnt] bnw buitensporig (van kosten)

exorcism [ˈeksɔːsɪzəm] zn duiveluitbanning, uitdrijving (van duivel)

exorcist [ˈeksɔːsɪst] zn exorcist, uitdrijver (van duivel)

exorcize, exorcise [ˈeksɔːsaɪz] ov ww ❶ uitdrijven (van duivel) ❷ verdrijven

exotic [ɪgˈzɒtɪk] bnw exotisch, uitheems

expand [ɪkˈspænd] I ov ww ❶ uitbreiden, uitspreiden ❷ nader ingaan op, uitwerken (van aantekeningen) ❸ ~ on/upon uitweiden over II onov ww ❶ uitzetten, toenemen ❷ (zich) uitbreiden, (zich) ontwikkelen

expanse [ɪkˈspæns] zn uitgestrektheid, uitgestrekt oppervlak ★ the house looks out over an ~ of water het huis kijkt uit op een watervlakte

expansion [ɪkˈspænʃn] zn ❶ uitbreiding ❷ ontwikkeling

expansive [ɪkˈspænsɪv] bnw ❶ wijd, breed ❷ mededeelzaam, open (van karakter) ❸ expansief, op uitbreiding gericht

expatriate[1] [eksˈpætrɪət], inform **expat** [ˈekspet] zn emigrant, expat

expatriate[2] [eksˈpætrɪeɪt] onov ww in het buitenland gaan wonen, emigreren

expect [ɪkˈspekt] ov ww ❶ verwachten, wachten op ★ she's ~ing (a baby) ze is in verwachting ❷ rekenen op ★ they ~ a lot of their employees ze stellen hoge eisen aan hun werknemers ❸ inform denken, vermoeden ★ I ~ so ik denk het

expectancy [ɪkˈspektənsɪ] zn ❶ verwachting, hoop ★ there was an air of ~ among the crowd de menigte was vol verwachting ❷ vooruitzicht

★ life ~ vermoedelijke levensduur

expectant [ɪkˈspektnt] bnw ❶ verwachtingsvol ❷ aanstaande (moeder of vader)

expectation [ekspekˈteɪʃən] zn ❶ vooruitzicht ★ a life ~ of two years een vermoedelijke levensduur van twee jaar ❷ verwachting ★ there was an air of ~ er hing een sfeer van verwachting

expectorant [ekˈspektərənt] zn slijmoplossend middel

expediency [ɪkˈspiːdɪənsɪ], **expedience** [ɪkˈspiːdɪəns] zn ❶ opportunisme ❷ geschiktheid

expedient [ɪkˈspiːdɪənt] I zn (red)middel II bnw ❶ opportuun, opportunistisch ❷ geschikt, passend

expedite [ˈekspɪdaɪt] form ov ww ❶ bespoedigen, bevorderen ❷ vlot afdoen

expedition [ekspɪˈdɪʃən] zn expeditie

expeditious [ekspɪˈdɪʃəs] form bnw vlot, efficiënt

expel [ɪkˈspel] ov ww ❶ verwijderen (ook van school) ❷ verbannen, wegsturen (uit een land) ★ they were ~led for spying ze werden wegens spionage het land uitgezet ❸ verdrijven

expend [ɪkˈspend] form ov ww ❶ besteden, uitgeven ❷ verbruiken

expendable [ɪkˈspendəbl] form bnw ❶ te verwaarlozen, waardeloos ❷ overtollig, overbodig ❸ vervangbaar ★ workers are ~ arbeiders zijn vervangbaar

expenditure [ɪkˈspendɪtʃə] zn ❶ uitgaven ★ capital ~ (kapitaal)investering ❷ verbruik

expense [ɪkˈspens] zn ❶ uitgave(n), (on)kosten ★ they holidayed with no ~s spared ze hielden vakantie en lieten het geld rollen ★ at sb's ~ ten koste van iem. ★ go to the ~ of geld uitgeven aan ★ put sb to the ~ of iem. op kosten jagen ❷ moeite, opoffering

expensive [ɪkˈspensɪv] bnw duur

experience [ɪkˈspɪərɪəns] I zn ❶ ervaring (kennis, kunde) ❷ beleving, belevenis ★ quite an ~ een hele belevenis II ov ww ervaren, beleven, ondervinden

experienced [ɪkˈspɪərɪənst] bnw ervaren

experiment [ɪkˈsperɪmənt] I zn experiment ★ China's ~ in socialism China's poging tot socialisme II onov ww proeven nemen, experimenteren ★ ~ing on animals is cruel dierproeven zijn wreed

experimental [ɪksperɪˈmentl] bnw ❶ experimenteel, onbeproefd ❷ nieuw en innovatief (m.b.t. kunst)

experimentation [eksperɪmenˈteɪʃən] zn proefneming

expert [ˈekspɜːt] I zn expert, deskundige ★ he's an ~ at his work hij is een deskundige in zijn werkterrein II bnw deskundig, bedreven

expertise [ekspɜːˈtiːz] zn expertise, deskundigheid

expiration [ekspɪˈreɪʃən], **expiry** zn afloop ★ on ~ bij afloop, op de vervaldatum

expire [ɪkˈspaɪə] onov ww ❶ aflopen, vervallen ❷ dicht of humor de laatste adem uitblazen, sterven

expiry date, USA **expiration date** zn vervaldatum, uiterste verkoopdatum

explain [ɪkˈspleɪn] ov ww uitleggen, verklaren ★ listen and I'll ~ it to you luister, dan leg ik het je uit ★ ~ *yourself* je gedrag uitleggen, je nader verklaren ❷ ~ *away* wegredeneren, goedpraten

explanation [eksplə'neɪʃən] *zn* uitleg, verklaring

explanatory [ɪk'splænətərɪ] *bnw* verklarend

expletive [ɪk'spli:tɪv] *zn* vloek

explicable [ɪk'splɪkəbl] *form* verklaarbaar

explicit [ɪk'splɪsɪt] *bnw* ❶ expliciet, nauwkeurig omschreven ❷ uitdrukkelijk, uitgesproken ❸ euf nietsverhullend

explode [ɪk'spləʊd] I *onov ww* ❶ ontploffen ★ ~ *into laughter* in lachen uitbarsten ★ ~ *into action* plotseling in actie komen ❷ snel toenemen II *ov ww* ❶ tot ontploffing brengen ❷ omverwerpen ⟨theorie enz.⟩

exploit[1] ['eksplɔɪt] *zn* (helden)daad, prestatie

exploit[2] [ɪk'splɔɪt] *ov ww* ❶ exploiteren ❷ uitbuiten, profiteren van

exploitation [eksplɔɪ'teɪʃən] *zn* ❶ uitbuiting ❷ exploitatie

exploration [eksplə'reɪʃən] *zn* ❶ verkenning ❷ onderzoek

exploratory [ɪk'splɒrətərɪ] *bnw* verkennend, onderzoekend

explore [ɪk'splɔ:] *ov ww* ❶ verkennen ❷ onderzoeken ❸ tastend onderzoeken

explorer [ɪk'splɔ:rə] *zn* ontdekkingsreiziger

explosion [ɪk'spləʊʒən] *zn* ❶ explosie ❷ uitbarsting ⟨van woede, enz.⟩

explosive [ɪk'spləʊsɪv] I *bnw* ❶ explosief, ontplofbaar ❷ opvliegend ⟨van aard⟩ II *zn* springstof

exponent [ɪk'spəʊnənt] *zn* ❶ vertegenwoordiger, drager ⟨van idee / theorie⟩ ❷ wisk exponent ❸ vertolker

exponential [ekspə'nenʃəl] *bnw* exponentieel

export[1] ['ekspɔ:t] *zn* ❶ export ❷ exportartikel

export[2] [ɪk'spɔ:t] *ov ww* exporteren

exportation [ekspɔ:'teɪʃən] *zn* ❶ export(handel) ❷ het exporteren

expose [ɪk'spəʊz] I *ov ww* ❶ ontbloten ❷ ontmaskeren, onthullen ❸ belichten ⟨van film⟩ ❹ tentoonstellen II *wkd ww* potloodventen, zich exhibitionistisch gedragen

exposé [ek'spəʊzeɪ] *zn* onthulling

exposed [ɪk'spəʊzd] *bnw* ❶ open, onbeschut ❷ kwetsbaar

exposition [ekspə'zɪʃən] *zn* ❶ uiteenzetting ❷ ⟨handels⟩tentoonstelling

expostulate [ɪk'spɒstjʊleɪt] *form onov ww* protesteren, argumenteren

exposure [ɪk'spəʊʒə] *zn* ❶ blootstelling ⟨aan gevaar, risico, enz.⟩ ❷ het onbeschermd zijn ⟨tegen weersomstandigheden⟩ ★ *death by* ~ dood door onderkoeling ❸ bekendmaking, ontmaskering ❹ publiciteit ❺ belichting ⟨van film⟩ ❻ het ontbloten ⟨van geslachtsdelen⟩ ★ *indecent* ~ exhibitionisme ❼ ligging ⟨van gebouw⟩

expound [ɪk'spaʊnd] *form ov ww* uiteenzetten

express [ɪk'spres] I *ov ww* ❶ uitdrukken, betuigen ❷ uitpersen, afkolven ⟨moedermelk⟩ II *wkd ww* zich uitdrukken ★ *she doesn't ~ herself well* ze drukt zich niet duidelijk uit III *bnw + bijw* ❶ expres(se) ⟨post, enz.⟩ ★ ~ *delivery* snelpost ★ *send sth* ~ iets per expres

versturen ❷ form uitdrukkelijk, stellig ★ *with the* ~ *purpose* met opzet IV *zn* ❶ sneltrein ❷ expresse ⟨post⟩

expression [ɪk'spreʃən] *zn* ❶ uitdrukking ★ *beyond* ~ onuitsprekelijk ★ *freedom of* ~ vrijheid van meningsuiting ★ *if you'll pardon the* ~ *excusez* le mot ❷ expressie, uitdrukkingskracht

Expressionism [ɪk'spreʃənɪzəm] *zn* expressionisme

expressionless [ɪk'spreʃənləs] *bnw* wezenloos, uitdrukkingsloos ⟨van gezicht⟩, dof ⟨van stem⟩

expressive [ɪk'spresɪv] *bnw* expressief, veelzeggend ★ *be* ~ *of* uitdrukken, uitdrukking geven aan

expressly [ɪk'spreslɪ] *bijw* ❶ uitdrukkelijk, met nadruk ❷ speciaal

expressway [ɪk'spresweɪ] *zn* autosnelweg

expropriate [eks'prəʊprɪeɪt] *form jur ov ww* onteigenen, confisqueren

expulsion [ɪk'spʌlʃən] *zn* ❶ verwijdering ★ *he was threatened with* ~ *from school* ze dreigden hem van school te sturen ❷ verbanning, uitwijzing, verdrijving

exquisite ['ekskwɪzɪt] *bnw* ❶ voortreffelijk ❷ (ver)fijn(d)

ex-serviceman [eks'sɜ:vɪsmən] *zn* oudgediende

extempore [ɪk'stempərɪ] *bnw + bijw* voor de vuist weg

extemporize, extemporise [ɪk'stempəraɪz] *form ov ww* improviseren

extend [ɪk'stend] I *ov ww* ❶ groter maken, uitbreiden, verlengen ❷ uitstrekken, aanreiken, uitsteken ★ *their property ~s to the river* hun bezit strekt zich uit tot aan de rivier ❸ verlenen, bieden ★ *the bank will ~ credit to them* de bank zal hun krediet verlenen ❹ aanbieden, betuigen ★ *please ~ a warm welcome to...* ik vraag u... hartelijk welkom te heten II *onov ww* zich uitstrekken, reiken

extension [ɪk'stenʃən] *zn* ❶ uitbreiding ❷ aanbouw ❸ verlenging ★ *by* ~ in het verlengde, ruimer gezien ❹ extra telefoonlijn ★ ~ *3* toestel 3

extension lead, USA **extension cord** *zn* verlengsnoer

extensive [ɪk'stensɪv] *bnw* ❶ uitgestrekt, groot, veelomvattend ❷ uitgebreid, veelomvattend ★ *he has travelled ~ly* hij heeft veel gereisd

extent [ɪk'stent] *zn* ❶ omvang ★ *the full ~ of the cyclone's damage* de volle omvang van de schade door de cycloon ❷ mate ★ *to a certain* ~ in zekere mate ★ *to such an ~ that* zozeer dat

extenuating [ɪk'stenjʊeɪtɪŋ] *bnw* ★ ~ *circumstances* verzachtende omstandigheden

exterior [ɪk'stɪərɪə] I *zn* buitenkant, uiterlijk II *bnw* buiten-

exterminate [ɪk'stɜ:mɪneɪt] *ov ww* uitroeien, verdelgen

extermination [ɪkstɜ:mɪ'neɪʃən] *zn* uitroeiing, verdelging

external [ɪk'stɜ:nl] *bnw* ❶ uitwendig ★ *for ~ use only* alleen voor uitwendig gebruik ❷ van buiten af, extern ★ *an ~ student* een extraneus ❸ uiterlijk ❹ buitenlands

externalize, externalise [ɪk'stɜ:nəlaɪz] psych *ov*

ex

ex

ww projecteren ★ *he ~s his inner conflicts* hij projecteert zijn innerlijke conflicten naar buiten
externals [ɪk'stɜ:nlz] *zn mv* uiterlijkheden ★ *you shouldn't go / judge by ~ alone* je moet niet alleen naar de buitenkant kijken
extinct [ɪk'stɪŋkt] *bnw* uitgestorven ★ *an ~ volcano* een dode vulkaan
extinction [ɪk'stɪŋkʃən] *zn* ❶ (het) uitsterven ★ *threatened with / by ~* met uitsterven bedreigd ★ *on the verge of ~* op het punt van uitsterven ❷ (uit)blussing, uitdoving
extinguish [ɪk'stɪŋgwɪʃ] *ov ww* ❶ (uit)blussen, (uit)doven ❷ vernietigen, uitroeien, beëindigen ★ *~ all hope* alle hoop de bodem in doen slaan
extinguisher [ɪk'stɪŋgwɪʃə] *zn* blusapparaat
extol [ɪk'stəʊl] *ov ww* prijzen, ophemelen
extort [ɪk'stɔ:t] *ov ww* afdwingen, afpersen
extortion [ɪk'stɔ:ʃən] *zn* ❶ afpersing ❷ afzetterij
extortionate [ɪk'stɔ:ʃənət] *bnw* buitensporig, exorbitant
extra ['ekstrə] **I** *bnw* extra ★ *there will be ~ trains that day* er zullen die dag extra treinen worden ingezet **II** *bijw* extra ★ *they don't charge ~ for children* er is geen meerprijs voor kinderen **III** *zn* ❶ iets extra's ★ *hidden ~s* onverwachte kosten ★ *no hidden ~s* alles inbegrepen ❷ extra nummer ★ *(special) ~* laatste editie van avondblad ❸ figurant (in film)
extra- ['ekstrə] *voorv* ❶ buiten- ❷ inform zeer, buitengewoon
extract¹ [ɪk'strækt] *ov ww* ❶ winnen (from uit), halen (uit) ❷ ontfutselen, loskrijgen (informatie, geld, enz.) ❸ (uit)trekken, (uit)halen ★ *have a tooth ~ed* een kies / tand laten trekken
extract² ['ekstrækt] *zn* ❶ passage (uit boek) ❷ extract
extraction [ɪk'strækʃən] *zn* ❶ winning (van olie enz.) ❷ het trekken (van tand / kies) ❸ afkomst ★ *of Dutch ~* van Nederlandse afkomst
extractor [ɪk'stræktə], **extractor fan** *zn* (raam)ventilator, afzuigkap
extracurricular [ekstrəkə'rɪkjʊlə] *bnw* buitenschools
extradite ['ekstrədaɪt] *ov ww* uitleveren
extradition [ekstrə'dɪʃən] *zn* uitlevering
extramarital [ekstrə'mærɪtl] *bnw* buitenechtelijk
extraneous [ɪk'streɪnɪəs] *bnw* buiten de zaak staand
extraordinary [ɪk'strɔ:dɪnərɪ] *bnw* buitengewoon
extrasensory [ekstrə'sensərɪ] *bnw* ★ *~ perception* buitenzintuiglijke waarneming
extraterrestrial [ekstrətɪ'restrɪəl] **I** *bnw* buitenaards **II** *zn* buitenaards wezen
extra time GB sport verlenging
extravagance [ɪk'strævəgəns] *zn* ❶ verkwisting ❷ buitensporigheid, uitspatting ★ *the ~ of the decor* de overdreven uitbundigheid van het decor
extravagant [ɪk'strævəgənt] *bnw* ❶ verkwistend ❷ overdreven, extravagant
extravaganza [ɪkstrəvə'gænzə] *zn* spectaculaire theater- / televisieproductie
extreme [ɪk'stri:m] **I** *bnw* ❶ hevig, extreem ❷ buitengewoon ❸ uiterst(e), ultra- **II** *zn* ❶ uiterste, (uit)einde ★ *the opposite ~* het andere uiterste ★ *go to ~s / take sth to ~s* tot het uiterste

gaan ★ *go from one ~ to another* van het ene uiterste naar het andere uiterste gaan ❷ hoogste graad ★ *in the ~* uitermate
extremely [ɪk'stri:mlɪ] *bijw* buitengewoon, uitermate
extremist [ɪk'stri:mɪst] *zn* extremist
extremities [ɪk'stremətɪz] *zn mv* ledematen ★ *a tingling sensation in the ~* tintelende handen en voeten
extremity [ɪk'stremətɪ] *zn* uiterste (punt), extreem, extremiteit ★ *she always takes things to an ~* ze drijft alles altijd tot het uiterste door
extricate ['ekstrɪkeɪt] *ov ww* bevrijden (uit lastige situatie)
extrovert ['ekstrəvɜ:t] *bnw* extravert
extrude [ɪk'stru:d] *ov ww* ❶ uitstoten / -werpen ❷ techn (uit)persen
extrusion [ɪk'stru:ʒən] *zn* ❶ uitwerping ❷ techn (uit)persing
exuberance [ɪg'zju:bərəns] *zn* ❶ uitbundigheid ❷ weelderigheid (van groei)
exuberant [ɪg'zju:bərənt] *bnw* ❶ uitbundig ❷ overvloedig, weelderig
exude [ɪg'zju:d] *ov ww* ❶ uitstralen ❷ afscheiden (van zweet, enz.)
exult [ɪg'zʌlt] *onov ww* juichen, dolblij zijn
exultant [ɪg'zʌltənt] *bnw* juichend, opgetogen
exultation [egzʌl'teɪʃən] *zn* opgetogenheid, vreugde
eye [aɪ] **I** *zn* oog ★ *a black eye* een blauw oog ★ *an eye for an eye (and a tooth for a tooth)* oog om oog (en tand om tand) ★ *my eye!* onzin! ★ *be up to your eyes in sth* tot over je oren in iets zitten ★ *clap / lay / set eyes on* zien ★ *cock an eye* oplettend kijken ★ *have an eye for* oog hebben voor ★ *have eyes in the back of your head* ogen in je achterhoofd hebben ★ *have your eye on* in de gaten houden, een oogje hebben op ★ *keep an eye out / open* de ogen open houden ★ *keep your eyes open / peeled / skinned* goed uit je doppen kijken ★ *make eyes at sb / give sb the eye* naar iem. lonken ★ *see eye to eye (with sb)* het eens zijn (met iemand) ★ *one in the eye* teleurstelling, klap ★ *only have eyes for* alleen oog hebben voor ★ *shut / close your eyes to sth* je ogen voor iets sluiten ★ *with an eye to* met het oog op ★ *with your eyes open* met open ogen **II** *ov ww* ❶ kijken, bekijken ❷ inform *~ up* verlekkerd kijken naar
eyeball ['aɪbɔ:l] **I** *zn* ❶ oogappel ❷ oogbol ★ *~ to ~* oog in oog ★ *up to your ~s* tot over je oren **II** *ov ww* inform aanstaren
eyebrow ['aɪbraʊ] *zn* wenkbrauw ★ *up to your ~s* tot over je oren
eye-catcher *zn* blikvanger
eye-catching *bnw* opvallend
eyeful ['aɪfʊl] *zn* ❶ iets in je oog ★ *an ~ of mud* een spatje modder in je oog ★ *get an ~ of sth* iets heel goed bekijken ❷ inform lust voor het oog
eyeglass ['aɪglɑ:s] *zn* monocle
eyelash ['aɪlæʃ] *zn* wimper
eyelet ['aɪlət] *zn* oogje, vetergaatje
eyelid ['aɪlɪd] *zn* ooglid
eye-opener *zn* ❶ openbaring ❷ verrassing
eyes glasses USA *zn mv* bril
eyeshot ['aɪʃɒt] *zn* ★ *out of ~* niet meer te zien

★ *within* ~ nog te zien

eyesight ['aɪsaɪt] *zn* ❶ gezichtsvermogen ❷ zicht ⟨zintuig⟩

eyesore ['aɪsɔ:] *zn* iets foeilelijks, doorn in het oog

eye tooth ['aɪtu:θ] *zn* hoektand ★ *give one's eye teeth for sth* alles voor iets over hebben

eyewash ['aɪwɒʃ] *zn* ❶ oogwater ❷ inform onzin

eyewitness ['aɪwɪtnɪs] *zn* ooggetuige

eyrie ['ɪərɪ] *zn* ❶ roofvogelnest ❷ fig arendsnest

F

f [ef] *zn, letter* f ★ *F as in Frederic* de f van Ferdinand

F [ef] **I** *afk* Fahrenheit **II** *zn* ❶ muz F ❷ onderw *fail* ≈ onvoldoende ⟨schoolcijfer⟩

FA *afk* ❶ GB *Football Association* Voetbalbond ❷ vulg *fuck all* / euf *Fanny Adams* ★ *sweet FA* geen ene moer, absoluut niets

fab [fæb] inform *bnw* fantastisch, geweldig

fable ['feɪbl] *zn* ❶ fabel ❷ leugen, praatje

fabled ['feɪbld] *bnw* legendarisch

fabric ['fæbrɪk] *zn* ❶ stof, weefsel ❷ constructie, structuur ★ *the ~ of society* het maatschappelijk systeem

fabricate ['fæbrɪkeɪt] *ov ww* ❶ verzinnen ⟨smoes e.d.⟩ ❷ maken

fabulous ['fæbjʊləs] *bnw* ❶ buitengewoon ❷ inform fantastisch, geweldig ❸ mythisch, fabelachtig

fabulously ['fæbjʊləslɪ] *bijw* geweldig ★ *~ rich* geweldig rijk ★ *they get along ~* ze kunnen heel goed met elkaar overweg

facade, façade [fə'sɑ:d] *zn* ❶ bouw voorgevel ❷ fig façade, schijn

face [feɪs] **I** *zn* ❶ gezicht ★ *face to face* tegenover elkaar ★ inform *his face doesn't fit* hij past er niet tussen ★ *to sb's face* in iemands gezicht ★ *make / pull faces* rare gezichten trekken ★ *set your face against sb / sth* tegen iemand / iets gekant zijn ★ *laugh on the wrong side of one's face* lachen als een boer die kiespijn heeft ❷ gezichtsuitdrukking ★ *his face fell* zijn gezicht betrok ❸ aanzien, voorkomen ★ *lose face* gezichtsverlies lijden, afgaan ★ *save face* zijn figuur redden ★ *in the face of sth* ondanks iets, als gevolg van iets ★ *on the face of it* op het eerste gezicht ★ *fly in the face of sth* lijnrecht tegen iets ingaan ❹ voorkant ★ *full face* en face, van voren ★ *face down / up* gedekt / met beeldzijde zichtbaar ⟨kaartspel⟩ ★ mil *about face!* rechtsomkeert! ❺ zijde, kant, oppervlakte ★ *the face of the earth* het aardoppervlak ❻ wijzerplaat ⟨van klok⟩ **II** *ov ww* ❶ tegemoet treden ★ *he faced a lot of problems* hij had te kampen met een hoop problemen ❷ aankijken ❸ onder ogen (durven) zien ★ *face the facts* de feiten onder ogen zien ★ *face the music* de consequenties accepteren ★ *let's face it* laten we er geen doekjes om winden ★ *be faced with a problem* geconfronteerd worden met een probleem ❹ openleggen ⟨kaart bij kaartspel⟩ ❺ afzetten ⟨kledingstuk met stof⟩ ❻ bekleden ★ *a building faced with marble* een met marmer bekleed gebouw ❼ *~ down* overbluffen ❽ *~ up to* flink aanpakken, onder ogen zien **III** *onov ww* ❶ liggen / staan tegenover, uitzicht geven op ★ *the house faces east* het huis ligt op het oosten ❷ *~ about* omdraaien ❸ *~ off* de (wed)strijd beginnen

face card *zn* boer / vrouw / heer ⟨v. kaartspel⟩

facecloth ['feɪsklɒθ], **face flannel** *zn* washandje / -lapje

faceless ['feɪsləs] *bnw* ❶ onpersoonlijk ⟨van

fa

plaats / gebouw) ❷ anoniem
facelift ['feɪslɪft] zn ❶ facelift ❷ opknapbeurt
face pack, face mask zn schoonheidsmasker
face-saving bnw ★ a ~ solution een oplossing om gezichtsverlies te voorkomen
facet ['fæsɪt] zn facet, aspect
facetious [fə'si:ʃəs] bnw (ongepast) geestig ★ a ~ remark een (oppervlakkige) spottende opmerking ★ I was only being ~ het was niet serieus bedoeld
face value zn ❶ nominale waarde ❷ eerste indruk ★ take sth at ~ iets kritiekloos accepteren
facia ['feɪʃə] zn → **fascia**
facial ['feɪʃəl] I zn gezichtsmassage II bnw gelaats- ★ his ~ expression zijn gelaatsuitdrukking
facile ['fæsaɪl] bnw ❶ oppervlakkig ❷ form gemakkelijk (van succes)
facilitate [fə'sɪlɪteɪt] ov ww ❶ vergemakkelijken ❷ mogelijk maken
facilities zn mv faciliteiten, voorzieningen ★ a holiday house with all ~ een van alle gemakken voorzien vakantiehuis
facility [fə'sɪlɪti] zn ❶ voorziening ★ a nuclear waste ~ een opslagplaats voor kernafval ❷ gemak, talent ★ a ~ for languages een talenknobbel ❸ mogelijkheid ★ an overdraft ~ de mogelijkheid om rood te staan
facing ['feɪsɪŋ] zn ❶ bekleding (op muur en metaal) ❷ beleg (op kledingstuk)
facings ['feɪsɪŋz] zn mv garneersel (decoratie op kledingstuk)
facsimile [fæk'sɪmɪli] zn ❶ facsimile, exacte kopie ❷ fax
fact [fækt] zn feit, werkelijkheid ★ hard facts nuchtere feiten ★ fact and fiction schijn en werkelijkheid ★ facts and figures exacte gegevens ★ a fact of life een onvermijdelijk gegeven ★ the facts of life de harde werkelijkheid, inform euf de bloemetjes en de bijtjes ★ the fact of the matter is het feit wil ★ after the fact achteraf ★ in (actual) fact in feite, inderdaad ★ inform is that a fact? echt waar?, goh ★ get your facts right de feiten op een rijtje krijgen ★ know sth for a fact iets zeker weten
fact-finding bnw onderzoeks- ★ a ~ mission een opdracht om feitenmateriaal te verzamelen, een inspectiereis
faction ['fækʃən] zn ❶ factie (binnen groepering) ❷ interne ruzie ❸ inform docudrama
factor ['fæktə] I zn ook wisk factor II ov ww ~ in/into erin betrekken, meerekenen
factory farming zn intensieve veehouderij, bio-industrie
factory floor zn werkvloer
factotum [fæk'təʊtəm] humor form zn manusje-van-alles
factual ['fæktʃʊəl] bnw feitelijk, feiten-
faculty ['fækəltɪ] zn ❶ vermogen, handigheid, talent ★ in full possession of your faculties bij je volle verstand ❷ faculteit ❸ USA wetenschappelijk personeel
fad [fæd] zn rage, mode ★ the latest fad de laatste mode
faddy ['fædɪ] inform bnw grillig, kieskeurig
fade [feɪd] I onov ww ❶ verbleken ★ fade into insignificance heel onbelangrijk worden

❷ verwelken ❸ sport ton terugvallen, verslappen ❹ ~ away langzaam verdwijnen, wegkwijnen ❺ ~ in infaden (langzaam zichtbaar / hoorbaar worden) ❻ ~ out vervagen, verdwijnen, uitfaden (langzaam onzichtbaar / onhoorbaar worden) II ov ww ❶ doen verbleken ❷ doen verwelken ❸ infaden (langzaam zichtbaar / hoorbaar maken) ❹ ~ in infaden (langzaam zichtbaar / hoorbaar maken) ❺ ~ out uitfaden (langzaam onzichtbaar / onhoorbaar maken)
faeces, USA feces ['fi:si:z] zn fecaliën, uitwerpselen
fag [fæg] inform I zn ❶ GB saffie, sigaret ❷ USA inform homo ❸ inform vermoeiend en vervelend werk ★ too much of a fag te veel werk ❹ GB oud jongere leerling die diensten verricht voor oudere (public school) II onov ww inform zich afsloven ★ I can't be fagged to do the dishes ik ben te afgepeigerd om af te wassen III ov ww ❶ inform afpeigeren ❷ ~ out uitputten, afmatten
fag end GB inform zn peuk ★ the ~ of a conversation het staartje van een gesprek
fagged [fægd], **fagged out** GB inform bnw doodop
faggot ['fægət] zn ❶ GB bal gehakt ❷ USA inform flikker ❸ USA takkenbos (voor op het vuur)
fail [feɪl] I ov ww ❶ in de steek laten ★ words fail me woorden schieten me te kort ❷ teleurstellen ❸ (laten) zakken (voor examen) ❹ nalaten, verzuimen ★ I fail to see this zo zie ik het niet II onov ww ❶ falen, mislukken ★ the crops failed de oogst is mislukt ❷ zakken (voor examen) ❸ het laten afweten, het begeven (van machine / lichaamsdeel) ❹ minder worden III zn onvoldoende ▼ without fail zonder mankeren
failing ['feɪlɪŋ] I zn gebrek, zwak(te) II bnw achteruitgaand, falend ★ ~ eyesight achteruitgaand gezichtsvermogen III vz bij gebrek aan ★ ~ this als dit niet gebeurt
fail-safe bnw ❶ (uitgerust) met noodbeveiliging ❷ betrouwbaar
failure ['feɪljə] zn ❶ mislukking ❷ gebrek, onvermogen ❸ mankement (v. machine / lichaamsdeel) ❹ nalatigheid, verzuim ★ ~ to stop after an accident is an offence niet stoppen na een ongeluk is een misdrijf
faint [feɪnt] I bnw ❶ nauwelijks waarneembaar, vaag, onduidelijk (beeld, geluid) ★ a ~ hope een sprankje hoop ★ I don't have the ~est (idea) ik heb geen flauw idee ❷ halfhartig, zwak ★ a ~ smile een flauwe glimlach ❸ wee, flauw (v.d. honger) II onov ww flauwvallen III zn flauwte
faint-hearted bnw laf ★ not for the ~ niet voor bangeriken
fair [feə] I zn ❶ markt, beurs, jaarmarkt ❷ kermis II bnw ❶ rechtvaardig, eerlijk, zuiver ★ that's not fair to / on her dat is niet eerlijk tegenover haar ★ fair enough! oké, jij gelijk!, prima! ❷ blank (van huid), licht(gekleurd), blond (van haar) ❸ vrij groot / goed (omvang / kwaliteit) ❹ gunstig, mooi (van weer) III bijw ★ play fair eerlijk spel spelen ★ fair and square eerlijk, precies

fairground ['feəgraʊnd] *zn* kermisterrein
fair-haired *bnw* blond
fairly ['feəlɪ] *bijw* ❶ tamelijk ❷ eerlijk, redelijk
fair-minded *bnw* rechtvaardig, eerlijk
fairway ['feəweɪ] *zn* verzorgde golfbaan 〈tussen tee en green〉
fair-weather *bnw* ★ ~ *friends* mensen die alleen in voorspoed vrienden zijn
fairy ['feərɪ] *zn* ❶ fee, elfje ★ *be away with the fairies* onrealistisch zijn ❷ inform min homo
fairyland ['feərɪlænd] *zn* sprookjeswereld
fairy tale *zn* sprookje
fairy-tale *bnw* sprookjesachtig, sprookjes- ★ *a ~ princess* een sprookjesprinses
faith [feɪθ] *zn* ❶ vertrouwen ★ *break ~ with sb* je niet aan je woord houden ★ *in good / bad ~* te goeder / kwader trouw ❷ geloof, godsdienst
faithful ['feɪθfʊl] **I** *bnw* ❶ trouw, betrouwbaar ❷ waarheidsgetrouw, nauwgezet ❸ gelovig **II** *zn mv* ★ *the ~* de gelovigen
faithfully ['feɪθfʊlɪ] *bijw* ❶ eerlijk, oprecht ❷ nauwgezet, trouw ▾ GB *yours ~* 〈in brief〉 hoogachtend
faith healing *zn* gebedsgenezing
faithless ['feɪθləs] *bnw* trouweloos, ontrouw
fake [feɪk] **I** *zn* ❶ namaak, vervalsing ❷ bedrieger **II** *bnw* vals, namaak, nep **III** *ov ww* vervalsen, voorwenden **IV** *onov ww* simuleren, doen alsof
falcon ['fɔːlkən] *zn* valk
falconry ['fɔːlkənrɪ] *zn* valkenjacht
fall [fɔːl] **I** *onov ww* 〈onregelmatig〉 ❶ vallen, neerkomen ★ *he fell to his knees* hij viel op zijn knieën ★ *fall to bits* in stukken uiteenvallen ★ *she fell down the stairs* ze viel van de trap ★ *the joke fell flat* de mop kwam niet over ❷ worden ★ *fall ill / in love* ziek / verliefd worden ★ *Easter fell early* het was een vroege Pasen ❸ gebeuren, plaatsvinden ❹ afnemen 〈v. hoeveelheid, aantal, kracht〉 ★ *the temperature fell* de temperatuur daalde ❻ betrekken 〈v. gezicht〉 ★ ~ **about** omvallen van het lachen ❼ ~ **apart** uit elkaar vallen, kapot gaan ❽ ~ **away** weg- / uit- / afvallen, naar beneden aflopen, verminderen, wegsterven 〈v. geluid〉 ❿ ~ **back** terugvallen, zich terugtrekken, terugdeinzen ⓫ ~ **behind** achterop raken ⓬ ~ **down** neervallen, instorten, falen, tekortschieten ⓭ ~ **in** instorten, aantreden 〈v. soldaten, enz.〉 ⓮ ~ **off** afvallen, achteruitgaan, verminderen ⓯ ~ **out** uitvallen, inrukken 〈v. soldaten〉 ⓰ ~ **over** omvallen ⓱ ~ **through** mislukken **II** *ov ww* ❶ ~ **back on** zijn toevlucht nemen tot, achter de hand hebben ❷ ~ **behind** achterop raken bij ❸ ~ **for** verliefd worden op ★ *fall for sth* ergens intrappen ❹ ~ **in with** akkoord gaan met ❺ ~ **into** vervallen tot, zich schikken naar ★ *the tradition fell into disuse* de traditie raakte in onbruik ❻ ~ **on/upon** zich storten op, neerkomen op, om de nek vliegen, vallen op ❼ ~ **out** ruzie krijgen met ❽ ~ **over** struikelen over ❾ ~ **to** toevallen aan, vervallen aan, beginnen met ★ *they fell to talking* ze begonnen te praten **III** *zn* ❶ val ★ *take a fall* vallen ★ *a heavy fall of snow* een flink pak sneeuw ❷ daling ❸ verval, ondergang

❹ [meestal mv] waterval ★ *Victoria Falls* Victoria Waterval ❺ USA herfst ❻ USA inform schuld ★ *take the fall* de schuld krijgen
fallacious [fə'leɪʃəs] *bnw* bedrieglijk ★ *a ~ argument* een drogreden
fallacy ['fæləsɪ] *zn* ❶ misvatting ❷ denkfout
fallback ['fɔːlbæk] *zn* uitwijkmogelijkheid, alternatief
fallen ['fɔːlən] *ww* [volt. deelw.] → **fall**
fall guy USA inform *zn* ❶ zondebok ❷ dupe
fallibility [fælə'bɪlətɪ] *zn* feilbaarheid
fallible ['fæləbl] *bnw* feilbaar
fallout ['fɔːlaʊt] *zn* ❶ radioactieve neerslag ❷ fig nare / ongewenste bijverschijnselen
fallow ['fæləʊ] *bnw* ❶ braak(liggend) 〈v. landbouwgrond〉 ❷ fig niet productief 〈bep. periode〉
fallow deer *zn* damhert
false [fɔːls] *bnw* ❶ fout, verkeerd ❷ onecht, vals ★ ~ *teeth* een kunstgebit ★ *a ~ bottom* een dubbele bodem ❸ dicht onrechtvaardig, ontrouw ★ *play sb* ~ iem. bedriegen
falsehood ['fɔːlshʊd] *zn* leugen, onwaarheid
falsies ['fɔːlsiːz] inform *zn mv* ❶ vulling in beha, voorgevormde beha ❷ schoudervulling
falsification [fɔːlsɪfɪ'keɪʃən] *zn* vervalsing
falsify ['fɔːlsəfaɪ] *ov ww* ❶ vervalsen ❷ weerleggen 〈v. argument / theorie〉
falsity ['fɔːlsətɪ] *zn* ❶ valsheid 〈in geschrifte〉 ❷ onwaarheid, leugen
falter ['fɔːltə] *ww* ❶ wankelen ❷ teruglopen 〈v. zaken〉 ❸ haperen 〈v. stem〉 ❹ aarzelen
fame [feɪm] *zn* ❶ faam, roem ★ *fame and fortune* roem en rijkdom ★ *what's his claim to fame?* wat heeft hij gepresteerd? ❷ reputatie
famed [feɪmd] *bnw* beroemd ★ ~ *for* beroemd om / vanwege
familiar [fə'mɪlɪə] *bnw* ❶ vertrouwd, bekend, gewoon ❷ op de hoogte van ❸ vertrouwelijk, intiem ★ *be on ~ terms with sb* vertrouwelijk omgaan met iem. ❹ 〈al te〉 familiair
familiarity [fəmɪlɪ'ærətɪ] *zn* ❶ vertrouwdheid, familiariteit, bekendheid ★ ~ *breeds contempt* van familiariteit komt minachting ❷ ongedwongenheid ❸ vrijpostigheid
familiarize, familiarise [fə'mɪlɪəraɪz] *ov ww* bekend / vertrouwd maken met ★ ~ *yourself with sth* je iets eigen maken
family ['fæməlɪ] *zn* ❶ gezin, gezinsleden ★ *a young* ~ een gezin met jonge kinderen ★ *start a* ~ een gezin stichten ★ *inform be in the ~ way* zwanger zijn ❷ familie ★ *the immediate* ~ de naaste verwanten ★ *it runs in the* ~ het zit in de familie ★ *marry into the* ~ door te trouwen familielid worden ❸ geslacht
family allowance *zn* kinderbijslag
family doctor, family practitioner *zn* huisarts
family likeness *zn* familietrek
family planning *zn* geboorteregeling, gezinsplanning
family tree *zn* stamboom
famine ['fæmɪn] *zn* ❶ hongersnood ★ *the country faces ~* er dreigt hongersnood in het land ❷ schaarste
famished ['fæmɪʃt] *bnw* uitgehongerd ★ inform *I'm ~!* ik rammel van de honger!

fa

famous ['feɪməs] *bnw* beroemd ★ ~ *for* beroemd om / vanwege ★ *get on* ~*ly* heel goed kunnen opschieten

fan [fæn] *zn* ❶ fan, bewonderaar ❷ ventilator ❸ waaier **II** *ov ww* koelte toewaaien ❶ <u>ook</u> fig aanwakkeren **III** *onov ww* ~ *out* uitwaaieren, verspreiden

fanatic [fə'nætɪk] *zn* fanatiekeling

fanatical [fə'nætɪkl] *bnw* fanatiek

fanaticism [fə'nætɪsɪzəm] *zn* fanatisme

fan belt *zn* ventilatorriem

fancier ['fænsɪə] *zn* liefhebber, fokker / kweker

fanciful ['fænsɪfʊl] *bnw* ❶ fantasievol ❷ denkbeeldig, <u>min</u> ingebeeld

fancy ['fænsɪ] **I** *zn* ❶ inbeelding, verbeelding, fantasie ❷ gril, inval ★ *a passing* ~ een bevlieging ★ *as / whenever the* ~ *takes you* wanneer je maar wilt ▾ *catch / take sb's* ~ iem. aantrekken, iem. behagen ▾ *take a* ~ *to* een voorliefde ontwikkelen voor, gaan houden van **II** *bnw* ❶ extravagant ⟨v. prijzen e.d.⟩ ❷ chic, elegant ★ ~ *articles / goods* luxeartikelen ❸ uitbundig ❹ decoratief **III** *ov ww* ❶ zich verbeelden ★ *she fancies herself as an intellectual* ze denkt dat ze een intellectueel is ▾ <u>inform</u> ~ *that!* stel je (toch) eens voor! ❷ zin hebben / krijgen in, leuk vinden ★ ~ *a coffee?* heb je zin in koffie? ❸ een hoge dunk hebben van ★ *she doesn't* ~ *my chances* zij geeft niet veel voor mijn kansen **IV** *wkd ww* <u>inform</u> ★ ~ *yourself* hoge dunk van jezelf hebben

fancy dress *zn* kostuum ★ *go in* ~ verkleed gaan

fancy man inform *zn* vrijer

fancy woman inform *zn* minnares

fanfare ['fænfeə] ❶ trompetgeschal ❷ drukte, ophef

fang [fæŋ] *zn* hoektand, snijtand ⟨v. hond / wolf⟩, giftand ⟨v. slang⟩

fanny ['fænɪ] *zn* ❶ GB vulg kut ❷ USA inform kont

fantasize, fantasise ['fæntəsaɪz] *ov+onov ww* fantaseren

fantastic [fæn'tæstɪk] *bnw* ❶ inform fantastisch ❷ inform enorm, gigantisch ❸ grillig, bizar, vreemd

fantasy ['fæntəsɪ] *zn* ❶ fantasie ❷ illusie

FAO *afk,* Food and Agricultural Organization Wereldvoedsel- en Landbouworganisatie ⟨van de Verenigde Naties⟩

far [fɑː] **I** *bijw* ❶ ver (verwijderd) ★ *as far as the fence* tot (aan) het hek ★ *as far as the eye can see* zo ver als je kunt kijken ★ *far and near* overal ★ *far and wide* wijd en zijd ★ *go far* succes hebben ★ *go far towards* veel bijdragen tot ★ *go so / as far as to* zo ver gaan dat ★ *so far, so good* tot zover gaat het goed ★ *far from it* helemaal niet ❷ veel, verreweg ★ *far different* heel anders ★ *by far* verreweg ★ *far and away the best* verreweg de beste ★ *how far can we trust him?* in hoeverre kunnen we hem vertrouwen? ★ *far not far wrong / not / off* bijna goed ❸ lang ★ *as far back as 1900* al in 1900 ★ *we worked far into the night* we werkten door tot diep in de nacht ★ *so / thus far* tot nog / nu toe ▾ *as far as I'm concerned* wat mij betreft ▾ <u>inform</u> *far be it from / for me to do sth* het is niet aan mij

om dat te doen ▾ <u>inform</u> *far out!* helemaal te gek! **II** *bnw* (ver)afgelegen ★ *on the far right* uiterst rechts ⟨ook politiek⟩ ★ *the far side of the river* de overkant van de rivier ★ *it's a far cry from...* het lijkt in de verste verte niet op...

faraway [fɑːrə'weɪ] *bnw* ❶ ver(afgelegen) ❷ afwezig ⟨v. blik⟩

farce [fɑːs] *zn* ❶ klucht ❷ farce, aanfluiting

farcical ['fɑːsɪkl] *bnw* bespottelijk

fare [feə] **I** *zn* ❶ vervoerprijs, tarief ⟨trein, enz.⟩ ❷ kost ⟨eten⟩ **II** *onov ww* gaan ★ *how did you fare?* hoe is het gegaan? ★ *fare much better* het veel beter doen

farewell [feə'wel] *zn* vaarwel

far-fetched *bnw* vergezocht

far-flung *bnw* ❶ ver verspreid ❷ verafgelegen

farm [fɑːm] **I** *zn* ❶ boerderij ❷ landbouwbedrijf ❸ fokkerij, kwekerij ⟨v. vis⟩ **II** *onov ww* boeren **III** *ov ww* ❶ bewerken, bebouwen ❷ ~ *out* <u>min</u> verzorgen tegen betaling ⟨vooral v. kind⟩, uitbesteden ⟨v. werk⟩

farmer ['fɑːmə] *zn* boer, landbouwer

farmhand ['fɑːmhænd] *zn* boerenknecht

farmhouse ['fɑːmhaʊs] *zn* boerderij, boerenhoeve

farming ['fɑːmɪŋ] **I** *zn* het boeren **II** *bnw* landbouw-

farmland ['fɑːmlænd] *zn* bouwland

farmstead ['fɑːmsted] *zn* boerderij

farmyard ['fɑːmjɑːd] *zn* boerenerf

far-off *bnw* ❶ afgelegen ❷ afwezig ⟨v. blik⟩

far-reaching *bnw* vérstrekkend

far-sighted *bnw* ❶ vooruitziend ❷ verziend

fart [fɑːt] inform **I** *zn* ❶ scheet ❷ zeur, lul ★ *a silly old fart* een oude lul **II** *onov ww* ❶ een scheet laten ❷ ~ *around/about* aanklooien, rondlummelen

farther ['fɑːðə] *bnw + bijw →* **further**

farthermost ['fɑːðəməʊst] *bnw* furthermost

farthest ['fɑːðɪst] *bnw + bijw →* **furthest**

farthing ['fɑːðɪŋ] fig *zn* minieme hoeveelheid ★ *not a* ~ niets

fascia, facia ['feɪʃə] *zn* ❶ instrumentenpaneel, dashboard ❷ fascia, band ⟨op gevel⟩ ❸ naambord ⟨van winkel⟩

fascinate ['fæsɪneɪt] *ov+onov ww* fascineren, boeien

fascinating ['fæsɪneɪtɪŋ] *bnw* fascinerend, boeiend

fascination [fæsɪ'neɪʃən] *zn* ❶ (sterke) aantrekkingskracht ★ *stamps hold a* ~ *for many* postzegels hebben een grote aantrekkingskracht op veel mensen ❷ geboeidheid, fascinatie ★ *look on in* ~ gefascineerd toekijken

fascist ['fæʃɪst] **I** *zn* fascist **II** *bnw* fascistisch

fashion ['fæʃən] **I** *zn* ❶ mode ★ *come into* ~ in de mode komen ★ *set the* ~ de toon aangeven ★ *go out of* ~ uit de mode raken ★ <u>inform</u> *like it's going out of* ~ alsof zijn leven er van afhangt ❷ gebruik, gewoonte ❸ manier, wijze ★ *in such a* ~ tot op zekere hoogte ★ *in such a* ~ zo, op die manier **II** *ov ww* vormen, modelleren

fashionable ['fæʃnəbl] *bnw* ❶ modieus ★ *a* ~ *restaurant* een chic restaurant ❷ in de mode, populair ❸ gangbaar

fast [fɑːst] I *bnw* ❶ snel, vlug, vlot ★ *a fast worker* een snelle werker, inform een snelle jongen ★ inform *pull a fast one* een gemene streek uithalen, (iemand) een loer draaien ★ inform *a fast talker* een gladde prater ★ *a fast and furious film* een geweldige actiefilm ❷ vast, stevig, hecht ★ *he made sure the ropes were fast* hij zorgde dat de touwen goed vast zaten ★ *the two have formed a fast friendship* de twee zijn onafscheidelijke / dikke vrienden geworden ❸ wasecht ⟨v. kleur⟩ ❹ vóór ⟨v. klok⟩ II *bijw* ❶ snel, vlug, vlot ★ *as fast as his legs could carry him* zo snel als hij kon ★ *live fast* maar raak leven ★ *don't drive so fast* rij niet zo hard ❷ stevig, vast ★ *stand fast / firm* op zijn stuk blijven ★ *the window is stuck fast* het raam zit vast ★ *fast asleep* in diepe slaap III *zn* het vasten IV *onov ww* vasten

fasten [ˈfɑːsən] I *ov ww* ❶ vastmaken, vastbinden, bevestigen ★ *the dog ~ed its teeth in my leg* de hond zette zijn tanden in mijn been ❷ sluiten, dichtdoen ❸ vestigen op, richten ⟨ogen, aandacht⟩ ❹ ~ **off** afhechten ⟨draad⟩ ❺ ~ **up** vastmaken ⟨jas⟩ II *onov ww* dichtgaan, sluiten ★ *this zipper won't ~* deze rits wil niet dicht

fastener [ˈfɑːsnə], **fastening** [ˈfɑːsnɪŋ] *zn* sluiting

fast food *zn* fastfood, gemaksvoedsel

fastidious [fæˈstɪdɪəs] *bnw* ❶ nauwgezet ❷ overdreven schoon ❸ kieskeurig, veeleisend

fat [fæt] I *zn* vet ★ inform *then the fat was in the fire* toen had je de poppen aan het dansen ★ *live off / on the fat of the land* van het goede der aarde genieten II *bnw* ❶ vet, vlezig, dik ❷ groot ★ iron *fat chance!* weinig kans! ★ iron *a lot lot of good that will do* daar schiet je geen moer op ★ iron *a fat lot you know!* en jij zou dat weten!

fatal [ˈfeɪtl] *bnw* ❶ fataal, dodelijk ★ *the illness proved ~ to her* de ziekte werd haar dood ❷ noodlottig, rampzalig

fatality [fəˈtæləti] *zn* ❶ ongeluk met dodelijke afloop ❷ dodelijk verloop ⟨v. ziekte⟩ ❸ noodlot

fatally [ˈfeɪtli] *bijw* fataal, dodelijk

fate [feɪt] *zn* lot, noodlot ★ *seal sb's fate* iemands lot bezegelen ★ *a fate worse than death* iets gruwelijks ★ *by a strange twist of fate* door een gril van het lot

fated [ˈfeɪtɪd] *bnw* ❶ voorbestemd ❷ gedoemd

fateful [ˈfeɪtfʊl] *bnw* ❶ noodlottig ❷ belangrijk

fathead [ˈfæthed] inform *zn* domkop, dwaas

father [ˈfɑːðə] I *zn* ❶ vader ★ *a founding ~* een grondlegger ★ *from ~ to son* van vader op zoon ★ *like ~, like son* zo vader, zo zoon ❷ pater, pastoor II *ov ww* ❶ voortbrengen ❷ vaderschap op zich nemen, een vader zijn voor ❸ zich opwerpen als maker / vader van

Father Christmas *zn* Kerstman

fatherhood [ˈfɑːðəhʊd] *zn* vaderschap

father-in-law [ˈfɑːðərɪnlɔː] *zn* schoonvader

fatherly [ˈfɑːðəlɪ] *bnw* vaderlijk

fathom [ˈfæðəm] I *zn* vadem ⟨6 voet (ca. 1.80 m)⟩ II *ov ww* ❶ peilen ❷ fig doorgronden

fathomless [ˈfæðəmləs] *bnw* peilloos, ondoorgrondelijk

fatigue [fəˈtiːg] I *zn* vermoeidheid, moeheid ⟨ook v. metaal⟩ II *ov ww* vermoeien

fatigues *zn mv* ❶ gevechtspak ❷ (straf)corvee

fatso [ˈfætsəʊ] inform *zn* vetzak

fatten [ˈfætn] I *ov ww* ~ **(up)** vetmesten II *onov ww* dik / vet worden

fatty [ˈfætɪ] I *zn* inform dikzak II *bnw* vet(tig) ★ ~ *acids* vetzuren

fatuous [ˈfætjʊəs] form *bnw* dom, dwaas, idioot

faucet [ˈfɔːsɪt] USA *zn* kraan

fault [fɔːlt] *zn* ❶ schuld, fout ★ *at ~* schuldig ★ *find ~ (with)* aanmerking maken (op) ❷ onvolkomenheid, gebrek, storing ★ *to a ~* buitengewoon, al te... ❸ breuk in aardlaag ❹ verkeerd geserveerde bal ⟨tennis⟩

fault-finding *zn* muggenzifterij

faultless [ˈfɔːltləs] *bnw* onberispelijk, foutloos

faulty [ˈfɔːltɪ] *bnw* ❶ defect, niet in orde ❷ gebrekkig, onjuist, verkeerd

fauna [ˈfɔːnə] *zn* fauna, dierenwereld

fave [feɪv] inform I *zn* favoriet persoon / ding II *bnw* favoriet-, lievelings-

favour, USA **favor** [ˈfeɪvə] I *zn* ❶ gunst ★ *in ~ of* ten gunste van ★ *as a ~ to...* om... een plezier te doen ★ *do sb a ~* iem. een dienst bewijzen ★ inform *do me a ~!* zeg, doe mij een lol! ★ *owe sb a ~* iem. iets schuldig zijn ★ *fall from / lose ~* uit de gratie raken ★ *call in a ~* om een wederdienst vragen ❷ goedkeuring, steun ★ *find ~ with* steun krijgen van ★ *look with ~ upon sth* iets goedkeuren, iets met welgevallen beschouwen ★ *be all in ~ of* volledig steunen ❸ begunstiging, voorkeur ★ *high heels have come back into ~* hoge hakken zijn weer in de mode ★ *come down in ~ of* uiteindelijk kiezen voor II *ov ww* ❶ verkiezen, bij voorkeur dragen ⟨v. kleren⟩ ❷ begunstigen, bevoordelen ❸ goed / gunstig zijn voor

favourable, USA **favorable** [ˈfeɪvərəbl] *bnw* gunstig, positief ★ ~ *to* te verkiezen boven

favourite, USA **favorite** [ˈfeɪvərɪt] I *zn* ❶ favoriet ★ GB *the red-hot ~* de torenhoge favoriet ❷ gunsteling, lieveling II *bnw* lievelings-

favouritism, USA **favoritism** [ˈfeɪvərɪtɪzəm] *zn* voortrekkerij, vriendjespolitiek

fawn [fɔːn] I *zn* ❶ jong hert, reekalf II *bnw* licht geelbruin III *ov ww* min ~ **on/over** kruipen voor, vleien

faze [feɪz] inform *ov ww* van zijn stuk brengen

fear [fɪə] I *zn* vrees, angst ★ *shake with fear* bibberen van angst ★ *for fear of / that* uit vrees voor / dat ★ *in fear of* bang voor ★ *without fear or favour* rechtvaardig, eerlijk ★ inform *no fear!* absoluut niet! ★ *put the fear of God into sb* iem. erg bang maken II *ov ww* ❶ vrezen, bang zijn voor ❷ vermoeden ★ ~ **for** bang zijn over, bezorgd zijn over III *onov ww* vrezen ★ *never fear! / fear not!* wees (maar) niet bang!

fearful [ˈfɪəfʊl] *bnw* ❶ bang, angstig ❷ vreselijk, angstaanjagend

fearless [ˈfɪələs] *bnw* onbevreesd, onverschrokken

fearsome [ˈfɪəsəm] *bnw* afschrikwekkend

feasibility [fiːzəˈbɪlətɪ] *zn* ❶ uitvoerbaarheid ❷ haalbaarheid

feasible [ˈfiːzəbl] *bnw* doenlijk, uitvoerbaar

feast [fiːst] I *zn* ❶ feest(maal) ❷ kerkelijk feest II *ov ww* ❶ trakteren ❷ ~ **on** zich te goed doen aan, zich verlustigen in ★ ~ *one's eyes on sth* genieten van de aanblik van iets III *onov ww* feest vieren

feat [fi:t] *zn* ❶ heldendaad ❷ prestatie ★ *no mean feat* een hele prestatie / toer

feather ['feðə] I *zn* ❶ veer, pluim ★ *a ~ in your cap* iets om trots op te zijn ★ *they're birds of a ~* het is één pot nat, ze hebben veel van elkaar weg II *ov ww* met veren bedekken ★ ~ *one's nest* zijn zakken vullen

feather-bed *ov ww* in de watten leggen

feather-brained *bnw* leeghoofdig

feather duster *zn* plumeau

feathered ['feðəd] *bnw* geveerd, gevleugeld

featherweight ['feðəweɪt] *zn* ❶ *sport* vedergewicht ❷ *fig* onbeduidend iets / persoon

feathery ['feðərɪ] *bnw* vederachtig, luchtig

feature ['fi:tʃə] I *zn* ❶ belangrijke eigenschap, kenmerk ❷ gelaatstrek ❸ hoofdartikel in krant ❹ hoofdfilm ★ *USA a double* ~ een programma met twee hoofdfilms II *onov ww* een belangrijke plaats innemen, opvallen, een (hoofd)rol spelen III *ov ww* als speciale attractie hebben

feature film *zn* speel- / hoofdfilm

featureless ['fi:tʃələs] *bnw* saai, vervelend, niet interessant

Feb. ['februərɪ] *afk, February* febr, februari

feces *USA zn* → **faeces**

fecund ['fekənd] *bnw* productief, vruchtbaar

fed [fed] *ww* [verl. tijd + volt. deelw.] → **feed**

Fed *inform afk, federal agent* FBI-agent

federal ['fedərəl] *bnw* ❶ federaal, bonds- ❷ *USA* nationaal, regerings-

federate ['fedərət] *bnw* verbonden

federation [fedə'reɪʃən] *zn* ❶ (staten)bond, federatie ❷ eenwording

fed up *bnw* ontevreden, (het) zat, balend ★ *be ~ with sth* van iets balen

fee [fi:] *zn* ❶ honorarium, loon ❷ contributie, entreegeld ★ *school fees* schoolgeld

feeble ['fi:bl] *bnw* ❶ zwak, futloos, teer ❷ flauw ★ *a ~ excuse for a novel* een zwak excuus voor een roman ★ *a ~ attempt* een halfhartige poging

feeble-minded *bnw* zwakzinnig

feed [fi:d] [onregelmatig] I *ov ww* ❶ voeden, voederen, te eten geven ★ *they have six children to feed* ze moeten zes kinderen te eten geven ★ *well fed* goed doorvoed ★ *inform feed your face* schransen ★ *feed a need* een behoefte bevredigen ★ *feed one's eyes on sth* zich verlustigen in ❷ toevoeren ★ *the media feeds us lies* via de media krijgen we leugens te horen ❸ voedsel geven aan, stimuleren ❹ invoeren, instoppen 〈computer〉 ❺ ~ **up** vetmesten II *onov ww* ❶ eten, zich voeden ❷ weiden 〈van vee〉 III *zn* ❶ *inform* eten ★ *be off one's feed* geen trek in eten hebben ❷ maaltijd 〈van baby enz.〉 ❸ voer, voeding 〈v. vee / planten〉 ❹ invoer 〈machine〉

feedback ['fi:dbæk] *zn* ❶ terugkoppeling, feedback, reactie ❷ het rondzingen 〈van geluidsinstallatie〉

feeder ['fi:də] *zn* ❶ eter ❷ toevoer ❸ voederbak

feeding bottle *zn* zuigfles, flesje

feel [fi:l] I *ov ww* [onregelmatig] ❶ voelen, tasten

★ *feel your way* op de tast gaan, *fig* het terrein verkennen ❷ gewaarworden ★ *feel your ears burning* denken dat anderen over je roddelen ★ *she felt herself blushing* ze voelde zich rood worden ❸ vinden, van mening zijn ★ *he feels (that) we should wait* hij denkt dat we beter kunnen wachten ❹ ~ **with** meevoelen met, sympathiseren met ❺ ~ **out** zorgvuldig onderzoeken ❻ *vulg* ~ **up** seksueel betasten ❼ ~ **up to** aankomen, opgewassen zijn tegen II *onov ww* [onregelmatig] ❶ voelen, aanvoelen ★ *I feel like...* ik heb zin in / om... ★ *it feels like rain* het voelt alsof het gaat regenen ★ *it feels like real leather* het voelt aan als echt leer ❷ gevoelens hebben ❸ tasten, verkennen III *kww* zich voelen ★ *feel cold / hot* het koud / warm hebben ★ *feel free to...* wees zo vrij om te... ★ *feel good* zich goed voelen ★ *feel sick* misselijk zijn ★ *feel sorry for sb* medelijden hebben met iem. ★ *not feel yourself* je niet lekker voelen ★ *feel your age* voelen dat de jaren tellen IV *zn* ❶ gevoel ★ *firm to the feel* stevig aanvoelend ★ *get the feel of sth* aan iets gewend raken, iets in de vingers krijgen ★ *have a feel for sth* gevoel hebben voor iets ❷ tast, tastzin ★ *have a feel of this leather* voel dit leer eens ★ *it was smooth / rough to the feel* het voelde glad / ruw aan ❸ aanvoelen ★ *the song has a romantic feel to it* het liedje doet romantisch aan

feeler ['fi:lə] *zn* voelhoorn / -spriet, proefballonnetje ★ *put out ~s* een proefballon oplaten

feel-good *bnw* positief, een goed gevoel gevend ★ *a ~ movie* een film waar je een goed gevoel aan overhoudt

feeling ['fi:lɪŋ] I *zn* ❶ gevoel ★ *bad / ill ~* wrok, bitterheid ❷ idee, indruk ❸ mening, opinie ❹ sympathie, medeleven ❺ sfeer, stemming II *bnw* gevoelig, gevoelvol, meelevend

feelingly ['fi:lɪŋlɪ] *bijw* met gevoel, gevoelvol

feelings ['fi:lɪŋz] *zn mv* gevoelens emoties ★ ~ *ran high* de gemoederen raakten verhit ★ *hurt sb's ~* iem. (diep) kwetsen ★ *no hard ~!* even goede vrienden!

feet [fi:t] *zn mv* → **foot**

feign [feɪn] *ov ww* veinzen, doen alsof

feint [feɪnt] *zn* schijnbeweging

felicitous [fə'lɪsɪtəs] *dicht bnw* goed (gevonden) en toepasselijk

felicity [fə'lɪsətɪ] *dicht zn* ❶ groot geluk, zegen(ing) ❷ toepasselijkheid

feline ['fi:laɪn] I *zn* katachtige II *bnw* katachtig

fell [fel] I *onov ww* [verleden tijd] → **fall** II *ov ww* vellen III *zn* (kale) heuvel, heidevlakte 〈N.-Engeland〉

fellow ['feləʊ] I *zn* ❶ vent, kerel, makker ❷ gelijke ❸ lid van universiteitsbestuur of wetenschappelijk genootschap ❹ wederhelft, andere helft II *bnw* ❶ gelijke ❷ -genoot, mede- ★ *my ~ passengers* mijn medepassagiers, mijn reisgenoten

fellow feeling *zn* sympathie, medeleven

fellowship ['feləʊʃɪp] *zn* ❶ kameraadschappelijke omgang, collegialiteit, vriendschap ❷ genootschap ❸ beurs ❹ lidmaatschap 〈van academische /

professionele organisatie⟩

felon ['felən] *zn* misdadiger

felonious [fɪ'ləʊnɪəs] *bnw* misdadig

felony ['felənɪ] *zn* zware misdaad

felt [felt] **I** *zn* vilt **II** *bnw* vilten **III** *onov ww* [verl. tijd + volt. deelw.] → **feel**

felt-tip pen *zn* viltstift

female ['fi:meɪl] **I** *zn* ❶ vrouw, meisje ❷ <u>dierk</u> wijfje **II** *bnw* ❶ vrouwelijk ★ *a ~ artist* een kunstenares ★ *two of the gang were ~* twee bendeleden waren vrouw ❷ wijfjes-

feminine ['femɪnɪn] *bnw* vrouwelijk, vrouwen-

femininity [femə'nɪnətɪ] *zn* vrouwelijkheid

feminism ['femɪnɪzm] *zn* feminisme

femora ['femərə] *zn mv* → **femur**

femur ['fi:mə] <u>anat</u> *zn* [mv: **femora** of **femurs**] dij(been)

fen [fen] *zn* moeras, ondergelopen land

fence [fens] **I** *zn* ❶ hek, omheining, schutting ★ *an electric ~* schrikdraad ★ *be / sit / stay on the ~* geen partij kiezen ❷ <u>sport</u> hindernis ❸ <u>inform</u> heler **II** *ov ww* ❶ beschutten, omheinen ❷ ~ *in* omheinen, afrasteren, <u>fig</u> belemmeren ❸ ~ *off* afscheiden, afschermen ⟨met hek⟩ **III** *onov ww* <u>sport</u> schermen

fencing ['fensɪŋ] *zn* ❶ omheining ❷ schermkunst / -sport

fend [fend] *ov ww* ❶ ~ *off* afweren, ontwijken ❷ ~ *for* zorgen voor ★ *fend for yourself* voor jezelf opkomen / zorgen

fender ['fendə] *zn* ❶ spatbord ⟨v. auto⟩ ❷ haardscherm

fennel ['fenl] *zn* venkel

feral ['ferəl] *bnw* ❶ verwilderd ★ *go ~* verwilderen, <u>inform</u> zich gedragen als een beest ❷ wild, dierlijk

ferment ['fɜ:mənt] **I** *ov ww* ❶ doen fermenteren / gisten ❷ in beroering brengen **II** *onov ww* fermenteren, gisten **III** *zn* opwinding, (sociale) onrust

fermentation [fɜ:men'teɪʃən] *zn* ❶ gisting ❷ onrust, beroering

fern [fɜ:n] *zn* varen(s)

ferocious [fə'rəʊʃəs] *bnw* woest, wild, wreed

ferocity [fə'rɒsətɪ] *zn* woestheid, wreedheid

ferret ['ferɪt] **I** *zn* fret **II** *onov ww* ❶ met fretten jagen ❷ snuffelen **III** *ov ww* ~ *out* uitvissen, opdiepen

Ferris wheel ['ferɪswi:l] *zn* reuzenrad ⟨op kermis⟩

ferry ['ferɪ] **I** *zn* veer(boot) **II** *ov ww* overzetten, vervoeren

ferryman ['ferɪmən] *zn* veerman

fertile ['fɜ:taɪl] *bnw* ❶ vruchtbaar ❷ creatief, rijk ⟨verbeelding⟩

fertility [fɜ:'tɪlətɪ] *zn* vruchtbaarheid

fertilization, fertilisation [fɜ:tɪlaɪ'zeɪʃən] *zn* bevruchting, bemesting

fertilize, fertilise ['fɜ:tɪlaɪz] *ov ww* ❶ bevruchten, vruchtbaar maken ❷ met (kunst)mest behandelen

fertilizer, fertiliser ['fɜ:təlaɪzə] *zn* (kunst)mest

fervent ['fɜ:vənt] *bnw* heet, vurig, hartstochtelijk

fervour, <u>USA</u> **fervor** ['fɜ:və] *zn* hitte, vuur, enthousiasme

fester ['festə] *onov ww* ❶ zweren, verrotten ❷ knagen

festive ['festɪv] *bnw* feest-, feestelijk

festivities [fe'stɪvətɪz] *zn mv* feestelijkheden, festiviteiten

festivity [fe'stɪvətɪ] *zn* ❶ feestvreugde ❷ festiviteit

festoon [fe'stu:n] *ov ww* versieren met slingers / bloemen

fetch [fetʃ] **I** *ov ww* ❶ halen, brengen ❷ trekken, tevoorschijn brengen ⟨bloed, tranen enz.⟩ ❸ opbrengen, opleveren **II** *onov ww* ❶ apporteren ★ ~ *and carry* apporteren, voor bediende spelen ❷ <u>inform</u> ~ *up* terechtkomen

fetching ['fetʃɪŋ] *bnw* enig, leuk, aantrekkelijk

fête [feɪt], **fete I** *zn* feest, bazaar **II** *ov ww* fêteren, feestelijk onthalen

fetid ['fi:tɪd] *bnw* stinkend

fetish ['fetɪʃ] *zn* ❶ fetisj ❷ fixatie, obsessie

fetter ['fetə] **I** *zn* [meestal mv] ❶ voetboei, keten ❷ belemmering **II** *ov ww* ❶ boeien ❷ belemmeren

fetus ['fi:təs] <u>USA</u> → **foetus**

feud [fju:d] **I** *zn* vete **II** *onov ww* twisten, ruziën

feudal ['fju:dl] *bnw* feodaal

feudalism ['fju:dəlɪzəm] *zn* feodaal stelsel

fever ['fi:və] *zn* ❶ koorts, verhoging ★ *come down with a ~* koorts krijgen ❷ (koortsachtige) opwinding

fevered ['fi:vəd], **feverish** ['fi:vərɪʃ] *bnw* ❶ koortsig ❷ koortsachtig

fever pitch *zn* hoogtepunt, climax ★ *at ~* op het kookpunt

few [fju:] **I** *onbep vnw* weinige(n) ★ *a few* enkele, een paar ★ *no fewer than 80 people* wel 80 mensen ★ *quite a few* vrij veel ★ <u>GB</u> *a good few* heel wat ★ <u>inform</u> *have had a few* teveel op hebben ⟨alcohol⟩ **II** *bnw* (maar) weinig ★ *a few* enkele, een paar ★ *every few days* om de zoveel dagen ★ *few and far between* dungezaaid, sporadisch **III** *zn* ★ *the few* de weinigen, de enkelen ★ *the happy few* een kleine / uitverkoren minderheid

ff. *afk, and following (pages)* en volgende (pagina's)

fiancé ['fɪ'ɒnseɪ, fi'ɑ:nseɪ] *zn* verloofde ⟨man⟩

fiancée ['fɪ'ɒnseɪ, fi'ɑ:nseɪ] *zn* verloofde ⟨vrouw⟩

fiasco [fɪ'æskəʊ] *zn* fiasco, afgang

fiat ['faɪæt] *zn* fiat, goedkeuring

fib [fɪb] **I** *zn* leugentje ★ *tell fibs* jokken **II** *onov ww* jokken

fibber ['fɪbə] *zn* jokkebrok

fibre, <u>USA</u> **fiber** ['faɪbə] *zn* ❶ vezel(s) ★ *a high-~ diet* een vezelrijk dieet ★ *with every ~ of my being* met heel mijn ziel ❷ vezelachtige stof ❸ karakter ★ *moral ~* ruggengraat

fibreboard, <u>USA</u> **fiberboard** ['faɪbəbɔ:d] *zn* (hout)vezelplaat

fibreglass, <u>USA</u> **fiberglass** ['faɪbəglɑ:s] *zn* fiberglas, glasvezel

fibrous ['faɪbrəs] *zn* vezelig

fibula ['fɪbjʊlə] <u>anat</u> *zn* kuitbeen

fickle ['fɪkl] *bnw* wispelturig, grillig

fiction ['fɪkʃən] *zn* ❶ fictie ★ *a work of ~* een roman ❷ onwaarheid

fictional ['fɪkʃənl] *bnw* fictief, roman-

fictitious [fɪk'tɪʃəs] *bnw* verzonnen, fictief, onecht ★ *a ~ name* een gefingeerde naam

fi

fiddle ['fɪdl] I zn ❶ inform viool ★ play second ~ tweede viool spelen ★ (as) fit as a ~ kiplekker ❷ inform knoeierij, bedrog ❸ inform lastige klus, (hele) toer II ov ww ❶ spelen ❷ inform knoeien, rommelen ⟨vooral met de boekhouding⟩ III onov ww ❶ inform viool spelen ❷ friemelen, spelen ❸ ~ about/around keutelen, rommelen

fiddle-faddle ['fɪdlfædl] inform zn onzin

fiddler ['fɪdlə] inform zn ❶ vioolspeler ❷ knoeier, oplichter

fiddlesticks ['fɪdlstɪks] inform zn mv nonsens, flauwekul, smoesjes

fiddling ['fɪdlɪŋ] inform bnw onbeduidend, nietig

fidelity [fɪ'delətɪ] zn ❶ trouw, getrouwheid, loyaliteit ★ high ~ natuurgetrouwe geluidsweergave

fidget ['fɪdʒɪt] I onov ww ~ (about) niet stil kunnen zitten II zn druk en nerveus persoon ★ have the ~s niet stil kunnen zitten

fidgety ['fɪdʒətɪ] bnw onrustig, druk

field [fi:ld] I zn ❶ veld, weiland ★ ~ of vision gezichtsveld ★ a ~ of wheat een akker tarwe ❷ gebied, terrein ❸ spelers ⟨v.e. wedstrijd⟩ ★ lead the ~ voorop lopen ★ inform play the ~ pakken wat je pakken kunt ⟨op seksueel gebied⟩ II ov ww ❶ kandidaat stellen ⟨voor verkiezing⟩ ❷ sport terugspelen ❸ afhandelen, pareren ⟨v. vraag⟩ III onov ww sport veldspeler zijn

field day zn sportdag ★ fig have a ~ er van smullen, de dag van je leven hebben

fielder ['fi:ldə] zn veldspeler

field events zn mv atletiek ⟨uitgezonderd baannummers⟩

field glasses ['fi:ldɡlɑ:sɪz] zn mv veldkijker

field marshal mil zn veldmaarschalk

fieldsman ['fi:ldzmən] zn veldspeler

field sports zn mv buitensport ⟨zoals jagen en vissen⟩

field test I zn praktijktest II ov ww in de praktijk testen

field trip zn excursie, veldwerk

fieldwork ['fi:ldwɜ:k] zn veldonderzoek, praktijk, vergaren van gegevens

fiend [fi:nd] zn ❶ duivel ❷ inform maniak ★ he's a ~ for rules hij doet fanatiek over regels

fiendish ['fi:ndɪʃ] bnw ❶ gemeen, duivels ❷ inform verduiveld moeilijk

fierce ['fɪəs] bnw ❶ woest, wreed, fel ❷ onstuimig, hevig ★ ~ opposition heftige tegenstand

fiery ['faɪərɪ] bnw ❶ vurig ❷ opvliegend, fel ⟨boosheid⟩ ❸ heet, scherp ⟨voedsel⟩

fife [faɪf] zn kleine dwarsfluit

fifteen [fɪf'ti:n] I telw vijftien II zn vijftiental ⟨bij rugby⟩

fifteenth [fɪf'ti:nθ] telw vijftiende

fifth [fɪfθ] telw vijfde

fiftieth ['fɪftɪəθ] telw vijftigste

fifty ['fɪftɪ] telw vijftig ★ ~~ half om half ★ the fifties de jaren vijftig ★ she is in her fifties ze is in de vijftig

fig [fɪɡ] zn ❶ vijgenboom ❷ vijg ★ inform not care / give a fig geen moer kunnen schelen

fight [faɪt] I ov ww [onregelmatig] ❶ vechten tegen, bestrijden ★ ~ fire with fire vuur met vuur bestrijden ★ ~ a losing battle voor een verloren zaak vechten ★ ~ tooth and nail tot het uiterste vechten ★ ~ your own battles je eigen zaakjes opknappen ▼ they fought their way to the door ze baanden zich een weg naar de deur ❷ ~ back wegslikken, onderdrukken ⟨angst, boosheid, tranen⟩ ❸ ~ down onderdrukken ❹ ~ off verdrijven ❺ ~ out uitvechten II onov ww [onregelmatig] ❶ vechten, strijden ★ ~ like a tiger vechten als een leeuw ★ ~ shy of zich niet inlaten met, terugschrikken voor ❷ ruzie maken ❸ ~ back terugvechten III zn ❶ gevecht, strijd, ruzie ★ a ~ broke out er ontstond een gevecht ★ get into a ~ in gevecht raken ★ have a ~ on your hands nog flink moeten vechten ★ put up a good ~ zich goed weren ★ ~ or flight vechten of wegwezen ★ a ~ to the finish een gevecht tot het bittere eind ❷ vechtlust ★ there was plenty of ~ left in him hij weerde zich nog terdege

fighter ['faɪtə] zn ❶ vechtersbaas ❷ luchtv gevechtsvliegtuig

fighting chance zn kansje op succes ⟨als je erg je best doet⟩

fighting spirit zn vechtlust

figment ['fɪɡmənt] zn verzinsel ★ a ~ of your imagination een hersenspinsel

figurative ['fɪɡərətɪv] bnw ❶ figuurlijk ❷ figuratief

figure ['fɪɡə] I zn ❶ cijfer, getal, bedrag ★ double ~s dubbele cijfers, tientallen ★ run into three / six ~s in de duizenden / miljoenen lopen ★ bad at ~s slecht in rekenen ★ do some ~s sommen maken ★ put a ~ on sth de prijs van iets schatten ❷ figuur, gedaante, gestalte ★ watch your ~ aan de lijn denken ★ cut a ~ een figuur slaan ❸ personage, persoon ★ be / become a ~ of fun het mikpunt zijn / worden van plagerijen ❹ (geometrische) figuur, afbeelding, motief II ov ww ❶ (zich) voorstellen, afbeelden ❷ USA inform geloven, denken ❸ USA ~ on rekenen op, vertrouwen op ❹ ~ out uitrekenen, uitvogelen, hoogte krijgen van III onov ww ❶ een rol spelen, voorkomen ❷ inform voor de hand liggen ★ that ~s! dat is logisch! ▼ inform go ~! snap jij het, snap ik het!

figurehead ['fɪɡəhed] zn ❶ scheepv boegbeeld ❷ leider in naam, stroman

figure of speech zn stijlfiguur, metafoor, manier van spreken

figure skating zn kunstrijden

figurine [fɪɡjʊ'ri:n] zn beeldje

filament ['fɪləmənt] zn ❶ gloeidraad ❷ vezel

filch [fɪltʃ] ov ww pikken, gappen

file [faɪl] I zn ❶ map, dossier ★ on file in het dossier ❷ comp bestand, document, file ❸ vijl ❹ gelid, rij ★ in file in de rij ★ in single file achter elkaar II ov ww ❶ archiveren, opbergen ⟨in dossier⟩ ❷ indienen ⟨eis, klacht, verzoek⟩, insturen ⟨v. bericht, reportage enz.⟩ ❸ vijlen, bijschaven ❹ ~ away opbergen, archiveren ❺ ~ for aanvragen ★ file for divorce een verzoek tot echtscheiding indienen III onov ww achter elkaar lopen ★ file past in een rij voorbijkomen

filial ['fɪlɪəl] bnw van dochter / zoon, kinderlijk

filibuster ['fɪlɪbʌstə] zn vertragingstactiek ⟨in

parlementair debat⟩

filigree ['fɪlɪgriː] *zn* filigrein(werk)

filing cabinet *zn* archiefkast

filings ['faɪlɪŋz] *zn* vijlsel

Filipino [fɪlɪ'piːnəʊ] **I** *zn* Filippijn **II** *bnw* Filippijns

fill [fɪl] **I** *ov ww* **❶** (op)vullen **❷** uitvoeren ⟨order⟩ **❸** voldoen ⟨een behoefte⟩ **❹** volproppen ⟨met eten⟩ **❺** bekleden ⟨ambt⟩ **❻** ~ **in** invullen ⟨v. formulier⟩, opvullen, inkleuren ⟨v. tekening⟩, inlichten, bijpraten **❼** ~ **out** invullen ⟨v. formulier⟩ **❽** ~ **up** opvullen ⟨ook v. ruimte / plaats⟩, invullen ⟨v. tijd⟩, invullen ⟨formulier⟩, vol doen ⟨benzinetank⟩ **II** *onov ww* **❶** zich vullen, vol raken, vol lopen **❷** ~ **in** de plaats innemen / vervangen **❸** ~ **out** dikker worden **❹** ~ **up** zich geheel vullen, tanken, dichtslibben **III** *zn* **❶** vulling **❷** voldoende hoeveelheid ★ *eat your fill* je buik rond eten ★ *have one's fill of sb / sth* schoon genoeg hebben v. iem. / iets

filler ['fɪlə] **❶** vulmiddel, (op)vulsel, plamuur **❷** *inform* opvulling

fillet ['fɪlɪt] **I** *zn* filet ⟨v. vlees / vis⟩, lendenstuk ⟨v. rund⟩ ★ *a ~ of pork* een varkenshaas ★ *~ steak* biefstuk v.d. haas, lendenbiefstuk **II** *ov ww* fileren

filling ['fɪlɪŋ] **I** *zn* vulling **II** *bnw* voedzaam, zwaar op de maag liggend

filling station *zn* benzinestation

filly ['fɪlɪ] *zn* merrieveulen

film [fɪlm] **I** *zn* **❶** filmrolletje **❷** *GB* film, de filmindustrie ★ *a documentary film* een documentaire **❸** folie ★ *cling film* huishoudfolie **❹** dunne laag, vlies, waas **II** *ov ww* (ver)filmen **III** *onov ww* **❶** filmen **❷** ~ **over** zich met vlies / waas bedekken

filmy ['fɪlmɪ] *bnw* dun, doorzichtig

filter ['fɪltə] **I** *zn* filter **II** *ov ww* filtreren, zuiveren **III** *onov ww* **❶** filtreren **❷** voorsorteren ★ ~ *to the left* links voorsorteren **❸** ~ **in** doorschemeren, doorsijpelen, invoegen ⟨auto⟩ **❹** ~ **through** door- / uitlekken, doorsijpelen

filter tip *zn* sigarettenfilter, filtersigaret

filth [fɪlθ] *zn* **❶** vuiligheid **❷** obsceniteit, vuile taal **❸** *GB inform* ★ *the* ~ smerissen

filthy ['fɪlθɪ] **I** *bnw* **❶** vuil, smerig **❷** schunnig, obsceen **❸** *inform* slecht, gemeen ⟨bui, blik⟩ **❹** *inform* guur ⟨v. weer⟩ **II** *bijw inform* heel erg ★ ~ *dirty* onvoorstelbaar smerig ★ ~ *rich* stinkend rijk

fin [fɪn] *zn* **❶** vin, zwemvlies **❷** stabilisator ⟨aan voertuig, raket⟩

final ['faɪnl] **I** *bnw* **❶** laatste, eind-, slot- **❷** definitief, afdoend, onherroepelijk **II** *zn* finale, eindwedstrijd

finality [far'nælɪtɪ] *zn* **❶** beslistheid ★ *in a tone of* ~ op besliste toon **❷** vormkracht ★ *reach* ~ realiseren **❸** onontkoombaarheid

finalize, finalise ['faɪnəlaɪz] *ov ww* de laatste hand leggen aan, afmaken, afronden

finally ['faɪnəlɪ] *bijw* **❶** ten slotte **❷** afdoend, definitief

finals ['faɪnlz] *zn mv* **❶** laatste universitaire examens **❷** *sport* ★ *the* ~ de eindwedstrijd

finance ['faɪnæns] **I** *ov ww* financieren **II** *zn* **❶** financiën **❷** financieel beheer, geldwezen

finances *zn mv* geldmiddelen, financiën ★ *sort out your* ~ je financiën op orde krijgen

financial [faɪ'nænʃəl] *bnw* financieel

finch [fɪntʃ] *zn* vink

find [faɪnd] **I** *ov ww* [onregelmatig] **❶** vinden, ontdekken, aantreffen ★ *nowhere to be found* nergens te vinden ★ *many children were found to be overweight* veel kinderen bleken te dik te zijn ★ *take people as you find them* mensen nemen zoals ze zijn ★ *find your voice / tongue* je spraak hervinden **❷** (gaan) zoeken / halen **❸** van mening zijn ★ *I find that it's better to...* in mijn ervaring kun je beter... **❹** (ver)krijgen ★ *have you found work yet?* heb je al werk kunnen krijgen? **❺** *jur* verklaren ★ *find sb guilty* iem. schuldig bevinden **❻** *jur* ~ **against/for** in het ongelijk / gelijk stellen **❼** ~ **out** ontdekken, door hebben, betrappen **II** *onov ww* ~ **out** er achter komen **III** *zn* vondst

finder ['faɪndə] *zn* vinder ★ *~s, keepers (losers weepers)!* eerlijk gevonden!

finding ['faɪndɪŋ] *zn* **❶** [meestal mv] bevindingen, resultaat **❷** *jur* uitspraak

fine [faɪn] **I** *bnw* **❶** fijn, mooi ⟨ook iron.⟩, goed **❷** verfijnd, subtiel, delicaat **❸** dun, fijn ⟨haar⟩, scherp **❹** fijn ⟨v. korrel⟩ **❺** uitstekend, in orde, gezond ⟨conditie⟩ ★ *I'm fine, thank you!* met mij gaat het prima, dank je! ★ *inform fine by me!* mij best! **❻** helder, droog ⟨weer⟩ ★ *one fine day* vandaag of morgen **II** *bijw* **❶** goed, mooi, prima ★ *a sandwich will do me fine* een boterham is genoeg **❷** fijn, klein ★ *cut it / things fine* precies genoeg tijd voor iets hebben, de tijd krap bemeten **III** *zn* geldboete **IV** *ov ww* beboeten

fine arts *zn mv* ★ *the* ~ de schone kunsten

fine print *zn* ★ *the* ~ de kleine lettertjes

finery ['faɪnərɪ] *zn* opschik, mooie kleren

finesse [fɪ'nes] *zn* handigheid, spitsvondigheid

fine-tune *ov ww* precies afstemmen / instellen

finger ['fɪŋgə] **I** *zn* vinger ★ *all ~s and thumbs* erg onhandig ★ *get your ~s burned / burnt* je vingers branden ★ *inform get / pull your ~ out* je handen laten wapperen ★ *inform give sb the ~* de middelvinger opsteken naar iem. ★ *have your ~ in the till* geld stelen uit de kassa ⟨van je baas⟩ ★ *have a ~ in the pie* een vinger in de pap hebben ★ *keep your ~s crossed* (ergens voor) duimen ★ *not lift / move / raise / stir a ~* geen vinger uitsteken ★ *not put your ~ on sth* iets niet helemaal kunnen plaatsen ★ *work your ~s to the bone* je kapot werken **II** *ov ww* **❶** met de vingers beroeren / aanraken **❷** *USA inform* verlinken

fingermark ['fɪŋgəmɑːk] *zn* vingerafdruk, (vette) vinger ⟨op oppervlak⟩

fingerprint ['fɪŋgəprɪnt] *zn* vingerafdruk

fingertip ['fɪŋgətɪp] *zn* vingertop ★ *have sth at your ~s* iets bij de hand hebben ★ *to your ~s* helemaal, op-en-top

finicky ['fɪnɪkɪ] *bnw* **❶** (al te) kieskeurig **❷** pietepeuterig, nauwgezet

finish ['fɪnɪʃ] **I** *zn* **❶** finish, einde ★ *a close / tight ~* een nipte overwinning ★ *to the ~* tot het (bittere) eind **❷** afwerking(slaag), laatste laag, glanslaag **II** *ov ww* **❶** voltooien, eindigen, afmaken ★ ~ *a book* een boek uitlezen ★ *I'm ~ed* ik ben klaar, inform ik ben doodop ★ inform

fi

that ~es it all dat doet de deur toe ❷ opeten, opdrinken, oproken ⟨enz.⟩ ❸ garneren, afwerken, de laatste hand leggen aan ❹ ~ **off** beëindigen, afmaken, opmaken, afwerken, uitputten, <u>inform</u> van kant maken ❺ ~ **up** alles opeten / opdrinken ❻ ~ **up with** als resultaat krijgen / hebben ❼ ~ **with** afmaken, klaar zijn met, niet meer nodig hebben, zich afmaken van, het uitmaken met **III** *onov ww* ❶ ~ **(up)** eindigen, ophouden ❷ ~ **up in** uiteindelijk terecht komen in
finished ['fɪnɪʃt] *bnw* ❶ klaar, af ❷ geruïneerd ★ *his career is* ~ zijn carrière ligt in duigen ❸ afgewerkt ★ ~ *products* eindproducten
finishing touch *zn* laatste hand ★ *put the ~es to sth* de laatste hand leggen aan iets
finite ['faɪnaɪt] *bnw* eindig, beperkt
Finnish ['fɪnɪʃ] **I** *bnw* Fins **II** *zn* Fins
fiord [fjɔːd] *zn* fjord
fir [fɜː] *zn* den(nenboom), spar
fir cone *zn* pijnappel, sparappel
fire ['faɪə] **I** *zn* ❶ vuur, brand ★ *on fire* in brand, in vuur en vlam ★ *catch fire* vlam vatten ★ *go through fire and water* door het vuur gaan ★ *set fire to / set on fire* in brand steken ❷ (vuur)haard ❸ (kanon / geweer)vuur, het vuren, beschieting ★ *in the line of fire* in de vuurlinie ★ *come under fire* onder vuur komen te liggen ★ *hang / hold fire* vertragen, uitstellen ❹ enthousiasme, inspiratie **II** *ov ww* ❶ in brand steken, ontsteken, aansteken ❷ stoken (oven) ❸ bakken (aardewerk) ❹ (af)schieten, vuren, afvuren (v. vragen) ★ *fire a salute* saluutschoten lossen ❺ ontslaan ❻ aanvuren, aanwakkeren ❼ ~ **off** afvuren, afsteken (redevoering) **III** *onov ww* ❶ vuren, schieten ❷ aanslaan, ontsteken (v. motor) ★ *fire on all (four) cylinders* op volle toeren draaien ❸ ~ **away** er op los schieten, van leer trekken, <u>inform</u> beginnen ★ *fire away!* brand maar los!
fire alarm ['faɪərəlɑːm] *zn* brandalarm
firearm ['faɪərɑːm] *zn* vuurwapen
fireball ['faɪəbɔːl] *zn* vuurbal, vuurbol
firebrand ['faɪəbrænd] *zn* activist, ruziestoker
firebreak ['faɪəbreɪk] *zn* brandgang, brandstrook
fire brigade *zn* brandweerkorps
firebug ['faɪəbʌg] <u>inform</u> *zn* brandstichter
firecracker ['faɪəkrækə] *zn* voetzoeker, rotje
fire drill *zn* brandweeroefening
fire engine, USA **fire truck** *zn* brandweerwagen
fire escape ['faɪərɪskeɪp] *zn* brandtrap
fire extinguisher *zn* brandblusapparaat
firefight ['faɪəfaɪt] *zn* vuurgevecht
firefighter ['faɪəfaɪtə] *zn* brandweerman, brandbestrijder
firefly ['faɪəflaɪ] *zn* vuurvliegje, glimworm
fireguard ['faɪəgɑːd] *zn* haardscherm
fire hose *zn* brandweerslang
fire hydrant *zn* brandkraan
firelight ['faɪəlaɪt] *zn* vuurgloed
firelighter ['faɪəlaɪtə], USA **fire starter** *zn* aanmaakblokje
fireman ['faɪəmən] *zn* ❶ brandweerman ❷ stoker
fireplace ['faɪəpleɪs] *zn* open haard, schouw, schoorsteen
fireproof ['faɪəpruːf] **I** *bnw* brandvrij, vuurvast, brandveilig **II** *ov ww* brandvrij maken
fire retardant *zn* brandvertragende middel
fire screen *zn* vuurscherm
fireside ['faɪəsaɪd] *zn* (hoekje bij de) haard
fire starter USA *zn* → **firelighter**
fire station *zn* brandweerkazerne
fire trap *zn* brandgevaarlijk gebouw
fire truck USA *zn* → **fire engine**
firewall ['faɪəwɔːl] *zn* ❶ brandvrij schot ❷ <u>comp</u> firewall, netwerkbeveiliging
fireworks ['faɪəwɜːks] *zn mv* vuurwerk
firing line *zn* ★ *be in / on the* ~ zich in de vuurlinie bevinden ⟨ook fig.⟩
firing squad, firing party *zn* vuurpeloton
firm [fɜːm] **I** *bnw* ❶ stevig, vast ★ *firm friends* dikke vrienden ★ *be on firm ground* vaste grond onder de voeten hebben ⟨ook fig.⟩ ❷ vastberaden, standvastig ★ *stand firm* op je stuk blijven staan ★ *a firm believer in* een overtuigd aanhanger van ★ *the euro remained firm against the dollar* de euro handhaafde zich ten opzichte van de dollar ❸ streng, hard ★ *she's firm with the children* ze is streng tegen de kinderen ❹ vast in hand ⟨van bod⟩ **II** *onov ww* ~ **up** vaster worden (v. prijzen)
first [fɜːst] **I** *telw* ❶ eerst ❷ belangrijkst **II** *bijw* ❶ eerst ★ ~ *and foremost* bovenal, allereerst ★ ~ *and last* au fond, in de grond ★ ~ *come,* ~ *served* wie het eerst komt, het eerst maalt ❷ voor het eerst ★ *at* ~ eerst, in het begin ❸ op de eerste plaats ★ ~ *of all* vooral, allereerst ★ *her children come* ~ haar kinderen komen op de eerste plaats ★ *put sb / sth* ~ het belangrijkst vinden ★ GB <u>inform</u> ~ *off* eerst ★ GB <u>inform</u> ~ *up* eerst, om te beginnen ❹ (nog) liever **III** *zn* ❶ eerste ★ *get a* ~ *in maths* cum laude afstuderen in wiskunde ★ ~ *among equals* de eerste onder gelijken ❷ eerste keer ★ *the* ~ *I heard about it was when...* ik hoorde er voor het eerst iets over toen... ❸ begin ★ *from* ~ *to last* van het begin tot het eind ❹ eerste versnelling
first-class *bnw* + *bijw* ❶ eersteklas ❷ prima
first-ever *bnw* allereerst(e)
first-hand [fɜːst'hænd] *bnw* uit de eerste hand
firstly ['fɜːstlɪ] *bijw* ten eerste
first-name *bnw* ★ *be on* ~ *terms* elkaar bij de voornaam noemen
first-rate *bnw* eersteklas, prima
fish [fɪʃ] **I** *zn* vis ★ *a cold fish* een kouwe kikker ★ *like a fish out of water* als een vis op het droge ★ *drink like a fish* zuipen als een ketter ★ *neither fish nor fowl* vlees noch vis ★ *have bigger / other fish to fry* nog meer / wel wat anders te doen hebben ★ *there are plenty more fish in the sea* er lopen nog genoeg andere vrouwen / mannen rond **II** *ov ww* ❶ vissen ❷ ~ **for** vissen naar ❸ ~ **out/up** opvissen
fish bone *zn* vissengraat
fish cake *zn* visburger
fisherman ['fɪʃəmən] *zn* visser
fishery ['fɪʃərɪ] *zn* ❶ visgrond / -plaats ❷ viskwekerij ❸ visserij
fish farm *zn* viskwekerij
fish finger *zn* visstick
fishing line *zn* vissnoer

fishing tackle *zn* vistuig
fishmonger ['fɪʃmʌŋgə] *zn* visverkoper
fishwife ['fɪʃwaɪf] *zn* visvrouw, viswijf
fishy ['fɪʃɪ] *bnw* ❶ naar vis smakend / ruikend ❷ visachtig ❸ inform niet pluis, verdacht
fission ['fɪʃən] *zn* splijting, deling ★ *nuclear ~* atoomsplitsing
fissure ['fɪʃə] *zn* splijting, kloof, spleet
fist [fɪst] *zn* vuist ★ *make a poor fist of sth* het verknoeien
fistful ['fɪstfʊl] *zn* handvol
fit [fɪt] I *zn* ❶ toeval, stuip, aanval ⟨v. ziekte, woede⟩ ★ inform *give sb a fit* iem. de stuipen op het lijf jagen ★ inform *he'd have / throw a fit if he knew* hij zou boos / verontrust worden als hij het wist ❷ bui ⟨lachen, hoesten⟩, opwelling, vlaag ★ *he had us in fits (of laughter)* hij liet ons vreselijk lachen ★ *by / in fits and starts* bij vlagen ❸ pasvorm ★ *it's a tight / good fit* het zit krap / goed II *bnw* ❶ gezond, in goede conditie ★ *feel fighting fit* het gevoel hebben dat je alles kunt ★ *run until you are fit to drop* rennen tot je er bijna bij neervalt ❷ geschikt ★ *a dinner fit for a king* een koningsmaal ❸ gepast ★ *form see / think fit* juist achten III *ov ww* ❶ passen, geschikt maken ❷ geschikt zijn voor ❸ aanbrengen, monteren ❹ ~ **in** plaats / tijd vinden voor ❺ ~ **in with** kloppen / overeenkomen met, aanpassen aan ❻ ~ **on** (aan)passen ❼ ~ **out** uitrusten ⟨bv. schip⟩ ❽ ~ **up** monteren, uitrusten, inform erin luizen IV *onov ww* ❶ passend / geschikt zijn ★ *the facts just don't fit together* de feiten kloppen niet met elkaar ❷ ~ **in** inpassen
fitful ['fɪtfʊl] *bnw* ❶ afwisselend, bij vlagen ★ *a ~ sleep* een rusteloze nacht ❷ onbestendig ⟨weer⟩
fitment ['fɪtmənt] *zn* ❶ inrichting, montage ❷ [meestal mv] inbouwmeubel ★ *kitchen ~s* ingebouwde keukenapparatuur
fitness ['fɪtnəs] *zn* ❶ fitness, (goede) lichamelijke conditie ★ *return to ~* weer fit worden ❷ geschiktheid
fitted ['fɪtəd] *bnw* ❶ op maat gemaakt ❷ vast, ingebouwd ★ *a ~ kitchen* een inbouwkeuken
fitted sheet *zn* hoeslaken
fitter ['fɪtə] *zn* monteur, installateur
fitting ['fɪtɪŋ] I *bnw* passend, gepast II *zn* ❶ pasbeurt ❷ onderdeel, hulpstuk, accessoire ❸ beslag ⟨op kist, enz.⟩
fitting room *zn* paskamer
fittings ['fɪtɪŋz] *zn mv* armaturen uitrusting ★ *fixtures and ~* vaste inrichting ⟨van een gebouw⟩, wat spijkervast is ⟨in een huis⟩
five [faɪv] *telw* vijf ★ inform *give sb five* elkaar een high five geven, de vlakke hand hoog tegen elkaar slaan ⟨groet / overwinningsgebaar⟩ ★ inform *take five* een korte rustpauze nemen
fivefold ['faɪvfəʊld] *bnw* vijfvoudig
fiver ['faɪvə] inform *zn* briefje van vijf
fix [fɪks] I *ov ww* ❶ repareren, in order brengen ★ *fix your face / hair* je gezicht / haar opmaken ❷ vastleggen / -maken, bevestigen, monteren ❸ vestigen, fixeren ⟨blik⟩ ★ *fix sb with a look* iem. strak aankijken ❹ vaststellen, bepalen ⟨v. tijd / positie⟩ ❺ regelen, organiseren ❻ bereiden, klaarmaken ⟨v. eten⟩ ★ *can I fix you

a drink? kan ik je iets inschenken? ❼ inform omkopen ⟨jury⟩ ❽ inform straffen ★ *I'll fix you, young man!* ik krijg je wel ventje! ❾ inform *~* **on** besluiten tot ❿ ~ **up** regelen, organiseren, in elkaar flansen, opknappen ★ inform *he fixed me up with a date* hij heeft een afspraakje voor me geregeld ★ inform *could you fix me up for the night?* kan ik vannacht bij jullie slapen? II *zn* ❶ inform oplossing ★ *a quick fix* een lapmiddel, een noodoplossing ❷ inform moeilijkheid, dilemma ★ *be in a fix* in de problemen zitten ❸ positie(bepaling) ★ inform *try to get a fix on sb / sth* iets / iemand proberen te begrijpen ❹ inform doorgestoken kaart, omkoperij ❺ inform shot, dosis ⟨drugs⟩ ★ *I need a coffee fix* ik moet nodig koffie hebben
fixation [fɪk'seɪʃən] *zn* fixatie, obsessie
fixative ['fɪksətɪv] *zn* fixeer, hechtmiddel
fixed [fɪkst] *bnw* ❶ vast ❷ min vastgeroest ⟨idee⟩ ❸ bewezen ⟨feit⟩ ❹ onbeweeglijk ⟨v. gezicht⟩ ❺ geregeld ★ *how are we ~ for Sunday?* wat doen wij zondag? ★ *how are you ~ for cash?* heb je geld genoeg?
fixer ['fɪksə] *zn* ❶ inform regelaar, ritselaar ❷ fixeer
fixings ['fɪksɪŋz] *zn mv* toebehoren, uitrusting ★ *with all the ~* met alles erop en eraan ★ *all the ~ for a simple meal* alle ingrediënten voor een eenvoudige maaltijd
fixture ['fɪkstʃə] *zn* ❶ sport ⟨vaste datum van⟩ wedstrijd ❷ iets dat vast is ★ humor *he's a permanent ~* hij hoort bij het meubilair
fizz [fɪz] I *zn* ❶ gesis, gebruis ❷ fig fut, pit ★ *the fizz has gone out of the economy* de economie is zijn pep kwijt ❸ inform mousserende wijn / champagne II *onov ww* mousseren, bruisen
fizzle ['fɪzəl] *onov ww* ❶ ⟨zachtjes⟩ sissen, sputteren ❷ ~ **out** als een nachtkaars uitgaan, mislukken
fizzy ['fɪzɪ] *bnw* mousserend, bruisend ★ *~ lemonade* limonade met prik
FL *afk*, Florida staat in de VS
flab ['flæb] inform *zn* vet(kwab)
flabbergasted ['flæbəgɑːstɪd] inform *bnw* verbijsterd ★ *we were ~ at / by the news* het nieuws verbijsterde ons
flabby ['flæbɪ] inform *bnw* kwabbig ⟨vel⟩, slap ⟨v. spieren / karakter⟩
flaccid ['flæksɪd] form *bnw* slap, hangend
flack [flæk] *zn* → **flak**
flag [flæg] I *zn* ❶ vlag ★ *fly a flag* een vlag voeren ⟨v. schip⟩ ★ fig *keep the flag flying* doorgaan, volharden ★ *swear allegiance to the flag* trouw zweren aan de vlag ❷ gele lis ❸ flagstone II *ov ww* ❶ versieren, seinen met vlaggen ❷ van een merk voorzien ❸ ~ **down** doen stoppen, aanroepen ⟨taxi⟩ III *onov ww* verslappen, verflauwen
flagging ['flægɪŋ] *bnw* afnemend, verflauwend
flagman ['flægmən] *zn* ❶ vlagseiner ❷ baanwachter
flagon ['flægən] *zn* ❶ schenkkan ❷ (grote) fles
flagpole ['flægpəʊl] *zn* vlaggenstok
flagrant ['fleɪgrənt] *bnw* flagrant, grof, schandelijk ⟨belediging⟩
flagship ['flægʃɪp] *zn* vlaggenschip

fl

flagstaff ['flægstɑːf] *zn* ❶ vlaggenstok ❷ *fig* paradepaardje

flagstone ['flægstəʊn] *zn* flagstone, natuurstenen tuintegel

flag-waving *zn* vlagvertoon

flail [fleɪl] **I** *zn* dorsvlegel **II** *ov ww* ❶ dorsen ❷ (af)ranselen **III** *onov ww* ❶ wild zwaaien ⟨met de armen⟩ ❷ ~ (around/about) worstelen

flair ['fleə] *zn* flair, bijzondere handigheid, gemak ★ *she has a ~ for maths* ze heeft een wiskundeknobbel

flak, flack [flæk] *zn* ❶ luchtafweergeschut ❷ *inform* hevige kritiek ★ *come in for some flak* bekritiseerd worden

flake [fleɪk] **I** *zn* schilfer ⟨verf⟩, vlok ⟨sneeuw⟩ **II** *ov ww* tot vlokken maken **III** *onov ww* ❶ afschilferen, pellen ❷ ~ off loslaten, afschilferen ❸ *inform* ~ out in slaap vallen, omvallen v. moeheid

flaky ['fleɪkɪ] *bnw* ❶ vlokkig, schilferachtig ❷ USA *inform* maf, excentriek

flaky pastry *zn* bladerdeeg

flamboyant [flæm'bɔɪənt] *bnw* ❶ flamboyant, uitbundig ❷ opzichtig

flame [fleɪm] **I** *zn* vlam, vuur ★ *burst into ~s* in brand vliegen **II** *ov ww* ❶ in brand steken ❷ flamberen **III** *onov ww* ❶ branden ❷ ~ (up) opvlammen, opstuiven

flaming ['fleɪmɪŋ] *bnw* ❶ heet, brandend ★ *a ~ sun* een verzengende zon ❷ hoogoplopend, hevig ⟨v. ruzie⟩ ❸ vuurrood, felgekleurd ❹ *inform* verdomd, rot-

flammable ['flæməbl] *bnw* brandbaar

flan [flæn] *zn* ❶ ≈ vlaai ❷ quiche

Flanders ['flɑːndəz] *zn* Vlaanderen

flank [flæŋk] **I** *zn* zijde, flank **II** *ov ww* grenzen aan, staan / liggen langs, flankeren ★ *a river ~ed by trees* een rivier met bomen erlangs ★ *~ed by bodyguards* omringd door lijfwachten

flannel ['flænl] **I** *zn* ❶ flanel ❷ washandje ❸ *inform* mooie praatjes **II** *bnw* flanellen

flannelette [flænə'let] *zn* katoenflanel

flannels ['flænlz] *zn mv* flanellen broek

flap [flæp] **I** *zn* ❶ omslag, klep, blad ❷ geflapper, gefladder ❸ *inform* paniek, ophef, consternatie ★ *get into a flap* in paniek raken **II** *ov ww* slaan ⟨met⟩, klapperen ⟨met⟩ **III** *onov ww* klapperen, fladderen

flare [fleə] **I** *zn* ❶ helle vlam ❷ lichtkogel, lichtsignaal ❸ opwelling ⟨v. emotie⟩ ❹ klokken, uitstaan ⟨van rok⟩ **II** *onov ww* ❶ (op)flikkeren, gloeien ❷ ~ (out) uitwaaieren, klokken ❸ ~ (up) oplaaien, opstuiven

flarepath ['fleəpɑːθ] *zn* verlichte landingsbaan

flares [fleəz] *zn mv* broek met wijd uitlopende pijpen

flare-up ['fleərʌp] *zn* ❶ uitbarsting ⟨van geweld / vijandelijkheden, enz.⟩ ❷ opflikkering

flash [flæʃ] **I** *zn* ❶ flits, flikkering ★ *a ~ of lightning* een bliksemstraal ★ *a ~ in the pan* een eenmalig succes ★ *in / like a ~* in 'n oogwenk ❷ lichtsein / -signaal ❸ vlaag, opwelling ★ *a ~ of inspiration* een inval ❹ flitser, flits(licht) ⟨foto⟩ **II** *bnw inform* opzichtig, patserig **III** *ov ww* ❶ (doen) flitsen, laten schijnen ★ *be / get ~ed* geflitst worden ❷ pronken met ★ *he likes to ~ his money*

around hij houdt ervan met zijn geld te wapperen ❸ snel laten zien ★ *~ a look at sb / sth* een snelle blik op iemand / iets werpen ★ *~ a smile at sb* even naar iemand lachen **IV** *onov ww* ❶ flitsen, flikkeren, opvlammen ❷ plotseling verschijnen, flitsen ★ *~ into view / sight* plotseling in het zicht komen ★ *it ~ed through my mind that...* het schoot mij door het hoofd dat... ❸ *inform* potloodventen ❹ ~ back plotseling terugdenken aan ❺ ~ past voorbijvliegen

flashback ['flæʃbæk] *zn* terugblik, flashback

flashbulb ['flæʃbʌlb] *zn* flitslampje

flasher ['flæʃə] *zn* ❶ knipperlicht ⟨auto⟩ ❷ *inform* exhibitionist, potloodventer

flash flood *zn* plotseling opkomend hoogwater ⟨door zware regenval⟩

flashlight ['flæʃlaɪt] *zn* ❶ flitslamp ❷ zaklantaarn

flashpoint ['flæʃpɔɪnt] *zn* ★ *at ~* op het kookpunt ⟨van gemoederen e.d.⟩

flashy ['flæʃɪ] *inform bnw* patserig, opvallend, pretentieus

flask [flɑːsk] *zn* ❶ thermosfles, veld- / heupfles ❷ flacon

flat [flæt] **I** *bnw* ❶ vlak, plat, laag ❷ dof, mat, niet glanzend ❸ gelijkmatig, effen, uniform ❹ verschaald ⟨bier⟩, zonder koolzuur ⟨water⟩ ❺ flauw, mat ⟨stemming⟩, gedrukt ⟨markt⟩ ❻ leeg ⟨accu⟩, lek ⟨band⟩ ❼ compleet, absoluut, vierkant ★ *his request met with a flat refusal* zijn verzoek werd bot geweigerd ★ *you're staying at home and that's flat!* je blijft thuis en daarmee basta! ❽ te laag ⟨toon⟩ ❾ *muz* mol, mineur **II** *bijw* ❶ verlaagd, te laag ⟨toon⟩ ❷ plat ★ *fall flat* geen effect hebben ⟨van grap⟩ ★ *fall flat on your face* plat op je gezicht vallen, *fig* totaal mislukken ★ *knock sb flat* iem. tegen de grond slaan ★ *the news knocked him flat* het nieuws overweldigde hem ❸ botweg, ronduit, helemaal ★ *flat out* zo hard mogelijk ★ *flat broke* helemaal platzak ❹ precies, op de kop af ★ *in five seconds flat* in precies vijf seconden **III** *zn* ❶ flat(gebouw), appartement ❷ platte kant ❸ vlakte ❹ lekke band ❺ [meestal *mv*] schoen met platte hak ❻ *muz* mol

flat-footed *bnw* met platvoeten

flatly ['flætlɪ] *bijw* ❶ uitdrukkingsloos ❷ plat, botweg, helemaal ★ *she ~ refused to go* ze vertikte het om te gaan

flat-out *bnw* regelrecht ★ *a ~ refusal* een botte weigering

flatten ['flætn] **I** *ov ww* ❶ pletten, met de grond gelijk maken ⟨ook fig.⟩ ❷ *inform* vloeren ❸ klein krijgen, vernederen ❹ verlagen ⟨v. toon⟩ ❺ ~ (out) plat maken **II** *onov ww* ~ (out) plat / vlak worden, afnemen

flatter ['flætə] *ov ww* ❶ vleien, strelen ⟨van ego / ijdelheid⟩ ★ *he ~ed himself that he had gone down well* hij vleide zich met de gedachte hij goed overgekomen was ❷ flatteren

flattering ['flætərɪŋ] *bnw* ❶ vleiend ❷ flatterend, flatteus

flattery ['flætərɪ] *bnw* vleierij, vleiende woorden ★ *~ will get you nowhere* met vleierij kom je er niet

flatties ['flætɪz] *inform zn mv* schoenen met

platte hak

flatulent ['flætjʊlənt] *bnw* ❶ winderig, met een opgeblazen gevoel ❷ *fig* hoogdravend

flatways ['flætweɪz], USA **flatwise** ['flætwaɪz] *bnw* + *bijw* met / op de platte kant

flaunt [flɔːnt] **I** *ov ww* te koop lopen met, pralen met ★ *humor if you've got it, ~ it* als je het breed hebt, moet je het breed laten hangen **II** *wkd ww* pronken

flautist ['flɔːtɪst], USA **flutist** ['fluːtɪst] *zn* fluitist

flavor ['fleɪvə] USA → **flavour**

flavorful ['fleɪvəfʊl] USA *bnw* → **flavoursome**

flavoring USA *zn* → **flavouring**

flavorless USA *bnw* → **flavourless**

flavour, USA **flavor** ['fleɪvə] **I** *zn* ❶ aroma, smaak en geur ★ *fig the ~ of the month* (tijdelijk) populair iets / iemand ★ *fig there's an unpleasant ~ about it* er zit een (onaangenaam) luchtje aan ❷ het karakteristieke **II** *ov ww* smakelijk maken, kruiden ★ *coffee-~ed ice cream* ijs met koffiesmaak

flavour enhancer *zn* smaakversterker

flavouring, USA **flavoring** ['fleɪvərɪŋ] *zn* ❶ het kruiden, kruiderij ❷ smaakstof

flavourless, USA **flavorless** ['fleɪvələs] *bnw* zonder geur of smaak, smaakloos

flavoursome ['fleɪvəsəm], USA **flavorful** *bnw* smakelijk, geurig

flaw [flɔː] **I** *zn* ❶ gebrek, fout, zwakke plek (in iemands karakter) ❷ barst, scheur, breuk **II** *ov ww* ontsieren, bederven ★ *the test was flawed by poor equipment* het onderzoek was onbetrouwbaar door slechte apparatuur

flawless ['flɔːləs] *bnw* perfect, onberispelijk, smetteloos

flax [flæks] *zn* vlas

flaxen ['flæksən] *bnw* van vlas ★ *~ hair* vlasblond haar

flay [fleɪ] *ov ww* ❶ villen ❷ afranselen ❸ *fig* scherp bekritiseren, hekelen

flea [fliː] *zn* vlo

fleck [flek] **I** *zn* vlek, spikkel **II** *ov ww* bevlekken, bespikkelen

fled [fled] *ww* [verleden tijd + volt. deelw.] → **flee**, **fly**

fledged ['fledʒd] *bnw* kunnende vliegen (van vogel) ★ *fig fully ~* geheel ontwikkeld, volwassen, ervaren

fledgling, **fledgeling** ['fledʒlɪŋ] **I** *zn* vogel die pas kan vliegen **II** *bnw* beginnend ★ *a ~ democracy* een jonge democratie

flee [fliː] [onregelmatig] *ov+onov ww* (ont)vluchten

fleece [fliːs] **I** *zn* ❶ vacht (v. schaap) ❷ fleecejack / -trui **II** *ov ww* ❶ scheren ❷ *inform* plukken, afzetten

fleecy ['fliːsɪ] *bnw* wollig, vlokkig ★ *~ clouds* schapenwolkjes

fleet [fliːt] **I** *zn* ❶ vloot ❷ schare, groep ★ *a ~ of journalists* een horde journalisten **II** *bnw* rap, snel, behendig ★ *~ of foot* gezwind **III** *onov ww* (voorbij)snellen, vliegen

fleeting ['fliːtɪŋ] *bnw* snel, vergankelijk, vluchtig ★ *catch a ~ glimpse of* een glimp opvangen van

Flemish ['flemɪʃ] *bnw* Vlaams

flesh [fleʃ] **I** *zn* vlees ★ *your own ~ and blood* je naaste verwanten ★ *in the ~* in levenden lijve ★ *make sb's ~ creep / crawl* iem. kippenvel bezorgen ★ *put on / lose ~* dik / mager worden **II** *ov ww* ~ **out** nader preciseren, uitwerken, dikker worden **III** *onov ww* ~ **out** aankomen

fleshy ['fleʃɪ] *bnw* ❶ vlezig ❷ dik

flew [fluː] *ww* [verleden tijd] → **fly**

flex [fleks] **I** *ov ww* buigen, strekken, samentrekken (v. spier) ★ *flex your muscles* je spierballen laten zien (ook fig.) **II** *zn* (elektrisch) snoer

flexibility [fleksə'bɪlətɪ] *zn* flexibiliteit, buigzaamheid

flexible ['fleksɪbl] *bnw* ❶ flexibel ❷ buigzaam, handelbaar ❸ variabel

flexitime ['fleksɪtaɪm], USA **flextime** ['flekstaɪm] *zn* (systeem met) variabele werktijden

flick [flɪk] **I** *ov ww* ❶ tikken, knippen ★ *~ a smile at sb* even naar iem. lachen ❷ ~ **on/off** aan / uitzetten ❸ ~ **over** omslaan, doorbladeren ❹ ~ **through** doorbladeren, zappen **II** *zn* tik(je), rukje, knip (met nagel)

flicker ['flɪkə] **I** *zn* ❶ geflikker (licht) ❷ opflikkering, trilling ❸ sprankje, vleugje ★ *a ~ of interest* een vleugje interesse **II** *ov+onov ww* (doen) flikkeren, knipperen, trillen, fladderen

flick knife *zn* springmes

flicks [flɪkz] *inform zn mv* ★ *the ~* de bioscoop

flier ['flaɪə] *zn* → **flyer**

flight [flaɪt] *zn* ❶ vlucht ★ *put to ~* op de vlucht drijven ★ *take ~* op de vlucht slaan ❷ het vliegen ★ *the age of ~* het tijdperk van de luchtvaart ❸ baan (v. projectiel) ❹ zwerm, troep, formatie (vliegtuigen) ★ *a ~ of stairs* een trap ★ *a ~ of steps* een bordes ★ *three ~s up* drie trappen hoog ❺ inval, opwelling ★ *she's prone to ~s of fancy / the imagination* zij heeft een rijke verbeelding

flight attendant *zn* steward(ess)

flight deck *zn* vliegdek

flight recorder *zn* vluchtregistrator, zwarte doos

flighty ['flaɪtɪ] *bnw* grillig, wispelturig, onberekenbaar

flimsy ['flɪmzɪ] *bnw* ❶ dun ★ *a ~ dress* een licht en dun jurkje ❷ zwak, niet overtuigend (excuus / bewijs) ❸ niet stabiel, ondeugdelijk

flinch [flɪntʃ] **I** *onov ww* wijken, terugschrikken, ineenkrimpen (v.d. pijn) ★ *he didn't ~ at the sight* hij vertrok geen spier toen hij het zag **II** *ov ww* ~ **from** terugdeinzen voor

fling [flɪŋ] **I** *zn* *inform* uitspatting, korte affaire ★ *have a ~ with sb* een verzetje hebben met iem. **II** *ov ww* [onregelmatig] ❶ (weg)smijten, (neer)gooien, neerwerpen ★ *~ insults at sb* iem. beledigingen naar het hoofd slingeren ❷ *inform* ~ **at** ★ *~ yourself at sb* openlijk lonken naar iem. ❸ ~ **into** zich storten op (een activiteit) ❹ ~ **off** afgooien (v. kleren) ❺ ~ **out** eruit gooien, uitspreiden (v. armen)

flint [flɪnt] *zn* ❶ keisteen, vuursteen ❷ steentje (van aansteker)

flinty ['flɪntɪ] *bnw* ❶ steenachtig ❷ (kei)hard

flip [flɪp] **I** *ov ww* ❶ (op)gooien ★ *flip a coin* een munt opgooien ❷ (om) kanten, (snel) omdraaien ❸ ~ **on/off** aan / uitschakelen ❹ ~ **over** omdraaien, omgooien, omkeren

fl

❺ ~ **through** doorbladeren **II** *onov ww* ❶ *inform* ~ **(out)** flippen ⟨door drugs⟩, de controle verliezen, door het dolle heen raken ❷ ~ **(over)** een salto doen **III** *zn* ❶ gooi, salto ★ *his heart did a flip* zijn hart sloeg over ★ *the government has done a flip on immigration* de regering heeft haar standpunt over immigratie radicaal gewijzigd ❷ flip, eierpunch ▾ *have a quick flip through the newspaper* de krant snel doorbladeren

flip-flop *zn* teenslipper

flippancy ['flɪpənsɪ] *zn* spot, oneerbiedige opmerking

flippant ['flɪpənt] *bnw* oneerbiedig, spottend ★ *a ~ remark* een ongepaste opmerking

flipper ['flɪpə] *zn* ❶ zwemvlies ❷ vin, zwempoot

flipping ['flɪpɪŋ] *inform bnw* verdraaid, verdomd

flip side *zn* ❶ keerzijde ❷ *fig* nadeel

flirt [flɜːt] **I** *zn* flirt **II** *ov ww* ~ **with** flirten met, spelen met ⟨gedachte⟩ ★ ~ *with danger* met vuur spelen **III** *onov ww* flirten

flirtation [flɜːˈteɪʃən] *zn* (ge)flirt

flirtatious [flɜːˈteɪʃəs], *inform* **flirty** ['flɜːtɪ] *bnw* flirterig

flit [flɪt] **I** *zn inform* ★ *do a moonlight / midnight flit* met de noorderzon vertrekken **II** *onov ww* ❶ fladderen, vliegen ❷ snel heen en weer gaan, schieten ★ *a smile flitted across her face* een glimlach gleed over haar gezicht ★ *the thought flitted through my mind* het gedachte schoot door mij heen

flitter ['flɪtə] *onov ww* fladderen

float [fləʊt] **I** *ov ww* ❶ laten drijven, doen zweven ❷ *econ* laten zweven ⟨valuta⟩ ❸ in omloop brengen ⟨idee / gerucht⟩ **II** *onov ww* ❶ drijven, zweven ❷ vlot komen ❸ ~ **around** de ronde doen ⟨geruchten⟩, rondzwerven ⟨voorwerp⟩ **III** *zn* ❶ dobber ❷ (praal)wagen ❸ *econ* eerste emissie ★ *do a ~* aandelen in omloop brengen

floatation [fləʊˈteɪʃən] *zn* → **flotation**

floating ['fləʊtɪŋ] *bnw* drijvend, vlottend, zwevend ★ *a ~ voter* een zwevende kiezer ❷ variabel, wisselend, veranderlijk ★ *a ~ population* een wisselende bevolking

floating voter *zn* zwevende kiezer

flock [flɒk] **I** *zn* ❶ kudde, troep, zwerm ❷ schare, groep ❸ vulling, kapok **II** *onov ww* ~ **(together)** (in groten getale) samenstromen

floe [fləʊ] *zn* drijvende ijsschots(en)

flog [flɒg] *ov ww* ❶ geselen, slaan ⟨met stok⟩ ★ *inform flog a dead horse* zich vergeefs inspannen ★ *inform flog a story to death* een verhaal tot vervelens toe vertellen ★ *inform flog yourself to death* je doodwerken ❷ *inform* ~ **(off)** verpatsen, aansmeren ★ *she tried to flog it off onto me* ze probeerde mij het aan te smeren

flogging ['flɒgɪŋ] *zn* pak slaag / rammel

flood [flʌd] **I** *zn* ❶ vloed, overstroming ★ *the Rhine is in ~* de Rijn is buiten zijn oevers getreden ★ *the Flood* de zondvloed ❷ stroom, stortvloed ★ *in ~s of tears* helemaal in tranen **II** *ov ww* ❶ (doen) overstromen, onder water zetten ❷ overspoelen ❸ verzuipen ⟨v. motor⟩ **III** *onov ww* ❶ buiten de oevers treden, overstromen ❷ ~ **back** met kracht terugkomen,

terugstromen ❸ ~ **in** binnenstromen

floodgate ['flʌdgeɪt] *zn* sluis(deur) ★ *open the ~s to* de deuren wagenwijd openzetten voor ★ *fig the ~s opened* de waterlanders kwamen tevoorschijn

floodlight ['flʌdlaɪt] **I** *zn* schijnwerper **II** *ov ww* verlichten met schijnwerpers

floodlit ['flʌdlɪt] *bnw* verlicht met schijnwerpers / spotjes

flood tide ['flʌdtaɪd] *zn* vloed

floor [flɔː] **I** *zn* ❶ vloer, bodem ★ *go through the ~* diep wegzakken ⟨prijzen⟩ ★ *take to the ~* gaan dansen ★ *fig wipe the ~ with sb* de vloer met iem. aanvegen, iem. volkomen inmaken ❷ verdieping ★ *on the first ~* op de eerste verdieping, USA op de begane grond ❸ zaal ⟨van parlement⟩ ★ *take the ~* het woord nemen **II** *ov ww* ❶ vloeren, neerslaan ❷ een vloer leggen ❸ *inform* overdonderen, verbijsteren

floorboard ['flɔːbɔːd] *zn* vloerplank

floorcloth ['flɔːklɒθ] *zn* dweil

flooring ['flɔːrɪŋ] *zn* vloer(materiaal)

floor manager *zn* afdelingschef ⟨warenhuis⟩

floor show *zn* nachtcluboptreden

floozy, floozie ['fluːzɪ] *inform zn* sloerie, sletje

flop [flɒp] **I** *zn* ❶ plof, plons ❷ flop, fiasco **II** *onov ww* ❶ neerploffen, neersmakken ❷ een mislukking worden, zakken ⟨v. examen⟩ ❸ *inform* pitten

floppy ['flɒpɪ] *bnw* flodderig, slap

floral ['flɔːrəl] *bnw* bloemen-, gebloemd, bloemetjes- ★ *a ~ arrangement* een bloemstuk

florid ['flɒrɪd] *bnw* ❶ blozend ⟨v. gezicht⟩ ❷ *min* (te) bloemrijk, opzichtig

florist ['flɒrɪst] *zn* bloemist, bloemenverkoper

floss [flɒs] **I** *ov ww* flossen **II** *zn* vlaszijde ★ *dental ~* tandzijde, floss

flotation, floatation [fləʊˈteɪʃən] *zn* ❶ het drijven ❷ *econ* eerste emissie ⟨van aandelen⟩

flotsam ['flɒtsəm] *zn* drijf / wrakhout ★ *~ and jetsam* aangespoeld drijf / wrakhout, *fig* rommel, *fig* zwervers

flounce [flaʊns] **I** *zn* ❶ boze zwaai / ruk ❷ strook, roesje **II** *onov ww* wegbenen, wegstormen ⟨in drift⟩ ★ ~ *around the room* door de kamer ijsberen

flounder ['flaʊndə] **I** *onov ww* ❶ ploeteren, spartelen ❷ in de war zijn, de draad kwijtraken, hakkelen **II** *zn* bot ⟨vis⟩

flour ['flaʊə] **I** *zn* bloem, meel **II** *ov ww* bestrooien met meel

flourish ['flʌrɪʃ] **I** *onov ww* ❶ bloeien, gedijen ❷ in zijn bloeitijd zijn **II** *zn* ❶ zwierig gebaar ★ *with a ~* met vertoon ❷ versiering, krul ⟨als versiering in handschrift⟩ ❸ fanfare, geschal ★ *a ~ of trumpets* trompetgeschal, fanfare

floury ['flaʊərɪ] *bnw* melig, bedekt met meel, kruimig ⟨v. aardappel⟩

flout [flaʊt] *ov ww* negeren, aan zijn laars lappen, niets van aantrekken

flow [fləʊ] **I** *onov ww* ❶ stromen, golven ★ *the conversation didn't flow easily* het gesprek vlotte niet erg ❷ golven, loshangen **II** *ov ww* ~ **from** (voort)vloeien uit **III** *zn* ❶ vloed ❷ stroom, (door)stroming ★ *in full flow* in volle gang ★ *go with the flow* met de stroom meegaan

flow chart, flowsheet zn stroomschema, processchema

flower ['flaʊə] I zn bloem ★ in ~ in bloei II onov ww bloeien, tot bloei komen

flowery ['flaʊərɪ] bnw bloemrijk, gebloemd, bloemen-

flowing ['fləʊɪŋ] bnw ❶ vloeiend ❷ loshangend

flown [fləʊn] ww [volt. deelw.] → **fly**

flowsheet → **flow chart**

fl oz afk, fluid ounce ⟨inhoudsmaat: GB 28,35 cc; USA 29,6 cc⟩

flu [flu:] zn griep

fluctuate ['flʌktjʊeɪt] onov ww op en neer gaan, schommelen

fluctuation [flʌktjʊ'eɪʃən] zn fluctuatie, schommeling

flue [flu:] zn rookkanaal, vlampijp

fluency ['flu:ənsɪ] zn ❶ spreekvaardigheid ❷ welbespraaktheid

fluent ['flu:ənt] bnw ❶ vloeiend ❷ sierlijk

fluff [flʌf] I zn ❶ pluisjes ❷ dons ❸ inform amusement II onov ww pluizen III ov ww ❶ inform verknoeien ❷ opschudden ⟨v. kussen⟩ ❸ ~ out/up opkloppen, laten uitstaan ⟨v. haar⟩, opzetten v. veren ⟨vogels⟩

fluffy ['flʌfɪ] bnw ❶ donzig, pluizig ❷ luchtig

fluid ['flu:ɪd] I zn vloeistof II bnw ❶ vloeiend, beweeglijk ❷ instabiel, veranderlijk ❸ vloeibaar

fluidity [flʊ'ɪdətɪ] zn ❶ soepelheid ❷ instabiliteit ❸ vloeibaarheid

fluke [flu:k] I zn ❶ inform puur geluk, meevaller ❷ staartvin ⟨van walvis⟩ II ov ww inform met geluk voor elkaar krijgen

flummox ['flʌməks] inform ov ww versteld / perplex doen staan ★ I was ~ed ik was perplex

flump [flʌmp] I zn plof II ov ww neersmijten III onov ww ⟨neer⟩ploffen

flung [flʌŋ] ww [verl. tijd + volt. deelw.] → **fling**

flunk [flʌŋk] inform I ov ww laten zakken ⟨bij examen⟩ II onov ww ❶ zakken ❷ USA ~ out weggestuurd worden ⟨v. school / universiteit⟩

fluorescent [flʊə'resənt] bnw fluorescerend ★ a ~ light een tl-buis

fluoridate ['flʊərɪdeɪt] ov ww fluorideren

flurried ['flʌrɪd] bnw verward, geagiteerd

flurry ['flʌrɪ] zn ❶ drukte, vlaag ⟨v. opwinding⟩ ❷ bui

flush [flʌʃ] I ov ww ❶ doorspoelen, wegspoelen, schoonspoelen ❷ ~ out uit schuilplaats verjagen II onov ww ❶ doorspoelen ❷ kleuren, blozen, rood aanlopen III zn ❶ blos, gloed ★ in the first ~ of youth prille jeugd ❷ ⟨water⟩spoeling IV bnw ❶ inform goed bij kas ❷ vlak, gelijk ★ make sure the tiles are ~ with the floor zorg dat de tegels vlak zijn met de vloer

flushed [flʌʃt] bnw rood ⟨v. opwinding / woede⟩ ★ ~ with success opgetogen met succes

fluster ['flʌstə] I zn opwinding, ⟨nerveuze⟩ drukte ★ in a ~ opgewonden II ov ww zenuwachtig maken, van de wijs brengen ★ hot and ~ed rood van opwinding

flute [flu:t] zn ❶ dwarsfluit ❷ champagneglas, fluit

fluted ['flu:tɪd] bnw geplooid, geribbeld, gegroefd

flutist zn → **flautist**

flutter ['flʌtə] I zn ❶ gefladder, geknipper ⟨met ogen⟩ ❷ snel⟨ler⟩ kloppen ⟨v. hart⟩ ★ her heart gave a ~ haar hart begon sneller te kloppen ❸ agitatie, drukte ★ in a ~ geagiteerd zijn ★ cause quite a ~ een sensatie / opschudding veroorzaken ❹ GB inform gokje II ov ww vlug heen en weer bewegen, fladderen met ★ ~ your eyelashes knipperen met je ogen III onov ww ❶ vlug heen en weer bewegen, fladderen, dwarrelen ❷ snel / onregelmatig slaan ⟨v. hart⟩

flux [flʌks] zn ❶ voortdurende verandering ★ in a state of flux steeds in beweging, aan verandering onderhevig ❷ vloei- / smeltmiddel

fly [flaɪ] I zn ❶ vlieg ★ a fly in the ointment een minpunt ★ a fly on the wall een spion ★ inform ⟨there are⟩ no flies on him! hij heeft van wanten! ★ die / fall / drop like flies bij bosjes neervallen / omkomen ❷ gulp ❸ tentflap, buitentent ▼ on the fly in het voorbijgaan, snel tussendoor II onov ww [onregelmatig] ❶ ⟨in het rond⟩ vliegen ★ fig fly high succes hebben ★ let fly at sb with your fists met je vuisten op iem. aanvliegen ★ let fly with abuse een scheldkanonnade afvuren ❷ snel bewegen, omvliegen ★ his hand flew to his gun zijn hand flitste naar zijn pistool ★ how time flies wat gaat de tijd snel voorbij ❸ wapperen ⟨v. vlag, haar enz.⟩ ❹ ~ around rondvliegen, in omloop zijn ❺ ~ by/past voorbijvliegen ❻ ~ in/out per vliegtuig aankomen / vertrekken III ov ww [onregelmatig] ❶ besturen ⟨vliegtuig⟩ ❷ oplaten ⟨vlieger⟩ ★ fly a kite vliegeren, een proefballonnetje oplaten ★ USA inform ⟨go⟩ fly a / your kite! rot op! ❸ voeren ⟨v. vlag⟩ ❹ ~ (out) at uitvaren tegen, aanvliegen ❺ [o.v.t.: fled, volt. deelw.: fled] ontvluchten ★ inform fly the coop 'm smeren

flyblown ['flaɪbləʊn] bnw vuil, besmet ⟨met maden⟩

fly-by-night inform bnw louche, niet te vertrouwen

fly-drive bnw ★ a ~ holiday een vliegvakantie, incl. huurauto

flyer, flier ['flaɪə] zn ❶ vlieger, piloot ❷ vliegtuigpassagier ★ frequent ~ miles ≈ airmiles ❸ strooibiljet, flyer

flying ['flaɪɪŋ] I bnw vliegend ★ ~ glass rondvliegend glas ★ with ~ colours met vlag en wimpel ★ take a ~ leap een sprong met aanloop nemen ★ ~ visit bliksembezoek II bijw ★ go ~ op de grond kieperen ★ send sb ~ iem. doen vallen / struikelen

flying start zn ★ get off to a ~ zeer goed beginnen

flyleaf ['flaɪli:f] zn schutblad

flyover ['flaɪəʊvə] zn viaduct, ongelijkvloerse kruising

fly-past ['flaɪpɑ:st] zn luchtparade

foal [fəʊl] I zn veulen ★ in / with foal drachtig ⟨merrie⟩ II onov ww een veulen werpen

foam [fəʊm] I onov ww schuimen ★ foam at the mouth schuimbekken ⟨ook fig.⟩ II zn ❶ schuim ❷ schuimrubber

foamy ['fəʊmɪ] bnw schuimend, schuimig

fob [fɒb] ov ww ~ **off** ⟨met smoesjes⟩ afschepen ★ fob sth off on sb iemand iets in de maag

fo

splitsen

fob watch *zn* zakhorloge

focal ['fəʊkl] *bnw* centraal, belangrijk, brandpunt(s)- ★ ~ *point* brandpunt, middelpunt

focus ['fəʊkəs] **I** *zn* [mv: **foci** of **focuses**] ❶ brandpunt, centrum, middelpunt ★ *a change of* ~ andere manier van kijken ❷ scherpte ★ *in* ~ duidelijk, scherp ★ *out of* ~ onscherp, verdraaid **II** *ov ww* ❶ instellen, scherp stellen ⟨v. camera⟩ ❷ ~ **on/upon** (zich) concentreren / richten op ⟨v. gedachten⟩, vestigen op ⟨v. ogen⟩ **III** *onov ww* zich concentreren

fodder ['fɒdə] *zn* voer ⟨ook fig.⟩

foe [fəʊ] *dicht zn* vijand

foetus, USA **fetus** ['fiːtəs] *zn* foetus, ongeboren kind

fog [fɒg] **I** *zn* ❶ mist, nevel, sluier ★ *patches of fog* mistflarden ❷ *fig* onduidelijkheid, verwarring ★ *her mind was in a fog* zij was de kluts kwijt **II** *ov ww* ❶ in mist hullen ❷ onduidelijk maken, vertroebelen ❸ doen beslaan **III** *onov ww* ~ **up/over** beslaan

fogbound ['fɒgbaʊnd] *bnw* ❶ in mist gehuld ❷ niet verder kunnen door de mist

fogey, fogy ['fəʊgɪ] inform *zn* ouderwets iemand, ouwe zeur

foggy ['fɒgɪ] *bnw* ❶ mistig ❷ vaag ★ inform *not have the foggiest (idea)* geen idee hebben

foghorn ['fɒghɔːn] *zn* misthoorn

foible ['fɔɪbl] *zn* ❶ zwakheid, zwakke kant ❷ gril

foil [fɔɪl] **I** *zn* ❶ (aluminium)folie, zilverpapier ❷ achtergrond, contrast ❸ floret ⟨schermen⟩ **II** *ov ww* verijdelen, dwarsbomen

foist [fɔɪst] *ov ww* ~ **on/upon** ★ ~ *sth on / upon sb* iem. iets opdringen

fold [fəʊld] **I** *ov ww* ❶ vouwen, kruisen ★ *fold your arms* de armen over elkaar doen ★ *fold the sugar into the egg whites* meng de suiker luchtig door het eiwit ❷ opsluiten, sluiten ⟨in de armen⟩, drukken ⟨aan de borst⟩ ❸ ~ **back** terugslaan ⟨lakens⟩ ❹ ~ **out** uitklappen ❺ ~ **up** op-,dichtvouwen, opklappen **II** *onov ww* ❶ zich laten vouwen ❷ inform het begaan, over de kop gaan ❸ ~ **up** dichtgaan ⟨bloemknop⟩, inform failliet gaan, inform krom liggen ⟨van het lachen⟩ **III** *zn* ❶ vouw, plooi ❷ schaapskooi ❸ kudde

foldaway ['fəʊldəweɪ] *bnw* vouw-, in- / opklap-, opklapbaar

folder ['fəʊldə] *zn* ❶ map ⟨voor documenten⟩ ❷ folder

folding ['fəʊldɪŋ] *bnw* vouw-, klap-, opvouwbaar

foliage ['fəʊlɪɪdʒ] *zn* gebladerte, loof, blad

folk [fəʊk] **I** *zn mv* inform mensen ❷ volk ❸ inform [meestal mv] ouders, ouwelui, familie **II** *zn* volksmuziek **III** *bnw* volks-

folklore ['fəʊklɔː] *zn* ❶ folklore ❷ volkskunde

folk singer *zn* zanger(es) van volksliedjes

folksy ['fəʊksɪ] *bnw* volks- ❷ gezellig, plattelands-, eenvoudig

folk tale *zn* volksverhaal

follicle ['fɒlɪkl] *zn* (haar)zakje

follow ['fɒləʊ] **I** *ov ww* ❶ volgen ❷ opvolgen, navolgen, zich richten op ❸ begrijpen ❹ uitoefenen ⟨v. ambacht⟩ ❺ ~ **from** voortvloeien uit ❻ ~ **through** afmaken,

afwerken, (nauwkeurig) uitvoeren ❼ ~ **up** nagaan, onderzoeken, voortzetten, laten volgen **II** *onov ww* ❶ volgen ★ ~ *in sb's footsteps* in iemands voetstappen treden ★ *anything to* ~? nog iets toe? ❷ begrijpen ❸ ~ **on** volgen, aansluiten ❹ ~ **through** de slag afmaken ⟨bij tennis, golf enz.⟩

follower ['fɒləʊwə] *zn* ❶ volgeling, aanhanger ❷ navolger ❸ volger

following ['fɒləʊwɪŋ] **I** *zn* ❶ volgelingen, aanhang ❷ het volgende / de volgende **II** *bnw* volgend **III** *vz* na, volgend op

follow-through *zn* ❶ het afmaken van zwaai ⟨in tennis / golf, enz.⟩ ❷ afwerking

follow-up *zn* ❶ vervolg, follow-up ❷ med nazorg

folly ['fɒlɪ] *zn* dwaasheid, stommiteit

fond [fɒnd] *bnw* ❶ lief, dierbaar ❷ innig, teder, liefhebbend ★ *be fond of sb* van iem. houden ★ *be fond of sth* dol / verzot zijn op iets ★ *she's fond of telling me what to do* ze heeft de neiging me te vertellen wat ik moet doen

fondle ['fɒndl] *ov ww* liefkozen, strelen

fondness ['fɒndnəs] *zn* ❶ tederheid ❷ voorliefde, zwak

font [fɒnt] *zn* ❶ doopvont ❷ drukk lettertype

food [fuːd] *zn* voedsel, eten, voedingsartikel ★ *Italian food* Italiaans eten, Italiaanse keuken ★ *frozen foods* diepvriesproducten ★ *be off your food* geen eetlust hebben ★ *food for thought* stof tot nadenken

food chain *zn* voedselketen

foodie ['fuːdɪ] inform *zn* lekkerbek

food processor *zn* keukenmachine

foodstuff ['fuːdstʌf] *zn* voedingsmiddel, levensmiddel

fool [fuːl] **I** *zn* ❶ idioot, gek ★ *live in a fool's paradise* in een droomwereld leven ★ *make a fool of sb* iem. voor gek zetten ★ *make a fool of yourself* je aanstellen / belachelijk maken ★ inform *more fool you* dat was dom van jou ★ *no fool like an old fool* hoe ouder hoe gekker ★ *a fool and his money are soon parted* domme mensen zijn hun geld zo kwijt ❷ nar, clown ★ *act / play the fool* de clown uithangen ★ *be nobody's fool* zich niet voor de gek laten houden ❸ ⟨kruisbessen⟩vla **II** *bnw* inform dwaas **III** *ov ww* voor de gek houden, wijsmaken ★ inform *you could have fooled me* maak dat de kat wijs **IV** *onov ww* ~ **about/around** tijd verbeuzelen, rondhangen, lol trappen, aanrotzooien / -rommelen ⟨ook seksueel⟩

foolery ['fuːlərɪ] *zn* dwaas gedoe, gedol

foolhardy ['fuːlhɑːdɪ] *bnw* roekeloos

foolish ['fuːlɪʃ] *bnw* ❶ dwaas, dom ❷ belachelijk

foolproof ['fuːlpruːf] *bnw* waterdicht ⟨plan, enz.⟩, volkomen betrouwbaar, onfeilbaar ⟨methode, enz.⟩, kinderlijk eenvoudig

foot [fʊt] **I** *zn* [mv: **feet**] ❶ voet, poot ★ inform *my foot!* flauwekul! ★ *in bare feet* op blote voeten ★ *on / by foot* te voet ★ *on your feet* op de been ★ *on your own (two) feet* op eigen benen ★ *be under your feet* voor de voeten lopen ★ *be rushed / run off your feet* het razend druk hebben ★ *fall / land on your feet* op je pootjes terechtkomen, mazzel hebben ★ *find your feet* wennen ★ *get cold feet* bang worden ★ *get / have* *your / a foot in the door* een voet tussen de deur krijgen / hebben ★ *get / start off on the right / wrong foot* goed / verkeerd beginnen ★ *get / rise to your feet* gaan staan ★ *have feet of clay* een zwakke plek hebben ⟨in karakter⟩ ★ *have / keep your feet on the ground* met beide benen op de grond staan ★ *have / keep a foot in both camps* geen partij kiezen ★ *leap to your feet* snel gaan staan ★ *not put a foot wrong* geen fouten maken ★ *put your foot down* krachtig optreden, inform plankgas geven ★ *put your best foot forward* je beste beentje voorzetten ★ inform *put your foot in it* een stommiteit begaan ★ *put your feet up* gaan zitten met de benen omhoog ★ *set foot in / on sth* binnengaan / betreden ★ *set sth on its feet* iets op poten zetten ★ *think on your feet* snel reageren ❷ onderste deel ⟨meubilair, enz.⟩, voeteneinde ⟨bed⟩ ❸ voet (30,48 cm) ‖ *ov ww* ▼ inform *foot the bill* voor de kosten opdraaien ▼ inform *foot it* lopen

footage ['fʊtɪdʒ] *zn* ❶ stuk film ❷ lengte ⟨gemeten in voeten⟩

foot-and-mouth disease *zn* mond-en-klauwzeer

football ['fʊtbɔːl] *zn* ❶ GB voetbal ❷ USA American Football ❸ voetbal ⟨rond / ovaal⟩, fig speelbal

footbridge ['fʊtbrɪdʒ] *zn* voetbrug

footer ['fʊtə] *zn* ❶ voetregel ❷ inform van... voet ★ *a six-~ shark* een zes voet haai

-footer ['fʊtə] inform *achterv* van... voet ★ *a six-~ shark* een zesvoet haai

foothill ['fʊthɪl] *zn* uitloper ⟨v. gebergte⟩

foothold ['fʊthəʊld] *zn* ❶ steunpunt ⟨voor voet⟩ ❷ fig vaste voet ⟨aan de grond⟩ ★ *get a ~ on the property market* greep krijgen op de huizenmarkt

footie, footy ['fʊtɪ] inform *zn* voetbal

footing ['fʊtɪŋ] *zn* ❶ vaste voet, steunpunt ★ *lose your ~* uitglijden, uit je evenwicht raken ❷ voet, basis ★ *on an equal ~* op voet van gelijkheid ★ *on a war ~* voorbereid op oorlog ★ *treat on the same ~* gelijk behandelen

footlights ['fʊtlaɪts] *zn mv* voetlicht

footloose ['fʊtluːs] *bnw* vrij, ongebonden ★ *~ and fancy-free* vrij om te doen wat je wilt

footman ['fʊtmən] *zn* lakei

footmark *zn* → **footprint**

footnote ['fʊtnəʊt] *zn* voetnoot, fig kanttekening

footpath ['fʊtpɑːθ] *zn* voetpad, trottoir

footprint ['fʊtprɪnt], **footmark** ['fʊtmɑːk] *zn* voetspoor, voetafdruk

foot race *zn* hardloopwedstrijd

footrest ['fʊtrest] *zn* voetensteun

footsie ['fʊtsɪ] inform *zn* ★ *play ~* voetjevrijen

footsore ['fʊtsɔː] *bnw* met pijnlijke voeten

footstep ['fʊtstep] *zn* ❶ ⟨geluid van⟩ voetstap ❷ stap, pas

footstool ['fʊtstuːl] *zn* voetenbankje

footway ['fʊtweɪ] *zn* trottoir, voetpad

footwear ['fʊtweə] *zn* schoeisel

footy ['fʊtɪ] *zn* → **footie**

for [fɔː] **I** *vz* ❶ voor, om ★ *there's no need for you to go* je hoeft niet te gaan ❷ in plaats van, ⟨in ruil⟩ voor, namens ★ *the S is for Saskia* de S staat voor Saskia ★ *she can now nod for 'yes'* ze kan

nu 'ja' knikken ★ *he spoke for the employees* hij voerde het woord namens de werknemers ❸ ten gunste van ★ *she plays for Australia* ze speelt voor Australië ★ *there's / that's a hero for you* dat is nog eens held ❹ wat betreft, met betrekking tot ★ *for her, that's a big step* dat is een grote stap voor haar ★ *I for one* wat mij ★ *for all I care* voor mijn part ★ *for all I know* voor zover ik weet ★ *so much for that* dat is dat ★ *for all that* ondanks alles ❺ wegens, vanwege ★ *it was all for a good cause* het was allemaal voor een goed doel ★ *jump for joy* op en neer springen van vreugde ★ *you'll feel better for a good night's sleep* je voelt je beter na een goede nachtrust ❻ ⟨in dienst⟩ bij ★ *she's working for a legal firm* ze werkt voor een advocatenkantoor ❼ vóór ⟨iets zijn⟩ ★ *vote for the Greens* stemmen op de Groenen ❽ als ★ *be hanged for a spy* opgehangen worden als spion ❾ gedurende ★ *for hours and hours* urenlang ★ *he's here for a few days* hij is hier een paar dagen ❿ naar ★ *we leave for France tomorrow* we vertrekken morgen naar Frankrijk ★ *what are you looking for?* waar zoek je naar? ★ inform *now for it!* er op los! ⓫ aan ★ *it's for me to decide* het is aan mij om te beslissen ▼ inform *be (in) for it* problemen krijgen **II** *vw* dicht want, aangezien

forage ['fɒrɪdʒ] *onov ww* ❶ foerageren, zoeken naar voedsel ❷ ~ **about** zoeken ★ *she ~d about in her bag for her keys* ze zocht overal in haar tas naar haar sleutels

foray ['fɒreɪ] *zn* ❶ inval, rooftocht ❷ uitstapje ❸ poging

forbade [fə'bæd] *ww* [verleden tijd] → **forbid**

forbearance [fɔː'beərəns] form *zn* verdraagzaamheid

forbid [fə'bɪd] *ov ww* [onregelmatig] ❶ verbieden ❷ verhinderen, voorkómen ★ *God / Heaven ~ (that)...* God / de hemel verhoede (dat)...

forbidden [fə'bɪdn] **I** *bnw* verboden ★ *strictly ~* ten strengste verboden **II** *ww* [volt. deelw.] → **forbid**

forbidding [fə'bɪdɪŋ] *bnw* ❶ onheilspellend ❷ afstotelijk

force [fɔːs] **I** *zn* ❶ kracht ★ *gravitational ~* zwaartekracht ★ *a ~ to be reckoned with* iem. waar je niet omheen kunt ★ *a ~ for change* een instrument om dingen te kunnen veranderen ★ *join / combine ~s* de krachten bundelen ❷ macht ★ *in ~* in groten getale ★ *(from / out of) ~ of habit* (uit) macht der gewoonte ★ *a superior ~* overmacht ❸ geweld ★ *by ~* met geweld ❹ geldigheid ★ *by ~ of* door middel van ★ *come / enter into ~* van kracht worden, gelden ★ *put in ~* in werking stellen ❺ groep, korps ★ GB inform *the ~* de politie **II** *ov ww* ❶ dwingen, noodzaken ★ *she was ~d into signing* ze werd tot tekenen gedwongen ★ *~ sb's hand* iem. dwingen ★ *~ the issue* iets er door drukken ❷ afdwingen ⟨tranen, bekentenis⟩ ❸ forceren, openbreken ❹ ⟨op⟩drijven, duwen, dringen ★ *~ your way* je een weg banen ❺ ~ **down** met moeite naar binnen werken, naar beneden drukken ❻ ~ **back** onderdrukken ❼ ~ **on** opdringen aan ❽ ~ **up** opdrijven

forced [fɔːst] *bnw* gedwongen, onoprecht,

gemaakt

force-feed *ov ww* dwingen te eten

forceful ['fɔːsful] *bnw* krachtig, sterk

forcemeat ['fɔːsmiːt] *zn* gehakt, farce

forceps ['fɔːseps] *zn* tang ★ *a pair of ~* een tang ⟨v. chirurg⟩

forces ['fɔːsəz] *zn mv* ★ *the (armed) ~* de strijdkrachten

forcible ['fɔːsəbl] *bnw* gedwongen, gewelddadig

forcibly ['fɔːsəblɪ] *bijw* ❶ met geweld ❷ overtuigend

ford [fɔːd] **I** *zn* doorwaadbare plaats **II** *ov ww* doorwaden

fore [fɔː] **I** *zn* voorgrond ★ *come to the / be at the fore* op de voorgrond treden ★ *bring sth to the fore* iets naar voren brengen **II** *bnw* voor(ste) **III** *bijw* voor(aan)

fore- [fɔː] *voorv* voor

forearm ['fɔːrɑːm] *zn* onderarm

forebear, forbear ['fɔːbeə] *zn* voorouder / -vader

foreboding [fɔːˈbəʊdɪŋ] *zn* voorgevoel ★ *have a sense of ~* een slecht voorgevoel hebben

forecast ['fɔːkɑːst] **I** *zn* ❶ (weers)voorspelling ❷ prognose **II** *ov ww* voorspellen

foreclose [fɔːˈkləʊz] *jur onov ww* executeren ★ *~ on a mortgage* een hypotheek executeren

forecourt ['fɔːkɔːt] *zn* voorplein, voorterrein

forefathers ['fɔːfɑːðəz] *zn mv* voorvaderen

forefinger ['fɔːfɪŋgə] *zn* wijsvinger

forefront ['fɔːfrʌnt] *zn* voorste deel, voorste gelederen ★ *be at the ~* een vooraanstaande plaats innemen

forego *ww* → **forgo**

foregoing [fɔːˈgəʊɪŋ] *bnw* bovenvermeld, voorafgaand

foregone conclusion ['fɔːgɒn kənˈkluːʒən] *zn* uitgemaakte zaak

foreground ['fɔːgraʊnd] *zn* voorgrond

forehead ['fɒrɪd] *zn* voorhoofd

foreign ['fɒrɪn] *bnw* vreemd, buitenlands ★ *dishonesty is ~ to him* oneerlijkheid is hem vreemd

foreigner ['fɒrɪnə] *zn* buitenlander, vreemdeling

foreman ['fɔːmən] *zn* ❶ voorman, ploegbaas ❷ voorzitter van jury

foremost ['fɔːməʊst] **I** *bnw* voornaamste, voorste, eerste **II** *bijw* in de eerste plaats

forensic [fəˈrensɪk] *bnw* forensisch, gerechtelijk

foreplay ['fɔːpleɪ] *zn* voorspel ⟨in de liefde⟩

forerunner [fɔːˈrʌnə] *zn* voorloper, voorbode

foresee [fɔːˈsiː] *ov ww* voorzien, verwachten

foreseeable [fɔːˈsiːəbl] *bnw* ❶ te voorzien ❷ afzienbaar ★ *in the ~ future* in de nabije toekomst

foreshadow [fɔːˈʃædəʊ] *ov ww* aankondigen, voorspellen

foreshore ['fɔːʃɔː] *zn* ❶ strand ⟨tussen eb en vloed⟩ ❷ waterkant

foresight ['fɔːsaɪt] *zn* vooruitziende blik ★ *a lack of ~* een gebrek aan planning, te weinig zorg

foreskin ['fɔːskɪn] *zn* voorhuid

forest ['fɒrɪst] *zn* woud, bos ★ *not see the ~ for the trees* door de bomen het bos niet zien

forestall [fɔːˈstɔːl] *ov ww* ❶ vóór zijn ❷ vooruitlopen op ❸ voorkómen, dwarsbomen

forester ['fɒrɪstə] *zn* houtvester

forestry ['fɒrɪstrɪ] *zn* bosbouw(kunde)

foretaste ['fɔːteɪst] *zn* voorproef(je)

foretell [fɔːˈtel] *ov ww* voorspellen

forethought ['fɔːθɔːt] *zn* planning

forever [fəˈrevə] **I** *bijw* ❶ voor eeuwig / altijd ❷ *inform* een eeuwigheid ❸ onophoudelijk, steeds maar ⟨door⟩ ★ *she's ~ complaining* ze klaagt altijd **II** *tw* leve, hiep hiep hoera ★ *FC Utrecht ~* FC Utrecht gaat nooit verloren

forewarn [fɔːˈwɔːn] *ov ww* van te voren waarschuwen ★ *~ed is forearmed* een gewaarschuwd man telt voor twee

foreword ['fɔːwɜːd] *zn* voorwoord

forfeit ['fɔːfɪt] *ov ww* verspelen, verliezen

forgave [fəˈgeɪv] *ww* [verleden tijd] → **forgive**

forge [fɔːdʒ] **I** *ov ww* ❶ smeden ⟨ook fig.⟩, bedenken, beramen ❷ vervalsen ❸ zich een weg banen ★ *she ~d her way to the top* ze baande zich een weg naar de top **II** *onov ww* ❶ zich een weg banen ❷ *~ ahead* gestaag vorderingen maken, een leidende positie verwerven, zich snel ontwikkelen **III** *zn* ❶ smidse, smidsvuur ❷ smeltoven, smelterij

forger ['fɔːdʒə] *zn* vervalser, oplichter

forgery ['fɔːdʒərɪ] *zn* ❶ valsheid in geschrifte ❷ vervalsing

forget [fəˈget] **I** *ov ww* [onregelmatig] vergeten ★ *I've forgotten what to do* ik weet niet meer wat ik moet doen ★ *let's ~ our differences* laten we onze verschillen aan de kant zetten **II** *onov ww* vergeten ★ *~ about it* laat maar

forgetful [fəˈgetful] *bnw* vergeetachtig

forget-me-not *zn* vergeet-mij-nietje

forgivable [fəˈgɪvəbl] *bnw* vergeeflijk

forgive [fəˈgɪv] *ov ww* [onregelmatig] ❶ vergeven ★ *~ me for asking...* als ik vragen mag... ★ *~ me for interrupting* neem me niet kwalijk dat ik stoor ★ *she might be ~n for thinking that...* het is begrijpelijk dat ze dacht dat... ❷ *form* kwijtschelden

forgiven [fəˈgɪvən] *ww* [volt. deelw.] → **forgive**

forgiveness [fəˈgɪvnəs] *zn* vergiffenis

forgiving [fəˈgɪvɪŋ] *bnw* vergevingsgezind

forgo [fɔːˈgəʊ] *ov ww* [onregelmatig] afzien / zich onthouden van, opgeven, afstand doen van

forgot *ww* [verl. tijd] → **forget**

forgotten *ww* [volt. deelw.] → **forget**

fork [fɔːk] **I** *zn* ❶ vork, gaffel, greep ❷ vertakking, splitsing ⟨in weg, enz.⟩ **II** *onov ww* ❶ zich vertakken / splitsen ★ *the road forks to the left* er is een afslag naar links ❷ afslaan **III** *ov ww* ❶ verplaatsen, spitten ⟨met een gaffel / greep⟩ ❷ *inform ~ out* dokken, ophoesten, geld neertellen

forked [fɔːkt] *bnw* gevorkt, gesplitst

forklift truck *zn* vorkheftruck

forlorn [fəˈlɔːn] *bnw* ❶ mistroostig, ongelukkig, eenzaam ★ *a ~ hope* een ijdele / laatste hoop ★ *a ~ attempt* een wanhopige poging ❷ verlaten, troosteloos

form [fɔːm] **I** *zn* ❶ vorm, gedaante ★ *take form* zich ontwikkelen, vaste vorm aannemen ★ *in any shape or form* in welke vorm dan ook ❷ systeem, soort, type ★ *true to form* geheel in stijl ★ *the book takes the form of a diary* het boek heeft de vorm van een dagboek ❸ manier, wijze ★ *on current form* zoals het nu gaat ★ *depression can take several different forms* depressie kan zich op verschillende manieren uiten ❹ formuleer ❺ conditie ★ *in great form* in uitstekende conditie, in 'n opperbeste stemming, goed op dreef ★ *out of form* niet in vorm, in slechte conditie ★ *be right on form* het heel goed doen ❻ procedure, formaliteit ★ *as a matter of form* bij wijze van formaliteit ❼ fatsoen ★ *bad form* niet zoals het hoort ❽ GB schoolklas / -jaar **II** *onov ww* ❶ vormen, maken, construeren ❷ formeren ❸ ~ **into** zich vormen tot **III** *onov ww* ❶ zich vormen, zich ontwikkelen ❷ mil ~ **up** zich opstellen, aantreden

formal ['fɔːml] **I** *bnw* ❶ formeel ★ *pay a ~ call* een beleefdheidsbezoek afleggen ❷ officieel ❸ vormelijk **II** *zn* USA gala(feest)

formality [fɔː'mælətɪ] *zn* ❶ formaliteit ❷ vormelijkheid, stijfheid

formalize, formalise ['fɔːməlaɪz] *ov ww* ❶ officieel maken ❷ formaliseren

format ['fɔːmæt] **I** *zn* ❶ opzet ❷ formaat ❸ comp opmaak, indeling **II** *ov ww* formatteren, opmaken, indelen ⟨v. tekst op scherm⟩

formation [fɔː'meɪʃən] *zn* ❶ formatie, opstelling ★ *a ~ of bombers* een eskader bommenwerpers ❷ vorming

formative ['fɔːmətɪv] *bnw* vormend ★ *the ~ years* de jeugdjaren, de beginjaren

former ['fɔːmə] **I** *bnw* ❶ vroeger, voormalig ★ *be your ~ self again* weer de oude zijn ★ *his ~ wife* zijn ex-vrouw ❷ eerstgenoemde **II** *zn* de eerstgenoemde ⟨van twee⟩

formerly ['fɔːməlɪ] *bijw* eertijds, vroeger

formidable ['fɔːmɪdəbl] *bnw* geducht, ontzagwekkend, formidabel

formula ['fɔːmjʊlə] *zn* [mv: **formulae**] ❶ formule, recept, methode ❷ woorden, cliché ❸ **formula milk** melkpoeder, flesvoeding

formulate ['fɔːmjʊleɪt] *ov ww* ❶ formuleren ❷ opstellen

fornicate ['fɔːnɪkeɪt] *onov ww* ❶ overspel plegen ❷ ontucht plegen

fornication [fɔːnɪ'keɪʃən] *zn* ❶ ontucht ❷ overspel

forsake [fə'seɪk] *ov ww* [onregelmatig] in de steek laten, verlaten, afstand doen van

forsaken [fə'seɪkən] *ww* [volt. deelw.] → forsake

forsook [fə'sʊk] *ww* [verleden tijd] → forsake

fort [fɔːt] *zn* fort ★ inform *hold the fort* / USA *hold down the fort* de zaak draaiende houden

forte ['fɔːteɪ] *zn* forte, sterke kant

forth [fɔːθ] *bijw* ❶ uit, naar buiten ★ *bring sth ~* iets te voorschijn halen ❷ voort ★ *from this time ~* van nu af aan ★ *and so ~* enzovoorts ▼ *hold ~* uitweiden

forthcoming [fɔːθ'kʌmɪŋ] *bnw* ❶ aanstaande, komend ❷ beschikbaar ★ *no answer was ~* het antwoord bleef uit ❸ mededeelzaam, toeschietelijk

forthright ['fɔːθraɪt] *bnw* open, eerlijk, rechtuit

forthwith [fɔːθ'wɪθ] form *bijw* terstond, onmiddellijk

fortieth ['fɔːtɪɪθ] *telw* veertigste

fortification [fɔːtɪfɪ'keɪʃən] *zn* versterking

fortify ['fɔːtɪfaɪ] *ov ww* ❶ versterking aanbrengen, (ver)sterken ❷ verrijken ⟨voedsel⟩ ❸ alcohol toevoegen aan

fortitude ['fɔːtɪtjuːd] *zn* vastberadenheid, moed

fortnight ['fɔːtnaɪt] *zn* twee weken ★ *a ~'s holiday* twee weken vakantie ★ *see you Sunday ~* tot zondag over veertien dagen

fortnightly ['fɔːtnaɪtlɪ] **I** *bnw* veertiendaags **II** *bijw* iedere twee weken

fortress ['fɔːtrɪs] *zn* vesting, fort

fortuitous [fɔː'tjuːɪtəs] inform *bnw* ❶ toevallig ❷ fortuinlijk, gelukkig

fortunate ['fɔːtʃənət] *bnw* gelukkig

fortunately *bijw* gelukkig

fortune ['fɔːtʃən] *zn* ❶ (nood)lot ★ *~ favours the bold* wie waagt, die wint ⟨zegswijze⟩ ★ *Fortune smiled on me* ik had geluk ★ *tell sb's ~* iem. de toekomst voorspellen ❷ geluk ★ *she had the good ~ to miss that plane* gelukkig voor haar miste ze die vlucht ❸ fortuin (geld) ★ *he earns a ~* hij verdient veel geld

fortune cookie *zn* hol koekje met een spreuk ⟨in Chinese restaurants⟩

fortune hunter *zn* gelukzoeker

fortune teller *zn* waarzegger, waarzegster

forty ['fɔːtɪ] *telw* veertig ★ *take ~ winks* 'n dutje doen

forum ['fɔːrəm] *zn* forum, discussiegroep

forward ['fɔːwəd] **I** *bnw* ❶ voorwaarts, voorste ❷ vroegrijp, vroegtijdig ❸ vooruitstrevend, toekomstgericht ★ *~ planning* toekomstplanning ❹ brutaal **II** *bijw* → forwards **III** *ov ww* ❶ sturen, doorsturen ❷ bevorderen, vooruithelpen **IV** *zn* sport voorhoedespeler

forwarder ['fɔːwədə] *zn* expediteur, verzender

forwarding address *zn* doorstuuradres

forward-looking *bnw* (met) vooruitziend(e blik), op de toekomst gericht

forwardness ['fɔːwədnəs] *zn* vrijpostigheid, brutaliteit

forwards ['fɔːwədz], **forward** ['fɔːwəd] *bijw* ❶ voorwaarts ❷ vooruit ❸ voorover

forwent [fɔː'went] *ww* [verleden tijd] → forego

fossil ['fɒsəl] *zn* ❶ fossiel ❷ inform fossiel, ouwe zak

fossilize, fossilise ['fɒsəlaɪz] *onov ww* verstenen

foster ['fɒstə] **I** *bnw* pleeg- **II** *ov ww* ❶ bevorderen, koesteren ❷ een pleegkind opnemen in het gezin ⟨tijdelijk⟩

foster- ['fɒstə-] *voorv* pleeg- ⟨ouders, kind⟩

fought [fɔːt] *ww* [verl. tijd + volt. deelw.] → fight

foul [faʊl] **I** *bnw* ❶ walgelijk, stinkend, bedorven ⟨lucht⟩ ★ *foul weather* slecht weer ★ *a foul day* een rotdag ❷ slecht, vals, laag ⟨misdaad⟩ ❸ obsceen, vulgair ⟨taal⟩ ▼ *fall foul of sb* in aanvaring / conflict komen met iem. **II** *zn* sport overtreding **III** *onov ww* ❶ sport een overtreding begaan ❷ verstopt raken, in de war raken **IV** *ov ww* ❶ bevuilen ❷ sport een overtreding begaan tegen ❸ onklaar maken ★ *a rope fouled the propeller* een touw raakte verstrikt in de propeller ❹ ~ **up** verknoeien, verprutsen

foully ['faʊllɪ] *bijw* op 'n gemene manier

foul-mouthed *bnw* grof in de mond, vuile taal uitslaand

fo

foul play *zn* ❶ vals / onsportief spel ❷ misdaad, geweldpleging, moord ★ *he met with* ~ hij werd vermoord

foul-up *zn* ❶ puinhoop, knoeiboel, verwarring ❷ storing

found [faʊnd] **I** *ww* [verleden tijd + volt. deelw.] → **find II** *ov ww* ❶ stichten ❷ grondvesten ★ *a relationship* ~ed *on respect* een verhouding die op respect is gebaseerd ❸ smelten en gieten ⟨v. metaal⟩ ★ *well* ~ed gegrond, gefundeerd

foundation [faʊn'deɪʃən] *zn* ❶ fundering ★ *rock / shake sth to its* ~s iets op zijn grondvesten laten schudden ❷ basis, grondslag ★ *the report has no* ~ het rapport is ongegrond ❸ fonds, stichting ❹ oprichting ❺ foundation ⟨onderlaag voor make-up⟩

foundation stone *zn* eerste steen

founder ['faʊndə] **I** *zn* oprichter, stichter **II** *onov ww* ❶ in duigen vallen, mislukken ⟨v. plan⟩ ❷ vergaan ⟨v. schip⟩

founding father *zn* grondlegger, stichter

foundling ['faʊndlɪŋ] *zn* vondeling

foundry ['faʊndrɪ] *zn* (metaal)gieterij

fount [faʊnt] humor *zn* ★ *the* ~ *of all knowledge* de bron van alle kennis

fountain ['faʊntɪn] *zn* ❶ fontein ❷ regen ★ *a* ~ *of sparks* een vonkenregen ❸ bron ⟨ook fig⟩

fountain pen ['faʊntɪn pen] *zn* vulpen

four [fɔː] **I** *telw* vier **II** *zn* ❶ viertal ❷ boot ⟨voor 4 roeiers⟩ ▼ *on all fours* op handen en voeten

four-letter word ['fɔːletwɜːd] *zn* ❶ drieletterwoord, schuttingwoord

four-poster *zn* hemelbed

foursome ['fɔːsəm] *zn* ❶ sport dubbelspel, viertal ❷ gezelschap van vier personen

four-square *bnw + bijw* vierkant, potig, stevig ★ *a* ~ *meal* een stevige maaltijd ★ *she's* ~ *behind him* ze staat vierkant achter hem

fourteen [fɔː'tiːn] *telw* veertien

fourteenth [fɔː'tiːnθ] *telw* veertiende

fourth [fɔːθ] **I** *telw* vierde **II** *zn* ❶ kwart ❷ vierde man

fourthly ['fɔːθlɪ] *bijw* ten vierde

four-wheel drive *zn* vierwielaandrijving

fowl [faʊl] *zn* ❶ gevogelte ⟨ook het vlees⟩ ❷ kip, haan

fox [fɒks] **I** *zn* vos **II** *ov ww* ❶ inform beetnemen, bedriegen ❷ inform in de war brengen

foxglove [fɒksglʌv] *zn* vingerhoedskruid

foxhound ['fɒkshaʊnd] *zn* jachthond ⟨voor de vossenjacht⟩

fox-hunting *zn* vossenjacht

foxy ['fɒksɪ] *bnw* ❶ vosachtig ❷ sluw

foyer ['fɔɪeɪ] *zn* ❶ foyer ❷ USA entree, hal

fracas ['frækɑː] *zn* herrie, vechtpartij

fraction ['frækʃən] *zn* ❶ fractie, klein deel ❷ wisk breuk ❸ (onder)deel

fractious ['frækʃəs] *bnw* ❶ dwars, lastig ❷ humeurig

fracture ['fræktʃə] **I** *zn* ❶ barst ❷ botbreuk **II** *ov ww* breken **III** *onov ww* uit elkaar vallen

fragile ['frædʒaɪl] *bnw* ❶ breekbaar, broos, bros ❷ zwak, zwak

fragment¹ ['frægmənt] *zn* ❶ fragment ❷ scherf, (brok)stuk

fragment² [fræg'ment] *ov+onov ww* versplinteren, verbrokkelen

fragmentary ['frægməntərɪ] *bnw* fragmentarisch

fragrance ['freɪgrəns] *zn* ❶ geur ❷ parfum

fragrant ['freɪgrənt] *bnw* geurig

frail [freɪl] *bnw* broos, zwak, kwetsbaar

frailty ['freɪltɪ] *zn* zwakheid ⟨ook v. karakter⟩

frame [freɪm] **I** *zn* ❶ lijst, kozijn ★ *be in the* ~ kandidaat zijn voor ❷ frame, geraamte ⟨v. constructie⟩ ❸ bouw, gestel ⟨v. mens / dier⟩ ❹ kader, structuur, opzet ⟨v. systeem / tekst⟩ ★ ~ *of mind* gemoedsgesteldheid ★ ~ *of reference* referentiekader ❺ beeld, plaatje ⟨v. film⟩ **II** *ov ww* ❶ inlijsten, omlijsten ❷ opstellen, formuleren ⟨v. plan, concept⟩ ❸ inform vals beschuldigen, erin luizen

frames [freɪmz] *zn mv* montuur ⟨v. bril⟩

frame-up inform *zn* complot, doorgestoken kaart

framework ['freɪmwɜːk] *zn* ❶ geraamte, skelet ❷ stelling, basis ❸ structuur, kader

France [frɑːns] *zn* Frankrijk

franchise ['fræntʃaɪz] *zn* ❶ vergunning, licentie ❷ econ concessie, franchise ❸ stemrecht

frank [fræŋk] **I** *bnw* openhartig ★ *to be* ~ *with you* om eerlijk te zijn **II** *ov ww* frankeren ⟨met frankeermachine⟩, stempelen

frankfurter ['fræŋkfɜːtə] *zn* knakworstje

frankly ['fræŋklɪ] *bijw* ❶ eerlijk gezegd ❷ openhartig, ronduit

frankness ['fræŋknəs] *zn* openhartigheid

frantic ['fræntɪk] *bnw* ❶ verwoed, razend, hectisch ❷ buiten zinnen, gek, krankzinnig

fraternal [frə'tɜːnl] *bnw* ❶ broederlijk ❷ vriendschappelijk

fraternity [frə'tɜːnətɪ] *zn* ❶ broederschap ❷ vereniging, genootschap ❸ USA studentenclub / -corps

fraternize, fraternise ['frætənaɪz] *onov ww* vriendschappelijk omgaan

fraud [frɔːd] *zn* ❶ fraude, bedrog, oplichterij ❷ bedrieger ❸ vervalsing

fraudster ['frɔːdstə] *zn* fraudeur, bedrieger

fraudulence ['frɔːdjʊləns] *zn* bedrog, bedrieglijkheid

fraudulent ['frɔːdjʊlənt] *bnw* ❶ beladen, vol ★ *there was a* ~ *silence* er viel een geladen stilte ★ ~ *with danger* vol gevaar ❷ bezorgd, gespannen

fray [freɪ] **I** *zn* strijd ★ *the political fray* de politieke arena **II** *ov ww* ❶ rafelen, verslijten ❷ geprikkeld worden ★ *tempers began to fray* men raakte geïrriteerd

frazzle ['fræzl] *zn* ★ *burnt / worn to a* ~ totaal op

frazzled ['fræzld] *bnw* uitgeput

freak [friːk] **I** *zn* ❶ gedrocht, abnormaal verschijnsel ★ ~ *of nature* een speling der natuur ★ *by a* ~ *of fate* door zuiver toeval ❷ zonderling, grillig figuur ❸ inform fanaat, freak **II** *bnw* uitzonderlijk, abnormaal ★ *a* ~ *accident* een bizar ongeluk **III** *onov ww* inform ~ **out** buiten zinnen raken, hallucinaties krijgen ⟨door drugs⟩

freakish ['friːkɪʃ], inform **freaky** ['friːkɪ] *bnw* ❶ vreemd ❷ bizar

freckle ['frekl] *zn* sproet

freckled ['frekld] *bnw* ❶ sproeterig ❷ gespikkeld

free [friː] **I** *bnw* ❶ vrij, vrijwillig ★ *free speech* vrijheid van meningsuiting ❷ onbelemmerd, ongedwongen, spontaan ★ *feel free!* ga je gang! ★ *get / have a free hand* de vrije hand krijgen / hebben ★ *be too free with your opinions* (al te) graag je mening verkondigen ★ *free and easy* relaxed ❸ onafhankelijk ★ *she's a free spirit* ze is erg onafhankelijk ★ *India became free in 1947* India werd onafhankelijk in 1947 ❹ beschikbaar, niet bezet ★ *the toilet is not free just now* het toilet is momenteel niet bezet ❺ kosteloos, gratis ★ *free of charge* kosteloos ★ *work for free* voor niets werken ★ *inform there's no such thing as a free lunch* voor niets gaat de zon op ❻ vrijgevig ★ *free with money* royaal met geld ❼ los ★ *both his hands were now free* beide handen waren nu los **II** *bijw* ❶ kosteloos ★ *we got in free* we zijn gratis binnengekomen ❷ los ★ *cut free* lossnijden ★ *pull / break free* losrukken ★ *run free* los rondlopen ★ *set free* bevrijden ★ *walk free* niet naar de gevangenis hoeven ▾ *make free with sb* te vrij met iem. omgaan **III** *ov ww* ❶ bevrijden, los / vrij maken ★ *free your mind* stort je hart uit ❷ vrijstellen, ontslaan ⟨v. belofte⟩ ★ *the legacy freed her to write* door het legaat kreeg ze tijd om te schrijven ❸ ~ **up** vrijmaken

freebie ['fri:bɪ] *inform zn* weggevertje

freebooter ['fri:bu:tə] *zn* vrijbuiter

freedom ['fri:dəm] *zn* ❶ vrijheid ★ ~ *of speech* vrijheid van meningsuiting ★ *he has the* ~ *of the house* hij mag komen en gaan als hij wil ★ *she was given* ~ *of the city* ze kreeg het ereburgerschap van de stad ❷ vrijstelling, vrijwaring

free-for-all *zn* ❶ ieder-voor-zich-situatie ❷ vrije discussie ❸ algemene ruzie

freehand ['fri:hænd] *bnw* + *bijw* uit de vrije hand

freehold ['fri:həʊld] **I** *zn* vrij bezit ⟨onroerend goed⟩ **II** *bnw* vrij, in volledig eigendom

freeholder ['fri:həʊldə] *zn* eigenaar ⟨v. onroerend goed⟩

freelance ['fri:lɑ:ns] **I** *bnw* onafhankelijk, freelance **II** *onov ww* freelance werken

freeloader ['fri:ləʊdə] *inform zn* klaploper, profiteur

freely ['fri:lɪ] *bijw* ❶ vrij(elijk), openlijk ❷ overvloedig, royaal

freeman ['fri:mən] *zn* ❶ ereburger ❷ vrije / stemgerechtigde burger

Freemason ['fri:meɪsən] *zn* vrijmetselaar

free-range *bnw* scharrel- ★ ~ *eggs* scharreleieren

freestyle ['fri:staɪl] *zn* vrije slag / stijl

freethinker [fri:'θɪŋkə] *zn* vrijdenker

freeway ['fri:weɪ] *zn* (auto)snelweg

freewheel ['fri:'wi:l] *onov ww* fietsen zonder te trappen

freeze [fri:z] **I** *ov ww* [onregelmatig] ❶ ook *fig* doen bevriezen ★ ~ *your blood / make your blood* ~ het bloed in de aderen doen stollen ❷ invriezen ❸ laten stilstaan ⟨beeldband / film⟩ ❹ blokkeren ★ ~ *wages* een loonstop afkondigen ★ ~ *prices* prijzen stabiliseren ❺ ~ **out** uitsluiten, boycotten **II** *onov ww* [onregelmatig] ❶ vriezen ★ ~ *to death* doodvriezen ❷ *fig* bevriezen, verstijven ⟨door angst enz.⟩ ★ *inform* ~! blijf staan of ik schiet! ❸ ~ **over** dichtvriezen **III** *zn* ❶ bevriezing ★ *a wage* ~ een loonstop ❷ vorst(periode)

freezer ['fri:zə], USA **deep freezer, deep freeze** *zn* diepvries

freezing ['fri:zɪŋ] *bnw* ❶ ijskoud ❷ vries- ★ ~ *point* vriespunt

freight [freɪt] **I** *zn* ❶ vracht(prijs) ❷ lading ❸ vrachtvervoer **II** *ov ww* verzenden

freightage ['freɪtɪdʒ] *zn* ❶ vracht(prijs) ❷ lading ❸ vrachtvervoer

freight car *zn* goederenwagon

freighter ['freɪtə] *zn* ❶ bevrachter ❷ vrachtboot / -vliegtuig

French [frentʃ] **I** *zn* ❶ Frans ⟨taal⟩ ★ *inform pardon my* ~ sorry voor mijn taalgebruik ❷ ★ *the* ~ [mv] de Fransen **II** *bnw* Frans

Frenchman ['frentʃmən] *zn* Fransman

Frenchwoman ['frentʃwʊmən] *zn* Française

frenetic [frə'netɪk] *bnw* hectisch, koortsachtig

frenzied ['frenzɪd] *bnw* dol, heftig, hysterisch

frenzy ['frenzɪ] *zn* vlaag ⟨van waanzin / geweld⟩, (aanval van) razernij ★ *be in a* ~ *of joy* uitzinnige vreugde vertonen ★ *the* ~ *of the mob* de dolle woede van de meute ★ *he worked the crowd up into a* ~ hij bracht het publiek in een staat van opwinding

frequency ['fri:kwənsɪ] *zn* ❶ frequentie, herhaald voorkomen, veelvuldigheid ★ *heatwaves have increased in* ~ hittegolven komen steeds vaker voor ❷ golflengte

frequent[1] ['fri:kwənt] *bnw* frequent, vaak voorkomend, veelvuldig ★ *at* ~ *intervals* met regelmatige tussenpozen ★ ~ *flyer points* ≈ airmiles

frequent[2] [fri'kwent] *ov ww* regelmatig / vaak bezoeken

frequenter [frɪ'kwentə] *zn* regelmatig bezoeker, stamgast

frequently ['fri:kwəntlɪ] *bijw* vaak, herhaaldelijk ★ *diabetics should eat* ~ diabeten moeten met regelmatige tussenpozen eten

fresh [freʃ] **I** *bnw* ❶ vers ❷ fris ❸ nieuw ★ ~ *paint!* nat!, geverfd! ★ *make a* ~ *start* helemaal opnieuw beginnen ❹ zoet ⟨water⟩ ❺ helder ⟨v. kleur⟩ ❻ energiek ❼ jong en onervaren ❽ *inform* brutaal **II** *bijw* ❶ dicht ★ ~*-mown grass* versgemaaid gras ❷ *inform* pas ★ ~ *from / out of school* net van school ★ *we're* ~ *out of bread* het brood is net op

freshen ['freʃən] **I** *ov ww* ❶ ~ **(up)** opfrissen ❷ ~ **(up)** bijschenken **II** *onov ww* ❶ aanwakkeren ⟨v. wind⟩ ❷ ~ **up** zich opfrissen

freshener ['freʃnə] *zn* ❶ opfrissing ❷ verfrisser

fresher *inform zn* → freshman

freshly ['freʃlɪ] *bijw* ❶ fris, vers ★ ~ *baked bread* versgebakken brood ❷ pas, zo-even ★ ~ *arrived* net aangekomen

freshman ['freʃmən], *inform* **fresher** ['freʃə] *zn* eerstejaars (student)

freshwater ['freʃwɔːtə] *bnw* zoetwater-

fret [fret] **I** *ov ww* ~ **about/over** ongerust zijn over **II** *onov ww* ❶ zich ongerust maken, zich ergeren, zich opvreten ❷ verdrietig zijn, zeuren **III** *zn* ❶ fret, richel ⟨op toets v. snaarinstrument⟩

fretful ['fretfʊl] *bnw* geïrriteerd, zeurderig, prikkelbaar

fretsaw ['fretsɔ:] zn figuurzaag
Fri. afk, Friday vrijdag
friable ['fraɪəbl] bnw bros, brokkelig
friar ['fraɪə] zn monnik, broeder
friction ['frɪkʃən] zn ❶ wrijving ❷ onenigheid
Friday ['fraɪdeɪ] zn vrijdag
fridge [frɪdʒ] zn koelkast, ijskast
fried [fraɪd] I ww [verl. tijd + volt. deelw.] → **fry**
II bnw gebakken ★ a ~ egg een spiegelei
friend [frend] zn ❶ vriend(in), kameraad ★ my
honourable / noble ~ de geachte afgevaardigde
(in House of Commons en House of Lords) ★ my
learned ~ mijn geachte confrater ★ a ~ in need is
a ~ indeed in nood leert men zijn vrienden
kennen ★ ~s in high places invloedrijke
vrienden, kruiwagens ❷ supporter, voorstander,
bondgenoot
friendly ['frendlɪ] bnw ❶ vriendelijk,
vriendschappelijk ★ be on ~ terms op
vriendschappelijk voet staan ❷ bevriend ★ we
became ~ we raakten bevriend
friendly fire zn eigen vuur ★ come under ~
beschoten worden door de eigen troepen
friendship ['frendʃɪp] zn vriendschap ★ strike up a
~ een vriendschap aangaan
fries [fraɪz] zn mv patat frites, friet(en)
frieze [fri:z] zn fries, sierlijst
frig [frɪg] straatt onov ww ~ **around/about**
rond- / aankklooien
frigate ['frɪgɪt] zn fregat
frigging ['frɪgɪn] straatt bnw verdomd, klote-
fright [fraɪt] zn angst, vrees, schrik ★ give sb a ~
iem. de schrik op het lijf jagen ★ look a ~ er
verschrikkelijk uitzien ★ take ~ bang worden
★ he was shaking with ~ hij beefde van angst
frighten ['fraɪtn] onov ww ❶ bang maken, doen
schrikken ★ ~ sb to death / ~ the wits out of sb
iem. de stuipen op het lijf jagen ❷ ~ away/off
verjagen, afschrikken ❸ ~ into dwingen (door
bang te maken) ❹ ~ out of zich laten
afschrikken
frightened ['fraɪtnd] bnw ❶ angstig, verschrikt,
bang ★ ~ to death / out of your wits doodsbang
★ ~ of spiders bang voor spinnen ❷ bezorgd
★ they are ~ for her safety ze maken zich zorgen
over haar veiligheid
frightening ['fraɪtnɪn] bnw angstaanjagend
frightful ['fraɪtfʊl] bnw afschuwelijk, vreselijk
frigid ['frɪdʒɪd] bnw ❶ frigide ❷ koud, ijzig, kil
frill [frɪl] zn volant, ruche, manchet (om poten
van kalkoen enz.) ★ with no ~s zonder franje /
extra's ★ with all the ~s met alles erop en eraan
frilly ['frɪlɪ] bnw met kantjes en strookjes
fringe [frɪndʒ] zn ❶ pony (v. haar) ❷ franje
❸ zoom, rand ★ on the ~s of society aan de
zelfkant van de samenleving ★ ~ theatre
≈avant-garde theater
fringe benefits zn mv secundaire
arbeidsvoorwaarden
frisk [frɪsk] I zn ❶ het fouilleren
❷ (bokken)sprong II ov ww fouilleren III onov
ww ~ **(around)** springen, dartelen
frisky ['frɪskɪ] bnw dartel, vrolijk
fritter ['frɪtə] I zn (appel)beignet II ov ww
~ **away** verkwisten, verspillen
frivolous ['frɪvələs] bnw ❶ frivool, lichtzinnig

❷ onbelangrijk, onnozel
frizz [frɪz] I zn kroeshaar II onov ww krullen,
kroezen (v. haar)
frizzle ['frɪzəl] I zn gekroesd haar II ov ww
❶ krullen (haar) ❷ doen sissen (bij braden)
III onov ww sissen
fro [frəʊ] bijw ★ to and fro heen en weer
frock [frɒk] zn jurk
frog [frɒg] zn kikker, kikvors ★ have a frog in your
throat een kikker in de keel hebben, hees zijn
frogman ['frɒgmən] zn kikvorsman
frogmarch ['frɒgmɑ:tʃ] ov ww vastpakken en
voortduwen
frogspawn ['frɒgspɔ:n] zn kikkerdril
frolic ['frɒlɪk] I zn pret, lol, gekheid II onov ww
❶ rondspringen, (rond)dartelen ❷ pret maken
★ ~ on the beach stoeien op het strand
frolicsome ['frɒlɪksəm] bnw dartel, vrolijk
from [frəm] vz ❶ van, weg van, van... af, (van)uit,
voor ❷ als gevolg van, vanwege, aan de hand
van, door ★ sick from fatigue ziek van
vermoeidheid ▼ 100 years from now over 100
jaar ▼ from now on vanaf nu
frond [frɒnd] zn varen- / palmblad
front [frʌnt] I zn ❶ voorkant, voorste gedeelte,
voorzijde ★ he rolled onto his ~ hij ging op zijn
buik liggen ★ at / in the ~ vooraan, voorin ★ in ~
voorop, vooraan, aan de voorkant ★ our team is
in ~ ons team staat voor ★ in ~ of vóór ★ on the
~ op de voorkant (van boek enz.) ★ to the ~
vooruit, naar voren ★ out ~ (vooraan) in de zaal
(van schouwburg) ★ we'll wait out (the) ~ we
wachten vlak bij de ingang ★ up ~ eerlijk,
oprecht van tevoren ❷ façade ★ put on a bold ~
zich moedig voordoen ❸ front (ook weerk) ★ the
battle ~ het (oorlogs)front ❹ waterkant,
boulevard ❺ mantelorganisatie, stroman
❻ inform lef, onbeschaamdheid ★ you've got a ~
to ask me that! hoe durf je me dat te vragen!
II bnw voorste, voor- ★ the ~ door de voordeur
★ fig keep sth on the ~ burner iets warm / in de
belangstelling houden III ov ww ❶ staan
tegenover ★ façade met haar hoofd staan van ❸ ~ for
vertegenwoordigen ❹ ~ onto uitkijken op
❺ Aus ~ up to komen opdagen voor IV onov
ww ❶ als façade dienen ❷ Aus ~ up komen
opdagen, je gezicht laten zien
frontage ['frʌntɪdʒ] zn ❶ gevel, front
❷ frontbreedte ★ a house with river ~ een huis
aan een rivier
frontal ['frʌntl] bnw ❶ frontaal ★ launch a ~
attack on sth iets frontaal aanvallen ❷ voor-,
front- ❸ anat voorhoofds-
frontbencher zn lid van het kabinet /
schaduwkabinet (zit vooraan in het Parlement)
frontier ['frʌntɪə] zn grens, grensgebied
front line ['frʌntlaɪn] zn frontlinie, vuurlijn ★ in
the ~ of technology in het voorfront van de
technologie
front-page bnw ★ make ~ news de voorpagina's
halen
frost [frɒst] I zn ❶ vorst, rijp ★ we had eight degrees
of ~ het vroor acht graden ★ Jack Frost Koning
Winter II ov ww ❶ met rijp / ijs / ijsbloemen
bedekken ❷ glaceren (taart) III onov ww
~ **over/up** met rijp / ijs / ijsbloemen bedekt

worden

frostbite ['frɒstbaɪt] zn (beschadiging / verwonding door) bevriezing

frostbitten ['frɒstbɪtn] bnw bevroren

frosted bnw ❶ mat (v. glas) ❷ met rijp bedekt ❸ geglaceerd

frosting ['frɒstɪŋ] zn glazuur (op taart)

frosty ['frɒstɪ] bnw ❶ ijzig ❷ berijpt, bevroren ❸ kil, koud

froth [frɒθ] I zn ❶ schuim ❷ luchtigheid, oppervlakkigheid II onov ww schuimen ★ ~ at the mouth schuimbekken

frown [fraʊn] I zn frons, fronsende blik (van afkeuring, ontevredenheid, door concentratie) II onov ww dreigend kijken, het voorhoofd fronsen III ov ww ~ on/upon afkeuren

froze [frəʊz] ww [verleden tijd] → freeze

frozen [frəʊzən] I ww [volt. deelw.] → freeze II bnw ❶ bevroren (ook fig.), ijskoud ❷ verstijfd ★ ~ with fear verstijfd van angst

frugal ['fru:gl] bnw ❶ zuinig, spaarzaam ❷ sober

fruit [fru:t] zn fruit, vrucht (ook fig.) ★ in ~ vruchtdragend ★ bear ~ vrucht dragen, fig succes hebben II onov ww vrucht(en) dragen

fruit cake zn ❶ vruchtencake ★ inform as nutty as a ~ zo gek als een deur ❷ inform excentriek persoon

fruiterer ['fru:tərə] zn fruithandelaar

fruitful ['fru:tfʊl] bnw vruchtbaar, productief

fruition [fru:'ɪʃən] zn verwezenlijking, vervulling ★ bring to ~ verwezenlijken ★ come to ~ werkelijkheid worden

fruitless ['fru:tləs] bnw ❶ zonder vruchten ❷ vruchteloos, nutteloos

fruit machine zn fruitautomaat, gokautomaat

fruity ['fru:tɪ] bnw ❶ fruitig (wijn), geurig, pikant ❷ vol en diep (stem) ❸ inform getikt

frump [frʌmp] zn trut, ouwe slons

frustrate [frʌ'streɪt] ov ww ❶ frustreren, teleurstellen ❷ verijdelen, tegenwerken, dwarsbomen

frustration [frʌ'streɪʃən] zn ❶ teleurstelling, frustratie ❷ mislukking

fry [fraɪ] I zn gebakken / gebraden vlees ▾ small fry jong volkje, onbetekenende mensen II ov ww braden, bakken, frituren ★ inform alcohol fries the brain alcohol vernietigt de hersenen

frying pan, frypan ['fraɪpæn] zn koekenpan ★ out of the ~ into the fire van de regen in de drup

fry-up inform zn gebakken / gebraden gerecht / maaltijd

ft afk, foot / feet voet (lengtemaat)

fuck [fʌk] vulg I ov ww ❶ neuken, naaien ★ fuck it! godverdomme! ★ fuck you! / go fuck yourself! sodemieter op! ❷ ~ about/around belazeren ❸ ~ up verpesten, opfokken II onov ww ❶ neuken, naaien ❷ ~ about/around rotzooien, aanklo001en ❸ ~ off opsodemieteren III zn het neuken, neukpartij ★ not a fuck geen reet ★ get the fuck out of here lazer op ★ not give a fuck (about sb / sth) geen bal geven (om iemand / iets)

fuck all vulg zn geen reet ★ I've done ~ today ik heb vandaag geen reet uitgevoerd

fucker ['fʌkə] vulg zn klootzak

fucking ['fʌkɪŋ] vulg bnw + bijw klote-, klere-, kut-

fuddled ['fʌdld] bnw ❶ beneveld ❷ verward ★ a ~ idea een vaag idee

fuddy-duddy inform zn fossiel (persoon)

fudge [fʌdʒ] I zn zachte karamel, kunstgreep, slimmigheid II ov ww ❶ knoeien met (feiten / cijfers) ❷ ontwijken

fuel ['fjuːəl] I zn ❶ brandstof ★ add fuel to the fire / flames olie op het vuur gooien ❷ voeding (ook fig.) II ov ww ❶ voorzien van brandstof ❷ voeden, aanwakkeren ★ fuel rumours geruchten aanwakkeren III onov ww tanken

fug [fʌg] inform zn bedompte / benauwde lucht

fugitive ['fjuːdʒətɪv] I zn ❶ voortvluchtige, vluchteling ★ a ~ from justice een voortvluchtige II bnw ❶ voortvluchtig ❷ dicht kortstondig

fugue [fjuːg] zn fuga

fulfil, USA fulfill [fʊl'fɪl] ov ww ❶ vervullen, beantwoorden aan (doel) ❷ uitvoeren, nakomen ❸ voldoening geven

fulfilment, USA fulfillment [fʊl'fɪlmənt] zn ❶ vervulling ❷ voldoening

full [fʊl] I bnw ❶ vol ★ the hotel is full up het hotel is volgeboekt ❷ **full up** verzadigd ❶ vervuld ★ he's full of his own importance hij is overtuigd van zijn eigen belangrijkheid ❷ volledig, compleet ★ come full circle weer terugkomen bij het begin ★ in full view een en bloot ★ the full details alle details ★ he's a full ten centimetres taller hij is een volle tien centimeter groter ★ in full volledig ❸ volslank ❶ wijd (kleren) ❶ druk, actief II bijw ten volle ★ he looked me full in the face hij keek me recht in het gezicht ★ go full out uit alle macht gaan ★ know full well heel goed weten III zn ★ to the full / USA to the fullest ten volle

fullback ['fʊlbæk] sport zn achterspeler, verdediger

full-blooded [fʊl'blʌdɪd] bnw ❶ krachtig, sterk ❷ volbloed-, raszuiver

full-blown bnw ❶ geheel ontwikkeld, volledig ★ a ~ crisis een regelrechte crisis ❷ in volle bloei

full-bodied bnw ❶ zwaar ❷ vol (smaak / geluid)

full-colour, USA full-color bnw veelkleurig, veelkleuren-

full-fledged, fully fledged bnw ❶ volwassen, volledig ontwikkeld ❷ volleerd, volwaardig

full forward sport zn aanvaller, voorhoedespeler

full-grown bnw volwassen

full-length bnw ❶ in volle lengte, ten voeten uit, levensgroot ❷ volledig (niet ingekort) ❸ tot op de grond (van gordijnen) ❹ lang (van rok enz.)

full marks zn mv ❶ het hoogste cijfer ❷ fig tien met een griffel ★ ~ to the chef! de complimenten aan de chef!

fullness, fulness ['fʊlnəs] zn ❶ volheid ★ in the ~ of time op den duur ❷ volledigheid

full-page bnw paginagroot

full-scale bnw ❶ totaal, compleet ❷ op ware grootte

full stop zn ❶ punt ❷ complete stilstand ★ come to a ~ plotseling tot stilstand komen

full-term bnw voldragen (v. kind)

full-time bnw fulltime ★ a ~ job een volledige dagtaak

fully ['fʊlɪ] bijw ❶ volledig, volkomen, geheel

fu

❷ minstens, ten minste ★ ~ *fifty per cent* wel vijftig procent

fulminate ['fʌlmɪneɪt] *onov ww* ❶ donderen, fulmineren ❷ heftig uitvaren

fulsome ['fʊlsəm] *bnw* ❶ overdreven ⟨v. lof, verontschuldiging enz.⟩ ❷ overvloedig

fumble ['fʌmbl] I *ov ww* ❶ bevoelen, betasten ❷ sport verknoeien ⟨v. bal⟩ II *onov ww* ❶ tasten, morrelen, friemelen ★ *he ~d for the light switch* hij tastte naar de goeie schakelaar ❷ struikelen, hakkelen ★ *she ~d for words* ze stond te hakkelen ❸ ~ **around** rondtasten

fumbling I *zn* gestuntel II *bnw* onhandig, stuntelig

fume [fju:m] *onov ww* ❶ dampen, roken ❷ koken ⟨van woede⟩

fumes [fju:mz] *zn mv* gassen

fumigate ['fju:mɪgeɪt] *ov ww* uitroken, ontsmetten

fun [fʌn] I *zn* plezier, pret, lol ★ *have fun!* veel plezier! ★ *what fun!* wat leuk! ★ *for / in fun* voor de aardigheid, voor de grap ★ *fun and games* loltrapperij ★ *make fun of / poke fun at* voor de gek houden II *bnw* plezierig, aardig, leuk ★ *she's fun to be with* je kunt veel plezier met haar hebben

function ['fʌŋkʃən] I *zn* ❶ functie, taak ❷ werking ★ *height is a ~ of age* lengte staat in direct verband met leeftijd ❸ plechtigheid, receptie, feest II *onov ww* functioneren III *ov ww* ~ **as** fungeren als

functional ['fʌŋkʃənl] *bnw* ❶ functioneel ❷ in functie, operationeel

functionary ['fʌŋkʃənərɪ] *zn* ambtenaar, beambte, functionaris

fund [fʌnd] I *zn* ❶ fonds ❷ voorraad, schat, rijke bron ★ *a fund of experience* een schat aan ervaring II *ov ww* financieren

fundamental [fʌndə'mentl] I *bnw* fundamenteel, wezenlijk ★ *food is ~ to life* voedsel is essentieel voor leven II *zn* principe, grondbeginsel ★ *get down to ~s* ter zake komen

fundamentalist [fʌndə'mentəlɪst] I *zn* fundamentalist II *bnw* fundamentalistisch

fund-raising *zn* fondsenwerving

funds [fʌndz] *zn mv* kapitaal, geld ★ *be short of ~* krap bij kas zijn

funeral ['fju:nərəl] *zn* begrafenis(plechtigheid), rouwdienst ★ inform *that's your ~!* dat is jouw pakkie-an!

funeral director *zn* begrafenisondernemer

funeral parlour, USA **funeral parlor**, **funeral home** *zn* rouwkamer, mortuarium

funeral pile, **funeral pyre** *zn* brandstapel ⟨bij lijkverbranding⟩

funerary ['fju:nərərɪ] *bnw* begrafenis-, lijk-

funereal [fju:'nɪərɪəl] *bnw* ❶ begrafenis- ❷ droevig, triest, somber

funfair ['fʌnfeə] *zn* kermis, pretpark

fungi ['fʌngi:/'fʌngaɪ/'fʌnʒaɪ] *zn mv* → **fungus**

fungicide ['fʌngɪsaɪd] *zn* fungicide, schimmeldodend middel

fungus ['fʌngəs] *zn* [mv: **funguses, fungi**] ❶ paddenstoel, zwam ❷ schimmel

funicular [fju:'nɪkjʊlə] *zn* kabelbaan

funk [fʌŋk] *zn* ❶ muz funk ❷ inform angst,

depressie ★ *be in a blue funk* lelijk in de rats zitten

funky ['fʌŋkɪ] inform *bnw* ❶ muz funky ❷ trendy, modieus

funnel ['fʌnl] I *zn* ❶ trechter ❷ schoorsteenpijp ⟨v. schip⟩ II *ov ww* ❶ afvoeren ⟨door pijp, enz.⟩ ❷ sturen, in bepaalde banen leiden

funnies ['fʌnɪz] inform *zn mv* moppenpagina, strippagina ⟨in krant⟩

funnily ['fʌnəlɪ] *bijw* vreemd, eigenaardig ★ *~ enough, I've never met her* gek genoeg heb ik haar nog nooit ontmoet

funny ['fʌnɪ] *bnw* ❶ grappig, leuk ★ *he saw the ~ side of it* hij zag de grap ervan in ★ inform *~ ha-ha or ~ peculiar?* bedoel je grappig of raar? ★ inform *don't you get ~ with me!* we worden toch niet brutaal? ❷ vreemd, raar, gek ★ inform *the printer keeps going ~* de printer vertoont kuren ❸ inform eigenaardig, verdacht ❹ inform misselijk ★ *I feel a bit ~* ik voel me niet lekker

fun run *zn* recreatieloop, sponsorloop

fur [f3:] I *zn* ❶ bont, vacht, pels ★ inform *the fur will fly* dat geeft gedonder ❷ bontjas ❸ aanslag, beslag II *bnw* bonten, bont-

furious ['fjʊərɪəs] *bnw* ❶ woedend, razend ★ *he's ~ at / with me* hij is kwaad op mij ❷ verwoed, fel

furl [f3:l] *ov ww* oprollen en vastbinden ⟨zeil⟩

furlough ['f3:ləʊ] *zn* verlof ★ *on ~* met verlof

furnace ['f3:nɪs] *zn* ⟨stook⟩oven, smeltoven

furnish ['f3:nɪʃ] *ov ww* ❶ meubileren, uitrusten ❷ leveren ★ *they ~ed us with a list of addresses* ze hebben ons een lijst met adressen gegeven

furnishings ['f3:nɪʃɪŋz] *zn mv* meubilering en stoffering

furniture ['f3:nɪtʃə] *zn* meubilair, huisraad

furniture van *zn* verhuiswagen

furore [fjʊə'rɔ:rɪ], USA **furor** ['fjʊərə] *zn* furore, opwinding, opschudding

furrier ['fʌrɪə] *zn* bontwerker, bonthandelaar

furrow ['fʌrəʊ] I *zn* ❶ voor, groef ❷ rimpel II *ov ww* ❶ een voor maken, ploegen ❷ fronsen

furry ['f3:rɪ] *bnw* ❶ met bont bekleed ❷ zacht

further ['f3:ðə.] I *bnw*, **farther** verder ⟨afstand⟩, **farther** verste ★ *the ~ side* de overkant nog, nader, meer ★ *until ~ notice* tot nadere aankondiging ★ *any ~ questions?* nog meer vragen?! II *bijw* verder ★ *take sth ~* verder / hogerop gaan met iets ★ *this mustn't go any ~* dit mag niet verder verteld worden ★ *I served it with rice to make it go ~* ik heb het met rijst geserveerd om het wat uit te vullen ★ *nothing could be ~ from my mind* ik pieker er niet over III *ov ww* bevorderen, stimuleren

furthermore [f3:ðə'mɔ:] *bijw* bovendien, verder

furthermost ['f3:ðəməʊst], **farthermost** ['fɑ:ðəməʊst] *bnw* verst (verwijderd)

furthest ['f3:ðɪst], **farthest** ['fɑ:ðɪst] *bnw + bijw* verst(e) ⟨niet alleen m.b.t. afstand⟩ ★ *at the ~* hoogstens ★ *Pluto is the ~ away from the sun* Pluto staat het verst van de zon af

furtive ['f3:tɪv] *bnw* heimelijk, stiekem

fury ['fjʊərɪ] *zn* woede, razernij ★ *fly into a fury* woedend worden ★ *like fury* als 'n bezetene

fuse [fju:z] I *zn* ❶ zekering, stop ★ *a fuse has*

blown er is een stop doorgeslagen ★ *fig blow a fuse* uit elkaar spatten van woede ★ *have a short fuse* opvliegend van aard zijn ❷ USA fuze lont, USA fuze ontstekingsmechanisme **II** *ov ww* (samen)smelten **III** *onov ww* ❶ doorslaan ⟨v. zekering⟩ ❷ fuseren, samengaan

fuse box *zn* zekeringkast, meterkast

fuselage ['fju:zəlɑ:ʒ /'fju:zəlɪdʒ] *zn* romp ⟨van vliegtuig⟩

fusion ['fju:ʒən] *zn* ❶ fusie(proces), samensmelting ❷ kernfusie ❸ mengeling ❹ muz fusion ⟨mengvorm v. jazz en rock⟩

fuss [fʌs] **I** *zn* (onnodige) drukte, ophef ★ *kick up / make a fuss* heibel maken ★ *make a fuss of / over sb* overdreven aandacht schenken aan iem. **II** *ov ww* – **over** betuttelen, overdreven aandacht besteden aan ★ inform *not be fussed (about sb / sth)* zich niet druk maken (over iemand / iets) **III** *onov ww* ❶ drukte maken, zich druk maken ❷ zeuren ❸ – **about** druk in de weer zijn

fusspot ['fʌspɒt], USA **fussbudget** ['fʌsbʌdʒɪt] inform *zn* pietlut, bemoeial

fussy ['fʌsɪ] *bnw* ❶ pietluttig, kieskeurig ★ inform *I'm not* – het is mij om het even ★ *be* – *about details* zich druk maken om details ❷ gejaagd, zenuwachtig ❸ druk ⟨van versierselen enz.⟩

fusty ['fʌstɪ] *bnw* ❶ muf ❷ ouderwets ★ – *ideas* bekrompen ideeën

futile ['fju:taɪl] *bnw* nutteloos, zinloos, vergeefs

futility [fju'tɪlətɪ] *zn* nutteloosheid, futiliteit

future ['fju:tʃə] **I** *zn* toekomst ★ taalk *the* – de toekomende tijd ★ *in (the)* – voortaan, in het vervolg, in de toekomst **II** *bnw* ❶ toekomstig ★ *some verbs can be used as a* – *tense* sommige werkwoorden kunnen worden gebruikt om de toekomende tijd aan te duiden ❷ aanstaand

fuze [fju:z] USA *zn* fuse

fuzz [fʌz] *zn* ❶ dons ❷ kroeshaar ❸ vaag beeld ▼ GB inform *the fuzz* de smerissen

fuzzy ['fʌzɪ] *bnw* ❶ donzig, pluizig ❷ kroes- ⟨v. haar⟩ ❸ wazig, vaag, onduidelijk

F-word euf *zn* ★ *the* – een vies woord, een vloekwoord

FYI *afk*, *for your information* ter informatie

G

g [dʒi:] *zn*, letter g ★ *G as in George* de g van Gerard

G muz *zn* G, sol

GA *afk*, *Georgia* staat in de VS

gab [gæb] inform **I** *onov ww* doorratelen ★ *what is she gabbing (on) about?* waar heeft ze het in hemelsnaam over? **II** *zn* ❶ gesnater ❷ radheid van tong ★ *have the gift of the gab* / USA *the gift of gab* goed van de tongriem gesneden zijn

gabble ['gæbl] **I** *ov ww* afraffelen **II** *onov ww* kwebbelen, kakelen **III** *zn* gekakel

gable ['geɪbl] *zn* gevelspits

gabled ['geɪbld] *bnw* met puntgevel ★ *a* – *roof* een zadeldak

gad [gæd] inform *onov ww* – **about/around** stappen, aan de zwier zijn

gadabout ['gædəbaʊt] inform *zn* boemelaar, feestvierder

gadfly ['gædflaɪ] *zn* ❶ steekvlieg, horzel ❷ fig lastig persoon

gadget ['gædʒɪt] *zn* (handig) dingetje, apparaatje

gadgetry ['gædʒɪtrɪ] *zn* ❶ technische snufjes ❷ apparatuur

Gaelic ['geɪlɪk] **I** *bnw* Gaelic **II** *zn* Gaelic ⟨Keltische taal⟩

gaff [gæf] *zn* ❶ visspeer ❷ scheepv gaffel ❸ inform onderkomen ▼ *blow the gaff (on sb / sth)* zijn mond voorbijpraten (over iemand / iets)

gaffe [gæf] *zn* blunder

gaffer ['gæfə] *zn* ❶ GB inform ploegbaas ❷ inform ouwe baas ❸ audio-vis lichttechnicus

gag [gæg] **I** *zn* ❶ mondprop ❷ fig spreekverbod ❸ inform geintje, grap ★ *a running gag* zich herhalende grap **II** *ov ww* ❶ een prop in de mond stoppen ❷ fig de mond snoeren **III** *onov ww* kokhalzen

gaga ['gɑ:gɑ:] inform *bnw* ❶ kinds, dement ❷ stapelgek ★ *he's gaga about his car* hij is stapelgek op zijn auto

gage [geɪdʒ] USA → gauge

gaggle ['gægl] *zn* ❶ vlucht (ganzen) ❷ inform (luidruchtig) gezelschap

gaiety ['geɪətɪ] *zn* vrolijkheid, pret

gaily ['geɪlɪ] *bijw* ❶ vrolijk ❷ fleurig

gain [geɪn] **I** *ov ww* ❶ winnen, behalen, bereiken ★ *gain confidence* meer zelfvertrouwen krijgen ★ *gain ground / time* terrein / tijd winnen ❷ vermeerderen ★ *gain weight* aankomen ★ *the clock gains a minute a day* de klok loopt per dag een minuut voor ❸ – **on** inhalen **II** *onov ww* ❶ winst maken ❷ groeien, toenemen ★ *the idea is gaining in popularity* het idee wint aan populariteit **III** *zn* ❶ toename, groei, stijging ❷ voordeel, winst ★ *for personal gain* uit winstbejag

gainful ['geɪnfʊl] *bnw* winstgevend ★ – *employment* betaald werk

gainsay [geɪn'seɪ] form *ov ww* tegenspreken, ontkennen

gait [geɪt] *zn* gang, pas

gaiter ['geɪtə] *zn* ❶ slobkous ❷ beenkap

gal [gæl] *zn*, inform USA meisje

ga

galactic [gə'læktɪk] *bnw* sterrenk v.d. melkweg, galactisch

galaxy ['gæləksɪ] *zn* ❶ melkweg(stelsel) ❷ *fig* uitgelezen groep

gale [geɪl] *zn* storm ★ *a gale of laughter* een lachsalvo ★ *it's blowing a gale* er staat een stormachtige wind

gall [gɔːl] **I** *zn* ❶ gal(blaas) ❷ *fig* bitterheid ❸ galappel / -noot ❹ onbeschaamdheid ★ *she had the gall to ask my boyfriend out* ze had het lef om mijn vriendje uit te vragen **II** *ov ww* irriteren ★ *his behaviour galls me* ik baal van zijn gedrag

gallant ['gælənt, USA gə'lænt] *bnw* ❶ galant, hoffelijk ❷ dicht dapper

gallantry ['gæləntrɪ] *zn* ❶ dapperheid ❷ hoffelijkheid

gall bladder ['gɔːl ˌblædə] *zn* galblaas

galleon ['gælɪən] gesch *zn* galjoen

gallery ['gælərɪ] *zn* ❶ galerij ❷ museum ❸ galerie ❹ balkon ❺ ton ★ *the* ~ de engelenbak ★ *play to the* ~ op het publiek spelen

galley ['gælɪ] *zn* ❶ gesch galei ❷ kombuis

Gallic ['gælɪk] *bnw* ❶ Gallisch ❷ Frans

gallivant ['gælɪvænt] inform *onov ww* stappen, boemelen ★ ~ *around the town* de hort op zijn

gallon ['gælən] *zn* gallon ⟨GB 4,54 liter, USA 3,8 liter⟩

gallop ['gæləp] **I** *zn* galop ★ *at a* ~ in galop **II** *ov ww* laten galopperen **III** *onov ww* galopperen ★ ~ *through sth* iets dóórvliegen

galloping ['gæləpɪŋ] *bnw* snel toenemend ★ ~ *inflation* hollende inflatie

gallows ['gæləʊz] *zn mv* galg

gallstone ['gɔːlstəʊn] *zn* galsteen

galore [gə'lɔː] inform *bijw* in overvloed, massa's

galoshes [gə'lɒʃəz] *zn mv* (gummi)overschoenen

galvanic [gæl'vænɪk] *bnw* ❶ techn galvanisch ❷ plotseling, dramatisch

galvanize, galvanise ['gælvənaɪz] *ov ww* ❶ techn galvaniseren ❷ opzwepen (tot actie)

gambit ['gæmbɪt] *zn* ❶ gambiet (bij schaken) ❷ listige zet

gamble ['gæmbl] **I** *ov ww* ❶ op het spel zetten ❷ ~ *away* vergokken ❸ ~ *on* gokken op **II** *onov ww* ❶ gokken, spelen ❷ speculeren, risico nemen **III** *zn* gok ★ *we took a* ~ *on the weather being fine* we gokten op mooi weer

gambling ['gæmblɪŋ] *zn* het gokken

gambol ['gæmbl] *onov ww* springen, dartelen

game [geɪm] **I** *zn* ❶ spel, spelletje, comp game ★ *none of your games!* geen kunsten! ★ *is that your all in the game* zo, dus daar ben je mee bezig? ★ *it's all in the game* dat hoort er nu eenmaal bij, zo gaat dat (nu eenmaal) ★ *beat sb at his own game* iem. een koekje van eigen deeg geven ★ *be off / on one's game* in slechte / goede vorm zijn ★ *give the game away* de boel verraden ★ *play the game* eerlijk spel spelen ★ *play the game by sb* eerlijk zijn tegenover iem. ★ *two can play at that game!* wie kaatst, kan de bal verwachten ★ *the game is up* het spel is uit / voorbij ❷ wedstrijd, partij ★ *a game of tennis* een partij tennis ❸ wild ⟨jachtterm⟩ ★ *fair game* gemakkelijke prooi ▼inform *be on the game* in de prostitutie zitten **II** *bnw* ❶ flink, moedig ★ *it was very game of you to give it a try* het was dapper van je om het te proberen ❷ bereid ★ *who's game?* wie doet mee? ★ *they're game for anything* ze zijn overal in voor ❸ oud kreupel, lam **III** *onov ww* spelen (om geld), comp gamen

gamecock ['geɪmkɒk], **gamefowl** ['geɪmfaʊl] *zn* vechthaan

gamekeeper ['geɪmkiːpə] *zn* jachtopziener

gamesmanship ['geɪmzmənʃɪp] *zn* gehaaidheid

gamey ['geɪmɪ] *bnw* → gamy

gamma radiation ['gæmə ˌreɪdɪ'eɪʃən] natk *zn* gammastraling

gamma rays ['gæmə ˈreɪz] *zn mv* gammastralen, gammastraling

gammon ['gæmən] *zn* ❶ gerookte ham ❷ (gekookte) achterham

gamut ['gæmət] *zn* ★ *run the* ~ *of sth* het volledige scala van iets doorlopen

gamy, gamey ['geɪmɪ] *bnw* naar wild geurend / smakend

gander ['gændə] *zn* ❶ mannetjesgans ❷ inform blik ★ *have / take a* ~ *at sth* iets vluchtig bekijken

gang [gæŋ] **I** *zn* ❶ bende, groep mensen, troep ❷ ploeg (werklui) **II** *onov ww* ~ **together** samenklitten, een bende vormen **III** *ov ww* ~ **up against/on** zich collectief keren tegen, samenspannen tegen

gang bang ['gæŋbæŋ] vulg *zn* ❶ groepsseks ❷ groepsverkrachting

gangbuster ['gæŋbʌstə] USA inform *zn* boevenvanger ▼*it's going* ~*s* het gaat geweldig ▼*like* ~*s* enthousiast en energiek

gangland ['gæŋlænd] *zn* onderwereld

gangling ['gæŋglɪŋ], **gangly** ['gæŋglɪ] *bnw* slungelig

gangplank ['gæŋplæŋk] *zn* scheepv loopplank

gang rape ['gæŋ reɪp] *zn* groepsverkrachting

gangrene ['gæŋgriːn] *zn* gangreen, koudvuur

gangrenous ['gæŋgrɪnəs] *bnw* door koudvuur aangetast

gangsta ['gæŋstə] USA plat *zn* ❶ lid v. jeugdbende ❷ **gangsta rap** ['gæŋstə ræp] gangstarap

gangster ['gæŋstə] *zn* gangster, bendelid

gangway ['gæŋweɪ] *zn* ❶ gangpad, doorgang ★ ~*!* uit de weg! ❷ scheepv loopplank, loopbrug

ganja ['gændʒə] plat *zn* wiet (marihuana)

gannet ['gænɪt] *zn* jan-van-gent ⟨zeevogel⟩

gantry ['gæntrɪ] *zn* seinbrug, rijbrug ⟨onder kraan⟩

gaol [dʒeɪl] GB *zn* → **jail**

gaoler [dʒeɪlə] GB *zn* → **jailer**

gap [gæp] *zn* ❶ gat, opening, bres ❷ onderbreking ❸ hiaat ❹ fig kloof

gape [geɪp] **I** *onov ww* ❶ gapen ❷ ~ **open** openstaan **II** *ov ww* ~ **at** aangapen ★ *the crowd gaped at the procession* het publiek keek met open mond naar de optocht

gap-toothed *bnw* met uit elkaar staande tanden

gap year ['gæp jɪə] *zn* tussenjaar ⟨tussen school en universiteit⟩

garage ['gærɑː(d)ʒ/-ɪdz] **I** *zn* ❶ garage ❷ garagebedrijf ❸ **garage rock** garagerock ⟨ongepolijste luide vorm van rockmuziek⟩ **II** *ov* *ww* in de garage stallen

garage sale ['gærə.dʒ/-ɪdz seɪl] *zn* rommelmarkt ⟨bij particulier⟩

garb [gɑːb] *zn* kledij ★ *prison garb* gevangeniskleren

garbage ['gɑːbɪdʒ] *zn* **❶** USA afval, vuilnis **❷** inform onzin

garbage can USA, **garbage bin** *zn* vuilnisbak

garbled ['gɑːbld] *bnw* verward, onbegrijpelijk

garden ['gɑːdn] **I** *zn* **❶** tuin, - **❷** ⟨vooral mv⟩ plantsoen, park **II** *onov ww* tuinieren

gardener ['gɑːdnə] *zn* **❶** tuinman, hovenier **❷** tuinier

garden frame *zn* broeibak, broeikas

gardening ['gɑːdnɪŋ] *zn* tuinieren

garden party *zn* tuinfeest

garden path *zn* tuinpad ★ inform *lead sb up the ~* iem. om de tuin leiden

garden pea ['gɑːdn piː] *zn* doperwt

garden-variety *bnw* gewoon, huis-tuin-en-keuken

gargantuan [gɑːˈgæntjuən] *bnw* reusachtig

gargle ['gɑːgl] **I** *onov ww* gorgelen **II** *zn* gorgeldrank

gargoyle ['gɑːgɔɪl] *zn* waterspuwer ⟨aan dakgoten vooral bij Gotische kerken⟩

garish ['geərɪʃ] *bnw* opzichtig, bont

garland ['gɑːlənd] **I** *zn* guirlande, bloemslinger / -krans **II** *ov ww* omkransen

garlic ['gɑːlɪk] *zn* knoflook

garment ['gɑːmənt] *zn* kledingstuk, gewaad

garner ['gɑːnə] form *ov ww* vergaren, verwerven

garnet ['gɑːnɪt] *zn* granaat(steen)

garnish ['gɑːnɪʃ] **I** *ov ww* garneren, opmaken **II** *zn* garnering, versiering

garotte [gəˈrɒt] *zn* → **garrotte**

garret ['gærɪt] *zn* zolderkamer(tje)

garrison ['gærɪsən] **I** *zn* garnizoen **II** *ov ww* **❶** bezetten (met een garnizoen) **❷** in garnizoen leggen

garrotte [gəˈrɒt] **I** *ov ww* wurgen **II** *zn* wurgring, wurgsnoer

garrulous ['gærələs] *bnw* praatziek

garter ['gɑːtə] *zn* kousenband

garter belt *zn* jarretelgordel

garters ['gɑːtəz] *zn mv* jarretelles ★ *he'll have your guts for ~* hij gaat je genadeloos straffen

gas [gæs] **I** *zn* **❶** gas ★ *natural gas* aardgas **❷** USA benzine ★ *step on the gas* geven, er vaart achter zetten ★ *run out of gas* zonder benzine komen te zitten, fig aan kracht verliezen **❸** wind ⟨in buik⟩▼ inform *it was a gas!* het was hartstikke gaaf!▼ USA *be cooking with gas* erg veel succes hebben **II** *ov ww* vergassen **III** *onov ww* **❶** inform kletsen **❷** USA *~ up* tanken

gasbag ['gæsbæg] inform *zn* opschepper, kletsmajoor

gas chamber ['gæs 'tʃeɪmbə] *zn* gaskamer

gaseous ['gæsɪəs] *bnw* gasachtig

gas-fired *bnw* gasgestookt

gas guzzler USA inform *zn* auto die benzine slurpt

gash [gæʃ] **I** *zn* diepe snede, jaap **II** *ov ww* (open)snijden

gasholder ['gæshəʊldə] *zn* → **gasometer**

gasket ['gæskɪt] techn *zn* pakking ★ *the head ~*

has blown de koppakking is lek

gasman ['gæsmən] inform *zn* meteropnemer

gas mask ['gæsmɑːsk] *zn* gasmasker

gasoline, gasolene ['gæsəliːn] USA *zn* benzine

gasometer [gæˈsɒmɪtə], **gasholder** *zn* gashouder

gasp [gɑːsp] **I** *ov ww* *~ out* met moeite uitbrengen **II** *onov ww* (naar adem) snakken / happen, hijgen ★ *he gasped for water* hij snakte naar water **III** *zn* ★ *his last gasp* zijn laatste snik ★ *the economy is on its last gasp* de economie is vastgelopen

gas station USA *zn* benzinestation

gassy ['gæsɪ] *bnw* **❶** met (te) veel prik **❷** USA winderig ⟨door darmgas⟩ **❸** inform kletserig

gastric ['gæstrɪk] *bnw* v.d. maag, maag-

gastro-enteritis [gæstrəʊentəˈraɪtɪs] *zn* gastro-enteritis, maag-darmontsteking

gastronome ['gæstrənəʊm] *zn* gastronoom, fijnproever

gastronomy [gæˈstrɒnəmɪ] *zn* gastronomie

gasworks ['gæswɜːks] *zn mv* gasfabriek

gate [geɪt] *zn* **❶** hek, slagboom **❷** poort, in- / uitgang ★ USA inform *be given the gate* de laan uitgestuurd worden **❸** aantal bezoekers ⟨van sportevenement⟩ **❹** → **gate money**

gatecrash ['geɪtkræʃ] *onov ww* komen binnenvallen (als ongenode gast)

gatecrasher ['geɪtkræʃə] *zn* ongenode gast

gatehouse ['geɪthaʊs] *zn* portierswoning

gatekeeper ['geɪtkiːpə] *zn* portier

gateleg table *zn* hangoortafel, klaptafel

gate money ['geɪt mʌnɪ], **gate** *zn* recette, totaal aan geïnd entreegeld

gatepost ['geɪtpəʊst] *zn* deurpost, stijl ⟨van hek⟩ ★ inform *between you, me and the ~* onder ons gezegd en gezwegen

gateway ['geɪtweɪ] *zn* **❶** poort **❷** comp toegangspoort

gather ['gæðə] **I** *ov ww* **❶** verzamelen, bijeen brengen ★ *she ~ed her clothes together* ze pakte haar kleren bij elkaar ★ *~ (up) courage* moed verzamelen ★ *~ force / momentum / speed* vaart krijgen **❷** rimpelen, plooien **❸** begrijpen, afleiden ★ *I ~ from this that you don't agree* ik maak hieruit op dat je het er niet mee eens bent **❹** oogsten, plukken **II** *onov ww* samenkomen, vergaderen, zich samenpakken ⟨wolken enz.⟩ ★ *a storm was ~ing* er kwam een storm opzetten ★ *they ~ed around their mother* ze schaarden zich rond hun moeder

gathering ['gæðərɪŋ] *zn* **❶** bijeenkomst **❷** inzameling

gauche [gəʊʃ] *bnw* onhandig, lomp

gaudy ['gɔːdɪ] *bnw* opzichtig, felgekleurd

gauge [geɪdʒ], USA **gage** **I** *zn* **❶** peilstok / -glas, ijkmaat, meter ⟨voor brandstof, temp. enz.⟩ **❷** maat, omvang, kaliber ⟨geweer⟩ ★ *a ~ 8 screw* een schroef van 8mm dikte **❸** fig maatstaf ★ *serve as a ~* als maatstaf dienen **❹** spoorbreedte **II** *ov ww* **❶** meten, peilen **❷** ook fig schatten, taxeren

Gaul [gɔːl] *zn* **❶** Gallië **❷** Galliër

gaunt [gɔːnt] *bnw* mager, ingevallen

gauntlet ['gɔːntlɪt] *zn* **❶** gesch ijzeren handschoen ★ *run the ~* spitsroeden lopen

ga

★ *throw down the* ~ iem. uitdagen
❷ motorhandschoen, sporthandschoen
gauze [gɔːz] *zn* ❶ tule ❷ gaas ★ *sterile* ~ steriel gaas, verbandgaas
gave [geɪv] *ww* [verleden tijd] → **give**
gavel ['gævəl] *zn* (voorzitters)hamer
gawk [gɔːk], **GB gawp** [gɔːp] *onov ww* aangapen, met open mond aanstaren
gawky ['gɔːkɪ] *bnw* onhandig, klungelig
gay [geɪ] I *zn* homo(seksueel) II *bnw* ❶ homoseksueel ❷ *oud* vrolijk, opgewekt ★ *with gay abandon* uitbundig ❸ *oud* fleurig, bont
gaze [geɪz] I *onov ww* staren ★ *gaze into space* doelloos voor zich uit staren II *ov ww* ~ *at* aanstaren III *zn* starende blik
gazebo [gə'ziːbəʊ] *zn* tuinhuisje
gazelle [gə'zel] *zn* gazelle
gazette [gə'zet] I *zn* ❶ krant ❷ Staatscourant II *ov ww* officieel publiceren
gazump [gə'zʌmp] *ov ww*, **GB** *inform* oplichten 〈overeengekomen prijs van huis verhogen〉
GB *afk*, *Great Britain* Groot-Brittannië
GCSE *onderw afk*, *General Certificate of Secondary Education* ≈ einddiploma middelbare school
gear [gɪə] I *zn* ❶ versnelling ★ *change gear* schakelen ★ *in / out of gear* in- / uitgeschakeld ★ *ook fig get into gear* op gang komen ★ *step up a gear* een tandje hoger gaan ★ *throw into / out of gear* in- / uitschakelen ❷ uitrusting ❸ *inform* spullen ❹ *inform* kleding ❺ *plat* drugs II *ov ww* ❶ ~ *to/towards* aanpassen aan, afstemmen op ❷ ~ *up* klaar maken, voorbereiden III *onov ww* ~ *down/up* naar een lagere / hogere versnelling schakelen ★ *she's geared up for her exams* ze is helemaal voorbereid op haar examens
gearbox ['gɪəbɒks] *zn* versnellingsbak
gearing ['gɪərɪŋ] *zn* tandwieloverbrenging
gear lever, **gearstick**, **USA gear shift** *zn* versnellingshendel / -pook
gee [dʒiː] I *tw* *inform* goh ★ *gee whiz!* jeetje! ★ *gee up, horsey!* hop, paardje, hop! II *ov ww* ~ *up* aanmoedigen
gee gee ['dʒiːdʒiː] *inform zn* paardje 〈kindertaal〉
geek [giːk] *inform zn* ❶ sukkel, slome ❷ fanaat, freak ★ *a computer geek* een computerfanaat
geese [giːs] *mv* → **goose**
geezer ['giːzə] *inform zn* ❶ gozer, vent ❷ *USA* ouwe sok
gel [dʒel] I *zn* gel II *onov ww* → **jell**
gelatin, **gelatine** ['dʒelətɪn] *zn* gelatine
gelatinous [dʒɪ'lætɪnəs] *bnw* gelatineachtig
geld [geld] *ov ww* castreren
gelding ['geldɪŋ] *zn* ruin (gecastreerd paard)
gem [dʒem] *zn* edelsteen, juweel(tje) 〈ook fig.〉
Gemini ['dʒemɪnaɪ] *zn* Tweeling (sterrenbeeld)
gender ['dʒendə] *zn* ❶ geslacht ❷ *taalk* (grammaticaal) geslacht
gender bender *inform zn* androgyn persoon
gene [dʒiːn] *zn* gen
genealogical [dʒiːnɪə'lɒdʒɪkl] *bnw* genealogisch ★ *a ~ tree* een stamboom
genealogist [dʒiːnɪ'ælədʒɪst] *zn* genealoog
genealogy [dʒiːnɪ'ælədʒɪ] *zn* ❶ genealogie, familiekunde ❷ stamboom
gene pool *zn* genenvoorraad

genera ['dʒenərə] *zn mv* → **genus**
general ['dʒenərəl] I *bnw* algemeen, gewoon(lijk) ★ *as a ~ rule* in / over het algemeen ★ *the ~ direction* ongeveer de richting II *zn* ❶ generaal ❷ algemeenheid ★ *in ~* meestal, over / in het algemeen
generality [dʒenə'rælətɪ] *zn* algemeenheid
generalization, **generalisation** [dʒenərəlaɪ'zeɪʃən] *zn* generalisatie ★ *avoid sweeping ~s* je moet niet generaliseren
generalize, **generalise** ['dʒenərəlaɪz] I *ov ww* algemeen maken, verbreiden II *onov ww* generaliseren ★ *we can't ~ from these results* we kunnen geen algemene conclusies trekken uit deze resultaten ★ *you can't ~ about men* je kunt niet alle mannen over één kam scheren
generally ['dʒenərəlɪ] *bijw* ❶ in / over het algemeen ★ *~ speaking* in het algemeen, globaal genomen ❷ meestal
general practitioner ['dʒenərəl præk'tɪʃənə], **GP** *zn* huisarts
general-purpose *bnw* voor algemeen gebruik, multifunctioneel
general store ['dʒenərəl stɔː] *zn* dorpswinkel
generate ['dʒenəreɪt] *ov ww* ❶ genereren, voortbrengen ★ *~ wealth* welvaart creëren ❷ opwekken (elektriciteit) ❸ ontwikkelen 〈warmte〉
generation [dʒenə'reɪʃən] *zn* ❶ generatie ❷ het genereren, het creëren ❸ ontwikkeling, voortplanting
generation gap *zn* generatiekloof
generator ['dʒenəreɪtə] *zn* ❶ generator ❷ *techn* dynamo ❸ **GB** elektriciteitsmaatschappij
generic [dʒɪ'nerɪk] *bnw* ❶ algemeen ❷ merkloos ★ *~ drugs* merkloze geneesmiddelen
generosity [dʒenə'rɒsətɪ] *zn* ❶ edelmoedigheid ❷ vrijgevigheid, gulheid
generous ['dʒenərəs] *bnw* ❶ royaal ❷ overvloedig ❸ aardig, edelmoedig
genesis ['dʒenɪsɪs] *zn* ontstaan, oorsprong
genetic [dʒɪ'netɪk] *bnw* genetisch ★ *~ally modified* genetisch gemanipuleerd
genetics [dʒɪ'netɪks] *zn mv* genetica, erfelijkheidsleer
genial ['dʒiːnɪəl] *bnw* vriendelijk, sympathiek
genie ['dʒiːnɪ] *zn* [mv: **genies, genii**] geest 〈in Arabische sprookjes〉 ★ *the ~ is out of the bottle* de geest is uit de fles
genital ['dʒenɪtl] *bnw* genitaal, geslachts-
genitals ['dʒenɪtlz], **genitalia** [dʒenɪ'teɪlɪə] *zn mv* geslachtsdelen
genius ['dʒiːnɪəs] *zn* [mv: **geniuses**] ❶ genialiteit, talent ★ *a stroke of ~* een geniaal idee ★ *she has a ~ for always finding the right word* ze heeft het talent om altijd het juiste woord te vinden ❷ genie
genocide ['dʒenəsaɪd] *zn* genocide, volkerenmoord
gent [dʒent] *inform zn* meneer ★ *the gents* [mv] het herentoilet
genteel [dʒen'tiːl] *bnw* ❶ chic, deftig ❷ fatsoenlijk, (te) rustig 〈van plaats〉 ★ *live in ~ poverty* proberen de stand op te houden
gentile, **Gentile** ['dʒentaɪl] I *zn* niet-jood, niet-Jood II *bnw* niet-joods, niet-Joods

gentility [dʒenˈtɪlətɪ] *zn* deftigheid
gentle [ˈdʒentl] *bnw* ❶ kalm, rustig ★ *gently does it!* rustig / kalmpjes aan! ❷ zacht, vriendelijk ★ *the ~ sex* het zwakke geslacht ❸ licht ⟨helling, bocht enz.⟩
gentleman [ˈdʒentlmən] *zn* (echte) heer
gentleman farmer *zn* herenboer
gentlemanly *bnw* als een heer, beschaafd
gentleman's agreement *zn* herenakkoord
gentrification [dʒentrɪfɪˈkeɪʃən] *zn* sociale opwaardering ⟨v.e. woonwijk⟩
gentry [ˈdʒentrɪ] *zn* gegoede / deftige burgerij ★ *the landed ~* de grootgrondbezitters
genuflect [ˈdʒenjʊflekt] *onov ww* een kniebuiging maken
genuflection, **genuflexion** [dʒenjʊˈflekʃən] *zn* kniebuiging, knieval ⟨ook fig.⟩
genuine [ˈdʒenjʊɪn] *bnw* ❶ echt, onvervalst ★ *that watch is not the ~ article* dat horloge is een imitatie ❷ oprecht ❸ serieus
genus [ˈdʒiːnəs] *zn* [mv: **genera**] soort, klasse
geo- [ˈdʒiːəʊ] *voorv* geo-, aard-
geographer [dʒɪˈɒɡrəfə] *zn* aardrijkskundige
geographical [dʒiːəˈɡræfɪkl], **geographic** [dʒiːəˈɡræfɪk] *bnw* geografisch
geography [dʒɪˈɒɡrəfɪ] *zn* aardrijkskunde
geological [dʒiːəˈlɒdʒɪkl] *bnw* geologisch
geologist [dʒɪˈɒlədʒɪst] *zn* geoloog
geology [dʒɪˈɒlədʒɪ] *zn* geologie
geometric [dʒiːəˈmetrɪk], **geometrical** [dʒiːəˈmetrɪkl] *bnw* meetkundig
geometry [dʒɪˈɒmətrɪ] *zn* meetkunde
geophysical [dʒiːəʊˈfɪzɪkl] *bnw* geofysisch
geophysics [dʒiːəʊˈfɪzɪks] *zn mv* geofysica
Georgian [ˈdʒɔːdʒən] *bnw* 18e-eeuws ⟨tijd van koningen George I-IV⟩
geothermal [dʒiːəʊˈθɜːml] *bnw* geothermisch, m.b.t. aardwarmte
geriatric [dʒerɪˈætrɪk] *bnw* geriatrisch
geriatrics [dʒerɪˈætrɪks] *zn mv* geriatrie
germ [dʒɜːm] *zn* ❶ ziektekiem ❷ *fig* begin, oorsprong ❸ *biol* kiem
German [ˈdʒɜːmən] I *zn* Duitser II *bnw* Duits
germane [dʒɜːˈmeɪn] *form bnw* toepasselijk ★ *it is ~ to our discussion* het is van toepassing op ons gesprek
Germanic [dʒɜːˈmænɪk] *bnw* Germaans
German measles *zn mv* rodehond, rubella
Germany [ˈdʒɜːmənɪ] *zn* Duitsland
germinate [ˈdʒɜːmɪnert] *ov+onov ww* (doen) ontkiemen
germination [dʒɜːmɪˈneɪʃən] *zn* ontkieming
germ warfare *zn* biologische oorlogvoering
gerontology [dʒerɒnˈtɒlədʒɪ] *zn* gerontologie
gerrymander [ˈdʒerɪmændə], **jerrymander** I *ov ww* vervalsen ⟨door geknoei met kiesdistricten⟩ II *zn* knoeierij ⟨met de indeling van kiesdistricten⟩
gestation [dʒeˈsteɪʃən] *zn* ❶ zwangerschap, draagtijd ❷ *form* ontwikkeling ⟨van idee of plan⟩
gesticulate [dʒeˈstɪkjʊlert] *onov ww* gebaren maken
gesticulation [dʒestɪkjʊˈleɪʃən] *zn* ❶ het gebaren ❷ gebaar
gesture [ˈdʒestʃə] I *zn* gebaar, geste ★ *a ~ of*

goodwill een welwillend gebaar II *onov ww* gebaren
get [get] [onregelmatig] I *ov ww* ❶ krijgen, ontvangen ★ *get a birthday present* een verjaardagscadeautje krijgen ★ *inform watch it or you'll get it* pas op, anders krijg je ervanlangs ❷ pakken, halen, kopen ★ *the police will get you* de politie zal je wel te pakken krijgen ★ *I'll get you a coffee* ik haal je een kop koffie ★ *I have to get a new bike* ik moet een nieuwe fiets kopen ❸ opdoen, oplopen ★ *get a cold* verkouden worden ★ *get the worst of it* er heel slecht afkomen ❹ behalen, bereiken ★ *get a new job* een nieuwe baan krijgen ★ *get a pass* een voldoende halen ❺ hebben ★ *inform you've got it* jij hebt het in je, jij kunt het ❻ overhalen, laten, ervoor zorgen dat ★ *get sb to talk* iem. aan het praten krijgen ❼ bezorgen, laten komen ★ *he got us a taxi* hij liet een taxi voor ons komen ❽ (klaar)maken, bereiden ★ *who's getting dinner tonight?* wie kookt er vanavond? ❾ *inform* snappen ★ *you've got it!* jij hebt het begrepen!, raak! ★ *get the message* het doorhebben ❿ ~ **across** duidelijk maken ★ *get an idea across* een idee overbrengen ⓫ ~ **along with** goed overweg kunnen met ⓬ ~ **(a)round** inpalmen, oplossen ⟨probleem⟩, ontduiken ⓭ ~ **around to** toekomen aan, tijd vinden om ⓮ ~ **at** *inform* bekritiseren, bereiken, achterhalen ★ *inform what are you getting at?* wat bedoel je? ⓯ ~ **away from** ontkomen aan ★ *inform get away from it all* even er helemaal tussenuit zijn ⓰ ~ **away with** ermee wegkomen, ongestraft blijven ⓱ ~ **back** terugkrijgen, terugbrengen ⓲ ~ **back at** betaald zetten ⓳ ~ **down** deprimeren, doorslikken, noteren ⓴ ~ **down to** komen tot ★ *get down to business* tot zaken komen ★ *get down to work* aan het werk gaan ㉑ ~ **in** binnenhalen ㉒ ~ **into** komen in, belanden in, toegelaten worden ⟨tot school enz.⟩ ★ *inform what's got into you?* wat bezielt je? ㉓ *inform* ~ **off** kicken op ㉔ *inform* ~ **off with** aanpappen met, het aanleggen met ㉕ ~ **on** aantrekken ★ *inform USA get it on with sb* 'het' doen met iem. ㉖ ~ **on with** goed overweg kunnen met, doorgaan met ㉗ ~ **out** uitbrengen, aan het licht brengen, eruit halen / krijgen ㉘ ~ **out of** weggaan van, ontsnappen ★ *get out of the way* uit de weg gaan ㉙ ~ **over** duidelijk maken, te boven komen ★ *get sth over and done (with)* ergens een eind aan maken ★ *inform I can't get over it* ik kan er niet over uit ㉚ ~ **through** erdoor krijgen ★ *i can't get it through to her* ik kan het haar niet duidelijk maken ㉛ ~ **through to** doordringen tot ㉜ ~ **through with** afmaken ㉝ ~ **to** komen / krijgen te, bereiken ㉞ ~ **up** organiseren, produceren, omhoog krijgen ★ *get up courage* moed verzamelen ★ *inform get it up* een erectie krijgen ★ *what are they getting up to?* wat voeren ze in hun schild? II *onov ww* ❶ (ge)raken, worden ★ *his arm got broken* hij brak zijn arm ★ *get in touch / contact with sb* contact opnemen met iem. ❷ komen, bereiken, terechtkomen ★ *he got to Paris in one day* hij

bereikte Parijs in één dag ★ *you'll get there eventually* jij komt er wel op den duur ★ *get to work* aan het werk gaan, op zijn werk komen ❸ beginnen ★ *he's getting old* hij begint oud te worden ★ *she's getting on my nerves* ze werkt me op de zenuwen ★ *let's get going* laten we aan de slag gaan ❹ de gelegenheid krijgen ★ *I never got to learn the piano* ik heb nooit de gelegenheid gehad piano te leren spelen ❺ ~ **about/around** zich verspreiden, rondlopen ❻ ~ **across** (goed) overkomen, oversteken ❼ ~ **along** vorderen, opschieten, zich redden ❽ ~ **(a)round** zich voortbewegen, rondreizen ❾ ~ **away** weggaan, ontkomen ❿ ~ **back** terugkomen / -gaan ⓫ ~ **by** zich redden, (net) voldoen ⓬ ~ **down** van tafel gaan (van kinderen), naar beneden gaan / komen ⓭ ~ **in** binnenkomen, instappen, erin / ertussen komen, gekozen worden (voor parlement) ⓮ ~ **off** vertrekken, weggaan, uitstappen, in slaap vallen, inform er goed afkomen ⓯ ~ **on** vooruitkomen, opschieten ★ *time is getting on* het is al laat ★ *he's getting on for forty* hij loopt tegen de veertig ★ *how are you getting on?* hoe staat het ermee? ⓰ ~ **out** uitlekken, weggaan, ontkomen ⓱ ~ **over** begrepen worden, overkomen ⓲ ~ **through** (er) door komen, slagen, bereiken ⓳ ~ **together** bijeenkomen ⓴ ~ **up** opstaan, opsteken (van wind)

get-at-able bnw [get'ætəbl] bereikbaar, toegankelijk

getaway ['getəwei] zn ❶ ontsnapping ★ *they made their ~ in a car* ze ontsnapten in een auto ❷ inform korte vakantie

get-together inform zn samenkomst, bijeenkomst

get-up inform zn uitdossing

get-up-and-go inform zn energie, enthousiasme

geyser ['gi:zə, USA 'gaizə] zn ❶ geiser, natuurlijke hete bron ❷ GB (gas)geiser

ghastly ['gɑ:stlɪ] bnw ❶ gruwelijk, afgrijselijk ❷ inform afschuwelijk ❸ dicht doodsbleek

gherkin ['gɜ:kɪn] zn augurk

ghetto ['getəʊ] zn getto

ghost [gəʊst] I zn ❶ geest, spook ★ *give up the ~* de geest geven, doodgaan ❷ spookbeeld ❸ spoor ★ *a ~ of a smile* een vage glimlach ★ *not have a ~ of a chance* geen schijn van kans hebben II ov ww ★ ~(write) anoniem schrijven voor iem. anders

ghostly ['gəʊstlɪ] bnw spookachtig

ghost town zn spookstad

ghostwriter ['gəʊstraɪtə] zn ghostwriter

ghoul [gu:l] zn ❶ lijkeneter, grafschenner ❷ morbide geest

ghoulish ['gu:lɪʃ] bnw ❶ walgelijk, gruwelijk ❷ morbide

GHQ afk, General Headquarters centraal hoofdkwartier

GI afk, General Issue soldaat (in VS)

giant ['dʒaɪənt] I zn ❶ reus, gigant ❷ fig grote naam (in de kunst enz.) II bnw reuzen-, gigantisch

giantess ['dʒaɪəntəs] zn reuzin

gibber ['dʒɪbə] onov ww brabbelen

gibberish ['dʒɪbərɪʃ] zn brabbeltaal

gibe [dʒaɪb] → **jibe**

giblets ['dʒɪblɪts] zn mv ingewanden (van gevogelte)

giddy ['gɪdɪ] bnw ❶ duizelig ❷ duizelingwekkend ★ inform *that's the ~ limit* dat is (wel) het toppunt

gift [gɪft] I zn ❶ geschenk ❷ gave, talent ★ *have a gift for sth / for doing sth* talent voor iets hebben ❸ inform buitenkansje II ov ww begiftigen, schenken

gifted ['gɪftɪd] bnw begaafd

gift token, gift voucher, USA **gift certificate** zn cadeaubon

gig [gɪg] inform zn ❶ optreden ❷ comp gigabyte

gigantic [dʒaɪ'gæntɪk] bnw reusachtig, gigantisch

giggle ['gɪgl] I onov ww giechelen II zn gegiechel ★ *for a ~* voor de lol ★ *have the ~s* de slappe lach hebben

giggly ['gɪglɪ] bnw giechelig

gild [gɪld] ov ww vergulden ★ *gild the lily* iets onnodig mooier maken

gilded ['gɪldɪd] bnw verguld

gill[1] [gɪl] zn [meestal mv] kieuw ★ inform *stuffed to the gills* propvol ★ *green about the gills* bleek om de neus

gill[2] [dʒɪl] kwart pint (0,14 l)

gilt [gɪlt] I zn ❶ verguldsel ❷ II bnw verguld

gilt-edged bnw ❶ verguld op snee ❷ fin solide (met rijksgarantie) ★ ~ *shares* goudgerande aandelen (aandelen met rijksgarantie)

gimcrack ['dʒɪmkræk] bnw prullerig

gimlet ['gɪmlət] zn hand- / fretboor(tje) ★ *with eyes like ~s* met priemende ogen

gimme ['gɪmɪ] samentr, give me → **give**

gimmick ['gɪmɪk] zn truc(je), foefje

gimmicky ['gɪmɪkɪ] bnw ❶ op effect gericht ❷ vol foefjes

gin [dʒɪn] zn gin, ≈ jenever

ginger ['dʒɪndʒə] I zn ❶ gember ❷ rode kleur II bnw rood (van haar) ★ *a ~ (tom)cat* een rooie kater III ov ww ❶ stimuleren, opjutten ❷ ~ **up** verlevendigen, wat leven in de brouwerij brengen

ginger ale, ginger beer zn gemberbier

gingerbread ['dʒɪndʒəbred] zn gemberkoek(je)

ginger group GB zn actiegroep

gingerly ['dʒɪndʒəlɪ] bijw behoedzaam, voorzichtig

gingham ['gɪŋəm] zn geruite katoenen stof

gingivitis [dʒɪndʒɪ'vaɪtɪs] zn gingivitis, tandvleesontsteking

ginormous [dʒaɪ'nɔ:məs] inform bnw enorm

gipsy ['dʒɪpsɪ] zn → **gypsy**

giraffe [dʒə'rɑ:f] zn giraffe

gird [gɜ:d] dicht ov ww [regelmatig + onregelmatig] een gordel omdoen, om- / insluiten ★ humor *gird (up) your loins* jezelf vermannen

girder ['gɜ:də] zn steun- / draagbalk

girdle ['gɜ:dl] I zn ❶ step-in, korset ❷ gordel II ov ww omringen

girl [gɜ:l] zn ❶ meisje ★ *go out with the girls* met de meiden op stap gaan ★ *look, old girl* kijk es, oudje ❷ dochter

girl Friday zn vrouwelijke assistente

girlfriend ['gɜːlfrend] *zn* ❶ vriendin(netje), meisje ❷ USA vriendin ⟨van vrouw⟩

Girl Guide *zn* padvindster

girlhood ['gɜːlhʊd] *zn* meisjesjaren, meisjestijd

girlie, girly ['gɜːlɪ] *bnw* ❶ min meisjes- ❷ bloot- ★ *a ~ calendar* een pin-upkalender ★ *a ~ magazine* een blootblad

girlish ['gɜːlɪʃ] *bnw* meisjesachtig

girt [gɜːt] *ww* [verl. tijd + volt. deelw.] → **gird**

girth [gɜːθ] *zn* ❶ omvang, taille ❷ buikriem, singel ⟨v. paard⟩

gismo, gizmo ['gɪzməʊ] inform *zn* dingetje, apparaatje

gist [dʒɪst] *zn* ❶ kern, hoofdzaak ★ *get the gist of sth* de essentie van iets begrijpen ❷ strekking ★ *I don't quite follow your gist* ik begrijp niet helemaal wat je bedoelt

git [gɪt] GB inform *zn* sukkel, klootzak, lul

give [gɪv] [onregelmatig] I *ov ww* ❶ geven, schenken ★ *give your regards* de groeten doen ★ *give sb a piece of your mind* iem. flink de waarheid zeggen ★ *give or take a minute* het kan een minuutje schelen ❷ verschaffen, verstrekken ★ *give ear to* luisteren naar ★ *give judgement* een oordeel vellen ❸ aanbieden, opofferen ★ *give ground* zich terugtrekken, terugkrabbelen ★ *give way* bezwijken, wijken, zwichten ❹ opleveren, bezorgen ★ *this wheat gives a high yield* deze tarwe levert een hoge opbrengst op ★ *give birth to* voortbrengen, bevallen van ★ *give rise to* veroorzaken, doen ontstaan ★ *I gave him a fright* ik liet hem schrikken ❺ doen, maken ★ *give chase* er achteraan gaan ★ *give a sigh of relief* een zucht van verlichting slaken ★ *she gave a bow* ze maakte een buiging ❻ toegeven ★ *I'll give you that* dat kan ik niet ontkennen ★ ~ **away** verklappen, weggeven ★ *give away the bride* de bruid ten huwelijk geven ❼ ~ **back** teruggeven ❽ ~ **in** inleveren, erbij geven ❾ ~ **off** afgeven ❿ ~ **onto/to** uitkomen op ⓫ ~ **out** aankondigen, bekend maken, opgeven, afgeven ⓬ ~ **over** opgeven, laten varen ★ *be given over to* verslaafd zijn aan, last hebben van ⓭ ~ **up** opgeven, afstand doen / afzien van, ophouden met, overleveren ★ *give yourself up* je overgeven ⓮ ~ **up on** geen hoop meer hebben voor II *onov ww* ❶ geven ★ *give as good as you get* met gelijke munt terugbetalen ★ *come on, give!* vertel op! ❷ toegeven, meegeven ❸ het begeven ▾ inform *what gives?* is er nog iets nieuws? ❹ ~ **in** toegeven, zwichten, zich gewonnen geven ❺ ~ **out** opraken ❻ ~ **up** (het) opgeven III *zn* het meegeven, elasticiteit ▾ *give and take* geven en nemen, compromis

giveaway ['gɪvəweɪ] inform I *zn* ❶ weggevertje, (relatie)geschenk ❷ (ongewild) verraad ★ *her body language was a dead ~* haar lichaamstaal verried haar II *bnw* weggeef- ★ ~ *prices* weggeefprijzen

given ['gɪvn] I *ww* [volt. deelw.] → **give** II *bnw* bepaald ★ *at any ~ moment* op elk willekeurig moment ▾ *form be ~ to (doing) sth* gewend / gewoon zijn om iets (te doen), verslaafd zijn aan iets III *vz* gezien ★ ~ *the circumstances* de omstandigheden in aanmerking genomen

IV *zn* gegeven

given name *zn* voornaam

giver ['gɪvə] *zn* schenker, gever

gizmo → **gismo**

glacé ['glæseɪ] *bnw* gekonfijt, geglaceerd ⟨van fruit⟩

glacial ['gleɪʃəl] *bnw* ❶ ijs-, gletsjer- ★ *the ~ period* de ijstijd ❷ ijzig, ijskoud

glacier ['glæsɪə] *zn* gletsjer

glad [glæd] *bnw* verheugd, blij ⟨**of/at** om / over⟩ ★ *I would be glad to come* ik zou graag komen ★ *we would be glad to* met genoegen zullen wij ★ *we'd be glad to see the back of him* we zullen blij zijn als hij vertrekt

gladden ['glædn] *ov ww* blij maken

glade [gleɪd] *zn* open plek ⟨in bos⟩

gladly ['glædlɪ] *bijw* graag, met alle plezier

glamor ['glæmə] USA *zn* glamour

glamorize, glamorise ['glæməraɪz] *ov ww* verheerlijken, idealiseren

glamorous ['glæmrəs] *bnw* betoverend, zeer aantrekkelijk, glitter-

glamour, USA glamor ['glæmə] *zn* ❶ betovering, aantrekkelijkheid ❷ glans

glance [glɑːns] I *onov ww* ❶ (vluchtig) kijken ❷ ~ **off** afschampen II *ov ww* ~ **at/over/through** een (vluchtige) blik werpen op, dóórkijken III *zn* (vluchtige) blik ★ *steal a ~* onopvallend kijken ★ *at a (single) ~* in één oogopslag ★ *at first ~* op het eerste gezicht

glancing ['glɑːnsɪŋ] *bnw* afschampend, schamp-

gland [glænd] *zn* klier

glandular ['glændjʊlə] *bnw* m.b.t. klier, klierachtig

glandular fever *zn* ziekte van Pfeiffer

glare [gleə] I *onov ww* ❶ woedend kijken ❷ fel schijnen / stralen II *zn* ❶ hel licht, schittering ★ *in the full ~ of publicity* met voortdurende aandacht van de media ❷ boze blik

glaring ['gleərɪŋ] *bnw* ❶ opvallend ★ *a ~ blunder* een enorme misleuk ❷ (oog)verblindend ★ ~ *colours* schreeuwende kleuren ❸ woedend

glass [glɑːs] I *zn* ❶ glas ★ *raise one's ~ to* toosten op ❷ raam, ramen ❸ GB spiegel ★ *a looking ~* een spiegel ❹ (verre)kijker, lens ★ *the ~* barometer II *bnw* glazen III *ov ww* ❶ van glas / ruiten voorzien ❷ GB inform met een glas in het gezicht slaan

glasses [glɑːsɪz] *zn mv* bril verre- / toneelkijker ★ *dark ~* een (donkere) zonnebril

glass fibre, USA glass fiber *zn* glasvezel

glasshouse ['glɑːshaʊs] *zn* broeikas

glasspaper ['glɑːsˈpeɪpə] *zn* fijn schuurpapier

glassware ['glɑːsweə] *zn* glaswerk

glassy ['glɑːsɪ] *bnw* ❶ glazen, spiegelglad ❷ wezenloos

glaucoma [glɔːˈkəʊmə] *zn* glaucoom

glaze [gleɪz] I *ov ww* ❶ van glas voorzien ❷ glazuren ❸ vernissen II *onov ww* ~ **(over)** glazig worden III *zn* ❶ glazuur(laag) ❷ vernis, glans

glazier ['gleɪzɪə] *zn* glazenmaker

glazing ['gleɪzɪŋ] *zn* ❶ glazuur ❷ glaswerk, ruiten ★ *double ~* dubbele ramen / beglazing

gleam [gliːm] I *zn* ❶ glans, schijnsel ❷ glimp ❸ fig sprankje ★ *a ~ of hope* een sprankje hoop

II *onov ww* **❶** schijnen **❷** glanzen **❸** glimmen

glean [gli:n] *ov ww* verzamelen, (moeizaam) vergaren (van informatie)

glee [gli:] *zn* **❶** vrolijkheid, blijdschap **❷** leedvermaak

gleeful ['gli:fʊl] *bnw* **❶** triomfantelijk **❷** met leedvermaak

glen [glen] *zn* nauw dal (in Schotland / Ierland)

glib [glɪb] *bnw* **❶** rad van tong, welbespraakt **❷** oppervlakkig

glide [glaɪd] **I** *onov ww* **❶** glijden **❷** zweven **II** *zn* glijvlucht

glider ['glaɪdə] *zn* zweefvliegtuig

gliding ['glaɪdɪŋ] *zn* **❶** zweefvliegen **❷** het glijden

glimmer ['glɪmə] **I** *zn* **❶** zwak flikkerend licht **❷** *fig* straaltje, greintje ★ *a ~ of hope* een sprankje hoop **II** *onov ww* flikkeren, (zwak) schijnen

glimpse [glɪmps] **I** *zn* **❶** glimp, (vluchtige) blik ★ *catch a ~ of* een glimp opvangen van **❷** kijkje ★ *a ~ into the future* een kijkje in de toekomst **II** *ov ww* **❶** even vluchtig zien / kijken **❷** beginnen te begrijpen

glint [glɪnt] **I** *onov ww* glinsteren, blinken **II** *zn* **❶** glinstering **❷** flikkering **❸** sprankje, spoortje

glisten ['glɪsən] *onov ww* glinsteren, fonkelen ★ *her eyes ~ed with tears* haar ogen glommen van de tranen

glitch [glɪtʃ] *inform zn* storing, hapering

glitter ['glɪtə] **I** *onov ww* blinken, schitteren, fonkelen **II** *zn* **❶** schittering, glans **❷** schone schijn **❸** glittertjes (decoratie)

glitterati *zn mv* rijke beroemdheden (krantentaal)

glittering ['glɪtərɪŋ] *bnw* **❶** uiterst succesvol (carrière enz.) **❷** schitterend

glitz [glɪts] *zn* schone schijn

gloat [gləʊt] **I** *onov ww* zich verkneukelen **II** *ov ww* **❶** ~ on/over begerig kijken naar **❷** ~ over zich verkneukelen over

glob [glɒb] *inform zn* kluit, klodder, kwak

global ['gləʊbl] *bnw* **❶** wereldwijd ★ *~ly, a million have died* er zijn wereldwijd een miljoen mensen omgekomen **❷** globaal, allesomvattend ★ *a ~ picture* een totaalbeeld

global warming *zn* opwarming van de aarde

globe [gləʊb] *zn* **❶** globe, wereldbol **❷** aarde ★ *from every corner of the ~* van alle delen van de wereld **❸** bol(vormig voorwerp)

globetrotter ['gləʊbtrɒtə] *inform zn* globetrotter, wereldreiziger

globular ['glɒbjʊlə] *bnw* bolvormig

globule ['glɒbju:l] *zn* bolletje, druppel

gloom [glu:m] *zn* **❶** somberheid, zwaarmoedigheid ★ *~ and doom* doemdenken ★ *her death cast a ~ over their lives* haar dood wierp een donkere schaduw over hun leven **❷** dicht duisternis

gloomy ['glu:mɪ] *bnw* **❶** donker **❷** somber **❸** deprimerend

glorify ['glɔ:rɪfaɪ] *ov ww* **❶** verheerlijken **❷** ophemelen **❸** mooier voorstellen

glorious ['glɔ:rɪəs] *bnw* **❶** roemrijk **❷** heerlijk, prachtig **❸** stralend (van weer)

glory ['glɔ:rɪ] **I** *zn* **❶** eer, roem, luister ★ *the glories of Florence* het allermooiste van Florence ★ *her hair is her crowning ~* haar haar is haar trots **❷** glorie, heerlijkheid ★ *~ to God* ere zij God **II** *ov ww* **~ in** erg genieten van, prat gaan op

gloss [glɒs] **I** *zn* **❶** glans **❷** glansverf **❸** (schone) schijn **❹** kanttekening, tekstuitleg **II** *ov ww* **~ over** verdoezelen, verbloemen ★ *he ~ed over her faults* hij bedekte haar fouten met de mantel der liefde

glossary ['glɒsərɪ] *zn* verklarende woordenlijst

gloss paint *zn* glansverf

glossy ['glɒsɪ] *bnw* **❶** glanzend **❷** duur uitziend ★ *a ~ magazine* een glossy, een duur uitgevoerd tijdschrift

glove [glʌv] *zn* handschoen ★ *fit like a ~* precies passen ★ *he's ready to take the ~s off* hij is klaar voor de strijd

glove compartment *zn* handschoenenvakje (in auto)

glow [gləʊ] **I** *onov ww* gloeien, stralen ★ *glow with pride* glimmen van trots **II** *zn* **❶** gloed **❷** blos **❸** warm gevoel

glower ['glaʊə] *onov ww* woedend kijken (at naar)

glowing ['gləʊɪŋ] *bnw* **❶** gloeiend, vlammend **❷** enthousiast

glowworm ['gləʊwɜ:m] *zn* glimworm

glucose ['glu:kəʊs] *zn* glucose, druivensuiker

glue [glu:] **I** *zn* lijm **II** *ov ww* lijmen, (vast)plakken ★ *be glued to sth* je ergens niet los van kunnen maken ★ *inform they were glued to the television* ze zaten aan de televisie gekluisterd ★ *glued to the spot* (als) aan de grond genageld

glue-sniffing *zn* lijmsnuiven

gluey [glu:ɪ] *bnw* **❶** kleverig **❷** met lijm bedekt

glum [glʌm] *bnw* **❶** somber, triest **❷** nors

glut [glʌt] **I** *zn* ★ *there is a glut of oil on the market* de markt is met olie overvoerd **II** *ov ww* (over)verzadigen, overladen, overvoeren

glutinous ['glu:tɪnəs] *bnw* lijmachtig, kleverig

glutton ['glʌtn] *zn* gulzigaard, veelvraat ★ *a ~ for work / punishment* een workaholic / masochist

gluttony ['glʌtənɪ] *zn* vraatzucht, gulzigheid

gm *afk, gram* g., gram

GM *afk, GM* genetisch gemanipuleerd

GMT *afk, Greenwich Mean Time* Greenwichtijd

gnarl [nɑ:l] *zn* knoest

gnarled [nɑ:ld] *bnw* **❶** knoestig **❷** knokig

gnarly [nɑ:lɪ] *USA inform bnw* **❶** moeilijk, lastig **❷** onaangenaam **❸** tof

gnash [næʃ] *ov ww* ★ *he ~ed his teeth* hij knarsetandde

gnat [næt] *zn* mug

gnaw [nɔ:] **I** *ov ww* knagen aan **II** *onov ww* knabbelen, knagen *ook fig* ★ *uncertainty gnawed (away) at him* hij werd gekweld door onzekerheid

gnome [nəʊm] *zn* kabouter, aardmannetje

GNP *afk, Gross National Product* bnp, bruto nationaal product

gnu [nu:] *zn* gnoe, wildebeest

go [gəʊ] [onregelmatig] **I** *ov ww* **❶** gaan, afleggen ★ *he went five kilometres* hij heeft vijf kilometer afgelegd ★ *go places* reizen, uitgaan ★ *go a long way* lang toereikend zijn ★ *go a long way towards* veel bijdragen aan **❷** doen, maken

★ *go halves / shares* eerlijk delen ★ *go it!* toe maar! ★ *go it alone* het helemaal alleen doen ❸ bieden ★ *go hearts* harten bieden ★ *go one better* een méér bieden, overtroeven ❹ ~ **about** bezig zijn met, aanpakken ★ *he went about it the wrong way* hij pakte het verkeerd aan ❺ ~ **about with** omgaan met ❻ ~ **after** achterna gaan, achter ⟨iets / iemand⟩ aangaan ❼ ~ **against** tegenin gaan, in het nadeel zijn van, in strijd zijn met ❽ ~ **along with** meegaan met, het eens zijn met ❾ ~ **at** aanvallen, aanpakken ❿ ~ **back on** terugkomen op, terugdraaien, zich niet houden aan ⓫ ~ **back to** teruggaan naar, weer oppakken ⓬ ~ **before** verschijnen voor ⓭ ~ **beyond** overschrijden, verder gaan dan, te boven gaan ⓮ ~ **by** afgaan op, volgen ⟨regels, wet⟩ ★ *it is not much to go by* je hebt er niet veel aan, je kunt er niet veel uit opmaken ⓯ vulg ~ **down on** beffen, pijpen ⓰ ~ **down to** verslagen worden door ⓱ ~ **down with** krijgen ⟨ziekte⟩ ⓲ ~ **for** te lijf gaan, gaan halen, ervoor gaan, gelden, leuk vinden, kiezen, weggaan voor ⟨bedrag⟩ ⓳ ~ **in for** (mee)doen aan, leuk vinden ★ *go in for an examination* opgaan voor een examen ★ *go in for journalism* journalistiek gaan studeren ⓴ ~ **into** ergens in komen / raken, binnengaan, ingaan (op), deelnemen (aan), zorgvuldig onderzoeken, besteed worden aan ⟨van tijd, geld enz.⟩ ★ *the car went into a skid* de auto begon te slippen ㉑ ~ **off** inform niet meer aardig / lekker vinden ㉒ ~ **off with** er vandoor gaan met ㉓ ~ **out for** zich inzetten voor ㉔ ~ **out of** verlaten ㉕ ~ **over** dóórlopen ⟨van thema / huis⟩, nakijken, de revue laten passeren ㉖ ~ **over to** overgaan op / naar ㉗ ~ **through** doornemen, doorzoeken, doorstaan, meemaken, opmaken ㉘ ~ **through with** doorgaan met, volhouden ㉙ ~ **to** besteed worden aan ㉚ ~ **towards** besteed worden aan ㉛ ~ **with** passen bij, overeenkomen met, samengaan, het eens zijn met, inform verkering hebben met ㉜ ~ **without** het stellen zonder **II** onov ww ❶ gaan, lopen, reizen ★ *go and fetch it* ga het eens halen ★ *go far* het ver brengen, lang meegaan ★ *go behind a person's words* achter iemands woorden zoeken ★ *go to all lengths* zich inzetten om alles te bereiken ★ *as far as it goes* tot op zekere hoogte ★ *still be going strong* het nog steeds goed doen ★ *go to great lengths* alle mogelijke moeite doen ❷ starten, beginnen ★ *go for a walk* een wandeling gaan maken ★ *don't go doing sth* doe geen stomme dingen ❸ vertrekken ★ USA *(coffee) to go* (koffie) om mee te nemen ★ *be gone!* maak dat je wegkomt! ❹ verstrijken, aflopen ★ *the years went past* de jaren verstreken ❺ wegraken, verdwijnen ★ *the rest can go* de rest kan vervallen ❻ doodgaan ❼ verkocht worden ★ *go cheap* weinig kosten, weinig opbrengen ★ *going, going, gone!* eenmaal, andermaal, verkocht ❽ (beginnen te) worden ★ *go bad* bederven, zuur worden ★ *go hungry* honger krijgen ★ *go mad* gek worden ❾ zijn ★ *as people / things go* vergeleken met de meeste mensen / dingen ❿ werken,

functioneren ★ *go easy* het kalmpjes aan doen ★ *go all out for sth / to do sth* de grootste moeite doen voor / om te ★ *go by / under the name of* bekend staan als, heten ⓫ gelden, gebeuren ★ *anything goes* alles is mogelijk ⓬ passen, behoren ★ *the milk goes in the fridge* de melk hoort in de koelkast ⓭ luiden, klinken ★ *as the proverb goes* zoals het spreekwoord luidt ⓮ inform naar de wc gaan ▼ *have a lot going* veel voordelen hebben ⓯ ~ **about** rondgaan ⓰ ~ **ahead** vooruitgaan, beginnen, doorgaan ★ *go ahead!* ga je gang! ⓱ ~ **along** (verder) gaan ⓲ ~ **(a)round** rondgaan, voldoende zijn, even langsgaan ⓳ ~ **away** weggaan, er vandoor gaan, op reis gaan ⓴ ~ **back** teruggaan, teruglopen ㉑ ~ **before** vooraf gaan ㉒ ~ **by** voorbijgaan ㉓ ~ **down** naar beneden gaan, gebeuren, aan de hand zijn, dalen ⟨van prijs, temperatuur⟩, vallen, zinken, óndergaan, in de smaak vallen, niet meer functioneren ★ *go down in history* in de geschiedenis vermeld worden als ★ *that won't go down with me* dat wil er bij mij niet in ㉔ ~ **in** naar binnen gaan, schuilgaan ⟨van zon⟩ ㉕ ~ **off** weggaan, afgaan, ontploffen, uitgaan, inform in slaap vallen, achteruitgaan ⟨in kwaliteit⟩ ★ *go off well* goed verlopen ㉖ ~ **on** doorgaan (met), volhouden, aangaan, aan de hand zijn, afgaan op ★ *going on for six* tegen zessen lopen ㉗ ~ **out** uitgaan, uit de mode raken ★ *the tide is going out* het is eb ★ *they're going out together* ze hebben verkering ㉘ ~ **over** overlopen ㉙ ~ **through** doorgaan ㉚ ~ **together** (bij elkaar) passen, samengaan ㉛ ~ **under** (ten) onder gaan, inform failliet gaan ㉜ ~ **up** opgaan, stijgen, ontploffen, gebouwd worden **III** zn ❶ beurt, keer ★ *at / in one go* in één keer ❷ poging ★ *have a go at sth* iets proberen ❸ drukte, vaart ★ *be all go* druk zijn ★ *be on the go* in volle actie zijn ❹ aanval ★ *have a go at sb* iem. te lijf gaan ▼ *be a go* mogelijk zijn ▼ *make a go of sth* er een succes van maken ▼ inform *no go* het gaat (toch) niet ▼ *from the word go* meteen vanaf het begin **IV** bnw in orde ★ *all systems go* alles is startklaar

goad [gəʊd] **I** ov ww ❶ drijven ❷ prikkelen ★ *he goaded her into attending* hij stimuleerde haar om aanwezig te zijn ❸ ~ (**on**) opstoken, uitlokken **II** zn ❶ prikstok (voor vee) ❷ prikkel

go-ahead ['gəʊəhed] **I** zn ★ *give / get the ~* het groene licht geven / krijgen **II** bnw vooruitstrevend

goal [gəʊl] zn ❶ doel ❷ doelpunt ❸ (eind)bestemming

goalkeeper ['gəʊlki:pə], inform **goalie** ['gəʊli] zn keeper, doelverdediger

goalpost ['gəʊlpəʊst] zn doelpaal ★ GB inform *move the ~s* stiekem de regels / procedure veranderen

goat [gəʊt] zn ❶ geit, bok ★ inform *get sb's goat* iem. irriteren ❷ ezel, stomkop ★ *act / play the goat* idioot doen

goatee [gəʊ'ti:] zn sik(je) ⟨klein baardje⟩

goatherd ['gəʊthɜːd] zn geitenhoeder

gob [gɒb] inform **I** zn ❶ smoel, bek ★ *shut your gob!* kop dicht! ❷ fluim ★ USA *gobs of sth* heel

veel van iets **II** *onov ww* spugen
gobbet ['gɒbɪt] *zn* brok, homp
gobble ['gɒbl] **I** *ov ww* ~ **(up/down)** naar binnen schrokken, opslokken, opslokken *ook fig* **II** *onov ww* **❶** schrokken **❷** klokken ⟨van kalkoen⟩ **III** *zn* gekakel, geklok ⟨van kalkoen⟩
gobbledegook, gobbledygook ['gɒbldɪguːk] inform *zn* ambtelijke taal, abracadabra ★ *it's all ~ to me* het is allemaal abracadabra voor me
go-between ['gəʊbɪtwiːn] *zn* tussenpersoon, bemiddelaar
goblet ['gɒblət] *zn* glas met voet, bokaal
goblin ['gɒblɪn] *zn* kobold
gobsmacked ['gɒbsmækt] inform *bnw* stomverbaasd, sprakeloos, verbijsterd
go-cart *zn* → **go-kart**
god [gɒd] *zn* **❶** (af)god ★ *for God's sake!* in hemelsnaam! **❷** godheid ★ *it's in the lap of the gods* het is nog onzeker **❸** *fig* idool, invloedrijk persoon ★ *she's a god to her fans* haar fans aanbidden haar
god-awful inform *bnw* vreselijk
godchild ['gɒdtʃaɪld] *zn* petekind
goddam ['gɒdæm], **goddamn, goddamned** inform *bnw + bijw* verdomd
goddess ['gɒdɪs] *zn* godin
godfather ['gɒdfɑːðə] *zn* peter, peetoom, peetvader
God-fearing ['gɒdfɪərɪŋ] *zn* godvrezend
god-forsaken ['gɒdfəseɪkən] *bnw* **❶** van God verlaten **❷** ellendig
godless ['gɒdləs] *bnw* goddeloos
godlike ['gɒdlaɪk] *bnw* goddelijk
godly ['gɒdlɪ] *bnw* godvruchtig, vroom
godmother ['gɒdmʌðə] *zn* meter, peettante
godparent ['gɒdpeərənt] *zn* peet
godsend ['gɒdsend] *zn* meevaller, buitenkansje
godson ['gɒdsʌn] *zn* peetzoon
goer ['gəʊə] *zn* **❶** iemand die gaat, iets dat gaat **❷** veelbelovend project **❸** GB inform een wilde meid
gofer ['gəʊfə] *zn* manusje-van-alles
go-getter ['gəʊgetə] inform *zn* doorzetter, doordouwer
goggle ['gɒgl] *onov ww* rollen ⟨van ogen⟩, uitpuilen ⟨van ogen⟩ ★ *she ~d at him* ze staarde hem aan
goggle-eyed *bnw + bijw* met uitpuilende ogen, verbaasd
goggles ['gɒglz] *zn mv* duik- / motor- / ski- / stofbril
go-go *zn* **I** *zn* het discodansen **II** *bnw* **❶** disco- ★ ~ *girls* discomeisjes **❷** USA inform dynamisch ★ *a ~ company* een snelgroeiend, bruisend bedrijf
going ['gəʊɪŋ] **I** *zn* **❶** het gaan ★ *when the ~ gets tough* als het moeilijk wordt ★ *while the ~ /* USA *getting is good* zolang het nog kan ★ *Nietzsche is heavy* ~ Nietzsche is moeilijk door te komen **❷** vertrek **❸** overlijden **II** *bnw* **❶** voorhanden, beschikbaar ★ *the best* ~ de beste die er is **❷** (goed) werkend **❸** gangbaar
going-over *zn* **❶** controle(beurt) **❷** inform pak rammel
goings-on inform *zn mv* wederwaardigheden, voorvallen, gedoe ★ *there are some strange* ~ er gebeuren wat rare dingen

go-kart ['gəʊkɑːt], **go-cart** *zn* kart, skelter
gold [gəʊld] **I** *zn* goud ★ *strike gold* goud vinden, *fig* in de roos schieten ★ *as good as gold* heel braaf, weer helemaal goed **II** *bnw* gouden
goldcrest *zn* goudhaantje
gold-digger ['gəʊlddɪgə] *zn* **❶** goudzoeker **❷** inform min op geld beluste vrouw
gold dust *zn* stofgoud ★ GB *be like* ~ zeldzaam zijn
golden ['gəʊldn] *bnw* **❶** dicht gouden, van goud, goud- **❷** goudkleurig **❸** speciaal, succesvol ★ *the ~ age of film* het gouden tijdperk van de film
golden eagle ['gəʊldn 'iːgl] *zn* steenarend
golden oldie inform *zn* gouwe ouwe
golden syrup *zn* stroop ⟨licht van kleur⟩
goldfinch ['gəʊldfɪntʃ] *zn* puttertje
goldfish ['gəʊldfɪʃ] *zn* goudvis
gold leaf, gold foil *zn* bladgoud
gold mine *zn* goudmijn
gold-plated *bnw* verguld, doublé
gold rush *zn* trek naar de goudvelden
goldsmith ['gəʊldsmɪθ] *zn* goudsmid
golf [gɒlf] *zn* golf(spel)
golf course *zn* golfbaan
golfer ['gɒlfə] *zn* golfspeler
golf links *zn* golfterrein
golliwog ['gɒlɪwɒg], inform **golly** ['gɒlɪ] *zn* (lappen)negerpop
golly [gɒlɪ] inform *tw* gossie! ★ *by* ~*!* verdorie!
gondola ['gɒndələ] *zn* gondel
gone [gɒn] **I** *ww* [volt. deelw.] → **go II** *bnw* **❶** weg, verdwenen **❷** voorbij ★ *just gone twelve* net 12 uur geweest **❸** op ★ *the wine is all gone* de wijn is helemaal op **❹** dood ★ *grandma is long since gone* oma is al lang overleden **❺** zwanger ★ *how far gone is she?* hoe lang is ze al zwanger?
goner [gɒnə] inform *zn* ★ *he's a* ~ hij is verloren
gonna ['gɒnə] inform *samentr*, going to → **go**
goo [guː] inform *zn* slijmerig / kleverig spul
good [gʊd] **I** *bnw* **❶** goed, hoogwaardig ★ *good!* goed zo! ★ *as good as it gets* beter wordt het niet ★ *be good for another 5 years* nog wel 5 jaar meegaan **❷** degelijk, kundig ★ *good at maths* goed in wiskunde **❸** geschikt, gunstig, voordelig ★ *a good buy* een koopje ★ *Tuesday isn't good for me* dinsdag schikt me niet ★ *all in good time* alles op zijn tijd ★ *too much of a good thing* teveel van het goede ★...*and a good thing too!* ...en maar goed ook! **❹** braaf ★ *he was as good as gold* hij was heel braaf ★ *good for you / Aus good on you!* goed zo! **❺** correct, fatsoenlijk, betrouwbaar ★ *a good Catholic girl* een degelijk katholiek meisje ★ *keep good time* gelijk lopen ⟨van uurwerk⟩ ★ *act in good faith* te goeder trouw handelen ★ *he's always good for a laugh* je kunt altijd met hem lachen **❻** flink, aanzienlijk ★ *a good while* een hele tijd ★ *a good few* verscheidene ★ *make good time* lekker opschieten ★ *stand a good chance* een goede kans maken **❼** vriendelijk, aardig ★ *in a good mood* in een goed humeur ★ *how good of you to come* wat aardig dat u gekomen bent **❽** geldig ★ *the rule still holds good* de regel geldt nog steeds ★ *he made good his promise* hij maakten zijn belofte waar **❾** minstens ★ *a good half hour*

ruim een half uur ★ *as good as ready* bijna klaar ★ inform *not until I'm good and ready* niet tot ik er klaar voor ben **II** zn goed, welzijn, nut ★ *for your own good* voor je eigen bestwil ★ *for the common good* in het algemeen belang ★ *be no good, not be any / much good* van geen nut zijn, niets waard zijn ★ *what's the good of it?* wat heeft het voor zin? ★ *all to the good* mooi meegenomen ★ *be up to no good* niets goeds in de zin hebben ▼*for good* voorgoed

goodbye, USA **goodby** [gʊdˈbaɪ] **I** *tw* tot ziens **II** *zn* afscheid, afscheidsgroet ★ *say* ~ afscheid nemen, vaarwel zeggen

good-for-nothing [gʊdfəˈnʌθɪŋ] inform **I** *zn* nietsnut, deugniet **II** *bnw* waardeloos

good-humoured, USA **good-humored** *bnw* goedgehumeurd, opgewekt ★ *a ~ atmosphere* een plezierige sfeer

good-looking *bnw* knap (van uiterlijk)

good-natured *bnw* goedhartig, aardig

goodness [ˈgʊdnəs] *zn* ❶ goedheid ★ *thank ~!* goddank! ★ ~ *(me)! / my ~! / ~ gracious!* goeie genade! / lieve hemel! ★ ~ *knows!* Joost mag het weten ★ *for ~' sake* in 's hemelsnaam ❷ voedingswaarde

goods [gʊdz] *zn mv* goederen ★ *dry ~* droogwaren ★ *soft ~* manufacturen ★ *white ~* witgoed ⟨koelkasten, wasmachines e.d.⟩ ★ *consumer ~* verbruiksgoederen, consumptieartikelen ★ inform *deliver the / come up with the ~* aan de verwachtingen voldoen

goods and chattels [gʊdz ənd ˈtʃætlz] *zn mv* persoonlijke bezittingen ⟨vaak schertsend gebruikt⟩

goods train *zn* goederentrein

good-tempered *bnw* goedgehumeurd

goodwill [gʊdˈwɪl] *zn* ❶ welwillendheid ❷ econ goodwill

goody, goodie [ˈgʊdɪ] inform **I** *zn* ❶ goeie ⟨held in film, enz.⟩ ★ *the goodies and the baddies* de goeien en de slechterikken ❷ lekkernij **II** *tw* jippie!

goody-goody inform *zn* heilig boontje

gooey [ˈguːɪ] inform *bnw* ❶ kleverig ❷ klef, overdreven sentimenteel

goof [guːf] inform **I** *zn* ❶ sufferd, kluns ❷ miskleun **II** *onov ww* ❶ miskleunen ❷ ~ *around* aanklooien ❸ USA ~ *off* niksen

goofy [ˈguːfɪ] USA *bnw* ❶ geschift, stompzinnig ❷ met vooruitstekende tanden

goon [guːn] inform *zn* ❶ USA handlanger ❷ sukkel

goose [guːs] **I** *zn* ⟨mv: **geese**⟩ ❶ gans ★ *the golden ~* de kip met de gouden eieren ❷ inform uilskuiken ▼*cook sb's ~* iem. dwars zitten **II** *ov ww* ❶ inform in de billen knijpen ❷ USA ~ *(along/up)* aansporen, opjutten

gooseberry [ˈgʊzbərɪ] *zn* kruisbes ★ inform *play ~* het vijfde wiel aan de wagen zijn

gooseberry fool *zn* kruisbessenvla

gooseneck [ˈguːsnek] *zn* zwanenhals ⟨in afvoerbuis⟩

goose pimples, goosebumps [ˈguːsbʌmps] *zn mv* kippenvel

goose-step I *zn* ganzenpas, paradepas **II** *onov ww* in paradepas lopen

gopher [ˈgəʊfə] *zn* ❶ USA grondeekhoorn ❷ comp zoeksysteem ❸ → **gofer**

gore [gɔː] **I** *zn* ⟨geronnen⟩ bloed ★ *the movie is not just blood and gore* de film is niet alleen maar gewelddadig **II** *ov ww* doorboren, priemen

gorge [gɔːdʒ] **I** *zn* ❶ bergengte ❷ oud keel, strot ★ *my ~ rises* ik walg ervan **II** *ov+onov ww* ★ ~ *(o.s.) (on)* (zich) volproppen (met)

gorgeous [ˈgɔːdʒəs] *bnw* ❶ prachtig, schitterend ❷ inform aantrekkelijk

gormless [ˈgɔːmləs] inform *bnw* onnozel, stom

gory [ˈgɔːrɪ] *bnw* bloederig, bebloed ★ inform *all the gory details* alles tot in detail

gosh [gɒʃ] inform *tw* gossie!, jeetje!

goshawk *zn* havik

gosling [ˈgɒzlɪŋ] *zn* jonge gans

go-slow *zn* langzaamaanactie

gospel [ˈgɒspl] *zn* ❶ evangelie ★ *take a thing as ~ (truth)* iets voor absoluut waar aannemen ❷ gospelmuziek

gossamer [ˈgɒsəmə] **I** *zn* ❶ herfstdraad / -draden ❷ ragfijn weefsel **II** *bnw* ragfijn

gossip [ˈgɒsɪp] **I** *zn* ❶ geroddel, roddel ❷ roddelaar **II** *onov ww* roddelen

gossip column *zn* roddelrubriek

gossipy [ˈgɒsɪpɪ] *bnw* roddelachtig, praatziek ★ *a ~ letter* een brief met allerlei nieuwtjes

got [gɒt] *ww* [verl. tijd + volt. deelw.] → **get**

gotcha [gɒtʃə] *samentr, I have got you* hebbes!

goth [gɒθ] inform *zn* gothic ⟨subcultuur⟩

Gothic [ˈgɒθɪk] **I** *zn* gotiek **II** *bnw* gotisch

gotta [ˈgɒtə] *samentr, inform got to* → **get**

gotten [ˈgɒtən] *ww* USA [volt. deelw.] → **get**

gouge [gaʊdʒ] **I** *zn* ❶ guts ❷ groef **II** *ov ww* ❶ ~ *(out)* gutsen, uithollen ❷ ~ *out* uitsteken ⟨ogen⟩

gourd [gʊəd] *zn* kalebas, pompoen

gourmand [ˈgʊəmənd] *zn* ❶ vreetzak ❷ fijnproever, lekkerbek

gourmet [ˈgʊəmeɪ] *zn* fijnproever

gout [gaʊt] *zn* jicht

govern [ˈgʌvn] *ov ww* ❶ regeren, besturen ❷ bepalen, beheersen

governance [ˈgʌvənəns] *zn* bestuur, leiding ★ *corporate ~* (goed) ondernemingsbestuur

governess [ˈgʌvənəs] *zn* gouvernante

government [ˈgʌvənmənt] *zn* overheid, regering, bestuur

governmental [gʌvənˈmentl] *bnw* overheids-, regerings-

government paper *zn* staatsobligatie

governor [ˈgʌvənə] *zn* ❶ gouverneur ❷ GB directeur / bestuurder (van instituut) ❸ baas

gown [gaʊn] **I** *zn* ❶ japon, (avond)jurk ❷ toga ❸ operatieschort **II** *onov ww* ~ *up* een operatieschort aandoen

goy [gɔɪ] *zn* niet-jood, niet-Jood

GP *afk, general practitioner* huisarts

grab [græb] **I** *ov ww* ❶ grijpen, pakken, grissen ★ *he grabbed hold of her* hij pakte haar beet ★ *grab sb's attention* iemands aandacht trekken ★ inform *how does that grab you?* hoe lijkt je dat? ❷ inform inpikken ❸ aanlopen ⟨van remmen⟩ ❹ ~ *(at)* aangrijpen ★ *he'll grab (at) any excuse* hij grijpt elk excuus aan ❺ ~ *at/for* grijpen naar **II** *zn* greep ★ *make a grab at* grijpen naar ★ *up for grabs* voor het grijpen

grace [greɪs] I *zn* ❶ gratie, elegantie
❷ gepastheid, fatsoen ★ *have the (good) ~ to* zo beleefd zijn om ★ *with good ~* graag, van harte ★ *with good ~* met tegenzin ❸ genade ★ *be in sb's good ~s* bij iem. in een goed blaadje staan ★ *fall from ~* in ongenade vallen ❹ uitstel (van betaling) ★ *a year's ~* een jaar uitstel
❺ tafelgebed ★ *say ~* bidden ⟨aan tafel⟩ ▼ *Her / His / Your Grace* Uwe Hoogheid ⟨titel van hertog(in) of aartsbisschop⟩ II *ov ww*
❶ (ver)sieren, opluisteren ❷ *~ with* vereren met

graceful ['greɪsfʊl] *bnw* ❶ elegant, sierlijk
❷ waardig

graceless ['greɪsləs] *bnw* ❶ onbehouwen, grof
❷ lelijk ❸ lomp, onhandig

gracious ['greɪʃəs] I *bnw* ❶ hoffelijk, waardig, goedgunstig ❷ stijlvol II *tw* goeie genade!, lieve hemel!

grad [græd] *inform zn* afgestudeerde

gradate [grə'deɪt] *ov+onov ww* geleidelijk (doen) overgaan

gradation [grə'deɪʃən] *zn* ❶ gradatie, (geleidelijke) overgang ❷ schaalverdeling, maatstreep

grade [greɪd] I *zn* ❶ graad ❷ soort, klasse ★ *a low~ fever* een lage koorts ❸ *onderw* cijfer ★ *inform make the ~* slagen ❹ *USA* klas ❺ helling ★ *on the up ~* in stijgende lijn, opwaarts II *ov ww* ❶ sorteren, rangschikken ❷ *USA* beoordelen met cijfer ❸ nivelleren ⟨van weg⟩ ❹ inschalen ⟨loonschaal⟩ ❺ *~ down* degraderen, (geleidelijk) beperken ❻ *~ up* verbeteren, opwaarderen

grade crossing *USA zn* ❶ gelijkvloerse kruising
❷ spoorwegovergang

grader ['greɪdə] *zn* ❶ bulldozer ❷ corrector
❸ *USA* ★ *a third ~* een derdeklasser

grade school *USA zn* basisschool

gradient ['greɪdɪənt] *zn* ❶ helling(shoek) ❷ *natk* gradiënt

grading ['greɪdɪŋ] *zn* beoordeling ⟨van schoolwerk⟩

gradual ['grædʒʊəl] *bnw* geleidelijk ★ *a ~ slope* een flauwe helling

gradually ['grædʒʊəlɪ] *bijw* geleidelijk aan, langzamerhand

graduate[1] ['grædʒʊət] I *zn* afgestudeerde, *USA* ook gediplomeerde II *bnw* afgestudeerd, *USA* ook gediplomeerd

graduate[2] ['grædʒʊeɪt] I *ov ww* ❶ in graden verdelen ❷ *~ to* opklimmen tot II *onov ww* graad behalen, *USA* ook diploma behalen ★ *~ from fourth to fourth grade* van de vierde naar de vijfde klas overgaan

graduate school *USA zn* ≈ (post)doctorale opleiding

graduation [grædʒʊ'eɪʃən] *zn* ❶ het afstuderen
❷ buluitreiking, *USA* ook diploma-uitreiking
❸ schaalverdeling, maatstreep

Graeco- ['griːkəʊ], **Greco-** *voorv* Grieks, Grieks-

graft [grɑːft] I *zn* ❶ ent(ing) ❷ *med* transplantaat, transplantatie ❸ *GB* (inform) hard werk ❹ *USA* omkoperij ⟨in politiek, enz.⟩ II *ov ww* ❶ enten
❷ *med* transplanteren ❸ samenvoegen III *onov*

ww, *GB inform* hard werken

grail [greɪl] *zn* ❶ graal ❷ *fig* wensdroom

grain [greɪn] *zn* ❶ graan ❷ korrel ❸ grein(tje)
❹ structuur, nerf ⟨van hout⟩, draad ⟨van stof⟩
★ *go against the ~* tegen de draad in gaan, tegen de borst stuiten

grainy ['greɪnɪ] *bnw* korrelig

gram [græm], **gramme** *zn* gram

grammar ['græmə] *zn* ❶ grammatica(boek)
❷ taalgebruik ★ *bad ~* onjuist taalgebruik ❸ → grammar school

grammarian [grə'meərɪən] *zn* grammaticus

grammar school, GB inform grammar *zn*
❶ *GB* middelbare school ❷ *oud* ≈ gymnasium

grammatical [grə'mætɪkl] *bnw* grammaticaal

gramme [græm] *zn* → gram

gramophone ['græməfəʊn] *zn* grammofoon

gran [græn] *inform zn* oma, omaatje

granary ['grænərɪ] *zn* graanschuur

grand [grænd] I *bnw* ❶ groot(s), imposant
❷ voornaam ❸ *inform* fantastisch, prima II *zn*
❶ *inform* 1000 pond, 1000 dollar ❷ *inform* vleugel ⟨muziekinstrument⟩ ★ *a baby ~* een kleine vleugel

grandad, granddad ['grændæd] *inform zn* opa

grandchild ['græntʃaɪld] *zn* kleinkind

granddaughter ['grændɔːtə] *zn* kleindochter

grandee [græn'diː] *zn* ❶ *gesch* grande ⟨Spaanse edelman⟩ ❷ hooggeplaatst persoon

grandeur ['grændʒə] *zn* grootsheid, pracht
★ *suffer from delusions of ~* aan grootheidswaanzin lijden

grandfather ['grænfɑːðə] *zn* grootvader

grandfather clock *zn* staande klok

grandiloquent [græn'dɪləkwənt] *bnw* hoogdravend, bombastisch

grandiose ['grændɪəʊs] *bnw* groots, pompeus, hoogdravend

grandma ['grænmɑː] *inform zn* oma

grandmother ['grænmʌðə] *zn* grootmoeder

grandpa ['grænpɑː] *inform zn* opa

grandparent ['grænpeərənt] *zn* grootouder

grand piano *zn* vleugel ⟨muziekinstrument⟩

grandson ['grænsʌn] *zn* kleinzoon

grandstand ['grænstænd] *zn* overdekte tribune

grandstanding ['grænstændɪŋ] *zn* het bespelen van het publiek

grange [greɪndʒ] *zn* landhuis met boerderij

granite ['grænɪt] *zn* graniet

granny, grannie ['grænɪ] *inform zn* oma(atje)

granny flat *zn*, *GB inform* aparte woonruimte in huis ⟨voor ouder familielid⟩

grant [grɑːnt] I *ov ww* ❶ vergunnen, toestaan, verlenen ★ *take sth for ~ed* al (te) vanzelfsprekend voor waar aannemen ★ *take sb for ~ed* iem. niet (meer) waarderen ❷ toegeven ★ *I'll ~ you that* dat moet ik je toegeven II *zn* (overheids)subsidie, toelage, (studie)beurs

granular ['grænjʊlə] *bnw* korrelig

granule ['grænjuːl] *zn* korreltje

grape [greɪp] *zn* druif ★ *fig sour ~s* jaloezie

grapevine ['greɪpvaɪn] *zn* wijnstok ★ *hear sth on / through the ~* iets via via horen

graph [grɑːf] *zn* grafiek

graphic ['græfɪk] *bnw* ❶ grafisch
❷ aanschouwelijk, levendig ★ *in ~ detail* in

geuren en kleuren

graphics ['græfɪks] *zn mv* ❶ grafiek ❷ plaatjes, tekeningen

graphite ['græfaɪt] *zn* grafiet

graph paper *zn* millimeterpapier

grapple ['græpl] **I** *ov ww* ❶ beetpakken ook fig ❷ ~ with worstelen met ook fig **II** *zn* worsteling ook fig

grasp [grɑːsp] **I** *ov ww* ❶ aangrijpen, vasthouden ❷ begrijpen, inzien ❸ ~ at grijpen naar ★ ~ at straws zich aan strohalmen vastklampen **II** *zn* ❶ greep, houvast ❷ bereik ❸ begrip, bevattingsvermogen ★ have a limited ~ of sth een beperkt inzicht in iets hebben

grasping ['grɑːspɪŋ] *bnw* hebberig, inhalig

grass [grɑːs] **I** *zn* ❶ gras(soort) ★ the ~ is always greener on the other side (of the fence) het gras bij de buren is altijd groener ★ not let the ~ grow under your feet er geen gras over laten groeien ★ inform put sb out to ~ iem. ontslaan / wegsturen ❷ inform marihuana ❸ GB inform verklikker **II** *ov ww* ❶ met gras(zoden) bedekken ❷ inform ~ on verlinken ❸ inform ~ up verklikken **III** *onov ww* inform klikken

grasshopper ['grɑːshɒpə] *zn* sprinkhaan

grass roots *zn* ❶ basis(elementen) ❷ achterban, gewone leden

grass-roots *bnw* aan de basis, fundamenteel ★ ~ support steun van de achterban, populaire steun

grass snake *zn* ringslang

grass widow *zn* onbestorven weduwe ⟨vrouw waarvan de man vaak weg is⟩

grassy ['grɑːsɪ] *bnw* ❶ grasachtig ❷ bedekt met gras

grate [greɪt] **I** *ov ww* ❶ raspen ❷ knarsen ❸ ~ on irriteren ★ ~ on sb's nerves iem. op de zenuwen werken **II** *onov ww* schuren, krassen **III** *zn* ❶ rooster ❷ open haard

grateful ['greɪtful] *bnw* dankbaar ★ I'm ~ to you for your advice ik ben je erkentelijk voor je advies

grater ['greɪtə] *zn* rasp

gratification [grætɪfɪ'keɪʃən] *zn* voldoening

gratify ['grætɪfaɪ] *ov ww* ❶ bevredigen, voldoen ❷ voldoening schenken

gratifying ['grætɪfaɪɪŋ] *bnw* aangenaam, verheugend

grating ['greɪtɪŋ] **I** *zn* tralies, traliewerk **II** *bnw* knarsend ⟨geluid⟩, irriterend, krakend ⟨stemgeluid⟩

gratitude ['grætɪtjuːd] *zn* dankbaarheid

gratuitous [grə'tjuːɪtəs] *bnw* ❶ ongegrond ❷ nodeloos ❸ kosteloos

gratuity [grə'tjuːətɪ] *zn* ❶ fooi ❷ premie ⟨bij ontslag⟩

grave [greɪv] **I** *zn* graf ★ turn / USA roll in one's ~ zich in zijn graf omdraaien ★ as quiet / silent as the ~ doodstil **II** *bnw* ❶ ernstig, gewichtig ❷ plechtig

gravedigger ['greɪvdɪgə] *zn* doodgraver

gravel ['grævəl] **I** *zn* ❶ grind, kiezel ❷ gravel ⟨van tennisbanen⟩ **II** *ov ww* ❶ met grind bedekken ❷ USA inform boos maken, irriteren

gravelly ['grævəlɪ] *bnw* ❶ vol kiezel(zand) ❷ raspend ⟨van stem⟩

gravestone ['greɪvstəʊn] *zn* grafsteen, zerk

graveyard ['greɪvjɑːd] *zn* kerkhof

gravitate ['grævɪteɪt] *ov ww* ~ to/towards aangetrokken worden door

gravitation [grævɪ'teɪʃən] *zn* zwaartekracht, aantrekkingskracht

gravity ['grævɪtɪ] *zn* ❶ zwaartekracht ❷ gewicht(igheid), ernst

gravy ['greɪvɪ] *zn* jus, saus

gravy boat *zn* juskom

gravy train inform *zn* goudmijntje ★ get on / ride on the ~ slapende rijk worden

gray [greɪ] USA → **grey**

graze [greɪz] **I** *onov ww* grazen, weiden **II** *ov ww* ❶ laten grazen ❷ afgrazen ❸ rakelings langs gaan, schampen ❹ schaven **III** *zn* schaafwond

grease [griːs] **I** *zn* ❶ vet ❷ smeer(olie) **II** *ov ww* insmeren, invetten ▼ inform ~ sb's hand / palm iem. omkopen

grease gun *zn* vetspuit

grease monkey inform *zn* automonteur

greasepaint ['griːspeɪnt] *zn* schmink

greaseproof ['griːspruːf] *zn* vetvrij

greasy ['griːsɪ] *bnw* ❶ vettig ❷ glibberig ook fig

great [greɪt] **I** *bnw* ❶ groot ★ a ~ leader een groot leider ❷ omvangrijk, reuzen- ★ a ~ big lie een kanjer van een leugen ★ a ~ deal heel wat ★ the Great War de Eerste Wereldoorlog ❸ belangrijk, buitengewoon ★ a matter of ~ importance een heel belangrijke zaak ★ inform no ~ shakes niet veel bijzonders ★ ~ friends dikke vrienden ❹ hoog, lang ★ she lived to a ~ age zij bereikte een hoge leeftijd ❺ inform prachtig, geweldig, uitstekend ★ what a ~ goal! wat een schitterend doelpunt! ★ that's ~! prima! ★ we had a ~ time we hebben ons uitstekend vermaakt ❻ ijverig, enthousiast ★ a ~ reader een verwoed lezer ★ I'm a ~ fan of his music ik ben een grote fan van zijn muziek ★ be a ~ one for (doing) sth iets veel en graag doen **II** *zn* ★ the ~ (and the good) de groten der aarde

great- voorv over-, achter-, oud-

great-aunt *zn* oudtante

greatcoat ['greɪtkəʊt] *zn* (militaire) overjas

great-grandfather *zn* overgrootvader

great-grandson *zn* achterkleinzoon

greatly ['greɪtlɪ] *bijw* zeer, buitengewoon ★ her condition is ~ improved haar toestand is sterk verbeterd

greatness ['greɪtnəs] *zn* grootheid

grebe [griːb] *zn* fuut

Grecian ['griːʃən] *bnw* Grieks

Greece [griːs] *zn* Griekenland

greed [griːd] *zn* ❶ hebzucht ❷ vraatzucht, gulzigheid

greedy ['griːdɪ] *bnw* ❶ hebzuchtig ❷ gulzig

Greek [griːk] **I** *zn* ❶ Griek ❷ Griekse taal ★ it's all ~ to me ik begrijp er geen jota van **II** *bnw* Grieks

green [griːn] **I** *bnw* ❶ groen ★ ~ with envy groen van jaloezie ❷ onrijp ❸ onervaren **II** *zn* ❶ groen ❷ grasveld **III** *ov ww* ❶ groen maken, van (meer) groen voorzien ⟨van steden⟩ ❷ milieubewust maken **IV** *onov ww* groen worden

greenback ['griːnbæk] inform *zn* dollarbiljet

green bean *zn* sperzieboon

gr

green card USA *zn* werk- en woonvergunning voor buitenlanders

greenery ['gri:nərɪ] *zn* (blad)groen

green-eyed *bnw* jaloers

greenfly ['gri:nflaɪ] *zn* bladluis

greengage ['gri:ngeɪdʒ] *zn* reine-claude ⟨pruim⟩

greengrocer ['gri:ngrəʊsə] *zn* groenteman

greengrocery ['gri:ngrəʊsərɪ] *zn* groente- en fruithandel

greenhorn ['gri:nhɔ:n] USA *inform zn* groentje, nieuweling

greenhouse ['gri:nhaʊs] *zn* broeikas

Greenland ['gri:nlənd] *zn* Groenland

green room *zn* artiestenkamer

greens [gri:nz] *zn mv* bladgroente ★ pol *the Greens* de Groenen

greet [gri:t] *ov ww* (be)groeten ★ *they were ~ed by a hail of bullets* ze werden begroet met een regen van kogels

greeting ['gri:tɪŋ] *zn* ❶ groet ★ *Christmas / birthday ~s* kerst- / verjaardagswensen ❷ begroeting

gregarious [grɪ'geərɪəs] *bnw* ❶ van gezelschap / gezelligheid houdend, sociaal ❷ dierk in kudde / kolonie levend

grenade [grɪ'neɪd] *zn* granaat

grew [gru:] *ww* [verleden tijd] → **grow**

grey [greɪ], USA **gray** I *bnw* ❶ grijs ❷ somber ❸ bewolkt, grauw ❹ kleurloos II *zn* ❶ (grijze) schimmel ❷ grijze kleur III *onov ww* grijs worden

grey-haired *bnw* grijs, met grijs haar

greyhound ['greɪhaʊnd] *zn* hazewind(hond)

grid [grɪd] *zn* ❶ raster ★ *grid D9* kaartvak D9 ⟨op landkaart⟩ ❷ (wild)rooster ❸ net(werk) ⟨van elektriciteit en gas⟩

griddle ['grɪdl] *zn* bakplaat

gridiron ['grɪdaɪən] *zn* ❶ (braad)rooster ❷ USA Amerikaans voetbalveld

gridlock [grɪdlɒk] *zn* ❶ verkeersopstopping ❷ impasse

grief [gri:f] *zn* verdriet, leed ★ *come to ~* totaal mislukken, verongelukken ★ inform *good ~!* lieve hemel!

grievance ['gri:vəns] *zn* ❶ grief, klacht ❷ bitter gevoel ★ *nurse a ~* wrok koesteren

grieve [gri:v] *ov ww* ❶ verdriet doen ★ *it ~s me to hear that* het spijt me dat te horen ❷ ~ **about/ at/for/over** treuren om / over

grievous ['gri:vəs] *bnw* ❶ pijnlijk ❷ ernstig, afschuwelijk ★ ~ *bodily harm* zwaar lichamelijk letsel

grill [grɪl] I *zn* ❶ grill ❷ rooster ❸ geroosterd vlees(gerecht) II *ov ww* ❶ grillen, roosteren ❷ stevig aan de tand voelen

grille, grill [grɪl] *zn* ❶ traliewerk ❷ auto radiatorscherm

grim [grɪm] *bnw* ❶ grimmig, streng, onverbiddelijk ★ *hang / hold on for / like grim death* wanhopig vasthouden ❷ akelig, deprimerend ★ *the financial outlook is grim* de financiële toekomst ziet er slecht uit ❸ GB inform beroerd

grimace ['grɪməs] I *zn* grijns, grimas II *onov ww* grijnzen ★ *he ~d at the memory* hij trok een scheef gezicht bij de herinnering

grime [graɪm] *zn* vuil

grimy ['graɪmɪ] *bnw* vies, vuil, smerig

grin [grɪn] I *onov ww* breed glimlachen, grijnzen ★ *grin and bear it* geen krimp geven II *zn* brede glimlach, grijns ★ *take that silly grin off your face!* sta niet zo dom te lachen!

grind [graɪnd] I *ov ww* [onregelmatig] ❶ (fijn)malen ❷ slijpen ❸ knarsen, schuren, krassen ★ ~ *one's teeth* knarsetanden ★ ~ *the gears* misschakelen ⟨versnelling⟩ ❹ ergens in drukken ⟨met draaiende beweging⟩ ❺ draaien ⟨orgel⟩ ❻ ~ **down** onderdrukken ❼ ~ **out** aan de lopende band produceren II *onov ww* [onregelmatig] ❶ knarsen, schuren ❷ ~ **on** almaar doorgaan III *zn* ❶ het malen, maling ★ *a fine ~* fijn gemalen ⟨koffie⟩ ❷ geknars ❸ inform (vervelend) karwei ★ *escape the daily ~* uit de dagelijkse sleur ontsnappen ❹ USA inform hardwerkende student

grinder ['graɪndə] *zn* ❶ molen ❷ slijpmachine ❸ slijper

grindstone ['graɪndstəʊn] *zn* slijpsteen ★ inform *keep one's nose to the ~* zich afbeulen, stug doorwerken ★ inform *go back to the ~* weer aan het werk gaan

gringo ['grɪŋgəʊ] inform *zn* gringo, vreemdeling ⟨in Latijns-Amerika⟩

grip [grɪp] I *zn* ❶ greep ❷ beheersing, macht ★ *get a grip on yourself!* beheers je! ❸ begrip ★ *I couldn't get a grip on what he was saying* ik snapte niet wat hij vertelde ★ *come to grips with sth* vat krijgen op iets ❹ handvat II *ov ww* ❶ grijpen, vastpakken ❷ boeien III *onov ww* pakken ⟨van rem enz.⟩

gripe [graɪp] I *zn* ❶ inform klacht ❷ koliek, kramp ★ *the ~s* buikkramp II *onov ww* inform klagen ⟨about over⟩, jeremiëren

grisly ['grɪzlɪ] *bnw* ❶ griezelig ❷ weerzinwekkend

gristle ['grɪsəl] *zn* kraakbeen

grit [grɪt] I *zn* ❶ zand(korreltje), (steen)gruis ❷ pit, durf II *ov ww* ❶ knarsen ⟨tanden⟩ ❷ met zand bestrooien ⟨gladde wegen⟩

gritty ['grɪtɪ] *bnw* ❶ zanderig, korrelig ❷ kranig ❸ onverbloemd

grizzle ['grɪzəl] inform *onov ww* jengelen ⟨van kind⟩

grizzled ['grɪzəld] *bnw* grijs, grijzend

groan [grəʊn] I *onov ww* kreunen, steunen ★ *tables ~ing with food* overvolle tafels II *ov ww* ❶ ~ **about** klagen over ❷ ~ **under** zuchten onder III *zn* gekreun

grocer ['grəʊsə] *zn* kruidenier ★ *the ~'s* de kruidenierswinkel

groceries ['grəʊsərɪz] *zn mv* ❶ kruidenierswaren ❷ boodschappen

grocery ['grəʊsərɪ] *zn* kruidenierswinkel

grocery bag *zn* boodschappentas

groggy ['grɒgɪ] *bnw* ❶ wankel ❷ versuft

groin [grɔɪn] *zn* lies, kruis

groom [gru:m] I *zn* ❶ bruidegom ❷ stalknecht II *ov ww* ❶ verzorgen ★ *well ~ed* goed verzorgd, gesoigneerd ❷ borstelen ⟨van dieren⟩ ❸ opleiden, trainen ❹ zich inlikken ⟨van pedofiel bij kind⟩

groomsman ['gru:mzmən] *zn* bruidsjonker

groove [gru:v] **I** zn ❶ groef, sleuf, sponning ❷ sleur, routine ★ *be (stuck) in a ~* in een sleur zitten ❸ muz groove, swing **II** onov ww inform swingen

groovy ['gru:vɪ] inform bnw gaaf, tof, blits

grope [grəʊp] **I** ov ww ❶ inform betasten, aanraken ⟨met seksuele bedoelingen⟩ ❷ ~ *after/around/for* (rond)tasten naar **II** onov ww (tastend) zoeken

gross [grəʊs] **I** bnw ❶ bruto ❷ grof, lomp, dik ❸ flagrant, erg ❹ inform walgelijk, afschuwelijk **II** bijw bruto **III** ov ww ❶ bruto verdienen, een brutowinst hebben ❷ USA inform ~ *out* doen walgen **IV** zn gros ⟨144⟩

grotesque [grəʊˈtesk] **I** zn groteske **II** bnw ❶ bespottelijk ❷ potsierlijk

grotto ['grɒtəʊ] zn (kunstmatige) grot

grotty ['grɒtɪ] inform bnw ❶ armzalig, waardeloos ❷ akelig, beroerd

grouch [graʊtʃ] inform **I** zn ❶ gemopper ★ *have a ~ about sth* ergens over mopperen ❷ mopperkont **II** onov ww mopperen

grouchy ['graʊtʃɪ] inform bnw mopperig, humeurig

ground [graʊnd] **I** zn grond, aarde, bodem ★ *a dumping ~* een stortplaats ★ *find common ~* overeenstemming zoeken / bereiken ★ fig *break new / fresh ~* nieuw terrein ontginnen, nieuwe wegen banen ★ *cut the ~ from under sb's feet* iem. het gras voor de voeten wegmaaien ★ fig *(down) to the ~* geheel en al ★ *gain ~* terrein winnen ★ *get sth off the ~* iets van de grond krijgen ★ *give ~* wijken ★ *go to ~* zich schuil houden, onderduiken ★ *go over the same ~ twice* iets herhalen ★ *hold / stand your ~* voet bij stuk houden ★ *run / drive / work yourself into the ~* jezelf uit de naad werken ★ *thick / thin on the ~* dik / dun gezaaid **II** ww ⟨verl. tijd + volt. deelw.⟩ → grind **III** ov ww ❶ gronden, baseren ★ *well ~ed* gegrond, gefundeerd ❷ aan / op de grond houden ⟨van vliegtuig⟩ ❸ inform huisarrest geven ★ *I've been ~ed for three weeks* ik heb drie weken huisarrest ❹ USA aarden ⟨van elektriciteit⟩ **IV** onov ww scheepv aan de grond lopen

groundbreaking ['graʊndbreɪkɪŋ] bnw baanbrekend, vernieuwend

ground cloth zn grondzeil

ground control zn vluchtleiding

ground crew zn grondpersoneel

ground floor zn begane grond, benedenverdieping

ground frost ['graʊnd frɒst] zn vorst aan de grond

grounding ['graʊndɪŋ] zn basis, vooropleiding ★ *for this job, a good ~ in maths is needed* voor deze baan is een gedegen basiskennis in wiskunde nodig

groundless ['graʊndləs] bnw ongegrond

groundnut ['graʊndnʌt] zn pinda, aardnoot

ground plan zn ❶ plattegrond ❷ ontwerp

grounds [graʊndz] zn mv ❶ terrein ❷ drab, bezinksel ★ *coffee ~* koffiedik ❸ redenen, gronden, basis ★ *no ~ for complaint* geen basis voor klachten

groundsheet ['graʊndʃi:t] zn grondzeil

groundsman ['graʊndzmən] zn tuinman, terreinknecht

groundwork ['graʊndwɜ:k] zn onderbouwing, grondslag ★ *do the ~ for sth* de basis voor iets leggen

group [gru:p] **I** zn groep **II** ov+onov ww (zich) groeperen

group captain zn kolonel ⟨bij de luchtmacht⟩

grouping ['gru:pɪŋ] zn groepering

grouse [graʊs] **I** zn ❶ korhoen(ders) ❷ inform klacht **II** onov ww inform kankeren, mopperen

grout [graʊt] **I** zn dunne mortel **II** ov ww voegen

grove [grəʊv] zn bosje

grovel ['grɒvəl] onov ww zich vernederen, fig kruipen

grovelling ['grɒvəlɪŋ] bnw kruiperig

grow [grəʊ] ⟨onregelmatig⟩ **I** ov ww ❶ laten groeien ★ *grow a beard* zijn baard laten staan ❷ verbouwen, kweken ❸ ~ *apart/away from* vervreemden van ❹ ~ *into* uitgroeien tot, je draai vinden ❺ ~ *on* steeds aantrekkelijker worden voor ★ *it's growing on me* ik begin het steeds leuker te vinden ❻ ~ *out of* ontstaan uit, ontgroeien **II** onov ww ❶ groeien ❷ worden, beginnen ★ *grow to accept sth* iets leren accepteren ❸ ~ *up* opgroeien, volwassen worden, ontstaan

grower ['grəʊə] zn kweker, teler

growing ['grəʊɪŋ] bnw groeiend, groei-

growing pains zn mv ❶ groeistuipen ❷ fig kinderziekten

growl [graʊl] **I** zn ❶ gegrom ❷ snauw **II** onov ww ❶ grommen (at naar) ❷ grauwen, snauwen

grown [grəʊn] ww ⟨volt. deelw.⟩ → grow

grown-up **I** bnw volwassen **II** zn inform volwassene ⟨kindertaal⟩

growth [grəʊθ] zn ❶ groei, uitbreiding, toename ★ *a week's ~ (of beard)* een baard van een week ❷ gewas ❸ gezwel

grub [grʌb] **I** zn ❶ larve, engerling, made ❷ inform eten ★ *grub's up* het eten is klaar **II** ov ww ~ *(up)* opgraven, uitgraven **III** onov ww wroeten, graven

grubby ['grʌbɪ] bnw smerig, vies, goor

grudge [grʌdʒ] **I** zn wrok ★ *bear / hold / have a ~ against sb* wrok koesteren jegens iem. **II** ov ww misgunnen

grudging ['grʌdʒɪŋ] bnw gereserveerd, aarzelend

grudgingly ['grʌdʒɪŋlɪ] bijw onwillig, schoorvoetend, met tegenzin

gruel ['gru:əl] zn watergruwel

gruelling, USA **grueling** ['gru:əlɪŋ] bnw afmattend, slopend

gruesome ['gru:səm] bnw ijzingwekkend, akelig

gruff [grʌf] bnw ❶ bars, nurks, nors ❷ grof

grumble ['grʌmbl] **I** onov ww mopperen, grommen **II** ov ww ~ *about/at/over* zich beklagen over **III** zn gemopper, gegrom ★ *have a ~ about sth* ergens over mopperen

grumpy ['grʌmpɪ] bnw knorrig, humeurig

grungy ['grʌndʒɪ] inform bnw vunzig

grunt [grʌnt] **I** onov ww ❶ knorren ❷ grommen **II** zn geknor

G-string ['dʒiː:strɪŋ] zn ❶ (g-)string ⟨slipje⟩ ❷ muz g-snaar

guarantee [gærənˈtiː] **I** zn ❶ garantie, waarborg

gu

★ there is no ~ of success succes is niet gegarandeerd ❷ borg **II** *ov ww* ❶ garanderen ★ be ~d to do sth iets gegarandeerd doen ❷ ~ against/from waarborgen tegen

guarantor [gærən'tɔ:] jur *zn* borg (persoon)

guard [gɑːd] **I** *zn* ❶ bewaker ❷ wacht, bewaking ★ mount / stand / keep ~ de wacht houden ★ on ~ op wacht ❸ bescherming, beveiliging ❹ waakzaamheid ★ be on / off your ~ (niet) op je hoede zijn ★ catch sb off ~ iem. ergens mee overvallen ★ lower / drop your ~ je waakzaamheid laten verslappen ❺ USA cipier ❻ oud conducteur ❼ sport verdediging ❽ scherm, kap **II** *ov ww* ❶ beschermen ❷ bewaken ★ ~ your steps behoedzaam lopen / te werk gaan ❸ ~ against behoeden voor, beschermen tegen, waken voor **III** *onov ww* ❶ zich hoeden ❷ zich verdedigen

guard dog *zn* waakhond

guarded ['gɑːdɪd] *bnw* voorzichtig

guardhouse ['gɑːdhaʊs] *zn* ❶ wachthuisje ❷ arrestantenlokaal

guardian ['gɑːdɪən] *zn* ❶ beschermer ❷ voogd, curator

guardian angel *zn* beschermengel, engelbewaarder

guardianship ['gɑːdɪənʃɪp] *zn* voogdij

guard rail *zn* ❶ leuning, reling ❷ vangrail

guardsman ['gɑːdzmən] *zn* gardesoldaat, lid van een garderegiment

guerrilla, guerilla [gə'rɪlə] *zn* guerrillastrijder

guess [ges] **I** *ov ww* ❶ raden, gissen ❷ denken, geloven **II** *onov ww* raden, gissen (at naar) ★ inform I ~ (so) ik denk het ★ keep sb ~ing iem. in het ongewisse laten **III** *zn* gissing, schatting ★ at a ~ naar schatting ★ an educated ~ een goed onderbouwde schatting ★ have / take a ~! raad eens! ★ it's anybody's ~ dat weet geen mens ★ your ~ is as good as mine ik weet het net zo min als jij

guesstimate ['gestɪmət] inform *zn* ruwe schatting

guesswork ['geswɜːk] *zn* gissing, veronderstelling ★ take the ~ out of sth de onzekerheid over iets wegnemen

guest [gest] **I** *zn* ❶ gast ★ make a ~ appearance als gast optreden ★ a paying ~ een betalende logé ★ inform be my ~! ga je gang ❷ introducé **II** *onov ww* USA als gast optreden (on in) ⟨show, concert enz.⟩

guest house *zn* pension

guest room *zn* logeerkamer

guest worker *zn* gastarbeider

guff [gʌf] inform *zn* geklets, onzin

guffaw [gʌ'fɔ:] **I** *zn* schaterlach **II** *onov ww* schaterlachen

guidance ['gaɪdns] *zn* ❶ leiding ❷ begeleiding, advies ★ parental ~ begeleiding door ouders ★ spiritual ~ geestelijke bijstand ★ vocational ~ beroepsvoorlichting

guide [gaɪd] **I** *zn* ❶ (reis)gids ❷ (reis)leider ❸ leidraad ★ as a rough ~,.. als richtlijn... ★ a (Girl) Guide een padvindster **II** *ov ww* ❶ leiden, begeleiden ★ she was ~d by her instinct ze liet zich leiden door haar instinct ❷ besturen

guidebook ['gaɪdbʊk] *zn* reis- / stadsgids

guide dog *zn* (blinden)geleidehond

guideline ['gaɪdlaɪn] *zn* richtlijn

guild [gɪld] *zn* ❶ gesch gilde ❷ vakbond

guilder ['gɪldə] *zn* oud gulden

guildhall [gɪld'hɔ:l] *zn* ❶ gildehuis ❷ stadhuis

guile [gaɪl] *zn* bedrog, list

guileful ['gaɪlfʊl] *bnw* slinks, vals

guileless ['gaɪlləs] *bnw* argeloos, onschuldig

guillotine ['gɪləti:n] **I** *zn* ❶ guillotine ❷ papiersnijder ❸ pol vaststelling van tijdslimiet ⟨tijdens debat in parlement⟩ **II** *ov ww* ❶ onthoofden ❷ snijden ⟨papier⟩ ❸ pol erdoor jagen ⟨wetsontwerp⟩

guilt [gɪlt] *zn* schuld(gevoel)

guiltless ['gɪltləs] *bnw* onschuldig

guilt trip inform *zn* sterk schuldgevoel

guilty ['gɪltɪ] *bnw* schuldig ★ ~ of schuldig aan

guinea pig *zn* ❶ cavia ❷ fig proefkonijn

guise [gaɪz] *zn* voorwendsel, schijn ★ in / under the ~ of onder het mom van

guitar [gɪ'tɑ:] *zn* gitaar

gulch [gʌltʃ] USA *zn* ravijn

gulf [gʌlf] *zn* ❶ golf ❷ afgrond, kloof ook fig

gull [gʌl] *zn* meeuw

gullet ['gʌlɪt] *zn* slokdarm, strot ★ stick in one's ~ onverteerbaar zijn voor iemand.

gulley ['gʌlɪ] *zn* → gully

gullible ['gʌlɪbl] *bnw* goedgelovig, onnozel

gully ['gʌlɪ], **gulley** *zn* ❶ ravijn ❷ geul, goot

gulp [gʌlp] **I** *zn* ❶ slok ❷ slikbeweging **II** *ov ww* ❶ (in)slikken ❷ (op)slokken ❸ ~ back onderdrukken ❹ ~ down in één keer achteroverslaan / opslokken **III** *onov ww* slikken, slokken ★ gulp for air naar adem snakken

gum [gʌm] **I** *zn* ❶ [meestal mv] tandvlees ❷ gom ❸ gombal ❹ kauwgom ❺ gomhars ❻ USA rubberlaars **II** *ov ww* ❶ met gom insmeren / plakken ❷ inform ~ up onklaar maken

gumdrop ['gʌmdrɒp] *zn* gombal

gummy ['gʌmɪ] *bnw* kleverig

gumption ['gʌmpʃən] inform *zn* lef, vindingrijkheid

gum tree *zn* gomboom, eucalyptus

gun [gʌn] **I** *zn* ❶ vuurwapen, geweer, pistool ❷ ★ go great guns als een speer gaan ★ hold / put a gun to sb's head iem. dwingen iets te doen ★ jump the gun een valse start maken, op de zaak vooruit lopen ★ stand / stick to one's guns voet bij stuk houden ★ a smoking gun het onomstotelijke bewijs ★ inform the top gun de hoogste baas ★ inform (with) all / both guns blazing energiek en vastberaden **II** *ov ww* ❶ ★ be gunning for het gemunt hebben op, streven naar ❷ ~ down neerschieten

gunboat ['gʌnbəʊt] *zn* kanonneerboot

gunboat diplomacy *zn* machtspolitiek

gun dog *zn* jachthond

gunfight ['gʌnfaɪt] *zn* vuurgevecht

gunfire ['gʌnfaɪə] *zn* kanonvuur, kanonschot(en)

gunge [gʌndʒ], **gunk** [gʌŋk] inform *zn* kleeftroep, viezigheid

gung-ho [gʌŋ 'həʊ] *bnw* onvervaard, overdreven enthousiast

gunman ['gʌnmən] *zn* gewapende bandiet, moordenaar

gunner ['gʌnə] *zn* ❶ <u>mil</u> artillerist, kanonnier
❷ boordschutter
gunnysack ['gʌnisæk] <u>USA</u> *zn* jutezak
gunpoint ['gʌnpɔɪnt] *zn* ★ *at ~* met het geweer /
pistool (op zich) gericht
gunpowder ['gʌnpaʊdə] *zn* (bus)kruit
gunrunner ['gʌnrʌnə] *zn* wapensmokkelaar
gunshot ['gʌnʃɒt] *zn* ❶ geweer- / pistoolschot
❷ reikwijdte, schootsafstand ★ *out of / within ~*
buiten / binnen schootsbereik
gunsmith ['gʌnsmɪθ] *zn* wapensmid
gurgle ['gɜːgl̩] **I** *zn* ❶ gekir ❷ geklok
❸ gemurmel **II** *onov ww* ❶ kirren ❷ klokken
❸ murmelen
guru ['gʊruː] *zn* goeroe
gush [gʌʃ] **I** *onov ww* ❶ gutsen, (uit)stromen
❷ dwepen, overdreven doen **II** *zn* ❶ stroom
❷ opwelling
gusher ['gʌʃə] <u>USA</u> *zn* oliebron
gushy ['gʌʃɪ] *bnw* overdreven
gust [gʌst] *zn* (wind)vlaag
gusto ['gʌstəʊ] *zn* smaak, genot, animo
gusty ['gʌstɪ] *bnw* stormachtig
gut [gʌt] **I** *zn* darm ★ <u>fig</u> *bust a gut* zich uit de
naad werken **II** *ov ww* ❶ kaken ⟨van vis⟩,
uithalen ❷ leeghalen, uitbranden ⟨van huis⟩
gut feeling *zn* <u>inform</u> voorgevoel
gutless ['gʌtləs] *bnw* ❶ laf ❷ <u>fig</u> zonder
ruggengraat
guts [gʌts] *zn mv* ❶ ingewanden ★ <u>inform</u> *have
sb's guts for garters* iem. op zijn sodemieter
geven ★ <u>inform</u> *hate sb's guts* de pest hebben
aan iem. ★ <u>inform</u> *work your guts out* je uit de
naad werken ❷ <u>inform</u> lef, durf
gutsy ['gʌtsɪ] *bnw* ❶ dapper ❷ gewaagd, gedurfd
gutter ['gʌtə] **I** *zn* (dak)goot **II** *onov ww* druipen,
flakkeren ⟨van kaars⟩
gutter press *zn* schandaalpers, riooljournalistiek
guttural ['gʌtərəl] **I** *zn* <u>taalk</u> keelklank **II** *bnw*
keel-
guy [gaɪ] *zn* ❶ <u>USA</u> vent, kerel ★ *come on, (you)
guys, let's go* kom op, jongens, we gaan
★ <u>inform</u> *a bad guy* een boef ★ <u>inform</u> *a good
guy* een goeie vent ❷ scheerlijn
guy rope *zn* scheerlijn
guzzle ['gʌzəl] <u>inform</u> *ov+onov ww*
(op)schrokken, (op)zuipen
guzzler ['gʌzlə] <u>inform</u> *zn* ❶ zuiplap ❷ schrokker
gym [dʒɪm] *zn* ❶ <u>inform</u> gymzaal
❷ gymnastiekles ❸ fitnesscentrum
gymkhana [dʒɪm'kɑːnə] *zn* gymkana,
ruiterwedstrijd / -show
gymnasium [dʒɪm'neɪzɪəm] *zn* gymnastiekzaal,
gymnastiekschool
gymnast ['dʒɪmnæst] *zn* ❶ gymnast(e)
❷ turn(st)er
gymnastics [dʒɪm'næstɪks] *zn mv* gymnastiek,
turnen ★ *vocal ~* stemoefeningen
gynaecologist [gaɪnɪ'kɒlədʒɪst], <u>USA</u>
gynecologist *zn* gynaecoloog
gynaecology [gaɪnɪ'kɒlədʒɪ], <u>USA</u> **gynecology**
zn gynaecologie
gyp [dʒɪp] **I** *zn* ❶ <u>GB</u> <u>inform</u> pijn ❷ <u>USA</u>
oplichterij ▼ *give sb gyp* iem. er flink van langs
geven, iem. pijnigen **II** *ov ww* oplichten
gypsum ['dʒɪpsəm] *zn* gips

gypsy ['dʒɪpsɪ], **gipsy** *zn* zigeuner(in)
gyrate ['dʒaɪəreɪt] *onov ww* (rond)draaien,
wentelen
gyration [dʒaɪə'reɪʃən] *zn* omwenteling,
spiraalbeweging
gyroscope ['dʒaɪərəskəʊp] *zn* gyroscoop

gy

H

h [eitʃ] *zn, letter* h ★ *H as in Harry* de h van Hendrik

haberdashery ['hæbədæʃərɪ] *zn* ❶ GB fournituren(zaak / -afdeling) ❷ USA herenmodezaak / -afdeling

habit ['hæbɪt] *zn* ❶ gewoonte ★ *I got into the ~ of exercising regularly* ik ben gewend geraakt aan regelmatig trainen ❷ verslaving ★ *she has a drug ~* ze is drugsverslaafd ★ *kick the ~* afkicken ❸ pij, habijt

habitable ['hæbɪtəbl] *bnw* bewoonbaar

habitat ['hæbɪtæt] *zn* verspreidingsgebied (van dier / plant), woongebied

habitation [hæbɪ'teɪʃən] *zn* bewoning ★ *declare unfit for human ~* onbewoonbaar verklaren

habitual [hə'bɪtʃʊəl] *bnw* ❶ gewoonte-, uit gewoonte ★ *a ~ smoker* een gewoonteroker ❷ regelmatig, constant ★ *his ~ smoking annoys her* zijn constante roken irriteert haar

habitually [hə'bɪtʃʊəlɪ] *bijw* gewoonlijk, doorgaans ★ *he complains ~* hij klaagt alsmaar door

hack [hæk] **I** *zn* ❶ broodschrijver ❷ loonslaaf ❸ huurpaard, rijpaard ❹ sport schop tegen de schenen ❺ houw, snee ★ *he took a hack at the branch* hij hakte naar de tak ❻ houweel **II** *bnw* afgezaagd ★ *hack work* saai werk **III** *ov ww* ❶ hakken, houwen ★ *they hacked their way through the jungle* ze hakten een pad door de rimboe ❷ inform verdragen ★ *she can't hack it any longer* zij kan er niet meer tegen ❸ kraken (computer) ❹ ～ **into** inhakken op, kraken (computer) **IV** *onov ww* ❶ erop inhakken ❷ hacken (computer)

hacker ['hækə] *zn* ❶ computerkraker, hacker ❷ computerfreak

hacking ['hækɪŋ] *bnw* ★ *a ~ cough* een droge kuch / hoest

hackles ['hæklz] *zn mv* nekharen nekveren ★ *my ~ rose* de haren rezen mij te berge ★ *the very idea made her ~ rise* het idee alleen al maakte haar kwaad

hackney cab ['hæknɪ kæb] *zn* huurrijtuig

hackneyed ['hæknɪd] *bnw* afgezaagd, banaal

hacksaw ['hæksɔ:] *zn* ijzerzaag

had [hæd] *ww* [verleden tijd + volt. deelw.] → have

haddock ['hædək] *zn* schelvis

hadn't ['hædnt] *samentr, had not* → have

haemo-, USA **hemo-** ['hi:məʊ] *voorv* hemo-, bloed-

haemoglobin, USA **hemoglobin** [hi:mə'gləʊbɪn] *zn* hemoglobine

haemophilia, USA **hemophilia** [hi:mə'fɪlɪə] *zn* hemofilie, bloederziekte

haemophiliac, USA **hemophiliac** [hi:mə'fɪlɪæk] *zn* hemofiliepatiënt

haemorrhage, USA **hemorrhage** ['hemərɪdʒ] *zn* bloeding

haemorrhoids, USA **hemorrhoids** ['hemərɔɪdz] *zn mv* aambeien

hag [hæg] *zn* ❶ heks ❷ oud wijf

haggard ['hægəd] *bnw* mager, ingevallen

haggle ['hægl] *onov ww* ❶ (af)pingelen, afdingen ★ *~ over the price* afdingen op de prijs ❷ kibbelen

Hague [heɪg] *zn* ★ *The ~* Den Haag

hail [heɪl] **I** *ov ww* ❶ begroeten ★ *the meeting was hailed as a success* de vergadering werd als een succes bestempeld ❷ aanroepen, praaien **II** *onov ww* hagelen, neerkomen ▼ *he hails from...* hij komt van / uit... **III** *tw* wees gegroet ★ *six hail Marys* zes weesgegroetjes **IV** *zn* ❶ hagel ❷ heil, welkom ★ *within hail* binnen hoorafstand ★ *be hail-fellow-well-met* goede maatjes zijn

hailstone ['heɪlstəʊn] *zn* hagelsteen

hailstorm ['heɪlstɔ:m] *zn* hagelbui

hair [heə] *zn* haar, haren ★ *big hair* een grote bos haar ★ iron *a bad hair day* een dag waarop alles misgaat ★ *not a hair out of place* bijzonder netjes gekleed ★ *they escaped detection by a hair's breadth* het scheelde weinig of ze waren ontdekt ★ inform *she gets in my hair* zij ergert me ★ *it makes your hair stand on end* het maakt dat je haren te berge rijzen ★ inform *let your hair down* laat je gaan ★ *tear your hair out* je de haren uit het hoofd trekken ★ *not turn a hair (in a difficult situation)* geen spier vertrekken (in een moeilijke situatie) ★ inform *keep your hair on!* maak je niet dik! ★ inform *a hair of the dog that bit you* een borrel om een kater te verdrijven

hairbrush ['heəbrʌʃ] *zn* haarborstel

haircloth ['heəklɒθ] *zn* haardoek

haircut ['heəkʌt] *zn* ❶ het knippen ★ *I need a ~* ik moet nodig naar de kapper ❷ coupe, kapsel

hairdo ['heədu:] inform *zn* kapsel

hairdresser ['heədresə] *zn* kapper

hairless ['heələs] *bnw* onbehaard, kaal

hairline ['heəlaɪn] **I** *zn* haargrens ★ *a receding ~* een terugtrekkende haargrens **II** *bnw* haar- ★ *a ~ crack* een haarscheurtje

hairpiece ['heəpi:s] *zn* haarstukje, toupet

hairpin ['heəpɪn] *zn* ❶ haarspeld ❷ scherpe bocht ★ *a ~ bend* een haarspeldbocht

hair-raiser ['heərreɪzə] inform *zn* iets huiveringwekkends

hair-raising *bnw* huiveringwekkend, angstaanjagend

hairslide ['heəslaɪd] *zn* haarspeld(je)

hair-splitting ['heəsplɪtɪŋ] *zn* haarkloverij

hairspray ['heəspreɪ] *zn* haarlak

hairstyle ['heəstaɪl] *zn* kapsel

hairstylist ['heəstaɪlɪst] *zn* (dames)kapper / -kapster

hairy ['heərɪ] *bnw* ❶ harig ❷ inform hachelijk

hake [heɪk] *zn* heek (soort kabeljauw)

halberd ['hælbəd] *zn* hellebaard

halcyon ['hælsɪən] *bnw* voorspoedig, kalm ★ *~ days* vredige tijden

hale [heɪl] *bnw* gezond, kras ★ *hale and hearty* fris en gezond

half [hɑ:f] **I** *zn* [mv: **halves**] ❶ de helft ★ *one's better half* iemands wederhelft (partner) ❷ een halve ★ inform *a beating and a half* een flink pak slaag ★ inform *he's too clever by half* hij heeft meer hersens dan goed voor hem is

★ inform *too cheeky by half* veel te brutaal ★ *do things by halves* half werk leveren ★ *cut in half / in two halves* doormidden snijden ★ *fold in half / in two halves* in tweeën vouwen ★ *go halves* samen delen **II** bnw half ★ *two and a half pounds* tweeënhalf pond ★ *half measures* halve maatregelen ★ *half a minute* een halve minuut ★ *half (past) three* half vier **III** bijw half ★ *half as much again* anderhalf maal zoveel ★ inform *not half!* en of! ★ *I half wish...* ik zou haast wensen... ★ inform *he didn't half swear* hij vloekte danig ★ inform *not half bad* nog zo kwaad / gek niet

half-baked [hɑ:f'beɪkt] inform bnw ❶ halfbakken ❷ halfgaar

half-breed [hɑ:fbri:d] min **I** zn ❶ halfbloed **II** bnw halfbloed

half-caste [hɑ:fkɑ:st] min zn halfbloed

half-hearted [hɑ:f'hɑ:tɪd] bnw halfslachtig, lauw ★ *he made a ~ attempt* hij gooide er met de pet naar

half holiday [hɑ:f'hɒlədeɪ] zn vrije middag

half-hourly bnw + bijw om het halfuur, ieder halfuur

half-life zn halveringstijd

half-light zn schemering

half-moon zn halvemaan

halfpenny [heɪpnɪ] zn *• fig a ~ worth* een verwaarloosbare hoeveelheid

half-term [hɑ:f't3:m] zn korte vakantie

half-timbered bnw vakwerk-

half-time [hɑ:f'taɪm] **I** zn rust **II** bnw + bijw voor de halve tijd ★ *she works ~* ze werkt halve dagen

halftone [hɑ:f'təʊn] zn ❶ halftoon ❷ halftint

half-truth zn halve waarheid

halfway [hɑ:f'weɪ] **I** bnw ❶ halverwege ★ *we met at the ~ point* we kwamen elkaar halverwege tegen ❷ compromis- ★ *a ~ solution* compromisoplossing **II** bijw halfweg, halverwege

halfwit inform zn halvegare

half-witted [hɑ:f'wɪtɪd] inform bnw niet goed wijs

half-yearly bnw + bijw halfjaarlijks

halibut [hælɪbət] zn heilbot

hall [hɔ:l] zn ❶ zaal, hal ❷ vestibule, gang ❸ eetzaal ❹ groot huis, stadhuis ❺ klein college

hallmark [hɔ:lmɑ:k] **I** zn ❶ keur, waarmerk ❷ kenmerk ★ *it had all the ~s of a well-planned attack* het had alle kenmerken van een goedgeplande aanval **II** ov ww stempelen, waarmerken

hallo → **hello**

hallowed [hæləʊd] bnw gezegend, geheiligd

Halloween, Hallowe'en [hæləʊ'i:n] zn allerheiligenavond ⟨kinderverkleedfestijn op de avond van 31 oktober⟩

hallucinate [hə'lu:sɪneɪt] ov+onov ww hallucineren

hallucination [həlu:sɪ'neɪʃən] zn hallucinatie

hallucinogenic [həlu:sɪnə'dʒenɪk] bnw hallucinogeen

hallway [hɔ:lweɪ] zn ❶ portaal, vestibule ❷ gang

halo [heɪləʊ] **I** zn ❶ halo, lichtkring ❷ krans, stralenkrans ★ *has the president lost his halo already?* is de president zijn populariteit nu al kwijt? **II** ov ww met een halo omgeven

halogen [hæləadʒən] zn halogeen

halt [hɔ:lt] **I** zn ❶ halte ❷ rust, stilstand ★ *come to a halt* tot stilstand komen ★ *call a halt to sth* besluiten iets te stoppen **II** ov ww tot stilstand brengen **III** onov ww tot stilstand komen, stoppen

halter [hɔ:ltə] zn ❶ halster ❷ bovenstukje van bikini, topje ⟨gestrikt met bandjes in de nek⟩

halterneck [hɔ:ltənek] bnw in halterlijn ★ *a ~ dress* een halterjurk

halting [hɔ:ltɪŋ] bnw aarzelend, weifelend ★ *she answered in ~ French* ze antwoordde in stamelend Frans

halve [hɑ:v] ov ww halveren

halves [hɑ:vz] zn mv → **half**

ham [hæm] **I** zn ❶ ham ❷ inform dij, bil ❸ inform amateur **II** ov ww ★ *he hammed it up* hij overdreef / overacteerde

ham-fisted [hæm'fɪstɪd] inform bnw lomp, onhandig

hamlet [hæmlət] zn gehucht

hammer [hæmə] **I** zn hamer ★ *go at sth ~ and tongs* uit alle macht aan iets beginnen **II** ov ww ❶ hameren ★ *~ sth into sb* iets bij iem. erin hameren ★ *~ sth home* iets volkomen duidelijk maken ❷ inmaken, verslaan ❸ de grond in boren ❹ *~ away at* ploeteren aan, zwoegen op ❺ *~ out* ontwerpen, verzinnen, uitwerken, (met moeite) bereiken / tot stand doen komen **III** onov ww ❶ hameren ❷ *~ away* erop los kloppen / hameren

hammock [hæmək] zn hangmat

hamper [hæmpə] **I** zn ❶ picknickmand ★ *a Christmas ~* een kerstpakket ❷ USA wasmand **II** ov ww belemmeren, verwarren

hamstring [hæmstrɪŋ] **I** zn ❶ kniepees ❷ hakpees ⟨van paard⟩ **II** ov ww ❶ de hakpees doorsnijden ❷ fig lamleggen, verlammen

hand [hænd] **I** zn ❶ hand ★ *(close) at hand* dichtbij, bij de hand, ophanden ★ *the subject at hand* de onderwerp dat aan de orde is ★ *by hand* met de hand ★ *brought up by hand* met de fles grootgebracht ★ *by the hand of* door ★ *hands down* op zijn dooie gemak, moeiteloos ★ *in hand* in de hand, in handen, onder handen, in bedwang, contant ★ *the matter in hand* de zaak in behandeling ★ *take sth in hand* iets aanpakken, zich belasten met iets ★ *go hand in hand* samengaan ★ *be hand in glove with* nauw verbonden zijn met ★ *keep your hand in* je vaardigheid onderhouden, bijblijven ★ *hands off!* handen thuis!, niet aankomen! ★ *off hand* voor de vuist weg, zomaar, ineens ★ *on hand* voorhanden, ter beschikking ★ *lay hands on* de hand leggen op, de hand slaan aan ★ *work on your hands* nog te verrichten werk ★ *out of hand* direct, op staande voet ★ *get out of hand* uit de hand lopen ★ *hand over hand / fist* gestadig, snel ★ *hand to hand* man tegen man ★ *hand to mouth* van de hand in de tand ★ *hands up!* handen omhoog! ★ *get the upper hand* de overhand krijgen ★ *first hand* uit de eerste hand ★ *at first hand* rechtstreeks ★ *change hands* in andere handen overgaan, verhandeld worden ★ *have clean hands* onschuldig zijn ★ *wash one's hands of* niets te maken willen hebben met

ha

ha

★ *have a heavy hand with sth* te veel gebruiken van iets ★ *serve sb hand and foot* iem. slaafs dienen ★ *be a dab hand at...* bekwaam zijn in... ★ *give your hand to in* een huwelijk toestemmen met ❷ voorpoot, schouder ⟨varkensvlees⟩ ❸ hulp, steun ★ *give sb a hand* iem. een handje helpen ★ *lend sb a helping hand* iem. een helpende hand toesteken ❹ wijzer (v. klok) ★ *the seconds hand* de secondewijzer ❺ arbeider, werknemer, bemanningslid ★ *a hired hand* een tijdelijke arbeidskracht ★ *a cool hand* een gladde vent ★ *an old hand* een ouwe rot ★ *all hands on deck* alle hens aan dek ❻ kant ★ *on the one / other hand* aan de ene / andere kant ❼ inform applaus ★ *give sb a (warm / big) hand* iem. een (hartelijk) applaus geven ❽ handschrift ❾ handvol, tros (bananen) ❿ kaart(en), hand (bij kaartspel) ★ *be dealt a bad hand* slechte kaarten krijgen ⓫ partijtje, beurt (bij kaartspel) ⓬ handbreedte (4 inch (maat voor paarden)) **II** *ov ww* ❶ overhandigen, aangeven ★ *I've got to hand it to you:...* ik moet het je nageven / toegeven:... ★ inform *nobody's going to hand it to you on a plate* je krijgt het niet op een presenteerblaadje ❷ ~ **(a)round** uitdelen ❸ ~ **down** aan / doorgeven, overleveren ❹ ~ **in** inleveren, erin helpen, aanbieden ❺ ~ **on** doorgeven ❻ ~ **out** aanreiken, uitdelen, eruit helpen ❼ ~ **over** overhandigen, overleveren, overdragen
handbag ['hændbæg] *zn* handtas(je)
handbasin ['hændbeɪsn] *zn* wasbak
handbill ['hændbɪl] *zn* (strooi)biljet, pamflet
handbook ['hændbʊk] *zn* handboek
handbrake ['hændbreɪk] *zn* handrem
handcart ['hændkɑːt] *zn* handkar
handcraft ['hændkrɑːft] *zn* → handicraft
handcrafted ['hændkrɑːftɪd] *bnw* handgemaakt
handcuff ['hændkʌf] **I** *zn* handboei **II** *ov ww* de handboeien aandoen
handful ['hændfʊl] *zn* ❶ hand(je)vol ❷ lastig kind
handhold ['hændhəʊld] *zn* houvast
handicap ['hændɪkæp] **I** *zn* ❶ handicap ❷ belemmering, hindernis **II** *ov ww* ❶ nadelige invloed hebben op ❷ belemmeren, hinderen
handicapped ['hændɪkæpt] *bnw* ❶ gehandicapt ❷ sport met een handicap
handicraft ['hændɪkrɑːft], USA handcraft *zn* handarbeid, handwerk
handiwork ['hændɪwɜːk] *zn* werk, handwerk, schepping
handkerchief ['hæŋkətʃɪf] *zn* zakdoek
handle ['hændl] **I** *ov ww* ❶ hanteren, aanpakken ★ *there is nothing he can't ~* er is niets dat hij niet aan kan ❷ gebruiken, bedienen ❸ aanraken, betasten ❹ behandelen, omgaan met ★ *glass: ~ with care* glas: voorzichtig, breekbaar ❺ verwerken, aankunnen ★ *she can't ~ the situation any longer* ze kan de situatie niet meer aan **II** *wkd ww* zich gedragen ★ *~ yourself well / badly* je goed / slecht gedragen **III** *zn* ❶ hendel, heft, greep ★ inform *get a ~ on sth* greep op iets krijgen ★ inform *fly off the ~* plotseling kwaad worden, niet meer te houden zijn ❷ kruk, knop, oor
handlebars ['hændlbɑːz] *zn mv* stuur (v. fiets)

handler ['hændlə] *zn* ❶ africhter, trainer (van honden) ❷ afhandelaar (van bagage)
handling ['hændlɪŋ] *zn* ❶ (af)handeling, behandeling ❷ het hanteren
hand luggage *zn* handbagage
handmade [hænd'meɪd] *bnw* met de hand gemaakt ★ *~ paper* geschept papier
hand-me-down **I** *zn* afdankertje **II** *bnw* afgedankt, gedragen (kleding)
handout ['hændaʊt] *zn* ❶ gift ★ *government ~s* uitkeringen ❷ communiqué ❸ hand-out (korte samenvatting van lezing enz.)
hand-picked ['hænd-pɪkt] *bnw* zorgvuldig gekozen
handrail ['hændreɪl] *zn* leuning
handshake ['hændʃeɪk] *zn* handdruk
hands-off *bnw* vrij, tolerant ★ *a ~ approach to education* een vrije benadering van het onderwijs
handsome ['hænsəm] *bnw* ❶ flink ❷ mooi, knap ❸ royaal, overvloedig ❹ aardig ★ *how ~ of him to pay* het was erg gul van hem om te betalen
hands-on *bnw* ❶ praktijk-, uit ervaring ★ *she's had ~ experience* ze ❷ praktisch ★ *he's a ~ person* hij is iem. van de praktijk
handwork ['hændwɜːk] *zn* ❶ handwerk ❷ handenarbeid
handwriting ['hændraɪtɪŋ] *zn* handschrift
handwritten ['hænd'rɪtn] *bnw* met de hand geschreven
handy ['hændɪ] *bnw* ❶ handig ★ *come in ~* (goed) te pas komen ★ *are you ~ with a chain saw?* kun je goed met een kettingzaag overweg? ❷ bij de hand
handyman ['hændɪmæn] *zn* klusjesman, manusje-van-alles
hang [hæŋ] **I** *ov ww* [o.v.t.: hung, volt. deelw.: hung] ❶ hangen ★ *hang one's head* het hoofd laten hangen ❷ ophangen ❸ behangen ▼ inform *hang a left / right (turn)* links / rechts afslaan ❹ ~ **on/onto** zich vastklampen aan, hangen aan, met aandacht luisteren naar ❺ ~ **out** uithangen, ophangen (was e.d.) ❻ ~ **over** boven het hoofd hangen ★ *be hung over* katterig zijn ❼ ~ **up** ophangen ❽ ~ **upon** steunen op, afhangen van ★ *the case hangs upon...* de zaak is afhankelijk van... **II** *ov ww* [o.v.t.: hanged, volt. deelw.: hanged] ophangen (om te doden) ★ *I'll be hanged if...* ik mag hangen als... ★ inform *hang the expense!* wat kunnen mij de kosten schelen! ★ inform *hang it (all)!* verdikkeme! **III** *onov ww* [o.v.t.: hung, volt. deelw.: hung] ❶ hangen ❷ zweven, blijven hangen ❸ niet opschieten ★ *time hangs heavy* de tijd valt lang ❹ onbeslist zijn ★ *hang in the balance* nog onbeslist zijn ❺ ~ **about** (doelloos) rondhangen ★ inform *hang about!* wacht 'ns even! ❻ ~ **back** dralen, niet mee willen komen ❼ ~ **behind** achterblijven ❽ ~ **on** volhouden ★ *hang on a minute* blijf even aan het toestel, inform even wachten ★ inform *hang on!* wacht even! ★ inform *hang on by the eyebrows* er maar bij hangen ❾ ~ **out** uithangen ★ inform *let it all hang out* je uitleven ❿ ~ **together** één lijn trekken, samenhangen ⓫ ~ **up** (telefoon) ophangen ★ *she hung up on me* ze liet me niet

uitspreken **IV** *zn* ❶ wijze waarop iets hangt, val, het zitten ⟨van kleding⟩ ❷ inform slag ★ *get the hang of sth* iets onder de knie krijgen ▼ *I don't give / care a hang* het kan me geen zier schelen

hangar ['hæŋgə] *zn* hangar

hangdog ['hæŋdɒg] *bnw* schuldbewust ★ *a ~ expression* een schuldige blik

hanged [hæŋd] *ww* [verleden tijd + volt. deelw.] → hang

hanger ['hæŋə] *zn* ❶ haak ❷ kleerhanger

hanger-on [hæŋə'rɒn] *zn* volgeling ★ *the president and his hangers-on* de president en zijn groepje aanhangers

hangglider ['hæŋglaɪdə] *zn* deltavlieger

hanging ['hæŋɪŋ] **I** *zn* ❶ ophanging ★ *death by ~* dood door ophanging ❷ wandtapijt **II** *bnw* (af)hangend ★ *a ~ question / issue* een onopgeloste vraag / zaak

hangman ['hæŋmən] *zn* beul

hang-out ['hæŋaʊt] inform *zn* ❶ verblijf(plaats), hol ❷ hangplek

hangover ['hæŋəʊvə] *zn* kater

hang-up ['hæŋʌp] inform *zn* complex, obsessie ★ *have a ~ about flying* vliegangst hebben

hank [hæŋk] *zn* streng ⟨garen⟩

hanker ['hæŋkə] *onov ww* hunkeren ★ *~ after / for summer* hunkeren naar de zomer ★ *she's ~ing to leave school* ze kan haast niet wachten om van school af te gaan

hankering ['hæŋkərɪŋ] *zn* hunkering, hang ★ *a ~ after / for chocolate* een hunkering naar chocolade

hanky, hankie ['hæŋkɪ] inform *zn* zakdoek

hanky-panky [hæŋkɪ'pæŋkɪ] inform *zn* hocus pocus, slinksheid, kunsten

hansom ['hænsəm], **hansom cab** ['hænsəm kæb] *zn* tweewielig huurrijtuig

haphazard [hæp'hæzəd] *bnw* + *bijw* ❶ op goed geluk, lukraak ❷ wanordelijk, ongeorganiseerd

hapless ['hæpləs] form *bnw* ongelukkig, onfortuinlijk

happen ['hæpən] **I** *onov ww* gebeuren, voorvallen ★ *whatever ~s* wat er ook mag gebeuren ★ *it so ~ed that* het toeval wilde, dat ★ *I ~ed to meet him* ik heb hem toevallig ontmoet ★ *whatever ~ed to your wedding ring?* waar is jouw trouwring gebleven? **II** *ov ww* *~ (up)on* toevallig aantreffen

happening ['hæpənɪŋ] **I** *zn* ❶ gebeurtenis ❷ manifestatie **II** *bnw* inform hip, trendy

happily ['hæpəlɪ] *bijw* ❶ gelukkig(erwijs) ❷ met (veel) genoegen

happiness ['hæpɪnəs] *zn* geluk

happy ['hæpɪ] *bnw* ❶ gelukkig, tevreden ❷ blij, verheugd ★ *we are ~ to announce...* we maken met blijdschap bekend... ❸ geschikt, passend ★ *not a ~ choice of words* geen gelukkige woordkeus ❹ voorspoedig

happy-go-lucky [hæpɪgəʊ'lʌkɪ] *bnw* onbekommerd, zorgeloos

harangue [hə'ræŋ] **I** *zn* (heftige) rede, filippica **II** *onov ww* een heftige toespraak houden

harass ['hærəs] *ov ww* ❶ lastig vallen ❷ pesten, kwellen ❸ teisteren, bestoken ⟨van de vijand⟩

harassment [hə'ræsmənt, 'hærəsmənt] *zn* ❶ moedwillige overlast, pesterij ❷ aanranding

★ *sexual ~* ongewenste intimiteiten ❸ het bestoken ⟨door vijandelijk leger⟩

harbinger ['hɑ:bɪndʒə] dicht *zn* voorbode

harbour, USA **harbor** ['hɑ:bə] **I** *zn* ❶ haven ❷ (veilige) schuilplaats **II** *ov ww* ❶ herbergen ❷ koesteren **III** *onov ww* voor anker gaan

hard [hɑ:d] **I** *bnw* ❶ hard, vast ★ *a hard bed* een hard bed ★ *hard water* hard water ❷ moeilijk, moeizaam, zwaar ★ *hard times* moeilijke tijden ★ *hard of hearing* hardhorend ★ *hard to come by* moeilijk te vinden ★ *hard to believe* haast niet te geloven ★ *it's hard going* het valt niet mee ❸ intensief, krachtig, sterk ★ *hard liquor* sterke drank ★ *a hard sell* een agressieve verkoopmethoden ★ *a hard frost* strenge nachtvorst ❹ hardvochtig, streng ★ *don't be hard on him* wees niet te hard voor hem ★ *hard feelings* wrok ★ *hard luck* pech ❺ vaststaand ★ *a hard and fast rule* een vaste regel ★ *hard evidence* concrete bewijzen ★ *hard facts* naakte feiten **II** *bijw* ❶ hard, vast ★ *set hard* hard worden ⟨van cement enz.⟩ ❷ sterk, krachtig, intensief ★ *look hard at sb* iem. streng aankijken ❸ moeilijk, moeizaam ❹ zwaar, langdurig ★ *drink hard* zwaar drinken ❺ dichtbij ★ *hard by* vlakbij ★ *hard (up)on* vlakbij, naderend

hardback [hɑ:dbæk] *zn* gebonden boek

hardbitten [hɑ:d'bɪtn] *bnw* taai, cynisch

hard-boiled [hɑ:d'bɔɪld] *bnw* ❶ hardgekookt ❷ nuchter, zakelijk ❸ ongevoelig, hard

hard copy *zn* uitdraai, afdruk

hard-core *bnw* ❶ hard ⟨drug / porno⟩ ❷ verstokt, fanatiek

hard-earned [hɑ:d'ɜ:nd] *bnw* zuurverdiend

harden ['hɑ:dn] **I** *ov ww* harden, hard / gevoelloos maken, verharden **II** *onov ww* ❶ hard / vast worden, stollen ❷ strenger worden ★ *attitudes have ~ed* opvattingen zijn minder flexibel geworden

hard-headed [hɑ:d'hedɪd] *bnw* ❶ zakelijk, nuchter ❷ koppig ★ *a ~ man* een stijfkop

hard-hearted [hɑ:d'hɑ:tɪd] *bnw* hardvochtig

hardliner *zn* voorstander van de harde lijn

hardly ['hɑ:dlɪ] *bijw* ❶ met moeite ★ *I could ~ keep my eyes open* ik kon mijn ogen maar met moeite open houden ❷ nauwelijks, bijna niet, zelden ★ *~ had he finished when...* hij was amper klaar of... ★ iron *I need ~ remind you...* ik hoef je toch niet te herinneren aan... ★ *they ~ looked at her* zij keken nauwelijks naar haar ★ *~ an hour passed without...* er ging bijna geen uur voorbij zonder... ★ *you were ~ nice to her* je was niet bepaald aardig tegen haar

hard-on vulg *zn* stijve ⟨erectie⟩

hard-pressed [hɑ:d'prest] *bnw* ❶ in het nauw gedreven ❷ in verlegenheid ★ *be ~ for time* in tijdnood zitten ★ *I'd be ~ to do it today* ik zal er vandaag niet aan toe komen

hardship ['hɑ:dʃɪp] *zn* last, tegenspoed, ontbering

hard-up *bnw* slecht bij kas ★ *hard up for money* slecht bij kas, verlegen om geld

hardware ['hɑ:dweə] *zn* ❶ ijzerwaren ❷ apparatuur, hardware

hard-wearing [hɑ:d'weərɪŋ] *bnw* duurzaam

hardwood ['hɑ:dwʊd] *zn* hardhout

ha

ha

hardy ['hɑːdɪ] *bnw* ❶ stoutmoedig ❷ sterk, gehard

hare [heə] I *zn* haas ★ *hare and hounds* snipperjacht ★ *run with the hare and hunt with the hounds* schipperen ★ *as mad as a March hare* stapelgek II *onov ww* rennen ★ *hare away / off* hard wegrennen

hare-brained ['heəbreɪnd] *bnw* onbesuisd, onbezonnen

harelip ['heəlɪp] *zn* hazenlip

haricot ['hærɪkəʊ], **haricot bean** *zn* snijboon witte boon

hark [hɑːk] <u>dicht</u> *onov ww* ❶ luisteren ★ <u>inform</u> *hark at you!* moet je jou horen! ❷ ~ **back** in herinnering brengen, doen herinneren

harlequin ['hɑːlɪkwɪn] *zn* harlekijn

harm [hɑːm] I *zn* kwaad, letsel ★ *out of harm's way* in veiligheid ★ *I'll see that she comes to no harm* ik zal zorgen dat haar niets overkomt ★ *where's the harm in that?* wat is daar verkeerd aan? II *ov ww* kwaad doen, letsel toebrengen, benadelen

harmful ['hɑːmfʊl] *bnw* schadelijk, nadelig

harmless ['hɑːmləs] *bnw* ❶ onschuldig ❷ onschadelijk

harmonic [hɑːˈmɒnɪk] I *bnw* harmonisch II *zn* <u>muz</u> boventoon

harmonica [hɑːˈmɒnɪkə] *zn* mondharmonica

harmonious [hɑːˈməʊnɪəs] *bnw* ❶ eensgezind ❷ harmonisch, welluidend

harmonize, harmonise ['hɑːmənaɪz] I *ov ww* harmoniseren II *onov ww* harmoniëren

harmony ['hɑːmənɪ] *zn* ❶ harmonie ❷ overeenstemming, eensgezindheid

harness ['hɑːnɪs] I *zn* (paarden)tuig ★ *get back in* ~ weer aan het werk gaan II *ov ww* ❶ inspannen ❷ benutten, gebruiken

harp [hɑːp] I *zn* harp II *onov ww* ❶ op de harp spelen ❷ ~ **on** doorzeuren

harpist ['hɑːpɪst] *zn* harpist

harpoon [hɑːˈpuːn] I *zn* harpoen II *ov ww* harpoeneren

harpsichord ['hɑːpsɪkɔːd] *zn* klavecimbel

harrow ['hærəʊ] I *zn* eg II *ov ww* eggen

harrowing ['hærəʊɪŋ] *bnw* aangrijpend, schokkend

harry ['hærɪ] *ov ww* ❶ lastig vallen ❷ teisteren

harsh [hɑːʃ] *bnw* ❶ hard(vochtig), streng ❷ ruw ❸ krassend, krijsend ❹ scherp, fel

hart [hɑːt] *zn* mannetjeshert

harum-scarum I *zn* onbesuisd persoon, dolleman II *bnw* + *bijw* onbesuisd, dol

harvest ['hɑːvɪst] I *zn* oogst II *ov ww* oogsten, inzamelen

harvester ['hɑːvɪstə] *zn* ❶ oogster ❷ oogstmachine

has [hæz,əz] *ww* → **have**

has-been ['hæzbiːn] <u>inform</u> *zn* iemand die heeft afgedaan ★ *he's a political* ~ hij is politiek op zijn retour

hash [hæʃ] *zn* ❶ hachee ❷ <u>inform</u> zootje ★ *make a hash of sth* iets verknoeien ❸ <u>inform</u> hasj ❹ **hash sign** hekje ⟨teken (#)⟩

hash browns <u>USA</u> *zn mv* opgebakken aardappels

hashish ['hæʃiːʃ] *zn* hasj

hassle ['hæsəl] I *zn* gedoe ★ *the Internet takes the* ~ *out of shopping* het internet maakt boodschappen doen gemakkelijk II *ov ww* lastigvallen

haste [heɪst] *zn* haast ★ *more* ~, *less speed* haastige spoed is zelden goed

hasten ['heɪsən] I *ov ww* versnellen, bespoedigen II *onov ww* zich haasten

hasty ['heɪstɪ] *bnw* ❶ haastig ❷ overhaast

hat [hæt] *zn* hoed ★ *I'll eat my hat if...* ik mag doodvallen als... ★ *keep sth under your hat* iets geheim houden ★ <u>inform</u> *talk through your hat* als een kip zonder kop praten ★ *take off your hat to sb* voor iem. je hoed afnemen ★ <u>oud</u> *my hat!* nu breekt mijn klomp! ★ *hat in hand* onderdanig ★ *pass the hat round* met de pet rondgaan

hatch [hætʃ] I *zn* ❶ luikgat ★ *down the ~!* proost! ★ *fig batten down the ~es* veiligheidsmaatregelen nemen ❷ onderdeur ❸ doorgeefluik II *ov ww* ❶ uitbroeden ❷ beramen III *onov ww* ❶ broeden ❷ ~ **(out)** uit het ei komen

hatchback ['hætʃbæk] *zn* (auto met) vijfde deur

hatchery ['hætʃərɪ] *zn* broederij, kwekerij ⟨vnl. vis⟩

hatchet ['hætʃɪt] *zn* bijl(tje) ★ *bury the* ~ de strijdbijl begraven

hatchway ['hætʃweɪ] *zn* luikgat

hate [heɪt] I *zn* haat II *ov ww* een hekel hebben aan, haten ★ <u>inform</u> *hate sb's guts* iem. niet kunnen uitstaan ▼ *I hate to trouble you* het spijt me dat ik u moet lastig vallen

hateful ['heɪtfʊl] *bnw* ❶ erg vervelend, akelig, afschuwelijk ★ *be* ~ *to sb* hatelijk zijn tegen iem. ❷ haatdragend

hatred ['heɪtrɪd] *zn* haat ★ ~ *for* haat jegens

hatter ['hætə] *zn* hoedenmaker / -maakster ★ *as mad as a* ~ stapelgek

haughtiness ['hɔːtɪnəs] *zn* hoogmoed, arrogantie

haughty ['hɔːtɪ] *bnw* uit de hoogte, arrogant

haul [hɔːl] I *ov ww* ❶ halen, slepen ★ *she hauled herself out of the armchair* ze kwam met moeite omhoog uit haar leunstoel ★ *haul sb over the coals* iem. een uitbrander geven ❷ vervoeren ❸ ~ **(up)** dagvaarden ★ *be hauled (up) before a court of law* voor de rechter moeten verschijnen II *onov ww* <u>scheepv</u> wenden, draaien III *zn* ❶ haal, trek ★ *it will be a long haul* het wordt een lange ruk, het gaat veel moeite kosten ❷ vangst, buit

haulage ['hɔːlɪdʒ] *zn* ❶ transport, vrachtvervoer ❷ vervoerkosten

haunch [hɔːntʃ] *zn* ❶ lende, schoft, bil ★ *get down on your ~es* op je hurken gaan zitten ❷ lendenstuk

haunt [hɔːnt] I *ov ww* ❶ rondspoken in / om ❷ (veelvuldig) bezoeken ❸ kwellen, achtervolgen ★ *the idea ~s me* het idee laat me niet los II *zn* ❶ veel bezochte plaats ❷ verblijf(plaats), hol, schuilplaats

haunted ['hɔːntəd] *bnw* spook- ★ *a* ~ *house* een spookhuis

have [hæv] I *ov ww* [onregelmatig], **have got** hebben, bezitten ★ *they have horses* ze houden paarden ❶ ontvangen, krijgen ★ *is there any wine to be had here?* is er hier wijn te krijgen? ★ *she's having a baby* ze is in verwachting ★ inform *let sb have it* iem. er van langs geven ★ inform *have had it* versleten zijn, doodop zijn, er geweest zijn, het helemaal gehad hebben (met iemand) ❷ nemen ❸ toelaten, toestaan ★ *I won't have you smoking here* ik wil niet hebben dat je hier rookt ★ inform *I'm not having any of it* ik pieker er niet over ❹ **have got** bestaan uit ★ *the play has three acts* het stuk heeft drie bedrijven, **have got** te pakken hebben, ervaren ★ *she has the flu* ze heeft griep ★ *the police thought they had him* de politie dacht dat ze hem te pakken hadden ★ *I've got it* ik snap het ❶ inform beetnemen ★ *you've been had* je bent voor de gek gehouden ❷ nuttigen, gebruiken ★ *have tea / coffee* een kopje thee / koffie drinken ★ *have a cigar* een sigaar roken ❸ laten, doen, maken ★ *he's had a house built* hij heeft een huis laten bouwen ★ *he had me build a house* hij liet mij een huis bouwen ★ *have a swim* (gaan) zwemmen ★ *they had us crying* ze maakten ons aan het huilen ❹ **have got** moeten ★ *I have to go* ik moet gaan ▼ *there has to be a reason* er moet een reden zijn ▼ *he will have it that* hij beweert dat ▼ inform *have it coming to you* je verdiende loon krijgen ▼ inform... *what have you ...* en wat al niet ▼ *you had better go* je kunt maar beter gaan ❶ ~ *against* ★ *have sth against sb* iets tegen hebben op iem. ❷ ~ **in** laten inkomen ⟨om te werken⟩ ★ inform *have it in for sb* de pik hebben op iem. ❸ inform ~ **off/away** ★ *have it off with sb* een nummertje maken met iemand ❹ ~ **on** aanhebben, dragen ★ *the police has nothing on him* de politie kan hem niets maken ★ inform *you're having me on!* je neemt me in de maling! ❺ ~ **out** uitvechten, verwijderen ★ *have it out with sb* het uitvechten / afrekenen met iem. ★ *have a tooth out* een tand laten trekken ❻ inform ~ **up** voor laten komen, beschuldigen **II** hww [onregelmatig] hebben, zijn ★ *they've seen the queen* ze hebben de koningin gezien ★ *he had fallen down the stairs* hij was van de trap gevallen ★ *he will have finished when I get there* hij zal al klaar zijn als ik daar kom ★ *have done with sth* ophouden met iets

haven ['heɪvən] *zn* haven, toevluchtsoord ★ *a safe ~* een veilige (schuil)plaats

have-nots ['hæv'nɒts] *zn mv* armen ★ *the haves and the ~* de rijken en de armen

haven't ['hævənt] *samentr,* have not → **have**

haves [hævz] *zn mv* rijken

havoc ['hævək] *zn* verwoesting, ravage ★ *wreak ~ on sth* iets totaal verwoesten ★ *play ~ with sth* flinke schade aanrichten onder iets

Hawaiian [hə'waɪən] **I** *zn* ❶ Hawaïaan ❷ Hawaïaans (taal) ❸ Hawaïaanse muziek **II** *bnw* Hawaïaans

hawk [hɔːk] **I** *zn* havik ⟨ook fig.⟩ ★ *he watched her like a hawk* hij hield haar nauwlettend in de gaten **II** *ov ww* leuren met, venten **III** *onov ww* de keel schrapen

hawker ['hɔːkə] *zn* venter

hawthorn ['hɔːθɔːn] *zn* meidoorn

hay [heɪ] *zn* hooi ★ *make hay* hooien ★ *make hay while the sun shines* het ijzer smeden als het heet is ★ inform *hit the hay* gaan pitten

hay fever *zn* hooikoorts

haymaking ['heɪmeɪkɪŋ] *zn* hooibouw

haystack ['heɪstæk], **hay rick** ['heɪrɪk] *zn* hooiberg

haywire ['heɪwaɪə] inform *bnw* in de war ★ *go ~* van streek raken

hazard ['hæzəd] **I** *zn* gevaar, risico ★ *a fire ~* brandgevaarlijk ★ *pose a ~ to life* levensgevaarlijk zijn **II** *ov ww* riskeren, wagen

hazardous ['hæzədəs] *bnw* gewaagd, riskant

haze [heɪz] **I** *zn* ❶ nevel, waas ❷ zweem **II** *ov ww* benevelen, in nevel hullen **III** *onov ww* ~ **over** nevelig worden

hazel ['heɪzəl] **I** *zn* hazelaar **II** *bnw* lichtbruin

hazelnut ['heɪzəlnʌt] *zn* hazelnoot

hazy ['heɪzɪ] *bnw* ❶ vaag ★ *hazy with alcohol* aangeschoten ❷ heiig

H-bomb ['eɪtʃbɒm] *zn* waterstofbom

he [hiː] *pers vnw* ❶ hij ❷ mannetjes-

head [hed] **I** *zn* ❶ hoofd, kop ★ *be head and shoulders above sb* ook fig met kop en schouders boven iem. uitsteken ★ *I can't make head or tail of it* ik kan er geen touw aan vastknopen ★ inform *talk your head off* blijven doorpraten ★ inform *work / laugh your head off* je doodwerken / doodlachen ★ inform *do sth on your head* top op je sloffen af doen ★ *head over heels* halsoverkop ★ *be in over your head* er tot over je oren inzitten ★ *go over sb's head* iem. passeren ★ *head first / foremost* vooroiver ★ *scratch your head* je achter het oor krabben ❷ persoon, stuk ⟨vee⟩ ★ *$10 a / per head* $10 per persoon ★ *100 head of cattle* 100 stuks vee ❸ verstand, hersens ★ *the idea never entered my head* het idee kwam niet eens bij me op ★ *put sth into sb's head* iem. iets aanpraten ★ *I don't have a head for figures* ik kan slecht rekenen ★ *have a good head on your shoulders* een goed stel hersens hebben ★ *have an old head on young shoulders* zeer wijs zijn voor je leeftijd ★ *be soft in the head* niet goed snik zijn ★ *be off your head* niet goed snik zijn ★ *two heads are better than one* twee weten meer dan een ❹ kalmte ★ *keep your head* kalm blijven, je hoofd erbij houden ★ *lose your head* de kluts kwijtraken ❺ hoofdpersoon, chef, directeur ❻ top, voorste positie ❼ hoofdeinde ❽ bovenkant, kruin ❾ bron, oorsprong ❿ bovenste punt, puist, spits ★ *come to / reach a head* kritiek worden ★ *bring sth to a head* iets op de spits drijven ⓫ vulg cru ★ *give head* pijpen **II** *ov ww* ❶ de leiding geven / nemen / hebben ❷ vóór- / bovenaan staan ❸ van kop / titel voorzien ★ *an article headed...* een artikel getiteld... ❹ sport koppen ❺ aftoppen ❻ ~ **for** afsteveren op iets ★ *they're heading for bankruptcy* ze stevenen regelrecht af op een faillissement ❼ ~ **off** de pas afsnijden, verhinderen ❽ ~ **up** leiding geven aan **III** *onov ww* ❶ gaan ★ *head (for / towards) home* naar huis gaan ❷ ~ **back** teruggaan ❸ ~ **off** weggaan, vertrekken

he

headache ['hedeɪk] zn hoofdpijn ★ have a ~ hoofdpijn hebben ★ the new system is causing a lot of ~s het nieuwe systeem veroorzaakt een hoop problemen
headband ['hedbænd] zn hoofdband
headbutt ['hedbʌt] I zn kopstoot II ov ww een kopstoot geven
headdress ['heddress] zn hoofdtooi
header ['hede] zn ➊ duik ⟨met hoofd voorover⟩ ➋ kopbal ➌ drukk koptekst
headhunter ['hedhʌnte] zn ➊ koppensneller ➋ headhunter
heading ['hedɪŋ] zn opschrift, titel, kop ★ reading the paper not fall under the ~ of work de krant lezen valt niet onder werken
headlamp ['hedlæmp] zn → **headlight**
headland ['hedlend] zn ➊ voorgebergte ➋ kaap
headless ['hedles] bnw zonder hoofd / kop
headlight ['hedlaɪt], **headlamp** zn koplamp
headline ['hedlaɪn] zn krantenkop, voornaamste nieuws
headlong ['hedlɒŋ] bnw + bijw ➊ languit voorover ➋ onbesuisd, blindelings
headman ['hedmen] zn ➊ opperhoofd, dorpshoofd, hoofdman ➋ voorman
headmaster [hed'mɑːstə] zn hoofd van een school, rector, directeur
headmistress [hed'mɪstrəs] zn hoofd van een school, rectrix, directrice
head-on bnw + bijw frontaal
headphones ['hedfəunz] zn mv koptelefoon
headquarters [hed'kwɔːtəz] zn mv hoofdkwartier
headrest ['hedrest] zn hoofdsteun(tje)
headroom ['hedruːm] zn vrije hoogte
heads zn mv kop ⟨beeldzijde van munt⟩ ★ ~ or tails? kop / kruis of munt?
headset ['hedset] zn koptelefoon en microfoon, hoor- / spreekset
headspace inform zn belevingswereld
head start zn voorsprong ⟨bij aanvang⟩
headstone ['hedstəun] zn grafzerk
headstrong ['hedstrɒŋ] bnw koppig, eigenzinnig
headway ['hedweɪ] zn vaart, vooruitgang ★ make ~ vooruitkomen, vooruitgang boeken
headwind ['hedwɪnd] zn tegenwind
heady ['hedɪ] bnw ➊ onstuimig ➋ koppig
heal [hiːl] ov+onov ww genezen
heal-all zn wondermiddel
healer [hiːlə] zn genezer
health [helθ] zn gezondheid ★ drink (to) sb's ~ drinken op iemands gezondheid
health care zn gezondheidszorg
health food zn natuurvoeding
health insurance zn ziektekostenverzekering
healthy ['helθɪ] bnw gezond
heap [hiːp] I zn ➊ hoop ➋ inform boel, massa ★ heaps of time tijd zat ➌ inform roestbak II ov ww ➊ ophopen ➋ laden, beladen, overladen
heaps [hiːpz] inform bijw een heleboel ★ they love him ~ ze houden erg veel van hem
hear [hɪə] I tw ★ her, hear! bravo! II ov ww [onregelmatig] ➊ horen, vernemen ➋ luisteren naar, overhoren, verhoren ★ hear things stemmen horen ➌ ~ of horen over ★ I won't hear of… daar wil ik niets over horen… ➍ ~ out aanhoren tot het einde III onov ww

[onregelmatig] horen, luisteren
heard [hɜːd] ww [verleden tijd + volt. deelw.] → **hear**
hearer ['hɪərə] zn toehoorder
hearing ['hɪərɪŋ] zn ➊ hoorzitting ➋ het aanhoren ★ give sb a fair ~ iem. onpartijdig aanhoren ➌ gehoor ★ hard of ~ hardhorend ➍ gehoorafstand ★ in sb's ~ binnen gehoorsafstand van iem.
hearing aid zn gehoorapparaat
hearing-impaired I bnw slechthorend II zn ★ the ~ de slechthorende(n)
hearsay ['hɪəseɪ] zn praatjes ★ by / from ~ van horen zeggen
hearse [hɜːs] zn lijkkoets, lijkauto
heart [hɑːt] zn ➊ hart ★ my ~ leapt mijn hart ging sneller kloppen ★ have your ~ in your mouth het hart in de keel voelen kloppen ➋ gemoed, gevoel ★ a ~-to~ talk een openhartig gesprek ★ ~ and soul met hart en ziel ★ in her ~ of ~s in het diepst van haar hart ★ to your ~'s content naar hartenlust ★ give / lose one's ~ to verliefd worden op ★ have / find the ~ to over zijn hart verkrijgen, het hart hebben om ★ take sth to ~ iets (erg) aantrekken ★ wear your ~ on your sleeve het hart op de tong dragen ★ iron my ~ bleeds for you wat heb ik een medelijden met jou ★ eat your ~ out je verbijten ⟨uit frustratie⟩ ➌ moed, durf ★ take ~ moed vergaren ★ down at ~ moedeloos ➍ kern, essentie ★ the ~ of the matter de kern van de zaak ➎ hartje ★ an oasis in the ~ of the city een oasis in de binnenstad ➏ geest, gedachten ★ know sth by ~ iets uit je hoofd kennen ★ learn sth by ~ iets van buiten leren ★ have a change of ~ van gedachten veranderen ★ at ~ in de grond (van zijn hart)
heartache ['hɑːteɪk] zn hartzeer
heart attack zn hartaanval
heartbeat ['hɑːtbiːt] zn hartslag
heartbreak ['hɑːtbreɪk] zn groot verdriet
heartbreaking ['hɑːtbreɪkɪŋ] bnw hartverscheurend
heartbroken ['hɑːtbrəukən] bnw met gebroken hart, verpletterd
heartburn ['hɑːtbɜːn] zn (brandend maag)zuur
heart condition zn hartkwaal
hearten ['hɑːtn] ov ww bemoedigen
heart failure zn hartstilstand
heartfelt ['hɑːtfelt] bnw innig, hartgrondig
hearth [hɑːθ] zn haard
heartily ['hɑːtɪlɪ] bijw ➊ hartgrondig ➋ van harte ➌ flink, hartig ➍ ontzettend
heartiness ['hɑːtɪnəs] zn ➊ hartelijkheid ➋ vitaliteit, energie
heartless ['hɑːtləs] bnw ➊ harteloos ➋ flauw
heart-rending ['hɑːtrendɪŋ] bnw hartverscheurend
heart-searching ['hɑːt sɜːtʃɪŋ] I bnw diep nadenkend II zn zelfonderzoek, diep nadenken
heart seizure zn hartverlamming
heartsick ['hɑːtsɪk] dicht bnw moedeloos
heart-stopping bnw adembenemend
heartstrings ['hɑːtstrɪŋz] zn mv ★ pull at / tug at / touch sb's ~ een gevoelige snaar bij iem. raken
heart-throb ['hɑːtθrɒb] inform zn hartenbreker
hearty ['hɑːtɪ] bnw ➊ hartelijk, joviaal ➋ grondig

❸ stevig ❹ gezond

heat [hi:t] **I** *zn* ❶ hitte, warmte ★ *in the heat of the heat* tijdens het warmste deel van de dag ❷ vuur ★ *cook at a low heat* op een laag pitje koken ❸ verwarming ❹ heftigheid ❺ inform kritiek, druk ★ *the heat is on* de druk zit op de ketel ❻ pikantheid ❼ loops ▼ *in / on heat* tochtig, loops **II** *ov ww* ~ (up) heet / warm maken **III** *onov ww* ~ (up) warm worden, verhit raken

heated ['hi:tɪd] *bnw* ❶ verwarmd ❷ verhit, razend, woest

heater ['hi:tə] *zn* kacheltje, verwarmingstoestel

heath [hi:θ] *zn* heide

heathen ['hi:ðn] **I** *zn* heiden **II** *bnw* heidens

heather ['heðə] *zn* heide(struik)

heating ['hi:tɪŋ] *zn* verwarming(sinstallatie)

heat rash *zn* uitslag ⟨op huid, door hitte⟩

heatstroke ['hi:tstrəʊk] *zn* zonnesteek, hitteberoerte

heave [hi:v] **I** *ov ww* [regelmatig + onregelmatig] ❶ (op)heffen, optillen, ophijsen ❷ scheepv [hove] hijsen, lichten ★ ~ *anchor* het anker lichten ❸ inform gooien ❹ slaken ⟨zucht⟩ **II** *onov ww* [regelmatig + onregelmatig] ❶ op (en neer) gaan, deinen ❷ trekken ❸ kokhalzen ❹ scheepv [hove] ~ *about* overstag gaan ❺ scheepv [hove] ~ *to* stil gaan liggen, bijdraaien ❻ ~ *up* overgeven **III** *zn* ❶ hijs, ruk ❷ deining, (op)zwelling

heaven ['hevən] *zn* hemel ★ inform ~ *forbid!* God verhoede het! ★ inform ~ *knows!* Joost mag het weten! ★ inform *for ~'s sake* in hemelsnaam ★ inform *smell / stink to high* ~ uren in de wind stinken, het daglicht niet kunnen velen

heavenly ['hevənlɪ] *bnw* hemels

heavy ['hevɪ] **I** *bnw* ❶ zwaar ★ *make* ~ *weather of sth* zwaar aan iets tillen ★ *time hangs* ~ *on his hands* de tijd valt hem lang ❷ dik, drukkend ⟨lucht⟩ ❸ moeilijk, saai ★ *find sth* ~ *going* iets saai / moeilijk vinden ❹ serieus, ernstig ❺ streng ★ *be* ~ *on sb* iem. hard aanpakken ❻ somber, zwaarmoedig, droevig ★ *with a* ~ *heart* droevig ❼ lomp, grof ★ ~ *humour* lompe humor ❽ diep ⟨slaap⟩ ❾ druk ⟨verkeer⟩ **II** *zn* ❶ inform bodyguard ❷ inform belangrijk persoon

heavy-duty [hevɪ'dju:tɪ] *bnw* ❶ bestand tegen hoge belasting ❷ zeer duurzaam, ijzersterk

heavy-handed [hevɪ'hændɪd] *bnw* ❶ lomp, tactloos ❷ te royaal ⟨met ingrediënten⟩

heavy-hearted [hevɪ'hɑ:tɪd] *bnw* zwaarmoedig

heavyweight ['hevɪweɪt] *zn* ❶ sport zwaargewicht ❷ inform belangrijk persoon

Hebrew ['hi:bru:] **I** *zn* ❶ Hebreeër ❷ Hebreeuws ⟨taal⟩ **II** *bnw* Hebreeuws

heck [hek] inform **I** *tw* verdorie! **II** *zn* ★ *a heck of a fuss* veel trammelant ★ *a heck of a long way* erg ver ★ *what the heck...?* wat in hemelsnaam...?

heckle ['hekl] *ov ww* steeds onderbreken

hectic ['hektɪk] *bnw* koortsachtig, druk, hectisch

he'd [hi:d] *samentr* ❶ he had → have ❷ he would → will

hedge [hedʒ] **I** *zn* ❶ heg, haag ❷ fin dekking **II** *ov ww* ❶ omheinen ❷ indekken tegen ★ ~ *your bets* een slag om de arm houden **III** *onov ww* ❶ zich indekken, een slag om de arm houden ❷ om de zaken heen draaien

hedgehog ['hedʒhɒg] *zn* egel

hedgerow ['hedʒrəʊ] *zn* haag

heebie-jeebies [hi:bɪ'dʒi:bɪz] inform *zn mv* de zenuwen, de griezels

heed [hi:d] **I** *zn* aandacht, oplettendheid ★ *give / pay heed to* aandacht schenken aan ★ *take heed* oppassen **II** *ov ww* aandacht schenken aan ★ *if only I'd heeded his advice* had ik zijn advies maar opgevolgd

heedless ['hi:dləs] *bnw* achteloos ★ ~ *of* zonder te letten op

hee-haw ['hi:hɔ:] *onov ww* balken ⟨van een ezel⟩

heel [hi:l] *zn* ❶ hiel ⟨v. voet, sokken enz.⟩, hak ⟨v. schoeisel⟩ ★ *bring sb to heel* iem. in het gareel krijgen ★ *drag your heels* opzettelijk treuzelen ★ *dig your heels in* je hakken in het zand zetten ★ *kick up your heels* aan de zwier gaan / zijn ★ *take to your heels* er vandoor gaan ★ *turn on your heel* je plotseling omdraaien ★ *be at sb's heels* iem. op de hielen zitten ★ *down at heel* versleten, sjofel, armoedig (gekleed) ❷ oud rotzak

heels [hi:lz] *zn mv* hooggehakte schoenen

hefty ['heftɪ] *bnw* ❶ zwaar, fors ❷ fiks

heifer ['hefə] *zn* vaars

height [haɪt] *zn* ❶ hoogte ★ *have no head for* ~*s* hoogtevrees hebben ★ *scale the dizzy* ~*s* stijgen tot grote hoogte ❷ lengte, grootte ★ *three metres in* ~ drie meter lang ❸ toppunt, hoogtepunt ★ *at the* ~ *of his fame* op het hoogtepunt van zijn roem ★ *at the* ~ *of summer* hartje zomer ★ *the* ~ *of stupidity* het toppunt van domheid

heighten ['haɪtn] *ov ww* verhogen, versterken, verhevigen

heinous ['heɪnəs] form *bnw* afschuwelijk

heir [eə] *zn* erfgenaam ★ *the heir to the throne* de troonopvolger

heiress ['eərɪs] *zn* erfgename

heirloom ['eəlu:m] *zn* erfstuk

held [held] *ww* [verleden tijd + volt. deelw.] → hold

helices ['helɪsi:z] *zn mv* → helix

heliport ['helɪpɔ:t] *zn* helihaven

helix ['hi:lɪks] *zn* [mv: **helices**] schroef(lijn), spiraal(lijn)

hell [hel] *zn* hel ★ *come hell or high water* wat er ook gebeurt ★ inform *for the hell of it* zomaar, voor de gein ★ inform *go to hell!* loop naar de bliksem! ★ inform *the neighbours / builders / enz. from hell* de slechtst denkbare buren / aannemers / enz. ★ inform *a hell of a mess* een heidense bende ★ inform *go to hell!* loop naar de bliksem! ★ inform *there'll be hell to pay!* dan heb je de poppen aan het dansen! ★ inform *give sb hell* iem. het leven zuur maken, iem. op z'n donder geven, iem. kwellen ★ *ride hell for leather* in vliegende vaart ★ *when hell freezes over* met sint-juttemis ★ *you scared the hell out of me!* je hebt me enorm laten schrikken!

he'll [hi:l] *samentr, he will* → will

hell-bent [hel'bent] *bnw* vastbesloten ★ *she seems* ~ *on ruining her life* ze lijkt erop gebrand haar leven te verknoeien

he

hellish ['helɪʃ] *bnw* hels
hello [hə'ləʊ] *tw* ❶ hallo ❷ hé
helm [helm] *zn* roer ★ *be at the helm* aan het roer staan
helmet ['helmɪt] *zn* helm
helmsman ['helmzmən] *zn* roerganger
help [help] I *ov+onov ww* ❶ helpen, bijstaan ❷ dienen, bedienen ★ inform *help yourself to sth* jezelf van iets bedienen, iron iets stelen ❸ verhelpen, voorkomen ★ *I couldn't help seeing it* ik moest het wel zien ★ *don't be longer than you can help* blijf niet langer weg dan nodig ★ *it couldn't be helped* er was niets aan te doen ❹ ~ **along** voorthelpen ❺ ~ **off/on** helpen uit- / aantrekken ⟨v. kleding⟩ ❻ ~ **out** uit de brand helpen ❼ ~ **to** helpen aan, bedienen van ❽ ~ **up** helpen op te staan II *zn* ❶ hulp, nut ★ *be of help to sb* van nut zijn voor iem. ★ *it's not much help* het helpt niet veel, het is niet erg zinvol / nuttig ★ *with the help of* met behulp van ★ *there's no help for it* er is niets aan te doen ❷ helper ★ *domestic help* huishoudelijke hulp III *tw* help
helpful ['helpfʊl] *bnw* ❶ behulpzaam ❷ handig, nuttig
helping ['helpɪŋ] *zn* portie
helpless ['helpləs] *bnw* hulpeloos
helter-skelter [heltə'skeltə] I *bnw* onbesuisd, verward II *bijw* halsoverkop
hem [hem] I *zn* zoom II *ov ww* ❶ omzomen ❷ ~ **in** insluiten, omsingelen, beletten
he-man ['hi:mæn] *humor zn* stoere kerel, bink
hemi- ['hemɪ] *voorv* half-
hemisphere ['hemɪsfɪə] *zn* ❶ halve bol ❷ halfrond
hemline ['hemlaɪn] *zn* roklengte
hemlock ['hemlɒk] *zn* dolle kervel
hemo- *voorv* → **haemo-**
hemoglobin *zn* → **haemoglobin**
hemophilia *zn* → **haemophilia**
hemophiliac *zn* → **haemophiliac**
hemorrhage *zn* → **haemorrhage**
hemorrhoids *zn mv* → **haemorrhoids**
hemp [hemp] *zn* ❶ hennep ❷ cannabis, hasj
hen [hen] *zn* ❶ kip ★ *as rare as hen's teeth* heel zeldzaam ❷ pop, wijfje ⟨bij vogels⟩
hence [hens] *bijw* ❶ van nu af ❷ vandaar, daarom
henceforth [hens'fɔ:θ], **henceforward** [hens'fɔ:wəd] *form bijw* voortaan
henchman ['hentʃmən] *zn* volgeling, trawant, handlanger
henhouse ['henhaʊs] *zn* kippenhok
henna ['henə] I *zn* henna II *ov ww* met henna verven
hen party inform *zn* geitenfuif ⟨vrijgezellenfeest voor bruid⟩
henpecked ['henpekt] inform *bnw* onder de plak zittend ★ *a ~ husband* een pantoffelheld
hepatitis [hepə'taɪtɪs] *zn* hepatitis, geelzucht
her [hɜ:] I *pers vnw* ❶ (aan) haar ❷ zij II *bez vnw* haar
herald ['herəld] I *zn* ❶ heraut, bode ❷ voorbode II *ov ww* ❶ aankondigen ❷ ~ **in** inluiden
heraldry ['herəldrɪ] *zn* heraldiek
herb [hɜ:b] *zn* kruid, tuinkruid

herbaceous [hɜ:'beɪʃəs] *bnw* kruidachtig, met kruiden ★ *a ~ border* een border met vaste planten
herbal ['hɜ:bl] I *bnw* kruiden- II *zn* kruidenboek
herbalist ['hɜ:bəlɪst] *zn* ❶ kruidenkenner ❷ kruidendokter
herbivorous [hɜ:'bɪvərəs] *bnw* plantenetend
herd [hɜ:d] I *zn* ❶ kudde ★ fig *follow the herd* meegaan met de massa ★ fig *stand out from the herd* boven het maaiveld uitsteken ❷ troep, horde II *ov ww* ❶ hoeden, bijeendrijven ⟨van kudde⟩ ❷ ~ **together** samendrijven ❸ ~ **with** zich aansluiten bij, omgaan met III *onov ww* ❶ in kudde / samen leven ❷ ~ **together** samendrommen
herdsman ['hɜ:dzmən] *zn* veehoeder
here [hɪə] I *tw* ❶ present! ❷ wacht! II *bijw* hier(heen) ★ *here, there and everywhere* overal ★ *neither here nor there* het raakt kant noch wal, het heeft er niets mee te maken ★ *here you are!* alstublieft! ★ *here's to you!* op je gezondheid! ★ *here's luck!* op je gezondheid!
hereabouts [hɪərə'baʊts], USA **hereabout** [hɪərə'baʊt] *bijw* hier in de buurt
hereafter [hɪər'ɑ:ftə] I *zn* het hiernamaals II *bijw* ❶ hierna ❷ verderop ⟨in boek⟩ ❸ in het hiernamaals
hereby [hɪə'baɪ] *bijw* hierdoor, hiermee
hereditary [hɪ'redɪtərɪ] *bnw* erfelijk
heredity [hɪ'redɪtɪ] *zn* erfelijkheid, overerving
herein [hɪə'rɪn] *bijw* hierin
heresy ['herəsɪ] *zn* ketterij
heretic ['herətɪk] *zn* ketter
heretical [hə'retɪkl] *bnw* ❶ ketters ❷ onrechtzinnig
herewith [hɪə'wɪð] *bijw* hiermee, bij deze
heritage ['herɪtɪdʒ] *zn* erfenis, erfgoed, erfdeel
hermetic [hɜ:'metɪk] *bnw* hermetisch
hermit ['hɜ:mɪt] *zn* kluizenaar
hernia ['hɜ:nɪə] *zn* ⟨ingewands⟩breuk
hero ['hɪərəʊ] *zn* ❶ held ❷ hoofdpersoon, hoofdrolspeler
heroic [hə'rəʊɪk] *bnw* heldhaftig
heroics [hə'rəʊɪks] *zn mv* ❶ gezwollen taal, valse pathos ❷ heldhaftigheid / -heden
heroin ['herəʊɪn] *zn* heroïne
heroine ['herəʊɪn] *zn* ❶ heldin ❷ hoofdrolspeelster, hoofdpersoon
heroism ['herəʊɪzəm] *zn* heldenmoed
heron ['herən] *zn* reiger
herring ['herɪŋ] *zn* haring ★ *a red ~* een afleidingsmanoeuvre
herringbone ['herɪŋbəʊn] *zn* ❶ haringgraat ❷ visgraatpatroon
hers [hɜ:z] *bez vnw* het / de hare, van haar
herself [hə'self] *wkd vnw* ❶ zich(zelf) ★ *she should be ashamed of ~* ze moet zich schamen ❷ zelf ★ *all by ~* helemaal alleen ★ *she's quite ~ again* zij is weer helemaal de oude
he's [hi:z] *samentr* ❶ *he is* → **be** ❷ *he has* → **have**
hesitancy ['hezɪtənsɪ] *zn* aarzeling
hesitant ['hezɪtnt] *bnw* aarzelend
hesitate ['hezɪteɪt] *onov ww* ❶ aarzelen ❷ weifelen
hesitation [hezɪ'teɪʃən] *zn* ❶ aarzeling ★ *have no ~ about recommending sb* iem. van ganser harte

he

aanbevelen ❷ hapering

hessian ['hesɪən] **I** *zn* zakkengoed, grove jute **II** *bnw* van jute

heterogeneous [hetərəʊ'dʒi:nɪəs] *bnw* heterogeen, ongelijksoortig

heterosexual [hetərəʊ'sekʃʊəl] *bnw* heteroseksueel

hew [hju:] *ov ww* [regelmatig + onregelmatig] ❶ kappen, houwen ❷ hakken ★ *hew one's way through a forest* zich een weg door een bos banen ❸ ~ **down** omhakken, vellen ❹ ~ **off** afhakken

hewn [hju:n] *ww* [volt. deelw.] → hew

hex ['heks] **I** *zn* betovering, vloek ★ *put a hex on sth / sb* een vloek over iets uitspreken **II** *ov ww* beheksen, betoveren

hexa- ['heksə] *voorv* zes-

hexagon ['heksəgən] *zn* zeshoek

hexagonal [hek'sægənl] *bnw* zeshoekig

hey [heɪ] *tw* hee!, hè! ★ *hey you!* hé, jij daar! ★ *hey presto!* hocus pocus pilatus pas!

heyday ['heɪdeɪ] *zn* bloei(tijd), hoogtepunt

HI *afk, Hawaii* staat in de VS

hiatus [haɪ'eɪtəs] *form zn* leemte, hiaat

hibernate ['haɪbəneɪt] *onov ww* ❶ winterslaap doen ❷ winter doorbrengen

hibernation [haɪbə'neɪʃən] *zn* winterslaap

hiccup, hiccough ['hɪkʌp] **I** *zn* ❶ hik ❷ inform probleempje **II** *onov ww* hikken

hick [hɪk] *inform* **I** *zn* boer **II** *bnw* boers

hickey ['hɪkɪ] *USA inform zn* zuigzoen

hickory ['hɪkərɪ] *zn* ❶ Noord-Amerikaanse notenboom ❷ notenhout

hid [hɪd] *ww* [verleden tijd] → hide

hidden [hɪdn] *ww* [volt. deelw.] → hide

hide [haɪd] [onregelmatig] **I** *ov ww* verbergen ★ *hide one's light under a bushel* zijn talenten voor anderen verbergen **II** *onov ww* zich verbergen, zich schuil houden ★ *hide from view / sight* uit het zicht blijven **III** *zn* ❶ huid ★ *tan sb's hide* iem. een pak rammel geven ❷ inform hachje ★ *save one's hide* je hachje redden ❸ schuilplaats

hide-and-seek *zn* verstoppertje

hideaway ['haɪdəweɪ] *zn* geheime schuilplaats

hideous ['hɪdɪəs] *bnw* afschuwelijk, vreselijk

hideout ['haɪdaʊt] *zn* schuilplaats

hiding ['haɪdɪŋ] *zn* ❶ inform pak rammel ★ *a good ~* flink pak slaag ❷ het verborgen zijn ★ *go into ~* onderduiken

hiding place *zn* schuilplaats

hierarchical [haɪə'rɑ:kɪkl] *bnw* hiërarchisch

hierarchy ['haɪərɑ:kɪ] *zn* hiërarchie

hieroglyph ['haɪərəɡlɪf] *zn* hiëroglief

hi-fi ['haɪfaɪ] *zn* ❶ hifi geluidsinstallatie ❷ (met) getrouwe geluidsweergave

higgledy-piggledy [hɪɡldɪ'pɪɡldɪ] *bnw + bijw* schots en scheef, overhoop

high [haɪ] **I** *bnw* ❶ hoog ❷ hooggelegen ★ *take the moral high ground* zich superieur opstellen ★ *have friends in high places* belangrijke / machtige vrienden hebben ❸ groot ⟨aantal⟩ ❹ intens, sterk ★ *high winds* storm ❺ verheven ★ *high art* kunst met een grote K ❻ duur ★ *pay a high price* duur betalen ❼ bedorven, adellijk ⟨v. vlees / wild⟩ ❽ opgewekt, vrolijk

❾ bedwelmd, high **v** *have a high hand* autoritair zijn **v** *high and mighty* aanmatigend, autoritair **v** *high and dry* gestrand, fig verlaten fig zonder middelen **II** *bijw* hoog ★ fig *aim high* op succes mikken ★ *feelings ran high* de emoties liepen hoog op ★ *look high and low* overal zoeken **III** *zn* ❶ hogedrukgebied ❷ record, hoogtepunt, climax ★ *hit an all-time high* een record bereiken ❸ inform het high-zijn, euforie **v** *on high* omhoog, in de hoogte, in de hemel

highbrow ['haɪbraʊ] **I** *bnw* ❶ intellectueel ❷ superieur **II** *zn* (pedante) intellectueel

high chair *zn* kinderstoel

high-class [haɪ'klɑ:s] *bnw* ❶ uitstekend, van prima kwaliteit ❷ voornaam

high command *zn* opperbevel

high-dependency *bnw* die veel zorg nodig hebben ⟨van ziekenhuispatiënten⟩ ★ *a ~ ward* intensieve zorg afdeling

highfalutin [haɪfə'lu:tɪn] inform min *zn* hoogdravend

high fashion *zn* haute couture

high finance *zn* het grote geld

high-flier, high-flyer *zn* hoogvlieger

high-flown [haɪ'fləʊn] min *bnw* hoogdravend

high-grade *bnw* van uitstekende kwaliteit

high-handed [haɪ'hændɪd] *bnw* ❶ laatdunkend ❷ autoritair

high-heeled *bnw* met hoge hakken

high jump ['haɪdʒʌmp] *zn* hoogspringen

highlands ['haɪləndz] *zn mv* hooglanden

high-level *bnw* op hoog niveau

high life *zn* ★ *the ~* (het leven van) de jetset

highlight ['haɪlaɪt] **I** *zn* hoogtepunt **II** *ov ww* ❶ markeren ⟨met markeerpen⟩ ❷ goed doen uitkomen, in het licht stellen

highly ['haɪlɪ] *bijw* ❶ hoog(lijk), hoogst ★ ~ *inflammable* licht ontvlambaar ★ ~ *strung* hypernerveus, overgevoelig ❷ lovend, goedkeurend

high-maintenance *bnw* ❶ onderhoudsintensief ❷ inform die veel aandacht vraagt ⟨vooral vrouw⟩

high-minded [haɪ'maɪndɪd] *bnw* met sterke morele principes

highness ['haɪnəs] *zn* ❶ hoogheid ❷ hoogte

high-pitched *bnw* ❶ hoog, schel ❷ steil ⟨van dak⟩

high-powered [haɪ'paʊəd] *bnw* ❶ (zeer) krachtig, met groot vermogen ❷ machtig, zwaar, verantwoordelijk

high-pressure *bnw* hoge druk-

high-profile *bnw* opvallend, in de publiciteit ★ *a ~ job* een baan in de schijnwerpers

high-ranking *bnw* hoog(staand)

high-rise ['haɪraɪz] *bnw* hoogbouw ★ *a ~ flat* een torenflat

high road GB *zn* ❶ hoofdweg ❷ fig kortste weg

high roller USA inform *zn* ❶ iem. die met veel geld smijt ❷ iem. die hoog inzet ⟨bij gokken⟩

high-sounding min *bnw* ❶ hoogdravend ❷ holklinkend

high-speed *bnw* met grote snelheid, snel-

high-strung *bnw* hypernerveus, overgevoelig

hightail ['haɪteɪl] inform *onov ww* 'm smeren

high-tech, hi-tech *bnw, high technology*

hi

hi

geavanceerd

high-tension *bnw* hoogspannings-
high tide *zn* hoogwater, vloed
high-up inform *zn* hoge piet
highway ['haɪweɪ] *zn* grote weg, verkeersweg
highwayman ['haɪweɪmən] *zn* struikrover
hijack ['haɪdʒæk] I *zn* kaping II *ov ww* kapen
hijacker ['haɪdʒækə] *zn* kaper
hike [haɪk] I *zn* ❶ trektocht ★ inform take a hike! hoepel op! ❷ inform verhoging ★ prices have taken a hike de prijzen zijn flink omhoog gegaan II *ov ww* ❶ ophijsen ❷ ~ up verhogen (prijzen enz.) III *onov ww* rondtrekken
hiker ['haɪkə] *zn* wandelaar, trekker
hilarious [hɪ'leərɪəs] *bnw* hilarisch, uiterst komisch
hilarity [hɪ'lærətɪ] *zn* hilariteit
hill [hɪl] *zn* heuvel, berg ★ up hill and down dale heuvel op, heuvel af ★ inform over the hill over zijn hoogtepunt heen
hillbilly ['hɪlbɪlɪ] USA *zn* hillbilly, boerenpummel
hillock ['hɪlək] *zn* heuveltje
hillside ['hɪlsaɪd] *zn* helling
hilltop ['hɪltɒp] *zn* heuveltop ★ a ~ village een hooggelegen dorp
hilly ['hɪlɪ] *bnw* heuvelachtig
hilt [hɪlt] *zn* gevest ★ up to the hilt in debt tot over zijn oren in de schuld
him [hɪm] *pers vnw* ❶ (aan) hem ❷ hij
himself [hɪm'self] *wkd vnw* ❶ zich(zelf) ★ full of ~ vol van zichzelf ❷ zelf ★ all by ~ helemaal alleen ★ he's quite ~ again hij is weer helemaal de oude
hind [haɪnd] I *zn* hinde II *bnw* achterst
hinder ['hɪndə] I *bnw* achter(ste) II *ov ww* (ver)hinderen, beletten, tegenhouden
hindmost ['haɪndməʊst] *bnw* achterste
hindquarters [haɪnd'kwɔːtəz] *zn* achterdeel, achterste
hindrance ['hɪndrəns] *zn* obstakel, belemmering
hindsight ['haɪndsaɪt] *zn* wijsheid achteraf ★ with ~ achteraf bekeken
Hindu ['hɪnduː] I *zn* hindoe II *bnw* hindoes
Hinduism ['hɪnduːɪzəm] *zn* hindoeïsme
hinge [hɪndʒ] I *zn* ❶ scharnier ❷ spil (figuurlijk) ★ off its ~s in de war II *ov ww* met scharnier vastmaken III *onov ww* rusten, draaien
hint [hɪnt] I *zn* ❶ hint, zinspeling ★ drop a hint een hint geven ★ take a hint een hint oppikken / begrijpen ❷ aanwijzing ❸ zweem, vleugje II *ov ww* ~ at zinspelen op
hinterland ['hɪntəlænd] *zn* achterland
hip [hɪp] I *zn* ❶ heup ❷ rozenbottel II *bnw* inform hip III *tw* ★ hip, hip, hooray! hiep hiep hoera!
hip bath *zn* zitbad
hippie, hippy ['hɪpɪ] *zn* hippie, hippe vogel
hippo ['hɪpəʊ] inform *zn* nijlpaard
hip pocket *zn* achterzak
hippodrome ['hɪpədrəʊm] *zn* renbaan
hippopotamus [hɪpə'pɒtəməs] *zn* [mv: hippopotami of -es] nijlpaard
hippy ['hɪpɪ] *zn* → hippie
hipsters ['hɪpstəz] *zn mv* heupbroek
hire ['haɪə] I *ov ww* ❶ huren ❷ in dienst nemen ❸ ~ out verhuren II *zn* ❶ huur ★ for / on hire te

huur ❷ loon
hireling ['haɪəlɪŋ] *zn* huurling
hire purchase *zn* huurkoop
hirsute ['hɜːsjuːt] *bnw* harig, ruig, borstelig
his [hɪz] *bez vnw* het / de zijne, zijn, van hem
hiss [hɪs] I *ov ww* ❶ (uit)fluiten ❷ sissen ❸ ~ off van het podium fluiten II *onov ww* sissen III *zn* sissend geluid
historian [hɪ'stɔːrɪən] *zn* historicus
historic [hɪ'stɒrɪk] *bnw* historisch
historical [hɪ'stɒrɪkl] *bnw* historisch, geschiedkundig
history ['hɪstərɪ] *zn* geschiedenis ★ natural ~ biologie ★ inform our disagreements are ~ onze meningsverschillen zijn verleden tijd
histrionics [hɪstrɪ'ɒnɪks] *zn mv* theatraal gedoe, aanstellerij
hit [hɪt] I *ov ww* ❶ slaan ★ hit the nail on the head de spijker op zijn kop slaan ★ ook fig hit below the belt onder de gordel slaan ❷ treffen, raken ★ hit home zijn doel treffen ★ hard hit zwaar getroffen / geteisterd ★ inform hit the road (op) weg gaan ★ inform hit the hay / sack onder de wol kruipen ❸ stoten, botsen tegen ★ hit the roof barsten van woede ★ hit and run doorrijden na aanrijding ❹ bereiken, halen ★ hit the headlines de voorpagina halen ❺ ~ back terugslaan ❻ ~ off precies treffen ★ hit it off with sb het goed kunnen vinden met iem. ❼ ~ (up)on toevallig aantreffen, stuiten op II *onov ww* ~ out slaan, van zich afslaan III *zn* ❶ slag, stoot ❷ (vol)treffer ❸ hit (iets populairs) ❹ comp hit (keer dat een internetpagina wordt geraadpleegd)
hitch [hɪtʃ] I *zn* ❶ hapering, storing ★ go off without a ~ probleemloos verlopen ❷ ruk, zet, duw ❸ inform lift II *ov ww* ❶ liften ★ ~ a ride liften ❷ vastmaken, vasthaken ★ ~ a horse to a cart een paard voor een wagen spannen ❸ ~ up ophijsen, optrekken (met een rukje) III *onov ww* liften
hitched [hɪtʃt] inform *bnw* getrouwd ★ get ~ trouwen
hitch-hike ['hɪtʃhaɪk] *onov ww* liften, liftend trekken door
hi-tech *bnw* → high-tech
hither ['hɪðə] dicht *bijw* hierheen ★ ~ and t~ her en der
hitherto [hɪðə'tuː] *bijw* tot dusver
hit list inform *zn* dodenlijst (lijst van te vermoorden personen)
hit man inform *zn* huurmoordenaar
hit-or-miss *bnw* lukraak
HIV [eɪtʃ aɪ 'viː] *afk, human immunodeficiency virus* hiv ★ HIV positive seropositief
hive [haɪv] I *zn* ❶ bijenkorf ★ a hive of activity een grote bedrijvigheid ❷ bijenzwerm II *ov ww* econ ~ off uitbesteden
hives [haɪvz] *zn mv* netelroos, galbulten
HM *afk, Her / His Majesty* Hare / Zijne Majesteit
hoard [hɔːd] I *zn* ❶ geheime voorraad, schat ❷ hoop, verzameling II *ov ww* vergaren, (op)sparen, hamsteren
hoarding ['hɔːdɪŋ] *zn* ❶ het hamsteren ❷ schutting, aanplakbord
hoar frost [hɔː'frɒst] *zn* rijp

hoarse [hɔːs] *bnw* schor, hees
hoary ['hɔːrɪ] *bnw* ❶ grijs, wit (van ouderdom) ❷ afgezaagd (mop)
hoax [həʊks] I *zn* bedrog, nep ★ *the bomb warning was a hoax* de bommel;ding was een loos alarm II *ov ww* om de tuin leiden
hob [hɒb] *zn* kookplaat
hobble ['hɒbl] I *onov ww* strompelen II *ov ww* ❶ kluisteren (paard) ❷ belemmeren, hinderen III *zn* strompelgang
hobby ['hɒbɪ] *zn* hobby, liefhebberij ★ *his ~ is collecting stamps* hij verzamelt postzegels als hobby
hobby horse *zn* ❶ hobbelpaard ❷ stokpaardje, hobby
hobgoblin [hɒb'gɒblɪn] *zn* ❶ kabouter ❷ kwelgeest
hobnail boot ['hɒbneɪl buːt] *zn* spijkerschoen
hobnob ['hɒbnɒb] *onov ww* omgaan
hobo ['həʊbəʊ] *zn* zwerver, landloper
hock [hɒk] I *zn* ❶ hielgewricht (van paard) ❷ (varkens)kluif ★ *a pork hock* een varkenskluif ❸ Rijnwijn ❹ inform pand ★ *in hock* verpand II *ov ww* inform verpanden
hockey ['hɒkɪ] *zn* hockey, USA ijshockey ★ USA *field ~* hockey
hocus-pocus [həʊkəs'pəʊkəs] *zn* hocus pocus, bedriegerij ★ *a load of ~* een hoop flauwekul
hodgepodge ['hɒdʒpɒdʒ] *zn* → hotchpotch
hoe [həʊ] I *zn* schoffel II *ov ww* ❶ schoffelen ❷ inform ~ **into** flink toetasten, aanvallen III *onov ww* ❶ schoffelen ❷ inform ~ **in** flink toetasten
hog [hɒg] I *zn* ❶ (slacht)varken ❷ inform vreetzak ▼ inform *go the whole hog* iets grondig doen II *ov ww* inform zich inhalig gedragen, inpikken ★ *don't hog the couch!* neem niet de hele bank in beslag!
Hogmanay ['hɒgmæneɪ] *zn* (in Schotland) oudejaarsavond, oudejaarsdag
hogwash ['hɒgwɒʃ] *zn* ❶ inform nonsens, larie ❷ varkensvoer
ho hum *tw* zal wel (uitdrukking van ongeïnteresseerdheid)
hoi polloi [hɔɪ 'pɒlɔɪ] *zn mv* ★ *the ~* het gajes, plebs
hoist [hɔɪst] I *zn* hijstoestel, lift, hijsinrichting II *ov ww* (op)hijsen ★ *be ~ with your own petard* zelf in de kuil vallen die je voor een ander gegraven hebt
hoity-toity [hɔɪtɪ'tɔɪtɪ] inform *bnw* arrogant
hokum ['həʊkəm] inform *zn* ❶ kitsch (m.b.t. toneel / film) ❷ onzin, kletspraat
hold [həʊld] I *ov ww* [onregelmatig] ❶ houden, vasthouden ★ *hold sth over sb* iem. dreigen dat iets ★ *be left holding the baby* met de gebakken peren blijven zitten ★ *hold one's head high* zich fier gedragen ★ *hold up one's head* nieuwe moed scheppen ❷ dragen ❸ (be)houden, aanhouden ★ *hold sth in hand* iem. aan het lijntje houden ★ *hold one's own* stand houden, zich goed houden, niet toegeven ❹ inhouden, (kunnen) bevatten ★ fig *that story doesn't hold water* dat verhaal houdt geen steek / klopt niet ❺ in bezit / pacht hebben / houden, bewaren ❻ innemen, bekleden (positie) ★ *hold a place* een betrekking bekleden ❼ achten, van oordeel zijn, er op na houden ★ *hold cheap* geen hoge dunk hebben van ★ *hold in esteem / repute* hoogachten ★ *hold it good to* het raadzaam vinden om ❽ stoppen, tegenhouden ★ *hold it! stop!* blijf staan! ★ *hold your tongue!* hou je mond! ★ *hold your noise!* hou je gemak! ❾ houden (vergadering, verkiezingen enz.), voeren (gesprek) ❿ ~ **against** kwalijk nemen, verwijten ⓫ ~ **back** achterhouden, tegenhouden ⓬ ~ **by** blijven bij, vasthouden aan ⓭ ~ **down** in bedwang houden, bekleden (betrekking) ⓮ ~ **in** onderdrukken (gevoelens) ⓯ ~ **off** uitstellen, op een afstand houden ⓰ ~ **on to** vast blijven houden ⓱ ~ **out** uitsteken ★ *hold out an olive branch* vrede sluiten ⓲ ~ **over** uitstellen, prolongeren ⓳ ~ **to** houden aan ★ *hold sb to an opinion* iem. op zijn mening vastpinnen ★ *hold sb to a promise* iem. aan zijn belofte houden ⓴ ~ **up** overvallen, vertragen, ondersteunen ㉑ ~ **on to** vasthouden aan, niet opgeven, niet loslaten, niet loskomen van II *onov ww* [onregelmatig] ❶ volhouden ★ *hold to one's course* doorzetten ❷ van kracht zijn / blijven ❸ aanhouden, blijven ★ *hold true* blijven waar te zijn ❹ ~ **back** aarzelen, zich inhouden ❺ ~ **forth** betogen, oreren ❻ ~ **off** wegblijven, geen actie ondernemen ❼ ~ **on** volhouden, doorgaan, niet loslaten ★ *hold on a minute!* wacht even! ❽ ~ **out** volhouden, toereikend zijn ❾ ~ **up** volhouden, standhouden III *zn* ❶ houvast, vat, greep (ook in sport) ★ *take / get / catch hold of* vastpakken, aangrijpen ★ *keep hold of* vasthouden ★ *no holds barred* alles is toegestaan (in gevecht, wedstrijd) ❷ macht, controle ★ *hold on / to* macht over, vat op ❸ scheepv ruim ▼ *on hold* uitgesteld, in de wachtkamer
holdall ['həʊldɔːl] *zn* plunjezak, reistas
holder ['həʊldə] *zn* ❶ bezitter, houder ❷ bekleder (van ambt) ❸ houder, pijpje, etui
holding ['həʊldɪŋ] *zn* ❶ aandeel ❷ bezit ❸ boerenbedrijf
hold-up *zn* ❶ stremming, vertraging, oponthoud ❷ overval
hole [həʊl] I *zn* ❶ holte, kuil, gat (ook figuurlijk) ★ inform *need sth like a hole in the head* iets kunnen missen als kiespijn ★ *pick holes in sth* aanmerkingen maken op iets, iets ontzenuwen (argument) ❷ opening, bres ❸ hiaat ❹ hol (van dier) ❺ inform penibele situatie ★ *be in a hole* in de knoei zitten ❻ sport hole II *ov ww* ❶ gaten maken in ❷ graven ❸ (door)boren ❹ in hole slaan (bij golf) ❺ ~ **up** verbergen, verschuilen III *onov ww* ~ **up** zich verbergen, zich verschuilen
holiday ['hɒlədeɪ] I *zn* ❶ vakantie ★ *go on ~* op / met vakantie gaan ❷ feestdag, vakantiedag ★ *a public ~* een officiële feestdag II *onov ww* de vakantie doorbrengen
holidaymaker ['hɒlədeɪmeɪkə] *zn* vakantieganger
holiday season *zn* ❶ GB vakantieperiode, vakantietijd ❷ USA feestdagen aan het eind van het jaar

ho

ho

holiness ['həʊlɪnəs] *zn* heiligheid
holler ['hɒlə] inform **I** *zn* schreeuw, gil **II** *ov+onov ww* schreeuwen
hollow ['hɒləʊ] **I** *bnw + bijw* ❶ hol ★ ~ *cheeks* ingevallen wangen ❷ leeg, geveinsd, ijdel ★ ~ *promises* loze beloftes ▼ *beat sb* ~ iem. totaal verslaan **II** *zn* ❶ holte ❷ dal, laagte **III** *ov ww* (uit)hollen, hol maken
holly ['hɒlɪ] *zn* hulst
hollyhock ['hɒlɪhɒk] *zn* stokroos
holocaust ['hɒləkɔːst] *zn* ❶ holocaust, volkerenmoord ❷ slachting, vernietiging ★ *a nuclear* ~ een atoomramp
holster ['həʊlstə] *zn* (pistool)holster
holy ['həʊlɪ] *bnw* heilig, gewijd
holy water *zn* wijwater
Holy Week *zn* de Stille / Goede Week
homage ['hɒmɪdʒ] *zn* hulde ★ *pay* / *do* ~ *to* hulde betuigen aan
homburg ['hɒmbɜːg] *zn* gleufhoed (met omgekrulde rand)
home [həʊm] **I** *zn* ❶ huis, thuis, woongebied ★ *home sweet home* eigen haard is goud waard ★ *at home* thuis ★ fig *be at home with* / *in sth* op de hoogte zijn van iets, goed bekend zijn met iets ★ *feel at home* je thuis voelen ★ *make yourself at home* doe alsof je thuis bent ★ *the forest is home to owls* het bos is het woongebied van uilen ❷ tehuis ★ *a convalescent home* een herstellingsoord ❸ geboorteland / plaats, vaderland, moederland ★ *America, the home of capitalism* Amerika, de bakermat van het kapitalisme ★ *they made their home in America* ze vestigden zich in Amerika ★ *back home* in mijn geboorteland, (bij ons) thuis ❹ eindstreep, thuishonk **II** *bnw* ❶ huiselijk, thuis- ★ *a home match* een thuiswedstrijd ❷ eigen ★ *a home brew* een eigen brouwsel ❸ huishoudelijk ❹ binnenlands **III** *bijw* ❶ naar huis, thuis ★ *bring sth closer to home* iets tastbaarder maken ★ *bring sth home to sb* iem. doordringen van iets, iem. iets in zijn hoofd prenten ★ *come home to* duidelijk worden ★ inform *it's coming home to me* daar staat me iets van bij ★ *go home* naar huis gaan ★ *nothing to write home about* niet veel soeps ❷ naar het doel, raak ★ *drive sth home* iets duidelijk maken, iets vastslaan (een spijker) ★ *hit home* raak zijn **IV** *ov ww* ~ **in on** het doel zoeken (van projectiel), aanvliegen, afgaan op **V** *onov ww* ~ **in** naar binnen komen zoemen, aanvliegen
home body inform *zn* huismus (figuurlijk)
homecoming ['həʊmkʌmɪŋ] *zn* ❶ thuiskomst ❷ repatriëring
home cooking *zn* koken zoals het thuis gebeurt
home economics *zn* huishoudkunde
home-grown *bnw* ❶ inlands, van eigen bodem ❷ zelf verbouwd
homeland ['həʊmlænd] *zn* ❶ geboorteland ❷ gesch thuisland (in Zuid-Afrika)
homely ['həʊmlɪ] *bnw* ❶ simpel, eenvoudig ❷ alledaags ❸ USA niet mooi
home-made *bnw* ❶ zelfgemaakt ❷ inlands
homeopath, homoeopath ['həʊmɪəʊpæθ] *zn* homeopaat
homeopathy, homoeopathy [həʊmɪ'ɒpəθɪ] *zn* homeopathie
homer ['həʊmə] *zn* homerun (honkbal)
home rule *zn* zelfbestuur
homespun ['həʊmspʌn] *bnw* ❶ zelf gesponnen ❷ onopgesmukt, eenvoudig
homestead ['həʊmsted] *zn* hofstede
home truth *zn* harde waarheid ★ *tell sb some* ~*s* iem. flink de waarheid zeggen
homeward ['həʊmwəd] *bnw + bijw* huiswaarts ★ ~ *bound* op thuisreis
homewards ['həʊmwədz] *bijw* huiswaarts
homework ['həʊmwɜːk] *zn* huiswerk ★ *do your* ~ je huiswerk maken
homey, homy ['həʊmɪ] *bnw* huiselijk
homicidal [hɒmɪ'saɪdl] *bnw* moord-, moorddadig
homicide ['hɒmɪsaɪd] *zn* doodslag
homily ['hɒmɪlɪ] *zn* preek, leerrede
homing ['həʊmɪŋ] *bnw* naar huis terugkerend ★ *a* ~ *device* een stuurorgaan (van geleide projectielen) ★ *the* ~ *instinct* het instinct om eigen huis terug te vinden
homing pigeon *zn* postduif
homo ['həʊməʊ] min *zn* homo
homoeopath *zn* → **homeopath**
homoeopathy *zn* → **homeopathy**
homogeneous [həʊməʊ'dʒiːnɪəs] *bnw* gelijksoortig, homogeen
homonym ['hɒmənɪm] *zn* gelijkluidend woord, homoniem
homosexual [həʊməʊ'sekʃʊəl] **I** *zn* homoseksueel **II** *bnw* homoseksueel
homy ['həʊmɪ] *bnw* → **homey**
hone [həʊn] *ov ww* ❶ aanzetten, slijpen ❷ verbeteren ★ *a finely honed style of writing* een goedgepolijste schrijfstijl
honest ['ɒnɪst] **I** *bnw* ❶ rechtschapen, braaf ❷ eerlijk ❸ onvervalst, deugdelijk **II** *tw* inform echt waar!
honestly ['ɒnɪstlɪ] **I** *bijw* eerlijk ★ ~ *speaking* eerlijk gezegd **II** *tw* nee maar, zeg!
honest-to-goodness **I** *bnw* ongecompliceerd, zuiver **II** *tw* echt!
honesty ['ɒnɪstɪ] *zn* eerlijkheid, oprechtheid ★ *in all* ~ eerlijk gezegd, met zijn hand op het hart ★ ~ *is the best policy* eerlijk duurt het langst
honey ['hʌnɪ] *zn* ❶ honing ❷ schat, liefje
honeybee ['hʌnɪbiː] *zn* honingbij
honeycomb ['hʌnɪkəʊm] **I** *zn* honingraat **II** *ov ww* ❶ gaatjes maken in, doorboren ❷ ondermijnen
honeydew melon ['hʌnɪdjuː melən] *zn* suiker meloen
honeyed ['hʌnɪd] *bnw* (honing)zoet ★ ~ *words* lieve woordjes
honeymoon ['hʌnɪmuːn] **I** *zn* huwelijksreis, wittebroodsweken **II** *onov ww* de huwelijksreis / wittebroodsweken doorbrengen ★ *they are ~ing in Spain* ze zijn op huwelijksreis in Spanje
honeysuckle ['hʌnɪsʌkl] *zn* kamperfoelie
honk [hɒŋk] **I** *zn* ❶ getoeter ❷ geschreeuw (van gans) **II** *onov ww* ❶ toeteren ❷ schreeuwen
honorary ['ɒnərərɪ] *bnw* ❶ ere- ❷ onbezoldigd
honour, USA **honor** ['ɒnə] **I** *zn* ❶ eer, eerbewijs ★ *his word of* ~ zijn erewoord ★ *in* ~ *of...* ter ere van... ★ *do sb the* ~ *of...* iem. vereren met... ★ *Your Honour* Edelachtbare ❷ eergevoel,

reputatie, aanzien **II** *ov ww* **❶** eren
❷ honoreren
honourable, USA **honorable** ['ɒnərəbl] *bnw*
❶ eervol **❷** eerzaam **❸** ≈ edelachtbaar
honours, USA **honors** ['ɒnəz] *zn mv* **❶** cum
laude ★ *graduate with* ~ cum laude promoveren
★ *an* ~ *degree* een graad na gespecialiseerde
studie **❷** onderscheidingen, eer(bewijzen)
★ *with full military* ~ met militaire eer ★ *do the*
~ als gastheer optreden, inform iets aanbieden /
inschenken
honours list *zn* lijst van personen die koninklijk
onderscheiden worden ⟨≈ lintjesregen⟩
hood [hʊd] *zn* **❶** kap, capuchon **❷** USA motorkap
❸ overkapping, kap, vouwdak ⟨van auto⟩
❹ afzuigkap **❺** inform crimineel
hooded ['hʊdɪd] *bnw* bedekt (met kap)
hoodie, hoody ['hʊdɪ] inform *zn* sweatshirt met
capuchon
hoodlum ['hu:dləm] *zn* gangster, crimineel,
bendelid
hoodwink ['hʊdwɪŋk] *ov ww* misleiden, zand in
de ogen strooien
hooey ['hu:ɪ] inform *zn* waardeloze nonsens
hoof [hu:f] **I** *zn* [mv: **hooves**] hoef, poot ★ *on the*
hoof levend, (nog) niet geslacht **II** *ov ww*
trappen, slaan ⟨door paard⟩ ▾inform *hoof it* te
voet gaan
hook [hʊk] **I** *zn* **❶** haak, vishaak ★ *take the*
receiver off the hook de hoorn van de haak
nemen ★ inform *get sb off the hook* iem. uit de
narigheid halen ★ *hook, line and sinker*
compleet, helemaal **❷** sikkel, snoeimes, kram
❸ hoek(stoot) ⟨boksen⟩ ▾*by hook or by crook*
eerlijk of oneerlijk, hoe dan ook **II** *ov ww*
❶ vasthaken, aanhaken **❷** aan de haak slaan
❸ inpikken **❹** tot verslaafdheid brengen **❺** ~ *up*
vasthaken, aan de haak slaan **❻** ~ *up with* bij
elkaar komen, gaan samenwerken **III** *onov ww*
❶ blijven haken **❷** ~ *on* aanhaken, in elkaar
haken
hookah ['hʊkə] *zn* waterpijp
hooked [hʊkt] *bnw* **❶** haakvormig, met haak
❷ inform verslaafd ★ ~ *on* verslaafd aan
hooker ['hʊkə] inform *zn* hoer
hook-up *zn* onderlinge verbinding van
radiostations
hooky, hookey ['hʊkɪ] USA inform *zn* ★ *play* ~
spijbelen
hooligan ['hu:lɪgən] *zn* vandaal, relschopper,
hooligan
hooliganism ['hu:lɪgənɪzəm] *zn* vandalisme
hoop [hu:p] *zn* **❶** hoepel ★ *go / be put through the*
hoops het zwaar te verduren hebben **❷** ring,
band
hooray [hʊ'reɪ] *tw* → **hurrah**
hoot [hu:t] **I** *ov ww* **❶** uitjouwen ★ *he was hooted*
off the stage hij werd van het podium
weggejouwd **❷** toeteren ★ *hoot the horn*
claxonneren ★ *hoot a warning* een
waarschuwing toeteren **II** *onov ww* **❶** krassen
⟨van uil⟩ **❷** toeteren, claxonneren **❸** (hard)
lachen **III** *zn* **❶** gekras **❷** gejouw **❸** getoeter
❹ inform giller ▾*not care a hoot about sth* ergens
geen snars om geven
hooter ['hu:tə] *zn* **❶** stoomfluit, sirene, claxon

❷ inform snufferd, neus **❸** inform tiet
hoover ['hu:və] **I** *zn* stofzuiger **II** *ov+onov ww*
stofzuigen
hooves ['hu:vz] *zn mv* → **hoof**
hop [hɒp] **I** *ov ww* ★ inform *hop it!* hoepel op!
II *onov ww* **❶** springen, hinken, huppelen
❷ ~ *in* instappen **❸** ~ *off* ophoepelen,
uitstappen **❹** ~ *out* uitstappen **III** *zn* **❶** plantk
hop **❷** etappe **❸** dansje, sprong(etje) ★ *on the*
hop druk in de weer
hope [həʊp] **I** *zn* hoop, verwachting ★ *their hopes*
were dashed hun hoop werd de grond in
geboord ★ *live in hope* blijven hopen ★ inform
not a hope in hell geen schijn van kans **II** *ov ww*
❶ hopen **❷** ~ *for* hopen op ★ *hope for the best*
het beste maar hopen **III** *onov ww* hopen
★ *hope against hope* hopen tegen beter weten in
★ *I should hope so!* dat zou ik wel denken!
hopeful ['həʊpfʊl] **I** *bnw* hoopvol ★ *they are* ~ *of*
success ze hopen op succes **II** *zn* **❶** veelbelovend
persoon **❷** persoon met ambities
hopefully ['həʊpfʊlɪ] *bijw* hopelijk
hopeless ['həʊpləs] *bnw* **❶** hopeloos, uitzichtloos
★ *they were* ~*ly lost* ze waren hopeloos
verdwaald **❷** waardeloos **❸** heel slecht
★ *I'm* ~ *at sport* ik ben heel slecht in sport
hopper ['hɒpə] *zn* **❶** vultrechter **❷** tremel ⟨van
een molen⟩
hopping ['hɒpɪŋ] inform *bnw* ★ ~ *mad* spinnijdig
hopscotch ['hɒpskɒtʃ] *zn* hinkelspel
horde [hɔ:d] *zn* horde, bende ★ *they turned up in*
~*s* ze kwamen in meutes opdagen
horizon [hə'raɪzən] *zn* horizon, einder ★ fig *have*
limited ~*s* een beperkt blikveld hebben
horizontal [hɒrɪ'zɒntl] **I** *zn* horizontale lijn,
horizontaal vlak **II** *bnw* horizontaal ★ *store* ~*ly*
liggend bewaren
hormone ['hɔ:məʊn] *zn* hormoon
horn [hɔ:n] *zn* **❶** hoorn, voelhoorn ★ *take the bull*
by the horns de koe bij de hoorns vatten ★ *draw*
in your horns (je) matigen, in je schulp kruipen
❷ trompet ★ inform *blow your own horn*
opscheppen **❸** claxon ★ *toot the horn* toeteren
horned [hɔ:nd] *bnw* met hoorns
hornet ['hɔ:nɪt] *zn* horzel ★ *stir up a* ~*'s nest* zich
in een wespennest steken
hornpipe ['hɔ:npaɪp] *zn* horlepijp
horn-rimmed [hɔ:n'rɪmd] *bnw* met hoornen
montuur
horny ['hɔ:nɪ] *bnw* **❶** hoornachtig, vereelt
❷ inform heet, geil
horoscope ['hɒrəskəʊp] *zn* horoscoop
horrendous [hə'rendəs] *bnw* gruwelijk,
afgrijselijk, verschrikkelijk
horrible ['hɒrɪbl], inform **horrid** ['hɒrɪd] *bnw*
afgrijselijk, akelig, vreselijk ★ ~ *weather*
akelig weer ★ *be horribly wrong* het vreselijk mis
hebben
horrific [hə'rɪfɪk] *bnw* afschuwelijk,
weerzinwekkend
horrify ['hɒrɪfaɪ] *ov ww* **❶** met afschuw vervullen
❷ ergernis wekken
horror ['hɒrə] *zn* **❶** afgrijzen, gruwel, afschuw
★ *to her* ~ tot haar grote schrik ★ *give sb the* ~*s*
iem. een angstaanval bezorgen **❷** inform
engerd, loeder ★ *that child is a little* ~ wat is dat

ho

een vervelend kind

horse [hɔːs] I *zn* ❶ paard ★ *break in a* ~ een paard africhten ★ *a gift* ~ een gegeven paard ★ *a dark* ~ een outsider, een onbekende mededinger ★ *eat like a* ~ eten als een wolf ★ inform *flog a dead* ~ oude koeien uit de sloot halen ★ inform *hold your* ~*s!* rustig aan! ★ inform *straight from the* ~*'s mouth* uit de eerste hand, rustig aan! ★ inform *get on your high* ~ hoog van de toren blazen, je arrogant gedragen ★ *you can lead a* ~ *to water, but you can't make it drink* met onwillige honden is het slecht hazen vangen ❷ rek, schraag II *onov ww* inform ~ *about/around* stoeien

horseback ['hɔːsbæk] *zn* ★ *on* ~ te paard

horse chestnut *zn* wilde kastanje

horseman ['hɔːsmən] *zn* ruiter

horsemanship ['hɔːsmənʃɪp] *zn* rijkunst

horseplay ['hɔːspleɪ] *zn* ruw gestoei

horsepower ['hɔːspaʊə] *zn* paardenkracht

horse racing *zn* het paardenrennen

horseradish ['hɔːsrædɪʃ] *zn* mierikswortel

horse sense inform *zn* boerenverstand

horseshoe ['hɔːʃuː] *zn* hoefijzer

horse-trading *zn* sluwe onderhandelingswijze

horsewhip ['hɔːswɪp] I *zn* rijzweep II *ov ww* er van langs geven, met rijzweep afranselen

horsewoman ['hɔːswʊmən] *zn* paardrijdster

horsey, horsy ['hɔːsɪ] *bnw* ❶ als (van) een paard ★ *a* ~ *face* een gezicht als een paard ❷ dol op paarden(sport)

horticulture ['hɔːtɪkʌltʃə] *zn* tuinbouw

horticulturist [hɔːtɪ'kʌltʃərɪst] *zn* hovenier, tuinbouwer

hose [həʊz] I *ov ww* ❶ (schoon)spuiten ❷ ~ *down* schoonspuiten, natspuiten ❸ ~ *out* uitspuiten II *zn* ❶ panty, maillot, kousen ❷ slang, tuinslang, brandslang

hosiery ['həʊzɪərɪ] *zn* kousen en panty's

hospice ['hɒspɪs] *zn* verpleeghuis ⟨voor terminale patiënten⟩

hospitable ['hɒspɪtəbl] *bnw* gastvrij

hospital ['hɒspɪtl] *zn* ziekenhuis ★ *be admitted to* ~ opgenomen worden in het ziekenhuis

hospitality [hɒspɪ'tælətɪ] *zn* gastvrijheid

hospitalize, hospitalise ['hɒspɪtəlaɪz] *ov ww* in ziekenhuis opnemen ★ *be* ~*d* in het ziekenhuis liggen

host [həʊst] I *zn* ❶ gastheer, waard, herbergier ★ *a host city* een gaststad ❷ menigte, massa ★ *a host of daffodils* een zee van narcissen ★ *a host of problems* erg veel problemen ❸ rel hostie II *ov ww* ❶ gastheer / -vrouw zijn bij ★ *host a program* een programma presenteren ❷ comp hosten

hostage ['hɒstɪdʒ] *zn* gijzelaar ★ *hold sb* ~ iem. gijzelen

hostel ['hɒstl] *zn* tehuis, jeugdherberg

hostess ['həʊstɪs] *zn* ❶ gastvrouw ❷ waardin ❸ stewardess

hostile ['hɒstaɪl] *bnw* ❶ vijandig ❷ vijandelijk ★ *she is* ~ *to the idea* zij is tegen het idee

hostility [hɒ'stɪlətɪ] *zn* ❶ vijandigheid ❷ vijandschap

hot [hɒt] I *bnw* ❶ heet, warm ★ *make it / the place too hot for sb* iem. het leven onmogelijk maken

★ inform *get into hot water* in de problemen raken ❷ driftig, heftig, hevig ★ *in hot pursuit* op de hielen zittend ★ *be hot on sb's trail / track* iem. op de hielen zitten ★ *hot and bothered* geërgerd ★ *hot under the collar* woedend, razend ★ *have a hot temper* opvliegend zijn ★ inform *be hot on sth* gebrand zijn op iets ❸ pikant ⟨van eten⟩ ❹ kersvers, gloednieuw, actueel ★ *hot off the press* recent ⟨nieuws⟩ ❺ controversieel ❻ inform 'in', populair ★ inform *not so / too hot* niet denderend ★ ❼ inform gestolen, illegaal II *ov ww* ~ *up* opvoeren ⟨van motor⟩, op laten lopen III *onov ww* ~ *up* verhit raken

hot air *zn* blabla, gebakken lucht

hotbed ['hɒtbed] *zn* ❶ broeibak ❷ broeinest

hot-blooded [hɒt'blʌdɪd] *bnw* heetgebakerd, driftig

hotchpotch ['hɒtʃpɒtʃ], **hodgepodge** ['hɒdʒpɒdʒ] *zn* mengelmoes, warboel

hot dog *zn* hotdog, sport waaghals

hotel [həʊ'tel] *zn* hotel

hotelier [həʊ'telɪə] *zn* hotelhouder

hotfoot ['hɒtfʊt] I *ov ww* inform ★ ~ *it* er vandoor gaan II *bijw* in (grote) haast

hothead ['hɒthed] *zn* heethoofd

hotheaded [hɒt'hedɪd] *bnw* onbesuisd, driftig

hothouse ['hɒthaʊs] *zn* broeikas ★ *a* ~ *flower* een kasbloem

hotline ['hɒtlaɪn] *zn* hotline ⟨directe telefoonlijn tussen staatshoofden⟩

hotly ['hɒtlɪ] *bijw* vurig, fel

hots [hɒts] inform *zn* ★ *have the hots for sb* geilen op iem.

hot seat inform *zn* ★ *be in the* ~ de verantwoordelijkheid hebben

hot-tempered *bnw* opvliegend, heetgebakerd

hot-water bottle *bnw* bedkruik

hound [haʊnd] I *zn* ❶ (jacht)hond ❷ inform hond van een vent II *ov ww* ❶ vervolgen ❷ aanhitsen ❸ ~ *out* verjagen, wegjagen

hour [aʊə] *zn* ❶ uur ★ *the small / wee hours* de kleine uurtjes ★ *a good hour* ruim een uur ★ *happy hour* happy hour ⟨in horeca, periode waarin drank goedkoper is⟩ ★ *peak / rush hour* spitsuur ★ *after hours* na sluitings- / kantoortijd ★ *in an hour's time* over een uur ★ *on the hour* op het hele uur / de hele uren ★ *till all hours* tot diep in de nacht ★ *for hours on end* uren achtereen ★ *keep early / late hours* vroeg / laat naar bed gaan / opstaan ★ *keep regular hours* op gezette tijden naar bed gaan / opstaan ❷ moment, tijd ★ *this was their finest hour* dit was hun mooiste moment ★ *in his hour of need* nu de nood het hoogst is ★ *he thought his hour had come* hij dacht dat zijn tijd gekomen was

hourglass ['aʊəɡlɑːs] *zn* zandloper

hour hand *zn* kleine wijzer ⟨v. klok, die uren aangeeft⟩

hourly ['aʊəlɪ] *bnw* + *bijw* ❶ per uur ❷ van uur tot uur, voortdurend ❸ om het uur

hourly wage *zn* uurloon

house¹ [haʊs] *zn* ❶ huis ★ *an owner occupied* ~ een koopwoning ★ *a terrace(d)* ~ een rijtjeshuis ★ *stay in the* ~ binnen blijven ★ *get on like a* ~ *on fire* de beste vrienden zijn ★ *eat sb out of* ~

and home iem. de oren van het hoofd eten ❷ huishouden ★ *keep* ~ huishouden ❸ schouwburg(zaal) ★ *bring down the* ~ geweldig applaus oogsten ★ *full* ~ volle zaal, full house ⟨pokerspel⟩ ❹ firma, zaak ★ *this one is on the* ~ deze is van de zaak ⟨gratis⟩ ❺ geslacht, stamhuis

house² [haʊz] *ov ww* huisvesten, herbergen, stallen

house agent [ˈhaʊseɪdʒənt] *zn* makelaar ⟨in onroerend goed⟩

houseboat [ˈhaʊsbəʊt] *zn* woonboot

housebound [ˈhaʊsbaʊnd] *bnw* aan huis gebonden

housebreaker [ˈhaʊsbreɪkə] *zn* inbreker

housebreaking [ˈhaʊsbreɪkɪŋ] *zn* inbraak

housecoat [ˈhaʊskəʊt] *zn* duster

household [ˈhaʊshəʊld] *zn* ❶ gezin, huisgenoten ❷ huishouden ★ *who does the* ~ *chores?* wie doet het huishouden?

householder [ˈhaʊshəʊldə] *zn* ❶ bewoner van een huis ❷ gezinshoofd

household word *zn* ★ *a* ~ een begrip

housekeeper [ˈhaʊskiːpə] *zn* huishoudster

housekeeping [ˈhaʊskiːpɪŋ] *zn* het huishouden

house party *zn* ❶ logeerpartij ❷ house party ⟨feest met housemuziek⟩

house-proud [ˈhaʊspraʊd] *bnw* gesteld op een keurig huis

houseroom [ˈhaʊsruːm] *zn* woonruimte ★ *inform I wouldn't give it a* ~ ik zou het niet cadeau willen hebben

house-to-house *bijw* huis-aan-huis

housetop [ˈhaʊstɒp] *zn* dak ★ *proclaim / shout sth from the* ~*s* iets van de daken schreeuwen

house-warming [ˈhaʊswɔːmɪŋ] *zn* huisinwijdingsfeestje

housewife [ˈhaʊswaɪf] *zn* huisvrouw

housewifely [ˈhaʊswaɪflɪ] *bnw* huishoudelijk

housework [ˈhaʊswɜːk] *zn* huishoudelijk werk

housing [ˈhaʊzɪŋ] *zn* ❶ behuizing ❷ huisvesting ❸ techn ⟨metalen⟩ kast / ombouw

housing association *zn* woningbouwvereniging

housing estate *zn* nieuwbouw wijk

hove [həʊv] scheepv *ww* [verl. tijd + volt. deelw.] → heave

hovel [ˈhɒvəl] *zn* hut, krot

hover [ˈhɒvə] *onov ww* ❶ rondhangen, blijven hangen ❷ zweven

how [haʊ] *bijw* ❶ hoe ⟨op welke manier⟩ ★ *how come?* hoe komt dat? ★ *how do you do?* hoe maakt u het? ❷ hoe ⟨groot, lang, veel enz.⟩ ★ *how much is it?* hoeveel kost het? ❸ wat ★ *how strange!* wat vreemd! ★ *how crazy is that!* kan het nog gekker! ❹ hoe...ook, op welke manier ook, zoals ★ *just do it how you like* doe het maar zoals je zelf wilt ★ *and how!* nou en of! ▾ *how about a cup of tea?* zin in een kopje thee? ▾ *how about tomorrow?* schikt het morgen? ▾ *how about this dress? / how's this dress?* wat vind je van deze jurk?

howdy [ˈhaʊdɪ] *tw*, USA inform how do you do? hoi

however [haʊˈevə] *bijw* ❶ echter ❷ hoe... ook, op welke manier ook, zoals

howl [haʊl] **I** *zn* ❶ geluil ❷ gebrul ★ *howls of laughter* bulderend gelach ★ *howls of protest* gebrul van protest **II** *ov ww* ~ **down** weghonen **III** *onov ww* brullen, huilen, janken

howler [ˈhaʊlə] inform *zn* enorme blunder

howling [ˈhaʊlɪŋ] **I** *zn* gebrul **II** *bnw* ❶ gierend ★ *a* ~ *gale* een gierende storm ❷ inform enorm, verschrikkelijk ★ *a* ~ *success* een enorm succes ★ *a* ~ *shame* een grof schandaal ★ *fly into a* ~ *rage* vreselijk boos worden

h.p., **HP** *afk, horse power* pk, paardenkracht

HQ *afk, Headquarters* hoofdkwartier

hr, hr. *afk, hour* uur

HRH *afk, Her / His Royal Highness* Hare / Zijne Koninklijke Hoogheid

hrs, hrs. *afk, hours* uur

hub [hʌb] *zn* ❶ naaf ❷ middelpunt

hubbub [ˈhʌbʌb] *zn* ❶ kabaal, herrie ❷ drukte

hubby [ˈhʌbɪ] inform *zn* echtgenoot, manlief

hubcap [ˈhʌbkæp] *zn* wieldop

huddle [ˈhʌdl] **I** *zn* ❶ dicht opeengepakte groep, hoop ⟨gebouwen⟩ ❷ onderonsje, conferentie ★ *go into a* ~ de koppen bij elkaar steken **II** *onov ww* ❶ in elkaar duiken ❷ ~ **together** bijeen kruipen ❸ ~ **up** zich zo klein mogelijk maken, bijeen kruipen

hue [hjuː] *zn* tint, kleur

hue and cry *zn* geschreeuw, alarmkreet ★ *raise a* ~ luid protesteren

huff [hʌf] **I** *zn* nijdige bui, lichtgeraaktheid ★ *get into a huff* gepikeerd raken ★ *go off in a huff* gepikeerd weggaan **II** *onov ww* ❶ blazen, puffen ❷ fig razen, tieren ★ *huff and puff* razen en tieren, puffen

huffy [ˈhʌfɪ] inform *bnw* humeurig, geïrriteerd

hug [hʌg] **I** *ov ww* ❶ omhelzen, omarmen, tegen zich aandrukken ❷ fig zich vastklemmen aan ★ *hug the shore / coast* dicht bij de kust blijven **II** *zn* omhelzing, knuffel

huge [hjuːdʒ] *bnw* reusachtig

hulk [hʌlk] *zn* ❶ romp ⟨van afgetuigd schip⟩ ❷ bonk ⟨grote man⟩ ❸ joekel

hulking [ˈhʌlkɪŋ] *bnw* log, lomp

hull [hʌl] **I** *zn* ❶ peul, schil, omhulsel ❷ ⟨scheeps⟩romp **II** *ov ww* pellen

hullabaloo [hʌləbəˈluː] *zn* rumoer, drukte, kabaal

hum [hʌm] **I** *onov ww* ❶ neuriën ❷ zoemen, brommen, bruisen ★ *the office was humming with activity* het kantoor gonsde van activiteit ★ *make things hum* de zaak op dreef helpen, leven in de brouwerij brengen ▾ *hum and haw* aarzelen ⟨zijn mening te zeggen⟩ **II** *ov ww* neuriën **III** *zn* ❶ gezoem, gebrom ❷ zoemtoon, bromtoon **IV** *tw* tja, hm

human [ˈhjuːmən] **I** *bnw* menselijk **II** *zn*, **human being** mens

humane [hjuːˈmeɪn] *bnw* humaan, menslievend, menselijk

human interest *zn* het menselijk element, human interest

humanise *ww* → humanize

humanism [ˈhjuːmənɪzəm] *zn* humanisme

humanitarian [hjuːmænɪˈteərɪən] **I** *zn* filantroop, sociaal betrokken persoon **II** *bnw* ❶ filantropisch, sociaal betrokken ❷ humanitair ❸ inform menselijk

hu

humanities [hju:'mænətɪz] *zn mv* ≈ geesteswetenschappen

humanity [hju:'mænətɪ] *zn* ❶ mensdom ❷ het mens zijn, menselijkheid ❸ menslievendheid

humanize, humanise ['hju:mənaɪz] *ov ww* beschaven, menselijk(er) maken

humankind [hju:mən'kaɪnd] *zn* (de) mensheid

humanly ['hju:mənlɪ] *bijw* menselijkerwijs

humble ['hʌmbl] **I** *bnw* ❶ nederig, onderdanig ★ *eat ~ pie* zijn excuses moeten aanbieden ❷ bescheiden **II** *ov ww* vernederen

humbug ['hʌmbʌg] *zn* ❶ bedrog, huichelarij ❷ nonsens ❸ (pepermunt)balletje

humdinger ['hʌmdɪŋə] *inform zn* ❶ *fig* kei, geweldenaar ❷ knaller, iets geweldigs

humdrum ['hʌmdrʌm] **I** *zn* alledaagsheid, saaiheid, sleur **II** *bnw* alledaags, saai **III** *onov ww* in de oude sleur voortgaan

humid ['hju:mɪd] *bnw* (warm en) vochtig

humidity [hju:'mɪdətɪ] *zn* vochtigheid

humiliate [hju:'mɪlɪeɪt] *ov ww* vernederen

humiliation [hju:mɪlɪ'eɪʃən] *zn* vernedering

humility [hju:'mɪlətɪ] *bnw* nederigheid

humming ['hʌmɪŋ] *zn* gezoem

hummingbird ['hʌmɪŋbɜ:d] *zn* kolibrie

hummock ['hʌmək] *zn* heuveltje

humorous ['hju:mərəs] *bnw* geestig, grappig

humour, USA humor ['hju:mə] **I** *zn* ❶ humor ★ *a sense of ~* een gevoel voor humor ❷ humeur, stemming ★ *out of ~* ontstemd **II** *ov ww* zijn zin geven, toegeven (aan)

hump [hʌmp] **I** *zn* ❶ bult ★ *fig be over the hump* het moeilijkste achter de rug hebben ❷ *inform* kwade bui ★ *rude drivers give me the hump* onbeschofte chauffeurs geven me de balen **II** *ov ww* ❶ zeulen ❷ vulg neuken, naaien

humpback ['hʌmpbæk] *zn* ❶ bochel ❷ *min* gebochelde ❸ **humpback whale** bultrug ⟨soort walvis⟩

humus ['hju:məs] *zn* teelaarde, humus

hunch [hʌntʃ] **I** *zn* voorgevoel, (vaag) idee **II** *ov ww* ~ **up** optrekken **III** *onov ww* ❶ krommen, krombuigen ❷ ~ **forward** voorovergebogen zitten

hunchback ['hʌntʃbæk] *zn* ❶ bochel ❷ *min* gebochelde

hundred ['hʌndrəd] *telw* honderd, honderdtal ★ *a ~ to one (chance)* (een kans van) één op honderd ★ *inform* ~s een heleboel ★ *still a ~ and one things to do* nog duizend-en-één dingen te doen

hundredfold ['hʌndrədfəʊld] *bnw* honderdvoudig

hundredth ['hʌndrədθ] *telw* honderdste

hung [hʌŋ] *ww* [verleden tijd + volt. deelw.] → hang

Hungarian [hʌŋ'geərɪən] **I** *zn* ❶ Hongaar(se) ❷ het Hongaars **II** *bnw* Hongaars

Hungary ['hʌŋgərɪ] *zn* Hongarije

hunger ['hʌŋgə] **I** *zn* ❶ honger ❷ *fig* verlangen, hunkering **II** *ov ww* ~ *for / after sth* hunkeren naar iets

hunger strike *zn* hongerstaking

hung-over [hʌŋ 'əʊvə] *bnw* katterig

hungry ['hʌŋgrɪ] *bnw* ❶ hongerig ★ *be* ~ trek hebben ★ *go* ~ honger lijden, niet te eten

---

krijgen ❷ hongerig makend ★ *chopping wood is* ~ *work* van houthakken krijg je honger ❸ *fig* verlangend, hunkerend ★ *be* ~ *for affection* hunkeren naar liefde

hung-up [hʌŋ 'ʌp] *inform bnw* ★ *be* ~ *on / about sb / sth* geobsedeerd zijn door iemand / iets, verslingerd zijn aan iemand / iets

hunk [hʌŋk] *zn* ❶ brok, homp ❷ *inform* lekker stuk ⟨leuk uitziend persoon⟩

hunky-dory [hʌŋkɪ'dɔ:rɪ] *inform bnw* prima

hunt [hʌnt] **I** *ov ww* ❶ najagen ❷ jagen op ❸ *fig* afzoeken ❹ ~ **down** in het nauw drijven, achterna zitten ❺ ~ **out** opsporen, achterhalen **II** *onov ww* ❶ jagen ⟨met honden / paard⟩ ❷ *fig* zoeken **III** *zn* ❶ jacht ❷ zoektocht ★ *the hunt is on for the escaped prisoner* er is een zoektocht gaande naar de ontsnapte gevangene ❸ jachtstoet, jachtgezelschap ❹ jachtclub

hunter ['hʌntə] *zn* jager

hunting ['hʌntɪŋ] *zn* jacht ★ *fox* ~ vossenjacht

hunting ground *zn* jachtterrein

huntsman ['hʌntsmən] *zn* jager

hurdle ['hɜ:dl] *zn* ❶ horde ❷ verplaatsbaar hek, tijdelijke afzetting ❸ *fig* obstakel

hurdler ['hɜ:dlə] *zn* hordeloper, hordeloopster

hurdles *zn mv* ★ *the* ~ de hordeloop

hurdy-gurdy ['hɜ:dɪgɜ:dɪ] *zn* draailier, buik- / draaiorgel(tje)

hurl [hɜ:l] **I** *zn* worp **II** *ov ww* werpen, smijten ★ *hurl abuse at sb* iem. verwijten naar het hoofd slingeren ★ *she hurled herself into her work* ze stortte zich op haar werk

hurly-burly ['hɜ:lɪbɜ:lɪ] *zn* rumoer, tumult

hurrah [hʊ'rɑ:], **hurray, hooray** [hʊ'reɪ] **I** *tw* hoera! **II** *zn* hoeraatje ★ *give a loud* ~ luid hoera roepen **III** *onov ww* hoera roepen

hurricane ['hʌrɪkən] *zn* orkaan, cycloon

hurried ['hʌrɪd] *bnw* gehaast

hurry ['hʌrɪ] **I** *ov ww* ❶ overhaasten ❷ tot haast aanzetten ❸ haast maken met ❹ haastig vervoeren ❺ ~ **along/on** voortjagen, opjagen ❻ ~ **away** in haast wegbrengen **II** *onov ww* ❶ zich haasten ❷ ~ **along/on** voortijlen ❸ ~ **away** wegsnellen ❹ ~ **up** haast maken, voortmaken **III** *zn* haast ★ *be in a* ~ haast hebben ★ *there's no* ~ *about it* er zit geen haast bij ★ *you won't beat that in a* ~ dat doe je niet zo gemakkelijk beter ★ *I won't ask again in a* ~ ik zal het niet zo snel een tweede keer vragen

hurt [hɜ:t] **I** *ov ww* ❶ bezeren ❷ kwetsen, beledigen ❸ schaden, benadelen ★ *it doesn't hurt to try* baat het niet, dan schaadt het niet **II** *onov ww* ❶ pijn doen, pijn hebben ★ *my back hurts* mijn rug doet pijn ❷ schaden ★ *one little drink won't hurt* één klein drankje kan geen kwaad **III** *zn* ❶ pijn ❷ letsel ❸ krenking

hurtful ['hɜ:tfʊl] *bnw* ❶ nadelig, schadelijk ❷ pijnlijk, kwetsend

hurtle ['hɜ:tl] **I** *ov ww* slingeren, smakken **II** *onov ww* kletteren, razen

husband ['hʌzbənd] *zn* man, echtgenoot

husbandry ['hʌzbəndrɪ] *zn* landbouw en veeteelt ★ *animal* ~ veeteelt

hush [hʌʃ] **I** *ov ww* ❶ sussen ❷ doen stilhouden, tot zwijgen brengen ❸ ~ **up** in de doofpot stoppen, verzwijgen **II** *onov ww* zwijgen,

stilhouden **III** *tw* sst! **IV** *zn* ❶ stilte ❷ gesus
hush money ['hʌʃmʌnɪ] *zn* zwijggeld
husk [hʌsk] **I** *zn* schil, kaf, dop **II** *ov ww* van schil enz. ontdoen, pellen
husky ['hʌskɪ] **I** *zn* poolhond **II** *bnw* schor, hees
hussy ['hʌsɪ] *zn* ❶ brutale meid ❷ slet
hustle ['hʌsəl] **I** *zn* gedrang ★ ~ *and bustle* drukte, ('t) jachten en jagen **II** *ov ww* ❶ haastig verwerken ★ *he was* ~*d out of the room* hij werd vlot de kamer uitgewerkt ❷ dringen, duwen ★ *they had been* ~*d into signing* ze waren onder druk gezet om te tekenen ❸ inform versjacheren, dealen in **III** *onov ww* dringen, duwen
hustler ['hʌslə] USA inform *zn* ❶ oplichter ❷ hoer
hut [hʌt] *zn* ❶ hut ❷ barak
hutch [hʌtʃ] *zn* (konijnen)hok
hyacinth ['haɪəsɪnθ] *zn* hyacint
hyaena [haɪ'iːnə] *zn* hyena
hybrid ['haɪbrɪd] **I** *zn* bastaard(vorm) **II** *bnw* bastaard-, hybridisch
hybridism ['haɪbrɪdɪzəm] *zn* verbastering
hybridize, hybridise ['haɪbrɪdaɪz] *ov ww* kruisen
hydrangea [haɪ'dreɪndʒə] *zn* hortensia
hydrant ['haɪdrənt] *zn* brandslang, standpijp
hydraulic [haɪ'drɔːlɪk] *bnw* hydraulisch
hydraulics [haɪ'drɔːlɪks] *zn mv* hydraulica
hydro- ['haɪdrəʊ] *voorv* hydro-, water-
hydrocarbon [haɪdrəʊ'kɑːbən] *zn* koolwaterstof
hydroelectric [haɪdrəʊɪ'lektrɪk] *bnw* hydro-elektrisch
hydrofoil ['haɪdrəfɔɪl] *zn* (draag)vleugelboot
hydrogen ['haɪdrədʒən] *zn* waterstof ★ *the* ~ *bomb* de H-bom
hydroplane ['haɪdrəpleɪn] *zn* ❶ glijboot ❷ watervliegtuig
hydroponics [haɪdrə'pɒnɪks] *zn mv* hydrocultuur
hygiene ['haɪdʒiːn] *zn* hygiëne
hygienic [haɪ'dʒiːnɪk] *bnw* hygiënisch
hymn [hɪm] *zn* lofzang, hymne
hype [haɪp] **I** *zn* hype, sensatie, overdadige promotie **II** *ov ww* ~ (**up**) opzwepen
hyper- ['haɪpə] *voorv* hyper-, over-
hyperbole [haɪ'pɜːbəlɪ] *zn* hyperbool, overdrijving
hypercritical [haɪpə'krɪtɪkl] *bnw* overkritisch
hypermarket ['haɪpəmɑːkɪt] *zn* grote supermarkt
hypersensitive [haɪpə'sensɪtɪv] *bnw* overgevoelig
hypertension [haɪpə'tenʃən] *zn* verhoogde bloeddruk
hyperventilation [haɪpə'ventɪleɪʃən] *zn* hyperventilatie
hyphen ['haɪfən] **I** *zn* verbindingsstreepje **II** *ov ww* met streepje verbinden
hyphenate ['haɪfəneɪt] *ov ww* met streepje verbinden ★ *a* ~*d name* een dubbele naam
hypnosis [hɪp'nəʊsɪs] *zn* hypnose
hypnotic [hɪp'nɒtɪk] *bnw* slaapverwekkend
hypnotism ['hɪpnətɪzəm] *zn* hypnotisme
hypnotist ['hɪpnətɪst] *zn* hypnotiseur
hypnotize, hypnotise ['hɪpnətaɪz] *ov ww* hypnotiseren
hypo- *voorv* onder-
hypochondria [haɪpə'kɒndrɪə] *zn* hypochondrie
hypochondriac [haɪpə'kɒndriæk] **I** *zn*

hypochonder **II** *bnw* hypochondrisch
hypocrisy [hɪ'pɒkrəsɪ] *zn* hypocrisie
hypocrite ['hɪpəkrɪt] *zn* hypocriet
hypocritical [hɪpə'krɪtɪkl] *bnw* hypocriet
hypodermic [haɪpə'dɜːmɪk] **I** *bnw* onderhuids ★ *a* ~ *needle* een injectiespuit **II** *zn* injectiespuit
hypothesis [haɪ'pɒθɪsɪs] *zn* hypothese, veronderstelling
hypothesize, hypothesise [haɪ'pɒθɪsaɪz] **I** *ov ww* veronderstellen **II** *onov ww* een veronderstelling maken
hypothetical [haɪpə'θetɪkl] *bnw* hypothetisch
hysterectomy [hɪstə'rektəmɪ] *zn* verwijdering van de baarmoeder
hysteria [hɪ'stɪərɪə] *zn* hysterie
hysteric [hɪ'sterɪk] *bnw* hysterisch
hysterical [hɪ'sterɪkl] **I** *zn* hysterisch persoon **II** *bnw* hysterisch
hysterics [hɪ'sterɪks] *zn mv* hysterische aanval ★ *go into* ~ hysterische aanvallen krijgen ★ inform *be in* ~ zich een breuk lachen

hy

i [aɪ] *zn, letter* i ★ *I as in Isaac* de i van Izaak

I [aɪ] *pers vnw* ik

IA *afk, Iowa* staat in de VS

ibex ['aɪbeks] *zn* steenbok

ice [aɪs] **I** *zn* ijs ★ *black ice* ijzel ★ *as cold as ice* ijskoud ★ *fig on thin ice* op glad ijs ★ *fig break the ice* het ijs breken ★ *fig cut ice* invloed hebben, nut / zin hebben ★ *put on ice* in de ijskast leggen ⟨ook fig.⟩ **II** *ov ww* glaceren ⟨van gebak⟩ **III** *onov ww* ~ **over/up** dichtvriezen, met ijs bedekt worden, ijs vormen ⟨op vliegtuig⟩

ice age *zn* ijstijd

ice-bound ['aɪsbaʊnd] *zn* bevroren, ingevroren

icebox ['aɪsbɒks] *zn* ❶ ijskast ❷ USA koelkast

icebreaker ['aɪsbreɪkə] *zn* ijsbreker

ice-cold *bnw* ijskoud

ice cream *zn* ❶ (room)ijs ❷ ijsje

ice cube *zn* ijsblokje

ice floe *zn* ijsschots

ice hockey *zn* ijshockey

Icelandic [aɪs'lændɪk] **I** *zn* IJslands ⟨de taal⟩ **II** *bnw* IJslands, van IJsland

ice rink *zn* kunstijsbaan

ice skate *zn* schaats

ice-skate *onov ww* schaatsen

ice skating *zn* schaatsen

icicle ['aɪsɪkl] *zn* ijspegel

icily ['aɪsəlɪ] *bnw* ijzig

icing ['aɪsɪŋ] *zn* suikerglazuur ★ *winning a bottle of wine was the ~ on the cake* het winnen van een fles wijn maakte het helemaal compleet

icing sugar *zn* poedersuiker

icon, ikon ['aɪkɒn] *zn* icoon

iconoclast [aɪ'kɒnəklæst] *zn* beeldenstormer

icy ['aəsɪ] *bnw* ❶ ijs- ❷ bevroren, met ijs bedekt, vriezend ❸ ijzig, ijskoud, afstandelijk

I'd [aɪd] *samentr* ❶ *I had* → **have** ❷ *I would* → **will** ❸ *I should* → **should**

ID *afk* ❶ *identity, identification* identiteit ★ *the police made a positive ID* de politie heeft de identiteit vastgesteld ❷ identiteitsbewijs ★ *everybody has to carry some ID* iedereen moet zich kunnen legitimeren ❸ *Idaho* staat in de VS

idea [aɪ'dɪə] *zn* ❶ idee, gedachte ★ *I don't have the faintest idea* ik heb geen flauw idee ★ *bounce ideas off sb* ideeën loslaten op iem. ★ *not my idea of a nice place* niet wat je noemt een gezellig plaatsje ❷ plan ❸ bedoeling ★ *inform get the idea?* begrijp je? ★ *inform that's the idea!* mooi zo! ★ *my parents had the right idea when they banned TV* mijn ouders hadden gelijk toen ze de tv verboden

ideal [aɪ'diːəl] **I** *zn* ideaal **II** *bnw* ❶ ideaal ❷ ideëel, denkbeeldig

idealisation *zn* → **idealization**

idealise *ww* → **idealize**

idealism [aɪ'dɪəlɪzəm] *zn* idealisme

idealistic [aɪdɪə'lɪstɪk] *bnw* idealistisch

idealization [aɪdɪəlaɪ'zeɪʃən] *zn* idealisering

idealize [aɪ'dɪəlaɪz] *ww* idealiseren

ideally [aɪ'dɪəlɪ] *bijw* ideaal, als ideaal

identical [aɪ'dentɪkl] *bnw* gelijkwaardig, identiek

identical twins *zn* eeneiige tweeling

identifiable [aɪ'dentɪfaɪəbl] *bnw* identificeerbaar, te identificeren, herkenbaar

identification [aɪdentɪfɪ'keɪʃən] *zn* ❶ legitimatie, identifatiebewijs ❷ gelijkstelling, identificatie

identify [aɪ'dentɪfaɪ] *ov ww* ❶ identificeren ★ *~ flowers* bloemen determineren ❷ ~ **with** gelijkstellen met, in verband brengen met, zich identificeren met

identikit [aɪ'dentɪkɪt] *zn* compositietekening, montagefoto

identity [aɪ'dentətɪ] *zn* ❶ identiteit, persoon(lijkheid) ★ *under an assumed ~* met een valse identiteit ★ *mistaken ~* persoonsverwisseling ★ *a new corporate ~* een nieuwe huisstijl ❷ gelijkheid

ideological [aɪdɪə'lɒdʒɪkl] *bnw* ideologisch

ideologist [aɪdɪ'ɒlədʒɪst] *zn* ideoloog

ideology [aɪdɪ'ɒlədʒɪ] *zn* ideologie

idiocy ['ɪdɪəsɪ] *zn* ❶ dwaasheid, stommiteit ❷ idioterie

idiom ['ɪdɪəm] *zn* ❶ idioom, uitdrukking ⟨met eigen betekenis⟩ ❷ taal, dialect ❸ stijl ⟨in muziek of kunst⟩

idiomatic [ɪdɪə'mætɪk] *bnw* idiomatisch

idiosyncrasy [ɪdɪəʊ'sɪŋkrəsɪ] *zn* eigenaardigheid

idiosyncratic [ɪdɪəʊsɪŋ'krætɪk] *bnw* eigenaardig

idiot ['ɪdɪət] *zn* idioot

idiotic [ɪdɪ'ɒtɪk] *bnw* idioot

idle ['aɪdl] **I** *bnw* ❶ lui ❷ ijdel, nutteloos ★ *idle gossip* kletspraat ★ *idle threats* loze dreigementen ★ *it is idle to pretend that the system is effective* het is een illusie om te doen alsof het systeem werkt ❸ ongebruikt, onbenut, stil(liggend, -staand) ❹ werkeloos **II** *ov ww* ★ *idle away one's time* z'n tijd verluieren **III** *onov ww* ❶ luieren ❷ stationair draaien

idleness ['aɪdlnəs] *zn* nutteloosheid

idler ['aɪdlə] *zn* leegloper, nietsdoener

idly ['aɪdlɪ] *bijw* ❶ terloops ❷ zonder bepaalde bedoeling ★ *we can't just stand idly by* we kunnen niet doen alsof onze neus bloedt

idol ['aɪdl] *zn* ❶ afgod ❷ idool

idolatry [aɪ'dɒlətrɪ] *zn* ❶ afgoderij ❷ *fig* aanbidding

idolize, idolise ['aɪdəlaɪz] *ov ww* ❶ verafgoden ❷ *fig* aanbidden ★ *she ~s the baby* ze is dol op de baby

idyll ['ɪdl] *zn* idylle

idyllic [ɪ'dɪlɪk] *bnw* idyllisch

i.e. *afk* d.w.z.

if [ɪf] **I** *zn inform* voorwaarde ★ *ifs and buts* mitsen en maren ★ *if she succeeds - and it's a big* if als ze slaagt, en dat is nog maar de vraag **II** *vw* ❶ indien, zo, als ★ *if not...* zo niet, dan... ★ *if so...* zo ja, dan... ★ *the damage, if any...* de eventuele schade ★ *if anything, she's put on weight* ze is zelfs aangekomen lijkt het ★ *if anything, see the film for its music* ga de film zien, al is het alleen maar voor de muziek ★ *if applicable* indien van toepassing ★ *if only als...* maar ★ *if only I had...* had ik maar... ★ *inform it's not as if she can help it* zij kan er toch niets aan doen ❷ of ★ *I wonder if she knows* ik vraag me af of ze het weet ★ *as if she didn't know* alsof zij het niet wist ★ *inform she's 30 if she's a day* zij is minstens 30 ❸ al, zij het ★ *a nice day, if rather windy* ondanks wat wind toch een mooie dag ★ *if not rich, he's not poor* hij mag dan niet rijk zijn, arm is hij ook niet ❹ warempel ★ *if it isn't John!* kijk eens, daar hebben we John!

iffy ['ɪfɪ] inform *bnw* ❶ twijfelachtig, onzeker ❷ niet helemaal te vertrouwen ★ *the milk smells a bit iffy* de melk ruikt een beetje bedorven

igloo ['ɪglu:] *zn* iglo

igneous ['ɪgnɪəs] *bnw* vulkanisch ⟨van gesteente⟩ ★ *~ rock* stollingsgesteente

ignite [ɪg'naɪt] **I** *ov ww* doen gloeien, in brand steken, ontsteken **II** *onov ww* ❶ in brand raken, ontbranden ❷ verhit raken

ignition [ɪg'nɪʃən] *zn* ❶ ontsteking ⟨van motor⟩ ★ *put the key in the ~* steek de sleutel in het contact ❷ ontbranding

ignoble [ɪg'nəʊbl] *bnw* gemeen, laag

ignominious [ɪgnə'mɪnɪəs] *bnw* ❶ schandelijk ❷ oneervol

ignoramus [ɪgnə'reɪməs] *zn* domkop

ignorance ['ɪgnərəns] *zn* ❶ onwetendheid, onkunde ★ *~ is bliss* alles te weten maakt niet gelukkig ❷ onbekendheid ★ *our ~ of their customs* onze onbekendheid met hun gewoontes

ignorant ['ɪgnərənt] *bnw* ❶ onwetend, onkundig ★ *~ of* onbekend met ❷ onopgevoed, onbeleefd, dom

ignore [ɪg'nɔ:] *ov ww* negeren

ikon ['aɪkɒn] *zn* → icon

IL *afk*, *Illinois* staat in de VS

ilk [ɪlk] *bnw* soort, slag ★ *people of that ilk* dat soort mensen

ill [ɪl] **I** *zn* kwaad, kwaal ★ *I wish them no ill* ik wens hun niets kwaads toe **II** *bnw* ❶ ziek, misselijk ★ *fall ill* ziek worden ❷ slecht, kwaad ★ *ill blood / feeling* kwaad bloed ★ *it is an ill wind that blows nobody any good* het is 'n slecht land waar het niemand goed gaat ❸ nadelig, schadelijk ★ *the drug has no ill effects* het medicijn heeft geen schadelijke bijwerkingen **III** *bijw* ❶ slecht, kwalijk ★ *don't speak ill of the dead* van de doden niets dan goeds ❷ amper, nauwelijks ★ *they can ill afford it* ze kunnen het zich nauwelijks permitteren ▼ *ill at ease* niet op z'n gemak

I'll [aɪl] *samentr* ❶ *I shall* → shall ❷ *I will* → will

ill-advised [ɪləd'vaɪzd] *bnw* onverstandig, onvoorzichtig

ill-assorted [ɪlə'sɔ:tɪd] *bnw* niet bij elkaar passend

ill-bred [ɪl'bred] *bnw* onopgevoed, ongemanierd

ill-disposed *bnw* ❶ slechtgezind ❷ gekant ⟨towards tegen⟩

illegal [ɪ'li:gl] *bnw* illegaal, onwettig, verboden

illegality [ɪli:'gælətɪ] *zn* onwettigheid

illegible [ɪ'ledʒəbl] *bnw* onleesbaar

illegitimacy [ɪlɪ'dʒɪtɪməsɪ] *zn* onwettigheid, illegitimiteit

illegitimate [ɪlɪ'dʒɪtɪmɪt] *bnw* ❶ onwettig ❷ onecht, buitenechtelijk ★ *an ~ child* een buitenechtelijk / natuurlijk kind

ill-equipped *bnw* slecht toegerust

ill-fated [ɪl'feɪtɪd] *bnw* noodlottig, rampzalig

illicit [ɪ'lɪsɪt] *bnw* onwettig, ongeoorloofd, illegaal

★ *~ work* zwart werk

illiteracy [ɪ'lɪtərəsɪ] *zn* ❶ analfabetisme ★ *the ~ rate is high* veel mensen zijn analfabeet ❷ ongeletterdheid

illiterate [ɪ'lɪtərət] *bnw* ❶ analfabeet ❷ ongeletterd

ill-judged [ɪl'jʌdʒd] *bnw* ❶ onverstandig ❷ onberaden

ill-mannered [ɪl'mænəd] *bnw* ongemanierd

ill-natured *bnw* onvriendelijk, nors

illness ['ɪlnəs] *zn* ziekte ★ *she died after a long ~* ze stierf na een lang ziektebed

illogical [ɪ'lɒdʒɪkl] *bnw* onlogisch, tegenstrijdig

ill-prepared *bnw* slecht voorbereid

ill-starred [ɪl'stɑ:d] *bnw* ongelukkig, rampspoedig, noodlottig

ill-tempered [ɪl'tempəd] *bnw* humeurig

ill-timed [ɪl'taɪmd] *bnw* ongelegen, misplaatst

ill-treat [ɪl'tri:t] *ov ww* mishandelen, slecht behandelen

ill-treatment [ɪl'tri:tmənt] *zn* mishandeling, slechte behandeling

illuminate [ɪ'lu:mɪneɪt] *ov ww* ❶ verlichten ❷ licht werpen op, verhelderen ❸ met feestverlichting versieren

illuminating [ɪ'lu:mɪneɪtɪŋ] *bnw* verhelderend, verduidelijkend

illumination [ɪlu:mɪ'neɪʃən] *zn* ❶ verlichting ❷ verheldering, verduidelijking

illusion [ɪ'lu:ʒən] *zn* ❶ illusie ★ *she's under the ~ that...* ze verkeert in de illusie dat... ❷ zinsbegoocheling

illusionist [ɪ'lu:ʒənɪst] *zn* goochelaar

illusive [ɪ'lu:sɪv], **illusory** [ɪ'lu:sərɪ] *bnw* ❶ bedrieglijk ❷ denkbeeldig

illustrate ['ɪləstreɪt] *ov ww* ❶ illustreren ❷ verduidelijken

illustration [ɪlə'streɪʃən] *zn* ❶ illustratie, afbeelding ❷ verduidelijking

illustrator ['ɪləstreɪtə] *zn* illustrator, tekenaar

illustrious [ɪ'lʌstrɪəs] *bnw* vermaard, beroemd

I'm [aɪm] *samentr*, *I am* → be

image ['ɪmɪdʒ] *zn* ❶ beeld, beeltenis, voorstelling ★ *her spitting ~* haar evenbeeld ❷ imago, reputatie ★ *America is struggling to live up to its ~* Amerika probeert zijn reputatie waar te maken ❸ personificatie

imagery ['ɪmɪdʒərɪ] *zn* ❶ beelden ❷ beeldspraak

imaginable [ɪ'mædʒɪnəbl] *bnw* denkbaar, mogelijk

imaginary [ɪ'mædʒɪnərɪ] *bnw* denkbeeldig, imaginair

imagination [ɪmædʒɪ'neɪʃən] *zn* verbeelding, voorstellingsvermogen ★ *a figment of your ~* een hersenspinsel ★ *not by any stretch of the ~* op geen enkele manier, helemaal niet

imaginative [ɪ'mædʒɪnətɪv] *bnw* ❶ fantasierijk ❷ verbeeldings-

imagine [ɪ'mædʒɪn] *ov ww* ❶ zich voorstellen, fantaseren ★ *you're imagining things* je haalt je dingen in je hoofd ❷ veronderstellen ★ *I ~ so* ik denk het

imbalance [ɪm'bæləns] *zn* onevenwichtigheid

imbecile ['ɪmbɪsi:l] **I** *zn* stommerd **II** *bnw* imbeciel, stom

imbecility [ɪmbə'sɪlətɪ] *zn* ❶ geesteszwakheid

im

❷dwaasheid

imbed [ɪm'bed] → **embed**

imbibe [ɪm'baɪb] ov ww ❶drinken ❷fig in zich opnemen

imbroglio [ɪm'brəʊliəʊ] zn verwarde situatie

imbue [ɪm'bju:] ov ww (door)drenken, bezielen ★a garden ~d with colour een tuin vol kleuren

IMF afk, International Monetary Fund IMF, Internationaal Monetair Fonds

imitate ['ɪmɪteɪt] ov ww nabootsen, navolgen, na-apen ★glass can be made to ~ diamonds glas kun je op diamanten laten lijken

imitation [ɪmɪ'teɪʃən] I zn imitatie, namaak, nabootsing II bnw imitatie-, kunst- ★ ~ leather kunstleer

imitative ['ɪmɪtətɪv] bnw nabootsend

immaculate [ɪ'mækjʊlət] bnw ❶onberispelijk, smetteloos ★the Immaculate Conception de Onbevlekte Ontvangenis ❷perfect

immaterial [ɪmə'tɪərɪəl] bnw ❶onstoffelijk ❷onbelangrijk

immature [ɪmə'tjʊə] bnw onrijp, onvolwassen, onontwikkeld

immaturity [ɪmə'tjʊərətɪ] zn onvolgroeidheid, onvolwassenheid

immeasurable [ɪ'meʒərəbl] bnw oneindig, onmeetbaar

immediacy [ɪ'mi:dɪəsɪ] zn ❶onmiddellijkheid ❷dringendheid, urgentie

immediate [ɪ'mi:dɪət] bnw ❶onmiddellijk, direct ❷nabij, naast ★in the ~ future in de nabije toekomst

immediately [ɪ'mi:dɪətlɪ] I bijw ❶onmiddellijk, meteen ❷rechtstreeks II vw zodra

immemorial [ɪmɪ'mɔːrɪəl] bnw ★from / since time ~ sinds mensenheugenis

immense [ɪ'mens] bnw onmetelijk, enorm

immensely [ɪ'menslɪ] bijw ❶onmetelijk, immens ❷mateloos, heel erg

immensity [ɪ'mensətɪ] zn ❶oneindigheid ❷grootte ★the sheer ~ of the job de enorme omvang van de taak

immerse [ɪ'mɜ:s] ov ww ❶onderdompelen, indopen ❷absorberen ★ ~d in a book verdiept in een boek ★ ~d in her thoughts in gedachten verzonken

immersion [ɪ'mɜ:ʃən] zn ❶onderdompeling, indoping ❷verzonkenheid, verdieptheid

immigrant ['ɪmɪɡrənt] zn immigrant ★ ~ workers gastarbeiders

immigrate ['ɪmɪɡreɪt] onov ww immigreren

immigration [ɪmɪ'ɡreɪʃən] zn immigratie

imminent ['ɪmɪnənt] bnw dreigend, op handen zijnde ★the bridge is in ~ danger of collapse de brug staat op instorten

immobile [ɪ'məʊbaɪl] bnw ❶onbeweeglijk ❷onbeweegbaar

immobilise ww → **immobilize**

immobility [ɪməʊ'bɪlɪtɪ] zn onbeweeglijkheid

immobilization, immobilisation [ɪməʊbəlaɪ'zeɪʃən] zn immobilisatie

immobilize, immobilise [ɪ'məʊbɪlaɪz] ov ww onbeweeglijk maken, stilleggen, inactiveren ★the strike has ~d all traffic de staking heeft alle verkeer lamgelegd

immoderate [ɪ'mɒdərət] bnw buitensporig, onmatig

immodest [ɪ'mɒdɪst] bnw ❶onbetamelijk ❷onbescheiden

immolate ['ɪmələɪt] ov ww verbranden ‹vaak als offer›

immolation [ɪmə'leɪʃən] zn verbranding

immoral [ɪ'mɒrəl] bnw ❶immoreel ❷onzedelijk

immorality [ɪmə'rælɪtɪ] zn ❶immoraliteit ❷verdorvenheid

immortal [ɪ'mɔ:tl] I zn onsterfelijke II bnw onsterfelijk

immortality [ɪmɔ:'tælɪtɪ] zn onsterfelijkheid

immortalize, immortalise [ɪ'mɔ:təlaɪz] ov ww onsterfelijk maken, vereeuwigen

immovable [ɪ'mu:vəbl] bnw ❶onbeweeglijk ❷onveranderlijk, onwrikbaar ❸jur onroerend

immune [ɪ'mju:n] bnw ❶immuun ★she's ~ to criticism ze is ongevoelig voor kritiek ❷jur vrijgesteld ★ ~ from prosecution gevrijwaard van vervolging

immunity [ɪ'mju:nətɪ] zn ❶immuniteit ★diplomatic ~ diplomatieke onschendbaarheid ❷vrijstelling

immunization, immunisation [ɪmjʊnar'zeɪʃən] zn immunisering, immunisatie

immunize, immunise ['ɪmjʊ:naɪz] ov ww ❶immuun maken ❷inenten

immutable [ɪ'mju:təbl] bnw onveranderlijk, onveranderbaar

imp [ɪmp] zn ❶kabouter ❷inform stout kind, duiveltje

impact¹ ['ɪmpækt] zn ❶stoot, slag, schok ★the helicopter exploded on ~ de helikopter ontplofte bij de botsing ❷invloed, uitwerking, effect

impact² [ɪm'pækt] I ov ww indrijven II onov ww ❶invloed hebben, effect hebben ★the strikes ~ed on the whole country de stakingen hadden hun weerslag op het hele land ❷inslaan

impair [ɪm'peə] ov ww ❶beschadigen ❷verzwakken

impairment [ɪm'peəmənt] zn ❶beschadiging ❷verzwakking

impale [ɪm'peɪl] ov ww spietsen

impanel [ɪm'pænl], **empanel** ov ww samenstellen (van jury)

impart [ɪm'pɑ:t] ov ww ❶mededelen ❷geven, verlenen

impartial [ɪm'pɑ:ʃəl] bnw onpartijdig

impartiality [ɪmpɑ:ʃɪ'ælətɪ] zn onpartijdigheid

impassable [ɪm'pɑ:səbl] bnw ❶onoverkomelijk ❷onbegaanbaar ★the river is ~ further north verder naar het noorden kan de rivier niet overgestoken worden

impasse ['æmpæs] zn impasse ★our discussions have reached an ~ onze besprekingen zijn in het slop geraakt

impassion [ɪm'pæʃən] ov ww aanvuren

impassioned [ɪm'pæʃənd] bnw hartstochtelijk

impassive [ɪm'pæsɪv] bnw ❶ongevoelig, gevoelloos ❷onbewogen

impatience [ɪm'peɪʃəns] zn ongeduld, ongeduldigheid

impatient [ɪm'peɪʃənt] bnw verlangend, ongeduldig ★the country is ~ for change het land smacht naar verandering

impeach [ɪm'pi:tʃ] ov ww beschuldigen, in staat

van beschuldiging stellen ⟨wegens politiek misdrijf⟩

impeachable [ɪm'pi:tʃəbl] *bnw* beschuldigbaar

impeachment [ɪm'pi:tʃmənt] *zn* beschuldiging

impeccable [ɪm'pekəbl] *bnw* feilloos, smetteloos ★ ~ *manners* perfecte manieren

impede [ɪm'pi:d] *ov ww* verhinderen, beletten

impediment [ɪm'pedɪmənt] *zn* belemmering, verhindering ★ *a speech* ~ een spraakgebrek

impel [ɪm'pel] *ov ww* ❶ aanzetten, dringen ❷ aandrijven, voortdrijven, voortbewegen

impending [ɪm'pendɪŋ] *bnw* dreigend, aanstaand, ophanden zijnd

impenetrable [ɪm'penɪtrəbl] *bnw* ❶ ondoordringbaar, ontoegankelijk ❷ ondoorgrondelijk, onbegrijpelijk

imperative [ɪm'perətɪv] I *zn* (eerste) vereiste ★ *talk* the ~ *(mood)* de gebiedende wijs II *bnw* ❶ gebiedend ❷ verplicht, noodzakelijk, vereist

imperceptible [ɪmpə'septɪbl] *bnw* onmerkbaar

imperfect [ɪm'pɜ:fɪkt] I *zn* ★ *talk* the ~ de onvoltooid verleden tijd II *bnw* onvolkomen, onvolmaakt

imperfection [ɪmpə'fekʃən] *zn* onvolmaaktheid, onvolkomenheid

imperial [ɪm'pɪərɪəl] *bnw* keizerlijk, keizer(s)-, rijks-

imperialism [ɪm'pɪərɪəlɪzəm] *zn* imperialisme

imperialist [ɪm'pɪərɪəlɪst] I *zn* ❶ imperialist ❷ keizersgezinde II *bnw* imperialistisch

imperil [ɪm'perɪl] *ov ww* in gevaar brengen

imperious [ɪm'pɪərɪəs] *bnw* heerszuchtig, gebiedend

imperishable [ɪm'perɪʃəbl] *bnw* onvergankelijk

impermeable [ɪm'pɜ:mɪəbl] *bnw* ondoordringbaar

impersonal [ɪm'pɜ:sənl] *bnw* ❶ zakelijk ❷ onpersoonlijk

impersonality [ɪmpɜ:sə'nælətɪ] *zn* onpersoonlijkheid, zakelijkheid

impersonate [ɪm'pɜ:səneɪt] *ov ww* ❶ nadoen, imiteren ❷ zich voordoen als

impersonation [ɪmpɜ:sə'neɪʃən] *zn* ❶ impersonatie ❷ imitatie

impersonator [ɪm'pɜ:səneɪtə] *zn* imitator ★ *a female* ~ een travestieartiest

impertinence [ɪm'pɜ:tɪnəns] *zn* onbeschaamdheid

impertinent [ɪm'pɜ:tɪnənt] *bnw* ❶ brutaal, onbeschaamd ❷ ongepast

imperturbable [ɪmpə'tɜ:bəbl] *bnw* onverstoorbaar

impervious [ɪm'pɜ:vɪəs] *bnw* ❶ ondoordringbaar ❷ ongevoelig ★ ~ *to* doof voor

impetuosity [ɪmpetjʊ'ɒsətɪ] *zn* onstuimigheid

impetuous [ɪm'petʃʊəs] *bnw* onstuimig, impulsief

impetus ['ɪmpɪtəs] *zn* ❶ bewegingsstuwkracht, vaart ★ *the campaign has lost its* ~ de fut is eruit bij de campagne ❷ impuls, stimulans, stoot

impinge [ɪm'pɪndʒ] *ov ww* ~ **(up)on** inbreuk maken op, van invloed zijn op, treffen

impingement [ɪm'pɪndʒmənt] *zn* inbreuk

impious ['ɪmpɪəs] *bnw* ❶ goddeloos, profaan ❷ oneerbiedig

impish ['ɪmpɪʃ] *bnw* ondeugend, duivels

implacable [ɪm'plækəbl] *bnw* ❶ onverbiddelijk, onvermurwbaar ❷ onverzoenlijk

implant [ɪm'plɑ:nt] I *ov ww* ❶ inprenten, inhameren ❷ med implanteren II *onov ww* zich innestelen ⟨van eicel of embryo⟩ III *zn* implantaat

implausible [ɪm'plɔ:zɪbl] *bnw* onwaarschijnlijk

implement¹ ['ɪmplɪmənt] *zn* werktuig, instrument, gereedschap

implement² ['ɪmplɪment] *ov ww* uitvoeren, verwezenlijken, toepassen

implementation [ɪmpləmen'teɪʃən] *zn* uitvoering, verwezenlijking, toepassing

implicate ['ɪmplɪkeɪt] *ov ww* ❶ betrokkenheid bewijzen ★ *the new evidence* ~*s him further* de nieuwe bewijzen tonen zijn betrokkenheid nog verder aan ❷ betrokken zijn ★ *stress is* ~*d as a cause of illness* spanning wordt gezien als een oorzaak van ziekte

implication [ɪmplɪ'keɪʃən] *zn* ❶ (stilzwijgende) gevolgtrekking ★ *by* ~ als logische conclusie ★ *the flu outbreak will have* ~*s for tourism* het uitbreken van griep heeft gevolgen voor het toerisme ❷ implicatie, suggestie ❸ betrokkenheid

implicit [ɪm'plɪsɪt] *bnw* ❶ stilzwijgend, onuitgesproken, erin begrepen ❷ onvoorwaardelijk

implied [ɪm'plaɪd] *bnw* impliciet

implore [ɪm'plɔ:] *ov ww* (af)smeken

imply [ɪm'plaɪ] *ov ww* ❶ suggereren ★ *the study implies that men are not good communicators* het blijkt uit de studie dat mannen slecht communiceren ❷ betekenen, insluiten

impolite [ɪmpə'laɪt] *bnw* onbeleefd

import¹ ['ɪmpɔ:t] *zn* ❶ import, invoer ★ ~*s of cars have dropped* de invoer van auto's is gedaald ❷ invoerartikel

import² [ɪm'pɔ:t] *ov ww* importeren, invoeren

importance [ɪm'pɔ:tns] *zn* ❶ belang, gewicht ★ *ranked in order of* ~ op volgorde van belangrijkheid ❷ gewichtigheid

important [ɪm'pɔ:tnt] *bnw* ❶ belangrijk ★ *the* ~ *thing is...* het belangrijkste is... ★ *your ideas are* ~ *to us* uw ideeën zijn belangrijk voor ons ❷ gewichtig(doend)

importation [ɪmpɔ:'teɪʃən] *zn* invoer(ing)

importer [ɪm'pɔ:tə] *zn* importeur

impose [ɪm'pəʊz] I *ov ww* ❶ opleggen ❷ ~ **on** zich opdringen, opleggen ⟨van plicht, belasting⟩ II *onov ww* misbruik maken, tot last zijn ★ *she's always imposing on people* ze maakt altijd misbruik van mensen

imposing [ɪm'pəʊzɪŋ] *bnw* imponerend, indrukwekkend

imposition [ɪmpə'zɪʃən] *zn* ❶ oplegging ❷ belasting, last

impossibility [ɪmpɒsɪ'bɪlətɪ] *zn* onmogelijkheid

impossible [ɪm'pɒsɪbl] *bnw* onmogelijk

impostor [ɪm'pɒstə] *zn* bedrieger

impotence ['ɪmpətns] *zn* ❶ onmacht, onvermogen ❷ impotentie

impotent ['ɪmpətnt] *bnw* ❶ machteloos ❷ impotent

impound [ɪm'paʊnd] *ov ww* in beslag nemen ⟨van goederen⟩

im

impoverish [ɪmˈpɒvərɪʃ] *ov ww* ❶ uitputten ‹van land› ❷ verarmen

impoverishment [ɪmˈpɒvərɪʃmənt] *zn* ❶ verarming ❷ uitputting

impracticability [ɪmˌpræktɪkəˈbɪlətɪ] *zn* ❶ onuitvoerbaarheid ❷ onhandelbaarheid

impracticable [ɪmˈpræktɪkəbl] *bnw* ❶ onuitvoerbaar ❷ ondoenlijk

impractical [ɪmˈpræktɪkl] *bnw* onpraktisch

imprecise [ɪmprɪˈsaɪs] *bnw* onnauwkeurig

imprecision [ɪmprɪˈsɪʒən] *zn* onnauwkeurigheid

impregnable [ɪmˈpregnəbl] *bnw* onneembaar, onaantastbaar ★ ~ to bestand tegen

impregnate [ˈɪmpregneɪt] *ov ww* ❶ bevruchten ❷ impregneren, doortrekken

impregnation [ɪmpregˈneɪʃən] *zn* ❶ bevruchting ❷ impregnatie, verzadiging

impress [ɪmˈpres] *ov ww* ❶ stempelen, inprenten ❷ indruk maken op, imponeren ❸ ~ on/upon drukken op, op het hart drukken, inprenten

impression [ɪmˈpreʃən] *zn* ❶ indruk ★ be under the ~ that... in de veronderstelling verkering dat... ★ get the distinct ~ that... duidelijk het idee krijgen dat... ★ create the ~ that... de schijn wekken dat... ❷ imitatie ❸ afdruk

impressionable [ɪmˈpreʃənəbl] *bnw* ontvankelijk, beïnvloedbaar

Impressionism [ɪmˈpreʃənɪzəm] *zn* impressionisme

impressionist [ɪmˈpreʃənɪst] *zn* imitator

impressive [ɪmˈpresɪv] *bnw* indrukwekkend

imprint¹ [ˈɪmprɪnt] *zn* ❶ stempel ❷ afdruk

imprint² [ɪmˈprɪnt] *ov ww* ❶ stempelen ❷ inprenten, griffen

imprison [ɪmˈprɪzən] *ov ww* in de gevangenis zetten

imprisonment [ɪmˈprɪzənmənt] *zn* ❶ gevangenschap ❷ gevangenneming

improbability [ɪmprɒbəˈbɪlətɪ] *zn* onwaarschijnlijkheid

improbable [ɪmˈprɒbəbl] *bnw* onwaarschijnlijk

impromptu [ɪmˈprɒmptjuː] I *zn* improvisatie II *bnw* + *bijw* onvoorbereid

improper [ɪmˈprɒpə] *bnw* ❶ onjuist ❷ ongepast, onfatsoenlijk

impropriety [ɪmprəˈpraɪətɪ] *zn* ❶ ongepastheid ❷ ongeschiktheid

improve [ɪmˈpruːv] I *ov ww* ❶ verhogen, verbeteren, beter maken ❷ ~ (up)on verbeteren, het beter doen, overtreffen II *onov ww* vooruitgaan, beter worden

improvement [ɪmˈpruːvmənt] *zn* ❶ beterschap, vooruitgang ❷ verbetering

improvisation [ɪmprəvarˈzeɪʃən] *zn* improvisatie

improvise [ˈɪmprəvaɪz] *ov ww* improviseren, onvoorbereid (iets) doen / maken ★ *we'll ~ a meal* we zullen een maaltje in elkaar flansen

imprudent [ɪmˈpruːdnt] *bnw* onvoorzichtig

impudence [ˈɪmpjʊdns] *zn* schaamteloosheid

impudent [ˈɪmpjʊdnt] *bnw* onbeschaamd, schaamteloos

impulse [ˈɪmpʌls] *zn* ❶ opwelling, impuls ★ *his first ~ was to hide* zijn eerste opwelling was om zich te verstoppen ★ *on (an) ~* in een opwelling, impulsief ❷ stoot, prikkel

impulsive [ɪmˈpʌlsɪv] *bnw* impulsief

impunity [ɪmˈpjuːnətɪ] *zn* ★ *with ~* ongestraft

impure [ɪmˈpjʊə] *bnw* ❶ verontreinigd, onzuiver ❷ onzedig

impurity [ɪmˈpjʊərətɪ] *zn* onzuiverheid

impute [ɪmˈpjuːt] *ov ww* ten laste leggen, toeschrijven, wijten (aan)

in [ɪn] I *vz* ❶ in, binnen ★ *there's sth in that* daar zit wel iets in ★ *in good health* gezond ❷ van, op, uit ★ *in search of* op zoek naar ★ *10 in 100* 10 op de 100 ★ *he's one in a million* hij is er één op een miljoen ❸ naar, volgens ★ *in my opinion* naar mijn mening ❹ ter ★ *in honour of* ter ere van ❺ bij ★ *(all) in all* alles bij elkaar ❻ met, met...aan / op ★ *they were sold in scores* ze werden met tientallen tegelijk verkocht ★ *in yellow shoes* met gele schoenen aan ❼ over ★ *in a year's time* over een jaar ★ *in the daytime* overdag ❽ tijdens ★ *in a storm, disconnect your computer* schakel uw computer uit tijdens een storm ❾ in zover, omdat, doordat ★ *I was fortunate in being able to meet him* ik had het geluk hem te mogen ontmoeten ★ *in doing so* zodoende ❿ wat betreft ★ *the latest in modern warfare* het nieuwste op het gebied van moderne oorlogvoering II *bijw* ❶ (naar) binnen, aanwezig, er ★ *she's not in yet* zij is nog niet thuis ★ *tulips are in now* nu is de tijd voor tulpen ★ *let sb in on the secret* iem. laten delen in een geheim ❷ aan het bewind ★ *when Bush was in* toen Bush president was ▼ *inform you're in for it!* je bent er bij! ▼ *inform he's in with my neighbour* het is koek en ei tussen hem en mijn buurman ▼ *inform he's got it in for me* hij heeft de pik op mij ▼ *inform be all in* (dood)op zijn III *bnw* ❶ intern, inwonend ★ *an in-patient* een interne patiënt ❷ exclusief, modieus ★ *an in-joke* een grapje voor ingewijden ★ *it's the in place* het is een populaire plek IV *zn* ★ *the ins and outs* alle details, de bijzonderheden

in. *afk, inch(es)* inch(es)

in- [ɪn-] *voorv* in-, on-

IN *afk, Indiana* staat in de VS

inability [ɪnəˈbɪlətɪ] *zn* onvermogen

inaccessibility [ɪnəkˌsesəˈbɪlətɪ] *zn* ontoegankelijkheid

inaccessible [ɪnækˈsesɪbl] *bnw* ontoegankelijk, onbereikbaar ★ *the area is ~ to traffic* het gebied is afgesloten voor verkeer

inaccuracy [ɪnˈækjʊrəsɪ] *zn* ❶ onnauwkeurigheid ❷ fout(je)

inaccurate [ɪnˈækjʊrət] *bnw* onnauwkeurig, onjuist

inaction [ɪnˈækʃən] *zn* inactiviteit ★ *20 years of ~* twintig jaar nietsdoen

inactive [ɪnˈæktɪv] *bnw* ❶ niet actief, buiten dienst / werking, stil ❷ traag

inactivity [ɪnækˈtɪvətɪ] *zn* ❶ nietsdoen ★ *after 200 years of ~, the volcano erupted* na 200 jaar geslapen te hebben barstte de vulkaan uit ❷ traagheid

inadequacy [ɪnˈædɪkwəsɪ] *zn* ❶ onvolledigheid, tekortkoming ★ *he had a constant sense of ~* hij had constant het gevoel dat hij te kort schoot ❷ ontoerekenbaarheid

inadequate [ɪnˈædɪkwət] *bnw* ❶ ontoereikend, onvoldoende ❷ ongeschikt, onbekwaam ★ *he* *felt ~ at work* hij voelde zich niet opgewassen tegen zijn baan

inadmissible [ɪnəd'mɪsɪbl] *bnw* ontoelaatbaar

inadvertent [ɪnəd'vɜːtnt] *bnw* ❶ onoplettend ❷ onbewust, onopzettelijk ★ *she had ~ly left the door open* ze had per ongeluk de deur open laten staan

inalienable [ɪn'eɪlɪənəbl] *bnw* onvervreemdbaar

inane [ɪ'neɪn] *bnw* leeg, idioot, zinloos ★ *an ~ sitcom* een inhoudloze sitcom

inanimate [ɪn'ænɪmət] *bnw* levenloos

inapplicability [ɪnəplɪkə'bɪlətɪ] *zn* het niet van toepassing zijn

inapplicable [ɪn'æplɪkəbl] *bnw* niet toepasselijk ★ *the rule is ~ to this case* de regel is niet van toepassing op deze zaak

inappropriate [ɪnə'prəʊprɪət] *bnw* ❶ ongepast ❷ ongeschikt ★ *he was dressed ~ly for the ceremony* hij was niet correct gekleed voor de ceremonie

inarticulate [ɪnɑː'tɪkjʊlət] *bnw* ❶ onverstaanbaar ❷ zich moeilijk uitdrukkend

inasmuch [ɪnəz'mʌtʃ] *bijw* ★ *~ as* aangezien

inattention [ɪnə'tenʃən] *zn* ❶ onachtzaamheid ❷ onvoorzichtigheid

inattentive [ɪnə'tentɪv] *bnw* ❶ onoplettend ★ *he was ~ to her needs* hij had geen oog voor haar noden ❷ onvoorzichtig

inaudible [ɪn'ɔːdɪbl] *bnw* onhoorbaar

inaugural [ɪ'nɔːgjʊrəl] *bnw* inaugureel, openings-, oprichtings-

inaugurate [ɪ'nɔːgjʊreɪt] *ov ww* ❶ installeren ❷ inwijden ❸ openen 〈nieuw tijdperk〉

inauguration [ɪnɔːgjʊ'reɪʃən] *zn* ❶ installatie ❷ openings- / inwijdingsplechtigheid

inauspicious [ɪnɔː'spɪʃəs] *bnw* onheilspellend, ongunstig, ongelukkig

inborn [ɪn'bɔːn] *bnw* aangeboren

inbound ['ɪnbaʊnd] *bnw* inkomend

inbox ['ɪnbɒks] *zn* comp ≈ postvak IN

inbred ['ɪn'bred] *bnw* ❶ uit inteelt voortgekomen ❷ aangeboren

inbreeding ['ɪnbriːdɪŋ] *zn* inteelt

Inc. [ɪŋk] *afk, incorporated* ≈ nv

incalculable [ɪn'kælkjʊləbl] *bnw* onberekenbaar, onmetelijk

incandescent [ɪnkæn'desnt] *bnw* ❶ gloeiend ★ *an ~ (lamp)* een gloeilamp ❷ fig witheet

incantation [ɪnkæn'teɪʃən] *zn* ❶ toverformule ❷ toverij

incapable [ɪn'keɪpəbl] *bnw* onbekwaam ★ *~ of* niet in staat om

incapacitate [ɪnkə'pæsɪteɪt] *ov ww* ongeschikt maken, uitschakelen

incapacity [ɪnkə'pæsətɪ] *zn* ❶ onvermogen ❷ ongeschiktheid

incarcerate [ɪn'kɑːsəreɪt] *ov ww* gevangenzetten

incarceration [ɪnkɑːsə'reɪʃən] *zn* opsluiting

incarnate[1] [ɪn'kɑːnət] *bnw* vleselijk, vleesgeworden ★ *the devil ~* de baarlijke duivel

incarnate[2] ['ɪnkɑːneɪt] **I** *ov ww* belichamen **II** *onov ww* incarneren ★ *they believe he ~d as a monkey* ze geloofden dat hij was teruggekomen als aap

incarnation [ɪnkɑː'neɪʃən] *zn* ❶ incarnatie ❷ verpersoonlijking ★ *the ~ of evil* het vleesgeworden kwaad

incautious [ɪn'kɔːʃəs] *bnw* onvoorzichtig

incendiary [ɪn'sendɪərɪ] *bnw* ❶ brand-★ *an ~ device* een brandbom ❷ opruiend

incense[1] ['ɪnsens] *zn* wierook

incense[2] [ɪn'sens] *ov ww* woedend maken ★ *fans were ~d at the umpire's decision* de fans waren woedend over de beslissing van de scheidsrechter

incentive [ɪn'sentɪv] *zn* ❶ prikkeling, aansporing, stimulans ★ *there is no ~ for people to use busses* de mensen worden niet gestimuleerd om de bus te nemen ❷ premie, beloning ★ *tax ~s* belastingvoordeel

inception [ɪn'sepʃən] *zn* begin

incessant [ɪn'sesənt] *bnw* onophoudelijk

incestuous [ɪn'sestjʊəs] *bnw* incestueus

inch [ɪntʃ] **I** *zn* Engelse duim 〈2,54 cm〉 ★ *by inches* rakelings ★ *inch by inch* heel langzaam ★ *give him an inch and he'll take a mile* als je hem de vinger geeft, neemt hij de hele hand ★ *beat sb to within an inch of his life* iem. bijna doodslaan ★ *every inch a gentleman* op en top een heer **II** *onov ww* zich zeer langzaam voortbewegen

incidence ['ɪnsɪdns] *zn* frequentie, vóórkomen ★ *a high ~ of infant mortality* een hoog kindersterftecijfer

incident ['ɪnsɪdnt] *zn* incident, voorval, episode

incidental [ɪnsɪ'dentl] *bnw* toevallig, bijkomend ★ *this service is ~ to our main business* deze dienst is een bijproduct van onze hoofdtaak

incidentally [ɪnsɪ'dentəlɪ] *bijw* ❶ overigens, trouwens ❷ terloops

incinerate [ɪn'sɪnəreɪt] *ov ww* verassen, verbranden

incineration [ɪnsɪnə'reɪʃən] *zn* verbranding

incinerator [ɪn'sɪnəreɪtə] *zn* verbrandingsoven

incipient [ɪn'sɪpɪənt] *bnw* beginnend, begin-

incise [ɪn'saɪz] *ov ww* ❶ insnijden ❷ graveren

incision [ɪn'sɪʒən] *zn* insnijding, kerf

incisive [ɪn'saɪsɪv] *bnw* scherp, doortastend

incisor [ɪn'saɪzə] *zn* snijtand

incite [ɪn'saɪt] *ov ww* ❶ aansporen ❷ opruien, opstoken

inclement [ɪn'klemənt] *bnw* guur

inclination [ɪnklɪ'neɪʃən] *zn* ❶ neiging, genegenheid, tendens ★ *she has an ~ towards obsessive behaviour* ze neigt naar obsessief gedrag ★ *he was a progressive thinker by ~* hij was van nature een progressief denker ❷ geneigdheid, zin ❸ helling ❹ inclinatie ❺ buiging 〈van het hoofd〉

incline[1] ['ɪnklaɪn] *zn* ❶ hellend vlak ❷ helling

incline[2] [ɪn'klaɪn] **I** *ov ww* ❶ buigen, doen (over)hellen ❷ geneigd maken **II** *onov ww* ❶ (over)hellen, buigen ❷ geneigd zijn, neiging vertonen ★ *he ~s towards violence* hij neigt naar geweld

inclined [ɪn'klaɪnd] *bnw* geneigd ★ *I'm ~ to believe him* ik neig ertoe hem te geloven ★ *if you feel so ~* zoals je wilt ★ *he's not very mathematically ~* hij heeft weinig aanleg voor wiskunde

include [ɪn'kluːd] *ov ww* ❶ insluiten, omvatten, meerekenen ★ *does the price ~ tax?* is de prijs inclusief btw? ★ *everything ~d* alles inbegrepen ❷ opnemen, inschakelen ★ *we were all there, Jill*

~d we waren er allemaal, Jill ook

inclusion [ɪn'klu:ʒən] zn ❶insluiting, opneming ❷insluitsel

inclusive [ɪn'klu:sɪv] bnw inclusief ★~of... met... inbegrepen ★pages 5 to 7 ~blz. 5 tot en met 7 ★all ~alles inbegrepen

incognito [ɪnkɒg'ni:təʊ] bnw + bijw incognito

incoherence [ɪnkəʊ'hɪərəns] zn onsamenhangendheid

incoherent [ɪnkəʊ'hɪərənt] bnw ❶verward ❷onsamenhangend

income ['ɪnkʌm] zn inkomsten, inkomen ★annual ~jaarinkomen ★disposable ~ besteedbaar / netto inkomen

income support zn bijstand

income tax zn inkomstenbelasting

incoming ['ɪnkʌmɪŋ] bnw ❶binnenkomend ❷opkomend (van getij) ❸opvolgend, nieuw

incommunicado [ɪnkəmju:nɪ'ka:dəʊ] bnw ❶(v.d. buitenwereld) afgeschermd, geïsoleerd ❷niet te bereiken

incomparable [ɪn'kɒmpərəbl] bnw onvergelijkbaar, onvergelijkelijk, uniek

incompatibility [ɪnkəmpætə'bɪlətɪ] zn onverenigbaarheid, tegenstrijdigheid ★there is an ~between their blood groups hun bloedgroepen komen niet overeen

incompatible [ɪnkəm'pætɪbl] bnw ❶onverenigbaar, tegenstrijdig ★violence and love are mutually ~geweld en liefde sluiten elkaar uit ❷niet bij elkaar passend

incompetence [ɪn'kɒmpɪtns] zn onbekwaamheid, ondeskundigheid

incompetent [ɪn'kɒmpɪtnt] bnw onbekwaam, ondeskundig

incomplete [ɪnkəm'pli:t] bnw ❶onvolledig, gebrekkig ❷onvoltooid

incomprehensible [ɪnkɒmprɪ'hensɪbl] bnw onbegrijpelijk

incomprehension [ɪnkɒmprɪ'henʃən] zn onbegrip

inconceivable [ɪnkən'si:vəbl] bnw onvoorstelbaar, onbegrijpelijk

inconclusive [ɪnkən'klu:sɪv] bnw ❶niet beslissend ❷niet overtuigend

incongruity [ɪnkɒn'gru:ətɪ] zn ❶gebrek aan overeenstemming ❷ongerijmdheid

incongruous [ɪn'kɒŋgrʊəs] bnw ❶ongelijksoortig ❷onlogisch ★~with niet passend bij ❸uit de toon vallend

inconsequential [ɪnkɒnsɪ'kwenʃəl] bnw niet ter zake doend, onbelangrijk

inconsiderable [ɪnkən'sɪdərəbl] bnw onbelangrijk, onbeduidend, gering

inconsiderate [ɪnkən'sɪdərət] bnw onbedachtzaam, onattent

inconsistency [ɪnkən'sɪstənsɪ] zn tegenstrijdigheid

inconsistent [ɪnkən'sɪstnt] bnw ❶tegenstrijdig ❷niet consequent

inconsolable [ɪnkən'səʊləbl] bnw ontroostbaar

inconspicuous [ɪnkən'spɪkjʊəs] bnw onopvallend

incontestable [ɪnkən'testəbl] bnw onbetwistbaar

incontinence [ɪn'kɒntɪnəns] zn incontinentie, bedwateren

incontinent [ɪn'kɒntɪnənt] bnw incontinent

incontrovertible [ɪnkɒntrə'vɜ:tɪbl] bnw onbetwistbaar

inconvenience [ɪnkən'vi:nɪəns] Ⅰzn ongemak, ongerief Ⅱov ww in ongelegenheid brengen

inconvenient [ɪnkən'vi:nɪənt] bnw ongelegen, lastig

incorporate [ɪn'kɔ:pəreɪt] ov ww ❶opnemen, integreren, verenigen ★parts of Poland were ~d into Germany stukken van Polen werden bij Duitsland ingelijfd ❷bevatten, omvatten

incorrect [ɪnkə'rekt] bnw ❶onjuist ❷ongepast

incorrigible [ɪn'kɒrɪdʒɪbl] bnw onverbeterlijk

increase¹ ['ɪŋkri:s] zn groei, toename, verhoging ★an ~in taxes een belastingverhoging ★be on the ~toenemen

increase² [ɪŋ'kri:s] Ⅰov ww ❶doen toenemen, vermeerderen ❷vergroten, verhogen, versterken Ⅱonov ww stijgen, toenemen ★petrol has ~d in price de prijs van benzine is gestegen

increasingly [ɪn'kri:sɪŋlɪ] bijw steeds meer, steeds verder, in toenemender mate ★~difficult steeds moeilijker

incredible [ɪn'kredɪbl] bnw ongelofelijk, onvoorstelbaar ★inform you're an ~person! je bent een fantastisch mens!

incredulity [ɪnkrə'dju:lətɪ] zn ongeloof

incredulous [ɪn'kredjʊləs] bnw niet gelovende, ongelovig

increment ['ɪnkrɪmənt] zn ❶periodieke (loons)verhoging ❷toename

incriminate [ɪn'krɪmɪneɪt] ov ww ❶beschuldigen (van misdaad) ❷pleiten tegen ★incriminating evidence belastend bewijs

incrimination [ɪnkrɪmɪ'neɪʃən] zn aanklacht

incriminatory [ɪn'krɪmɪnətrɪ] bnw bezwarend, belastend

incubate ['ɪŋkjʊbeɪt] Ⅰov ww ❶uitbroeden ❷kweken Ⅱonov ww broeden ★the virus ~s for three days het virus heeft een incubatietijd van drie dagen

incubation [ɪŋkjʊ'beɪʃən] zn incubatie(tijd)

incubator ['ɪŋkjʊbeɪtə] zn ❶broedmachine ❷couveuse

inculcate ['ɪnkʌlkeɪt] ov ww inprenten

incumbent [ɪn'kʌmbənt] Ⅰzn bekleder van ambt ★the White House's present ~de huidige bewoner van het Witte Huis Ⅱbnw ❶verplicht, moreel gebonden ★it is ~on me to... het is mijn plicht om... ❷dienstdoende, aan de macht zijnde

incur [ɪn'kɜ:] ov ww ❶oplopen, maken (schulden) ❷zich op de hals halen ★he ~red the wrath of the governor hij haalde zich de toorn van de gouverneur op de hals

incurable [ɪn'kjʊərəbl] bnw ❶ongeneeslijk ❷onverbeterlijk

incursion [ɪn'kɜ:ʃən] zn ❶vijandelijke inval, onverwachte aanval ❷inbreuk

indebted [ɪn'detɪd] bnw schuldig, verschuldigd ★I am ~to my wife for her support voor haar steun ben ik mijn vrouw veel dank verschuldigd

indecency [ɪn'di:sənsɪ] zn ❶ongepastheid, onfatsoenlijkheid ❷ongepaste daad

indecent [ɪn'di:sənt] bnw onzedelijk, onfatsoenlijk, onbehoorlijk ★~assault aanranding

indecipherable [ɪndɪ'saɪfərəbl] *bnw* niet te ontcijferen, onleesbaar

indecision [ɪndɪ'sɪʒən] *zn* besluiteloosheid

indecisive [ɪndɪ'saɪsɪv] *bnw* ❶besluiteloos, weifelend ❷onbeslist, niet beslissend

indeed [ɪn'di:d] *bijw* ❶inderdaad, zeker ★*he is ~ sick* hij is echt ziek ❷sterker nog, zelfs ★*I know that woman: ~, I even remember her name* ik ken die vrouw, ik kan me zelfs herinneren hoe ze heet ❸echt, heus ★*thank you very much ~*dank u zeer ❹toegegeven, weliswaar ★*that's ~ true, but...* dat mag dan wel waar zijn, maar... ★*'why him and not me?' 'why ~?'* 'waarom hij wel en ik niet?' 'ja, waarom eigenlijk?' ❺belachelijk ★*sick ~! he's not sick!* hij ziek? laat mij niet lachen!

indefatigable [ɪndɪ'fætɪgəbl] *bnw* onvermoeid, onvermoeibaar

indefensible [ɪndɪ'fensɪbl] *bnw* onverdedigbaar

indefinable [ɪndɪ'faɪnəbl] *bnw* ondefinieerbaar, niet te bepalen

indefinite [ɪn'defɪnɪt] *bnw* ❶onbepaald ★*teachers are going on a ~strike* leraren gaan voor een onbepaalde tijd staken ❷onduidelijk, vaag, onzeker

indelible [ɪn'delɪbl] *bnw* onuitwisbaar

indelicate [ɪn'delɪkət] *bnw* onkies, niet fijnzinnig, grof

indemnification [ɪndemnɪfɪ'keɪʃən] *zn* ❶vrijwaring ❷schadeloosstelling

indemnify [ɪn'demnɪfaɪ] *ov ww* ❶vrijwaren ❷ontslaan van verantwoordelijkheid, schadeloos stellen

indemnity [ɪn'demnəti] *zn* ❶schadeloosstelling ❷vrijwaring, vrijstelling ❸garantie

indent [ɪn'dent] *ov ww* (laten) inspringen (regel)

indentation [ɪnden'teɪʃən] *zn* ❶inspringing, inspringen ❷indruksel, deuk, inkeping

independence [ɪndɪ'pendəns] *zn* onafhankelijkheid

independent [ɪndɪ'pendənt] I*zn* iemand die niet politiek gebonden is ★*he's standing as an ~* hij doet mee als een onafhankelijke kandidaat II*bnw* onafhankelijk ★*an ~school* een particuliere school ★*she's an ~thinker* zij heeft haar eigen mening ★*both teams work ~ly of each other* beide teams werken los van elkaar

indescribable [ɪndɪ'skraɪbəbl] *bnw* onbeschrijfelijk, niet te beschrijven

indestructible [ɪndɪ'strʌktɪbl] *bnw* onverwoestbaar

indeterminable [ɪndɪ'tɜ:mɪnəbl] *bnw* niet te bepalen, niet te beslissen

indeterminate [ɪndɪ'tɜ:mɪnət] *bnw* ❶vaag, onduidelijk ❷onbepaald, onbeslist ★*a dog of ~ breed* een hond van een onbestemd ras

indetermination [ɪndɪtɜ:mɪ'neɪʃən] *zn* besluiteloosheid

index ['ɪndeks] *zn* [mv: **indices**] ❶register, index (van kosten, prijzen) ❷alfabetisch register, catalogus ❸exponent (in algebra)

indexation [ɪndek'seɪʃən] *zn* indexering

index finger *zn* wijsvinger

India ['ɪndɪə] *zn* India

Indian ['ɪndɪən] I*zn* ❶Indiër ❷indiaan ★*an American ~*een indiaan II*bnw* ❶Indisch ❷indiaans

Indian Ocean *zn* Indische Oceaan

indicate ['ɪndɪkeɪt] I*ov ww* ❶aanwijzen, aangeven, te kennen geven ❷duiden op, wijzen op ★*a rash ~s an allergic reaction* uitslag is een symptoom / teken van een allergische reactie ❸indiceren ★*knee surgery is ~d* er lijkt een knieoperatie nodig te zijn II*onov ww* richting aangeven (in verkeer)

indication [ɪndɪ'keɪʃən] *zn* aanwijzing, aanduiding, teken ★*she gave no ~of her feelings* ze liet haar gevoelens niet blijken

indicative [ɪn'dɪkətɪv] I*zn* ★*the ~*de aantonende wijs II*bnw* aantonend ★*be ~of* duiden op

indicator ['ɪndɪkeɪtə] *zn* ❶meter, teller ❷richtingaanwijzer

indices ['ɪndɪsi:] *zn mv* → **index**

indict [ɪn'daɪt] *ov ww* beschuldigen, aanklagen

indictable [ɪn'daɪtəbl] *bnw* vervolgbaar, strafbaar

indictment [ɪn'daɪtmənt] *zn* ❶aanklacht ❷(staat van)beschuldiging

indie ['ɪndɪ] I*zn, muz independent* onafhankelijke platenmaatschappij II*bnw, muz independent* onafhankelijk (van popgroep of platenlabel)

indifference [ɪn'dɪfrəns] *zn* onverschilligheid, gebrek aan interesse

indifferent [ɪn'dɪfrənt] *bnw* ❶onverschillig ★*he is ~to what people think* het maakt hem niet uit wat de mensen denken ❷middelmatig, zozo

indigenous [ɪn'dɪdʒɪnəs] *bnw* inheems ★*the koala is ~to Australia* de koala hoort in Australië thuis

indigestible [ɪndɪ'dʒestɪbl] *bnw* onverteerbaar

indigestion [ɪndɪ'dʒestʃən] *zn* indigestie

indignant [ɪn'dɪgnənt] *bnw* verontwaardigd

indignation [ɪndɪg'neɪʃən] *zn* verontwaardiging

indignity [ɪn'dɪgnəti] *zn* ❶vernedering ❷belediging

indirect [ɪndaɪ'rekt] *bnw* ❶indirect, zijdelings ★*he took an ~route* hij nam een niet rechtstreekse route ★*some plants require ~light* sommige planten kunnen geen direct zonlicht verdragen ★*the ~object* het meewerkend voorwerp ❷ontwijkend ★*an ~attack* een verkapte aanval

indiscernible [ɪndɪ'sɜ:nɪbl] *bnw* niet te onderscheiden, onzichtbaar

indiscreet [ɪndɪ'skri:t] *bnw* ❶onoordeelkundig ❷onbezonnen ❸onbescheiden

indiscretion [ɪndɪ'skreʃən] *zn* ❶onbezonnenheid ★*youthful ~s* jeugdzondes ❷onvoorzichtigheid ★*in a moment of ~*in een onvoorzichtig moment

indiscriminate [ɪndɪ'skrɪmɪnət] *bnw* ❶onzorgvuldig, kritiekloos ❷lukraak, in het wilde weg

indispensable [ɪndɪ'spensəbl] *bnw* onmisbaar, noodzakelijk

indisposed [ɪndɪ'spəʊzd] *bnw* ❶onwel ❷onwelwillend ★*the cow seemed ~to move* de koe scheen niet van plan uit de weg te gaan

indisposition [ɪndɪspə'zɪʃən] *zn* ongesteldheid

indisputable [ɪndɪ'spju:təbl] *bnw* onbetwistbaar ★*this is indisputably one of her greatest books* dit

in

is zonder twijfel een van haar beste boeken

indissoluble [ɪndɪ'sɒljʊbl] *bnw* ❶ onoplosbaar ❷ onverbrekelijk

indistinct [ɪndɪ'stɪŋkt] *bnw* onduidelijk, vaag

indistinguishable [ɪndɪ'stɪŋgwɪʃəbl] *bnw* niet te onderscheiden

individual [ɪndɪ'vɪdʒʊəl] **I** *zn* ❶ individu, persoon, figuur ★ *it's up to the ~* de keus is aan het individu ★ *private ~s* particulieren ❷ enkeling **II** *bnw* ❶ individueel, persoonlijk, eigen ★ *his style is highly ~* hij heeft een heel eigen stijl ❷ afzonderlijk

individualise *ww* → **individualize**

individuality [ɪndɪvɪdʒʊ'ælətɪ] *zn* eigen karakter, individualiteit

individualize, individualise [ɪndɪ'vɪdʒʊəlaɪz] *ov ww* individualiseren, toespitsen op individu

indivisible [ɪndɪ'vɪzɪbl] *bnw* ondeelbaar

indoctrinate [ɪn'dɒktrɪneɪt] *ov ww* indoctrineren

indolence ['ɪndələns] *zn* traagheid, luiheid

indolent ['ɪndələnt] *bnw* lui, sloom

indomitable [ɪn'dɒmɪtəbl] *bnw* ontembaar, onoverwinnelijk

Indonesian [ɪndə'niːzɪən] **I** *zn* Indonesiër, Indonesische **II** *bnw* Indonesisch

indoor [ɪn'dɔː] *bnw* binnenshuis, huis-★ *an ~ swimmingpool* een binnenbad ★ *~ games* zaalsporten

indoors [ɪn'dɔːz] *bijw* binnenshuis ★ *they ran ~* ze renden naar binnen

indrawn [ɪn'drɔːn] *bnw* ★ *~ breath* ingehouden adem

indubitable [ɪn'djuːbɪtəbl] *bnw* onbetwistbaar ★ *it is indubitably his best film* het is zonder twijfel zijn beste film

induce [ɪn'djuːs] *ov ww* ❶ bewegen tot, ertoe krijgen ❷ veroorzaken, leiden tot, teweegbrengen ❸ opwekken ⟨van weeën⟩

inducement [ɪn'djuːsmənt] *zn* beweegreden, lokmiddel

induct [ɪn'dʌkt] *ov ww* ❶ installeren ❷ inwijden

induction [ɪn'dʌkʃən] *zn* ❶ installatie, inleiding ❷ kunstmatig ingeleide bevalling

indulge [ɪn'dʌldʒ] **I** *ov ww* ❶ verwennen ❷ toegeven aan, zich overgeven aan ★ *he ~d her every whim* hij gaf toe aan al haar grillen **II** *onov ww* ❶ inform te veel drinken ★ *she ~s in drink* zij drinkt te veel ❷ zich permitteren ★ *they ~d in an overseas trip* ze trakteerden zich op een buitenlandse reis

indulgence [ɪn'dʌldʒəns] *zn* ❶ toegeeflijkheid, toegevendheid ❷ overmatig gebruik ❸ bron van vermaak ★ *champagne is her only ~* champagne is de enige weelde die ze zich permitteert

indulgent [ɪn'dʌldʒənt] *bnw* (al te) toegeeflijk

industrial [ɪn'dʌstrɪəl] *bnw* ❶ industrieel, bedrijfs-★ *~ espionage* bedrijfsspionage ❷ arbeids-★ *~ unrest* arbeidsonrust ❸ industrie-, geïndustrialiseerd ★ *an ~ area* een industriegebied

industrialisation *zn* → **industrialization**

industrialise *ww* → **industrialize**

industrialist [ɪn'dʌstrɪəlɪst] *zn* industrieel

industrialization, industrialisation [ɪndʌstrɪəlaɪ'zeɪʃən] *zn* industrialisatie

industrialize, industrialise [ɪn'dʌstrɪəlaɪz] *ov+onov ww* industrialiseren

industrious [ɪn'dʌstrɪəs] *bnw* hardwerkend, arbeidzaam

industry ['ɪndəstrɪ] *zn* ❶ industrie, bedrijf ❷ ijver

inebriated [ɪ'niːbrɪeɪtɪd] *bnw* dronken

inebriation [ɪniːbrɪ'eɪʃən] *zn* dronkenschap

inedible [ɪn'edɪbl] *bnw* oneetbaar

ineffective [ɪnɪ'fektɪv] *bnw* ❶ ondoeltreffend ❷ incompetent

ineffectual [ɪnɪ'fektʃʊəl] *bnw* ❶ vruchteloos, vergeefs ❷ ontoereikend ❸ incapabel

inefficiency [ɪnɪ'fɪʃənsɪ] *zn* ondoelmatigheid

inefficient [ɪnɪ'fɪʃənt] *bnw* ❶ onbekwaam ❷ ondoelmatig

inelegant [ɪn'elɪgənt] *bnw* onelegant, niet fraai

ineligible [ɪn'elɪdʒɪbl] *bnw* niet in aanmerking komend ★ *she's ~ for a grant* ze komt niet in aanmerking voor subsidie ★ *foreigners are ~ to vote* buitenlanders hebben geen stemrecht

inept [ɪ'nept] *bnw* ❶ ongerijmd, dwaas, absurd ❷ ongeschikt, ondeskundig

ineptitude [ɪ'neptɪtjuːd], **ineptness** *zn* ❶ dwaasheid, ongerijmdheid ❷ onhandigheid, ondeskundigheid

inequality [ɪnɪ'kwɒlətɪ] *zn* verschil, ongelijkheid

inequitable [ɪn'ekwɪtəbl] *bnw* onrechtvaardig, onbillijk

inequity [ɪn'ekwɪtɪ] *zn* onrechtvaardigheid

ineradicable [ɪnɪ'rædɪkəbl] *bnw* onuitroeibaar, onuitwisbaar

inert [ɪ'nɜːt] *bnw* traag, log ★ *~ gas* edelgas

inertia [ɪ'nɜːʃə] *zn* traagheid

inescapable [ɪnɪ'skeɪpəbl] *bnw* onontkoombaar

inessential [ɪnɪ'senʃəl] *bnw* niet essentieel, bijkomstig

inestimable [ɪn'estɪməbl] *bnw* onschatbaar

inevitable [ɪn'evɪtəbl] *bnw* onvermijdelijk

inexact [ɪnɪg'zækt] *bnw* onnauwkeurig, niet helemaal juist

inexactitude [ɪnɪg'zæktɪtjuːd] *zn* ❶ onnauwkeurigheid ❷ onjuistheid

inexcusable [ɪnɪk'skjuːzəbl] *bnw* onvergeeflijk, niet goed te praten

inexhaustible [ɪnɪg'zɔːstɪbl] *bnw* onuitputtelijk

inexorable [ɪn'eksərəbl] *bnw* onverbiddelijk

inexpensive [ɪnɪk'spensɪv] *bnw* goedkoop

inexperience [ɪnɪk'spɪərəns] *zn* onervarenheid

inexperienced [ɪnɪk'spɪərɪənst] *bnw* onervaren

inexpert [ɪn'ekspɜːt] **I** *zn* ondeskundige, leek **II** *bnw* onbedreven, ondeskundig

inexplicable [ɪnɪk'splɪkəbl] *bnw* onverklaarbaar

inexpressible [ɪnɪk'spresɪbl] *bnw* onuitsprekelijk

inextinguishable [ɪnɪk'stɪŋgwɪʃəbl] *bnw* ❶ onblusbaar ❷ niet te lessen

inextricably [ɪn'ekstrɪkəblɪ] *bijw* onlosmakelijk

infallibility [ɪnfælɪ'bɪlətɪ] *zn* onfeilbaarheid

infallible [ɪn'fælɪbl] *bnw* onfeilbaar

infamous ['ɪnfəməs] *bnw* ❶ schandelijk ❷ berucht

infamy ['ɪnfəmɪ] *zn* ❶ beruchtheid ❷ schande, schanddaad

infancy ['ɪnfənsɪ] *zn* ❶ vroege jeugd ★ *their second child died in ~* hun tweede kind overleed als baby ❷ beginstadium ★ *nanotechnology is still in its ~* de nanotechnologie staat nog in de kinderschoenen

infant ['ɪnfənt] **I** zn ❶ zuigeling ❷ kind ★ *the ~ class* de kleuterklas **II** bnw kinder- ★ *~ formula* zuigelingenvoeding

infanticide [ɪnˈfæntɪsaɪd] zn kindermoord

infantile ['ɪnfəntaɪl] bnw kinder-, kinderlijk, kinderachtig

infantry ['ɪnfəntri] zn infanterie

infantryman ['ɪnfəntrɪmən] zn infanterist

infatuate [ɪnˈfætjʊeɪt] ov ww verliezen, verblinden ★ *~d by / with* smoorverliefd op

infatuated bnw smoorverliefd ★ *she became ~ with her teacher* ze werd verliefd op haar leraar

infatuation [ɪnfætjʊˈeɪʃən] zn (hevige) verliefdheid ★ *a passing ~* een voorbijgaande verliefdheid ★ *her ~ with music started early* haar liefde voor muziek begon al vroeg

infect [ɪnˈfekt] ov ww ❶ besmetten ❷ bederven, verpesten ❸ aansteken ★ *his laughter ~ed us all* zijn lachen werkte aanstekelijk op allemaal

infection [ɪnˈfekʃən] zn ❶ besmetting, infectie ★ *he passed on the ~ to her* hij heeft de infectie op haar overgedragen ❷ bederf, verpesting

infectious [ɪnˈfekʃəs] bnw besmettelijk, aanstekelijk

infer [ɪnˈfɜː] ov ww ❶ afleiden, concluderen ★ *children ~ meaning from pictures* kinderen halen betekenis uit plaatjes ★ *it's left to the viewer to ~ what happened* de kijker mag raden wat er gebeurde ❷ inform suggereren ★ *are you ~ring that I'm lying?* wil je suggereren dat ik lieg?

inference ['ɪnfərəns] zn gevolgtrekking ★ *by ~* bijgevolg

inferior [ɪnˈfɪərɪə] **I** zn ondergeschikte **II** bnw ❶ lager, minder, ondergeschikt ★ *an ~ rank* een lagere rang ❷ minderwaardig, inferieur ★ *he is ~ to none* hij doet voor niemand onder

inferiority [ɪnfɪərɪˈɒrɪti] zn minderwaardigheid

infernal [ɪnˈfɜːnl] bnw ❶ hels, duivels ❷ inform afschuwelijk

inferno [ɪnˈfɜːnəʊ] zn vuurzee ★ *by now the fire had become an ~* het vuur was nu een vlammenzee geworden

infertile [ɪnˈfɜːtaɪl] bnw onvruchtbaar

infertility [ɪnfɜːˈtɪlɪti] zn onvruchtbaarheid

infest [ɪnˈfest] ov ww teisteren, onveilig maken ★ *be ~ed with* geteisterd worden door, vergeven zijn van ★ *swim in shark-~ed waters* zwemmen in water vol met haaien

infestation [ɪnfeˈsteɪʃən] zn teistering, plaag

infidel ['ɪnfɪdl] zn ongelovige

infidelity [ɪnfɪˈdelɪti] zn ❶ ongeloof ❷ ontrouw

infighting ['ɪnfaɪtɪŋ] zn onderlinge strijd, interne machtsstrijd

infiltrate ['ɪnfɪltreɪt] ov+onov ww ❶ infiltreren, binnendringen ❷ dóórdringen

infiltrator ['ɪnfɪltreɪtə] zn infiltrant, indringer

infinite ['ɪnfɪnɪt] **I** zn ★ *the ~* de oneindigheid, de oneindige ruimte **II** bnw ❶ oneindig ❷ zeer veel ★ iron *the president, in his ~ wisdom, decided...* de president, in zijn onmetelijke wijsheid, besloot...

infinitesimal [ɪnfɪnɪˈtesɪml] bnw oneindig klein

infinitive [ɪnˈfɪnɪtɪv] taalk zn ★ *the ~* de onbepaalde wijs

infinity [ɪnˈfɪnɪti] zn ❶ oneindigheid ★ *the plain seems to stretch into ~* de vlakte scheen zich oneindig ver uit te strekken ❷ oneindige hoeveelheid / uitgestrektheid

infirm [ɪnˈfɜːm] bnw zwak

infirmary [ɪnˈfɜːməri] zn ziekenhuis, ziekenzaal

infirmity [ɪnˈfɜːmɪti] zn zwakheid, zwakte

inflame [ɪnˈfleɪm] ov ww ❶ opwinden, kwaad maken ❷ verergeren

inflamed [ɪnˈfleɪmd] bnw ontstoken, rood

inflammability [ɪnflæməˈbɪlɪti] zn ontvlambaarheid

inflammable [ɪnˈflæməbl] bnw ❶ ontvlambaar ❷ fig opvliegend

inflammation [ɪnfləˈmeɪʃən] zn ontsteking

inflammatory [ɪnˈflæmətəri] bnw ❶ opwindend, opruiend ❷ ontstekings-

inflatable [ɪnˈfleɪtəbl] bnw opblaasbaar

inflate [ɪnˈfleɪt] ov ww ❶ oppompen, opblazen ❷ (kunstmatig) opdrijven, verhogen ⟨van prijzen⟩

inflated [ɪnˈfleɪtɪd] bnw ❶ opgepompt ❷ *~ prices* kunstmatig opgevoerde prijzen ❷ gezwollen, opgeblazen

inflation [ɪnˈfleɪʃən] zn ❶ het oppompen ❷ opgeblazenheid ❸ inflatie

inflect [ɪnˈflekt] taalk ov ww verbuigen

inflection, inflexion [ɪnˈflekʃən] zn ❶ taalk verbuiging ❷ (stem)buiging ★ *he read his speech with little ~* hij las zijn rede monotoon op

inflexibility [ɪnfleksəˈbɪlɪti] zn standvastigheid, onbuigbaarheid

inflexible [ɪnˈfleksɪbl] bnw standvastig, onbuigbaar, onbuigzaam

inflexion zn → inflection

inflict [ɪnˈflɪkt] ov ww ❶ toebrengen, toedienen ❷ opleggen ⟨straf⟩ ❸ ~ on/upon opdringen aan ★ *they ~ themselves (up)on us every weekend* ze komen ons elk weekend lastig vallen met hun bezoek

infliction [ɪnˈflɪkʃən] zn ❶ toebrengen, doen ondergaan ❷ kwelling, last

in-flight bnw tijdens de vlucht

inflow ['ɪnfləʊ] zn ❶ het binnenstromen ❷ binnenstromende hoeveelheid

influence ['ɪnflʊəns] **I** zn invloed ★ *bring ~ to bear* invloed uitoefenen ★ *under the ~* onder invloed ⟨van drank⟩ **II** ov ww invloed hebben op, beïnvloeden

influential [ɪnflʊˈenʃəl] bnw invloedrijk

influenza [ɪnflʊˈenzə] zn griep ★ *avian ~* vogelgriep

influx ['ɪnflʌks] zn instroming, toevloed

inform [ɪnˈfɔːm] ov ww ❶ mededelen, berichten ★ *they ~ed us about their plans* ze brachten ons op de hoogte van hun plannen ★ *please ~ us of any change of address* geef ons alstublieft uw adreswijziging door ❷ informeren ❸ form bezielen ❹ ~ on verklikken, verraden, aangeven

informal [ɪnˈfɔːml] bnw ❶ informeel, alledaags ★ *~ language* spreektaal ❷ niet officieel

informality [ɪnfɔːˈmælɪti] zn informaliteit

informant [ɪnˈfɔːmənt] zn ❶ zegsman ★ *the survey's ~s were aged between 12 and 18* de zegslieden voor het onderzoek waren tussen de

in

12 en 18 **②** informant
informatics [ɪnfə'mætɪks] *zn mv* informatica
information [ɪnfə'meɪʃən] *zn* **①** informatie,
voorlichting ★*for your ~* ter kennisgeving
★**inform** *for your ~, I don't even have a
boyfriend* je weet er niets van, ik heb niet eens
een vriendje ★*according to my ~* volgens mijn
inlichtingen **②** mededeling, bericht ★*a piece of
~* een stukje informatie
information desk *zn* informatiebalie,
inlichtingenbureau
information superhighway *zn* elektronische
snelweg
information technology *zn*
informatietechnologie
informative [ɪn'fɔːmətɪv] *bnw* informatief,
leerzaam
informatory [ɪn'fɔːmətərɪ] *bnw* → **informative**
informed [ɪn'fɔːmd] *bnw* **①** ingelicht, op de
hoogte **②** weloverwogen ⟨keus, beslissing⟩
informer [ɪn'fɔːmə] *zn* **①** informant
② aanbrenger
infrared [ɪnfrə'red] *bnw* infrarood
infrastructure ['ɪnfrəstrʌktʃə] *zn* infrastructuur
infrequency [ɪn'friːkwənsɪ] *zn* zeldzaamheid
infrequent [ɪn'friːkwənt] *bnw* zeldzaam ★*not ~ly*
nogal eens
infringe [ɪn'frɪndʒ] *ov ww* overtreden, inbreuk
maken op
infringement [ɪn'frɪndʒmənt] *zn* inbreuk,
overtreding
infuriate [ɪn'fjʊərɪeɪt] *ov ww* woedend maken
infuse [ɪn'fjuːz] **I** *ov ww* **①** laten trekken ⟨van
thee⟩ ★*tea ~d with ginger* thee (gezet) met
gember **②** doordrenken, bezielen **II** *onov ww*
trekken ⟨van thee⟩
infusion [ɪn'fjuːʒən] *zn* **①** infusie, aftreksel
② toevoeging, inbreng ★*what we need is an ~ of
new blood* we hebben een injectie van nieuw
bloed nodig
ingenious [ɪn'dʒiːnɪəs] *bnw* vernuftig, vindingrijk
ingenuity [ɪndʒɪ'njuːətɪ] *zn* vernuft,
vindingrijkheid
ingenuous [ɪn'dʒenjʊəs] *bnw* onschuldig,
ongekunsteld, naïef
ingest [ɪn'dʒest] *ov ww* opnemen ⟨van voedsel⟩
inglorious [ɪn'glɔːrɪəs] *bnw* roemloos, schandelijk
ingot ['ɪŋgət] *zn* staaf, baar ⟨van metaal⟩
ingrained [ɪn'greɪnd] *bnw* **①** diepgeworteld,
ingeroest **②** ingebed ⟨van vuil⟩
ingratiate [ɪn'greɪʃɪeɪt] *wkd ww* zich bemind
maken, trachten in de gunst te komen ★*an
ingratiating smile* een innemende glimlach
ingratitude [ɪn'grætɪtjuːd] *zn* ondankbaarheid
ingredient [ɪn'griːdɪənt] *zn* ingrediënt,
bestanddeel
in-group ['ɪngruːp] *zn* kliek, hechte groep
inhabit [ɪn'hæbɪt] *ov ww* wonen in, bewonen
inhabitable [ɪn'hæbɪtəbl] *bnw* bewoonbaar
inhabitant [ɪn'hæbɪtənt] *zn* bewoner, inwoner
inhalation [ɪnhə'leɪʃən] *zn* inademing
inhale [ɪn'heɪl] *ov ww* inademen, inhaleren
inhaler [ɪn'heɪlə] *zn* inhaleerapparaat
inherent [ɪn'herənt] *bnw* inherent ★*~ in* eigen
aan
inherently [ɪn'herəntlɪ] *bijw* als zodanig

inherit [ɪn'herɪt] *ov ww* erven
inheritance [ɪn'herɪtns] *zn* **①** erfenis,
nalatenschap **②** overerving
inheritance tax *zn* successiebelasting
inheritor [ɪn'herɪtə] *zn* erfgenaam
inhibit [ɪn'hɪbɪt] *ov ww* remmen, verhinderen, in
de weg staan
inhibited [ɪn'hɪbɪtɪd] *bnw* verlegen, geremd
inhibition [ɪnhɪ'bɪʃən] *zn* onderdrukking,
remming ★*they soon lost their ~s* ze waren hun
geremdheid gauw kwijt ★*she has some ~s about
wearing a bikini* ze durft niet goed een bikini te
dragen
inhospitable [ɪnhɒ'spɪtəbl] *bnw* **①** ongastvrij
② onherbergzaam
inhospitality [ɪnhɒspɪ'tælətɪ] *zn* **①** ongastvrijheid
② onherbergzaamheid
inhuman [ɪn'hjuːmən] *bnw* **①** onmenselijk
② monsterlijk, beestachtig
inhumane [ɪnhjuː'meɪn] *bnw* wreed
inhumanity [ɪnhjuː'mænətɪ] *zn* wreedheid
inimitability [ɪnɪmɪtə'bɪlətɪ] *zn*
onnavolgbaarheid
inimitable [ɪ'nɪmɪtəbl] *bnw* onnavolgbaar,
weergaloos
iniquitous [ɪ'nɪkwɪtəs] *bnw* (hoogst)
onrechtvaardig
iniquity [ɪ'nɪkwətɪ] *zn* onrechtvaardigheid
initial [ɪ'nɪʃəl] **I** *zn* voorletter **II** *bnw* eerste,
begin-, voor- **III** *ov ww* paraferen
initially [ɪ'nɪʃəlɪ] *bijw* eerst, aanvankelijk
initiate[1] [ɪ'nɪʃɪət] *zn* ingewijde
initiate[2] [ɪ'nɪʃɪeɪt] *ov ww* **①** inwijden, inleiden
② beginnen, initiëren, opstarten ⟨proces⟩
initiation [ɪnɪʃɪ'eɪʃən] *zn* **①** inwijding **②** begin
initiative [ɪ'nɪʃətɪv] *zn* initiatief ★*use your ~* toon
eens wat initiatief!
inject [ɪn'dʒekt] *ov ww* **①** inspuiten **②** inbrengen
★*she ~ed new life into his campaign* ze blies
nieuw leven in zijn campagne
injection [ɪn'dʒekʃən] *zn* injectie ★*what the firm
needs is an ~ of funds* wat de firma nodig heeft
is een financiële stimulans
in-joke *zn* privégrapje
injudicious [ɪndʒuː'dɪʃəs] *bnw* onverstandig
injunction [ɪn'dʒʌŋkʃən] *zn* **①** bevel, rechterlijk
verbod **②** form dringend verzoek
injure ['ɪndʒə] *ov ww* **①** verwonden ★*she ~d her
knee while training* ze liep een knieblessure op
tijdens de training **②** onrecht aandoen,
benadelen, krenken
injurious [ɪn'dʒʊərɪəs] *bnw* schadelijk ★*~ to
health* schadelijk voor de gezondheid
injury ['ɪndʒərɪ] *zn* letsel, schade, verwonding
★*suffer minor injuries* lichte verwondingen
oplopen ★*there were no injuries* niemand raakte
gewond ★*he'll miss the game because of ~* hij
moet de wedstrijd missen vanwege een blessure
injury time *zn* sport blessuretijd
injustice [ɪn'dʒʌstɪs] *zn* onrecht,
onrechtvaardigheid
ink [ɪŋk] **I** *zn* inkt **II** *ov ww* met inkt insmeren
inkling ['ɪŋklɪŋ] *zn* flauw vermoeden, flauw idee
inlaid [ɪn'leɪd] *bnw* ingelegd
inland ['ɪnlənd] **I** *zn* binnenland **II** *bnw*
binnenlands, binnen- ★*~ navigation* de

in

binnenvaart ★ *an ~sea* een binnenzee ★ *Inland Revenue* ≈ de belastingdienst **III** *bijw* in / naar het binnenland, landinwaarts

in-laws ['ɪnlɔːz] inform *zn mv* aangetrouwde familieleden, schoonouders

inlay¹ ['ɪnleɪ] *zn* inlegsel, mozaïek

inlay² [ɪn'leɪ] *ov ww* inleggen ⟨versiering⟩

inlet ['ɪnlet] *zn* **1** inham **2** techn inlaat

inmate ['ɪnmeɪt] *zn* gevangene, patiënt ⟨in een psychiatrische inrichting⟩

inmost ['ɪnmǝʊst] *bnw* **1** binnenste **2** meest intieme, diepste, geheimste

inn [ɪn] *zn* **1** herberg, taveerne **2** ⟨dorps⟩hotel

innards ['ɪnǝdz] inform *zn mv* **1** maag, ingewanden **2** binnenste ⟨van een machine⟩

innate [ɪ'neɪt] *bnw* aangeboren, natuurlijk

inner ['ɪnǝ] *bnw* **1** inwendig, innerlijk, binnen... ★ *an ~tube* een binnenband **2** intiem, verborgen ★ *a story with an ~meaning* een verhaal met een diepere betekenis

innermost ['ɪnǝmǝʊst] *bnw* **1** binnenste **2** diepste ★ *her ~secrets* haar diepste geheimen

innings ['ɪnɪŋz] *zn* [mv: innings] slagbeurt ⟨bij cricket⟩ ★ inform *she's had a good ~* zij heeft lang en gelukkig geleefd

innkeeper ['ɪnkiːpǝ] *zn* waard, herbergier

innocence ['ɪnǝsǝns] *zn* **1** onschuld ★ *she still maintains her ~* ze houdt nog steeds vol dat ze onschuldig is **2** onnozelheid

innocent ['ɪnǝsǝnt] **I** *bnw* onschuldig, schuldeloos ★ *he was found ~* hij werd niet schuldig bevonden **II** *zn* onschuldig iemand ⟨vooral klein kind⟩

innocuous [ɪ'nɒkjʊǝs] *bnw* onschadelijk, ongevaarlijk

innovate ['ɪnǝveɪt] *ov+onov ww* vernieuwen

innovation [ɪnǝ'veɪʃǝn] *zn* **1** vernieuwing, innovatie **2** nieuwigheid

innovative ['ɪnǝvǝtɪv] *bnw* vernieuwend

innuendo [ɪnjʊ'endǝʊ] *zn* **1** insinuatie, toespeling **2** verdachtmaking

innumerable [ɪ'njuːmǝrǝbl] *bnw* ontelbaar

inoculate [ɪ'nɒkjʊleɪt] *ov ww* inenten

inoculation [ɪnɒkjʊ'leɪʃǝn] *zn* inenting

inoffensive [ɪnǝ'fensɪv] *bnw* geen aanstoot gevend, onschadelijk

inoperable [ɪn'ɒpǝrǝbl] *bnw* **1** niet te opereren **2** onuitvoerbaar, onbruikbaar

inoperative [ɪn'ɒpǝrǝtɪv] *bnw* **1** niet werkend **2** ongeldig ⟨van wet enz.⟩

inopportune [ɪn'ɒpǝtjuːn] *bnw* ontijdig, ongelegen

inordinate [ɪn'ɔːdɪnǝt] *bnw* buitensporig, onmatig, overdreven

inorganic [ɪnɔː'gænɪk] *bnw* anorganisch

input ['ɪnpʊt] *zn* **1** inbreng **2** input, invoer ⟨van gegevens⟩

inquest ['ɪnkwest] *zn* gerechtelijk onderzoek ★ *a coroner's ~* een gerechtelijke lijkschouwing

inquire [ɪn'kwaɪǝ] *ov+onov ww* → **enquire**

inquirer [ɪn'kwaɪǝrǝ] *zn* → **enquirer**

inquiring [ɪn'kwaɪǝrɪŋ] *bnw* → **enquiring**

inquiry [ɪn'kwaɪǝrɪ] *zn* → **enquiry**

inquisitive [ɪn'kwɪzɪtɪv] *bnw* **1** nieuwsgierig ★ *babies soon become ~about their surroundings* baby's interesseren zich al gauw voor hun omgeving **2** onderzoekend, leergierig

inroad ['ɪnrǝʊd] *zn* inval ★ *make ~s into sth* een aanval plegen op iets ⟨portemonnee enz.⟩ ★ *make ~s into a market* een stuk van de markt veroveren

insane [ɪn'seɪn] *bnw* krankzinnig, onzinnig

insanitary [ɪn'sænɪtǝrɪ] *bnw* ongezond, onhygiënisch

insanity [ɪn'sænǝtɪ] *zn* **1** krankzinnigheid ★ *plead ~* ontoerekeningsvatbaarheid pleiten **2** dwaasheid

insatiable [ɪn'seɪʃǝbl] *bnw* onverzadigbaar

inscribe [ɪn'skraɪb] *ov ww* **1** graveren, inschrijven, inprenten ★ *~d in my mind* in mijn geheugen gegrift **2** opdragen, signeren ⟨een boek⟩

inscription [ɪn'skrɪpʃǝn] *zn* **1** inscriptie **2** opdracht ⟨in boek⟩

inscrutable [ɪn'skruːtǝbl] *bnw* ondoorgrondelijk, geheimzinnig

insect ['ɪnsekt] *zn* insect

insecure [ɪnsɪ'kjʊǝ] *bnw* **1** onzeker, bang **2** onveilig, onbetrouwbaar

insecurity [ɪnsɪ'kjʊǝrǝtɪ] *zn* **1** onzekerheid **2** onveiligheid

inseminate [ɪn'semɪneɪt] *ov ww* bevruchten, insemineren

insemination [ɪnsemɪ'neɪʃǝn] *zn* bevruchting, inseminatie ★ *artificial ~* kunstmatige inseminatie

insensible [ɪn'sensɪbl] *bnw* **1** bewusteloos **2** zich niet bewust ★ *~ of the dangers* zich van geen gevaar bewust **3** ongevoelig ★ *~ to cold* ongevoelig voor kou

insensitive [ɪn'sensɪtɪv] *bnw* ongevoelig, onverschillig ★ *she's ~ to his feelings* ze is onverschillig voor zijn gevoelens

inseparable [ɪn'sepǝrǝbl] *bnw* onafscheidelijk, niet te scheiden

insert¹ ['ɪnsɜːt] *zn* **1** inlas **2** bijvoegsel, bijsluiter **3** inzetstuk ★ *shoe ~s* steunzolen

insert² [ɪn'sɜːt] *ov ww* **1** invoegen, inzetten **2** insteken, inwerpen ⟨munt⟩ **3** plaatsen ⟨van artikel, advertentie⟩

insertion [ɪn'sɜːʃǝn] *zn* **1** plaatsing, tussenvoeging **2** inplanting **3** tussenzetsel ⟨extra alinea enz.⟩

in-service [ɪn'sɜːvɪs] *bnw* tijdens het werk ★ *~training* bijscholing

inset ['ɪnset] *zn* **1** ingelaste bladen, bijvoegsel, tussenzetsel ★ *an ~map* een bijkaart ⟨in atlas⟩ **2** inzetsel

inside¹ ['ɪnsaɪd] **I** *zn* ★ *the ~* de binnenkant, de rechter rijstrook ⟨in GB enz.: de linker rijstrook⟩, de huizenkant ⟨van trottoir⟩ ★ *overtaking on the ~is illegal* rechts inhalen is niet toegestaan ⟨in GB enz.: links inhalen⟩ **II** *bnw* binnen-, binnenste ★ *~information* inlichtingen uit de eerste hand ★ inform *an ~job* inbraak / diefstal door bekenden

inside² [ɪn'saɪd] **I** *bijw* ⟨van / naar⟩ binnen ★ inform *he's ~* hij zit achter de tralies **II** *vz* binnen, in

inside out ['ɪnsaɪd aʊt] *bijw* binnenstebuiten ★ *turn sth ~* een plek grondig doorzoeken ★ *know sb ~* iem. door en door kennen

insider [ɪnˈsaɪdə] zn ingewijde, lid ★ ~ *trading* handelen met voorkennis

insides inform [ˈɪnsaɪdz] zn mv ingewanden

insidious [ɪnˈsɪdiəs] bnw verraderlijk, ongemerkt bedreigend ★ *corrosion is a slow and ~ process* corrosie is een langzaam en sluipend proces

insight [ˈɪnsaɪt] zn inzicht

insignia [ɪnˈsɪgniə] zn mv [mv: **insignia**] insignes, ordeteken

insignificance [ɪnsɪgˈnɪfɪkəns] zn onbeduidendheid ★ *fade into* ~ totaal onbelangrijk worden

insignificant [ɪnsɪgˈnɪfɪkənt] bnw ❶ onbeduidend, onbelangrijk ❷ gering, nietig

insincere [ɪnsɪnˈsɪə] bnw onoprecht, hypocriet

insincerity [ɪnsɪnˈserətɪ] zn onoprechtheid, hypocrisie

insinuate [ɪnˈsɪnjʊeɪt] I ov ww insinueren, suggereren ★ *her insinuating smile* haar insinuerende glimlach ★ *I'm not sure what you're trying to* ~ ik begrijp niet precies wat je daarmee wilt zeggen II wkd ww ~ *into* op slinkse wijze binnendringen

insinuation [ɪnsɪnjʊˈeɪʃən] zn ❶ insinuatie ❷ het ongemerkt binnendringen

insipid [ɪnˈsɪpɪd] bnw ❶ saai, oninteressant ❷ smakeloos ⟨eten⟩

insist [ɪnˈsɪst] onov ww ❶ erop staan, aandringen ★ *she* ~*ed that he come too* ze eiste met klem dat hij meeging ❷ met klem beweren ★ *he* ~*ed that he was innocent* hij hield bij hoog en bij laag vol dat hij onschuldig was

insistence [ɪnˈsɪstns] zn aandrang ★ *at my* ~*, they turned the radio down* op mijn aandringen zetten ze de radio zachter

insistent [ɪnˈsɪstnt] bnw aanhoudend, dringend, onophoudelijk

insofar [ɪnsəʊˈfɑː] bijw ★ ~ *as* voor zover

insole [ˈɪnsəʊl] zn binnenzool, inlegzool, voetbed

insolence [ˈɪnsələns] zn onbeschaamdheid, brutaliteit

insolent [ˈɪnsələnt] bnw onbeschaamd, brutaal

insoluble [ɪnˈsɒljʊbl] bnw onoplosbaar

insolvency [ɪnˈsɒlvənsɪ] zn insolventie

insolvent [ɪnˈsɒlvənt] bnw insolvent, humor blut

insomnia [ɪnˈsɒmnɪə] zn slapeloosheid ★ *suffer from* ~ aan slapeloosheid lijden

insomniac [ɪnˈsɒmnɪæk] zn lijder aan slapeloosheid

insomuch [ɪnsəʊˈmʌtʃ] bijw ★ ~ *as* in zoverre dat ★ ~ *that* zó dat

insouciance [ɪnˈsuːsɪəns] zn onverschilligheid, zorgeloosheid

inspect [ɪnˈspekt] ov ww onderzoeken, inspecteren, keuren

inspection [ɪnˈspekʃən] zn inspectie, keuring ★ *on closer* ~ bij nader onderzoek ★ *for (your)* ~ ter inzage ★ *an* ~ *copy* een exemplaar ter inzage

inspector [ɪnˈspektə] zn ❶ inspecteur, controleur, opzichter ❷ GB adjudant ⟨bij politie⟩

inspiration [ɪnspɪˈreɪʃən] zn ❶ inspiratie ❷ ingeving, inval ★ *a flash of* ~ een plotselinge inval

inspirational [ɪnspəˈreɪʃənəl] bnw ❶ geïnspireerd ❷ inspirerend

inspire [ɪnˈspaɪə] ov ww ❶ inspireren, bezielen ❷ opwekken, doen ontstaan ★ *the pilot didn't exactly* ~ *me with confidence* de piloot boezemde mij weinig vertrouwen in

inspired [ɪnˈspaɪəd] bnw geïnspireerd

instability [ɪnstəˈbɪlətɪ] zn instabiliteit, onvastheid, onstandvastigheid

install, instal [ɪnˈstɔːl] ov ww ❶ installeren ❷ plaatsen, monteren, aanbrengen

installation [ɪnstəˈleɪʃən] zn ❶ installatie, bevestiging ❷ plaatsing, aanbrenging, montage

instalment, USA installment [ɪnˈstɔːlmənt] zn ❶ (afbetalings)termijn ⟨van betaling⟩ ★ *they pay in monthly* ~*s* ze betalen in maandelijkse termijnen ★ *keep up (with) the* ~*s* bijblijven met de betalingen ❷ aflevering ❸ installatie

instance [ˈɪnstns] zn voorbeeld, geval ★ *for* ~ bijvoorbeeld ★ *in the first* ~ in de eerste plaats, in eerste instantie

instant [ˈɪnstnt] I zn ogenblik ★ *at any* ~ elk ogenblik ★ *come here this (very)* ~*!* kom ogenblikkelijk / onmiddellijk hier! ★ *she rang the* ~ *she arrived* ze belde meteen toen ze aankwam II bnw ❶ ogenblikkelijk, onmiddellijk ❷ klaar voor (direct) gebruik ★ ~ *coffee* oploskoffie

instantaneous [ɪnstənˈteɪnɪəs] bnw ogenblikkelijk, onmiddellijk

instantly [ˈɪnstəntlɪ] bijw onmiddellijk, dadelijk, op staande voet ★ *the driver was killed* ~ de chauffeur was op slag dood

instate [ɪnˈsteɪt] ov ww installeren, vestigen

instead [ɪnˈsted] bijw in plaats hiervan / daarvan ★ ~ *of* in plaats van

instep [ˈɪnstep] zn wreef ⟨van voet⟩

instigate [ˈɪnstɪgeɪt] ov ww ❶ in gang zetten ❷ aansporen, aanzetten tot

instigation [ɪnstɪˈgeɪʃən] zn aansporing, ophitsing, aanstichting ★ *at the* ~ *of* op aandringen van

instigator [ˈɪnstɪgeɪtə] zn ophitser, aanzetter

instil, USA instill [ɪnˈstɪl] ov ww inboezemen, inprenten ★ ~ *fear into sb* iem. angst aanjagen

instinct [ˈɪnstɪŋkt] zn instinct, intuïtie ★ *animals learn by* ~ dieren leren instinctief ★ *my* ~ *tells me I'm right* ik weet intuïtief dat ik gelijk heb

instinctive [ɪnˈstɪŋktɪv] bnw instinctief, intuïtief ★ *my* ~ *reaction was to brake* mijn automatische reactie was om te remmen

institute [ˈɪnstɪtjuːt] I zn instelling, instituut II ov ww stichten, instellen, op gang brengen ★ ~ *proceedings against sb* een rechtzaak tegen iem. aanspannen

institution [ɪnstɪˈtjuːʃən] zn ❶ instituut, instelling ❷ gesticht ❸ inform ingeworteld gewoonte, sociale institutie ★ *high tea is a British* ~ high tea is een Brits gebruik ❹ inform bekend iemand

instruct [ɪnˈstrʌkt] ov ww ❶ onderrichten, laten weten ★ *I've always been* ~*ed that honesty is the best policy* men heeft mij altijd verteld dat eerlijk het langst duurt ❷ inlichtingen verstrekken, voorlichten ❸ bevelen

instruction [ɪnˈstrʌkʃən] zn ❶ instructie, voorschrift ★ ~*s for use* gebruiksaanwijzing ❷ bevel ❸ onderwijs

instruction manual zn gebruiksaanwijzing, handleiding

instructive [ɪn'strʌktɪv] *bnw* leerzaam

instructor [ɪn'strʌktə] *zn* ❶ instructeur ❷ leraar, docent

instrument ['ɪnstrəmənt] *zn* ❶ instrument, werktuig, gereedschap ❷ middel ★ *dialogue can be an ~ of change* dialoog kan een middel tot verandering zijn

instrumental [ɪnstrə'mentl] *bnw* ❶ instrumentaal ❷ behulpzaam, bevorderlijk ★ *she was ~ in my decision* ze speelde een cruciale rol bij mijn besluit

instrumentalist [ɪnstrʊ'mentəlɪst] *zn* bespeler van instrument

insubordinate [ɪnsə'bɔːdɪnət] *bnw* ongehoorzaam, opstandig

insubordination [ɪnsəbɔːdə'neɪʃən] *zn* insubordinatie, ongehoorzaamheid

insufferable [ɪn'sʌfərəbl] *bnw* on(ver)draaglijk, onuitstaanbaar

insufficient [ɪnsə'fɪʃənt] *bnw* onvoldoende ★ ~ *money* te weinig geld

insular ['ɪnsjʊlə] *bnw* ❶ geïsoleerd ❷ bekrompen ⟨van geest⟩

insulate ['ɪnsjʊleɪt] *ov ww* ❶ isoleren ❷ afzonderen

insulation [ɪnsjʊ'leɪʃən] *zn* isolatie(materiaal)

insulin ['ɪnsjʊlɪn] *zn* insuline

insult[1] ['ɪnsʌlt] *zn* belediging ★ *add ~ to injury* de zaak nog erger maken

insult[2] [ɪn'sʌlt] *ov ww* beledigen

insuperable [ɪn'suːpərəbl] *bnw* onoverkomelijk

insupportable [ɪnsə'pɔːtəbl] *bnw* ondraaglijk

insurance [ɪn'ʃʊərəns] *zn* verzekering ★ *comprehensive ~* allriskverzekering ★ *they received one million dollars in ~* ze kregen een miljoen dollar van de verzekering

insure [ɪn'ʃʊə] *ov ww* verzekeren ★ *the ~d* de verzekerde(n)

insurer [ɪn'ʃʊərə] *zn* verzekeraar

insurgence [ɪn'sɜːdʒəns], **insurgency** [ɪn'sɜːdʒənsɪ] *zn* oproer, opstand

insurgent [ɪn'sɜːdʒənt] **I** *zn* rebel, opstandeling **II** *bnw* oproerig, opstandig

insurmountable [ɪnsə'maʊntəbl] *bnw* onoverkomelijk, onoverwinnelijk

insurrection [ɪnsə'rekʃən] *zn* opstand

insurrectionary [ɪnsə'rekʃənərɪ] **I** *zn* opstandeling **II** *bnw* opstandig

intact [ɪn'tækt] *bnw* intact, heel, ongeschonden

intake ['ɪnteɪk] *zn* ❶ opneming, inname ★ *an ~ of breath* een inademing ★ *the annual ~ of students* de jaarlijkse instroom van studenten ❷ inlaat, invoer ⟨van apparaat⟩ ❸ opgenomen hoeveelheid ★ *restrict your daily ~ of salt* beperk uw dagelijkse zoutinname ❹ ontvangsten

intangible [ɪn'tændʒɪbl] *bnw* ❶ ongrijpbaar, vaag ❷ immaterieel

integer wisk *zn* geheel getal

integral ['ɪntɪɡrəl] **I** *zn* integraal **II** *bnw* ❶ integraal, volledig ❷ essentieel deel uitmakend, wezenlijk ★ *its simplicity was ~ to the plan's success* eenvoud was de kern van het succes van het plan ❸ ingebouwd

integrate ['ɪntɪɡreɪt] **I** *ov ww* ❶ tot één geheel verenigen ❷ integreren **II** *onov ww* geïntegreerd worden, deel gaan uitmaken,

integreren

integration [ɪntɪ'ɡreɪʃən] *zn* integratie

integrity [ɪn'teɡrɪtɪ] *zn* ❶ integriteit, eerlijkheid, onkreukbaarheid ★ *Lincoln was a man of great ~* Lincoln was een zeer integere man ❷ volledigheid ★ *the country's ~ must be respected* de eenheid van het land moet in acht worden genomen

intellect ['ɪntəlekt] *zn* intellect, verstand

intellectual [ɪntə'lektʃʊəl] **I** *zn* intellectueel **II** *bnw* ❶ intellectueel ❷ verstandelijk, verstands-★ *his ~ development is that of a 2-year-old* hij heeft het verstand van een kind van twee

intelligence [ɪn'telɪdʒəns] *zn* ❶ verstand, begrip ★ *artificial ~* kunstmatige intelligentie ★ *she didn't even have the ~ to ask first* ze had niet eens het benul om eerst te vragen ❷ inlichtingen, bericht(en) ★ ~ *operations* spionage ❸ inlichtingendienst

intelligent [ɪn'telɪdʒənt] *bnw* intelligent

intelligently [ɪn'telɪdʒəntlɪ] *bijw* met verstand

intelligible [ɪn'telɪdʒɪbl] *bnw* begrijpelijk, verstaanbaar ★ *their language was not ~ to him* hun taal was voor hem niet te verstaan / begrijpen

intemperate [ɪn'tempərət] *bnw* ❶ overdreven, onbeheerst, heftig ⟨taal⟩ ❷ drankzuchtig ❸ guur ⟨weer, klimaat⟩

intend [ɪn'tend] *ov ww* ❶ van plan zijn ❷ bestemmen ★ ~*ed as* bedoeld als

intended [ɪn'tendɪd] *bnw* ❶ aanstaande ❷ beoogd ★ *the shot missed its ~ target* het schot miste het beoogde doel ★ *the film is ~ for a young audience* de film is bedoeld voor een jong publiek ❸ opzettelijk

intending [ɪn'tendɪn] *bnw* aanstaande ★ ~ *buyers* potentiële kopers

intense [ɪn'tens] *bnw* intens, krachtig, sterk ★ *an ~ longing* een vurig verlangen

intensify [ɪn'tensɪfaɪ] **I** *ov ww* ❶ versterken ❷ verhevigen ❸ intensiveren **II** *onov ww* toenemen, intenser worden

intensity [ɪn'tensətɪ] *zn* intensiteit, sterkte, hevigheid

intensive [ɪn'tensɪv] *bnw* intensief, grondig, ingespannen

intent [ɪn'tent] **I** *zn* bedoeling, opzet ★ *to all ~s and purposes* feitelijk, in alle opzichten **II** *bnw* ❶ (in)gespannen ❷ doelbewust, vastbesloten ★ *she is ~ (up)on finding the truth* ze is vastbesloten achter de waarheid te komen ★ *they are ~ (up)on revenge* ze zijn uit op wraak

intention [ɪn'tenʃən] *zn* voornemen, doel, bedoeling ★ *she has no ~ of retiring* ze is niet van plan af te treden

intentional [ɪn'tenʃənl] *bnw* opzettelijk

inter [ɪn'tɜː] *ov ww* begraven

inter- ['ɪntə] *voorv* inter-, tussen ★ *intergovernmental* intergouvernementeel

interact [ɪntər'ækt] *onov ww* op elkaar inwerken ★ *he ~s well with the other children* hij en de andere kinderen reageren goed op elkaar

interaction [ɪntər'ækʃən] *zn* wisselwerking

interbreed [ɪntə'briːd] **I** *ov ww* kruisen **II** *onov ww* zich kruisen

intercede [ɪntə'si:d] onov ww bemiddelen, tussenbeide komen ★ ~ on sb's behalf een goed woordje voor iem. doen

intercept [ɪntə'sept] ov ww onderscheppen, tegenhouden

intercession [ɪntə'seʃən] zn tussenkomst, bemiddeling

interchange¹ ['ɪntətʃeɪndʒ] zn ❶ (uit)wisseling, ruil ❷ ongelijkvloerse kruising

interchange² [ɪntə'tʃeɪndʒ] ov ww (uit)wisselen, ruilen, (met elkaar) wisselen

interchangeable [ɪntə'tʃeɪndʒəbl] bnw (onderling) verwisselbaar

intercollegiate [ɪntəkə'li:dʒət] bnw tussen colleges onderling (van universiteiten)

intercontinental [ɪntəkɒntɪ'nentl] bnw intercontinentaal

intercourse ['ɪntəkɔ:s] zn ❶ geslachtsverkeer ★ sexual ~ geslachtsgemeenschap ❷ form omgang

interdenominational [ɪntədɪnɒmɪ'neɪʃənl] bnw interkerkelijk

interdependent [ɪntədɪ'pendənt] bnw onderling afhankelijk

interest ['ɪntrəst] I zn ❶ belangstelling ★ places of ~ bezienswaardigheden ★ she shows no ~ in learning ze toont geen enkele interesse in leren ★ as a matter of ~ trouwens ❷ (eigen)belang, voordeel ★ a controlling ~ een meerderheidsbelang ❸ interesse, hobby ❹ rente ★ the ~ rate de rentevoet ❺ belangengroepering II ov ww ❶ belangstelling wekken ★ he always ~ed himself in political affairs hij heeft altijd belangstelling gehad voor politiek ❷ ~ in belangstelling wekken voor

interested ['ɪntrestɪd] bnw ❶ belang hebbend, betrokken ★ ~ parties belanghebbenden ❷ geïnteresseerd zijn

interest-free [ɪntrəst'fri:] bnw renteloos

interesting ['ɪntrəstɪŋ] bnw interessant, belangwekkend

interface ['ɪntəfeɪs] zn ❶ raakvlak ❷ comp interface, koppeling

interfere [ɪntə'fɪə] I onov ww ❶ zich ermee bemoeien, tussenbeide komen ❷ techn interferentie veroorzaken II ov ww ~ with zich bemoeien met, aankomen, betasten, belemmeren, zich vergrijpen aan ★ he caught her interfering with his papers hij betrapte haar bij het doorzoeken van zijn papieren

interference [ɪntə'fɪərəns] zn ❶ tussenkomst, bemoeiing ❷ hinder ❸ interferentie, storing ❹ sport blokkeren

interfuse [ɪntə'fju:z] I ov ww ❶ doordringen ❷ (ver)mengen II onov ww in elkaar overlopen, zich vermengen

interim ['ɪntərɪm] I zn tussentijd ★ in the ~ ondertussen, intussen II bnw tussentijds, voorlopig, tijdelijk

interior [ɪn'tɪərɪə] I zn ❶ het inwendige, interieur ❷ binnenland ❸ binnenste ★ USA Department of the Interior Ministerie van Binnenlandse Zaken II bnw ❶ binnenlands ❷ binnenshuis ❸ binnen-, binnenst ❹ innerlijk ★ an ~ decorator een binnenhuisarchitect

interject [ɪntə'dʒekt] ov ww tussen werpen, uitroepen, opmerken

interjection [ɪntə'dʒekʃən] zn tussenwerpsel, uitroep, opmerking

interlace [ɪntə'leɪs] I ov ww ❶ in elkaar vlechten ❷ doorspekken II onov ww elkaar doorkruisen

interlink [ɪntə'lɪŋk] ov ww onderling verbinden

interlock [ɪntə'lɒk] I ov ww met elkaar verbinden II onov ww in elkaar sluiten / grijpen

interloper ['ɪntələʊpə] zn indringer

interlude ['ɪntəlu:d] zn ❶ pauze, onderbreking ❷ tussenspel, intermezzo

intermarriage [ɪntə'mærɪdʒ] zn ❶ gemengd huwelijk ❷ huwelijk tussen naaste verwanten

intermarry [ɪntə'mærɪ] onov ww ❶ onderling trouwen (van verschillende groepen, stammen of volkeren) ❷ onder elkaar trouwen (van naaste verwanten)

intermediary [ɪntə'mi:dɪərɪ] I zn bemiddelaar, tussenpersoon II bnw bemiddelend

intermediate [ɪntə'mi:dɪət] bnw ❶ tussenliggend, tussen- ★ ~ frequency middengolf ★ ~ range ballistic missile middellangeafstandsraket ❷ iets gevorderd ★ an ~ textbook een tekstboek voor gevorderden

interment [ɪn'tɜ:mənt] zn begrafenis

interminable [ɪn'tɜ:mɪnəbl] bnw eindeloos

intermingle [ɪntə'mɪŋgl] I ov ww (ver)mengen II onov ww ❶ zich (laten) vermengen ★ the royal family ~d with the crowd de koninklijke familie mengde zich onder de toeschouwers ❷ met elkaar omgaan

intermission [ɪntə'mɪʃən] zn pauze, onderbreking

intermittent [ɪntə'mɪtnt] bnw (af)wisselend, bij tussenpozen ★ cloudy with ~ showers bewolkt met af en toe buien

intermix [ɪntə'mɪks] ov+onov ww (ver)mengen

intern¹, **interne** ['ɪntɜ:n] zn ❶ USA coassistent ❷ stagiair

intern² [ɪn'tɜ:n] ov ww interneren

internal [ɪn'tɜ:nl] bnw ❶ inwendig, innerlijk, binnen- ★ an ~ combustion engine een verbrandingsmotor ★ ~ evidence bewijs uit de zaak zelf ★ ~ doors binnendeuren ❷ binnenlands, intern ★ the job was only advertised ~ly de baan was alleen intern geadverteerd

internalize, internalise [ɪn'tɜ:nəlaɪz] ov ww zich eigen maken

international [ɪntə'næʃənl] bnw internationaal

internationalization, internationalisation [ɪntənæʃənəlaɪ'zeɪʃən] zn internationalisatie

internationalize, internationalise [ɪntə'næʃənəlaɪz] ov ww internationaliseren

interne zn → **intern**¹

internecine [ɪntə'ni:saɪn] bnw intern ★ ~ war burgeroorlog

internee [ɪntɜ:'ni:] zn geïnterneerde

Internet ['ɪntɜ:n] zn ★ the ~ het internet ★ surf the ~ op het internet surfen

internment [ɪn'tɜ:nmənt] zn internering

interpersonal [ɪntə'pɜ:sənl] bnw intermenselijk ★ good ~ skills goed met mensen kunnen omgaan

interplanetary [ɪntə'plænɪtərɪ] bnw interplanetair

interplay ['ɪntəpleɪ] zn wisselwerking
interpose [ɪntə'pəʊz] I ov ww plaatsen tussen II onov ww onderbreken, in de rede vallen
interpret [ɪn'tɜːprɪt] I ov ww verklaren, uitleggen ❷ vertolken II onov ww als tolk fungeren
interpretation [ɪntɜːprə'teɪʃən] zn ❶ vertolking ❷ uitleg, verklaring
interpretative [ɪn'tɜːprɪtətɪv] bnw verklarend
interpreter [ɪn'tɜːprɪtə] zn tolk
interracial [ɪntə'reɪʃəl] bnw tussen verschillende rassen
interrelate [ɪntərɪ'leɪt] I ov ww onderling verbinden II onov ww met elkaar in verband staan
interrogate [ɪn'terəgeɪt] ov ww ondervragen
interrogation [ɪn'terəgeɪʃən] zn ondervraging, verhoor
interrogative taalk I zn vragend voornaamwoord II bnw vragend, vraag- ★ taalk ~ pronoun vragend voornaamwoord
interrupt [ɪntə'rʌpt] I ov ww ❶ onderbreken, afbreken ❷ storen, belemmeren ❸ in de rede vallen II onov ww in de rede vallen, storen
interruption [ɪntə'rʌpʃən] zn ❶ interruptie, onderbreking ❷ storing ★ an ~ to the power supply een storing in de elektriciteitstoevoer
intersect [ɪntə'sekt] I ov ww ❶ doorsnijden ❷ verdelen II onov ww elkaar snijden
intersection [ɪntə'sekʃən] zn ❶ snijpunt ❷ kruispunt ⟨van wegen⟩
intersperse [ɪntə'spɜːs] ov ww ❶ strooien, mengen ❷ afwisselen
interstice [ɪn'tɜːstɪs] zn tussenruimte, opening, spleet
intertwine [ɪntə'twaɪn] I ov ww dooreenvlechten II onov ww met elkaar verweven zijn, zich in elkaar strengelen
interval ['ɪntəvəl] zn ❶ tussenpoos ★ at regular ~s regelmatig ★ cloudy with sunny ~s bewolkt met nu en dan zon ❷ tussenruimte ❸ muz interval ❹ pauze
intervene [ɪntə'viːn] onov ww ❶ tussenbeide komen, ingrijpen ❷ in de rede vallen ❸ zich (onverwachts) voordoen ❹ ertussen liggen
intervention [ɪntə'venʃən] zn ❶ tussenkomst, interventie ❷ (chirurgische) ingreep
interview ['ɪntəvjuː] I zn ❶ onderhoud ❷ vraaggesprek ❸ sollicitatiegesprek II ov ww ❶ ondervragen ❷ interviewen ❸ een sollicitatiegesprek voeren met
interviewee [ɪntəvjʊ'iː] zn ❶ geïnterviewde ❷ ondervraagde
interviewer ['ɪntəvjuːə] zn ❶ interviewer ❷ ondervrager
interweave [ɪntə'wiːv] I ov ww vervlechten, dooreenvlechten II onov ww met elkaar verweven zijn, zich in elkaar strengelen, zich dooreenweven
intestate [ɪn'testət] bnw zonder testament (overleden)
intestine [ɪn'testɪn] zn darm ★ ~s ingewanden ★ the large / small ~ de dikke / dunne darm
intimacy ['ɪntɪməsɪ] zn ❶ intimiteit ❷ innigheid ❸ grondigheid ⟨van kennis⟩ ❹ geslachtsgemeenschap

intimate[1] ['ɪntɪmət] I zn boezemvriend II bnw ❶ intiem ★ be ~ with boezemvriend zijn van, een (seksuele) verhouding hebben met ❷ privé, vertrouwelijk ❸ grondig ⟨van kennis⟩
intimate[2] ['ɪntɪmeɪt] ov ww te kennen geven, laten doorschemeren
intimation [ɪntɪ'meɪʃən] zn wenk, teken, aanduiding
intimidate [ɪn'tɪmɪdeɪt] ov ww intimideren
intimidation [ɪntɪmɪ'deɪʃən] zn intimidatie
into ['ɪntʊ] vz ❶ in, binnen ★ translate into French in het Frans vertalen ★ she was forced into a car zij werd een auto ingeduwd ❷ tot, tot in ★ he was beaten into submission hij werd geslagen tot hij zich onderwierp ★ well into the night tot diep in de nacht ❸ tegenaan, tegenin ★ he crashed into a car hij botste tegen een auto aan ★ they were driving into the sun ze reden tegen de zon in ❹ naar ★ an inquest into her death een gerechtelijk onderzoek naar haar dood ▼two into eight is four acht gedeeld door twee is vier ▼inform nowadays he's into jazz tegenwoordig doet hij aan jazz
intolerable [ɪn'tɒlərəbl] bnw on(ver)draaglijk
intolerance [ɪn'tɒlərəns] zn onverdraagzaamheid
intolerant [ɪn'tɒlərənt] bnw onverdraagzaam
intonation [ɪntə'neɪʃən] zn intonatie
intoxicant [ɪn'tɒksɪkənt] zn bedwelmend middel, sterkedrank
intoxicate [ɪn'tɒksɪkeɪt] ov ww ❶ dronken maken ❷ fig in extase brengen
intoxicated [ɪntɒksɪ'keɪtɪd] bnw ❶ dronken ★ driving while ~ rijden onder invloed ❷ fig in vervoering ★ ~ by her success ze was in een roes door haar succes
intra- ['ɪntrə] voorv intra-, in-, binnen
intractable [ɪn'træktəbl] form bnw lastig
intramural [ɪntrə'mjʊərəl] bnw voor studenten van de eigen school / universiteit
intransitive [ɪn'trænsɪtɪv] taalk bnw onovergankelijk
intravenous [ɪntrə'viːnəs] bnw intraveneus, in de ader(en)
intrench [ɪn'trentʃ] ov ww → **entrench**
intrepid [ɪn'trepɪd] bnw onverschrokken, moedig
intricacy ['ɪntrɪkəsɪ] zn ingewikkeldheid
intricate ['ɪntrɪkət] bnw ingewikkeld, complex ★ the chest has ~ details de kast is fijn gedetailleerd
intrigue [ɪn'triːg] I ov ww intrigeren, nieuwsgierig maken II onov ww form 't aanleggen met III zn ❶ intrige, kuiperij, samenzwering ★ sexual ~s geheime seksuele verhoudingen ❷ verwikkeling, mysterie ★ his sudden disappearance added to the ~ zijn plotselinge verdwijnen maakte het nog geheimzinniger
intrinsic [ɪn'trɪnsɪk] bnw wezenlijk, innerlijk, intrinsiek
introduce [ɪntrə'djuːs] ov ww ❶ voorstellen ⟨van persoon⟩ ★ she ~d him to art ze bracht hem met de kunst in aanraking ❷ ter tafel brengen, indienen ⟨van wetsvoorstel⟩, invoeren
introduction [ɪntrə'dʌkʃən] zn ❶ inleiding, voorwoord ❷ invoering ❸ voorstelling
introductory [ɪntrə'dʌktərɪ] bnw inleidend

introspection [ɪntrəˈspekʃən] *zn* zelfonderzoek

introspective [ɪntrəˈspektɪv] *bnw* introspectief, zelfonderzoekend ★ *as he grew older he became increasingly ~* met de jaren raakte hij steeds meer in zichzelf gekeerd

introverted [ɪntrəˈvɜːrtɪd], **introvert** [ɪntrəˈvɜːt] *bnw* introvert, naar binnen gekeerd

intrude [ɪnˈtruːd] *onov ww* ❶ onuitgenodigd binnenkomen, zich indringen, zich opdringen ❷ storen ★ *his private life ~d on his presidency* zijn privéleven had een negatief effect op zijn presidentschap

intruder [ɪnˈtruːdə] *zn* indringer

intrusion [ɪnˈtruːʒən] *zn* inbreuk, binnendringen

intrusive [ɪnˈtruːsɪv] *bnw* ❶ indringerig ❷ opdringerig

intuition [ɪntjuːˈɪʃən] *zn* intuïtie, ingeving

intuitive [ɪnˈtjuːətɪv] *bnw* intuïtief

inundate [ˈɪnəndeɪt] *ov ww* onder water zetten, overstromen, overstelpen

inundation [ɪnʌnˈdeɪʃən] *zn* ❶ overstroming, onderwaterzetting ❷ stortvloed, stroom

inure [ɪˈnjuə] form *ov ww* ~ **to** wennen aan ★ *the loss of his family ~d him to death* het verlies van zijn gezin hardde hem tegen de dood

invade [ɪnˈveɪd] *ov ww* ❶ binnenvallen ⟨van vijand⟩ ❷ bestormen, overstromen ❸ aantasten, aangrijpen ⟨van ziekte⟩ ❹ inbreuk maken op

invalid¹ [ɪnˈvælɪd] *bnw* ❶ ongeldig, onwettig ❷ ongegrond, zwak

invalid² [ˈɪnvəlɪd, ˈɪnvəliːd] **I** *zn* zieke, invalide **II** *ov ww* ❶ bedlegerig maken, invalide maken ❷ ~ **(out)** afkeuren, voor de dienst ongeschikt maken

invalidate [ɪnˈvælɪdeɪt] *ov ww* ❶ ongeldig maken ★ *change of ownership will ~ the warranty* bij verandering van eigendom komt de garantie te vervallen ❷ ontzenuwen ⟨argumenten⟩

invalidation [ɪnvælɪˈdeɪʃən] *zn* het ongeldig maken

invalidism [ˈɪnvəlɪdɪzm] *zn* chronische ziekte

invalidity [ɪnvəˈlɪdəti] *zn* ❶ ongeldigheid ❷ invaliditeit

invaluable [ɪnˈvæljʊəbl] *bnw* onschatbaar

invariable [ɪnˈveərɪəbl] *bnw* onveranderlijk, constant

invariably [ɪnˈveərɪəbli] *bijw* altijd, steeds

invasion [ɪnˈveɪʒən] *zn* ❶ inval ★ *an ~ of locusts* een sprinkhanenplaag ❷ inbreuk, schending

invasive [ɪnˈveɪsɪv] *bnw* ❶ invallend, binnendringend ★ *~ surgery* ingrijpende chirurgie ❷ zich snel verspreidend ★ *an ~ cancer* een zich snel uitbreidend kankergezwel

invective [ɪnˈvektɪv] *zn* scheldwoord(en)

inveigh [ɪnˈveɪ] form *ov ww* ~ **against** (heftig) uitvaren tegen, schelden op

inveigle [ɪnˈveɪgl, ɪnˈviːgl] form *ov ww* (ver)lokken, verleiden, overhalen ★ *he ~d her into marrying him* hij bracht haar ertoe met hem te trouwen

invent [ɪnˈvent] *ov ww* ❶ uitvinden ❷ verzinnen

invention [ɪnˈvenʃən] *zn* ❶ uitvinding ❷ verzinsel ❸ vindingrijkheid ★ *his films are full of ~* zijn films zijn vol vindingrijk

inventive [ɪnˈventɪv] *bnw* vindingrijk, creatief

inventor [ɪnˈventə] *zn* uitvinder

inventory [ˈɪnvəntəri] *zn* ❶ inventaris, boedelbeschrijving ❷ lijst, overzicht

inverse [ˈɪnvɜːs] **I** *zn* het omgekeerde **II** *bnw* omgekeerd ★ *~ly proportional to* omgekeerd evenredig met

inversion [ɪnˈvɜːʃən] *zn* ❶ omkering ❷ taalk inversie

invert [ɪnˈvɜːt] *ov ww* omkeren

invertebrate [ɪnˈvɜːtɪbrət] **I** *zn* ❶ ongewerveld dier ❷ zwakkeling **II** *bnw* ❶ ongewerveld ❷ zwak

inverted commas [ɪnˈvɜːtɪd ˈkɒməz] *zn mv* aanhalingstekens

invest [ɪnˈvest] **I** *ov ww* ❶ beleggen, investeren, steken ★ *humor it's time to ~ in a new couch* het wordt tijd om in een nieuw bankstel te investeren ❷ form bekleden, omkleden ★ *the author ~s ordinary events with mystery* de schrijver hult gewone gebeurtenissen in mysterie ❸ form installeren **II** *onov ww* investeren, geld beleggen

investigate [ɪnˈvestɪgeɪt] **I** *ov ww* onderzoeken **II** *onov ww* een onderzoek instellen

investigation [ɪnvestɪˈgeɪʃən] *zn* onderzoek ★ *the matter is still under ~* de zaak wordt nog onderzocht ★ *an ~ into traffic congestion* een onderzoek naar verkeersopstoppingen

investigative [ɪnˈvestɪgətɪv], **investigatory** [ɪnˈvestɪgətəri] *bnw* onderzoekend, onderzoeks-

investiture [ɪnˈvestɪtʃə] *zn* inhuldiging, bekleding

investment [ɪnˈvestmənt] *zn* geldbelegging, investering ★ *~ banking* investering, belegging

investor [ɪnˈvestə] *zn* investeerder, belegger

inveterate [ɪnˈvetərət] *bnw* ❶ verstokt, aarts- ★ *an ~ liar* een onverbeterlijke leugenaar ❷ ingeworteld, chronisch

invidious [ɪnˈvɪdɪəs] *bnw* ❶ naar, netelig ★ *be in an ~ position* in een netelige positie verkeren ❷ discriminerend

invigilate [ɪnˈvɪdʒɪleɪt] *onov ww* surveilleren ⟨bij examen⟩

invigilation [ɪnvɪdʒəˈleɪʃən] *zn* surveillance

invigilator [ɪnˈvɪdʒəleɪtə] *zn* surveillant

invigorate [ɪnˈvɪgəreɪt] *ov ww* versterken, stimuleren, kracht bijzetten

invincible [ɪnˈvɪnsɪbl] *bnw* onoverwinnelijk ★ *she has an ~ belief in herself* ze gelooft onwankelbaar in zichzelf

inviolable [ɪnˈvaɪələbl] *bnw* onschendbaar

invisibility [ɪnvɪzəˈbɪləti] *zn* onzichtbaarheid ★ *slide into ~* onzichtbaar worden

invisible [ɪnˈvɪzɪbl] *bnw* onzichtbaar, verborgen ★ *~ to the naked eye* met het blote oog niet te zien

invitation [ɪnvɪˈteɪʃən] *zn* uitnodiging ★ *she went at the ~ of the president* ze ging op uitnodiging van de president

invite [ɪnˈvaɪt] **I** *zn* inform uitnodiging **II** *ov ww* ❶ uitnodigen ★ *she's been ~d to a party* zij is uitgenodigd op een feestje ❷ beleefd vragen ❸ aanlokken ★ *to carry a gun is to ~ trouble* een pistool dragen is om moeilijkheden vragen ❹ ~ **in** vragen om naar binnen te komen ❺ ~ **out** mee uit vragen ❻ ~ **over** uitnodigen om langs te komen

inviting [ɪn'vaɪtɪŋ] *bnw* uitnodigend, aanlokkelijk

invocation [ɪnvə'keɪʃən] *zn* inroeping, aanroeping, afsmeking

invoice ['ɪnvɔɪs] **I** *zn* factuur **II** *ov ww* factureren

invoke [ɪn'vəʊk] *ov ww* ❶ inroepen, aanroepen ❷ afsmeken, bidden om ❸ zich beroepen op

involuntary [ɪn'vɒləntərɪ] *bnw* onwillekeurig ★ *an ~ muscle contraction* een reflex ★ *the protesters were removed involuntarily* de demonstranten werden tegen hun zin verwijderd

involve [ɪn'vɒlv] *ov ww* ❶ betrekken, verwikkelen ★ *our interests are ~d* het gaat om onze belangen ❷ insluiten, (met zich) meebrengen, betekenen ★ *there are no costs ~d* er zijn geen kosten mee gemoeid

involvement [ɪn'vɒlvmənt] *zn* ❶ verwikkeling, betrokkenheid ❷ deelname ❸ (seksuele) verhouding

invulnerable [ɪn'vʌlnərəbl] *bnw* onkwetsbaar

inward ['ɪnwəd] **I** *bnw* ❶ inwendig, innerlijk ❷ naar binnen, binnenwaarts **II** *bijw* → **inwards**

inwardly ['ɪnwədlɪ] *bijw* ❶ innerlijk ❷ in zichzelf ❸ naar binnen

inwardness ['ɪnwədnəs] *zn* innerlijke betekenis

inwards ['ɪnwədz], **inward** *bijw* naar binnen, inwaarts

iodine ['aɪədiːn] *zn* jodium

iota [aɪ'əʊtə] *zn* jota, zeer kleine hoeveelheid ★ *not an iota of sense* geen greintje verstand

IOU *afk, I Owe You* schuldbekentenis

ir- [ɪ] *voorv* on-, niet

Iranian [ɪ'reɪnɪən] **I** *zn* Iraniër, Iraanse **II** *bnw* Iraans

Iraq [ɪ'rɑːk] *zn* Irak

Iraqi [ɪ'rɑːkɪ] *bnw* Irakees

irascible [ɪ'ræsɪbl] *bnw* opvliegend ⟨van aard⟩

irate [aɪ'reɪt] *bnw* woedend

ire ['aɪə] *zn* toorn

Ireland ['aɪələnd] *zn* Ierland

iridescence [ɪrɪ'desns] *bnw* kleurenspel ⟨als van een regenboog⟩

iridescent [ɪrɪ'desənt] *bnw* met de kleuren van de regenboog, regenboogkleurig, schitterend

iris ['aɪərɪs] *zn* ❶ iris ⟨van oog⟩ ❷ lis, iris ⟨plant⟩

Irish ['aɪərɪʃ] **I** *zn* het Iers ★ *the ~* de Ieren **II** *bnw* Iers

Irishman ['aɪərɪʃmən] *zn* Ier

Irishwoman ['aɪərɪʃwʊmən] *zn* Ierse

irk [ɜːk] *ov ww* vervelen, ergeren, tegenstaan

irksome ['ɜːksəm] *bnw* vervelend

iron ['aɪən] **I** *zn* ❶ ijzer ★ *wrought iron* smeedijzer ★ *cast iron* gietijzer ★ *strike while the iron is hot* het ijzer smeden als het heet is ★ *rule with a rod of iron* met ijzeren hand / vuist regeren ❷ brandijzer ★ *have too many irons in the fire* te veel hooi op je vork nemen ❸ strijkijzer ❹ *sport* golfstok ❺ *USA inform* revolver **II** *bnw* ❶ ijzeren ❷ onbuigzaam, meedogenloos **III** *ov ww* ❶ strijken ❷ ~ **out** gladstrijken, oplossing vinden voor

iron-hearted *bnw* hardvochtig

ironic [aɪ'rɒnɪk], **ironical** [aɪ'rɒnɪkl] *bnw* ironisch

ironing ['aɪənɪŋ] *zn* ❶ het strijken ❷ strijkgoed

ironing board *zn* strijkplank

ironmonger ['aɪənmʌŋgə] *zn* ijzerhandelaar

ironmongery ['aɪənmʌŋgərɪ] *zn* ❶ ijzerwaren ❷ ijzerwinkel

ironworks ['aɪənwɜːks] *zn mv* ijzergieterij

irony ['aɪərənɪ] *zn* ironie, spot ★ *the ~ is that she is not popular in her own country* het is ironisch dat ze niet geliefd is in eigen land

irrational [ɪ'ræʃənl] *bnw* irrationeel, onredelijk

irreconcilable [ɪ'rekənsaɪləbl] *bnw* ❶ onverzoenlijk ❷ onverenigbaar, onoverbrugbaar

irrecoverable [ɪrɪ'kʌvərəbl] *bnw* ❶ onherroepelijk verloren ❷ onherstelbaar ❸ oninbaar

irredeemable [ɪrɪ'diːməbl] *bnw* ❶ onherstelbaar ❷ onaflosbaar ❸ niet inwisselbaar ⟨van geld en waardepapieren⟩

irrefutable [ɪ'refjʊtəbl] *bnw* onweerlegbaar

irregular [ɪ'regjʊlə] *bnw* ❶ ongeregeld ❷ onregelmatig ★ *he eats ~ly* hij eet op onregelmatige tijden ❸ ongelijk ❹ niet in orde

irrelevance [ɪ'reləvəns], **irrelevancy** [ɪ'reləvənsɪ] *zn* irrelevantie

irrelevant [ɪ'relɪvənt] *bnw* irrelevant, niet ter zake (doend)

irremediable [ɪrɪ'miːdɪəbl] *bnw* onherstelbaar

irreparable [ɪ'repərəbl] *bnw* onherstelbaar, niet meer ongedaan te maken

irreplaceable [ɪrɪ'pleɪsəbl] *bnw* onvervangbaar

irrepressible [ɪrɪ'presɪbl] *bnw* ❶ niet te onderdrukken ❷ onstuitbaar

irreproachable [ɪrɪ'prəʊtʃəbl] *bnw* onberispelijk, keurig

irresistible [ɪrɪ'zɪstɪbl] *bnw* onweerstaanbaar, onbedwingbaar

irresolute [ɪ'rezəluːt] *bnw* aarzelend, besluiteloos

irresolvable [ɪrɪ'zɒlvəbl] *bnw* onoplosbaar

irrespective [ɪrɪ'spektɪv] *bnw* ★ *~ of* ongeacht ★ *~ of whether the answer is correct or not* of het antwoord juist is of niet

irresponsible [ɪrɪ'spɒnsɪbl] *bnw* ❶ ontoerekenbaar ❷ onverantwoordelijk

irretrievable [ɪrɪ'triːvəbl] *bnw* reddeloos (verloren), onherstelbaar, niet meer terug te krijgen ★ *~ breakdown* duurzame ontwrichting ⟨van huwelijk⟩

irreverent [ɪ'revərənt] *bnw* oneerbiedig ★ *the program takes an ~ look at parenting* het programma geeft een vrijpostige kijk op ouderschap

irreversible [ɪrɪ'vɜːsɪbl] *bnw* onomkeerbaar, onherstelbaar, onherroepelijk

irrevocable [ɪ'revəkəbl] *bnw* onherroepelijk, onomkeerbaar

irrigate ['ɪrɪgeɪt] *ov ww* ❶ besproeien, irrigeren ❷ *med* uitspoelen ⟨van wond⟩

irrigation [ɪrɪ'geɪʃən] *zn* irrigatie

irritability [ɪrɪtə'bɪlɪtɪ] *zn* prikkelbaarheid

irritable [ɪrɪtəbl] *bnw* prikkelbaar, geprikkeld ★ *she turned away irritably* ze draaide zich geïrriteerd om

irritant ['ɪrɪtnt] **I** *zn* prikkelend middel **II** *bnw* prikkelend

irritate ['ɪrɪteɪt] *ov ww* irriteren, prikkelen, ergeren ★ *that man ~s me* ik erger me aan die man

irritation [ɪrɪ'teɪʃən] *zn* ❶ geprikkeldheid,

ir

irritatie, ergernis ❷ branderigheid
is [ɪz, z, s] *ww* → **be**
Islam [ɪz'læm] *zn* islam
Islamic [ɪz'læmɪk] *bnw* islamitisch
island ['aɪlənd] *zn* eiland ★ *a traffic* ~ een verkeersheuvel
islander ['aɪləndə] *zn* eilandbewoner
isle [aɪl] *zn* eiland
ism ['ɪzəm] *humor zn* theorie, filosofisch systeem ★ *there are a lot of 'isms' in modern art* de moderne kunst kent veel ismes
isn't ['ɪzənt] *samentr, is not* → **be**
isolate ['aɪsəleɪt] *ov ww* isoleren, afzonderen
isolated ['aɪsəleɪtɪd] *bnw* ❶ afgelegen ❷ afzonderlijk
isolation [aɪsə'leɪʃən] *zn* ❶ afzondering, isolement ★ *many migrant women live in* ~ veel migrantenvrouwen leven in een isolement ❷ isolatie ★ *the* ~ *of the HIV virus* het isoleren van het hiv-virus
isosceles [aɪ'sɒsɪliːz] *meetk bnw* gelijkbenig ⟨van een driehoek⟩
Israeli [ɪz'reɪlɪ] **I** *zn* Israëliër, Israëli **II** *bnw* Israëlisch
issue ['ɪʃuː] **I** *zn* ❶ kwestie, zaak, onderwerp ★ *inform a hot* ~ een actueel onderwerp ★ *raise the* ~ *of safety* de veiligheid aan de orde stellen ★ *form I must take* ~ *with you on that matter* ik ben het hierover niet met u eens ❷ *euf* probleem ★ *a young woman with* ~*s* een jonge vrouw met problemen ★ *make no* ~ *of it* maak er geen punt van ❸ uitgave ⟨van tijdschriften enz.⟩, uitgifte ⟨van postzegels, bankbiljetten enz.⟩, emissie ⟨van aandelen⟩ ❹ nummer, editie ❺ *form* nageslacht ★ *die without* ~ kinderloos overlijden **II** *ov ww* ❶ uitgeven, publiceren, in circulatie brengen ❷ verstrekken, uitvaardigen ❸ uitstorten, uitspuwen ❹ ~ *with* voorzien van **III** *onov ww* uitkomen, voortkomen, verschijnen ★ *lava* ~*d from the volcano* er stroomde lava uit de vulkaan ★ *dicht a sigh* ~*d from her lips* een zucht ontsnapte aan haar lippen
isthmus ['ɪsməs] *zn* istmus, landengte
it [ɪt] *pers vnw* het ⟨met nadruk: hét⟩, hij, zij ★ *who is it?* wie is daar? ★ *it's me* ik ben het ★ *it's my car: it won't start* het is mijn auto: hij wil niet starten ★ *stop it!* hou op! ★ *let's face it: we've had it* laten we er geen doekjes om winden: we hebben geen kans meer ★ *we had a hard time of it* we hadden een moeilijke tijd ★ *she won't talk about it* ze wil er niet over praten ★ *that's it: no more fighting* zo is het genoeg: ophouden met vechten ★ *that's just it* dat is het hem nu juist ★ *inform no doubt about it: he's it* hij is de juiste man ★ *jeugdt Emily is it* Emily is nu aan de beurt ★ *inform this is it!* dit is het helemaal! ★ *inform OK, this is it: time to get to work* OK, genoeg getreuzeld, tijd om aan het werk te gaan ★ *inform go it!* vooruit!, zet 'm op!
Italian [ɪ'tæljən] **I** *zn* Italiaan, Italiaanse **II** *bnw* Italiaans
italic [ɪ'tælɪk] *bnw* cursief ★ *in* ~ *script* cursief
italicize, italicise [ɪ'tælɪsaɪz] *ov ww* cursiveren
italics [ɪ'tælɪks] *zn mv* schuinschrift ★ *in* ~ cursief gedrukt
Italy ['ɪtəlɪ] *zn* Italië

itch [ɪtʃ] **I** *zn* ❶ jeuk, kriebel ★ *iron the seven-year itch* de kriebels ⟨na relatie van 7 jaar⟩ ❷ *inform* hunkering ★ *an itch to go skiing* zin om te gaan skiën **II** *onov ww* ❶ jeuken ★ *my fingers are itching to...* mijn vingers jeuken om... ❷ *inform* hunkeren ★ *he was itching to go* hij popelde om te gaan
itchy ['ɪtʃɪ] *bnw* jeukend
it'd ['ɪtəd] *samentr* ❶ *it had* → **have** ❷ *it would* → **will**
item ['aɪtəm] *zn* ❶ agendapunt, programmaonderdeel ❷ artikel ❸ post ⟨op rekening⟩ ❹ nieuwsbericht ▼ *inform they're an item* ze hebben een relatie
itemize, itemise ['aɪtəmaɪz] *ov ww* specificeren
itinerant [aɪ'tɪnərənt] *bnw* rondreizend ★ ~ *labour* seizoenarbeid
itinerary [aɪ'tɪnərərɪ] *zn* routebeschrijving, reisbeschrijving
it'll ['ɪtl] *samentr, it will* → **will**
its [ɪts] *bez vnw* zijn, haar ★ *have you any idea of its contents?* heb je enig idee van de inhoud?
it's [ɪts] *samentr* ❶ *it is* → **be** ❷ *it has* → **have**
itself [ɪt'self] *wkd vnw* ❶ zich(zelf) ★ *of* ~ vanzelf ★ *in* ~ op zichzelf ★ *by* ~ alleen ❷ zelf
I've [aɪv] *samentr, I have* → **have**
ivory ['aɪvərɪ] **I** *zn* ivoor ★ *Ivory Coast* Ivoorkust **II** *bnw* ivoren
ivy ['aɪvɪ] *zn* klimop

J

j [dʒeɪ] *zn, letter* j ★ *J as in Jack* de j van Johan
jab [dʒæb] **I** *zn* ❶ steek, por ❷ inform prik ⟨injectie⟩ **II** *ov+onov ww* porren, steken ★ *she jabbed him in the ribs* zij gaf hem een por in de ribben
jabber ['dʒæbə] *onov ww* kletsen, kwebbelen, ratelen ★ *what are those women ~ing about?* waar kletsen die vrouwen over?
jack [dʒæk] **I** *zn* ❶ boer ⟨in kaartspel⟩ ★ *the jack of spades* de schoppenboer ❷ krik, hefboom ❸ mannetje ⟨van dier⟩ **II** *ov ww* ❶ ~ up opkrikken, opkrikken ❷ inform ~ in kappen met **III** *onov ww* vulg ~ off zich aftrekken
jackal ['dʒækl] *zn* jakhals
jackaroo, jackeroo [dʒækə'ru:] Aus NZ *zn* jackaroo / jackeroo ⟨jongeman die op een veeboerderij werkt om ervaring op te doen⟩
jackass ['dʒækæs] *zn* ezel ⟨ook fig.⟩
jackboot ['dʒækbu:t] *zn* kaplaars ★ *under the military* ~ onder militaire dictatuur
jackdaw ['dʒækdɔ:] *zn* kauw, torenkraai
jacket ['dʒækɪt] *zn* ❶ jasje, colbert ★ *a dinner* ~ een smoking ❷ mantel, omhulsel ❸ omslag ⟨v. boek⟩ ❹ schil ⟨van aardappel⟩ ★ *a ~ potato / potato cooked in its* ~ een in de schil gepofte aardappel
jackhammer ['dʒækhæmə] *zn* pneumatische boor
jack-in-the-box ['dʒækɪnðəbɒks] *zn* duveltje in 'n doosje
jackknife ['dʒæknaɪf] **I** *zn* groot knipmes **II** *onov ww* scharen, dubbelklappen
jack-of-all-trades *zn* manusje-van-alles ★ *a jack of all trades and master of none* 12 ambachten, 13 ongelukken
jackpot ['dʒækpɒt] *zn* pot ⟨bij poker⟩ ★ inform *hit the* ~ winnen, groot succes hebben
jade [dʒeɪd] *zn* ❶ jade ❷ helder (blauw)groen
jaded ['dʒeɪdɪd] *bnw* ❶ verveeld, beu, landerig ★ *a ~ appetite* een afgestompte eetlust ❷ moe
jagged ['dʒægɪd] *bnw* ❶ hoekig, getand, gekarteld ★ *he cut himself on the ~ glass* hij sneed zich aan het gekartelde glas ❷ geprikkeld, gespannen ★ *the music soothed her ~ nerves* de muziek kalmeerde haar gespannen zenuwen
jaguar ['dʒægjʊə] *zn* jaguar
jail, gaol [dʒeɪl] **I** *zn* ❶ gevangenis ❷ gevangenisstraf **II** *ov ww* gevangen zetten
jailbird ['dʒeɪlbɜ:d] inform *zn* bajesklant
jailbreak ['dʒeɪlbreɪk] *zn* uitbraak ⟨uit gevangenis⟩
jailer, gaoler ['dʒeɪlə] *zn* cipier, gevangenbewaarder
jam [dʒæm] **I** *zn* ❶ jam ❷ klemming, gedrang, (verkeers)opstopping ❸ inform moeilijkheden ★ *we're in a jam* we zitten in de problemen **II** *ov ww* ❶ (samen)drukken, (samen)duwen, (vol)proppen ❷ blokkeren, verstoppen ❸ drijven, dringen ★ *jam on the brakes* krachtig remmen ❹ storen ⟨radio⟩ **III** *onov ww* ❶ knellen, blokkeren, klemmen ★ *this machine*

has jammed de machine is vastgelopen ❷ muz improviseren, jammen
jamb [dʒæm] *zn* deur- / raamstijl
jam-packed [dʒæm'pækt] *bnw* propvol
jam session *zn* jamsessie
Jan. *afk, January* jan, januari
jangle ['dʒæŋgl] **I** *zn* ❶ gerinkel ❷ wanklank **II** *ov ww* ❶ doen rinkelen, schril doen klinken ★ *he ~d his keys impatiently* hij rammelde ongeduldig met zijn sleutels ❷ irriteren **III** *onov ww* ❶ ratelen, rinkelen ❷ onaangenaam lawaai maken, irriteren ★ *the sound ~d on her nerves* het geluid werkte haar op de zenuwen
janitor ['dʒænɪtə] *zn* ❶ portier ❷ USA conciërge
January ['dʒænjʊərɪ] *zn* januari
Japanese [dʒæpə'ni:z] **I** *zn* ❶ Japanner, Japanse ❷ het Japans **II** *bnw* Japans
jar [dʒɑ:] **I** *zn* ❶ pot, kruik, fles ★ inform *fancy a jar of beer?* zin in een glas bier? ❷ schok ★ *the news gave me a nasty jar* het nieuws was een onaangename verassing voor me **II** *ov ww* doen trillen, schudden, schokken ★ *the shock jarred every bone in his body* de schok deed elk bot in zijn lijf trillen **III** *onov ww* ❶ niet harmoniëren, botsen ★ *those colours jar with each other* die kleuren gaan niet samen ★ *that radio is starting to jar on my nerves* die radio begint me op de zenuwen te werken ❷ stoten ★ *his spade jarred on a rock* zijn schop stootte tegen een steen
jargon ['dʒɑ:gən] *zn* ⟨vaak afkeurend⟩ jargon, vaktaal
jasmine ['dʒæzmɪn] *zn* jasmijn
jaundice ['dʒɔ:ndɪs] **I** *zn* geelzucht **II** *ov ww* verbitteren ★ *his views have been ~d by his wealth* zijn rijkdom heeft zijn opvattingen verwrongen
jaundiced ['dʒɔ:ndɪst] *bnw* ❶ aan geelzucht lijdend ❷ verwrongen ⟨beeld van iets⟩
jaunt [dʒɔ:nt] *zn* uitstapje ★ *go on a* ~ een uitstapje maken
jaunty ['dʒɔ:ntɪ] *bnw* luchtig, vrolijk ★ *he wears his hat at a ~ angle* hij draagt zijn hoed zwierig schuin
Javanese [dʒɑ:və'ni:z] **I** *zn* ❶ Javaan, Javaanse ❷ het Javaans **II** *bnw* Javaans
javelin ['dʒævəlɪn] *zn* ❶ sport speer ❷ werpspies
jaw [dʒɔ:] **I** *zn* ❶ kaak ★ *his jaw dropped* hij keek verbaasd ★ *the lion opened its jaws* de leeuw deed zijn muil open ★ *snatched from the jaws of death* uit de klauwen van de dood gered ❷ inform geklets ❸ inform brutale mond ★ *no more jaw from you!* je moet je brutale mond houden **II** *onov ww* inform kletsen
jawbone ['dʒɔ:bəʊn] *zn* kaakbeen
jawbreaker ['dʒɔ:breɪkə] inform *zn* ❶ hard snoepje ❷ moeilijk uit te spreken woord
jay [dʒeɪ] *zn* Vlaamse gaai
jaywalk ['dʒeɪwɔ:k] *onov ww* roekeloos de straat oversteken ⟨strafbaar⟩
jay-walker ['dʒeɪwɔ:kə] *zn* iemand die roekeloos de straat oversteekt
jazz [dʒæz] **I** *zn* jazz ★ inform *...and all that jazz* ...en nog meer van die dingen **II** *bnw* jazz- **III** *ov ww* inform ~ up levendiger maken, opvrolijken, opleuken
jealous ['dʒeləs] *bnw* ❶ jaloers ★ *be ~ of sb* jaloers

je

op iem. zijn ❷ waakzaam ★ *he's ~ of his privacy* hij waakt zorgvuldig over zijn privacy

jealousy ['dʒeləsɪ] *zn* jaloezie, afgunst

jeans [dʒi:nz] *zn mv* ❶ *(blue)* ~ spijkerbroek

jeep [dʒi:p] *zn* jeep ⟨open legerauto⟩

jeer [dʒɪə] **I** *zn* hoon, spot ★ *the remark was greeted with jeers* de opmerking werd met hoongelach begroet **II** *ov ww* ❶ uitjouwen ❷ ~ *at* spotten met, uitlachen **III** *onov ww* jouwen

jell, gel [dʒel] *onov ww* ❶ stollen, vaste(re) vorm krijgen ❷ succesvol samenwerken ★ *the group didn't gell* de groep werd geen eenheid ★ *it didn't jell between us* het klikte niet tussen ons

jellied ['dʒelɪd] *bnw* in gelei

jelly ['dʒelɪ] *zn* ❶ gelei(achtige stof) ★ *beat to a ~* tot moes slaan ★ *blackberry ~* bramenjam ★ *turn to ~* slap worden ❷ gelatinepudding

jellyfish ['dʒelɪfɪʃ] *zn* kwal

jemmy, USA jimmy ['dʒemɪ] *zn* breekijzer, koevoet

jeopardize, jeopardise ['dʒepədaɪz] *ov ww* in gevaar brengen, riskeren

jeopardy ['dʒepədɪ] *zn* gevaar ★ *his return to football is in ~* zijn terugkeer op het voetbalveld is twijfelachtig

jerk [dʒɜ:k] **I** *zn* ❶ ruk, trek, schok ★ *she woke up with a jerk* ze werd plotseling wakker ★ inform *physical jerks* gymnastische oefeningen ❷ inform idioot **II** *ov ww* ❶ rukken, trekken ★ *she jerked the drawer open* ze trok de la met een ruk open ❷ inform, **jerk around** belazeren **III** *onov ww* ❶ schokken ★ *jerk to a halt* met een schok stil komen te staan ❷ vulg ~ *off* zich aftrekken

jerkin ['dʒɜ:kɪn] *zn* mouwloos vest

jerky ['dʒɜ:kɪ] *bnw* hortend, krampachtig

jerry-built *bnw* in elkaar geflanst

jerrymander → **gerrymander**

jersey ['dʒɜ:zɪ] *zn* ❶ jersey ⟨gebreide stof⟩ ❷ (sport)trui

jest [dʒest] **I** *zn* scherts, spotternij, grap ★ *in jest* voor de grap **II** *onov ww* schertsen, aardigheidjes verkopen

jester ['dʒestə] *zn* ❶ grappenmaker ❷ nar

jet [dʒet] **I** *zn* ❶ straalvliegtuig ★ *a jet fighter* een straaljager ❷ (water)straal ❸ vlam **II** *bnw* gitzwart **III** *ov ww* ❶ (uit)spuiten ❷ per jet vervoeren **IV** *onov ww* per jet reizen

jetsam ['dʒetsəm] *zn* overboord gegooide lading, aangespoelde goederen

jettison ['dʒetɪsən] *ov ww* overboord gooien

jetty ['dʒetɪ] *zn* havenhoofd, steiger, pier

Jew [dʒu:] *zn* ❶ jood ⟨m.b.t. geloof⟩ ❷ Jood ⟨m.b.t. volk⟩

jewel ['dʒu:əl] *zn* juweel ⟨ook fig.⟩, edelsteen

jewelled, USA jeweled ['dʒu:əld] *bnw* met juwelen bezet

jeweller, USA jeweler ['dʒu:ələ] *zn* juwelier

jewellery, USA jewelry ['dʒu:əlrɪ] *zn* juwelen

Jewess ['dʒu:es] *zn* ❶ jodin ⟨m.b.t. geloof⟩ ❷ Jodin ⟨m.b.t. volk⟩

Jewish ['dʒu:ɪʃ] *bnw* ❶ joods ⟨m.b.t. geloof⟩ ❷ Joods ⟨m.b.t. volk⟩

Jewry ['dʒʊərɪ] *zn* Jodendom ⟨m.b.t. volk⟩ ★ *British ~* de Britse Joden

jib [dʒɪb] **I** *zn* ❶ scheepv kluiver ❷ arm ⟨v. kraan⟩ **II** *ov ww* ❶ verleggen ⟨van zeil⟩ ❷ ~ *at* niet aandurven, terugdeinzen voor

jibe, gibe [dʒaɪb] *zn* schimpscheut, spottende opmerking

jiffy ['dʒɪfɪ] inform *zn* ogenblikje ★ *in a jiff(y)* in een wip, zo meteen

jig [dʒɪg] **I** *zn* ❶ jig ⟨dans⟩ ❷ sprongetje ❸ spangereedschap, mal **II** *ov ww* op en neer bewegen / schudden **III** *onov ww* huppelen, op en neer springen, hossen

jiggle ['dʒɪgl] **I** *ov ww* schudden, wiegelen, rammelen met **II** *onov ww* heen en weer bewegen ★ *stop jiggling around!* zit niet zo te wiebelen!

jigsaw ['dʒɪgsɔ:] *zn* ❶ decoupeerzaag ❷ **jigsaw puzzle** legpuzzel

jihad [dʒɪ'hæd] *zn* heilige oorlog

jilt [dʒɪlt] *ov ww* de bons geven ★ *he jilted her for a younger woman* hij liet haar in de steek voor een andere vrouw

jimmy ['dʒɪmɪ] USA *ov ww* → **jemmy**

jingle ['dʒɪŋgl] **I** *zn* ❶ geklingel, gerinkel ❷ deuntje **II** *ov+onov ww* (doen) klingelen, (laten) rinkelen

jinks [dʒɪŋk] *zn mv* ★ *high ~* dolle pret

jinx [dʒɪŋks] **I** *zn* ❶ doem, vloek ★ *put a jinx on sb* iem. beheksen ❷ ongeluksbrenger **II** *ov ww* beheksen ★ *be jinxed* door pech worden achtervolgd, een pechvogel zijn

jitters ['dʒɪtəz] inform *zn mv* kriebels, zenuwen ★ *give sb the ~* iem. op de zenuwen werken

jittery ['dʒɪtərɪ] inform *bnw* gejaagd, zenuwachtig, nerveus

jive [dʒaɪv] **I** *zn* jive ⟨dans⟩ **II** *onov ww* de jive dansen

job [dʒɒb] *zn* ❶ baan(tje), functie, vak ★ *she's been out of a job for a year* ze is al een jaar werkloos ★ *he's never had a steady job* hij heeft nooit regelmatig gewerkt ★ *jobs for the boys* vriendjespolitiek ❷ werk, karwei, klus ★ *he made a good job of the repairs* hij heeft de reparaties goed uitgevoerd ★ *that should do the job* daarmee moet het lukken ★ *I had quite a job getting the car to start* het kostte me veel moeite om de auto te starten ★ *no smoking on the job* verboden te roken tijdens het werk ★ *good job!* goed gedaan! ❸ inform zaak, toestand ★ *...and a good job too!* ...en maar goed ook! ★ *a put-up job* doorgestoken kaart ❹ inform ding, geval ★ *just the job* net wat ik hebben moet ★ *this bike is not one of those cheap jobs* deze fiets is niet zo'n goedkoop gevalletje ★ *after a second try I gave it up as a bad job* na de tweede poging gaf ik het op als een hopeloze zaak ★ inform *get a nose / chin job* je neus / kin laten doen ⟨kosmetisch⟩

job-centre, jobcentre, USA jobcenter ['dʒɒbsentə] *zn* arbeidsbureau

job description *zn* taakomschrijving

jobless ['dʒɒblɪs] *bnw* zonder baan, werkloos

job satisfaction *zn* arbeidsvreugde

job-sharing, jobsharing *zn* deeltijdwerk

Jock [dʒɒk] *zn* ❶ inform Schot ❷ min boerenkinkel

jockey ['dʒɒkɪ] **I** *zn* jockey **II** *ov ww* ❶ manoeuvreren ★ *Germany was ~ed into a* *difficult position* Duitsland was in een moeilijke positie gemanoeuvreerd ★ *he was ~ed out of his job* hij werd weggewerkt uit zijn baan ❷ knoeien met **III** *onov ww* manoeuvreren ★ *~ for position* met de ellebogen werken

jocks [dʒɒks] <u>inform</u> *zn mv* onderbroek (voor jongens / mannen)

jockstrap ['dʒɒkstræp] *zn* suspensoir

jocular [dʒɒkjulə] *bnw* schertsend, grappig

jocularity [dʒɒkjʊ'lærətɪ] *zn* grappigheid, scherts

jodhpurs ['dʒɒdpəz] *zn mv* rijbroek

jog [dʒɒg] **I** *zn* ❶ duwtje, klopje, schok ❷ sukkeldraf ❸ een stukje joggen **II** *ov ww* ❶ aanstoten, aanporren ❷ opfrissen ★ *she said sth that jogged my memory* ze zei iets dat een herinnering bij mij opriep **III** *onov ww* ❶ joggen, trimmen ❷ op een sukkeldrafje lopen ❸ *~ along* voortsukkelen

jogger ['dʒɒgə] *zn* jogger, trimmer

joggle ['dʒɒgl] *ov ww* schudden, heen en weer bewegen

jogtrot ['dʒɒgtrɒt] *zn* sukkeldrafje

john [dʒɒn] <u>USA</u> <u>inform</u> *zn* wc

join [dʒɔɪn] **I** *ov ww* ❶ zich aansluiten bij, deelnemen aan ★ *join a club* lid worden van een club ★ *join the club!* ik ook! ★ *join the army* dienst nemen in het leger ★ *join forces* gezamenlijk optreden ★ *join the ranks of the unemployed* werkeloos worden ★ *do you mind if I join you?* mag ik erbij komen zitten? ★ *please join me in welcoming our guest* laten wij samen onze gast welkom heten ★ *50 people joined the search* 50 mensen deden mee aan de zoekactie ❷ verenigen, verbinden ★ *join hands* elkaar de hand geven, <u>fig</u> de handen ineenslaan ★ *glue the two sections then join them* lijm aanbrengen op beide delen en dan samenvoegen ★ *the road joins the motorway in both directions* de weg komt aan beide kanten op de snelweg uit ❸ *~ up* vastmaken, vastbinden **II** *onov ww* ❶ samenkomen, zich verenigen, zich verbinden ★ *the roads join at a roundabout* de wegen komen samen bij een rotonde ❷ lid worden ❸ *~ in* meedoen ❹ *~ up* in militaire dienst gaan, lid worden **III** *zn* verbindingslijn / -punt, las, naad

joiner ['dʒɔɪnə] *zn* schrijnwerker, meubelmaker

joinery ['dʒɔɪnərɪ] *zn* ❶ schrijnwerk ❷ meubelmakerij

joint [dʒɔɪnt] **I** *zn* ❶ verbindingsstuk, koppeling ★ *techn universal ~* kruiskoppeling ❷ gewricht ★ *a ball-and-socket ~* een kogelgewricht ★ *out of ~* ontwricht (ook fig.) ★ <u>inform</u> *his nose is out of ~* hij is jaloers / ontstemd ❸ verbinding, geleding ❹ stuk vlees, braadstuk ❺ <u>inform</u> tent, kroeg, speelhol ★ *case the ~* de boel verkennen (voor beroving) ❻ <u>inform</u> joint **II** *bnw* gezamenlijk, mede- ★ *a ~ venture* een gezamenlijke onderneming ★ *he runs the business ~ly with his wife* hij runt de zaak samen met zijn vrouw **III** *ov ww* in stukken snijden, verdelen (vlees)

joist [dʒɔɪst] *zn* bint, dwarsbalk

joke [dʒəʊk] **I** *zn* ❶ grap, mop, bespotting ★ *this is no joke* dit is ernst ★ *this is beyond a joke* dit is niet grappig meer ★ *she can't take a joke* ze kan niet tegen een grapje ★ *the joke fell flat* niemand lachte om de mop ★ *inform the joke's on me* ik ben er ingetuind ❷ <u>inform</u> bespottelijk iets / iemand ★ *this man is a joke* die man kun je niet serieus nemen **II** *onov ww* grappen maken, schertsen ★ *you're joking! / you must be joking!* je meent het!, toch niet heus! ★ *only joking!* grapje! ★ *(all) joking aside* nou even serieus

joker ['dʒəʊkə] *zn* ❶ grappenmaker ❷ <u>inform</u> kerel ❸ joker (in kaartspel)

jokey, joky ['dʒəʊkɪ] <u>inform</u> *bnw* grappig

jokingly ['dʒəʊkɪŋlɪ] *bijw* als grap

jolly ['dʒɒlɪ] **I** *bnw* ❶ vrolijk ❷ euf een beetje aangeschoten ❸ buitengewoon aardig, verrukkelijk **II** *bijw* <u>inform</u> heel, zeer ★ *~ good!* prima! ★ *a ~ good fellow* een moordvent ★ *he can ~ well wait* laat hem maar lekker wachten **III** *ov ww* ❶ overhalen, vleien ❷ *~ along* zoet houden, bepraten ❸ *~ up* opvrolijken

jolt [dʒəʊlt] **I** *zn* schok, stoot **II** *ov ww* schokken, stoten, schudden ★ *the song jolted my memory* het liedje riep herinneringen bij me op ★ *fear jolted her into action* haar angst deed haar tot actie overgaan **III** *onov ww* (voort)schokken, horten ★ *the car jolted to a halt* de auto kwam schokkend tot stilstand

joss stick ['dʒɒsstɪk] *zn* (Chinees) wierookstaafje

jostle ['dʒɒsəl] **I** *onov ww* stoten, duwen **II** *onov ww* dringen ★ *people ~d to catch a glimpse of her* de mensen verdrongen zich om een glimp van haar op te vangen ★ *~ for the best position* dringen om het beste plekje

jot [dʒɒt] **I** *zn* kleine hoeveelheid, <u>fig</u> jota ★ *there's not a jot of truth in it* er zit geen greintje waarheid in **II** *ov ww* ~ **down** vlug opschrijven

jotter ['dʒɒtə] *zn* aantekenboekje

journal ['dʒɜːnl] *zn* ❶ journaal (bij boekhouden) ❷ dagboek ❸ tijdschrift, dagblad

journalese [dʒɜːnə'liːz] *zn* krantentaal

journalism ['dʒɜːnəlɪzəm] *zn* journalistiek

journalist ['dʒɜːnəlɪst] *zn* journalist

journey ['dʒɜːnɪ] **I** *zn* reis ★ *have a safe ~!* goeie reis! **II** *onov ww* reizen

joust [dʒaʊst] **I** *zn* steekspel **II** *onov ww* ❶ steekspel houden ❷ <u>fig</u> wedijveren ★ *he enjoys ~ing with the media* hij houdt er van om met de media in debat te gaan

Jove [dʒəʊv] *zn* Jupiter (god) ★ *by Jove!* lieve deugd!

jovial ['dʒəʊvɪəl] *bnw* opgewekt, joviaal

jowl [dʒaʊl] *zn* kaak, wang ★ *cheek by jowl* dicht bij elkaar, intiem

joy [dʒɔɪ] *zn* ❶ vreugde, genot, bron van vreugde ★ *for joy* uit vreugde ★ *the garden is a joy to behold* de tuin is een genot om te zien ❷ <u>inform</u> geluk, succes, mazzel ★ *have you had any joy with your job hunting yet?* heb je al succes gehad bij het zoeken naar een baan?

joyful ['dʒɔɪfʊl] *bnw* ❶ vreugdevol, blij, opgewekt ❷ verblijdend

joyless ['dʒɔɪləs] *bnw* treurig

joyous ['dʒɔɪəs] *bnw* vreugdevol, blij

joyride ['dʒɔɪraɪd] *zn* joyride (plezierritje in gestolen auto)

joystick ['dʒɔɪstɪk] *zn* ❶ <u>comp</u> joystick, bedieningshendel ❷ <u>luchtv</u> knuppel, stuurstok

jo

Jr, Jnr *afk, Junior* jr., junior

jubilant ['dʒu:bɪlənt] *bnw* ❶ juichend
❷ opgetogen, uitbundig ★ *the team is ~ over its win* het team is in de wolken met hun winst

jubilation [dʒu:bɪ'leɪʃən] *zn* gejubel

jubilee ['dʒu:bɪli:] *zn* jubileum

judder ['dʒʌdə] *onov ww* hevig schudden ★ *the bus ~ed to a halt* de bus kwam schokkend tot stilstand

judge [dʒʌdʒ] **I** *zn* ❶ rechter ★ *I'll be the ~ of that!* dat maak ik wel uit! ❷ kenner ★ *she's a good ~ of character* zij heeft veel mensenkennis ❸ jurylid **II** *ov ww* ❶ beoordelen ★ *the exercise was ~d to be a great success* de oefening werd als een groot succes gezien ❷ schatten ⟨waarde, afstand enz.⟩ **III** *onov ww* rechtspreken, oordelen, uitspraak doen ★ *judging by the tone of her last letter...* om op de toon van haar laatste brief af te gaan... ★ *don't ~ by appearances* je moet niet op de buitenkant afgaan

judgement, USA **judgment** ['dʒʌdʒmənt] *zn* ❶ oordeel, uitspraak ★ *pass / pronounce ~ (against sb)* een oordeel vellen ⟨over iemand⟩ uitspreken ★ *sit in ~* beoordelen ★ *in my ~...* naar mijn mening... ❷ kritisch vermogen, (gezond) verstand ★ *against my better ~* tegen beter weten in

judicial [dʒu:'dɪʃəl] *bnw* rechterlijk, gerechtelijk

judiciary [dʒu:'dɪʃɪərɪ] *zn* rechterlijke macht

judicious [dʒu:'dɪʃəs] *bnw* verstandig, voorzichtig ★ *be ~ with the amount of salt you use* wees zuinig met de hoeveelheid zout die je gebruikt

judo ['dʒu:dəʊ] *zn* judo

jug [dʒʌg] *zn* kan, kruik

juggernaut ['dʒʌgənɔ:t] *zn* grote vrachtwagen

juggle ['dʒʌgl] **I** *ov ww* ❶ jongleren met, goochelen met ❷ manipuleren, frauderen ★ *~ the books* knoeien met de boekhouding **II** *onov ww* jongleren, goochelen **III** *zn* gegoochel ★ *studying and looking after children is quite a ~* studeren en tegelijkertijd op kinderen passen is een hele kunst

juggler ['dʒʌglə] *zn* ❶ goochelaar ❷ jongleur

jugular ['dʒʌgjʊlə] **I** *bnw* keel-, hals- ★ *the ~ vein* de halsader **II** *zn* halsader ★ inform *go for the ~* bloed ruiken

juice [dʒu:s] **I** *zn* ❶ sap, vocht, kooknat ★ *gastric ~s* maagsap ❷ inform fut, energie ★ *run out of ~* geen fut meer hebben ❸ inform benzine ⟨in motor⟩ ★ *step on the ~* plankgas geven ❹ inform stroom ⟨elektriciteit⟩ **II** *ov ww* ❶ uitpersen ❷ inform *~ up* oppeppen

juicer *zn* sapcentrifuge

juicy ['dʒu:sɪ] *bnw* ❶ sappig ❷ inform pikant ❸ inform aantrekkelijk

Jul. *afk, July* juli

July [dʒu:'laɪ] *zn* juli

jumble ['dʒʌmbl] **I** *zn* ❶ troep, rommelboel, warboel ❷ mengelmoes **II** *ov ww* door elkaar gooien / rollen

jumble sale GB *zn* rommelmarkt, liefdadigheidsbazaar

jumbo ['dʒʌmbəʊ] **I** *zn* ❶ inform olifant ❷ inform kolossaal mens / dier / ding ❸ **jumbo jet** jumbo(jet) **II** *bnw* reuzen-

jump [dʒʌmp] **I** *ov ww* ❶ springen over, bespringen ❷ laten / helpen springen, doen opspringen ❸ vliegen uit ★ *the train jumped the rails* de trein ontspoorde ❹ overslaan ★ *we jumped Chapter 9* we hebben hoofdstuk 9 overgeslagen ▼ *jump the lights* door rood licht rijden ▼ *jump the gun* het startschot niet afwachten, inform voorbarig zijn ▼ *jump the queue* zijn beurt niet afwachten ▼ *jump ship* het schip verlaten, fig een organisatie plotseling verlaten **II** *onov ww* ❶ (op)springen ★ *the driver managed to jump clear* de machinist wist zich met een sprong in veiligheid te brengen ★ *a sudden sound made me jump* een plotseling geluid liet me schrikken ★ *his heart jumped when he heard that* zijn hart sloeg over toen hij dat hoorde ★ *he jumped at the proposal* hij nam het voorstel met beide handen aan ❷ omhoogschieten ⟨prijzen⟩ ❸ zich haasten, plotseling iets doen ★ *he jumped to his feet* hij sprong op ★ *jump to it* zich haasten ★ *jump to conclusions* overhaaste conclusies trekken ★ *jump into your clothes* je kleren aanschieten ★ *the story jumps from the past to the present* het verhaal verspringt van het verleden naar het heden ❹ *~ down* naar beneden springen ★ inform *jump down sb's throat* iem. aanvliegen ❺ *~ in* in de rede vallen, tussenbeide komen, iets onbesuisd doen ❻ *~ out* meteen opvallen **III** *zn* ❶ sprong ★ *be one jump ahead* één stap vooruit zijn ★ *make the jump to* de overstap maken naar ❷ (snelle / plotselinge) stijging ❸ schok ★ *he gave me a jump* hij liet me schrikken ❹ sport hindernis

jumped-up inform *bnw* gewichtig, omhooggevallen ★ *the 'luxury hotel' was a ~ boarding house* het 'luxehotel' was een omhooggevallen pension

jumper ['dʒʌmpə] *zn* ❶ gebreide trui ❷ USA overgooier ❸ springer, springpaard

jump leads, jumper leads, jumper cables *zn mv* startkabel

jump-start *ov ww* starten met behulp van startkabels en door hem aan te duwen

jumpsuit, jump suit ['dʒʌmpsu:t] *zn* ❶ jumpsuit ❷ overall

jumpy ['dʒʌmpɪ] inform *bnw* zenuwachtig, opgewonden

Jun. *afk, June* juni

junction ['dʒʌŋkʃən] *zn* ❶ verbinding ❷ knooppunt, kruispunt

juncture ['dʒʌŋktʃə] *zn* ❶ (kritiek) ogenblik ★ *at this ~* op dit ogenblik, toen (dit gebeurde was) ❷ techn verbindingspunt, naad

June [dʒu:n] *zn* juni

jungle ['dʒʌŋgl] *zn* ❶ oerwoud, rimboe ❷ warwinkel, chaos ★ *a ~ of regulations* een doolhof van regels ★ *a ~ of weeds* een wildernis van onkruid

junior ['dʒu:nɪə] **I** *zn* ❶ junior ❷ jongere, kleinere ★ *he's my ~ by ten years / he's ten years my ~* hij is tien jaar jonger dan ik ❸ mindere, ondergeschikte ❹ inform zoon **II** *bnw* ❶ jonger ❷ ondergeschikt

juniper ['dʒu:nɪpə] *zn* jeneverbes(struik)

junk [dʒʌŋk] **I** *zn* ❶ rommel, rotzooi ❷ jonk

❸ inform nonsens **II** *ov ww* inform afdanken, wegdoen

junket ['dʒʌŋkɪt] *zn* ❶ dessert van melk ⟨gestremd⟩ ❷ inform snoepreisje

junk food *zn* junkfood

junkie ['dʒʌŋkɪ] inform *zn* junkie, drugverslaafde

junk mail *zn* junkmail, ongevraagde post

junk shop *zn* uitdragerij, rommelwinkel

jurisdiction [dʒʊərɪs'dɪkʃən] *zn* ❶ rechtspraak ❷ rechtsbevoegdheid, rechtsgebied ★ *the matter is not within the court's* ~ de zaak valt niet onder de bevoegdheid van de rechtbank

juror ['dʒʊərə] *zn* jurylid

jury ['dʒʊərɪ] *zn* jury ★ inform *the jury is still out (on that)* we zijn het er nog niet helemaal over eens

just [dʒʌst] **I** *bnw* ❶ eerlijk, rechtvaardig, verdiend ❷ gegrond **II** *bijw* ❶ juist, precies ★ *just so!* juist!, precies! ★ *dinner's just about ready* het eten is bijna klaar ★ *I was just about to ring you* ik stond net op het punt om je te bellen ❷ (maar) net, amper ★ *I only just managed to catch the bus* ik kon op het nippertje de bus halen ❸ zo-even ★ *they were here just a minute ago* ze waren net hier ★ *just now* zo net, daarstraks, nu ★ *not just yet* (voorlopig) nog niet ❹ (alleen) maar, eens ★ *just come here* kom eens even hier ★ *just a minute!* één minuutje! ★ *just a bit nervous* 'n klein beetje zenuwachtig ❺ gewoon(weg), zomaar ★ *the music was just splendid* de muziek was gewoonweg schitterend ★ *just call me Peter* noem me maar gewoon Peter ★ *won't I just give it to him!* zal ik het 'm niet geven! ★ min *and then he walked off, just like that* en toen liep hij weg ★ *I'm just looking, thanks* ik kijk alleen maar rond ⟨in winkel⟩ ❻ misschien ★ *try his mobile: he might just have it with him* probeer zijn mobieltje eens, misschien heeft hij hem bij zich ▼ *'a lovely garden!' 'isn't it just!'* 'een mooie tuin!' 'nou en of!' ▼ *just the same, I'd like you to ring* toch zou ik graag willen dat je belde

justice ['dʒʌstɪs] *zn* ❶ rechtvaardigheid, gerechtigheid, recht ★ *temper* ~ *with mercy* genade voor recht laten gelden ★ *that photo doesn't do him* ~ die foto flatteert hem niet ★ *but to do him* ~... maar om hem recht te doen... ★ *I couldn't do the meal* ~ ik kon de maaltijd geen eer aandoen ★ *you didn't do yourself* ~ *in the second game* in de tweede partij heb je je niet van je beste kant laten zien ❷ justitie, gerecht ★ *bring sb to* ~ iem. voor het gerecht brengen ❸ rechter ⟨vooral in Engels hooggerechtshof⟩

justifiable ['dʒʌstɪfaɪəbl] *bnw* ❶ gerechtvaardigd ❷ verdedigbaar, te rechtvaardigen

justifiably *bijw* terecht ★ ~ *so* en terecht

justification ['dʒʌstɪfɪkeɪʃən] *zn* rechtvaardiging, verantwoording ★ *in* ~ als rechtvaardiging ★ *an audience favourite, and with some* ~ geliefd bij het publiek en terecht ★ *there can be no* ~ *for torture* er is geen enkele gegronde reden voor marteling

justify ['dʒʌstɪfaɪ] *ov ww* ❶ rechtvaardigen ★ *the end justifies the means* het doel heiligt de middelen ★ *he was justified in coming* het was goed dat hij kwam ❷ verdedigen

justly ['dʒʌstlɪ] *bijw* terecht

jut [dʒʌt] **I** *ov ww* uitsteken **II** *onov ww* ❶ uitsteken ❷ ~ **out** uitsteken, (voor)uitspringen

jute [dʒu:t] *zn* jute

juvenile ['dʒu:vənaɪl] **I** *zn* jeugdig persoon, jongeling **II** *bnw* ❶ jong, jeugdig ★ ~ *delinquency* jeugdcriminaliteit ❷ min kinderachtig

juxtapose [dʒʌkstə'pəʊz] *ov ww* naast elkaar plaatsen

ju

K

k [keɪ] **I** *zn*, letter k ★ *K as in King* de k van Karel **II** *afk* ① inform 1000 ★ *earn 20k per month* 20.000 per maand verdienen ② *kilometre(s)* kilometer(s)

kale, kail [keɪl] *zn* (boeren)kool

kaleidoscope [kə'laɪdəskəʊp] *zn* caleidoscoop

kangaroo [kæŋgə'ru:] *zn* kangoeroe

kaolin ['keɪəlɪn] *zn* porseleinaarde

kart [kɑːt] *zn* (go-)kart, skelter

kayak ['kaɪæk] *zn* kajak

keel [kiːl] **I** *zn* kiel ⟨v. schip⟩ ★ *back on an even keel* in evenwicht, rustig **II** *onov ww* ~ **over** kapseizen, inform omvallen

keen [kiːn] **I** *bnw* ① scherp, hevig, intens ★ *a keen southerly wind* een felle zuidenwind ★ *they take a keen interest in politics* ze hebben een levendige belangstelling voor de politiek ★ *she has a keen eye for detail* ze heeft een scherp oog voor detail ② scherpzinnig, pienter ③ enthousiast ★ *a keen chess player* een verwoed schaker ★ *the team is keen to win* het team erop gebrand om te winnen ★ *I'm not keen on being told what to do* ik hou er niet van als ze me vertellen wat ik moet doen ★ *she's keen on him* zij is een beetje verliefd op hem ④ concurrerend ⟨prijzen⟩ **II** *onov ww* weeklagen

keep [kiːp] **I** *zn* ① fort, versterkte toren ② onderhoud, kost ★ *earn your keep* de kost verdienen ▼ inform *for keeps* voorgoed, om te houden **II** *ov ww* [onregelmatig] ① houden, behouden ★ *keep house* het huishouden doen ★ *sorry to keep you waiting* sorry dat ik u heb laten wachten ★ *he barely earns enough to keep himself* hij verdient nauwelijks genoeg om zich in leven te houden ② onderhouden, bijhouden, eropna houden ③ ophouden, tegenhouden ★ *he's late: I wonder what's keeping him?* hij is laat, ik vraag me af wat het oponthoud is ④ vasthouden, bewaren ★ *keep the change* het is goed zo ⟨ik hoef het wisselgeld niet⟩ ★ *please keep your opinions to yourself* hou je opmerkingen alsjeblieft voor je ★ *he keeps himself to himself* hij bemoeit zich weinig met anderen ⑤ beschermen, behoeden ⑥ in acht nemen, vervullen ★ *she kept her promise* ze kwam haar belofte na ⑦ ~ **away** uit de buurt houden, afhouden ⑧ ~ **back** terug- / achterhouden, bedwingen ⑨ ~ **down** (onder)drukken, bedwingen ★ *keep it down a bit!* kalm aan!, rustig a.u.b. ★ *he can't keep his food down* hij moet steeds overgeven ⑩ ~ **from** afhouden van, verborgen houden voor, verhinderen te, weerhouden van ★ *he kept the news from his wife* hij heeft het nieuws voor zijn vrouw verborgen ⑪ ~ **in** inhouden, binnen houden, school laten blijven ★ *he doesn't earn enough to keep him in drugs* hij verdient niet genoeg om hem aan voldoende drugs te helpen ★ inform *keep in with sb* op goede voet blijven met iem. ⑫ ~ **off** afweren, op afstand houden, afblijven van ★ *keep off the grass!* verboden op het gras te lopen! ⑬ ~ **on** ophouden, blijven houden, aanhouden ⟨bv. van huis⟩ ⑭ ~ **out** buiten houden ⑮ ~ **over** bewaren (tot later) ⑯ ~ **to** beperken, zich houden aan, blijven bij ★ *keep (yourself) to two glasses a day* drink niet meer dan twee glazen per dag ★ *she keeps to her room a lot* ze trekt zich vaak terug in haar kamer ⑰ ~ **together** bijeen houden ⑱ ~ **under** onderdrukt houden ⑲ ~ **up** omhooghouden, in stand houden, doorgaan met, onderhouden ⟨contact⟩ ★ *keep it up!* houd vol! **III** *onov ww* [onregelmatig] ① goed houden, goed blijven ⟨v. voedsel⟩ inform *it'll keep* het kan wachten, 't is geen haast bij, ik hoor het later wel ② blijven doen, doorgaan met ★ *he kept at it until it was finished* hij bleef eraan werken tot het af was ★ *I wish you wouldn't keep (on) interrupting* ik wou dat je me niet steeds in de rede viel ③ ~ **away** wegblijven ④ ~ **back** zich op een afstand houden ★ *keep well back from the cliff!* blijf bij de rotswand vandaan! ⑤ ~ **down** bukken, verborgen blijven ⑥ ~ **on** doorgaan, volhouden, doorkletsen ★ *stop keeping on about it* hou op met erover te zeuren ⑦ ~ **out** (er)buiten blijven ⑧ ~ **together** bijeenblijven ⑨ ~ **up** op dezelfde hoogte blijven ★ *I can't keep up with you* ik kan je niet bijhouden ★ *keep up with the Joneses* niet voor de buren (willen) onderdoen

keeper ['kiːpə] *zn* ① bewaarder, opzichter, oppasser ② doelverdediger, keeper

keeping ['kiːpɪŋ] *zn* hoede, bewaring ★ *in safe ~* in veilige bewaring ▼ *in ~ with* in overeenstemming met ▼ *not in ~ with* niet passend bij

keepsake ['kiːpseɪk] *zn* aandenken, souvenir

keg [keg] *zn* vaatje

kelp [kelp] *zn* zeewier

ken [ken] *zn* ★ *beyond my ken* buiten mijn gezichtsveld, boven mijn pet

kennel ['kenl] *zn* ① hondenhok, hondenverblijf ② hondenfokkerij

Kenyan ['kenjən] **I** *zn* Keniaan, Keniaanse **II** *bnw* Keniaans

kept [kept] **I** *bnw* (goed) onderhouden **II** *ww* [verleden tijd + volt. deelw.] → **keep**

kerb [kɜːb] *zn* trottoirband, stoeprand

kerchief ['kɜːtʃiːf] *zn* hoofddoek, halsdoek

kerfuffle [kə'fʌfəl] inform *zn* drukte, opschudding, commotie

kernel ['kɜːnl] *zn* pit, kern

kerosene, kerosine ['kerəsiːn] *zn* kerosine, lampolie

kestrel ['kestrəl] *zn* torenvalk

kettle ['ketl] *zn* ketel ★ inform *a different ~ of fish* heel wat anders ★ *a fine / pretty ~ of fish* 'n mooie boel ★ *put the ~ on* theewater opzetten

kettledrum *zn* pauk

key [kiː] **I** *zn* ① sleutel (ook fig.) ★ *get a key cut* een sleutel laten maken ② toets ③ grondtoon, toonaard, stemming ★ *in key with* harmoniërend met ★ *out of key with* niet passend bij ④ lijst met antwoorden, verklaring, oplossing **II** *bnw* voornaamste, sleutel-, onmisbaar ★ *the key witness* de hoofdgetuige **III** *ov ww* ① afstemmen ★ *the course is keyed to* *teenagers* de cursus is vooral bedoeld voor teenagers **❷ ~ down** afzwakken **❸ ~ in** intoetsen, intikken **❹ ~ up** opschroeven, verhogen, opdrijven

keyboard ['ki:bɔ:d] *zn* **❶** toetsenbord **❷** klavier **❸** keyboard ⟨elektronisch muziekinstrument⟩

keyed up *bnw* gespannen

keyhole ['ki:həʊl] *zn* sleutelgat

keynote ['ki:nəʊt] *zn* **❶** grondgedachte, hoofdthema **❷** *muz* grondtoon

key ring *zn* sleutelring

keystone ['ki:stəʊn] *zn* **❶** sluitsteen **❷** hoeksteen ⟨ook fig.⟩

kg *afk, kilogram(me)* kg, kilogram

khaki ['kɑ:kɪ] *zn* kaki(kleur)

kibbutz [kɪ'bʊts] *zn* [mv: **kibbutzim**] kibboets

kick [kɪk] **I** *zn* **❶** schop, trap ★ *inform get the kick* zijn congé krijgen ★ *inform a kick in the pants* een schop onder de kont **❷** *inform* kick, stimulans ★ *get a kick out of sth* een kick van iets krijgen ★ *for kicks* voor de lol **❸** *inform* fut, prik **❹** terugslag ⟨van geweer bij afgaan⟩ **II** *ov ww* **❶** trappen, schoppen ★ *inform kick the bucket* het hoekje omgaan **❷** stoppen met ⟨een verslaving⟩ **❸** *~ about/around inform* ruw behandelen, *inform* commanderen, *inform* bespreken **❹** *~ off inform* uittrappen ⟨bv. van schoenen⟩ **❺** *~ out inform* eruit trappen **❻** *~ up* tegenwerpingen maken, ruzie veroorzaken ★ *kick up a fuss* herrie schoppen **III** *onov ww* **❶** schoppen, trappen **❷** terugslaan ⟨van geweer⟩ **❸** zich verzetten, protesteren **❹** *~ around/about* rondzwerven, rondslingeren **❺** *~ back* zich ontspannen **❻** *~ in* in werking treden **❼** *~ off* beginnen **❽** *~ out* om je heen schoppen, woedend uithalen **❾** *~ up* aanwakkeren ⟨wind, storm⟩

kickback ['kɪkbæk] *zn* **❶** terugslag **❷** *inform* smeergeld

kick-off ['kɪkɒf] *zn* **❶** aftrap **❷** *inform* begin

kid [kɪd] **I** *zn* **❶** *inform* jochie, *kind* **❷** jonge geit **❸** geitenleer ★ *handle / treat sb with kid gloves* iem. voorzichtig en tactvol behandelen **II** *bnw inform* jongere broer / zus **III** *ov ww inform* voor het lapje houden ★ *don't kid yourself that...* maak jezelf niet wijs dat... ★ *you're kidding yourself if you think that...* je houdt jezelf voor de gek als je denkt dat... **IV** *onov ww inform* plagen, schertsen ★ *no kidding!* echt waar! ★ *you're kidding!, you must be kidding!* dat meen je niet! ★ *only kidding!* grapje!

kiddie, kiddy ['kɪdɪ] *inform zn* kindje, jochie

kidnap ['kɪdnæp] *ov ww* ontvoeren, kidnappen

kidney ['kɪdnɪ] *zn* nier

kill [kɪl] **I** *ov ww* **❶** doden, vermoorden ★ *six people were killed in the accident* zes mensen kwamen om bij het ongeluk ★ *he's threatening to kill himself* hij dreigt zich van kant te maken, hij dreigt met zelfmoord ★ *inform he killed himself laughing* hij lachte zich dood ★ *inform my feet are killing me* mijn voeten doen vreselijk pijn ★ *we killed time watching TV* we doodden de tijd met televisiekijken ★ *kill sb with kindness* iem. doodknuffelen ★ *kill two birds with one stone* twee vliegen in één klap slaan **❷** afmaken, slachten **❸** teniet doen, onmogelijk maken

❹ afzetten ⟨motor⟩ **❺** *~ off* afmaken, uitroeien, monddood maken **II** *onov ww* **❶** doden ★ *be dressed to kill* er piekfijn uitzien ★ *kill or cure* erop of eronder **❷** dodelijk zijn **III** *zn* **❶** het doden ★ *go / move in for the kill* de genadestoot geven **❷** (gedode) prooi, vangst

killer ['kɪlə] *zn* **❶** moordenaar, slachter **❷** *inform* iets moeilijks ★ *the exam was a ~* het examen was heel zwaar

killer whale *zn* orka

killing ['kɪlɪŋ] **I** *zn* **❶** doden **❷** slachting ★ *inform make a ~* een fortuin verdienen **II** *bnw* **❶** dodelijk **❷** uitputtend

killjoy ['kɪldʒɔɪ] *zn* **❶** spelbreker **❷** feestverstoorder

kiln [kɪln] *zn* **❶** steenoven **❷** pottenbakkersoven

kilo ['ki:ləʊ] *zn* kilo

kilogram, GB kilogramme ['kɪləgræm] *zn* kilo(gram)

kilometre, USA kilometer ['kɪləmi:tə, kɪ'lɒmətə] *zn* kilometer

kilt [kɪlt] *zn* kilt ⟨Schotse rok, gedragen door mannen⟩

kilter ['kɪltə] *zn* ★ *out of ~* niet in orde

kin [kɪn] *zn* familie, verwanten ★ *next of kin* naaste familieleden

kind [kaɪnd] **I** *zn* soort, aard, wijze ★ *what kind of thing...* wat voor ding... ★ *these kinds of things* dit soort dingen ★ *nothing of the kind* niets daarvan ★ *sth of the kind* iets dergelijks ★ *pay in kind* in natura betalen, met gelijke munt betalen **II** *bnw* aardig, vriendelijk ★ *he was kind to me* hij was aardig voor me ★ *this brush is kind to curly hair* deze borstel is vriendelijk voor krullend haar

kinda ['kaɪndə] *samentr, kind of →* **kind of**

kindergarten ['kɪndəgɑ:tn] *zn* kleuterschool

kind-hearted [kaɪnd'hɑ:tɪd] *bnw* goedaardig, vriendelijk

kindle ['kɪndl] **I** *ov ww* **❶** ontsteken, aansteken **❷** opwekken, aanvuren **II** *onov ww* vlam vatten

kindliness ['kaɪndlɪnəs] *zn* **❶** vriendelijkheid **❷** mildheid

kindling ['kɪndlɪŋ] *zn* aanmaakhout

kindly ['kaɪndlɪ] **I** *bnw* **❶** gemoedelijk, vriendelijk, humaan **❷** aangenaam, gunstig ⟨v. klimaat⟩ **II** *bijw* **❶** vriendelijk ★ *she didn't take ~ to my suggestion* ze stelde mijn suggestie niet op prijs **❷** alstublieft ★ *~ show me the book* wees zo goed mij het boek te laten zien

kindness ['kaɪndnəs] *zn* **❶** vriendelijkheid **❷** (vrienden)dienst

kind of ['kaɪndəv], **kinda** ['kaɪndə] *inform bijw* min of meer ★ *I ~ thought so* dat dacht ik wel half en half / zo'n beetje ★ *I ~ sorry that I didn't go* ik vond het best wel jammer dat ik niet was gegaan

kindred ['kɪndrɪd] **I** *zn* **❶** bloedverwantschap **❷** verwanten **II** *bnw* verwant ★ *a ~ soul / spirit* een geestverwant

kinetics [kɪ'netɪks] *zn mv* kinetica, bewegingsleer

king [kɪŋ] *zn* **❶** koning, vorst ★ *crown sb king* iem. tot koning kronen **❷** heer ⟨in kaartspel⟩, dam ⟨in damspel⟩

kingdom ['kɪŋdəm] *zn* **❶** (konink)rijk **❷** terrein, domein, gebied

ki

kingfisher ['kɪŋfɪʃə] *zn* ijsvogel

kingly ['kɪŋlɪ] *bnw* koninklijk

kingpin ['kɪŋpɪn] *zn* ❶ hoofdbout ❷ *fig* leider, spil waar alles om draait

kink [kɪŋk] *zn* ❶ kink, slag, knik ❷ inform kronkel, afwijking, gril

kinky ['kɪŋkɪ] inform I *zn* ❶ kinky ⟨enigszins seksueel pervers⟩ ❷ opwindend, sexy

kinship ['kɪnʃɪp] *zn* verwantschap

kinsman ['kɪnzmən] *zn* mannelijke bloedverwant

kinswoman ['kɪnzwʊmən] *zn* vrouwelijke bloedverwant

kiosk ['ki:ɒsk] *zn* stalletje, kiosk

kip [kɪp] inform I *zn* bed, slaap ★ *get a bit of kip* een dutje doen II *onov ww* ~ **(down)** maffen

kipper ['kɪpə] *zn* gerookte haring

kirk [kɜːk] *zn* kerk ⟨in Schotland⟩

kiss [kɪs] I *zn* kus ★ *a French kiss* een tongzoen ★ *the kiss of death* de genadestoot ★ *the kiss of life* mond-op-mondbeademing ★ *blow sb a kiss* iem. een kushandje geven II *ww* ⟨elkaar⟩ kussen, ⟨elkaar⟩ zoenen ★ *kiss sth better* een kusje op de zere plek om het beter te maken ⟨bij kinderen⟩ ★ *kiss sb goodbye* iem. een vaarwel kus geven ★ *you can kiss goodbye to that* dat kun je wel vergeten, zeg maar dag met je handje

kissable ['kɪsəbl] *bnw* om te zoenen

kit [kɪt] *zn* ❶ gereedschap, uitrusting ★ *a first-aid kit* een verbanddoos ★ *a drum kit* een drumstel ❷ spullen, kleren ★ *he changed into his football kit* hij trok zijn voetbalkleren aan ❸ bouwpakket, kit ★ *in kit form* als bouwpakket II *ov ww* ~ **out/up** uitrusten ⟨vooral met kleren⟩

kitbag ['kɪtbæg] *zn* plunjezak

kitchen ['kɪtʃɪn] *zn* keuken

kitchenette [kɪtʃɪ'net] *zn* keukentje

kitchen sink ['kɪtʃɪn sɪŋk] *zn* aanrecht, afwasbak ★ inform *everything but the* ~ alles wat los en vast zit

kite [kaɪt] *zn* ❶ vlieger ★ *fly a kite* vliegeren ★ *as high as a kite* beneveld ⟨door drank of drugs⟩, erg opgewonden ❷ wouw ⟨roofvogel⟩

kitten ['kɪtn] *zn* katje ★ *have* ~*s* jongen krijgen ⟨v. poes⟩, inform nerveus zijn

kittenish ['kɪtənɪʃ] *bnw* speels

kitty ['kɪtɪ] *zn* ❶ poesje ❷ ⟨huishoud⟩potje ❸ pot ⟨bij kaartspel⟩

kiwi ['ki:wi:] *zn* ❶ kiwi ⟨dier⟩ ❷ humor Nieuw-Zeelander

klaxon ['klæksən] *zn* claxon

kleptomaniac [kleptəʊ'meɪnɪæk] *zn* kleptomaan

km *afk.* kilometre km, kilometer

knack [næk] *zn* ❶ handigheid, slag ★ *get the* ~ de slag te pakken krijgen ★ *there's a* ~ *to it* er zit een trucje bij ❷ talent, kunst ★ *she has a real* ~ *for remembering names* ze kan heel goed namen onthouden

knacker ['nækə] inform *ov ww* ❶ uitputten ❷ versjteren

knackered ['nækəd] inform *bnw* bekaf, afgepeigerd

knapsack ['næpsæk] *zn* rugzakje

knave [neɪv] *zn* ❶ schurk ❷ boer ⟨in kaartspel⟩

knead [ni:d] *ov ww* ❶ kneden ❷ masseren

knee [ni:] I *zn* knie ★ *on bended knees* knielend II *ov ww* een knietje geven, met de knie aanraken

kneecap ['ni:kæp] I *zn* knieschijf II *ov ww* door de knieschijven schieten

knee-deep [ni:'di:p] *bijw* ❶ tot aan de knieën ❷ *fig* tot over de oren

knee-high *bnw* tot aan de knieën ★ inform ~ *to a grasshopper* nog klein

kneel [ni:l] *onov ww* [onregelmatig] ❶ knielen ❷ ~ **(down)** neerknielen

knees-up inform *zn* feestje

knell [nel] *zn* ⟨geluid van⟩ doodsklok

knelt [nelt] *ww* [verleden tijd + volt. deelw.] → kneel

knew [nju:] *ww* [verleden tijd] → know

knickerbockers ['nɪkəbɒkəz] *zn mv* knickerbocker, wijde kniebroek

knickers ['nɪkəz] inform *zn mv* slipje, onderbroek ⟨van vrouw⟩ ★ *get your* ~ *in a twist / knot* boos | geïrriteerd worden

knick-knack ['nɪknæk] *zn* snuisterij, prulletje

knife [naɪf] I *zn* [mv: knives] mes ★ *an accent that you could cut with a* ~ een heel dik accent ★ *twist / turn the* ~ *(in the wound)* extra zout in de wond strooien, nog een trap nageven II *ov ww* steken ⟨met mes⟩

knife-edge ['naɪfedʒ] *zn* snede van mes ★ *on a* ~ vreselijk gespannen, onzeker ⟨van situaties⟩

knight [naɪt] I *zn* ❶ ridder ❷ paard ⟨in schaakspel⟩ ★ USA *Knights of Labor* arbeidersvereniging ★ *a* ~ *in shining armour* een prins op het witte paard, de ware jakob II *ov ww* tot ridder slaan, ridderen

knighthood ['naɪthʊd] *zn* ridderschap ★ *receive a* ~ geridderd worden

knit [nɪt] I *zn* gebreid kledingstuk II *ov ww* ❶ knopen, breien ★ *knit one, purl one* een recht, een averecht ❷ ~ **(together)** zich verenigen, verbinden ★ *the community is closely knit* het is een hechte gemeenschap ❸ fronsen, samentrekken III *onov ww* ❶ breien ❷ ~ **(together)** samengroeien

knitted [nɪtəd] *ww* [verleden tijd + volt. deelw.] → knit

knitting ['nɪtɪŋ] *zn* ❶ het breien ❷ breiwerk

knitting needle *zn* breinaald

knitwear ['nɪtweə] *zn* gebreide kleding

knives [naɪvz] *zn mv* → knife

knob [nɒb] *zn* ❶ knop ★ inform *with knobs on!* en hoe! ❷ brok, kluitje, knobbel ★ *a knob of butter* een klont⟨je⟩ boter

knobbly ['nɒblɪ], **knobby** ['nɒbɪ] *bnw* bultig, knobbelig

knock [nɒk] I *zn* ❶ klop, geklop ★ *there was a* ~ *(at the door)* er werd geklopt ❷ klap, duw, slag ★ *take a* ~ een zware klap krijgen ★ *playground equipment should be able to take a* ~ speeltuintoestellen moetenbestand zijn tegen een stootje II *ov ww* ❶ slaan, stoten ★ *the blow* ~*ed him flat* de klap vloerde hem ★ *the rooms were* ~*ed into one* de kamers werden bij elkaar getrokken ★ ~ *sth into sb* iem. iets inhameren ❷ verstomd doen staan, verpletteren ★ *the news* ~*ed her sideways* ze was overweldigd door het nieuws ★ *the experience* ~*ed her confidence* de ervaring gaf haar zelfvertrouwen een deuk

★ inform *her dress ~ed the guests dead* de gasten sloegen steil achterover van haar jurk ❸ inform bekritiseren ★ *don't ~ it until you've tried it* je moet het niet afkraken voordat je het hebt geprobeerd ❹ ~ about/around ruw behandelen, inform bespreken ❺ ~ back versteld doen staan, inform achteroverslaan ⟨borrel⟩ ★ inform *how much did that car ~ you back?* wat heeft je die wagen gekost? ❻ ~ down neerslaan, naar beneden halen / krijgen, slopen, verslaan, toewijzen ⟨v. artikel op veiling⟩, inform afprijzen, aanrijden ★ *you could have ~ed me down with a feather* ik stond er paf van ★ *she managed to ~ him down to $100* ze wist hem tot $100 af te dingen ❼ ~ off afslaan, korting geven, aftrekken ⟨v. kosten⟩, inform vlug afwerken, inform vermoorden, inform stelen, vulg naaien (figuurlijk) ★ ~ *it off!* hou ermee op!, duvel op! ❽ ~ out uitkloppen ⟨pijp⟩, vloeren, verslaan, uitschakelen, verdoven, doodmoe maken, in elkaar flansen, inform met stomheid slaan ❾ ~ over omverrijden, inform versteld doen staan ❿ ~ together inform samenflansen, bij elkaar trekken ⓫ ~ up omhoog slaan, vlug in elkaar zetten ⟨huis / plan⟩, sport snel achter elkaar runs maken, (op)wekken, afmatten, bij elkaar verdienen (geld), inform zwanger maken III *onov ww* ❶ kloppen (ook van motor) ★ *she ~ed at / on the door* ze klopte aan ★ ~ *on wood!* afkloppen! ❷ botsen, stoten ★ *her knee ~ed against his* haar knie raakte de zijne aan ❸ ~ about/around rondslenteren, ronddolen ❹ ~ off afnokken, stoppen ❺ sport ~ up vooraf inslaan, een opwarming doen

knockabout ['nɒkəbaʊt] *bnw* ❶ gooi-en-smijt, slapstick ❷ tegen een stootje kunnend ⟨van kleding⟩

knock-back inform *zn* tegenvaller, teleurstelling

knock-down, knockdown ['nɒkdaʊn] *bnw* ❶ verpletterend ❷ minimum ★ *een knockdown price* een afbraakprijs

knocker ['nɒkə] *zn* ❶ deurklopper ★ inform *on the* ~ direct ❷ inform vitter

knockers vulg *zn mv* tieten

knock-kneed *bnw* met X-benen

knock-knees *zn mv* X-benen

knock-off, knockoff ['nɒkɒf] inform *zn* kopie, namaak

knockout ['nɒkaʊt] I *zn* ❶ sport genadeslag ❷ inform overweldigend iets / iemand ★ *the latest model is a* ~ het laatste model sta je paf van II *bnw* ❶ knock-out (wedstrijd) ❷ inform eerste klas ★ *a* ~ *song* een tophit

knock-up *zn* warming-up (vooral bij tennis)

knoll [nəʊl] *zn* heuveltje

knot [nɒt] I *zn* ❶ knoop ⟨in touw⟩ ★ inform *tie the knot* in het huwelijksbootje stappen ★ *tie sb up in knots* iem. volledig van de kook brengen ❷ knobbel ★ *my stomach was in knots* ik had vlinders in de buik ❸ knoest (in hout) ❹ moeilijkheid, complicatie ❺ kluitje ⟨mensen⟩ ❻ scheepv knoop II *ov ww* ❶ vast- / dichtknopen, een knoop leggen in, dichtbinden ❷ in de knoop / war maken III *onov ww* in de knoop / war raken

knotty ['nɒtɪ] *bnw* ❶ in de knoop ❷ knobbelig, knoestig ❸ ingewikkeld

know [nəʊ] I *zn* ★ inform *be in the know* er alles van weten, op de hoogte zijn II *ov ww* (onregelmatig) ❶ weten, kennen, bekend zijn (met) ★ *it's known as a nice restaurant* het staat bekend als een leuk restaurant ★ inform *he knows what's what* hij weet z'n weetje ★ *I know I was wrong* ik besef dat ik fout zat ★ *not if I know it!* niet als het aan mij ligt! ★ inform *don't I know it!* moet je mij vertellen! ★ *there's no knowing what may happen* niemand weet wat er kan gebeuren ❷ herkennen, (kunnen) onderscheiden ★ *he doesn't know right from wrong* hij kent het verschil tussen goed en kwaad niet ★ *he knows a good wine when he sees one* hij heeft een goed oog voor wijn ❸ ervaren, ondervinden ★ *I've never known it to be so hot in May* ik heb nog nooit meegemaakt dat het in mei zo heet was ❹ kunnen ★ *do you know how to knit?* kun jij breien? III *onov ww* (onregelmatig) weten, zich bewust zijn van ★ inform *well, what do you know!* krijg nou wat! (uitroep van verbazing) ★ *I know better than to break the rules* ik ben niet zo dom om de regels te overtreden ★ *I don't know about you, but...* ik weet niet wat jij daarvan denkt, maar... ★ *I know of a man who...* ik heb gehoord van een man die...

know-all ['nəʊɔːl] inform *zn* weetal, wijsneus

know-how ['nəʊhaʊ] *zn* knowhow, vakkennis, vaardigheid

knowing ['nəʊɪŋ] *bnw* begrijpend, wetend ★ *a* ~ *look* een veelbetekende blik

knowingly ['nəʊɪŋlɪ] *bijw* ❶ bewust, met opzet ❷ veelbetekend

knowledge ['nɒlɪdʒ] *zn* kennis, wetenschap, voorkennis ★ *to my* ~ voor zover ik weet ★ *it's common* ~ het is algemeen bekend ★ *general* ~ algemene ontwikkeling ★ *she denied all* ~ *of the matter* ze ontkende er iets van te weten

knowledgeable ['nɒlɪdʒəbl] *bnw* ❶ slim ❷ goed ingelicht

known [nəʊn] I *bnw* ❶ erkend ❷ berucht ❸ bekend ★ *there is no* ~ *cure for the disease* er is geen remedie voor de kwaal bekend II *ww* [volt. deelw.] → know

knuckle ['nʌkl] I *zn* ❶ knokkel ★ inform *near the* ~ gewaagd, nogal schuin ⟨mop⟩ ★ *rap sb over the ~s* iem. een ernstige berisping geven ❷ schenkel, kluif, varkenskluif II *onov ww* ❶ ~ down hard aan het werk gaan ❷ ~ under zich gewonnen geven, door de knieën gaan

knuckleduster ['nʌkldʌstə] *zn* boksbeugel

koala [kəʊˈɑːlə] *zn* koala

kohlrabi [kəʊlˈrɑːbɪ] *zn* koolrabi

kooky ['kuːkɪ] inform *bnw* raar, geschift

Korean [kəˈriːən] I *zn* ❶ Koreaan, Koreaanse ❷ het Koreaans II *bnw* Koreaans

kowtow [kaʊˈtaʊ] inform *onov ww* ★ ~ *to sb* voor iem. door het stof gaan

kph *afk, kilometres per hour* kilometer per uur

KS *afk, Kansas* staat in de VS

kudos ['kjuːdɒs] *zn* eer, roem

KY *afk, Kentucky* staat in de VS

ky

L

l [el] **I** zn, letter l ★ *L as in Lucy* de l van Lodewijk **II** afk, litre l

L afk, Large groot (kledingmaat)

LA afk, Louisiana staat in de VS

L.A., LA afk, Los Angeles ‹stad in USA›

lab [læb] zn, inform laboratory lab

label ['leɪbl] **I** zn **❶** etiket, plakzegel, label **❷** fig benaming **II** ov ww **❶** van etiket voorzien **❷** bestempelen (als), beschrijven (als) ★ *she ~led the class as unteachable* ze omschreef de klas als hardleers

labial ['leɪbɪəl] **I** zn labiaal **II** bnw lip-, labiaal

labile ['leɪbaɪl] bnw labiel, onstabiel

labor ['leɪbə] zn USA → labour

laboratory [lə'brɒtərɪ] zn laboratorium

Labor Day zn USA Labor Day ‹1e maandag in september, vrije dag›

laborious [lə'bɔːrɪəs] bnw zwaar, moeizaam, geforceerd ‹van stijl›

labor union zn USA vakbond

labour ['leɪbə] **I** zn **❶** arbeid, taak, werk ★ *hard / forced* ~ dwangarbeid ★ ~ *of love* werk verricht uit naastenliefde **❷** arbeidskrachten, arbeider(klasse) **❸** moeite, inspanning ★ ~ *lost / lost* ~ verspilde moeite **❹** bevalling, barensweeën ★ *go into* ~ beginnen met bevallen ★ *be in* ~ aan het bevallen zijn **II** ov ww uitputtend behandelen ★ ~ *the point* uitvoerig op een (twist)punt ingaan **III** onov ww hard werken, zich inspannen ★ ~ *away at sth* hard werken voor iets

Labour ['leɪbə] zn → Labour Party

Labour Day zn GB Dag van de Arbeid

laboured ['leɪbəd] bnw **❶** moeizaam ★ *his breathing is* ~ zijn ademhaling is moeizaam **❷** geforceerd ‹van stijl›

labourer ['leɪbərə] zn arbeider ★ *casual* ~ tijdelijke arbeidskracht

labour force zn werkkrachten, arbeidskrachten

labour-intensive bnw arbeidsintensief

labour market zn arbeidsmarkt

labour pains zn mv barensweeën

Labour Party zn, GB pol Engelse sociaaldemocratische partij

labour-saving ['leɪbəseɪvɪŋ] bnw arbeidsbesparend

laburnum [lə'bɜːnəm] zn goudenregen

labyrinth ['læbərɪnθ] zn labyrint, doolhof

lace [leɪs] **I** zn **❶** veter **❷** kant, vitrage **❸** galon, tres **II** bnw kanten **III** ov ww **❶** rijgen **❷** borduren **❸** galonneren, dooreenstrengelen, dooreenweven **❹** scheutje sterkedrank toevoegen **❺** ~ **up** vastrijgen, strikken

lacerate ['læsəreɪt] ov ww (ver)scheuren, verwonden ★ *the dog's teeth ~d his skin* de tanden van de hond doorboorden zijn huid

laceration [læsə'reɪʃən] zn scheur, verwonding ★ *she had ~s from her head* ze had verwondingen aan haar hoofd

lace-up bnw ★ ~ *boots / shoes* schoenen met veters

lack [læk] **I** zn gebrek, tekort, gemis, behoefte

★ *for (the) lack of* bij gebrek aan **II** ov ww gebrek hebben aan **III** onov ww ontbreken ★ *be lacking in money* geen geld hebben

lackadaisical [lækə'deɪzɪkl] bnw **❶** lusteloos **❷** nonchalant, traag ★ *I don't like her* ~ *manner* ik houd niet van haar nonchalante houding

lacker ['lækə] zn lacquer

lackey ['lækɪ] zn **❶** lakei **❷** kruiperig iemand

lacking ['lækɪŋ] bnw **❶** ontbrekend, afwezig **❷** ontoereikend, tekortschietend ★ *he was* ~ *in his work* hij schoot tekort in zijn werk

lacklustre ['læklʌstə] bnw **❶** dof **❷** ongeïnspireerd ★ *a* ~ *game* een saaie wedstrijd

laconic [lə'kɒnɪk] bnw kortaf, laconiek

lacquer ['lækə] **I** zn vernis, lakwerk **II** ov ww vernissen, lakken

lactation [læk'teɪʃən] zn het zogen, het afscheiden van melk

lactose ['læktəʊs] zn lactose

lacy ['leɪsɪ] bnw kanten, kantachtig

lad [læd] zn **❶** knaap, jongeman, jongen **❷** inform maat, makker ★ *inform he is a bit of a lad* hij is een vrolijke frans

ladder ['lædə] **I** zn ladder, GB ladder ‹in kous› **II** onov ww ladderen ‹van kous›

laddie ['lædɪ] zn Schots jochie

laden ['leɪdn] bnw **❶** geladen **❷** ★ ~ *with* beladen met, bezwaard met / door ★ *the tree is* ~ *with plums* de boom hangt vol met pruimen

la-di-da [lɑːdɪ'dɑː] bnw **❶** inform opschepperig **❷** inform bekakt

ladies' man zn charmeur

ladies room zn USA damestoilet

ladle ['leɪdl] **I** zn **❶** soeplepel, gietlepel **❷** schoep ‹van molenrad› **II** ov ww opscheppen, uitscheppen ★ ~ *out advice* strooien met advies

lady ['leɪdɪ] zn **❶** dame **❷** vrouwe ‹adellijke titel› ★ *The First Lady* Vrouw van de President ★ *inform the old lady* mijn oudje ★ *lady in waiting* hofdame ★ *Our Lady* Onze Lieve Vrouw

ladybird ['leɪdɪbɜːd] zn lieveheersbeestje

ladykiller ['leɪdɪkɪlə] zn donjuan, vrouwenjager

ladylike ['leɪdɪlaɪk] bnw damesachtig, beschaafd, elegant

lag [læg] **I** zn **❶** achterstand, vertragingsfactor **❷** verschil in tijd ★ *time lag* tijdsverloop **❸** straatt recidivist **II** ov ww **❶** van bekleding voorzien ‹van stoomketel›, isoleren **❷** straatt arresteren, inrekenen **III** onov ww ★ *lag (behind)* achterblijven, achter raken

lager ['lɑːgə] zn ★ ~ *(beer)* lager, ≈ pils

laggard ['lægəd] zn treuzelaar

lagging ['lægɪŋ] zn techn isolatiemateriaal

lagoon [lə'guːn] zn lagune

laid [leɪd] ww [verleden tijd + volt. deelw.] → lay ★ *inform laid back* kalm, ontspannen ★ *inform laid up* bedlegerig

lain [leɪn] ww [volt. deelw.] → lie

lair [leə] zn leger ‹van dier›, hol

laird [leəd] zn ‹in Schotland› grondeigenaar, landheer

laissez-faire [leseɪ'feə] bnw ★ ~ *policy* niet-inmenging van de staat met particulier initiatief

laity ['leɪətɪ] zn **❶** de leken, niet-geestelijken **❷** niet-deskundigen

lake [leɪk] zn ❶ meer ❷ roodachtige lakverf
la-la land USA inform zn ❶ Hollywood ❷ droomwereld
lam [læm] I zn ★ straat be on the lam op de vlucht zijn (voor politie) II onov ww ★ USA lam (it) er tussenuit knijpen ★ lam into sb iem. een pak slaag geven
lama ['lɑːmə] zn rel lama (monnik)
lamb [læm] I zn ❶ lam ❷ fig lammetje ★ in lamb drachtig ★ like lambs to the slaughter als lammetjes naar de slachtbank II onov ww lammeren werpen
lamb chop zn lamskotelet
lambskin ['læmskɪn] zn lamsvel
lambswool zn lamswol
lame [leɪm] I bnw ❶ lam, kreupel ❷ slap (van excuus) ❸ inform flauw (van grap enz.) II ov ww verlammen ★ the accident lamed the horse het ongeluk maakte het paard kreupel
lame duck I bnw, USA pol demissionair II zn een niet succesvol iem. ★ her boy-friend was a ~ haar vriend was een mislukkeling
lament [lə'ment] I zn klaaglied, jammerklacht II ww ❶ (be)treuren, lamenteren ★ the late ~ed de betreurde dode(n) ❷ ~ for weeklagen over
lamentable ['læməntəbl] bnw jammerlijk, betreurenswaardig
lamentation [læmən'teɪʃən] zn weeklacht, klaaglied
laminate ['læmɪneɪt] I zn laminaat II ov ww ❶ lamineren ❷ in lagen verdelen ❸ pletten
lamp [læmp] zn lamp, lantaarn
lamplighter ['læmplaɪtə] zn lantaarnopsteker
lamplit ['læmplɪt] bnw door lamplicht verlicht
lampoon [læm'puːn] I zn satirisch pamflet II ov ww aanvallen in een satirisch pamflet
lampoonist [læm'puːnɪst] zn schrijver van satirische pamfletten
lamp post zn lantaarnpaal ★ between you and me and the ~ onder vier ogen
lampshade ['læmpʃeɪd] zn lampenkap
LAN [læn] afk, comp Local Area Network LAN (plaatselijk computernetwerk)
lance [lɑːns] I zn lans, speer ★ break a ~ with argumenteren met II ov ww doorsteken (met lans), doorprikken (met lancet)
lancer ['lɑːnsə] zn lansier
lancet ['lɑːnsɪt] zn lancet
lancet arch zn spitsboog
lancet window zn spitsboogvenster
land [lænd] I zn ❶ land, landstreek, landerijen ★ by land te land, over land ★ on land aan land, te land ★ make land land in zicht krijgen, land aandoen ★ see how the land lies zien hoe de zaken staan ★ the land of Nod de slaap, het rijk der dromen ❷ grond II ov ww ❶ doen landen (van vliegtuig), doen belanden, lossen, afzetten (uit rijtuig), slaan, klap geven, toedienen (van klap of slag), ophalen (van vis), in de wacht slepen (van prijs) ❷ ~ with opschepen met ★ she was landed with a huge debt ze werd met een grote schuld opgescheept III onov ww landen, aan land gaan, aankomen, bereiken, terechtkomen
land agent zn rentmeester
landau ['lændɔː] zn landauer

landed ['lændɪd] bnw ❶ grond-, land- ★ ~ property grondbezit ❷ grond bezittend ★ ~ gentry landadel ❸ ontscheept ❹ inform in moeilijkheden
landfall ['lændfɔːl] zn ❶ het in het zicht krijgen van land ❷ aardverschuiving
landfill ['lændfɪl] zn vuilstort
landing ['lændɪŋ] zn ❶ landing ★ forced ~ noodlanding ❷ landingsplaats, losplaats ❸ overloop (tussen twee trappen)
landing craft zn [mv: id.] landingsvaartuig
landing gear zn landingsgestel
landing-net ['lændɪŋnet] zn schepnet
landing stage zn steiger
landing strip zn landingsbaan
landlady ['lændleɪdi] zn ❶ hospita ❷ waardin ❸ huiseigenares
landlocked ['lændlɒkt] zn door land ingesloten
landlord ['lændlɔːd] zn ❶ hospes ❷ herbergier ❸ huisbaas
landlubber ['lændlʌbə] zn landrot
landmark ['lændmɑːk] zn ❶ fig mijlpaal ❷ baken, bekend punt, herkenningsteken
landmine ['lændmaɪn] zn landmijn
landowner ['lændəʊnə] zn grondbezitter
land reform zn landhervorming
land registry zn kadaster
landscape ['lændskeɪp] zn landschap
landscape gardening zn tuinarchitectuur
landscapist ['lændskeɪpɪst] zn landschapschilder
landslide ['lændslaɪd] zn ❶ aardverschuiving ❷ overweldigende verkiezingsoverwinning
landsman ['lændzmən] zn landrot
landward ['lændwəd] bnw + bijw land(in)waarts
landwards ['lændwədz] bijw in de richting van het land, landinwaarts
lane [leɪn] zn ❶ landweg, weggetje ❷ rijstrook ★ fast lane inhaalstrook ★ live in the fast lane een hectisch leven leiden ❸ steeg ❹ route (van schepen, vliegtuigen) ❺ (kegel)baan ★ form a lane zich opstellen in dubbele rij met tussenruimte
lane markings zn rijstrookmarkering
language ['læŋgwɪdʒ] zn taal, spraak ★ bad / strong / explicit ~ grof taalgebruik ★ native ~ moedertaal ★ taalk universal ~ wereldtaal ★ written ~ schrijftaal
language laboratory zn talenpracticum
languid ['læŋgwɪd] bnw traag, lusteloos, zwak, slap, flauw (van markt) ★ his ~ manner irritated her zijn slome houding ergerde haar
languish ['læŋgwɪʃ] onov ww ❶ (weg)kwijnen, verzwakken ★ he ~ed in jail for five years hij zat vijf jaar in de gevangenis ❷ smachten ★ ~ for smachten naar
languor ['læŋgə] zn ❶ slapheid, loomheid ❷ zwoele atmosfeer
languorous ['læŋgərəs] bnw ❶ slap, mat ❷ smachtend ❸ zwoel
lank [læŋk] bnw ❶ mager en lang ❷ sluik (van haar)
lanky ['læŋki] bnw lang en mager, slungelachtig
lantern ['læntən] zn lantaarn ★ Chinese ~ lampion
Laotian ['laʊʃən] I zn ❶ Laotiaans (de taal) ❷ Laotiaan II bnw van / uit Laos
lap [læp] I zn ❶ schoot ★ in the lap of luxury

badend in weelde ★ *drop sth in s.o.'s lap* iem. met iets belasten / opzadelen ❷ ronde ⟨bij wedstrijd⟩, etappe ★ *lap of honour* ereronde **II** *ov ww* ❶ ronde vóórkomen ⟨bij wedstrijd⟩ ★ *she lapped her rivals in the race* ze was haar rivalen in de wedstrijd een ronde voor ❷ kabbelen ★ *the waves lapped the shore* de golven kabbelden tegen het strand ❸ ~ **up** gretig luisteren of aannemen

lapdog ['læpdɒg] *zn* schoothondje

lapel [lə'pel] *zn* revers ⟨van jas⟩

Lapp [læp] **I** *zn* Laplander **II** *bnw* Laplands

Lappish ['læpɪʃ] *bnw* Laplands

lapse [læps] **I** *zn* ❶ verloop ⟨van tijd⟩ ❷ kleine vergissing, vergeetachtigheid ★ *memory ~* moment van vergeetachtigheid ❸ misstap ★ *a criminal ~* een misdadige misstap ❹ (geloofs)afvalligheid ❺ achteruitgang, verval ❻ het vervallen ⟨van recht⟩ **II** *onov ww* afvallen, afdwalen, (ver)vallen, verlopen ★ *the country was ~d into chaos* het land is terechtgekomen in een staat van chaos ★ *his concentration ~d* zijn concentratie nam af

lapsed ['læpst] *bnw* ❶ *jur* verlopen ❷ *rel* niet meer praktiserend, afvallig ★ *a ~ Christian* een niet meer praktiserend christen ❸ in onbruik geraakt

laptop ['læptɒp] *zn* comp laptop, schootcomputer

lapwing ['læpwɪŋ] *zn* kievit

larceny ['lɑːsənɪ] *zn* diefstal

larch [lɑːtʃ] *zn* lariks, larikshout

lard [lɑːd] **I** *zn* varkensvet **II** *ov ww* larderen, doorspekken

larder ['lɑːdə] *zn* provisiekast, provisiekamer

large [lɑːdʒ] *bnw* ❶ groot, omvangrijk, fors ★ *in ~* op grote schaal ❷ breed of ruim ⟨van opvatting⟩, veelomvattend ★ *at ~* in het algemeen, breedvoerig ⟨van uitleg⟩, op vrije voeten, los(gebroken) ★ *by and ~* over het geheel genomen

large-handed *bnw* royaal, mild

large-hearted [lɑːdʒ'hɑːtɪd] *bnw* grootmoedig, goedhartig

largely ['lɑːdʒlɪ] *bijw* ❶ op grote schaal ★ *her work went ~ unnoticed* haar werk bleef grotendeels onopgemerkt ❷ voornamelijk

large-minded [lɑːdʒ'maɪndɪd] *bnw* ruimdenkend

large-scale *bnw* op grote schaal, grootschalig

largeness ['lɑːdʒnəs] *zn* ❶ grootheid, grootte ❷ ruime blik

largesse, largess [lɑː'dʒes] *zn* (overdreven) vrijgevigheid

largish ['lɑːdʒɪʃ] *bnw* nogal groot

lark [lɑːk] **I** *zn* ❶ leeuwerik ❷ dolle grap, lolletje ❸ vermakelijk voorval ★ *go along for a lark* een geintje uithalen **II** *ov ww* ❶ streken uithalen ❷ iemand voor de gek houden **III** *onov ww* ~ **about/around** keet trappen, tekeergaan

larkspur ['lɑːkspɜː] *zn* plantk ridderspoor

larrikin ['lærɪkɪn] **I** *zn* ⟨jeugdige⟩ straatschender **II** *bnw* baldadig

larrup ['lærəp] *ov ww* inform 'n pak slaag geven

larva ['lɑːvə] *zn* larve

laryngitis [lærɪn'dʒaɪtɪs] *zn* ontsteking van het strottenhoofd

laryngologist [lærɪŋ'gɒlədʒɪst] *zn* keelarts

larynx ['lærɪŋks] *zn* strottenhoofd

lascivious [lə'sɪvɪəs] *bnw* wellustig, wulps

laser ['leɪzə] *zn* laser, laserstraal

lash [læʃ] **I** *zn* ❶ zweep ★ *fig under the lash of* onder de plak van ❷ zweepslag ❸ wimper **II** *ov ww* ❶ geselen ❷ vastsjorren ★ *lash o.s. into a fury* zich razend maken, zich opzwepen **III** *onov ww* ❶ slaan ❷ wild stromen ★ *the rain lashed down* het stroomde van de regen ❸ ~ **at** slaan naar ❹ ~ **out at** uitvaren tegen

lasher ['læʃə] *zn* ❶ waterkering ❷ over een dam stortend water ❸ watermassa beneden (rivier)dam

lashing ['læʃɪŋ] *zn* ❶ geseling ❷ scheepv sjorring

lash-up ['læʃʌp] *zn* inform vlugge improvisatie

lass [læs] *zn* ❶ *(Schots)* meisje ❷ liefje

lassitude ['læsɪtjuːd] *zn* moeheid, traagheid

lasso [lə'suː] **I** *zn* lasso **II** *ov ww* met een lasso vangen

last [lɑːst] **I** *zn* ❶ leest ❷ last ⟨bepaald gewicht⟩ ❸ (de) laatste ★ *at (long) last* uiteindelijk, ten slotte ★ *to / till the very last* tot het allerlaatste ogenblik ★ *you will never see the last of her* je zult nooit van haar afkomen **II** *bnw* ❶ laatste, laatstgenoemde ★ *the Last Day / Last Judgement / Latter Day* de jongste dag, de dag van het Laatste Oordeel ★ *last but not least* wel het laatst genoemd, maar daarom niet minder belangrijk ★ *last but one* voorlaatste ❷ verleden ❸ vorig ★ *last week* vorige week ★ *last night* gisterenavond, afgelopen / vorige nacht ❹ uiterst ★ *sth of the last importance* iets van het grootste belang **III** *ov ww* voldoende zijn ★ *it will last you another week* je zult er nóg wel een week genoeg aan hebben **IV** *onov ww* ❶ goed blijven ⟨van voedsel⟩, lang meegaan ❷ blijven, duren, voortduren ★ *she won't last long* ze houdt het niet lang meer uit **V** *bijw* het laatst ★ *when I last saw him* toen ik hem laatst / kort geleden zag

last-ditch *bnw* ★ *a ~ attempt* een allerlaatste, vertwijfelde poging

lasting ['lɑːstɪŋ] *bnw* voortdurend, blijvend, duurzaam

lastly ['lɑːstlɪ] *bijw* ten slotte, uiteindelijk, laatst

last-minute *bnw* allerlaatst, uiterst ★ *a ~ decision* een op het allerlaatst genomen beslissing

lat. *afk* latitude breedte

latch [lætʃ] **I** *zn* klink, slot ⟨in deur⟩ **II** *ov ww* op de klink doen **III** *onov ww* ❶ ~ **on** het begrijpen ❷ ~ **on to** begrijpen, zich realiseren, niet loslaten, zich vastklampen aan

latchkey ['lætʃkiː] *zn* huissleutel

latchkey child *zn* sleutelkind

late [leɪt] **I** *bnw* ❶ laat, te laat ★ *I'm sorry, but you are late* het spijt me maar je bent te laat ❷ wijlen, overleden, gewezen, vorig, vroeger ★ *Morrison, late Falconer* Morrison, voorheen Falconer ❸ van de laatste tijd ★ *of late years* in de laatste jaren ★ *Sunday at the latest* uiterlijk zondag **II** *bijw* laat, te laat ★ *we arrived late* we kwamen te laat aan ★ *sooner or later* vroeg of laat ★ *as late as the 14th century* nog in de 14e eeuw ★ *that's rather late in the day* da's nogal laat ★ *of late* (in) de laatste tijd ★ *later on* later

latecomer ['leɪtkʌmə] zn laatkomer

lately ['leɪtlɪ] bijw ❶ onlangs, kort tevoren ❷ de laatste tijd ★ *I haven't seen him* ~ ik heb hem de laatste tijd niet gezien

latency ['leɪtnsɪ] zn ★ ~ *period* incubatietijd

latent ['leɪtnt] bnw ❶ latent, verborgen ❷ slapend

later ['leɪtə] bnw [vergrotende trap] → **late**

lateral ['lætərəl] bnw zijdelings, zij-

latest ['leɪtɪst] I bnw [overtreffende trap] → **late** II zn ❶ laatste nieuws ❷ laatste mode

latex ['leɪteks] zn latex, melksap van rubberboom

lath [lɑːθ] zn lat

lathe [leɪð] zn draaibank

lather ['lɑːðə] I zn ❶ zeepsop ❷ schuimend zweet ⟨bij paard⟩ II ov ww ❶ inzepen ❷ inform afranselen III onov ww ❶ schuimen ❷ schuimend zweet afscheiden ⟨van paard⟩

Latin ['lætɪn] I zn Latijn II bnw Latijns

latish ['leɪtɪʃ] bijw aan de late kant

latitude ['lætɪtjuːd] zn ❶ aardk breedte ★ *low ~s* streek rond de evenaar ❷ form vrijheid van handelen

latitudinal [lætɪ'tjuːdɪnl] bnw breedte-

latrine [lə'triːn] zn latrine

latter ['lætə] bnw laatstgenoemde ⟨van de twee⟩ ★ ~ *end* het einde ⟨vnl. van het leven⟩, achterste

latter-day [lætə'deɪ] bnw modern, van de laatste tijd ★ ~ *Van Gogh paintings* een moderne versie van Van Gogh schilderijen

latterly ['lætəlɪ] bijw tegen het eind van, de laatste tijd

lattice ['lætɪs] zn raster, ruitpatroon, traliewerk

Latvia ['lætvɪə] zn Letland

Latvian ['lætvɪən] I zn ❶ Let ❷ de Letse taal II bnw Lets

laud [lɔːd] I zn lof(lied) II ov ww form loven

laudable ['lɔːdəbl] bnw prijzenswaardig, lofwaardig

laudatory ['lɔːdətərɪ] bnw lovend

laugh [lɑːf] I ov ww ❶ lachen ★ *he ~ed his head off* in zijn vuistje lachen ❷ ~ **away** weglachen, met een lach afdoen ★ ~ *away the time* de tijd doden met grapjes ❸ ~ **off** met een lach afdoen II onov ww ❶ lachen ★ ~ *in the face of* uitdagen, uitlachen ★ ~ *on the wrong side of one's face* lachen als een boer die kiespijn heeft ★ ~ *in one's sleeve* heimelijk lachen ★ *he ~s that wins* wie het laatst lacht, lacht het best ★ ~ *away!* lach maar gerust! ★ ~ *to scorn* spottend uitlachen ★ *don't make me* ~ laat me niet lachen ❷ ~ **at** lachen om / tegen, uitlachen ❸ ~ **out** luid lachen ❹ ~ **out of** aferen door uitlachen ★ *I've ~ed him out of biting nails* ik heb 'm zo belachelijk gemaakt om zijn nagelbijten dat hij het niet meer doet ❺ ~ **over** lachen om III zn (ge)lach ★ *for ~s* voor de lol

laughable ['lɑːfəbl] bnw belachelijk, lachwekkend

laughing ['lɑːfɪŋ] bnw ★ *no* ~ *matter* een ernstige kwestie

laughter ['lɑːftə] zn gelach ★ *canned* ~ ingeblikt / van tevoren opgenomen gelach

launch [lɔːntʃ] I ov ww ❶ werpen, slingeren ❷ te water laten, uitzetten ⟨van boten⟩ ❸ van wal steken ❹ afschieten, lanceren, de wereld inzenden / sturen, uitbrengen, op de markt brengen ★ ~ *into the world* de wereld inzenden ❺ loslaten, laten gaan ❻ op touw zetten ❼ ontketenen II onov ww ❶ ~ **forth** beginnen ❷ ~ **into** zich storten in, zich begeven in ★ ~ *into expense* onkosten maken ❸ ~ **out (into)** iets royaal aanpakken, royaal met zijn geld zijn, zich te buiten gaan III zn ❶ tewaterlating, lancering ❷ sloep, boot ❸ begin

launcher ['lɔːntʃə] zn lanceerinrichting

launching ['lɔːntʃɪŋ] bnw ★ ~ *pad* lanceerplatform ★ ~ *site* lanceerterrein

launder ['lɔːndə] I ov ww ❶ wassen (en strijken) ❷ witwassen ⟨van zwart geld⟩ II onov ww wasecht zijn

launderette [lɔːn'dret] zn wasserette

laundress ['lɔːndrəs] zn wasvrouw

laundry ['lɔːndrɪ] zn ❶ wasserij ❷ was(goed)

laureate ['lɔːrɪət] I zn ❶ laureaat, prijswinnaar, hofdichter ★ *(Poet) Laureate* gelauwerd dichter, hofdichter ⟨in Engeland⟩ II bnw omkranst, gelauwerd

laurel ['lɒrəl] zn ❶ laurier ❷ lauwerkrans ★ *look to one's ~s* waken voor prestigeverlies ★ *rest / sit on one's ~s* op z'n lauweren rusten ★ *win ~s* lauweren oogsten

laurel wreath zn lauwerkrans

lav afk, inform lavatory plee

lava ['lɑːvə] zn lava

lavabo [lə'vɑːbəʊ] zn ❶ lavabo ❷ bak en handdoek voor handwassing v. priester ❸ wasbak ★ ~*s* toilet

lavatory ['lævətərɪ] I zn wasvertrek, wc II bnw was-

lave [leɪv] ov ww ❶ wassen ❷ stromen langs ⟨van rivier⟩, spoelen tegen

lavender ['lævɪndə] zn ❶ lavendel ❷ zacht lila

lavish ['lævɪʃ] I bnw verkwistend, kwistig II ov ww kwistig geven ★ *he ~ed money on his daughter* hij gaf kwistig geld aan zijn dochter

law [lɔː] zn ❶ wet ★ *it is bad law* het is niet volgens de wet ★ *go to law* gaan procederen ★ *have / take the law of a person* iem. een proces aandoen ★ *lay down the law* de wet voorschrijven ★ *necessity knows no law* nood breekt wet ★ *read law* rechten studeren ★ *by law* wettelijk, volgens de wet ★ *break the law* de wet breken ★ *licensing law* drankwet ❷ recht ★ *law of the jungle* recht van de sterkste ★ *common law* gewoonterecht ★ *constitutional law* staatsrecht ★ *international law* volkenrecht ★ *civil law* burgerlijk recht ★ *criminal law* strafrecht ★ *martial law* staat van beleg ★ *moral law* moreel recht ★ jur *municipal law* staatsrecht ❸ justitie, inform politie ❹ regel, wetmatigheid ★ *by the law of averages* naar alle waarschijnlijkheid

law-abiding ['lɔːəbaɪdɪŋ] bnw gezagsgetrouw

lawbreaker ['lɔːbreɪkə] zn wetschender

law court zn rechtbank, rechtszaal

lawful ['lɔːfʊl] bnw rechtmatig, wettig

lawless ['lɔːləs] bnw ❶ wetteloos ❷ losbandig

law lord zn lid van Hogerhuis die daar rechtskundig advies kan verlenen

lawmaker ['lɔːmeɪkə] zn wetgever

lawn [lɔːn] zn ❶ gazon, grasperk, grasveld ⟨om

la

op te sporten) ❷ kamerdoek, batist
lawn tennis *zn* tennis(spel) op grasbaan
lawsuit ['lɔːsuːt] *zn* rechtzaak
lawyer ['lɔːjə] *zn* advocaat, jurist, rechtsgeleerde ★ *criminal ~* strafpleiter ★ *personal injury ~* letselschadeadvocaat
lax [læks] **I** *zn* Noorse zalm **II** *bnw* ❶ laks, slordig, vaag, slap ❷ aan diarree lijdend ★ *have lax bowels* diarree hebben
laxative ['læksətɪv] **I** *zn* laxeermiddel **II** *bnw* laxerend
laxity ['læksətɪ] *zn* ❶ laksheid ❷ onnauwkeurigheid
lay [leɪ] **I** *ww* [verleden tijd] → lie **II** *ov ww* [onregelmatig] ❶ leggen, zetten, plaatsen, neervlijen, installeren ★ *they will lay it at his door* zij zullen hem ervan beschuldigen ❷ beleggen, bekleden, bedekken, dekken (de tafel) ❸ aanleggen, richten (van kanon) (van vuur) ❹ *inform* neuken ❺ ontwerpen (plan), smeden (samenzwering) ❻ aanbieden, opleggen (straf) ★ *lay sth upon a person* iets op iem. schuiven ❼ ~ **aside/by** opzij leggen, sparen ❽ ~ **down** neerleggen, voorschrijven, opgeven (hoop), in kaart brengen, grasland maken van, opslaan (wijn) ★ *he laid down his life* hij offerde zijn leven ❾ ~ **in** voorraad inslaan ❿ ~ **off** afleggen, aanleggen (straten), zich niet inlaten met, ontslaan ⓫ ~ **on** opleggen, toedienen (klappen), aanleggen ★ *lay on a party* een feestje organiseren ★ *lay it on* overdrijven ⓬ ~ **out** klaarleggen / -zetten, laten zien, afleggen (van lijk), aanleggen, ontwerpen, buiten gevecht stellen, om zeep brengen ⓭ ~ **out** geld besteden aan ⓮ ~ **to** wijten aan ⓯ ~ **up** sparen, bewaren, uit de vaart nemen, het bed doen houden **III** *onov ww* [onregelmatig] ❶ leggen, aan de leg zijn ❷ *scheepv* liggen ★ *lay at anchor* voor anker liggen ★ *lay aboard* langszij komen ❸ ~ **about** wild slaan ★ *lay about you* om je heen slaan ❹ ~ **over** een reis onderbreken ❺ *scheepv* ~ **to** stilleggen **IV** *zn* ❶ *aardk* ligging ★ *fig the lay of the land* stand van zaken ❷ leger (van dier) ❸ leg (van kip) ★ *straatt in lay* aan de leg ❹ laag (van metselwerk) ❺ *straatt* nummertje ★ *an easy lay* gemakkelijk in bed te krijgen **V** *bnw* leken-, wereldlijk ★ *he is not an expert he is a layperson* hij is geen expert, hij is een leek
layabout ['leɪəbaʊt] *zn* leegloper
lay brother *zn rel* lekenbroeder
lay-by ['leɪbaɪ] *zn* parkeerplaats, parkeerhaven (langs autoweg)
layer ['leɪə] **I** *zn* ❶ laag ❷ *plantk* aflegger (van blad) **II** *ov ww plantk* afleggen (wortel schieten na aflegging van blad)
layered ['leɪəd] *bnw* gelaagd
layette [leɪ'et] *zn* babyuitzet
layman ['leɪmən] *zn* leek
lay-off *zn* (tijdelijk) ontslag, afvloeiing, tijdelijke werkloosheid
layout ['leɪaʊt] *zn* ❶ aanleg (van park) ❷ schema ❸ lay-out, ontwerp, opmaak (van drukwerk)
lay person *zn* leek
lay sister *zn rel* lekenzuster

lay term *zn* lekenterm
laze [leɪz] *onov ww* luilakken, uitrusten ★ *we like to laze about on Sundays* we luieren graag op zondag graag wat rond
lazy ['leɪzɪ] *bnw* lui, traag, loom
lazybones ['leɪzɪbəʊnz] *zn* luilak
lb, USA **lb.** *afk, libra(e)* pond (gewicht, ca. 454 gram)
lbs, USA **lbs.** *afk, libra(e)* pond (gewicht, ca. 454 gram)
LCD *afk* ❶ *liquid crystal display* lcd ❷ *lowest common denominator* grootste gemene deler
lcm *afk, lowest / least common multiple* kleinste gemene veelvoud
L-driver ['eldraɪvə] *zn* leerling-automobilist
lea [liː] *zn* weide, landouw
LEA *afk, Local Education Authority* ≈ Gemeentelijke Dienst Onderwijs
leach [liːtʃ] **I** *zn* loog **II** *ov ww* logen
lead[1] [liːd] **I** *ov ww* [onregelmatig] ❶ leiden, tot iets brengen, (aan)voeren ★ *it will lead him to fame* het maakt hem beroemd ★ *lead sb a (merry) dance* iem. veel last veroorzaken om zijn doel te bereiken ★ *lead sb a life* iem. het leven zuur maken ★ *lead sb up / down the garden path* iem. voor de gek houden ★ *lead the way* vóórgaan ❷ ~ **astray** misleiden, verleiden ❸ ~ **away** wegleiden, verleiden ❹ ~ **on** verder leiden, aanmoedigen, uithoren ❺ ~ **on to** brengen op, aansturen op **II** *onov ww* [onregelmatig] ❶ leiden, aanvoeren, bovenaan staan ❷ de eerste viool spelen, de toon aangeven ❸ vóórspelen (kaartspel) ❹ ~ **off** beginnen, openen ❺ ~ **off with** uitkomen met ❻ ~ **out** ten dans leiden, beginnen ❼ ~ **out of** in directe verbinding staan met ❽ ~ **up to** aansturen op **III** *zn* ❶ leiding (het leiden), bestuur, *techn* leiding (pijp, buis-) ❷ hoofdrol ❸ hoofdartikel ❹ spoor (achtergebleven teken) ❺ hondenriem **IV** *bnw* voorste, voornaamste
lead[2] [led] **I** *zn* ❶ lood ❷ peillood ❸ *drukk* interlinie **II** *bnw* loden, van lood **III** *ov ww* ❶ verloden, in lood vatten ❷ *drukk* interliniëren
leaded ['ledɪd] *bnw* ❶ lood bevattend ❷ gelood (van benzine)
leaden ['ledn] *bnw* ❶ loden, loodzwaar ❷ drukkend ❸ loodkleurig
leader ['liːdə] *zn* ❶ leider, gids, geleider ❷ concertmeester ❸ USA dirigent ❹ hoofdartikel ❺ *comm* introductie (v. film, tv-programma enz.) ❻ stippellijn als leidraad voor het oog ❼ voorste paard in een span ❽ advocaat die de leiding in bep. zaak heeft
leadership ['liːdəʃɪp] *zn* leiding, leiderschap
lead-in ['liːdɪn] *zn* ❶ inleidende opmerkingen ❷ verbinding tussen antenne en radiotoestel
leading ['liːdɪŋ] *bnw* leidend, voornaamste, hoofd- ★ *~ article* hoofdartikel (in krant) ★ *~ light* prominente figuur ★ *~ question* suggestieve vraag ★ *~ man / lady* acteur / actrice in de hoofdrol
lead-up [liːd'ʌp] *zn* aanleiding, aanloop
leaf [liːf] **I** *zn* [mv: leaves] ❶ blad, gebladerte ★ *fig take a leaf from s.o.'s book* iemands gedrag overnemen ★ *turn over a new leaf* een nieuw

la

leven beginnen ❷ deurvleugel, vizierklep **II** *ov ww* ~ **over/through** doorbladeren **III** *onov ww* bladeren krijgen

leaflet ['li:flət] *zn* blaadje, circulaire

leaf mould *zn* bladaarde

leafy ['li:fi] *bnw* bladachtig, bladerrijk ★ ~ *vegetables* bladgroente

league [li:g] **I** *zn* ❶ (ver)bond ❷ ± 4800 m ⟨op land⟩ ❸ ± 5500 m ⟨op zee⟩ ❹ (voetbal)competitie ★ *be in* ~ *with* samenspannen met **II** *ov ww* verbinden ⟨tot een alliantie, verbond⟩ **III** *onov ww* zich verbinden ⟨een verbond aangaan⟩

leak [li:k] **I** *ov ww* lekken, laten uitlekken **II** *onov ww* ❶ lek zijn, lekken, uitlekken ❷ straatt pissen ❸ ~ **out** uitlekken, bekend worden **III** *zn* lek(kage) ★ *spring a leak* lek slaan / raken

leakage ['li:kɪdʒ] *zn* lek(kage), uitlekking

leaky ['li:kɪ] *bnw* lekkend, loslippig

lean [li:n] **I** *ov ww* [regelmatig + onregelmatig] laten steunen, zetten ★ *lean it against the wall* zet het tegen de muur **II** *onov ww* [regelmatig + onregelmatig] ❶ leunen, schuin staan ★ *the walls were leaning* de muren stonden schuin ❷ ~ **over** overhellen ★ *lean over backwards* alle mogelijke moeite doen ❸ ~ **towards** begunstigen, meegaan met ❹ ~ **(up)on** steunen op **III** *zn* ❶ het magere gedeelte van vlees ❷ schuine stand ★ *it's on the lean* het staat scheef **IV** *bnw* schraal, mager, slank

leaned [li:nd] *ww* [verleden tijd + volt. deelw.] → **lean**

leaning ['li:nɪŋ] *zn* neiging ★ *political* ~*s* politieke neigingen

leant [lent] *ww* [verleden tijd + volt. deelw.] → **lean**

lean-to ['li:ntu:] **I** *zn* aangebouwde schuur, afdak **II** *bnw* aangebouwd, leunend

leap [li:p] **I** *onov ww* [regelmatig + onregelmatig] springen ▼ *leap at a chance* iets aangrijpen **II** *zn* sprong ★ *fig by leaps and bounds* met sprongen

leaped [li:pd] *ww* [verleden tijd + volt. deelw.] → **leap**

leapfrog ['li:pfrɒg] *zn* ★ *to play at* ~ haasje-over spelen

leapt [lept] *ww* [verleden tijd + volt. deelw.] → **leap**

leap year *zn* schrikkeljaar

learn [lɜ:n] *ov+onov ww* [regelmatig + onregelmatig] ❶ leren ❷ vernemen, horen, erachter komen

learned[1] ['lɜ:nɪd] *bnw* ❶ geleerd ❷ wetenschappelijk ★ *jur my* ~ *friend / brother* mijn hooggeachte confrater

learned[2] [lɜ:nd] *ww* [verleden tijd + volt. deelw.] → **learn**

learner ['lɜ:nə] *zn* ❶ leerling, beginner ❷ GB leerling-automobilist

learner-driver *zn* leerling-automobilist

learner's permit *zn* USA voorlopig rijbewijs

learning ['lɜ:nɪŋ] *zn* geleerdheid, wetenschap ★ *the new* ~ renaissance

learning disabilities *zn* leerproblemen

learnt [lɜ:nt] *ww* [verleden tijd + volt. deelw.] → **learn**

lease [li:s] **I** *zn* ❶ huur, pacht, lease ★ ~ *of life* levensduur / -verwachting ❷ verhuur,

verpachting ★ *let out on / by* ~ verhuren, verpachten ★ *put out to* ~ verpachten, verhuren **II** *ov ww* ❶ huren, pachten, leasen ❷ verhuren, verpachten

leasehold ['li:shəʊld] **I** *zn* pacht(goed) **II** *bnw* gepacht, pacht-

leaseholder ['li:shəʊldə] *zn* huurder, pachter

leash [li:ʃ] **I** *zn* riem, band, koppel ★ *give full* ~ *to* de vrije teugel laten ★ *hold in* ~ in bedwang houden **II** *ov ww* koppelen, aangelijnd houden

leasing ['li:sɪŋ] *zn* pacht, verpachting, leasen

least [li:st] *bnw* kleinst, geringst, minst ★ *at* ~ ten minste ★ *at the* ~ minstens, op zijn minst ★ ~ *of all* zeker niet ★ *not in the* ~ helemaal niet ★ *not* ~ in belangrijke mate ★ *to say the* ~ *of it* op z'n zachtst gezegd ★ ~ *said* hoe minder er over gesproken wordt des te beter het is ★ *wisk* ~ / *lowest common multiple* kleinste gemene veelvoud

leather ['leðə] **I** *zn* ❶ leder, leertje ❷ straatt huid **II** *bnw* leren

leathery ['leðərɪ] *bnw* leerachtig, taai ⟨van vlees⟩

leave [li:v] **I** *ov ww* [onregelmatig] ❶ verlaten, nalaten, laten, overlaten, achterlaten ★ ~ *hold (of)* loslaten ★ *he* ~*s his books about* hij laat zijn boeken slingeren ★ ~ *him alone* laat hem met rust, laat hem begaan ★ ~ *it at that* laat het daarbij ★ straatt ~ *go (of)* loslaten ★ *take it or* ~ *it* graag of niet ★ ~ *the house on the left* laat het huis aan de linkerkant liggen ★ ~ *well alone* ga niet veranderen wat eenmaal goed is ★ ~ *her to herself* bemoei je niet met haar ❷ ~ **behind** achterlaten, achter zich laten, thuislaten, nalaten ❸ ~ **off** afleggen, uitlaten ⟨van kleren⟩, ophouden (met) ❹ ~ **on** laten liggen (op), aan laten (staan) ❺ ~ **out** overslaan **II** *onov ww* ❶ achterlaten, nalaten ★ *the house was left to another* het huis werd aan een ander vermaakt ★ *she is well left* er is goed voor haar gezorgd ❷ in de steek laten ★ inform *he got left* hij werd aan zijn lot overgelaten ❸ weggaan, vertrekken ★ ~ *for* vertrekken naar **III** *zn* verlof, vakantie ★ ~*off* verlof om ergens mee op te houden ★ ~*out* verlof om uit te gaan ★ ~ *of absence* verlof ★ *compassionate* ~ verlof wegens familieomstandigheden ★ *French* ~ afwezigheid zonder verlof ★ *take French* ~ er stiekem vandoor gaan ★ *by / with your* ~ met uw verlof ★ *take (your)* ~ afscheid nemen ★ ~ *form beg* ~ *to do sth* permissie vragen iets te doen

leaven ['levən] **I** *zn* zuurdeeg, zuurdesem **II** *ov ww* ❶ zuren ⟨van deeg⟩ ❷ doordringen

leaves [li:vz] *zn mv* → **leaf**

leave-taking ['li:vteɪkɪŋ] *zn* afscheid

leavings ['li:vɪŋz] *zn mv* afval, kliekjes, wat overblijft

Lebanese [lebə'ni:z] **I** *zn* Libanees **II** *bnw* Libanees

lecher ['letʃə] *zn* geilaard

lecherous ['letʃərəs] *bnw* wellustig, geil

lechery ['letʃərɪ] *zn* ontucht, wellust

lectern ['lektɜ:n] *zn* lessenaar

lecture ['lektʃə] **I** *ov ww* de les lezen **II** *onov ww* college geven **III** *zn* ❶ lezing ❷ college ❸ berisping ★ *read sb a* ~ iem. de les lezen

lecturer ['lektʃərə] *zn* ❶ spreker ❷ lector

le

lectureship ['lektʃəʃɪp] zn lectoraat, het ambt van lector

led [led] ww [verleden tijd + volt. deelw.] → lead[1]

LED afk, light-emitting diode (elektronisch) lampje

ledge [ledʒ] zn ❶ rif ❷ mijnader ❸ overstekende rand, lijst, richel

ledger ['ledʒə] zn ❶ platte grafsteen ❷ USA register ❸ grootboek ❹ liggende plank of balk van steiger ★ ~ (bait) vastliggend aas

lee [li:] zn lijzijde, luwte ★ under the lee of in de luwte van

leech [li:tʃ] I zn ❶ ook fig bloedzuiger ❷ lijk ⟨van zeil⟩ ★ stick like a ~ aanhangen als een klit II ov ww aderlaten met bloedzuigers

leek [li:k] zn look, prei

leer [lɪə] I zn wellustige, sluwe blik II onov ww ❶ loeren, grijnzen ❷ geile blikken werpen ❸ ~ at lonken naar

leery ['lɪərɪ] bnw handig, sluw

lees [li:z] zn mv bezinksel, droesem

lee shore zn lagerwal

leeward ['li:wəd] I zn lijzijde II bnw + bijw lijwaarts

leeway ['li:weɪ] zn ❶ bewegingsruimte, speelruimte ❷ koersafwijking ★ make up ~ achterstand inhalen

left [left] I zn linkerhand, linkerkant II bnw links, linker III ww [verleden tijd + volt. deelw.] → leave IV bijw links

left-hand bnw links, linker ★ ~ drive linkse besturing ⟨van auto⟩

left-handed [left'hændɪd] bnw ❶ linkshandig ❷ fig dubbelzinnig, twijfelachtig

left-hander [left'hændə] zn ❶ iemand die links is ❷ slag met de linkerhand

leftist ['leftɪst] I zn links iemand, radicaal II bnw links, radicaal

leftover ['leftəʊvə] zn ⟨vaak mv⟩ kliekje, restant

left-winger zn ❶ pol lid van de linkervleugel ❷ sport linksbuiten

lefty ['leftɪ] zn ❶ inform linkshandige ❷ pol lid van de linkervleugel

leg [leg] I zn ❶ been, schenkel, poot ★ he was on his legs hij voerde het woord, hij was op de been ★ he got on his legs hij stond op, hij nam het woord ★ give a leg (up) helpen ★ pull s.o.'s leg iem. voor de gek houden ★ shake a leg dansen, zich haasten ★ stretch one's leg de benen strekken ★ take to one's legs er vandoor gaan ★ he walked us off our legs hij liet ons lopen tot we er bij neervielen ★ upper / lower leg boven- / onderbeen ❷ broekspijp ❸ etappe, één spel van een serie twee ❹ uithoudingsvermogen ★ he was off his legs hij was slecht ter been, hij was afgepeigerd II ov ww met voeten voortduwen ⟨van boot⟩ ★ leg it de benen nemen III onov ww ❶ (zich) uit de naad lopen ❷ zich met de voeten voortduwen (in boot)

legacy ['legəsɪ] zn ❶ legaat ❷ erfenis, nalatenschap

legacy duty zn successierecht

legal ['li:gl] bnw ❶ wets- ❷ wettelijk, wettig, rechtsgeldig ★ ~ offence strafbaar feit ★ ~ tender wettig betaalmiddel ★ ~ status rechtspositie ★ ~ charges overschrijvingskosten ⟨bij koop van huis⟩ ❸ rechterlijk ❹ rechtskundig

legalisation zn GB → legalization

legalise ww GB → legalize

legalism ['li:gəlɪzəm] zn bureaucratie

legalistic [li:gə'lɪstɪk] bnw bureaucratisch

legality [lɪ'gælətɪ] zn ❶ wettigheid ❷ → legalism

legalization [li:gəlaɪ'zeɪʃən] zn legalisatie

legalize ['li:gəlaɪz] ov ww ❶ legaliseren ❷ wettigen

legate ['legət] zn ❶ pauselijk legaat ❷ lid van gezantschap

legation [lɪ'geɪʃən] zn gezantschap, legatie

legator [lɪ'geɪtə] zn erflater

legend ['ledʒənd] zn ❶ legende ★ urban ~ broodje aap ❷ inscriptie ❸ legenda

legendary ['ledʒəndərɪ] bnw legendarisch

legging ['legɪŋ] zn ❶ legging ❷ beenkap ★ ~s [mv] broek

legguard [leg'ga:d] zn beenbeschermer

leggy ['legɪ] bnw ❶ met lange of mooie benen ❷ hoog opgeschoten ⟨van plant⟩

leghorn [le'ghɔ:n] zn ❶ leghorn ⟨kip⟩ ❷ Italiaans(e) stro(hoed)

legibility [ledʒə'bɪlətɪ] zn leesbaarheid

legible ['ledʒɪbl] bnw leesbaar

legion ['li:dʒən] zn ❶ legioen ❷ enorm aantal, legio

legionary ['li:dʒənərɪ] I zn legioensoldaat II bnw ❶ legioens- ❷ zeer talrijk

legislate ['ledʒɪsleɪt] onov ww ❶ wetten maken ❷ maatregelen treffen

legislation [ledʒɪs'leɪʃən] zn wetgeving

legislative ['ledʒɪslətɪv] bnw wetgevend

legislator ['ledʒɪsleɪtə] zn wetgever

legislature ['ledʒɪslətʃə] zn wetgevende macht

legit [lɪ'dʒɪt] bnw inform → legitimate[1]

legitimacy [lɪ'dʒɪtəməsɪ] zn wettigheid, geldigheid

legitimate[1] [lɪ'dʒɪtəmət] I zn ❶ wettig kind ❷ (aanhanger van) wettig vorst II bnw ❶ wettig, rechtmatig, gerechtvaardigd ❷ echt ★ zoals het behoort, volgens standaardtype ★ ~ drama / theatre echt toneel, klassiek stuk ❹ logisch ⟨van gevolgtrekking⟩

legitimate[2] [lɪ'dʒɪtəmeɪt] ov ww ❶ wettigen, rechtvaardigen ❷ als echt erkennen

legitimize, legitimise [lɪ'dʒɪtəmaɪz] ov ww wettigen, als wettig erkennen ⟨van kind⟩

legless ['legləs] bnw ❶ zonder benen ❷ GB stomdronken, inform ladderzat

leg-pulling ['legpʊlɪŋ] zn inform bedotterij

legroom ['legru:m] zn beenruimte

legume ['legju:m] zn ❶ peulvrucht ❷ groente

leguminous [lɪ'gju:mɪnəs] bnw peul-

leg-up zn steuntje, zetje

legwork ['legwɜ:k] zn inspannend werk, voorbereidend werk ★ much ~ was needed beforehand er was vooraf veel voorbereiding nodig

leisure ['leʒə] I zn vrije tijd ★ at your ~ als het u schikt ★ be at ~ niet bezet zijn, zich op zijn gemak voelen II bnw ❶ onbezet, vrij ❷ vrijetijds- ★ ~ clothing vrijetijdskleding

leisured ['leʒəd] bnw ❶ met veel vrije tijd ❷ bedaard, rustig

leisurely ['leʒəlɪ] I bijw op zijn gemak ★ he travelled ~ hij reisde op zijn gemak II bnw bedaard, rustig ★ *a ~ pace* een rustig tempo

lemon ['leman] *zn* ❶ citroen(boom) ❷ citroenkleur(ig) ❸ **straatt** aantrekkelijk meisje ❹ **straatt** strop, tegenvaller ❺ gemene truc

lemonade [lemə'neɪd] *zn* limonade

lemon drop *zn* citroenzuurtje

lemon sole *zn* tong ⟨vis⟩

lemon squash *zn* citroenlimonadesiroop

lend [lend] *ov ww* [onregelmatig] (uit)lenen, verlenen ★ *lend o.s. to* zich lenen voor ★ *lend a (helping) hand* een handje helpen ★ *lend itself to sth* geschikt zijn voor iets

lender ['lendə] *zn* iemand die uitleent (aan)

length [leŋθ] *zn* ❶ lengte, duur ❷ grootte ❸ stuk ⟨vnl. van touw⟩ ★ *keep at arm's ~* op een afstand houden ★ *go to all / any ~s* al het mogelijke doen ★ *at ~* ten slotte, omstandig, uitvoerig ★ *at some ~* uitvoerig, gedetailleerd

lengthen ['leŋθən] **I** *ov ww* (ver)lengen ★ *a ~ed stay* langdurig verblijf **II** *onov ww* langer worden

lengthways ['leŋθweɪz] *bijw* in de lengte

lengthy ['leŋθɪ] *bnw* ❶ langdurig ❷ langdradig, wijdlopig

lenience ['liːnɪəns], **leniency** ['liːnɪənsɪ] *zn* mildheid

lenient ['liːnɪənt] *bnw* toegevend, mild

lenity ['lenɪtɪ] *zn* zachtheid, neerbuigende goedheid

lens [lenz] *zn* lens

lent [lent] *ww* [verleden tijd + volt. deelw.] → **lend**

Lent [lent] *zn* veertigdaagse vasten voor Pasen

lentil ['lentɪl] *zn* linze

Leo ['liːəʊ] *zn* Leeuw ⟨sterrenbeeld⟩

leonine ['liːənaɪn] *bnw* leeuwen-

leopard ['lepəd] *zn* luipaard ★ *American ~* jaguar ★ *a ~ can't change its spots* een vos verliest wel zijn haren, maar niet zijn streken

leotard ['liːətɑːd] *zn* nauwsluitend tricot, gympak, maillot

leper ['lepə] *zn* melaatse, lepralijder

leprosy ['leprəsɪ] *zn* melaatsheid, lepra

leprous ['leprəs] *bnw* melaats

lesbian ['lezbɪən] **I** *zn* lesbienne **II** *bnw* lesbisch

lese-majesty [liːz 'mædʒɪstɪ] *zn* hoogverraad, majesteitsschennis

lesion ['liːʒən] *zn* ❶ schade, nadeel ❷ **med** laesie, stoornis

less [les] **I** *bnw* kleiner, minder ★ *this is no less true than what you say* dit is niet minder waar dan wat jij zegt ★ *no less a person than* niemand minder dan **II** *bijw* ★ *iron less than...* allesbehalve... ★ *not any the less* helemaal niet minder ★ *nothing less* niets liever **III** *onbep vnw* ★ *none / not the less* niettemin minder ★ *a less quality* een mindere kwaliteit **IV** *vz* min, zonder, exclusief ★ *1200 pound less tax* 1200 pond exclusief belasting

lessee [le'siː] *zn* huurder, pachter

lessen ['lesən] **I** *ov ww* doen afnemen **II** *onov ww* verminderen, afnemen, kleiner worden

lesser ['lesə] *bnw* kleiner, minder ★ *Lesser Asia* Klein-Azië ★ *Lesser Bear* Kleine Beer ★ *the ~ of two evils* de minste van twee kwaden

lesson ['lesən] **I** *zn* les ★ *teach / give sb a ~* iem.

een lesje geven ★ *I hope you have learnt your ~* ik hoop dat je je lesje hebt geleerd **II** *ov ww* ❶ de les lezen ❷ onderwijzen

lessor [le'sɔː] *zn* verhuurder, verpachter

lest [lest] *vw* opdat niet, uit vrees dat ★ *we stopped, lest we disturbed the animal* we stopten om het dier niet te storen

let [let] **I** *ov ww* [onregelmatig] ❶ laten, toestaan ★ *let alone* met rust laten, zich niet bemoeien met, laten staan ★ *I wouldn't even think of it, let alone go there* ik wil er niet eens aan denken, laat staan er heengaan ★ *let be* zich niet inlaten met, met rust laten ★ *let it be* houd er mee op ★ *let drive* erop los slaan ★ *let fall* laten vallen, zich laten vallen ★ *let go* loslaten, losraken ★ *let it go at that* laat het daar maar bij ★ *let o.s. go* zich laten gaan, zich verwaarlozen ★ *let sb have it* iem. ervan langs geven ★ *let loose* loslaten, uitpakken ⟨figuurlijk⟩ ★ *let slip* laten schieten, loslaten, missen ★ *let sb into / in on sth* iem. iets toevertrouwen ★ *let sth into sth* iets aanbrengen in ★ *let blood* aderlaten ❷ verhuren ❸ **oud** verhinderen ❹ ~ **down** neerlaten, in de steek laten, teleurstellen, moeten afzeggen, uitleggen ⟨van zoom⟩, verminderen, vernederen, bedriegen, verwaarlozen, verraden ★ *let o.s. down* zich laten zakken, zich verlagen ❺ ~ **from** beletten om / te ❻ ~ **in** binnenlaten, inlassen, ergens in aanbrengen, beetnemen ★ *I won't let you in for it* ik zal je er niet voor laten opdraaien ❼ ~ **off** afvuren, laten ontsnappen, vrijlaten, ontslaan van, vrijmaken ❽ ~ **out** uitlaten, verklappen, **GB** verhuren, uitleggen ⟨kledingstuk⟩, meer vaart geven ⟨auto⟩, aanbesteden ★ *he let the cat out of the bag* hij verklapte het geheim **II** *onov ww* [onregelmatig] ❶ ★ *the house lets well* het huis is gemakkelijk te verhuren ❷ **inform** ~ **on** iets verklappen, zich uitlaten, doen alsof ❸ ~ **out** opspelen, uitgaan ⟨van bioscoop⟩ ★ *let out at* schoppen / slaan naar ❹ ~ **up** minder streng / sterk worden, ophouden **III** *zn* huurhuis / -flat

let-down *zn* teleurstelling

lethal ['liːθl] *bnw* dodelijk, moord- ★ *~ weapon* moordwapen ★ *~ chamber* gaskamer

lethargic [lə'θɑːdʒɪk] *bnw* loom, slaperig

lethargy ['leθədʒɪ] *zn* loomheid, onnatuurlijk lange slaap, apathische toestand, slaperigheid

let-off *zn* ❶ ontsnappingsmogelijkheid ❷ kwijtschelding

letter ['letə] **I** *zn* ❶ letter ❷ brief ★ *~ of attorney* volmacht ★ *~ of credence* geloofsbrief ★ *~ of credit* kredietbrief ★ *~ of indication* legitimatiebewijs ★ *~ of recommendation* aanbevelingsbrief ★ *~ of regret* bericht van verhindering, advies van niet-toewijzing ★ *~ to the editor* ingezonden stuk ★ *capital ~* hoofdletter ★ *circular ~* circulaire ★ *covering / USA cover ~* begeleidende brief ★ *inform French ~* condoom ★ *by ~* schriftelijk ★ *follow instructions to the ~* instructies letterlijk opvolgen **II** *ov ww* van letters voorzien

letter bomb *zn* bombrief

letter box *zn* brievenbus

letter carrier *zn* brievenbesteller

lettered ['letəd] *bnw* ❶ geleerd ❷ voorzien van

le

letters
letterhead ['letəhed] zn briefhoofd
lettering ['letərɪŋ] zn belettering, opschrift, titel
letter-perfect zn ❶ rolvast ❷ USA vlekkeloos
letterpress ['letəpres] zn ❶ tekst ❷ presse-papier ❸ kopieerpers
Lettish ['letɪʃ] bnw Lets
lettuce ['letɪs] zn sla, krop sla
let-up zn vermindering, rust, onderbreking, het ophouden
leukaemia [lu:'ki:mɪə] zn leukemie
levee ['levɪ] zn ❶ natuurlijke oeverwal, rivierdijk ❷ USA aanlegsteiger
level ['levəl] I zn ❶ peil, stand, niveau ★inform on the ~ eerlijk, werkelijk ★on a ~ with op één hoogte met ❷ horizontale mijngang ❸ waterpas ❹ vlak(te) II bnw ❶ horizontaal ★make ~ with (the ground) slechten, met de grond gelijk maken ★~ spoonful afgestreken theelepel ❷ even hoog / ver, naast elkaar ★be ~ with each other met elkaar afrekenen ★come ~ with inhalen ★draw ~ gelijkspelen ★play ~ with sb zonder voorgift tegen iem. spelen ❸ gelijk(elijk), evenwichtig ★have a ~ head 'n evenwichtig iem. zijn ★speak in a ~ voice spreken op één toon III ov ww ❶ gelijkmaken, op gelijke hoogte plaatsen ❷ waterpassen ❸ nivelleren, met de grond gelijkmaken ❹ aanleggen ⟨geweer⟩ ❺ ~ at/against richten tegen ⟨kanon, beschuldiging⟩ ❻ ~ down afronden naar beneden, fig neerhalen ❼ ~ out vlak maken, stabiliseren ❽ ~ up ophogen, hoger peil brengen, verheffen IV onov ww ❶ een niveau bereiken ❷ ~ out vlak worden, horizontaal (gaan) vliegen, zich stabiliseren ❸ straatt ~ with open / eerlijk spreken met
level-headed [levəl'hedɪd] bnw evenwichtig, nuchter, met gezond verstand
lever ['li:və] I zn ❶ hefboom ❷ koevoet ❸ versnellingspook II ov ww ❶ met een hefboom opheffen ❷ opvijzelen
leverage ['li:vərɪdʒ] zn ❶ hefboomwerking, hefboomkracht ❷ invloed, macht ❸ USA kredietspeculatie ★~d buyout overname met geleend geld
leveret ['levərɪt] zn jonge haas
leviathan [lɪ'vaɪəθn] I zn zeemonster, gevaarte, krachtpatser II bnw reuzen-
levitate ['levɪteɪt] I ov ww doen opstijgen II onov ww opstijgen
levitation [levɪ'teɪʃən] zn levitatie
levity ['levɪtɪ] zn ❶ onstandvastigheid, lichtzinnigheid ❷ ongepaste vrolijkheid
levy ['levɪ] I zn ❶ beslaglegging, vordering ❷ heffing ⟨van belasting⟩ II ov ww ❶ beslag leggen, vorderen ❷ heffen ★levy a tax belasting heffen ★levy blackmail chantage plegen ❸ ~ (up)on heffen op ★levy a sum (up)on sb's goods beslag leggen op iemands goederen om bepaalde som betaald te krijgen
lewd [lju:d] bnw wellustig, wulps, obsceen
lexicographer [leksɪ'kɒɡrəfə] zn lexicograaf, woordenboekschrijver
lexicographic [leksɪkə'ɡræfɪk], **lexicographical** [leksɪkə'ɡræfɪkl] bnw lexicografisch
lexicography [leksɪ'kɒɡrəfɪ] zn lexicografie

lexicon ['leksɪkən] zn woordenboek, lexicon
lexis ['leksɪs] zn woordenschat
Leyden ['laɪdn] I zn Leiden II bnw Leids
liability [laɪə'bɪlətɪ] zn ❶ (betalings)verplichting ❷ (wettelijke) aansprakelijkheid ★limited ~ company naamloze vennootschap ❸ blok aan het been
liable ['laɪəbl] bnw ❶ geneigd, het risico lopend, onderhevig ★~ to onderhevig aan, vatbaar voor, blootgesteld aan ★this area is ~ to flooding dit gebied is onderhevig aan overstromingen ★it is ~ to rain het gaat zeer waarschijnlijk regenen ★accidents are ~ to happen een ongeluk zit in een klein hoekje ❷ (wettelijk) verplicht ❸ aansprakelijk ★~ for verantwoordelijk voor, aansprakelijk voor
liaise [lɪ'eɪz] onov ww zich in verbinding stellen, verbinding onderhouden met ★~ with the teachers contact onderhouden met de docenten
liaison [lɪ'eɪzən] zn liaison ★in close ~ in nauwe samenwerking
liaison officer zn verbindingsofficier, contactpersoon
liana [lɪ'ɑːnə], **liane** [lɪ'ɑːn] zn liaan
liar ['laɪə] zn leugenaar
lib [lɪb] zn, liberation emancipatie ★women's lib emancipatie(beweging) van de vrouw
libation [laɪ'beɪʃən] zn ❶ plengoffer ❷ iron drinkgelag
libber ['lɪbə] zn vechter voor emancipatie
Lib Dem afk, GB inform pol Liberal Democrats Liberale Democraten
libel ['laɪbl] I zn ❶ jur schriftelijke aanklacht ❷ smaadschrift ★the work is a ~ on human nature het werk is een karikatuur van de menselijke natuur II ov ww ❶ valselijk beschuldigen ❷ belasteren
libellous ['laɪbələs] bnw lasterlijk
liberal ['lɪbərəl] I zn liberaal II bnw ❶ liberaal ★~ arts vrije kunsten, alfawetenschappen ⟨in de VS⟩ ❷ overvloedig, royaal ★~ education brede ontwikkeling ★~ of royaal met ❸ ruimdenkend, onbevooroordeeld
liberalism ['lɪbərəlɪzəm] zn liberalisme
liberality [lɪbə'rælətɪ] zn ❶ royale gift ❷ vrijgevigheid ❸ brede opvatting
liberalization, liberalisation ['lɪbərəlaɪzeɪʃən] zn liberalisatie
liberal-minded [lɪbərəl'maɪndɪd] bnw vrijzinnig, ruimdenkend
liberate ['lɪbəreɪt] ov ww bevrijden, vrijmaken, emanciperen
liberated ['lɪbəreɪtɪd] bnw bevrijd, geëmancipeerd
liberation [lɪbə'reɪʃən] zn bevrijding, emancipatie
liberator ['lɪbəreɪtə] zn bevrijder
libertarian [lɪbə'teərɪən] I zn vrijdenker II bnw gelovend in leer van de vrije wil
libertine ['lɪbəti:n] I zn vrijdenker, losbol II bnw vrijdenkend, losbandig
liberty ['lɪbətɪ] zn vrijheid ★be at ~ vrij / onbezet zijn ★set at ~ in vrijheid stellen ★liberties [mv] rechten, privileges ★take liberties zich (ongepaste) vrijheden (met iemand) veroorloven
Liberty Hall zn fig een vrijgevochten bende
libidinous [lɪ'bɪdɪnəs] bnw wellustig

le

Libra ['li:brə] *zn* Weegschaal ⟨sterrenbeeld⟩

librarian [laɪ'breərɪən] *zn* bibliothecaris

library ['laɪbrərɪ] *zn* bibliotheek ★*lending / circulating ~* uitleenbibliotheek ★*public ~* openbare leeszaal

librate [laɪ'breɪt] *onov ww* ❶ zich in evenwicht houden ❷ schommelen, trillen

Libyan ['lɪbɪən] **I** *zn* Libiër **II** *bnw* Libisch

lice [laɪs] *zn mv* → **louse**

licence ['laɪsəns], USA **license** *zn* ❶ verlof, vergunning, licentie ⟨vnl. om drank te verkopen⟩, vrijheid, losbandigheid ★*artistic ~* artistieke vrijheid ❷ diploma, (rij)bewijs, brevet

licence number *zn* GB kenteken

license ['laɪsəns] **I** *zn* USA → **licence II** *ov ww* veroorloven, vergunning geven, patenteren

licensed ['laɪsənst] *bnw* met officiële vergunning, erkend ★*a ~ restaurant* een restaurant met drankvergunning

licensee [laɪsən'si:] *zn* vergunninghouder

license plate *zn* USA nummerbord

licenser ['laɪsənsə] *zn* vergunninggever, patentgever

licentiate [laɪ'senʃɪət] *zn* licentiaat, gediplomeerde

licentious [laɪ'senʃəs] *bnw* ongebreideld, losbandig, wellustig

lichen ['laɪkən, lɪtʃɪn] *zn* korstmos

lichenous ['laɪkənəs] *bnw* mosachtig

licit ['lɪsɪt] *bnw* wettig

lick [lɪk] **I** *ov ww* ❶ likken ★**fig** *lick sb's shoes / boots* iem. de hielen likken ❷ lekken ⟨van vlammen⟩ ❸ zacht overspoelen ⟨van golven⟩ ❹ straatt overtreffen ❺ straatt onder de knie hebben ❻ straatt afranselen ❼ straatt verslaan **II** *onov ww* straatt rennen **III** *zn* ❶ lik, veeg ★*give it a lick and a promise* het met de Franse slag doen ⟨i.h.b. schoonmaken⟩ ★*I haven't worked a lick* ik heb geen klap uitgevoerd ★*give sb a lick with the rough side of one's tongue* iem. een veeg uit de pan geven ❷ snelheid, vaart ★**inform** *at a lick* in een handomdraai ❸ zoutlik, liksteen ⟨voor vee⟩

licking ['lɪkɪŋ] *zn* straatt pak slaag, nederlaag

lickspittle ['lɪkspɪtl] *zn* vleier, slijmerd

licorice ['lɪkərɪs] USA *zn* → **liquorice**

lid [lɪd] *zn* ❶ deksel ★*blow / take the lid off* de waarheid aan het licht brengen ★*keep a / the lid on* geheimhouden ★*that puts the lid on it* dat doet de deur dicht ★*with the lid off* onverbloemd, open en bloot, in volle glorie ▼**inform** *flip your lid* over de rooie raken ❷ ooglid ★*without batting an eye(lid)* zonder een spier te vertrekken ❸ USA drankverbod

lidded ['lɪdɪd] *bnw* voorzien van een deksel

lido ['li:dəʊ] *zn* lido, badstrand, openluchtbad

lie [laɪ] **I** *onov ww* ⟨regelmatig⟩ ❶ liegen ★**inform** *you're lying through your teeth!* je liegt! ★*I don't want to be lied to* ik wil niet worden voorgelogen ❷ ~ **away** door leugens iets verliezen **II** *onov ww* ⟨onregelmatig⟩ ❶ liggen, gaan / blijven liggen, rusten ★*lie low* ⟨dood⟩ terneer liggen, zich schuil / koest houden ★*lie in state* opgebaard liggen ★*lie waste* braak liggen ★**inform** *lie-off* rust ❷ zich bevinden ★*the problem lies in his lack of self-esteem* het

probleem zit hem in zijn gebrek aan zelfvertrouwen ★*you know how the land lies* jij weet hoe de zaken ervoor staan ❸ ~ **about** rondslingeren, lui zijn, niets uitvoeren ❹ ~ **back** achterover (gaan) liggen ❺ ~ **by** zich rustig houden, ongebruikt liggen ❻ ~ **down** zich iets laten welgevallen, liggen te rusten, lijntrekken, gaan liggen, het opgeven ❼ ~ **in** in het kraambed liggen, lang uitslapen ❽ ~ **off** afstand bewaren ⟨t.o.v. kust of ander schip⟩, zich terugtrekken ❾ ~ **over** blijven liggen ❿ scheepv ~ **to** bijleggen, bijgedraaid liggen ⓫ ~ **under** gebukt gaan onder ⓬ ~ **up** zich terugtrekken, het bed houden, zich verborgen houden, in dok gaan ⟨van schip⟩, buiten dienst zijn ⓭ ~ **with** liggen bij, slapen met, zijn aan, berusten bij ★*the decision lies with you* de beslissing is aan jou **III** *zn* ❶ leugen ★*blatant lie* flagrante leugen ★*white lie* leugentje om bestwil ★*tell lies* liegen ★*give the lie to* logenstraffen ★*lies have no legs* al is de leugen nog zo snel, de waarheid achterhaalt haar wel ❷ ligging, richting ★*the lie of the land* toestand, stand van zaken ❸ leger ⟨van dier⟩

lie-detector *zn* leugendetector

lie-down *zn* inform dutje

liege [li:dʒ] *zn* gesch leenheer, leenman, trouw onderdaan

liege lord *zn* gesch leenheer, soeverein

liegeman ['li:dʒmæn] *zn* ❶ trouwe volgeling ❷ vazal

lie-in [laɪ'ɪn] *zn* het uitslapen

lieu [lju:] *zn* plaats ★*in lieu of* in plaats van

lieutenancy [lef'tenənsɪ, lu:'tenənsɪ] *zn* ❶ rang of plaats van luitenant ❷ ambt van gouverneur

lieutenant¹ [lef'tenənt] *zn* ❶ luitenant ❷ plaatsvervanger ★*~s* officieren

lieutenant² [lu:'tenənt] *zn* USA inspecteur ⟨van politie⟩

life [laɪf] *zn* [mv: **lives**] ❶ leven, levensbeschrijving, levensduur ★*lead / live a double life* een dubbelleven leiden ★*you can bet your life on it* daar kun je gif op innemen ★*as large as life* levensgroot, in levenden lijve ★*for dear life* of zijn / haar leven ervan afhangt, in ernst ★*not for the life of me* dat nooit! ★*I can't for the life of me remember* dat ik kan me dat absoluut niet herinneren ★*drawn from (the) life* naar het leven getekend ★*low / high life* lagere / hogere sociale klasse ★*long life to him!* hij leve lang! ★*a cat has nine lives* een kat komt altijd op zijn pootjes terecht ★*(up)on my life* op mijn woord ★*see life* levenservaring opdoen ★*sound in life and limb* gezond van lijf en leden ★*take one's life in one's hands* zijn leven wagen ★*this life* dit (aardse) leven ★*have the time of one's life* zich reusachtig amuseren ★*a description to the life* beschrijving naar het leven ★*each player has two lives* iedere speler heeft twee kansen ★*friends / enemies for life* vrienden / vijanden voor het leven ★*there was no loss of life* het heeft geen mensenlevens gekost ★*the life and times of Robin Hood* het roemruchte leven van Robin Hood ❷ USA straatt levenslang (gevangenisstraf) ❸ energie, levendigheid, bezieling ★*bring sb to life* iem.

weer bijbrengen

life-and-death [laɪfən'deθ] *bnw* van levensbelang

life annuity *zn* lijfrente

lifebelt ['laɪfbelt] *zn* reddingsgordel

lifeboat ['laɪfbəʊt] *zn* reddingsboot

lifebuoy ['laɪfbɔɪ] *zn* reddingsboei

life coach *zn* personal coach

life expectancy *zn* levensverwachting

life-giving [laɪf'gɪvɪŋ] *bnw* bezielend

lifeguard ['laɪfɡɑːd] *zn* ❶ bad- / strandmeester ❷ lijfwacht ★ *Life Guards* Life Guards ⟨Engels cavalerieregiment⟩

life imprisonment *zn* levenslange gevangenisstraf

life insurance *zn* levensverzekering

life jacket *zn* reddingsvest

lifeless ['laɪfləs] *bnw* ❶ levenloos ❷ saai, vervelend

lifelike ['laɪflaɪk] *bnw* levensecht, naar het leven

lifeline ['laɪflaɪn] *zn* ❶ reddingslijn ❷ belangrijke verbindingslijn

lifelong ['laɪflɒŋ] *bnw* levenslang

life peer *zn* lid van het Hogerhuis ⟨benoemd voor het leven⟩

life preserver *zn* reddingsboei, reddingsvest

lifer ['laɪfə] *zn* ❶ <u>straatt</u> tot levenslang veroordeelde ❷ <u>straatt</u> veroordeling tot levenslang

life raft *zn* reddingsboot / -vlot

life sentence *zn* levenslange gevangenisstraf

life-size ['laɪfsaɪz], **life-sized** ['laɪfsaɪzd] *bnw* levensgroot

life term *zn* levenslange gevangenisstraf

lifetime ['laɪftaɪm] *zn* mensenleven, levensduur ★ *a ~ career* een beroep voor het leven ★ *the chance of a ~* de kans van je leven

life vest *zn* USA reddingsvest

lifework [laɪf'wɜːk] *zn* levenswerk

lift [lɪft] **I** *ov ww* ❶ verheffen, opslaan ⟨van ogen⟩, omhoog steken ★ *lift up one's horn* eerzuchtig of trots zijn ❷ opheffen, hijsen ★ *lift sb down* iem. van de wagen aftillen / uit de auto helpen ★ *lift a hand* een hand uitsteken ⟨om iets te doen⟩ ★ *lift one's hand* een eed afleggen ★ *lift up one's heel* schoppen ★ *lifting power* hefvermogen, trappen ❸ inpikken, stelen, wegvoeren ⟨van vee⟩ ❹ rooien ⟨van aardappelen⟩ **II** *onov ww* ❶ omhoog getild worden, zich verheffen, kromtrekken ⟨van vloer⟩ ❷ wegtrekken, optrekken ⟨van mist⟩ ❸ *~ off* opstijgen ⟨van vliegtuig⟩ **III** *zn* ❶ GB lift ❷ ⟨terrein⟩verhoging ❸ opwaartse druk, stijgkracht ⟨van vliegtuigvleugel⟩ ❹ het ⟨iemand laten⟩ meerijden ★ *give sb a lift* iem. een lift geven

lift bridge *zn* hefbrug

lift-off ['lɪftɒf] *zn* lancering ★ *have ~* los zijn van de aarde vlak na een lancering

lift shaft *zn* liftkoker

ligament ['lɪɡəmənt] *zn* gewrichtsband

ligate [lɪ'ɡeɪt] *ov ww* med afbinden

ligature ['lɪɡətʃə] **I** *zn* band, verband **II** *ov ww* med afbinden

light [laɪt] **I** *zn* ❶ licht ★ *the ~ of sb's life* iemands lieveling ★ *see the ~* het levenslicht aanschouwen, fig het licht zien ★ fig *shed a ~ on*

a matter licht werpen op een zaak ★ *don't stand in my ~* sta me niet in het licht, verhinder me niet vooruit te komen ⟨figuurlijk⟩ ▼ *in the cold ~ of day* na er een nachtje over geslapen te hebben ❷ gezichtsvermogen ❸ verlichting, lamp ★ *reversing ~* achteruitrijlamp ❹ vonk, vuurtje, lucifer ❺ raam, venster, ruit [mv: **mv**] verkeerslicht **II** *bnw* ❶ licht ⟨van gewicht⟩, licht ⟨niet donker⟩ ★ ~ *traffic* weinig verkeer ★ *make ~ of a matter* een kwestie licht opvatten, zich weinig aantrekken van een kwestie ❷ te licht ⟨van goud⟩, licht ⟨van kleur⟩ ❸ sierlijk ⟨gebouw⟩, te licht, luchtig ★ ~ *reading* lichte lectuur **III** *bijw* licht ⟨niet zwaar⟩ ★ *travel ~* lichtbepakt reizen, weinig bagage meenemen **IV** *ov ww* [regelmatig + onregelmatig] ❶ lichten, verlichten, belichten, voorlichten ❷ aansteken, opsteken ❸ *~ up* aansteken, verlichten, verhelderen **V** *onov ww* [regelmatig + onregelmatig] ❶ vlam vatten, aangaan ❷ ~ *up* aangaan, opsteken, vlam vatten, opvrolijken ⟨van gezicht⟩ ❸ *~* (up)on toevallig aantreffen

light bulb *zn* ⟨gloei⟩lamp

lighted [laɪtɪd] *ww* [verleden tijd + volt. deelw.] → light

lighten ['laɪtn] **I** *ov ww* ❶ verlichten, verhelderen ❷ verlichten ⟨van taak⟩ **II** *onov ww* ❶ lichter worden, opklaren ❷ flikkeren, bliksemen, weerlichten, schijnen

lighter ['laɪtə] *zn* ❶ aansteker ❷ scheepv lichter

light-fingered [laɪt'fɪŋɡəd] *bnw* met vlugge vingers ★ ~ *gentry* de heren gauwdieven

light-footed *bnw* snelvoetig

light-handed *bnw* ❶ tactvol ❷ met onvoldoende bemanning of personeel ❸ licht beladen

light-headed [laɪt'hedɪd] *bnw* ❶ ijlend ❷ lichtzinnig

light-hearted [laɪt'hɑːtɪd] *bnw* luchthartig

lighthouse ['laɪthaʊs] *zn* vuurtoren

lighthouse-keeper *zn* vuurtorenwachter

lighting ['laɪtɪŋ] *zn* verlichting ★ *concealed ~* indirecte verlichting

lighting shaft *zn* lichtschacht

lightly ['laɪtlɪ] *bijw* ❶ licht, luchtig ❷ lichtvaardig, gemakkelijk

light meter *zn* belichtingsmeter

light-minded *bnw* frivool, lichtzinnig

lightness ['laɪtnəs] *zn* lichtheid ⟨van beweging, gevoel⟩

lightning ['laɪtnɪŋ] **I** *zn* bliksem ★ *like (greased) ~* als de ⟨gesmeerde⟩ bliksem **II** *bnw* bliksemsnel ★ ~ *sketcher* sneltekenaar ★ ~ *strike* onverwachte staking

lightning conductor *zn* bliksemafleider

lightning-proof *zn* beveiligd tegen blikseminslag

lightning rod *zn* USA bliksemafleider

lightrail ['laɪtreɪl] *zn* lightrail

lightsome ['laɪtsəm] *bnw* ❶ licht, vrolijk, opgewekt ❷ vlug ❸ helder verlicht, lichtgevend

lightweight ['laɪtweɪt] *zn* lichtgewicht

lightwood ['laɪtwʊd] *zn* ❶ aanmaakhout ❷ harsachtig hout

light year *zn* lichtjaar

ligneous ['lɪɡnɪəs] *bnw* houtachtig

like [laɪk] **I** *ov ww* ❶ graag mogen ⟨iemand⟩

❷ houden van ⟨iets⟩ ★ *I like it, but it does not like me* ik vind het wel fijn, maar ik kan er niet tegen ★ <u>iron</u> *I like that!* die is goed! ★ *I'm shy if you like, but...* ik ben dan wel verlegen, maar... ❸ [met would / should] ⟨graag⟩ willen ★ <u>iron</u> *I should like to know* dat zou ik wel eens willen weten **II** *vz* ⟨zo⟩als ★ *that's more like it* dat is beter ★ *don't talk like that* praat zo toch niet ★ *a fellow like that* zo'n vent **III** *zn* ❶ gelijke, weerga ★ *and the like* en dergelijke ★ *did you ever see the like of it?* heb je ooit zoiets gezien? ★ <u>inform</u> *the likes of you* zulke lui als jullie / u ❷ voorliefde ★ *likes and dislikes* sympathieën en antipathieën ❸ gelijk makende slag ⟨bij golf⟩ **IV** *bnw* gelijk(end), dergelijk ★ *in like manner* op dezelfde wijze ★ *what is she like?* wat is ze voor iemand?, hoe ziet ze er uit? ★ *sth like £10* zoiets als £10 ★ *nothing like as good* lang niet zo goed ★ *just like dad* typisch pa, niet iets voor pa ★ <u>inform</u> *this is like só cool!* dit is supergeweldig! **V** *bijw* ★ <u>inform</u> *(as) like as not* zeer waarschijnlijk ★ <u>inform</u> *like enough* zeer waarschijnlijk ★ <u>inform</u> *very like* zeer waarschijnlijk

likeable ['laɪkəbl] *bnw* aangenaam, aantrekkelijk, aardig, prettig

likelihood ['laɪklɪhʊd] *zn* waarschijnlijkheid ★ *in all ~* naar alle waarschijnlijkheid

likely ['laɪklɪ] **I** *bnw* waarschijnlijk, aannemelijk ★ *they called at every ~ house* ze bezochten ieder huis dat hen geschikt voorkwam ★ *that's a ~ story* je kunt mij nog meer vertellen **II** *bijw* waarschijnlijk, vermoedelijk ★ *as ~ as not* misschien wel, misschien niet ★ *he is not ~ to come* hij komt waarschijnlijk niet

like-minded *bnw* gelijkgestemd

liken ['laɪkən] *ov ww* vergelijken ★ *~ to* vergelijken met

likeness ['laɪknəs] *zn* ❶ gelijkenis, voorkomen ★ *an enemy in the ~ of a friend* een vijand in de gedaante van een vriend ★ *a living ~* een treffende gelijkenis ❷ portret, getrouwe kopie

likewise ['laɪkwaɪz] *bijw* eveneens, bovendien, ook

liking ['laɪkɪŋ] *zn* voorkeur, zin, smaak ★ *have a ~ for* een voorliefde hebben voor, houden van ★ *take a ~ to* op krijgen met, zin krijgen in

lilac ['laɪlək] **I** *bnw* lila **II** *zn* sering

lilo ['laɪləʊ] *zn* luchtbed

lilt [lɪlt] **I** *zn* ❶ wijsje ❷ ritme **II** *onov ww* ❶ melodieus en ritmisch zingen

lily ['lɪlɪ] *zn* lelie ★ *a lily pad* een drijfblad ⟨van waterlelie⟩

lily-livered [lɪlɪ'lɪvəd] *bnw* laf

lily of the valley *zn* lelietje-van-dalen

lily-white [lɪlɪ'waɪt] *bnw* ❶ lelieblank ❷ moreel zuiver ⟨vaak ironisch⟩

limb [lɪm] *zn* ❶ lid(maat) ❷ tak ❸ arm ⟨van kruis⟩ ❹ uitloper ⟨van gebergte⟩ ❺ passage ⟨in vonnis⟩ ❻ rand ★ *out on a limb* alleen, zonder steun van anderen

limber ['lɪmbə] *bnw* lenig, buigzaam, meegaand

limbo ['lɪmbəʊ] *zn* ❶ limbo ⟨dans⟩ ❷ <u>inform</u> nor ❸ toestand van vergetelheid ★ *be in ~* in onzekerheid verkeren

lime [laɪm] **I** *zn* ❶ vogellijm ❷ kalk ★ *quick lime*

ongebluste kalk ★ *slaked lime* gebluste kalk ❸ limoen ❹ linde **II** *ov ww* ❶ behandelen / bemesten met kalk ❷ bestrijken met vogellijm ❸ <u>ook fig</u> lijmen

lime juice *zn* limoensap

limelight ['laɪmlaɪt] *zn* ★ <u>fig</u> *be in the ~* in de schijnwerpers staan

limerick ['lɪmərɪk] *zn* limerick

limestone ['laɪmstəʊn] *zn* kalksteen

Limey ['laɪmɪ] *zn* ❶ <u>USA</u> <u>straatt</u> Engelse matroos / schip ❷ <u>USA</u> <u>straatt</u> Engelsman

limit ['lɪmɪt] **I** *zn* grens(lijn), eindpunt, limiet, beperking ★ *that is the ~* dat is het toppunt ★ *isn't he the ~?* heb je ooit zo'n onuitstaanbaar iem. gezien? ★ *go the ~* tot het uiterste gaan ★ *be off ~s* op verboden terrein zijn, niet op de juiste plaats zijn ★ *set ~s* to paal en perk stellen aan ★ *within ~s* tot op zekere hoogte **II** *ov ww* begrenzen, beperken

limitation [lɪmɪ'teɪʃən] *zn* ❶ begrenzing, grens ★ <u>jur</u> *a ~ clause* een beding tot beperking van aansprakelijkheid ★ *~s period* verjaringstermijn ❷ beperktheid

limited ['lɪmɪtɪd] *bnw* ❶ begrensd, beperkt ★ *~ liability* beperkte aansprakelijkheid ★ *~ liability company* Naamloze Vennootschap ★ *~ partnership* commanditaire vennootschap ★ *~ monarchy* constitutionele monarchie ❷ bekrompen

limitless ['lɪmɪtləs] *bnw* onbeperkt, grenzeloos

limo ['lɪməʊ] *afk* <u>inform</u> limousine

limousine ['lɪməzɪːn] *zn* ❶ limousine ❷ <u>USA</u> taxibusje

limp [lɪmp] **I** *zn* kreupele gang ★ *he has a limp in his walk* hij loopt mank **II** *bnw* buigzaam, lusteloos ★ *a limp handshake* een slappe handdruk **III** *onov ww* ❶ kreupel / mank lopen, hinken ❷ met moeite vooruitkomen ⟨van beschadigd schip of vliegtuig⟩

limpet ['lɪmpɪt] *zn* ❶ soort zeeslak ❷ iemand die niet te bewegen is zijn post te verlaten ★ *stick on like a ~* aanhangen als 'n klit

limpid ['lɪmpɪd] *bnw* helder, doorschijnend

limpidity [lɪm'pɪdətɪ] *zn* helderheid

limy ['laɪmɪ] *bnw* ❶ kleverig ❷ kalk-

linage ['laɪnɪdʒ] *zn* ❶ aantal regels, aantal regels per bladzijde ⟨bij drukwerk⟩ ❷ betaling per regel

linchpin, lynchpin ['lɪntʃpɪn] *zn* belangrijkste deel / persoon

linden ['lɪndən] *zn* linde(boom)

line [laɪn] **I** *zn* ❶ lijn, streep ★ *finishing line* eindstreep ★ *hard lines* tegenslag ★ *line of fortune* gelukslijn ⟨bij handlezen⟩ ★ *line of life* levenslijn ⟨bij handlezen⟩ ★ *be in line with* op één lijn staan met, overeenkomen met ★ *bring into line with* in overeenstemming brengen met ★ *draw the line* paal en perk stellen ★ <u>fig</u> *go over the line* te ver gaan ★ <u>straatt</u> *get a line on* er achter komen ❷ reeks ★ *line along the line* over de gehele linie ★ *line of battle* slagorde ❸ <u>USA</u> rij ⟨van wachtenden⟩ ★ <u>USA</u> *stand / wait in line* in de rij staan ❹ grens(lijn) ★ *on the line* tussen twee in, op de grens ★ *dividing line* scheidslijn ★ *toe the line* in de pas blijven (lopen), de partijlijn volgen ⟨onder druk⟩, zich neerleggen bij de situatie ❻ *mil* loopgraaf ❼ rij tenten ❽ rimpel ⟨in gezicht⟩ ❾ omtrek, contour ❿ regel, versregel ★ *read between the lines* tussen de regels lezen ★ *line by line* langzaam maar zeker ⓫ lettertje, briefje ⓬ lijndienst, spoor ⓭ afkomst, familie ⓮ gedragslijn, beleid ★ *line of conduct* gedragslijn ⓯ gedachtegang ★ *line of thought* gedachtegang ⓰ vak, branche ★ *it is out of my line* het is mijn vak niet, het is niets voor mij ★ *that's in my line* dat is mijn vak, net iets voor mij ⓱ artikel ⟨uit assortiment⟩ ⓲ richting ★ *take one's own line* z'n eigen gang gaan ⓳ ⟨stuk⟩ touw, koord, snoer ⓴ mooie praatjes ㉑ telefoonlijn ★ *hold the line, please* blijft u even aan de lijn II *ov ww* ❶ liniëren, strepen ❷ opgesteld staan langs, opstellen ❸ afzetten ⟨met soldaten⟩ ❹ ⟨van binnen⟩ bekleden, voeren, als voering dienen ❺ vullen ⟨van maag⟩, spekken ⟨van beurs⟩ ❻ ~ **in** omlijnen ❼ ~ **off** afscheiden door streep ❽ ~ **out** omlijnen ⟨plan⟩ ❾ USA ~ **through** doorstrepen III *onov ww* ❶ ~ **up** zich opstellen, aantreden, naast elkaar voortbewegen ⟨van schepen / vliegtuigen⟩ ★ *line up with* één lijn trekken met ★ *line up behind* steunen, helpen ❷ ~ **with** grenzen aan

lineage ['lɪnɪɪdʒ] *zn* ❶ geslacht ❷ nakomelingen
lineal ['lɪnɪəl] *bnw* rechtstreeks, afstamming in rechte lijn
lineament ['lɪnɪəmənt] *zn* (gelaats)trek
linear ['lɪnɪə] *bnw* lineair, lang, smal en van gelijke breedte, lengte-, lijn-
line drawing *zn* pentekening, potloodtekening
lineman ['laɪnmən] *zn* lijnwerker
linen ['lɪnɪn] I *zn* linnen, linnengoed ★ *fig wash one's dirty ~ in public* de vuile was buiten hangen II *bnw* linnen, van linnen
liner ['laɪnə] *zn* ❶ lijnboot / -vliegtuig ❷ techn voering ⟨van cilinder⟩
linesman ['laɪnzmən] *zn* sport grensrechter
line-up *zn* ❶ het aantreden ❷ opstelling ❸ samenstelling ⟨van groep⟩ ❹ confrontatie (bv. met verdachte op politiebureau)
linger ['lɪŋɡə] I *ov ww* ★ ~ *away time* tijd verknoeien II *onov ww* ❶ talmen, dralen, weifelen ★ ~ *on sth* uitweiden over iets ★ ~ *over a report* lang bij een rapport stilstaan ❷ blijven zitten, blijven hangen ❸ kwijnen
lingerer ['lɪŋɡərə] *zn* talmer, treuzelaar
lingerie ['lɑ̃ʒəriː, USA lɑ̃ʒə'reɪ] *zn* lingerie
lingering ['lɪŋɡərɪŋ] *bnw* langzaam, slepend ⟨van ziekte⟩
lingo ['lɪŋɡəʊ] *zn* inform groepstaal, jargon
lingual ['lɪŋɡwəl] I *zn* tongklank II *bnw* ❶ tong- ❷ taal-
linguist ['lɪŋɡwɪst] *zn* ❶ talenkenner ❷ taalkundige
linguistic [lɪŋ'ɡwɪstɪk] *bnw* taal-, taalkundig
linguistics [lɪŋ'ɡwɪstɪks] *zn mv* taalwetenschap
liniment ['lɪnɪmənt] *zn* smeersel
lining ['laɪnɪŋ] *zn* voering, bekleding ★ *every cloud has a silver ~* achter de wolken schijnt de zon
link [lɪŋk] I *zn* ❶ schakel, verbinding, verband ★ *missing link* ontbrekende schakel ❷ comp

link, doorklikmogelijkheid ❸ USA voet (±30 cm) ❹ manchetknoop II *ov ww* ❶ schakelen, verbinden ❷ ineenslaan ⟨van handen⟩ ❸ steken door ⟨van armen⟩ III *onov ww* zich verbinden, zich aansluiten
linkage ['lɪŋkɪdʒ] *zn* verbinding, koppeling
linkman ['lɪŋkmæn] *zn* presentator ⟨tussen programma's⟩
link-up ['lɪŋkʌp] *zn* verbinding
linnet ['lɪnɪt] *zn* kneu
lino ['laɪnəʊ] *zn* inform linoleum
linseed ['lɪnsiːd] *zn* lijnzaad
lint [lɪnt] *zn* pluis, pluksel
lintel ['lɪntl] *zn* kalf, latei ⟨balk⟩
lion ['laɪən] *zn* ❶ leeuw ★ *in the lion's den* in het hol van de leeuw ❷ man van grote moed
lioness ['laɪənəs] *zn* leeuwin
lion-hearted [laɪən'hɑːtɪd] *bnw* zeer moedig
lionize, lionise ['laɪənaɪz] *ov ww* als beroemdheid behandelen, op een voetstuk plaatsen
lion's den *zn* leeuwenkuil
lion's share *zn* leeuwendeel
lip [lɪp] I *zn* ❶ lip ★ *bite your lip* je verbijten ★ *hang one's lip* beteuterd staan te kijken ★ *keep a stiff upper lip* geen emotie tonen ❷ rand ❸ straatt brutale praat, onbeschaamdheid ★ *none of your lip!* hou je grote mond! II *bnw* ❶ lip(pen)- ❷ schijn- III *ov ww* ❶ murmelen, mompelen ❷ straatt zingen ❸ aanraken met de lippen ❹ even aanraken, kabbelen tegen of over ⟨van water⟩
lip-read *onov ww* liplezen
lip-service ['lɪpsɜːvɪs] *zn* lippendienst ★ *pay / give ~ to* lippendienst bewijzen aan, alleen met de mond belijden
lipstick ['lɪpstɪk] *zn* lippenstift
liquefaction [lɪkwɪ'fækʃən] *zn* vloeibaarheid
liquefy ['lɪkwɪfaɪ] *ov+onov ww* smelten, vloeibaar maken ⟨van gas⟩
liqueur [lɪ'kjʊə] *zn* likeur
liquid ['lɪkwɪd] I *zn* vloeistof II *bnw* ❶ waterig, vloeibaar ❷ harmonieus of vloeiend ⟨van klanken⟩ ❸ onvast, vlottend ⟨van kapitaal⟩ ★ ~ *fire* vuur uit vlammenwerper ★ ~ *manure* drijfmest, gier
liquidate ['lɪkwɪdeɪt] *ov ww* ❶ liquideren ❷ vereffenen ⟨van schuld⟩ ❸ uit de weg ruimen
liquidation [lɪkwɪ'deɪʃən] *zn* ❶ liquidatie ❷ vereffening
liquidator ['lɪkwɪdeɪtə] *zn* liquidateur
liquidity [lɪ'kwɪdətɪ] *zn* ❶ onvastheid ❷ econ liquiditeit ❸ vloeibaarheid
liquidize, liquidise ['lɪkwɪdaɪz] *ov ww* uitpersen, vloeibaar maken
liquidizer, liquidiser ['lɪkwɪdaɪzə] *zn* mengbeker
liquid measure *zn* inhoudsmaat voor vloeistoffen
liquor ['lɪkə] I *zn* ❶ drank, sterkedrank ★ *be in ~* dronken zijn ★ *be the worse for ~* dronken zijn ★ *spirituous ~* sterkedrank ❷ aftreksel, brouwsel ❸ vocht, nat II *ov ww*, USA inform ~ **up** dronken voeren III *onov ww* straatt ~ **up** borrelen
liquorice ['lɪkərɪs] *zn* ❶ zoethout ❷ drop ★ ~ *all sorts* ≈ Engelse drop

liquor store *zn* USA slijterij
lisp [lɪsp] **I** *zn* gelispel **II** *onov ww* lispelen, krompraten ⟨van kind⟩
lissom, lissome ['lɪsəm] *bnw* lenig, buigzaam
list [lɪst] **I** *zn* **❶** lijst, catalogus ★ *the wine list* de wijnkaart **❷** *jur* rol **❸** slagzij **❹** het overhellen ⟨bv. van muur⟩ **II** *ov ww* **❶** een lijst opmaken van, catalogiseren, noteren, registreren ★ *a listed building* een op de monumentenlijst geplaatst gebouw ★ *a listed hotel* een aanbevolen hotel **❷** opnemen, opsommen, vermelden **III** *onov ww* **❶** overhellen **❷** slagzij maken
listen ['lɪsən] *onov ww* **❶** luisteren **❷** ~ *in (to)* afluisteren, luisteren naar radiostation **❸** ~ *out* goed / aandachtig luisteren **❹** ~ *to* luisteren naar
listener ['lɪsənə] *zn* **❶** iemand die luistert **❷** straatt oor
listless ['lɪstləs] *bnw* lusteloos
list price *zn* adviesprijs
lit [lɪt] **I** *bnw* ★ straatt *lit (up)* wat aangeschoten, tipsy **II** *ww* [verleden tijd + volt. deelw.] → **light**
litany ['lɪtənɪ] *zn* litanie
liter *zn* USA → **litre**
literacy ['lɪtərəsɪ] *zn* geletterdheid
literal ['lɪtərəl] *bnw* **❶** letterlijk **❷** letter- ★ ~ *error* drukfout **❸** prozaïsch, nuchter
literary ['lɪtərərɪ] *bnw* **❶** letterkundig **❷** geletterd
literate ['lɪtərət] **I** *zn* **❶** geletterde **❷** iemand die kan lezen en schrijven **II** *bnw* **❶** kunnende lezen en schrijven **❷** geletterd
literature ['lɪtərətʃə] *zn* **❶** literatuur, letterkunde **❷** de publicaties over een bep. onderwerp **❸** inform propaganda- / voorlichtingsmateriaal
lithe ['laɪð] *bnw* lenig, buigzaam
lithograph ['lɪθəɡrɑːf] *zn* litho, steendruk(prent)
lithography [lɪ'θɒɡrəfɪ] *zn* lithografie, steendrukkunst
Lithuania [lɪθjʊ'eɪnɪə] *zn* Litouwen
Lithuanian [lɪθjʊ'eɪnɪən] **I** *zn* Litouwer **II** *bnw* Litouws
litigant ['lɪtɪɡənt] *zn* jur procederende partij
litigate ['lɪtɪɡeɪt] **I** *ov ww* procederen over, betwisten **II** *onov ww* procederen
litigation [lɪtɪ'ɡeɪʃən] *zn* proces(voering)
litigious [lɪ'tɪdʒəs] *bnw* **❶** betwistbaar **❷** proces-
litmus ['lɪtməs] *zn* lakmoes
litre ['liːtə] *zn* liter
litter ['lɪtə] **I** *zn* **❶** afval-, rommelboeltje ★ *everything was in a* ~ alles lag overhoop **❷** worp ⟨van dieren⟩ ★ *be in* ~ drachtig zijn **❸** stalstro, strobedekking **❹** kattenbakkorrels **❺** draagstoel, draagbaar **II** *ov ww* **❶** rommel maken **❷** jongen werpen **❸** van stro voorzien, bedekken met stro **❹** ~ *about/around/over* bezaaien, door elkaar gooien
litter bin *zn* prullenbak
litter lout, litter bug *zn* inform sloddervos
little ['lɪtl] **I** *bnw* **❶** klein ★ *the* ~ *ones* de kleintjes, de jongen **❷** kleinzielig **❸** weinig, beetje ★ ~ *things please* ~ *minds* eenvoudige mensen zijn met een beetje tevreden, een kinderhand is gauw gevuld **II** *vnw* ★ ~ *by* ~ langzamerhand ★ *after a* ~ na een tijdje ★ *by* ~ *and* ~ langzamerhand ★ *for a* ~ (gedurende) korte tijd

★ *in* ~ op kleine schaal ★ *make* ~ *of* als onbelangrijk behandelen, weinig begrip tonen voor **III** *bijw* **❶** weinig, amper ★ *he did his* ~ *best* hij deed wat hij kon (al was het dan niet veel) **❷** geenszins, helemaal niet ★ *he* ~ *knows the story* hij kent het verhaal helemaal niet
littleness ['lɪtlnəs] *zn* klein(zielig)heid
littoral ['lɪtərəl] *zn* kuststreek **II** *bnw* kust-
liturgy ['lɪtədʒɪ] *zn* liturgie
livable *bnw* → **liveable**
live¹ [lɪv] **I** *ov ww* **❶** leven **❷** doorléven **❸** in praktijk brengen **❹** ~ *down* te boven komen ★ *never live sth down* iets voor de rest van zijn leven moeten leven **❺** ~ *out* zijn leven slijten ★ *live out one's fantasies* zijn fantasie realiseren ★ *she did not live out the night* ze haalde de morgen niet **❻** ~ *over* doorkomen ⟨tijd⟩ **II** *onov ww* **❶** leven, bestaan ★ *as I live* zowaar (ik leef) ★ *he lived to a great age* hij bereikte een zeer hoge leeftijd ★ *if I live to see the day* als ik de dag nog beleef / meemaak ★ *live again* herleven ★ *live and learn!* ondervind het maar eens! ★ *live from hand to mouth* van de hand in de tand leven ★ *live well* 'n goed leven leiden, er goed van eten **❷** leven van, aan de kost komen **❸** blijven leven **❺** ~ *by* leven van **❻** ~ *in* inwonend zijn ★ *the room was not lived in* de kamer werd niet bewoond **❼** ~ *off* leven (op kosten) van **❽** ~ *on* blijven leven ★ *he lives on potatoes* hij leeft van aardappelen **❾** ~ *out* uitwonend zijn **❿** ~ *through* doormaken **⓫** ~ *up to* naleven, nakomen, waarmaken
live² [laɪv] *bnw* **❶** levend, in leven **❷** levendig **❸** comm rechtstreeks uitgezonden, niet vooraf opgenomen, live **❹** muz ter plekke uitgevoerd, niet vooraf opgenomen, live **❺** scherp ⟨van munitie⟩ **❻** techn onder stroom ⟨van elektriciteitskabel⟩ **❼** gloeiend heet ⟨van kolen⟩
liveable, livable ['lɪvəbl] *bnw* **❶** leefbaar, bewoonbaar **❷** draaglijk ⟨van leven⟩ **❸** gezellig ⟨van mensen⟩
live-in ['lɪvɪn] *bnw* **❶** inwonend **❷** samenwonend
livelihood ['laɪvlɪhʊd] *zn* levensonderhoud
liveliness ['laɪvlɪnəs] *zn* levendigheid, vrolijkheid
lively ['laɪvlɪ] *bnw* **❶** levendig, krachtig ★ *a* ~ *conversation* een levendig gesprek **❷** vrolijk, opgewekt **❸** iron moeilijk, opwindend, gevaarlijk ★ *a* ~ *child* een druk kind **❹** helder, fris ⟨van kleur⟩
liven ['laɪvən] *ov+onov ww* ~ *up* opvrolijken
liver ['lɪvə] *zn* **❶** lever ★ *chopped* ~ leverpastei **❷** leverkleur **❸** iemand die leeft, levende ★ *he is a good* ~ hij leidt een behoorlijk / goed leven, hij leeft er goed van
liveried ['lɪvərɪd] *bnw* in livrei
liver sausage *zn* leverworst
liverwort ['lɪvəwɜːt] *zn* plantk levermos
livery ['lɪvərɪ] *zn* **❶** huisstijl ⟨uniforme kleur van auto's⟩ **❷** livrei
livery stable *zn* stalhouderij
lives¹ [lɪvz] *ov ww* [o.t.t.] → **live¹**
lives² [laɪvz] *zn mv* → **life**
livestock ['laɪvstɒk] *zn* veestapel, levende have
livid ['lɪvɪd] *bnw* **❶** loodkleurig, blauwgrijs, lijkkleurig **❷** inform razend, boos
living ['lɪvɪŋ] **I** *zn* **❶** levensonderhoud, leven

❷ predikantsplaats ⟨in anglicaanse Kerk⟩ ★ *the ~* de levenden ★ *good ~* lekker eten en drinken ★ *earn / make a ~* de kost verdienen Ⅱ *bnw* levend ★ *within ~ memory* sinds mensenheugenis

living room *zn* woonkamer

living wage *zn* aanvaardbaar salaris ⟨waarmee je goed kunt leven⟩

lizard [ˈlɪzəd] *zn* hagedis

ll *afk*, *lines* regels

'll *hww* ❶ → will ❷ → shall

llama [ˈlɑːmə] *zn* lama(wol)

lo [ləʊ] *tw* <u>iron</u> kijk!, zie! ★ <u>iron</u> *lo and behold* (en) ziet!

load [ləʊd] Ⅰ *ov ww* ❶ laden, inladen, beladen, verzwaren, belasten ❷ overláden ❸ vervalsen door zwaarder / sterker te maken ⟨vnl. van dobbelstenen⟩ ❹ veel kopen ⟨op effectenbeurs⟩ ❺ <u>comp</u> installeren, in het computergeheugen opslaan ❻ ~ **up** (be)laden Ⅱ *onov ww* vollopen / -raken ⟨van vervoermiddel⟩ Ⅲ *zn* ❶ last, vracht, lading, belasting ❷ kracht ❸ hoeveelheid ★ *inform loads of* een overvloed aan, hopen van ❹ druk ★ *it took a load off my mind* het was een pak van mijn hart

loaded [ˈləʊdɪd] *bnw* ❶ geladen ★ *a ~ question* een strikvraag ❷ dronken ★ *he's ~* hij barst van het geld, hij is schatrijk ★ *air ~ with* lucht bezwangerd met

loader [ˈləʊdə] *zn* ❶ lader van geweer op de jacht ❷ type geweer dat op bep. manier wordt geladen

loading [ˈləʊdɪŋ] *zn* ❶ vracht, het laden ❷ <u>techn</u> belasting

loadstar *zn* poolster, <u>lit</u> leidster → lodestar

loadstone *zn* magneetsteen → lodestone

loaf [ləʊf] Ⅰ *zn* [mv: **loaves**] brood ★ *French loaf* stokbrood ★ <u>fig</u> *half a loaf is better than no bread* een half ei is beter dan een lege dop ★ <u>straatt</u> *use your loaf!* gebruik je hersens! Ⅱ *ov ww* rondslenteren, lummelen ★ *loaf away one's time* z'n tijd verlummelen

loafer [ˈləʊfə] *zn* ❶ leegloper ❷ (comfortabele) herenschoen

loam [ləʊm] *zn* ❶ leem ❷ potgrond, bloemistenaarde

loamy [ˈləʊmɪ] *bnw* leem-, leemachtig

loan [ləʊn] Ⅰ *zn* lening, krediet ★ *on loan* te leen ★ *bridging loan* overbruggingskrediet ★ *government-backed loans* leningen met overheidsgarantie Ⅱ *bnw* ❶ in bruikleen ❷ ontleend ★ *a loan collection* een in bruikleen afgestane verzameling Ⅲ *ov ww* ~ **out** uitlenen

loan shark *zn* woekeraar

loanword *zn* <u>taalk</u> leenwoord

loath *bnw* afkerig, ongenegen, onwillig

loathe [ləʊð] *ov ww* verafschuwen, walgen van

loathing [ˈləʊðɪŋ] *zn* afschuw, walging

loathsome [ˈləʊðsəm] *bnw* walgelijk

loaves [ləʊvz] *zn mv* → loaf

lob [lɒb] Ⅰ *zn* ❶ homp, klomp ❷ <u>straatt</u> geldlade ❸ hoog geslagen bal ⟨bij tennis⟩ Ⅱ *ov ww* gooien of slaan ⟨van bal⟩

lobby [ˈlɒbɪ] Ⅰ *zn* ❶ portaal, vestibule ❷ (wandel)gang ❸ <u>USA</u> foyer, wachtkamer, conversatiezaal ⟨in hotel⟩ ❹ lobby

⟨pressiegroep⟩ ❺ lobbyist Ⅱ *ov+onov ww* ❶ lobbyen, bewerken van invloedrijke personen ❷ druk uitoefenen op (politieke) besluitvorming

lobe [ləʊb] *zn* ❶ (oor)lel ❷ lob ❸ kwab

lobotomy [ləˈbɒtəmɪ] *zn* lobotomie, medische ingreep in de hersenen

lobster [ˈlɒbstə] *zn* zeekreeft

lobworm [ˈlɒbwɜːm] *zn* aasworm

local [ˈləʊkl] Ⅰ *zn* ❶ plaatselijke bewoner ❷ <u>inform</u> (dorps)café Ⅱ *bnw* ❶ plaatselijk, gewestelijk, plaats- ❷ alhier ⟨op brief⟩

locale [ləʊˈkɑːl] *zn* plaats van handeling, toneel

localise *ww* <u>GB</u> → localize

localism [ˈləʊkəlɪzəm] *zn* plaatselijke eigenaardigheid, gehechtheid aan bep. plaats

locality [ləʊˈkælətɪ] *zn* ligging, plaats, streek

localize [ˈləʊkəlaɪz] *ov ww* ❶ lokaliseren ❷ een plaatselijk karakter geven ❸ decentraliseren ❹ ~ **upon** (aandacht) concentreren op

locate [ləʊˈkeɪt] *ov ww* ❶ in 'n plaats vestigen ❷ de plaats bepalen van

location [ləʊˈkeɪʃən] *zn* ❶ plaats(bepaling) ❷ ligging ❸ verblijfplaats ❹ kraal ⟨in Zuid-Afrika⟩ ★ *on ~* op locatie

loch [lɒx] *zn* ❶ ⟨in Schotland⟩ meer ❷ ⟨in Schotland⟩ smalle zeearm

loci [ˈləʊsaɪ] *zn mv* → locus

lock [lɒk] Ⅰ *ov ww* ❶ op slot doen ❷ vastzetten ⟨van kapitaal⟩ ❸ ~ **away** wegsluiten ❹ ~ **in** insluiten, opsluiten, omsluiten ❺ ~ **down/in/out/through** schutten ⟨van boot⟩ ❻ ~ **in** insluiten, opsluiten, omsluiten ❻ ~ **out** buitensluiten, uitsluiten ❼ ~ **up** opsluiten ⟨van patiënt⟩, op (nacht)slot doen, vastzetten ⟨van geld⟩, sluiten Ⅱ *onov ww* ❶ vastlopen ⟨van wiel⟩ ❷ klemmen ❸ op slot kunnen ❹ ~ **on** doel zoeken en automatisch volgen ⟨van raket, radar⟩ Ⅲ *zn* ❶ slot ★ *lock, stock and barrel* alles inbegrepen, geheel en al ★ *under lock and key* achter slot en grendel ❷ (haar)lok ❸ sluis ❹ houdgreep ❺ dol ⟨van roeiboot⟩ ❻ verkeersopstopping

lockage [ˈlɒkɪdʒ] *zn* ❶ verval in sluis ❷ schutgeld ❸ sluiswerken

locker [ˈlɒkə] *zn* ❶ doosje of kastje met slot ❷ bagagekluis

locker room *zn* kleedkamer met kasten

locket [ˈlɒkɪt] *zn* medaillon

lock gate *zn* sluisdeur

lock-in *zn* het bezetten van fabriek, enz. uit protest

lockjaw [ˈlɒkdʒɔː] *zn* tetanus

lock-keeper *zn* sluiswachter

lockout [ˈlɒkaʊt] *zn* uitsluiting ⟨van personeel bij dreigende staking⟩

locksmith [ˈlɒksmɪθ] *zn* slotenmaker

lock-up [ˈlɒkʌp] *zn* ❶ iets dat op slot gedaan kan worden ❷ sluitingstijd ❸ het vastzetten ⟨van geld⟩ ❹ arrestantenlokaal ❺ garagebox

lock-up shop *zn* winkel zonder woongelegenheid

loco [ˈləʊkəʊ] Ⅰ *zn* locomotief Ⅱ *bnw* <u>straatt</u> niet goed snik

locomotion [ləʊkəˈməʊʃən] *zn* (voort)beweging, verkeer, vervoer

locomotive [ləʊkəˈməʊtɪv] Ⅰ *zn* locomotief Ⅱ *bnw* zich (voort)bewegend, bewegings-, beweeg-

locum ['ləʊkəm] *zn* ★ ~ *(tenens)* plaatsvervanger

locus ['ləʊkəs] *zn* [mv: **loci**] (meetkundige) plaats

locust ['ləʊkəst] *zn* sprinkhaan

locution [lək'ju:ʃən] *zn* spreekwijze, manier van (zich) uitdrukken

lode [ləʊd] *zn* ❶ afvoerkanaal ❷ ertsader in bodem

lodestar ['ləʊdstɑ:] *zn* ❶ Poolster, leidster ❷ iets wat men najaagt

lodestone ['ləʊdstəʊn] *zn* magneet

lodge [lɒdʒ] **I** *ov ww* ❶ *ook fig* plaatsen, leggen ❷ logies verschaffen, herbergen ★ ~ *an appeal* in hoger beroep gaan ❸ opslaan ⟨van goederen⟩ ❹ indienen ⟨van klacht⟩, inzenden ❺ ~ **with** deponeren ⟨bij rechtbank⟩ **II** *onov ww* ❶ wonen, huizen, zetelen ❷ blijven steken, blijven zitten ⟨van splinter⟩ ❸ ~ **with** (in)wonen bij **III** *zn* ❶ (schuil)hut, optrekje, huisje ❷ jachthuis, buitenhuis ❸ portierswoning, portierskamer, leger van bever of otter ❹ vrijmetselaarsloge

lodge-keeper *zn* portier

lodgement *zn* → **lodgment**

lodger ['lɒdʒə] *zn* kamerbewoner

lodging ['lɒdʒɪŋ] *zn* logies, verblijf ★ *live in* ~s op kamers wonen

lodgment ['lɒdʒmənt] *zn* logies, onderdak, plaatsing

loess ['ləʊɪs] *zn* löss

loft [lɒft] **I** *zn* ❶ vliering, zolder ❷ tribune, galerij ❸ duiventil **II** *ov ww* ❶ hoog slaan ⟨van bal bij golf⟩ ❷ de ruimte inschieten ⟨van satelliet⟩

lofty ['lɒftɪ] *bnw* hoog, verheven, hooghartig

log [lɒg] **I** *zn* ❶ blok hout ★ *I have no log to roll* ik ben niet op eigen baat uit ★ *sleep like a log* slapen als een os / blok ★ *in the log* niet gekapt, onbehouwen ❷ logboek **II** *ov ww* ❶ in blokken kappen ❷ USA hout hakken en vervoeren ❸ optekenen ⟨in dagboek⟩ ❹ scheepv afstand afleggen, lopen ❺ comp ~ **in/on** inloggen ❻ comp ~ **out** uitloggen **III** *afk* wisk logaritme

loganberry [ləʊgənbrɪ, -berɪ] *zn* loganbes ⟨kruising framboos en braam⟩

logarithm ['lɒgərɪðəm] *zn* logaritme

logbook ['lɒgbʊk] *zn* ❶ logboek ❷ dagboek

log cabin *zn* blokhut

logged [lɒgd] *bnw* ❶ vol water ❷ stilstaand ⟨van water⟩ ❸ vastgelopen

logger ['lɒgə] *zn* houthakker

logic ['lɒdʒɪk] *zn* logica

logical ['lɒdʒɪkl] *bnw* logisch

logically ['lɒdʒɪklɪ] *bijw* logischerwijze

logician [lə'dʒɪʃən] *zn* beoefenaar van de logica, logicus

logistics [lə'dʒɪstɪks] *zn mv* ❶ logistiek ❷ verplaatsing en legering van troepen ❸ USA bevoorrading en onderhoud van een vloot

logjam ['lɒgdʒæm] *zn* ❶ stremming in rivier ⟨van houtvlotten⟩ ❷ fig sta-in-de-weg

logo ['ləʊgəʊ] *zn* logo, beeldmerk

loin [lɔɪn] *zn* ❶ lende ❷ lendenstuk ★ *one's loins* zijn eigen kroost ★ *gird (up) one's loins* zich op de strijd voorbereiden

loincloth ['lɔɪnklɒθ] *zn* lendendoek

loiter ['lɔɪtə] **I** *ov ww* drralen, talmen, rondhangen ★ ~ *away one's time* z'n tijd verbeuzelen **II** *onov ww* ❶ talmen, treuzelen ❷ ~ **about/away** rondslenteren

loiterer ['lɔɪtərə] *zn* draler, slenteraar

lol *afk, laughing out loud* ≈ hihi ⟨in tekstberichten⟩

loll [lɒl] *onov ww* ❶ los (laten) hangen, lui liggen / hangen ❷ ~ **about/around** rondslenteren, rondhangen

lollipop ['lɒlɪpɒp] *zn* ❶ (ijs)lolly ❷ straatt geld, poen ❸ stopbordje ⟨van klaar-over⟩

lollop ['lɒləp] *onov ww* ❶ inform lui liggen / hangen ❷ inform slenteren, zwalken

lone [ləʊn] *bnw* eenzaam, verlaten, alleenstaand ★ *play a lone hand* met niemand rekening houden ★ *lone wolf* eenzelvig iem.

loneliness ['ləʊnlɪnəs] *zn* eenzaamheid

lonely ['ləʊnlɪ] *bnw* eenzaam, verlaten

loner ['ləʊnə] *zn* eenzame, verlatene, eenzelvig mens

lonesome ['ləʊnsəm] *bnw* eenzaam, alleen, verlaten

long [lɒŋ] **I** *bnw* lang(gerekt), langdurig, ver reikend, saai, vervelend ★ *long in the tooth* aftands ★ *a long hundred* 120 **II** *bijw* ★ *all day long* de hele dag door ★ *inform so long!* tot ziens! ★ *before long* weldra, spoedig ★ *for long* lange tijd ★ *I will help you, as long as you do what I tell you* ik wil je wel helpen, als je maar doet wat ik zeg ★ *no longer* niet langer, niet meer ★ *not any longer* niet langer, niet meer **III** *onov ww* ~ **for** verlangen naar **IV** *zn* ★ *the long and the short of it* is het komt hierop neer ★ USA *longs* lange broek

longboat ['lɒŋbəʊt] *zn* sloep

longbow ['lɒŋbəʊ] *zn* handboog ★ *draw the ~* opscheppen

long-distance *bnw* langeafstands-, interregionaal

long-drawn-out *bnw* langdurig

longevity [lɒn'dʒevətɪ] *zn* lang leven

longhand ['lɒŋhænd] *zn* (gewoon) handschrift

longing ['lɒŋɪŋ] *zn* verlangen

longitude ['lɒŋgɪtju:d] *zn* geografische lengte

longitudinal [lɒŋgɪ'tju:dɪnl] *bnw* lengte-, in de lengte(richting)

long-lasting *bnw* langdurig

long-lived [lɒŋ'lɪvd] *bnw* ❶ lang levend ❷ langdurig

long-range [lɒŋ'reɪndʒ] *bnw* ❶ op lange termijn ❷ ver reikend, langeafstands-

longshoreman ['lɒŋʃɔ:mən] *zn* USA havenarbeider, dokwerker

long-sighted *bnw* vérziend

long-standing [lɒŋ'stændɪŋ] *bnw* van oude datum, al lang bestaand ★ ~ *friends* goede vrienden

long-suffering [lɒŋ'sʌfərɪŋ] *bnw* lankmoedig

long-term [lɒŋ'tɜ:m] *bnw* langetermijn-, op lange termijn

long-time [lɒŋ'taɪm] *bnw* ★ ~ *friend* oude vriend

longways ['lɒŋweɪz] *bnw + bijw* lengte-, in de lengte

long-winded [lɒŋ'wɪndɪd] *bnw* ❶ met lange adem ❷ langdradig

loo [lu:] *zn inform* plee

look [lʊk] **I** *ov ww* ❶ bekijken, aankijken ❷ inform zorgen, te kennen geven ★ *look sb*

lo

down iem. de ogen doen neerslaan ★*he looks himself again* hij is weer de oude ❸ ~ **over** doorkijken, onderzoeken, door de vingers zien ★*look a person over* iem. opnemen ❹ ~ **up** opzoeken ⟨van woord / persoon⟩ ★*look sb up and down* iem. van onder tot boven opnemen **II** *onov ww* ❶ kijken, zien ❷ ergens van opkijken ❸ een bepaalde kant uitgaan ★*look before you leap* bezint eer ge begint ★*look sharp* op zijn hoede zijn, vlug voortmaken ★*look out!* denk erom!, luister 'ns! ❹ ~ **about** rondkijken ★*he looked about him* hij keek om zich heen, hij was op zijn hoede ❺ ~ **after** zorgen voor, waarnemen ⟨van dokterspraktijk⟩ ❻ ~ **ahead** vooruitzien ❼ ~ **at** kijken naar, bezien, beoordelen, bekijken, overwegen ★*I won't look at it* ik wil er niet naar kijken, ik wil er niets mee te maken hebben ★*inform he could not look at you* hij bleef ver bij je achter ★*it is not much to look at* zo te zien lijkt het niet veel zaaks ★*to look at him, you would not say so* naar z'n uiterlijk te oordelen zou je het niet zeggen ★*here's looking at you!* proost! ❽ ~ **back** achterom kijken, zich herinneren ❾ ~ **down** neerzien, de ogen neerslaan ★*ook fig look down upon* neerkijken op ❿ ~ **for** zoeken naar, verwachten, vragen om ⟨moeilijkheden⟩ ⓫ ~ **forward to** ⟨verlangend⟩ uitzien naar ⓬ ~ **in** aanlopen ★*look in on sb* bij iem. aanlopen ⓭ ~ **into** onderzoeken ⓮ ~ **on** toekijken ⓯ ~ **out** uitkijken ⓰ ~ **out for** uitzien naar, verwachten, zorgen voor ⓱ ~ **out (up)on** uitzicht geven op / over ⓲ ~ **over** uitzien op / over ⓳ ~ **round** omkijken, om zich heen zien ⓴ ~ **round for** uitkijken naar ㉑ ~ **through** kijken door, doorkijken, doorzien ★*look through sb* iem. met zijn blik doorboren ㉒ ~ **to** zorgen voor, denken om, nazien, tegemoet zien, vertrouwen ★*I look to her for help* ik verwacht / hoop dat zij me zal helpen ★*look to yourself!* denk om jezelf! ㉓ ~ **towards** uitzien op, overhellen naar ㉔ ~ **up** opkijken, stijgen ⟨van prijzen⟩, beter worden ⟨van weer⟩ ★*look up* opkijken naar, opzien tegen ㉕ ~ **upon as** beschouwen als **III** *kww* ❶ lijken, uitzien, eruitzien ★*look small* er dwaas / onbelangrijk uitzien ★*he looks it* hij ziet ernaar uit ★*look alive!* schiet op! ❷ ~ **like** eruitzien als, lijken op ★*you look like winning* het lijkt wel of jij zult winnen ★*it looks like a storm* het ziet er uit alsof we storm krijgen **IV** *zn* ❶ blik, gezicht ★*have / take a (close) look at* eens (goed) kijken naar ❷ uiterlijk, aanzien ★*good looks* knap uiterlijk ★*lose one's looks* er niet knapper op worden ★*I don't like the look of him* hij staat me niet aan ★*by the look of it* zo te zien ★*for the look of it* voor de schijn ❸ uitzicht ❹ look, mode ★*new look* nieuwe mode, nieuwe zienswijze / aspect ⟨van bepaalde zaak⟩

lookalike [ˈlʊkəlaɪk] *zn* USA evenbeeld, dubbelganger

looker [ˈlʊkə] *zn* ❶ kijker ❷ *fig* lekker ding, stuk

looker-on [lʊkərˈɒn] *zn* toeschouwer

look-in [ˈlʊkɪn] *zn* ❶ kans om mee te doen ❷ kans op succes ❸ kort bezoek ❹ vlugge blik ★*he gave me a ~* hij kwam even bij me

aanlopen

lookout [ˈlʊkaʊt] *zn* ❶ uitkijkpost ❷ (voor)uitzicht ★*on the ~ for* op de uitkijk naar, uitziende naar ★*that's my ~* dat is mijn zaak

look-over [ˈlʊkəʊvə] *zn* kort onderzoek ★*give sth a ~* ergens wel even naar kijken

look-see [lʊkˈsiː] *zn* straatt vluchtige blik, haastig onderzoek

loom [luːm] **I** *zn* weefgetouw **II** *onov ww* opdoemen ★*the danger loomed large* het gevaar doemde in al zijn omvang op

loon [luːn] *zn* ❶ USA (zee)duiker ⟨vogel⟩ ❷ inform deugniet

loony [ˈluːnɪ] *bnw* inform gek

loony bin *zn* inform gekkenhuis

loop [luːp] **I** *zn* ❶ lus, strop, bocht ❷ comp lus, loop ⟨zich herhalende reeks in een programma⟩ ❸ spiraaltje ★*loop(-line)* ringlijn **II** *ov ww* ❶ een lus maken in ★*looping the loop* een tuimeling maken ⟨door vliegtuig of fietsacrobaat⟩ ❷ met een lus vastmaken

loo paper *zn* inform pleepapier

looper [ˈluːpə] *zn* ❶ spanrups ❷ lussenmaker ⟨in naaimachine⟩ ❸ lusvlieger

loophole [ˈluːphəʊl] *zn* ❶ schietgat, kijkgat, lichtgat ❷ *fig* uitvlucht, uitwijkmogelijkheid ★*fig legal ~* maas in de wet

loopy [ˈluːpɪ] *bnw* ❶ bochtig ❷ inform niet goed wijs

loose [luːs] **I** *zn* vrije loop ★*straatt be on the ~* ontsnapt zijn ⟨van gevangene⟩, aan de boemel zijn ★*give (a) ~ to* de vrije loop laten, lucht geven aan **II** *bnw* ❶ los ❷ loslijvig ❸ oud losbandig ❹ scheik niet verbonden ❺ ruim, vrij ❻ slap ❼ onnauwkeurig, vaag ❽ onjuist, oppervlakkig, slordig ⟨van stijl⟩ **III** *ov ww* ❶ loslaten, losmaken ★*~ one's hold* loslaten ❷ afschieten

loose-leaf *bnw* losbladig

loose-limbed [luːsˈlɪmd] *bnw* lenig

loosen [ˈluːsən] **I** *ov ww* ❶ los(ser) maken ❷ doen verslappen **II** *onov ww* ❶ los(ser) worden ❷ losraken ❸ verslappen ❹ ~ **up** vrijuit praten, opdokken, opwarmen ⟨voor het sporten⟩ ★*~ up!* doe eens relaxed!

loosestrife [ˈluːsstraɪf] plantk *zn* ❶ wederik ❷ kattenstaart

loose-tongued *bnw* loslippig

loot [luːt] **I** *zn* ❶ buit, plundering ❷ straatt luitenant, luit **II** *ov ww* plunderen, (be)roven

lop [lɒp] **I** *zn* ❶ dunne takken en twijgen ❷ hangoorkonijn ❸ golvende zee **II** *ov ww* ❶ slap laten hangen ❷ ~ **away/off** snoeien ❸ ~ **off** afhakken **III** *onov ww* ❶ slap hangen ❷ rondslenteren ❸ korte golven maken

lope [ləʊp] **I** *zn* sprong **II** *onov ww* ❶ zich met grote sprongen voortbewegen ⟨van dier⟩ ❷ draven

lop-eared [lɒpˈɪəd] *bnw* met hangende oren

lopsided [lɒpˈsaɪdɪd] *bnw* ❶ scheef ❷ onevenwichtig

loquacious [ləʊˈkweɪʃəs] *bnw* ❶ praatziek ❷ kwetterend ⟨van vogels⟩ ❸ kabbelend ⟨van water⟩

loquacity [ləˈkwæsɪtɪ] *zn* babbelzucht

lo

lord [lɔ:d] **I** zn ❶ heer, meester ❷ heer ⟨adellijke titel⟩ ★ iron *lord (and master)* echtgenoot ★ *live like a lord* royaal leven ★ *swear like a lord* vloeken als een ketter ★ *(as) drunk as a lord* zo dronken als een kanon ❸ lord ⟨lid van het Hogerhuis⟩ **II** ov ww in de adelstand verheffen ★ *lord (it)* de baas spelen

Lord [lɔ:d] zn ❶ heer, Heer ⟨God⟩ ★ *the Lord's Day* de dag des Heren ⟨zondag⟩ ★ *the Day of the Lord* de Dag van het Laatste Oordeel ★ *the Lord's Prayer* het onzevader ★ *the Lord's Supper* het Avondmaal

Lord Chancellor zn voorzitter van het Hogerhuis

Lord Chief Justice zn hoogste rechterlijke ambtenaar na de Lord Chancellor

lordly ['lɔ:dlɪ] bnw ❶ hooghartig ❷ groots, vorstelijk, als van een heer

Lord Mayor zn GB burgemeester ⟨van grote stad⟩

lordship ['lɔ:dʃɪp] zn ❶ titel van baron / graaf ❷ landgoed, adellijk domein ★ *His Lordship* meneer de baron / graaf, iron mijnheer

lore [lɔ:] zn kennis ⟨van oudsher overgeleverd⟩

lorry ['lɒrɪ] zn ❶ lorrie ❷ vrachtwagen

lory ['lɔ:rɪ] zn papegaai

lose [lu:z] **I** ov ww ⟨onregelmatig⟩ ❶ (doen) verliezen, verspelen, verlies lijden ★ *lose ground* terrein verliezen, terugtrekken ★ *lose one's head* de kluts kwijtraken ★ *lose one's temper* kwaad worden ★ *lose one's way* verdwalen ★ *the story does not lose in the telling* het verhaal wordt smeuïg verteld ★ *lose one's grip* ook fig zijn greep verliezen ★ *lose to sb* verliezen van iem. ❷ verknoeien ⟨van uurwerk⟩ ❸ achterlopen ⟨van uurwerk⟩ **II** onov ww verliezen, te kort komen ★ *they stand to lose* ze zullen waarschijnlijk verliezen ❷ ~ *out (to/with)* het afleggen (tegen)

loser ['lu:zə] zn ❶ verliezer ❷ sukkel ★ *be a good / bad* ~ goed / slecht tegen zijn verlies kunnen

losing ['lu:zɪŋ] **I** bnw ★ *a* ~ *game* 'n verloren spel ★ *a* ~ *business* niet renderende zaak **II** ww → lose

loss [lɒs] zn ❶ verlies ❷ schade ★ *at a loss* onzeker, het spoor bijster ★ *at a loss for words* met de mond vol tanden

loss-leader zn lokartikel ⟨onder kostprijs verkocht⟩

lost [lɒst] **I** ww [verleden tijd + volt. deelw.] → lose **II** bnw ★ *get lost* verloren gaan, verdwalen, weg raken ★ *get lost!* duvel op! ★ *the motion was lost* de motie werd verworpen ★ *be lost* omkomen, verdwaald zijn ★ *be lost in thought* in gedachten verdiept zijn ★ *be lost upon sb* aan iem. niet besteed zijn, iem. ontgaan ★ fig *be lost without...* nergens zijn zonder... ★ *lost and found* (depot van) gevonden voorwerpen ⟨op stations, luchthaven enz.⟩

lot [lɒt] **I** zn ❶ heel wat, een boel, veel ★ *lots of / a lot of friends* veel / een heleboel vrienden ★ *lots and lots* hopen, ontzettend veel ★ *the lot* de hele boel ❷ inform groep ⟨mensen, dieren, dingen⟩ ★ *a bad lot* een gemeen stel ★ *a lazy lot* luiwammes, een lui zootje ❸ lot, deel ★ *by lot* bij loting ★ *cast / draw lots* loten ★ *he cast in his lot*

with me hij sloot zich bij me aan ★ *cast in your lot with* je scharen aan de kant van ❹ aandeel ❺ partij, portie ❻ stuk grond, perceel **II** ov ww ❶ ~ *out* verkavelen, verdelen ❷ USA ~ (up)on rekenen op

lotion ['ləʊʃən] zn lotion

lotta ['lɒtə] samentr, inform lot of → lot

lottery ['lɒtərɪ] zn loterij ★ ~ *ticket* loterij briefje

lotus ['ləʊtəs] zn lotusplant, lotusbloem, lotusstruik

lotus-eater ['ləʊtəsi:tə] zn ❶ zweefhommel ❷ fig een dromer

lotus position zn lotushouding, kleermakerszit

loud [laʊd] bnw ❶ luid, lawaaierig ❷ opvallend ★ *she is a loud person* zij is opvallend en ordinair ❸ sterk ruikend, schreeuwend ⟨van kleuren⟩

loudly ['laʊdlɪ] bijw luid, krachtig

loudmouth ['laʊdmaʊθ] zn luidruchtig iemand, schreeuwer

loudness ['laʊdnəs] zn (geluids)volume, kracht

loudspeaker [laʊd'spi:kə] zn luidspreker

lough [lɒk] zn ❶ ⟨in Ierland⟩ meer ❷ ⟨in Ierland⟩ zeearm

lounge [laʊndʒ] **I** zn ❶ zitkamer ❷ grote hal ⟨in luchthaven / hotel⟩ ★ *departure* ~ vertrekhal **II** onov ww slenteren, lui (gaan) liggen, luieren ★ ~ *away one's time* de tijd verluieren

lounge bar zn (nette) bar

lounge chair, lounge seat zn luie stoel

lounge lizard zn klaploper ⟨die rijk en modieus wil lijken⟩

lounger ['laʊndʒə] zn slenteraar, iemand die z'n tijd verluiert

louring ['laʊərɪŋ] bnw USA somber, dreigend

louse [laʊs] **I** zn [mv: lice] ❶ luis ❷ USA ploert **II** ov ww ❶ ontluizen ❷ ~ *up* in de soep laten lopen, verknoeien

lousy ['laʊzɪ] bnw ❶ luizig ❷ gemeen, laag ❸ armzalig, slecht ⟨kwalitatief⟩ ★ ~ *with* vol van, bulkend ⟨van geld⟩

lout [laʊt] zn lummel, boerenpummel

louvre, louver ['lu:və] zn jaloezielat

louvred ['lu:vəd] bnw louvre- ★ ~ *door* louvredeur

louvres ['lu:vəz] zn mv jaloezieën

lovable ['lʌvəbl] bnw lief, beminnelijk

lovage ['lʌvɪdʒ] zn lavas ⟨maggiplant⟩

love [lʌv] zn ❶ liefde, verliefdheid ★ *love for / of / to(wards)* liefde voor ★ *be in love with* verliefd zijn op ★ *be out of love with* niet meer verliefd zijn op, genoeg hebben van ★ *fall in love* verliefd worden ★ *make love* vrijen ★ *marry for love* uit liefde trouwen ★ *old love lies deep* oude liefde roest niet ★ *there's no love lost between them* ze hebben niet veel met elkaar op ★ *for the love of God* om Godswil ❷ groet(en) ★ *send one's love to* de groeten doen ❸ geliefde ❹ lief(je), schat(je) ❺ plezier, genoegen ★ *play for love* voor je plezier / lol spelen ★ *not to be had for love or money* voor geen geld of goede woorden te krijgen ❻ sport nul ★ sport *love all* nul-nul ★ sport *15-love* 15-nul **II** ov ww ❶ houden van, beminnen ❷ dol zijn op, dolgraag doen ❸ liefkozen ★ iron *I love that!* die is goed! ★ *love me, love my dog* als je mij mag, moet je mijn vrienden maar op de koop toe nemen

lo

love affair zn liefdesaffaire
lovebird ['lʌvb:d] zn parkiet ★ *couple of ~s* dolverliefd paar
love bite zn zuigzoen
love child zn buitenechtelijk kind
love game zn sport love game
love handle zn zwembandje ⟨vetrol⟩
love letter zn liefdesbrief
lovelorn ['lʌvlɔ:n] bnw ❶ in de steek gelaten door geliefde ❷ hopeloos verliefd
lovely ['lʌvli] **I** zn schoonheid (m.b.t. vrouw) **II** bnw ❶ mooi ❷ leuk, fijn, lekker, enig
love-making ['lʌvmeɪkɪŋ] zn vrijage
lover ['lʌvə] zn ❶ minnaar ❷ bewonderaar ★ *two ~s* verliefd paar
loverboy ['lʌvəbɔɪ] zn vrouwenversierder
lovesick ['lʌvsɪk] zn smoorverliefd
love story zn liefdesgeschiedenis
loving ['lʌvɪŋ] **I** zn ★ *give some ~* een beetje liefde geven **II** bnw liefhebbend, teder
low [ləʊ] **I** zn ❶ dieptepunt, laagterecord ❷ geloei, gebulk ❸ gebied van lagedrukgebied **II** bnw ❶ laag, (laag) uitgesneden ⟨van japon⟩, diep ⟨van buiging⟩ ★ *low in fat* vetarm ❷ gedempt ⟨van stem⟩ ❸ gemeen, ruw, plat, minnetjes ❹ bijna leeg ⟨van batterij⟩ ❺ neerslachtig ❻ niet veel, gering ★ *a low income* een gering inkomen ❼ lager, inferieur **III** bijw ❶ laag, diep ★ *lie low* zich koest houden ★ *bring low* aan lager wal brengen, vernederen ❷ zachtjes ⟨spreken⟩ ❸ tegen lage prijs **IV** onov ww loeien ⟨van koe⟩
low-born [ləʊ'bɔ:n] bnw van lage afkomst
low-bred bnw onbeschaafd
lowbrow ['ləʊbraʊ] **I** zn niet-intellectueel **II** bnw alledaags, gewoon, ordinair
low-budget [ləʊ'bʌdʒɪt] bnw economisch, goedkoop, voordelig
low-calorie bnw caloriearm
low-class bnw ❶ van lage afkomst ❷ van inferieure kwaliteit
Low Countries zn mv de Lage Landen ⟨Nederland, België en Luxemburg⟩
low-cut bnw laag uitgesneden
low-down ['ləʊdaʊn] **I** zn straatt ware feiten, het fijne van de zaak **II** bnw laag, gemeen, eerloos ★ *play things ~* gemeen zijn
lower[1] ['ləʊə] **I** bnw onder-, onderste-, beneden- ★ scheepv *~ deck* onderste dek ★ *~ world* aarde, hel **II** ov ww ❶ lager maken, lager draaien ❷ temperen ❸ verlagen ⟨van prijs⟩ ❹ strijken ⟨van vlag, zeil⟩ ❺ vernederen, verminderen ★ *~ one's voice* zachter spreken **III** onov ww afnemen, afdalen, zakken
lower[2] ['laʊə] **I** zn dreigende (aan)blik **II** onov ww dreigend / somber kijken, er dreigend uitzien
lowermost ['ləʊəməʊst] bnw laagst
low-fat bnw vetarm
low-key bnw rustig, ingehouden ★ *her birthday party was ~* haar verjaardag was een rustige aangelegenheid
lowland ['ləʊlənd] **I** zn laagland **II** bnw van het laagland
Lowlands zn mv de Schotse Laaglanden
lowly ['ləʊlɪ] bnw ❶ nederig, bescheiden ❷ laag

low-lying bnw laag(gelegen)
low-minded [ləʊ'maɪndɪd] bnw gemeen
low-necked bnw met lage hals, gedecolleteerd
low-pitched bnw ❶ laag ⟨van toon⟩, diep ❷ laag ⟨niet steil / hoog⟩
low-profile bnw onopvallend
low-rise bnw laagbouw- ★ *~ flat* laagbouwflat
low season zn laagseizoen, kalme periode
low-slung bnw laag ★ *~ jeans* laag zittende spijkerbroek
low-spirited [ləʊ'spɪrɪtəd] bnw neerslachtig
low-tech bnw technisch laagwaardig, eenvoudig
low tide zn eb, laagwater
loyal ['lɔɪəl] **I** zn trouwe onderdaan of volgeling **II** bnw (ge)trouw, loyaal
loyalist ['lɔɪəlɪst] zn regeringsgetrouwe
loyalty ['lɔɪəltɪ] zn loyaliteit, trouw
lozenge ['lɒzɪndʒ] zn ❶ wisk ruit ⟨geometrische figuur⟩ ❷ (hoest)tablet
LP afk, *Long-Playing (record)* lp, langspeelplaat
LPG afk, *liquefied petroleum gas* LPG
L-plate ['elpleɪt] zn L-plaat ⟨op lesauto⟩
LSD afk, *lysergic acid diethylamide* lsd
Lt, USA **Lt.** afk, *Lieutenant* luitenant
Ltd afk, *Limited* nv, naamloze vennootschap
lubricant ['lu:brɪkənt] **I** zn ❶ med glijmiddel ❷ smeermiddel **II** bnw gladmakend
lubricate ['lu:brɪkeɪt] **I** ov ww ❶ smeren ❷ dronken voeren **II** onov ww drinken
lubrication [lu:brɪ'keɪʃən] zn ❶ het smeren, het oliën ❷ omkoperij
lubricator ['lu:brɪkeɪtə] zn ❶ smeermiddel ❷ smeerbus
lubricious [lu:'brɪʃəs] bnw ❶ glad, glibberig ❷ wulps
lucent ['lu:sənt] bnw ❶ schijnend, glanzend ❷ transparant
lucid ['lu:sɪd] bnw helder, klaar, stralend ★ *~ interval* helder ogenblik ⟨van geesteszieke⟩
lucidity [lu:'sɪdətɪ] zn helderheid, klaarheid
luck [lʌk] zn geluk, toeval, succes ★ *be in luck* boffen ★ *be out of luck* pech hebben ★ *bad / hard / tough luck* pech, ongeluk ★ *good luck* geluk, succes ★ *good luck to you!* het beste! ★ *worse luck* ongelukkig genoeg ★ *have the worst of luck* pech hebben ★ *just my luck!* dat heb ik weer! ⟨bij tegenslag⟩ ★ *as luck would have it* zoals het toeval wilde **II** onov ww *~ out* pech krijgen
luckily ['lʌkɪlɪ] bijw ❶ toevallig ❷ gelukkig
luckless ['lʌkləs] bnw onfortuinlijk
lucky ['lʌkɪ] bnw ❶ gelukkig, fortuinlijk ★ *count o.s. ~* zichzelf gelukkig prijzen ❷ geluks-, geluk brengend ★ *third time ~* driemaal is scheepsrecht
lucrative ['lu:krətɪv] bnw winstgevend
lucre ['lu:kə] zn geld, voordeel, gewin ★ iron filthy *~* ⟨onrechtvaardig verkregen⟩ geld
ludicrous ['lu:dɪkrəs] bnw belachelijk, koddig
ludo ['lu:dəʊ] zn ≈ mens-erger-je-niet
lug [lʌg] **I** zn fruitkrat **II** ov ww ❶ sleuren, slepen ❷ *~ along* meeslepen ❸ *~ in* met de haren erbij slepen **III** onov ww *~ at* rukken aan
luggage ['lʌgɪdʒ] zn GB bagage ★ *left ~* (depot voor) afgegeven bagage ⟨op station, luchthaven enz.⟩

lo

luggage rack *zn* bagagerek, bagagenet
lugger ['lʌgə] *zn* logger ‹klein zeilschip›
lugubrious [lu:'gu:brɪəs] *bnw* luguber, somber, treurig
lukewarm [lu:k'wɔ:m] *bnw* ❶ lauw ❷ onverschillig
lull [lʌl] I *ov ww* in slaap wiegen / sussen II *onov ww* ❶ gaan liggen ‹van wind› ❷ kalm worden III *zn* ❶ tijdelijke stilte ★ *a lull in the fight* een gevechtspauze ❷ slapte in bedrijf
lullaby ['lʌləbaɪ] *zn* slaapliedje
lumbago [lʌm'beɪgəʊ] *zn* spit ‹in de rug›
lumbar ['lʌmbə] *bnw* lumbaal, lenden-
lumber ['lʌmbə] I *zn* ❶ USA hout ❷ rommel II *ov ww* ❶ volstoppen met rommel ❷ opzadelen met III *onov ww* ❶ hout hakken, zagen en vervoeren ❷ zich log / onhandig bewegen ★ ~ *along* voortsjokken
lumbering ['lʌmbərɪŋ] *bnw* lomp, voortsjokkend
lumberjack ['lʌmbədʒæk] *zn* houthakker, houtvervoerder
lumberjacket ['lʌmbədʒækt] *zn* stevige korte jekker
lumberyard ['lʌmbəjɑ:d] *zn* houtwerf
luminary ['lu:mɪnərɪ] *zn* ❶ lichtgevend hemellichaam ❷ USA verlichte geest
luminous ['lu:mɪnəs] *bnw* ❶ lichtgevend, stralend ❷ verlichtend, helder
lump [lʌmp] I *zn* ❶ brok, klont ★ *a lump in your throat* een brok in je keel ❷ knobbel, gezwel, buil ❸ lomperd, vleesklomp ‹figuurlijk› II *ov ww* ❶ bij elkaar doen ❷ over één kam scheren ★ *if you don't like it, lump it* als het je niet bevalt, pech gehad
lumper ['lʌmpə] *zn* ❶ bootwerker ❷ kleine aannemer
lumpish ['lʌmpɪʃ] *bnw* ❶ lomp ❷ traag
lump sum *zn* bedrag ineens, forfaitair bedrag
lumpy ['lʌmpɪ] *bnw* ❶ klonterig ❷ met bulten of gezwellen ❸ woelig ‹van water›
lunacy ['lu:nəsɪ] *zn* krankzinnigheid
lunar ['lu:nə] I *zn* ❶ maansafstand ❷ waarneming van de maan II *bnw* van de maan, maanvormig, sikkelvormig
lunarian [lu:'neərɪən] *zn* maanbewoner
lunate ['lu:neɪt] *bnw* sikkelvormig
lunatic ['lu:nətɪk] I *zn* krankzinnige II *bnw* krankzinnig, dwaas
lunatic asylum *zn min* gekkenhuis
lunch [lʌntʃ] I *zn* ❶ lunch ❷ lichte maaltijd ★ *do / have ~ with* lunchen met II *onov ww* lunchen
lunch break *zn* lunchpauze
luncheon ['lʌntʃən] *zn* lunch, lichte maaltijd
luncheon meat *zn* lunchworst
luncheon voucher *zn* maaltijdbon
lunch hour *zn* lunchtijd
lune [lu:n] *zn* sikkel, halvemaan
lunette [lu:'net] *zn* kijkglas, bril, plat horlogeglas
lung [lʌŋ] *zn* long ★ USA *black lung* stoflong ★ *iron lung* ijzeren long ‹beademingsmachine›
lunge [lʌndʒ] I *zn* plotselinge voorwaartse beweging, uitval II *onov ww* ❶ vooruitschieten ❷ ~ **at** een uitval doen naar, afstormen op
lurch [lɜ:tʃ] I *zn* plotselinge slingerbeweging, plotselinge zijwaartse beweging, ruk ★ *leave in the ~* in de steek laten II *onov ww* ❶ slingeren

❷ plotseling overstag gaan ‹figuurlijk›
lurcher ['lɜ:tʃə] *zn* GB stropershond
lure [ljʊə] I *zn* lokaas, lokkertje II *ov ww* (ver)lokken
lurgy inform *zn* griepje, onduidelijk ziektetje
lurid ['ljʊərɪd] *bnw* ❶ schel, gloeiend ‹van kleur› ❷ sensationeel
lurk [lɜ:k] I *zn* ★ *on the lurk* op de loer II *onov ww* zich schuil houden, verscholen zijn
luscious ['lʌʃəs] *bnw* ❶ heerlijk, zoet ★ *a ~ wine* een heerlijk zoete wijn ❷ zinnelijk ★ *a ~ portrayal* een zinnelijke verbeelding ❸ overdadig ★ *a ~ interior* een overdadig interieur
lush [lʌʃ] I *zn* USA dronkenlap II *bnw* ❶ weelderig ❷ mals ‹van gras›
lust [lʌst] I *zn* (wel)lust ★ *lust of* zucht naar II *onov ww* ~ **after/for** haken naar, begeren, hevig verlangen naar
lustful ['lʌstfʊl] *bnw* wellustig
lustral ['lʌstrəl] *bnw* lustrum-
lustre ['lʌstə] *zn* ❶ luister, glans ❷ schittering ❸ vermaardheid
lustreless ['lʌstələs] *bnw* glansloos, dof
lustrous ['lʌstrəs] *bnw* glanzend, schitterend
lusty ['lʌstɪ] *bnw* krachtig, flink, vitaal, wellustig ★ *deal ~ blows* harde klappen uitdelen
lute [lu:t] *zn* luit
luxuriance [lʌg'zʊərɪəns] *zn* luxe, weelderigheid
luxuriant [lʌg'zʊərɪənt] *bnw* weelderig, welig
luxuriate [lʌg'zʊərɪeɪt] *onov ww* ❶ zijn gemak er van nemen, welig tieren ❷ ~ **in** genieten van, zwelgen in
luxurious [lʌg'zʊərɪəs] *bnw* weelderig, luxueus, van alle gemakken voorzien
luxury ['lʌkʃərɪ] *zn* ❶ luxe, weelde, weelderigheid ❷ weeldeartikel ❸ genot(middel)
luxury goods *zn mv* luxegoederen
lye [laɪ] *zn* loog
lying ['laɪɪŋ] I *bnw* leugenachtig, vals II *ww* [teg. deelw.] → lie
lymph [lɪmf] *zn* lymf(e), weefselvocht
lymph gland *zn* lymfeklier
lynch [lɪntʃ] *ov ww* lynchen
lynching ['lɪntʃɪŋ] *zn* lynchpartij
lynx [lɪŋks] *zn* lynx
lyre ['laɪə] *zn* lier
lyric ['lɪrɪk] I *zn* lyrisch gedicht ★ *~s* [mv] songtekst, lyriek, lyrische poëzie II *bnw* lyrisch
lyrical ['lɪrɪkl] *bnw* lyrisch
lyricism ['lɪrɪsɪzəm] *zn* lyrisme, lyrische stijl

ly

M

m [em] **I** zn, letter m ★ M as in Mary de m van Marie **II** afk **❶** metre meter **❷** mile mijl **❸** minute minuut

M afk **❶** underw Master master, ≈ doctorandus **❷** Mach mach **❸** mega mega- **❹** million miljoen **❺** medium middelgroot ⟨kledingmaat⟩ **❻** GB Motorway snelweg

ma [mɑː] zn inform ma, mama

MA afk **❶** Master of Arts master in de letteren / sociale wetenschappen **❷** Massachusetts staat in de VS

ma'am [mæm, mɑːm] zn mevrouw ⟨aanspreekvorm⟩

mac [mæk] zn regenjas

macabre [məˈkɑːbr] bnw macaber, griezelig, akelig

macaroon [mækəˈruːn] zn bitterkoekje, makroon

macaw [məˈkɔː] zn ara ⟨papegaaiensoort⟩

mace [meɪs] zn **❶** foelie **❷** scepter, staf **❸** strijdknots, knuppel

Mace® zn pepperspray

Mach [mɑːk, mæk] zn mach ⟨snelheid van het geluid⟩

machete [məˈʃetɪ] zn machete, kapmes

machinations [mækɪˈneɪʃənz] zn mv listige streken, intriges

machine [məˈʃiːn] **I** zn machine, automaat, computer ★ put the cd in your ~ stop de cd in uw computer ★ washing ~ wasmachine **II** ov ww machinaal vervaardigen

machine code [məˈʃiːn kəʊd] zn comp machinetaal

machine gun zn mitrailleur

machine-gun [məˈʃiːn-gʌn] ww beschieten ⟨met een mitrailleur⟩

machine-made [məʃiːnˈmeɪd] bnw machinaal gemaakt

machinery [məˈʃiːnərɪ] zn **❶** machines ★ the ~ in this factory is getting old de machines in deze fabriek worden oud **❷** systeem, apparaat ★ the ~ of government het regeringsapparaat

machine shop zn machinewerkplaats

machine tool zn machinaal werktuig

machinist [məˈʃiːnɪst] zn iemand die een machine bedient

machismo [mætˈʃɪzməʊ] zn machogedrag

macho [ˈmætʃəʊ] **I** zn macho **II** bnw macho-

mackerel [ˈmækrəl] zn makreel

mackerel sky zn lucht met schapenwolkjes

macro- [ˈmækrəʊ] voorv macro-

macroeconomics [ˈmækrəʊ iːkəˈnɒmɪks] zn mv macro-economie, economie op grote schaal

mad [mæd] bnw **❶** gek, krankzinnig ★ stark raving mad knettergek ★ barking mad knettergek ★ it drives me mad ik word er gek van ★ I'm going mad! ik word gek! ★ we were running like mad we renden ons gek **❷** kwaad (with/at op) ★ are you mad with me? ben je kwaad op me? **❸** gek op, dol (about/for/on op) ★ I'm mad about her ik ben gek op haar

madam [ˈmædəm] zn mevrouw

madcap [ˈmædkæp] bnw dwaas

mad cow disease zn gekkekoeienziekte

madden [ˈmædn] ov ww **❶** gek maken **❷** boos maken

maddening [ˈmædnɪŋ] bnw gekmakend ★ a ~ itch een gekmakende jeuk

made [meɪd] **I** ww [verleden tijd + volt. deelw.] → make **II** bnw ★ a made man iem. die zeer veel geld heeft verdiend ★ I'm not made for this work ik ben niet geschikt voor dit werk

made-up bnw **❶** verzonnen **❷** opgemaakt ⟨v. gezicht⟩

madhouse [ˈmædhaʊs] zn gekkenhuis

madly [ˈmædlɪ] bijw als een bezetene, heel erg ★ ~ in love waanzinnig verliefd

madman [ˈmædmən] zn krankzinnige

madness [ˈmædnəs] zn **❶** krankzinnigheid, gekte ★ it was complete ~ in the shop today het was een echt gekkenhuis in de winkel vandaag **❷** razernij

Madonna [məˈdɒnə] zn Maria, madonnabeeld(je), madonna

madwoman [ˈmædwʊmən] zn krankzinnige vrouw

maelstrom [ˈmeɪlstrəm] zn maalstroom

maestro [ˈmaɪstrəʊ] zn dirigent, iemand die ergens in uitblinkt

mag [mæg] zn → magazine

magazine [mægəˈziːn] zn **❶** tijdschrift **❷** actualiteitenrubriek op radio / tv **❸** kruitkamer

magenta [məˈdʒentə] zn magenta ⟨roodpaars⟩

maggot [ˈmægət] zn made ★ there were ~s in our bin er zaten maden in onze vuilnisbak

magic [ˈmædʒɪk] **I** zn magie, toverkunst, goochelkunst ★ black ~ zwarte magie ★ white ~ witte magie ★ I can't work ~ ik kan niet toveren ★ as if by ~ als bij toverslag **II** bnw magisch, tover-, goochel- ★ ~ potion toverdrank ★ ~ touch bijzondere gave ★ ~ tricks goocheltrucjes ★ ~ wand toverstokje ★ first say the ~ word eerst 'alsjeblieft' zeggen

magical [ˈmædʒɪkl] bnw magisch, tover-, betoverend

magician [məˈdʒɪʃən] zn **❶** goochelaar **❷** tovenaar

magisterial [mædʒɪˈstɪərəl] bnw **❶** magistraal, meesterlijk **❷** gezaghebbend, autoritair

magistrate [ˈmædʒɪstrət] zn politierechter ★ appear before the ~ voor de politierechter verschijnen

magnanimous [mægˈnænɪməs] bnw grootmoedig, vergevingsgezind

magnate [ˈmægneɪt] zn magnaat, rijk en invloedrijk persoon

magnesium [mægˈniːzɪəm] zn magnesium

magnet [ˈmægnət] zn magneet ★ this island is a tourist ~ dit eiland trekt veel toeristen

magnetic [mægˈnetɪk] bnw magnetisch, onweerstaanbaar

magnetism [ˈmægnɪtɪzəm] zn magnetisme, aantrekkingskracht

magnetize, magnetise [ˈmægnɪtaɪz] ov ww **❶** magnetiseren **❷** fascineren ★ the audience was ~d het publiek werd gefascineerd

magnification [mægnɪfɪˈkeɪʃən] zn **❶** vergroting **❷** het vergroten

m

magnificent [mæg'nɪfɪsənt] *bnw* prachtig, groots, geweldig

magnify ['mægnɪfaɪ] *ov ww* ❶ vergroten ⋆ *this weather magnifies the problem* dit weer vergroot het probleem ❷ overdrijven

magnitude ['mægnɪtjuːd] *zn* omvang, belangrijkheid

magpie ['mægpaɪ] *zn* ❶ ekster ❷ verzamelaar

mahogany [mə'hɒgənɪ] I *zn* ❶ mahoniehout ❷ mahonieboom II *bnw* mahoniekleurig, roodbruin

maid [meɪd] *zn* ❶ dienstmeisje, meid ❷ ongetrouwde dame ⋆ *old maid* oude vrijster ⋆ *maid of honour* eerste bruidsmeisje

maiden ['meɪdn] I *zn* meisje, jonkvrouw ⋆ *a fair ~* een schone jonkvrouw II *bnw* ❶ meisjes-, ongetrouwd ⋆ *~ name* meisjesnaam (van getrouwde vrouw) ❷ eerste ⋆ *~ flight* eerste vlucht (van vliegtuig)

maidenhead ['meɪdnhed] *zn* maagdelijkheid

maiden name *zn* meisjesnaam (van getrouwde vrouw)

maiden speech *zn* eerste toespraak

maiden voyage *zn* eerste reis (van schip)

mail [meɪl] I *zn* ❶ post, poststukken ⋆ *it got lost in the mail* het is zoekgeraakt bij de post ⋆ *certified mail* aangetekende post ⋆ *direct mail* geadresseerde reclame ❷ e-mail II *ov ww* USA per post of e-mail verzenden, op de post doen, (e-)mailen

mailbag ['meɪlbæg] *zn* postzak

mailbox ['meɪlbɒks] *zn* ❶ brievenbus ❷ postbus ❸ mailbox

mail carrier *zn* USA postbode

mailing list *zn* verzendlijst

mailman ['meɪlmən] *zn* postbode

mail order *zn* postorder

maim [meɪm] *ov ww* verminken

main [meɪn] I *bnw* hoofd-, belangrijkste ⋆ *the main entrance* de hoofdingang ⋆ *main course* hoofdgerecht ⋆ *the main thing is that* het belangrijkste is dat II *zn* ❶ hoofdleiding (water, gas, elektriciteit) ❷ [mv] ⋆ *the mains* elektriciteitsnet, waternet, gasnet ⋆ *be connected to the mains* aangesloten zijn op het gas- / elektriciteits- / waternet ⋆ *first turn the gas off at the mains* draai eerst het gas dicht aan de hoofdkraan

mainframe ['meɪnfreɪm] *zn* mainframe

mainland ['meɪnlənd] *zn* vasteland

mainline ['meɪnlaɪn] I *zn* directe spoorverbinding II *bnw* USA volgens de heersende stroming, gewoon

mainly ['meɪnlɪ] *bijw* voornamelijk, hoofdzakelijk

mainsail ['meɪnseɪl] *zn* grootzeil

mainspring ['meɪnsprɪŋ] *zn* drijfveer

mainstay ['meɪnsteɪ] *zn* ❶ scheepv grote stag ❷ voornaamste steun

mainstream ['meɪnstriːm] I *zn* heersende stroming, gebruikelijke opvattingen II *bnw* volgens de heersende stroming, gewoon III *ov ww* leerlingen met beperkingen laten integreren in het regulier onderwijs

maintain [meɪn'teɪn] *ov ww* ❶ handhaven, op peil houden ⋆ *your current weight* op je huidige gewicht blijven ⋆ *we have to ~ the*

quality of our products we moeten de kwaliteit van onze producten op peil houden ❷ onderhouden, steunen ⋆ *he can't ~ his children* hij kan zijn kinderen niet onderhouden ❸ volhouden, beweren ⋆ *she ~s her innocence* ze houdt vol dat ze onschuldig is

maintenance ['meɪntənəns] *zn* ❶ handhaving ❷ onderhoud, alimentatie ⋆ *planned ~* regulier onderhoud ⋆ *child ~* alimentatie voor de kinderen

maisonette [meɪzə'net] *zn* ❶ maisonnette ❷ appartement met twee verdiepingen

maize [meɪz] *zn* GB maïs

Maj. *afk, Major* majoor

majestic [mə'dʒestɪk] *bnw* majestueus, koninklijk, statig

majesty ['mædʒəstɪ] *zn* ❶ majesteit ⋆ *Your Majesty* Uwe Majesteit ⋆ *His / Her Majesty* Zijne / Hare Majesteit ❷ grootsheid

major ['meɪdʒə] I *zn* ❶ majoor, sergeant-majoor ❷ student ⋆ *she's an English ~* ze studeert Engels ❸ hoofdvak ⋆ *take Spanish as one's ~* Spaans als hoofdvak nemen II *bnw* ❶ grootste, belangrijkste ⋆ *the ~ part* het grootste deel ⋆ *~ road ahead* u nadert een voorrangsweg ❷ muz majeur ⋆ *~ third* grote terts III *onov ww* USA *~ in* als (hoofd)vak kiezen / hebben ⋆ *what did you ~ in?* wat had je / u als hoofdvak?

major general *zn* generaal-majoor

majority [mə'dʒɒrətɪ] *zn* ❶ meerderheid ⋆ *they're in the ~* ze zijn in de meerderheid ⋆ *a vast ~* een grote meerderheid ❷ meerderjarigheid ⋆ *reach the age of ~* de meerderjarige leeftijd bereiken

majority leader *zn* leider van de (politieke) meerderheid

majority vote *zn* USA absolute meerderheid van stemmen

majorly inform *bijw* heel erg, heel veel ⋆ *sth is ~ wrong* er is iets heel erg fout

make [meɪk] I *ov ww* (onregelmatig) ❶ maken, fabriceren, bereiden, zetten (van thee, koffie), opmaken (van bed) ⋆ *this is made out of wood* dit is van hout gemaakt ❷ doen, maken, houden ⋆ *make a speech* een toespraak houden ⋆ *make a decision* een beslissing nemen ⋆ *make an effort* moeite doen ⋆ *make a sound* geluid maken ⋆ *make time for sth* tijd voor iets maken ⋆ *make way for* opzij gaan voor ❸ zorgen dat, dwingen, maken ⋆ *make it happen* zorg dat het gebeurt ⋆ *he made her cry* hij maakte haar aan het huilen ⋆ *that makes me angry* dat maakt me boos ⋆ *you can't make me do that* je kunt me niet dwingen dat te doen ⋆ *your visit made my day* jouw bezoek bezorgde me een goede dag ❹ zijn, worden, benoemen tot ⋆ *I'm sure you'll make an excellent writer* je wordt vast een uitstekende schrijver ⋆ *two and two makes four* twee plus twee is vier ⋆ *she was made chairperson* ze werd benoemd tot voorzitter ❺ bereiken, halen (van trein, bus) ⋆ *did you make it on time?* ben je er op tijd aangekomen? ⋆ *he didn't make the team* hij is niet in het team opgenomen ⋆ *make it (big)* het helemaal maken, een (groot) succes zijn ❻ verdienen, behalen ⋆ *how much did he make?* hoeveel heeft hij verdiend? ⋆ *can you make a living from* *football?* kun je met voetbal in je levensonderhoud voorzien? ★ *make a profit* winst behalen ★ *make do with* behelpen met ❼ ~ **away with** stelen ★ *they made away with the car* ze stolen de auto ❽ ~ **out** begrijpen ★ *can you make out what he says?* begrijp jij wat hij zegt? ❾ ~ **over** overdragen, veranderen ★ *they made over the whole house* ze hebben het hele huis veranderd ❿ ~ **up** opmaken ★ *she made up her eyes* ze maakte haar ogen op ⓫ ~ **up** verzinnen ★ *make up a story* een verhaal verzinnen ⓬ ~ **up** bijleggen ★ *make up the difference* het verschil bijleggen ⓭ ~ **up for** compenseren ★ *make up for lost time* verloren tijd compenseren ⓮ ~ **up to** goedmaken ★ *I'll make it up to you* ik zal het weer goed met je maken **II** *onov ww* [onregelmatig] ❶ ~ **for** naartoe gaan ★ *she made for the exit* ze ging naar de uitgang ❷ ~ **of** van maken, van vinden ★ *life is what you make of it* het leven is wat je er zelf van maakt ★ *make the best of it* er het beste van maken ★ *what did you make of that film?* wat vond jij van de film? ❸ ~ **off** zich uit de voeten maken ★ *they made off quickly* ze maakten zich snel uit de voeten ❹ ~ **off with** zich met iets uit de voeten maken ★ *they made off with my mobile phone* ze maakten zich uit de voeten met mijn mobieltje ❺ ~ **out** zoenen, vrijen ❻ ~ **up** goedmaken ★ *let's make up* laten we het goedmaken **III** *zn* merk ★ *what make are those jeans?* van welk merk is die spijkerbroek?

make-believe ['meɪkbəliːv] **I** *zn* het doen alsof, verzinsel ★ *a world of ~* een fantasiewereld **II** *bnw* schijn-

makeover ['meɪkəʊvə] *zn* opknapbeurt, metamorfosebehandeling

maker ['meɪkə] *zn* ❶ maker, schepper ★ *euf meet your ~* sterven ❷ fabrikant, apparaat ★ *a coffee ~* een koffieapparaat

makeshift ['meɪkʃɪft] **I** *zn* noodoplossing **II** *bnw* geïmproviseerd

make-up ['meɪkʌp] *zn* ❶ make-up, grime ★ *put on ~* make-up opdoen ★ *~ artist* make-upspecialist ❷ gesteldheid, iets of iemand als geheel ★ *that's not part of his ~* dat is geen onderdeel van wie hij is

making ['meɪkɪŋ] *zn* productie, fabricage ★ *have the ~s of* de juiste eigenschappen hebben van ★ *he has the ~s of a lawyer* er zit een advocaat in hem ★ *in the ~* tijdens het ontstaan ★ *of your own ~* door jezelf veroorzaakt

mal- [mæl] *voorv* slecht, mis-

maladjusted [mælə'dʒʌstɪd] *bnw* onaangepast, niet in staat zich aan te passen

maladroit [mælə'drɔɪt] *bnw* onhandig

malady ['mælədɪ] *zn* ziekte, kwaal

malaise [mə'leɪz] *zn* onbehaaglijk gevoel, malaise

malapropism ['mæləprɒpɪzəm] *zn* komische verspreking

malaria [mə'leərɪə] *zn* malaria

Malay [mə'leɪ] **I** *zn* Maleier, Maleise **II** *bnw* Maleis

Malaysia [mə'leɪzɪə] *zn* Maleisië

Malaysian [mə'leɪzɪən] **I** *zn* Maleisiër, Maleisische **II** *bnw* Maleisische

malcontent ['mælkəntent] *zn* ontevreden

persoon

male [meɪl] **I** *zn* ❶ man ★ *two white males* twee blanke mannen ★ *a male-dominated society* een door mannen gedomineerde maatschappij ❷ mannetjesdier ★ *is it a male or a female?* is het een mannetje of een vrouwtje? **II** *bnw* mannelijk, mannen-, van het mannelijk geslacht ★ *a male cat* een kater ★ *a male model* een model van het mannelijk geslacht

malediction [mælɪ'dɪkʃən] *zn* vervloeking

malefactor ['mælɪfæktə] *zn* misdadiger

malevolent [mə'levələnt] *bnw* met kwade bedoelingen

malformation [mælfɔː'meɪʃən] *zn* misvorming

malformed [mæl'fɔːmd] *bnw* misvormd

malfunction [mæl'fʌŋkʃən] **I** *zn* storing (van apparatuur) **II** *onov ww* ❶ storing geven (van apparatuur) ❷ niet naar behoren functioneren (van mensen)

malice ['mælɪs] *zn* ❶ kwaadaardigheid ❷ *jur* boze opzet ★ *with ~ aforethought* met voorbedachten rade

malicious [mə'lɪʃəs] *bnw* ❶ boosaardig, kwaadwillig ★ *~ gossip* kwaadaardige roddels ❷ *jur* opzettelijk

malign [mə'laɪn] **I** *bnw* kwaadaardig, schadelijk, slecht ★ *a ~ spirit* een kwaadaardige geest **II** *ov ww* belasteren, kwaadspreken over

malignant [mə'lɪgnənt] *bnw* boosaardig, schadelijk ★ *a ~ tumour* een kwaadaardige tumor

malinger [mə'lɪŋgə] *onov ww* ziekte voorwenden, simuleren

malingerer [mə'lɪŋgərə] *zn* simulant, iemand die zegt dat hij ziek is om niet te hoeven werken

mall [mæl] *zn* USA groot overdekt winkelcentrum

mallard ['mælɑːd] *zn* wilde eend

malleable ['mælɪəbl] *bnw* kneedbaar, smeedbaar, buigzaam

mallet ['mælɪt] *zn* houten hamer

malling ['mɔːlɪŋ] *ww* ❶ rondhangen in een groot winkelcentrum ❷ het bouwen van grote winkelcentra

mallow ['mæləʊ] *zn* kaasjeskruid

malnourished [mæl'nʌrɪʃt] *bnw* ondervoed

malnutrition [mælnju:'trɪʃən] *zn* ondervoeding, slechte voeding

malodorous [mæl'əʊdərəs] *bnw* stinkend

malpractice [mæl'præktɪs] *zn* kwade praktijk(en), professionele nalatigheid, verkeerde behandeling ⟨(medisch)⟩ ★ *she sued the hospital for ~* ze heeft het ziekenhuis aangeklaagd wegens nalatigheid

malt [mɔːlt] **I** *zn* ❶ mout ❷ USA milkshake met mout ❸ *malt whisky* moutwhisky **II** *ov+onov ww* mouten

Maltese [mɔːl'tiːz] **I** *zn* Maltees, Maltezer **II** *bnw* Maltees

malt liquor USA *zn* sterk bier

maltreat [mæl'triːt] *ov ww* slecht behandelen, mishandelen

maltreatment [mæl'triːtmənt] *zn* slechte behandeling, mishandeling

malt whisky *zn* moutwhisky

malversation [mælvə'seɪʃən] *zn* malversatie, verduistering, corruptie

mam [mæm] *zn inform* mam, moeder

mammal ['mæməl] *zn* zoogdier

mammalian [mə'meɪljən] *bnw* zoogdier-

mammary ['mæmərɪ] *bnw* m.b.t. / van de borst, borst- ★ ~ *gland* borstklier

mammogram ['mæməʊgræm] *zn med* mammogram

mammography [mæ'mɒgrəfɪ] *zn med* mammografie

mammoth ['mæməθ] **I** *zn* mammoet **II** *bnw* mammoet-, reusachtig

mammy ['mæmɪ] *zn* mammie, moeder

man [mæn] **I** *zn* [mv: men] ❶ man ★ *best man* getuige bij huwelijk (van bruidegom) ★ *a man about town* een man van de wereld ★ *a dirty old man* een oude snoeper / viespeuk ★ *man to man* man tegen man, één op één ★ *a man of...* een man met bepaalde eigenschappen of kwaliteiten ★ *a man of means* een vermogend man ★ *a man of action* een doortastend man ★ *a man of God* een priester, een dominee ★ *inform the / my old man* m'n vader, m'n vent ★ *I pronounce you man and wife* ik verklaar u hierbij tot man en vrouw (bij huwelijk) ★ *a London man* een man uit Londen ★ *I've been here man and boy* vanaf m'n jongensjaren ben ik al hier ★ humor *man's best friend* de hond ★ *be a man!* wees een vent! ★ *are you man enough for this?* ben je hier mans genoeg voor? ❷ mens, persoon, iemand ★ *the origin of man* het ontstaan van de mens ★ *(all) to a man* (allen) zonder uitzondering ★ fig *the inner man* de inwendige mens, het geestelijke leven ★ *the man on the street* de gewone man ★ *I'm your man* ik neem je aanbod aan, ik ben de geschikte persoon ★ *you're the man!* je bent geweldig! ★ *as one man* allemaal tegelijk ★ *to a man* zonder uitzondering ❸ bediende, werkman ★ *his man Friday* zijn toegewijd helper ★ *be your own man* eigen baas zijn ❹ USA ★ *the man* de politie, de autoriteiten ❺ speelstuk, (dam)schijf ❻ mil [mv] ★ *men* manschappen **II** *ov ww* v. bemanning voorzien, bemannen ★ *man o.s.* zich vermannen

manacle ['mænəkl] **I** *zn* (hand)boei **II** *ov ww* boeien, belemmeren

manage ['mænɪdʒ] **I** *ov ww* ❶ leiden, beheren, besturen ★ *she ~s two large companies* zij leidt twee grote bedrijven ❷ aankunnen, slagen in ★ *can you ~ this today?* lukt het om dit vandaag te doen? ★ *she can't ~ her five children* ze kan haar vijf kinderen niet aan **II** *onov ww* het redden, slagen, lukken ★ *I can ~ for myself* ik red het wel alleen ★ *can you ~?* lukt het? ★ *she ~d to open the door* het lukte haar de deur te openen

manageable ['mænɪdʒəbl] *bnw* handelbaar, te hanteren

management ['mænɪdʒmənt] *zn* ❶ bedrijfsleiding, management, directie ★ *the ~ of our company* de directie van ons bedrijf ❷ leiding, management, beheer, bestuur ★ *financial ~* financieel beheer ❸ beheersing ★ *anger ~* woedebeheersing

manager ['mænɪdʒə] *zn* ❶ bedrijfsleider, manager, bestuurder, beheerder, chef ★ *sales ~*

hoofd van de verkoopafdeling ★ *general ~* algemeen directeur ❷ impresario ❸ manager, trainer (sport)

managerial [mænə'dʒɪərɪəl] *bnw* directeurs-, bestuurs-, management- ★ ~ *experience* bestuurservaring

managing director *zn* directeur

Mancunian [mæn'kju:nɪən] **I** *bnw* van / uit Manchester **II** *zn* iemand uit Manchester

mandarin ['mændərɪn] *zn* ❶ mandarijn (vrucht) ❷ bureaucraat

Mandarin ['mændərɪn] *zn* taalk Mandarijn (soort Chinees)

mandate ['mændeɪt] **I** *zn* mandaat, bevel, opdracht **II** *ov ww* ❶ onder mandaat plaatsen ❷ USA verplicht stellen

mandatory ['mændətərɪ] *bnw* verplicht

mandible ['mændɪbl] *anat zn* (onder)kaak

mandolin [mændə'lɪn, 'mændəlɪn] *zn* mandoline

mane [meɪn] *zn* manen, grote bos haar ★ *a horse with a black mane* een paard met zwarte manen

man-eater *zn* ❶ mensetend roofdier ❷ min mannenverslindster

man-eating *bnw* mensenetend

maneuver *zn* USA → **manoeuvre**

manful ['mænfʊl] *bnw* dapper, moedig

manga ['mæŋgə] *zn* manga (Japanse strip)

manganese ['mæŋgəniːz] *zn* mangaan

mange [meɪndʒ] *zn* schurft

manger ['meɪndʒə] *zn* kribbe, voerbak

mangle ['mæŋgl] **I** *ov ww* mangelen, verminken, verknoeien **II** *zn* mangel

mangrove ['mæŋgrəʊv] *zn* mangrove, wortelboom

mangy ['meɪndʒɪ] *bnw* ❶ schurftig ❷ oud en vies

manhandle ['mænhændl] *ov ww* ❶ ruw behandelen ❷ met menskracht verplaatsen

manhole ['mænhəʊl] *zn* mangat

manhood ['mænhʊd] *zn* ❶ mannelijkheid ❷ volwassenheid (van man) ❸ form penis

man-hour *zn* manuur, mensuur

manhunt ['mænhʌnt] *zn* klopjacht, intensieve zoektocht

mania ['meɪnɪə] *zn* ❶ gekte, rage ❷ med manie, waanzin

maniac ['meɪnɪæk] *zn* maniak, waanzinnige

maniacal [mə'naɪəkl] *bnw* dollemans-, waanzinnig

manic ['mænɪk] *bnw* manisch, opgewonden, druk

manic-depressive I *zn* manisch-depressief iemand **II** *bnw* manisch-depressief

manicurist ['mænɪkjʊərɪst] *zn* manicure, manicuurster

manifest ['mænɪfest] **I** *zn* ❶ scheepv manifest, vrachtbrief, passagierslijst ❷ manifest, openbaarmaking, verklaring **II** *bnw* zichtbaar, duidelijk **III** *ov ww* zichtbaar maken, openbaar maken, vertonen **IV** *onov ww* zich manifesteren, verschijnen

manifestation [mænɪfe'steɪʃən] *zn* ❶ manifestatie, openbare vertoning, uiting ❷ verschijning (van geest)

manifesto [mænɪ'festəʊ] *zn* manifest, openbare verklaring

manifold ['mænɪfəʊld] **I** *zn* techn spruitstuk, verdeelstuk **II** *bnw* veelvuldig, veelsoortig

ma

manikin ['mænɪkɪn] zn ❶ etalagepop, paspop ❷ min klein mannetje

manilla [mə'nɪlə] bnw van stevig lichtbruin papier ★ a ~ envelope een stevige lichtbruine envelop

manipulate [mə'nɪpjʊleɪt] ov ww ❶ manipuleren, beïnvloeden, hanteren, bewerken ❷ manipuleren ❸ med kraken

manipulation [mənɪpjʊ'leɪʃən] zn ❶ manipulatie, beïnvloeding, bewerking ❷ het manipuleren, het kraken (van lichaamsdeel)

manipulative [mə'nɪpjʊlətɪv] bnw manipulatief, misleidend

manipulator [mə'nɪpjʊleɪtə] zn manipulator, misleider

mankind [mæn'kaɪnd] zn de mensheid ★ for all ~ voor alle mensen op aarde

manky ['mæŋkɪ] bnw groezelig, onfris

manly ['mænlɪ] bnw mannelijk, stoer

man-made bnw door de mens gemaakt, kunstmatig ★ ~ fibres kunstvezels

manna ['mænə] zn manna ★ ~ from heaven geschenk uit de hemel

manned [mænd] bnw bemand ★ ~ space travel bemande ruimtevaart

mannequin ['mænɪkɪn] zn ❶ etalagepop ❷ mannequin, model

manner ['mænə] zn ❶ manier, wijze, soort ★ all ~ of things van alles ★ in a ~ of speaking bij wijze van spreken ★ in a ~ in zekere zin ★ in like ~ op dezelfde manier ★ in the ~ of in de stijl van ★ (as) to the ~ born van nature ervoor geknipt / geschikt ★ what ~ of man is he? wat voor een man is hij? ❷ [mv] ★ ~s manieren, normen en waarden ★ it's bad ~s to do that het past niet dat te doen ★ where are your ~s? heb je geen manieren geleerd?

mannered ['mænəd] bnw ❶ geaffecteerd ❷ met... manieren ★ bad-~ met slechte manieren

mannerism ['mænərɪzəm] zn hebbelijkheid, maniertje

mannerless ['mænələs] bnw ongemanierd

mannikin zn → manikin

manoeuvre [mə'nu:və] I zn ❶ manoeuvre, slinkse beweging, behendige beweging ★ room for ~ bewegingsruimte ❷ mil [mv] ★ ~s gevechtsoefening(en) II ov ww ❶ manoeuvreren, behendig besturen ★ ~ a car through heavy traffic een auto door druk verkeer heen manoeuvreren ❷ op slinkse wijze bereiken ★ to ~ one's way into power op slinkse wijze aan de macht komen III onov ww manoeuvreren

man-of-war zn oorlogsschip

manor ['mænə] zn landgoed, groot herenhuis met grond

manor-house ['mænəhaʊs] zn groot herenhuis met grond

manpower ['mænpaʊə] zn mankracht, arbeidskracht(en), personeel

manservant ['mænsɜ:vənt] zn oud knecht, bediende

mansion ['mænʃən] zn groot herenhuis, mooie villa

man-sized bnw ❶ groter dan gebruikelijk ❷ zo

---

groot als een man, voor één man berekend

manslaughter ['mænslɔ:tə] zn doodslag

mantel ['mæntl] zn USA schoorsteenmantel

mantelpiece zn schoorsteenmantel

mantle ['mæntl] I zn ❶ mantel, dekmantel ❷ gloeikousje II ov ww bedekken

manual ['mænjʊəl] I zn ❶ handboek, handleiding ★ operating ~ bedieningshandleiding ❷ handgeschakelde auto II bnw hand-, handmatig ★ ~ workers handarbeiders, ongeschoolde werkers ★ ~ labour ongeschoold werk ★ a ~ car een handgeschakelde auto

manufacture [mænju:'fæktʃə] I ov ww ❶ fabriceren, produceren ★ ~d articles fabrieksproducten ❷ verzinnen II zn ❶ fabricage ❷ fabricaat, product

manufacturer [mænju:'fæktʃərə] zn fabrikant

manure [mə'njʊə] I zn mest II ov ww bemesten

manuscript ['mænjuskrɪpt] zn manuscript, ongepubliceerd werk, handgeschreven werk

Manx [mæŋks] I zn ❶ bewoner(s) v.h. eiland Man ❷ taal v.h. eiland Man II bnw Manx-, van het eiland Man

many ['menɪ] I onbep vnw veel, vele ★ many a man menigeen ★ many a time / many's the time menigmaal, steeds weer ★ many a day vele dagen ★ as many as ten wel tien ★ one too many een te veel ★ in as many days in net zoveel dagen ★ as many as you can carry zo veel als je kunt dragen ★ two times as many twee keer zo veel II zn ★ a great many heel veel, heel wat ★ the many de menigte, de meerderheid

many-sided bnw veelzijdig

Maori ['maʊrɪ] zn ❶ Maori ❷ taal v.d. Maori

map [mæp] I zn (land)kaart ★ read a map kaartlezen ★ off the map onbereikbaar, onbelangrijk ★ they live off the map ze wonen in een uithoek ★ wipe off the map van de kaart vegen, met de grond gelijk maken ★ put on the map bekend / beroemd maken ★ iron do I have to draw you a map? moet ik het voor je uittekenen? II ov ww ❶ in kaart brengen ❷ ~ out in detail uitwerken

maple ['meɪpl] zn esdoorn

maple leaf zn esdoornblad (embleem van Canada)

maple syrup zn ahornstroop

mar [ma:] ov ww ontsieren, bederven

Mar. afk, March mrt, maart

maraud [mə'rɔ:d] ov+onov ww plunderen, stropen

marauder [mə'rɔ:də] zn plunderaar, stroper

marble ['ma:bl] I zn ❶ marmer ❷ knikker ★ ~s [mv] knikkerspel ★ play at ~s knikkeren ★ inform lose one's ~s z'n verstand verliezen II bnw marmeren, als marmer, gemarmerd ★ ~ cake marmercake III ov ww marmeren

march [ma:tʃ] I onov ww ❶ marcheren, stevig doorstappen, betogen ★ they ~ with the times ze gaan met hun tijd mee ★ time ~es on de tijd loopt wel door ★ ~ing band fanfare ❷ ~ past defileren II ov ww ❶ ~ away lopend wegvoeren ❷ ~ off laten afmarcheren ❸ ~ up laten aanrukken III zn ❶ mars, betoging, ontwikkeling ★ ~ against cancer betoging tegen kanker ★ be on the ~ oprukken, fig groter /

bekender worden ★ *the ~ of history* het voortschrijden van de geschiedenis ❷ marsmuziek

March [mɑ:tʃ] zn maart

March hare zn ▼ *as mad as a ~* stapelgek

march-past zn defilé

Mardi Gras zn Vastenavond, ≈ carnaval

mare [meə] zn merrie

margarine [mɑ:dʒəˈri:n] zn margarine

marge [mɑ:dʒ] zn **inform** margarine

margin [ˈmɑ:dʒɪn] zn ❶ marge, rand, kantlijn, grens ★ *in the ~* in de kantlijn ❷ verschil, speling, speelruimte ★ *he won by a small ~* hij won met een klein verschil ★ *~ of error* foutmarge ★ *there is no ~ for error* we kunnen ons geen fouten permitteren ❸ **econ** winst, marge ★ *~ of profit* winstmarge ❹ **econ** surplus ⟨effectenbeurs⟩

marginal [ˈmɑ:dʒɪnl] bnw ❶ marginaal, zeer klein, onbelangrijk ❷ kant-, rand- ★ *~ notes* aantekeningen in de kantlijn

marigold [ˈmærɪɡəʊld] zn plantk goudsbloem, afrikaantje

marijuana, marihuana [mærɪˈwɑ:nə] zn marihuana, cannabis

marina [məˈri:nə] zn jachthaven

marinade [ˈmærɪneɪd] I zn marinade II ov ww, **marinate** marineren

marine [məˈri:n] I zn ❶ marinier ★ *the Marines* het Korps Mariniers ❷ vloot ★ *the merchant ~* de koopvaardijvloot II bnw zee-, scheeps-, maritiem ★ *a ~ biologist* een zeebioloog ★ *~ life* de dieren en planten in de zee ★ *the Marine Corps* het Korps Mariniers ★ *~ traffic* scheepsverplaatsingen, scheepvaart

mariner [ˈmærɪnə] oud zn matroos, zeeman

marionette [mærɪəˈnet] zn marionet

marital [ˈmærɪtl] bnw huwelijks- ★ *~ bliss* een gelukkig huwelijk ★ *~ status* huwelijkse staat

maritime [ˈmærɪtaɪm] bnw zee(vaart)-, kust-, maritiem

marjoram [ˈmɑ:dʒərəm] zn marjolein ⟨kruid⟩

mark [mɑ:k] I zn ❶ teken, markering, signaal ★ *on my mark* op mijn teken ★ *on your marks... get set... go!* op uw plaatsen... klaar... af! ★ *reach the halfway mark* halverwege komen ★ *as a mark of* ten teken van, als blijk van ★ *be quick / slow off the mark* snel / langzaam op gang komen ❷ vlek, spoor ★ *scratch marks* krassen ★ *leave a mark* een vlek maken ❸ cijfer, punt ★ *top marks* [mv] het hoogst haalbare cijfer ⟨bij examen⟩ ★ *full marks to the staff for a wonderful day* hulde aan de leiding voor een geweldige dag ★ *deduct a mark* een punt aftrekken ❹ stempel, zegel, merk, kruisje (i.p.v. handtekening) ★ *leave a mark on sth* een stempel zetten op ⟨ook figuurlijk⟩ ★ *make one's mark* zich onderscheiden ❺ doel, doelwit, roos, niveau ★ **inform** *an easy mark* een gemakkelijke prooi ★ *(right) on the mark* in de roos ★ *hit the mark* de spijker op de kop slaan ★ *feel up to the mark* zich fit / geschikt voelen ★ *overstep the mark* over de schreef gaan, te ver gaan ★ *above the mark* meer dan voldoende ★ *off the mark* niet correct, niet relevant ★ *up to the mark* voldoende, op peil ★ *the bullet missed its mark* de kogel trof geen doel ❻ mark ⟨munt⟩ II ov ww ❶ noteren, onderscheiden, (ken)merken, aangeven, laten blijken, aantonen, betekenen, opmerken, letten op ★ *X marks the spot* het eindpunt / doel is aangegeven met een kruisje ⟨in speurtocht / spelletje⟩ ★ *a letter marked 'Confidential'* een brief met het kenmerk 'Vertrouwelijk' ★ *mark time* pas op de plaats maken, geen vooruitgang boeken ★ *mark my words!* let op mijn woorden! ❷ vieren, herdenken ★ *mark the occasion* de gelegenheid niet ongemerkt voorbij laten gaan, vieren ❸ nakijken, cijfer / punt toekennen ❹ prijzen ⟨van goederen⟩ ❺ **~ down** afprijzen, in prijs verlagen, een lager cijfer geven ❻ **~ down** opschrijven, bestemmen ❼ **~ off** onderscheiden, afscheiden, aftikken ⟨van lijst⟩ ❽ **~ out** bestemmen, afbakenen, onderscheiden ❾ **~ up** in prijs verhogen, een hoger cijfer geven ❿ **~ up** van commentaar voorzien, corrigeren III onov ww markeren ⟨bij jacht⟩ ★ *mark you!* denk erom!

marked [mɑ:kt] bnw ❶ opvallend ❷ gemerkt, getekend ⟨dier⟩ ★ *a ~ man / woman* ten dode opgeschreven man / vrouw, iem. die bespied wordt

marker [ˈmɑ:kə] zn ❶ teken, baken ❷ dikke stift ❸ sport mandekker

market [ˈmɑ:kɪt] I zn markt, handel, beurs, afzetgebied ★ *~ forces* vrijemarktmechanisme ★ *~ economy* vrijemarkteconomie ★ *be in the ~ for* nodig hebben, willen kopen ★ *come / be on the ~* in de verkoop komen / zijn ★ *black ~* zwarte markt, zwarte handel ★ *common ~* gemeenschappelijke markt ★ *foreign ~s* buitenlandse handel ★ *play the ~* speculeren op de beurs II ov ww verkopen, verhandelen, proberen te verkopen d.m.v. marketing

marketable [ˈmɑ:kɪtəbl] bnw verkoopbaar, goed in de markt liggend

marketeer [mɑ:kəˈtɪə] zn marketingdeskundige ★ *black ~* zwarthandelaar

market garden zn tuinderij, groentekwekerij

marketing [ˈmɑ:kɪtɪŋ] zn ❶ marketing, marktanalyse ★ *direct ~* geadresseerde reclame, telefonische verkoop ❷ handel, verkoop, afzet

marketplace [ˈmɑ:kɪtpleɪs] zn markt, handel ★ *in the ~* in de handel

market research zn **econ** marktonderzoek

marking [ˈmɑ:kɪŋ] zn ❶ markering, tekening ⟨v. dier⟩ ❷ nakijkwerk ❸ het dekken ⟨in de sport⟩

marksman [ˈmɑ:ksmən] zn (scherp)schutter

markup [ˈmɑ:kʌp] zn ❶ **econ** winstmarge ❷ opmaak ⟨van documenten⟩

marmalade [ˈmɑ:məleɪd] zn marmelade

marmot [ˈmɑ:mət] zn marmot

maroon [məˈru:n] bnw kastanjebruin

marooned bnw aan zijn lot overgelaten

marquee [mɑ:ˈki:] zn grote tent, partytent, USA markies ⟨luifel⟩

marquis [ˈmɑ:kwɪs] zn markies ⟨edelman (niet-Brits)⟩

marquise [mɑ:ˈki:z] zn markiezin ⟨niet-Brits⟩

marriage [ˈmærɪdʒ] zn huwelijk ★ *~ of convenience* verstandshuwelijk ★ *by ~* aangetrouwd ★ *ask sb's hand in ~* iem. ten

ma

huwelijk vragen ★ ~ *guidance* / *counselling* relatietherapie
marriageable ['mærɪdʒəbl] *bnw* huwbaar ★ *of ~ age* op huwbare leeftijd
marriage certificate *zn* trouwakte
marriage settlement *zn* huwelijksvoorwaarden
married ['mærɪd] *bnw* getrouwd, huwelijks- ★ *be ~ to sb* met iem. getrouwd zijn ★ *be ~ to sth* ergens heel veel tijd aan besteden ★ *~ life* het huwelijksleven [verleden tijd + volt. deelw.] → **marry**
marrow ['mærəʊ] *zn* ❶ merg ★ *chilled to the ~* koud tot op het bot ❷ pompoen, courgette
marrowbone ['mærəʊbəʊn] *zn* mergpijp, soepbot
marry ['mærɪ] I *ov ww* ❶ trouwen (met) ❷ samenbrengen ❸ *~ off* uithuwelijken II *onov ww* trouwen, in de echt verbinden ★ *~ above* / *beneath o.s.* boven / beneden je stand trouwen ★ *he is not the ~ing type* hij is geen man om te trouwen ★ *~ into* door middel van het huwelijk bij... horen
marsh [mɑ:ʃ] *zn* moeras
marshal ['mɑ:ʃəl] I *zn* ❶ maarschalk ❷ ceremoniemeester ❸ ≈ griffier ❹ USA hoofd van politie, brandweercommandant II *ov ww* rangschikken, opstellen, aanvoeren, leiden ★ *~ one's thoughts* zijn gedachten verzamelen
marshalling yard *zn* rangeerterrein
marshmallow [mɑ:ʃ'mæləʊ] *zn* marshmallow, spekkie
marshy ['mɑ:ʃɪ] *bnw* moerassig
marsupial [mɑ:'su:pɪəl] *zn* buideldier
mart [mɑ:t] *zn* USA markt
marten ['mɑ:tɪn] *zn* marter
martial ['mɑ:ʃəl] *bnw* oorlogs-, gevechts- ★ *~ law* oorlogsrecht ★ *~ arts* gevechtssport
Martian ['mɑ:ʃən] I *zn* Marsmannetje II *bnw* van Mars, Mars-
martyr ['mɑ:tə] I *zn* martelaar ★ *be a ~ to* veel te lijden hebben van II *ov ww* de marteldood doen sterven, martelen
martyrdom ['mɑ:tədəm] *zn* martelaarschap, marteldood, marteling
marvel ['mɑ:vəl] I *zn* wonder II *onov ww* ❶ zich afvragen, zich verwonderen ❷ ~ *at* zich verwonderen over
marvellous ['mɑ:vələs] *bnw* fantastisch, geweldig, wonderbaarlijk
marzipan ['mɑ:zɪpæn] *zn* marsepein
masc. taalk *afk, masculine* mannelijk
mascara [mæ'skɑ:rə] *zn* mascara
mascot ['mæskɒt] *zn* mascotte, talisman
masculine ['mæskjʊlɪn] I *zn* taalk mannelijk geslacht, masculinum II *bnw* mannelijk, mannen-
mash [mæʃ] I *zn* ❶ aardappelpuree ❷ mengvoer, beslag ⟨brouwerij⟩, mengsel II *ov ww* pureren, stampen, mengen
masher ['mæʃə] *zn* (aardappel)stamper
mask [mɑ:sk] I *zn* masker ⟨ook figuurlijk⟩, vermomming ★ *ski mask* bivakmuts ★ *gas mask* gasmasker II *ov ww* vermommen, maskeren, verbergen
masochism ['mæsəkɪzəm] *zn* masochisme
masochist ['mæsəkɪst] *zn* masochist

mason ['meɪsən] *zn* steenhouwer ★ *Mason* vrijmetselaar
masonry ['meɪsənrɪ] *zn* metselwerk
masquerade [mɑ:skə'reɪd] I *zn* maskerade, valse schijn, verkleedpartij II *onov ww* zich vermommen (**as** als), zich voordoen (**as** als)
mass [mæs] I *zn* ❶ merendeel, massa, grote hoop ★ *the masses* het gewone volk ❷ mis ★ *Low Mass* stille mis ★ *say Mass* de mis lezen ❸ natk massa II *bnw* massa-, massaal ★ *weapons of mass destruction* massavernietigingswapens ★ *mass unemployment* massale werkloosheid III *ov ww* verzamelen, samentrekken ⟨v. troepen⟩ IV *onov ww* zich verzamelen
massacre ['mæsəkə] I *zn* bloedbad, slachting II *ov ww* afslachten
massage ['mæsɑ:ʒ, mə'sɑ:ʒ] I *zn* massage ★ *~ parlour* massagesalon, bordeel II *ov ww* masseren
masseur [mæ'sɜ:] *zn* masseur
masseuse [mæ'sɜ:z] *zn* masseuse
massif ['mæsi:f] *zn* berggroep, massief
massive ['mæsɪv] *bnw* ❶ massief, enorm ★ *a ~ amount* een enorm aantal ❷ indrukwekkend, gigantisch
mass media *zn* massamedia
mass-produce *ov ww* in zeer grote hoeveelheden produceren
mass transit *zn* USA openbaar vervoer
mast [mɑ:st] *zn* mast ★ *at half mast* halfstok
mastectomy [mæs'tektəmɪ] *zn* borstamputatie, mastectomie
master ['mɑ:stə] I *zn* ❶ baas, werkgever, directeur, hoofd ⟨v. college⟩, (leer)meester, leraar ★ *~ of ceremonies* ceremoniemeester ★ *be one's own ~* eigen baas zijn ★ *be a ~ at/of* een meester in... zijn ★ *the old ~s* de oude meester(schilder)s ★ *serve two ~s* twee heren dienen ❷ master ⟨academische graad⟩, ≈ doctorandus ★ *Master of Science* master in de bètawetenschappen ❸ heer des huizes, jongeheer, mijnheer, meester ❹ techn master ⟨origineel exemplaar⟩ II *bnw* voornaamste, hoofd- ★ *~ bedroom* grootste slaapkamer van het huis III *ov ww* beheersen, overmeesteren, de baas worden, besturen ★ *~ the art of sth* de kunst van iets onder de knie krijgen
master class *zn* masterclass ⟨les door bekend artiest⟩
masterful ['mɑ:stəfʊl] *bnw* ❶ meesterlijk, magistraal ❷ bazig, autoritair
master key *zn* loper ⟨sleutel⟩
masterly ['mɑ:stəlɪ] *bnw* + *bijw* meesterlijk
mastermind ['mɑ:stəmaɪnd] I *zn* genie II *ov ww* uitdenken, uitwerken, plannen, organiseren
masterpiece ['mɑ:stəpi:s] *zn* meesterwerk
master stroke *zn* meesterlijke zet
master switch *zn* hoofdschakelaar
masterwork ['mɑ:stəwɜ:k] *zn* meesterwerk, meesterlijk staaltje
mastery ['mɑ:stərɪ] *zn* meesterschap ★ *~ of* beheersing van, heerschappij over
masticate ['mæstɪkeɪt] *ov+onov ww* kauwen
mastiff ['mæstɪf] *zn* buldog
mastodon ['mæstədɒn] *zn* mastodont ⟨soort mammoet⟩, reus(achtig dier)

masturbate ['mæstəbeɪt] *onov ww* masturberen

mat [mæt] *zn* ❶ mat(je), kleedje ❷ verwarde massa

match [mætʃ] **I** *ov ww* ❶ passen bij, in overeenstemming zijn met, in overeenstemming brengen met ★ *the colour of your shirt ~es that of your eyes* de kleur van je overhemd past bij die van je ogen ★ *he ~es the description of the thief* hij voldoet aan de beschrijving van de dief ❷ evenaren, zich kunnen meten met, hetzelfde bieden als ★ ~ *the same amount* hetzelfde bedrag bijpassen ★ *you can't ~ it* dat doe je me niet na ❸ ~ *against* tegenover elkaar stellen (als tegenstanders) ★ *England is ~ed against Wales* Engeland moet tegen Wales spelen **II** *onov ww* ❶ bij elkaar passen ★ *with ~ing earrings* met bijpassende oorbellen ★ *your socks don't ~* je hebt twee verschillende sokken aan ★ *this colour is hard to ~* het is moeilijk iets te vinden dat bij deze kleur past ★ *be well ~ed* goed bij elkaar passen, aan elkaar gewaagd zijn ❷ ~ *up* kloppen, bij elkaar passen ★ *that doesn't ~ up* dat klopt niet ❸ ~ *up to* opgewassen zijn tegen, net zo goed zijn als ★ *Bill doesn't ~ up to Dave* Bill is niet zo goed als Dave **III** *zn* ❶ lucifer ★ *strike a ~* een lucifer afsteken ❷ wedstrijd, partij ★ *away ~* uitwedstrijd ★ *friendly ~* vriendschappelijke wedstrijd ★ *qualifying ~* kwalificatiewedstrijd ❸ gelijke, tegenhanger ★ *be a ~ for sb* tegen iem. opgewassen zijn ★ *be more than a ~ for sb* te veel voor iem. zijn ★ *find one's ~* zijn gelijke vinden ❹ stel, paar, goede combinatie ★ *make a ~ of it* trouwen ★ *he has made a good ~* hij is goed getrouwd ★ *this material is a good ~* deze stof past er goed bij

matchbox ['mætʃbɒks] *zn* lucifersdoosje

matchless ['mætʃləs] *bnw* weergaloos, niet te evenaren

matchmaker ['mætʃmeɪkə] *zn* koppelaar(ster)

matchmaking ['mætʃmeɪkɪŋ] *zn* ❶ fabricage van lucifers ❷ het koppelen (voor relatie)

match point *zn* sport matchpoint, beslissende punt

matchstick ['mætʃstɪk] *zn* lucifershoutje

matchstick figure *zn* dun (getekend) figuurtje

matchwood ['mætʃwʊd] *zn* ❶ hout voor lucifers ❷ kleine splinters ★ *make ~ of* tot brandhout maken

mate [meɪt] **I** *zn* ❶ maat, kameraad, vriend ★ *my best mate* mijn beste vriend ❷ partner, mannetje, wijfje ★ *running mate* kandidaat voor vicepresident (in USA en Ierland) ❸ stuurman ❹ (schaak)mat **II** *ov ww* mat zetten (schaken) **III** *onov ww* paren, zich verenigen ★ *swans mate for life* zwanen vormen een paar voor het leven

material [mə'tɪərɪəl] **I** *zn* stof, materiaal, bestanddeel ★ *curtain ~* gordijnstof ★ *raw ~s* grondstoffen ★ *writing ~s* schrijfbenodigdheden **II** *bnw* ❶ stoffelijk, materieel, lichamelijk ★ ~ *rewards* beloning in de vorm van geld of goederen ❷ wezenlijk, essentieel, belangrijk ★ ~ *to* van belang / relevant voor

materialise *ww* GB → materialize

materialism [mə'tɪərɪəlɪzəm] *zn* materialisme, gerichtheid op geld en bezit

materialist [mə'tɪərɪəlɪst] *zn* materialist

materialistic [mə'tɪərɪə'lɪstɪk] *bnw* materialistisch, op geld en bezit gericht

materialize [mə'tɪərɪəlaɪz] *onov ww* verschijnen, ontstaan, verwezenlijkt worden ★ *he ~d out of nowhere* hij verscheen uit het niets ★ *the promised job never ~d* van de beloofde baan kwam niets terecht

materiel [mətɪər'el] *zn* materieel, beschikbare middelen

maternal [mə'tɜ:nl] *bnw* moederlijk, moeder- ★ ~ *grandfather* grootvader van moederszijde

maternity [mə'tɜ:nɪtɪ] **I** *zn* moederschap **II** *bnw* moederschaps-, zwangerschaps-

maternity dress *zn* positiejurk

maternity hospital *zn* kraamkliniek

maternity leave *zn* zwangerschapsverlof

maternity ward *zn* kraamafdeling

matey [meɪtɪ] **I** *zn* inform maat, vriend **II** *bnw* kameraadschappelijk, gezellig

mathematical [mæθə'mætɪkl] *bnw* wiskundig, wiskunde- ★ *with ~ precision* met wiskundige precisie

mathematician [mæθəmə'tɪʃən] *zn* wiskundige

mathematics [mæθə'mætɪks] *zn mv* wiskunde, cijfermatige aspecten

maths [mæθs] *zn mv* inform wiskunde ★ *do the ~!* reken maar uit!, dat snap je toch wel?

matinée ['mætɪneɪ] *zn* matinee, middagvoorstelling

matriarch ['meɪtrɪɑ:k] *zn* matriarch, belangrijkste vrouw (van een familie)

matriarchal [meɪtrɪ'ɑ:kl] *bnw* matriarchaal (door vrouwen geleid)

matrices ['meɪtrɪsi:z] *zn mv* → **matrix**

matricide ['meɪtrɪsaɪd] *zn* moedermoord

matriculate [mə'trɪkjʊleɪt] *onov ww* als student toegelaten worden, zich als student inschrijven

matriculation [mətrɪkjʊ'leɪʃən] *zn* inschrijving (als student aan universiteit)

matrimonial [mætrɪ'məʊnjəl] *bnw* huwelijks-, echtelijk

matrimony ['mætrɪmənɪ] *zn* huwelijk, huwelijkse staat

matrix ['meɪtrɪks] *zn* [mv: **matrices**] ❶ wisk comp matrix, netwerk (van wegen) ❷ bakermat, voedingsbodem ❸ gietvorm, matrijs

matron ['meɪtrən] *zn* ❶ matrone, getrouwde dame ❷ zuster, directrice, hoofd, moeder (v. instituut)

matronly ['meɪtrənlɪ] *bnw* ❶ matroneachtig, degelijk, bazig ❷ aan de dikke kant

matt [mæt] *bnw* dof, mat

matted ['mætɪd] *bnw* aan elkaar geklit (v. haarbos)

matter ['mætə] **I** *zn* ❶ materie, stof ★ *subject ~* onderwerp ★ *dark ~* zwarte materie ❷ zaak, aangelegenheid, kwestie, iets ★ *what is the ~?* wat is er (aan de hand)? ★ *what is the ~ with it?* wat is er mis mee? ★ *there's nothing the ~* er is niets (aan de hand) ★ *no ~* het geeft niets ★ *to make ~s worse* om het nog erger maken ★ *no laughing ~* niet om te lachen ★ *it is a ~ of £ 10* het gaat om £ 10 ★ *the fact of the ~ is* waar het om gaat is ★ *a ~ of fact* feit, feitelijke kwestie ★ *as a ~ of fact* inderdaad, in werkelijkheid,

ma

trouwens ★ *for that* ~ wat dat betreft, trouwens ★ *it was only a* ~ *of time before* het duurde niet lang meer tot ★ *a* ~ *of 20 years* een jaar of twintig ★ *no* ~ *who / what* wie / wat dan ook ★ *no* – *what!* in geen geval! ★ *that's a* ~ *of opinion* daarover valt te twisten ★ ~ *of law* juridische kwestie ★ ~ *of course* vanzelfsprekende kwestie ★ *a delicate* ~ een gevoelige kwestie, een netelige zaak ★ *a* ~ *of life and death* een kwestie van leven of dood ❸ etter ⟨substantie⟩ **II** *onov ww* van belang zijn, betekenen ★ *it* ~*s to me* ik vind het belangrijk ★ *does it* ~ *if* maakt het uit of ★ *what does it* ~? wat geeft 't?

matter-of-fact [mætərəv'fækt] *bnw* nuchter, zakelijk

matting ['mætɪŋ] *zn* matwerk, gewoven mat

mattress ['mætrəs] *zn* matras

maturation [mætʃʊ'reɪʃən] *zn* rijping, ontwikkeling

mature [mə'tjʊə] **I** *bnw* ❶ volwassen, volledig ontwikkeld, rijp ★ *a* ~ *elephant* een volwassen olifant ★ ~ *cheese* belegen / oude kaas ★ ~ *behaviour* volwassen gedrag ❷ vervallen ⟨van investering e.d.⟩ **II** *onov ww* ❶ volwassen worden, tot ontwikkeling komen, rijpen ❷ vervallen ⟨van investering e.d.⟩

maturity [mə'tʃʊərətɪ] *zn* ❶ volwassenheid, rijpheid ❷ vervaltijd ⟨van investering e.d.⟩ ★ *at* ~ op de vervaldag

maudlin ['mɔːdlɪn] *bnw* overdreven sentimenteel

maul [mɔːl] *ov ww* ❶ toetakelen, ruw behandelen ❷ afkraken ⟨van boek, film, enz.⟩

Maundy Thursday ['mɔːndɪ 'θɜːzdeɪ] *zn* Witte Donderdag ⟨de donderdag vóór Goede Vrijdag⟩

mausoleum [mɔːsə'liːəm] *zn* mausoleum, graftombe

mauve [məʊv] *bnw* mauve, zacht paars

maverick ['mævərɪk] **I** *zn* eenling, buitenbeentje, non-conformist **II** *bnw* ★ *a* ~ *politician* een onafhankelijk politicus

mawkish ['mɔːkɪʃ] *bnw* ❶ overdreven sentimenteel ❷ walgelijk ⟨v. smaak⟩

max. *afk, maximum* max., maximum ★ *two years max.* niet langer dan twee jaar ★ *live life to the max.* alles uit het leven halen wat er in zit

maxim ['mæksɪm] *zn* maxime ⟨stelregel, principe⟩

maximal ['mæksɪml] *bnw* maximaal

maximize, maximise ['mæksɪmaɪz] *ov ww* maximaliseren, tot het uiterste vergroten

maximum ['mæksɪməm] **I** *zn* maximum ★ *to the* ~ volledig **II** *bnw* maximaal, maximum-

may [meɪ] **I** *zn* meidoorn **II** *hww* ❶ mogen ⟨toestemming⟩ ★ *you may go now* je kunt nu gaan ★ *may I have a banana?* mag ik een banaan? ★ *if I may say so* als ik zo vrij mag zijn ★ *may you have a happy Christmas* ik wens u een mooie kerst ❷ kunnen ⟨mogelijkheid⟩, ≈ misschien ★ *it may well be true* het zou best eens waar kunnen zijn ★ *he may have gone home* hij is misschien naar huis gegaan ★ *be this as it may* hoe dan ook

May [meɪ] *zn* mei

maybe ['meɪbi:] *bijw* misschien

mayday ['meɪdeɪ] *zn* noodsein ★ ~, ~! SOS, SOS!

May Day *zn* eerste mei, Dag van de Arbeid

mayfly ['meɪflaɪ] *zn* eendagsvlieg, kokerjuffer

mayhem ['meɪhem] *zn* chaos, wanorde

mayonnaise [meɪə'neɪz] *zn* mayonaise

mayor [meə] *zn* burgemeester

mayoral ['meərəl] *bnw* burgemeesters-, burgemeesterlijk ★ ~ *election* burgemeestersverkiezing

maypole ['meɪpəʊl] *zn* meiboom

maze [meɪz] *zn* doolhof

mazuma [mə'zuːmə] *zn, plat USA* geld, pegels

MBA *afk, onderw Master of Business Administration* ≈ master in de bedrijfskunde

MBE *afk, Member of the Order of the British Empire* lid van de orde van het Britse rijk ⟨onderscheiding⟩

MC *afk* ❶ *Master of Ceremonies* mc, ceremoniemeester ❷ *USA Member of Congress* Congreslid

MD *afk* ❶ *Doctor of Medicine* master in de geneeskunde ❷ *Managing Director* directeur ❸ *Maryland* staat in de VS

MDT *afk, Mountain Daylight Time* ⟨tijdzone in westelijk-centraal VS⟩

me [mi:] *pers vnw* ❶ mij ❷ *inform* ik ★ *dear me!* lieve hemel! ★ *it's me* ik ben het

ME *afk, Maine* staat in de VS

mead [mi:d] *zn* mede ⟨drank⟩

meadow ['medəʊ] *zn* wei⟨de⟩

meagre ['mi:gə] *bnw* mager, schraal

meal [mi:l] *zn* ❶ maal⟨tijd⟩ ★ *go out for a meal* uit eten gaan ★ *make a meal of sth* nodeloos veel drukte maken om iets ★ *we had to make a meal of it* we moesten het er mee doen ★ *meals on wheels* thuisbezorging van maaltijd ⟨voor ouderen en gehandicapten⟩ ★ *he's her meal ticket* hij betaalt alles voor haar ❷ meel, maïsmeel

mealtime ['mi:ltaɪm] *zn* etenstijd

mealy ['mi:lɪ] *bnw* ❶ melig, meelachtig, zoetsappig ❷ wit gespikkeld ⟨v. paard⟩, bleek ⟨v. gelaatskleur⟩

mealy-mouthed [mi:lɪ-maʊðd] *zn* zoetsappig, eromheen draaiend

mean [mi:n] **I** *ov ww* ⟨onregelmatig⟩ ❶ betekenen ★ *what does this word mean?* wat betekent dit woord? ❷ bedoelen, menen, van plan zijn ★ *what do you mean by that?* wat bedoel je daar mee?, waarom doe je zoiets? ★ *how do you mean?* hoe bedoel je? ★ *you were meant to do sth* het was de bedoeling dat je iets deed ★ *well-meaning* welgemeend, goed bedoeld ★ *it was meant to be* het was voorbestemd ★ *mean business* het menen ★ *mean sb well* het goed met iem. voorhebben ★ *it was meant for you* het was ⟨eigenlijk⟩ voor jou bedoeld **II** *bnw* ❶ *USA* gemeen ★ *GB* gierig ❷ gering, onbelangrijk ★ *no mean feat* niet gering, niet mis ★ *think meanly of* geen hoge dunk hebben van ❸ gemiddeld, middelst, midden- ★ *mean rate* middenkoers ❹ *USA* heel goed ★ *she plays a mean guitar* zij kan heel goed gitaar spelen **III** *zn* gemiddelde, midden⟨weg⟩ ★ *the golden / happy mean* de gulden middenweg

meander [mɪ'ændə] **I** *onov ww* ❶ meanderen, kronkelen ⟨van rivier⟩, ⟨rond⟩dolen ❷ afdwalen, uitweiden **II** *zn* meandering, kronkeling ⟨van rivier⟩

meanie ['mi:nɪ] *zn* gemenerik

meaning ['mi:nɪŋ] *zn* bedoeling, betekenis ★ *get / catch sb's* ~ begrijpen wat iem. zegt ★ *what's the* ~ *of this?* wat is hier aan de hand?, wat gebeurt hier? ★ *you don't know the* ~ *of...* je hebt geen idee van...

meaningful ['mi:nɪŋfʊl] *bnw* veelbetekenend, belangrijk

meaningless ['mi:nɪŋləs] *bnw* ❶ nietszeggend ❷ zinloos

means [mi:nz] *zn mv* ❶ middelen, manier(en) ★ ~ *of transport* vervoermiddelen ★ *by* ~ *of* door middel van ★ *by other* ~ op een andere manier ★ *by all* ~ in ieder geval, beslist, natuurlijk, op alle mogelijke manieren ★ <u>inform</u> *by all* ~! ga je gang! ★ *not by any* ~ in geen geval ★ *by no* ~ in geen geval ★ *by* ~ *of* door middel van ★ *a* ~ *to an end* een middel om iets te bereiken ★ *by fair* ~ *or foul* met geoorloofde en ongeoorloofde middelen ❷ inkomsten ★ *of* ~ bemiddeld ★ *live beyond one's* ~ boven zijn stand leven

meant [ment] *ww* [verleden tijd + volt. deelw.] → **mean**

meantime ['mi:ntaɪm] *zn* ★ *in the* ~ ondertussen, inmiddels ★ *for the* ~ voorlopig

meanwhile ['mi:nwaɪl] *bijw* inmiddels, intussen

measles ['mi:zəlz] *zn mv* mazelen ★ *German* ~ rodehond

measly ['mi:zlɪ] *bnw* armzalig, miezerig

measurable ['meʒərəbl] *bnw* meetbaar

measure ['meʒə] **I** *ov ww* ❶ meten, de maat nemen, toemeten, afmeten, opmeten ❷ onderzoekend aankijken, opnemen ❸ ~ **out** uitdelen, afmeten **II** *onov ww* ❶ meten, bep. lengte hebben ❷ ~ **up (to)** voldoen aan ★ *he doesn't* ~ *up* hij is niet goed genoeg **III** *zn* ❶ maatregel ★ *take* ~*s against* maatregelen nemen tegen ★ *half* ~*s* halve maatregelen ❷ grootte, afmeting, maat, maatstaf ★ *a generous* ~ een royale hoeveelheid ★ *made to* ~ op maat gemaakt ★ *take sb's* ~ iem. de maat nemen, onderzoeken met wat voor iem. men te doen heeft ★ ~ *of capacity* inhoudsmaat ★ *long* ~ lengtemaat ★ *keep* ~ maat houden ★ *in large* ~ voornamelijk ★ *the full* ~ *of sth* iets in zijn volle grootte ★ *within* ~ binnen bepaalde grenzen, met mate ★ *beyond* ~ bovenmate, onmeetbaar ★ *for good* ~ op de koop toe, om het af te maken ❸ *muz* maat

measured ['meʒəd] *bnw* ❶ weloverwogen ❷ gelijkmatig, gematigd

measureless ['meʒələs] *bnw* onmetelijk

measurement ['meʒəmənt] *zn* (af)meting ★ *inside / outside* ~ binnenmaat / buitenmaat

meat [mi:t] *zn* ❶ vlees, vruchtvlees ★ *minced meat* gehakt ★ *be dead meat* de pineut zijn ★ *one man's meat is another man's poison* smaken verschillen ★ *it is meat and drink for me* het is een eitje voor me, ik doe het ontzettend graag ❷ kern, (diepere) inhoud

meatball ['mi:tbɔ:l] *zn* ❶ gehaktbal(letje) ❷ USA domme vent

meat loaf *zn* gehaktbrood

meat pie *zn* vleespastei

meaty ['mi:tɪ] *bnw* ❶ vlezig, vleesachtig, vlees-

❷ degelijk, stevig, pittig

mechanic [mɪ'kænɪk] *zn* monteur, werktuigkundige, mecanicien

mechanical [mɪ'kænɪkl] *bnw* ❶ mechanisch, machinaal, automatisch ★ ~ *engineering* werktuig(bouw)kunde ★ ~ *pencil* vulpotlood ❷ werktuiglijk, zonder nadenken

mechanics [mɪ'kænɪks] *zn mv* mechanica, werktuig(bouw)kunde, techniek

mechanisation *zn* GB → **mechanization**

mechanise *ww* GB → **mechanize**

mechanism ['mekənɪzəm] *zn* mechaniek, mechanisme, techniek ★ *defence* ~ afweermechanisme

mechanistic [mekə'nɪstɪk] *bnw* mechanistisch, mechanisch

mechanization [mekənaɪ'zeɪʃən] *zn* mechanisatie

mechanize ['mekənaɪz] *ov ww* mechaniseren

med. *afk* ❶ *medical* medisch ★ ❷ *medieval* middeleeuws ❸ *medium* gemiddeld ❹ *the Med* de (vakantie)landen rond de Middellandse Zee

medal ['medl] *zn* medaille

medallion [mɪ'dæljən] *zn* medaillon, grote hanger ⟨aan ketting⟩

medallist ['medəlɪst] *zn* medaillewinnaar

meddle ['medl] *onov ww* ~ **in/with** zich mengen in, zich bemoeien met

meddler ['medlə] *zn* bemoeial

meddlesome ['medəlsəm] *bnw* bemoeiziek

media ['mi:dɪə] *zn mv, the media* de media ⟨televisie, kranten enz.⟩

mediaeval *bnw* → **medieval**

median ['mi:dɪən] **I** *zn* ❶ mediaan, zwaartelijn, gemiddelde ❷ USA middenberm ★ ~ *strip* middenberm **II** *bnw* midden-, middel-, middelste, mediaan-, gemiddeld

mediate ['mɪdɪeɪt] *ov+onov ww* als bemiddelaar optreden, bemiddelen

mediation [mi:dɪ'eɪʃən] *zn* (conflict)bemiddeling, voorspraak

mediator ['mi:dɪeɪtə] *zn* bemiddelaar

mediatory ['mi:dɪətərɪ] *bnw* bemiddelend, bemiddelings-

medic ['medɪk] *zn* dokter, medisch student, medisch hulpverlener, USA kliniekassistent

medical ['medɪkl] **I** *bnw* medisch, geneeskundig ★ *be in need of* ~ *attention* medische hulp nodig hebben ★ ~ *examination* medisch onderzoek, consult ★ *go to* ~ *school* geneeskunde studeren **II** *zn* medisch onderzoek ★ *a free* ~ een gratis medisch onderzoek

medical examiner *zn* patholoog-anatoom

medicament [mə'dɪkəmənt] *zn* geneesmiddel

Medicare ['medɪkeə] *zn* USA gezondheidszorg voor bejaarden

medicated ['medɪkeɪtɪd] *bnw* ❶ aan de medicijnen ❷ sanitair, medicinaal

medication [medɪ'keɪʃən] *zn* geneesmiddel ★ *are you on any* ~? gebruikt u medicijnen?

medicinal [mə'dɪsɪnl] *bnw* genezend, geneeskrachtig

medicine ['medsən] *zn* ❶ geneesmiddel(en) ★ *take* ~ medicijnen gebruiken ★ *a taste / dose of your own* ~ een koekje van eigen deeg ★ ~ *cabinet* medicijnkast ❷ geneeskunde

me

★ *complementary* ~ alternatieve geneeskunde
medicine man *zn* medicijnman, toverdokter
medieval [medɪˈiːvəl] *bnw* middeleeuws, humor zeer ouderwets
mediocre [miːdɪˈəʊkə] *bnw* middelmatig
mediocrity [miːdɪˈɒkrətɪ] *zn* middelmatigheid
meditate [ˈmedɪteɪt] **I** *ov ww* overdenken **II** *onov ww* mediteren ~ **on/over** peinzen over, overdenken
meditation [medɪˈteɪʃən] *zn* meditatie, overdenking
meditative [ˈmedɪtətɪv] *bnw* nadenkend, bespiegelend
Mediterranean [medɪtəˈreɪnɪən] **I** *zn* ★ *the* ~ de Middellandse Zee, het Middellandse Zeegebied **II** *bnw* mediterraan
medium [ˈmiːdɪəm] **I** *zn* [mv: **media**] ❶ medium, middel ★ *the media* [mv] de media (televisie, kranten enz.) ★ *through the* ~ *of* door middel van ★ *a* ~ *of exchange* een betaalmiddel ❷ middenweg, medium ⟨maat⟩ ★ *strike a happy* ~ een gulden middenweg vinden ★ *do you have this in a* ~? heeft u dit in een medium? ❸ medium, helderziende **II** *bnw* gemiddeld, middelmatig, medium ⟨maat⟩
medium-sized *bnw* middelgroot
medium-term *bnw* op middellange termijn
medium wave *zn* middengolf ⟨radio⟩
medley [ˈmedlɪ] *zn* ❶ mengelmoes, muz potpourri, mix, mengsel ❷ wisselslag ⟨zwemmen⟩

meek [miːk] *bnw* zachtmoedig, gedwee, braaf
meet [miːt] **I** *ov ww* [onregelmatig] ❶ ontmoeten, (aan)treffen, kennis maken met, bij elkaar komen, tegenkomen ★ *meet Mr A.* mag ik u aan de heer A. voorstellen? ★ *have you met Mr B.?* kent u de heer B. al? ★ *meet for lunch* samen gaan lunchen ★ *meet to do sth* bij elkaar komen om iets te doen ★ *meet sb off the train* iem. van de trein afhalen ★ *meet one's death* de dood vinden ★ *meet one's Maker* zijn Schepper begroeten ⟨overlijden⟩ ★ *meet s.o.'s eye* onder iemands ogen komen, een blik van iem. opvangen inform ★ *there's more (to it) than meets the eye!* daar zit meer achter! ❷ tegemoet komen, voldoen aan, voorzien in ★ *meet sb halfway* iem. tegemoet komen ★ *meet sth head on* iets voortvarend aanpakken ★ *meet the needs of sb* aan iemand's behoeften tegemoetkomen ★ *it met with resistance* het riep weerstand op ★ *meet expenses* kosten dekken ★ *make ends meet* de eindjes aan elkaar knopen ★ *meet the case* voldoende zijn **II** *onov ww* ❶ elkaar ontmoeten, samenkomen ❷ ~ **up (with)** ontmoeten ❸ ~ **with** ontmoeten, ervaren, ondervinden, tegenkomen ★ *meet with sb* een (formele) ontmoeting hebben met iem. ★ *meet with an accident* een ongeluk krijgen ★ *meet with approval* goedkeuring wegdragen **III** *zn* wedstrijd, samenkomst ★ *meet and greet* kennismaking
meeting [ˈmiːtɪŋ] *zn* ❶ bijeenkomst, vergadering, ontmoeting ★ *a chance* ~ een toevallige ontmoeting ★ *general* ~ algemene vergadering, ledenvergadering ★ *attend a* ~ een bijeenkomst bijwonen ★ *a* ~ *on climate change* een

vergadering over klimaatverandering ★ *a* ~ *of minds* een overeenstemming, eendracht ❷ wedstrijd
mega- [ˈmegə] *voorv* een miljoen (maal), mega-
megalomania [megələˈmeɪnɪə] *zn* megalomanie, grootheidswaanzin
megalomaniac [megələˈmeɪnɪæk] *zn* megalomaan, grootheidswaanzinnige
megaphone [ˈmegəfəʊn] *zn* megafoon
megastar [ˈmegəstɑː] *zn* superster ⟨beroemdheid⟩
melancholia [melənˈkəʊlɪə] *zn* melancholie, zwaarmoedigheid
melancholic [melənˈkɒlɪk] **I** *zn* melancholicus, zwaarmoedig iemand **II** *bnw* melancholiek, melancholisch
melancholy [ˈmelənkəlɪ] **I** *zn* melancholie, zwaarmoedigheid, droefgeestigheid **II** *bnw* zwaarmoedig, droefgeestig
melee [ˈmeleɪ] *zn* USA strijdgewoel, warboel
mellifluous [mɪˈlɪfluəs] *bnw* honingzoet, zoetvloeiend
mellow [ˈmeləʊ] **I** *bnw* ❶ zacht, rijp, belegen ⟨v. wijn⟩, vol, zuiver ⟨v. klank, kleur⟩ ★ ~ *age* rijpere leeftijd ❷ vriendelijk, zachtaardig, gemoedelijk, tevreden, lichtelijk aangeschoten **II** *ov+onov ww* ❶ rijpen, zacht maken / worden ❷ ~ **out** zich ontspannen ★ ~ *out!* rustig aan!
melodic [mɪˈlɒdɪk] *bnw* melodisch, melodieus
melodious [mɪˈləʊdɪəs] *bnw* melodieus, welluidend
melodrama [ˈmelədrɑːmə] *zn* melodrama, overdreven gedoe
melodramatic [melədrəˈmætɪk] *bnw* melodramatisch, overdreven
melody [ˈmelədɪ] *zn* melodie
melon [ˈmelən] *zn* meloen
melt [melt] **I** *ov ww* ❶ doen smelten, vertederen ★ *it melts my heart* mijn hart smelt ervan ❷ ~ **down** versmelten **II** *onov ww* ❶ smelten, zich oplossen, vertederd worden ★ *melting point* smeltpunt ★ *melting pot* smeltkroes ❷ ~ **away** wegsmelten, verdwijnen ❸ ~ **into** langzaam overgaan in ★ *she melted into tears* ze versmolt in tranen
meltdown [ˈmeltdaʊn] *zn* ❶ diepe crisis ❷ meltdown ⟨bij kernreactor⟩
member [ˈmembə] *zn* ❶ lid, afgevaardigde, onderdeel ★ *Member of Parliament* parlementslid ★ *full* ~ volwaardig lid ★ ~ *state* lidstaat ❷ lichaamsdeel ❸ penis
membership [ˈmembəʃɪp] *zn* lidmaatschap, ledental
membrane [ˈmembreɪn] *zn* membraan, vlies ★ biol *mucous* ~ slijmvlies
memento [məˈmentəʊ] *zn* herinnering, aandenken
memo [ˈmeməʊ] *zn* memo, korte notitie
memoir [ˈmemwɑː] *zn* (auto)biografie ★ ~*s* [mv] memoires
memo pad *zn* notitieboekje
memorabilia [memərəˈbɪlɪə] *zn mv* verzamelobjecten, souvenirs
memorable [ˈmemərəbl] *bnw* gedenkwaardig
memorandum [meməˈrændəm] *zn* [mv: **memoranda**] memorandum,

aantekening, akte, diplomatieke nota
memorial [mɪ'mɔːrɪəl] **I** *zn* gedenkteken, monument, aandenken **II** *bnw* gedenk-, herinnerings- ★ ~ *service* herdenkingsdienst ★ ~ *hospital* ziekenhuis dat naar iets of iem. vernoemd is
Memorial Day *zn* USA herdenking van de gevallenen
memorize, memorise ['meməraɪz] *ov ww* uit het hoofd leren, in het geheugen prenten
memory ['meməri] *zn* ❶ geheugen, herinnering ★ *commit to* ~ v. buiten leren ★ *from* ~ uit het hoofd ★ *if my* ~ *serves me well* als mijn geheugen me niet in de steek laat ★ *to the best of my* ~ zo goed als ik mij kan herinneren ★ *in living* ~ sinds mensenheugenis ★ *rake your* ~ je geheugen pijnigen (proberen je iets te herinneren) ★ *take a trip down* ~ *lane* een reis terug in de tijd maken, herinneringen ophalen ❷ (na)gedachtenis ★ *in* ~ *of* ter nagedachtenis aan
men [men] *zn mv* → **man**
menace ['menɪs] **I** *zn* ❶ bedreiging ★ *jur with* ~*s* onder bedreiging ❷ vervelend iemand, lastig iets **II** *ov+onov ww* (be)dreigen
ménage, menage [me'nɑːʒ] *zn* huishouden ★ ~ *à trois* triootje
menagerie [mɪ'nædʒəri] *zn* menagerie, verzameling (wilde) dieren
mend [mend] **I** *ov ww* verbeteren, herstellen, repareren, stoppen ⟨v. kousen⟩ ★ *mend fences (with sb)* het bijleggen ★ *mend your ways* je leven beteren **II** *onov ww* herstellen, zich (ver)beteren ★ *the bone has mended* het bot is weer aangegroeid ★ *least said soonest mended* hoe minder er over gezegd wordt, des te beter **III** *zn* gerepareerde / verstelde plaats ★ *be on the mend* aan de beterende hand zijn
mendacious [men'deɪʃəs] *bnw* leugenachtig
mendacity [men'dæsəti] *zn* leugen(achtigheid)
mendicant ['mendɪkənt] *zn* bedelmonnik, bedelaar
mending ['mendɪŋ] *zn* verstelwerk, reparatie
menfolk ['menfəʊk] *zn* manvolk, mannen
menial ['miːnɪəl] **I** *zn* min bediende, knecht **II** *bnw* ondergeschikt, laag, vies ★ *a* ~ *job* een laag baantje
meningitis [menɪn'dʒaɪtɪs] *zn* hersenvliesontsteking
menopause ['menəpɔːz] *zn* menopauze
men's room *zn* USA herentoilet
menstrual ['menstrʊəl] *bnw* menstruatie-, ongesteldheids- ★ ~ *pain* menstruatiepijn ★ ~ *cycle* (menstruatie)cyclus
menstruate ['menstrʊeɪt] *onov ww* menstrueren, ongesteld zijn
menswear ['menzweə] *zn* herenkleding
mental ['mentl] *bnw* ❶ geestelijk, geest(es)-, verstandelijk ★ ~*ly ill* geesteziek, met een psychische aandoening ★ ~*ly handicapped* geestelijk gehandicapt ★ ~ *age* intelligentieleeftijd, intellectuele leeftijd ★ ~ *arithmetic* hoofdrekenen ★ ~ *health* geestesgesteldheid, mentale gezondheid ★ ~ *block* blokkade (in het hoofd) ★ ~ *state* geestesgesteldheid, mentale toestand ★ *make a*

~ *note of sth* iets moeten / willen onthouden ★ *have a* ~ *picture of sth* een plaatje voor je zien, ergens een voorstelling van maken ❷ inform gek, raar, idioot ★ *go* ~ over de rooie gaan, heel boos worden
mental home *zn* min gekkenhuis
mental hospital *zn* psychiatrisch ziekenhuis
mentality [men'tæləti] *zn* mentaliteit, denkwijze
mention ['menʃən] **I** *zn* (ver)melding ★ *make* ~ *of* noemen ★ *get a* ~ genoemd worden **II** *ov ww* noemen, (ver)melden, zeggen ★ *it is worth* ~*ing that* we moeten niet vergeten dat ★ *don't* ~ *it!* geen dank! ★ *not to* ~ niet te vergeten ★ *now you* ~ *it* nu je het er toch over hebt
mentor ['mentɔː] *zn* mentor, begeleider, USA raadgever, trainer
menu ['menjuː] *zn* menu(kaart) ★ *would you like to see the menu?* wilt u de kaart zien? ★ comp *drop-down menu* rolmenu, keuzemenu ★ comp *menu bar* menubalk
MEP *afk*, *Member of European Parliament* lid v.h. Europees Parlement
mercantile ['mɜːkəntaɪl] *bnw* handels-, koopmans-, commercieel
mercenary ['mɜːsɪnəri] **I** *zn* huurling **II** *bnw* geldbelust, geldwaldtig
merchandise¹ ['mɜːtʃəndaɪs] *zn* koopwaar, handelswaar
merchandise² ['mɜːtʃəndaɪs, 'mɜːtʃəndaɪz] *ov ww* aan de man brengen, aanprijzen ⟨v. koopwaar⟩
merchandizing ['mɜːtʃəndaɪzɪŋ] *zn* ❶ productiestrategie, marktbewerking ❷ producten die afgeleid zijn van of direct samenhangen met een reeds populair product ⟨bv. speelgoed, bekers, kleding met afbeelding van een popgroep⟩
merchant ['mɜːtʃənt] **I** *zn* handelaar, USA winkelier **II** *bnw* koopmans-, koopvaardij, handels- ★ ~ *navy* koopvaardijvloot, handelsvloot ★ ~ *bank* handelsbank, financieringsbank
merciful ['mɜːsɪfʊl] *bnw* ❶ barmhartig, genadig ❷ gelukkig, fortuinlijk ★ ~*ly she was unharmed* gelukkig was ze ongedeerd
merciless ['mɜːsɪləs] *bnw* genadeloos, meedogenloos
mercurial [mɜː'kjʊərɪəl] *bnw* ❶ veranderlijk ❷ levendig, gevat
mercury ['mɜːkjʊri] *zn* kwik(zilver), temperatuur ★ *the* ~ *dropped to minus 10* het kwik daalde tot min 10
Mercury ['mɜːkjʊri] *zn* Mercurius ⟨planeet⟩
mercy ['mɜːsi] *zn* ❶ genade, barmhartigheid ★ *at the* ~ *of* in de macht van, overgeleverd aan ★ *leave to the tender mercies of* overgeleverd worden aan de genade / ongenade van ★ *have* ~ *on us!* wees ons genadig!, lieve hemel! ★ *beg for* ~ genade smeken ★ ~ *me!* goede genade! ★ *be on a* ~ *mission* aan liefdadigheid doen, iets goeds doen voor een ander ❷ geluk (bij een ongeluk), zegen ★ *be thankful for small mercies* dankbaar zijn voor de goede dingen, je zegeningen tellen
mercy killing *zn* euthanasie
mere [mɪə] *bnw* louter, alleen maar, niets anders dan ★ *she's a mere child* ze is nog

maar een kind ★ *a mere shadow of* slechts een schaduw van ★ *the mere fact that* alleen al het feit dat

merely ['mɪəlɪ] *bijw* slechts, louter, enkel

merge [mɜːdʒ] **I** *ov ww* doen opgaan in **II** *onov ww* ❶ opgaan in ❷ ~ **into** (geleidelijk) overgaan in ★ ~ *into the background* je op de achtergrond houden, je onopvallend opstellen ❸ ~ **with** fuseren met, samengaan met

merger ['mɜːdʒə] *zn* fusie, samensmelting, vermenging

meridian [mə'rɪdɪən] *zn* meridiaan, lengtecirkel, energiebaan ⟨acupunctuur⟩

meringue [mə'ræŋ] *zn* schuimpje, schuimgebak

merit ['merɪt] **I** *zn* ❶ verdienste, waarde ★ *the ~s of sth* de voordelen van iets ★ *be of* ~ verdienstelijk zijn, waarde hebben ★ *judge sb on their own ~s* iem. op zijn eigen kwaliteiten beoordelen ❷ cijfer, punten **II** *ov ww* verdienen ★ *it ~s your attention* het verdient je aandacht

meritocracy [merɪ'tɒkrəsɪ] *zn* meritocratie, prestatiemaatschappij

mermaid ['mɜːmeɪd] *zn* (zee)meermin

merman ['mɜːmæn] *zn* meerman

merriment ['merɪmənt] *zn* vreugde, vrolijkheid

merry ['merɪ] **I** *zn* zoete (wilde) kers ★ ~ *Andrew* ≈ clown **II** *bnw* vrolijk, prettig, heerlijk, aangenaam, aangeschoten ★ *make* ~ pret maken ★ *the more the merrier* hoe meer hoe beter ★ *he continued merrily* hij ging vrolijk door ★ ~ *Christmas!* gelukkig kerstfeest! ★ *go on your* ~ *way* gewoon je weg vervolgen, doorgaan met waar je mee bezig was

merry-go-round ['merɪɡəʊraʊnd] *zn* draaimolen

merrymaking ['merɪmeɪkɪŋ] *zn* pret, feestelijkheid

mesh [meʃ] **I** *zn* maas, net(werk) ★ *wire mesh* gaas **II** *onov ww* in elkaar grijpen, samenwerken

mesmeric [mez'merɪk] *bnw* hypnotisch

mesmerize, mesmerise ['mezməraɪz] *ov ww* hypnotiseren, biologeren

mess [mes] **I** *zn* ❶ knoeiboel, (vuile) rommel, zootje ★ *make a mess* rommel maken ★ *make a mess of sth* iets door de war gooien, ergens een zootje van maken ★ *in a mess* rommelig, door / in de war ★ *be in a mess* in de problemen zitten ★ *be in a pretty mess* lelijk in de knoei zitten ★ *he is a complete mess* hij is helemaal in de war, hij is een wrak ❷ mil kantine, mil gemeenschappelijke tafel ❸ uitwerpselen **II** *ov ww* bevuilen ~ **up** in de war sturen, verknoeien, verknallen, vuil maken, in elkaar slaan ★ *you messed it up* je hebt fouten gemaakt, je hebt er een zootje van gemaakt ★ *it messed up my life* het heeft mijn leven verkald ★ *be messed up in sth* er iets mee te maken hebben **III** *onov ww* ❶ knoeien, in de war maken ❷ vervelend zijn, het niet menen, een grapje maken ★ *no messing!* echt waar! ★ *I'm only messing* ik maak maar een grapje ~ **about (with)** (rond)scharrelen (met), (aan)rommelen (met / aan) ★ *she doesn't mess about* zij weet van aanpakken ★ *he likes messing about with cars* hij rommelt graag aan auto's ~ **around (with)** (aan)rommelen (met) ★ *she was messing around with him* ze rommelde wat met hem ~ **up**

verknallen, ergens een zootje van maken ★ *she messed up* ze heeft veel fouten gemaakt, ze heeft er een zootje van gemaakt ~ **with** zich bemoeien met, (iemand) last veroorzaken ★ *stop messing with my head* speel geen spelletjes met me ★ *don't mess with him* laat hem maar met rust, hij is gevaarlijk

message ['mesɪdʒ] **I** *zn* bericht, boodschap ★ *get the* ~ het begrijpen, het doorhebben ★ *leave a* ~ een boodschap achterlaten ⟨bv. op voicemail⟩ ★ *get a* ~ *across* een boodschap overbrengen **II** *ov ww* overbrengen, versturen

messenger ['mesɪndʒə] *zn* ❶ bode, boodschapper ★ *don't shoot the* ~ geef de boodschapper niet de schuld van de boodschap ❷ voorbode

Messiah [mɪ'saɪə] *zn* Messias, verlosser

Messrs, USA Messrs. *afk, messieurs* de Heren, de firma

mess-up *zn* warboel

messy ['mesɪ] *bnw* ❶ rommelig, vies, in de war ❷ onaangenaam ★ *a ~ business* een onaangenaam zaakje

met [met] *ww* [verleden tijd + volt. deelw.] → **meet**

meta- ['metə-] *voorv* meta-

metabolic [metə'bɒlɪk] *bnw* stofwisselings- ★ ~ *rate* tempo van de stofwisseling

metabolism [mɪ'tæbəlɪzəm] *zn* metabolisme, stofwisseling

metal ['metl] **I** *zn* ❶ metaal ★ ~ *detector* metaaldetector ★ ~ *fatigue* metaalmoeheid ❷ heavy metal ⟨muzieksoort⟩ **II** *bnw* metalen, van metaal

metalled *bnw* verhard ★ *a ~ road* een verharde weg

metallic [mɪ'tælɪk] *bnw* metaal-, metalen, metaalachtig

metalwork ['metlwɜːk] *zn* metaalwerk, metaalbewerking

metamorphosis [metə'mɔːfəsɪs] *zn* metamorfose, gedaanteverwisseling

metaphor ['metəfɔː] *zn* taalk metafoor, beeldspraak

metaphorical [metə'fɒrɪkl] *bnw* taalk metaforisch, figuurlijk

metaphysical [metə'fɪzɪkl] *bnw* metafysisch, bovennatuurlijk

metaphysics [metə'fɪzɪks] *zn mv* metafysica

metatarsus [metə'tɑːsəs] *anat zn* middenvoetsbeentje

mete [miːt] *ov ww* ~ **out** toedienen, uitdelen ⟨van straf⟩

meteor ['miːtɪə] *zn* meteoor ★ ~ *shower* sterrenregen

meteorite ['miːtɪəraɪt] *zn* meteoriet, meteoorsteen

meteorologist [miːtɪə'rɒlədʒɪst] *zn* meteoroloog, weerkundige

meteorology [miːtɪə'rɒlədʒɪ] *zn* meteorologie, weerkunde

meter ['miːtə] **I** *zn* ❶ meetinstrument ★ *parking* ~ parkeermeter ❷ USA meter **II** *ov ww* meten

meterage ['miːtərɪdʒ] *zn* metrage, aantal meters

metered ['miːtəd] *bnw* afgemeten, van een meter voorzien ★ ~ *parking* betaald parkeren ★ ~ *dose* vaste dosis ⟨medicijnen⟩

meter maid *zn* vrouwelijke parkeerwacht

methadone ['meθədəʊn] *zn* methadon

methane ['mi:θeɪn] *zn* methaan(gas)

method ['meθəd] *zn* methode, manier ★ *there is ~ in his madness* hij is niet zo gek als hij lijkt

methodical [me'θɒdɪkl] *bnw* methodisch, ordelijk

Methodist ['meθədɪst] I *zn* rel methodist II *bnw* rel methodistisch

methodology [meθə'dɒlədʒɪ] *zn* methodeleer, methodologie

meths [meθs], **methylated spirits** *zn mv* brandspiritus, gedenatureerde alcohol

meticulous [mə'tɪkjʊləs] *bnw* ❶ nauwgezet, nauwkeurig ❷ pietluttig

metre ['mi:tə] *zn* ❶ meter ❷ metrum

metric ['metrɪk] *bnw* metriek ★ *a ~ tonne* 1000 kilo ★ *the ~ system* het metrieke stelsel

metrical ['metrɪkl] *bnw* metrisch

metrics ['metrɪks] *zn mv* metriek

metro ['metrə] *bnw* ondergrondse

metronome ['metrənəʊm] *zn* metronoom

metropolis [mə'trɒpəlɪs] *zn* wereldstad, hoofdstad

metropolitan [metrə'pɒlɪtn] *bnw* tot hoofd- / wereldstad behorend ★ *~ area* stadsgebied ★ *the Metropolitan Police* de Londense politie

mettle ['metl] *zn* moed, pit, kracht, karakter ★ *show / prove your ~* je karakter tonen

mettlesome ['metlsəm] *bnw* pittig, dapper

Meuse ['mɜːz] *zn* Maas

mew [mju:] *onov ww* miauwen, piepen

mews [mju:z] *zn mv* ❶ stallen, garages ★ *the Royal Mews* de koninklijke stallen ❷ woning(en) in voormalige stallen

Mexican ['meksɪkən] I *zn* Mexicaan(se) II *bnw* Mexicaans

mezzanine ['metsəni:n] *zn* ❶ tussenverdieping ❷ (eerste) balkon ⟨toneel⟩

mg *afk, milligram* milligram

MI *afk, Michigan* staat in de VS

miaow [mɪ'aʊ] I *zn* miauw II *onov ww* miauwen

mica ['maɪkə] *zn* mica

mice [maɪs] *zn mv* → **mouse**[1]

Michaelmas term eerste trimester ⟨op universiteit, school⟩

mickey ['mɪkɪ] *zn* ★ *take the ~ (out of sb)* (iemand) voor de gek houden

micro- ['maɪkrəʊ] *voorv* micro-, zeer klein

microbe ['maɪkrəʊb] *zn* microbe, micro-organisme

microbiology [maɪkrəʊbaɪ'ɒlədʒɪ] *zn* microbiologie

microchip ['maɪkrəʊtʃɪp] *zn* microchip

microcosm ['maɪkrəkɒzəm] *zn* microkosmos

microeconomics [maɪkrəʊ iːkə'nɒmɪks] *zn mv* micro-economie

microelectronics [maɪkrəʊelek'trɒnɪks] *zn* micro-elektronica

micron ['maɪkrɒn] *zn* micron ⟨miljoenste meter⟩

micro-organism [maɪkrəʊ'ɔːgənɪzəm] *zn* micro-organisme

microphone ['maɪkrəfəʊn] *zn* microfoon

microscope ['maɪkrəskəʊp] *zn* microscoop

microscopic [maɪkrə'skɒpɪk] *bnw* microscopisch, zeer klein

microwave ['maɪkrəʊweɪv], **microwave oven** *zn* magnetron

mid- [mɪd] *voorv* midden- ★ *he's in his mid-twenties* hij is halverwege de twintig

mid-air *zn* ★ *in ~* in de lucht, tijdens het vliegen

midday [mɪd'deɪ] *zn* 12 uur 's middags

middle ['mɪdl] I *zn* midden, middel ★ *in the ~ of* midden op, midden in, in het midden van, middenin, halverwege ★ *be in the ~ of sth* bezig zijn met iets ★ *down the ~* doormidden ★ *be stuck in the ~* tussen twee vuren zitten ★ *~ of the road* doorsnee II *bnw* midden(-), middel-, middelste ★ *~ age* middelbare leeftijd ★ *~ finger* middenvinger ★ *~ name* tweede voornaam ★ *~ school* GB school voor kinderen tussen de 8 en 12 jaar, USA school voor kinderen tussen de 11 en 14 jaar ★ *~ course / way* middenweg ★ *the Middle Ages* de middeleeuwen ★ *the Middle East* het Midden-Oosten

middle-aged [mɪdl'eɪdʒd] *bnw* v. middelbare leeftijd

middle class *zn* middenklasse, burgerij ★ *the upper ~es* de gegoede burgerij

middle-class *bnw* middenklasse-, burgerlijk

middleman ['mɪdlmæn] *zn* tussenpersoon, tussenhandel ★ *cut out the ~* rechtstreeks met iem. in zee gaan ⟨zonder tussenkomst van een derde⟩

middle-sized *bnw* middelgroot

middleweight ['mɪdlweɪt] I *zn* sport middengewicht II *bnw* ★ *~ champion* kampioen in het middengewicht

middling ['mɪdlɪŋ] *bnw* middelmatig ★ *fair to ~* iets beter dan gemiddeld

midfield ['mɪdfiːld] *zn* ❶ middenveld ❷ middenvelder

midge [mɪdʒ] *zn* mug

midget ['mɪdʒɪt] I *zn* dwerg II *bnw* mini-, miniatuur-

Midlands ['mɪdləndz] *zn* (graafschappen in) het midden van Engeland

midlife crisis [mɪd'laɪf 'kraɪsɪs] *zn* midlifecrisis, identiteitscrisis op middelbare leeftijd

midnight ['mɪdnaɪt] I *zn* middernacht II *bnw* middernachtelijk ★ *~ sun* middernachtzon

midpoint ['mɪdpɔɪnt] *zn* middelpunt ★ *by the ~* halverwege

mid-range *bnw* doorsnee, middelmatig

midriff ['mɪdrɪf] *zn* middenrif

midst [mɪdst] *zn* form midden ★ *there was an enemy in their ~* er was een vijand onder hen ★ *in the ~ of* te midden van, tijdens

midsummer [mɪd'sʌmə] I *zn* midzomer, zonnewende II *bnw* midzomers

midterm [mɪd'tɜːm] I *zn* midden v.e. academisch trimester / politieke ambtstermijn II *bnw* halverwege een academisch trimester / politieke ambtstermijn ★ *~ break* vrije periode halverwege een academisch trimester

midway ['mɪdweɪ] I *zn* USA amusementsafdeling, kermis II *bijw* halverwege, in het midden

midweek [mɪd'wiːk] *zn* het midden v.d. week

Midwest [mɪd'west] *zn* het Midwesten ⟨van de

mi

VS)

midwife ['mɪdwaɪf] zn vroedvrouw, verloskundige

midwifery [mɪd'wɪfəri] zn verloskunde

midwinter [mɪd'wɪntə] zn midwinter, zonnewende

mien [miːn] zn form houding, manier v. doen, gelaatsuitdrukking

miffed [mɪfd] ov ww beledigd, geërgerd

might[1] [maɪt] zn kracht, macht ★ with all his ~ uit alle macht

might[2] hww kunnen (mogelijkheid), ≈ misschien ★ it ~ be true het zou waar kunnen zijn ★ you ~ have to wait u moet misschien wachten ★ you ~ have been killed je had wel dood kunnen zijn ★ I ~ have known ik had het kunnen weten ★ try as he ~ hoe hard hij het ook probeerde → **may**

mightily ['maɪtɪli] bijw erg, zeer

mighty ['maɪti] I bnw machtig, geweldig ★ a ~ empire een machtig rijk ★ act high and ~ uit de hoogte doen II bijw inform zeer ★ ~ easy een peulenschil

migraine ['miːgreɪn] zn migraine

migrant ['maɪgrənt] I zn ❶ migrant, zwerver ❷ trekvogel II bnw migrerend, zwervend, trek-

migrate [maɪ'greɪt] onov ww ❶ migreren, verhuizen ❷ trekken (v. vogels)

migration [maɪ'greɪʃən] zn ❶ verhuizing, migratie ❷ trek (v. vogels)

migratory ['maɪgrətəri] bnw migrerend, trekkend, zwervend, trek-

mike [maɪk] zn microfoon

milady [mɪ'leɪdi] zn mevrouw, edele vrouw (als aanspreekvorm)

milage zn → **mileage**

mild [maɪld] bnw mild, zacht, gematigd, licht ★ to put it mildly om het zachtjes uit te drukken ★ a mild attempt een zwakke poging

mildew ['mɪldjuː] zn meeldauw, schimmel

mildewy ['mɪldjuːɪ] bnw beschimmeld

mile [maɪl] zn mijl (1609 m) ★ nautical mile zeemijl (1853 m) ★ this car does... miles to the gallon deze auto rijdt... mijl op 1 gallon brandstof (in GB 4,55 liter, in de VS 3,79 liter), ≈ deze auto rijdt 1 op... ★ miles away mijlen ver weg ★ go the extra mile je extra inspannen ★ a mile a minute erg snel ★ spot sth a mile off iets van verre zien aankomen ★ stand / stick out a mile erg opvallen

mileage ['maɪlɪdʒ] zn ❶ afgelegde afstand in mijlen ❷ voordeel, profijt ❸ (brandstof)kosten per mijl

mileometer [mai'lɒmiːtə], **milometer** zn mijlenteller, ≈ kilometerteller

milepost ['maɪlpəʊst] zn mijlpaal

milestone zn mijlpaal

militancy ['mɪlɪtnsi] zn strijd(lust)

militant ['mɪlɪtnt] I zn militant persoon II bnw strijdend, strijdlustig, strijdbaar

militarism ['mɪlɪtərɪzəm] zn militarisme

militarize, militarise ['mɪlɪtəraɪz] ov ww militariseren

military ['mɪlɪtəri] I zn soldaten, leger II bnw militair ★ a ~ man een militair ★ ~ service dienst(plicht)

militate ['mɪlɪteɪt] onov ww ~ against pleiten

tegen, strijden tegen

militia [mɪ'lɪʃə] zn militie, burgerwacht, landweer

milk [mɪlk] I zn melk ★ condensed milk gecondenseerde melk ★ dry milk melkpoeder ★ it's no use crying over spilt milk gedane zaken nemen geen keer ★ the milk of human kindness de menselijke goedheid ★ milk run routineklus, regelmatig terugkerende reis / missie II ov ww melken, uitmelken ★ to milk sth for all it is worth het onderste uit de kan halen

milk float zn elektrisch melkwagentje (v. leverancier)

milkmaid ['mɪlkmeɪd] zn melkmeisje

milkman ['mɪlkmən] zn melkboer

milk tooth zn melktand

milky ['mɪlki] bnw melkachtig, troebel ★ the Milky Way de Melkweg

mill [mɪl] I zn molen, (maal)machine, fabriek ★ put sth through the mill iem. doorzagen, iem. een lastige tijd bezorgen ★ they have been through the mill ze kennen het klappen van de zweep, ze hebben een zware tijd gehad II ov ww ❶ malen ❷ polijsten ❸ frezen III onov ww ~ about/around krioelen, (ordeloos) rondlopen

millepede ['mɪləpiːd] zn → **millipede**

miller ['mɪlə] zn molenaar

millet ['mɪlɪt] zn gierst

mill hand zn molenaarsknecht, fabrieksarbeider

milli- ['mɪli] voorv milli-, een duizendste

milliard ['mɪljəd] zn ❶ miljard ❷ USA tien miljoen

milligram, GB milligramme ['mɪlɪgræm] zn milligram

millilitre, USA milliliter ['mɪlɪliːtə] zn milliliter

millimetre, USA millimeter ['mɪlɪmiːtə] zn millimeter

milliner ['mɪlɪnə] zn hoedenmaker

million ['mɪljən] zn miljoen ★ look like a ~ dollars er zeer goed uitzien ★ not in a ~ years van mijn leven niet

millionaire [mɪljə'neə] zn miljonair

millipede ['mɪlɪpiːd] zn duizendpoot, pissebed

millstone ['mɪlstəʊn] zn molensteen ★ a ~ around one's neck een groot probleem, een zware last

milord [mɪ'lɔːd] tw edele heer, meneer (als aanspreekvorm)

mime [maɪm] I zn ❶ mime(spel), gebarenspel ❷ mimespeler II ov ww mimisch uitbeelden, door gebaren voorstellen, zonder geluid zingen of praten

mimetic [mɪ'metɪk] bnw nabootsend, nagebootst

mimic ['mɪmɪk] I zn imitator, na-aper II bnw nagebootst, schijn- III ov ww imiteren, nabootsen, na-apen

mimicry ['mɪmɪkri] zn ❶ nabootsing, imitatie ❷ biol mimicry, nabootsing, camouflage

minaret ['mɪnə'ret] zn minaret

mince [mɪns] I zn GB gehakt (vlees) II ov ww fijnhakken ★ ~ (your) words op je woorden letten III onov ww met kleine pasjes lopen

mincemeat ['mɪnsmiːt] zn zoetige pasteivulling ★ make ~ of sb iem. in de pan hakken, niets heel laten van iem.

mince pie ['mɪnspaɪ] zn zoetig pasteitje (gevuld met 'mincemeat')

mincer ['mɪnsə] *zn* ❶ vleesmolen ❷ geaffecteerd iemand

mind [maɪnd] **I** *zn* ❶ verstand, gedachten ★ *at / in the back of your mind* in je achterhoofd ★ *keep sth in mind* iets in het achterhoofd houden ★ *there is no doubt in my mind* ik twijfel er niet aan ★ *in my mind's eye* naar mijn idee ★ *to my mind* volgens mij ★ *read sb's mind* iemands gedachten lezen ★ *have sth in mind* iets in gedachten hebben, iets van plan zijn ★ *bear sth in mind* om iets te denken, iets in het achterhoofd houden ★ *keep your mind on sth* ergens je gedachten bij houden ★ *what's on your mind?* waar denk je aan? ★ *put your mind to sth* je toeleggen op / inzetten voor iets ★ *of sound mind* bij (zijn) volle verstand ★ *great minds think alike* slimme mensen hebben dezelfde mening ★ *it didn't cross my mind* ik heb er niet aan gedacht, ik heb er niet bij stilgestaan ★ *it slipped my mind* ik ben het helemaal vergeten ★ *lose your mind* je verstand verliezen ★ *it's all in your mind* je beeldt het je in, het zit tussen je oren ★ *you're out of your mind* je bent niet goed bij je verstand ★ *you're not in your right mind* je bent niet bij je volle verstand ★ *mind over matter* de zege van de geest over de materie ★ *a mind game* een denkspelletje, een manier om iem. in de war te maken ❷ gemoed, gevoelen(s), herinnering, aandacht ★ *state of mind* gemoedstoestand ★ *ease sb's mind / set sb's mind at ease* iem. geruststellen ★ *bring to mind* doen denken aan ★ *come to mind* in zich opkomen, herinneren ★ *call to mind* zich herinneren, herinneren aan ★ *take your mind of sth* je (laten) afleiden ★ *put sb in mind of sth* iem. aan iets herinneren ★ *I have a lot on my mind* ik maak me veel zorgen ★ *that's a load off my mind* dat is een pak van mijn hart ★ *get sth out of your mind* iets uit je gedachten bannen ★ *don't pay him any mind* let maar niet op hem ★ *keep an open mind* je geen mening vormen ★ *speak your mind* eens goed zeggen waar het op staat ★ *cast your mind back* terugdenken aan, herinneren ❸ zin, neiging, wil ★ *have a good mind to* er veel voor voelen om ★ *have no mind to* geen zin hebben om ★ *have a dirty mind* bij bijna alles aan seks denken ★ *set your mind on sth* je zinnen op iets zetten ★ *have a mind of one's own* een eigen wil hebben ★ *he knows his own mind* hij weet wat hij wil ★ *that is the last thing on my mind* dat is wel het laatste wat ik wil ❹ mening, opinie ★ *make up your mind* een beslissing nemen, tot een besluit komen ★ *change your mind* je bedenken, van gedachten veranderen ★ *give sb a piece of your mind* iem. eens goed de waarheid zeggen ★ *be in two minds about sth* nog twijfelen, (nog) niet kunnen beslissen ★ *be of one / like / the same mind* het met elkaar eens zijn ★ *blow your mind* je in extase brengen, je onthutsen / verbijsteren **II** *ov ww* ❶ bezwaar hebben (tegen), er iets op tegen hebben ★ *I wouldn't mind a cup of tea* ik zou wel een kopje thee lusten ★ *would you mind?* zou je het erg vinden? ★ *do you mind?!* pardon?! ★ *if you don't mind* als je het goed vindt ★ *never mind* maak je er maar geen zorgen over, stoor je er maar niet

aan, laat maar ★ *he can't walk, never mind run* hij kan niet lopen, laat staan rennen ❷ bedenken, denken om, geven om ★ *mind your own business!* bemoei je met je eigen zaken! ★ *mind your p's and q's* je netjes gedragen ❸ zorgen voor, passen op ★ *mind the shop* op de winkel letten **III** *onov ww* ❶ bezwaren hebben ★ *I don't mind if I do!* graag! ★ *mind!* pas op!, aan de kant! ★ *mind you* trouwens, overigens ★ *never mind* laat maar, dat doet er niet toe ★ *never you mind!* dat gaat je niets aan! ❷ ~ **out (for)** oppassen (voor)

mind-bending ['maɪndbendɪŋ] *bnw* hallucinogeen, absoluut onbegrijpelijk

mind-blowing *bnw* hallucinogeen, hoogst verwonderlijk, krankzinnig

mind-boggling ['maɪndbɒglɪŋ] *bnw* hoogst verwonderlijk, krankzinnig

minded ['maɪndɪd] *bnw* ❶ geneigd, van zins ❷ aangelegd, -bewust, -gezind, georiënteerd ★ *be technically ~* technisch aangelegd zijn

minder ['maɪndə] *zn* verzorger, oppas

mind-expanding *bnw* bewustzijnsverruimend

mindful ['maɪndfʊl] *bnw* opmerkzaam, bedachtzaam, voorzichtig ★ *be ~ of* goed in gedachten houden

mindfulness *zn* opmerkzaamheid, aandachtgerichtheid

mindless ['maɪndləs] *bnw* ❶ doelloos, stompzinnig ❷ onbedachtzaam, gedachteloos ★ *~ of* niet lettend op

mine [maɪn] **I** *zn* ❶ mijn 〈bv. goud, steenkool〉, groeve, bron 〈figuurlijk〉 ★ *a mine of information* een schat aan informatie ❷ (land / zee)mijn 〈explosief〉 **II** *ov ww* winnen, ontginnen **III** *onov ww* ❶ graven 〈v. onderaardse gang〉 ❷ (land / zee)mijnen leggen **IV** *bez vnw* ❶ de / het mijne, van mij ❷ de mijnen ★ *me and mine* ik en mijn familie

minefield ['maɪnfiːld] *zn* mijnenveld 〈ook figuurlijk〉

miner ['maɪnə] *zn* mijnwerker

mineral ['mɪnərəl] **I** *zn* mineraal, delfstof **II** *bnw* mineraal

mineralogy [mɪnə'rælədʒɪ] *zn* mineralogie

mineral water *zn* mineraalwater, bronwater

minesweeper ['maɪnswiːpə] *zn* mijnenveger

mingle ['mɪŋgl] *ov+onov ww* mengen, zich vermengen, zich begeven onder ★ *let's ~* laten we ons onder de gasten begeven

mingy ['mɪndʒɪ] *bnw* gierig, krenterig

mini ['mɪnɪ] **I** *zn* ❶ minirok ❷ *Mini* mini 〈auto〉 **II** *bnw* miniatuur-, klein

miniature ['mɪnɪtʃə] **I** *zn* ❶ klein exemplaar van iets ★ *in ~* op kleine schaal ❷ miniatuurportret **II** *bnw* klein, op kleine schaal ★ *~ railway* modelspoorbaan ★ *~ golf* midgetgolf

minibus ['mɪnɪbʌs] *zn* minibus

minicab ['mɪnɪkæb] *zn* alleen telefonisch te bestellen taxi

minimal ['mɪnɪml] *bnw* minimaal

minimize, minimise ['mɪnɪmaɪz] *ov ww* minimaliseren, kleiner maken

minimum ['mɪnɪməm] **I** *zn* minimum ★ *the absolute / bare ~* het allernoodzakelijkste ★ *keep sth to a ~* tot een minimum beperken, zo klein

mi

mogelijk houden **II** *bnw* minimaal, minimum-
★ ~ *wage* minimumloon
mining ['maɪnɪŋ] *zn* mijnbouw
minion ['mɪnjən] *zn humor* slaafse dienaar,
iemand met een onbelangrijke positie
miniskirt ['mɪnɪskɜːt] *zn* minirok
minister ['mɪnɪstə] **I** *zn* ❶ minister ★ *Prime
Minister* minister-president ★ *Minister of State*
onderminister, staatssecretaris ❷ gezant
⟨beneden rang v. ambassadeur⟩ ❸ predikant
II *ov ww* toedienen, verschaffen **III** *onov ww*
~ *to* hulp verlenen, bedienen, bijdragen tot
ministerial [mɪnɪˈstɪərɪəl] *bnw* ministerieel
ministrations [mɪnɪˈstreɪʃənz] *zn mv* geestelijke
bijstand, hulp, bijstand
ministry ['mɪnɪstrɪ] *zn* ❶ ministerie ★ *Foreign
Ministry* ministerie van buitenlandse zaken
❷ ministerschap ❸ predikantschap ★ *the* ~ de
geestelijkheid
mink [mɪŋk] *zn* nerts(bont)
minnow ['mɪnəʊ] *zn* ❶ witvis ❷ onbelangrijk iets
of iemand
minor ['maɪnə] **I** *zn* ❶ minderjarige ❷ USA bijvak,
keuzevak ★ *take Spanish as one's* ~ Spaans als
bijvak nemen **II** *bnw* ❶ klein, onbelangrijk
❷ muz mineur ★ *in a* ~ *key* in mineurstemming
III *onov ww* ~ *in* als bijvak nemen
minority [maɪˈnɒrətɪ] **I** *zn* ❶ minderheid ★ *ethnic
minorities* etnische minderheden ★ *a* ~ *of one* de
enige met een afwijkende mening
❷ minderjarigheid **II** *bnw* minderheids- ★ *from
a* ~ *background* afkomstig uit een
minderheidsgroepering ★ ~ *interest*
minderheidsbelang
minster ['mɪnstə] *zn* kloosterkerk, kathedraal
minstrel ['mɪnstrəl] *zn* minstreel
mint [mɪnt] **I** *zn* ❶ munt ⟨plaats waar geld
gemunt wordt⟩ ★ *he made a mint* hij heeft een
bom geld verdiend ★ *in mint condition* puntgaaf
❷ munt ⟨plant⟩, pepermunt **II** *ov ww*
❶ munten ❷ uitvinden, fabriceren ★ *newly
minted* kakelvers, vers van de pers ⟨figuurlijk⟩
mint drop *zn* pepermuntje
mint sauce *zn* muntsaus
minuet [mɪnjuˈet] *zn* menuet ⟨dans⟩
minus ['maɪnəs] **I** *bnw* ❶ min, minus ★ *25 – 4
equals 21* 25 min 4 is 21 ★ *it's* ~ *ten outside* het is
buiten min tien ★ *an A* ~ ≈ een 9 ⟨rapportcijfer⟩
❷ negatief ★ *a* ~ *quantity* een negatief aantal
★ *a* ~ *point* een minpunt ❸ iron zonder ★ *we
arrived* ~ *our luggage* we kwamen aan zonder
bagage **II** *zn* ❶ minteken ❷ minpunt ★ *pluses
and* ~*es* voor- en nadelen
minus sign *zn* minteken
minute¹ ['mɪnɪt] **I** *zn* ❶ minuut, ogenblik ★ *any* ~
op elk ogenblik ★ *it changes by the* ~ het
verandert zeer snel ★ *three a* ~ drie per minuut
★ *I enjoyed every* ~ ik heb ontzettend genoten
★ *the* ~ *(that) I arrived* zodra ik aankwam
★ *punctual to the* ~ op de minuut af ★ *hold on a*
~ *wacht even* ★ *just a* ~ een ogenblikje ★ *at the
last* ~ op het laatste moment ★ *not for one* ~!
absoluut niet!, geen sprake van! ❷ minutes
[mv], notulen ★ *take the* ~*s* notuleren **II** *ov ww*
notuleren, noteren
minute² [maɪˈnjuːt] *bnw* ❶ zeer klein, nietig

❷ zeer nauwkeurig, minutieus
minute hand *zn* grote wijzer ⟨v. klok, die
minuten aangeeft⟩
minutely [maɪˈnjuːtlɪ] *bijw* zeer klein, minutieus
minutiae [maɪˈnjuːʃiː] *zn mv* details, kleinigheden
minx [mɪŋks] *zn* brutale meid, mannenverleidster
miracle ['mɪrəkl] *zn* wonder ★ *perform / work* ~*s*
wonderen doen
miraculous [mɪˈrækjʊləs] *bnw* miraculeus,
wonderbaarlijk
mirage ['mɪrɑːʒ, mɪˈrɑːʒ] *zn* luchtspiegeling,
waan
mire ['maɪə] **I** *zn* modder, slijk, moeilijkheden
★ *drag sb's name through the mire* iemands
naam door het slijk halen **II** *onov ww* vastzitten,
in een slechte situatie zitten
mirror ['mɪrə] **I** *zn* ❶ spiegel ★ *dead angle* ~
dodehoekspiegel ★ *distorting* ~ lachspiegel
❷ afspiegeling **II** *ov ww* spiegelen, weerkaatsen
mirror image *zn* spiegelbeeld
mirth [mɜːθ] *zn* vrolijkheid
mirthless ['mɜːθləs] *bnw* vreugdeloos, triest,
somber
mis- [mɪs] *voorv* mis-, slecht, verkeerd
misadventure [mɪsədˈventʃə] *zn* tegenspoed,
ongeluk
misalliance [mɪsəˈlaɪəns] *zn* ongelukkige
verbintenis
misanthrope ['mɪsənθrəʊp] *zn* misantroop
⟨mensenhater⟩
misanthropic [mɪsənˈθrɒpɪk] *bnw* misantropisch
misanthropy [mɪˈsænθrəpɪ] *zn* misantropie
misapplication [mɪsæplɪˈkeɪʃən] *zn* verkeerde /
onjuiste toepassing
misapply [mɪsəˈplaɪ] *ov ww* ❶ verkeerd
gebruiken ❷ malversatie plegen
misapprehension [mɪsæprɪˈhenʃən] *zn*
misverstand, het verkeerde idee ★ *to be under
the* ~ *that* het verkeerde idee hebben dat
misappropriate [mɪsəˈprəʊprɪeɪt] *ov ww* stelen,
verduisteren, zich wederrechtelijk toe-eigenen
misbegotten [mɪsbɪˈgɒtn] *bnw* slecht, niet goed
uitgewerkt, rot-
misbehave [mɪsbɪˈheɪv] *ov+onov ww* zich
misdragen
misbehaviour [mɪsbɪˈheɪvjə] *zn* wangedrag
misc. *afk, miscellaneous* gemengd, allerlei
miscalculate [mɪsˈkælkjʊleɪt] **I** *ov ww* verkeerd
berekenen **II** *onov ww* zich misrekenen
miscalculation [mɪskælkjʊˈleɪʃən] *zn*
misrekening, rekenfout
miscarriage ['mɪskærɪdʒ] *zn* ❶ miskraam
❷ mislukking ★ ~ *of justice* gerechtelijke
dwaling
miscarry [mɪsˈkærɪ] *onov ww* ❶ een miskraam
krijgen ❷ mislukken, niet slagen
miscegenation [mɪsɪdʒɪˈneɪʃən] *zn*
rassenvermenging
miscellanea [mɪsəˈleɪnɪə] *zn mv* ❶ diversen,
allerlei ❷ gemengde collectie, gemengde
berichten ⟨in krant⟩
miscellaneous [mɪsəˈleɪnɪəs] *bnw* gemengd,
allerlei
miscellany [mɪˈselənɪ] *zn* gemengde collectie,
verhandelingen op allerlei gebied
mischance [mɪsˈtʃɑːns] *zn* ongeluk ★ *by* ~

ongelukkigerwijs

mischief ['mɪstʃɪf] *zn* streken, ondeugendheid, onrust ★ *get / be up to ~* kattenkwaad uithalen, geen goeds in de zin hebben ★ *get into ~* op het verkeerde pad belanden ★ *make ~* onrust stoken ★ *do sth out of ~* iets uit moedwil doen ★ *humor do sb a ~* iem. iets aandoen

mischievous ['mɪstʃɪvəs] *bnw* ❶ ondeugend ❷ boosaardig

misconceive [mɪskən'si:v] *ov+onov ww* verkeerd begrijpen ★ *be ~d* ondeugdelijk zijn, niet deugen 〈van plan, wet, enz.〉

misconception [mɪskən'sepʃən] *zn* verkeerd begrip, onjuiste opvatting

misconduct [mɪs'kɒndʌkt] *zn* wanbeheer, wangedrag, ambtsovertreding

misconstrue [mɪskən'stru:] *ov ww* verkeerd interpreteren, verkeerd begrijpen

miscount[1] ['mɪskaʊnt] *zn* verkeerde telling

miscount[2] [mɪs'kaʊnt] **I** *ov ww* verkeerd tellen **II** *onov ww* zich vertellen

miscreant ['mɪskrɪənt] *zn* onverlaat, crimineel

misdeed [mɪs'di:d] *zn* wandaad, misdaad

misdemeanour [mɪsdɪ'mi:nə] *zn* wangedrag, misdrijf, overtreding

misdirect [mɪsdaɪ'rekt] *ov ww* verkeerd gebruiken, de verkeerde richting op sturen, verkeerde inlichtingen geven

miser ['maɪzə] *zn* gierigaard, vrek

miserable ['mɪzərəbl] *bnw* ellendig, miserabel, armzalig

miserly ['maɪzəlɪ] *bnw + bijw* gierig, vrekkig

misery ['mɪzərɪ] *zn* ❶ ellende ★ *make sb's life a ~* iemands leven verpesten ★ *put sb out of his / her ~* in laten slapen 〈dier〉, *humor* niet langer in spanning laten zitten ❷ ongelukkig, klagerig persoon

misfire[1] ['mɪsfaɪə] *zn* ketsschot, hapering 〈v. motor〉

misfire[2] [mɪs'faɪə] *onov ww* ketsen, niet afgaan 〈v. geweer〉, haperen, overslaan 〈v. motor〉 ★ *the plan ~d* het plan mislukte

misfit ['mɪsfɪt] *zn* buitenbeentje, mislukkeling

misfortune [mɪs'fɔ:tʃən] *zn* ongeluk, tegenslag ★ *have the ~ to* de pech hebben om..., ≈ helaas

misgiving [mɪs'gɪvɪŋ] *zn* twijfel, (angstig) voorgevoel, wantrouwen

misguided [mɪs'gaɪdɪd] *bnw* misplaatst, ondoordacht

mishandle [mɪs'hændl] *ov ww* verkeerd behandelen, verkeerd aanpakken

mishap ['mɪshæp] *zn* inform ongelukje ★ *without ~* zonder problemen

mishear [mɪs'hɪə] *ov ww* verkeerd horen

mishmash ['mɪʃmæʃ] *zn* mengelmoes, allegaartje

misinform [mɪsɪn'fɔ:m] *ov ww* verkeerd inlichten

misinterpret [mɪsɪn'tɜ:prɪt] *ov ww* verkeerd begrijpen, verkeerd uitleggen

misinterpretation [mɪsɪntɜ:prɪ'teɪʃən] *zn* verkeerde interpretatie, verkeerd begrip ★ *be subject to ~* verkeerd begrepen kunnen worden

misjudge [mɪs'dʒʌdʒ] *ov+onov ww* verkeerd (be)oordelen, zich vergissen (in)

mislay [mɪs'leɪ] *ov ww* op verkeerde plaats leggen, zoek maken

mislead [mɪs'li:d] *ov ww* misleiden

misleading [mɪs'li:dɪŋ] *bnw* misleidend, bedrieglijk

mismanage [mɪs'mænɪdʒ] *ov ww* verkeerd besturen, verkeerd beheren, verkeerd aanpakken

mismanagement [mɪs'mænɪdʒmənt] *zn* wanbestuur, wanbeheer

mismatch[1] ['mɪsmætʃ] *zn* slechte combinatie, wanverhouding

mismatch[2] [mɪs'mæts] *ov ww* onjuist combineren, niet bij elkaar passen, vloeken 〈kleuren〉

misnomer [mɪs'nəʊmə] *zn* verkeerde benaming, niet-passende naam ★ *that is a bit of a ~ for* die naam past niet echt bij

misogynist [mɪ'sɒdʒənɪst] *zn* vrouwenhater

misplace [mɪs'pleɪs] *ov ww* kwijtraken

misprint ['mɪsprɪnt] *zn* drukfout

mispronounce [mɪsprə'naʊns] *ov ww* verkeerd uitspreken

mispronunciation [mɪsprənʌnsɪ'eɪʃən] *zn* verkeerde uitspraak

misquote [mɪs'kwəʊt] *ov+onov ww* iemands woorden onjuist weergeven

misread [mɪs'ri:d] *ov ww* verkeerd lezen, verkeerd interpreteren

misrepresent [mɪsreprɪ'zent] *ov ww* een verkeerde voorstelling geven van, verdraaien, onjuist beschrijven

misrepresentation [mɪsreprɪzen'teɪʃən] *zn* onjuiste voorstelling

misrule [mɪs'ru:l] *zn* ❶ wanbestuur ❷ wanorde, anarchie

miss [mɪs] **I** *ov ww* ❶ missen, ontlopen, ontsnappen aan ★ *you can't miss it* je ziet het meteen ★ *miss the boat* de boot missen ★ *not miss a trick* geen kans onbenut laten ★ *he narrowly missed being caught by the police* hij werd bijna door de politie opgepakt ❷ niet begrijpen ★ *miss the point* niet begrijpen wat wordt bedoeld ★ *he doesn't miss much* hij weet precies wat er gaande is ❸ ~ **out** overslaan **II** *onov ww* ❶ haperen, overslaan 〈v. motor〉 ❷ ~ **out (on)** mislopen **III** *zn* ❶ misstoot, mislag, gemiste kans ★ *give sth a miss* iets overslaan, iets niet doen ★ *a near miss* net naast ❷ juffrouw, ongetrouwde dame ★ *little miss* jongedame 〈tegen meisje〉

misshapen [mɪs'ʃeɪpən] *bnw* mismaakt, misvormd

missile ['mɪsaɪl, USA 'mɪsl] *zn* projectiel, raket ★ *guided ~* geleid wapen

missing ['mɪsɪŋ] *bnw* ontbrekend, vermist ★ *~ link* ontbrekende schakel ★ *~ person* vermiste ★ *report sb ~* iem. als vermist opgeven ★ <u>mil</u> *~ in action* vermist (na militair optreden) ★ <u>mil</u> *~, presumed dead* vermist, vermoedelijk overleden

mission ['mɪʃən] *zn* ❶ missie ★ *peacekeeping ~* vredesmissie ★ <u>USA</u> *foreign ~* ambassade ★ *mercy ~* hulpactie ★ ~ *accomplished* met goed resultaat afgerond ❷ roeping ★ *have a ~ in life* een roeping hebben ★ ~ *statement* doelstelling

missionary ['mɪʃənərɪ] *zn* missionaris, zendeling ★ *~ position* missionarisstandje ★ *with ~ zeal* met veel toewijding

mission control *zn* controlecentrum 〈in de

ruimtevaart〉
missive ['mɪsɪv] zn form brief, formeel bericht
misspell [mɪs'spel] ov ww verkeerd spellen
misspend [mɪs'spend] ov ww verkwisten
missus, missis ['mɪsɪz] humor zn ❶ moeder de vrouw ★ how's the ~? hoe is het met je vrouw? ❷ inform mevrouw 〈als men niet weet hoe iemand heet〉★ is this your bag, ~? is dit uw tas, mevrouw?
mist [mɪst] I zn mist, nevel, waas ★ the mists of time de nevelen van de geschiedenis II ov ww benevelen, nat worden ★ her eyes misted over haar ogen werden nat III onov ww ~ over/up benevelen, beslaan
mistake [mɪ'steɪk] I zn fout, vergissing, dwaling ★ by ~ per ongeluk ★ my ~ mijn fout, ik heb me vergist ★ make no ~ about it! ga daar maar vanuit!, zeker weten! ★ and no ~ absoluut ★ we all make ~s vergissen is menselijk ★ there must be a ~ dat klopt niet II ov ww 〈onregelmatig〉 verkeerd begrijpen ★ there's no mistaking this fact dit staat nu eenmaal vast ★ ~ sb for sb ander iem. aanzien voor een ander ★ I must be be ~n ik vergis me ★ you're sadly ~n je ziet het echt fout ★ if I'm not ~n als het goed heb
mistaken [mɪ'steɪkən] I bnw verkeerd, onjuist ★ ~ identity persoonsverwisseling II ww [volt. deelw.] → **mistake**
mister ['mɪstə] zn mijnheer, de heer ★ Mr Right de ware Jacob
mistime [mɪs'taɪm] ov ww op het verkeerde ogenblik doen / zeggen
mistletoe ['mɪsəltəʊ] zn maretak
mistook [mɪs'tʊk] ww [verleden tijd] → **mistake**
mistreat [mɪs'triːt] ov ww mishandelen, slecht behandelen
mistress ['mɪstrəs] zn ❶ geliefde, maîtresse ❷ bazin, hoofd, meesteres ★ she is the ~ of her emotions ze is haar emoties de baas ❸ oud mevrouw, vrouw des huizes ❹ oud onderwijzeres
mistrial [mɪs'traɪəl] zn nietig geding, nietig verklaarde rechtszaak 〈wegens procedurefout〉
mistrust [mɪs'trʌst] I zn wantrouwen II ov ww wantrouwen
mistrustful [mɪs'trʌstfʊl] bnw wantrouwend
misty ['mɪstɪ] bnw ❶ mistig, beslagen, wazig, vaag ❷ vol tranen ★ ~-eyed met ogen vol tranen, met een roze bril
misunderstand [mɪsʌndə'stænd] ov ww [onregelmatig] verkeerd begrijpen
misunderstanding [mɪsʌndə'stændɪŋ] zn misverstand
misunderstood [mɪsʌndə'stʊd] ww [verl. tijd + volt. deelw.] → **misunderstand**
misuse¹ [mɪs'juːs] zn misbruik, verkeerd gebruik
misuse² [mɪs'juːz] ov ww misbruiken, verkeerd gebruiken
mite [maɪt] zn ❶ beetje, zier ★ a mite een beetje ★ inform not a mite helemaal niet, geen zier ❷ inform (arm) kind, (arm) dier ❸ mijt
miter USA → **mitre**
mitigate ['mɪtɪgeɪt] ov ww verlichten, verzachten, matigen (v. straf) ★ mitigating circumstances verzachtende omstandigheden
mitigation [mɪtɪ'geɪʃən] zn ★ in ~ als

verzachtende omstandigheid
mitre ['maɪtə], USA **miter** I zn ❶ mijter ❷ verstek 〈timmerwerk〉 II ov ww in verstek maken, afschuinen
mitt [mɪt] zn ❶ want, handschoen 〈als bij honkbal〉 ❷ inform hand ★ get your mitts off me! haal je tengels van me af!
mitten [mɪtn] zn want 〈handschoen〉
mix [mɪks] I ov ww ❶ mengen, vermengen, door elkaar roeren, kruisen 〈v. dieren〉★ mix a drink een drankje klaarmaken ★ mix and match van alles wat ★ mix business with pleasure werk en vrije tijd combineren ★ drinking and driving don't mix alcohol en autorijden gaat niet samen ❷ ~ in doorheen roeren ❸ ~ up verwarren, door elkaar gooien ★ mixed up in de war ★ get mixed up in sth ergens bij betrokken raken II onov ww ❶ zich (ver)mengen ★ they don't mix well ze kunnen niet goed met elkaar overweg ❷ ~ with omgaan met III zn ❶ mengeling, mengsel ❷ muz remix
mixed [mɪkst] bnw gemengd, vermengd ★ ~ salad gemengde salade ★ ~ company gemengd gezelschap ★ a ~ blessing voor- en nadelen inéén ★ a ~ review een gematigd enthousiaste recensie ★ give a ~ message een onduidelijke boodschap afgeven, A zeggen maar B doen → **mix**
mixer ['mɪksə] zn ❶ (keuken)mixer ❷ menger ★ bad ~ iem. die zich moeilijk aanpast
mixer tap zn mengkraan
mixture ['mɪkstʃə] zn mengsel, mengeling
mix-up zn verwarring, misverstand
ml afk, millilitre(s) milliliter
MN afk, Minnesota staat in de VS
mnemonic [nɪ'mɒnɪk] zn geheugensteuntje, ezelsbruggetje
mo [məʊ] zn, inform moment ogenblikje ★ he'll be there in a mo hij is er zo
MO afk ❶ mil Medical Officer officier van gezondheid ❷ Missouri staat in de VS
moan [məʊn] I onov ww kreunen, jammeren, zeuren ★ moaning and groaning zuchten en steunen II zn gekreun ★ have a moan about sth ergens over zeuren
moat [məʊt] zn slotgracht
mob [mɒb] I zn ❶ (wanordelijke) menigte, massa opgewonden mensen ★ mob violence groepsgeweld ★ mob rule heerschappij van het gepeupel 〈situatie waarin een (overheersende) groep de regels bepaalt〉❷ kliek, groep mensen ★ the Mob de maffia ★ min the mob het gepeupel II ov ww drommen, opdringen naar, het lastig maken
mobile ['məʊbaɪl] I zn ❶ mobieltje (telefoon) ❷ mobile 〈beweegbaar model〉 II bnw ❶ beweeglijk, mobiel ★ ~ hands beweeglijke handen ★ ~ home (sta)caravan ★ be ~ kunnen lopen, vervoer hebben ★ be upwardly ~ maatschappelijk stijgen, het goed doen ❷ mobiel (m.b.t. mobiele telefonie)
mobility [məʊ'bɪlətɪ] zn mobiliteit, beweeglijkheid ★ upward ~ het maatschappelijk stijgen, opklimmen
mobilization, mobilisation [məʊbəlaɪ'zeɪʃən] zn mobilisatie, inzet

mi

mobilize, mobilise ['məʊbɪlaɪz] *ov ww* mobiliseren, inzetten, aanspannen

mobster ['mɒbstə] *zn* bendelid, gangster

moccasin ['mɒkəsɪn] *zn* mocassin, instapper

mock [mɒk] **I** *ov ww* uitlachen, de spot drijven met, na-apen **II** *bnw* imitatie-, onecht, nep, proef-★ *mock combat / fight* schijngevecht

mockery ['mɒkərɪ] *zn* bespottelijk iets, schijnvertoning ★ *you're make a ~ of me* je maakt me belachelijk

mockingbird ['mɒkɪŋbɜːd] *zn* spotvogel

mock-up *zn* model op ware grootte, proefmodel

modal ['məʊdl] *bnw* modaal, hulp-★ *~ verb* hulpwerkwoord

mode [məʊd] *zn* ❶ manier, wijze, stijl ★ *mode of communication* communicatiemiddel ★ *apple pie à la mode* appeltaart met vanille-ijs ❷ modus, stand, stemming ★ *the off mode* de uitstand ★ *he's in party mode* hij is in feeststemming

model ['mɒdl] **I** *zn* ❶ model, mannequin ★ *fashion ~* modemodel ★ *nude ~* naaktmodel ❷ model, maquette ★ *a working ~* een werkend model ★ *he's a ~ of good behaviour* hij vertoont modelgedrag ❸ model, type ★ *what ~ car is it?* welk type auto is het? **II** *bnw* model-, voorbeeldig ★ *a ~ wife* een voorbeeldige echtgenote **III** *ov ww* ❶ als model presenteren, modelleren, vormen, boetseren ★ *he ~s underwear* hij is ondergoedmodel ❷ ~ **after/on** vormen naar, modelleren naar ★ *~ o.s. on sb* zich modelleren naar iem. **IV** *onov ww* als model optreden / werken ★ *she wants to work in ~ling* ze wil model worden

modem ['məʊdəm] *zn* comp modem

moderate[1] ['mɒdərət] **I** *zn* pol gematigde **II** *bnw* gematigd, matig

moderate[2] ['mɒdəreɪt] **I** *ov ww* ❶ matigen ❷ bemiddelen **II** *onov ww* bedaren, zich matigen

moderation [mɒdə'reɪʃən] *zn* matiging, matigheid, gematigdheid ★ *in ~* met mate

moderator ['mɒdəreɪtə] *zn* ❶ bemiddelaar, moderator ❷ voorzitter v. universitaire examencommissie

modern ['mɒdn] *bnw* modern

modern-day *bnw* modern, hedendaags, van tegenwoordig

modernisation *zn* GB → **modernization**

modernise *ww* GB → **modernize**

modernism ['mɒdənɪzəm] *zn* kunst modernisme

modernist ['mɒdənɪst] *zn* kunst modernist

modernization [mɒdənaɪ'zeɪʃən] *zn* modernisering

modernize ['mɒdənaɪz] *ov+onov ww* moderniseren

modest ['mɒdɪst] *bnw* ❶ bescheiden ❷ ingetogen, kies

modesty ['mɒdɪstɪ] *zn* ❶ bescheidenheid ❷ zedigheid

modicum ['mɒdɪkəm] *zn* een beetje, een weinig

modification [mɒdɪfɪ'keɪʃən] *zn* wijziging, aanpassing

modify ['mɒdɪfaɪ] *ov ww* ❶ wijzigen, matigen ❷ taalk bepalen

modish ['məʊdɪʃ] *bnw* modieus

modulate ['mɒdjʊleɪt] *ov ww* ❶ regelen, moduleren ❷ ~ **to** in overeenstemming brengen met

modulation [mɒdjʊ'leɪʃən] *zn* modulatie, aanpassing

module ['mɒdjuːl] *zn* module, element, onderdeel ★ *space ~* ruimteraket

moggie, moggy *zn* inform kat, poes

mogul ['məʊɡl] **I** *zn* ❶ invloedrijk iemand, magnaat ❷ ★ *Mogul* Mongool **II** *bnw* ★ *Mogul* Mongools

mohair ['məʊheə] *zn* mohair ⟨zachte geitenwol⟩

moist [mɔɪst] *bnw* vochtig, klam

moisten ['mɔɪsən] **I** *ov ww* bevochtigen **II** *onov ww* vochtig worden

moisture ['mɔɪstʃə] *zn* vocht, vochtigheid

moisturize, moisturise ['mɔɪstʃəraɪz] *ov ww* bevochtigen, hydrateren

molar ['məʊlə] **I** *zn* kies **II** *bnw* ❶ m.b.t. de kiezen, maal- ❷ scheik molair

molasses [mə'læsɪz] *zn* melasse, stroop

mold ['məʊld] → **mould**

mole [məʊl] *zn* ❶ mol ★ *as blind as a mole* stekeblind ❷ spion ❸ moedervlek ❹ scheik mol

molecular [mə'lekjʊlə] *bnw* moleculair

molecule ['mɒlɪkjuːl] *zn* molecule

molehill ['məʊlhɪl] *zn* molshoop ★ *make a mountain out of a ~* van een mug een olifant maken

moleskin ['məʊlskɪn] *zn* ❶ mollenvel ❷ Engels leer ⟨zeer dicht geweven stof⟩ ★ *~s* broek v. Engels leer

molest [mə'lest] *ov ww* lastig vallen, aanranden, misbruiken

mollify ['mɒlɪfaɪ] *ov ww* bedaren, matigen, vertederen

mollusc ['mɒləsk] *zn* weekdier

mollycoddle ['mɒlɪkɒdl] *ov ww* vertroetelen, in de watten leggen

molt [məʊlt] *onov ww* inform USA → **moult**

molten ['məʊltn] *bnw* gesmolten, vloeibaar ⟨steen, metaal, glas⟩

mom [mɒm] *zn,* inform USA mam, mama

moment ['məʊmənt] *zn* moment, ogenblik ★ *any ~* op elk ogenblik ★ *do it this ~* doe het onmiddellijk ★ *at the / this (present) ~* op dit ogenblik, nu ★ *just / in a ~* even wachten ★ *it will take a ~* het duurt even ★ *half a ~* een ogenblik(je) ★ *if you have a spare ~* als je even hebt ★ *from that ~ on* vanaf dat moment ★ *that was not a ~ too soon* dat was maar net op tijd ★ *it is the ~ for it* het is er het juiste ogenblik voor ★ *I've seen him this ~* ik heb hem zo-even gezien ★ *a matter of great ~* een zaak van groot belang ★ *never a dull ~* er is altijd wel wat aan de hand ★ *not for a ~* absoluut niet ★ *it has its ~s* het is af en toe wel aardig

momentarily ['məʊməntərəlɪ] *bijw* ❶ eventjes ❷ USA straks

momentary ['məʊməntərɪ] *bnw* kortstondig, gedurende een ogenblik, vluchtig

momentous [mə'mentəs] *bnw* gedenkwaardig, gewichtig, belangrijk

momentum [mə'mentəm] *zn* ❶ techn moment ❷ stuwkracht, voorwaartse kracht ★ *gather ~* aan kracht winnen ★ *keep the ~ going* de gang

mo

erin houden

momma [mɒmə], **mommy** [mɒmɪ] zn USA mam, mama

Mon. afk, Monday maandag

monarch ['mɒnək] zn monarch, vorst(in) ★ ~ butterfly monarchvlinder

monarchical [məˈnɑːkɪkl] bnw monarchaal, vorstelijk

monarchy ['mɒnəkɪ] zn ❶ monarchie ❷ ★ the ~ de koninklijke familie

monastery ['mɒnəstərɪ] zn klooster

monastic [məˈnæstɪk] bnw klooster- ★ a ~ life een zeer rustig en eenvoudig leven

Monday ['mʌndeɪ] zn maandag ★ (on) ~s elke maandag ★ this ~ aanstaande maandag

monetary ['mʌnɪtərɪ] bnw monetair, financieel-, munt- ★ ~ value geldwaarde

money ['mʌnɪ] I zn geld ★ make ~ geld verdienen ★ spend ~ geld uitgeven ★ raise ~ geld ophalen ⟨bv. voor goed doel⟩ ★ USA inform folding ~ papiergeld ★ inform funny ~ waardeloos geld, vals geld ★ pocket ~ zakgeld ★ dirty ~ geld afkomstig uit de misdaad ★ ready ~ contant geld ★ ~back guarantee niet goed, geld terug ★ be made of ~ bulken van het geld ★ be in the ~ (plotseling) rijk zijn ★ spend ~ like water geld uitgeven als water ★ have ~ to burn onnodig zaken kopen ★ ~ is no object geld speelt geen rol ★ be out of ~ blut zijn ★ there is no ~ coming in er komt geen geld binnen, er is geen brood op de plank ★ put ~ into investeren in ★ for my ~ naar mijn mening ★ my ~ is on sth / sb ik denk dat iets / iemand gaat winnen / gebeuren ★ I want my ~'s worth ik wil waar voor mijn geld ★ he has more ~ than sense hij mag dan wel rijk zijn, maar slim is hij niet ★ throw good ~ after bad blijven investeren in een hopeloze zaak ★ the best that ~ can buy het beste wat er is ★ ~ doesn't grow on trees het geld ligt niet op straat / groeit niet op mijn rug ★ ~ talks (and bullshit walks) praatjes vullen geen gaatjes, geen woorden maar daden ★ put your ~ where your mouth is! laat eerst maar 'ns zien! ★ give sb a run for their ~ het iem. lastig maken ★ right on the ~ precies goed, exact II ov ww te gelde maken

money box zn spaarpot

moneyed ['mʌnɪd] bnw vermogend, rijk

money-grabber ['mʌnɪɡrebə] zn geldwolf

money-grabbing ['mʌnɪɡrebɪŋ], **money-grubbing** bnw inhalig, geldbelust

moneylender ['mʌnɪlendə] zn geldschieter

moneymaker ['mʌnɪmeɪkə] zn ❶ iemand die veel geld verdient ❷ fig winstgevende zaak, goudmijntje

money order zn postwissel, ≈ (internationale) overschrijving ≈ eenmalige machtiging

money-spinner zn goudmijntje

mongrel ['mʌŋɡrəl] zn bastaardhond, vuilnisbak ⟨hond van gemengd ras⟩

moniker ['mɒnɪkə] zn inform naam, bijnaam

monitor ['mɒnɪtə] I zn ❶ monitor, beeldscherm ❷ controleur, klassenhulp ❸ varaan ★ ~ lizard komodovaraan II ov ww controleren, monitoren

monk [mʌŋk] zn monnik

monkey ['mʌŋkɪ] I zn aap, deugniet ★ cheeky ~ brutaaltje ★ ~ nut doppinda ★ ~ suit apenpakkie ★ make a ~ of voor schut zetten ★ it's brass ~ weather / it's brass ~s het is stervenskoud ▼ I don't give a ~'s het kan me geen bal schelen II onov ww ~ about/around streken uithalen, donderjagen, aankooien

monkey business zn gesjoemel

monkey wrench zn bahco, pijptang

mono ['mɒnəʊ] I bnw mono II zn ziekte van Pfeiffer

mono- ['mɒnəʊ] voorv mono-, een-

monochrome ['mɒnəkrəʊm] bnw eenkleurig, monochromatisch, zwart-wit

monogamous [məˈnɒɡəməs] bnw monogaam

monogamy [məˈnɒɡəmɪ] zn monogamie

monogram ['mɒnəɡræm] zn monogram

monolith ['mɒnəlɪθ] zn ❶ monoliet ⟨grote staande steen⟩ ❷ iets waar absoluut geen beweging in zit ★ corporate ~ starre bedrijfscultuur

monolithic [mɒnəˈlɪθɪk] bnw monolithisch, star, onbeweeglijk

monologue ['mɒnəlɒɡ] zn monoloog, alleenspraak

monopolize, monopolise [məˈnɒpəlaɪz] ov ww monopoliseren, totaal in beslag nemen

monopoly [məˈnɒpəlɪ] zn monopolie, alleenrecht ★ have / hold a ~ on het alleenrecht hebben op ★ Monopoly money waardeloos geld

monosyllabic [mɒnəsɪˈlæbɪk] bnw eenlettergrepig ★ ~ answers zeer korte antwoorden

monotonous [məˈnɒtənəs] bnw eentonig, saai

monotony [məˈnɒtənɪ] zn eentonigheid, saaiheid

monsoon [mɒnˈsuːn] zn moesson, regenseizoen

monster I zn ❶ monster ❷ zeer groot iets, uit de hand gelopen zaak II bnw zeer groot ★ a ~ victory een monsterzege

monstrosity [mɒnˈstrɒsətɪ] zn monster, afschuwelijk iets

monstrous ['mɒnstrəs] bnw monsterlijk, gedrochtelijk, kolossaal

month [mʌnθ] zn maand ★ ~ after ~ maand na maand ★ 100 Euros a ~ 100 euro per maand ★ a ~ from today vandaag over een maand ★ never in a ~ of Sundays nooit (en te nimmer)

monthly ['mʌnθlɪ] I zn maandelijks tijdschrift II bnw + bijw maandelijks

monument ['mɒnjʊmənt] zn monument, gedenkteken

monumental [mɒnjʊˈmentl] bnw ❶ enorm, monumentaal ★ a ~ mistake een monumentale fout ❷ gedenk-, monumentaal

moo [muː] I zn geloei, boe ⟨geluid dat een koe maakt⟩ II onov ww loeien

mooch [muːtʃ] I zn ★ on the ~ aan het lummelen / schooien / bietsen II ov ww bietsen III onov ww ~ around/about rondhangen

mood [muːd] zn ❶ stemming, gevoel ★ in the mood in de stemming ★ in no mood for helemaal niet in de stemming om ★ he is in one of his moods hij heeft weer een van zijn buien ★ the mood of the moment de huidige opinie ★ when the mood takes me wanneer ik er zin in heb ❷ taalk wijs ★ *imperative mood* gebiedende wijs

mood swing *zn* stemmingswisseling

moody ['muːdɪ] *bnw* humeurig, somber

moola [muːlə] *zn*, USA plat poen, geld

moon [muːn] I *zn* maan ★ *be over the moon* in de wolken zijn ★ *ask / wish for the moon* het onmogelijke willen ★ *once in a blue moon* heel zelden ★ *many moons ago* lang, lang geleden ★ *promise sb the moon* iem. gouden bergen beloven ★ *the man in the moon* het mannetje van de maan II *onov ww* ❶ inform je blote billen aan iemand tonen ⟨als teken van minachting⟩ ❷ ~ **around/about** rondhangen ❸ ~ **over** zwijmelen over

moonbeam ['muːnbiːm] *zn* manestraal

moonboot ['muːnbuːt] *zn* moonboot, sneeuwlaars

moonlight ['muːnlaɪt] I *zn* maanlicht ★ ~ *flit(ting)* vertrek met de noorderzon II *onov ww* zwartwerken, beunhazen, bijbeunen

moonlit ['muːnlɪt] *bnw* door de maan verlicht

moonscape ['muːnskeɪp] *zn* maanlandschap

moonshine ['muːnʃaɪn] *zn* ❶ onzin ❷ USA illegale sterkedrank

moonstone ['muːnstəʊn] *zn* maansteen

moonstruck ['muːnstrʌk] *bnw* gek (van verliefdheid)

moor [mʊə] I *zn* heide(gebied), veen(gebied) II *ov+onov ww* aan- / afmeren

moorhen *zn* waterhoen

Moorish ['mʊərɪʃ] *bnw* Moors

moorland ['mʊələnd] *zn* heide(gebied)

moose [muːs] *zn* eland

moot [muːt] I *bnw* ❶ betwistbaar, geschil- ★ *a moot point / question* een geschilpunt ❷ USA niet meer relevant, onbelangrijk II *ov ww* opperen, te berde brengen

mop [mɒp] I *ov ww* ❶ dweilen, betten ★ *mop the floor with sb* de vloer met iem. aanvegen ★ *she mopped the sweat off her brow* ze veegde het zweet van haar voorhoofd ❷ ~ **up** opvegen, verslinden, afmaken, uit de weg ruimen II *zn* zwabber, grote, dikke bos ★ *a mop of hair* een dikke bos haar

mope [məʊp] *onov ww* ~ **(around/about)** kniezen, zielig doen, zich vervelen

moped ['məʊped] *zn* bromfiets, scooter

moral ['mɒrəl] I *zn* moraal ★ ~*s* zeden, normen en waarden ★ *the ~ of the story* de moraal van het verhaal II *bnw* moreel, volgens normen en waarden ★ ~ *obligation* morele verantwoordelijkheid / verplichting ★ ~ *support* mentale ondersteuning

morale [məˈrɑːl] *zn* moreel, zelfvertrouwen, geestkracht ★ *boost* ~ zelfvertrouwen opkrikken

moralise *ww* GB → **moralize**

moralist ['mɒrəlɪst] *zn* moralist, zedenpreker

morality [məˈrælətɪ] *zn* ❶ moraal ⟨opvattingen van goed en kwaad⟩ ❷ zedelijkheid, juistheid

moralize ['mɒrəlaɪz] *onov ww* moraliseren, zedenpreken

moratorium [mɒrəˈtɔːrɪəm] *zn* moratorium, (tijdelijk) verbod / uitstel

morbid ['mɔːbɪd] *bnw* ❶ morbide, somber ❷ med ziek, ziekelijk

mordant ['mɔːdnt] *bnw* scherp, bijtend

more [mɔː] I *onbep vnw* meer ★ *more is the pity* jammer (genoeg) ★ *nothing / no more* niet(s) meer ★ *one more* nog één II *bijw* meer, verder ★ *more and more* steeds meer ★ *more or less* min of meer ★ *more than ever* meer dan ooit ★ *more of the same* meer van hetzelfde ★ *more about that later* later meer ★ *no more excuses!* en nu geen smoesjes meer! ★ *the more the merrier* hoe meer hoe beter ★ *the more..., the more...* hoe meer..., hoe meer... ★ *more than likely* zeer waarschijnlijk

moreover [mɔːˈrəʊvə] *bijw* bovendien

morgue [mɔːg] *zn* lijkenhuis, morgue ★ *like a ~* doods, doodstil

moribund ['mɒrɪbʌnd] *bnw* stervend, zieltogend

Mormon ['mɔːmən] I *zn* mormoon ⟨lid van De Kerk van Jezus Christus van de Heiligen der Laatste Dagen⟩ II *bnw* mormoons

morn [mɔːn] *zn* form morgen, ochtend(stond)

morning ['mɔːnɪŋ] *zn* morgen, voormiddag ★ ~*!* goedmorgen! ★ *good* ~ goedemorgen ★ *in the ~* 's ochtends, morgenochtend ★ *this* ~ vanochtend ★ ~*, noon and night* de hele tijd

morning coat, morning dress *zn* jacquet

morning sickness *zn* zwangerschapsmisselijkheid

morning wood *zn* inform ochtenderectie

Moroccan [məˈrɒkən] I *zn* Marokkaan II *bnw* Marokkaans

Morocco ['məˈrɒkəʊ] *zn* Marokko

moron ['mɔːrɒn] *zn* inform imbeciel, sukkel

morose [məˈrəʊs] *bnw* somber, chagrijnig

morph *onov ww* (langzaam) veranderen ⟨zoals in animatie⟩

morphine [mɔːˈfiːn] *zn* morfine

morphology [mɔːˈfɒlədʒɪ] *zn* morfologie, vormleer

morris dance *zn* traditionele Engelse dans

morrow ['mɒrəʊ] *zn* form morgen, volgende dag

Morse code *zn* morse(alfabet)

morsel ['mɔːsəl] *zn* hapje, klein stukje

mortal ['mɔːtl] I *zn* sterveling, mens ★ *a mere ~* een gewone sterveling, ook maar een mens II *bnw* ❶ sterfelijk ★ ~ *remains* stoffelijk overschot ⟨lijk⟩ ❷ dodelijk ★ *a ~ disease* een dodelijke ziekte ★ ~ *enemy* aartsvijand ★ ~ *fear* doodsangst ★ rel ~ *sin* doodzonde

mortality [mɔːˈtælətɪ] *zn* sterfelijkheid, sterfte(cijfer)

mortally ['mɔːtlɪ] *bijw* dodelijk, heel erg ★ ~ *wounded* dodelijk verwond ★ ~ *offended* tot op het bot beledigd

mortar ['mɔːtə] *zn* ❶ mortel, (metsel)specie ❷ vijzel ★ ~ *and pestle* vijzel en stamper ❸ mortier ⟨wapen⟩

mortar board *zn* academische baret ⟨met kwast en platte bovenkant⟩

mortgage ['mɔːgɪdʒ] I *zn* hypotheek ★ *take out a ~ (on)* een hypotheek nemen (op) II *ov ww* ❶ hypotheek nemen op ❷ verpanden ⟨figuurlijk⟩

mortgagee [mɔːgɪˈdʒiː] *zn* hypotheekhouder

mortgager, mortgagor ['mɔːgɪdʒə] *zn* hypotheekverstrekker

mortician [mɔːˈtɪʃən] *zn* USA

mo

begrafenisondernemer

mortification [mɔːtɪfɪˈkeɪʃən] *zn* gekwetstheid, vernedering

mortify [ˈmɔːtɪfaɪ] *ov ww* kwetsen, vernederen ★ *I was mortified* ik schaamde me dood

mortuary [ˈmɔːtjʊərɪ] **I** *zn* mortuarium, lijkenhuis, lijkenkamer **II** *bnw* graf-, begrafenis-, lijk-

mosaic [məʊˈzeɪɪk] *zn* mozaïek

mosey [ˈməʊzɪ] *onov ww* (voort)slenteren, (doelloos) rondlopen

Moslem [ˈmɒzləm] → **Muslim**

mosque [mɒsk] *zn* moskee

mosquito [məˈskiːtəʊ] *zn* mug, muskiet

mosquito net *zn* klamboe, muggennet

moss [mɒs] *zn* mos

mossy [ˈmɒsɪ] *bnw* ❶ met mos bedekt ❷ mosachtig

most [məʊst] **I** *onbep vnw* meest, grootst, meeste(n) ★ *at (the) most* op zijn meest / hoogst ★ *make the most of it* er het beste van maken ★ *the most I can do* het beste / enige dat ik kan doen ★ *for the most part* over het algemeen **II** *bijw* meest, hoogst, zeer

mostly [ˈməʊstlɪ] *bijw* meestal, voornamelijk

MOT *afk*, *Ministry of Transport* ministerie van verkeer ★ *MOT (test)* apk-keuring

mote [məʊt] *zn* stofje

motel [məʊˈtel] *zn* motel

moth [mɒθ] *zn* mot, nachtvlinder ★ *attracted to him like a moth to the flame / candle* als een magneet tot hem aangetrokken

mothball [ˈmɒθbɔːl] *zn* mottenbal

moth-eaten *bnw* aangetast door de mot, mottig, aftands

mother [ˈmʌðə] **I** *zn* moeder ★ *every ~'s son* iedereen ★ *Mother Earth* Moeder Aarde ★ *Mother Nature* Moeder Natuur ★ *Mother Superior* moeder-overste ★ *the Virgin Mother* de Moedermaagd ⟨Maria⟩ ★ *the ~ of all...* de grootste / beste / eerste van alle... **II** *ov ww* ❶ *fig* het leven schenken aan, in het leven roepen ❷ bemoederen

motherboard [ˈmʌðəbɔːd] *zn* comp moederbord

mother country *zn* moederland, land van oorsprong

motherfucker [ˈmʌðəfʌkə] *zn*, *USA vulg* klootzak

motherhood [ˈmʌðəhʊd] *zn* moederschap

mother-in-law *zn* schoonmoeder

motherless [ˈmʌðələs] *bnw* moederloos

motherly *bnw* moederlijk

mother-of-pearl *zn* parelmoer

Mother's Day *zn* Moederdag

mother-to-be *zn* aanstaande moeder, zwangere vrouw

mother tongue *zn* moedertaal

motif [məʊˈtiːf] *zn* motief, thema

motion [ˈməʊʃən] **I** *zn* ❶ beweging, gebaar ★ *~ sickness* wagenziekte ★ *set sth in ~* iets in beweging zetten ★ *go through the ~s* ongeïnteresseerd iets doen, doen alsof ❷ voorstel, motie ★ *to second a ~* een voorstel steunen ★ *~ of censure* motie van afkeuring ★ *~ of no-confidence* motie van wantrouwen ❸ stoelgang, ontlasting ★ *loose ~s* dunne ontlasting **II** *ov+onov ww* wenken, gebaren

motionless [ˈməʊʃənləs] *bnw* onbeweeglijk

motion picture *zn* film

motivate [ˈməʊtɪveɪt] *ov ww* motiveren, ingeven, aanzetten

motivation [məʊtɪˈveɪʃən] *zn* motivatie

motive [ˈməʊtɪv] **I** *zn* motief, reden, bedoeling ★ *ulterior ~* bijbedoeling **II** *bnw* beweging veroorzakend, aandrijf-

motiveless [ˈməʊtɪvləs] *bnw* ongemotiveerd, zonder reden

motley [ˈmɒtlɪ] *zn* gemengd, bont

motocross [ˈməʊtəʊkrɒs] *zn* motorcross

motor [ˈməʊtə] **I** *zn* ❶ motor ❷ GB auto **II** *bnw* ❶ motor-, gemotoriseerd, m.b.t. gemotoriseerd vervoer ★ *~ vehicle* gemotoriseerd voertuig ⟨auto, vrachtauto, motor, enz.⟩ ★ *~ home* camper ★ *~ insurance* auto- / motorverzekering ❷ motorisch, bewegings- ★ *~ skills* motorische vaardigheden **III** *ov+onov ww* in auto rijden / vervoeren

motorbike [ˈməʊtəbaɪk] *zn* motorfiets

motor boat *zn* motorboot

motorcade [ˈməʊtəkeɪd] *zn* autocolonne

motor car *zn* GB auto

motorcycle [ˈməʊtəsaɪkl] *zn* motorfiets

motorcyclist [ˈməʊtəsaɪklɪst] *zn* motorrijder

motoring [ˈməʊtərɪŋ] *zn* (rond)toeren met de auto, het autorijden

motorist [ˈməʊtərɪst] *zn* automobilist

motorized, motorised [ˈməʊtəraɪzd] *ov ww* gemotoriseerd

motorway [ˈməʊtəweɪ] *zn* GB snelweg

mottled [ˈmɒtld] *bnw* gevlekt, gespikkeld

motto [ˈmɒtəʊ] *zn* motto, devies, spreuk

mould, USA mold [məʊld] **I** *ov ww* kneden, vormgeven **II** *zn* ❶ schimmel ❷ (giet)vorm, mal ★ *break the ~* buiten de gebaande paden treden ★ *fit the ~* ergens goed bij passen, ergens geschikt voor zijn

moulder [ˈməʊldə] *onov ww* (weg)rotten, vervallen

moulding [ˈməʊldɪŋ] *zn* ❶ (plafond)lijst, profiel ❷ afgietsel

mouldy [ˈməʊldɪ] *bnw* beschimmeld, muf

moult [məʊlt] *onov ww* verharen, vervellen, ruien

mound [maʊnd] *zn* ❶ heuvel, hoop, stapel ❷ werpheuvel ⟨honkbal⟩

mount [maʊnt] **I** *ov ww* ❶ monteren, plaatsen, opstellen, opzetten, ophangen, zetten ⟨v. juwelen⟩ ★ *~ a photograph* een foto in een passe-partout plaatsen ★ *~ an offensive* een offensief voorbereiden ❷ bestijgen ★ *~ a horse / stairs* een paard / trap bestijgen ★ *~ed police* bereden politie **II** *onov ww* ~ **(up)** stijgen, opstijgen, oplopen ★ *tension is ~ing* de spanning loopt op ★ *it all ~s up* alles bij elkaar is het best veel **III** *zn* ❶ berg ★ *Mount Everest* Mount Everest ❷ omlijsting, montuur, passe-partout, lijst ❸ onderstel, standaard ❹ rijpaard, rijwiel

mountain [ˈmaʊntɪn] *zn* berg ★ *make a ~ out of a molehill* van een mug een olifant maken ★ *she can move ~s* zij kan bergen verzetten

mountain ash *zn* lijsterbes

mountain bike *zn* mountainbike

mountain dew *zn* whisky

mountaineer [maʊntɪˈnɪə] **I** zn bergbeklimmer **II** onov ww bergbeklimmen

mountaineering [maʊntɪˈnɪərɪŋ] zn bergsport

mountainous [ˈmaʊntɪnəs] bnw ❶ bergachtig ❷ gigantisch

mountain range zn bergketen

mountainside [ˈmaʊntɪnsaɪd] zn berghelling

mountebank [ˈmaʊntɪbæŋk] zn bedrieger

mounting [ˈmaʊntɪŋ] **I** zn bevestiging, montage, zetting, beslag (op kist) **II** bnw oplopend, stijgend

Mounty [ˈmaʊntɪ] zn inform bereden politieagent in Canada

mourn [mɔːn] **I** ov ww betreuren, rouwen om **II** onov ww rouwen ★ ~ for / over treuren / rouwen om

mourner [ˈmɔːnə] zn treurende, aanwezige bij een begrafenis

mournful [ˈmɔːnfʊl] bnw treurig, droevig

mourning [ˈmɔːnɪŋ] zn ❶ het treuren ❷ rouw(kleding) ★ be in ~ in de rouw zijn

mouse[1] [maʊs] zn [mv: mice] ❶ muis ⟨knaagdier⟩, muizig persoon ⟨onopvallend en stil⟩ ★ quiet as a ~ muisstil ❷ comp muis

mouse[2] [maʊz] onov ww ❶ muizen vangen ❷ ~ (about) (rond)snuffelen

mouse mat zn comp muismat

mouse pad [ˈmaʊspæd] zn, USA comp muismat

mouse potato zn iron internetfreak

mousetrap [ˈmaʊstræp] zn muizenval

mousse [muːs] zn ❶ mousse ❷ haarversteviger

moustache [məˈstɑːʃ] zn snor ★ a droopy ~ een hangsnor

mousy [ˈmaʊsɪ] bnw ❶ muisachtig, verlegen, schuw ❷ grijsbruin

mouth [maʊθ] **I** zn ❶ mond, bek, muil ★ by word of ~ mondeling, mond-tot-mond ★ be all ~ praatjes hebben ★ a big ~ een opschepper ★ have a big ~ een grote mond hebben, je mond voorbij praten ★ me and my big ~! ik kon natuurlijk mijn mond weer niet houden! ★ he keeps his ~ shut hij zegt / verraadt niets ★ down in the ~ ongelukkig ★ laugh on the wrong side of one's ~ het lachen vergaan zijn, er niet meer om kunnen lachen ★ have many ~s to feed veel mensen te eten moeten geven ★ put your money where your ~ is! laat eerst maar 'ns zien! ❷ opening, monding ★ tunnel ~ gat van een tunnel ★ river ~ riviermonding **II** ov ww ❶ met de lippen vormen ★ ~ the words de woorden met de lippen vormen ❷ zwammen, lullen **III** onov ww ❶ ~ away maar raak schreeuwen ❷ ~ off je gal spuwen, commentaar leveren

mouthful [ˈmaʊθfʊl] bnw ❶ mond(je)vol, kleine hoeveelheid ★ USA say a ~ veel zeggen met weinig woorden ❷ inform hele mond vol, moeilijk uit te spreken woord ★ that's quite a ~ dat is een hele mond vol ★ give sb a ~ iem. uitschelden

mouth organ zn mondharmonica

mouthpiece [ˈmaʊθpiːs] zn ❶ mondstuk, hoorn ⟨v. telefoon⟩ ❷ spreekbuis ⟨figuurlijk⟩ ❸ straatt advocaat

mouthwash [ˈmaʊθwɒʃ] zn mondspoeling

mouthy [ˈmaʊðɪ] bnw luidruchtig, grof in de mond

movable [ˈmuːvəbl] bnw beweegbaar, beweeglijk

movables [ˈmuːvəbəlz] zn mv roerende goederen, meubels

move [muːv] **I** ov ww ❶ bewegen ★ move it! wegwezen! ❷ verhuizen, verzetten, vervoeren, verplaatsen ★ move heaven and earth hemel en aarde bewegen ★ move one's bowels zich ontlasten ❸ aanzetten tot, opwekken ⟨v. gevoelens⟩, ontroeren ★ I was moved ik was ontroerd ❹ ~ down naar een lagere klas terugzetten, in rang terugzetten **II** onov ww ❶ zich bewegen, in beweging komen, opschieten ★ move with the times met de tijd meegaan ★ move along, please! doorlopen a.u.b.! ❷ optreden, stappen nemen, een voorstel doen, (doen) veranderen ★ the police moved quickly de politie kwam snel in actie ★ he refuses to move hij blijft voet bij stuk houden ❸ verhuizen ❹ ~ down naar een lagere klas teruggezet worden, in rang teruggezet worden ❺ ~ in intrekken ⟨in woning⟩ ★ move in with sb bij iem. intrekken ❻ ~ in on dichterbij komen, in proberen te nemen ❼ ~ on verdergaan, veranderen ★ let's move on! volgende onderwerp! ❽ ~ off weggaan, wegrijden ❾ ~ out verhuizen, vertrekken ❿ ~ over opschuiven ⓫ ~ up opschuiven, overgaan ⟨naar hogere klas⟩, promoveren, vooruitgaan ★ she's moving up in the world ze klimt op in de maatschappij **III** zn ❶ zet, beurt ★ whose move is it? wie is er aan de beurt? ❷ beweging, verandering, vertrek ★ on the move in beweging, en route ★ get a move on! schiet eens op! ★ make a move een stap doen, bewegen, vertrekken ★ make a move on sb iem. versieren ★ watch sb's every move iem. nauwlettend in de gaten houden ❸ verhuizing

movement [ˈmuːvmənt] zn ❶ beweging, verplaatsing ★ free ~ of goods vrije verplaatsing van goederen ❷ mechaniek ⟨klok⟩ ❸ deel v.e. muziekstuk ❹ stoelgang

mover [ˈmuːvə] zn ❶ iemand die iets voorstelt, drijfveer ★ a ~ and shaker iem. die dingen voor elkaar krijgt ❷ verhuizer

movie [ˈmuːvɪ] zn USA film ★ ~ theater bioscoop ★ the ~s de bioscoop, de filmindustrie ★ blue ~ pornofilm

moviegoer [ˈmuːvɪɡəʊə] zn bioscoopbezoeker

moving [ˈmuːvɪŋ] bnw ❶ ontroerend, aandoenlijk ❷ beweeg-, bewegend ★ a ~ force een stuwende kracht

mow [məʊ] ov ww [onregelmatig] ❶ maaien ❷ ~ down omvermaaien

mowed [məʊd] ww [verleden tijd] → **mow**

mower [ˈməʊə] zn (gras)maaier

mown [məʊn] ww [volt. deelw.] → **mow**

moxie [ˈmɒksiː] zn, plat USA moed

MP afk ❶ Member of Parliament parlementslid ❷ Military Police Militaire Politie

mph afk, miles per hour mijl per uur

Mr., GB Mr [ˈmɪstə] afk, Mister dhr., de heer ★ Mr. Big grote leider ★ Mr. Fixit handige Harry, iem. die problemen oplost ★ Mr. Right de ware Jacob

Mrs., GB Mrs [ˈmɪsɪz] afk, Mistress mevr., mevrouw

Ms., GB Ms [mɪz] afk, Miss mevrouw ★ Ms. Right

ms

de ware Jacoba

MS *afk* ❶ *Mississippi* staat in de VS ❷ *multiple sclerosis* MS

MSc *afk, Master of Science* master in de natuurwetenschappen

Mt., mt. *afk, mount(ain)* berg

MT *afk, Montana* staat in de VS

much [mʌtʃ] **I** *onbep vnw* zeer, ten zeerste, veel ★ *just as much as* net zo veel als ★ *as much as that?* zo veel? ★ *twice as much* twee keer zo veel ★ *not much* niet veel, niet echt ★ *not much of a...* geen goede... ★ *it became too much for her* het werd haar te veel ★ *much to my surprise* tot mijn grote verbazing ★ *he said as much* hij heeft iets dergelijks gezegd ★ *see much of sb* iem. vaak zien ★ *much the same as* ongeveer hetzelfde als ★ *we thought as much* dat dachten we wel ★ *so much for that* dat was dat, dat stelt ook niets voor ★ *make much of sth* veel verdienen aan iets ★ *make much of sb* hoog van iem. opgeven ★ *as much as I like it,...* ondanks dat ik het leuk vind,... ★ *without so much of a...* zonder ook maar een... **II** *bijw* veel, zeer ★ *much as we regret it* hoezeer wij het ook betreuren ★ *it's not so much A as it is B* het is niet zo zeer A; het is meer B ★ *she never so much as looked at him* ze keek hem niet eens aan

muchness ['mʌtʃnəs] *zn* ★ *it's much of a ~* het is allemaal ongeveer hetzelfde

muck [mʌk] **I** *zn* ❶ mest ❷ viezigheid, troep, vuile boel, smeerlapperij ★ *make a muck of sth* de zaak verknoeien **II** *ov ww* ❶ ~ **out** uitmesten ❷ ~ **up** bederven, verknoeien **III** *onov ww* ❶ ~ **about/around** rondhangen, lummelen ❷ ~ **about** with rommelen met, verpesten ❸ *inform* ~ **in (with)** meehelpen (met), een handje helpen (met)

muckraker ['mʌkreɪkə] *zn* iemand die altijd uit is op schandaaltjes

muckraking ['mʌkreɪkɪŋ] *zn* zoeken naar schandaaltjes, vuilspuiterij

mucky ['mʌkɪ] *bnw* vuil, smerig, vies

mucous ['mju:kəs] *bnw* slijmerig, slijmerig ★ *~ membrane* slijmvlies / -vliezen

mucus ['mju:kəs] *zn* slijm, snot

mud [mʌd] *zn* modder, slijk ★ *mud sticks to him* lelijke praatjes blijven hem achtervolgen ★ *as clear as mud* onduidelijk ★ *his name is mud* hij staat slecht bekend

muddle ['mʌdl] **I** *zn* warboel, wanorde ★ *make a ~ of sth* iets verknoeien, iets in de war sturen **II** *ov ww* ~ **(up)** door elkaar gooien, verknoeien, door de war halen ★ *get things ~d* dingen door de war halen **III** *onov ww* ❶ ~ **along** aanmodderen ❷ ~ **through** zich er doorheen scharrelen

muddled ['mʌdld] *bnw* in de war, troebel

muddy ['mʌdɪ] **I** *bnw* ❶ modderig, wazig, troebel, diep ⟨v. stem⟩ ❷ mat ⟨v. kleur⟩ **II** *ov ww* bemodderen, troebel maken ★ *to muddle the waters* iets ingewikkelder maken dan het is

mudflat ['mʌdflæt] *zn* wad, slik

mudguard ['mʌdgɑ:d] *zn* ❶ GB spatbord ❷ USA spatlap

mud pack *zn* kleimasker, modderpakking

mud pie *zn* zandtaartje

mud-slinging ['mʌdslɪŋɪŋ] *zn* laster, het voeren van een lastercampagne

muesli ['mu:zlɪ] *zn* GB muesli

muff [mʌf] **I** *zn* mof ⟨om handen warm te houden⟩ **II** *ov ww* verknoeien ★ *muff a ball* een bal / slag missen ★ *don't muff it!* bederf het niet!

muffin ['mʌfɪn] *zn* muffin ⟨gebakje⟩

muffle ['mʌfəl] *ov ww* ❶ omfloersen, dempen ⟨v. geluid⟩ ★ *a ~d cry* een gedempte schreeuw ❷ instoppen

muffled [mʌfld] *bnw* gedempt ⟨geluid⟩

muffler ['mʌflə] *zn* ❶ sjaal ❷ (geluid)demper, uitlaat

mufti ['mʌftɪ] *zn* moefti ⟨Islamitisch rechtsgeleerde⟩ ★ *in ~* in burger(kleding)

mug [mʌg] **I** *zn* ❶ mok ⟨beker met oor⟩ ❷ smoel, kop ❸ sul, sukkel **II** *ov ww* ❶ ⟨gewelddadig⟩ beroven ❷ ~ **up** snel doornemen ⟨examenstof⟩

mugger ['mʌgə] *zn* straatrover

mugging ['mʌgɪŋ] *zn* straatroof

muggins ['mʌgɪnz] *zn* [zonder lidwoord] onnozele hals, sukkel

muggy ['mʌgɪ] *bnw* drukkend, benauwd ⟨v. weer⟩

mug shot *zn* inform politiefoto

mulberry ['mʌlbərɪ] *zn* moerbei

mulch [mʌltʃ] **I** *zn* mulch, muls **II** *ov ww* bedekken met mulch

mule [mju:l] *zn* ❶ muildier, muilezel ★ *as stubborn as a mule* zo koppig als een ezel ❷ straatt drugskoerier ❸ muiltje, pantoffel

mull [mʌl] *ov ww* ~ **(over)** overdenken, overpeinzen

mullet ['mʌlɪt] *zn* ❶ harder, zeebarbeel ⟨vis⟩ ❷ matje ⟨haardracht⟩

mullion ['mʌljən] *zn* ⟨verticale⟩ raamstijl

multi- ['mʌltɪ] *voorv* veel-, meervoudig, multi-

multicoloured, USA **multi-colored** ['mʌltɪkʌləd] *bnw* veelkleurig, bont

multifaceted ['mʌltɪ'fæsɪtɪd] *bnw* veelzijdig, complex

multifarious [mʌltɪ'feərɪəs] *bnw* veelsoortig, verscheiden

multilateral [mʌltɪ'lætərəl] *bnw* multilateraal, met drie of meer partijen

multilingual [mʌltɪ'lɪŋwəl] *bnw* meertalig, veeltalig

multimedia [mʌltɪ'mi:dɪə] *zn* comp multimedia

multinational [mʌltɪ'næʃənl] **I** *zn* multinational, internationaal bedrijf **II** *bnw* multinationaal, internationaal

multiple ['mʌltɪpl] **I** *zn* veelvoud ★ *14 is a ~ of 7* 14 is een veelvoud van 7 **II** *bnw* veelvoudig, veelsoortig ★ *~ birth* bevalling van een meerling ★ *~ store* winkelketen ★ *~choice* meerkeuze(vragen) ★ *~ sclerosis* multiple sclerosis, MS

multiplex ['mʌltɪpleks] *zn* (mega)bioscoop

multiplication [mʌltɪplɪ'keɪʃən] *zn* vermenigvuldiging ★ *~ sign* vermenigvuldigingsteken

multiplication table *zn* tafel ⟨v. vermenigvuldiging⟩

multiplicity [mʌltɪ'plɪsətɪ] *zn* veelheid, verscheidenheid

multiply ['mʌltɪplaɪ] **I** *ov ww* ❶ vergroten,

vermenigvuldigen ❷ ~ **by** vermenigvuldigen met ★ ~ *3 by 5* 3 met 5 vermenigvuldigen **II** *onov ww* zich voortplanten, zich vermenigvuldigen **III** *zn* multiplex ⟨hout⟩

multi-purpose [mʌltɪˈpɜːpəs] *bnw* voor meerdere doeleinden te gebruiken

multiracial [mʌltɪˈreɪʃəl] *bnw* multiraciaal

multi-storey [mʌltɪˈstɔːrɪ] *bnw* met meerdere verdiepingen ★ ~ *carpark* parkeergarage met verdiepingen

multitude [ˈmʌltɪtjuːd] *zn* menigte, groot aantal ★ *the* ~ de grote hoop, de massa ★ *a* ~ *of* een groot aantal

multitudinous [mʌltɪˈtjuːdɪnəs] *bnw* talrijk

mum [mʌm] *zn* mama, mam ▾ *mum's the word!* mondje dicht! ▾ *keep mum* een geheim bewaren

mumble [ˈmʌmbl] **I** *zn* gemompel, geprevel **II** *ov+onov ww* mompelen, prevelen

mumbo-jumbo [mʌmbəʊˈdʒʌmbəʊ] *zn* onzin, bijgeloof

mummification [mʌmɪfɪˈkeɪʃən] *zn* mummificatie

mummify [ˈmʌmɪfaɪ] *ov ww* mummificeren, laten verschrompelen

mummy [ˈmʌmɪ] *zn* ❶ mummie ❷ mama ★ ~'*s boy* moederskindje

mumps [mʌmps] *zn mv* bof ⟨ziekte⟩

munch [mʌntʃ] *ov+onov ww* (hoorbaar) kauwen (op), knabbelen (aan)

munchies [ˈmʌntʃɪz] *zn* inform hapjes ★ *have the* ~ trek hebben

mundane [mʌnˈdeɪn] *bnw* mondain, gewoontjes, werelds

municipal [mjuːˈnɪsɪpl] *bnw* gemeentelijk, gemeente-, stads-

municipality [mjuːnɪsɪˈpælətɪ] *zn* gemeente, gemeentebestuur

munificence [mjuːˈnɪfɪsəns] *zn* gulheid, vrijgevigheid

munificent [mjuːˈnɪfɪsənt] *bnw* gul

munition [mjuːˈnɪʃən] *zn* munitie, krijgsvoorraad

mural [ˈmjʊərəl] *zn* muurschildering

murder [ˈmɜːdə] **I** *zn* ❶ moord ★ *commit (a)* ~ een moord plegen ★ *attempted* ~ poging tot moord ★ *get away with* ~ van alles kunnen doen zonder gesnapt te worden ★ *scream blue* ~ moord en brand schreeuwen ❷ fig hels karwei, hel, gruwel ★ *it's* ~ het is verschrikkelijk **II** *ov ww* ❶ vermoorden ★ *I could* ~ *a sandwich* ik heb erge trek in een broodje ❷ in de pan hakken, totaal verknoeien ❸ zeer boos zijn **III** *onov ww* moorden

murderer [ˈmɜːdərə] *zn* moordenaar

murderess [ˈmɜːdərəs] *zn* moordenares

murderous [ˈmɜːdərəs] *bnw* ❶ moorddadig ❷ zeer boos ❸ verschrikkelijk

murk [mɜːk] *zn* duisternis, troebelheid

murky [ˈmɜːkɪ] *bnw* ❶ donker, troebel, dicht ⟨v. mist⟩ ❷ schimmig ★ ~ *business* schimmig zaakje

murmur [ˈmɜːmə] **I** *zn* gemompel, geruis, gemopper ★ *without a* ~ zonder klagen **II** *ov+onov ww* ❶ mompelen, murmelen, ruisen ❷ ~ *against* mopperen op / over

muscle [ˈmʌsəl] **I** *zn* ❶ spier, (spier)kracht ★ *she did not move a* ~ ze vertrok geen spier ★ *put some* ~ *into it!* doe je best eens! **II** *onov ww* ~ **in** (on)

indringen (in), zich bemoeien (met)

muscle-bound [ˈmʌsəlbaʊnd] *bnw* gespierd, opgepompt ⟨door veel trainen⟩

muscleman [ˈmʌsəlmæn] *zn* krachtpatser, zware jongen

Muscovite [ˈmʌskəvaɪt] **I** *zn* Moskoviet ⟨iemand uit Moskou⟩ **II** *bnw* Moskovisch ⟨van / uit Moskou⟩

muscular [ˈmʌskjʊlə] *bnw* ❶ gespierd ❷ spier- ★ ~ *dystrophy* spierdystrofie

musculature [ˈmʌskjʊlətʃə] *zn* spierstelsel

muse [mjuːz] **I** *zn* muze, inspiratie **II** *onov ww* ~ **(about/on/over/upon)** zorgvuldig overdenken, peinzen (over), peinzend kijken (naar)

museum [mjuːˈziːəm] *zn* museum

museum piece *zn* museumstuk ⟨ook fig.⟩

mush [mʌʃ] **I** *zn* ❶ pulp ★ *turn to mush* tot pap worden ❷ sentimenteel gedoe ❸ USA maïsmeelpap **II** *ov ww* tot pap maken

mushroom [ˈmʌʃrʊm] **I** *zn* (eetbare) paddenstoel, champignon ★ *magic* ~ paddo **II** *onov ww* zich snel ontwikkelen, als paddenstoelen uit de grond springen

mushroom cloud *zn* atoomwolk, paddenstoelwolk

mushroom growth *zn* snelle ontwikkeling, explosieve groei

mushy [ˈmʌʃɪ] *bnw* ❶ papperig, gestampt ★ ~ *peas* gestampte erwten ❷ slap, sentimenteel

music [ˈmjuːzɪk] *zn* ❶ muziek ★ *a piece of* ~ een muziekstuk ★ *that's* ~ *to my ears* dat klinkt me als muziek in de oren ★ *face the* ~ de kritiek trotseren, de gevolgen aanvaarden ❷ bladmuziek ★ *read* ~ noten (kunnen) lezen

musical [ˈmjuːzɪkl] **I** *zn* musical **II** *bnw* muzikaal, muziek- ★ *play* ~ *chairs* de stoelendans doen ★ ~ *instrument* muziekinstrument

musicale [mjuːzɪˈkɑːl] *zn* USA muziekavondje

music hall *zn* ❶ concertzaal ❷ variététheater

musician [mjuːˈzɪʃən] *zn* musicus, muzikant

music stand *zn* muziekstandaard

music stool *zn* pianokruk

musk [mʌsk] *zn* muskus, muskusplant

musket [ˈmʌskɪt] *zn* musket

musketeer [mʌskɪˈtɪə] *zn* musketier

muskrat [ˈmʌskræt] *zn* bisamrat, muskusrat

musky [ˈmʌskɪ] *bnw* muskusachtig

Muslim [ˈmʊzlɪm] **I** *zn* moslim **II** *bnw* moslim-, mohammedaans

Muslimah *zn* moslima

muslin [ˈmʌzlɪn] *zn* mousseline, dunne katoen

muss [mʌs] *ov ww* ~ **(up)** in de war brengen, bederven, bevuilen

mussel [ˈmʌsəl] *zn* mossel

must [mʌst] **I** *zn* inform noodzaak, must **II** *hww* moeten, mogen ★ *I must say...* ik moet zeggen... ★ *if you must* als je zo graag wilt ★ *he must have done it* hij moet het gedaan hebben ★ *you must not / mustn't go in* je mag niet naar binnen gaan ★ *you mustn't* je moet het niet doen

mustache [məˈstɑːʃ] USA *zn* snor

mustang [ˈmʌstæŋ] *zn* mustang, prairiepaard

mustard [ˈmʌstəd] *zn* mosterd, mosterdplant ▾ *that doesn't cut the* ~ dat voldoet niet (meer) aan de verwachtingen ▾ *as keen as* ~ zeer

mu

enthousiast

muster ['mʌstə] **I** *ov ww* ❶ bijeenbrengen ⟨voor inspectie⟩ ❷ opwekken, verzamelen ★ ~ *up what courage you have* al de moed verzamelen die je hebt **II** *onov ww* aantreden ⟨voor inspectie⟩, zich verzamelen ★ *to ~ into service* aantreden, aanmonsteren **III** *zn* groep ⟨soldaten⟩ ★ ~ *station* verzamelplaats ⟨bv. bij brand⟩ ★ *in full ~* voltallig ★ *pass ~* de toets (kunnen) doorstaan, door de inspectie komen

musty ['mʌstɪ] *bnw* muf, schimmelig

mutable ['mju:təbl] *bnw* veranderlijk, wispelturig

mutate [mju:'teɪt] *onov ww* veranderen, muteren

mutation [mju:'teɪʃən] *zn* mutatie, verandering

mute [mju:t] **I** *zn* ❶ min (doof)stomme ★ *deaf mute* doofstomme ❷ muz demper **II** *bnw* zwijgend, stom, sprakeloos **III** *ov ww* dempen, matigen ★ *muted light* gedempt licht

mutilate ['mju:tɪleɪt] *ov ww* verminken

mutilation [mju:tɪ'leɪʃən] *zn* verminking

mutineer [mju:tɪ'nɪə] *zn* muiter

mutinous ['mju:tɪnəs] *bnw* opstandig, muitend, oproerig

mutiny ['mju:tɪnɪ] **I** *zn* muiterij, opstand **II** *onov ww* muiten, in opstand komen

mutt [mʌt] *zn* ❶ hond van het vuilnisbakkenras, mormel ❷ dwaas, sukkel

mutter ['mʌtə] **I** *zn* gemompel, gemopper **II** *ov+onov ww* ❶ mompelen, mopperen ❷ ~ **against/at** mopperen over / tegen

mutton ['mʌtn] *zn* schapenvlees ★ min ~ *dressed as lamb* oudere dame met te jonge kleding

mutton chop *zn* ❶ schaapskotelet ❷ grote bakkebaard

mutual ['mju:tʃʊəl] *bnw* wederzijds, wederkerig, gezamenlijk ★ *the feeling is ~* ik mag jou ook niet ★ *a ~ friend* een gezamenlijke vriend ★ ~ *fund* beleggingsfonds ★ *a ~ interest* gezamenlijk belang ★ *it is to our ~ benefit* het is gunstig voor ons allebei

muzak ['mju:zæk] *zn* muzak, muzikaal behang

muzzle ['mʌzəl] **I** *zn* ❶ bek, snuit ❷ muilkorf ❸ mond, loop ⟨v. vuurwapen⟩ **II** *ov ww* ❶ ook fig muilkorven ❷ besnuffelen

muzzy ['mʌzɪ] *bnw* wazig, beneveld ⟨door drank⟩

my [maɪ] *bez vnw* mijn ★ *on my own* in mijn eentje, alleen ★ *my dear* lieverd ★ *(oh) my!* lieve hemel! ★ *my, my!* tjongejonge!

myopia [maɪ'əʊpɪə] *zn* bijziendheid

myopic [maɪ'ɒpɪk] *bnw* bijziend

myriad ['mɪrɪəd] **I** *zn* groot aantal **II** *bnw* ontelbaar

myrrh [mɜ:] *zn* mirre

myrtle ['mɜ:tl] *zn* ❶ mirte ⟨struik⟩ ❷ USA maagdenpalm

myrtle berry *zn* mirtenbes, blauwe bosbes

myself [maɪ'self] *wkd vnw* mijzelf, (ik)zelf ★ *have sth all to ~* iets helemaal voor mij alleen hebben ★ *I'm not ~* ik voel me niet goed, ik sta niet voor mezelf in ★ *(all) by ~* (helemaal) in mijn eentje

mysterious [mɪ'stɪərɪəs] *bnw* mysterieus, geheimzinnig

mystery ['mɪstərɪ] *zn* ❶ mysterie, geheimzinnigheid ★ *solve a ~* een mysterie oplossen ★ *it's a ~ to me* ik snap er niets van ★ *shrouded in ~* in nevelen gehuld ★ ~ *shopper* iem. die dienstverlening in winkels e.d. beoordeelt zonder zich bekend te maken ❷ detective ⟨roman, enz.⟩

mystic ['mɪstɪk] *zn* mysticus

mystical ['mɪstɪkl] *bnw* mystiek

mysticism ['mɪstɪsɪzəm] *zn* mystiek, mysticisme

mystification [mɪstɪfɪ'keɪʃən] *zn* mystificatie, bedotterij

mystify ['mɪstɪfaɪ] *ov ww* ❶ voor een raadsel stellen ❷ bedotten

mystique [mɪ'sti:k] *zn* mystiek

myth [mɪθ] *zn* mythe, legende ★ *contrary to public myth* in tegenstelling tot wat de meeste denken

mythic ['mɪθɪk] *bnw* fig legendarisch ⟨beroemd⟩

mythical ['mɪθɪkl] *bnw* mythisch, fictief, zogenaamd

mythological [mɪθə'lɒdʒɪkl] *bnw* mythologisch

mythology [mɪ'θɒlədʒɪ] *zn* mythologie

mu

N

n¹ [en] *zn*, letter n ★ *N as in Nelly* de n van Nico

n², **n.** *afk*, *noun* zelfstandig naamwoord

N *afk* ❶ *North* N., noord ❷ *Northern* N., noordelijk

n/a *afk* ❶ *not applicable* n.v.t., niet van toepassing ❷ *not available* niet verkrijgbaar / beschikbaar

nab [næb] *ov ww* ❶ inform vangen, te pakken krijgen ❷ pakken

nadir ['neɪdɪə] form *zn* dieptepunt

naff [næf] GB I *bnw* inform smakeloos, waardeloos II *onov ww* euf ~ **off** opdonderen

nag [næg] I *ov ww* ❶ vitten op ★ *she kept nagging him to mow the lawn* ze bleef maar aan zijn kop zeuren over het gras dat gemaaid moest worden ❷ treiteren ❸ knagen aan ★ *doubts nagged her* twijfel knaagde aan haar II *onov ww* ❶ (blijven) zeuren ★ *a nagging pain* een zeurende pijn ❷ dwarszitten ★ *doubts nagged at her* twijfel knaagde aan haar III *zn* ❶ inform zeurpiet ❷ oud inform (oud) paard

nail [neɪl] I *zn* ❶ nagel ❷ spijker ★ *as hard / tough as nails* spijkerhard, onverbiddelijk ★ *a nail in your coffin* een nagel aan je doodskist ▼ GB *on the nail* contant ▼ USA *you got it right on the nail* je slaat de spijker op zijn kop II *ov ww* ❶ (vast)spijkeren ❷ betrappen ❸ aan de kaak stellen, doorprikken ⟨leugen⟩ ❹ inform binnenhalen ⟨baan, overwinning⟩, te pakken krijgen ❺ ~ **down** dicht- / vastspijkeren, vastpinnen, achterhalen, vaststellen ★ *nail sb down to a price / date* met iem. een prijs / datum afspreken ⟨waar niet meer vanaf geweken wordt⟩ ❻ ~ **up** dicht- / vastspijkeren, ophangen

nail-biting *bnw* zenuwslopend, zeer spannend

nail brush *zn* nagelborsteltje

nail clippers *zn mv* nagelknipper

nail file ['neɪlfaɪl] *zn* nagelvijl

nail scissors *zn mv* nagelschaartje

nail varnish, nail polish *zn* nagellak

naive, naïve [naɪ'iːv/naːˈiːv] *bnw* ❶ naïef, onnozel ❷ ongedwongen

naivety, naïvety [naɪ'iːvəti/naːˈiːvəti] *zn* naïviteit

naked ['neɪkɪd] *bnw* ❶ naakt, bloot ★ *the ~ eye* het blote oog ❷ weerloos ❸ kaal, onopgesmukt ★ *~ exploitation* pure uitbuiting ★ *the bathroom is lit by a single ~ bulb* de enkel kaal peertje verlicht de badkamer ★ *the ~ truth* de naakte waarheid

Nam [næm] USA inform Vietnam

namby-pamby [næmbɪˈpæmbɪ] inform *bnw* zwak, slap, sentimenteel

name [neɪm] I *zn* ❶ naam ★ *first name* voornaam ★ *Christian name* voornaam ★ USA *given name* voornaam, doopnaam ★ *last name* achternaam ★ *X by name* X van naam, genaamd X ★ *by the name of X* genaamd X ★ *enter your name* je aanmelden ★ *give your name to sb* iem. naar je vernoemen ★ *go by the name of X* bekend zijn onder de naam X ★ *have sth to your name* iets op je naam hebben staan ⟨als bezit⟩ ★ *in all but name* niet officieel ★ *in the name of...* in naam van..., onder de naam van... ★ *call sb names* iem.

uitschelden ★ *name names* namen noemen, beschuldigen ❷ benaming ★ *put a name to sb / sth* iemand / iets precies aanduiden ❸ reputatie ★ *make a name for o.s.* beroemd worden ★ *big name* grote naam ⟨belangrijk persoon⟩ ▼ *the name of the game* waar het om gaat ▼ humor *his name is mud* hij is uit de gratie II *ov ww* ❶ noemen ★ *you name it!* noem maar op! ★ *name and shame sb* iemands slechte reputatie publiceren, iem. publiekelijk aan de schandpaal nagelen ❷ benoemen, bepalen ★ *name a price* een prijs noemen / bepalen ❸ ~ **after** /USA **for** vernoemen naar

name badge *zn* naambordje

name day *zn* naamdag

name-dropping *zn* dikdoenerij met namen v. bekende personen

nameless ['neɪmləs] *bnw* ❶ naamloos, onbekend ❷ anoniem ❸ dicht onuitsprekelijk, walgelijk

namely ['neɪmlɪ] *bijw* namelijk, dat wil zeggen

nameplate ['neɪmpleɪt] *zn* naambordje

namesake ['neɪmseɪk] *zn* naamgenoot

name tag *zn* naamplaatje ⟨op jas enz.⟩

nan GB inform *zn* oma

nancy ['nænsɪ], **nancy boy, nance** GB min *zn* mietje, nicht

nanna, nana ['nænə] GB inform *zn* oma

nanny ['nænɪ] *zn* ❶ kinderjuffrouw, gouvernante ❷ inform oma

nanny goat *zn* geit

nanny state GB *zn* betuttelende verzorgingsstaat

nano- ['nænəʊ] *voorv* nano- ⟨in meeteenheden⟩

nanotechnology *zn* nanotechnologie

nap [næp] I *zn* ❶ dutje ★ *have / take a nap* een dutje doen ❷ nop, vleug ⟨v. stof⟩ II *onov ww* dutten ★ *catch sb napping* iem. betrappen / overrompelen

napalm ['neɪpɑːm] *zn* napalm

nape [neɪp] *zn* nek ★ *nape of the neck* nek

napkin ['næpkɪn] *zn* ❶ servet, doekje ❷ USA maandverband ★ *a sanitary ~* een maandverband

nappy ['næpɪ] *afk* GB luier ★ *change a ~* een luier verschonen

nappy rash *zn* inform luieruitslag

narcissus [nɑːˈsɪsəs] *zn* narcis

narcotic [nɑːˈkɒtɪk] I *zn* verdovend middel II *bnw* ❶ verdovend ❷ slaapverwekkend

nark [nɑːk] I *zn* inform politiespion II *ov ww*, GB inform kwaad maken ★ *get narked about sth / with sb* kwaad worden over iets / op iem.

narrate [nəˈreɪt] *ov ww* form vertellen, verhalen

narration [nəˈreɪʃən] *zn* verhaal

narrative ['nærətɪv] I *zn* verhaal II *bnw* verhalend

narrator [nəˈreɪtə] *zn* verteller

narrow ['nærəʊ] I *bnw* ❶ smal, nauw ❷ klein, beperkt ★ *~ circumstances* armoede ★ *a ~ majority* een krappe meerderheid ★ *have a ~ escape* ternauwernood ontsnappen ❸ bekrompen ❹ precies, strikt ⟨van betekenis, definitie⟩ II *ov ww* ❶ vernauwen ❷ verminderen ★ ~ **down** beperken, terugbrengen III *onov ww* ❶ zich vernauwen ❷ verminderen ❸ ~ **down** ★ *it ~s down to*

na

uiteindelijk komt het neer op

narrowly ['nærəʊlɪ] *bijw* ❶ ternauwernood, net ❷ precies ❸ zorgvuldig, nauwlettend

narrow-minded *bnw* bekrompen ⟨van opvatting⟩

narrows ['nærəʊz] *zn mv* ⟨zee-⟩engte ⟨smal water tussen twee zeeën, meren⟩

NASA ['nɑsə/'næsə] *afk, USA National Aeronautics and Space Administration* NASA ⟨Amerikaanse ruimtevaartorganisatie⟩

nasal ['neɪzəl] **I** *zn* neusklank **II** *bnw* nasaal, neus-

nascent ['næsənt] form *bnw* in wording, ontluikend, opkomend

nasturtium [nə'stɜ:ʃəm] *zn* Oost-Indische kers

nasty ['nɑ:stɪ] *bnw* ❶ akelig, gemeen, naar, lelijk ⋆ ~ *weather* afschuwelijk / guur weer ⋆ *get / turn* ~ onaangenaam worden ⟨van situaties, personen⟩ ⋆ GB inform *a* ~ *bit / piece of work* een stuk ongeluk ❷ gevaarlijk, ernstig ⋆ *a* ~ *cold* een zware verkoudheid ⋆ *a* ~ *accident* een ernstig ongeluk ❸ onsmakelijk, goor

natch [nætʃ] *bijw* inform natuurlijk, uiteraard

nation ['neɪʃən] *zn* natie, volk

national ['næʃənl] **I** *bnw* nationaal, landelijk, volks-, staats- **II** *zn* staatsburger

nationalism ['næʃənəlɪzəm] *zn* ❶ nationalisme, vaderlandsliefde ❷ streven naar nationale onafhankelijkheid

nationalist ['næʃənəlɪst] **I** *zn* nationalist **II** *bnw* nationalistisch

nationality [næʃə'nælətɪ] *zn* nationaliteit ⋆ *have dual* ~ een dubbele nationaliteit hebben

nationalize, nationalise ['næʃənəlaɪz] *ov ww* onteigenen ⟨door de Staat⟩, nationaliseren

nationwide [neɪʃən'waɪd] *bnw + bijw* landelijk, nationaal

native ['neɪtɪv] **I** *bnw* ❶ geboorte- ⋆ *his* ~ *land* zijn geboorteland ⋆ *a* ~ *New Yorker* een geboren (en getogen) New Yorker ❷ natuurlijk, aangeboren ❸ inheems, inlands ⟨to aan⟩ ⋆ humor *go* ~ zich aanpassen aan de plaatselijke bevolking **II** *zn* ❶ inwoner, bewoner ❷ autochtoon ⋆ *speak Dutch like a* ~ Nederlands spreken als een geboren Nederlander ❸ min inboorling, inlander ❹ inheemse dier- / plantensoort

Native American *zn* ⟨afstammeling van⟩ oorspronkelijke bewoner van Noord-Amerika, ≈ ⟨afstammeling van⟩ indiaan ⋆ ~ *music* muziek van de oorspronkelijke bewoners van Noord-Amerika

nativity [nə'tɪvətɪ] *zn* ⋆ rel *the Nativity* geboorte(dag) v. Christus ⟨ook als afbeelding⟩

nativity play *zn* kerstspel

NATO ['neɪtəʊ] *afk, North Atlantic Treaty Organization* NAVO, Noord-Atlantische Verdragsorganisatie

natter ['nætə] GB inform **I** *onov ww* kletsen, babbelen **II** *zn* kletspraatje ⋆ *have a good* ~ eens lekker kletsen

natty ['nætɪ] inform *bnw* ❶ keurig ❷ handig

natural ['nætʃərəl] **I** *bnw* ❶ natuurlijk ⋆ *a* ~ *leader* een geboren leider ❷ natuur- ⋆ ~ *resources* natuurlijke hulpbronnen ⋆ ~ *food* natuurvoeding ❸ gewoon, normaal ❹ ongekunsteld ❺ muz zonder kruis- of

molteken **II** *zn* ❶ inform natuurtalent ⋆ *be a* ~ *for* geknipt zijn voor ❷ muz herstellingsteken, stamtoon

naturalisation *zn* GB → naturalization

naturalism kunst lit *zn* naturalisme

naturalist ['nætʃərəlɪst] *zn* bioloog, natuurkenner

naturalistic [nætʃərə'lɪstɪk] kunst lit *bnw* ❶ naturalistisch ❷ natuurhistorisch

naturalization [nætʃərəlaɪ'zeɪʃən] *zn* naturalisatie

naturalize, naturalise ['nætʃərəlaɪz] **I** *ov ww* ❶ naturaliseren ❷ natuurlijk maken, inheems maken ⋆ *become* ~*d* inheems worden ⟨van plant / dier⟩ **II** *onov ww*, dierk plantk zich aanpassen, inheems worden

naturally ['nætʃərəlɪ] *bijw* ❶ uiteraard, vanzelfsprekend ❷ van nature ⋆ *it comes to* ~ *him* het gaat hem gemakkelijk af ❸ op natuurlijke wijze

nature ['neɪtʃə] *zn* ❶ (de) natuur ⋆ *against / contrary to* ~ tegennatuurlijk, onnatuurlijk ❷ aard, karakter ⋆ *by* ~ van nature ⋆ *the* ~ *of the beast* de aard van het beestje ⋆ *in the* ~ *of things* uit de aard der zaak ❸ soort ⋆ *be in the* ~ *of a cross-examination* veel weg hebben van een kruisverhoor, lijken op een kruisverhoor

nature trail *zn* natuurpad

naturism ['neɪtʃərɪzəm] *zn* naturisme, nudisme

naturist ['neɪtʃərɪst] *zn* naturist, nudist

naught [nɔ:t] → nought

naughty ['nɔ:tɪ] *bnw* ❶ ondeugend, stout ❷ inform gewaagd

nausea ['nɔ:zɪə] *zn* (gevoel v.) misselijkheid

nauseate ['nɔ:zɪeɪt] *ov ww* misselijk maken ⋆ *be* ~*d by sth* walgen van iets ⋆ *their nauseating behaviour* hun walgelijke gedrag

nauseous ['nɔ:zɪəs] *bnw* ❶ USA misselijk ❷ form walgelijk, misselijkmakend

nautical ['nɔ:tɪkl] *bnw* de zeevaart betreffende, zee-, scheepvaart-

nautical mile *zn* zeemijl ⟨1852 m⟩

naval ['neɪvəl] *bnw* ❶ marine-, vloot- ❷ zee- ⋆ *a* ~ *battle* een zeeslag

nave [neɪv] *zn* schip ⟨van kerk⟩

navel ['neɪvəl] *zn* navel

navigable ['nævɪgəbl] *bnw* bevaarbaar ⟨van rivier⟩

navigate ['nævɪgeɪt] **I** *ov ww* ❶ bevaren, varen (op) ⋆ ~ *a ship into port* een schip de haven binnenvaren ❷ besturen, rijden op ⋆ ~ *your way through the mountains* je weg door de bergen vinden ❸ loodsen door ⟨moeilijke situatie, ingewikkelde materie⟩ **II** *onov ww* ❶ varen ❷ sturen ⟨van schip, vliegtuig⟩ ❸ navigeren ⟨ook op internet⟩, kaartlezen

navigation [nævɪ'geɪʃən] *zn* navigatie, stuurmanskunst

navigational [nævɪ'geɪʃənəl] *bnw* navigatie-

navigator ['nævɪgeɪtə] *zn* ❶ navigator ⟨van schip / vliegtuig⟩ ❷ www zoekprogramma

navvy ['nævɪ] GB *zn* grondwerker

navy ['neɪvɪ] **I** *zn* marine ▾ *merchant navy* koopvaardij(vloot) **II** *bnw* marineblauw

Nazi ['nɑ:tsɪ] **I** *zn* nazi **II** *bnw* nazi-

Nazism ['nɑ:tsɪzəm] *zn* nazisme

NC *afk* ❶ USA no children under 17 boven de 16 ⟨voor film⟩ ❷ North Carolina staat in de VS

ND *afk, North Dakota* staat in de VS

NE *afk* ❶ *northeast(ern)* N.O., noordoost(elijk) ❷ *Nebraska* staat in de VS

Neapolitan [niːəˈpɒlɪtən] **I** *zn* Napolitaan **II** *bnw* Napolitaans

neap tide [niːp taɪd] *zn* doodtij

near [nɪə] **I** *bnw* ❶ nabij, dichtbij(zijnd) ★ *in the near future* in de nabije toekomst ★ *to the nearest € 10* tot op € 10 nauwkeurig ❷ nauw (verwant) ★ *inform your nearest and dearest* je familie en beste vrienden ❸ grenzend aan, veel lijkend op ★ *a near disaster* bijna een ramp ★ *it was a near thing* het scheelde niet veel **II** *bijw* ❶ dichtbij, nabij ★ *near at hand* op handen, bij de hand ★ *come / draw near* dichterbij komen ★ *she was near to tears* het huilen stond haar nader dan het lachen ★ *nowhere / not anywhere near* op geen stukken na ❷ bijna, nagenoeg ★ *near upon a week* bijna een week **III** *ov ww* naderen **IV** *onov ww* dichterbij komen, naderen **V** *vz* dicht bij, naast ★ *near the church* dicht bij de kerk

nearby [nɪəˈbaɪ] **I** *bnw* nabij gelegen **II** *bijw* in de buurt

nearly [ˈnɪəlɪ] *bijw* bijna, haast ▾ *not ~ (as good as...)* lang niet (zo goed als...)

nearness [ˈnɪənəs] *zn* nabijheid

nearside [ˈnɪəsaɪd] GB **I** *bnw* aan de linkerkant ★ ~ *lane* linker rijstrook **II** *zn* linkerkant

nearsighted [nɪəˈsaɪtɪd] USA *bnw* bijziend

neat [niːt] *bnw* ❶ net(jes), keurig ❷ sierlijk, slank ❸ handig, knap ❹ onvermengd, puur (v. drank) ❺ USA *inform* gaaf, geweldig

nebula [ˈnebjʊlə] *zn* sterrenk nevelvlek

nebulous [ˈnebjʊləs] *bnw* vaag, wollig

necessarily [nesəˈserəlɪ, GB ˈnesəsərəlɪ] *bijw* noodzakelijkerwijs, onvermijdelijk ★ *not ~* niet per se

necessary [ˈnesəsərɪ] **I** *bnw* ❶ noodzakelijk ❷ onvermijdelijk **II** *zn* ★ *necessaries* [mv] primaire levensbehoeften, benodigdheden

necessitate [nɪˈsesɪteɪt] *ov ww* noodzaken, dwingen

necessity [nɪˈsesɪtɪ] *zn* noodzaak ★ *the basic / bare necessities* de basisbehoeften, de eerste levensbehoeften ★ *a car is a ~ here* je kunt hier niet zonder auto ★ ~ *for* behoefte aan ★ *from / out of* ~ uit nood ★ *of* ~ noodzakelijkerwijze

neck [nek] **I** *zn* nek, hals ★ *inform breathe down sb's neck* iem. op de vingers kijken ★ *inform be up to your neck in (debt)* tot aan je nek in (de schuld) zitten ★ *neck and neck* nek aan nek ★ *by a neck* met een halslengte (winnen) ★ *inform neck of the woods* buurt, omgeving ▾ GB *inform get it in the neck* het voor zijn kiezen krijgen, het zwaar te verduren hebben ▾ *have the neck to do sth* zo brutaal zijn om iets te doen **II** *onov ww,* oud *inform* vrijen

neckerchief [ˈnekətʃɪf] *zn* halsdoek

necklace [ˈnekləs] *zn* halssnoer, collier

neckline [ˈneklaɪn] *zn* halslijn ★ *a dress with a low / plunging* ~ een diep uitgesneden jurk, een jurk met een (diep) decolleté

necktie [nektaɪ] USA *form zn* (strop)das

necromancy [ˈnekrəʊmænsɪ] *zn* ❶ zwarte kunst ❷ necromantie (voorspelling van de toekomst door met geesten van doden te praten)

necropolis [neˈkrɒpəlɪs] *zn* ❶ dodenstad ❷ (grote) begraafplaats

nectar [ˈnektə] *zn* ❶ nectar (uit bloemen) ❷ godendrank, heerlijke drank

nectarine [ˈnektərɪn] *zn* nectarine

née [neɪ] *form bnw* geboren ★ *Mrs Smith, née Jones* Mevr. Smith, geboren Jones

need [niːd] **I** *ov ww* nodig hebben, vereisen ★ *need help / money* hulp / geld nodig hebben ★ *they need to go now* ze moeten nu (echt) gaan ★ *you didn't need to help me* je hoefde me niet te helpen ★ *do I need to come now?* moet ik nu komen? ★ *she needs knowing* je moet haar kennen **II** *hww* GB hoeven (in ontkennende zinnen; en "need not" wordt dan vaak geschreven als "needn't"), moeten (in vragende zinnen) ★ *he need not / needn't help me* hij hoeft me niet te helpen ★ *you / he need not / needn't have done it* je / hij had het niet hoeven doen ★ *need you have paid so much?* had je zo veel moeten betalen? **III** *zn* ❶ nood(zaak) ★ *there's no need for you to stay here* je hoeft hier niet te blijven ❷ behoefte ★ *need for / of* behoefte aan ★ *be in / have need of* nodig hebben ★ *meet the needs of sb* aan de behoeften van iem. voldoen ❸ armoede, tekort ★ *people in need* mensen die in armoe leven, mensen met bijna niets ▾ *if need be* desnoods, in geval van nood

needle [niːdl] **I** *zn* ❶ naald (om te naaien), pen (om te breien) ❷ plantk techn naald ❸ injectienaald ▾ *look for a ~ in a haystack* zoeken naar een speld in een hooiberg **II** *ov ww inform* ergeren, tarten

needle-point *zn* borduurwerk

needless [ˈniːdləs] *bnw* onnodig ▾ ~ *to say* vanzelfsprekend

needlewoman [ˈniːdlwʊmən] *zn* naaister

needlework [ˈniːdlwɜːk] *zn* naaldwerk (borduren, haken e.d.), naaiwerk

needn't [ˈniːdnt] *samentr, need not* → **need**

needy [ˈniːdɪ] *bnw* arm, hulpbehoevend

nefarious [nɪˈfeərɪəs] *bnw form* misdadig, schandelijk

neg. [neg] *afk, negative* negatief

negate [nɪˈgeɪt] *form ov ww* ❶ tenietdoen ❷ ontkennen

negation [nɪˈgeɪʃən] *zn* ❶ ontkenning ❷ weigering ★ *shake your head in ~* nee schudden

negative [ˈnegətɪv] **I** *bnw* ❶ negatief ❷ ontkennend, afwijzend ❸ weigerend **II** *zn* ❶ ontkenning ★ *answer in the* ~ ontkennend antwoorden ❷ weigering ★ *it was decided in the* ~ het voorstel werd verworpen ❸ audio-vis negatief ❹ negatieve kant (aan een zaak, overeenkomst) ❺ negatieve uitslag (van test, onderzoek) **III** *ov ww* ❶ verwerpen (voorstel) ❷ weerspreken (theorie)

negativity [negəˈtɪvətɪ] *form zn* negativiteit, negatieve / afwijzende houding

neglect [nɪˈglekt] **I** *ov ww* ❶ verwaarlozen, veronachtzamen ❷ *form* verzuimen, nalaten **II** *zn* ❶ verwaarlozing ❷ verzuim ★ ~ *of duty* plichtsverzuim

neglectful [nɪˈglektfʊl] *form bnw* nalatig ★ *be ~ of*

verwaarlozen, veronachtzamen

negligence ['neglɪdʒəns] zn nalatigheid, onachtzaamheid, achteloosheid

negligent ['neglɪdʒənt] bnw nalatig, achteloos ★ be ~ of verwaarlozen

negligible ['neglɪdʒɪbl] bnw te verwaarlozen

negotiable [nɪ'gəʊʃəbl] bnw ❶ bespreekbaar, onderhandelbaar ❷ econ verhandelbaar

negotiate [nɪ'gəʊʃɪeɪt] I ov ww ❶ onderhandelen over ❷ tot stand brengen, (af)sluiten ⟨overeenkomst, verdrag, contract⟩ ❸ nemen ⟨moeilijk(e) weg / pad / bocht⟩, zich een weg banen over ⟨moeilijke / ingewikkelde situatie⟩ II onov ww ❶ onderhandelen ★ the negotiating table de onderhandelingstafel ❷ ~ for/about onderhandelen over

negotiation [negəʊʃɪ'eɪʃən] zn onderhandeling ★ these contracts are still under ~ over deze contracten wordt nog (steeds) onderhandeld

negotiator [nɪ'gəʊʃɪeɪtə] zn onderhandelaar

Negro ['niːgrəʊ] oud min zn [mv: **negroes**] neger

neigh [neɪ] I onov ww hinniken II zn gehinnik

neighbour, USA **neighbor** ['neɪbə] zn ❶ buurman / -vrouw, iets / iemand ernaast ★ this lake is smaller than its ~ dit meer is kleiner dan dat wat er naast ligt ★ next-door ~ naaste buur ❷ buurland

neighbourhood, USA **neighborhood** ['neɪbəhʊd] zn buurt, omgeving ▼ in the ~ of in de buurt van, ongeveer ⟨m.b.t. getallen / bedragen⟩

neighbourhood watch zn buurtpreventie

neighbouring, USA **neighboring** ['neɪbərɪŋ] bnw nabijgelegen, naburig

neighbourly, USA **neighborly** ['neɪbəlɪ] bnw ❶ met / van de buren ★ ~ help hulp van de buren ★ good ~ relations goede relaties met de buren ★ vriendelijk en behulpzaam

neither ['naɪðə, 'niːðə] I bijw ook niet, evenmin ★ Pete couldn't come and ~ could I Pete kon niet komen en ik ook niet ★ inform me ~ ik ook niet ★ ~ X nor Y noch X noch Y ★ ~ big nor small niet groot en ook niet klein ★ it's ~ here nor there het is niet van belang II onbep vnw geen ⟨van meerdere(n)⟩ ★ ~ answer is correct geen van de antwoorden is goed ★ ~ of us has a car geen van ons heeft een auto

nelly ['nelɪ] zn oud inform not on your ~ geen sprake van

neo- ['niːəʊ] voorv neo-, nieuw

Neolithic [niːə'lɪθɪk] bnw neolithisch

neologism [ni:'ɒlədʒɪzəm] zn neologisme, nieuw woord

neon ['niːɒn] zn neon

neon light zn neonlicht, tl-buis

neophyte ['niːəfaɪt] form zn ❶ nieuweling ❷ nieuwbekeerde

nephew ['nevjuː] zn neef ⟨zoon v. broer / zuster⟩, oom- / tantezegger

nepotism ['nepətɪzəm] zn min vriendjespolitiek, nepotisme ⟨bevoordelen van familieleden / vrienden⟩

nerd [nɜːd] zn ❶ min studdie, computerfreak, nerd ❷ min lul(letje)

nerve [nɜːv] I zn ❶ zenuw ★ ~s [mv] zenuwen ★ my ~s were on edge ik was erg gespannen ★ be

a bag / bundle of ~s een bonk zenuwen zijn ★ get on sb's ~s op iemands zenuwen werken ★ have ~s of steel stalen zenuwen hebben ★ hit / touch a raw / sensitive ~ een gevoelige snaar raken ★ strain every ~ zich tot het uiterste inspannen ❷ moed, zelfbeheersing ★ lose your ~ de moed verliezen ★ keep your ~ kalm blijven ❸ inform brutaliteit ★ you've got a ~! jij durft! II ov ww kracht / moed geven ★ he ~d himself (for sth / to do sth) hij vermande zich (voor iets / om iets te doen)

nerve centre, USA **nerve center** ['nɜːvsentə] zn zenuwcentrum

nerveless ['nɜːvləs] bnw ❶ krachteloos, slap ❷ zonder vrees

nerve-racking, **nerve-wracking** bnw zenuwslopend

nervous ['nɜːvəs] bnw ❶ zenuwachtig, nerveus ❷ bezorgd, bang ★ he is ~ about the future hij is bezorgd over de toekomst ❸ zenuw- ★ a ~ twitch een zenuwtrekje, een tic

nervy ['nɜːvɪ] bnw ❶ GB zenuwachtig ❷ USA vrijpostig, brutaal

nest [nest] I zn ❶ nest ❷ broeinest, haard ❸ stel ⟨van dingen die in / onder elkaar passen⟩ ★ nest of tables stel mimitafeltjes II onov ww nesten ook comp , inbedden III onov ww zich nestelen

nest egg zn appeltje voor de dorst

nestle ['nesl] I onov ww ❶ zich (neer)vlijen, zich nestelen ❷ half verborgen liggen ❸ ~ against dicht aankruipen tegen II ov ww vlijen

nestling ['neslɪŋ] zn nestvogel, nestkuiken

net [net] I zn ❶ net ❷ fig valstrik, web ❸ netwerk ★ inform the Net internet II bnw econ netto ★ the net result het uiteindelijke resultaat, per saldo III ov ww ❶ netto opbrengen / verdienen ❷ met een net vangen ❸ inform in de wacht slepen, verwerven ❹ inform maken ⟨een (doel)punt, bij voetbal enz.⟩ ❺ met een net afdekken

netball ['netbɔːl] zn ≈ korfbal

net curtains GB zn mv vitrage

nether ['neðə] bnw, lit humor onder-, beneden ★ ~ world onderwereld

Netherlands ['neðələndz] zn mv Nederland ★ the ~ is / are a democracy Nederland is een democratie

netizen zn (enthousiast) internetter

netphone zn (inter)nettelefoon

nett [net] I bnw → net II ov ww → net

netting ['netɪŋ] zn gaas, net(werk)

nettle ['netl] I zn brandnetel ★ stinging ~ brandnetel ▼ grasp the ~ of police reform het hete hangijzer van de politiehervorming kordaat aanpakken II ov ww ergeren, irriteren

nettlerash ['netlræʃ] zn netelroos

network ['netwɜːk] I zn ❶ netwerk ook comp ❷ radio- / tv-station II ov ww ❶ via een netwerk uitzenden ❷ comp d.m.v. netwerk verbinden III onov ww netwerken (voor je carrière)

neural ['njʊərəl] med bnw zenuw-, m.b.t. het zenuwstelsel

neuralgia [njʊə'rældʒə] zn med zenuwpijn

neuro- [njʊərəʊ] voorv neuro-, zenuw-

neurologist [njʊə'rɒlədʒɪst] med zn neuroloog

neurology [njʊə'rɒlədʒɪ] med zn neurologie

neurosis [njʊəˈrəʊsɪs] *zn* [mv: **neuroses**] med neurose

neurosurgery [njʊəˈrəʊˈsɜːdʒərɪ] *zn* neurochirurgie

neurotic [njʊəˈrɒtɪk] **I** *zn* neuroot **II** *bnw* neurotisch, extreem gevoelig / bezorgd

neuter [ˈnjuːtə] **I** *ov ww* ❶ castreren, steriliseren ❷ neutraliseren **II** *bnw* taalk onzijdig

neutral [ˈnjuːtrəl] **I** *bnw* ❶ neutraal, onpartijdig ★ *on ~ ground / territory* op neutrale bodem ❷ neutraal ⟨v. kleur / toon⟩ ❸ natk scheik neutraal **II** *zn* ❶ neutrale stand ⟨v. versnelling⟩ ★ *in ~* in z'n vrij ❷ neutraal iemand / land ❸ gedekte kleur

neutrality [njuːˈtrælɪtɪ] *zn* neutraliteit

neutralization, neutralisation [njuːtrəlarˈzeɪʃən] *zn* neutralisatie, neutralisering

neutralize, neutralise [ˈnjuːtrəlaɪz] *ov ww* ❶ opheffen, neutraliseren ❷ scheik neutraal maken ❸ onschadelijk maken ⟨bom⟩ ❹ euf doden, vernietigen

neutron [ˈnjuːtrɒn] natk *zn* neutron

never [ˈnevə] **I** *bijw* nooit ★ *~ ever* nooit of te nimmer ★ *oud ~ fear!* maak je geen zorgen! ★ *~ mind!* geeft niet!, dat doet er niet toe! ★ *~ you mind* dat gaat je niets aan ★ *she ~ so much as looked at me* ze keek niet eens naar me ★ *that would ~ do!* dat kunnen we niet hebben! ★ *well, I ~!* heb ik ooit van m'n leven! **II** *tw* ★ *~!* dat meen je niet!, nee toch!

never-ending *bnw* altijddurend, eindeloos

nevermore [nevəˈmɔː] *bijw* lit nooit meer

never-never GB inform *zn* huurkoop ★ *on the ~* op afbetaling, op de pof

never-never land *zn* sprookjesland

nevertheless [nevəðəˈles] *bijw* desalniettemin, desondanks

new [njuː] *bnw* ❶ nieuw, recent, ongebruikt ❷ herboren ❸ onbekend (to met) ★ *I'm new to the job* ik werk hier nog maar pas ★ inform *that's a new one on me* dat / die heb ik niet eerder gehoord ▼ inform *what's new?* hoe gaat 'ie?

newbie *zn* nieuwkomer op het internet

newborn [njuːˈbɔːn] *bnw* pasgeboren

newbuild *zn* ❶ nieuwbouwwoning ❷ nieuwbouw

newcomer [ˈnjuːkʌmə] *zn* nieuweling, nieuwkomer

newfangled [njuːˈfæŋgld] *bnw* min nieuwerwets

new-laid *bnw* net gelegd ★ *~ eggs* verse eieren

newly [ˈnjuːlɪ] *bijw* onlangs, pas

newly-wed *zn* [meestal mv] pasgetrouwde

news [njuːz] *zn* ❶ nieuws ★ *this is good news for the rich people* dit is goed nieuws voor de rijken ★ *be on the news* in het nieuws zijn ★ *break the news* als eerste het (slechte) nieuws meedelen ★ inform *that is news to me* dat is nieuw voor mij ❷ journaal, nieuwsberichten ★ *on the news* op het nieuws / journaal ▼ inform *be bad news* slecht en / of gevaarlijk zijn

news agency *zn* persagentschap, persbureau

newsagent [ˈnjuːzeɪdʒənt] *zn* GB kioskhouder, krantenverkoper

newscast [ˈnjuːzkɑːst] USA *zn* nieuwsberichten ⟨op radio / tv⟩

newscaster [ˈnjuːzkɑːstə] USA *zn* nieuwslezer

news conference USA *zn* persconferentie

newsdealer USA *zn* kioskhouder, krantenverkoper

news desk *zn* ❶ nieuwsdienst ❷ perskamer

newsflash [ˈnjuːzflæʃ] GB *zn* extra nieuwsbericht ⟨tijdens normaal programma⟩

newsgroup comp *zn* nieuwsgroep

newsletter [ˈnjuːzletə] *zn* mededelingenblad, nieuwsbrief

newspaper [ˈnjuːspeɪpə] *zn* ❶ krant ❷ krantenpapier

newspaper clipping, newspaper cutting *zn* krantenknipsel

newspaperman [ˈnjuːspeɪpəmæn] *zn* (kranten)journalist

newsprint [ˈnjuːzprɪnt] *zn* krantenpapier

newsreader [ˈnjuːzriːdə] GB *zn* nieuwslezer

newsreel [ˈnjuːzriːl] *zn* (bioscoop)journaal

newsroom [ˈnjuːzruːm] *zn* redactiekamer

news-sheet [ˈnjuːzʃiːt] *zn* nieuwsblad / -bulletin

news-stand *zn* krantenkiosk

newsvendor [ˈnjuːzvendə] *zn* krantenverkoper

newsworthy [ˈnjuːzwɜːðɪ] *bnw* met voldoende nieuwswaarde, actueel

newsy [ˈnjuːzɪ] *bnw* inform vol nieuwtjes

newt [njuːt] *zn* watersalamander ★ *as pissed as a newt* straalbezopen

New Year's Day *zn* nieuwjaarsdag

New Year's Eve *zn* oudejaarsavond, oudejaar(sdag)

New Zealand I *zn* Nieuw-Zeeland II *bnw* Nieuw-Zeelands

next [nekst] **I** *bnw* (eerst)volgende, aanstaande ★ *the next best* zo één na de beste ★ *the next thing I knew I was on the floor* voor ik het wist lag ik op de grond ★ *not till next time* pas de volgende keer ★ *as energetic as the next man / woman / person* even energiek als wie dan ook **II** *bijw* daarna, de volgende keer, vervolgens ★ *next after seeing him, I....* direct nadat ik hem gezien had... ★ *what(ever) next?* wat nu?, kan het nog gekker? → **next to III** *zn* [meestal: the next] de / het (eerst)volgende ★ *I'll tell you in my next* dat zal ik je in m'n volgende brief vertellen ★ *next please!* de volgende! ★ *the next in size* de maat die er op volgt

next door [nekstˈdɔː] *bijw* hiernaast ★ *she lives ~* zij woont hiernaast ★ *they live ~ to the shop* zij wonen naast de winkel ★ *the boy / girl ~* de jongen / het meisje van hiernaast

next-door *bnw* naast, van hiernaast ★ *the ~ neighbours* de naaste buren

next to *vz* naast, volgende ⟨in rang⟩, bijna, in vergelijking met ★ *the woman ~ him* de vrouw naast hem ★ *~ impossible* zo goed als onmogelijk ★ *~ nothing* bijna niets ★ *it is ~ murder* het staat bijna gelijk met moord

nexus [ˈneksəs] *zn* form band, schakel, verbinding

NGO *afk, Non-Governmental Organization* ngo, omschr niet-overheidsgebonden organisatie ⟨m.n. liefdadigheidsorganisatie in Derde Wereld⟩

NH *afk, New Hampshire* staat in de VS

NHS *afk, National Health Service* Nationale Gezondheidszorg

nib [nɪb] *zn* punt ⟨v. pen / gereedschap⟩

nibble ['nɪbl] **I** *onov ww* ❶ knabbelen ❷ voorzichtige interesse tonen ❸ ~ at knabbelen / knagen aan ook fig ❹ ~ away at aanvreten, uithollen **II** *ov ww* knabbelen aan / op, oppeuzelen **III** *zn* hapje, knabbeltje ★ ~s [mv] (borrel)hapjes

nice [naɪs] *bnw* ❶ aardig, prettig, leuk, mooi ★ nice to meet you aangenaam ★ inform USA have a nice day! tot ziens! ❷ lekker ★ a nice long way behoorlijke afstand ★ nice and warm / fast lekker warm / snel ❸ fatsoenlijk, keurig, netjes ★ no nice girl should do this geen fatsoenlijk meisje zou dit doen ★ don't be nice about going schaam je maar niet om te gaan ❹ genuanceerd, subtiel, nauwgezet, nauwkeurig ▼ inform GB nice one! goed zo! ⟨tegen de verwachting in⟩ ▼ inform nice work if you can get it je moet maar geluk hebben

nice-looking [naɪs'lʊkɪŋ] inform *bnw* mooi, knap

nicely ['naɪslɪ] *bijw* ❶ mooi, leuk ❷ aardig, vriendelijk ❸ goed, uitstekend ★ her business is doing very ~ haar bedrijf draait / loopt zeer goed ★ that'll do ~, thank you dat is prima / voldoende, dank je, zo kan ie wel weer, hoor!

nicety ['naɪsətɪ] *zn* ❶ nauwgezetheid ★ to a ~ heel precies, tot op de millimeter nauwkeurig ❷ finesse ★ niceties [mv] kleine details / verschillen

niche [nɪtʃ] *zn* ❶ plek(je), stek ★ find your ~ je draai vinden ❷ econ niche ⟨specifiek segment van de markt⟩ ❸ nis

nick [nɪk] **I** *zn* ❶ inkeping, kerf ❷ GB inform bajes, nor, politiebureau ▼ GB inform in good / bad nick in prima / slechte conditie ▼ in the nick of time net op tijd **II** *ov ww* ❶ inkepen, kerven ❷ GB inform pikken, gappen ❸ GB inform arresteren ❹ Aus inform snel ergens heen gaan **III** *onov ww* Aus inform ~ off weggaan

nickel ['nɪkl] *zn* ❶ nikkel ❷ USA stuiver ⟨5 dollarcent⟩

nickel-and-dime USA inform *bnw* goedkoop, waardeloos

nick-nack ['nɪknæk] → knick-knack

nickname ['nɪkneɪm] **I** *zn* bijnaam **II** *ov ww* bijnaam geven

nicotine ['nɪkəti:n] *zn* nicotine

niece [ni:s] *zn* nicht ⟨oom- / tantezegger⟩

nifty ['nɪftɪ] inform *bnw* ❶ handig ❷ mooi, aardig

Nigerian [nai'dʒɪərɪən] **I** *zn* Nigeriaan **II** *bnw* Nigeriaans

niggardly ['nɪgədlɪ] *bnw* form gierig, karig

nigger ['nɪgə] *zn*, min plat nikker, zwarte

niggle ['nɪgl] **I** *ov ww* irriteren, dwarszitten ★ doubt ~d her onzekerheid knaagde aan haar **II** *onov ww* ❶ irriteren ★ doubt ~d at her onzekerheid knaagde aan haar ❷ muggenziften, vitten **III** *zn* lichte kritiek / ongerustheid / irritatie

niggling ['nɪglɪŋ] *bnw* ❶ irritant, knagend ⟨v. twijfel⟩, zeurend ⟨v. pijn⟩ ❷ onbeduidend, klein(zielig)

night [naɪt] *zn* ❶ nacht ★ at ~ 's nachts ★ by ~ 's nachts ★ in the ~ gedurende de nacht ★ a dirty ~ stormachtige regennacht ★ good ~ welterusten!

★ make a ~ of it de hele nacht doorfeesten ★ dance the ~ away de hele nacht door dansen ★ inform ~ (~)! welterusten! ★ ~ and day / day and ~ dag en nacht ★ inform have an early / late ~ vroeg / laat naar bed gaan ★ have a good / bad ~ goed / slecht slapen ❷ avond ★ at ~ 's avonds ★ first ~ première ★ a ~ out een avondje uit ★ the other ~ een paar avonden geleden ★ GB inform have a ~ on the tiles een avondje stappen ❸ duisternis

nightcap ['naɪtkæp] *zn* ❶ slaapmutsje ⟨drankje voor het slapen gaan⟩ ❷ oud slaapmuts

nightclothes ['naɪtkləʊðz] *zn mv* nachtgoed

nightclub ['naɪtklʌb] *zn* nachtclub

nightdress ['naɪtdres] *zn* nachthemd, nacht(ja)pon

night duty *zn* nachtdienst ★ be on ~ nachtdienst hebben

nightfall ['naɪtfɔ:l] *zn* lit het vallen v.d. avond, schemering

nightie ['naɪtɪ] *zn* inform nachtpon

nightingale ['naɪtɪŋgeɪl] *zn* nachtegaal

nightjar ['naɪtdʒɑ:] *zn* nachtzwaluw

nightlife ['naɪtlaɪf] *zn* nachtleven

nightly ['naɪtlɪ] **I** *bnw* nachtelijk, avond- ★ the ~ news programme het avondnieuws **II** *bijw* ❶ iedere nacht / avond ❷ 's avonds / nachts

nightmare ['naɪtmeə] *zn* nachtmerrie ★ their worst ~ has come true hun ergste vrees is werkelijkheid geworden

nightmare scenario *zn* het ergste wat je kan overkomen

night owl ['naɪtaʊl] inform *zn* nachtbraker / -mens

nights *bijw* USA 's avonds laat, 's nachts

night school *zn* avondschool

nightshade ['naɪtʃeɪd] plantk *zn* nachtschade ★ deadly ~ wolfskers

night shift *zn* ❶ nachtdienst ★ be on the nightshift nachtdienst hebben ❷ nachtploeg

nightshirt ['naɪtʃɜ:t] *zn* nachthemd

nightspot ['naɪtspɒt] *zn* inform nachtclub

night stand, night table *zn* USA nachtkastje

nightstick [naɪtstɪk] *zn* USA gummistok, knuppel

nightwatchman ['naɪtwɒtʃmən] *zn* nachtwaker

nightwear ['naɪtweə] *zn* nachtgoed

nighty-night [naɪtɪ'naɪt] *tw* inform truste, welterusten

nihilism ['naɪlɪzəm] *zn* nihilisme

nil [nɪl] *zn* nul, niets ★ win by three goals to nil / win three nil met drie-nul winnen ★ their chances are nil ze hebben geen enkele kans

Nile [naɪl] *zn* Nijl

nimble ['nɪmbl] *bnw* ❶ vlug, handig ❷ schrander, gevat

nimbus ['nɪmbəs] *zn* [mv: nimbi, nimbuses] ❶ regenwolk ❷ stralenkrans

nimby ['nɪmbɪ] *bnw, not in my backyard* niet in mijn achtertuin ⟨afwijzend⟩ ★ a ~ attitude een niet-in-mijn-buurt-opstelling

nine [naɪn] *telw* negen ★ nine times out of ten negen van de tien keer ★ from nine to five tijdens kantooruren ▼ a nine days' wonder een modeverschijnsel, een kortstondige rage ▼ 9 / 11 11 september 2001 ⟨dag van de aanslagen op het World Trade Center in New York⟩

ninepins ['naɪnpɪnz] zn mv kegels, kegelspel ▼ go down / drop / fall like ~ bij bosjes omvallen

nineteen [naɪn'ti:n] telw negentien ▼ talk ~ to the dozen honderduit praten

nineteenth [naɪn'ti:nθ] bnw negentiende

ninetieth ['naɪntɪəθ] bnw negentigste

nine-to-five [naɪntə'faɪv] bnw + a ~ job een vaste (kantoor)baan, een van-negen-tot-vijfbaan

ninety ['naɪntɪ] telw negentig ★ the nineties de negentiger jaren ★ he is in his nineties hij is in de negentig ★ ~-nine times out of a hundred bijna altijd

ninny ['nɪnɪ] oud inform zn onnozele hals, sukkel

ninth [naɪnθ] I telw negende II zn negende deel

nip [nɪp] I ov ww ❶ knijpen, bijten ❷ beschadigen, doen verkleumen ⟨door vorst / kou⟩ ❸ ~ off afknijpen ▼ nip in the bud in de kiem smoren II onov ww ❶ inform snellen, rennen ★ nip home even naar huis vliegen ★ nip in binnenwippen ★ nip out vlug ervandoor gaan ❷ ~ at knijpen, bijten ook fig van de kou / wind III zn ❶ kneep, beet ❷ bijtende kou ★ there was a nip in the air het was nogal fris ❸ inform borreltje, slokje

nip and tuck I zn inform facelift II bnw + bijw USA nek aan nek

nipper ['nɪpə] GB inform zn (klein) ventje

nipple ['nɪpl] zn ❶ tepel ❷ USA speen ❸ techn nippel

nippy ['nɪpɪ] bnw ❶ GB vlug, snel ❷ inform fris(jes), koud

niqab [nɪ'ka:b] zn nikab, gezichtssluier

nit [nɪt] zn ❶ luizenei, neet ❷ GB inform stommeling

nit-picking zn inform muggenzifterij

nitrate ['naɪtreɪt] zn nitraat(meststof)

nitrogen ['naɪtrədʒən] zn stikstof

nitty-gritty ['nɪtɪ'grɪtɪ] inform zn kern, essentie ★ get down to the (real) ~ tot de kern van de zaak komen

nitwit ['nɪtwɪt] inform zn leeghoofd, stommeling

nix [nɪks] ov ww, USA inform niet toestaan, nee zeggen tegen

NJ afk, New Jersey staat in de VS

NM afk, New Mexico staat in de VS

no [nəʊ] I tw nee II bijw ❶ ~:n niet ★ no later than 1 March niet later dan 1 maart ★ it's no better het is helemaal niet beter ★ no less than ten people have told me wel tien mensen hebben me verteld ★ no more niet(s) meer ★ he is no more a rich man than I am hij is evenmin als ik rijk ★ I did not come, and no more did he ik kwam niet en hij ook niet ★ no sooner... than nauwelijks... of ★ inform no can do onmogelijk III vnw geen (enkele) ★ he's no fool hij is niet gek ★ no one man can lift it niemand kan het alleen optillen ★ there's no saying onmogelijk te zeggen ★ in no time heel gauw IV zn [mv: noes] ❶ neen, weigering, ontkenning ★ not take no for an answer er op staan ❷ tegenstemmer ★ the noes have it de tegenstemmers zijn in de meerderheid

No., no. afk, number nr., nummer

nob [nɒb] GB inform zn hoge piet, rijke stinkerd

nobble ['nɒbl] GB inform ov ww ❶ sport ongeschikt maken om te winnen ⟨een paard voor een race, bv. door doping⟩ ❷ omkopen ❸ aanklampen, aanschieten ❹ dwarsbomen

nobility [nəʊ'brlətɪ] zn ❶ adel(stand) ❷ edelmoedigheid

noble ['nəʊbl] I bnw ❶ edel, edelmoedig, nobel ❷ adellijk ❸ dicht statig, indrukwekkend II zn edelman / -vrouw

nobleman ['nəʊblmən] zn edelman

noblewoman ['nəʊblwʊmən] zn vrouw van adel, edelvrouw

nobody ['nəʊbɒdɪ] I onbep vnw niemand II zn onbelangrijk persoon, nul ★ she was a ~ before she became actress ze was een nul voordat ze actrice werd

no-brainer inform zn fig eitje ⟨simpele vraag / kwestie⟩

no-claims bonus GB zn no-claimkorting

nocturnal [nɒk'tɜ:nl] bnw nacht-, nachtelijk

nocturne ['nɒktɜ:n] zn muz nocturne

nod [nɒd] I ov ww knikken ★ he nodded assent hij knikte toestemmend II onov ww ❶ knikken ★ nod at / to sb naar iem. knikken ★ I have a nodding acquaintance with him ik ken 'm oppervlakkig ❷ knikkebollen ❸ inform ~ off in slaap vallen III zn knik(je) ★ fig get the nod het groene licht krijgen ★ GB inform fig his proposal was accepted on the nod zijn voorstel werd als hamerstuk / met algemene stemmen aangenomen ★ a nod is as good as a wink 'n goed verstaander heeft maar 'n half woord nodig

node [nəʊd] zn ❶ knoop(punt) ❷ plantk knoest, knoop ❸ anat knobbel ❹ comp node

nodule ['nɒdju:l] zn ❶ knoestje ❷ knobbeltje, klein gezwel

Noel [nəʊ'el] zn Kerstmis

noes [nəʊs] zn mv → no

no-frills bnw zonder franje, eenvoudig

no-go bnw verboden voor bepaalde personen, verboden zonder speciale vergunning ★ ~ area verboden terrein ook fig , te gevaarlijke buurt / wijk ⟨door misdaad en geweld⟩

no-good bnw, USA inform waardeloos

no-hoper GB inform zn mislukkeling, hopeloos geval

nohow ['nəʊhaʊ] bijw, inform USA van geen kant, helemaal niet

noise [nɔɪz] zn ❶ lawaai, geluid, rumoer ★ inform make a ~ (about sth) luidruchtig (over iets) klagen ★ inform make ~s (about sth) (iets) laten doorschemeren, (over iets) klagen ★ make all the right ~s zeggen wat mensen willen horen ★ make optimistic / hopeful ~s (about sth) zich optimistisch / hopvol (over iets) uitlaten ❷ techn ruis, brom ⟨in geluidsweergave⟩

noiseless ['nɔɪzləs] bnw geruisloos, zonder lawaai

noise pollution zn geluidshinder

noisy ['nɔɪzɪ] bnw lawaaierig, luidruchtig, druk

nomad ['nəʊmæd] zn nomade

nomadic [nəʊ'mædɪk] bnw nomadisch, nomaden-, zwervend

no-man's-land zn niemandsland ook fig

nomenclature [nəʊ'menklətʃə] zn naamgeving ⟨volgens een systeem⟩

nominal ['nɒmɪnl] bnw ❶ in naam ❷ heel klein, symbolisch ⟨geldbedrag⟩ ★ at a ~ price voor zo

no

goed als geen geld, voor een spotprijs ❸ taalk
naamwoordelijk

nominate ['nɒmɪneɪt] *ov ww* ❶ kandidaat
stellen, voordragen, nomineren ❷ benoemen
❸ kiezen ⟨tijdstip, titel⟩ ★ *the 3rd of March has
been ~d as the day of the election* de
verkiezingen zijn vastgesteld op 3 maart

nomination [nɒmɪ'neɪʃən] *zn* ❶ voordracht,
kandidaatstelling ❷ benoeming

nominee [nɒmɪ'ni:] *zn* kandidaat, genomineerde

non- [nɒn] *voorv* non-, niet-, -vrij

nonagenarian [nəʊnədʒɪ'neərɪən] *zn*
negentigjarige

non-aggression pact [nɒnə'greʃən pækt] *zn*
niet-aanvalsverdrag

non-alcoholic *bnw* niet-alcoholisch, alcoholvrij

non-aligned *bnw* pol ★ ~ *countries*
niet-gebonden / neutrale landen

non-appearance *zn* jur afwezigheid, verstek

nonce word [nɒns wɜːd] *zn* gelegenheidswoord,
voor de gelegenheid verzonnen woord

nonchalant ['nɒnʃələnt] *bnw* nonchalant,
onverschillig

non-combatant *zn* ❶ iemand die niet bij de
gevechtshandelingen betrokken is ❷ burger ⟨in
oorlogstijd⟩

non-commissioned *bnw* zonder
officiersbenoeming ★ *a sergeant is a
non-com(missioned officer)* een sergeant is een
onderofficier

non-committal [nɒn-kə'mɪtl] *bnw* neutraal,
vrijblijvend, een slag om de arm houdend

nonconformist [nɒnkən'fɔːmɪst] I *zn*
❶ non-conformist ❷ ★ *Nonconformist* een
niet-anglicaanse protestant II *bnw*
non-conformistisch

nonconformity [nɒnkən'fɔːmətɪ],
nonconformism [nɒnkən'fɔːmɪzəm] *zn*
non-conformisme

non-count noun taalk *zn* niet telbaar
zelfstandig naamwoord

nondescript ['nɒndɪskrɪpt] *bnw* nietszeggend,
saai, onopvallend

none [nʌn] I *bijw* ❶ helemaal niet ★ *be none the
wiser / richer* niets wijzer / rijker geworden
❷ niet erg ★ *none too bright / happy* niet al te
slim / blij II *vnw* niemand, niet een, totaal geen,
niets ★ *is there any bread? no, there's none at all*
hebben we ook brood? nee, helemaal niets
★ *none other than* niemand / niets minder dan
★ *have none of sth* iets niet willen hebben

nonentity [nɒ'nentətɪ] *zn* min onbeduidend
iemand, nul

nonetheless, none the less [nʌnðə'les] form
bijw ⟨desal⟩niettemin, toch

non-event *zn* inform afknapper

non-existent *bnw* niet-bestaand

non-fiction *zn* non-fictie ⟨informatieve boeken /
lectuur⟩

non-iron GB *bnw* zelfstrijkend, kreukvrij

no-nonsense *bnw* zakelijk, nuchter, praktisch

nonpareil [nɒnpə'reɪl] form *zn* weergaloos
iemand / iets, onvergelijkelijk iemand / iets

nonplussed, USA **nonplused** [nɒn'plʌst] *bnw*
perplex, verbijsterd

non-profit *bnw* non-profit, niet-commercieel,

zonder winstoogmerk

non-proliferation *zn* non-proliferatie, het
tegengaan van uitbreiding ⟨i.h.b. van
chemische wapens en kernwapens⟩

non-resident I *zn* iemand die ergens tijdelijk
verblijft, bezoeker ⟨maar geen hotelgast⟩ ★ *the
hotel pool is open to ~s* het zwembad van het
hotel is toegankelijk voor niet-gasten / voor
mensen die niet in het hotel verblijven II *bnw*
niet-inwonend, extern

nonsense ['nɒnsəns] *zn* onzin, nonsens, gekheid
★ *talk ~* onzin uitkramen ★ *make (a) ~ of sth* een
lachertje van iets maken

nonsensical [nɒn'sensɪkl] *bnw* onzinnig, absurd

non-smoking *bnw* ❶ rookvrij ⟨ruimte⟩
❷ niet-rokend ⟨persoon⟩

non-stick [nɒn-'stɪk] *bnw* anti-aanbak-

non-stop *bnw + bijw* voortdurend, zonder
onderbreking ★ ~ *express* doorgaande trein ★ ~
flight vlucht zonder tussenlanding

non-union *bnw* niet bij een vakbond
aangesloten

noodles ['nuːdlz] *zn mv* noodles ⟨deegwaar in
sliertvorm⟩, ≈ mie

nook [nʊk] *zn* ⟨gezellig⟩ hoekje ★ *a garden full of
nooks and crannies* een tuin met veel verborgen
plekjes ★ fig inform *search every nook and
cranny in all* hoeken en gaten zoeken

nooky, nookie [nʊkɪ] *zn* plat partijtje vrijen,
potje neuken

noon [nuːn] *zn* 12 uur 's middags

noonday ['nuːndeɪ] dicht *bnw* middag- ★ *the ~
sun* de middagzon

no one, no-one *onb vnw* niemand

noose [nuːs] *zn* lus, strop, strik ★ fig *put your
head in a ~* je hoofd in de strop steken

nope [nəʊp] *bijw* inform nee

nor [nɔː] *vw* noch, en ook niet, evenmin ★ *nor
must we forget that...* en ook mogen wij niet
vergeten dat... ★ *neither he nor she* noch hij,
noch zij ★ *I told him I hadn't gone there; nor had
I* ik zei hem dat ik er niet heen was gegaan; en
dat was ook zo ★ *you haven't seen it, nor have I*
jij hebt het niet gezien en ik ook niet

Nordic ['nɔːdɪk] I *zn* Noord-Europeaan II *bnw*
Noord-Europees

norm [nɔːm] *zn* norm, standaard, regel ★ *be /
become the norm* de norm zijn / worden ★ *social
values and norms* sociale normen en waarden
★ onderw *detailed education norms*
gedetailleerde eindtermen

normal ['nɔːml] I *bnw* normaal ★ *lead a ~ life* een
gewoon leven leiden II *zn* het normale ★ *return
to ~* weer normaal worden ★ *above / below ~*
boven / beneden het gemiddelde

normality [nɔː'mælətɪ], USA **normalcy**
['nɔːməlsɪ] *zn* normale toestand

normalization, normalisation [nɔːməlaɪ'zeɪʃən]
zn normalisatie, het (weer) normaal maken /
worden

normalize, normalise ['nɔːməlaɪz] I *ov ww*
normaliseren, (weer) normaal maken,
herstellen II *onov ww* normaliseren, (weer)
normaal worden

Norman ['nɔːmən] *bnw* Normandisch ⟨ook m.b.t.
bepaalde romaanse bouwstijl in Engeland, in

11e en 12 e eeuw⟩ ★ ~ *church* Normandische kerk

normative ['nɔːmətɪv] *bnw* volgens bepaalde norm, normatief

Norse [nɔːs] *gesch zn* Oudnoors, Scandinavisch

Norseman ['nɔːsmən] *gesch zn* Noorman

north [nɔːθ] **I** *zn* het noorden ★ *to the ~ of* ten noorden van **II** *bnw* noordelijk, noord(en)-, noorder- ★ *the ~ wind* de noordenwind ★ *the ~ side* de noordkant **III** *bijw* in / naar het noorden

northbound ['nɔːθbaʊnd] *bnw* in noordelijke richting, (op weg) naar het noorden

north-east [nɔːθ'iːst] **I** *zn* noordoost(en) **II** *bnw* noordoostelijk

north-easter [nɔːθ'iːstə] *zn* noordoostenwind

north-easterly [nɔːθ'iːstəlɪ] **I** *zn* noordoostenwind **II** *bnw* noordoostelijk

north-eastern [nɔːθ'iːstən] *bnw* noordoostelijk

northerly ['nɔːðəlɪ] **I** *bnw* noordelijk, noorden- **II** *zn* noordenwind

northern ['nɔːðən] *bnw* noordelijk, noorder-

northerner ['nɔːðənə] *zn* noorderling, iemand uit het noorden

northernmost ['nɔːðənməʊst] *bnw* meest noordelijk

North Pole ['nɔːθ pəʊl] *zn geo* Noordpool

northward ['nɔːθwəd] *bnw* + *bijw* noordwaarts

northwards ['nɔːθwədz] *bijw* naar het noorden, in noordelijke richting

north-west [nɔːθ'west] **I** *zn* noordwest(en) **II** *bnw* noordwestelijk

north-wester [nɔːθ'westə] *zn* noordwestenwind

north-westerly [nɔːθ'westəlɪ] **I** *zn* noordwestenwind **II** *bnw* noordwestelijk

north-western [nɔːθ'westən] *bnw* noordwestelijk

Norway ['nɔːweɪ] *zn* Noorwegen

Norwegian [nɔː'wiːdʒən] **I** *zn* Noor **II** *bnw* Noors

nos, Nos *afk, numbers* nummers

nose [nəʊz] **I** *zn* ❶ neus, neusstuk ⟨van instrument⟩ ★ *blow your nose* je neus snuiten ★ *cut off your nose to spite your face* je eigen glazen ingooien ★ fig *follow your nose* je neus achterna gaan, je gevoel / instinct volgen ★ GB inform *get up sb's nose* iem. irriteren ★ inform *have your nose in sth* iets aandachtig zitten lezen ★ GB inform *have a nose round* rondneuzen ★ inform *keep your nose clean* je nergens mee bemoeien ★ *keep your nose out of sth* je niet bemoeien met iets ★ inform *keep your nose to the grindstone* ploeteren, zwoegen ★ fig *lead by the nose* bij de neus nemen ★ GB inform *look down your nose at sb / sth* je neus ophalen voor iemand / iets ★ GB *nose to tail* kop aan staart, bumper aan bumper ★ *pay through the nose* afgezet / overvraagd worden ★ *poke / stick your nose into sth* je ergens mee bemoeien ★ inform *put sb's nose out of joint* iem. van zijn stuk brengen, iem. jaloers maken ★ inform *turn your nose up at sth* je neus ergens voor optrekken ★ inform *under sb's nose* vlak onder je neus ★ inform *with your nose in the air* uit de hoogte, hooghartig ❷ reuk, geur ★ *have a good nose for sth* een goede neus hebben voor iets ⟨bv. voor belangrijk / schokkend nieuws⟩ ▼ USA inform *on the nose* precies **II** *ov ww* ❶ ruiken (aan), (be)snuffelen ❷ inform ~ *out* ontdekken,

erachter komen **III** *onov ww* ❶ zich voorzichtig een weg banen ⟨in voertuig⟩ ❷ snuffelen ⟨van dieren⟩ ❸ ~ *about/around* rondneuzen, rondsnuffelen ❹ ~ *into* fig je neus steken in

nosebag ['nəʊzbæg] GB *zn* voederzak ⟨v. paard⟩

nosebleed ['nəʊzbliːd] *zn* bloedneus, neusbloeding

nosedive ['nəʊzdaɪv] **I** *zn* ❶ luchtv duikvlucht ❷ plotselinge (prijs)daling **II** *ov ww* ❶ kelderen ⟨van prijzen⟩, snel dalen ❷ duiken ⟨van vliegtuig⟩

nosegay ['nəʊzgeɪ] oud *zn* boeketje

nose job inform *zn* neuscorrectie / -operatie ★ *get a ~* je neus laten doen / opknappen

nosey ['nəʊzɪ] → **nosy**

nosh [nɒʃ] **I** *zn* ❶ oud GB inform eten ❷ USA snelle hap tussendoor **II** *ww* inform eten

no-show inform *zn* iemand die niet op komt dagen

nosh-up *zn*, GB inform grote maaltijd

nostalgia [nɒ'stældʒə] *zn* nostalgie, heimwee

nostalgic [nɒ'stældʒɪk] *bnw* nostalgisch ★ *look back ~ally to the good old days* met heimwee terugkijken naar de goede oude tijd

nostril ['nɒstrɪl] *zn* neusgat

nostrum ['nɒstrəm] form *zn* wondermiddel, oplossing voor alles

nosy, nosey ['nəʊzɪ] *bnw*, inform min nieuwsgierig ★ GB *nosy parker* nieuwsgierig aagje

not [nɒt] *bijw* niet ▼ *he said nothing, not a / one word* hij zei niets, geen woord ▼ *thanks a lot! - not at all* heel erg bedankt! - geen dank ▼ *she is not at all pretty* ze is helemaal niet knap ▼ *not only... but also* niet alleen... maar ook

notable ['nəʊtəbl] **I** *bnw* opmerkelijk, opvallend **II** *zn* form vooraanstaand persoon, notabele

notably ['nəʊtəblɪ] *bijw* ❶ in het bijzonder, met name ❷ bijzonder, opmerkelijk

notary ['nəʊtərɪ], **notary public** *zn* notaris

notation [nəʊ'teɪʃən] *zn* notatie

notch [nɒtʃ] **I** *zn* ❶ inkeping ❷ graadje, stukje ❸ gaatje ⟨in riem⟩ **II** *ov ww* ❶ inkepen, kerven ❷ ~ *up* scoren, behalen ⟨punten / prijs⟩

note [nəʊt] **I** *zn* ❶ aantekening, notitie ★ *make a note of sth* iets noteren ★ *make a mental note of sth* iets in je geheugen prenten ★ *take note of* nota nemen van, aandacht schenken aan ★ *take notes of* aantekeningen / een verslag maken van ★ *your medical notes* je medisch dossier ❷ briefje ★ *leave a note for your friend* een briefje achterlaten voor je vriend(in) ❸ (voet)noot, annotatie ★ *marginal notes* kanttekeningen ❹ GB bankbiljet ❺ muz noot, toon ★ fig *hit / strike the right / wrong note* de juiste / verkeerde toon treffen ★ fig *change your note* een toontje lager (gaan) zingen ★ *sound / strike a note (of warning)* een (waarschuwend) geluid laten horen ★ *end on a more optimistic note* eindigen / afsluiten in een optimistischere stemming ❻ brief(je) ⟨bv. doktersbriefje, vrachtbrief⟩ ▼ *of note* belangrijk, van belang **II** *ov ww* ❶ notitie nemen van, opmerken ❷ **note down** aantekenen, opschrijven

notebook ['nəʊtbʊk] *zn* ❶ aantekenboekje ❷ comp notebook, laptop

note card *zn* briefje, kaartje
noted ['nəʊtɪd] *bnw* beroemd ★ ~ *for* bekend om
notelet ['nəʊtlət] *GB zn* briefje
notepad *zn* notitieblok
notepaper ['nəʊtpeɪpə] *zn* post- / briefpapier
noteworthy ['nəʊtwɜːðɪ] *bnw* opmerkelijk
nothing ['nʌθɪŋ] **I** *vnw* niets, niets (bijzonders / van belang) ★ ~ *for* voor niets, gratis, tevergeefs ★ ~ *else matters to her apart from her boyfriend* zij geeft nergens meer om behalve om haar vriendje ★ *I'm* ~ *to her* Ik beteken niets voor haar ★ *be / have* ~ *to do with sb / sth* niets te maken hebben met iemand / iets ★ inform *have* ~ *on sb* niets hebben / kunnen in vergelijking met iem., geen harde bewijzen hebben (politie) ★ ~ *but* alleen maar ★ ~ *if not* uitermate ★ ~ *less than* minstens, niets minder dan ★ inform *be / look* ~ *like her father* helemaal niet op haar vader lijken ★ *(there's)* ~ *to it* (het is) heel gemakkelijk, (het is) simpel ★ *there was* ~ *for it but...* er zat niets anders op dan... ★ *there is / was* ~ *in it* het is / was niet zo (gerucht) ★ *there's* ~ *like...* er gaat niets boven... **II** *zn* ★ ~*s* [mv] onbenulligheden ★ *soft / sweet* ~*s* lieve woordjes
nothingness ['nʌθɪŋnəs] *zn* het niets, de leegte
notice ['nəʊtɪs] **I** *zn* **❶** aandacht ★ *bring sth to sb's* ~ iets onder iemands aandacht brengen ★ *this made them sit up and take* ~ dit maakte dat ze het belang van de zaak inzagen ★ *take no* ~ *of sth* geen aandacht aan iets schenken **❷** mededeling (bv. op een prikbord), bekendmaking, aankondiging (via advertentie) **❸** kennisgeving vooraf, opzegging (van contract), waarschuwing ★ *one month's* ~ opzegtermijn van een maand ★ *at a moment's* ~ ogenblikkelijk ★ *at / USA on short* ~ op korte termijn ★ *until further* ~ tot nadere orde ★ *hand in your* ~ je baan opzeggen **❹** recensie (van boek / film) **II** *ov ww* merken, opmerken ★ *get (yourself)* ~*d* de aandacht trekken, opvallen
noticeable ['nəʊtɪsəbl] *bnw* (duidelijk) merkbaar, zichtbaar
noticeboard ['nəʊtɪsbɔːd] *GB zn* aanplakbord, prikbord
notifiable ['nəʊtɪfaɪəbl] *bnw* met aangifteplicht (van ziekten / misdaden), aangifteplichtig
notification [nəʊtɪfɪ'keɪʃən] *form zn* mededeling, aankondiging, informatie
notify ['nəʊtɪfaɪ] *ov ww* informeren, meedelen, bekendmaken ★ ~ *sb of sth* iem. informeren over iets, iem. op de hoogte stellen van iets
notion ['nəʊʃən] *zn* begrip, concept, notie, idee
notoriety [nəʊtə'raɪətɪ] *zn* beruchtheid
notorious [nəʊ'tɔːrɪəs] *bnw* berucht (for om)
notwithstanding [nɒtwɪð'stændɪŋ] *form* **I** *bijw* niettemin **II** *vz* niettegenstaande, ondanks
nougat ['nuːgɑː] *zn* noga
nought [nɔːt] *zn* **❶** *GB* nul **❷** niets ★ *come to* ~ op niets uitlopen
noun [naʊn] *zn* taalk zelfstandig naamwoord
nourish ['nʌrɪʃ] *ov ww* **❶** voeden **❷** form koesteren
nourishing ['nʌrɪʃɪŋ] *bnw* voedzaam
nourishment ['nʌrɪʃmənt] *zn* voeding ook fig , het voeden
nous [naʊs] *GB* inform *zn* gezond verstand

Nov. *afk, November* nov, november
novel ['nɒvəl] **I** *zn* roman **II** *bnw* nieuw, baanbrekend
novelette [nɒvə'let] *zn* romannetje
novelist ['nɒvəlɪst] *zn* romanschrijver
novella [nə'velə] *zn* novelle, vertelling
November [nə'vembə] *zn* november
novice ['nɒvɪs] *zn* **❶** nieuweling **❷** rel novice
novitiate, noviciate [nə'vɪʃɪət] *zn* noviciaat (proeftijd voor nieuwe kloosterlingen)
now [naʊ] **I** *bijw* nu, dit ogenblik ★ *for now* voorlopig, tot dit moment ★ *from now on* voortaan ★ *up till now* tot nu toe ★ *I've seen him just now* ik heb hem zo pas nog gezien ★ *she'll be home by now* ze zal onderhand wel thuis zijn ★ *(every) now and again / then* nu en dan ★ *now for (the good news)* en nu (het goede nieuws) ★ *now...now / then / again...* nu eens... dan weer... ★ *now what?* wat nu weer?, wat nu? ★ *what's it now?* wat nu weer?▼ *now now* kom kom (als kalmering / troost) zeg!, kalm aan (als waarschuwing) **II** *vw* ★ *now (that) I am grown up, I think otherwise* nu ik volwassen ben, denk ik er anders over
nowadays ['naʊədeɪz] *bijw* tegenwoordig
nowhere ['nəʊweə] *bijw* nergens ★ ~ *to be found / seen* nergens te vinden / zien▼ *a settlement is* ~ *in sight / near* een regeling is nog lang niet in zicht▼ *from / out of* ~ uit het niets ▼ *get / go* ~ niets opleveren / bereiken
noxious ['nɒkʃəs] *form bnw* schadelijk ★ ~ *fumes* giftige dampen
nozzle ['nɒzəl] *zn* **❶** tuit, pijp **❷** techn mondstuk, spuitstuk
nr *afk, near* (na)bij
NSPCC *afk, National Society for the Prevention of Cruelty to Children* Kinderbescherming
n't [ənt] *samentr, not* (in combinatie met werkwoorden) → **not**
nth inform *bnw* zoveelste, tigste ★ *for the nth time* voor de zoveelste keer ★ *boring to the nth degree* heel erg / ontzettend saai
nuance ['njuːɑːns] *zn* nuance, schakering
nub [nʌb] *zn* essentie ★ *the nub of the matter* de kern van de zaak ★ *the real hub of the problem* het hele punt van het probleem
nubile ['njuːbaɪl] *bnw* (seksueel) aantrekkelijk (meisje / vrouw)
nuclear ['njuːklɪə] *bnw* kern-, nucleair, atoom- ★ ~ *energy* kernenergie, atoomenergie ★ ~ *waste* kernafval
nuclear-free *bnw* kernvrij, atoomvrij ★ *a ~ zone* een kernvrije zone
nucleus ['njuːklɪəs] *zn* [mv: **nuclei**] kern
nude [njuːd] **I** *zn* kunst naakt(model)▼ *in the nude* naakt **II** *bnw* naakt, bloot ★ *a nude scene / beach* een naaktscène / -strand
nudge [nʌdʒ] **I** *ov ww* **❶** zachtjes aanstoten (met elleboog) **❷** zachtjes duwen, fig een beetje pushen ★ ~ *your way through a crowd* je lichtjes duwend door een menigte wurmen **❸** naderen ★ *with temperatures nudging 40 degrees Celsius* met temperaturen die tegen de 40 graden Celsius lopen **II** *zn* por, duwtje
nudism ['njuːdɪzəm] *zn* nudisme
nudist ['njuːdɪst] *zn* nudist

nudity ['nju:dətɪ] zn naaktheid
nugatory ['nju:gətərɪ] bnw form onbenullig, waardeloos, futiel
nugget ['nʌgɪt] zn klompje ⟨goud enz.⟩ ★ a ~ of information informatie die goud waard is
nuisance ['nju:səns] zn overlast, onaangenaam iets, lastpost ★ what a ~! wat 'n vervelend iemand!, wat vervelend! ★ be a ~ iem. tot last zijn ★ make a ~ of yourself vervelend / lastig zijn ★ public ~ verstoring van de openbare orde, iets dat / iemand die de openbare orde verstoort
nuke [nju:k] inform I zn kernwapen II ov ww ❶ met kernwapens aanvallen / uitschakelen ❷ opwarmen in de magnetron
null [nʌl] bnw nul-★ a null result zonder resultaat ▼ jur null and void van nul en generlei waarde, ongeldig, nietig
nullify ['nʌlɪfaɪ] ov ww ❶ nietig / ongeldig verklaren ❷ opheffen, tenietdoen
nullity ['nʌlətɪ] zn jur nietigheid, ongeldigheid
numb [nʌm] I bnw gevoelloos, verdoofd, verstijfd, verkleumd ★ numb with cold / fear verstijfd van de kou / schrik II ov ww verdoven ook fig , doen verstijven ⟨door kou⟩
number ['nʌmbə] I zn ❶ getal, nummer, telefoonnummer ★ cardinal ~ hoofdtelwoord ★ even / odd / round ~ even / oneven / rond getal ★ wrong ~ verkeerd verbonden ⟨telefoon⟩ ★ ~ one nummer een, de beste, de / het belangrijkste ★ look after ~ one eerst voor jezelf zorgen ★ inform your ~ is up je bent er geweest / er bij / geruïneerd ★ inform have (got) sb's ~ iem. doorhebben ❷ aantal ★ we were seven in ~ we waren met z'n zevenen ★ ~s [mv] een groot aantal ★ form he is one of our ~ hij is een van ons, hij hoort bij ons ★ I can give you any ~ of reasons ik kan je ontzettend veel redenen geven ★ without ~ talloos ★ by force / weight of ~s door overmacht ❸ nummer, uitgave ⟨v. tijdschrift⟩ ❹ lied, dans ❺ inform iets dat bewondering wekt ⟨kledingstuk / auto⟩ ★ she was wearing a elegant little ~ zij had een elegant gevalletje / jurkje aan ▼ inform do a ~ on sb / sth iemand / iets geen goed doen, iemand / iets slecht behandelen II ov ww ❶ nummeren ❷ tellen ❸ ~ among rekenen tot, beschouwen als III onov ww ~ among gerekend worden tot, beschouwd worden als
numberless ['nʌmbələs] bnw talloos
number plate zn GB nummerplaat / -bord
numbskull ['nʌmskʌl] zn inform domkop
numeral ['nju:mərəl] zn cijfer ★ Roman ~s Romeinse cijfers
numerate ['nju:mərət] bnw met een goede basiskennis rekenen ★ people should be literate and ~ mensen moeten kunnen lezen, schrijven en rekenen
numerator ['nju:mərertə] wisk zn teller ⟨v. breuk⟩
numerical [nju:'merɪkl] bnw getal(s)-, numeriek ★ ~ order numerieke volgorde, volgorde op getal
numerous ['nju:mərəs] bnw talrijk, vele
numinous ['nju:mɪnəs] bnw form spiritueel, goddelijk
numskull ['nʌmskʌl] zn → numbskull
nun [nʌn] zn non

nuncio ['nʌnʃɪəʊ] zn nuntius ⟨soort ambassadeur van de paus⟩
nunnery ['nʌnərɪ] oud zn nonnenklooster
nuptial ['nʌpʃəl] form bnw bruilofts-, huwelijks- ★ a ~ mass een huwelijksmis
nurse [nɜ:s] I zn ❶ verpleegkundige, zuster ★ GB dental ~ tandartsassistent(e) ★ male ~ verpleegkundige, broeder ★ registered ~ gediplomeerd verpleegkundige ❷ oud kindermeisje, kinderjuffrouw ★ wet ~ voedster, min II ov ww ❶ verplegen ★ ~ back to health weer gezond maken ook fig ❷ behandelen ⟨blessure / ziekte⟩ ★ ~ a cold een verkoudheid uitzieken ❸ koesteren ⟨wens⟩ ★ ~ a grievance / grudge wrok koesteren ★ ~ a secret 'n geheim zeer zorgvuldig bewaren ★ inform ~ a drink ⟨heel⟩ lang doen met een drankje ❹ grootbrengen, zorgen voor, letten op, vertroetelen ⟨plantjes⟩ ❺ zogen, voeden ⟨baby⟩ III onov ww aan de borst zijn ⟨van baby⟩
nursemaid ['nɜ:smeɪd] zn oud kindermeisje
nurse practitioner zn nurse-practitioner ⟨verpleegkundige als hulp voor dokter / huisarts⟩
nursery ['nɜ:sərɪ] zn ❶ onderw ≈ peuterspeelzaal, kleuterschool ❷ GB kinderdagverblijf, crèche ❸ afdeling neonatologie ⟨in ziekenhuis⟩ ❹ oud kinderkamer, speelkamer ❺ kwekerij
nursery education zn onderw onderwijs aan peuters en kleuters
nurseryman ['nɜ:sərɪmən] zn (boom)kweker
nursery rhyme zn kinderversje / -rijmpje
nursery school zn onderw ≈ peuterspeelzaal, kleuterschool
nursery slope zn oefenpiste ⟨voor beginners⟩
nursing ['nɜ:sɪŋ] zn verpleging, verzorging
nursing home zn particulier verpleeghuis / verzorgingstehuis
nurture ['nɜ:tʃə] I ov ww ❶ opvoeden ⟨jong kind⟩, opkweken ⟨jonge plant⟩ ❷ koesteren ⟨hoop / plan⟩, voeden, bevorderen II zn de opvoeding, het onderwijs en het milieu van een opgroeiend kind, verzorging, aanmoediging en ondersteuning ⟨bij opvoeding⟩ ★ nature or ~ aangeboren of aangeleerd, aanleg of opvoeding en milieu
nut [nʌt] I zn ❶ noot ★ fig a hard / tough nut een lastig persoon ★ fig that is a hard nut to crack dat is een harde noot om te kraken ❷ moer ⟨van schroef⟩ ★ inform the nuts and bolts de grondbeginselen / hoofdzaken ❸ inform kop, knar ★ GB inform be off one's nut gek zijn ❹ inform halvegare, mafkees ❺ inform fanaat, freak ★ a sports / opera nut een sportfanaat / operafanaat ▼ vulg nuts [mv] kloten ▼ GB inform do your nut razend worden II ov ww, GB inform een kopstoot geven
nut-brown bnw donkerbruin
nutcase ['nʌtkeɪs] zn inform idioot
nutcracker ['nʌtkrækə] zn [ook mv] notenkraker
nutmeg ['nʌtmeg] zn nootmuskaat
nutrient ['nju:trɪənt] zn voedingsstof / -middel
nutrition [nju:'trɪʃən] zn ❶ voeding ❷ voedingsleer
nutritional [nju:'trɪʃnəl] bnw voedings-★ ~ value voedingswaarde

nu

nutritionist [nju:'trɪʃənɪst] *zn*
voedingsdeskundige
nutritious [nju:'trɪʃəs] *bnw* voedzaam
nutritive ['nju:trɪtɪv] *form bnw* voedzaam
nuts [nʌts] *bnw* inform gek, getikt ★ *be nuts about sb* gek zijn op iem. ★ *drive sb nuts* iem. gek maken ★ *go nuts* gek worden, razend worden, uit je bol gaan
nutshell ['nʌtʃel] *zn* notendop ▼ *(put sth) in a ~* (iets) in een paar woorden (samenvatten)
nutter ['nʌtə] *zn* inform mafkees
nutty ['nʌti] *bnw* ❶ noten-, nootachtig ★ *a ~ taste* een notensmaak ❷ vol noten ❸ inform idioot ★ *his ~ ideas* zijn idiote ideeën
nuzzle ['nʌzəl] **I** *ov ww* zachtjes met de neus wrijven tegen, besnuffelen **II** *onov ww* ★ *the child ~d up against her mother* het kind nestelde zich lekker tegen haar moeder
NV *afk*, *Nevada* staat in de VS
NY *afk*, *New York* staat in de VS
NYC *afk*, USA *New York City* New York Stad
nylon ['naɪlən] *zn* nylon ★ oud ~*s* [mv] paar nylonkousen, panty
nymph [nɪmf] dicht *zn* nimf, bekoorlijk meisje
nymphet *zn* jong, vroegrijp meisje, lolita
nymphomaniac [nɪmfə'meɪnɪæk] *zn* nymfomane
NZ *afk*, *New Zealand* NZ, Nieuw-Zeeland

O

o [əʊ] *zn* ❶ letter o ★ *O as in Oliver* de o van Otto ❷ nul, in telefoonnummer, jaartal ★ *my number is six o double four double two seven* mijn nummer is zes-nul-vier-vier-twee-twee-zeven (6044227)
o' [ə] *vz* ★ *it's ten o'clock* het is tien uur
oaf [əʊf] *zn* pummel, (domme) boerenlul
oafish ['əʊfɪʃ] *bnw* dom, onnozel
oak [əʊk] **I** *zn* eik, eikenhout **II** *bnw* eiken(houten)
OAP [əʊei'pi:] GB *afk*, *old age pensioner* AOW'er
oar [ɔ:] *zn* roeiriem ★ *boat the oars* de riemen binnenhalen ★ GB inform *stick / put / shove your oar in* je ermee bemoeien
oarlock ['ɔ:lɒk] *zn* USA dol(pen)
oarsman ['ɔ:zmən] *zn* roeier
oarswoman ['ɔ:zwʊmən] *zn* roeister
oasis [əʊ'eɪsɪs] *zn* [mv: oasis] oase
oast house [əʊst haʊs] *zn* hopdrogerij
oatcake ['əʊtkeɪk] *zn* haverkoek
oath [əʊθ] *zn* ❶ eed ★ *swear / take an oath* een eed doen ★ *on / under oath* onder ede ❷ oud vloek
oatmeal ['əʊtmi:l] *zn* ❶ GB havermeel, havervlokken ❷ USA havermout(pap) ❸ beige-grijs
oats [əʊts] *zn mv* haver ★ GB *rolled oats* havermout ★ *sow one's wild oats* er wild op los leven ★ inform *get one's oats* aan zijn trekken komen ⟨m.b.t. seks⟩
obduracy ['ɒbdjʊrəsi] *form zn* onverzettelijkheid, halsstarrigheid
obdurate ['ɒbdjʊrət] *form bnw* koppig, halsstarrig, onverzettelijk
OBE *afk*, *Officer of the Order of the British Empire* officier in de Orde van het Britse Rijk ⟨onderscheiding⟩
obedience [əʊ'bi:dɪəns] *zn* gehoorzaamheid ★ *in ~ to* gehoorzamende aan
obedient [əʊ'bi:dɪənt] *bnw* gehoorzaam
obeisance [əʊ'beɪsəns] *form zn* ❶ (diepe) buiging ❷ eerbetoon
obese [əʊ'bi:s] *bnw* corpulent, (te) dik
obesity [əʊ'bi:səti] *zn* zwaarlijvigheid, het (te) dik zijn
obey [əʊ'beɪ] *ov ww* gehoorzamen (aan)
obfuscate ['ɒbfʌskeɪt] *form ov ww* verwarren, vertroebelen
obit ['əʊbɪt] inform *zn* overlijdensbericht
obituary [ə'bɪtʃʊərɪ] *zn* necrologie ⟨overlijdensbericht met levensbeschrijving erbij⟩ ★ *~ notice* in memoriam, overlijdensbericht
object¹ ['ɒbdʒɪkt] *zn* ❶ voorwerp ★ *plastic ~s* plastic voorwerpen / dingen ★ *an ~ of ridicule* een voorwerp van spot ❷ doel ★ taalk voorwerp ★ *direct ~* lijdend voorwerp ▼ *money is no ~* geld speelt geen rol, op geld hoeven we / ze / jullie niet te letten
object² [əb'dʒekt] *onov ww* ❶ bezwaar hebben / maken ❷ *~ to* bezwaar maken tegen
objectify [əb'dʒektɪfaɪ] *form ov ww* tot voorwerp / object maken ⟨bv. vrouwen in

nu

bepaalde tijdschriften⟩

objection [əb'dʒekʃən] *zn* bezwaar ★ *raise ~s* tegenwerpingen maken

objectionable [əb'dʒekʃənəbl] *bnw*
❶ aanstootgevend, verwerpelijk
❷ onaangenaam

objective [əb'dʒektɪv] **I** *zn* ❶ doel, oogmerk ★ *his main / principal ~ was to...* zijn hoofddoel / belangrijkste doel was om ... ❷ <u>audio-vis</u> objectief **II** *bnw* objectief, onpartijdig

objectivity [ɒbdʒek'tɪvəti] *zn* objectiviteit, onpartijdigheid

object lesson *zn* fig praktische les ★ *an ~ in how not to run a bookstore* een praktijkvoorbeeld van hoe je niet een boekhandel moet runnen

objector [əb'dʒektə] *zn* tegenstander, iemand die bezwaar maakt / tegen is ★ *a conscientious ~* principiële dienstweigeraar

obligate ['ɒblɪɡeɪt] *ov ww* verplichten, verbinden ★ *be / feel ~d to do sth* verplicht zijn / zich verplicht voelen iets te doen

obligation [ɒblɪ'ɡeɪʃən] *zn* verplichting ★ *be under no ~ to do sth* niet verplicht zijn iets te doen ★ *legal / financial ~s* wettelijke / financiële verplichtingen

obligatory [ə'blɪɡətəri] *bnw* verplicht

oblige [ə'blaɪdʒ] **I** *ov ww* ❶ (ver)binden, (aan zich) verplichten ★ *feel ~d to do sth* zich verplicht voelen iets te doen, iets moeten doen ★ form *much ~d* dank u zeer ★ form *I would be ~d (to... / if...)* ik zou het zeer op prijs stellen (om... / als...) ❷ form van dienst zijn ★ *~ clients with information* klanten van dienst zijn met informatie **II** *onov ww* van dienst zijn ★ *be happy to ~* graag van dienst zijn

obliging [ə'blaɪdʒɪŋ] *bnw* behulpzaam, gedienstig

oblique [ə'bli:k] **I** *bnw* ❶ schuin, scheef ⟨hoek, lijn⟩ ❷ indirect ★ *an ~ glance* een zijdelingse blik ★ *an ~ reference to Kennedy* een indirecte verwijzing naar Kennedy **II** *zn* GB schuine streep, slash

obliterate [ə'blɪtəreɪt] *ov ww* ❶ vernietigen, wegvagen ❷ uitwissen

obliteration [ɒblɪtə'reɪʃən] *zn* ❶ vernietiging ❷ uitwissing

oblivion [ə'blɪvɪən] *zn* vergetelheid ★ *fall / sink into ~* in vergetelheid raken

oblivious [ə'blɪvɪəs] *bnw* onbewust, zich niet bewust ★ *~ of / to* zich niet bewust van

oblong ['ɒblɒŋ] *zn* GB rechthoek USA langwerpig figuur *bnw* ❶ GB rechthoekig ❷ USA langwerpig

obloquy ['ɒbləkwi] form *zn* ❶ laster ❷ schande

obnoxious [əb'nɒkʃəs] *bnw* (zeer) onaangenaam, (uiterst) vervelend, afschuwelijk ★ *an ~ habit* een verfoeilijke gewoonte

oboe ['əʊbəʊ] *zn* hobo

oboist ['əʊbəʊɪst] *zn* hoboïst

obscene [əb'si:n] *bnw* schunnig, onzedelijk, obsceen ★ fig *pay sb an ~ salary* iem. een absurd / wanstaltig (hoog) salaris betalen

obscenity [əb'senəti] *zn* iets obsceens ★ *obscenities* [mv] vuile taal, obscene handelingen

obscure [əb'skjʊə] **I** *bnw* ❶ obscuur, onbekend,

onduidelijk ❷ donker, duister, vaag ★ *for some ~ reason* om de een of andere vage reden **II** *ov ww* verduisteren, verdoezelen, verbergen, in de schaduw stellen

obscurity [əb'skjʊərəti] *zn* ❶ onbekendheid ★ *fade into ~* langzaam onbekend raken, langzaam vergeten worden ★ *die in total ~* totaal onbekend sterven ❷ onduidelijkheid

obsequies ['ɒbsəkwɪz] form *zn* uitvaart

obsequious [əb'si:kwɪəs] *bnw* overgedienstig, kruiperig

observable [əb'zɜ:vəbl] *bnw* waarneembaar

observance [əb'zɜ:vəns] *zn* ❶ inachtneming, naleving ⟨van wet, regel⟩ ❷ viering

observant [əb'zɜ:vənt] *bnw* ❶ opmerkzaam ❷ in acht nemend, nalevend ⟨regels, m.n. van een geloof⟩

observation [ɒbzə'veɪʃən] *zn* ❶ waarneming, observatie ★ *keep sb under ~* iem. in de gaten houden ★ *be admitted to hospital for ~* ter observatie in een ziekenhuis opgenomen worden ★ *her powers of ~* haar waarnemingsvermogen ❷ opmerking

observation post *zn* observatiepost

observatory [əb'zɜ:vətəri] *zn* sterrenwacht

observe [əb'zɜ:v] *ov ww* ❶ waarnemen, zien, observeren ❷ in acht nemen, vieren ⟨feestdag⟩, nakomen ⟨regels⟩, naleven ❸ form opmerken, opmerkingen maken

observer [əb'zɜ:və] *zn* ❶ waarnemer ★ *a political ~* een politiek waarnemer ❷ toeschouwer

observing [əb'zɜ:vɪŋ] *bnw* opmerkzaam

obsess [əb'ses] **I** *ov ww* vervolgen ⟨van idee⟩, kwellen, geheel vervullen ★ *~ed by / with* bezeten door / van, geobsedeerd door **II** *onov ww* inform piekeren, tobben ★ *be ~ing about / over his health / hair* obsessief / steeds bezig zijn met zijn gezondheid / haar

obsession [əb'seʃən] *zn* obsessie

obsessional [əb'seʃnəl] *bnw* obsessief, dwangmatig

obsessive [əb'sesɪv] *bnw* ❶ obsessief, dwangmatig ★ *~ compulsive disorder* dwangneurose ❷ bezeten ★ *be ~ about food* het alleen nog maar kunnen hebben over voeding

obsolescence [ɒbsə'lesəns] *zn* veroudering

obsolescent [ɒbsə'lesənt] *bnw* in onbruik gerakend, verouderend

obsolete ['ɒbsəli:t] *bnw* verouderd

obstacle ['ɒbstəkl] *zn* hindernis, obstakel, belemmering

obstacle race *zn* hindernisloop

obstetric [əb'stetrɪk] *bnw* verloskundig ★ *~ nurse* kraamverpleegster

obstetrician [ɒbstə'trɪʃən] *zn* verloskundige

obstetrics [əb'stetrɪks] *zn mv* verloskunde

obstinacy ['ɒbstɪnəsi] *zn* koppigheid

obstinate ['ɒbstɪnət] *bnw* ❶ koppig, halsstarrig ❷ hardnekkig ⟨vlek, probleem⟩

obstreperous [əb'strepərəs] form *bnw* luidruchtig(en onwillig), recalcitrant

obstruct [əb'strʌkt] *ov ww* ❶ blokkeren, versperren ❷ belemmeren, obstructie voeren tegen

obstruction [əb'strʌkʃən] *zn* ❶ belemmering, het hinderen, sport obstructie ❷ versperring,

ob

verstopping, med obstructie

obstructionism [əb'strʌkʃənızəm] *zn* het voeren van obstructie

obstructive [əb'strʌktɪv] *bnw* hinderlijk, obstructie voerend ★ ~ *of / to* belemmerend voor

obtain [əb'teɪn] **I** *ov ww* verkrijgen, verwerven **II** *onov ww* form heersen, gelden, bestaan (van regels, gewoontes e.d.)

obtainable [əb'teɪnəbl] *bnw* verkrijgbaar

obtrude [əb'truːd] **I** *ov ww* opdringen **II** *onov ww* ~ **(up)on** zich opdringen aan

obtrusive [əb'truːsɪv] *bnw* **❶** opdringerig **❷** opvallend

obtuse [əb'tjuːs] form *bnw* traag v. begrip, dom

obverse ['ɒbvɜːs] form *zn* **❶** voorzijde (van munt, medaille) **❷** tegengestelde

obviate ['ɒbvɪeɪt] form *ov ww* verhelpen, uit de weg ruimen

obvious ['ɒbvɪəs] *bnw* duidelijk, voor de hand liggend, vanzelfsprekend ★ *she doesn't have to be so ~ about it* ze hoeft het er niet zo duimendik bovenop te leggen ★ *state the ~* een open deur intrappen

obviously ['ɒbvɪəslɪ] *bnw* duidelijk, kennelijk

occasion [ə'keɪʒən] **I** *zn* **❶** gelegenheid ★ *on that ~* bij die gelegenheid ★ *on ~* zo nodig / nu en dan ★ *if the ~ arises* als de gelegenheid zich voordoet **❷** plechtige gelegenheid ★ *on the ~ of* bij / ter gelegenheid van **❸** grond, aanleiding, reden ★ *on ~ of* naar aanleiding van ★ *if the ~ arises* als er aanleiding toe is ★ form *have ~ to do sth* iets moeten doen ★ *rise to the ~* 'n zaak flink aanpakken, tegen een situatie opgewassen zijn **II** *ov ww* form aanleiding geven tot, veroorzaken

occasional [ə'keɪʒənl] *bnw* af en toe plaatsvindend ★ *an ~ visit* zo nu en dan 'n bezoek ★ *an ~ drinker* iem. die af en toe wel eens een glaasje drinkt ★ ~ *table* bijzettafeltje

occasionally [ə'keɪʒənlɪ] *bijw* nu en dan

Occident ['ɒksɪdənt] *zn* form Westen, Avondland

occidental [ɒksɪ'dentl] form *bnw* westelijk, westers

occult [ɒ'kʌlt] **I** *zn* het occulte **II** *bnw* occult, geheim

occupancy ['ɒkjʊpənsɪ] form *zn* bewoning, verblijf ★ ~ *rates* bezettingsgraad (van hotel)

occupant ['ɒkjʊpənt] *zn* **❶** bewoner **❷** inzittende (van auto) **❸** bezitter, bekleder (van ambt)

occupation [ɒkjʊ'peɪʃən] *zn* **❶** beroep, bezigheid ★ *he is a teacher by ~* hij is leraar van beroep **❷** bezetting (van gebied, land) ★ *be under ~* bezet zijn **❸** bewoning

occupational [ɒkjʊ'peɪʃənl] *bnw* beroeps- ★ ~ *hazard / risk* beroepsrisico ★ ~ *disease / illness* beroepsziekte ★ ~ *therapy* ergotherapie

occupier ['ɒkjʊpaɪə] *zn* **❶** bewoner **❷** bezetter

occupy ['ɒkjʊpaɪ] *ov ww* **❶** innemen, in beslag nemen (tijd, ruimte), bezighouden ★ *be occupied with* bezig zijn met ★ ~ *o.s. with* bezig zijn met **❷** form bewonen **❸** bezetten (land, gebied) **❹** bezetten, bekleden (ambt)

occur [ə'kɜː] *onov ww* **❶** gebeuren **❷** form voorkomen, aangetroffen worden **❸** ~ **to** in gedachte komen bij, opkomen bij

occurrence [ə'kʌrəns] *zn* **❶** gebeurtenis ★ *be a common / frequent / rare ~* veel / niet vaak voorkomen **❷** het voorkomen ★ *the number of ~s of a certain word in a text* het aantal keren dat een bepaald woord voorkomt in een tekst

ocean ['əʊʃən] *zn* oceaan ★ inform fig ~*s of... / an ~ of...* een zee van..., zeeën van...

oceanic [əʊʃɪ'ænɪk] *bnw* oceaan-, in / uit / van de oceaan ★ *an ~ island* een eiland in de oceaan

oceanography [əʊʃə'nɒgrəfɪ] *zn* oceanografie

ocelot ['ɒsɪlɒt] *zn* ocelot, wilde tijgerkat

ochre ['əʊkə] *zn* oker(kleur)

Oct. *afk, October* okt., oktober

octagon ['ɒktəgən] *zn* achthoek

octagonal [ɒk'tægənl] *bnw* achthoekig

octane ['ɒkteɪn] *zn* octaan

octave ['ɒktɪv] muz *zn* octaaf

October [ɒk'təʊbə] *zn* oktober

octogenarian [ɒktəʊdʒɪ'neərɪən] *zn* tachtigjarige

octopus ['ɒktəpəs] *zn* octopus (achtarmige inktvis)

ocular ['ɒkjʊlə] form *bnw* oog- ★ ~ *muscles* oogspieren

oculist ['ɒkjʊlɪst] oud *zn* oogarts

OD inform **I** *zn, overdose* overdosis **II** *onov ww* een overdosis innemen ★ *OD on* een overdosis nemen van ook fig

odd [ɒd] *bnw* **❶** vreemd, eigenaardig ★ *be the odd one / odd man out* het buitenbeentje zijn **❷** ongeregeld ★ *she has the odd glass of wine with dinner* zo af en toe neemt zij wijn bij het eten ★ *odd bits of paper* allerlei papiertjes ★ *at odd times* zo nu en dan ★ *earn some odd money* wat extra geld verdienen ★ *an odd number / issue* losse aflevering, los nummer (van tijdschrift) ★ *... when you've got an odd moment / an odd few minutes ...* wanneer je even een momentje / een paar minuten (tijd) hebt **❸** overblijvend ★ *odd socks* (twee) verschillende sokken ★ *odd job* karweitje, klusje ★ *be the odd one / odd man out* niet in het rijtje thuishoren, overblijven **❹** oneven (getal) **❺** inform ongeveer, ietsje meer dan ★ *thirty odd* in de dertig (van leeftijd) ★ *600 odd people* een stuk of zeshonderd mensen

oddball ['ɒdbɔːl] *zn* inform zonderling

oddity ['ɒdətɪ] *zn* **❶** eigenaardigheid **❷** zonderling

odd-job man *zn* klusjesman, manusje-van-alles

odd-looking [ɒd'lʊkɪŋ] *bnw* vreemd uitziend

oddly ['ɒdlɪ] *bijw* vreemd, vreemd genoeg

oddments ['ɒdmənts] *zn* restanten, ongeregelde goederen

oddness ['ɒdnəs] *zn* eigenaardigheid

odds [ɒdz] *zn mv* **❶** statistische (grotere) kans / waarschijnlijkheid ★ *against the odds* tegen de verwachtingen in ★ *(pay) over the odds* meer (betalen) dan verwacht, te veel (betalen) ★ *the odds are in his favour* zijn kansen zijn het best, hij staat er het best voor ★ *the odds are that he...* waarschijnlijk zal hij... ★ *what's the odds?* wat doet dat er toe? **❷** verhouding tussen winstkansen bij weddenschappen ★ *take odds of ten to one* een inzet accepteren van tien tegen één (bij winst krijg je dan voor elke ingezette euro tien euro terug) ★ *give / lay odds on* wedden op ★ *I'll lay odds on her doing it again* ik durf erom te wedden dat zij het weer zal doen ★ *long odds* zeer ongelijke kans ★ *by long odds* verreweg ★ *it's long odds* het is tien tegen één ❺ verschil ★ *be at odds with* in tegenspraak zijn met, verschillen van ★ GB inform *it makes no odds* het maakt niets uit ❹ geschil, onenigheid ★ *be at odds (with sb over sth)* ruzie hebben (met iem. over iets) ▼ *odds and ends* rommel, allerlei karweitjes

odds-on [ɒdz'ɒn] *zn* meer kans vóór dan tegen, bijna zeker ★ *the ~ favourite* de torenhoge favoriet

ode [əʊd] *zn* ode

odious ['əʊdɪəs] form *bnw* afschuwelijk, verfoeilijk

odium ['əʊdɪəm] form *zn* haat, afschuw

odometer [əʊ'dɒmɪtə] *zn* USA kilometer- / mijlenteller

odour, USA **odor** ['əʊdə] *zn* ❶ geur, lucht, stank ❷ fig luchtje

odourless, USA **odorless** ['əʊdələs] *bnw* geur- / reukloos

odyssey ['ɒdəsɪ] *zn* lange, avontuurlijke reis ook fig

OECD *afk, Organization for Economic Cooperation and Development* OESO, Organisatie voor Economische Samenwerking en Ontwikkeling

o'er ['əʊə] I *bijw* oud → **over** II *vz* oud → **over**

oesophagus, USA **esophagus** [iː'sɒfəgəs] *zn* slokdarm

oestrogen ['iːstrədʒən] *zn* oestrogeen

of [əv] *vz* van ★ *she of all people* juist zij ★ *the city of W.* de stad W. ★ *he died of fever* hij stierf aan de koorts ★ GB *of an evening* 's avond ★ GB *of an weekend* in het weekend ★ USA *a quarter of ten* kwart voor tien ★ *I heard nothing of him* ik hoorde niets over hem ★ *north / south of* ten noorden / zuiden van ★ *battle of A.* de slag bij A. ★ *think of* denken aan / over ★ *the two of us* wij samen / tweetjes

off [ɒf] I *vz* ❶ van(af) ★ *he fell off the ladder* hij viel v. de ladder (af) ★ *I'm smoking* ik ben gestopt met roken ★ *you're off it* je hebt het mis ❷ naast, op de hoogte van ★ *a street off the Strand* een straat uitkomende op de Strand ❸ vrij ★ *off duty* vrij II *bijw* ❶ weg, (er)af ★ *ride off* wegrijden ★ *make off* er vandoor gaan ★ *off with you!* maak dat je wegkomt! ❷ af, uit ★ *take off one's coat* zijn jas uittrekken ★ *switch off* uitschakelen, uitdoen ★ *10% off* 10% korting, 10% eraf ❸ vrij ★ *we have a day off* we hebben 'n vrije dag ❹ er aan toe ★ *they are well off* zij zijn goed af ★ *comfortably off* in goeden doen ★ *are well off for* zijn goed voorzien van ▼ *off and on* steeds weer, nu en dan III *bnw* ❶ ver(der), verst ❷ GB *be off* ❸ niet goed (meer), bedorven ★ *an off year for wheat* een ongunstig jaar voor tarwe ★ *the meat is a bit off* het vlees is niet helemaal zoals het hoort ★ *the gas is off* het gas is afgesloten ❹ afgelast, afgezegd ★ *it's off* het is van de baan / voorbij ❺ vrij, niet op het werk ★ *off moments* vrije ogenblikken ▼ *be off for* gaan naar ▼ *he is off* hij slaapt, hij staat klaar om te gaan, hij is (al) weg, hij zit op zijn stokpaardje ▼ GB inform *it's a bit off* het is niet helemaal zoals het hoort, het is een beetje onbeleefd / onvriendelijk IV *ov ww*, USA inform afmaken, doden V *zn* GB ★ *from the off* vanaf het begin

offal ['ɒfəl] *zn* afval, slachtafval

offbeat ['ɒfbiːt] *bnw* inform onconventioneel, ongewoon

off-Broadway *bnw* USA experimenteel, niet-commercieel (van theaterproductie)

off-colour USA, **off-color** *bnw* ❶ ongepast, onfatsoenlijk ❷ GB onwel, niet lekker

off-day [ɒf'deɪ] *zn* pech- / rotdag

offence [ə'fens], USA **offense** *zn* ❶ jur overtreding, vergrijp ★ *capital ~* halsmisdaad ★ *a criminal ~* een strafbaar feit ❷ belediging ★ *take no ~* geen aanstoot nemen, iets niet (als) beledigend / persoonlijk opvatten ★ *no ~!* het was niet kwaad / persoonlijk bedoeld! ★ *take ~ (at)* aanstoot nemen (aan) ★ *cause / give ~* aanstoot geven ❸ form aanval

offend [ə'fend] I *ov ww* beledigen, ergeren ★ *be ~ed by / with sb* kwaad zijn op iem. ★ *be ~ed at / by sth* kwaad zijn over iets II *onov ww* ❶ zondigen, de wet overtreden ❷ ~ **against** inbreuk maken op, ingaan tegen

offender [ə'fendə] *zn* ❶ overtreder, delinquent ★ *first ~* delinquent met een blanco strafblad ❷ zondaar ★ *carbon dioxide is one of the biggest ~s* kooldioxide is een van de grootste schuldigen

offense *zn* USA → **offence**

offensive [ə'fensɪv] I *zn* ❶ offensief, aanval ★ *go on / take the ~* aanvallend optreden, in de aanval gaan ❷ (grote) campagne, offensief II *bnw* ❶ aanvals-, aanvallend ❷ beledigend, aanstootgevend ❸ weerzinwekkend, smerig ruikend

offer ['ɒfə] I *zn* ❶ aanbod, offerte ★ *accept sb's ~ of help* iemands aanbod om te helpen accepteren ★ *be on ~* aangeboden worden, te koop zijn ❷ bod ★ GB *the house is under ~* er is een bod gedaan op het huis ❸ aanbieding ★ GB *be on ~* in de aanbieding zijn II *ov ww* ❶ (aan)bieden ★ *I'll ~ to go if...* ik wil wel gaan als... ★ *have a lot to ~* een hoop te bieden hebben ★ form *the first chance that ~s itself* de eerste gelegenheid die zich voordoet ❷ ~ **up** offeren (aan God)

offering ['ɒfərɪŋ] *zn* ❶ (op de markt gebracht) product ★ *the latest ~ from Dan Browne* het nieuwste / laatste product / boek van Dan Browne ❷ offerande, offergave

offertory ['ɒfətərɪ] *zn* ❶ offertorium, offerande ❷ collecte

offhand [ɒf'hænd] I *bnw* ❶ nonchalant ❷ ondoordacht, terloops II *bijw* zomaar, voor de vuist weg

office ['ɒfɪs] *zn* ❶ kantoor ★ *the Oval Office* het kantoor van de president van de USA, het presidentschap van de USA ❷ ministerie ★ *Foreign Office* ministerie van Buitenlandse Zaken ❸ USA spreekkamer (van dokter, tandarts) ❹ ambt, taak ★ *be in ~* aan het bewind zijn, in functie zijn, een (openbaar) ambt bekleden ★ *take ~* een / zijn / haar ambt aanvaarden ❺ dienst ★ form *through the good*

of

~*s of B.* op voorspraak van B.

office boy *zn* loopjongen, kantoorjongen

office hours *zn mv* kantooruren

officer ['ɒfɪsə] *zn* ❶ ambtenaar, beambte, functionaris ★ *medical* ~ med arts van de geneeskundige dienst ❷ politieagent ❸ mil officier ★ *army military* ~ legerofficier

official [ə'fɪʃəl] I *bnw* officieel, ambtelijk ★ *an* ~ *residence* een ambtswoning ★ ~ *duties* ambtsbezigheden II *zn* ambtenaar, beambte, functionaris

officialese [əfɪʃə'liːz] *zn* ambtelijke taal

officiate [ə'fɪʃɪeɪt] *onov ww* ❶ rel de dienst leiden, de mis opdragen ❷ als voorzitter / scheidsrechter optreden

officious [ə'fɪʃəs] *bnw* ❶ overgedienstig, overijverig ❷ opdringerig, bemoeiziek

offing ['ɒfɪŋ] *zn* ★ *be in the* ~ in het verschiet liggen, staan te gebeuren, ophanden zijn

offish ['ɒfɪʃ] *bnw* inform op 'n afstand, gereserveerd

off-key [ɒf'kiː] *bnw* vals

off-licence ['ɒflaɪsəns] GB *zn* winkel met vergunning voor alcoholische dranken, slijterij

off-limits *bnw* verboden (terrein)

offline comp *bnw* + *bijw* ❶ offline ⟨niet verbonden met een netwerk / internet⟩ ❷ niet aangesloten ⟨bv. printer op je computer⟩

offload [ɒf'ləʊd] *ov ww* ❶ v.d. hand doen, dumpen ❷ afladen, lossen ❸ van je af praten ★ ~ *your problems* je problemen van je af praten, je hart luchten

off-peak *bnw* tijdens de daluren, buiten het hoogseizoen

offprint ['ɒfprɪnt] *zn* overdruk ⟨van een artikel⟩

off-putting GB *bnw* ❶ afstotelijk, onaantrekkelijk ❷ ontmoedigend

off-ramp USA *zn* afrit, afslag ⟨van de autoweg⟩

off-road *bnw* terrein- ★ ~ *vehicle* terreinwagen

off-season [ɒf-'siːzən] *bnw* + *bw* buiten het (hoog)seizoen

offset ['ɒfset] I *ov ww* opwegen tegen, neutraliseren, compenseren ★ ~ *against tax* van de belasting aftrekken II *zn* ❶ offset(druk) ★ ~ *printing* offsetdruk ❷ tegenhanger, compensatie

offshoot ['ɒfʃuːt] *zn* ❶ zijtak ❷ fig aftakking ⟨bv. van groot bedrijf⟩

offshore ['ɒfʃɔː] *bnw* + *bijw* ❶ vóór de kust ❷ buitengaats, in open zee ❸ aflandig ⟨van wind⟩ ❹ buitenlands, in het buitenland ⟨m.b.t. banken, investeringen⟩

offside [ɒf'saɪd] I *bnw* + *bw* ❶ sport buitenspel ❷ GB aan de rechterkant ★ ~ *lane* rechter rijstrook II *zn* ❶ verste zijde ❷ GB rechterkant

offspring ['ɒfsprɪŋ] *zn* ❶ kroost, nakomeling(schap) ❷ resultaat

offstage *bnw* + *bijw* ❶ achter de coulissen / schermen ❷ privé

off-the-peg GB *bnw* confectie- ⟨van kleding⟩

off-the-rack USA *bnw* confectie- ⟨van kleding⟩

off-the-record *bnw* [alleen attributief] vertrouwelijk niet voor publicatie bestemd, onofficieel

off-the-wall *bnw* [alleen attributief] gek, bizar

off-white [ɒf'waɪt] *zn* gebroken wit

oft [ɒft] *bijw* oud vaak

often ['ɒfən] *bijw* vaak, dikwijls ★ *all too* ~ al te vaak ★ *as* ~ *as not* meestal ★ *every so* ~ nu en dan ★ *more* ~ *than not* meestal

ogle ['əʊgl] I *ov ww* lonken naar II *onov ww* lonken ★ *ogle at the women* lonken naar de vrouwen, de vrouwen (met zijn ogen) opvreten

ogre ['əʊgə] *zn* ❶ boeman ❷ menseneter ⟨in sprookjes⟩

oh [əʊ] *tw* o!, och!, ach!

OH *afk*, Ohio staat in de VS

oho [əʊ'həʊ] *tw* aha

oil [ɔɪl] I *zn* ❶ aardolie ★ *water and oil* water en vuur zijn ★ *crude oil* ruwe olie ★ *strike oil* olie aanboren ★ fig *pour oil on troubled water(s)* olie op de golven gooien, de gemoederen bedaren ❷ olie ⟨product uit aardolie, planten⟩ ★ *essential oil* etherische olie ★ *burn the midnight oil* tot diep in de nacht werken ❸ [vaak mv] olieverf ★ *oils* [mv] olieverf(schilderijen) II *ov ww* ❶ smeren, oliën ❷ met olie bereiden / insmeren

oilcan ['ɔɪlkæn] *zn* oliekan / -busje, oliespuit

oilcloth ['ɔɪlklɒθ] *zn* zeildoek

oil-fired *bnw* met olie gestookt

oil heater *zn* ❶ petroleumkachel ❷ olieradiator ⟨met olie i.p.v. water⟩

oil paint *zn* olieverf

oil painting ['ɔɪlpeɪntɪŋ] *zn* olieverfschilderij

oil rig ['ɔɪlrɪg] *zn* booreiland

oilskin ['ɔɪlskɪn] *zn* ❶ oliejas ❷ geolied doek ★ ~*s* [mv] oliepak

oil slick ['ɔɪlslɪk] *zn* olievlek ⟨op water⟩

oil tanker *zn* olietanker

oil well *zn* oliebron

oily ['ɔɪli] *bnw* ❶ olieachtig, olie- ❷ vleiend, kruiperig ★ *an oily man* een slijmerd

ointment ['ɔɪntmənt] *zn* zalf

OK[1], **okay** [əʊ'keɪ] inform I *bnw* + *bijw* redelijk ⟨niet slecht⟩, oké II *tw* ❶ oké! ⟨akkoord!⟩, goed ❷ oké! ⟨begrepen?⟩ III *ov ww* goedkeuren, het oké vinden IV *zn* goedkeuring, fiat ★ *give the OK* (zijn) toestemming geven

OK[2] *afk*, Oklahoma staat in de VS

old [əʊld] I *bnw* ❶ oud, bejaard ★ *the old* [mv] de bejaarden, de oude mensen ★ *old age* ouderdom ★ *old bachelor* verstokte vrijgezel ★ inform *as old as the hills* zo oud als de weg naar Rome ❷ vroeger, voormalig, oud ★ *old boy* ouwe jongen, oud-leerling ★ *the old country* het moederland ⟨van emigrant⟩ ★ inform *good old...!* goeie ouwe...! ★ inform *have a good old time* zich ontzettend amuseren ★ *any old... will do* ieder... is afdoende ★ *any old thing* om het even wat ★ *in any old place* waar dan ook ▼ inform *any old how* hoe dan ook, slordig, lukraak ▼ *Old Glory* de Am. vlag II *zn* form ★ *of old* van weleer

old-age pensioner *zn* AOW'er

old-boy network *zn* netwerk van oud-leerlingen, vriendjespolitiek

olden ['əʊldn] *bnw* oud oud, vroeger ★ *in (the)* ~ *days / times* in vroegere tijden

old-established [əʊldɪr'stæblɪʃt] *zn* gevestigd, sinds lang bestaand

old-fashioned [əʊld'fæʃənd] *bnw* ouderwets

oldie ['əʊldɪ] zn inform oudje, ouwetje ★ golden ~ gouwe ouwe

oldish ['əʊldɪʃ] bnw ouwelijk, aan de ouwe kant

old-time [əʊld'taɪm] bnw oud, ouderwets, van de oude stempel

old-timer [əʊld'taɪmə] zn ❶ oudgediende, oude rot ❷ USA oudje

old wives' tale zn oudewijvenpraat

old-world [əʊld'wɜːld] bnw ❶ (mooi) ouderwets ❷ v.d. Oude Wereld (niet Amerikaans)

O level ['əʊlevəl] GB afk, ordinary level laagste eindexamenniveau van de middelbare school, examenvak op laagste eindexamenniveau ⟨ongeveer gelijk aan havo; sinds 1988 vervangen door GCSE⟩

olfactory [ɒl'fæktərɪ] form bnw reuk-★~ sense reukzin

oligarch ['ɒlɪɡɑːk] zn lid van een oligarchie

oligarchy ['ɒlɪɡɑːkɪ] zn oligarchie ⟨regeringsvorm van een paar mensen uit bevoorrechte klasse / familie⟩

olive ['ɒlɪv] I zn ❶ olijf ❷ olijfkleur ❸ olijfboom II bnw olijfkleurig

olive branch zn olijftak ★ hold out / extend an ~ de hand reiken, de vrede tekenen

olive oil zn olijfolie

Olympiad [ə'lɪmpɪæd] zn olympiade

Olympian [ə'lɪmpɪən] bnw ❶ goddelijk, verheven ❷ Olympisch ⟨m.b.t. de Olympus⟩

Olympic [ə'lɪmpɪk] bnw olympisch ★ the ~ Games de Olympische Spelen ★ the ~s de Olympische Spelen

omelette, USA **omelet** ['ɒmlət] zn omelet ★ you can't make an ~ without breaking eggs om iets te scheppen moet men iets vernietigen, om iets te bereiken moet je wat opofferen

omen ['əʊmən] zn voorteken

ominous ['ɒmɪnəs] bnw onheilspellend, dreigend

omission [ə'mɪʃən] zn weglating, het weglaten, verzuim ★ a glaring ~ een opvallend hiaat, iets dat opvallend ontbreekt

omit [ə'mɪt] ov ww ❶ weglaten, eruit laten ❷ form verzuimen, nalaten

omni- ['ɒmnɪ] voorv omni-, al-, alom-

omnibus ['ɒmnɪbəs] I zn ❶ omnibus ⟨verzameling romans / verhalen in een band⟩ ❷ oud autobus ⟨voertuig⟩ II bnw allerlei zaken omvattend, verzamel-

omnipotence [ɒm'nɪpətəns] form zn almacht

omnipotent [ɒm'nɪpətnt] form bnw almachtig

omnipresence [ɒmnɪ'prezəns] form zn alomtegenwoordigheid

omnipresent [ɒmnɪ'prezənt] form bnw alomtegenwoordig, overal

omniscience [ɒm'nɪsɪəns] form zn alwetendheid

omniscient [ɒm'nɪsɪənt] form bnw alwetend

omnivorous [ɒm'nɪvərəs] bnw ❶ biol omnivoor, allesetend ❷ form allesverslindend ⟨vnl. v. boeken⟩

on [ɒn] I vz ❶ op, aan, in ⟨m.b.t. plaats⟩ ★ on page 15 op bladzijde 15 ★ on the table op de tafel ★ I met him on the train ik ontmoette hem in de trein ★ he is on the staff hij behoort bij het personeel ★ it's on me ik trakteer ★ have you any money on you? heb je geld bij je? ★ what's on TV? wat is er op tv? ❷ op, bij ⟨m.b.t. tijd⟩ ★ on Sunday op zondag ★ on his arrival bij zijn aankomst ★ on three o'clock tegen drieën ★ on time op tijd ❸ aan, in ⟨m.b.t toestand⟩ ★ be on fire in brand staan ★ be on duty dienst hebben ★ live on hamburgers leven van / op hamburgers ❹ over, aangaande ★ a book on money een boek over geld ★ take pity on him heb medelijden met hem II bijw ❶ verder, door ★ go on ga door / verder ★ what's going on? wat is er aan de hand? ★ from then on van toen af ★ we are getting on well we vorderen goed ★ well on in the fifties een eind in de 50 ★ on and off af en toe ★ and so on enzovoorts ❷ aan ⟨van kleding, apparaten⟩ ★ put on a blue dress een blauwe jurk aantrekken ★ switch on inschakelen, aanzetten ❸ (er)op, (er)aan, ernaar, toe ★ I've a large sum on ik heb een grote som ingezet ★ he was looking on hij keek toe III bnw ❶ aan(gesloten), ingeschakeld ★ the gas is on het gas is aan(gelegd) ❷ aan de gang, gaande, gepland staand ★ what's on at the movies wat draait er in de bioscoop ★ the game / wedding is still on de wedstrijd / bruiloft gaat nog steeds door ⟨niet afgelast / afgezegd⟩

once [wʌns] I bijw ❶ eens, een keer ★ once or twice een enkele keer ★ once and again van tijd tot tijd ★ once more / again nog eens ★ once and for all voor eens en altijd ★ at once onmiddellijk, tegelijk ★ all at once plotseling, allen tegelijk ★ once upon a time there was er was eens ★ once in a way / while een enkele keer ★ (just) this / for once voor deze ene keer ★ once too often een keer te veel ★ once bit(ten), twice shy een ezel stoot zich geen tweemaal aan dezelfde steen II vw zodra, toen, wanneer (eenmaal)

once-over ['wʌnsəʊvə] inform zn ▼ give sb the ~ iem. vluchtig opnemen ▼ give sth the ~ iets snel bekijken, iets snel schoonmaken / een beurt geven

on

oncoming ['ɒnkʌmɪŋ] bnw ❶ tegemoetkomend ★ ~ traffic tegemoetkomend verkeer, tegenliggers ❷ aanstaande

one [wʌn] I telw ❶ één ★ at one (o'clock) om 1 uur ★ they are at one ze zijn het eens ★ be at one with nature een zijn met de natuur ★ form one and all allen tezamen ★ one by one een voor een ★ one with another gemiddeld ★ the one and only truth de alleenzaligmakende waarheid ★ the one and only Michael Jackson de enige echte Michael Jackson ★ GB inform got it in one! in één keer goed! ❷ enige ★ her one concern was her husband haar enige zorg was haar man ❸ een (zekere) ★ one Peterson een zekere Peterson, ene Peterson ★ one day op zekere dag, op een dag ❹ dezelfde ★ all go in one direction allemaal dezelfde kant op gaan ★ it's all one to me het maakt mij niet uit ★ be one and the same een en dezelfde persoon zijn ★ for one thing, he gambles om te beginnen gokt hij ▼ Mr A. for one de heer A. o.a. / bijvoorbeeld ▼ I for one don't believe it ik voor mij geloof het niet ▼ he was too many for him hij was hem te slim af II onbep vnw ❶ iemand, iets, een ★ a white rose and a red one een witte en een rode roos ★ one of his best songs een van zijn beste liedjes / nummers ★ GB inform a one een rare / mooie ★ no one niemand ★ *that's a good one* dat is een goede bak ★ *a nasty one* een flinke opstopper ★ *that one / the one there* die / dat daar ★ *many a one* menigeen ★ *you're a nice one!* je bent me er eentje! ★ *the little ones were put to bed* de kleintjes werden naar bed gebracht ★ *that's one on you!* dat / die kun je in je zak steken! ★ inform *be one up on sb* iem. een slag voor zijn ❷ form men ★ *one should do one's duty* men behoort zijn plicht te doen

one another wkg vnw elkaar

one-armed [wʌn'ɑːmd] bnw eenarmig ★ inform *~ bandit* eenarmige bandiet (fruitautomaat)

one-horse bnw ★ *~ town* gehucht

one-liner ['wʌnlaɪnə] zn oneliner (kernachtige opmerking / grap)

one-man [wʌn'mæn] bnw eenmans-★ *~ show* onemanshow (voorstelling door een persoon)

oneness ['wʌnnəs] zn het één zijn, eenheid ★ *a sense of ~ with nature* een gevoel van één zijn met de natuur

one-night stand zn avontuurtje / liefje voor één nacht

one-off GB I bnw eenmalig, uniek II zn ❶ eenmalig iets ❷ uniek persoon

one-piece bnw uit één stuk, eendelig ★ *~ bathing suit* badpak

onerous ['ɒnərəs] form bnw zwaar, lastig ★ *an ~ responsibility / task* een zware verantwoordelijkheid / taak

oneself [wʌn'self] form wkd vnw (zich)zelf ★ *by o.s.* alleen, eigenhandig ★ *all to o.s.* helemaal voor zichzelf

one-shot USA bnw eenmalig

one-sided [wʌn'saɪdɪd] bnw ❶ bevooroordeeld, partijdig ❷ eenzijdig ★ *a ~ relationship* een eenzijdige verhouding (waarbij de liefde maar van één kant komt) ★ *a ~ match* een eenzijdige wedstrijd (waarbij een partij / ploeg in alles domineert)

one-time ['wʌntaɪm] bnw ❶ voormalig, gewezen ❷ eenmalig

one-to-one bnw ❶ een op een, punt voor punt ★ *a ~ correspondence* een een-op-eenovereenkomst, een overeenkomst op alle punten ❷ individueel (van onderwijs, les)

one-track [wʌn'træk] bnw eenzijdig (geïnteresseerd) ★ *have a ~ mind* altijd maar aan een ding denken

one-upmanship zn de kunst een ander steeds een slag voor te zijn

one-way [wʌn'weɪ] bnw eenrichtings-★ *~ traffic* eenrichtingsverkeer ★ USA *~ ticket* enkele reis ★ *~ mirror* doorkijkspiegel

ongoing ['ɒngəʊɪŋ] bnw lopend, voortdurend, aanhoudend

onion ['ʌnjən] zn ui

online bnw + bijw ❶ online (verbonden met een netwerk / internet), gekoppeld ★ *~ banking* internetbankieren ❷ aangesloten (bv. printer op je computer)

onlooker ['ɒnlʊkə] zn toeschouwer

only ['əʊnlɪ] I bijw ❶ (alleen) maar, nog maar ★ *she was only seventeen* ze was nog maar zeventien ★ *it's only a suggestion* het is alleen maar een voorstel ★ *if only I knew* als ik maar

wist ★ *only too true / happy* maar al te waar / blij ★ *only just enough money to buy milk* maar net genoeg geld hebben om melk te kopen ❷ pas, eerst ★ *we met only last week* we hebben elkaar pas vorige week ontmoet ★ *she's only just arrived* ze is (pas) net aangekomen II bnw enig ★ *their only child* hun enig kind ★ *he was the only one who...* hij was de enige die... III vw inform maar ★ *I'd like to buy a new TV, only I can't afford it* ik zou graag een nieuwe tv kopen, maar ik kan het niet betalen

on-ramp USA zn oprit (naar de autoweg)

onrush ['ɒnrʌʃ] zn toeloop, toestroom, stormloop

on-screen bnw + bijw ❶ in beeld (tv, film), in de film, op televisie ★ *his ~ father* zijn vader in de film / tv-serie ❷ op het scherm / de monitor

onset ['ɒnset] zn begin, eerste symptomen

onshore ['ɒnʃɔː] I bnw ❶ aan / langs de kust ★ *~ fishing* kustvisserij ❷ aanlandig ★ *~ wind* zeewind II bijw ❶ land(in)waarts ❷ aan land

onslaught ['ɒnslɔːt] zn woeste aanval

on-the-job bnw ★ *~ training* praktijkopleiding

onto ['ɒntu] vz op, naar (... toe) ★ *climb onto the roof* op het dak klimmen ★ *move onto the next subject* naar het volgende onderwerp gaan

onus ['əʊnəs] zn plicht, verantwoordelijkheid, last ★ jur *the onus of proof* de bewijslast

onwards ['ɒnwədz], USA **onward** ['ɒnwəd] bijw voorwaarts ★ *from this day ~* vanaf vandaag ★ *open from 8 a.m. ~* open vanaf acht uur 's ochtends

oomph [ʊmf] zn inform energie, pit

oops [uːps] tw oeps!, jeetje!, verdorie!

ooze [uːz] I ov ww ❶ afscheiden, uitzweten ★ *the wounds were oozing blood* er druppelde / sijpelde bloed uit de wonden ❷ blaken van, uitstralen (zelfvertrouwen, charme) II onov ww sijpelen (van dikkere vloeistoffen), druppelen III zn ❶ slib, slijk ❷ het sijpelen (van dikkere vloeistoffen)

oozy ['uːzɪ] bnw modderig

opacity [ə'pæsətɪ] zn ❶ ondoorschijnendheid ❷ onduidelijkheid

opal ['əʊpl] zn opaal

opaque [əʊ'peɪk] bnw ❶ ondoorschijnend ❷ onduidelijk, duister

OPEC ['əʊpek] afk, *Organization of the Petroleum Exporting Countries* OPEC, organisatie van olie producerende en exporterende landen

open ['əʊpən] I bnw ❶ open, geopend, vrij ★ *most of the shops are open on Sundays* de meeste winkels zijn open op zondag ★ *in the open air* in de openlucht ★ *keep one's options open* zich nergens op vastleggen ★ *open market* vrije markt ❷ openbaar, toegankelijk (to voor), openlijk ★ *open to the public* voor het publiek toegankelijk ★ *open contempt* onverholen minachting ★ *an open quarrel* een openlijke ruzie ❸ blootgesteld (to aan) ★ *that point is open to debate* dat staat nog ter discussie ★ *open to question* aanvechtbaar ❹ openhartig, onbevangen ★ *have / keep an open mind* open (blijven) staan voor ★ *be open with sb* openhartig zijn tegenover iem. ★ *be open to sth* openstaan voor iets II ov ww ❶ openen, openmaken, opendoen ★ *open the door* de deur openen /

opendoen ★ *open one's heart / mind* zijn hart uitstorten ❷ ~ **out** openvouwen, uitspreiden ⟨kaart, boek⟩, verbreden, breder trekken ⟨discussie⟩, uitbreiden ❸ ~ **up** openen ⟨winkel, markt⟩, openstellen, toegankelijk maken, openvouwen / -leggen ⟨boek⟩, wijder maken ★ *open up a patient* een patiënt opensnijden / opereren **III** *onov ww* ❶ (zich) openen, opengaan ★ *the door opened* de deur ging open ★ *the new library opens in July* de nieuwe bibliotheek opent in juli / gaat in juli open ★ *the door opens into the corridor* de deur komt uit op de gang ❷ ~ **out** openvouwen, opengaan, zich verbreden ⟨van weg, rivier⟩, loskomen, ontdooien ⟨van persoon⟩ ❸ ~ **up** openen, beginnen te vuren ⟨van geschut, kanonnen⟩, toegankelijk worden, vrijuit (beginnen te) spreken, loskomen ★ *open up!* doe open ★ *new restaurants are opening up everywhere* overal gaan nieuwe restaurantjes open **IV** *zn* ❶ open plek ★ *in the open* in de openlucht, buiten ❷ openbaarheid ★ *be out in the open* openbaar / bekend zijn ★ *bring (out) into the open* aan het licht brengen ★ *come (out) into the open* aan het licht komen, bekend worden, zich nader verklaren ❸ open kampioenschap
open-air *bnw* openlucht-, buiten-
open-and-shut [əʊpən'ʃʌt] *bnw* (dood)eenvoudig ★ *an ~ case* een duidelijke zaak
opencast ['əʊpənkɑ:st] *GB bnw* bovengronds ★ *~ mining* dagbouw
open-ended [əʊpən'endɪd] *zn* open, vrij(blijvend) ★ *an ~ question* een open vraag ★ *an ~ contract* een contract voor onbepaalde tijd
opener ['əʊpənə] *zn* ❶ blik- / flesopener ❷ openingsnummer / -ronde / -wedstrijd / -doelpunt
open-eyed *bnw* ❶ met de ogen wijd open, aandachtig ❷ met grote ogen, verbaasd
open-handed [əʊpən'hændɪd] *bnw* vrijgevig, royaal, gul
open-hearted [əʊpən'hɑ:tɪd] *bnw* hartelijk
opening ['əʊpənɪŋ] **I** *zn* ❶ opening, begin ❷ kans ❸ vacature **II** *bnw* ❶ openend, inleidend ❷ openings- ★ *the ~ goal* de openingsgoal, het eerste doelpunt
openly ['əʊpənlɪ] *bijw* openlijk ★ *talk ~ about your problems* openlijk over je problemen praten
open-minded [əʊpən'maɪndɪd] *bnw* onbevooroordeeld
open-mouthed [əʊpən'maʊðd] *bnw* stomverbaasd
openness ['əʊpənəs] *zn* ❶ openheid, eerlijkheid, onpartijdigheid ❷ het openstaan voor ★ *~ to change* bereidheid tot verandering(en)
open-plan *bnw* met weinig tussenmuren ★ *an ~ kitchen* een open keuken ★ *an ~ office* een kantoortuin
opera ['ɒprə] *zn* opera
operable ['ɒpərəbl] *bnw* ❶ operationeel, bruikbaar, in gebruik ❷ uitvoerbaar ❸ *med* te opereren
opera glasses ['ɒprəglɑ:sɪz] *zn mv* toneelkijker
opera house ['ɒprəhaʊs] *zn* opera(gebouw)

operate ['ɒpəreɪt] **I** *ov ww* ❶ bedienen ⟨machine, apparaat⟩ ★ ~ *a crane* een hijskraan besturen ❷ exploiteren, leiden ★ ~ *trains to B and C* treindiensten onderhouden op B en C ★ ~ *a theatre* een theater exploiteren ❸ bewerken, teweegbrengen **II** *onov ww* ❶ werken, uitwerking hebben, van kracht zijn, te werk gaan ★ ~ *from a new office in Amsterdam* opereren / werken / zaken doen vanuit een nieuw kantoor in Amsterdam ★ ~ *trains every day of the year* elke dag van het jaar rijden er treinen ★ *these restrictions will not ~ till January 1* deze bepalingen gaan pas op 1 januari in ❷ opereren ★ *he has been ~d on* hij is geopereerd
operatic [ɒpə'rætɪk] *bnw* opera- ★ ~ *composer* operacomponist
operating ['ɒpəreɪtɪŋ] *bnw* ❶ werkzaam, functionerend ❷ bedrijfs- ★ ~ *costs* bedrijfskosten
operating theatre, *USA* **operating room** *zn* operatiekamer
operation [ɒpə'reɪʃən] *zn* ❶ operatie ★ *a military ~* een militaire operatie / actie ★ *perform an ~ on sb* iem. opereren ❷ (financiële) transactie ❸ exploitatie ⟨van diensten, gebouwen⟩, bediening ⟨van apparaten, machines⟩ ❹ werking, geldigheid ★ *come into ~* in werking treden, van kracht worden ★ *in ~* in gebruik / bedrijf, in werking ❺ bewerking ⟨bv. door computer⟩, handeling ⟨om iets te doen⟩ ★ *connecting the DVD recorder is a very simple ~* de dvd-recorder aansluiten is heel eenvoudig
operational [ɒpə'reɪʃənl] *bnw* operationeel, gebruiksklaar ★ ~ *costs* bedrijfskosten ★ *be ~* in werking zijn
operative ['ɒpərətɪv] **I** *bnw* ❶ in werking van kracht ★ *become ~* van kracht worden, in werking treden ★ *be ~* werken, het doen, draaien ★ *the new airport will be ~ in November* het nieuwe vliegveld zal in november in gebruik genomen worden ❷ voornaamste ★ *the ~ word* het sleutelwoord ❸ operatief ★ ~ *treatment* operatieve behandeling, operatie **II** *zn* ❶ werkman, fabrieksarbeider ❷ *USA* detective, medewerker ⟨van de geheime dienst / CIA / FBI⟩
operator ['ɒpəreɪtə] *zn* ❶ iemand die machine bedient, operateur, bestuurder ❷ telefonist(e) ❸ ondernemer, exploitant ★ *a bus / ferry ~* een ondernemer die / een bedrijf dat een een busdienst / ferrydienst onderhoudt ❹ *inform* ritselaar, regelaar ★ *a smooth ~* een gladjanus, een gewiekste regelaar
operetta [ɒpə'retə] *zn* operette
ophthalmic [ɒf'θælmɪk] *bnw* oogheelkundig
ophthalmologist [ɒfθæl'mɒlədʒɪst] *zn* oogarts
ophthalmology [ɒfθæl'mɒlədʒɪ] *zn* oogheelkunde
opiate ['əʊpɪət] *form zn* pijnstillend / slaapverwekkend middel ⟨met opium als bestanddeel⟩
opine [əʊ'paɪn] *form ov ww* v. mening zijn ★ ~ *that Obama is a racist* van mening zijn dat Obama een racist is
opinion [ə'pɪnjən] *zn* ❶ overtuiging, opinie,

op

mening, gedachte ★ *in my ~* naar mijn mening ★ *be of the ~ that* van mening zijn dat ★ *a matter of ~* 'n kwestie v. opvatting ★ *~ is divided* de meningen zijn verdeeld ★ *have a high / low ~ of* een hoge / lage dunk hebben van ❷ advies ★ *a second ~* een advies van een tweede deskundige, een second opinion ★ *take counsel's ~* rechtskundig advies inwinnen

opinionated [ə'pɪnjənertɪd] *bnw* eigenzinnig, koppig, dogmatisch

opinion poll *zn* opiniepeiling, enquête

opium ['əupriəm] *zn* opium

opossum [ə'posəm] *zn USA* buidelrat

opponent [ə'pəunənt] *zn* tegenstander, tegenpartij

opportune ['ɔpətju:n/ɔpə'tju:n] *form bnw* gelegen, geschikt, op het juiste moment komend

opportunism [ɔpə'tju:nɪzəm] *zn* opportunisme

opportunist ['ɔpə'tju:nist] **I** *zn* opportunist **II** *bnw* opportunistisch

opportunistic [ɔpətju:'nɪstɪk] *bnw* opportunistisch

opportunity [ɔpə'tju:nətɪ] *zn* (gunstige) gelegenheid, kans ★ *golden ~* buitenkans ★ *at the earliest / first ~* bij de eerste de beste gelegenheid ★ *equal opportunities (for women)* gelijke kansen (voor vrouwen) ★ *take the ~ to do sth* van de gelegenheid gebruikmaken om iets te doen

oppose [ə'pəuz] *ov ww* zich verzetten tegen, bestrijden

opposed [ə'pəuzd] *bnw* ❶ vijandig ★ *~ to* gekant tegen ❷ tegenovergesteld ★ *~ to* tegengesteld aan ★ *form as ~ to* tegen(over), in tegenstelling tot

opposing [ə'pəuzɪŋ] *bnw* ❶ tegenstrijdig, tegenovergesteld ❷ tegen-, vijandig ★ *the ~ team* de tegenpartij

opposite ['ɔpəzɪt] **I** *bnw* tegenovergelegen, overstaand ⟨v. blad of hoek⟩, ander(e), tegen-, over-★ *on the ~ side of the road* aan de andere kant van de weg ★ *have an ~ effect* een tegenovergesteld effect hebben ★ *~ from / to* tegen(over)gesteld aan ★ *~ number* tegenspeler / -stander **II** *vz* ❶ tegenover ★ *~ the station* tegenover het station ★ *he plays ~ me* hij is mijn tegenspeler ❷ aan de overkant **III** *bijw* ❶ aan de overkant ❷ tegenover **IV** *zn* tegen(over)gestelde, tegenpool

opposition [ɔpə'zɪʃən] *zn* ❶ verzet, tegenstand ★ *meet with fierce ~* op felle tegenstand stuiten ★ *be in ~ to sth* tegen iets zijn ❷ ⟨altijd met the⟩ de tegenstander(s), de concurrent(ie) ❸ *pol* ⟨altijd met the⟩ de oppositie ❹ tegenstelling ★ *in ~ to* in strijd met, tegenover

oppress [ə'pres] *ov ww* ❶ onderdrukken, verdrukken ❷ bezwaren, drukken op ★ *~ed by* neerslachtig door

oppression [ə'preʃən] *zn* onderdrukking, verdrukking

oppressive [ə'presɪv] *bnw* ❶ onderdrukkend, verdrukkend ❷ benauwd, drukkend ⟨van het weer⟩ ❸ benauwend ⟨relatie⟩, beklemmend ⟨stilte⟩

oppressor [ə'presə] *zn* onderdrukker, tiran

opprobrium [ə'prəubrɪəm] *form zn* schande, afkeer, smaad

opt [ɔpt] *onov ww* ❶ kiezen, opteren ★ *opt for sth* voor iets kiezen ★ *opt to leave your job* ervoor kiezen je baan op te zeggen ❷ *~ in* mee (willen) doen ❸ *~ out* niet meer (willen) meedoen, zich terugtrekken

optic ['ɔptɪk] *bnw* gezichts-★ *~ nerve* oogzenuw

optical ['ɔptɪkl] *bnw* gezichts-, optisch ★ *~ illusion* gezichtsbedrog ▼ *~ fibre* glasvezel

optician [ɔp'tɪʃən] *zn* opticien

optics ['ɔptɪks] *zn mv* optica, leer v. het zien, leer v. het licht

optimal ['ɔptɪml] *bnw* optimaal

optimism ['ɔptɪmɪzəm] *zn* optimisme

optimize, optimise ['ɔptɪmaɪz] *ov ww* optimaliseren, optimaal maken

optimum ['ɔptɪməm] **I** *zn* optimum, beste / hoogste (resultaat) **II** *bnw* optimaal

option ['ɔpʃən] *zn* ❶ keus, mogelijkheid, optie ★ *I have no ~ but to go* ik moet wel gaan ★ *keep / leave one's ~s open* alle mogelijkheden open laten, zich nergens op vastleggen ★ *run out of ~s* langzamerhand geen mogelijkheden meer zien ⟨om een probleem op te lossen⟩ ★ *a soft / easy ~* een makkie ❷ *GB* keuzevak ❸ *econ* optie

optional ['ɔpʃənl] *bnw* naar keuze, facultatief, niet verplicht ★ *be an ~ extra* tegen meerprijs verkrijgbaar zijn

opulence ['ɔpjuləns] *form zn* rijkdom, weelderigheid

opulent ['ɔpjulənt] *form bnw* rijk, weelderig, overvloedig

opus ['əupəs] *zn* [mv: opuses, opera] opus, (muziek)werk

or [ɔ:] *vw* of ★ *four or five* vier à vijf, een stuk of vijf ★ *five or so* een stuk of vijf ★ *an hour or so* ongeveer een uur

OR *afk, Oregon* staat in de VS

oracle ['ɔrəkl] *zn* orakel ook *fig*

oracular [ə'rækjulə] *form bnw* ❶ als een orakel ❷ dubbelzinnig, cryptisch

oral ['ɔ:rəl] **I** *bnw* mondeling, mond-, oraal **II** *zn* mondeling examen

orange ['ɔrɪndʒ] **I** *zn* ❶ (de kleur) oranje ❷ sinaasappel **II** *bnw* oranje

orangeade [ɔrɪndʒ'eɪd] *zn* sinaasappellimonade

orange juice *zn* sinaasappelsap, jus d'orange

oration [ɔ:'reɪʃən] *form zn* redevoering, rede

orator ['ɔrətə] *zn* redenaar

oratorio [ɔrə'tɔ:rɪəu] *muz zn* oratorium

oratory ['ɔrətərɪ] *zn* ❶ welsprekendheid ❷ r.-k. (huis)kapel, bidkapel

orb [ɔ:b] *zn* ❶ *dicht* (hemel)bol ❷ rijksappel

orbit ['ɔ:bɪt] *zn* ❶ (gebogen) baan ⟨van hemellichaam, satelliet⟩ ★ *put into ~ round the moon* in een baan rond de maan brengen ❷ (invloeds)sfeer **II** *ov ww* in een baan draaien om ⟨van hemellichaam, satelliet⟩

orbital ['ɔ:bɪtl] **I** *bnw* ❶ *GB* ring-★ *an ~ road* een ringweg ❷ *sterren* omloop-★ *an ~ path* een omloopbaan **II** *zn GB* ringweg

orbiter ['ɔ:bɪtə] *zn* satelliet

orchard ['ɔ:tʃəd] *zn* boomgaard

orchestra ['ɔ:kɪstrə] *zn* ❶ orkest ❷ *USA* stalles

orchestral [ɔ:'kestrəl] *bnw* orkestraal, orkest-

op

orchestra pit *zn* orkestbak
orchestra stalls, USA **orchestra seats** *zn mv* stalles
orchestrate ['ɔ:kɪstreɪt] *ov ww* ❶ voor orkest bewerken, orkestreren ❷ organiseren
orchestration [ɔ:kɪs'treɪʃən] *zn* orkestratie
orchid ['ɔ:kɪd] *zn* orchidee
ordain [ɔ:'deɪn] *onov ww* ❶ (tot priester) wijden ❷ form verordenen, bepalen ❸ form beschikken, voorschrijven
ordeal [ɔ:'di:l] *zn* beproeving
order ['ɔ:də] **I** *zn* ❶ orde ⟨toestand van rust en regelmaat⟩ ★ *call sb to ~* iem. tot de orde roepen ★ *keep the class in ~* orde houden in de klas ★ *put in ~* in / op orde brengen ★ *in ~* form in orde, aan de orde, gepast, toelaatbaar ⟨v. bewijs of verklaring tijdens rechtzaak⟩ ★ *out of ~* niet in / op orde, buiten werking, defect, in de war, buiten de orde zijnde ⟨v. spreker⟩, ongepast ★ *be the ~ of the day* aan de orde v.d. dag zijn ❷ orde ook biol , categorie, soort ★ *of the highest / first ~* van de hoogste / eerste orde ★ *of / in / USA on the ~* of ongeveer zoals, in de orde van grootte van ❸ volgorde ★ *in ~* op volgorde ★ *put in ~ of importance* volgens belangrijkheid rangschikken ★ *in ascending ~* van klein naar groot (opklimmend) ❹ order, bevel ★ *by ~ of* op bevel van ★ USA *executive ~* presidentieel besluit ★ *inform doctor's ~s!* op doktersvoorschrift!, moet van dokter! ❺ bestelling ★ *place an ~* een bestelling plaatsen / doen ★ *take an ~* een bestelling opnemen ★ *be on ~* in bestelling zijn ★ *to ~* op bestelling, naar maat ★ GB *last ~s* laatste ronde ⟨in café⟩ ❻ orde, rang, stand ★ *lower ~s* [mv] lagere sociale klasse ❼ orde ⟨(religieus) genootschap⟩ ★ *(holy) ~s* de geestelijke staat ★ *be in ~s* geestelijke zijn ★ *take ~s* gewijd worden ⟨tot priester⟩ ❽ orde ⟨medaille of ander kenteken van zo'n genootschap⟩ ★ *~ of knighthood* ridderorde ❾ betalingsopdracht ★ *to ~* aan order ⟨cheque⟩ ★ *as per ~ enclosed* volgens ingesloten order ▼ *in ~ to* teneinde, om ▼ *in ~ that* opdat, zodat ▼ USA *in short ~* snel ▼ inform *be a tall ~* een onredelijke eis zijn, erg moeilijk zijn **II** *ov ww* ❶ bestellen ❷ ordenen, regelen ❸ verordenen, bevelen ★ *he was ~ed home* hij werd naar huis / 't vaderland gezonden ★ *~ sb about / around* iem. commanderen ★ *she ~ed me up* zij liet me boven komen ❹ USA *~ in* laten bezorgen ⟨eten⟩ ❺ *~ out* wegsturen, laten uitrukken **III** *onov ww* USA *~ out* eten laten bezorgen
order book *zn* econ orderboek
order form *zn* bestelformulier
orderly ['ɔ:dəlɪ] **I** *bnw* ordelijk, geregeld **II** *zn* ❶ ordonnans ❷ ziekenoppasser
order number *zn* bestelnummer
ordinal ['ɔ:dɪnl], **ordinal number** *zn* rangtelwoord
ordinance ['ɔ:dɪnəns] *zn* verordening
ordinarily ['ɔ:dɪnərəlɪ] *bijw* ❶ gewoonlijk ❷ gewoon ★ *behave ~* zich gewoon gedragen
ordinary ['ɔ:dɪnərɪ] *bnw* ❶ gewoon, alledaags, normaal ★ GB *in the ~ way* gewoonlijk, normaliter ★ *out of the ~* bijzonder, speciaal,

ongewoon ❷ min gewoontjes
ordination [ɔ:dɪ'neɪʃən] *zn* wijding ⟨tot geestelijke⟩
ordnance ['ɔ:dnəns] *zn* ❶ ⟨tak v. openbare dienst voor⟩ militaire voorraden en materieel ❷ geschut
ordnance survey *zn* topografische verkenning / opmeting
Ordnance Survey map GB *zn* topografische kaart, stafkaart
ordure ['ɔ:djʊə] form *zn* uitwerpselen, drek
ore [ɔ:] *zn* erts ★ *iron ore* ijzererts
organ ['ɔ:gən] *zn* ❶ orgel ❷ ook fig orgaan ❸ spreekbuis, blad ★ euf penis
organ-grinder ['ɔ:gəngraɪndə] *zn* orgeldraaier
organic [ɔ:'gænɪk] *bnw* ❶ biologisch, natuurlijk ★ *~ food* natuurvoeding ★ *~ farmer* biologische boer, bioboer ★ *~ waste* biologisch afval, gft-afval ❷ organisch ❸ orgaan-, m.b.t. een orgaan / de organen
organisation *zn* GB → **organization**
organisational *zn* GB → **organizational**
organism ['ɔ:gənɪzəm] *zn* organisme
organist ['ɔ:gənɪst] *zn* organist
organization [ɔ:gənaɪ'zeɪʃən] *zn* organisatie ★ *a charitable ~* een liefdadigheidsinstelling ★ *the ~ of the local elections* het organiseren van de plaatselijke verkiezingen
organizational [ɔ:gənaɪ'zeɪʃnəl] *bnw* organisatorisch, organisatie-
organize, organise ['ɔ:gənaɪz] **I** *ov ww* organiseren ★ *the workers ~d themselves* de arbeiders verenigden zich in een vakbond **II** *onov ww* zich organiseren / verenigen ⟨in een vakbond⟩
organized, organised ['ɔ:gənaɪzd] **I** *ww* [o.v.t. + volt. deelw.] → **organize II** *bnw* ❶ georganiseerd ❷ aangesloten ⟨v. vakbondsleden⟩
organizer, organiser ['ɔ:gənaɪzə] *zn* ❶ organisator ❷ systematische agenda, organizer, elektronische agenda ★ *electronic ~* elektronische agenda ★ *personal ~* elektronische agenda, agenda in ringband
orgasm ['ɔ:gæzəm] *zn* orgasme
orgy ['ɔ:dʒɪ] *zn* orgie ★ fig *an orgy of spending* geldsmijterij
oriel ['ɔ:rɪəl] *zn* erker
orient ['ɔ:rɪənt] *ov ww* richten, oriënteren ★ *~ o.s.* zich oriënteren ★ *be ~ed to / towards* gericht zijn op ★ *an export-~ed economy* een op de export gerichte economie
Orient ['ɔ:rɪənt] oud *zn* Oosten
oriental *bnw* oosters
Oriental [ɔ:rɪ'entl] *zn*, oud min oosterling
orientalist [ɔ:rɪ'entəlɪst] *zn* oriëntalist, kenner van het oosten
orientate ['ɔ:rɪənteɪt] GB *ov ww* orient
orientation [ɔ:rɪen'teɪʃən] *zn* ❶ gerichtheid ★ *sexual ~* seksuele gerichtheid ★ *theoretical in ~* op de theorie gericht ❷ oriëntering ❸ voorlichting, informatie ★ *an ~ day / week* een voorlichtingsdag / -week, een oriëntatiedag / -week ❹ richting, ligging, plaatsing ★ *the building's ~* de ligging van het gebouw

or

orifice ['ɒrɪfɪs] zn opening, mond

origin ['ɒrɪdʒɪn] zn afkomst, oorsprong, begin ★ *country of* ~ land van herkomst

original [ə'rɪdʒɪnl] I bnw ❶ oorspronkelijk, origineel, aanvankelijk, eerste ★ ~ *sin* erfzonde II zn ❶ origineel ❷ origineel iemand, vernieuwer

originality [ərɪdʒɪ'næləti] zn oorspronkelijkheid, originaliteit

originate [ə'rɪdʒɪnert] I onov ww ❶ ontstaan ❷ ~ *from/in* voortkomen uit, zijn oorsprong vinden in ❸ ~ *with* opkomen bij II ov ww voortbrengen, in het leven roepen

originator [ə'rɪdʒɪnertə] zn schepper, grondlegger, verwekker

oriole zn, **golden oriole** wielewaal, goudmerel ⟨zangvogel⟩

ornament ['ɔːnəmənt] I zn sieraad, versiersel, ornament ★ *by way of* ~ als versiering ★ *for* ~ voor de sier II ov ww versieren, tooien

ornamental [ɔːnə'mentl] bnw decoratief, ornamenteel, sier- ★ ~ *fountain* sierfontein

ornamentation [ɔːnəmen'terʃən] zn versiering

ornate [ɔː'nert] bnw ❶ rijk versierd ❷ sierlijk, bloemrijk ⟨v. taal⟩

ornery ['ɔːnəri] bnw USA nors, knorrig, onaangenaam

ornithologist [ɔːnɪ'θɒlədʒɪst] zn ornitholoog, vogelkenner

ornithology [ɔːnɪ'θɒlədʒɪ] zn vogelkunde

orotund ['ɒrətʌnd] form bnw ❶ gezwollen, bombastisch ⟨van taalgebruik⟩ ❷ indrukwekkend ⟨van stem⟩

orphan ['ɔːfən] I zn wees II bnw wees-, ouderloos ★ ~ *boy / girl* weesjongen / -meisje III ov ww tot wees maken

orphanage ['ɔːfənɪdʒ] zn weeshuis

orthodontic [ɔːθə'dɒntɪk] bnw orthodontisch

orthodontics [ɔːθə'dɒntɪks] zn orthodontie

orthodox ['ɔːθədɒks] bnw ❶ orthodox, rechtzinnig ❷ algemeen aangenomen, gebruikelijk, gewoon, conventioneel ❸ oosters-orthodox ★ *the Greek / Russian Orthodox Church* de Grieks- / Russisch-orthodoxe Kerk

orthodoxy ['ɔːθədɒksɪ] zn ❶ orthodoxie ❷ algemeen geaccepteerde praktijk / idee

orthography [ɔː'θɒɡrəfɪ] zn orthografie, spellingsleer

orthopaedic, USA **orthopedic** [ɔːθə'piːdɪk] bnw orthopedisch ★ ~ *shoes* orthopedische schoenen

orthopaedics, USA **orthopedics** [ɔːθə'piːdɪks] zn orthopedie

orthopaedist, USA **orthopedist** [ɔːθə'piːdɪst] zn orthopedist, orthopeed

oscillate ['ɒsɪlert] onov ww ❶ schommelen, slingeren ❷ oscilleren ⟨v. radio⟩

oscillation [ɒsɪ'lerʃən] zn ❶ schommeling, slingering ★ ~*s of mood* stemmingswisselingen ❷ besluiteloosheid ❸ techn oscillatie

osier ['əʊzɪə] zn katwilg, teenwilg

osmosis [ɒz'məʊsɪs] zn osmose

osprey ['ɒspreɪ] zn visarend

ossify ['ɒsɪfaɪ] I ov ww ❶ (doen) verstenen ❷ form fig verharden II onov ww ❶ in been veranderen, verstenen ❷ form fig verharden,

verstarren

ostensible [ɒ'stensɪbl] bnw ogenschijnlijk, zogenaamd

ostentation [ɒsten'terʃən] zn uiterlijk vertoon

ostentatious [ɒsten'terʃəs] bnw ❶ opzichtig, in het oog lopend ❷ pronkerig

osteopath ['ɒstɪəpæθ] zn osteopaat

ostracism ['ɒstrəsɪzəm] form zn uitbanning, uitsluiting

ostracize, **ostracise** ['ɒstrəsaɪz] form ov ww verbannen, uitstoten, boycotten

ostrich ['ɒstrɪtʃ] zn struisvogel

OTC afk, over the counter vrij verkrijgbaar ⟨v. geneesmiddelen⟩

other ['ʌðə] I bnw ❶ ander ★ *some* ~ *time* een andere keer ★ *the* ~ *side* de andere kant ★ *the* ~ *day* onlangs ★ *every* ~ *day* om de andere dag ★ *the* ~ *morning* onlangs op een morgen ★ *on the* ~ *hand* daarentegen ★ *the* ~ *world* het hiernamaals ❷ anders, verschillend ★ ~ *than* anders dan, verschillend van, afgezien van II vnw de / het andere ★ *have no respect for* ~*s* geen respect hebben voor anderen ★ *some time or* ~ een of andere keer ★ *sb or* ~ de een of ander ★ *he of all* ~*s* juist hij

otherwise ['ʌðəwaɪz] bijw ❶ anders ★ *go*, ~ *you'll be late* ga, (of) anders kom je te laat ★ *the merits or* ~ *of his conduct* de verdiensten of de fouten van zijn gedrag ★ *I would rather go than* ~ ik zou liever wel gaan dan niet ★ *Mr. Simister*, ~ *known as Grossman* de Heer Simister, alias Grossman, de Heer Simister, ook bekend als Grossman ❷ verder, afgezien daarvan ★ *he is unruly, but not* ~ *blameworthy* hij is wel onhandelbaar, maar verder valt er niets op hem aan te merken

other-worldly [ʌðə'wɜːldlɪ] bnw niet van deze wereld, bovenaards

otiose ['əʊtɪəʊs] form bnw overbodig, v. geen nut

OTT afk, inform over the top overdreven, te veel van het goede

otter ['ɒtə] zn otter

ottoman ['ɒtəmən] zn voetenbank, poef

ouch [aʊtʃ] tw au!

ought [ɔːt] hww (zou) moeten, behoren ★ *she* ~ *to be here by now* ze had hier nu moeten zijn ★ *teachers* ~ *to earn more* onderwijzers horen meer te verdienen ★ *you* ~ *to see his new car* je zou zijn nieuwe auto moeten zien ★ *he* ~ *to have apologized* hij zou zich excuses moeten hebben aanbieden

ounce [aʊns] zn ❶ ounce ⟨GB 28,35 gram, USA 29,56 gram⟩ ★ *fluid* ~ ounce ⟨voor vloeistoffen: GB 28,35 ml, USA 29,56 ml⟩ ❷ fig klein beetje ★ *an* ~ *of sense* een beetje (gezond) verstand ★ *an* ~ *of practice is worth a pound of theory* 'n klein beetje praktijk is evenveel waard als veel theorie

our ['aʊə] bez vnw ons ★ *our friend(s)* onze vriend(en)

ours ['aʊəz] bez vnw het onze, de onze(n) ★ *a friend of ours* een vriend van ons, een van onze vrienden

ourselves [aʊə'selvz] wkd vnw ons(zelf), wij(zelf), zelf ★ *all by* ~ helemaal alleen, in ons eentje ★ *we got the swimming pool all to* ~ we hadden het zwembad helemaal voor onszelf

oust [aʊst] *ov ww* ❶ afzetten, verdrijven ★ *be ousted as prime minister* afgezet worden als minister-president ❷ ~ **from** verdringen uit, verdrijven uit ★ *oust sb from power* iem. uit de macht ontzetten, iem. de macht ontnemen

out [aʊt] **I** *bijw* ❶ weg, (er)uit, (er)buiten ★ *a night out* een avondje uit ★ *jump out* naar buiten springen, eruit springen ★ *jump out of the window* uit het raam springen ★ *out there* daarginds ★ *he is out in A.* hij zit helemaal in A. ★ *out with him!* gooi 'm eruit! ★ *out with it!* voor de dag ermee! ★ *my arm is out* mijn arm is uit het lid ★ *the girl has come out* het meisje heeft haar debuut gemaakt ★ *a reward was out* 'n beloning werd uitgeloofd ★ *be out for* eropuit zijn om ★ *out of* buiten, uit, niet inbegrepen, zonder ★ *out of school* van school (af) ★ *out of the army* uit het leger ★ *out of work* werkloos ★ *be out of it* er buiten staan, er niet bij horen, het mis hebben, er niet bij zijn ⟨met je hoofd⟩ ❷ voorbij, afgelopen, om ★ *before the year is out* voor het jaar om is ❸ verschenen, publiek ★ *his book isn't out yet* zijn boek is nog niet uit / verschenen ❹ bewusteloos, bewusteloos ❺ uit de mode ❻ uit, niet meer in werking ❼ zonder betrekking, af (in spel), uit ❽ ernaast ★ *you are far out* je zit er ver naast ★ *I am ten euro's out* ik kom er tien euro aan te kort ❾ - uitgesloten, niet gewenst ▼ *four out of ten* vier van de tien, vier op de tien ▼ *out of interest / respect* uit interesse / respect ▼ *out of metal / wood* van metaal / hout (gemaakt) ▼ *all out* af, totaal mis, met de grootste inspanning ▼ *they went all out* ze gaven zich geheel aan het werk ▼ *GB out and about* weer hersteld, op de been, in de weer **II** *bnw* uit de kast gekomen, openlijk homoseksueel **III** *ov ww* ❶ bekendmaken ❷ de homseksualiteit bekendmaken van **IV** *zn* uitweg, uitvlucht ▼ *the ins and outs of the matter* de details v.d. zaak ★ *at outs / on the outs with* overhoop liggend met **V** *vz* langs, uit ★ *from out of* uit ★ <u>inform</u> *run out the door* de deur uit rennen

out- *voorv* meer, groter, beter, harder

outage ['aʊtɪdʒ] *zn* (stroom)onderbreking

out-and-out [aʊtnˈaʊt] *bnw* volledig, door en door, totaal ▼ ~ *Conservatives* aartsconservatieven

outback ['aʊtbæk] *zn* binnenland ⟨van Australië⟩

outbid [aʊtˈbɪd] *ov ww* meer bieden dan

outboard ['aʊtbɔːd] *bnw* buitenboord ★ ~ *motor / engine* buitenboordmotor

outbound ['aʊtbaʊnd] *bnw* op de uitreis, uitgaand ★ ~ *passengers* vertrekkende passagiers

outbox ['aʊtbɒks] *zn* ❶ <u>comp</u> ≈ postvak UIT ❷ <u>USA</u> brievenbakje voor uitgaande post

outbreak ['aʊtbreɪk] *zn* uitbraak ⟨v. oorlog, ziekte⟩, uitbarsting

outbuilding ['aʊtbɪldɪŋ] *zn* bijgebouw

outburst ['aʊtbɜːst] *zn* uitbarsting

outcast ['aʊtkɑːst] **I** *zn* verschoppeling **II** *bnw* verbannen, verstoten

outcaste ['aʊtkɑːst] *zn* paria

outclass [aʊtˈklɑːs] *ov ww* overtreffen, overklassen

outcome ['aʊtkʌm] *zn* resultaat, uitslag

outcrop ['aʊtkrɒp] *zn* tevoorschijn komend(e) aardlaag / gesteente

outcry ['aʊtkraɪ] *zn* luid protest, verontwaardiging ★ *public* ~ *over sth* algemene grote verontwaardiging over iets

outdated [aʊtˈdeɪtɪd] *bnw* verouderd, achterhaald, ouderwets

outdistance [aʊtˈdɪstns] *ov ww* achter zich laten

outdo [aʊtˈduː] *ov ww* overtreffen, de loef afsteken ★ *not to be* ~*ne* om niet achter te blijven

outdoor ['aʊtdɔː] *bnw* openlucht-, buiten(shuis) ★ *an* ~ *type* een buitenmens ★ ~ *clothing* buitenkleding, outdoorkleding

outdoors [aʊtˈdɔːz] **I** *zn* openlucht ★ *the great* ~ de vrije natuur **II** *bijw* buiten(shuis)

outer ['aʊtə] *bnw* buiten-, buitenste ★ ~ *space* de (kosmische) ruimte ★ ~ *garments* bovenkleren

outermost ['aʊtəmaʊst] *bnw* buitenste, uiterste

outerwear *zn* bovenkleding

outface [aʊtˈfeɪs] *ov ww* trotseren, in verlegenheid brengen

outfall ['aʊtfɔːl] *zn* mond(ing), uitloop ⟨bv. van riool⟩, lozing

outfield ['aʊtfiːld] *zn* sport verre veld, buitenveld

outfielder ['aʊtfiːldə] *zn* sport verrevelder

outfit ['aʊtfɪt] **I** *zn* ❶ uitrusting, kleding, stel kleren ❷ <u>inform</u> zaakje, bedrijfje ❸ <u>inform</u> gezelschap, troep, stel (mensen), ploeg (werklui) ❹ uitrusting, setje ★ *a bicycle repair* ~ een fietsreparatiesetje **II** *ov ww* <u>USA</u> uitrusten ★ ~ *sth with* iets voorzien van, iets uitrusten met

outflank [aʊtˈflæŋk] *ov ww* ❶ aftroeven, te vlug af zijn ❷ mil omtrekken

outflow ['aʊtfləʊ] *zn* af- / uitvloeiing, uitstroom, vlucht (van kapitaal)

outfox [aʊtˈfɒks] *ov ww* te slim af zijn

outgoing [aʊtˈgəʊɪŋ] *bnw* ❶ hartelijk, vriendelijk, open ★ *be* ~ makkelijk met mensen omgaan ❷ vertrekkend, aftredend ❸ uitgaand ⟨van post, vlucht⟩

outgoings ['aʊtgəʊɪŋz] *zn mv* onkosten

outgrow [aʊtˈgrəʊ] *ov ww* ❶ groeien uit (kleren), te groot worden voor, harder groeien dan, boven het hoofd groeien ❷ ontgroeien ⟨vrienden, een oude hobby⟩

outgrowth ['aʊtgrəʊθ] *zn* ❶ product, resultaat ❷ uitgroeisel, uitwas

outgun [aʊtˈgʌn] *ov ww* overtreffen, overtroeven

outhouse ['aʊthaʊs] *zn* ❶ GB schuurtje, bijgebouw ❷ USA wc buiten

outing ['aʊtɪŋ] *zn* ❶ uitstapje ❷ bekendmaking van iemands homoseksualiteit ⟨vooral van vooraanstaande mensen⟩

outlandish [aʊtˈlændɪʃ] *bnw* vreemd, bizar

outlast [aʊtˈlɑːst] *ov ww* langer duren dan, het langer uithouden dan

outlaw ['aʊtlɔː] **I** *zn* vogelvrij verklaarde **II** *ov ww* ❶ verbieden, illegaal maken / verklaren ❷ vogelvrij verklaren

outlay ['aʊtleɪ] *zn* uitgave(n), investering

outlet ['aʊtlet] *zn* ❶ fig uitlaat(klep), manier om je te uiten ❷ verkooppunt, winkel ❸ fabriekswinkel, outlet ⟨waar bv. restpartijen van een fabrikant / merk met korting verkocht

ou

worden⟩ ❹ afvoerbuis, uitlaat ❺ USA stopcontact

outline ['aʊtlaɪn] I zn ❶ schets, overzicht, opzet ❷ (om)trek, omlijning II ov ww ❶ schetsen, in grote lijnen aangeven ❷ omlijnen ★ be ~d against zich aftekenen tegen

outlive [aʊt'lɪv] ov ww langer leven dan, overleven ⟨iemand anders⟩ ★ have ~d its usefulness geen nut meer hebben, zichzelf overleefd hebben

outlook ['aʊtlʊk] zn ❶ (voor)uitzicht, verwachting ★ the long term ~ for the economy is still good de langetermijnvooruitzichten van / voor de economie zijn nog steeds goed ❷ - kijk ★ his ~ on life zijn levensopvatting ❸ uitkijk / -zicht ★ an ~ on the river een uitzicht op / over de rivier

outlying ['aʊtlaɪɪŋ] bnw afgelegen

outmanoeuvre [aʊtmə'nu:və] ov ww te slim af zijn

outmoded [aʊt'məʊdɪd] bnw ouderwets, verouderd

outnumber [aʊt'nʌmbə] ov ww overtreffen in aantal ★ we were ~ed two to one by our opponents de tegenpartij had twee keer zoveel mensen

out-of-date [aʊtəv'deɪt] bnw ❶ verouderd ❷ verlopen ⟨van paspoort, rijbewijs⟩ ❸ voorbij de houdbaarheidsdatum ⟨van levensmiddelen⟩

out-of-the-way [aʊtəvðə'weɪ] bnw afgelegen

out-of-work [aʊtəv'wɜ:k] bnw werkloos ★ the ~ [mv] de werklozen

outpace ov ww sneller gaan dan, overtreffen

outpatient ['aʊtpeɪʃənt] zn poliklinisch patiënt

outpatient clinic zn polikliniek

outplace [aʊtpleɪs] ov ww tewerkstellen ⟨bij andere werkgever⟩

outplacement ['aʊtpleɪsmənt] zn ontslagbegeleiding, uitplaatsing

outplay [aʊt'pleɪ] ov ww beter spelen dan, overspelen

outpost ['aʊtpəʊst] zn ❶ buitenpost ❷ mil voorpost

outpouring ['aʊtpɔ:rɪŋ] zn ❶ uitstorting, stroom ❷ gemoedsuitstorting, ontboezeming

output ['aʊtpʊt] I zn ❶ uitkomst, opbrengst, productie ❷ output ⟨van computer⟩, uitvoer ❸ prestatie, vermogen ⟨van elektriciteit⟩ ❹ uitgang ⟨in elektronica⟩ II ov ww uitvoeren ⟨van computer⟩, als uitvoer leveren

outrage ['aʊtreɪdʒ] I zn ❶ grote verontwaardiging ❷ grove belediging, schandaal ❸ gewelddaad, aanslag II ov ww grof beledigen ★ ~d diep verontwaardigd

outrageous [aʊt'reɪdʒəs] bnw ❶ schandelijk, ongehoord, beledigend, verschrikkelijk ❷ extravagant, buitensporig

outrank [aʊt'ræŋk] ov ww hogere rang hebben, overtreffen

outré ['u:treɪ] form bnw onbehoorlijk, buitenissig, excentriek

outreach [aʊt'ri:tʃ] zn hulpverlening

outride [aʊt'raɪd] ov ww sneller rijden dan

outrider ['aʊtraɪdə] zn escorte, begeleider ⟨te paard of op motor, bij rijtuig, auto⟩

outright ['aʊtraɪt] I bnw ❶ totaal, volslagen ★ the

~ winner de absolute winnaar ❷ - openlijk II bijw ❶ ronduit ❷ ineens, op slag ★ they were killed ~ ze waren op slag dood ❸ helemaal

outrun [aʊt'rʌn] ov ww ❶ harder lopen dan, ontlopen ❷ voorbij streven

outsell [aʊt'sel] ov ww ❶ meer verkopen dan ❷ meer verkocht worden dan

outset ['aʊtset] zn begin ★ from / at the very ~ vanaf het allereerste begin

outshine [aʊt'ʃaɪn] ov ww uitblinken boven, overtreffen, overschaduwen

outside¹ [aʊt'saɪd] I zn ❶ buiten(kant) ★ from the ~ van buiten ★ on the ~ aan de buitenkant, buiten ❷ uiterlijk ★ be calm on the ~ uiterlijk kalm zijn ❸ uiterste ★ nine at the ~ op zijn hoogst negen II bnw ❶ buitenste ★ the ~ wall de buitenmuur ★ GB the ~ lane de buitenste rijstrook ❷ van buiten, extern ★ ~ experts externe deskundigen ★ ~ help hulp van buitenaf ★ ~ interests interesses buiten je werk, hobby's ❸ (naar) buiten ★ an ~ line een buitenlijn ⟨van telefoon⟩ ❹ klein, miniem ⟨van kans⟩ III bijw ❶ buiten ★ wait ~ buiten wachten ❷ naar / van buiten ★ look ~ naar buiten kijken

outside² ['aʊtsaɪd] vz buiten ★ ~ New York buiten New York ★ ~ the house bij / naast / voor het huis ★ USA ~ of behalve, afgezien van ★ USA ~ of his family buiten zijn familie

outsider [aʊt'saɪdə] zn ❶ buitenstaander, outsider ❷ sport kansloos paard ⟨in wedren⟩

outsize, outsized bnw abnormaal groot

outskirts ['aʊtskɜ:ts] zn mv buitenwijken, rand ★ on the ~ of town aan de rand van de stad

outsmart [aʊt'sma:t] ov ww te slim af zijn

outsource ['aʊtsɔ:s] ov ww uitbesteden ⟨van niet-kernactiviteiten⟩

outspoken [aʊt'spəʊkən] bnw openhartig, ronduit

outspread [aʊt'spred] bnw uitgespreid

outstanding [aʊt'stændɪŋ] bnw ❶ uitstekend, voortreffelijk ❷ opvallend, markant ❸ onbeslist, uitstaand, nog niet gedaan / afgehandeld ★ ~ debts onbetaalde schulden

outstare [aʊt'steə] ov ww iemand v. z'n stuk brengen, brutaal blijven kijken naar

outstay [aʊt'steɪ] ov ww langer blijven dan ★ ~ one's welcome te lang blijven hangen, langer blijven dan je welkom bent

outstrip [aʊt'strɪp] ov ww ❶ overtreffen ❷ inhalen, voorbijlopen

outta ['aʊtə] samentr, out of → **out**

outtake zn fragment ⟨dat niet in de film, show of op cd / dvd is opgenomen⟩

out tray GB zn brievenbakje voor uitgaande post

outvote [aʊt'vəʊt] ov ww meer stemmen behalen dan ★ be ~d by the Tories minder stemmen hebben dan de Tories

outward ['aʊtwəd] bnw + bijw ❶ uiterlijk, uitwendig ★ no ~ signs of pain or illness geen zichtbare tekenen van pijn of ziekte ★ to all ~ appearances schijnbaar, naar het schijnt ★ judge by ~ appearance op het uiterlijk afgaan ★ ~ things de wereld om ons heen ❷ buitenwaarts, naar buiten ★ ~ bound op de uitreis / heenreis ★ ~ flight heenvlucht, heenreis ⟨van vliegtuig⟩

outwardly ['aʊtwədlɪ] bijw ogenschijnlijk,

klaarblijkelijk

outwards ['aʊtwədz] *bijw* naar buiten, buitenwaarts

outweigh [aʊt'weɪ] *ov ww* belangrijker zijn dan, zwaarder wegen dan

outwit [aʊt'wɪt] *ov ww* te slim af zijn

outwork ['aʊtwɜːk] GB *zn* thuiswerk

outworn [aʊt'wɔːn] *bnw* verouderd, achterhaald

ova ['aʊvə] *zn mv* → **ovum**

oval ['aʊvəl] **I** *zn* ovaal ★ *the Oval* cricketterrein in Londen **II** *bnw* ovaal

ovarian [aʊ'veərɪən] *bnw* v.d. eierstok

ovary ['aʊvərɪ] *zn* ❶ eierstok ❷ plantk vruchtbeginsel

ovation [aʊ'veɪʃən] *zn* ovatie ★ *get a standing ~* een staande ovatie krijgen

oven ['ʌvən] *zn* oven, fornuis ★ inform *like an oven* snikheet

ovenproof *bnw* ovenvast

ovenware ['ʌvənweə] *zn* vuurvaste schalen

over ['aʊvə] **I** *bijw* ❶ om, over, naar de andere kant ★ *fall over* omvallen ★ *cross over* oversteken ★ *over here* hier, op deze plek ★ *do you see the people going over there?* zie je die mensen daarginds / daar gaan? ★ USA *over there* in Europa ★ *over against* you can put... hiertegenover kun je... stellen ❷ voorbij ★ *school is over* de school is uit ★ *it's all over with him* het is met hem gedaan ★ *it's all over now* het is allemaal voorbij ★ *we shall tide over the difficulties* we zullen de moeilijkheden te boven komen ❸ opnieuw, over ★ *over again* opnieuw ★ *over and over (again)* telkens weer ❹ te ★ *he is not over particular* hij neemt het niet zo precies ▼ *it's him all over* hij is het precies, dat is nu precies iets voor hem (om te doen) **II** *vz* ❶ over, boven, bij ★ *all over the world* over de hele wereld ★ *the lamp over the table* de lamp boven de tafel ★ *a view over the river* een uitzicht over de rivier ★ *we talked about the matter over a bottle of wine* we bespraken de zaak bij 'n fles wijn ★ *he went asleep over his work* hij viel bij z'n werk in slaap ★ *my neighbour over the road* mijn overbuur ★ *over the road* aan de overkant ❷ over, aangaande ★ *quarrel over sth* over iets ruziën ❸ over... heen ★ *over and above this you get also...* behalve dit krijg je ook nog... ★ *we stayed over Wednesday* we bleven (er) tot en met woensdag ★ *over the noise of the cars* boven het lawaai van de auto's uit ★ *be over sixty* boven de zestig zijn ★ *over sixty years ago* meer dan zestig jaar terug ❹ door, via ★ *over the phone* door / over de telefoon

over- *voorv* over-, te ★ *overabundant* al te overvloedig / overdadig ★ *overanxious* overbezorgd

overachiever *zn* iemand die beter / meer presteert dan verwacht

overact [aʊvər'ækt] **I** *onov ww* overdrijven, overacteren **II** *ov ww* overdrijven

overall[1] ['aʊvərɔːl] *zn* ❶ GB jasschort, stofjas ❷ USA overall ▼ GB *~s* [mv] overall ▼ USA *~s* [mv] tuinbroek, werkbroek

overall[2] [aʊvər'ɔːl] **I** *bnw* geheel, totaal, globaal **II** *bijw* ❶ in het algemeen ❷ in totaal ★ *come third ~* in het eindklassement op de derde

plaats komen

overarm ['aʊvərɑːm] GB *bnw + bijw* bovenarms ⟨van worp, serve⟩

overawe [aʊvər'ɔː] *ov ww* ontzag inboezemen, intimideren, imponeren

overbalance [aʊvə'bæləns] **I** *onov ww* het evenwicht verliezen **II** *ov ww* het evenwicht doen verliezen

overbearing [aʊvə'beərɪŋ] *bnw* dominerend

overbid [aʊvə'bɪd] *onov ww* te veel bieden ★ *~ for sth* te veel bieden voor iets

overboard ['aʊvəbɔːd] *bijw* overboord ★ *fall / jump ~* overboord vallen / springen ★ fig *throw ~* opgeven, overboord gooien ▼ *go ~ (in / with / for sth)* ter ge raken (in iets), te enthousiast zijn ⟨over iets⟩

overburden [aʊvə'bɜːdn] *ov ww* overbelasten, overladen

overcast [aʊvə'kɑːst] *bnw* bewolkt ★ *an ~ sky* een betrokken hemel

overcautious [aʊvə'kɔːʃəs] *bnw* te voorzichtig

overcharge [aʊvə'tʃɑːdʒ] *ov ww* ❶ te veel in rekening brengen ★ *~ sb for sth* iem. te veel laten betalen voor iets ❷ te sterk laden, overladen ⟨batterij⟩

overcoat ['aʊvəkəʊt] *zn* overjas, lange jas

overcome [aʊvə'kʌm] **I** *ov ww* te boven komen, overwinnen **II** *bnw* overmand, overweldigd ★ *~ with / by grief / emotion* overmand door leed / emotie ★ *~ by the heat* door de hitte bevangen ★ *~ by smoke / gas* bedwelmd door rook / gas

overconfident [aʊvə'kɒnfɪdnt] *bnw* overmoedig

overcrowded [aʊvə'kraʊdɪd] *bnw* overvol, overbevolkt ★ *~ conditions* te dicht op elkaar, in een te krappe ruimte

overdo [aʊvə'duː] *ov ww* ❶ overdrijven ★ *the ending is a little bit ~ne* het einde is een beetje te / overdreven ★ *~ it / things* te hard werken, te veel doen ❷ te gaar koken / bakken / braden ★ *~ne steaks* overgare steaks ❸ te veel gebruiken ⟨van⟩

overdose ['aʊvədəʊs] **I** *zn* te grote dosis, overdosis ook fig **II** *onov ww* een overdosis nemen ★ *~ on pain killers* een overdosis pijnstillers nemen ★ fig *I ~d on chocolate this weekend* ik heb dit weekend (veel) te veel chocolade gegeten

overdraft ['aʊvədrɑːft] GB *zn* ❶ debetstand, bankschuld ★ *have a £200* ~ £200 rood staan ❷ voorschot in rekening-courant, kredietlimiet

overdraw [aʊvə'drɔː] GB *ov ww* te veel opnemen ⟨geld van bankrekening⟩ ★ *~ one's account* debet staan ⟨bij de bank⟩ ★ *be ~n by £300* £300 debet / rood staan ⟨bij de bank⟩ ★ *my account is £300 ~n* ik sta voor £300 in het rood ★ *go ~n* in het rood komen te staan

overdressed [aʊvə'drest] *bnw* ❶ te feestelijk / formeel gekleed voor de gelegenheid ❷ te warm gekleed

overdrive ['aʊvədraɪv] *zn* auto overdrive ★ fig *go into ~* hyperactief worden, er flink tegenaan gaan ⟨van personen⟩, enorm versnellen / omhooggaan ⟨van carrière / productie⟩

overdue [aʊvə'djuː] *bnw* ❶ te laat, niet op tijd, over tijd, achterstallig ❷ reeds lang noodzakelijk ★ *this work is long ~* dit had allang

ov

gedaan moeten worden ★ *this debate is long* ~ deze discussie had allang moeten hebben plaatsvinden ★ *be* ~ *for a shave* hard aan een scheerbeurt toe zijn

overeat [əʊvər'i:t] *onov ww* te veel eten, zich overeten

overestimate[1] [əʊvər'estɪmət] *zn* **❶** overschatting **❷** te hoge raming / schatting ⟨van aantal, getal⟩

overestimate[2] [əʊvər'estɪmeɪt] *ov ww* **❶** – overschatten **❷** te hoog schatten / ramen ⟨aantal, getal⟩

overexpose [əʊvərɪk'spəʊz] *ov ww* **❶** te lang blootstellen ⟨aan kou, zon⟩ **❷** *ook fig* overbelichten ⟨foto⟩ ★ *fig not let young actors be* ~*d* jonge acteurs niet te veel in de aandacht laten staan

overfeed [əʊvə'fi:d] *ov ww* te veel eten / voedsel geven, overvoeden

overflow[1] ['əʊvəfləʊ] *zn* **❶** overschot, teveel **❷** overstroming **❸** overloop(pijp)

overflow[2] [əʊvə'fləʊ] **I** *onov ww* **❶** overstromen **❷** overlopen, overvloeien ★ *classrooms* ~*ing with students* lokalen die uitpuilen van de studenten ★ ~*ing with joy* overvloeiend van vreugde ★ *filled to* ~*ing* boordevol, stampvol **II** *ov ww* overstromen, stromen over

overground ['əʊvəgraʊnd] *bnw* bovengronds

overgrown [əʊvə'grəʊn] *bnw* **❶** overwoekerd, verwilderd **❷** uit zijn krachten gegroeid ⟨dorp, stad⟩, opgeschoten ⟨jongen, meisje⟩ ★ *act like a* ~ *child* je gedragen als een klein kind ⟨gezegd tegen volwassene⟩

overgrowth ['əʊvəgrəʊθ] *zn* te sterke / welige / hoge groei

overhand ['əʊvəhænd] USA *bnw* bovenhands ⟨van worp, serve⟩

overhang ['əʊvəhæŋ] **I** *ov ww* hangen boven / over **II** *onov ww* overhangen ★ ~*ing trees* overhangende bomen **III** *zn* **❶** overhangend / uitstekend gedeelte ★ *have an* ~ *of 10 cm* 10 cm uitsteken **❷** USA overschot

overhaul[1] ['əʊvəhɔːl] *zn* **❶** revisie, demontage ⟨van machine, apparaat⟩ **❷** herziening ★ *an* ~ *of the financial system* een herziening van het financiële stelsel

overhaul[2] [əʊvə'hɔːl] *ov ww* **❶** reviseren, demonteren ⟨machine, apparaat⟩, helemaal nakijken en repareren **❷** (grondig) herzien ⟨stelsel⟩ **❸** inhalen

overhead[1] ['əʊvəhed] *zn* USA overheadkosten, vaste bedrijfskosten ★ GB ~*s* [mv] overheadkosten, vaste bedrijfskosten

overhead[2] [əʊvə'hed] **I** *bnw* **❶** boven het hoofd, bovengronds ★ ~ *locker* bagageruimte boven je hoofd ⟨in vliegtuig⟩ **❷** algemeen, vast ★ ~ *charges / costs / expenses* vaste bedrijfskosten, overheadkosten **II** *bijw* boven het hoofd

overhear [əʊvə'hɪə] *ov ww* toevallig horen

overheat [əʊvə'hi:t] **I** *ov ww* oververhitten, te heet maken **II** *onov ww* oververhit raken ⟨van machine, economie enz.⟩ ★ *an* ~*ed debate* een al te verhitte discussie

overindulge I *ov ww* te veel toegeven aan **II** *onov ww* zich te veel laten gaan ⟨met eten, drank⟩

overjoyed [əʊvə'dʒɔɪd] *bnw* opgetogen, dolblij

overkill ['əʊvəkɪl] *zn* te veel van het goede, overkill

overlap[1] ['əʊvəlæp] *zn* overlap, gedeeltelijk samenvallend(e) stuk / iets / tijd

overlap[2] [əʊvə'læp] **I** *ov ww* **❶** overlappen, gedeeltelijk bedekken **❷** gedeeltelijk samenvallen met **II** *onov ww* **❶** elkaar overlappen, elkaar gedeeltelijk bedekken **❷** gedeeltelijk samenvallen, gedeeltelijk hetzelfde doen / zijn / behandelen

overlay[1] ['əʊvəleɪ] *zn* **❶** bedekking, bekleding **❷** transparante sheet ⟨met extra gegevens voor onderliggend vel⟩

overlay[2] [əʊvə'leɪ] *ov ww* bedekken, bekleden

overleaf [əʊvə'li:f] *bijw* aan de andere kant v.d. bladzijde ★ *see* – z.o.z.

overload[1] ['əʊvələʊd] *zn* te zware last

overload[2] [əʊvə'ləʊd] *ov ww* te zwaar (be)laden, overbelasten

overlook [əʊvə'lʊk] *ov ww* **❶** over het hoofd zien ★ ~ *sb for promotion* iem. negeren / passeren voor (een) promotie **❷** door de vingers zien **❸** uitzien op

overlord ['əʊvəlɔːd] *gesch zn* opperheer

overly ['əʊvəlɪ] *bijw* al te, te zeer

overmanned [əʊvə'mænd] *bnw* overbezet, met te veel personeel

overmuch [əʊvə'mʌtʃ] *bijw* te veel / zeer

overnight[1] [əʊvə'naɪt] *bijw* **❶** gedurende de nacht ★ *stay* ~ blijven slapen ★ *travel* ~ 's nachts reizen **❷** zo maar, ineens ★ *become famous* ~ in een klap beroemd worden

overnight[2] ['əʊvənaɪt] *bnw* **❶** nacht-, nachtelijk ★ *an* ~ *train / flight* een nachttrein / nachtvlucht ★ *an* ~ *stay* een overnachting **❷** plotseling ⟨van succes, beslissing⟩

overpass ['əʊvəpɑːs] *zn* USA viaduct

overpay [əʊvə'peɪ] **I** *ov ww* te veel betalen **II** *onov ww* te veel betalen

overplay [əʊvə'pleɪ] *ov ww* te veel benadrukken, overdrijven ▼ ~ *one's hand* te veel wagen, je hand overspelen

overpopulated [əʊvə'pɒpjʊleɪtɪd] *bnw* overbevolkt

overpopulation [əʊvəpɒpjʊ'leɪʃən] *zn* overbevolking

overpower [əʊvə'paʊə] *ov ww* **❶** overmannen, overweldigen ⟨door emotie e.d.⟩, (totaal) overheersen ⟨van smaak, geur⟩ **❷** overmeesteren

overpowering [əʊvə'paʊərɪŋ] *bnw* **❶** overweldigend **❷** onweerstaanbaar

overprice [əʊvə'praɪs] *ov ww* te veel vragen voor ★ ~*d shoes* te dure schoenen

overprint[1] ['əʊvəprɪnt] *zn* opdruk ⟨op postzegel⟩

overprint[2] [əʊvə'prɪnt] *ov ww* van een opdruk voorzien ⟨postzegel⟩, drukken op / over ★ *Christmas cards* ~*ed with your custom message* kerstkaarten met jouw eigen tekst erop (gedrukt)

overprotective *bnw* overbezorgd

overrate [əʊvə'reɪt] *ov ww* overschatten

overreach [əʊvə'ri:tʃ] *ov ww* ★ ~ *o.s.* te veel willen / wagen, al te slim willen zijn

override [əʊvə'raɪd] *ov ww* ❶ belangrijker zijn dan, voorrang hebben boven ❷ zich niet storen aan, terzijde schuiven, tenietdoen

overriding [əʊvə'raɪdɪŋ] *bnw* v. het allergrootste belang

overrule [əʊvə'ru:l] *ov ww* ❶ verwerpen, tenietdoen ❷ overstemmen

overrun [əʊvə'rʌn] **I** *ov ww* ❶ overstromen, overspoelen ★ *be* ~ *by tourists* vergeven zijn van de toeristen, overspoeld worden door de toeristen ❷ overschrijden (tijd, geldbedrag) ❸ onder de voet lopen (een land) **II** *onov ww* langer duren / meer kosten dan gepland, uitlopen ★ ~ *by half an hour* een halfuur uitlopen **III** *zn* overschrijding (van kosten, tijd)

overseas [əʊvə'si:z] **I** *bnw* overzees, buitenlands ★ ~ *students / visitors* buitenlandse studenten / bezoekers (m.n. uit een overzees land) **II** *bijw* overzee, in / naar het buitenland (m.n. een overzees land) ★ *from* ~ uit het buitenland ★ *work* ~ in het buitenland werken

oversee [əʊvə'si:] *ov ww* controleren, toezicht houden op

overseer ['əʊvəsiːə] *zn* ❶ opzichter, inspecteur ❷ toezichthouder

oversell [əʊvə'sel] *ov ww* ❶ meer verkopen dan afgeleverd kan worden ❷ overdreven aanprijzen ★ ~ *yourself* te hoog opgeven van jezelf

overshadow [əʊvə'ʃædəʊ] *ov ww* ook fig overschaduwen

overshoe ['əʊvəʃuː] *zn* overschoen

overshoot [əʊvə'ʃuːt] **I** *ov ww* voorbijschieten ★ ~ *the runway* doorschieten op de landingsbaan **II** *onov ww* doorschieten (bv. van vliegtuig op landingsbaan)

oversight ['əʊvəsaɪt] *zn* ❶ onoplettendheid, vergissing ❷ form toezicht

oversimplify [əʊvə'sɪmplɪfaɪ] *ov ww* oversimplificeren, al te eenvoudig voorstellen

oversized [əʊvə'saɪzd], **oversize** [əʊvə'saɪz] *bnw* ❶ te groot ❷ extra groot

oversleep [əʊvə'sliːp] *onov ww* zich verslapen

overspend [əʊvə'spend] **I** *ov ww* meer uitgeven dan ★ ~ *your budget by $3000* $3000 meer uitgeven dan je budget **II** *onov ww* te veel uitgeven ★ ~ *on sth* te veel uitgeven aan iets

overspill ['əʊvəspɪl] *zn* ❶ GB overloop (bevolkingsoverschot dat naar elders, een overloopgemeente, verhuist) ❷ teveel

overstaffed [əʊvə'stɑːft] *bnw* met te veel personeel, overbezet

overstate [əʊvə'steɪt] *ov ww* overdrijven ★ ~ *one's case* te veel beweren ★ *the importance of proper communication cannot be* ~*d* het belang van juiste communicatie kan niet overschat worden, juiste communicatie is van het allergrootste belang

overstay [əʊvə'steɪ] *ov ww* langer blijven dan

overstep [əʊvə'step] *ov ww* overschrijden ★ ~ *the mark* over de schreef gaan

overstock[1] ['əʊvəstɒk] *zn* te grote voorraad

overstock[2] [əʊvə'stɒk] **I** *ov ww* ❶ overladen, overvoeren (markt) ❷ een te grote voorraad hebben / aanhouden / maken van ★ *they* ~*ed the new collections* ze hadden een te grote

voorraad van de nieuwe collecties **II** *onov ww* een te grote voorraad hebben / aanhouden / maken

overstretch *ov ww* overbelasten ★ ~*ed muscles / services* overbelaste spieren / diensten ★ ~ *yourself* te veel hooi op je vork nemen, te veel doen / ver gaan

overt [əʊ'vɜːt] *bnw* openlijk, open ★ ~ *criticism / racism* openlijk(e) kritiek / racisme

overtake [əʊvə'teɪk] *ov ww* ❶ inhalen (in het verkeer; iemand die beter / sneller is), voorbijgaan ★ ~*n by the events* achterhaald door de gebeurtenissen ❷ overvallen ★ ~*n by emotion* overvallen / overmand door emotie

overtax [əʊvə'tæks] *ov ww* ❶ overbelasten, te zwaar belasten ❷ te veel belasting laten betalen

over-the-counter *bnw* zonder recept verkrijgbaar (van geneesmiddelen)

over-the-top GB inform *bnw* overdreven, overtrokken, te

overthrow[1] ['əʊvəθrəʊ] *zn* omverwerping, val, nederlaag

overthrow[2] [əʊvə'θrəʊ] *ov ww* omverwerpen, ten val brengen

overtime ['əʊvətaɪm] *zn* ❶ overuren, overwerk ★ *work* ~ overwerken ❷ USA sport verlenging

overtone ['əʊvətəʊn] *zn* ❶ bijbetekenis, fig ondertoon ❷ muz boventoon

overture ['əʊvətjʊə] *zn* ❶ (eerste) voorstel, eerste stap ★ *make* ~*s to* toenadering zoeken tot ❷ muz ouverture

overturn [əʊvə'tɜːn] **I** *ov ww* ❶ doen omslaan, omgooien, omverwerpen ❷ tenietdoen, terugdraaien (beslissing, uitspraak) ❸ ten val brengen **II** *onov ww* kantelen, omslaan

overvalue [əʊvə'vælju:] *ov ww* overschatten, overwaarderen

overview ['əʊvəvju:] *zn* overzicht

overweening [əʊvə'wiːnɪŋ] *bnw* ❶ verwaand, arrogant ❷ overdreven ★ ~ *pride / ambition* overdreven trots / ambitie

overweight [əʊvə'weɪt] *bnw* te zwaar (in lichaamsgewicht) ★ *luggage* ~ *by three kilos* bagage die drie kilo te zwaar is, bagage met een overgewicht van drie kilo

overwhelm [əʊvə'welm] *ov ww* ❶ overstelpen ★ ~ *sb with work* iem. bedelven onder het werk ★ *the city centre was* ~*ed by tourists* in het centrum van de stad wemelde het van de toeristen ❷ overweldigen ★ ~*ed with grief* overweldigd / overmand door leed ❸ verpletteren, in de pan hakken (tegenstanders)

overwhelming [əʊvə'welmɪŋ] *bnw* overweldigend, verpletterend

overwork[1] ['əʊvəwɜːk] *zn* te zwaar / veel werk

overwork[2] [əʊvə'wɜːk] **I** *ov ww* ❶ te veel / hard laten werken ★ ~*ed teachers* overspannen / overwerkte leraren ❷ te vaak gebruiken (smoes, idee) ★ *an* ~*ed phrase* een cliché **II** *onov ww* zich overwerken, te veel / hard werken

overwrite [əʊvə'raɪt] comp *ov ww* overschrijven (bestand)

overwrought [əʊvə'rɔːt] *bnw* overspannen, gespannen, overwerkt

oviduct ['əʊvɪdʌkt] *zn* eileider

ov

oviparous [əʊˈvɪpərəs] dierk bnw eierleggend
ovoid [ˈəʊvɔɪd] form bnw eivormig
ovulate [ˈɒvjʊleɪt] onov ww ovuleren
ovum [ˈəʊvəm] zn [mv: ova] ei(cel)
ow [aʊ] tw au
owe [əʊ] ov ww ❶ schuldig / verschuldigd zijn ★ *how much do I owe you (for it)?* hoeveel moet ik je nog (ervoor) betalen? ★ *owe sb $300 / $300 to sb* iem. $300 schuldig zijn ★ *he owes me an explanation* hij is me een uitleg verschuldigd, hij heeft me wat uit te leggen ★ *we owe you much for your help* wij zijn u zeer verplicht voor uw hulp ★ *owe it to your fans to make another CD* het aan je fans verplicht zijn nog een cd op te nemen ★ inform *Iowe you one* ik sta bij je in het krijt ❷ te danken hebben ★ *owe everything to your uncle* alles aan je oom te danken hebben
owing [ˈəʊɪŋ] bnw + bijw schuldig, verschuldigd, te betalen
owing to vz als gevolg van, te danken / wijten aan
owl [aʊl] zn uil
owlet [ˈaʊlət] zn uiltje
owlish [ˈaʊlɪʃ] bnw uilachtig
own [əʊn] I bnw eigen ★ *in your own home* in je eigen huis ★ *cook your own meals* zelf koken ★ *be your own man* onafhankelijk zijn ★ *my very own room* een kamer die helemaal voor mezelf is II vnw eigen (bezit) ★ *a PC / room of your own* een eigen pc / kamer ★ *a room of my very own* een kamer helemaal alleen voor mij ★ *on your own* alleen, op eigen houtje, op jezelf, zelfstandig ★ *my time is my own* ik heb de tijd aan mezelf ★ inform *get one's own back (on sb)* het (iemand) betaald zetten, (iemand) terugpakken ★ *we could not hold our own* wij wisten ons niet staande te houden ★ *on these bad roads, a four-wheel drive vehicle really comes into its own* op deze slechte wegen zie je pas echt wat een auto met vierwielaandrijving waard is III ov ww ❶ bezitten, (in eigendom) hebben ★ *as if they owned the place* alsof zij de baas waren ★ *be privately owned* eigen bezit / privé-eigendom zijn ❷ inform ~ **up** opbiechten IV onov ww ❶ oud toegeven, erkennen ★ *own to sth* iets bekennen (vooral een fout) ❷ inform ~ **up to** opbiechten
own-brand GB bnw van eigen merk
owner [ˈəʊnə] zn eigenaar
owner-occupier zn eigenaar-bewoner, bewoner van eigen woning
ownership [ˈəʊnəʃɪp] zn eigendom(srecht), bezit
own-label GB bnw van eigen merk
ox [ɒks] zn [mv: **oxen**] ❶ os ❷ oud rund
oxbow [ˈɒksbəʊ] zn U-bocht (in rivier)
Oxbridge [ˈɒksbrɪdʒ] zn (de universiteiten van) Oxford en Cambridge
oxen [ˈɒksən] zn mv → **ox**
oxidation [ɒksɪˈdeɪʃən] zn oxidatie
oxide [ˈɒksaɪd] zn oxide
oxidize, oxidise [ˈɒksɪdaɪz] I onov ww oxideren, roesten II ov ww oxideren
Oxonian [ɒkˈsəʊnɪən] I zn (oud-)student v. Oxford II bnw van Oxford
oxtail [ˈɒksteɪl] zn ossenstaart

oxyacetylene torch [ɒksɪəˈsetɪliːn tɔːtʃ] zn snijbrander
oxygen [ˈɒksɪdʒən] zn zuurstof
oxygen mask zn zuurstofmasker
oxygen tent zn zuurstoftent
oyster [ˈɔɪstə] zn oester
oyster bed zn oesterbed
oystercatcher [ˈɔɪstəkætʃə] zn scholekster
oyster mushroom zn oesterzwam
oz afk, ounce(s) ounce (gewicht, 28,35 gram)
Oz [ɒz] inform Australië
ozone [ˈəʊzəʊn] zn ❶ ozon ❷ GB inform frisse lucht

P

p [pi:] **I** zn, letter p ★ *P as in Peter* de p van Pieter **II** afk **①** muz *piano* p **②** *penny, pence* p **③** *page* blz.

pa [pɑ:] inform zn pa

PA [pi:eɪ] afk **①** *public address (system)* p.a. **②** *personal assistant* privésecretaris **③** *Pennsylvania* staat in de VS

pace [peɪs] **I** zn **①** pas, stap, gang ★ *keep pace with* gelijke tred houden met ★ *put sb through their paces* iem. op de proef stellen ★ *stay the pace* bijblijven, op gelijke hoogte blijven ★ *go through / show your paces* tonen wat je waard bent **②** tempo ★ *set the pace* het tempo aangeven **③** telgang 〈van paard〉 **II** ov ww **①** de snelheid meten **②** het tempo aangeven **③** ~ **(off/out)** afmeten, afpassen **III** onov ww stappen ★ *pace up and down* ijsberen **IV** wkd ww zijn krachten verdelen

pacemaker [ˈpeɪsmeɪkə] zn **①** med pacemaker **②** gangmaker

pacesetter [ˈpeɪssetə] zn **①** sport gangmaker **②** koploper

pacific [pəˈsɪfɪk] dicht bnw vreedzaam, vredelievend

Pacific [pəˈsɪfɪk] zn ★ *the ~ (Ocean)* de Stille Oceaan

pacifier [ˈpæsɪfaɪə] USA zn fopspeen

pacifist [ˈpæsɪfɪst] **I** zn pacifist **II** bnw pacifistisch

pacify [ˈpæsɪfaɪ] ov ww stillen, kalmeren, tot rust / vrede brengen

pack [pæk] **I** zn **①** pak(je), bundel ★ *a pack of cigarettes / chewing gum* een pakje sigaretten / kauwgum **②** hoop, partij 〈hoeveelheid〉 ★ *a pack of lies* een hoop leugens **③** bepakking, rugzak **④** stel 〈groep〉, bende, meute 〈van jachthonden〉 ★ *a pack of fools* een stelletje idioten **⑤** spel kaarten **⑥** kompres **II** ov ww **①** pakken, inpakken, verpakken ★ inform *pack one's bags* zijn spullen pakken 〈weggaan〉 **②** ontwikkelen ★ *pack some ice around the knee* doe wat ijs om de knie heen **③** beladen **④** aanstampen, samenpersen **⑤** ~ **away** opbergen, inform iets naar binnen werken **⑥** ~ **in** inform binnenhalen 〈iemand als toeschouwer〉, inform ophouden met 〈bezigheid〉 ★ inform *his newest film is packing them in* zijn nieuwste film trekt volle zalen ★ inform *you're too noisy: pack it in, kids!* jullie maken teveel lawaai: hou ermee op jongens! **⑦** ~ **off** wegsturen **⑧** ~ **out** volproppen ★ *Wembley Stadium was packed out* het Wembley Stadion was stampvol **⑨** ~ **up** (in)pakken, inform ophouden met **III** onov ww **①** (in)pakken **②** zich laten inpakken ★ *send sb packing* iem. de bons geven ★ *the hood packs away into the collar* de capuchon kan worden ingepakt ★ *the hood packs away into the collar* de capuchon wordt opgevouwen in de kraag **④** ~ **up** inpakken, stoppen / ophouden, inform het begeven 〈van machine〉

package [ˈpækɪdʒ] **I** zn **①** pakket **②** verpakking **II** ov ww **①** inpakken, verpakken **②** presenteren **③** groeperen, ordenen

package deal zn **①** speciale aanbieding

② package deal 〈aanbieding die in haar geheel geaccepteerd moet worden〉

package holiday, package tour zn geheel verzorgde vakantie

pack animal [ˈpæk ˌænɪml] zn lastdier

packed [pækt] bnw **①** opeengepakt ★ *sheep are carried in tightly ~ trucks* schapen worden vervoerd in volgepakte vrachtwagens **②** overvol ★ *a ~ house* een volle / uitverkochte zaal ★ *action-~* barstensvol actie

packed lunch [pækt lʌntʃ] zn lunchpakket

packet [ˈpækɪt] zn **①** pakje 〈vnl. van sigaretten〉 **②** pakket 〈post〉 **③** inform vermogen ★ *make a ~* dik geld verdienen

pack horse [ˈpækhɔ:s] zn lastpaard

pack ice [pæk aɪs] zn pakijs

packing [ˈpækɪŋ] zn **①** verpakking **②** (het) verpakken

pact [pækt] zn **①** pact, verdrag **②** contract, overeenkomst

pacy inform bnw snel

pad [pæd] **I** zn **①** kussen(tje), wattenschijfje, vulsel ★ *a sanitary pad* een maandverband ★ *a scouring pad* een schuurspons **②** beschermer ★ *knee pads* kniebeschermers **③** onderlegger 〈bij het schrijven〉 **④** kladblok, blocnote **⑤** zool 〈van dierenpoot〉 **⑥** platform 〈voor helikopters〉, lanceerinrichting 〈voor ruimtevaartuigen〉 **⑦** inform kamer, flat **II** ov ww **①** (op)vullen ★ *pad one's pocket* zijn beurs spekken **②** ~ **out** (op)vullen, langer maken, rekken 〈toespraak enz.〉 **III** onov ww lopen 〈met lichte tred〉, trippelen

padded cell [ˈpædɪd sel] zn 〈gecapitonneerde〉 isoleercel

padding [ˈpædɪŋ] zn **①** vulsel **②** (blad)vulling

paddle [ˈpædl] **I** zn **①** peddel **②** schopje **③** zwemvoet, vin **④** geploeter 〈in water〉 ★ *have a ~* pootjebaden **II** ov ww roeien, peddelen ★ inform *~ one's own canoe* op eigen wieken drijven **III** onov ww **①** peddelen **②** pootjebaden **③** wiegelen

paddle boat zn raderboot

paddle wheel zn schoeprad

paddling pool [ˈpædlɪŋpu:l pu:l] zn kinderbadje

paddy [ˈpædɪ] zn **①** rijstveld **②** inform boze bui

padlock [ˈpædlɒk] **I** zn hangslot **II** ov ww afsluiten, op slot zetten 〈met hangslot〉

padre [ˈpɑ:drɪ] zn dominee, aalmoezenier 〈in het leger〉

paediatrician, USA **pediatrician** [pi:dɪəˈtrɪʃən] zn kinderarts

paediatrics [pi:dɪˈætrɪks], USA **pediatrics** zn mv pediatrie, kindergeneeskunde

paedophile, USA **pedophile** [ˈpi:dəfaɪl] zn pedofiel

paedophilia, USA **pedophilia** [pi:dəˈfɪlɪə] zn pedofilie

pagan [ˈpeɪgən] **I** zn heiden **II** bnw heidens

page [peɪdʒ] **I** zn **①** pagina, bladzijde **②** page **③** bruidsjonker **II** ov ww oproepen 〈via geluidsinstallatie〉, oppiepen 〈met een pieper〉 ★ *paging Mr Smith* is de heer Smith aanwezig?

pageant [ˈpædʒənt] zn **①** 〈historische〉 optocht / vertoning, schouwspel **②** USA ≈ schoonheidswedstrijd

pa

pageantry ['pædʒəntrɪ] *zn* praal
pageboy ['peɪdʒbɔɪ] *zn* ❶ page ❷ piccolo ⟨bediende⟩ ❸ bruidsjonker ❹ pagekopje ⟨haardracht⟩
pager ['peɪdʒə] *zn* pieper ⟨oproepapparaatje⟩
pagoda [pə'gəʊdə] *zn* pagode
paid [peɪd] **I** *bnw* betaald ⟨werk, verlof enz.⟩ ★ *put paid to sth* een eind maken aan iets **II** *ww* [verleden tijd + volt. deelw.] → **pay**
pail [peɪl] *zn* emmer
pain [peɪn] **I** *zn* ❶ pijn, lijden ★ *are you in (any) pain?* heb je pijn? ★ *on / under pain of* op straffe van ★ *go to / take great pains* zich veel moeite geven ★ *labour pains* (barens)weeën ❷ inform lastpost ★ *a pain in the neck / vulg arse* een lastpost ★ *it's a pain having to drive so far* het is vervelend om zo ver te moeten rijden **II** *ov ww* pijn doen
pained [peɪnd] *bnw* gepijnigd
painful ['peɪnfʊl] *bnw* pijnlijk
painkiller ['peɪnkɪlə] *zn* pijnstiller
painless ['peɪnləs] *bnw* pijnloos
painstaking ['peɪnzteɪkɪŋ] *bnw* gedegen, ijverig, nauwgezet
paint [peɪnt] **I** *zn* verf ★ *face~* schmink **II** *ov ww* ❶ schilderen, beschilderen ★ *he was~ed as a traitor* hij werd als verrader afgeschilderd ★ *~ a gloomy / rosy & picture* een somber / rooskleurig & beeld schetsen ★ inform *the town red* de bloemen buiten zetten ❷ *~ out/over* overschilderen
paintbox ['peɪntbɒks] *zn* kleurdoos, verfdoos
paintbrush ['peɪntbrʌʃ] *zn* verfkwast, penseel
painter ['peɪntə] *zn* (kunst / huis)schilder
painting ['peɪntɪŋ] *zn* ❶ schilderij ❷ schilderkunst
paintwork ['peɪntwɜ:k] *zn* verfwerk, verflaag
pair [peə] **I** *zn* ❶ paar ⟨tweetal⟩ ★ *a pair of shoes* een paar schoenen ★ *a pair of trousers* een broek ★ inform *I could do with an extra pair of hands* ik kan wel wat extra arbeidskrachten gebruiken ❷ tweetal, stel ★ *the pair are planning to marry* het stel wil trouwen ★ *in pairs* twee aan twee ★ *one of a matching pair* een van een stelletje ★ *the pair of them* allebei **II** *ov ww* ❶ paren, koppelen ❷ *~ off (with)* koppelen (aan) ❸ *~ up (with)* paren (aan), koppelen (aan) **III** *onov ww* ❶ zich paren, zich koppelen ❷ *~ off* een koppel / koppels vormen ❸ *~ up* paren vormen
paisley ['peɪzlɪ] *zn* paisley ⟨patroon op textiel⟩
pajamas [pə'dʒɑ:məz] USA *zn mv* → **pyjamas**
Pakistani [pɑ:kɪ'stɑ:nɪ] **I** *zn* [mv: **Pakistani**] Pakistaan, Pakistaanse **II** *bnw* Pakistaans
pal [pæl] inform **I** *zn* makker **II** *onov ww* *~ up* bevriend worden
palace ['pæləs] *zn* ❶ paleis ❷ het hof
palaeontology, USA **paleontology** [pælɪɒn'tɒlədʒɪ] *zn* paleontologie, fossielenleer
palatable ['pælətəbl] *bnw* ❶ smakelijk, eetbaar, aangenaam ❷ geschikt, aanvaardbaar
palate ['pælət] *zn* ❶ verhemelte ❷ smaak
palatial [pə'leɪʃəl] *bnw* groots, schitterend
palaver [pə'lɑ:və] inform *zn* ❶ gedoe, rompslomp ❷ gewauwel
pale [peɪl] **I** *zn* ★ *beyond the pale* onaanvaardbaar,

onbehoorlijk **II** *bnw* ❶ bleek, mat, dof ❷ licht **III** *onov ww* bleek worden, verbleken ★ *pale into insignificance* verbleken, niet te vergelijken zijn
Palestinian [pælɪ'stɪnɪən] **I** *zn* Palestijn, Palestijnse **II** *bnw* Palestijns
palette ['pælɪt] *zn* (schilders)palet
paling ['peɪlɪŋ] *zn* ❶ paal, staak ❷ afzetting, omheining
palisade [pælɪ'seɪd] *zn* palissade
pall [pɔ:l] *zn* ❶ sluier, schaduw ★ *a pall of smoke* een rooksluier ❷ lijkkleed **II** *onov ww* vervelen ★ *life in the country was starting to pall* het leven op het platteland begon aan aantrekkelijkheid te verliezen
pall-bearer ['pɔ:lbeərə] *zn* slippendrager
pallet ['pælət] *zn* ❶ pallet, laadbord ❷ strozak, stromatras
palliative ['pælɪətɪv] **I** *zn* ❶ verzachtend middel ❷ lapmiddel **II** *bnw* ❶ palliatief ❷ verzachtend
pallid ['pælɪd] *bnw* ❶ bleek ❷ flauw, lusteloos
pallor ['pælə] *zn* bleekheid
pally ['pælɪ] inform *bnw* ❶ bevriend ★ *I got ~ with him* ik werd goeie maatjes met hem ❷ vriendschappelijk
palm [pɑ:m] **I** *zn* ❶ palm(tak) ❷ handpalm ★ *grease sb's palm* iem. omkopen **II** *ov ww* inform *~ off* aansmeren, afschepen ★ *she palms the worst jobs off on me* ze laat mij de slechtste baantjes opknappen ★ *they palmed me off with an excuse* ze probeerden me met een smoes zoet te houden
palmistry ['pɑ:mɪstrɪ] *zn* handlijnkunde
palmreader ['pɑ:mri:də] *zn* handlijnkundige
palpable ['pælpəbl] *bnw* tastbaar
palpate [pæl'peɪt] med *ov ww* bekloppen
palpitate ['pælpɪteɪt] *onov ww* kloppen ⟨van hart⟩, trillen
palpitation [pælpɪ'teɪʃən] *zn* hartklopping, trilling
paltry ['pɔ:ltrɪ] *bnw* ❶ onbeduidend, nietig ❷ verachtelijk
pamper ['pæmpə] *ov ww* te veel toegeven aan, verwennen
pamphlet ['pæmflət] *zn* brochure
pan [pæn] **I** *zn* ❶ (koeken)pan, schotel, schaal ★ *bring a pan of water to the boil* breng een pan vol water aan de kook ❷ toiletpot **II** *ov ww* ❶ afkammen, (af)kraken, vitten op ❷ meedraaien ⟨filmcamera⟩ ❸ *~ off/out* wassen ⟨van goudaarde⟩ **III** *onov ww* ❶ wassen ⟨van goudaarde⟩ ★ *pan for gold* goud wassen met een pan ❷ meedraaien ⟨filmcamera⟩ ❸ inform *~ out* (goed) uitvallen, uitwerken, zich ontwikkelen
panacea [pænə'si:ə] *zn* panacee, wondermiddel
panache [pə'næʃ] *zn* zwier, verve
pancake ['pænkeɪk] *zn* pannenkoek ★ *as flat as a ~* zo plat als een dubbeltje
pancreas ['pænkrɪəs] *zn* alvleesklier
pancreatic [pænkrɪ'ætɪk] *bnw* van de alvleesklier
pandemic [pæn'demɪk] *zn* pandemie, volksziekte
pandemonium [pændɪ'məʊnɪəm] *zn* pandemonium, grote verwarring, hels kabaal
pander ['pændə] *ov ww* *~ to* in de hand werken, uitbuiten, toegeven aan
pane [peɪn] *zn* (glas / venster)ruit

panel ['pænl] **I** zn ❶ paneel, vak, plaat ❷ inzetstuk, tussenzetsel ❸ instrumentenbord, bedieningspaneel ❹ panel, jury, comité **II** ov ww lambrisering aanbrengen ★ the walls are ~led with / in wood de wanden zijn met hout gelambriseerd
panel beater zn uitdeuker
panelling, USA **paneling** ['pænəlɪŋ] zn paneelwerk, lambrisering
pang [pæŋ] zn (pijn)scheut ★ hunger pangs knagende honger ★ a pang of conscience gewetenswroeging
panic ['pænɪk] **I** zn paniek ★ she got into a ~ ze raakte in paniek **II** bnw panisch **III** ov ww in paniek brengen **IV** onov ww in paniek raken
panic-stricken ['pænɪkstrɪkən] bnw in paniek (geraakt)
pannier ['pænɪə] zn ❶ fietstas, zadeltas ❷ mand, korf
panorama [pænə'rɑːmə] zn panorama, vergezicht
panoramic [pænə'ræmɪk] bnw panorama-, panoramisch
pan pipes ['pænpaɪps] zn mv panfluit
pansy ['pænzɪ] zn ❶ driekleurig viooltje ❷ min nicht, verwijfde vent
pant [pænt] **I** ov ww ❶ ~ (out) hijgend uitbrengen ❷ ~ after/for snakken naar, verlangen naar **II** onov ww hijgen **III** zn gehijg, zucht ★ his breath came in pants hij ademde stotend
panther ['pænθə] zn panter
panties ['pæntɪz] zn mv (dames)onderbroek, slipje
pantihose zn → pantyhose
pantomime ['pæntəmaɪm] zn ❶ pantomime, gebarenspel ❷ kindermusical, sprookjesvoorstelling ❸ farce
pantry ['pæntrɪ] zn provisiekast, provisiekamer
pants [pænts] zn mv ❶ USA (lange) broek ❷ onderbroek ★ wet one's ~ in zijn broek plassen ★ inform scare the ~ off sb iem. wezenloos laten schrikken ■ inform bore the ~ off sb iem. doodvervelen ★ fig catch him with his ~ down hem in een penibele situatie aantreffen
pantyhose, pantihose ['pæntɪhouz] zn panty
pantyliner ['pæntɪlaɪnə] zn inlegkruisje
pap [pæp] zn ❶ pap, moes ❷ fig pulp
papacy ['peɪpəsɪ] zn ❶ pausdom ❷ pausschap
papal ['peɪpl] bnw pauselijk
paparazzo [pæpə'rætsəu] zn [mv: **paparazzi**] paparazzo
papaya [pə'paɪə] zn papaja
paper ['peɪpə] **I** zn ❶ papier ★ brown ~ pakpapier ★ blotting ~ vloei(papier) ❷ krant, blad ★ a daily ~ een dagblad ❸ examenopgave ❹ opstel, voordracht, (wetenschappelijk) artikel ★ give / deliver / read a ~ een lezing houden **II** bnw ❶ papieren ★ ~ money papiergeld ❷ op papier (niet in werkelijkheid) **III** ov ww ❶ behangen ❷ ~ over overplakken, fig verdoezelen ★ ~ over the problem het probleem onder het tapijt vegen
paperback ['peɪpəbæk] zn ingenaaid boek, pocket(boek)
paper boy zn krantenjongen

paper knife zn briefopener
paper round zn krantenwijk
paperweight ['peɪpəweɪt] zn presse-papier
paperwork ['peɪpəwɜːk] zn administratie, administratief werk ★ the job involves a lot of ~ het werk brengt veel administratieve rompslomp met zich mee
paprika ['pæprɪkə, pə'priːkə] zn paprikapoeder
par [pɑː] zn ❶ gelijkheid ★ on a par with gelijk aan, op één lijn met ❷ gemiddelde ★ above par boven het gemiddelde, zeer goed, boven de nominale waarde ★ below par beneden het gemiddelde, ondermaats, onder de nominale waarde ★ up to par voldoende ★ her work is not up to par haar werk is ondermaats ❸ par (bij golf) ★ fig par for the course wat te verwachten valt, typisch
parable ['pærəbl] zn parabel, gelijkenis
parabola [pə'ræbələ] zn wisk meetk zn parabool
parachute ['pærəʃuːt] **I** zn parachute **II** ov ww met parachute neerlaten **III** onov ww met parachute afdalen ★ the crew was able to ~ to safety de bemanningsleden wisten zich met hun parachute te redden
parade [pə'reɪd] **I** zn ❶ parade, optocht ★ go on ~ parade houden ★ a floral ~ een bloemencorso ❷ fig vertoon, show ★ an ostentatious ~ of wealth een overdadig vertoon van rijkdom ❸ appel, aantreden ❹ promenade, boulevard **II** ov ww ❶ pronken met ❷ laten marcheren **III** onov ww ❶ opinion parading as science een persoonlijke mening die als wetenschappelijk feit wordt gepresenteerd ❷ aantreden
paradigm ['pærədaɪm] zn paradigma, voorbeeld, model
paradise ['pærədaɪs] zn paradijs
paradox ['pærədɒks] zn paradox, tegenstrijdigheid
paradoxical [pærə'dɒksɪkl] bnw paradoxaal
paraffin, paraffin oil ['pærəfɪn (ɔɪl)] zn kerosine
paraffin wax zn (harde) paraffine
paragliding ['pærəglaɪdɪŋ] zn paragliden, parapenten
paragon ['pærəgən] zn toonbeeld (van volmaaktheid) ★ a ~ of virtue een toonbeeld van deugd
paragraph ['pærəgrɑːf] zn ❶ alinea ❷ krantenartikeltje
parakeet ['pærəkiːt] zn parkiet
parallel ['pærəlel] **I** zn parallel ★ ~ (of latitude) breedtecirkel ★ draw a ~ between... een parallel trekken tussen... **II** bnw ❶ parallel, evenwijdig ★ the road is ~ to / with the freeway de weg loopt evenwijdig met de snelweg ❷ overeenkomstig, vergelijkbaar **III** ov ww ❶ op één lijn stellen, vergelijken ❷ evenaren ★ a feat that has never been ~ed een prestatie die nog nooit is geëvenaard ❸ evenwijdig zijn met
parallel bars zn mv brug (met gelijke leggers)
paralyse ['pærəlaɪz] ov ww verlammen, lam leggen
paralysis [pə'rælɪsɪs] zn verlamming
paralytic [pærə'lɪtɪk] bnw ❶ verlammend ❷ inform straalbezopen
paramedic [pærə'medɪk] zn paramedicus

pa

parameter [pəˈræmɪtə] *zn* ❶ parameter
❷ beperking, limiet

paramilitary [pærəˈmɪlɪtərɪ] *bnw* paramilitair

paramount [ˈpærəmaʊnt] *bnw* opper-, hoogst, opperst ★ *of ~ importance* van het allergrootste belang ★ *your health is ~* je gezondheid gaat voor alles

paramour [ˈpærəmʊə] *zn* minnares, minnaar

paranoia [pærəˈnɔɪə] *zn* paranoia, vervolgingswaanzin

paranoid [ˈpærənɔɪd] *bnw* ❶ paranoïde ❷ dwaas, krankzinnig

parapet [ˈpærəpɪt] *zn* ❶ borstwering ❷ muurtje, leuning

paraphernalia [pærəfəˈneɪlɪə] *zn mv* ❶ spullen, eigendommen, toebehoren ❷ rompslomp

paraphrase [ˈpærəfreɪz] I *zn* parafrase II *ov ww* parafraseren

parasite [ˈpærəsaɪt] *zn* ❶ parasiet ❷ klaploper, profiteur

parasitic [pærəˈsɪtɪk], **parasitical** [pærəˈsɪtɪkl] *bnw* ❶ parasitair ❷ parasitisch ★ *they are forced to live a ~ life* ze zijn gedwongen op kosten van anderen te leven ❸ *fig* profiterend

parasol [ˈpærəsɒl] *zn* parasol, zonnescherm

paratrooper [ˈpærətru:pə] *zn* para, paratrooper

paratroops [ˈpærətru:ps] *zn mv* paratroepen

parboil [ˈpɑ:bɔɪl] *ov ww* blancheren

parcel [ˈpɑ:səl] I *zn* ❶ pak(je), pakket ★ *be part and ~ of sth* een essentieel deel uitmaken van iets ❷ perceel, kavel II *ov ww ~* **up** inpakken

parch [pɑ:tʃ] *ov ww* opdrogen, versmachten, verdorren

parchment [ˈpɑ:tʃmənt] *zn* perkament(papier) ★ *baking ~* bakpapier

pardon [ˈpɑ:dn] I *zn* ❶ vergiffenis, vergeving, pardon ★ *(I beg your) ~* neem me niet kwalijk ★ *(I beg your) ~?* wablief?, wat zei u? ❷ gratie(verlening), amnestie II *ov ww* ❶ vergiffenis schenken, vergeven ❷ verontschuldigen ★ *~ me for forgetting your birthday* neem me niet kwalijk dat ik je verjaardag vergeten heb ★ *inform ~ me for breathing / living!* nee maar! ⟨geeft aan dat men zich oneerlijk / onbeleefd behandeld voelt⟩

pardonable [ˈpɑ:dnəbl] *bnw* vergeeflijk

pare [peə] *ov ww* ❶ schillen ❷ *~* **(off/away)** afsnijden, wegsnijden ❸ *~* **(back/down)** besnoeien, beperken

parent [ˈpeərənt] *zn* ouder, vader, moeder ★ *a single ~* een alleenstaande ouder

parentage [ˈpeərəntɪdʒ] *zn* afkomst

parental [pəˈrentl] *bnw* ouderlijk, van / door de ouders

parenthesis [pəˈrenθəsɪs] *zn* [mv: **parentheses**] ❶ rond haakje ★ *in parentheses* tussen haakjes (geplaatst) ❷ tussenzin

parenthetic [pærənˈθetɪk] *bnw* tussen haakjes

parenthood [ˈpeərənthʊd] *zn* ouderschap

parent-teacher association *zn* oudercommissie

pariah [pəˈraɪə] *zn* paria, uitgestotene ★ *refugees have become social ~s* vluchtelingen zijn sociale verschoppelingen geworden

paring [ˈpeərɪŋ] *zn* schil, knipsel

parish [ˈpærɪʃ] *zn* parochie, (kerkelijke) gemeente

parishioner [pəˈrɪʃənə] *zn* parochiaan, gemeentelid

Parisian [pəˈrɪzɪən] I *zn* ❶ Parijzenaar ❷ Parisienne II *bnw* Parijse, van / uit Parijs

parity [ˈpærɪtɪ] *zn* ❶ gelijkheid ★ *women are demanding pay ~* vrouwen eisen gelijke beloning ❷ *econ* pariteit

park [pɑ:k] I *zn* park, (natuur)terrein ★ *a car park* een parkeerterrein II *ov ww* ❶ parkeren ❷ *inform* deponeren ★ *she parked herself on the bed* ze plofte neer op het bed III *onov ww* parkeren

parka [ˈpɑ:kə] *zn* parka, anorak

parking [ˈpɑ:kɪŋ] *zn* (het) parkeren, parkeergelegenheid ★ *no ~* verboden te parkeren ★ *there is ~ for 50 cars* er kunnen 50 auto's parkeren

parking lot *zn* parkeerterrein

parking ticket *zn* parkeerbon

parkway [ˈpɑ:kweɪ] USA *zn* autoweg ⟨landschappelijk verfraaid⟩

parlance [ˈpɑ:ləns] *zn* taal ★ *in legal ~* in wettermen uitgedrukt ★ *in common ~* zoals men dat in alledaagse taal weergeeft

parley [ˈpɑ:lɪ] I *zn* onderhandeling, onderhoud II *onov ww* onderhandelen

parliament [ˈpɑ:ləmənt] *zn* parlement

parliamentarian [pɑ:ləmenˈteərɪən] *zn* parlementariër

parliamentary [pɑ:ləˈmentərɪ] *bnw* parlements-, parlementair ★ *~ elections* kamerverkiezingen

parlour [ˈpɑ:lə] *zn* ❶ zitkamer ❷ salon ★ *a beauty ~* een schoonheidsinstituut

parlour maid [ˈpɑ:ləmeɪd] *zn* dienstmeisje

parochial [pəˈrəʊkɪəl] *bnw* ❶ parochiaal, gemeente- ❷ kleinsteeds, bekrompen

parochialism [pəˈrəʊkɪəlɪzəm] *zn* bekrompenheid

parody [ˈpærədɪ] I *zn* parodie, karikatuur II *ov ww* parodiëren, imiteren, nabootsen

parole [pəˈrəʊl] I *zn* voorwaardelijke invrijheidstelling ★ *on ~* voorwaardelijk vrijgelaten II *ov ww* voorwaardelijk vrijlaten

paroxysm [ˈpærəksɪzəm] *zn* hevige aanval ★ *we were in ~s of laughter* we kregen gigantische lachbuien

parquet [ˈpɑ:kɪ/ˈpɑ:keɪ] *zn* parket(vloer)

parquetry [ˈpɑ:kɪtrɪ] *zn* parketwerk, parketvloer

parricide [ˈpærɪsaɪd] *zn* ❶ moordenaar ⟨van een naast familielid⟩ ❷ moord ⟨op een naast familielid⟩

parrot [ˈpærət] I *zn* papegaai II *ov ww* nadoen, napraten

parrot-fashion *bijw* onnadenkend, uit het hoofd

parry [ˈpærɪ] *ov ww* ❶ pareren, afweren ⟨van slag⟩ ❷ vermijden, ontwijken ⟨van vraag⟩

parse [pɑ:z] *ov ww* (taal- / redekundig) ontleden

parsimonious [pɑ:sɪˈməʊnjəs] *bnw* spaarzaam, gierig, krenterig

parsley [ˈpɑ:slɪ] *zn* peterselie

parsnip [ˈpɑ:snɪp] *zn* pastinaak

parson [ˈpɑ:sən] *zn* dominee ★ *the ~'s nose* de stuit ⟨van gebraden gevogelte⟩

parsonage [ˈpɑ:sənɪdʒ] *zn* pastorie

part [pɑ:t] I *bnw* deel- ★ *she's part owner of the the company* ze is mede-eigenaar van het bedrijf

II *bijw* gedeeltelijk, deels ★ *he's part English, part Dutch* hij is half Engels en half Nederlands **III** *zn* ❶ deel, onderdeel, gedeelte ★ *for the most / better part* voor het grootste deel ★ *the best part was opening the presents* het leukste was het openen van de cadeautjes ★ *the nasty part of it is that...* het vervelende is, dat... ★ *she took it all in good part* ze nam het goed op ★ *in part* gedeeltelijk ★ *part of me feels sorry for her* ik heb een beetje medelijden met haar ★ *inform be part of the furniture* tot de inventaris behoren ★ *take part in* deelnemen aan ❷ aandeel ★ *it's important to do one's part* het is belangrijk om je plicht te doen ★ *I want no part of this business* ik wil hier niet bij betrokken zijn, ik wil hier niets mee te maken hebben ❸ (toneel)rol ★ *he looks the part* hij lijkt er geknipt voor ❹ zijde, kant ★ *for my part* wat mij betreft ★ *she always takes his part* ze kiest altijd partij voor hem ★ *he took the part of his brother* hij nam het op voor z'n broer ❺ aflevering ❻ scheiding ⟨in haar⟩ ❼ *muz* stem **IV** *ov ww* ❶ verdelen, scheiden ★ *part company* uit elkaar gaan ★ *she won't be parted from her dog* zij en haar hond zijn onafscheidelijk ❷ scheiding maken ⟨in haar⟩ ❸ ~ **with** afstand doen van, van de hand doen **V** *onov ww* ❶ zich verdelen ❷ uit elkaar gaan ★ *they parted on bad terms* ze gingen met ruzie uit elkaar ❸ breken ★ *the ship parted from its moorings* het schip brak los van zijn trossen

partake [pɑːˈteɪk] *onov ww* [onregelmatig] deelhebben / deelnemen aan ★ *humor we had ~n of too much wine* wij hadden te veel wijn gedronken

partaken [pɑːˈteɪkn] *ww* [volt. deelw.] → **partake**

partial [ˈpɑːʃəl] *bnw* ❶ partijdig ❷ gedeeltelijk ❸ verzot ★ *I'm ~ to oysters* ik ben gek op oesters

partiality [pɑːʃɪˈælətɪ] *zn* ❶ voorliefde ★ *she has a ~ for dark chocolate* ze heeft een zwak voor donkere chocola ❷ partijdigheid

partially [ˈpɑːʃəlɪ] *bijw* gedeeltelijk ★ *the building is only ~ completed* het gebouw is nog maar voor een deel klaar

participant [pɑːˈtɪsɪpənt] *zn* deelnemer

participate [pɑːˈtɪsɪpeɪt] *onov ww* delen (in), deelnemen aan, deelhebben in

participation [pɑːtɪsɪˈpeɪʃən] *zn* deelneming, deelname

participatory [pɑːtɪsɪˈpeɪtərɪ] *bnw* deelnemend

participle [ˈpɑːtɪsɪpl] *taalk zn* deelwoord

particle [ˈpɑːtɪkl] *zn* ❶ deeltje, greintje ★ *there's not a ~ of evidence* er is geen enkel bewijs ❷ *taalk* partikel

particular [pəˈtɪkjʊlə] **I** *zn* bijzonderheid **II** *bnw* ❶ veeleisend ★ *he's very ~ about food* hij is erg kieskeurig op zijn eten ❷ speciaal, afzonderlijk ★ *in ~* in het bijzonder ❸ nauwkeurig, precies

particularity [pətɪkjʊˈlærətɪ] *zn* ❶ nauwkeurigheid, precisie ❷ bijzonderheid

particularize, particularise [pəˈtɪkjʊləraɪz] **I** *ov ww* specificeren **II** *onov ww* in bijzonderheden treden

particularly [pəˈtɪkjʊləlɪ] *bijw* ❶ vooral ❷ bijzonder ★ *the waiter was not ~ helpful* de ober was niet bepaald behulpzaam

particulars [pəˈtɪkjʊləs] *zn mv* persoonsgegevens ★ *take sb's ~* iemands gegevens noteren

parting [ˈpɑːtɪŋ] *zn* ❶ afscheid ❷ scheiding ⟨van haar⟩

parting shot *zn* uitsmijter

partisan [ˈpɑːtɪzæn] *zn* ❶ partizaan, guerrilla ❷ aanhanger, voorstander

partition [pɑːˈtɪʃən] **I** *zn* ❶ (ver)deling, scheiding ❷ tussenschot, afscheiding **II** *ov ww* ❶ (ver)delen ❷ ~ **off** afscheiden

partly [ˈpɑːtlɪ] *bijw* gedeeltelijk

partner [ˈpɑːtnə] **I** *zn* ❶ partner ❷ vennoot, compagnon ❸ deelgenoot, (levens)gezel(lin) ★ *inform* kameraad, makker ★ *~ in crime* mededader ★ *dormant / sleeping ~* stille vennoot ★ *managing ~* beherend vennoot **II** *ov ww* ❶ tot (levens)gezel(lin) geven ❷ de deelgenoot zijn van

partnership [ˈpɑːtnəʃɪp] *zn* deelgenootschap, vennootschap ★ *civil ~* homohuwelijk ★ *enter into ~ with sb* zich associëren met iem.

part of speech *taalk zn* woordsoort

partook [pɑːˈtʊk] *ww* [verleden tijd] → **partake**

part-payment [pɑːt-ˈpeɪmənt] *zn* afbetaling

partridge [ˈpɑːtrɪdʒ] *zn* patrijs

parts [pɑːts] *zn mv* gebied, streek ★ *in these ~* in deze streek

part-time [pɑːtˈtaɪm] **I** *bnw* in deeltijd ★ *a ~ worker* een deeltijdwerker **II** *bijw* in deeltijd ★ *he works ~ from 4 till 10* hij heeft een deeltijdbaan van 4 tot 10

part-timer [pɑːtˈtaɪmə] *zn* deeltijdwerker

party [ˈpɑːtɪ] **I** *zn* ❶ partij ❷ feest ★ *throw a ~* een feestje bouwen ★ *she can't come to my ~* ze kan niet op mijn feestje komen ❸ gezelschap, groep ❹ persoon, mens ★ *a third ~* een derde ★ *she is the guilty ~* zij is de schuldige ★ *be a ~ to sth* deelnemen aan iets, meedoen aan iets **II** *onov ww* feesten, uitgaan

party dress *zn* galajurk

party line *zn* partijlijn, partijpolitiek ★ *toe the ~* de partijlijn volgen

party piece *zn* vast nummer

party-pooper *inform zn* spelbreker, sfeerbederver

pass [pɑːs] **I** *zn* ❶ voldoende ★ *the school has a pass rate of 85%* de school heeft een slaagpercentage van 85% ★ *the pass mark is 60%* om te slagen moet 60% gehaald worden ❷ verlofpas, paspoort, vrijkaartje ★ *visitors to Parliament need a pass* bezoekers aan het parlement moeten een toegangsbewijs hebben ❸ handbeweging, pass ⟨voetbal⟩, uitval ⟨schermen⟩ ❹ toestand, stand van zaken ★ *things had come to / reached such a pass that...* de stand van zaken was zodanig geworden dat... ❺ (berg)pas ❻ avance ★ *make a pass at sb* iem. proberen te versieren **II** *ov ww* ❶ inhalen, passeren, voorbijgaan / voorbijlopen ❷ door- / aangeven, geven, aanreiken ★ *I'll now pass you across / on to my colleague* ik geef u nu door aan mijn collega ★ *pass criticism on sb* kritiek uitoefenen op iem. ★ *pass money* geld in circulatie brengen ❸ laten gaan over ⟨van oog, hand⟩, strijken over ★ *pass a rope round it* doe er een touw omheen ❹ doorbrengen ★ *pass the time away* de tijd verdrijven ❺ slagen voor

❻ overtreffen, te boven gaan, overschrijden ❼ goedkeuren, aangenomen worden ❽ uiten, vellen ⟨v. vonnis⟩, uitoefenen ⟨v. kritiek⟩ ❾ afscheiden ★ *pass water* urineren ★ *pass blood* bloed ophoesten, bloed in de urine / ontlasting hebben ❿ sport een pass geven ⓫ ~ **(a)round** de ronde laten doen, laten rondgaan ⓬ ~ **as/for** doorgaan voor ⓭ ~ **by** vergeten, links laten liggen ★ *life had passed her by* het leven was aan haar voorbijgegaan ★ *she'll pass the idea by her husband* ze zal het idee aan haar man voorleggen ⓮ ~ **down** doorgeven ⓯ ~ **into** overgaan in ★ *many sports terms have passed into the language* veel sporttermen zijn in het taalgebruik overgenomen ⓰ ~ **off** zich uitgeven voor, maken ⟨opmerking⟩ ★ *she passed it off with a laugh* ze maakte zich er met een lachje vanaf ⓱ ~ **on** doorgeven, verder vertellen ★ *the cost is passed on to the consumer* de kosten worden doorberekend aan de consument ⓲ ~ **over** laten voorbijgaan / schieten, overslaan / over het hoofd zien, passeren ⟨bij promotie⟩, overhandigen / aanreiken ⓳ ~ **through** ervaren, meemaken, doormaken ⓴ ~ **up** laten voorbijgaan / schieten ★ *she passed up on the offer* ze bedankte voor het aanbod **III** *onov ww* ❶ voorbijgaan, overgaan ★ *time passed quickly* de tijd ging snel voorbij ★ *let sth pass* ergens niet op reageren, iets negeren ❷ eindigen ★ *all things pass* alles vergaat ❸ *it has passed from being a hobby to being an obsession* het veranderde van een hobby in een obsessie ❹ passeren, inhalen ★ *could you let me pass, please?* mag ik er alsjeblieft even door? ❺ gebeuren, plaatsvinden ★ *not after all that passed between them* niet nas alles wat er tussen hen was voorgevallen ★ **form** *come to pass* gebeuren ❻ slagen ⟨bij examen⟩ ❼ laten lopen, laten gaan, onbenut laten ★ *'who won the cup in 1990?' 'pass'* 'wie heeft de cup gewonnen in 1990?' 'weet ik niet' ★ *I'll pass on the champagne, thanks* ik hoef geen champagne, dank je ❽ gewisseld worden ★ *angry words passed between them* er werden boze woorden gewisseld tussen hen ❾ passen ⟨bij kaartspel⟩ ❿ sport een pass geven ★ *he passed by the name of Bob* hij was bekend onder de naam Bob ⓫ ~ **away** overlijden ⓬ ~ **by** voorbijgaan ⓭ ~ **off** gaan, verlopen ★ *the demonstration passed off without incident* de demonstratie verliep zonder incidenten ⓮ ~ **on** overlijden, verder gaan ★ *let us pass on to the next item* laten we op het volgende onderwerp overgaan ⓯ ~ **out** flauwvallen, promoveren / zijn diploma halen ⓰ ~ **through** op doorreis zijn

passable [ˈpɑːsəbl] *bnw* ❶ tamelijk, redelijk, toelaatbaar ❷ begaanbaar, doorwaadbaar
passage [ˈpæsɪdʒ] *zn* ❶ gang, passage, over- / doorgang ❷ voorbijgaan ★ *with the ~ of time* met het verstrijken van de tijd ❸ overtocht ❹ passage ⟨in boek⟩
passageway [ˈpæsɪdʒweɪ] *zn* gang, passage, doorgang
passenger [ˈpæsɪndʒə] *zn* ❶ passagier ❷ klaploper

passer-by [pɑːsəˈbaɪ] *zn* [mv: **passers-by**] voorbijganger
passing [ˈpɑːsɪŋ] **I** *zn* ❶ (het) voorbijgaan ❷ overlijden ★ *in ~* in het voorbijgaan, terloops **II** *bnw* ❶ voorbijgaand ❷ terloops, oppervlakkig ★ *she bears a ~ resemblance to me* zij lijkt een beetje op mij
passing lane *zn* inhaalstrook
passion [ˈpæʃən] *zn* ❶ hartstocht, passie ❷ woede, toorn ★ *fly into a ~* in woede uitbarsten
passionate [ˈpæʃənət] *bnw* ❶ hartstochtelijk ★ *she's ~ about her garden* ze is gek met haar tuin ❷ driftig
passion fruit *zn* passievrucht
passionless [ˈpæʃənləs] *bnw* koel, koud
passive [ˈpæsɪv] **I** *zn* taalk lijdende vorm **II** *bnw* ❶ taalk lijdend ❷ lijdelijk ★ ~ *smokers* meerokers
passivity [pæˈsɪvətɪ] *zn* lijdelijkheid
pass key *zn* loper ⟨sleutel⟩
Passover [ˈpɑːsəʊvə] *zn* Pesach, Joods paasfeest
passport [ˈpɑːspɔːt] *zn* ❶ paspoort ❷ fig toegang ★ *the ~ to success* de sleutel tot succes
password [ˈpɑːswɜːd] *zn* wachtwoord
past [pɑːst] **I** *zn* verleden (tijd) **II** *bnw* ❶ voorbij(gegaan), afgelopen ★ *past attempts had failed* vorige pogingen waren mislukt ★ *going by / from past experience* uit vroegere ervaring ❷ verleden ★ *he has been here for many weeks past* hij is al vele weken hier ❸ vroeger, ex-★ *the past president* de voormalige president **III** *bijw* voorbij ★ *he walked past* hij liep voorbij **IV** *vz* ❶ voorbij ★ *they drove past an orchard* ze reden langs een boomgaard ★ *in times past* in het verleden ★ *past help* niet meer te helpen ★ *he's past caring* het kan hem niet meer schelen ★ *she is past her childhood* ze is geen kind meer ★ *the shop just past the intersection* de winkel net voorbij de kruising ❷ vorige, afgelopen ★ *the past three months* de laatste drie maanden ❸ over, na ★ *a quarter past two* kwart over twee ★ *half past two* half drie
paste [peɪst] **I** *zn* ❶ plaksel ❷ smeersel, pap, pasta ★ *mix to a smooth ~* meng het tot een gladde pasta **II** *ov ww* ❶ plakken ❷ ~ **up** aanplakken, dichtplakken **III** *onov ww* plakken
pastel [ˈpæstl] *zn* ❶ pastel(tekening) ❷ pastelkleur
pasteurize, pasteurise [ˈpɑːstjəraɪz] *ov ww* pasteuriseren
pastiche [pæˈstiːʃ] *zn* ❶ pastiche, nabootsing ❷ mengelmoes
pastie *zn* → **pasty¹**
pastime [ˈpɑːstaɪm] *zn* tijdverdrijf
pastor [ˈpɑːstə] *zn* dominee, pastoor
pastoral [ˈpɑːstərəl] *bnw* ❶ landelijk ❷ pastoraal ★ ~ *care* zielzorg ❸ veeteelt-
pastry [ˈpeɪstrɪ] *zn* ❶ gebak(jes) ❷ (korst)deeg ★ *puff ~* bladerdeeg
pastry cook *zn* banketbakker
pasture [ˈpɑːstʃə] **I** *zn* gras, weide ★ *move on to / leave for greener ~s* ≈ aan iets nieuws beginnen **II** *ov ww* laten grazen **III** *onov ww* (af)grazen
pasty¹, pastie [ˈpɑːstɪ] *zn* vleespastei
pasty² [ˈpeɪstɪ] *bnw* bleek ★ *~-faced* bleek

pat [pæt] **I** *ov ww* ❷ zachtjes slaan, zachtjes kloppen op ★ *he's always patting himself on the back* hij is altijd ingenomen met zichzelf ★ *pat sth dry* iets droog deppen ★ *pat*, strelen **II** *zn* ❶ tikje ❷ klompje, kluitje ⟨vnl. van boter⟩ **III** *bnw* pasklaar, voorgekauwd **IV** *bijw* ★ *know / have sth off pat* iets uit zijn duimpje kennen ★ *he had his answer off pat* hij had zijn antwoord onmiddellijk klaar

patch [pætʃ] **I** *zn* ❶ ⟨oog⟩lap, pleister ❷ plek, stukje grond ❸ *inform* periode ★ *go through a bad / difficult ~* een moeilijke periode doormaken ▼ *their new CD isn't a ~ on the others* hun nieuwe cd haalt het niet bij de andere **II** *ov ww* ❶ ⟨op⟩lappen, een lap zetten op ❷ ~ *together* haastig tot stand brengen ❸ ~ *up* oplappen, bijleggen ⟨van geschil⟩, in elkaar flansen

patchwork ['pætʃwɜːk] *zn* ❶ patchwork, lapwerk ★ *a ~ quilt* een lappendeken ❷ mengelmoes

patchy ['pætʃɪ] *bnw* ❶ onregelmatig, ongelijk ❷ in elkaar geflanst ★ *my knowledge of French is ~* mijn kennis van het Frans is fragmentarisch

pâté ['pæteɪ] *zn* vlees- / vis- / wildpastei, paté

patella [pə'telə] *anat zn* knieschijf

patent ['peɪtnt] **I** *zn* patent, octrooi ★ *~ pending* patent is aangevraagd ⟨maar nog niet verleend⟩ **II** *bnw* ❶ gepatenteerd ❷ open, zichtbaar ★ *a ~ lie* een klinkklare leugen **III** *ov ww* patenteren, patent nemen op

patentee [peɪtən'tiː] *zn* patenthouder

patent leather *zn* lakleer

paternal [pə'tɜːnl] *bnw* ❶ vaderlijk, vader- ❷ van vaderszijde

paternity [pə'tɜːnətɪ] *zn* vaderschap

path [pɑːθ] *zn* ⟨voet⟩pad, weg, baan ★ *beat a path to sb's door* de deur bij iem. plat lopen

pathetic [pə'θetɪk] *bnw* ❶ aandoenlijk, bedroevend, zielig ❷ *inform* zwak, waardeloos

pathfinder ['pɑːθfaɪndə] *zn* ❶ verkenner ❷ pionier, baanbreker

pathless ['pɑːθləs] *bnw* ongebaand

pathological [pæθə'lɒdʒɪkl] *bnw* pathologisch, ziekelijk ★ *inform a ~ lier* een compulsieve leugenaar ★ *inform she's ~ about tidiness* ze heeft een netheidsobsessie

pathologist [pə'θɒlədʒɪst] *zn* patholoog

pathos ['peɪθɒs] *zn* pathos, aandoenlijkheid

pathway ['pɑːθweɪ] *zn* ⟨voet⟩pad, baan, weg ⟨ook figuurlijk⟩

patience ['peɪʃəns] *zn* ❶ geduld ★ *the party is out of ~ with / has lost ~ with the leader* de partij heeft genoeg van de leider ★ *I'm running out of ~* mijn geduld is bijna op ❷ volharding

patient ['peɪʃənt] **I** *zn* patiënt, zieke **II** *bnw* ❶ geduldig ❷ volhardend

patina ['pætɪnə] *zn* ❶ patina, roestlaag ❷ *fig* schijn

patio ['pætɪəʊ] *zn* patio, terras

patriarch ['peɪtrɪɑːk] *zn* ❶ patriarch ❷ *fig* grondlegger

patriarchal [peɪtrɪ'ɑːkəl] *bnw* patriarchaal

patriarchy ['peɪtrɪɑːkɪ] *zn* patriarchaat

patrician [pə'trɪʃən] **I** *zn* patriciër, aristocraat **II** *bnw* patricisch, aristocratisch, vooraanstaand

patricide ['pætrɪsaɪd] *zn* ❶ vadermoord ❷ vadermoordenaar

patrimony ['pætrɪmənɪ] *zn* ❶ ⟨vaderlijk⟩ erfdeel ❷ erfgoed, erfenis

patriot ['peɪtrɪət] *zn* patriot

patriotic [pætrɪ'ɒtɪk] *bnw* patriottisch, vaderlandslievend

patriotism ['peɪtrɪətɪzəm] *zn* patriottisme, vaderlandsliefde

patrol [pə'trəʊl] **I** *zn* patrouille, ronde ★ *a school-crossing ~* een klaar-over **II** *ov ww* surveilleren ★ *~ the streets* patrouilleren op straat **III** *onov ww* patrouilleren, de ronde doen

patrolman [pə'trəʊlmən] *zn* ❶ USA politieagent ❷ GB wegenwachter

patrol wagon USA *zn* boevenwagen

patron ['peɪtrən] *zn* ❶ patroon, beschermheer / vrouw, begunstiger ★ *a ~ of the arts* een mecenas ❷ ⟨vaste⟩ klant

patronage ['pætrənɪdʒ] *zn* ❶ minzame bejegening ❷ bescherming, steun ❸ klandizie, clientèle

patroness [peɪtrə'nes] *zn* beschermvrouw

patronize, patronise ['pætrənaɪz] *ov ww* ❶ beschermen, begunstigen ❷ geregeld bezoeken ★ *a well~d shop* een winkel met veel klanten ❸ neerbuigend behandelen, kleineren

patter ['pætə] **I** *zn* ❶ taaltje, jargon ❷ geklets ❸ gekletter, getrippel **II** *onov ww* ❶ trippelen, ritselen ❷ kletteren ❸ kletsen

pattern ['pætn] **I** *zn* ❶ patroon, dessin, model ❷ toonbeeld, voorbeeld, staal ★ *set the ~ for* een voorbeeld stellen voor **II** *ov ww* ❶ schakeren ❷ ~ *after/on* vormen naar, modelleren naar ★ *~ed on the English approach* naar Engels voorbeeld

patty ['pætɪ] *zn* pasteitje

paucity ['pɔːsətɪ] *zn* schaarste, gebrek ★ *a ~ of time* een gebrek aan tijd

paunch [pɔːntʃ] *zn* buik, pens

paunchy ['pɔːntʃɪ] *bnw* dikbuikig

pauper ['pɔːpə] *zn* arme

pause [pɔːz] **I** *zn* pauze, onderbreking, rust **II** *onov ww* ❶ even ophouden, pauzeren ❷ nadenken, aarzelen

pave [peɪv] *ov ww* bestraten, bevloeren ★ *pave the way* de weg banen

pavement ['peɪvmənt] *zn* ❶ bestrating, wegdek ❷ GB trottoir, stoep ❸ USA rijbaan

pavilion [pə'vɪljən] *zn* tent, paviljoen

paving ['peɪvɪŋ] *zn* bestrating, plaveisel, bevloering ★ *crazy ~* bestrating in fantasiepatroon

paving stone *zn* straatsteen

paw [pɔː] **I** *zn* poot ⟨met klauw⟩ **II** *ov ww* ❶ krabben ★ *the horse pawed the ground* het paard schraapte de grond ⟨met de hoef⟩ ❷ *inform* betasten ❸ *inform* ruw / onhandig aanpakken **III** *onov ww* krabben, klauwen ⟨met hoef⟩

pawn [pɔːn] **I** *zn* ❶ onderpand ❷ pion, *fig* marionet **II** *ov ww* belenen, verpanden

pawnbroker ['pɔːnbrəʊkə] *zn* pandjesbaas, lommerdhouder

pawnshop ['pɔːnʃɒp] *zn* pandjeshuis, lommerd

pay [peɪ] **I** *zn* betaling, loon, salaris ★ *he's in the pay of the Mafia* hij staat op de loonlijst van de maffia **II** *ov ww* [onregelmatig] **❶** (uit)betalen ★ *pay cash* contant betalen **❷** vergoeden, belonen, vergelden ★ *it would pay us to get some legal advice* het zou ons lonen goed juridisch advies te krijgen ★ *the sector is not paying its way* de sector is niet rendabel **❸** geven, maken, verlenen ★ *pay sb attention* aandacht schenken aan iem. ★ *pay sb a call / visit* iem. bezoeken **❹** ~ **back** betaald zetten, terugbetalen **❺** ~ **down** contant betalen **❻** ~ **in** storten (geld) **❼** ~ **off** (af)betalen, uitbetalen, afrekenen, inform omkopen, inform betaald zetten **❽** ~ **out** betalen, laten vieren (touw) **III** *onov ww* [onregelmatig] **❶** betalen, boeten ★ inform *pay through the nose* afgezet worden **❷** renderen (van zaak) **❸** ~ **off** de moeite lonen, vruchten afwerpen / succes hebben **❹** ~ **up** betalen, volstorten (van aandelen)

payable ['peɪəbl] *bnw* **❶** te betalen, betaalbaar ★ *make the cheque ~ to me* maak de cheque uit aan mij **❷** lonend

pay cheque, USA **paycheck** ['peɪtʃek] *zn* looncheque, salaris

pay claim *zn* looneis

pay day *zn* betaaldag

PAYE *afk, pay as you earn* loonbelasting

payee [peɪ'iː] *zn* begunstigde

payer ['peɪə] *zn* betaler

paying ['peɪɪŋ] *bnw* betalend, lonend ★ *a ~ job* een betaalde baan

payment ['peɪmənt] *zn* **❶** (af)betaling ★ *in ~ for* als betaling voor ★ *a down ~* een aanbetaling **❷** beloning, vergoeding

pay-off ['peɪɒf] *zn* **❶** beloning **❷** inform omkoopsom, smeergeld **❸** inform afrekening **❹** resultaat

payola [peɪ'əʊlə] USA inform *zn* **❶** steekpenningen **❷** omkoperij

pay packet ['peɪpækt] *zn* loonzakje

payphone USA *zn* (publiek) telefooncel, munttelefoon(toestel)

pay rise *zn* loonsverhoging

payroll ['peɪrəʊl] *zn* **❶** loonlijst **❷** loonkosten

PC *afk* **❶** *personal computer* pc **❷** *Police Constable* politieagent **❸** *politically correct* politiek correct

pd *afk, paid* betaald

PE *afk, physical education* lichamelijke opvoeding

pea [piː] *zn* erwt ★ *they're like two peas in a pod* zij lijken precies op elkaar

peace [piːs] *zn* vrede, rust ★ *make ~* vrede sluiten ★ *at ~* in vrede ★ *leave sb in ~* iem. met rust laten ★ *keep the ~* de openbare orde niet verstoren ★ *he kept his ~* hij hield zijn mond ★ *they have made their ~* ze hebben zich verzoend

peaceable ['piːsəbl] *bnw* **❶** vreedzaam **❷** vredig

peaceful ['piːsfʊl] *bnw* vredig

peacemaker ['piːsmeɪkə] *zn* vredestichter

peacetime ['piːstaɪm] *zn* vredestijd

peach [piːtʃ] **I** *zn* **❶** perzik **❷** inform schat, snoes ★ *a ~ of an idea* een prachtidee **II** *bnw* perzik (kleur)

peacock ['piːkɒk] *zn* (mannetjes)pauw

peak [piːk] **I** *zn* **❶** piek, spits **❷** hoogtepunt, toppunt, maximum **❸** klep (van pet) **II** *bnw* hoogste ★ *peak season* hoogseizoen **III** *onov ww* een hoogtepunt bereiken

peaked [piːkt] *bnw* **❶** puntig, scherp ★ *a ~ cap* een pet **❷** USA inform pips

peak hour *zn* spitsuur

peaky ['piːkɪ] inform *bnw* mager (van gezicht), pips

peal [piːl] **I** *zn* **❶** gelui (van klokken) ★ *peals of laughter* geschater **❷** (donder)slag ★ *(van de donder)*, (donder)slag **II** *onov ww* **❶** klinken, weergalmen **❷** rollen (van de donder)

peanut ['piːnʌt] *zn* pinda

peanut butter *zn* pindakaas

peanuts inform *zn mv* habbekrats ★ *she gets paid ~* ze wordt onderbetaald

pear [peə] *zn* peer, perenboom

pearl [pɜːl] *zn* parel ★ *~ buttons* paarlemoeren knopen ★ *~s of wisdom* wijze opmerkingen (meestal ironisch bedoeld)

pear-shaped ['peəʃeɪpt] *bnw* peervormig ★ inform *go ~* mislukken

peasant ['pezənt] *zn* **❶** boer **❷** inform hufter

peat [piːt] *zn* **❶** veen **❷** turf

pebble ['pebl] *zn* kiezelsteen

peccadillo [pekə'dɪləʊ] *zn* kleine zonde

peck [pek] **I** *zn* **❶** pik (met de snavel) ★ *the bird gave a peck at the fruit* de vogel pikte naar het fruit **❷** inform vluchtige kus **II** *ov ww* **❶** pikken **❷** vluchtig kussen **❸** ~ **at** pikken in / naar ★ *she pecked at her food* zij zat met lange tanden te eten

pecker ['pekə] inform *zn* piemel, lul ★ *keep your ~ up* hou je taai

pecking order *zn* pikorde, rangorde, hiërarchie

peckish ['pekɪʃ] inform *bnw* hongerig ★ *I'm a bit ~* ik heb trek

pectorals ['pektərəls], inform **pecs** *zn mv* borstspieren

peculiar [pɪ'kjuːlɪə] *bnw* **❶** bijzonder, karakteristiek ★ *~ to* eigen aan, karakteristiek voor **❷** eigenaardig, raar ★ inform *he felt ~* hij voelde zich niet lekker

peculiarity [pɪkjuːlɪ'ærətɪ] *zn* **❶** eigenaardigheid, bijzonderheid **❷** (typisch) kenmerk

peculiarly [pɪ'kjuːlɪəlɪ] *bnw* **❶** eigenaardig, vreemd **❷** individueel, typisch **❸** ongewoon, uitzonderlijk

pecuniary [pɪ'kjuːnɪərɪ] *bnw* geldelijk, geld(s)-

pedagogic [pedə'gɒdʒɪk], **pedagogical** [pedə'gɒdʒɪkl] *bnw* pedagogisch, opvoedkundig

pedal ['pedl] **I** *zn* pedaal ★ *she can't reach the ~s yet* ze kan nog niet bij de pedalen **II** *onov ww* peddelen, fietsen, trappen **III** *ov ww* rijden (fiets)

pedant ['pednt] *zn* **❶** schoolmeester, boekengeleerde **❷** muggenzifter

pedantic [pɪ'dæntɪk] *bnw* **❶** schoolmeesterachtig, eigenwijs, pedant **❷** (louter) theoretisch

pedantry ['pedəntrɪ] *zn* muggenzifterij

peddle ['pedl] **I** *ov ww* **❶** rondventen, aan de man brengen, dealen (drugs) **❷** rondstrooien (van praatjes) **II** *onov ww* venten

pedestal ['pedɪstl] *zn* voetstuk, sokkel ★ *put sb on a ~* iem. verafgoden / aanbidden

pedestrian [pɪ'destrɪən] **I** *zn* voetganger **II** *bnw* **❶** voetgangers-, wandel- **❷** alledaags, saai

pedestrian crossing *zn* oversteekplaats

pediatrician [pi:dɪə'trɪʃən] *zn* → **paediatrician**
pediatrics *zn mv* → **paediatrics**
pedicure ['pedɪkjʊə] *zn* pedicure
pedigree ['pedɪgri:] *zn* ❶ stamboom ★ ~ *cattle* stamboekvee ★ *a ~ dog* een rashond ❷ afkomst
pedlar ['pedlə] *zn* ❶ venter ❷ handelaar ⟨in verdovende middelen⟩ ❸ rondstrooier ⟨van praatjes⟩
pedophile *zn* → **paedophile**
pedophilia *zn* → **paedophilia**
pee [pi:] *inform* I *zn* plasje ★ *go for a / have a pee* een plasje gaan doen II *ov+onov ww* plassen
peek [pi:k] I *zn* kijkje, blik ★ *she had a quick peek at it* ze bekeek het vluchtig II *onov ww* gluren, kijken
peekaboo ['pi:kə'bu:], **peep-bo** [pi:p'bəʊ] *zn* kiekeboe
peel [pi:l] I *zn* schil ★ *candied peel* sukade II *ov ww* ❶ (af)schillen, villen, (af)stropen ❷ ~ *off* afschillen, afstropen, lostrekken III *onov ww* ❶ schillen ❷ *inform* zich uitkleden ❸ ~ *(away/off)* afschilferen, afbladderen, vervellen ❹ ~ *away/off* zich afsplitsen
peeler ['pi:lə] *zn* schilmachine, schilmesje
peelings ['pi:lɪŋz] *zn mv* schillen ⟨van fruit⟩
peep [pi:p] I *zn* ❶ gepiep ❷ kijkje, steelse blik II *onov ww* ❶ gluren, (vluchtig) kijken ❷ piepen, tjirpen ❸ (opeens) te voorschijn komen ★ *snowdrops are peeping (up) out of / peeping through the ground* de sneeuwklokjes beginnen hun kopjes uit de grond te steken
peep-bo *zn* → **peekaboo**
peephole ['pi:phəʊl] *zn* kijkgaatje
peeping Tom *zn* gluurder, voyeur
peer [pɪə] I *zn* ❶ gelijke ★ *without peer* uniek ❷ edelman II *onov ww* turen, (be)kijken ★ *he peered closely at the letter* hij bekeek de brief goed
peerage ['pɪərɪdʒ] *zn* adel(stand)
peeress [pɪə'res] *zn* edelvrouw
peer group *zn* peergroup, leeftijdsgenoten
peerless ['pɪələs] *bnw* ongeëvenaard, weergaloos
peer pressure *zn* groepsdwang, groepsdruk
peeve [pi:v] I *zn inform* ergernis ★ *her pet ~ is people who smoke* ze stoort zich vooral aan mensen die roken II *ov ww* ergeren, irriteren ★ *she's easily ~d* ze is lichtgeraakt, ze is snel op haar teentjes getrapt
peevish ['pi:vɪʃ] *bnw* chagrijnig, slechtgehumeurd
peg [peg] I *zn* ❶ wasknijper ❷ kapstok, klerenhanger, haak ★ *off the peg* confectie ⟨kleding⟩ ❸ pen, pin, haring ⟨van tent⟩ ★ *be a round peg in a square hole* zich als een vis op het droge voelen ★ *I'll take him down a peg or two* ik zal 'm wel 'n toontje lager laten zingen ❹ schroef ⟨van snaarinstrument⟩ ❺ *inform* houten been II *ov ww* ❶ vastpinnen, vastmaken ⟨met een pin⟩ ❷ ophangen ⟨met wasknijpers⟩ ❸ koppelen ❹ stabiliseren, bevriezen ❺ *inform* plaatsen, classificeren ★ *he was pegged as a conservative* hij wordt als conservatief beschouwd ❻ ~ *down* binden ★ *it's hard to peg him down to a date* het is moeilijk om hem vast te pinnen op een datum ❼ ~ *out* afpalen, afbakenen, ophangen ⟨wasgoed⟩ III *onov ww*

❶ *inform* ~ **away** doorwerken, zwoegen
❷ *inform* ~ **out** doodgaan
peg leg *inform zn* houten been
pejorative [prˈdʒɒrətɪv] *bnw* ❶ ongunstig, negatief ❷ kleinerend
pelican ['pelɪkən] *zn* pelikaan
pelican crossing *zn* zebrapad
pellet ['pelɪt] *zn* ❶ kogeltje ❷ balletje, propje, korrel
pell-mell [pel'mel] *bijw* holderdebolder, halsoverkop
pelt [pelt] I *zn* vacht, huid ★ *at full pelt* zo hard als maar kan II *ov ww* beschieten III *onov ww* ❶ *inform* rennen ❷ ~ *(down)* kletteren
pelvic ['pelvɪk] *bnw* bekken-
pelvis ['pelvɪs] *zn* bekken
pen [pen] I *zn* ❶ pen ❷ schaapskooi, hok ❸ (baby)box ❹ *inform* bak, bajes II *ov ww* ❶ opsluiten ❷ (op)schrijven, neerpennen
penal ['pi:nl] *bnw* ❶ strafbaar ❷ straf- ★ ~ *reform* herziening van het strafrecht
penalization, penalisation [pi:nəlar'zeɪʃən] *zn* (het opleggen van) straf
penalize, penalise ['pi:nəlaɪz] *ov ww* ❶ straffen ❷ benadelen, handicappen ❸ *sport* straf opleggen ⟨strafschop, gele kaart, vrije schop, enz.⟩
penalty ['penltɪ] *zn* ❶ straf, boete ★ *on ~ of* op straffe van ❷ nadeel ❸ *sport* handicap ❹ *sport* strafschop, strafbal
penalty area *zn* strafschopgebied
penalty clause *zn* strafbepaling, boetebepaling, boeteclausule
penance ['penəns] *zn* ❶ boetedoening ❷ straf
pen-and-ink *bnw* pen- ★ *a ~ drawing* een pentekening
pence [pens] *zn mv* → **penny**
penchant ['pɒ̃ʃɒ̃] *zn* neiging, hang ★ *he has a ~ for fast cars* hij is gek op snelle auto's
pencil ['pensɪl] I *zn* potlood, stift II *ov ww* ❶ (met potlood) tekenen, (met potlood) kleuren ❷ ~ *in* voorlopig noteren
pencil case *zn* schooletui
pencil sharpener *zn* puntenslijper
pendant ['pendənt] *zn* hanger(tje)
pending ['pendɪŋ] I *bnw* ❶ hangende, onbeslist ❷ ophanden ★ *a storm is ~* er komt een storm aan II *vz* in afwachting van
pendulous ['pendjʊləs] *bnw* ❶ hangend ❷ schommelend
pendulum ['pendjʊləm] *zn* slinger
penetrable ['penɪtrəbl] *bnw* doordringbaar
penetrate ['penətreɪt] I *ov ww* ❶ doordringen, binnendringen ★ *the arrow ~d his armour* de pijl doorboorde zijn harnas ❷ doorgronden II *onov ww* doordringen
penetrating ['penətreɪtɪŋ] *bnw* ❶ doordringend ❷ luid, snijdend, scherp ❸ scherpzinnig
penguin ['pengwɪn] *zn* pinguïn
penicillin [penɪ'sɪlɪn] *zn* penicilline
peninsula [pə'nɪnsjʊlə] *zn* schiereiland
penis ['pi:nɪs] *zn* penis
penitence ['penɪtns] *zn* berouw
penitent ['penɪtnt] I *zn* boetvaardige zondaar, biechteling, boeteling II *bnw* berouwvol
penitential [penɪ'tenʃəl] *bnw* berouwvol

pe

penitentiary [penɪˈtenʃərɪ] *zn* gevangenis
penknife [ˈpennaɪf] *zn* zakmes
penmanship [ˈpenmənʃɪp] *zn* ❶ schrijfstijl ❷ schrijfkunst
pen-name, pen name *zn* schrijversnaam, pseudoniem
pennant [ˈpenənt] *zn* ❶ wimpel ❷ (kampioenschaps)vlag
penniless [ˈpenɪlɪs] *bnw* arm, zonder geld
penny [ˈpenɪ] *zn* [mv: **pence, pennies**] penny, _inform_ cent ★ _deserve / waste every ~_ alles verdienen / verspillen ★ _cost a pretty ~_ een aardige cent kosten ★ _not a ~_ geen rooie cent ★ _a ~ for your thoughts_ waar zit je over te peinzen? ★ _inform pubs are ten a ~ in these parts_ kroegen zijn dertien in het dozijn hier ★ _inform the ~ dropped_ de zaak werd duidelijk ★ _inform spend a ~_ naar het toilet gaan ★ _inform turn up like a bad ~_ telkens ongewenst verschijnen ★ _in for a ~, in for a pound_ wie A zegt, moet ook B zeggen
penny-pinching [ˈpenɪpɪntʃɪŋ] *bnw* zuinig, vrekkig
penny-wise *bnw* zuinig op nietigheden ★ _~ and pound-foolish_ misplaatste zuinigheid (zuinig in kleine zaken en royaal in grote)
pennyworth [ˈpenɪwɜːθ] *zn* voor een stuiver ★ _I put in my ~_ ik deed ook een duit in het zakje ★ _not a ~_ totaal niets / geen
pen pal *zn* penvriend(in)
pen-pusher [ˈpenpʊʃə] _inform_ *zn* pennenlikker, grijze kantoormuis
pension [ˈpenʃən] **I** *zn* pensioen **II** *ov ww* _~ off_ pensioneren, afdanken
pensioner [ˈpenʃənə] *zn* gepensioneerde
pension scheme, pension plan *zn* pensioenregeling
pensive [ˈpensɪv] *bnw* peinzend
pentagon [ˈpentəgən] *zn* vijfhoek
pentathlon [penˈtæθlən] *zn* vijfkamp
Pentecost [ˈpentɪkɒst] *zn* Pinksteren
penthouse [ˈpenthaʊs] *zn* dakappartement
pent up *bnw* opgekropt ★ _pent-up anger_ opgekropte woede ★ _she's too ~ to focus on her work_ ze is te gespannen om zich op haar werk te kunnen concentreren
penultimate [pəˈnʌltɪmət] *bnw* voorlaatste, een na laatste
penury [ˈpenjʊrɪ] *zn* armoede
peony [ˈpiːənɪ] *zn* pioen(roos)
people [ˈpiːpl] **I** *zn* ❶ mensen ★ _young ~_ jongelui ★ _he of all ~ should know that_ als er iem. is die het zou moeten weten is hij het wel ❷ men ❸ volk ❹ naaste familie **II** *ov ww* bevolken
pep [pep] **I** *zn* fut, vuur, pit **II** *ov ww* _inform ~ up_ oppeppen, opkikkeren, pikanter maker
pepper [ˈpepə] **I** *zn* ❶ peper ❷ _bell pepper_ paprika (vrucht) ★ _green / red ~_ groene / rode paprika **II** *ov ww* ❶ peperen ❷ beschieten, bombarderen, bestoken ❸ bezaaien, bespikkelen
pepper-and-salt [pepərənˈsɔːlt] *bnw* peper-en-zoutkleurig
peppercorn [ˈpepəkɔːn] *zn* peperkorrel
peppermint [ˈpepəmɪnt] *zn* ❶ pepermunt (kruid) ❷ pepermuntje

peppery [ˈpepərɪ] *bnw* ❶ peperachtig, gepeperd ❷ driftig
pep talk *zn* aanmoediging
peptic [ˈpeptɪk] *bnw* maag-
per [pɜː] *vz* per ★ _per annum_ per jaar ★ _per cent_ procent ★ _per capita_ per hoofd ★ _as per your instructions_ volgens uw instructies ★ _as per usual_ zoals gewoonlijk
perceivable [pəˈsiːvəbl] *bnw* waarneembaar
perceive [pəˈsiːv] *ov ww* (be)merken, waarnemen, beschouwen
percentage [pəˈsentɪdʒ] *zn* percentage
perceptible [pəˈseptɪbl] *bnw* waarneembaar, merkbaar ★ _her condition is improving perceptibly_ haar conditie wordt zienderogen beter
perception [pəˈsepʃən] *zn* ❶ waarneming, gewaarwording ❷ inzicht ❸ voorstelling
perceptive [pəˈseptɪv] *bnw* ❶ opmerkzaam ❷ waarnemend
perch [pɜːtʃ] **I** *zn* ❶ baars ❷ roest (van vogel), hoge plaats ★ _knock sb off his ~_ iem. op zijn nummer zetten ❸ roede (lengte- / oppervlaktemaat) **II** *ov ww* ❶ doen zitten ❷ (hoog) plaatsen ★ _the town was~ed on a hill_ de stad was op een heuvel gelegen **III** *onov ww* ❶ neerstrijken ❷ (hoog) gaan zitten, roesten (vogels) ★ _she sat~ed on the edge of her chair_ ze zat op de rand van haar stoel gebalanceerd
perchance [pɜːˈtʃɑːns] _humor bijw_ misschien
percolate [ˈpɜːkəleɪt] **I** *ov ww* filtreren **II** *onov ww* ❶ filtreren ❷ sijpelen, doordringen
percolator [ˈpɜːkəleɪtə] *zn* ❶ filter ❷ koffiezetapparaat
percussion [pəˈkʌʃən] *zn* slaginstrumenten, slagwerk
percussionist [pəˈkʌʃənɪst] *zn* slagwerker
percussive [pəˈkʌsɪv] *bnw* ❶ schokkend, stotend ❷ slag-
peremptory [pəˈremptərɪ] *bnw* gebiedend, beslissend
perennial [pəˈrenɪəl] **I** *zn* overblijvende plant ★ _a hardy ~_ een (vorstbestendige) overblijvende plant **II** *bnw* ❶ het hele jaar durend ❷ eeuwig(durend) ❸ telkens weer opduikend ❹ plantk overblijvend
perfect¹ [ˈpɜːfɪkt] **I** *bnw* ❶ volmaakt, perfect, foutloos ❷ voortreffelijk ★ _she's the ~ neighbour_ ze is de ideale buurvrouw ★ _11.30 is ~_ 11:30 schikt me prima ❸ volledig, volslagen, totaal ★ _that's ~ nonsense_ dat is je reinste onzin ★ _she's ~ly capable of driving_ ze is heel goed in staat om te rijden ★ _you know ~ly well what I mean_ je weet heel goed wat ik bedoel ❹ _taalk_ voltooid (van tijd) **II** *zn taalk* voltooide tijd
perfect² [pəˈfekt] *ov ww* ❶ voltooien, volbrengen ❷ perfectioneren, verbeteren
perfection [pəˈfekʃən] *zn* ❶ perfectie, volmaaktheid ★ _cooked to ~_ voortreffelijk klaargemaakt ❷ voltooiing
perfidious [pəˈfɪdɪəs] *bnw* trouweloos, verraderlijk
perforate [ˈpɜːfəreɪt] *ov ww* perforeren, doorboren, doorprikken
perforated [ˈpɜːfəreɪtɪd] *bnw* geperforeerd, met kleine gaatjes ★ _a ~ eardrum_ een gescheurd

trommelvlies

perforation [pɜ:fə'reɪʃən] *zn* ❶ doorboring, perforatie ❷ gaatje(s)

perform [pə'fɔ:m] **I** *ov ww* ❶ volbrengen, verrichten, doen ★ *the operation can be ~ed by a dentist* de operatie kan door een tandarts worden uitgevoerd ❷ opvoeren ⟨van toneelstuk⟩ **II** *onov ww* ❶ optreden ❷ presteren

performance [pə'fɔ:məns] *zn* ❶ voorstelling, optreden, uitvoering ★ *a repeat ~* een herhaling ❷ prestatie(s) ❸ inform aanstellerij, scène ★ *put on a ~* zich aanstellen

performer [pə'fɔ:mə] *zn* ❶ toneelspeler, artiest ❷ uitvoerder

performing arts *zn mv* ★ *the ~* de podiumkunsten

perfume ['pɜ:fju:m] **I** *zn* geur, parfum **II** *ov ww* parfumeren

perfunctory [pə'fʌŋktərɪ] *bnw* ❶ oppervlakkig, nonchalant ❷ plichtmatig

perhaps [pə'hæps] *bijw* misschien

peril ['perɪl] *zn* gevaar ★ *he was in ~ of his life* hij verkeerde in levensgevaar ★ *at your ~* op uw (eigen) verantwoording

perilous ['perɪləs] *bnw* hachelijk, gevaarlijk, riskant

perimeter [pə'rɪmɪtə] *zn* omtrek ★ *a ~ fence* een grensschutting

period ['pɪərɪəd] **I** *zn* ❶ periode, tijdsduur, tijd ❷ lesuur ❸ menstruatie ★ *she's got her ~* ze is ongesteld ★ *she's missed her ~* zij is overtijd ❹ USA punt (leesteken) ★ *the answer is no, ~!* het antwoord is nee, punt uit! **II** *bnw* historisch ★ *they went in ~ costume* ze gingen historisch gekleed

periodic [pɪərɪ'ɒdɪk] *bnw* periodiek, regelmatig

periodical [pɪərɪ'ɒdɪkl] **I** *zn* periodiek, tijdschrift **II** *bnw* periodiek, regelmatig

peripheral [pə'rɪfərəl] *bnw* perifeer, rand-

periphery [pə'rɪfərɪ] *zn* ❶ periferie, omtrek ❷ buitenrand

periscope ['perɪskəʊp] *zn* periscoop

perish ['perɪʃ] **I** *onov ww* ❶ omkomen ❷ (ver)rotten, vergaan **II** *ov ww* ★ inform ~ *the thought!* ik moet er niet aan denken!

perishable ['perɪʃəbl] *bnw* ❶ vergankelijk ❷ beperkt houdbaar

perishables ['perɪʃəblz] *zn mv* beperkt houdbare waren

perishing ['perɪʃɪŋ] inform *bnw + bijw* bitterkoud ★ *it was ~ in the room* het was steenkoud in de kamer

peritonitis [perɪtə'naɪtɪs] med *zn* buikvliesontsteking

perjure ['pɜ:dʒə] *wkd ww* ★ ~ *o.s.* zich schuldig maken aan meineed

perjury ['pɜ:dʒərɪ] *zn* meineed

perk [pɜ:k] **I** *zn* ≈ bonus, ≈ voordeeltje **II** *ov ww* ~ *up* opvrolijken, opfleuren **III** *onov ww* ~ *up* weer moed krijgen, opfleuren, opleven

perky ['pɜ:kɪ] inform *bnw* vrolijk

perm [pɜ:m] **I** *zn* permanent (in haar) **II** *ov ww* permanenten

permanence ['pɜ:mənəns], **permanency** ['pɜ:mənənsɪ] *zn* duurzaamheid, bestendigheid

permanent ['pɜ:mənənt] **I** *bnw* blijvend,

duurzaam, permanent ★ *a ~ job* een vaste baan **II** *zn* permanent (in haar)

permanently ['pɜ:mənəntlɪ] *bijw* ❶ voorgoed ❷ blijvend ★ *the temperature is kept ~ at 22°* de temperatuur wordt constant op 22° gehouden

permeate ['pɜ:mɪeɪt] **I** *ov ww* doordringen **II** *onov ww* zich verspreiden ★ *his enthusiasm has ~d down to his employees* zijn enthousiasme is overgegaan op zijn werknemers

permissible [pə'mɪsɪbl] *bnw* toelaatbaar, geoorloofd

permission [pə'mɪʃən] *zn* ❶ toestemming ❷ vergunning

permissive [pə'mɪsɪv] *bnw* ❶ veroorlovend ❷ (al te) toegeeflijk ★ *the ~ society* de tolerante maatschappij

permit¹ ['pɜ:mɪt] *zn* ❶ vergunning, toestemming ❷ verlofbrief, pasje

permit² [pə'mɪt] **I** *ov ww* toestaan **II** *onov ww* het toelaten ★ *weather ~ting* als het weer het toelaat

permutation [pɜ:mjʊ'teɪʃən] *zn* omzetting, verwisseling

pernicious [pə'nɪʃəs] *bnw* schadelijk, kwaadaardig

pernickety [pə'nɪkətɪ], USA **persnickety** [pə'nɪkətɪ] inform *bnw* kieskeurig, overdreven netjes

perpendicular [pɜ:pən'dɪkjʊlə] **I** *zn* loodlijn, verticaal, loodrechte stand **II** *bnw* loodrecht, steil, recht(op) ★ *the surfaces are ~ to each other* de oppervlakken staan loodrecht op elkaar

perpetrate ['pɜ:pɪtreɪt] *ov ww* bedrijven, begaan, plegen

perpetration [pɜ:pə'treɪʃən] *zn* het plegen, het bedrijven

perpetrator ['pɜ:pətreɪtə] *zn* dader

perpetual [pə'petʃʊəl] *bnw* ❶ eeuwig, levenslang, blijvend ❷ geregeld, herhaaldelijk

perpetuate [pə'petʃʊeɪt] *ov ww* doen voortduren, handhaven, vereeuwigen

perpetuity [pɜ:prɪ'tju:ətɪ] form *zn* ★ *in ~* voor altijd

perplex [pə'pleks] *ov ww* in de war brengen, verwarren, onthutsen

perplexed [pə'plekst] *bnw* perplex, verward, onthutst

perplexity [pə'pleksətɪ] *zn* verwarring

persecute ['pɜ:sɪkju:t] *ov ww* ❶ vervolgen ❷ lastig vallen

persecution [pɜ:sɪ'kju:ʃən] *zn* vervolging

persecution complex *zn* achtervolgingswaan

persecutor ['pɜ:sɪkju:tə] *zn* vervolger

perseverance [pɜ:sɪ'vɪərəns] *zn* volharding, doorzetting(svermogen)

persevere [pɜ:sɪ'vɪə] *onov ww* volharden, volhouden, doorzetten

persevering [pɜ:sɪ'vɪərɪŋ] *bnw* volhardend

Persia ['pɜ:ʃə] *zn* Perzië

Persian ['pɜ:ʃən] **I** *zn* ❶ het Perzisch ❷ Pers, Perzische **II** *bnw* Perzisch

persist [pə'sɪst] *onov ww* ❶ volhouden ★ *she ~ed in asking* ze bleef maar vragen ❷ voortduren, aanhouden

persistence [pə'sɪstəns], **persistency** [pə'sɪstənsɪ] *zn* ❶ volharding, voortduring ❷ hardnekkigheid

persistent [pə'sɪstnt] *bnw* ❶ hardnekkig ❷ blijvend, aanhoudend

persnickety USA *bnw* → **pernickety**

person ['pɜːsən] *zn* persoon, iemand ★ *in ~* persoonlijk, in levende lijve ★ *I once met a ~ who...* ik heb eens iem. ontmoet die... ★ *drugs were found on his ~* er werden drugs bij hem aangetroffen

personable ['pɜːsənəbl] *bnw* innemend, knap ⟨van uiterlijk⟩

personage ['pɜːsənɪdʒ] *zn* personage, persoon

personal ['pɜːsənl] *bnw* persoonlijk ★ *from ~ experience* uit eigen ervaring

personality [pɜːsə'nælətɪ] *zn* ❶ persoonlijkheid ❷ beroemdheid

personalize, personalise ['pɜːsənəlaɪz] *ov ww* verpersoonlijken

personally ['pɜːsənəlɪ] *bijw* ❶ persoonlijk ❷ wat mij betreft ❸ onder vier ogen

personification [pəsɒnɪfɪ'keɪʃən] *zn* verpersoonlijking

personify [pə'sɒnɪfaɪ] *ov ww* verpersoonlijken

personnel [pɜːsə'nel] *zn* ❶ personeel, werknemers ❷ personeel zaken

perspective [pə'spektɪv] I *zn* ❶ perspectief ★ *let's not let things get things out of ~* laten we de zaken in hun juiste verhoudingen zien ❷ vooruitzicht II *bnw* perspectivisch

perspicacious [pɜːspɪ'keɪʃəs] *bnw* scherpzinnig, schrander

perspicacity [pɜːspɪ'kæsətɪ] *zn* schranderheid, scherpzinnigheid

perspicuity [pɜːspɪ'kjuːətɪ] *zn* ❶ duidelijkheid ❷ scherpzinnigheid

perspicuous [pə'spɪkjʊəs] *bnw* scherpzinnig, duidelijk

perspiration [pɜːspɪ'reɪʃən] *zn* zweet, transpiratie

perspire [pə'spaɪə] *onov ww* transpireren

persuade [pə'sweɪd] *ov ww* ❶ overreden, overhalen ★ *he let himself be ~d into agreeing* hij liet zich overhalen om akkoord te gaan ❷ overtuigen ★ *~d of* overtuigd van

persuasion [pə'sweɪʒən] *zn* ❶ overreding(skracht), overtuiging(skracht) ❷ overtuiging, geloof ▾ *being of the male / female ~* zijnde van het mannelijke / vrouwelijke slag

persuasive [pə'sweɪsɪv] *bnw* ❶ overredend, overredings- ❷ overtuigend

pert [pɜːt] *bnw* ❶ vrijpostig, brutaal ❷ (klein en) welgevormd ⟨van lichaamsdelen⟩

pertain [pə'teɪn] form *ov ww* ~ *to* betrekking hebben op

pertinence ['pɜːtɪnəns] *zn* toepasselijkheid

pertinent ['pɜːtɪnənt] *bnw* toepasselijk, ter zake, relevant ★ *form ~ to* betrekking hebbend op

perturb [pə'tɜːb] *ov ww* verontrusten, van streek brengen

perturbed [pə'tɜːbd] *bnw* ontdaan ★ *he didn't seem ~ by the news* hij scheen niet erg onder de indruk te zijn van het nieuws

perusal [pə'ruːzəl] *zn* (nauwkeurig) lezen ★ *for your ~* ter inzage

peruse [pə'ruːz] *ov ww* bestuderen, aandachtig bekijken, (nauwkeurig) lezen

Peruvian [pə'ruːvɪən] I *zn* Peruviaan, Peruviaanse II *bnw* Peruviaans

pervade [pə'veɪd] *ov ww* doordringen, doortrekken, vervullen

pervasive [pə'veɪsɪv] *bnw* doordringend

perverse [pə'vɜːs] *bnw* ❶ onredelijk, koppig, dwars ❷ pervers, verdorven, tegennatuurlijk

perversion [pə'vɜːʃən] *zn* ❶ verdraaiing ⟨vnl. van woorden⟩ ★ *~ of justice* een verdraaiing van het recht ❷ perversie

pervert[1] ['pɜːvɜːt] *zn* viezerik ★ *a sexual ~* iem. met afwijkend seksueel gedrag

pervert[2] [pə'vɜːt] *ov ww* ❶ verdraaien ⟨vnl. van woorden⟩ ❷ bederven ❸ misbruiken ★ *jur ~ the course of justice* verhinderen dat het recht zijn loop heeft

perverted [pə'vɜːtɪd] *bnw* pervers, ontaard

pesky ['peskɪ] inform *bnw* vervelend, lastig

pessimism ['pesɪmɪzəm] *zn* pessimisme

pest [pest] *zn* ❶ schadelijk dier / plant ★ *garden pests* ongedierte ⟨in de tuin⟩ ❷ inform last(post) ★ *that boy is being a real pest* die jongen is erg vervelend

pest control *zn* ongediertebestrijding

pester ['pestə] *ov ww* plagen, lastig vallen ★ *she keeps ~ing me to fix the fence* ze zeurt steeds dat ik de schutting moet repareren

pesterer [pestərə] *zn* kwelgeest

pesticide ['pestɪsaɪd] *zn* pesticide, verdelgingsmiddel

pestilence ['pestɪləns] *zn* pest

pestle ['pesəl] *zn* stamper ⟨van vijzel⟩

pet [pet] I *zn* ❶ huisdier ❷ lieveling II *bnw* ❶ huis-★ *they have two pet rabbits* ze hebben twee tamme konijnen ❷ favoriet ★ *his pet hate / aversion is cleaning* hij heeft een hekel aan schoonmaken III *ov ww* liefkozen, vertroetelen, aaien ⟨van een huisdier⟩ IV *onov ww* vrijen

petal ['petl] *zn* bloemblad

peter ['piːtə] *onov ww* ~ *out* uitgeput raken ⟨van mijn⟩, doodlopen ⟨van spoor⟩, mislukken, verlopen, uitsterven

petite [pə'tiːt] *bnw* klein en tenger

petition [pɪ'tɪʃən] I *zn* verzoek(schrift), smeekschrift, petitie ★ *file a ~ for divorce* een verzoek tot echtscheiding indienen II *ov ww* ❶ verzoeken ❷ ~ *for* smeken om III *onov ww* een petitie indienen ★ *they have successfully ~d against removal of the trees* ze hebben met succes geprotesteerd tegen het kappen van de bomen

petitioner [pə'tɪʃənə] *zn* verzoeker, eiser

pet name *zn* koosnaam, troetelnaam

petrel ['petrəl] *zn* stormvogel

petrifaction [petrɪ'fækʃən] *zn* verstening

petrify ['petrɪfaɪ] I *ov ww* ❶ doen verstenen ❷ versteend doen staan ★ *the idea petrifies me* het idee geeft me de koude rillingen II *onov ww* verstenen

petrol ['petrəl] *zn* benzine

petroleum [pə'trəʊlɪəm] *zn* petroleum, aardolie

petroleum jelly *zn* vaseline

petrol gauge *zn* benzinemeter

pet shop *zn* dierenwinkel

petticoat ['petɪkəʊt] *zn* onderrok

petty ['petɪ] *bnw* ❶ klein, onbeduidend, nietig ❷ kleinzielig

petty cash *zn* kleine uitgaven, kleine kas

pe

petty thief *zn* kruimeldief
petulance ['petjʊləns] *zn* prikkelbaarheid
petulant ['petjʊlənt] *bnw* prikkelbaar, humeurig
pew [pju:] *zn* informeel *take / grab a pew* pak een stoel en ga zitten
pewter ['pju:tə] I *zn* ❶ tin ❷ tinnegoed II *bnw* tinnen
PG *afk, Parental Guidance* meekijken gewenst ⟨classificering voor films⟩
phalanx ['fælæŋks] *zn* [mv: **phalanxes** of **phalanges**] ❶ [mv: phalanxes] falanx (slagorde) ❷ [mv: phalanxes] vingerkootje, teenkootje
phallic ['fælɪk] *bnw* fallisch, fallus-
phallus ['fæləs] *zn* fallus, penis
phantom ['fæntəm] I *zn* spook, geestverschijning II *bnw* ❶ schijn-, denkbeeldig ❷ spook-
pharaoh ['feərəʊ] *zn* farao
pharmaceutical [fɑ:mə'sju:tɪkl] *bnw* farmaceutisch
pharmaceutics [fɑ:mə'sju:tɪks] *zn mv* farmacie
pharmacist ['fɑ:məsɪst] *zn* ❶ farmaceut ❷ apotheker
pharmacy ['fɑ:məsɪ] *zn* ❶ farmacie ❷ apotheek
pharynx ['færɪŋks] *anat zn* keelholte
phase [feɪz] I *zn* fase, stadium, periode ★ *out of ~* niet in fase II *ov ww* ❶ ~ **in** geleidelijk invoeren ❷ ~ **out** langzamerhand opheffen
PhD *afk* ❶ *Doctor of Philosophy* doctor ❷ doctorstitel ★ *she's working on her PhD* ze werkt aan haar proefschrift
pheasant ['fezənt] *zn* fazant
phenomena [fə'nɒmɪnə] *zn mv* → **phenomenon**
phenomenal [fə'nɒmɪnl] *bnw* merkwaardig, buitengewoon
phenomenon [fə'nɒmɪnən] *zn* [mv: **phenomena**] verschijnsel, fenomeen
phew [fju:] *tw* oef!, tjonge! ⟨uitroep van verbazing, opluchting enz.⟩
phial ['faɪəl] *zn* medicijnflesje
philanderer [fɪ'lændərə] *zn* beroepsflirt(er), donjuan
philanthropic [fɪlən'θrɒpɪk] *bnw* filantropisch, menslievend
philanthropist [fɪ'lænθrəpɪst] *zn* filantroop, mensenvriend
philanthropy [fɪ'lænθrəpɪ] *zn* filantropie, menslievendheid
philatelist [fɪ'lætəlɪst] *zn* filatelist, postzegelverzamelaar
philately [fɪ'lætəlɪ] *zn* filatelie, het verzamelen van postzegels
philharmonic [fɪlhɑ:'mɒnɪk] *bnw* filharmonisch
philistine ['fɪlɪstaɪn] I *zn* cultuurbarbaar II *bnw* onbeschaafd
philosopher [fɪ'lɒsəfə] *zn* filosoof, wijsgeer
philosophical [fɪlə'sɒfɪkl], **philosophic** [fɪlə'sɒfɪk] *bnw* ❶ filosofisch ❷ kalm ★ *he's ~ about his loss* hij is nogal kalm onder zijn verlies
philosophize, philosophise [fɪ'lɒsəfaɪz] *onov ww* filosoferen
philosophy [fɪ'lɒsəfɪ] *zn* ❶ filosofie, wijsbegeerte ❷ levensbeschouwing ★ *his ~ is 'live for today'* zijn motto is 'pluk de dag'
phlegm [flem] *zn* ❶ fluim, slijm ❷ flegma, nuchterheid

phlegmatic [fleg'mætɪk] *bnw* flegmatisch, nuchter
phobia ['fəʊbɪə] *zn* fobie
phobic ['fəʊbɪk] I *zn* iemand met een fobie ★ *they are dog ~s* zij zijn bang voor honden II *bnw* fobisch ★ *many people are ~ about height* veel mensen hebben hoogtevrees
phoenix ['fi:nɪks] *zn* feniks
phone [fəʊn] I *zn* informeel telefoon ★ *the ~ rang* de telefoon ging ★ *you're wanted on the ~, Dad* er is telefoon voor je, Pa II *ov ww* telefoneren, (op)bellen III *onov ww* ❶ telefoneren, (op)bellen ❷ ~ **in** telefonisch meedoen ⟨aan radio / TV-programma⟩ ★ *she ~d in sick* ze belde op dat ze ziek was
phone booth *zn* telefooncel
phone-in *zn* phone-in ⟨radio- / tv-programma, waarbij luisteraars / kijkers deelnemen via de telefoon⟩
phone-tapping *zn* het afluisteren van telefoons
phonetic [fə'netɪk] *bnw* fonetisch, klank-
phonetics [fə'netɪks] *zn* fonetiek
phoney ['fəʊnɪ], **phony** I *zn* ❶ informeel bedrieger ❷ informeel namaak II *bnw* nagemaakt, onecht, vals
phonology [fə'nɒlədʒɪ] *zn* klankleer
phony ['fəʊnɪ] → **phoney**
phooey ['fu:ɪ] *tw* poeh!, bah!, onzin!
phosphate ['fɒsfeɪt] *zn* fosfaat
phosphor ['fɒsfə] *zn* fosfor
phosphorus ['fɒsfərəs] I *zn* fosfor II *bnw, phosporous* fosfor-
photo ['fəʊtəʊ] *zn* foto ★ *take ~s* foto's maken
photocopier ['fəʊtəʊkɒpɪə] *zn* fotokopieerapparaat
photocopy ['fəʊtəʊkɒpɪ], **photostat** ['fəʊtəstæt] I *zn* fotokopie II *ov ww* fotokopiëren
photofit ['fəʊtəʊfɪt] *zn* compositiefoto
photogenic [fəʊtəʊ'dʒenɪk] *bnw* fotogeniek
photograph ['fəʊtəgrɑ:f] I *zn* foto, portret ★ *I've had my ~ taken* ik heb me laten fotograferen II *ov ww* fotograferen, een foto maken van III *onov ww* fotograferen
photographer [fə'tɒgrəfə] *zn* fotograaf
photographic [fəʊtə'græfɪk] *bnw* fotografisch, fotografie-
photography [fə'tɒgrəfɪ] *zn* fotografie ★ *the ~ was marvellous* de fotografische beelden waren fantastisch
photon ['fəʊtɒn] *natk zn* lichtdeeltje
photosensitive [fəʊtəʊ'sensɪtɪv] *bnw* lichtgevoelig
photostat ['fəʊtəstæt] *zn* → **photocopy**
phrasal verb ['freɪzl vɜ:b] *zn* woordgroep die als werkwoord fungeert ⟨werkwoord + bijwoord / werkwoord + voorzetsel⟩
phrase [freɪz] I *zn* ❶ uitdrukking, bewoording, woorden ★ *to coin a ~* zoals het spreekwoord luidt ❷ *taalk* zinsdeel II *ov ww* onder woorden brengen, formuleren
phrase book *zn* taalgids
phraseology [freɪzɪ'ɒlədʒɪ] *zn* ❶ manier van zeggen / uitdrukken ❷ woordkeus ★ *legal ~* juridisch jargon
phrasing ['freɪzɪŋ] *zn* ❶ bewoording, uitdrukking ❷ *muz* frasering

ph

physical ['fɪzɪkl] I zn, **physical examination** lichamelijk onderzoek II bnw ❶ natuurkundig, natuur-★ it's a ~ impossibility het is absoluut onmogelijk ❷ materiaal ❸ lichamelijk★ you need to get more ~ exercise je moet meer aan lichaamsbeweging doen★ inform things started to get a bit ~ het begon een beetje agressief te worden

physical education zn lichamelijke oefeningen, gymnastiek

physical jerks inform zn mv gym, lichamelijke oefening(en)

physical sciences zn mv natuurwetenschappen

physician [fɪ'zɪʃən] zn dokter, geneesheer

physicist ['fɪzɪsɪst] zn natuurkundige

physics ['fɪzɪks] zn mv ❶ natuurkunde ❷ natuurkundige wetten

physiognomy [fɪzɪ'ɒnəmɪ] zn ❶ gelaatkunde ❷ gelaat, voorkomen

physiology [fɪzɪ'ɒlədʒɪ] zn ❶ fysiologie ❷ (levens)functies

physiotherapist [fɪzɪəʊ'θerəpɪst] zn fysiotherapeut(e)

physiotherapy [fɪzɪəʊ'θerəpɪ] zn fysiotherapie

physique [fɪ'zi:k] zn lichaamsbouw, gestel

piano [pɪ'ænəʊ] zn piano★ a ~ player een pianist ★ a grand ~ een vleugel

pianoforte [pɪænəʊ'fɔ:tɪ] zn piano

pic [pɪk] inform zn [mv: **pics** of **pix**] foto

piccolo ['pɪkələʊ] zn piccolo (kleine fluit)

pick [pɪk] I zn ❶ keuze★ take your pick zoek maar uit★ they got first pick of the prizes ze mochten als eersten een prijs uitkiezen★ the pick of the bunch het neusje van de zalm ❷ houweel ❸ pluk, oogst II ov ww ❶ (uit)kiezen, (uit)zoeken, selecteren★ inform pick sb's brains iemands advies inwinnen★ pick pockets zakkenrollen★ pick a quarrel ruzie zoeken ★ pick the winner / the winning horse op het winnende paard wedden★ he picked his way carefully through the wreckage hij ging voorzichtig vooruit door het wrak ❷ oogsten, plukken (vruchten, bloemen, gevogelte)★ the gorilla picked lice from his fur de gorilla plukte luizen uit zijn vacht ❸ (open)hakken, blikken ★ vandals had picked a hole in the wall vandalen hadden een gat in de muur gemaakt★ pick holes in an argument een argument ontzenuwen★ pick sth to pieces iets uit elkaar halen, iets sterk bekritiseren ❹ uitpeuteren, peuteren in (neus, tanden)★ pick a lock een slot openpeuteren ❺ (af)kluiven★ the bones had been picked clean alle vlees was van de botten gekloven ❻ pikken (van vogels) ❼ ~ apart uit elkaar halen ❽ ~ at plukken / trekken aan, vitten / afgeven op★ she picked at her meal ze zat te kieskauwen ❾ ~ off afplukken, uitpikken, inform de een na de ander neerschieten ❿ ~ on (uit)kiezen, afgeven / vitten op ⓫ ~ out uitpikken / uitkiezen, onderscheiden, ontdekken, op het gehoor spelen★ the letters were picked out in gold de letters waren in goud uitgevoerd ⓬ ~ up oppikken / oprapen, opdoen, op de kop tikken, vinden / te pakken krijgen, terugvinden (van spoor), hervatten (verhaal), opvangen (geluid), opnemen (telefoon), ophalen / een lift geven, ontvangen / krijgen (van inlichtingen), inform versieren, aanhouden (door politie), opkikkeren★ he picked himself up hij kwam weer overeind (na een val)★ they picked up courage ze vatten weer moed★ pick up speed snelheid maken★ inform pick up the bill de rekening betalen III onov ww ❶ kiezen★ pick and choose kieskeurig zijn ❷ ~ up opknappen, beter worden, gezondheid hervinden, aanwakkeren (van wind), aanslaan (van motor)★ let's pick up where we left the story laten we verder gaan met het verhaal waar we waren gebleven★ inform she's constantly picking up after her kids ze ruimt de hele tijd de rommel van de kinderen op

pickaxe, USA **pickax** ['pɪkæks] zn (pik)houweel

picket ['pɪkɪt] I zn ❶ paal, staak ❷ post (van stakers)★ a ~ line een groep posters (bij staking) II ov ww ❶ posten (bij staking) ❷ omheinen met palen

pickings ['pɪkɪŋz] zn mv winst (oneerlijk / gemakkelijk verkregen)

pickle ['pɪkl] I zn ❶ tafelzuur, ingemaakte groente, soort chutney★ inform I was in a ~ ik zat lelijk in de klem ❷ augurk II ov ww inmaken

pickled ['pɪkld] bnw ❶ ingelegd, ingemaakt ❷ inform lazarus

pick-me-up ['pɪkmɪˌʌp] inform zn hartversterkertje, opkikkertje

pickpocket ['pɪkpɒkɪt] zn zakkenroller

pickup ['pɪkʌp] zn ❶ pick-up, bestelauto ❷ inform scharreltje ❸ lifter, vrachtje, taxipassagier ❹ herstel, opleving ❺ het ontvangen

pickup truck zn bestelwagen

picky ['pɪkɪ] bnw kieskeurig

picnic ['pɪknɪk] I zn picknick★ go for a ~ gaan picknicken★ inform be no ~ geen pretje zijn, geen kleinigheid zijn II onov ww picknicken

pictorial [pɪk'tɔ:rɪəl] I zn geïllustreerd blad II bnw ❶ beeld- ❷ geïllustreerd

picture ['pɪktʃə] I zn ❶ afbeelding, schilderij, plaat★ she had her ~ painted ze heeft haar portret laten schilderen★ slip from the ~ van het toneel verdwijnen★ enter / come into the ~ belangrijk worden, een rol gaan spelen★ be in the ~ erbij zijn, van belang zijn★ be out of the ~ er niet bij zijn, niet van belang zijn★ put sb in the ~ iem. op de hoogte brengen / houden ★ leave sb / sth out of the ~ iemand / iets er buiten laten★ fig the big ~ het hele plaatje (overzicht) ❷ foto★ we had our ~ taken we zijn op de foto gezet ❸ televisiebeeld ❹ beeld, indruk★ the ~ was very different ten years ago tien jaar geleden zag alles er anders uit★ the overall ~ is encouraging de algemene vooruitzichten zijn gunstig★ inform get the ~ het snappen ❺ film★ go to the ~s naar de bioscoop gaan ❻ toonbeeld★ she's the (very) ~ of health ze blaakt van gezondheid II ov ww ❶ afbeelden, schilderen ❷ zich voorstellen★ ~ this stel je dit eens voor★ I can still ~ him ik zie hem nog voor mij

picture book ['pɪktʃəbʊk] zn prentenboek

picture gallery zn schilderijenmuseum

picture-perfect bnw ❶ beeldschoon ❷ precies

zoals het hoort

picture postcard zn ansichtkaart

picturesque [pɪktʃəˈresk] bnw schilderachtig

piddle [ˈpɪdl] inform I zn plasje II onov ww een plasje doen

piddling [ˈpɪdlɪŋ] inform bnw onbenullig

pidgin [ˈpɪdʒɪn] zn pidgin, mengtaal ★ he couldn't understand my ~ French hij begreep mijn steenkolenfrans niet

pie [paɪ] zn pastei(tje), USA taart ★ inform have a finger in every pie overal een vinger in de pap hebben ★ inform eat humble pie zoete broodjes bakken ★ inform a pie in the sky een luchtkasteel

piebald [ˈpaɪbɔːld] bnw bont, gevlekt ⟨van paard⟩

piece [piːs] I zn ❶ stuk, portie, deel ★ a ~ of paper een stuk papier ★ a ~ of music een muziekstuk ★ a ~ of advice een goede raad ★ a ~ of string een eindje touw ★ a ~ of cake een stuk koek, inform een stuk (meisje), inform een makkie ★ a ~ of the profits een deel van de opbrengst ★ he wants a ~ of the action hij wil meedoen ★ ~ by ~ stuk voor stuk ★ we're all in one ~ we zijn ongedeerd ★ all of a ~ van één soort, van hetzelfde slag ★ fall to ~s stukgaan, inform het afleggen, inform mislukken ★ inform go to ~s instorten ★ take sth to ~s iets uit elkaar halen ★ smash sth to ~s iets aan stukken gooien ★ let him say his ~ laat hem zijn zegje doen ★ I gave her a ~ of my mind ik heb haar flink de waarheid gezegd ★ voorbeeld, geval ★ a ~ of (good) luck een buitenkansje, een meevaller ★ a nasty ~ of work een misbaksel ⟨akelig persoon⟩ ❸ eenheid ★ these are one euro a ~ deze kosten één euro per stuk II ov ww ~ **together** stukje bij beetje tot een geheel maken, reconstrueren

piecemeal [ˈpiːsmiːl] I bnw te hooi en te gras II bijw stukje voor stukje, geleidelijk

piecework [ˈpiːswɜːk] zn stukwerk

pie chart zn cirkeldiagram

pied [paɪd] bnw bont, gevlekt

pier [pɪə] zn ❶ pijler ⟨van brug⟩ ❷ havenhoofd, pier

pierce [pɪəs] I ov ww ❶ prikken ❷ doordringen, doorboren ★ she's having her ears ~d ze krijgt gaatjes in haar oren II onov ww doordringen, doorboren

piercing [ˈpɪəsɪŋ] I zn piercing II bnw ❶ doordringend ❷ onderzoekend ❸ scherp, snijdend

piety [ˈpaɪətɪ] zn piëteit, vroomheid

piffle [ˈpɪfl] inform zn onzin

piffling [ˈpɪflɪŋ] inform bnw ❶ pietluttig, onbeduidend ❷ belachelijk

pig [pɪɡ] I zn ❶ varken, (wild) zwijn ★ pigs might fly de wonderen zijn de wereld nog niet uit ★ inform bleed like a pig bloeden als een rund ★ inform sweat like a pig zweten als een rund ★ inform a pig of a day een rotdag ❷ inform schrokop ★ she made a pig of herself at the dinner table ze zat te eten als een varken aan tafel ❸ inform smeerlap, stijfkop ❹ straatt smeris II ov ww inform zich volvreten aan ★ she pigged all the chocolates ze vrat alle chocolaatjes op III onov ww inform ~ **out** te veel eten ★ we pigged out on icecream we vraten ons vol aan ijs

pigeon [ˈpɪdʒɪn] zn duif ★ a carrier / homing ~ een postduif ★ a ~ pair een tweeling van verschillend geslacht, jongen en meisje als enige kinderen ★ inform set / put the cat among the ~s de knuppel in het hoenderhok gooien

pigeon fancier [ˈpɪdʒən fænsɪə] zn duivenmelker

pigeon-hole, pigeonhole [ˈpɪdʒənhəʊl] I zn loket, (post)vakje II ov ww ❶ opbergen ❷ op de lange baan schuiven, in de ijskast stoppen ❸ classificeren, aanmerken als

piggery [ˈpɪɡərɪ] zn ❶ varkensfokkerij, varkensstal ❷ zwijnerij ❸ inform koppigheid

piggy [ˈpɪɡɪ] I zn varkentje ⟨kindertaal⟩ II bnw varkens-

piggyback [ˈpɪɡɪbæk] I zn ritje op de rug / schouders II bijw ★ ride sb ~ iem. op de rug / schouders dragen III ov ww op de rug / schouders dragen

piggy bank zn spaarvarken

pig-headed [pɪɡˈhedɪd] bnw stijfkoppig, eigenwijs

piglet [ˈpɪɡlət] zn big

pigment [ˈpɪɡmənt] zn ❶ pigment, kleurstof ❷ verfstof

pigmy [ˈpɪɡmɪ] zn → **pygmy**

pigskin [ˈpɪɡskɪn] zn varkensleer

pigsty [ˈpɪɡstaɪ] zn varkenshok, zwijnenstal ⟨ook figuurlijk⟩

pigtail [ˈpɪɡteɪl] zn vlecht ⟨haardracht⟩

pike [paɪk] zn ❶ snoek ❷ piek, spies

pilchard [ˈpɪltʃəd] zn soort sardien

pile [paɪl] I zn ❶ hoop, stapel ❷ pool, nop ⟨op stof⟩ ❸ (hei)paal ❹ inform fortuin, geld II ov ww ❶ opstapelen ❷ ~ **on** opstapelen, ophopen ★ inform she's been piling on the weight recently ze is de laatste tijd behoorlijk aangekomen ★ inform now you're piling it on nu overdrijf je toch ★ pile on the pressure de druk verhogen III onov ww ❶ ~ **in/out** met drommen naar binnen / buiten stromen ❷ ~ **up** zich opstapelen, zich ophopen

piles [paɪlz] inform zn mv aambeien

pile-up zn ❶ kettingbotsing ❷ opeenstapeling, op(een)hoping

pilfer [ˈpɪlfə] I ov ww gappen II onov ww jatten ★ she was caught ~ing ze werd op stelen betrapt

pilferer [ˈpɪlfərə] zn kruimeldief

pilgrim [ˈpɪlɡrɪm] zn pelgrim

pilgrimage [ˈpɪlɡrɪmɪdʒ] zn bedevaart ★ go on a ~ een pelgrimstocht maken

pill [pɪl] I zn pil ★ sweeten the pill de pil vergulden II onov ww pluizen

pillage [ˈpɪlɪdʒ] I zn plundering II ov+onov ww plunderen, roven

pillar [ˈpɪlə] zn (steun)pilaar, zuil ★ a ~ of smoke een rookkolom ★ be driven / pushed from ~ to post van het kastje naar de muur gezonden worden

pillar box zn ronde brievenbus ⟨op straat⟩

pillbox [ˈpɪlbɒks] zn ❶ pillendoosje ❷ rond dameshoedje ❸ kleine bunker

pillion [ˈpɪljən] I zn duozitting II bijw ★ ride ~ duo rijden

pillory [ˈpɪlərɪ] I zn schandpaal ★ put sb in the ~ iem. belachelijk maken II ov ww aan de kaak stellen

pi

pillow ['pɪləʊ] *zn* hoofdkussen

pillowcase ['pɪləʊkeɪs], **pillowslip** ['pɪləʊslɪp] *zn* kussensloop

pillow talk *zn* slaapkamergesprek(ken)

pilot ['paɪlət] **I** *zn* ❶ piloot ❷ loods, leidsman, gids ❸ proefexemplaar, proefaflevering (v.e. nieuwe tv-serie) **II** *ov ww* ❶ besturen, loodsen, geleiden ❷ uitproberen (v. nieuw product, idee, enz.)

pilot light *zn* ❶ waakvlam ❷ controlelampje

pilot plant *zn* proeffabriek

pilot project, pilot scheme *zn* proefproject

pilot's licence *zn* vliegbrevet

pimp [pɪmp] **I** *zn* pooier **II** *onov ww* pooier zijn ★ *he pimps for her* hij is haar pooier

pimple ['pɪmpl] *zn* puistje

pimply *bnw* puistig

pin [pɪn] **I** *zn* ❶ speld, broche ★ *I've got pins and needles in my leg* mijn been been slaapt ★ inform *be on pins and needles* erg zenuwachtig zijn ★ inform *for two pins I'd...* wat let me of ik... ★ inform *he doesn't care a pin* het interesseert hem geen zier ❷ pen ❸ bout, schroef ❹ kegel ❺ vlaggenstok (bij golf) **II** *ov ww* ❶ (op)prikken ❷ vastspelden ★ *they're pinning all their hopes on him* ze vestigen al hun hoop op hem ❸ vastklemmen, vastzetten ★ *he pinned her against the wall* hij drukte haar tegen de muur ❹ ~ **down** tegen de grond drukken, te pakken krijgen ★ *the exact time is hard to pin down* het is moeilijk de juiste tijd vast te stellen ★ *it's hard to pin her down to fixing a date* het is moeilijk haar op een datum vast te pinnen ❺ ~ **on** schuld schuiven op ❻ ~ **up** opprikken, opspelden, stutten

pinafore ['pɪnəfɔː] *zn* schortje

pinball ['pɪnbɔːl] *zn* flipper(spel)

pincers ['pɪnsəz] *zn mv* ❶ schaar (van kreeft, krab) ❷ nijptang

pinch [pɪntʃ] **I** *zn* ❶ kneep ❷ druk, nood, kritieke toestand ★ *feel the* ~ (financieel) krap zitten ★ *when it comes to the* ~ in geval van nood ★ *at a* ~ desnoods ❸ heel klein beetje, snuifje **II** *ov ww* ❶ knijpen, knellen, klemmen ★ *a nerve is being ~ed* er zit een zenuw bekneld ❷ verkleumen, verschrompelen ★ *a frost had ~ed the vine* een nachtvorst had de wijnstruik doen verschrompelen ❸ inform jatten ❹ inform pakken, inrekenen (dief) **III** *onov ww* ❶ zuinig zijn ★ *she had to* ~ *and save to get the money together* ze moest kromliggen om het geld bij elkaar te krijgen ❷ knellen, pijn doen

pinched [pɪntʃt] *bnw* ingevallen, mager, benepen (gezicht) ★ *be* ~ *for money / time* krap genoeg geld / tijd hebben

pine [paɪn] **I** *zn* ❶ grenenhout, vurenhout ❷ pine tree pijnboom **II** *ov ww* ~ **after/for** smachten / verlangen naar **III** *onov ww* ~ **away** wegkwijnen

pineapple ['paɪnæpl] *zn* ananas

pine cone *zn* dennenappel

pine needle *zn* dennennaald

ping [pɪŋ] **I** *zn* ping (kort, fluitend geluid) **II** *onov ww* tinkelen

ping-pong ['pɪŋpɒŋ] *zn* tafeltennis

pinhead ['pɪnhed] *zn* ❶ speldenknop ❷ inform idioot

pinion ['pɪnjən] boeien, vastbinden (van de armen)

pink [pɪŋk] **I** *bnw* ❶ roze ❷ homo-★ *the pink dollar* de homobijdrage aan de economie ❸ inform linksig (gematigd socialistisch) **II** *zn* ❶ roze ★ inform *in the pink* kerngezond ❷ anjelier **III** *onov ww* kloppen (v. motor)

pinko ['pɪŋkəʊ] inform *zn* gematigde liberaal / radicaal

pinnacle ['pɪnəkl] *zn* ❶ top ❷ hoogtepunt ❸ torentje

pinny ['pɪnɪ] *zn* schortje

pinpoint ['pɪnpɔɪnt] **I** *zn* speldenpunt ★ *the island was just a* ~ *on the horizon* het eiland was maar een stipje aan de horizon **II** *bnw* nauwkeurig ★ *with* ~ *accuracy* uiterst nauwkeurig **III** *ov ww* nauwkeurig aanwijzen, vaststellen

pinprick ['pɪnprɪk] *zn* speldenprik

pins [pɪnz] inform *zn mv* benen

pinstripe ['pɪnstraɪp] *zn* dun streepje ★ *a* ~ *suit* een streepjespak

pint [paɪnt] *zn* ❶ pint (6 dl) ❷ glas bier

pint-sized inform *bnw* minuscuul, piepklein

pioneer [paɪəˈnɪə] **I** *zn* pionier **II** *ov ww* de weg bereiden, het eerst aanpakken ★ *the Romans ~ed this technique* de Romeinen hebben deze techniek ontwikkeld

pious ['paɪəs] *bnw* vroom, godsdienstig

pip [pɪp] **I** *zn* ❶ pit ❷ ster (op uniform) ❸ toon, tijdsignaal (op de radio) ▼ inform *give sb the pips* iem. op de zenuwen werken **II** *ov ww* inform op het nippertje verslaan ★ *pip sb at / to the post* vlak voor iem. finishen

pipe [paɪp] **I** *zn* ❶ pijp ★ *put that in your pipe and smoke it!* die kun je in je zak steken! ❷ buis ❸ fluitje **II** *onov ww* ❶ door buizen laten lopen ★ *water is piped hundreds of kilometres to the town* water wordt naar de stad geleid door honderden kilometer buis ❷ door kabelverbinding overbrengen ❸ fluiten ★ *the admiral was piped aboard* de admiraal werd door een fluitsignaal verwelkomd ❹ piepen ❺ versieren ★ *their names were piped on the cake in pink icing* hun namen waren in roze glazuur op de cake aangebracht **III** *onov ww* ❶ inform ~ **down** rustig worden ❷ inform ~ **up** zich laten horen

pipe dream *zn* luchtkasteel, dromerij

pipeline ['paɪplaɪn] *zn* pijpleiding ★ *in the* ~ onderweg / op komst

piper ['paɪpə] *zn* doedelzakspeler, fluitspeler ★ *pay the* ~ het gelag betalen

pipes [paɪpz] *zn mv* ★ *the* ~ de doedelzak

piping ['paɪpɪŋ] **I** *zn* ❶ pijpen, buizen, buizenstelsel ❷ fluitspel ❸ biesversiering ❹ suikerglazuur **II** *bnw* schel, schril **III** *bijw* ★ ~ *hot* kokend heet

pipsqueak ['pɪpskwiːk] inform *zn* praatjesmaker, nul (onbetekenend / verachtelijk iemand)

piquant ['piːkənt] *bnw* ❶ pikant ❷ prikkelend

pique [piːk] **I** *zn* wrok ★ *a fit of* ~ een nijdige bui **II** *ov ww* prikkelen, kwetsen, irriteren

piqued [piːkt] *bnw* gepikeerd

piracy ['paɪrəsɪ] *zn* piraterij

pirate ['paɪrət] **I** *zn* zeerover **II** *bnw* illegaal,

piraten-, clandestien ⟨zender⟩ III *ov ww*
ongeoorloofd nadrukken / kopiëren
pirouette [pɪrʊ'et] I *zn* pirouette II *onov ww* een
pirouette maken
Pisces [ˈpɪskɪz] *zn* Vissen ⟨sterrenbeeld⟩
piss [pɪs] *vulg* I *zn* pis ★ *be on the piss* aan de zuip
zijn ★ *take the piss* iem. in de maling nemen
II *ov ww* ❶ ~ **around/about** aan het lijntje
houden ❷ ~ **off** ergeren III *onov ww* ❶ pissen
❷ stortregenen ★ *it's pissing (down) outside* het
regent buiten dat het giet ❸ ~ **around/about**
(aan)rotzooien ❹ ~ **off** wegwezen ★ *piss off!*
sodemieter op!
pissed [pɪst] *vulg bnw* ❶ GB bezopen ⟨dronken⟩
❷ USA boos, geërgerd
pistachio [pɪˈstɑːʃɪəʊ] *zn* pistache
pistil [ˈpɪstɪl] *zn* stamper ⟨van bloem⟩
pistol [ˈpɪstl] *zn* pistool
piston [ˈpɪstn] *zn* (pomp)zuiger
pit [pɪt] I *zn* ❶ kuil, groeve, put ★ *he went to work
in the pit* hij ging in een kolenmijn werken
❷ putje, kuiltje, pok ❸ orkestbak ❹ werkkuil,
smeerkuil, pits ⟨op autocircuit⟩ ❺ steen, pit ⟨van
vrucht⟩ II *ov ww* ❶ inzetten ★ *he'll pit his wits
against other chess players* hij zal zijn krachten
meten met de andere schakers ❷ putjes /
kuiltjes maken in ★ *the roof had been pitted by
hailstones* het dak had deuken door de
hagelstenen ❸ ~ **against** opzetten tegen,
stellen tegenover
pitch [pɪtʃ] I *zn* ❶ hoogte ★ *fly a high* ~ hoog
vliegen, een hoge vlucht nemen ❷ graad
❸ toonhoogte ❹ helling, steilheid ⟨v. dak⟩
❺ afstand ⟨v. tanden bij tandrad⟩ ❻ pek ★ ~
sticks wie met pek omgaat wordt ermee
besmeurd ❼ het stampen ⟨v. schip⟩ ❽ worp
❾ verkooppraatje ❿ poging iets te
bemachtigen ⓫ standplaats ⓬ sportterrein
▼ GB *inform queer sb's* ~ iemands kansen
verknoeien II *ov ww* ❶ in bep. stijl uitdrukken
❷ bestraten ❸ muz aangeven v. toon ❹ gooien,
werpen ❺ straatt vertellen, opdissen ❻ pekken
❼ opslaan ⟨van tent⟩, aanslaan ❽ stellen,
plaatsen ★ *a ~ed battle* een vooraf in elkaar
gezette veldslag ❾ uitstallen ❿ inform ~ **into**
te lijf gaan ⓫ ~ **(up) on** ergens, ergens
opkomen III *onov ww* ❶ voorover vallen, zich
storten ❷ stampen ⟨van schip⟩ ❸ schuin aflopen
❹ inform ~ **in** de hand aan de ploeg slaan, 'm
van katoen geven
pitch-black *bnw* pikzwart
pitch-dark *bnw* pikdonker
pitcher [ˈpɪtʃə] *zn* ❶ kruik, kan ❷ werper ⟨bij
honkbal⟩
pitchfork [ˈpɪtʃfɔːk] *zn* hooivork
piteous [ˈpɪtɪəs] *bnw* treurig, droef,
beklagenswaardig
pitfall [ˈpɪtfɔːl] *zn* valkuil, valstrik ⟨figuurlijk⟩
pith [pɪθ] *zn* ❶ wit ⟨onder schil van sinaasappel
enz.⟩ ❷ essentie, kern
pithead [ˈpɪthed] *zn* mijningang
pithy [ˈpɪθɪ] *bnw* pittig, krachtig
pitiable [ˈpɪtɪəbl] *bnw* meelijwekkend
pitiful [ˈpɪtɪfʊl] *bnw* ❶ medelijden, armzalig
❷ verachtelijk
pitiless [ˈpɪtɪlɪs] *bnw* meedogenloos

pits [pɪts] *zn mv* ★ *the pits* de pits ⟨op
autoracecircuit⟩, inform het ergste wat er is ★ *a
London winter is the pits* winter in Londen is het
ergste wat er is
pittance [ˈpɪtns] *zn* hongerloon ★ *he left his wife
a mere* ~ hij liet zijn vrouw achter met een
armzalig bedrag
pitted [ˈpɪtɪd] *bnw* ❶ met putjes ❷ gepit ★ ~
cherries kersen zonder pit
pitter-patter *zn* tiktik, (ge)tikketak, triptrap
pituitary [pɪˈtjuːɪtərɪ], **pituitary gland** *zn*
hypofyse
pity [ˈpɪtɪ] I *zn* ❶ medelijden ★ *take pity on sb*
medelijden hebben met iem. ★ *for pity's sake* in
's hemels naam ❷ jammerlijk feit ★ *what a pity!*
wat jammer! ★ *more's the pity* des te erger is het
II *ov ww* medelijden hebben met ★ *he's more to
be pitied than blamed* hij is eerder te beklagen
dan dat hij schuld heeft
pitying [ˈpɪtɪɪŋ] *bnw* medelijdend, vol
medelijden
pivot [ˈpɪvət] I *zn* ❶ spil, draaipunt ★ *she is the* ~ *of
the novel* ze is de centrale figuur in de roman
II *ov ww* ~ **(up)on** draaien om
pivotal [ˈpɪvətl] *bnw* hoofd-, centraal ★ *a ~ figure*
een sleutelfiguur
pix [pɪks] inform *mv* → pic
pixie [ˈpɪksɪ], **pixy** *zn* fee
placard [ˈplækɑːd] *zn* aanplakbiljet
placate [pləˈkeɪt] *ov ww* tevredenstellen,
verzoenen, sussen
placatory [pləˈkeɪtərɪ] *bnw* verzoenend,
verzoenings-
place [pleɪs] I *zn* ❶ plaats, ruimte, plek ★ *in the
first / second* ~ ten eerste / tweede ★ *take* ~
gebeuren, plaatsvinden ★ *take sb's* ~ iemands
plaats innemen ★ *take the* ~ *of* vervangen
★ inform *go ~s* succes hebben, overal
heenreizen ★ *lay / set a* ~ *for sb* voor iem.
dekken ★ *fall into* ~ duidelijk worden ★ *what
you said was out of* ~ wat jij zei was misplaatst
★ inform *the news is all over the* ~ iedereen / de
hele stad weet ervan ★ inform *she was all over
the* ~ ze was totaal in de war ★ *calculated to 5
decimal ~s* berekend tot 5 decimalen
nauwkeurig ❷ passage ⟨in boek⟩ ★ *I've lost my* ~
ik ben mijn plek kwijt ⟨in boek⟩ ❸ zitplaats
❹ huis, gebouw, buitengoed ★ *a ~ of worship*
een bedehuis ★ *at your* ~ bij u thuis ❺ pleintje,
hofje ❻ rang, positie, post ★ *it's not my ~ to
judge* het is niet aan mij om te oordelen II *ov
ww* ❶ plaatsen, stellen ★ ~ *an order* bestellen
★ ~ *sb under arrest* iem. arresteren ★ *the
company ~s great value on creativity* de firma
hecht veel waarde aan creativiteit ★ *how are
you ~d for time / money?* heb je genoeg tijd /
geld? ❷ herinneren, thuisbrengen ⟨figuurlijk⟩
❸ aanstellen, benoemen ★ *he was ~d* hij
behoorde tot de eerste drie ⟨bij race⟩
placebo [pləˈsiːbəʊ] *zn* placebo, neppil
placement [ˈpleɪsmənt] *zn* plaatsing
place setting *zn* couvert
placid [ˈplæsɪd] *bnw* vredig, rustig, kalm
plagiarism [ˈpleɪdʒərɪzəm] *zn* plagiaat
plagiarist [ˈpleɪdʒərɪst] *zn* plagiaris
plagiarize, plagiarise [ˈpleɪdʒəraɪz] *ov ww*

pl

plagiaat plegen
plague [pleɪɡ] I *zn* ❶ pest ❷ plaag ❸ lastpost
II *ov ww* ❶ bezoeken ⟨figuurlijk⟩ ❷ pesten,
treiteren
plaice [pleɪs] *zn* schol
plaid [plæd] *zn* plaid ⟨(geruite) wollen stof⟩
plain [pleɪn] I *zn* ❶ vlakte ❷ rechte steek ⟨bij
breien⟩ II *bnw* ❶ duidelijk ★ *it is all ~ sailing* het
loopt als vanzelf, het is allemaal doodeenvoudig
★ *as ~ as a pikestaff / as the nose on your face zo
klaar als een klontje* ★ *I will be ~ with you* ik zal
je precies zeggen waar het op staat
❷ eenvoudig, onversierd, puur ★ *a ~ card* een
kaart onder boer ★ *~ cooking* burgerpot ★ *~
water* alleen maar water, (dood)gewoon water
★ *~ chocolate* pure chocola ❸ openhartig ★ *~
speaking* duidelijke taal ❹ gewoon ★ *good ~ food*
simpele kost ★ *~ common sense* gezond verstand
❺ lelijk, alledaags ❻ vlak, glad ⟨van ring⟩ ❼ niet
gekleurd, ongelinieerd ❽ rechts ⟨breisteek⟩
III *bijw* inform duidelijk, gewoon ★ *~ stupid*
gewoon dom
plain-clothes [pleɪn'kləʊðz] *bnw* in
burger(kleren)
plainly ['pleɪnlɪ] *bijw* ❶ ronduit ❷ zonder meer
❸ eenvoudig, heel gewoon
plaint [pleɪnt] *zn* ❶ jur beschuldiging, aanklacht
❷ weeklacht
plaintiff ['pleɪntɪf] *zn* eiser, aanklager
plaintive ['pleɪntɪv] *bnw* klagend
plait [plæt] I *zn* vlecht II *ov ww* vlechten
plan [plæn] I *zn* ❶ plan ★ *a plan of action* een
plan de campagne ★ *your best plan would be to...*
je kunt het beste... ★ *there are no plans to build a
new school* het ligt niet in de bedoeling dat een
nieuwe school komt ❷ schema, ontwerp,
voorstel ❸ schets, tekening ❹ plattegrond II *ov
ww* ❶ schetsen, ontwerpen ❷ een plan maken,
van plan zijn ★ *everything had been carefully
planned* alles was tot in de details geregeld
❸ ~ **on** er op rekenen, van plan zijn ★ *we
hadn't planned on twins* we hadden niet op een
tweeling gerekend
plane [pleɪn] I *zn* ❶ plataan ❷ schaaf ❸ vlak
❹ niveau, peil ★ *he exists on a ~ of his own* hij
leeft in zijn eigen wereldje ❺ vliegtuig II *bnw*
vlak III *ov ww* schaven IV *onov ww* glijden,
vliegen, zweven
planet ['plænɪt] *zn* planeet
planetary ['plænɪtərɪ] *bnw* planetarisch, planeet-
plank [plæŋk] *zn* ❶ plank ★ inform *as thick as a
~ / as two short ~s* oliedom ❷ programmapunt
planking ['plæŋkɪŋ] *zn* ❶ beplanking ❷ planken
planner ['plænə] *zn* ontwerper, planoloog
planning ['plænɪŋ] *zn* ❶ planning ❷ beramen,
ontwerpen
planning permission *zn* bouwvergunning
plant [plɑːnt, plænt] I *zn* ❶ plant ❷ fabriek,
bedrijf ❸ installatie, uitrusting,
bedrijfsmaterieel ❹ inform doorgestoken kaart,
vals bewijsmateriaal ★ *he claims that the drugs
were a ~* hij beweert dat de drugs stiekem bij
hem verborgen waren ❺ infiltrant II *ov ww*
❶ planten, poten, beplanten ★ *he ~ed doubt in
their minds* hij zaaide twijfel bij hen ❷ plaatsen,
neerzetten, vestigen ★ *she ~ed herself in front of

the TV ze installeerde zich voor de tv
❸ verbergen, onderschuiven ❹ ~ **out** vanuit
pot in de open grond zetten, uitpoten
plantain ['plæntɪn] *zn* ❶ bakbanaan ❷ weegbree
⟨wilde⟩
plantation [plæn'teɪʃən] *zn* ❶ (be)planting,
aanplanting ❷ plantage
plaque [plæk] *zn* ❶ (gedenk)plaat ❷ tandplak
plasma screen *zn* plasmascherm
plaster ['plɑːstə] I *zn* ❶ pleister ❷ pleisterkalk
❸ gips(verband) ★ *his leg is in ~* zijn been zit in
het gips II *bnw* gipsen III *ov ww* ❶ bepleisteren
❷ besmeren, bedekken ★ *she always ~s her face
with make-up* ze plamuurt haar gezicht altijd
met make-up ★ *the news was ~ed all over the
papers* het nieuws stond op de voorpagina van
alle kranten ❸ ~ **over** dichtpleisteren
plasterboard ['plɑːstəbɔːd] *zn* gipsplaat
plastered inform *bnw* dronken
plasterer ['plɑːstərə] *zn* stukadoor, gipswerker
plaster of Paris *zn* modelgips
plastic ['plæstɪk] I *zn* ❶ plastic, kunststof
❷ inform plastic geld ⟨creditcards enz.⟩ II *bnw*
❶ beeldend, vormend ❷ kneedbaar, onecht,
onnatuurlijk, smakeloos ★ *~ surgery* plastische
chirurgie
plastic wrap *zn* huishoudfolie
plate [pleɪt] I *zn* ❶ plaat ❷ bord, schotel, schaal
★ *we have enough on our ~* we hebben (al)
genoeg te doen ★ inform *he was handed the job
on a ~* de baan werd hem in de schoot
geworpen, hij kreeg de baan op een
presenteerblaadje aangeboden ❸ tafelzilver,
metalen vaatwerk II *ov ww* plateren
plateau ['plætəʊ] *zn* ❶ plateau ❷ stilstand ⟨in
groei⟩
plateful ['pleɪtfʊl] *zn* bordvol
plate glass *zn* spiegelglas
platform ['plætfɔːm] *zn* ❶ platform ❷ perron
❸ podium ❹ partijprogramma, politiek
programma
plating ['pleɪtɪŋ] *zn* ❶ verguldsel ❷ pantsering
platinum ['plætɪnəm] *zn* platina
platitude ['plætɪtjuːd] *zn* gemeenplaats,
banaliteit
platonic [plə'tɒnɪk] *bnw* platonisch
platoon [plə'tuːn] *zn* peloton
platter ['plætə] *zn* plat bord / schaal
plaudits ['plɔːdɪts] *zn mv* lof, goedkeuring,
applaus
plausible ['plɔːzəbl] *bnw* ❶ aannemelijk
❷ geloofwaardig ★ *a ~ choice for
vice-president* hij was een geloofwaardige
kandidaat voor het presidentschap
play [pleɪ] I *ov ww* ❶ spelen ★ *play the game*
eerlijk spel spelen ★ *play sb false* iem. bedriegen
❷ spelen tegen ★ *Ajax is playing HSV* Ajax speelt
tegen HSV ❸ bespelen ★ *he plays the violin* hij
speelt viool ❹ uithalen ⟨v. grap⟩ ★ *play a joke /
trick on sb* iem. een poets bakken ❺ spelen,
uitspelen ⟨v. kaart⟩ ★ *play your cards well* de
gelegenheid goed benutten ❻ spelen voor
★ *play the fool* de dwaas uithangen
❼ ~ **against** uitspelen tegen ★ *you can't play
them against each other* je kunt ze niet tegen
elkaar uitspelen ❽ ~ **away** verspelen ❾ ~ **back**

afspelen ⟨geluids- of beeldmateriaal⟩
⓰ ~ **down** bagatelliseren, kleineren **⓫** ~ **off**
uithalen ⟨v. grap⟩, pronken met ★ *play X off as Y*
X laten doorgaan voor Y **⓬** ~ **out** uitspelen
⓭ ~ **up** benadrukken ★ *play sb up* iem. pijn
doen **⓮** ~ **up to** vleien, helpen, steunen
⓯ ~ **(up)on** bespelen, beïnvloeden, misbruik
maken van▼ *play it cool* je onverschillig
voordoen **II** *onov ww* **❶** spelen ★ *play down to
sb* zich aan iem. aanpassen ★ *play fair* eerlijk
spel spelen ★ *he plays about with her* hij houdt
haar voor de gek ★ *play at cards* kaarten ★ *what
are you playing at?* waar ben je in vredesnaam
mee bezig? ★ *he played at the plan* hij deed zo
maar half mee met het plan mee ★ *he plays at
gardening* hij tuiniert zo'n beetje voor z'n
plezier ★ *two can play that game!* dat kan ik
ook! ★ *play for time* tijd proberen te winnen
★ *play on words* woordspelingen maken ★ *play
round the law* de wet ontduiken ★ *sport play!*
los! ★ *play low* laag inzetten ⟨bij spel⟩ **❷** speling
hebben **❸** *inform* meedoen, van de partij zijn
❹ ~ **off** de beslissende wedstrijd spelen **❺** ~ **up**
slecht functioneren, handelen / spelen zo goed
men kan, last bezorgen **III** *zn* **❶** spel ★ *the boys
were at play* de jongens waren aan het spelen
★ *he said it in play* hij zei het voor de grap
★ *play of words* woordenspel ★ *a play on words*
een woordspeling ★ *bring into play* laten
gelden, erbij betrekken ★ *call sth into play* een
beroep doen op iets **❷** toneelstuk ★ *musical play*
operette / musical ★ *they will make great play
with what he said* ze zullen wel erg schermen
met wat hij zei ★ *it was as good as a play* het was
net een film **❸** speling, bewegingsvrijheid
★ *give full play* de vrije loop laten **❹** manier v.
spelen ★ *fair play* eerlijke behandeling **❺**
activiteit, werking ★ *I'll keep him in play* ik zal
'm wel bezighouden ★ *everything was in full
play* alles was volop in werking
playable [ˈpleɪəbl] *bnw* (be)speelbaar
play-act [ˈpleɪækt] *onov ww* komedie spelen,
doen alsof
play-actor [ˈpleɪæktə] *zn* komediant ⟨ook
figuurlijk⟩
playback [ˈpleɪbæk] *zn* playbacken ⟨het afspelen
van een band in opnameapparatuur⟩
playbill [ˈpleɪbɪl] *zn* affiche ⟨voor toneelstuk⟩
playboy [ˈpleɪbɔɪ] *zn* playboy ⟨rijk uitgaanstype⟩
playful [ˈpleɪfʊl] *bnw* **❶** speels **❷** schertsend
playgoer [ˈpleɪɡəʊə] *zn* schouwburgbezoeker
playground [ˈpleɪɡraʊnd] *zn* **❶** speelplaats
❷ recreatiegebied
playgroup [ˈpleɪɡruːp] *zn* kleutercrèche
playhouse [ˈpleɪhaʊs] *zn* **❶** schouwburg
❷ poppenhuis
playing card [ˈpleɪɪŋkɑːd] *zn* speelkaart
playing field [ˈpleɪɪŋfiːld] *zn* sportveld ★ *a level ~*
een situatie waarin iedereen gelijke kansen
heeft
playmate [ˈpleɪmeɪt] *zn* speelmakker
play-off [ˈpleɪɒf] *zn* beslissende wedstrijd
playpen [ˈpleɪpen] *zn* babybox
playroom [ˈpleɪruːm] *zn* speelkamer
plaything [ˈpleɪθɪŋ] *zn* **❶** stuk speelgoed
❷ speelbal ⟨figuurlijk⟩

playtime [ˈpleɪtaɪm] *zn* speelkwartier / -tijd
playwright [ˈpleɪraɪt] *zn* toneelschrijver
plaza [ˈplɑːzə] *zn* **❶** modern winkelcomplex
❷ plein
plea [pliː] *zn* **❶** pleidooi, betoog ★ *enter a plea of
guilty* schuld bekennen **❷** smeekbede, verzoek
plead [pliːd] **I** *ov ww* [regelmatig + onregelmatig]
❶ bepleiten **❷** aanvoeren, voorwenden, zich
beroepen op ★ *I ~ ignorance* sorry, ik weet
nergens van **II** *onov ww* [regelmatig +
onregelmatig] **❶** zich verdedigen, pleiten ★ *he
~ed guilty / not guilty* hij bekende / ontkende
schuld **❷** smeken ★ *he ~ed with me to be patient*
hij smeekte me om geduld te hebben
pleasant [ˈplezənt] *bnw* **❶** aangenaam, prettig,
mooi ⟨weer⟩ **❷** aardig, vriendelijk, sympathiek
pleasantry [ˈplezəntrɪ] *zn* aardigheid ★ *exchange
pleasantries* beleefdheden uitwisselen
please [pliːz] **I** *tw* **❶** alstublieft ⟨bij vraag of
verzoek⟩ ★ *could you ~ be quiet?* zou u alstublieft
stil kunnen zijn? ★ *'may I borrow that book?'
'Please do'* 'mag ik dat boek lenen?' 'Ja, dat mag'
❷ graag **II** *ov ww* **❶** tevredenstellen ★ *we were
very ~d with it* we waren er zeer mee
ingenomen ★ *~ yourself* doe zoals je wilt
❷ bevallen, behagen, believen ★ *~ God* als het
God / de hemel behaagt **III** *onov ww* ★ *if you ~*
alstublieft, als ik zo vrij mag zijn, iron nota bene
★ *as you ~* zoals je wilt
pleasing [ˈpliːzɪŋ] *bnw* aangenaam, behaaglijk,
innemend ★ *~ to the ear* prettig om naar te
luisteren
pleasurable [ˈpleʒərəbl] *bnw* prettig, aangenaam
pleasure [ˈpleʒə] *zn* plezier, genoegen, genot
★ *she takes ~ in being unkind* ze geniet ervan
om onvriendelijk te zijn ★ *my ~!* graag gedaan!
⟨als antwoord op dankbetuiging⟩ ★ *it's a ~ to
meet you* aangenaam kennis met u te maken
pleat [pliːt] **I** *zn* plooi ⟨plat⟩ **II** *ov ww* plooien
plebeian [plɪˈbiːən] **I** *zn, inform* **pleb** plebejer,
proleet ⟨iemand uit de lagere sociale klasse⟩
II *bnw* proleterig, onbeschaafd
pled [pled] *ww* [verl. tijd + volt. deelw.] → **plead**
pledge [pledʒ] **I** *zn* **❶** onderpand **❷** belofte,
gelofte ★ *he took the ~* hij werd
geheelonthouder **II** *ov ww* **❶** in pand geven,
belenen, verpanden **❷** plechtig beloven,
(ver)binden
plenary [ˈpliːnərɪ] *bnw* geheel, volledig ★ *~
powers* volmachten ★ *a ~ session* een voltallige
vergadering
plentiful, dicht **plenteous** [ˈplentɪəs] *bnw*
overvloedig
plenty [ˈplentɪ] **I** *zn* overvloed▼ *she's got ~ going
for her* alles loopt haar mee **II** *bnw, USA inform*
overvloedig **III** *bijw* **❶** veel ★ *there's ~ more in
the fridge* er is veel meer in de koelkast ★ *USA
he talks ~* hij kletst een hoop **❷** *inform*
ruimschoots ★ *it's ~ large enough* het is meer
dan groot genoeg **❸** *USA inform* zeer, heel ⟨erg⟩
plethora [ˈpleθərə] *form* overvloed, overdaad
★ *a ~ of information* een overvloed aan
informatie
pliable [ˈplaɪəbl] *bnw* **❶** buigzaam **❷** volgzaam
pliant [ˈplaɪənt] *bnw* **❶** plooibaar **❷** gedwee
pliers [ˈplaɪəz] *zn mv* buigtang, nijptang

pl

plight [plaɪt] *zn* (hopeloze) toestand, (onaangename) situatie ★ *many refugees are in a desperate ~* veel vluchtelingen zijn er slecht aan toe

plimsolls ['plɪmsəlz] *zn mv* gymschoenen

plinth [plɪnθ] *zn* plint

plod [plɒd] I *ov ww* ❶ ploeteren, zwoegen ★ *he plodded his way through school* hij maakte al zwoegend zijn school af ❷ ~ **at** zwoegen aan, ploeteren aan, zwaar werken aan II *onov ww* ~ **along/on** voortsukkelen III *zn* gezwoeg

plodder ['plɒdə] *zn* zwoeger, blokker

plonk [plɒŋk] I *zn* plof, smak ❷ inform goedkope wijn II *bijw* met een plof III *ov ww* ❶ neerkwakken ★ *he ~ed himself on the couch* hij plofte neer op de bank ❷ ~ **down** neersmijten IV *onov ww* neerploffen

plop [plɒp] I *zn* plons, plof II *bijw* pardoes III *ov ww* doen neerplonzen IV *onov ww* plonzen

plot [plɒt] I *zn* ❶ stukje grond ❷ plot, intrige ★ inform *lose the plot* de zaak niet meer kunnen bijbenen ★ *the plot thickens* de zaak begint ingewikkelder te worden ❸ samenzwering, complot II *ov ww* ❶ smeden, beramen ❷ ontwerpen, in kaart brengen, traceren III *onov ww* ❶ samenzweren ❷ plannen smeden / beramen

plough [plaʊ] I *ov ww* ❶ (door)ploegen ❷ ploeteren ★ *he ~ed his way through the crowd* hij baande zich een weg door de menigte ❸ ~ **back** onderploegen, herinvesteren ⟨winst⟩ ❹ ~ **into** inrijden op ❺ ~ **through** doorworstelen, doorheen ploeteren ❻ ~ **up** omploegen, omwoelen II *onov ww* ploegen III *zn* ploeg

Plough [plaʊ] sterrenk *zn* ★ *the ~* de Grote Beer

ploughman ['plaʊmən] *zn* ploeger, boer

ploughman's lunch *zn* kaassandwich met pickles ⟨vaak geserveerd in een pub⟩

plover ['plʌvə] *zn* pluvier

plow [plaʊ] → **plough**

ploy [plɔɪ] *zn* truc, tactische zet

pluck [plʌk] I *ov ww* ❶ plukken ⟨ook van gevogelte⟩, trekken (aan) ★ *the hiker was ~ed to safety by a helicopter* de wandelaar werd in veiligheid gehesen door een helikopter ❷ tokkelen op ⟨snaarinstrument⟩ ❸ ~ **out** uitrukken ★ *~ sth out of the air* iets uit zijn duim zuigen ⟨getallen⟩ ▼ ~ *up courage* zich vermannen, moed verzamelen II *zn* durf, moed

plucky *bnw* moedig

plug [plʌg] I *zn* ❶ stekker ★ *pull the plug on sth* ergens de stekker uit trekken ⟨iets beëindigen⟩ ❷ GB inform stop contact ❸ bougie ❹ stop, plug, prop ❺ aanbeveling, reclame, gunstige publiciteit ⟨in radio-uitzending enz.⟩ II *ov ww* ❶ pluggen ⟨publiciteit geven⟩ ❷ USA inform neerknallen ❸ ~ (**up**) dichtstoppen, (op)vullen ❹ ~ **in** in stopcontact steken, inschakelen ❺ ~ **into** aansluiten op ★ *the company has plugged into the global market* de firma heeft aansluiting gevonden bij de wereldmarkt III *onov ww* ~ **away** doorploeteren, doorzwoegen

plughole ['plʌghəʊl] *zn* gootsteengat ★ inform *profits are going down the ~* de winst gaat naar

de knoppen

plum [plʌm] I *zn* ❶ pruim ★ *he speaks with a plum in his mouth* hij praat bekakt ❷ pruimenboom ❸ donkerrood / -paars ❹ iets heel begerenswaardigs, het neusje van de zalm II *bnw* ❶ donkerrood / -paars ❷ droom, fantastisch ⟨van baan enz.⟩

plumage ['plu:mɪdʒ] *zn* gevederte, veren(kleed)

plumb [plʌm] I *zn* (schiet)lood ★ *out of ~* uit het lood II *bijw* ❶ loodrecht, verticaal ❷ USA inform volkomen, volslagen III *ov ww* ❶ peilen ⟨ook figuurlijk⟩ ❷ van gas / water voorzien ❸ ~ **in** aansluiten

plumber ['plʌmə] *zn* loodgieter

plumbing ['plʌmɪŋ] *zn* ❶ loodgieterswerk ❷ sanitair

plume [plu:m] *zn* ❶ pluim ❷ vederbos ❸ sliert, wolkje ★ *a ~ of smoke* een rookpluim

plummet ['plʌmɪt] *onov ww* snel / scherp dalen ★ *the plane ~ed to earth* het vliegtuig stortte neer ★ *house prices have ~ed* huizenprijzen zijn gekelderd

plummy ['plʌmɪ] *bnw* ❶ pruimachtig, vol pruimen ❷ bekakt ⟨accent⟩ ❸ inform prima, vet ⟨baan⟩

plump [plʌmp] I *bnw* mollig, vol, vlezig II *ov ww* ❶ (neer)kwakken ★ *she ~ed herself into the armchair* ze plofte in de leunstoel ❷ ~ (**up**) opschudden ❸ inform ~ **for** als één man stemmen op, zich verklaren voor III *onov ww* ❶ ~ (**down**) neerploffen ❷ ~ **up** dikker worden, uitzetten

plunder ['plʌndə] I *ov ww* plunderen, beroven II *onov ww* plunderen, roven III *zn* ❶ plundering ❷ buit, roof

plunge [plʌndʒ] I *zn* ❶ duik, sprong ★ *take the ~* de sprong wagen ❷ diepe val ★ *Wall Street has taken a ~* Wall Street heeft een grote daling ondergaan II *ov ww* ❶ storten, naar beneden doen vallen ★ *~d in thought* in gedachten verzonken ❷ onderdompelen ❸ ~ **into** duiken in ★ *the country has been ~d into recession* het land is in een diepe recessie beland III *onov ww* ❶ duiken, zich storten ❷ kelderen ⟨van prijzen⟩ ❸ ~ **in** binnenstormen

plunger ['plʌndʒə] *zn* ❶ ontstopper ❷ zuiger ★ *a coffee ~* een cafetière

plunk [plʌŋk] I *zn* zware slag, plof II *ov ww* ❶ neerkwakken ❷ tokkelen op ❸ ~ **down** neersmijten, betalen III *onov ww* ~ **down** neerploffen

plural ['plʊərəl] I *bnw* meervoudig, meervoud(s)- II *zn* meervoud, meervoudsvorm

plus [plʌs] I *zn* ❶ plusteken ❷ pluspunt, voordeel II *bnw* ❶ extra ❷ positief ★ *the plus side is that...* het voordeel is dat... ❸ ten minste ★ *you have to be 16 plus to get in* je moet tenminste 16 zijn om binnen te mogen ❹ wisk plus ★ *a plus sign* een plus(teken) ★ *she got B plus for maths* ze kreeg een B plus voor wiskunde III *vz* ❶ plus, vermeerderd met ❷ boven ★ *the temperature is plus 2* de temperatuur is twee graden boven nul IV *vw* inform en bovendien ★ *it's fun, plus you get to know the other students* het is leuk en je leert bovendien de andere studenten kennen

plush [plʌʃ] I *zn* pluche II *bnw* ❶ chic, luxueus

② van pluche

plushy ['plʌʃɪ] *bnw* **①** plucheachtig **②** inform chic, luxueus

ply [plaɪ] **I** *zn* laag, streng, draad **II** *ov ww* **①** (krachtig) hanteren ⟨van wapen⟩ **②** bezig / in de weer zijn met **③** overstelpen met, overladen met ★ *they plied him with questions* ze bestookten hem met vragen **III** *onov ww* pendelen, (heen en weer) rijden ▼ *ply for customers* klanten proberen te krijgen

plywood ['plaɪwʊd] *zn* multiplex, triplex

p.m., pm *afk, post meridiem* na de middag, 's middags ★ *8.30 p.m.* 20:30, half negen 's avonds

PM inform *zn, Prime Minister* premier

pneumatic [njuː'mætɪk] *bnw* pneumatisch, lucht(druk) ★ *a ~ tyre* een luchtband

pneumonia [njuː'məʊnɪə] *zn* longontsteking

PO *afk* **①** *Post Office* postkantoor **②** *Postal Order* postwissel

poach [pəʊtʃ] **I** *ov ww* **①** cul pocheren **②** stropen **③** op oneerlijke manier verkrijgen, afpakken **II** *onov ww* stropen ★ *~ on sb's territory* zich op andermans gebied begeven, fig aan iemands zaken komen

poacher ['pəʊtʃə] *zn* **①** stroper **②** indringer **③** pocheerpan

pocket ['pɒkɪt] **I** *zn* **①** zak ★ *accommodation to suit every ~* logies voor elke portemonnee ★ *be out of ~* geen geld hebben ★ *dig deep into your ~* diep in de buidel tasten ★ *be / live in each other's ~s* bij elkaar op de lip zitten ★ *children are a drain on the ~* kinderen kosten een hoop geld ★ *that house is beyond our ~* dat huis is te duur voor ons **②** pocketboek, paperback **③** geïsoleerd gebied, haard ★ *a ~ of resistance* een kern van verzet ★ *an air ~* een luchtbel **I** *bnw* in zakformaat, miniatuur, zak- **III** *ov ww* **①** in de zak steken **②** ontvangen, zich toe-eigenen **③** onderdrukken ⟨van gevoelens⟩, verbergen, opzij zetten **④** potten ⟨bij poolbiljart⟩

pocketbook ['pɒkɪtbʊk] *zn* **①** pocketboek, paperback **②** portefeuille **③** notitieboekje

pocketful ['pɒkɪtfʊl] *zn* **①** zak vol **②** inform heel veel

pocket knife *zn* zakmes

pocket money *zn* zakgeld

pockmark ['pɒkmɑːk] *zn* pokputje

pockmarked ['pɒkmɑːkt] *bnw* pokdalig

pod [pɒd] **I** *zn* **①** dop, peul, omhulsel ★ inform *in pod* zwanger **②** kleine school robben / walvissen **II** *ov ww* doppen

podgy ['pɒdʒɪ] *bnw* dik, rond, propperig

podia ['pəʊdɪə] *zn mv* → **podium**

podiatrist [pə'daɪətrɪst] *zn* chiropodist, pedicure

podium ['pəʊdɪəm] *zn* [mv: **podia**] podium

poem ['pəʊɪm] *zn* gedicht

poet ['pəʊɪt] *zn* dichter

poetess [pəʊɪ'tes] *zn* dichteres

poetic [pəʊ'etɪk], **poetical** [pəʊ'etɪkl] *bnw* dichterlijk

poetry ['pəʊətrɪ] *zn* dichtkunst, poëzie

po-faced ['pəʊ'feɪst] inform *bnw* met een plechtig / doodernstig gezicht

poignant ['pɔɪnjənt] *bnw* **①** pijnlijk, schrijnend **②** aangrijpend, ontroerend

point [pɔɪnt] **I** *zn* **①** decimaalteken, stip, punt ★ *six ~ five* zes komma vijf ★ *possession is nine ~s of the law* hebben is hebben, krijgen is de kunst **②** (kompas)streek **③** spits, naald **④** (doel)punt, cijfer ★ *score ~s* punten scoren **⑤** zin, nut ★ *I don't see the ~* ik zie de aardigheid / het nut er niet van in ★ *without ~* zinloos **⑥** idee, opmerking ★ *what's your ~?* wat wil je daarmee zeggen / bereiken? ★ *~ taken* die slag is voor jou ★ *press the ~* op iets aandringen ★ *get / take the ~* iets snappen **⑦** onderwerp, kwestie, zaak ★ *the main ~s of the news* de hoofdpunten van het nieuws ★ *he made a ~ of avoiding her* hij vermeed haar bewust ★ *don't make a ~ of it* maak er geen punt van, laat het maar zitten ★ *a case in ~* een toepasselijk geval **⑧** detail ★ *the finer ~s* de finesses ★ *stretch a ~* door de vingers zien ★ *not to put too fine a ~ on it* om het maar botweg te zeggen, om er geen doekjes om te winden **⑨** het voornaamste, kern ★ *that's beside the ~* dat doet niet ter zake ★ *in ~ of fact* in feite, werkelijk ★ *when it comes to the ~* als puntje bij paaltje komt ★ *to the ~* ter zake ★ *brief and to the ~* kort en zakelijk ★ *stick to the ~* voet bij stuk houden ★ *miss the ~* niet begrijpen waar het om gaat, er naast zitten **⑩** plek, standpunt ★ *a ~ of reference* een referentiepunt ★ *a ~ of view* een gezichtspunt ★ *what was your ~ of departure?* wat was jouw vertrekpunt? ★ *up to a ~* tot op zekere hoogte **⑪** moment ★ *be at the ~ of death* op sterven liggen ★ *be at the ~ of departure* op het punt staan om te vertrekken ▼ *a policeman on ~ (duty)* verkeersagent **II** *ov ww* **①** richten **②** aanscherpen **③** voegen ⟨v. muur⟩ **④** ~ **at** richten op, wijzen op / naar **⑤** ~ **out** wijzen op, aanwijzen, aanduiden **⑥** ~ **to** wijzen op, aangeven **⑦** ~ **up** benadrukken **III** *onov ww* **①** gericht zijn **②** wijzen **③** staan ⟨v. jachthond⟩

point-blank [pɔɪnt'blæŋk] **I** *bnw* **①** bot ★ *a ~ refusal* een botte weigering **②** korte afstands- ★ *he was shot at ~ range* hij werd van dichtbij neergeschoten **II** *bijw* **①** botweg **②** van vlakbij ★ *he fired ~ at the intruder* hij vuurde recht op de inbreker af

point duty *zn* ★ *be on ~* het verkeer regelen ⟨van verkeersagent⟩

pointed ['pɔɪntɪd] *bnw* **①** puntig, spits, scherp **②** gericht, persoonlijk ★ *a ~ comment* een gevatte opmerking **③** opvallend, ondubbelzinnig, duidelijk ★ *a ~ lack of interest* een duidelijk gebrek aan belangstelling

pointer ['pɔɪntə] *zn* **①** wijzer, aanwijsstok **②** aanwijzing, wenk, tip **③** staande hond

pointing ['pɔɪntɪŋ] *zn* voegwerk

pointless ['pɔɪntləs] *bnw* zinloos, doelloos, zonder betekenis ★ *assigning blame is a ~ exercise* het heeft geen nut om iem. de schuld te geven

poise [pɔɪz] **I** *zn* **①** zelfbeheersing **②** evenwicht, houding ⟨van hoofd enz.⟩ **II** *ov ww* balanceren, in evenwicht houden **III** *onov ww* hangen, zweven

poised [pɔɪzd] *bnw* **①** zelfverzekerd, evenwichtig **②** klaar, gereed ★ *~ for attack* klaar om aan te vallen

poison ['pɔɪzən] **I** *zn* vergif, gif ★ inform *what's*

po

your~? wat wil je drinken? **II** *ov ww*
❶ vergiftigen ❷ verpesten, bederven, vervuilen
poisoner ['pɔɪzənə] *zn* gifmeng(st)er
poisonous ['pɔɪzənəs] *bnw* ❶ vergiftig
❷ negatief, verderfelijk
poke [pəʊk] **I** *zn* stoot, duw, por **II** *ov ww*
❶ porren, prikken, steken★ *stop poking your nose into my business* bemoei je niet met mijn zaken ❷ oppoken★ *they poke fun at him* ze plagen hem **III** *onov ww* ❶ snuffelen
❷ ~ **about/around** (nieuwsgierig) rondsnuffelen★ *he poked around for his pen* hij zocht naar zijn pen
poker ['pəʊkə] *zn* ❶ pook ❷ poker
poker-faced ['pəʊkəfeɪst] *bnw* met een uitgestreken gezicht
poky ['pəʊkɪ] *inform bnw* ❶ benauwd ❷ sloom ⟨van auto⟩
Poland ['pəʊlənd] *zn* Polen
polar ['pəʊlə] *bnw* polair, pool-
polar bear *zn* ijsbeer
polarize, polarise ['pəʊləraɪz] *ov ww* polariseren
pole [pəʊl] *zn* ❶ paal, stok, staak ❷ pool, tegenpool★ *be poles apart* hemelsbreed verschillen
Pole [pəʊl] *zn* Pool
polecat ['pəʊlkæt] *zn* ❶ bunzing ❷ USA skunk
polemic [pə'lemɪk] *zn* polemiek, woordenstrijd
pole-vault *zn* polsstoksprong★ *the~* het polsstokspringen
police [pə'li:s] **I** *zn* politie★ *the mounted ~* de bereden politie **II** *ov ww* ❶ onder politietoezicht stellen ❷ toezicht houden op
police constable *zn* politieagent
police force *zn* politie(macht)
policeman [pə'li:smən] *zn* politieagent
police officer *zn* politieagent
police record *zn* strafblad
police state *zn* politiestaat
police station *zn* politiebureau
police van *zn* politiewagen
policy ['pɒləsɪ] *zn* ❶ beleid, politiek, gedragslijn
❷ polis ❸ tactiek★ *honesty is the best~* eerlijk duurt het langst★ *~ statement* beleidsnota★ *be bad / good~* on- / verstandig zijn★ *honesty is the best~* eerlijk duurt het langst
polio ['pəʊlɪəʊ] *zn* polio, kinderverlamming
polish ['pɒlɪʃ] **I** *zn* ❶ politoer, poets★ *she gives it an occasional~* af en toe poetst ze het wat op★ *all it needs it some spit and~* het hoeft alleen maar een beetje gepoetst te worden ❷ glans ❸ beschaving **II** *ov ww* ❶ polijsten, poetsen
❷ bijschaven ❸ *inform* ~ **off** afmaken, verorberen ❹ ~ **up** verfraaien, oppoetsen, opfrissen★ *the company needs to~ up its act* de firma moet iets aan zijn dienstverlening doen
Polish ['pəʊlɪʃ] *bnw* Pools
polisher ['pɒlɪʃə] *zn* polijster
polite [pə'laɪt] *bnw* ❶ beleefd ❷ beschaafd
politic ['pɒlɪtɪk] *bnw* ❶ politiek★ *the body~* de staat ❷ verstandig, diplomatiek, slim
political [pə'lɪtɪkl] *bnw* staatkundig, politiek★ *~ science* politicologie
politician [pɒlɪ'tɪʃən] *zn* politicus
politicize, politicise [pə'lɪtɪsaɪz] *ov ww* politiseren★ *Aborigines are becoming*

increasingly~d de aborigines raken meer en meer politiek bewust
politics ['pɒlɪtɪks] *zn mv* ❶ politiek, staatkunde
★ *domestic~* binnenlandse politiek ❷ politieke overtuiging ❸ intriges
polka ['pɒlkə] *zn* polka
polka dots *zn mv* stippels
poll [pəʊl] **I** *zn* ❶ opiniepeiling ❷ stemming
★ *Britain goes to the polls today* Groot-Brittannië gaat vandaag naar de stembus **II** *ov ww*
❶ stemmen behalen ❷ ondervragen **III** *onov ww* ❶ stemmen ❷ stemmen behalen★ *the Democrats polled poorly* de Democraten hebben het slecht gedaan in de verkiezingen
pollen ['pɒlən] *zn* stuifmeel★ *the~ count* het stuifmeelgehalte
pollinate ['pɒlɪneɪt] *ov ww* bestuiven
polling ['pəʊlɪŋ] *zn* stemming
polling booth *zn* stemhokje
polling day *zn* verkiezingsdag
pollster ['pəʊlstə] *zn* enquêteur
poll tax *zn* personele belasting
pollutant [pə'lu:tənt] *zn* milieuverontreinigende stof, gif
pollute [pə'lu:t] *ov ww* ❶ verontreinigen ⟨vnl. van milieu⟩ ❷ besmetten, bederven
pollution [pə'lu:ʃən] *zn* ❶ verontreiniging, vervuiling ❷ bederf, besmetting
polo ['pəʊləʊ] *zn* polo ⟨paardensport⟩
polo neck ['pəʊlənek] *zn* col, rolkraag
poly ['pɒlɪ] *zn* → **polytechnic**
polygamous [pə'lɪgəməs] *bnw* polygaam
polygamy [pə'lɪgəmɪ] *zn* polygamie, veelmannerij / -wijverij
polygon ['pɒlɪgən] *meetk zn* polygoon, veelhoek
polyp ['pɒlɪp] *zn* poliep
polyphonic [pɒlɪ'fɒnɪk] *bnw* polyfoon, meerstemmig
polystyrene [pɒlɪ'staɪəri:n] *zn* polystyreen, piepschuim
polysyllabic [pɒlɪsɪ'læbɪk] *bnw* veellettergrepig
polytechnic [pɒlɪ'teknɪk] *inform* poly *zn* ≈ school voor hoger beroepsonderwijs
polythene ['pɒlɪθi:n] *zn* polytheen, polyethyleen
pom [pɒm] *inform zn* Engelsman, Engelse
pomander [pə'mændə] *zn* reukbal
pomegranate ['pɒmɪgrænɪt] *zn* ❶ granaatappel
❷ granaatappelboom
pommel ['pʌml] *zn* ❶ degenknop ❷ oplopend voorgedeelte v. zadel
pomp [pɒmp] *zn* pracht, luister★ *pomp and circumstance* pracht en praal
pompom ['pɒmpɒm] *zn* pompon, kwastje
pomposity [pɒm'pɒsətɪ] *zn* pretentie, gewichtigheid
pompous ['pɒmpəs] *bnw* hoogdravend, statig, gewichtig
ponce [pɒns] *inform zn* ❶ pooier ❷ verwijfd type, nicht
pond [pɒnd] *zn* vijver
ponder ['pɒndə] *ov ww* ❶ overpeinzen
❷ ~ **on/over** peinzen over
ponderous ['pɒndərəs] *bnw* ❶ zwaar, log, zwaarwichtig ❷ zwaar op de hand, langdradig, saai ⟨van stijl⟩
pong [pɒŋ] *inform* **I** *zn* stank **II** *onov ww* stinken

pontiff ['pɒntɪf] *zn* paus
pontifical [pɒn'tɪfɪkl] *bnw* ❶ pauselijk ❷ pontificaal, autoritair
pontificate [pɒn'tɪfɪkeɪt] *onov ww* gewichtig doen, orakelen
pontoon [pɒn'tu:n] *zn* ❶ ponton ❷ caisson ❸ eenentwintigen
pony ['pəʊnɪ] *zn* ❶ pony 〈klein paard〉★ inform *(on) Shanks's pony* lopend ❷ GB inform £ 25
ponytail ['pəʊnɪteɪl] *zn* paardenstaart 〈haardracht〉
poo, pooh [pu:] inform I *zn* poep II *onov ww* poepen
poo diaper ['pu daɪəpə] *zn* poepluier
poodle ['pu:dl] *zn* poedel
poof [pʊf] I *tw* oeps ★ *then she vanished: poof!* toen was ze plotseling verdwenen: poef! II *zn* vulg, **poofter** flikker, mietje
poofy ['pʊfɪ] vulg *bnw* flikkerachtig
pooh [pu:] inform I *tw* bah! II *zn* → poo
pooh-pooh [pu:'pu:] inform *ov ww* geringschatten, niets willen weten van 〈vnl. van plan〉
pool [pu:l] I *zn* ❶ zwembad ❷ poel, plas ❸ depot, reservoir, gemeenschappelijke voorziening ★ *a pool of cheap labour* een reservoir van goedkope arbeidskrachten ★ *a typing pool* een typekamer ❹ pot 〈bij spel〉 ❺ pool 〈soort biljart〉 II *ov ww* verenigen, samenbundelen, bijeenbrengen
poolroom ['pu:lru:m] USA *zn* biljartlokaal
pools *zn mv* ★ the ~ de voetbalpool
poop [pu:p] I *zn* ❶ achtersteven ❷ inform poep II *ov ww* ❶ inform poepen ❷ ~ (out) uitputten
pooped [pu:pt] inform *bnw* doodop, uitgeput
pooper scooper ['pu:pə 'sku:pə], **poop scoop** inform *zn* hondenpoepschepje
poor [pɔ:] I *zn* ★ the poor de armen II *bnw* ❶ behoeftig, arm ❷ matig, slecht ★ *poor results* teleurstellend ★ *she came a poor second in the race* ze werd een teleurstellende tweede in de race ❸ gering, mager, schraal 〈grond〉 ★ *take a poor view of sth* zich weinig voorstellen van iets ★ *in my poor opinion* naar mijn bescheiden mening ❹ zielig, armzalig
poorhouse ['pɔ:haʊs] *zn* armenhuis
poorly ['pɔ:lɪ] I *bnw* niet lekker ★ *he's feeling ~* hij voelt zich niet lekker II *bijw* ❶ slecht ★ *she did ~ in the exam* ze deed het slecht in het examen ★ *they must think ~ of us* ze hebben waarschijnlijk geen hoge pet op van ons ❷ armoedig ★ *the population lives ~* de bevolking leeft in armoede
poorly off *bnw* arm
pop [pɒp] I *tw* paf!, floep! II *bnw* populair III *bijw* ★ *go pop* barsten IV *zn* ❶ knal, plof, klap ❷ pop 〈popmuziek〉 ❸ inform limonade 〈met prik〉 ❹ USA inform papa V *ov ww* ❶ doen of laten knallen / klappen ❷ snel of plotseling zetten / brengen / leggen ★ *can you pop these clothes into the washing machine?* kun je deze kleren even in de wasmachine doen? ★ *just pop the keys on the table when you leave* gooi de sleutels maar op de tafel als je weggaat ★ *he popped his head out of the window* hij stak zijn hoofd uit het raam ❸ plotseling stellen, afvuren 〈vraag〉 ★ inform *has he popped the question yet?* heeft

hij je / haar al ten huwelijk gevraagd? ❹ poffen 〈van maïs〉 ❺ slikken 〈pillen〉 ❻ inform ~ **down** gauw opschrijven ❼ inform ~ **on** aanschieten / snel aantrekken 〈van kleren〉, aanzetten / aandoen 〈apparaat, licht, enz.〉 VI *onov ww* ❶ knallen, klappen, ploffen ❷ snel of plotseling gaan / komen, glippen, wippen ❸ inform ~ **down** even naar beneden gaan ❹ inform ~ **in** even binnenlopen ❺ inform ~ **off** wegglippen, doodgaan ❻ inform ~ **out** ineens tevoorschijn komen, een minuutje weg zijn ★ *her eyes nearly popped out of her head* ze stond met grote ogen te kijken ❼ inform ~ **over/(a)round** even aanwippen, even binnenlopen ❽ inform ~ **up** weer boven water komen, ineens opduiken
pop. *afk, population* bevolking
popcorn ['pɒpkɔ:n] *zn* popcorn 〈gepofte maïs〉
pope [pəʊp] *zn* paus
pop-eyed ['pɒpaɪd] inform *bnw + bijw* met uitpuilende ogen, met grote ogen
popgun ['pɒpgʌn] *zn* proppenschieter
poplar ['pɒplə] *zn* ❶ populier ❷ populierenhout
poplin ['pɒplɪn] *zn* popeline
poppa ['pɒpə] USA inform *zn* pa
popper ['pɒpə] *zn* drukknoop
poppet ['pɒpɪt] inform *zn* popje, lieverd
poppy ['pɒpɪ] *zn* papaver, klaproos
poppycock ['pɒpɪkɒk] inform *zn* lariekoek
populace ['pɒpjʊləs] *zn* gewone volk, massa
popular ['pɒpjʊlə] *bnw* ❶ populair, geliefd ★ *the park is ~ among / with tourists* het park is in trek bij toeristen ❷ volks- ★ *his candidate got the ~ vote* zijn kandidaat kreeg de steun van het volk ❸ algemeen
popularity [pɒpjʊ'lærətɪ] *zn* populariteit
popularly ['pɒpjʊlətlɪ] *bijw* ❶ algemeen ★ *he's ~ known as...* hij is algemeen bekend als... ❷ van / door het volk ★ *~ elected* door het volk / democratisch gekozen
populate ['pɒpjʊleɪt] *ov ww* bewonen, bevolken, koloniseren
population [pɒpjʊ'leɪʃən] *zn* bevolking ★ *per head of ~* per hoofd van de bevolking ★ *the bird ~ has decreased* het vogelbestand is afgenomen
populous ['pɒpjʊləs] *bnw* dichtbevolkt, volkrijk
porcelain ['pɔ:səlɪn] I *zn* porselein II *bnw* porseleinen
porch [pɔ:tʃ] *zn* ❶ portiek ❷ USA veranda
porcupine ['pɔ:kjʊpaɪn] *zn* stekelvarken
pore [pɔ:] I *zn* porie II *ov ww* ~ **over** zich verdiepen in 〈vnl. boek〉, peinzen over, turen naar / op
pork [pɔ:k] *zn* varkensvlees
porker ['pɔ:kə] *zn* mestvarken ★ inform *he's a bit of a ~* hij is wel een dikzak
porky ['pɔ:kɪ] I *bnw* ❶ varkensvleesachtig ❷ inform vet II *zn*, **porkie** inform leugen
porn [pɔ:n] *zn* porno
pornography [pɔ:'nɒgrəfɪ] *zn* pornografie
porosity [pə'rɒsətɪ] *zn* poreusheid
porous ['pɔ:rəs] *bnw* poreus
porpoise ['pɔ:pəs] *zn* ❶ bruinvis ❷ dolfijn
porridge ['pɒrɪdʒ] *zn* pap ★ inform *do ~* brommen 〈in de gevangenis〉
port [pɔ:t] *zn* ❶ haven(plaats / stad) ★ *a port of*

po

call een aanloophaven ★ *any port in a storm* nood breekt wet ❷ bakboord ❸ port(wijn)

portable ['pɔːtəbl] *bnw* ❶ draagbaar, verplaatsbaar ★ *a ~ kitchen* een veldkeuken ❷ *fig* overdraagbaar

portal ['pɔːtl] *zn* ingang, poort

portcullis [pɔːt'kʌlɪs] *zn* valpoort

portend [pɔː'tend] *ov ww* voorspellen

portent ['pɔːtent] *zn* voorteken ⟨vooral van iets ongunstigs⟩

portentous [pɔː'tentəs] *bnw* onheilspellend

porter ['pɔːtə] *zn* ❶ drager, besteller, kruier ❷ GB portier

portfolio [pɔːt'fəʊləʊ] *zn* map, portefeuille

porthole ['pɔːthəʊl] *zn* patrijspoort

portico ['pɔːtɪkəʊ] *zn* zuilengang, portiek

portion ['pɔːʃən] I *zn* (aan)deel, portie II *ov ww* ❶ verdelen, uitdelen ❷ ~ *off* afschermen ❸ ~ *out* uitdelen, verdelen

portly ['pɔːtlɪ] *bnw* gezet, stevig

portmanteau [pɔːt'mæntəʊ] *zn* valies

portrait ['pɔːtrɪt] *zn* ❶ portret ❷ beeld, beschrijving

portraiture ['pɔːtrɪtʃə] *zn* ❶ portret ❷ portretschilderkunst

portray [pɔː'treɪ] *ov ww* (af)schilderen, beschrijven

portrayal [pɔː'treɪəl] *zn* schildering

Portuguese [pɔːtjʊ'giːz] I *zn* ❶ Portugees, Portugese ❷ ★ *the ~* [mv] de Portugezen II *bnw* Portugees

pose [pəʊz] I *zn* ❶ pose, houding ❷ aanstellerij II *ov ww* ❶ stellen ⟨van vraag of stelling⟩ ❷ vormen ⟨een bedreiging⟩ III *onov ww* zich aanstellen, een houding aannemen, poseren ★ *the two men posed as policemen* de twee mannen gaven zich uit voor politieagenten

poser ['pəʊzə] *zn* ❶ aansteller ❷ moeilijke vraag, moeilijk probleem

posh [pɒʃ] *bnw + bijw* ❶ chic ❷ bekakt

posit ['pɒzɪt] form *ov ww* poneren, veronderstellen

position [pə'zɪʃən] I *zn* ❶ ligging, positie ★ *his parents are not in a ~ to help him* zijn ouders zijn niet in staat om hem te helpen ❷ standpunt, bewering ❸ stand, rang, plaats(ing) ❹ betrekking, baan, post ❺ toestand ❻ stelling II *ov ww* plaatsen

positive ['pɒzətɪv] I *zn* ❶ positief getal ❷ iets positiefs ★ *focus on the ~s rather than the negatives* concentreer je op de voordelen in plaats van op de nadelen ❸ positief ⟨van foto⟩ II *bnw* ❶ positief ❷ zeker, vast ★ *are you ~ you saw him there?* weet je zeker dat je hem daar hebt gezien? ❸ inform volstrekt, compleet ❹ inform echt, werkelijk ★ *it's a ~ delight to be here* het is een waar genoegen om hier te zijn

posse ['pɒsɪ] *zn* ❶ groep (gewapende mannen) ❷ inform troep

possess [pə'zes] *ov ww* bezitten, hebben, beheersen ★ form *he is ~ed of a quick wit* hij heeft een scherp verstand ★ *whatever ~ed you to buy that purple hat?* hoe krijg je het in je hoofd om zo'n paarse hoed te kopen?

possessed [pə'zest] *bnw* ❶ bezeten, geobsedeerd ★ *he carries on like a man ~* hij gaat te keer als

een bezetene ❷ kalm, beheerst, rustig

possession [pə'zeʃən] *zn* ❶ bezit, bezitting ★ *we take ~ of the house today* we krijgen vandaag de sleutel van het huis ❷ bezetenheid

possessive [pə'zesɪv] I *zn* taalk bezittelijk voornaamwoord ★ *the ~* de tweede naamval II *bnw* ❶ bezitterig, hebberig ❷ dominerend ❸ taalk bezittelijk

possessor [pə'zesə] *zn* bezitter

possibility [pɒsɪ'brlətɪ] *zn* mogelijkheid, kans ★ *there is no ~ of a full recovery* volledig herstel is uitgesloten

possible ['pɒsɪbl] I *zn* mogelijke kandidaat ⟨voor sportploeg, elftal⟩ II *bnw* ❶ mogelijk ★ *there are two ~ reasons* er zijn twee redenen mogelijk ★ *if ~* zo mogelijk ❷ aannemelijk, redelijk ★ *selling the house is the only ~ option* het huis verkopen is het enige redelijke alternatief

possibly ['pɒsɪblɪ] *bijw* mogelijk(erwijs), misschien ★ *how could you ~ do this?* hoe heb je dit in 's hemelsnaam kunnen doen? ★ *I can't ~ get there in time* ik kan er onmogelijk op tijd zijn

possum ['pɒsəm] *zn* buidelrat, (o)possum ★ *inform play ~* zich ziek / dood houden

post [pəʊst] I *zn* ❶ post, stijl, paal ★ *sport the winning post* de finish ⟨eindmarkering van parcours⟩ ❷ post(bestelling) ★ *by post* per post ★ *by return post* per ommegaande ★ *catch the first / last post* de eerste / laatste lichting halen ❸ (stand)plaats ❹ betrekking, post II *ov ww* ❶ op de post doen, posten ❷ plaatsen, posteren ❸ (aan)plakken, beplakken ★ *post no bills* verboden aan te plakken ❹ bekendmaken, opgeven ★ *the company has posted a loss* de firma heeft een verlies bekendgemaakt ★ *he was posted as missing* hij werd opgegeven als vermist ❺ aanstellen tot, (over)plaatsen ★ *he was posted to Washington as the ambassador* hij werd naar Washington gezonden als ambassadeur ★ *he was posted to a different regiment* hij werd ingedeeld bij een ander regiment ❻ op de hoogte brengen, inlichten ★ *keep me posted* hou me op de hoogte

post- *voorv* na-, post-

postage ['pəʊstɪdʒ] *zn* porto ★ *~ paid* franco

postage stamp ['pəʊstɪdʒ stæmp] *zn* postzegel

postal ['pəʊstl] *bnw* post- ★ *~ address* postadres ★ *~ applications only* alleen schriftelijke aanmeldingen

postbox ['pəʊstbɒks] *zn* brievenbus

postcard ['pəʊstkɑːd] *zn* briefkaart

post-date [pəʊst'deɪt] *ov ww* later dateren

poster ['pəʊstə] *zn* affiche, aanplakbiljet

posterior [pɒ'stɪərɪə] *zn* humor achterste

posterity [pɒ'sterətɪ] *zn* nageslacht

post-free [pəʊst'friː] *bnw* franco

postgraduate [pəʊst'grædjʊət] I *zn* postdoctorale student II *bnw* postuniversitair

post-haste *bijw* in vliegende vaart

posthumous ['pɒstjʊməs] *bnw* na de dood, postuum

posting ['pəʊstɪŋ] *zn* stationering, (over)plaatsing ★ *she got a ~ to America* zij is overgeplaatst naar America

postman ['pəʊstmən] *zn* postbode

postmark ['pəʊstmɑ:k] I *zn* poststempel II *ov ww* stempelen

postmaster ['pəʊstmɑ:stə] *zn* postdirecteur

postmistress ['pəʊstmɪstrəs] *zn* directrice van postkantoor

post-mortem [pəʊst'mɔ:təm] *zn* ❶ autopsie, sectie ❷ nabeschouwing, nabespreking

post-natal [pəʊst'neɪtl] *bnw* postnataal, (van) na de geboorte

post-paid ['pəʊstpeɪd] *bnw* franco

postpone [pəʊst'pəʊn] *ov ww* uitstellen, opschorten ★ *the meeting has been ~d until next week* de vergadering is naar volgende week verschoven

postscript ['pəʊstskrɪpt] *zn* ❶ postscriptum ❷ nagekomen bericht

postulate ['pɒstjʊleɪt] *form ov ww* als bewezen aannemen, vooronderstellen

posture ['pɒstʃə] I *zn* houding II *onov ww* zich aanstellen, poseren

post-war [pəʊst'wɔ:] *bnw* naoorlogs

posy ['pəʊzɪ] *zn* (bloemen)ruiker(tje), boeket

pot [pɒt] I *zn* ❶ kan, beker, pot ★ *it's the pot calling the kettle black* de pot verwijt de ketel dat hij zwart ziet ★ inform *a big pot* een belangrijk persoon ★ inform *go to pot* op de fles gaan ★ inform *pots of money* een bom duiten ❷ prijs (bij wedstrijd), pot, inzet (bij gokken) ❸ inform marihuana ❹ → **potshot** ❺ → **pot belly** II *ov ww* ❶ inmaken (in pot) ❷ potten (van plant) ❸ potten (bij biljart) ❹ neerschieten

potable ['pəʊtəbl] *bnw* drinkbaar

potassium [pə'tæsɪəm] *zn* kalium

potato [pə'teɪtəʊ] *zn* aardappel(plant) ★ *mashed ~(es)* aardappelpuree ★ fig *a hot ~* een linke zaak, een heet hangijzer

pot-bellied [pɒt'belɪd] *bnw* met dikke buik

pot belly, inform **pot** *zn* buikje, dikke buik

potency ['pəʊtnsɪ] *zn* kracht

potent ['pəʊtnt] *bnw* machtig, krachtig, sterk (van medicijn) ★ *a ~ argument* een overtuigend argument

potentate ['pəʊtnteɪt] *zn* vorst, heerser

potential [pə'tenʃəl] I *zn* ❶ potentieel, talent ❷ mogelijkheid II *bnw* potentieel, mogelijk, latent ★ *~ buyers* eventuele kopers

pothole ['pɒthəʊl] *zn* gat, kuil (in een weg / in rivierbedding)

potion ['pəʊʃən] *zn* drankje (van medicijn of vergif)

potluck [pɒt'lʌk] *zn* ★ inform *take ~* eten wat de pot schaft, iets nemen zoals het is

potpourri [pəʊ'pʊərɪ] *zn* ❶ mengsel van gedroogde bloembladen en kruiden ❷ potpourri, mengelmoes

potshot ['pɒtʃɒt], inform **pot** *zn* lukraak schot ★ *she took a ~ at the thief* ze schoot in het wilde weg op de dief ★ *he took a ~ at the country's foreign policy* hij bekritiseerde de buitenlandse politiek van het land

potted ['pɒtɪd] *bnw* ❶ ingemaakt ★ *~ music* ingeblikte muziek ❷ gepot ❸ verkort, in het kort (van nieuws)

potter ['pɒtə] I *zn* pottenbakker ★ *the ~'s wheel* de pottenbakkersschijf II *onov ww* ❶ beuzelen, liefhebberen ❷ *~ about/around*

rondscharrelen ❸ *~ along* boemelen (van trein enz.)

pottery ['pɒtərɪ] *zn* ❶ aardewerk ❷ pottenbakkerij

potty ['pɒtɪ] I *zn* pot, po ★ *~ training* het zindelijk maken (v. kind) II *bnw* inform gek ★ *drive sb ~* iem. gek maken

potty-trained *bnw* zindelijk (van kind)

pouch [paʊtʃ] *zn* ❶ zak ❷ krop, buikje, buidel (van buideldier) ❸ wal (onder ogen)

pouf, **pouffe** [pu:f] *zn* poef, zitkussen

poulterer ['pəʊltərə] *zn* poelier

poultice ['pəʊltɪs] *zn* kompres

poultry ['pəʊltrɪ] *zn* pluimvee

pounce [paʊns] I *onov ww* (op)springen, plotseling aanvallen ★ *the press ~d on his comments* de pers sprong bovenop zijn opmerking II *zn* plotselinge beweging / sprong

pound [paʊnd] I *zn* ❶ pond (454 gram) ★ fig *demand / want one's ~ of flesh* het volle pond eisen ❷ pond (munteenheid) ❸ asiel, depot (bewaarplaats voor vee, goederen) ❹ harde klap, dreun, stomp II *ov ww* ❶ fijnstampen ❷ hameren ★ *they need to ~ the idea into his head that...* ze moeten het idee in zijn hoofd hameren dat... ❸ beuken op, bonzen op III *onov ww* ❶ bonken, beuken, bonzen ★ *his heart was ~ing with excitement* zijn hart bonsde van opwinding ★ *she would ~ (away) on her typewriter for hours* ze zat urenlang achter haar schrijfmachine te zwoegen ★ *the horses ~ed around the bend* de paarden kwamen de bocht om stampen ❷ zwaar onder vuur nemen, herhaaldelijk bombarderen ★ *their guns ~ed at the enemy lines* hun kanonnen bombardeerden de vijandelijke linies

pounding ['paʊndɪŋ] *zn* ❶ (ge)dreun, (ge)bons ❷ afstraffing, pak slaag

pour [pɔ:] I *ov ww* ❶ gieten, schenken, doen neerstromen ★ *pour oil on troubled waters* kalmeren ★ *he poured cold water on my idea* hij was erg negatief over mijn idee ❷ *~ out* inschenken, uitstorten (van hart) II *onov ww* ❶ gieten, stromen ★ *it never rains but it pours* een ongeluk komt nooit alleen ❷ *~ down* in stromen neerkomen ❸ *~ in* binnenstromen

pout [paʊt] I *onov ww* pruilen II *zn* gepruil

poverty ['pɒvətɪ] *zn* ❶ armoede ❷ gebrek ★ *a ~ of ideas* een gebrek aan ideeën

poverty-stricken ['pɒvətɪstrɪkən] *bnw* straatarm

POW *afk, Prisoner Of War* krijgsgevangene

powder ['paʊdə] I *zn* ❶ poeder ❷ buskruit II *ov ww* ❶ poederen ❷ besprenkelen ❸ tot poeder maken

powder blue [paʊdə'blu:] I *zn* lichtblauw II *bnw* lichtblauw

powdered milk ['paʊdəd mɪlk] *zn* melkpoeder

powder puff *zn* poederdons

powder room *zn* euf damestoilet

powdery ['paʊdərɪ] *bnw* ❶ poederachtig ❷ gepoederd

power ['paʊə] I *zn* ❶ macht ★ inform *the ~s that be* de machthebber(s) ★ *in ~* aan het bewind ★ *the party in ~* de regerende partij ★ *he was the ~ behind the throne* hij was de sterke man achter de schermen ❷ kracht ★ *under its own ~*

po

op eigen kracht ❸ volmacht, recht, bevoegdheid ★ *~ of attorney* volmacht ❹ gezag, invloed ❺ mogendheid ★ *China is becoming a world ~* China is een wereldmacht aan het worden ❻ vermogen, kunnen ★ *he has lost the ~ of speech* hij kan niet meer praten ★ *she summoned up all her ~s of persuasion* ze verzamelde al haar overredingskracht ❼ drijfkracht, energie, stroom ❽ sterkte ⟨van lens⟩ ❾ inform partij, hoop ★ *a holiday would do him a ~ of good* een vakantie zou hem een hoop goed doen **II** *bnw* machinaal gedreven **III** *ov ww* aandrijven ⟨motor e.d.⟩, van energie voorzien

powerboat ['pavəbəʊt] *zn* motorboot

power broker *zn* machthebber ⟨achter de schermen⟩

power cut *zn* stroomstoring

-powered [-'pavəd] *voorv* -aangedreven ★ *a nuclear~ submarine* een atoomonderzeeër

powerful ['pavəfʊl] *bnw* ❶ krachtig, sterk ❷ machtig, invloedrijk, effectief ❸ indrukwekkend

powerhouse ['pavəhaʊs] *zn* ❶ stuwende kracht ❷ dynamisch mens

powerless ['pavələs] *bnw* machteloos

power plant ['pavə plɑːnt] *zn* elektriciteitsinstallatie

power point *zn* stopcontact

power steering *zn* stuurbekrachtiging

power supply *zn* energievoorziening

power tool *zn* elektrisch gereedschap

powwow ['paʊwaʊ] *zn* ❶ indianenbijeenkomst ❷ inform conferentie, (rumoerige) bespreking

pox [pɒks] *zn* pokken ★ inform *the pox* syfilis

pp *afk* ❶ *pages* pagina's ❷ *pianissimo* pp

practicable ['præktɪkəbl] *bnw* ❶ uitvoerbaar, doenlijk, haalbaar ❷ bruikbaar

practical ['præktɪkl] *bnw* ❶ praktisch, toegepast, praktijk- ❷ doelmatig, geschikt, handig ❸ verstandig ❹ virtueel ★ *victory is a ~ certainty* een overwinning is vrijwel onvermijdelijk

practicality [præktɪ'kælətɪ] *zn* ❶ het praktische ★ *let's get down to the practicalities* laten we naar de praktische details kijken ❷ verstandigheid ❸ uitvoerbaarheid

practical joke *zn* poets, practical joke

practically ['præktɪkəlɪ] *bijw* ❶ bijna, zo goed als ❷ in (de) praktijk ★ *can I ~ my French on you?* kan ik mijn Frans op je uitproberen?

practice ['præktɪs] **I** *zn* ❶ praktijk ★ *in ~* in de praktijk ❷ (uit)oefening ★ *he's out of ~* hij is uit vorm ★ *~ makes perfect* oefening baart kunst ❸ gewoonte, toepassing, gebruik ❹ (doctors / tandartsen)praktijk **II** *ww* → **practise**

practise, USA **practice** ['præktɪs] **I** *ov ww* ❶ studeren ⟨op muziekinstrument⟩ ❷ uitoefenen ⟨van beroep⟩ ★ *a ~d businessman* een ervaren zakenman ★ *can I ~ my French on you?* kan ik mijn Frans op je uitproberen? **II** *onov ww* oefenen ★ *she ~d as a vet for many years* ze is jarenlang dierenarts geweest

practitioner [præk'tɪʃənə] *zn* beoefenaar ★ *a medical ~* een arts

pragmatic [præg'mætɪk] *bnw* pragmatisch, feitelijk, zakelijk

pragmatism ['prægmətɪzəm] *zn* zakelijkheid,

praktische zin

pragmatist ['prægmətɪst] *zn* pragmaticus

praise [preɪz] **I** *zn* ❶ lof ★ *he's full of ~ for the nursing staff* hij is vol lof voor de verpleging ★ *sing sb's ~s* de loftrompet over iem. steken ❷ glorie, eer ★ *~ be to God!* God zij dank! **II** *ov ww* loven, prijzen

praiseworthy ['preɪzwɜːðɪ] *bnw* lofwaardig

pram [præm] *zn* kinderwagen

prance [prɑːns] *onov ww* ❶ steigeren ❷ vrolijk springen, huppelen ❸ zich arrogant gedragen, pronken

prang [præŋ] inform **I** *ov ww* te pletter rijden **II** *zn* ongeluk ⟨van auto⟩

prank [præŋk] *zn* (dolle) streek, poets ★ *play ~s* streken uithalen ★ *play a ~ on sb* iem. ertussen nemen

prankster ['præŋkstə] *zn* grappenmaker

prat [præt] inform *zn* idioot

prattle ['prætl] **I** *zn* gebabbel **II** *onov ww* babbelen ★ *what are you prattling (on) about?* waar heb je het in hemelsnaam over?

prattler ['prætlə] *zn* babbelaar

prawn [prɔːn] *zn* steurgarnaal

prawn cracker *zn* (stukje) kroepoek

pray [preɪ] *ov+onov ww* bidden ★ *pray to God* bidden tot God ★ *pray for a good harvest* bidden voor een goede oogst ★ *pray for mercy* smeken om genade ★ *pray for a good match* hopen op een goede wedstrijd

prayer [preə] *zn* ❶ gebed, verzoek ★ *my ~ is that she will become president* ik hoop dat zij president wordt ❷ het bidden

praying mantis [preɪŋ 'mæntɪs] *zn* bidsprinkhaan

pre- [priː] *voorv* vooraf, voor-, pre- ★ *a pre-dinner drink* een drankje voor het eten

preach [priːtʃ] **I** *ov ww* preken ★ *~ fire and brimstone* hel en verdoemenis preken **II** *onov ww* ❶ preken, een zedenpreek houden ★ *she's forever ~ing at me* ze zit me altijd de les te lezen ★ *save your breath: you're ~ing to the converted* hou maar op: we / ze zijn al overtuigd ❷ *~ at/to* een preek houden tegen ❸ *~ down* afgeven op (iemand) ❹ *~ up* ophemelen **III** *zn* inform (zeden)preek

preacher ['priːtʃə] *zn* prediker, predikant

preamble [priː'æmbl] *zn* inleiding, voorwoord ★ *without ~ she announced that she was pregnant* zonder omhaal maakte ze bekend dat ze zwanger was

prearrange [priːə'reɪndʒ] *ov ww* van te voren regelen

precarious [prɪ'keərɪəs] *bnw* ❶ wisselvallig, onzeker ★ *the country is ~ly close to collapse* het land staat op de rand van de afgrond ❷ onveilig, gevaarlijk

precaution [prɪ'kɔːʃən] *zn* voorzorgsmaatregel ★ *take ~s* maatregelen treffen ★ *I took the ~ of locking the door* ik heb uit voorzorg de deur op slot gedaan

precautionary [prɪ'kɔːʃənərɪ] *bnw* voorzorgs-

precede [prɪ'siːd] *ov ww* voorafgaan, voorgaan ★ *he ~d me in the job* hij was mijn voorganger in de baan

precedence ['presɪdns] *zn* prioriteit, (recht van)

voorrang ★ *take ~ over* voorrang hebben boven, gaan vóór ★ *in order of ~* in volgorde van belangrijkheid

precedent ['presɪdənt] *zn* ❶ precedent ★ *without ~* ongekend ❷ traditie, gewoonte ★ *the company broke with ~ and appointed a woman* de firma brak met de gewoonte en stelde een vrouw aan

preceding [prɪ'si:dɪŋ] *bnw* voorafgaand

precept ['pri:sept] *zn* voorschrift, principe

precinct ['pri:sɪŋkt] *zn* ❶ gebied, omgeving, terrein ❷ USA (politie / kies)district

precious ['preʃəs] **I** *zn* ★ *my ~!* schat! **II** *bnw* ❶ kostbaar, edel ⟨van steen of metaal⟩ ❷ dierbaar ★ *she's quite ~ about her reputation* ze vindt haar reputatie heel belangrijk ❸ gekunsteld ❹ <u>iron</u> mooi ★ *you and your ~ chess!* jij en dat kostelijke schaken van je! ★ *a ~ lot you know about it!* alsof jij er iets van af weet! **III** *bijw* <u>inform</u> buitengewoon, verduiveld ★ *~ little* ontzettend weinig

precipice ['presɪpɪs] *zn* ❶ steile rotswand ❷ <u>fig</u> afgrond

precipitate¹ [prɪ'sɪpɪtət] *bnw* onbezonnen, overhaast

precipitate² [prɪ'sɪpɪteɪt] *ov ww* ❶ bespoedigen, aanzetten, (ver)haasten ★ *his death ~d a struggle for power* zijn dood gaf aanleiding tot een machtsstrijd ❷ (neer)werpen, (neer)storten ❸ <u>scheik</u> (doen) neerslaan, precipiteren ⟨in <u>oplossing</u>⟩

precipitation [prɪsɪpɪ'teɪʃən] <u>scheik</u> *zn* neerslag

precipitous [prɪ'sɪpɪtəs] *bnw* ❶ steil ❷ plotseling ❸ overhaast

précis ['preɪsi:] **I** *zn* beknopte samenvatting **II** *ov ww* kort samenvatten

precise [prɪ'saɪs] *bijw* juist ⟨van tijdstip⟩, nauwkeurig, precies ★ *to be ~* om precies te zijn ★ *at that ~ moment* juist op dat moment

precisely *bijw* ❶ juist, inderdaad, precies ❷ nauwkeurig, stipt ★ *their plane touched down at 6 am ~* hun vliegtuig landde precies om 6 uur 's morgens

precision [prɪ'sɪʒən] *zn* nauwkeurigheid

preclude [prɪ'klu:d] *ov ww* ❶ uitsluiten ❷ beletten, voorkómen, verhinderen ★ *icy roads ~d him from arriving sooner* door ijs op de wegen kon hij niet eerder komen

precocious [prɪ'kəʊʃəs] *bnw* vroegrijp, vroeg wijs

preconceived [prɪ:kən'si:vd] *bnw* vooraf gevormd ★ *a ~ opinion* een vooroordeel

preconception [pri:kən'sepʃən] *zn* vooroordeel, vooropgezette mening

precondition [pri:kən'dɪʃən] *zn* eerste vereiste / voorwaarde

precook, pre-cook [pri:'kʊk] *ov ww* van tevoren bereiden / (even) koken ★ *~ed meals* kant-en-klaar maaltijden

precursor [prɪ:'kɜ:sə] *zn* voorloper

precursory [prɪ'kɜ:sərɪ] *bnw* inleidend ★ *he hasn't had time to take more than a ~ look at the figures* hij heeft niet de kans gehad om meer dan een vluchtige blik op de cijfers te werpen

pre-date [pri:'deɪt] *ov ww* ouder zijn dan

predator ['predətə] *zn* ❶ roofdier ❷ plunderaar, rover

predatory ['predətərɪ] *bnw* plunderend, roof-, roofzuchtig

predecessor ['pri:dɪsesə] *zn* ❶ voorganger ❷ voorvader

predestination [pri:destɪ'neɪʃən] *zn* voorbestemming, voorbeschikking

predestine *ov ww* voorbestemmen

predetermine [pri:dɪ'tɜ:mɪn] *ov ww* ❶ vooraf bepalen ❷ voorbeschikken

predicament [prɪ'dɪkəmənt] *zn* netelige / moeilijke positie ★ *realising her dire ~, she panicked* toen ze besefte hoe precair haar positie was, raakte ze in paniek

predicate¹ ['predɪkət] <u>taalk</u> *zn* gezegde

predicate² ['predɪkeɪt] <u>form</u> *ov ww* ~ **on/upon** baseren op

predict [prɪ'dɪkt] *ov ww* voorspellen

predictable [prɪ'dɪktəbl] *bnw* voorspelbaar

prediction [prɪ'dɪkʃən] *zn* voorspelling

predilection [pri:dɪ'lekʃən] *zn* voorliefde, voorkeur

predispose [pri:dɪ'spəʊz] *ov ww* ❶ aanleg hebben ⟨vnl. voor ziekte⟩ ❷ vatbaar maken ★ *smoking ~s you to lung cancer* roken maakt je vatbaar voor longkanker

predisposition [pri:dɪspə'zɪʃən] *zn* aanleg, neiging

predominance [prɪ'dɒmɪnəns] *zn* ❶ overheersing, overhand ★ *there is a ~ of men in the medical profession* mannen hebben de overhand in de medische beroepen ❷ heerschappij

predominant [prɪ'dɒmɪnənt] *bnw* overheersend ★ *oil is the ~ export* olie is het belangrijkste exportproduct

predominantly [prɪ'dɒmɪnəntlɪ] *bijw* overwegend, hoofdzakelijk

predominate [prɪ'dɒmɪneɪt] *onov ww* overheersen, de overhand hebben ★ *women ~ in the lowest paid jobs* in de slechtst betaalde banen zijn vrouwen het sterkst vertegenwoordigd

pre-eminence [pri:'emɪnəns] *zn* ❶ superioriteit ❷ voorrang

pre-eminent [pri:'emɪnənt] *bnw* uitblinkend, voortreffelijk, vooraanstaand

pre-eminently [pri:-'emɪnəntlɪ] *bijw* bij uitstek

pre-empt [pri:'empt] *ov ww* ❶ anticiperen op, vóór zijn, vooruitlopen op ❷ bij voorbaat onschadelijk maken ★ *you have ~ed my question* je hebt mijn vraag overbodig gemaakt ❸ USA vervangen

pre-emptive [pri:'emptɪv] *bnw* voorkomend, preventief

preen [pri:n] *ov ww* gladstrijken ⟨van veren⟩ ★ *~ o.s.* zich mooi maken ★ *stop ~ing yourself: the others did well too* je hoeft niet zo trots op jezelf te zijn: de anderen hebben het ook goed gedaan

pre-existing ['pri:-ɪg'zɪstɪŋ] *bnw* vooraf bestaand ★ *a ~ medical condition* een al bestaande medische aandoening

prefab ['pri:fæb] <u>inform</u> *zn* montagewoning, geprefabriceerd gebouw

prefabricate [pri:'fæbrɪkeɪt] *ov ww* prefabriceren

preface ['prefəs] **I** *zn* voorwoord, inleiding **II** *ov*

pr

ww ❶ van een inleiding voorzien, inleiden
❷ laten voorafgaan, voorafgaan aan

prefect ['pri:fekt] *zn* ❶ prefect ❷ toezicht houdende oudere leerling (in Britse scholen)

prefecture ['pri:fektʃə] *zn* prefectuur

prefer [prɪ'fɜː] *ov ww* ❶ verkiezen, liever hebben ★ *I ~ not to think about it* ik denk er liever niet over na ★ *he ~s classical music to jazz* hij houdt meer van klassieke muziek dan van jazz ❷ prefereren

preferable ['prefərəbl] *bnw* te verkiezen

preferably ['prefərəblɪ] *bijw* bij voorkeur ★ *I want a new job, ~ one closer to home* ik wil een nieuwe baan, liefst eentje dichter bij huis

preference ['prefərəns] *zn* ❶ voorkeur ★ *for ~* bij voorkeur ★ *I'd like tea in ~ to coffee* ik heb liever thee dan koffie ❷ voorkeursbehandeling

preferential [prefə'renʃəl] *bnw* voorkeur gevend / hebbend

prefigure [pri:'fɪgə] *ov ww* voorafschaduwen, aankondigen ★ *the war in Spain ~d the Second World War* de oorlog in Spanje was een voorbode van de Tweede Wereldoorlog

prefix ['pri:fɪks] I *zn* ❶ voorvoegsel ❷ titel, voornaam II *ov ww* vóór plaatsen, voorvoegen

pregnancy ['pregnənsɪ] *zn* zwangerschap

pregnant ['pregnənt] *bnw* ❶ zwanger, drachtig (van dieren) ★ *she is ~ with her second child* ze verwacht haar tweede kind ❷ veelzeggend (stilte) ❸ dicht vol, vruchtbaar ★ *silences ~ with unspoken thoughts* stiltes die bol staan van onuitgesproken gedachten

prehensile [pri:'hensaɪl] *bnw* wat grijpen kan ★ *a ~ tail* een grijpstaart

prehistoric [pri:hɪ'stɒrɪk] *bnw* prehistorisch

prehistory [pri:'hɪstərɪ] *zn* prehistorie

prejudge [pri:'dʒʌdʒ] *ov ww* ❶ van te voren beoordelen, (ver)oordelen ❷ vooruitlopen op

prejudice ['predʒʊdɪs] I *zn* ❶ vooroordeel ▼ *jur without ~* alle rechten voorbehouden ❷ schaden, benadelen ❸ ~ **against** innemen tegen

prejudiced ['predʒʊdɪst] *bnw* bevooroordeeld

prejudicial [predʒʊ'dɪʃəl] *bnw* schadelijk, nadelig ★ *evidence ~ to his case* bewijs dat nadelig is voor zijn zaak

prelate ['prelət] *zn* prelaat

preliminary [prɪ'lɪmɪnərɪ] I *zn* inleiding, voorbereiding ★ *the preliminaries* de voorronden II *bnw* ❶ inleidend ★ *a ~ examination* een tentamen ❷ voorlopig

prelude ['prelju:d] I *zn* ❶ inleiding ❷ prelude, voorspel II *ov ww* inleiden, aankondigen

premarital [pri:'mærɪtl] *bnw* voor het huwelijk

premature ['prematjʊə] *bnw* ❶ vroegtijdig, te vroeg ❷ voorbarig

premeditated [pri:'medɪteɪtɪd] *bnw* met voorbedachten rade ★ *~ murder* moord met voorbedachten rade

premeditation [pri:medɪ'teɪʃən] *zn* opzet

premier ['premɪə] I *zn* premier, eerste minister II *bnw* voornaamste, eerste

premiere ['premɪeə] I *zn* première II *ov ww* in première brengen III *onov ww* in première gaan

premiership ['premɪəʃɪp] *zn* ❶ ambt van eerste

minister ❷ sport kampioenschap

premise ['premɪs] *zn* veronderstelling

premises ['premɪsɪz] *zn mv* huis (en erf), zaak ★ *our company also has business ~ in Tokyo* onze firma heeft ook een kantoor in Tokio ★ *no smoking on the ~* verboden te roken op het terrein ★ *the adjacent ~* de belendende percelen

premium ['pri:mɪəm] *zn* ❶ premie ❷ meerprijs, toeslag ★ *an ideal size for when space is at a ~* een ideaal formaat als je ruimtekort hebt ❸ beloning, bonus ★ *the company sets / puts a high ~ on punctuality* het bedrijf vindt stiptheid heel belangrijk

premonition [premə'nɪʃən] *zn* voorgevoel

prenatal [pri:'neɪtl] *bnw* prenataal, (van) vóór de geboorte

preoccupation [pri:ɒkjʊ'peɪʃən] *zn* ❶ obsessie ★ *his ~ with his health is understandable* het is te begrijpen dat hij geobsedeerd is met zijn gezondheid ❷ verstrooidheid, afwezigheid

preoccupied [pri:'ɒkjʊpaɪd] *bnw* ❶ in gedachten verzonken, afwezig ❷ geobsedeerd

preoccupy [pri:'ɒkjʊpaɪ] *ov ww* geheel in beslag nemen

prep [prep] I *zn* ❶ leerling van voorbereidende school ❷ - huiswerk II *bnw* voorbereidend

pre-packed [pri:'pækt] *bnw* voorverpakt

preparation [prepə'reɪʃən] *zn* ❶ voorbereiding ❷ preparaat ❸ huiswerk, studie

preparatory [prɪ'pærətərɪ] *bnw* ❶ voorbereidend ❷ voorafgaand ★ *~ to* alvorens

prepare [prɪ'peə] I *ov ww* ❶ bereiden, klaarmaken ★ *she had been preparing herself for this moment* ze had zich op dit moment voorbereid ❷ bewerken ★ *his work ~d the ground for a new vaccine to be developed* zijn werk legde de basis voor de ontwikkeling van een nieuw vaccin ❸ (in)studeren, nazien (lessen) II *onov ww* voorbereidingen treffen

prepared [prɪ'peəd] *bnw* ❶ voorbereid ★ *he's ~ for the worst* hij is op het ergste voorbereid ❷ bereid ★ *I'm ~ to leave it at that* ik wil het daarbij laten

prepay [pri:'peɪ] *ov ww* ❶ frankeren (post) ❷ vooruitbetalen

prepayment [pri:'peɪmənt] *zn* vooruitbetaling

preponderance [prɪ'pɒndərəns] *zn* overwicht ★ *there was a ~ of young people* jonge mensen waren in de meerderheid

preponderate [prɪ'pɒndəreɪt] *onov ww* zwaarder wegen, van overwegend belang zijn ★ *girls ~ over boys* meisjes hebben de overhand over jongens

preposition [prepə'zɪʃən] *zn* voorzetsel

prepositional [prepə'zɪʃənəl] *bnw* voorzetsel- ★ *a ~ phrase* een voorzetselvoorwerp

prepossessing [pri:pə'zesɪŋ] *bnw* aantrekkelijk ★ *the view was anything but ~* het uitzicht was allesbehalve fraai

preposterous [prɪ'pɒstərəs] *bnw* dwaas, belachelijk, absurd

preppie, preppy ['prepɪ] USA inform I *zn* bekakt meisje / school jongen (van een dure privéschool) II *bnw* bekakt

prerequisite [pri:'rekwɪzɪt] I *zn* eerste vereiste ★ *money is not a ~ for happiness* je hoeft geen

geld te hebben om gelukkig te zijn **II** _bnw_
noodzakelijk, vereist
prerogative [prɪˈrɒɡətɪv] _zn_ (voor)recht
★ _education is no longer the ~ of the rich_
onderwijs is niet langer alleen voor de rijken
presage¹ [ˈpresɪdʒ] _zn_ ❶ voorteken ❷ voorgevoel
presage² [ˈpresɪdʒ, prɪˈseɪdʒ] _ov ww_ voorspellen,
aankondigen
presbytery [ˈprezbɪtərɪ] _zn_ ❶ presbyterium,
priesterkoor ⟨kerkarchitectuur⟩ ❷ pastorie
preschool [priːˈskuːl] I _zn_ ❶ peuterspeelzaal **II** _bnw_
onder de schoolleeftijd, peuter-
preschooler [priːˈskuːlə] _zn_ kleuter ⟨nog niet
schoolgaand kind⟩
prescience [ˈpresɪəns] _zn_ vooruitziende blik
prescribe [prɪˈskraɪb] _ov ww_ voorschrijven
prescription [prɪˈskrɪpʃən] _zn_ ❶ voorschrijving,
voorschrift ❷ recept ⟨van dokter⟩
prescriptive [prɪˈskrɪptɪv] _bnw_ voorschrijvend
presence [ˈprezəns] _zn_ ❶ tegenwoordigheid,
aanwezigheid, bijzijn ★ _the baby certainly makes
its ~ felt_ de baby maakt duidelijk dat hij / zij er
is ❷ voorkomen, verschijning ★ _a ghostly ~_ een
geest(verschijning)
present¹ [prɪˈzent] _ov ww_ ❶ aanbieden,
uitreiken, uitdelen ⟨prijzen⟩ ★ _please ~ yourself
at head office_ meldt u zich alstublieft aan bij het
hoofdkantoor ★ _he ~ed me with a beautiful scarf_
hij deed mij een mooie shawl cadeau
❷ vertonen, bieden ⟨van aanblik⟩ ★ _~ a united
front_ een gemeenschappelijk front bieden
❸ geven, opleveren ⟨van moeilijkheden⟩ ★ _a
major problem has ~ed itself_ er heeft zich een
ernstig probleem voorgedaan ★ _a solution ~ed
itself_ er bood zich een oplossing aan
❹ opvoeren ⟨van toneelstuk⟩, presenteren
❺ aanleggen ⟨van geweer⟩ ★ _~ arms!_ presenteer
geweer! **II** _form_ voorstellen, introduceren
present² [ˈprezənt] **I** _zn_ ❶ geschenk ❷ (het)
heden ★ _at_ ~ op het ogenblik ★ _for the ~_
voorlopig ★ _up to the ~_ tot op heden ❸ taalk
tegenwoordige tijd **II** _bnw_ ❶ aanwezig ★ _those ~_
de aanwezigen ★ _~ company excepted_ met
uitzondering van de hier aanwezigen
❷ tegenwoordig, huidig ★ _past and ~ members_
huidige en vroegere leden ❸ form in kwestie
★ _the ~ writer_ schrijver dezes
presentable [prɪˈzentəbl] _bnw_ toonbaar,
acceptabel
presentation [prezənˈteɪʃən] _zn_ ❶ presentatie,
demonstratie, voorstelling ❷ indiening,
overlegging ★ _on ~ of_ op vertoon van
❸ schenking, gift
present-day _bnw_ hedendaags, modern ★ _by ~
standards_ volgens de huidige maatstaven
presenter [prɪˈzentə] _zn_ presentator
presentiment [prɪˈzentɪmənt] _zn_ (angstig)
voorgevoel
presently [ˈprezəntlɪ] _bijw_ ❶ dadelijk, aanstonds,
binnenkort ❷ nu, op dit moment
preservable [prɪˈzɜːvəbl] _bnw_ houdbaar
preservation [prezəˈveɪʃən] _zn_ ❶ onderhoud
❷ behoud ★ _in fair ~_ in behoorlijke staat
preservative [prɪˈzɜːvətɪv] **I** _zn_ conserverend
middel **II** _bnw_ conserverend
preserve [prɪˈzɜːv] **I** _ov ww_ ❶ bewaren,

beschermen ❷ in stand houden, behouden
❸ goed houden, conserveren, inmaken **II** _zn_
❶ wildpark ❷ eigen gebied ❸ voorrecht
★ _nursing is no longer the ~ of women_ de
verpleging is niet langer alleen meer voor vrouwen
❹ jam, confituur
preset [ˈpriːset] _ov ww_ ❶ vooraf instellen ⟨van
apparatuur⟩ ❷ vooraf overeenkomen
preshrunk, pre-shrunk [priːˈʃrʌŋk] _bnw_
voorgekrompen
preside [prɪˈzaɪd] _onov ww_ ❶ als voorzitter
optreden ★ _~ over a meeting_ een vergadering
voorzitten ❷ de leiding hebben ★ _he ~d over the
worst attack in US history_ hij was aan de macht
toen de ergste aanval in de geschiedenis van de
VS plaatsvond
presidency [ˈprezɪdənsɪ] _zn_ presidentschap
president [ˈprezɪdnt] _zn_ ❶ president ❷ voorzitter
❸ USA directeur ⟨v. bank of bedrijf⟩
presidential [prezɪˈdenʃəl] _bnw_ presidents- ★ _a
~ candidate_ een presidentskandidaat
❷ voorzitters-
press [pres] **I** _zn_ ❶ pers ★ _~ agency_ persbureau ★ _~
conference_ persconferentie ★ _~ coverage_
verslaggeving ★ _~ cutting_ krantenknipsel ★ _~
gallery_ perstribune ★ _~ release_ persbericht,
perscommuniqué ★ _at / in (the) ~_ ter perse
★ _have a bad ~_ bekritiseerd worden door de
media ❷ gedrang, menigte ❸ druk(te)
❹ (linnen)kast **II** _ov ww_ ❶ uitpersen, oppersen
★ _~ed beef_ vlees in blik ❷ dringen ★ _time is ~ing_
de tijd dringt ❸ pressen, aandringen (op) ★ _they
were hard ~ed_ ze werden erg in het nauw
gedreven ★ _~ for an answer_ om antwoord
aandringen ★ _I was much ~ed for time_ ik
verkeerde in tijdnood ❹ drukken, de hand
drukken ❺ bestoken ⟨van vijand⟩ **III** _onov ww_
❶ drukken, knellen ❷ dringen ★ _~ on, boys!_
schiet op, jongens! ❸ urgent zijn, presseren
pressing [ˈpresɪŋ] _bnw_ ❶ dringend
❷ opdringerig, aandringend
press release [pres rɪˈliːs] _zn_ persbericht
press stud [ˈprestʌd] _zn_ drukknoopje
press-up _zn_ opdrukoefening
pressure [ˈpreʃə] **I** _zn_ ❶ druk, spanning ★ _apply ~
to sth_ druk uitoefenen op iets ★ _put ~ on sb_ iem.
onder druk zetten ★ _be under ~_ onder druk
staan, gespannen zijn ★ _work ~_ werkstress
❷ dwang, pressie **II** _ov ww_ onder druk zetten
pressure cooker [ˈpreʃəkʊkə] _zn_ hogedrukpan
pressure group _zn_ pressiegroep, lobby
pressure point _zn_ drukpunt
pressurize, pressurise [ˈpreʃəraɪz] _ov ww_ ❶ de
(lucht)druk regelen ❷ ook fig onder druk zetten
prestige [preˈstiːʒ] **I** _zn_ ❶ prestige, aanzien
❷ gezag, invloed **II** _bnw_ prestigieus
prestigious [preˈstɪdʒəs] _bnw_ gerenommeerd,
prestigieus
prestressed [priːˈstrest] _bnw_ voorgespannen ★ _~
concrete_ spanbeton
presumably [prɪˈzjuːməblɪ] _bijw_ vermoedelijk,
waarschijnlijk ★ _you're taking the train, ~?_ je
gaat met de trein neem ik aan?
presume [prɪˈzjuːm] **I** _ov ww_ ❶ aannemen,
vermoeden, geloven ★ _all ninety people on board
are ~d dead_ aangenomen wordt dat alle

pr

negentig mensen aan boord zijn omgekomen
❷ zich veroorloven ❸ aanspraak maken ★ *I
don't ~ to have all the answers* ik beweer niet
dat ik alle antwoorden heb ❹ **~ (up)on**
misbruik maken van, zich laten voorstaan op
II *onov ww* zich vrijheden veroorloven

presumption [prɪ'zʌmpʃən] *zn* ❶ arrogantie
❷ veronderstelling ❸ vermoeden

presumptive [prɪ'zʌmptɪv] *bnw* vermoedelijk
★ *the heir* ~ de vermoedelijke erfgenaam

presumptuous [prɪ'zʌmptʃʊəs] *bnw* arrogant,
brutaal

presuppose [pri:sə'pəʊz] *ov ww*
vóóronderstellen, veronderstellen

pretence, USA **pretense** [prɪ'tens] *zn*
❶ voorwendsel, het doen alsof, schijn ★ *by /
under / on false ~s* onder valse voorwendselen
★ *on the slightest ~* bij de geringste aanleiding
★ *she could not keep up the ~ that all was well* ze
kon de schijn niet ophouden dat alles goed was
❷ uiterlijk vertoon ★ *devoid of all ~* zonder
enige pretentie ❸ aanspraak ★ *I make no ~ to
being an expert* ik heb niet de pretentie een
expert te zijn

pretend [prɪ'tend] **I** *ov ww* ❶ voorwenden, doen
alsof, zich uitgeven voor ❷ aanspraak maken ★ *I
don't ~ to be an expert* ik wil niet zeggen dat ik
een expert ben **II** *onov ww* komedie spelen,
doen alsof ★ *just ~ing!* grapje! ★ *yes, I was wrong
and I won't ~ otherwise* ja, ik vergiste me en ik
ben de laatste om dat te ontkennen **III** *bnw*
inform namaak, zogenaamd ⟨kindertaal⟩

pretender [prɪ'tendə] *zn* ❶ pretendent
❷ komediant

pretense USA *zn* → **pretence**

pretension [prɪ'tenʃən] *zn* ❶ aanmatiging, schijn,
uiterlijk vertoon ❷ aanspraak ★ *I make no ~ to
be an authority* ik heb niet de pretentie een
autoriteit te zijn

pretentious [prɪ'tenʃəs] *bnw* ❶ aanmatigend,
pretentieus ❷ opzichtig

pretext ['pri:tekst] *zn* voorwendsel, excuus ★ *on /
under the ~ of / that* onder voorwendsel van

prettify ['prɪtɪfaɪ] *ov ww* opsieren

pretty ['prɪtɪ] **I** *bnw* ❶ schattig, mooi, aardig
★ inform *I'm not just a ~ face!* ik kan wel wat!
★ iron *a ~ mess* 'n mooie boel ❷ inform
aanzienlijk, veel ★ *a ~ penny* een aardig centje
II *bijw* inform nogal, tamelijk, vrij ★ ~ *well
everyone was there* zo'n beetje iedereen was er
★ *he ~ nearly died* het scheelde niet veel of hij
was doodgegaan ▼ *be sitting ~* goed zitten, het
aardig voor elkaar hebben **III** *zn* ★ *my ~!* schat!
IV *ov ww* **~ up** netjes / mooi maken ★ ~ *o.s. up*
zich opmaken

pretzel ['pretsəl] *zn* zoute krakeling

prevail [prɪ'veɪl] **I** *onov ww* ❶ de overhand
krijgen / hebben ❷ (over)heersen ★ *the
conditions that ~ in the country* de
omstandigheden die in het land heersen **II** *ov
ww* ❶ **~ over/against** zegevieren ★ *they ~ed
over / against the enemy* ze overwonnen de
vijand ❷ form **~ (up)on** overreden, overhalen
★ *he ~ed (up)on me not to go* hij overreedde me
om niet te gaan

prevailing [prɪ'veɪlɪŋ] *bnw* heersend, gangbaar

prevalence ['prevələns] *zn* algemeen voorkomen
★ *there is an increase in the ~ of asthma* astma
komt steeds vaker voor

prevalent ['prevələnt] *bnw* heersend, algemeen
★ *AIDS is ~ in parts of Africa* aids komt veel voor
in delen van Afrika

prevaricate [prɪ'værɪkeɪt] form *onov ww* er
omheen draaien

prevent [prɪ'vent] *ov ww* (ver)hinderen ★ *illness
~ed him from attending school* wegens ziekte kon
ze niet naar school

preventable [prɪ'ventəbl] *bnw* te voorkomen

prevention [prɪ'venʃən] *zn* voorkoming,
preventie ★ ~ *is better than cure* voorkomen is
beter dan genezen

preventive [prɪ'ventɪv], **preventative**
[prɪ'ventətɪv] **I** *zn* voorbehoedmiddel **II** *bnw*
preventief verhinderend

preview ['pri:vju:] **I** *zn* voorvertoning ⟨van film of
boek⟩ **II** *ov ww* ❶ voorvertonen ❷ in
voorvertoning zien ❸ voorbespreken

previous ['pri:vɪəs] **I** *bnw* ❶ voorafgaand ❷ vorig
★ *the ~ day* de vorige dag ❸ form voorbarig
II *vz* ★ ~ *to* vóór

previously ['pri:vɪəslɪ] *bijw* vroeger, tevoren ★ *a ~
unpublished novel* een niet eerder uitgegeven
roman

pre-war [pri:'wɔ:] *bnw* vooroorlogs

prey [preɪ] **I** *zn* prooi ★ *a bird of prey* een
roofvogel **II** *ov ww* **~ (up)on** azen op,
plunderen ★ *it's preying on his mind* het knaagt
constant aan zijn gedachten

price [praɪs] **I** *zn* ❶ (kost)prijs ★ *fame / happiness
comes at a ~* de roem / het geluk wordt duur
betaald ★ *not at any ~* voor geen geld ★ *laptops
have come down in ~* laptops zijn goedkoper
geworden ★ *what ~ fame?* was de roem de
moeite wel waard? ❷ koers ★ *the closing ~* de
slotkoers **II** *ov ww* ❶ prijzen, de prijs bepalen /
aangeven van ★ *the tickets are ~d at $50* de
kaartjes kosten $50 ❷ schatten, taxeren

price bracket *zn* prijsklasse

price freeze *zn* prijsstop

priceless ['praɪsləs] *bnw* ❶ onschatbaar ❷ inform
vermakelijk, kostelijk

price range *zn* prijsklasse

price tag *zn* prijskaartje

pricey ['praɪsɪ] inform *bnw* duur, prijzig

prick [prɪk] **I** *zn* ❶ prik ★ *the ~ of conscience*
gewetenswroeging ❷ punt, stekel ❸ vulg pik,
lul ★ *don't be such a ~!* doe niet zo lullig! **II** *ov
ww* ❶ (door)prikken ❷ knagen ⟨van geweten⟩
❸ prikkelen ▼ ~ *up one's ears* z'n oren spitsen

prickle ['prɪkl] **I** *zn* doorntje, stekel, prikkel
II *ov+onov ww* prikkel(en)

prickly ['prɪklɪ] *bnw* ❶ stekelig ❷ kriebelig
❸ inform prikkelbaar

pride [praɪd] **I** *zn* ❶ trots ★ *losing his job was a
blow to his ~* zijn baan verliezen was een deuk
in zijn zelfrespect ★ *take ~ in* trots zijn op ★ *his ~
and joy* zijn oogappel ❷ hoogmoed ★ ~ *comes /
goes before a fall* hoogmoed komt voor de val
❸ groep ⟨leeuwen⟩ ▼ ~ *of place* voorrang,
aanmatiging **II** *wkd ww* ★ ~ *o.s. (up)on* trots zijn
op

priest [pri:st] *zn* geestelijke, priester, pastoor

priestess [priːˈstes] *zn* priesteres
priesthood [ˈpriːsthʊd] *zn* priesterschap ★ *he entered the* ~ hij werd priester
prig [prɪg] *zn* pedant iemand ★ *a conceited prig* een verwaande kwast
priggish [ˈprɪgɪʃ] *bnw* pedant
prim [prɪm] *bnw* ❶ stijf, preuts ❷ keurig, (overdreven) netjes
primacy [ˈpraɪməsɪ] *zn* voorrang, eerste plaats
prima donna [priːmə ˈdɒnə] *bnw* ❶ prima donna ❷ temperamentvol iemand (afkeurend)
primaeval [praɪˈmiːvəl] *bnw* → **primeval**
primal [ˈpraɪml] *bnw* oer-
primarily [ˈpraɪmərəlɪ] *bijw* voornamelijk, in hoofdzaak
primary [ˈpraɪmərɪ] I *zn* USA voorverkiezing (voor presidentschap) II *bnw* ❶ eerst, basis-★ ~ *education* lager onderwijs ★ *a* ~ *colour* een primaire kleur ❷ voornaamste ❸ oorspronkelijk
primate [ˈpraɪmeɪt] *zn* ❶ primaat (aap, halfaap, mens) ❷ aartsbisschop
prime [praɪm] I *zn* bloeitijd, hoogtepunt ★ *in the* ~ *of life* in de bloei der jaren II *bnw* ❶ hoofd-, voornaamste ★ *of* ~ *importance* van het hoogste belang ❷ prima, best, uitstekend ★ *a* ~ *example of* een goed voorbeeld van ★ ~ *quality* topkwaliteit III *ov ww* ❶ op gang brengen, voeren (pomp), injecteren (van motor) ❷ inlichten, instrueren ❸ prepareren, klaarmaken, voorbereiden ❹ in de grondverf zetten
prime mover *zn* voornaamste drijfkracht
prime number *zn* priemgetal
primer [ˈpraɪmə] *zn* ❶ boek voor beginners, inleiding, abc-boek ❷ grondverf
prime time *zn* meest bekeken / beluisterde zendtijd op radio / tv
primeval, primaeval [praɪˈmiːvəl] *bnw* oorspronkelijk, oer-★ *a* ~ *forest* een oerwoud
primitive [ˈprɪmɪtɪv] I *zn* kunstenaar behorende tot de primitieven II *bnw* ❶ oorspronkelijk, oer-❷ primair, instinctief ❸ primitief, ruw, gebrekkig ★ *the facilities were* ~ de voorzieningen waren erg eenvoudig
primordial [praɪˈmɔːdɪəl] *bnw* oer-, oorspronkelijk
primp [prɪmp] I *ov ww* versieren II *onov ww* (zich) opdoffen
primrose [ˈprɪmrəʊz] I *zn* ❶ sleutelbloem ❷ lichtgeel II *bnw* lichtgeel
prince [prɪns] *zn* ❶ prins ★ *she's waiting for Prince Charming to come along* ze wacht tot haar droomprins komt ❷ vorst
princely [ˈprɪnslɪ] *bnw* ❶ prinselijk ❷ vorstelijk ★ <u>iron</u> *the* ~ *sum of $2* het vorstelijke bedrag van $2
princess [prɪnˈses, ˈprɪnses] *zn* ❶ prinses ❷ vorstin
principal [ˈprɪnsɪpl] I *zn* ❶ hoofdpersoon ❷ directeur / directrice, rector ❸ hoofd, chef ❹ kapitaal, hoofdsom II *bnw* voornaamste, hoofd-
principality [prɪnsɪˈpælətɪ] *zn* prinsdom, vorstendom
principally [ˈprɪnsɪpəlɪ] *bijw* hoofdzakelijk
principle [ˈprɪnsɪpl] *zn* ❶ principe★ *on* ~ principieel ★ *it's against my* ~s dat gaat tegen

mijn principes in ❷ grondbeginsel ★ *the Archimedean* ~ de wet van Archimedes
principled [ˈprɪnsɪpld] *bnw* met (hoogstaande) principes
print [prɪnt] I *zn* ❶ drukwerk, gedrukt werk, druk ★ *this edition is no longer in* ~ / *is out of* ~ deze uitgave is niet meer te krijgen ★ *get into* ~ gepubliceerd worden ★ *in bold* ~ vet gedrukt ★ *the fine* ~ de kleine lettertjes (in contract enz.) ❷ afdruk, merk ★ *his* ~*s were on the knife* zijn vingerafdrukken zaten op het mes ❸ bedrukte stof ★ *a* ~ *dress* een katoenen jurkje ❹ reproductie, gravure, prent II *ov ww* ❶ (af)drukken ★ ~*ed matter* drukwerk ❷ publiceren, laten drukken ❸ in blokletters schrijven ❹ bedrukken, bestempelen ❺ inprenten ★ ~*ed in his memory* in zijn geheugen gegrift ❻ ~ *off/out* afdrukken (van foto's)
printable [ˈprɪntəbl] *bnw* geschikt om te drukken ★ *his comment was not* ~ zijn opmerking was niet geschikt voor publicatie (= was niet netjes)
printer [ˈprɪntə] *zn* ❶ drukker, eigenaar v. drukkerij ★ *a* ~*'s error* een drukfout ❷ drukpers ❸ printer
printing [ˈprɪntɪŋ] *zn* ❶ (boek)drukkunst ❷ druk, oplage ❸ het schrijven in blokletters
printing press [ˈprɪntɪŋpres] *zn* drukpers
printout [ˈprɪntaʊt] *zn* uitdraai
prior [ˈpraɪə] I *zn* prior II *bnw* vroeger, eerder ★ *a* ~ *appointment* een eerdere afspraak ★ ~ *knowledge* voorkennis
priority [praɪˈɒrətɪ] *zn* voorrang
prior to *vz* voorafgaande aan, vóór, voordat
prise [praɪz], USA **prize** *ov ww* ❶ openbreken ❷ ~ *out (of)/from* lospeuteren, <u>fig</u> ontfutselen
prism [ˈprɪzəm] *zn* prisma
prison [ˈprɪzən] *zn* ❶ gevangenis ❷ gevangenisstraf
prisoner [ˈprɪznə] *zn* gevangene
prisoner of war *zn* krijgsgevangene
prissy [ˈprɪsɪ] <u>inform</u> *bnw* preuts
pristine [ˈprɪstiːn] *bnw* ❶ oorspronkelijk ❷ ongerept, zuiver
privacy [ˈprɪvəsɪ/ˈpraɪvəsɪ] *zn* ❶ afzondering ★ *she prefers to work in the* ~ *of her home* ze werkt het liefst in de beslotenheid van haar eigen huis ❷ privacy ★ *in strict* ~ strikt vertrouwelijk
private [ˈpraɪvət] I *zn* gewoon soldaat▼ *in* ~ in het geheim, achter gesloten deuren, alleen II *bnw* ❶ geheim, vertrouwelijk ★ *a* ~ *conversation* een gesprek onder vier ogen ★ *please keep this* ~ hou dit alsjeblieft onder ons ★ *his funeral will be* ~ hij wordt in besloten kring begraven ❷ privé, persoonlijk, eigen ★ *one's* ~ *parts* zijn geslachtsdelen ❸ afgelegen, afgezonderd ★ *they lead a* ~ *life* ze leiden een teruggetrokken leven ❹ particulier ★ ~ *individuals* particulieren ★ *in* ~ *ownership* in particulier bezit
privately [ˈpraɪvətlɪ] *bijw* ❶ privé ★ *her baptism will take place* ~ haar doop wordt in besloten kring gevierd ❷ in stilte ❸ particulier
privation [praɪˈveɪʃən] *zn* ontbering, gebrek
privet [ˈprɪvɪt] *zn* liguster
privilege [ˈprɪvɪlɪdʒ] I *zn* ❶ (voor)recht, privilege

pr

★ *that is your ~* dat is uw goed recht ★ *it's a ~ to help you* het is mij een eer u te kunnen helpen ❷ onschendbaarheid ★ *enjoy diplomatic ~* diplomatieke onschendbaarheid bezitten ❸ bevoorrechting ★ *they live a life of ~* ze leiden een bevoorrecht leven ‖ *ov ww* bevoorrechten

privy ['prɪvɪ] I *zn* toilet, privaat ‖ *bnw* ★ form *be ~ to sth* ingewijd zijn in iets, bekend zijn met iets

prize [praɪz] I *zn* ❶ prijs, beloning ❷ buit ‖ *bnw* ❶ bekroond ⟨op tentoonstelling⟩ ❷ beste, eersteklas ★ inform *he's a ~ idiot!* hij is een eersteklas idioot! ‖‖ *ov ww* ❶ waarderen ❷ USA → **prise**

prizefight ['praɪzfaɪt] *zn* bokswedstrijd ⟨voor geld⟩

pro [prəʊ] I *zn* ❶ voordeel ★ *the pros and cons* de voors en tegens ❷ inform → **professional** ‖ *bnw* prof-, professioneel

probability [probə'bɪlɪtɪ] *zn* waarschijnlijkheid ★ *in all ~* hoogst waarschijnlijk ★ *there is a strong ~ of snow* er is een grote kans op sneeuw

probable ['probəbl] *bnw* waarschijnlijk, vermoedelijk

probably ['probəblɪ] *bijw* ❶ waarschijnlijk, vermoedelijk ❷ ongetwijfeld, vast wel

probation [prə'beɪʃən] *zn* ❶ proef(tijd) ★ *a period of ~* een proeftijd ❷ voorwaardelijke invrijheidstelling ★ *he's out on ~* hij is voorwaardelijk in vrijheid gesteld

probationary [prə'beɪʃənərɪ] *bnw* proef-

probe [prəʊb] I *zn* ❶ sonde ❷ onderzoek ‖ *ov ww* ❶ sonderen ❷ onderzoeken, peilen ★ *searchlights ~d the sky* zoeklichten tastten de hemel af ‖‖ *onov ww* onderzoeken, peilen ★ *she never ~s into his past* ze delft nooit in zijn verleden

problem ['probləm] *zn* ❶ probleem ★ *I don't have a ~ with that* ik heb er geen moeite mee ❷ vraagstuk

problematic [problə'mætɪk], **problematical** [problə'mætɪkl] *bnw* problematisch, moeilijk

proboscis [prə'bosɪs] *zn* ❶ slurf ❷ humor neus

procedure [prə'si:dʒə] *zn* methode, werkwijze, procedure ★ *a surgical ~* een chirurgische ingreep

proceed [prə'si:d] I *onov ww* ❶ verder (voort)gaan, doorgaan ★ *if it rains we will not ~ with the picnic* als het regent gaat de picknick niet door ★ *work is ~ing slowly* het werk vordert langzaam ★ *he opened the window and ~ed to climb out* hij deed het raam open en klom vervolgens naar buiten ❷ gaan, zich begeven ‖ *ov ww ~ against* gerechtelijk vervolgen

proceedings [prə'si:dɪŋz] *zn mv* ❶ gebeurtenissen ❷ werkzaamheden handelingen, notulen ❸ actie, proces ★ *take legal ~ against sb* een proces aanspannen tegen iem.

proceeds ['prəʊsi:dz] *zn mv* opbrengst

process ['prəʊses] I *zn* ❶ proces ★ *it's all part of the learning ~* het hoort er allemaal bij ❷ (ver)loop ★ *in the ~ of construction* in aanbouw ★ *in the ~ of time* na verloop van tijd ★ *he jumped down and in the ~ he broke his leg* hij sprong naar beneden en brak zo zijn been

★ *they're in the ~ of moving house* ze zijn aan het verhuizen ❸ verrichting, methode, werkwijze ‖ *ov ww* verwerken, behandelen, bewerken ★ *most of our food has been ~ed* het grootste deel van ons voedsel heeft een behandeling ondergaan

procession [prə'seʃən] *zn* ❶ defilé, stoet, processie ❷ opeenvolging, reeks

processor ['prəʊsesə] *zn* ❶ bewerker ❷ computer, verwerkingseenheid

pro-choice *bnw* vóór abortus

proclaim [prə'kleɪm] *ov ww* ❶ afkondigen, bekendmaken, verklaren ⟨oorlog⟩ ★ *he was ~ed king* hij werd tot koning uitgeroepen ★ *the dessert was ~ed a success* iedereen was lovend over het toetje ❷ aanduiden, duidelijk tonen ★ *his accent ~ed his French origins* uit zijn accent bleek zijn Franse afkomst

procrastinate [prəʊ'kræstɪneɪt] *onov ww* uitstellen, treuzelen

procreate ['prəʊkrɪeɪt] *onov ww* voortplanten

procure [prə'kjʊə] I *ov ww* ❶ (ver)krijgen, verwerven ❷ (een prostituee) verschaffen ‖ *onov ww* bordeel houden

prod [prod] I *ov+onov ww* ❶ prikken, porren ❷ prikkelen, (aan)sporen ‖ *zn* ❶ por, steek, por ❷ prikkel ❸ prikstok

prodigal ['prodɪgl] *bnw* verkwistend ★ *the ~ son* de verloren zoon

prodigious [prə'dɪdʒəs] *bnw* wonderbaarlijk, ontzaglijk

prodigy ['prodɪdʒɪ] *zn* wonder(kind)

produce¹ ['prodju:s] *zn* ❶ (landbouw)producten ❷ resultaat, product, opbrengst

produce² [prə'dju:s] *ov ww* ❶ produceren, vervaardigen ❷ opleveren, opbrengen ★ *Diana ~d an heir to the throne* Diana bracht een troonsopvolger voort ★ *he's the greatest player the country has ever ~d* hij is de beste speler die het land ooit heeft voortgebracht ❸ veroorzaken, teweegbrengen ★ *chocolate ~s the same effect as coffee* chocola heeft hetzelfde effect als koffie ❹ tevoorschijn halen, voor de dag komen met, aanvoeren (van bewijs) ❺ opvoeren ⟨van toneelstuk⟩

producer [prə'dju:sə] *zn* ❶ producent ❷ regisseur

product ['prodʌkt] *zn* ❶ product ❷ resultaat, gevolg

production [prə'dʌkʃən] *zn* ❶ productie ❷ opvoering, vertoning ❸ overlegging ★ *on ~ of* op vertoon van

production line *zn* lopende band

productive [prə'dʌktɪv] *bnw* ❶ producerend ★ *the soil is highly ~* de grond is erg vruchtbaar ❷ productief

productivity [prodʌk'tɪvətɪ] *zn* productiviteit

profane [prə'feɪn] *bnw* ❶ godslasterlijk ❷ profaan, werelds

profanity [prə'fænətɪ] *zn* ❶ goddeloosheid ❷ vloekwoord

profess [prə'fes] *ov ww* ❶ betuigen ⟨van gevoelens⟩ ❷ verklaren, beweren ★ *he ~ed to be a meter reader* hij gaf zich uit voor meteropnemer ❸ belijden ⟨van godsdienst⟩ ★ *a ~ing Catholic* een praktiserend katholiek ❹ uitoefenen, beoefenen

pr

professed [prə'fest] *bnw* ❶ overtuigd, openlijk ❷ zogenaamd

profession [prə'feʃən] *zn* ❶ beroep, vak ★ *by* ~ van beroep ★ *the medical* ~ de medische stand ❷ verklaring, betuiging

professional [prə'feʃənl] **I** *zn* ❶ beroepsspeler ❷ vakman **II** *bnw* ❶ beroeps-, vak- ★ *iron he's a* ~ *cheat* hij is een doortrapte bedrieger ❷ met een hogere opleiding ★ ~ *women* hoog opgeleide vrouwen ❸ vakkundig, professioneel ★ *seek / get* ~ *help* een expert op het gebied raadplegen, euf zich door een psychiater laten behandelen

professorship [prə'fesəʃɪp] *zn* professoraat

proffer ['prɒfə] *ov ww* aanbieden, aanreiken

proficiency [prə'fɪʃənsɪ] *zn* bedrevenheid, bekwaamheid, vakkundigheid

proficient [prə'fɪʃənt] *bnw* bekwaam ★ ~ *at / in* bedreven in

profile ['prəʊfaɪl] **I** *zn* ❶ profiel, doorsnede, zijaanzicht ★ *keep a low* ~ zich op de achtergrond houden, zich gedeisd houden ❷ silhouet ❸ korte levensbeschrijving, karakterschets (in de journalistiek) **II** *ov ww* ❶ zich aftekenen ★ *a figure* ~*d against the sky* een tegen de lucht afgetekende gestalte ❷ een (karakter)schets geven van

profit ['prɒfɪt] **I** *zn* ❶ winst ★ *at a* ~ met winst ★ *show a* ~ winst maken ★ *paper* ~ denkbeeldige winst ❷ voordeel, nut ★ *it may* ~ *you to read this report* misschien heeft u iets aan dit rapport **II** *ov ww* nut zijn, helpen **III** *onov ww* profiteren, profijt trekken ★ ~ *by* profiteren van

profitable ['prɒfɪtəbl] *bnw* ❶ winstgevend ❷ nuttig

profitably ['prɒfɪtəblɪ] *bnw* met winst ★ *you'd be more* ~ *employed doing your homework* je kunt beter je huiswerk maken

profiteer [prɒfɪ'tɪə] *onov ww* woekerwinst maken

profound [prə'faʊnd] *bnw* ❶ diepgaand, grondig ★ *her death had a* ~ *effect on the family* haar overlijden had een enorm effect op het gezin ❷ diepzinnig, wijs

profundity [prə'fʌndətɪ] *zn* diepte

profuse [prə'fju:s] *bnw* overvloedig ★ ~ *thanks for your help!* heel veel dank voor uw hulp! ★ *bleed* ~*ing* hevig bloeden

progeny ['prɒdʒɪnɪ] *zn* ❶ nageslacht ❷ *fig* resultaat

prognosis [prɒg'nəʊsɪs] *zn* prognose

programme, USA **program** ['prəʊgræm] **I** *zn* ❶ program(ma) ❷ agenda ★ *what's on the* ~ *today?* wat gebeurt er vandaag? **II** *ov ww* ❶ programmeren ❷ plannen

progress[1] ['prəʊgres] *zn* ❶ voortgang, vordering(en) ★ *in* ~ aan de gang ★ *how much* ~ *has been made?* hoe ver zijn ze gekomen?

progress[2] [prə'gres] *onov ww* ❶ vooruitgaan, vorderen ★ *how is his health* ~*ing?* gaat zijn gezondheid vooruit? ★ *the crowd grew more restless as the day* ~*ed* de menigte werd onrustiger naarmate de dag vorderde ❷ aan de gang zijn

progression [prə'greʃən] *zn* ❶ vooruitgang, vordering, progressie ★ *not much* ~ *is being made* er zit weinig progressie in ❷ reeks, aaneenschakeling

progressive [prə'gresɪv] **I** *zn* vooruitstrevend iemand, voorstander van progressieve politiek **II** *bnw* ❶ vooruitgaand, vooruitstrevend, progressief ❷ geleidelijk, voortschrijdend ★ *a* ~ *loss of vision* geleidelijk gezichtsverlies

prohibit [prə'hɪbɪt] *ov ww* ❶ verbieden ❷ verhinderen ★ *the high price of petrol is* ~*ing travel* de hoge benzineprijs maakt reizen moeilijk

prohibition [prəʊhɪ'brɪʃən] *zn* verbod

prohibitive [prəʊ'hɪbɪtɪv] *bnw* ❶ verbiedend ❷ belemmerend ★ *the cost of the vaccine is* ~ de prijs van het vaccin is buitensporig

project[1] ['prɒdʒekt] *zn* ❶ project, plan ❷ (school)taak

project[2] [prə'dʒekt] **I** *ov ww* ❶ beramen, plannen ❷ ramen, schatten ❸ werpen ★ *he* ~*s his voice well* hij richt zijn stem uitstekend ❹ ~ *onto* projecteren op (gedachten) **II** *onov ww* vooruitsteken

projectile [prəʊ'dʒektaɪl] *zn* projectiel

projection [prə'dʒekʃən] *zn* ❶ uitsteeksel ❷ raming, prognose ★ *current* ~*s are for a 10% rise in the birth rate* volgens de huidige vooruitzichten zal het geboortecijfer 10% stijgen ❸ projectie, voorstelling ❹ werpen

projectionist [prə'dʒekʃənɪst] *zn* filmoperateur

prolapse ['prəʊlæps] *zn* verzakking ⟨van baarmoeder⟩

proletarian [prəʊlɪ'teərɪən] **I** *zn* proletariër **II** *bnw* proletarisch

pro-life *bnw* anti-abortus- ★ *a* ~ *activist* een anti-abortusactivist

proliferate [prə'lɪfəreɪt] *onov ww* ❶ zich snel vermenigvuldigen ❷ zich verspreiden

proliferation [prəʊlɪfə'reɪʃən] *zn* ❶ snelle toename, woekering, vermenigvuldiging ❷ verspreiding

prolific [prə'lɪfɪk] *bnw* ❶ overvloedig ★ *deer occur in* ~ *numbers* herten komen in groten getale voor ❷ vruchtbaar, productief

prologue ['prəʊlɒg] *zn* proloog, inleiding, voorspel

prolong [prə'lɒŋ] *ov ww* verlengen, rekken, langer maken ★ *don't* ~ *the agony - just tell me if I got in!* hou me niet langer in spanning - vertel me of ik aangenomen ben of niet!

prolongation [prəʊlɒŋgeɪʃən] *zn* verlenging

prom [prɒm] *zn* ❶ USA schoolbal, gala ❷ **prom concert** promenadeconcert

promenade [prɒmə'na:d] **I** *zn* wandeling **II** *ov ww* wandelen met, lopen te pronken met **III** *onov ww* wandelen

prominence ['prɒmɪnəns] *zn* bekendheid ★ *political issues are given too much* ~ politieke kwesties krijgen teveel aandacht ★ *she rose to* ~ *in the 1980s* ze kreeg bekendheid in de tachtiger jaren

prominent ['prɒmɪnənt] *bnw* ❶ vooraanstaand, voornaam ❷ vooruitstekend ❸ opvallend ★ *the actress was* ~ *by her absence* de actrice schitterde door afwezigheid

promiscuity [prɒmɪs'kju:ətɪ] *zn* vrije omgang ⟨vooral seksueel⟩

promiscuous [prə'mɪskjʊəs] *bnw* met veel

seksuele relaties

promise ['promɪs] I zn belofte ★ *she broke her ~* zij hield zich niet aan haar belofte ★ *a violinist of ~* een veelbelovend violist II ov+onov ww beloven ★ *~ well* veel beloven

promising ['promɪsɪŋ] bnw veelbelovend

promontory ['promǝntǝrɪ] zn voorgebergte, kaap

promote [prǝ'mǝʊt] ov ww ❶ bevorderen, promoveren ★ *he's been ~d to general manager* hij is tot algemeen manager bevorderd ❷ aankweken, stimuleren ❸ reclame maken voor ★ *a campaign to ~ awareness of breast cancer* een campagne om mensen meer bewust te maken van borstkanker

promotion [prǝ'mǝʊʃǝn] zn ❶ promotie, bevordering ❷ reclame(actie)

promotional [prǝʊ'mǝʊʃǝnǝl] bnw reclame-

prompt [prompt] I bnw vlug, vlot, prompt ★ *~ payment* snelle betaling II bijw precies III zn ❶ geheugensteuntje ★ *give sb a ~* iem. souffleren ❷ comp prompt ⟨vraag / instructie vanuit systeem⟩ IV ov ww ❶ aanzetten, aanmoedigen, ertoe brengen ★ *the discovery ~ed a search of the area* de ontdekking vormde de aanleiding om het gebied te verkennen ❷ souffleren, herinneren

prompter ['promptǝ] zn souffleur

prone [prǝʊn] bnw ❶ voorover(liggend), voorovergebogen ★ *he lay ~ on the ground* hij lag languit voorover op de grond ❷ ~ to geneigd tot, vatbaar voor ★ *motorcyclists are ~ to accidents / are accident-~* motorrijders krijgen vaak een ongeluk

prong [proŋ] zn punt, tand ⟨van vork⟩ ★ *a three-~ed attack* een aanval op drie flanken

pronoun ['prǝʊnaʊn] zn voornaamwoord

pronounce [prǝ'naʊns] ov ww ❶ uitspreken, uiten ❷ verklaren, zeggen ★ *~ judgement* uitspraak doen

pronounceable [prǝ'naʊnsǝbl] bnw uit te spreken

pronounced [prǝ'naʊnst] bnw duidelijk, onmiskenbaar ★ *she has a ~ lisp* ze slist behoorlijk ★ *he has ~ views on animal rights* hij heeft een uitgesproken mening over dierenrechten

pronto ['prontǝʊ] inform bijw meteen, onmiddellijk

pronunciation [prǝnʌnsɪ'eɪʃǝn] zn uitspraak

proof [pru:f] I zn ❶ proef, bewijs ★ *you will need to provide ~ of identity* je moet je kunnen legitimeren ★ *put to the ~* op de proef stellen ❷ drukproef ❸ alcoholgehalte II bnw ❶ beproefd, bestand ❷ met een alcoholgehalte van ★ *50% ~* 50% alcohol III ov ww ❶ ondoordringbaar / waterdicht enz. maken

proofread ['pru:fri:d] ov ww proeflezen, corrigeren ⟨van drukproeven⟩

prop [prop] I zn ❶ decorstuk, rekwisiet ❷ stut, steunpilaar II ov ww ❶ stutten, steunen, schragen ❷ zetten ⟨ladder tegen muur⟩ ❸ ~ up overeind houden, ondersteunen

propagate ['propǝgeɪt] I ov ww ❶ propageren, verspreiden, voortplanten ❷ telen, kweken II onov ww zich voortplanten

propagation [propǝ'geɪʃǝn] zn ❶ verbreiding ❷ voortplanting

propane ['prǝʊpeɪn] zn propaan

propel [prǝ'pel] ov ww ❶ (voort)drijven, aandrijven ★ *the talent show ~led him to fame* de talentenshow maakte hem plotseling beroemd ❷ aanzetten, stimuleren ★ *his illness ~led him to research the disease* zijn ziekte leidde ertoe dat hij onderzoek ging doen naar de ziekte

propellant [prǝ'pelǝnt] zn ❶ drijfkracht ❷ drijfgas

propellent [prǝ'pelǝnt] bnw voortstuwend

propeller [prǝ'pelǝ] zn propeller, schroef

propensity [prǝ'pensǝtɪ] zn geneigdheid, neiging

proper ['propǝ] bnw ❶ juist, goed ★ *be sure to put it back in its ~ place* zorg ervoor dat je het teruglegt waar het hoort ❷ echt, onvervalst ★ *he's never had a ~ job* hij heeft nog nooit een reguliere baan gehad ❸ gepast, netjes ★ *that's not a ~ way of dressing* dat is geen fatsoenlijke manier om je te kleden ❹ eigenlijk ★ *the story ~ begins on page 10* het eigenlijke verhaal begint op bladzijde 10 ❺ inform eersteklas ★ *he's a ~ little rascal* hij is een echt duveltje ★ *a ~ row* een flinke ruzie

properly ['propǝlɪ] bijw ❶ correct, juist ★ *parents should teach their children to behave ~* ouders moeten hun kinderen leren zich correct te gedragen ★ *the letter was not ~ addressed* de brief was niet goed geadresseerd ❷ terecht, eigenlijk ★ *~ speaking* strikt genomen

proper noun taalk zn eigennaam

property ['propǝtɪ] zn ❶ pand, land(goed) ❷ eigendom, bezit, bezittingen ★ *lost ~* gevonden voorwerpen ❸ eigenschap

property developer zn projectontwikkelaar

property settlement zn boedelscheiding

prophecy ['profǝsɪ] zn profetie, voorspelling ★ *the gift of ~* een profetische / voorspellende gave

prophesy ['profɪsaɪ] ov ww profeteren, voorspellen

prophet ['profɪt] zn ❶ profeet ★ *a ~ of doom* een onheilsprofeet ❷ fig voorstander

prophetic [prǝ'fetɪk] bnw profetisch

prophylactic [profɪ'læktɪk] zn ❶ preventief middel ❷ USA condoom

propitious [prǝ'pɪʃǝs] bnw gunstig

proponent [prǝ'pǝʊnǝnt] zn voorstander, aanhanger

proportion [prǝ'pɔ:ʃǝn] I zn ❶ proportie, evenredigheid, verhouding ★ *keep sth in ~* iets binnen de perken houden ★ *out of ~* niet in verhouding ★ *the punishment was out of all ~ to the crime* de straf staat niet in verhouding tot het misdrijf ❷ deel, gedeelte ★ *a high ~ of women are illiterate* een groot aantal vrouwen is analfabeet II ov ww evenredig maken ★ *a well-~ed woman* een goedgeproportioneerde vrouw

proportional [prǝ'pɔ:ʃǝnl], **proportionate** [prǝ'pɔ:ʃǝnǝt] bnw evenredig ★ *~ to* evenredig aan

proposal [prǝ'pǝʊzǝl] zn ❶ voorstel ❷ huwelijksaanzoek

propose [prǝ'pǝʊz] I ov ww ❶ voorstellen, voordragen ⟨als lid⟩ ★ *~ a toast to sb's health* op

pr

iemands gezondheid drinken ❷ zich voornemen, van plan zijn ‖ *onov ww* huwelijksaanzoek doen ★ *he ~d to her on a beach* hij vroeg haar op het strand ten huwelijk

proposition [prɒpə'zɪʃən] *zn* ❶ bewering, stelling ❷ voorstel ❸ karweitje, zaak(je), kwestie ★ *arranging visas is not a simple ~* visa regelen is geen eenvoudige zaak

propound [prə'paʊnd] *ov ww* voorstellen, opperen

proprietary [prə'praɪətərɪ] *bnw* ❶ eigendoms-, bezits- ★ *a ~ name* een gedeponeerd handelsmerk ❷ → **proprietorial**

proprietor [prə'praɪətə] *zn* eigenaar

proprietorial [prəpraɪə'tɔ:rɪəl], **proprietary** *bnw* als een eigenaar ★ *he put a ~ hand on her arm* hij legde zijn hand op haar arm alsof zij van hem was

propriety [prə'praɪətɪ] *zn* ❶ geschiktheid, gepastheid ❷ fatsoen, correctheid ★ *please observe the proprieties* gedraagt u zich aub netjes

propulsion [prə'pʌlʃən] *zn* ❶ voortstuwing ★ *jet ~* straalaandrijving ❷ drijfkracht

prosaic [prəʊ'zeɪɪk] *bnw* prozaïsch ⟨alledaags⟩

proscribed [prə'skraɪbd] *bnw* verboden, verbannen, verworpen ⟨van bepaalde praktijk⟩

prose [prəʊz] *zn* proza ★ *in academic ~* in academische / wetenschappelijke taal

prosecute ['prɒsɪkju:t] I *ov ww* vervolgen ★ *trespassers will be ~d* verboden voor onbevoegden ‖ *onov ww* een gerechtelijke vervolging instellen

prosecution [prɒsɪ'kju:ʃən] *zn* (gerechtelijke) vervolging ★ *the ~* de aanklager / eiser

prosecutor ['prɒsɪkju:tə] *zn* aanklager ★ *the public ~* de officier van justitie

prospect [prɒspekt] I *zn* ❶ vooruitzicht, verwachting, hoop ❷ denkbeeld, idee ❸ uitzicht, panorama, vergezicht ❹ potentiële klant / gegadigde / kandidaat ‖ *ov ww ~ for* zoeken naar ⟨goud enz⟩

prospective [prə'spektɪv] *bnw* ❶ te verwachten ❷ aanstaand, toekomstig ★ *a ~ buyer* een mogelijke koper

prosper ['prɒspə] *onov ww* zich gunstig ontwikkelen, gedijen, bloeien

prosperity [prɒ'sperətɪ] *zn* voorspoed, bloei

prosperous ['prɒspərəs] *bnw* voorspoedig, welvarend

prostate ['prɒsteɪt], **prostate gland** *zn* prostaat

prostitute ['prɒstɪtju:t] I *zn* prostituee ‖ *ov ww* ❶ zich prostitueren ❷ *fig* vergooien, verlagen, misbruiken

prostitution [prɒstɪ'tju:ʃən] *zn* prostitutie

prostrate ['prɒstreɪt] I *bnw* ❶ vooroverliggend, uitgestrekt ★ *fig ~ with grief* overmand door verdriet ❷ kruipend ⟨plant⟩ ‖ *wkd ww* zich ter aarde werpen ★ *he ~d himself before her* hij wierp zich voor haar op de knieën

protagonist [prəʊ'tægənɪst] *zn* ❶ hoofdpersoon ❷ kopstuk ❸ kampioen, voorvechter

protect [prə'tekt] *ov ww* ❶ beveiligen ❷ beschermen

protection [prə'tekʃən] *zn* ❶ bescherming ❷ beveiliging

protective [prə'tektɪv] *bnw* beschermend, beschermings- ★ *~ clothing* veiligheidskleding

protein ['prəʊti:n] *zn* proteïne, eiwit

protest¹ ['prəʊtest] *zn* ❶ protest ★ *lodge a ~* bezwaar aantekenen, protesteren ★ *he did wear a suit, but only under ~* hij droeg een kostuum, maar zeer tegen zijn zin ❷ (protest)demonstratie

protest² [prə'test] I *ov ww* plechtig verklaren, betuigen ‖ *onov ww* protesteren

protester [prə'testə] *zn* demonstrant

proto- [prəʊtəʊ] *voorv* proto-, oer-, eerste

protract [prə'trækt] *ov ww* rekken, verlengen

protractor [prə'træktə] *zn* gradenboog, hoekmeter

protrude [prə'tru:d] *onov ww* ❶ (voor)uitsteken ❷ uitpuilen

protrusion [prə'tru:ʒən] *zn* uitsteeksel

proud [praʊd] I *bnw* ❶ trots, fier ★ *~ of* trots op ❷ vereerd ❸ prachtig, indrukwekkend ★ *the once ~ buildings lay in ruins* de vroeger zo imposante gebouwen lagen in puin ‖ *bijw* ★ *the students have done themselves ~ with their exam results* de studenten kunnen trots zijn op hun examenuitslagen

provable ['pru:vəbl] *bnw* bewijsbaar

prove [pru:v] I *ov ww* bewijzen, aantonen, waarmaken ★ *she ~d herself able to manage on her own* ze liet zien dat ze voor zichzelf kon zorgen ★ *~ sb right / wrong* aantonen dat iem. gelijk / ongelijk heeft ‖ *onov ww* ❶ blijken ★ *it ~d to be true* het bleek waar te zijn ❷ rijzen ⟨van deeg⟩

proven ['pru:vən] *bnw* bewezen ★ *a ~ remedy* een patent middel

provenance ['prɒvɪnəns] *zn* (plaats van) herkomst

proverb ['prɒvɜ:b] *zn* spreekwoord, gezegde, spreuk

proverbial [prə'vɜ:bɪəl] *bnw* spreekwoordelijk

provide [prə'vaɪd] I *ov ww* ❶ voorzien, leveren ★ *a band ~d some light entertainment* een band zorgde voor wat lichte ontspanning ★ *he ~d me with some suggestions* hij deed me een aantal suggesties aan de hand ❷ bepalen ★ *the law ~s that parents must look after their children* in de wet staat dat ouders voor hun kinderen moeten zorgen ‖ *onov ww* voorzieningen treffen ★ *she has to ~ for her two children* ze moet voor haar twee kinderen zorgen ★ *the system does not ~ for such situations* het systeem voorziet niet in dergelijke situaties

provided, providing *vz* op voorwaarde dat, mits ★ *I'll lend you the money ~ / providing (that) you repay it soon* ik leen je het geld op voorwaarde dat je het binnenkort terugbetaalt

providence, Providence ['prɒvɪdns] *zn* voorzienigheid, het lot ★ *he believed that ~ would assist him* hij geloofde dat God hem zou helpen

provider [prə'vaɪdə] *zn* ❶ kostwinner ❷ verzorger ❸ leverancier

province ['prɒvɪns] *zn* ❶ provincie, gewest ★ *a girl from the ~s* een meisje van het platteland ❷ gebied ★ *this is outside my ~* dit ligt buiten mijn vakgebied

pr

provincial [prə'vɪnʃəl] I zn <u>min</u> provinciaal, plattelander II bnw ❶ provinciaal ❷ bekrompen

provision [prə'vɪʒən] zn ❶ voorziening ★ ~ *make* ~ *for* zorgen voor, voorzieningen treffen voor, voorzien in ❷ wetsbepaling

provisional [prə'vɪʒənl] bnw voorlopig, tijdelijk, provisorisch

provisions [prə'vɪʒənz] zn mv voorraad, levensmiddelen

proviso [prə'vaɪzəʊ] zn voorwaarde ★ *with the* ~ *that* onder voorbehoud dat

provocation [prɒvə'keɪʃən] zn ❶ provocatie, uitdaging ★ *at the slightest* ~ bij de minste / geringste aanleiding ★ *he committed the crime under* ~ hij werd gedreven tot zijn misdaad ❷ prikkel

provocative [prə'vɒkətɪv] bnw ❶ provocerend ❷ prikkelend

provoke [prə'vəʊk] ov ww ❶ (op)wekken, veroorzaken ❷ uitlokken, tarten, verlokken ❸ ergeren, kwaad maken ★ *he's easily ~d* hij wordt gauw kwaad

prow [praʊ] zn boeg, voorsteven ⟨van schip⟩

prowess ['praʊɪs] zn expertise, bekwaamheid ★ *boast of one's* ~ opscheppen over wat men kan

prowl [praʊl] I zn ★ *be on the* ~ op roof uit zijn, snorren II ov ww ❶ patrouilleren ❷ zwerven door III onov ww ❶ rondsluipen, zoeken naar prooi, loeren ⟨op buit⟩ ★ *I caught him ~ing around in my computer* ik betrapte hem op het snuffelen in mijn computer ❷ rondzwerven

prowler ['praʊlə] zn loerder, sluiper

proximity [prɒk'sɪmətɪ] zn nabijheid ★ *in close* ~ *to schools* dicht bij scholen

proxy ['prɒksɪ] zn ❶ gevolmachtigde ❷ volmacht ★ *marry by* ~ met de handschoen trouwen

prude [pru:d] zn preuts persoon

prudence ['pru:dəns] zn ❶ voorzichtigheid, omzichtigheid ★ *she threw* ~ *to the winds* ze liet alle voorzichtigheid varen ❷ wijsheid, tact

prudent ['pru:dnt] bnw voorzichtig, omzichtig, verstandig

prudery ['pru:dərɪ] zn → prudishness

prudishness ['pru:dɪʃnəs], **prudery** zn → prudery

prune [pru:n] I zn gedroogde pruim II ov ww ❶ snoeien ❷ fig korten op, verminderen

pry [praɪ] I ov ww <u>USA</u> openbreken ❷ ~ *into* zijn neus steken in ★ *she's always prying into my affairs* ze bemoeit zich altijd met mijn zaken II onov ww ❶ gluren, snuffelen ❷ nieuwsgierig zijn ❸ ~ *about* rondloeren III zn, **pry bar** breekijzer

psalm [sɑ:m] zn psalm, lofzang

pseud [sju:d] <u>inform</u> zn snoever, opgeblazen figuur

pseudo- ['sju:dəʊ] voorv onecht, pseudo-, schijn-

pseudonym ['sju:dənɪm] zn pseudoniem

psych [saɪk] <u>inform</u> I ov ww ❶ ~ *out* analyseren, begrijpen, intimideren ❷ ~ *up* zich geestelijk voorbereiden, zich instellen ★ *she had to* ~ *herself up to look at him* ze moest eerst moed verzamelen voor ze hem aankeek II onov ww ~ *out* in de war raken, instorten

psyche ['saɪkɪ] zn psyche, geest, ziel

psychiatric [saɪkɪ'ætrɪk] bnw psychiatrisch

psychiatrist [sar'kaɪətrɪst] zn psychiater

psychiatry [saɪ'kaɪətrɪ] zn psychiatrie

psychic ['saɪkɪk] I zn paranormaal begaafd persoon, medium ⟨persoon⟩ II bnw ❶ psychisch ❷ **psychical** paranormaal, mediamiek

psycho ['saɪkəʊ] <u>inform</u> I zn psychoot, psychopaat II bnw ❶ psychotisch ❷ verknipt, gestoord

psychoanalyse, USA **psychoanalyze** [saɪkəʊ'ænəlaɪz] ov ww psychoanalytisch behandelen

psychoanalysis [saɪkəʊə'næləsɪs] zn psychoanalyse

psychoanalyst [saɪkəʊ'ænəlɪst] zn psychoanalyticus

psychological [saɪkə'lɒdʒɪkl] bnw psychologisch

psychologist [saɪ'kɒlədʒɪst] zn psycholoog

psychology [saɪ'kɒlədʒɪ] zn ❶ psychologie ❷ aard, karakter ★ *salespeople need to understand the* ~ *of buying* verkopers moeten verstand hebben van koopgedrag

psychopath ['saɪkəpæθ] zn psychopaat

psychosis [saɪ'kəʊsɪs] zn psychose

psychosomatic [saɪkəʊsə'mætɪk] bnw psychosomatisch

psychotherapist [saɪkəʊ'θerəpɪst] zn psychotherapeut

psychotherapy [saɪkəʊ'θerəpɪ] zn psychotherapie

psychotic [saɪ'kɒtɪk] bnw psychotisch

pt, pt. afk ❶ *part* deel ❷ *pint* pint ❸ *point* punt ❹ *port* haven

PT afk, *physical training* lichamelijke oefening

PTA afk, *Parent-Teacher Association* oudercommissie

pto afk, *please turn over* z.o.z.

pub [pʌb] <u>inform</u> zn café, kroeg

pub crawl <u>inform</u> zn kroegentocht

puberty ['pju:bətɪ] zn puberteit

pubes [pju:bz] <u>inform</u> zn mv ❶ schaamhaar ❷ schaamstreek

pubescence [pju:'besəns] zn puberteitsleeftijd

pubescent [pju:'besnt] bnw in de puberteit

pubic ['pju:bɪk] bnw schaam- ★ ~ *hair* schaamhaar

public ['pʌblɪk] I zn ★ *the* ~ het publiek, mensen ★ *in* ~ in het openbaar ★ *the general* ~ het grote publiek, mensen in het algemeen II bnw ❶ publiek, openbaar ★ *a* ~ *library* een openbare bibliotheek ★ ~ *minded* de belangen van het publiek behartigend ★ *a* ~ *figure* een bekend persoon ★ *as vice-president, she is in the* ~ *eye* als vicepresident staat ze in de publieke belangstelling ★ *go* ~ (iets) openbaar maken ❷ staats-, overheids-, volks- ★ ~ *spending* overheidsuitgaven ★ ~ *health* volksgezondheid

public address system zn geluidsinstallatie

publican ['pʌblɪkən] zn caféhouder

publication [pʌblɪ'keɪʃən] zn ❶ publicatie, openbaarmaking ❷ publicatie, uitgave ❸ het uitgeven

public holiday zn nationale feestdag, vrije dag

public house zn café, kroeg

public housing zn sociale woningbouw

publicity [pʌb'lɪsətɪ] zn ❶ openbaarheid, bekendheid ★ *give* ~ *to* bekend maken ❷ reclame

publicize, publicise ['pʌblɪsaɪz] ov ww

bekendmaken, publiciteit geven aan

publicly ['pʌblɪkli] *bijw* ❶ voor / door de gemeenschap, nationaal- ★ *a ~ owned company* een staatsbedrijf ❷ in het openbaar

public nuisance *zn* ❶ jur verstoring van de openbare orde ★ *cause (a) ~* de openbare orde verstoren ❷ inform vervelend persoon, oproerkraaier

public opinion poll *zn* opiniepeiling

public prosecutor *zn* officier van justitie, openbare aanklager

public servant *zn* ambtenaar

public-spirited *bnw* maatschappelijk / sociaal ingesteld

publish ['pʌblɪʃ] *ov ww* ❶ publiceren, uitgeven ❷ afkondigen, bekendmaken, openbaar maken

publisher ['pʌblɪʃə] *zn* ❶ uitgeverij ❷ uitgever

publishing ['pʌblɪʃɪn] *zn* uitgeversbranche ★ *she has a job in ~* ze werkt voor een uitgever

publishing house *zn* uitgeverij

pucker ['pʌkə] **I** *zn* rimpel, plooi, kreuk **II** *ov ww* ~ (up) rimpelen, plooien, samentrekken ★ *she ~ed (up) her mouth* ze trok een pruimenmondje **III** *onov ww* ~ (up) zich fronsen, samentrekken

pudding ['pʊdɪŋ] *zn* ❶ pudding ★ *the proof of the ~ is in the eating* de praktijk zal het leren ★ *black ~* bloedworst ❷ toetje, dessert

puddle ['pʌdl] *zn* poel, plas

pudgy ['pʌdʒɪ] *bnw* dik, rond, propperig

puerile ['pjʊəraɪl] *bnw* kinderachtig

puerility [pjʊə'rɪləti] *zn* ❶ kinderachtigheid ❷ kinderleeftijd

puff [pʌf] **I** *zn* ❶ rook- / stoomwolkje ★ *a puff of smoke* een rookwolkje ❷ wind- / ademstoot, zuchtje ★ *a puff of wind* een zuchtje wind ★ inform *be out of puff* geen adem meer hebben, buiten adem zijn ❸ poederdonsje ❹ soes ❺ trekje, pufje ★ *he had / took a few puffs on his cigarette* hij nam een paar trekjes van zijn sigaret **II** *ov ww* ❶ roken, trekken ⟨aan sigaret, pijp enz.⟩ ❷ uitblazen ★ *the exhaust puffed smoke* er kwam rook uit de uitlaat ❸ ~ out uitblazen ★ *puff out the candle* blaas de kaars uit ❹ ~ up opblazen ★ *she puffed up her cheeks* ze blies haar wangen op ★ *be puffed up with pride / self-importance* verwaand zijn **III** *onov ww* ❶ puffen, blazen, hijgen ★ *huff and puff* puffen en blazen ★ *he puffed away at his pipe* hij nam trekjes aan zijn pijp ★ *she puffed with outrage* zij brieste van woede ❷ ~ up opbollen, opzwellen

puffball ['pʌfbɔ:l] *zn* ❶ poederdonsje ❷ stuifzwam

puffed [pʌft], **puffed out** *bnw* buiten adem

puffer ['pʌfə] *zn* snoever, opschepper

puffin ['pʌfɪn] *zn* papegaaiduiker

puffy ['pʌfɪ] *bnw* ❶ dik, opgeblazen, pafferig ❷ kortademig ▼ *~ clouds* schapenwolkjes

pug [pʌg] *zn* mopshond

pugilist ['pju:dʒɪlɪst] *zn* ❶ bokser ❷ vechtjas

pugnacious [pʌg'neɪʃəs] *bnw* strijdlustig, twistziek

puke [pju:k] inform **I** *zn* braaksel, kots **II** *ov ww* ~ up uitbraken **III** *onov ww* ~ (up) braken, kotsen

pukka ['pʌkə] GB inform *bnw* cool, fantastisch

pull [pʊl] **I** *ov ww* ❶ trekken (aan), rukken ★ *he*

pulled the car to the left hij stuurde naar links ★ *pull the curtains* de gordijnen ope / dicht doen ★ *pull faces / a face* rare gezichten trekken ★ *he pulled himself free* hij rukte zich los ★ *pull a gun / knife on sb* iem. bedreigen met een pistool / mes ★ *pull sb's hair* iem. aan de haren trekken ★ inform *pull the other one (it's got bells on)* maak dat de kat wijs ★ inform *pull the plug on sth* een eind aan iets maken ⟨door de geldkraan dicht te draaien⟩ ★ *pull sth out of a hat* met een oplossing op de proppen komen ★ *pull rank* op zijn strepen staan ★ fig *pull the rug from under sb's feet* iem. onderuit halen ★ *pull strings / wires* gebruik maken van je invloed ⟨meestal achter de schermen⟩ ★ *pull the strings* de baas zijn ★ *pull the trigger / a handle* de trekker / een hendel overhalen ★ *pull your weight* je voor 100% inzetten ★ *pull the wool over sb's eyes* iem. misleiden / voorliegen ❷ scheuren aan, plukken aan ★ *pull sb to bits / pieces* geen spaan van iem. heel laten ★ *pull sth to bits* iets uit elkaar trekken, fig iets afkammen ❸ tappen ⟨bier⟩ ❹ verrekken ⟨spier⟩ ❺ inhouden ★ *pull your punches* niet hard toeslaan, fig toegeeflijk zijn ❻ aantrekken ★ *pull customers* klanten binnenhalen ★ *pull votes* stemmen trekken ❼ inform voor elkaar krijgen, bereiken ★ *what's he trying to pull?* wat voor spelletje is hij aan het spelen? ★ *pull a bank robbery* een bankoverval plegen ★ *pull a fast one / a trick (on sb)* een grap uithalen (met iemand) ❽ inform afgelasten ❾ ~ about toetakelen, overhoop halen ❿ ~ along meeslepen ⓫ ~ apart uit elkaar halen, sterk bekritiseren ★ *the teacher pulled the two boys apart* de leraar haalde de twee vechtjassen uit elkaar ⓬ ~ at trekken aan ⓭ ~ back terugtrekken, terugroepen, weerhouden ⓮ ~ back from afzien van ⓯ ~ down neerhalen, afbreken, doen aftakelen, afbreuk doen aan, inform binnenhalen (geld) ⓰ ~ in inrekenen, binnenhalen, aantrekken, strakker maken ★ *they pulled in large audiences* ze haalden een groot publiek binnen ★ inform *pull your head in!* hou je mond! ⓱ ~ off uittrekken, winnen, klaarspelen ⓲ ~ on aantrekken ⓳ ~ out uittrekken ★ *pull out all the stops* alles uit de kast halen ⓴ ~ out of verlaten ★ *pull out of a crisis* een crisis te boven komen ㉑ ~ over gebaren om te stoppen ㉒ ~ through ergens doorheen helpen ㉓ ~ together bijeentrekken ★ *pull yourself together!* beheers je! ㉔ ~ up optrekken, uit de grond trekken, tot staan brengen, onder handen nemen ⟨v. weg⟩ ★ *pull up a chair* een stoel bijschuiven ★ *he has to pull up his socks* hij moet beter zijn best doen ★ *pull sb up short* iem. tot zijn positieven brengen **II** *onov ww* ❶ trekken, optrekken ★ *the car pulls to the right* de auto trekt naar rechts ❷ een flinke teug nemen ❸ zich voortslepen ★ *the car pulled hard* de auto had het zwaar te verduren ❹ gaan ⟨van voertuig, roeiboot⟩ ★ *pull toward the shore* koers zetten naar de oever ★ *the train pulled into / out of the station* de trein reed het station binnen / uit ★ *pull ahead of sb* iem. voorbijgaan ❺ ~ apart uit elkaar gehaald kunnen worden ❺ ~ **away/ahead** optrekken, wegrijden, sport demarreren ❼ ~ **back** zich terugtrekken, terugkrabbelen ❽ ~ **in** binnenrijden ★ *pull in to the side of the road* naar de kant van de weg gaan en stoppen ❾ ~ **out** vertrekken, zich terugtrekken ❿ ~ **over** aan de kant gaan, stoppen ⓫ ~ **through** er doorheen komen ⓬ ~ **together** één lijn trekken, samenwerken ⓭ ~ **up** stilhouden, stoppen Ⅲ *zn* ❶ trek, ruk ❷ inform inspanning, moeite ★ *a stiff pull* 'n heel karwei ❸ teug, trekje ⟨aan pijp enz.⟩ ❹ trekkracht, aantrekkingskracht ❺ invloed, macht ★ *have a pull on sb* invloed op iem. uitoefenen ❻ handvat, trekker

pullet ['pʊlɪt] *zn* jonge kip
pulley ['pʊlɪ] *zn* ❶ katrol ❷ riemschijf
pull-in, pull-up GB inform *zn* wegcafé
pull-up ['pʊlʌp] *zn* ❶ optrekoefening ❷ instap luier ❸ → **pull-in**
pulmonary ['pʌlmənərɪ] med *bnw* long-
pulp [pʌlp] Ⅰ *zn* ❶ vruchtvlees ❷ moes, pap, brij ★ *beat sb to pulp* iem. tot moes slaan ❸ houtpap, pulp ❹ inform, **pulp fiction** goedkoop roman Ⅱ *ov ww* ❶ tot pulp maken ❷ van bast ontdoen ⟨van koffiebonen⟩ Ⅲ *onov ww* pappig worden
pulpit ['pʊlpɪt] *zn* kansel, preekstoel
pulsate [pʌl'seɪt] *onov ww* kloppen, slaan, trillen
pulse [pʌls] *zn* ❶ pols(slag), slag ★ *take / feel sb's ~* iem. polsen, iemands hartslag opnemen ★ *his ~ quickened* zijn hart ging harder kloppen ❷ peulvrucht ❸ slag, trilling, geklop
pulverize, pulverise ['pʌlvəraɪz] *ov ww* fijnwrijven, doen verstuiven, tot poeder / stof maken
puma ['pju:mə] *zn* poema
pumice ['pʌmɪs], **pumice stone** *zn* puimsteen
pummel ['pʌml] *ov ww* afrossen, toetakelen, (bont en blauw) slaan
pump [pʌmp] Ⅰ *zn* ❶ pomp ❷ pump (schoen) Ⅱ *ov ww* ❶ (uit)pompen ❷ heftig op en neer bewegen, krachtig schudden ⟨van hand⟩ ❸ uithoren ❹ ~ **out** leegpompen, inform eruit stampen (muziek) Ⅲ *onov ww* ❶ pompen ❷ bonzen (van hart)
pumpernickel ['pʌmpənɪkl] *zn* roggebrood
pumpkin ['pʌmpkɪn] *zn* pompoen
pun [pʌn] Ⅰ *zn* woordspeling Ⅱ *onov ww* woordspelingen maken
punch [pʌntʃ] Ⅰ *zn* ❶ pons(machine), stempel ❷ (vuist)slag ★ inform *beat sb to the ~* iem. te snel af zijn ★ *pack a ~* veel impact hebben ★ *in his speech he pulled no ~es* hij hield zich niet in in zijn toespraak ★ *throw a ~* slaan ❸ fut, kracht ★ *the film lacks ~* het ontbreekt de film aan impact ❹ punch (drank) Ⅱ *ov ww* ❶ stompen, slaan (op) ★ *he ~ed the air triumphantly* hij maakte een triomfantelijke vuistslag in de lucht ❷ perforeren, ponsen, knippen ❸ ~ **out** intoetsen, inform bewusteloos slaan ★ inform ~ *sb's lights out* iem. in elkaar slaan Ⅲ *onov ww* ~ **out** uitklokken
Punch [pʌntʃ] *zn* ★ ~ *and Judy* Jan Klaassen en Katrijn ★ *a ~ and Judy show* poppenkast ★ *he was as pleased as ~* hij was erg in zijn sas ★ *he was as proud as ~* hij was zo trots als een pauw

punchball ['pʌntʃbɔːl] *zn* boksbal
punch-drunk *bnw* ❶ versuft, duizelig ❷ verward
punchline *zn* clou, slotzin, pointe
punch-up ['pʌntʃʌp] inform *zn* knokpartij
punchy ['pʌntʃɪ] *bnw* slagvaardig, pittig, dynamisch
punctilious [pʌŋk'tɪlɪəs] *bnw* zeer precies, attent
punctiliously *bijw* stipt, nauwgezet
punctual ['pʌŋktʃʊəl] *bnw* punctueel, stipt ★ *the bus arrived ~ly* de bus kwam precies op tijd aan
punctuality [pʌŋktʃʊ'ælɪt] *zn* stiptheid
punctuate ['pʌŋktʃʊeɪt] *ov ww* ❶ leestekens aanbrengen ❷ onderbreken ⟨van redevoering⟩
punctuation [pʌŋktʃʊ'eɪʃən] *zn* interpunctie
punctuation mark *zn* leesteken
puncture ['pʌŋktʃə] Ⅰ *zn* prik, gaatje, lek (in fietsband) ★ *my tyre has a ~* ik heb een lekke band Ⅱ *ov ww* ❶ (door)prikken ❷ fig vernietigen ★ *her hopes were ~d* haar hoop werd de grond in geboord ❸ lek maken Ⅲ *onov ww* lek worden (band)
pundit ['pʌndɪt] *zn* expert, autoriteit ⟨op een bepaald gebied⟩
pungency [pʌndʒənsɪ] *zn* scherpheid
pungent ['pʌndʒənt] *bnw* scherp, prikkelend, pikant
punish ['pʌnɪʃ] *ov ww* ❶ bestraffen, afstraffen ❷ kastijden
punishable ['pʌnɪʃəbl] *bnw* strafbaar ★ *treason is ~ by death* op landverraad staat de doodstraf
punishing ['pʌnɪʃɪŋ] *bnw* vermoeiend, zeer zwaar, slopend ★ *the team kept up a ~ tempo* het team hield een moordend tempo aan
punishment ['pʌnɪʃmənt] *zn* ❶ straf, bestraffing ❷ ruwe behandeling ★ *the spine of a book takes the most ~* de rug van een boek heeft het meest te verduren
punitive ['pju:nətɪv] *bnw* ❶ straffend, straf- ❷ zeer hoog / streng ★ ~ *taxes* buitensporige / moordende belastingen
punk [pʌŋk] *zn* ❶ punker ❷ muz punk ❸ inform klier, etterbak, rotjongen / rotmeid
punnet ['pʌnɪt] *zn* spanen mandje
punt [pʌnt] Ⅰ *zn* ❶ punter ❷ gok Ⅱ *ov ww* voetb punteren Ⅲ *onov ww* ❶ wedden, gokken ❷ varen in een punter, bomen Ⅳ *onov ww* tegen de bank spelen (bij kaartspel) Ⅴ *ov+onov ww* ❶ in een punter vervoeren ❷ bomen (van vaartuig)
punter ['pʌntə] *zn* ❶ gokker, speculant ❷ inform klant
puny ['pju:nɪ] *bnw* klein, miezerig, nietig
pup [pʌp] *zn* jonge hond ★ *in pup* drachtig ⟨van hond⟩
pupa ['pju:pə] *zn* [mv: **pupae**] pop ⟨larve⟩
pupae [pju:pi:] *zn mv* → **pupa**
pupate [pju:'peɪt] *onov ww* zich verpoppen
pupil ['pju:pɪl] *zn* ❶ leerling, scholier ❷ pupil
puppet ['pʌpɪt] *zn* marionet
puppeteer [pʌpr'tɪə] *zn* poppenspeler
puppet government *zn* schijnregering, marionettenregering
puppetry ['pʌpɪtrɪ] *zn* marionetten(spel, -theater)
puppet show *zn* poppenspel, poppenkast(voorstelling)
puppy ['pʌpɪ] *zn* ❶ jonge hond ❷ snotneus

puppy fat *zn* babyvet
puppy love *zn* kalverliefde
purchase ['pɜːtʃɪs] I *zn* ❶ inkoop, aankoop ★ *make a ~* iets kopen ❷ greep, vat II *ov ww* (aan)kopen
purchase price *zn* (in)koopprijs, (aan)koopsom
pure [pjʊə] *bnw* ❶ zuiver, kuis ❷ louter ★ *their motive was greed, pure and simple* hun motief was je reinste hebzucht
pure-bred ['pjʊə-bred] *bnw* rasecht, volbloed-
purée ['pjʊəreɪ] I *zn* puree, moes II *ov ww* tot moes maken
purely ['pjʊəlɪ] *bijw* uitsluitend ★ *a ~ businesslike proposal* een zuiver zakelijk voorstel
purgative ['pɜːgətɪv] I *zn* purgeermiddel II *bnw* purgerend, laxerend, zuiverend
purgatory ['pɜːgətərɪ] *zn* ❶ vagevuur ❷ inform beproeving, kwelling
purge [pɜːdʒ] I *ov ww* zuiveren, reinigen, schoonwassen ⟨zonden⟩ ~ *the image from her mind* niets kon het beeld uit haar geheugen wissen ★ *the party was ~d of radicals* de radicalen zijn uit de partij gezet II *zn* zuivering
purify ['pjʊərɪfaɪ] *ov ww* ❶ reinigen, zuiveren, louteren ❷ klaren ⟨van vloeistof⟩
puritan ['pjʊərɪtən] I *zn* puritein II *bnw*, **puritanical** puriteins
purity ['pjʊərɪtɪ] *zn* zuiverheid, reinheid, onschuld
purl [pɜːl] I *zn* averechtse steek II *bnw* averechts ⟨breisteek⟩ III *ov ww* averechts breien
purloin [pəˈlɔɪn] *vaak humor ov ww* stelen, gappen
purple ['pɜːpl] I *bnw* purper, paars ★ *he turned ~ with rage* hij werd rood van kwaadheid II *zn* purper, paars
purport[1] ['pɜːpət] form *zn* strekking, betekenis
purport[2] [pəˈpɔːt] form *ov ww* beweren
purpose ['pɜːpəs] *zn* ❶ doel, plan, opzet ★ *on* ~ met opzet, opzettelijk ★ *serve a* ~ aan een doel beantwoorden ★ *for all practical* ~*s* praktisch (gezien) ★ *for the* ~ *of* met het doel om ★ *for tax* ~*s* voor belastingdoeleinden ❷ vastberadenheid ★ *his step was full of* ~ hij liep met een vastberaden tred ❸ zin, nut ★ *religion gave meaning and* ~ *to her life* godsdienst gaf zin en betekenis aan haar leven ★ *to no / little* ~ zonder (veel) resultaat
purpose-built *bnw* speciaal gebouwd / vervaardigd
purposeful ['pɜːpəsfʊl] *bnw* ❶ met een doel, opzettelijk ★ *the unemployed need* ~ *work* de werklozen hebben zinvol werk nodig ❷ doelbewust
purposely ['pɜːpəslɪ] *bijw* met opzet
purr [pɜː] I *zn* ❶ gespin ❷ gegons, gezoem II *ov ww* flemen ★ *'buy me a drink', she purred* 'mag ik iets van je te drinken?', vroeg ze poeslief III *onov ww* ❶ spinnen ⟨van kat⟩ ❷ gonzen ❸ tevreden brommen
purse [pɜːs] I *zn* ❶ beurs, zak(je) ★ *prices to suit every* ~ prijzen voor elke portemonnee ★ *the public* ~ de schatkist ❷ USA damestas, handtas(je) ❸ geldprijs ⟨bij sport, vooral boksen⟩ II *ov ww* samentrekken, tuiten ⟨van lippen⟩

purser ['pɜːsə] *zn* administrateur ⟨vooral op schip⟩
purse strings ['pɜːsstrɪŋz] *zn mv* ★ *the* ~ het financieel beheer ★ *hold the* ~ de financiën beheren ★ *loosen the* ~ het geld laten rollen
pursue [pəˈsjuː] *ov ww* ❶ achtervolgen, achternalopen, vervolgen ❷ najagen, nastreven ❸ voortzetten ⟨vnl. van gedragslijn⟩ ❹ volgen ⟨plan, weg enz.⟩ ★ *he decided to* ~ *a career in journalism* hij besloot om een carrière te bouwen in de journalistiek
pursuit [pəˈsjuːt] *zn* ❶ achtervolging ★ *in hot* ~ in felle achtervolging ❷ jacht ★ *the* ~ *of profit* winstbejag ❸ form beoefening ★ *in the* ~ *of his duties* in de uitoefening van zijn taken ❹ bezigheid, hobby ★ *they enjoy outdoor* ~*s* ze houden van bezigheden buitenshuis
purvey [pəˈveɪ] form *ov+onov ww* verschaffen, leveren
pus [pʌs] *zn* pus, etter
push [pʊʃ] I *ov ww* ❶ drukken, duwen ★ *he pushed the boat off from the quay* hij duwde de boot weg van de kade ★ *push the button* op de knop drukken ★ inform *be pushing up (the) daisies* dood zijn ★ *he's pushing forty* hij loopt tegen de veertig ★ *push the country into recession* het land in een recessie doen belanden ★ *push sth to the back of your mind* proberen om ergens niet aan te denken ❸ stoten, dringen ★ *he pushed his way through the crowd* hij baande zich een weg door het publiek ❹ stimuleren, promoten ★ *supermarkets are pushing organic food* supermarkten maken reclame voor biologisch voedsel ★ *push an advantage (home)* een voordeel benutten ★ *push one's claim* vasthouden aan zijn eis ★ inform *don't push your luck!* ga niet te ver! ★ *push the point* ergens op hameren ❺ druk uitoefenen op ★ *he pushes his team hard* hij zet zijn team onder druk ★ *he needs to push himself a little harder* hij moet wat beter zijn best doen ★ *be hard pushed to make ends meet* ternauwernood kunnen overleven ★ *be pushed for sth* iet tekort komen ⟨tijd, geld, enz.⟩ ★ *he pushed me into applying for the job* hij bracht mij ertoe naar de baan te solliciteren ❻ inform handelen in ⟨drugs⟩ ❼ ~ *about/around* commanderen, ruw behandelen ❽ ~ *aside* terzijde schuiven ❾ ~ *for* aandringen op ⟨antwoord e.d.⟩ ★ *push for the next village* het volgende dorp proberen te bereiken ★ *push for power* op zoek zijn naar macht ❿ ~ *forward* vaart zetten achter, vooruitschuiven, naar voren schuiven ★ *push o.s. forward* zich naar de voorgrond dringen ⓫ ~ *in* naar binnen duwen ★ *push one's way in* zich opdringen ⓬ ~ *on* aanzetten tot ⓭ ~ *on with* opschieten met, stug doorgaan met ⓮ ~ *out* eruit werken ⓯ ~ *through* doorzetten, erdoor drijven II *onov ww* ❶ duwen, dringen ★ *push from shore* van wal steken ⟨boot⟩ ★ *push and shove* duwen en trekken ❷ mil doorstoten ❸ persen ⟨bij bevalling⟩ ❹ ~ *ahead* doorgaan ❺ ~ *forward* voortgang maken ❻ ~ *in* voordringen ❼ ~ *off* zich afzetten, inform opstappen ★ inform *push off!* hoepel op! ❽ ~ *on* doorgaan III *zn* ❶ duw,

pu

stoot, zetje ★ *at the push of a button* met een druk op de knop, heel gemakkelijk ★ inform *when / if push comes to shove* als het puntje bij het paaltje komt ★ inform *get the push* de bons / ontslag krijgen ★ *give the car a push* de auto aanduwen ★ inform *give sb the push* iem. de bons geven, iem. ontslaan ❷ inspanning, energieke poging ★ *a push for political reform* een poging tot politieke verandering ★ *make a push for home* zo gauw mogelijk zien thuis te komen ❸ stuwkracht, energie ★ *he has a lot of push* hij is erg energiek ❹ fig druk, drang ★ *at a push* als het echt nodig is, desnoods ★ *when it came to the push* toen het erop aankwam ★ ❺ promotie(campagne) ❻ mil offensief, aanval

push-button I zn drukknop / -toets II bnw drukknop-, druktoets-

pushcart ['puʃkɑːt] zn handkar

pusher ['puʃə] zn ❶ streber ❷ (drugs)dealer ❸ **pushchair** (opvouwbaar) wandelwagentje

pushover ['puʃəʊvə] inform zn ❶ gemakkelijk karweitje ❷ eitje ⟨iemand die makkelijk te beïnvloeden / over te halen is⟩ ★ *despite his age, this player is no* ❸ ondanks zijn leeftijd biedt deze speler goed weerstand

push-up ['puʃ-ʌp] zn opdrukoefening

pushy ['puʃɪ] bnw ❶ ambitieus ❷ opdringerig ❸ brutaal

puss [pus] zn ❶ poes ★ *Puss in Boots* de Gelaarsde Kat ❷ inform poesje, schatje

pussy ['pusɪ] zn, **pussy cat** poesje vulg kutje

pussyfoot ['pusɪfʊt] onov ww ~ **(about/ around)** (overdreven) voorzichtig zijn, besluiteloos zijn, omzichtig te werk gaan, stiekem doen, ergens omheen draaien

pustule ['pʌstjuːl] zn puistje

put [put] I ov ww [onregelmatig] ❶ zetten, leggen, plaatsen ★ *put a new fan in the bathroom* een nieuwe ventilator installeren in de badkamer ★ *put a question* een vraag stellen ★ inform *put the question* een aanzoek doen ★ *put work above / before pleasure* werk belangrijker vinden dan plezier ★ *the damage has been put at $100,000* de schade wordt geraamd op $100.000 ★ *put sth beyond all doubt* alle twijfel over iets opheffen ★ *put sb in charge of sth* iem. verantwoordelijk maken voor iets ★ *put a lot of effort / money into sth* ergens veel energie / geld in steken ★ *put o.s. in sb's place / position / shoes* zich in iem. anders verplaatsen ★ *put money on a horse* op een paard wedden ★ *put the blame on sb* iem. de schuld geven ★ *put sb on a diet* iem. een dieet voorschrijven ★ *put sth out of action* iets buiten werking stellen ★ *I wouldn't put it past him* ik zie hem er wel voor aan ★ *put sth / sb right* iets / iemand corrigeren ★ *put sb straight (on sth)* iem. de juiste informatie geven (over iets) ★ *put sth straight* iets op een rijtje zetten ★ *put a bullet through sb's head* iem. een kogel door het hoofd schieten ★ *put an end / a stop to sth* ergens een eind aan maken ★ *be hard put to do sth* moeite hebben iets te doen ❷ steken, bergen, doen ★ *put sb in as nursing home* iem. laten opnemen in een verpleeghuis ❸ (in een toestand) brengen ★ *it put her in a bad mood* het bracht

haar in een slecht humeur ★ *put sb out of his / her misery* iem. uit zijn / haar lijden verlossen ★ *put sb to bed* iem. naar bed brengen ★ *put sb to great expense* iem. op hoge kosten jagen ★ *put sb to sleep* iem. naar bed brengen, euf iem. laten inslapen ★ *put sb to work* iem. aan het werk zetten ❹ fig uitdrukken, zeggen, onder woorden brengen ★ *to put it another way* in andere woorden ★ *to put it bluntly / mildly / simply* om het maar ronduit / voorzichtig / eenvoudig te zeggen ❺ schrijven, opschrijven ❻ voorstellen ⟨motie⟩ ❼ ~ **about/around** laten rondgaan, rondstrooien ⟨praatjes⟩ ❽ ~ **across** overbrengen ★ *put o.s. across* jezelf duidelijk maken ❾ ~ **aside** opzij leggen / zetten, van de hand wijzen, negeren ❿ ~ **away** wegleggen, opzijleggen, van zich afzetten, inform verorberen, gevangen zetten ⓫ ~ **back** weer op zijn plaats zetten / leggen, terug- / achteruitzetten, vertragen, uitstellen, inform wegwerken ⟨voedsel⟩ ★ *that put me back two days / $100* dat heeft me twee dagen / $100 gekost ⓬ ~ **behind** ★ *put sth behind you* iets te boven komen ⓭ ~ **by** opzijleggen ⓮ ~ **down** neerzetten, neerleggen, onderdrukken ⟨v. opstand⟩, op zijn plaats zetten ⟨figuurlijk⟩, wegdoen ★ *put a dog down* een hond laten inslapen ★ *put the baby down* de baby in bed stoppen ★ *she put down the phone on me* ze liet me niet uitspreken ⟨aan de telefoon⟩ ★ *what do you put him down for?* wat denk jij dat hij voor iem. is?, voor welk bedrag noteer je hem? ★ *I put it down to pride* ik schrijf het toe aan trots ⓯ ~ **forward** naar voren brengen, verkondigen, vervroegen ★ *don't put yourself forward* dring je niet op ★ *put sb forward* iem. naar voren schuiven ⓰ ~ **in** poten, installeren, indienen ⟨v. vordering⟩, verzetten ⟨werk⟩, in dienst nemen ★ *he put in an appearance* hij kwam even kijken ★ *will you put in a word for me?* wil je een goed woordje voor me doen? ★ *how much time have you got to put in?* hoeveel tijd heb je beschikbaar? ★ *how have you put in your time?* hoe heb je je tijd doorgebracht? ★ *are you going to put in for the post?* solliciteer je naar de betrekking? ⓱ ~ **into** erin zetten ★ *put into circulation* in omloop brengen ★ *put into effect* van kracht doen worden ★ *put it into Russian* vertaal het in het Russisch ★ *put it into words* onder woorden brengen ⓲ ~ **off** uittrekken, uitstellen, afzeggen, afschrijven, tegenmaken, misselijk maken, afzetten ⟨passagier⟩ ⓳ ~ **on** aanzetten, aantrekken, opzetten, aannemen ⟨een houding⟩, er boven op zetten, organiseren, opvoeren ⟨v. toneelstuk⟩, verbinden ⟨per telefoon⟩, inform voor de gek houden ★ *put on weight* aankomen ⓴ ~ **onto** op de hoogte stellen ㉑ ~ **out** ontwrichten ⟨lichaamsdeel⟩, uitzetten, uitplanten, uittrekken, investeren, uitbesteden, uitdoen, in de war brengen, blussen ★ *I hope I don't put you out* ik hoop dat ik u niet stoor ★ *put o.s. out* zich uitsloven ★ *he's easily put out* hij is gauw kwaad, hij is gauw de kluts kwijt ★ *put out the rubbish* het vuilnis buiten zetten ★ *put the washing out* de was

pu

ophangen ❷❷ ~ **over** overzetten ★ *he put one over me* hij heeft me bij de neus genomen ❷❸ ~ **through** uitvoeren, doorverbinden ★ *he put his parents through a lot* hij heeft zijn ouders veel aangedaan ★ *they put him through high school* ze hebben hem de middelbare school laten doorlopen ❷❹ ~ **together** samenstellen, samenvoegen, in elkaar zetten ★ *put two and two together* de dingen met elkaar in verband brengen ★ inform *he can't put two words together* hij drukt zich heel slecht uit ❷❺ ~ **towards** bijdragen aan ❷❻ ~ **up** opsteken, omhoog steken, logies verlenen, opstellen, ophangen, verhogen ⟨v. prijs⟩, bouwen ★ *the goods were put up for sale* de goederen werden te koop aangeboden ★ *put your feet up* rust maar even uit ★ *she put him up to it* ze heeft hem ertoe aangezet ★ *I won't put up with that* dat accepteer / pik ik niet **II** *onov ww* [onregelmatig] ❶ ~ **down** landen ⟨vliegtuig⟩ ❷ ~ **in** binnenlopen ⟨v. schip⟩, even aangaan ⟨bij⟩ ❸ ~ **up** ★ inform *put up or shut up* bewijs leveren of je mond houden **III** *zn* ❶ sport stoot, worp ❷ optie van verkoop ⟨effectenbeurs⟩ **IV** *bnw* ★ *stay put* op zijn plek blijven

put-down inform *zn* ❶ terechtwijzing, schampere opmerking ❷ vernedering

putrefy ['pju:trɪfaɪ] **I** *ov ww* doen verrotten **II** *onov ww* (ver)rotten

putrid ['pju:trɪd] *bnw* ❶ (ver)rot, vuil ❷ inform voos, onsmakelijk

putsch [pʊtʃ] *zn* staatsgreep

putt [pʌt] **I** *zn* (golf)slag ⟨met een putter⟩ **II** *onov ww* putten ⟨bal in hole proberen te slaan met een putter⟩

putter ['pʌtə] **I** *zn* (golf)putter ⟨soort club⟩ **II** *onov ww* ❶ tuffen ⟨auto⟩ ❷ beuzelen, liefhebberen

putty ['pʌtɪ] **I** *zn* stopverf, plamuur **II** *ov ww* met stopverf dichtstoppen, plamuren

put-up inform *bnw* afgesproken ★ *a ~ job* doorgestoken kaart

put-upon *bnw* misbruikt

puzzle ['pʌzəl] **I** *zn* ❶ raadsel ❷ puzzel **II** *ov ww* ❶ verbijsteren, in de war brengen ★ inform *don't ~ your head about it* daar moet je je hoofd niet over breken ❷ voor een raadsel stellen **III** *onov ww* piekeren

puzzled ['pʌzəld] *bnw* perplex, in de war

puzzlement ['pʌzəlmənt] *zn* verwarring, verlegenheid

puzzler ['pʌzlə] inform *zn* probleem, moeilijke vraag

puzzling ['pʌzlɪŋ] *bnw* onbegrijpelijk, raadselachtig

pygmy, pigmy ['pɪgmɪ] **I** *zn* dwerg, onbeduidend persoon **II** *bnw* dwergachtig

Pygmy ['pɪgmɪ] *zn* pygmee

pyjama, USA **pajama** [pə'dʒɑːmə] *bnw* pyjama- ★ *~ trousers* pyjamabroek

pyjamas, USA **pajamas** [pɪ'dʒɑːməz] *zn mv* pyjama

pylon ['paɪlən] *zn* elektriciteitsmast

pyramid ['pɪrəmɪd] *zn* piramide

pyre ['paɪə] *zn* brandstapel

pyromania [paɪərəʊ'meɪnɪə] *zn* pyromanie

pyromaniac [paɪərəʊ'meɪnɪæk] *zn* pyromaan

pyrotechnic [paɪərəʊ'teknɪk] *bnw* vuurwerk-

pyrotechnics [paɪərəʊ'teknɪks] *zn mv* vuurwerk

python ['paɪθən] *zn* python

Q

q [kju:] I *zn, letter* q ★ *Q as in Queenie* de q van quotiënt II *afk, question* vraag

QC *afk, jur Queen's Counsel* ≈ advocaat van hogere rang

qt *afk, quart(s)* kwart gallon

Q-tip ['kju:tɪp] *zn USA* wattenstaafje

quackery ['kwækərɪ] *zn* kwakzalverij

quad [kwɒd] *zn* → quadrangle, quadruplet

quad bike *zn* quad (vierwielige motor)

quadrangle ['kwɒdrængl] *zn* ❶ (vierkant) binnenplein ❷ vierhoek

quadrangular [kwɒ'dræŋgjʊlə] *bnw* vierhoekig

quadrant ['kwɒdrənt] *zn* kwadrant (van een cirkel)

quadratic [kwɒ'drætɪk] *bnw* vierkant ★ *wisk a ~ equation* een vierkantsvergelijking

quadrilateral [kwɒdrɪ'lætərəl] I *zn* vierhoek II *bnw* vierzijdig

quadruped ['kwɒdrʊped] *zn* viervoetig dier

quadruple ['kwɒdrʊpl] I *onov ww* zich verviervoudigen II *ov ww* verviervoudigen III *bnw* viervoudig ★ *~ time* vierkwartsmaat IV *zn* viervoud

quadruplet ['kwɒdrʊplɪt] *zn* een van een vierling

quaff [kwɒf] *dicht ov ww* drinken met grote teugen

quagmire ['kwɒgmaɪə] *zn* ❶ *fig* moeras ★ *a political ~* een politiek moeras ❷ *dicht* moeras, drassige boel

quail [kweɪl] I *zn* kwartel II *onov ww dicht* de moed verliezen, terugschrikken ★ *~ at sth* terugdeinzen voor iets

quaint [kweɪnt] *bnw* vreemd, eigenaardig, typisch, (aandoenlijk) ouderwets

quake [kweɪk] I *onov ww* beven ★ *~ with fear / anger* beven van angst / woede II *zn inform* (aard)beving, trilling

Quaker [kweɪkə] *zn* quaker, lid v. Society of Friends (een godsdienstige groepering)

qualification [kwɒlɪfɪ'keɪʃən] *zn* ❶ *GB* (vaak *mv*) bevoegdheid, diploma ★ *leave school with no ~s* van school gaan zonder (enig) diploma ★ *a teaching ~* een onderwijsbevoegdheid ❷ capaciteit, geschiktheid, voorwaarde, (vereiste) eigenschap ❸ beperking, restrictie ★ *without ~* zonder meer, zonder wijziging ❹ kwalificatie, het voldoen (aan de eisen / voorwaarden) ★ *upon ~* als je je diploma / papiertje hebt, als je voldoet aan de eisen / voorwaarden ★ *~ for the World Cup* plaatsing voor het wereldkampioenschap

qualified ['kwɒlɪfaɪd] *bnw* ❶ bevoegd, bekwaam, gediplomeerd ❷ getemperd (van optimisme), onder voorbehoud

qualifier ['kwɒlɪfaɪə] *zn* ❶ iemand die zich heeft geplaatst (voor volgende ronde), kwalificatiewedstrijd ❷ bepalend woord

qualify ['kwɒlɪfaɪ] I *ov ww* ❶ bevoegd / geschikt maken ★ *be qualified to do sth* bevoegd / gerechtigd zijn om iets te doen ★ *a ~ing match* een kwalificatiewedstrijd ❷ kwalificeren, (nader) bepalen (mededeling), beperken ❸ *~ for* geschikt maken voor, het recht geven op ★ *~ sb for sth* iem. het recht geven op iets II *onov ww* ❶ zich kwalificeren ★ *~ as a teacher* zijn onderwijsbevoegdheid behalen ★ *not ~ as refugee* niet in aanmerking komen voor de status van vluchteling ❷ *~ for* in aanmerking komen voor (korting, uitkering), zich plaatsen voor (volgende ronde, finale)

qualitative ['kwɒlɪtətɪv] *bnw* kwalitatief

quality ['kwɒlətɪ] I *zn* ❶ kwaliteit, karakter, gehalte ★ *of good / top ~* van goede kwaliteit / topkwaliteit ★ *with a reputation for ~* bekend om zijn goede kwaliteit ★ *the ~ of life* de kwaliteit van het bestaan, de leefbaarheid ❷ (goede) eigenschap, kwaliteit, deugd II *bnw* kwaliteits-, van goede kwaliteit ★ *~ paper* vooraanstaande krant

quality control *zn* kwaliteitscontrole

quality time *zn* kwaliteitstijd (met bv. aandacht voor kinderen)

qualm [kwɑːm] *zn* angstig gevoel, scrupule, gewetensbezwaar ★ *have no ~s about doing sth* geen moeite hebben iets te doen

quandary ['kwɒndərɪ] *zn* moeilijke situatie

quanta ['kwɒntə] *zn mv* → quantum

quantifiable *bnw* kwantificeerbaar, meetbaar, telbaar

quantify ['kwɒntɪfaɪ] *ov ww* kwantificeren, meten, bepalen

quantitative ['kwɒntɪtətɪv] *bnw* kwantitatief, de hoeveelheid betreffende

quantity ['kwɒntɪtɪ] *zn* ❶ hoeveelheid, aantal ★ *in small / large quantities* in kleine / grote hoeveelheden ★ *buy sth in ~* iets in grote hoeveelheden kopen ❷ kwantiteit, omvang ★ *be put off by the ~ of text* afgeschrikt worden door de grote hoeveelheid tekst

quantity surveyor *GB zn* kostendeskundige (in de bouw)

quantum ['kwɒntəm] *natk zn* [*mv:* **quanta**] kwantum

quantum leap *zn* spectaculaire vooruitgang, reuzensprong voorwaarts, doorbraak

quarantine ['kwɒrənti:n] I *zn* quarantaine ★ *be in ~* in quarantaine liggen / zitten / zijn II *ov ww* afzonderen in quarantaine

quarrel ['kwɒrəl] I *zn* ❶ ruzie, twist ★ *pick a ~ (with sb)* ruzie zoeken (met iemand) ❷ kritiek ★ *have no ~ with sth* niets aan te merken hebben op iets ★ *have no ~ with sb* geen kritiek hebben op iem., geen meningsverschil hebben met iem. II *onov ww* ❶ ruzie hebben, ruzie maken ★ *~ with sb about / over sth* met iem. ruzie maken ❷ kritiek hebben ★ *~ with sb / sth* kritiek hebben op iemand / iets, het niet eens zijn met iemand / iets

quarrelsome ['kwɒrəlsəm] *bnw* twistziek, ruziezoekend

quarry ['kwɒrɪ] I *zn* ❶ prooi, slachtoffer, achtervolgd wild ❷ (steen)groeve II *ov ww* (uit)graven

quart ['kwɔːt] *zn* 1 / 4 gallon (in GB ruim 1 l; in USA iets minder dan 1 liter)

quarter ['kwɔːtə] *zn* ❶ kwart, vierde deel ❷ kwartier (van tijd, maan) ★ *~ of an hour* kwartier ★ *at a ~ past / USA after four* om kwart over vier ★ *at a* ~ *to* / USA *of six* om kwart voor zes ❸ kwartaal ❹ USA kwartje ⟨munt van 25 dollarcent⟩ ❺ wijk ⟨van stad⟩ ❻ (wind)streek, hoek ★ *in some* ~*s* in sommige kringen ★ *from all* ~*s* uit alle windstreken, overal vandaan ★ *from that* ~ van die kant, uit die hoek ❼ dicht genade ★ *give* ~ genade schenken ★ *he cried for* ~ hij smeekte om genade ▼ ~*s* [mv] kamers, huisvesting ▼ *at close* ~*s* van dichtbij ‖ *ov ww* ❶ in vieren delen ❷ form inkwartieren

quarter-deck ['kwɔ:tədek] *zn* halfdek, officiersdek

quarterly ['kwɔ:təlɪ] I *bnw + bijw* driemaandelijks ‖ *zn* driemaandelijks tijdschrift

quartermaster ['kwɔ:təmɑ:stə] *zn* mil intendant, kwartiermeester

quarter note USA *muz zn* kwartnoot

quartet [kwɔ:'tet] *zn* kwartet, viertal

quartz [kwɔ:ts] *zn* kwarts

quash [kwɒʃ] *ov ww* ❶ jur vernietigen ❷ een einde maken aan, verijdelen, onderdrukken

quasi- ['kweɪzaɪ] *voorv* ❶ quasi-, zogenaamd ★ ~*scientific* pseudowetenschappelijk ❷ half-, bijna ★ ~*legal* semilegaal ★ *semi-official* bijna officieel

quatercentenary [kwætəsen'ti:nərɪ] *zn* vierhonderdste gedenkdag

quatrain ['kwɒtreɪn] *zn* vierregelig vers, kwatrijn

quaver ['kweɪvə] I *zn* ❶ trilling ❷ GB een achtste noot ‖ *onov ww* trillen, beven

quavery ['kweɪvərɪ] *bnw* beverig, trillend

quay [ki:] *zn* kade

queasy ['kwi:zɪ] *bnw* ❶ misselijk, zwak ⟨van maag⟩ ★ *feel* ~ je misselijk voelen ★ *her stomach felt* ~ ze had last van een zwakke maag, ze was misselijk ❷ teergevoelig, ongemakkelijk ★ *feel* ~ *about sth* moeite hebben met iets

queen [kwi:n] I *zn* ❶ koningin ook fig, bv. van het bal, ook van bijen ❷ vrouw ⟨in kaartspel⟩ ★ ~ *of clubs* schoppenvrouw ❸ dame, koningin ⟨in schaken⟩ ❹ straatt nicht, verwijfde flikker ‖ *ov ww* tot koningin maken ⟨pion, bij schaken⟩, tot koningin kronen ▼ *inform* ~ *it over sb* de koningin spelen over iem., de belangrijke dame uithangen ten opzichte van iem.

queen consort *zn* gemalin ⟨v.d. koning⟩, koningin

queenly ['kwi:nlɪ] *bnw* als (van) een koningin

Queen's speech *zn* troonrede

queer [kwɪə] I *bnw* ❶ oud vreemd, eigenaardig ❷ min homo(seksueel) ‖ *zn* min homo, poot ‖ *ov ww* ★ GB inform ~ *sb's pitch* iemands kansen verknoeien

queer-bashing inform *zn* potenrammen

quell [kwel] form *ov ww* onderdrukken, met kracht een einde aan maken

quench [kwentʃ] *ov ww* ❶ lessen ⟨dorst⟩ ❷ blussen ⟨vuur⟩, doven

querulous ['kwerʊləs] *bnw* klagend

query ['kwɪərɪ] I *zn* ❶ vraag ❷ vraagteken ★ *put a* ~ *against sth* een vraagteken zetten bij iets ❸ comp query, zoekopdracht ‖ *ov ww* ❶ een vraag stellen, vragen (naar) ❷ betwijfelen, zich afvragen

quest [kwest] form I *zn* speurtocht, het zoeken ★ *in* ~ *of* op zoek naar ‖ *onov ww* speuren,

zoeken ★ ~ *for sth* op zoektocht gaan naar iets

question ['kwestʃən] I *zn* ❶ vraag ★ *a leading* ~ een suggestieve vraag ★ *an open* ~ een open vraag ★ *a rhetorical* ~ een retorische vraag ⟨waarop men geen antwoord verwacht⟩ ★ *accept sth without* ~ iets accepteren zonder vragen te stellen ★ *raise a* ~ een vraag opwerpen ★ inform *pop the* ~ iem. ten huwelijk vragen ★ *beg the* ~ wat bewezen moet worden als zodanig aannemen, de vraag ontwijken ❷ (examen)opgave ❸ twijfel ★ *there's no* ~ *about it* er is geen twijfel over mogelijk, dat is zeker ★ *beyond (all)* ~ boven alle twijfel verheven ★ *be in* ~ ter discussie staan, twijfelachtig zijn ★ *call / bring / throw into* ~ in twijfel trekken ★ *out of the* ~ geen sprake van ★ *without* ~ ongetwijfeld, onbetwistbaar ❹ kwestie, probleem, vraagstuk ★ *a* ~ *of time and money* een kwestie van tijd en geld ★ *an open* ~ een onuitgemaakte zaak ★ *the book in* ~ het boek in kwestie, het bewuste boek, het boek waar het om gaat ★ *come into* ~ ter sprake komen ★ *that is the* ~ daar gaat het om ★ *there's no* ~ *of a love affair* er is geen sprake van een liefdesverhouding ‖ *ov ww* ❶ (onder)vragen ❷ betwijfelen, in twijfel trekken

questionable ['kwestʃənəbl] *bnw* ❶ twijfelachtig ❷ verdacht ⟨gedrag, praktijken⟩

questioner ['kwestʃənə] *zn* ondervrager

questioning ['kwestʃənɪŋ] I *bnw* vragend ‖ *zn* ondervraging, verhoor ★ *bring sb in for* ~ iem. meenemen (naar het politiebureau) voor verhoor

question mark *zn* taalk vraagteken ★ fig *there's a big question over his fitness and form* het is zeer de vraag of zijn conditie en vorm goed genoeg zijn

question master GB *zn* quizmaster, spelleider

questionnaire [kwestʃə'neə] *zn* vragenlijst

question time *zn*, GB pol vragenuurtje ⟨voor leden van het Lagerhuis⟩

queue [kju:] I *zn* ❶ GB rij, queue ★ *jump the* ~ voordringen ❷ comp wachtrij ‖ *onov ww* GB, queue up een rij vormen, in de rij (gaan) staan

quibble ['kwɪbl] I *zn* ❶ punt van kritiek, minpunt ★ *a few minor* ~*s* een paar puntjes van kritiek ★ *the only* ~ *about this book is the price* het enige minpunt van dit boek is de prijs ★ *have a* ~ *about sth* een beetje hakketakken / kibbelen over iets ‖ *onov ww* kibbelen, bekvechten, ruziën ★ ~ *about / over sth* wat hakketakken / kibbelen over iets

quiche [ki:ʃ] *zn* (hartige) taart, quiche

quick [kwɪk] I *bnw* snel, vlug ★ *a* ~ *learner* een snelle leerling ★ *a* ~ *decision* een snelle beslissing ★ *be* ~ *to learn* snel leren ★ *he is* ~ *at figures* hij kan goed rekenen ★ *be* ~ *to deny the whole story* er snel bij zijn om het hele verhaal te ontkennen ★ *in* ~ *succession* snel achter elkaar ★ *have a* ~ *temper* opvliegend zijn, snel aangebrand zijn ‖ *bijw* vlug, snel ★ *(as)* ~ *as a flash* bliksemsnel ★ *as* ~ *as you can* zo vlug mogelijk ‖ *zn* levend vlees ★ *bite one's nails to the* ~ z'n nagels afbijten tot op het leven ▼ *the* ~ *and the dead* de levenden en de doden ▼ *cut to the* ~ diep krenken

qu

quick-and-dirty inform bnw snel en slordig, geïmproviseerd

quicken ['kwɪkən] form I onov ww ❶ versnellen, sneller gaan / worden ❷ sterker worden, toenemen (van gevoelens) II ov ww ❶ versnellen ★ ~ your pace je pas versnellen ❷ stimuleren, versterken (gevoelens)

quickie ['kwɪki] inform zn ❶ iets dat zeer snel gedaan kan worden, iets dat weinig tijd kost ❷ vluggertje

quicklime ['kwɪklaɪm] zn ongebluste kalk

quickness ['kwɪknəs] zn snelheid

quicksand ['kwɪksænd] zn drijfzand

quicksilver ['kwɪksɪlvə] oud zn kwik(zilver)

quickstep ['kwɪkstep] zn quickstep, snelle foxtrot

quick-tempered bnw opvliegend, lichtgeraakt

quick-witted [kwɪk'wɪtɪd] bnw gevat, vlug van begrip

quid [kwɪd] GB inform zn pond sterling

quid pro quo form zn vergoeding, tegenprestatie

quiescence [kwaɪ'esəns/kwɪ'esəns] form zn rust, kalmte

quiescent [kwaɪ'esənt/kwɪ'esənt] form bnw ❶ rustig, stil, vredig ❷ slapend (van ziekte)

quiet ['kwaɪət] I bnw ❶ rustig, stil, kalm ★ a ~ night-in een rustig avondje thuis ★ ~, please stilte, a.u.b. ★ be ~! stil! ❷ zonder veel omhaal (van diner), informeel ❸ geheim ★ on the ~ heimelijk, stiekem ★ keep ~ about sth / sth ~ iets geheim houden II zn ❶ rust, stilte ❷ vrede III onov ww USA, quiet down rustig worden, kalmeren IV ov ww USA, quiet down tot rust brengen, kalmeren

quieten ['kwaɪətn], quieten down GB I ov ww kalmeren, tot bedaren brengen II onov ww rustig worden, bedaren

quietly bijw ❶ zachtjes ★ 'come here' she said ~ "kom hier" zei ze zachtjes ❷ stilletjes, geruisloos ★ be ~ confident that... er stilletjes van overtuigd zijn dat...

quietude ['kwaɪɪtjuːd] form zn rust, vrede

quietus [kwaɪ'iːtəs] dicht zn genadeslag, dood

quiff [kwɪf] zn (vet)kuif

quill [kwɪl] zn ❶ slagpen (van vogel) ❷ ganzenpen ❸ stekel (van stekelvarken)

quilt [kwɪlt] I zn ❶ gewatteerde deken, dekbed ★ continental ~ donzen dekbed ❷ sprei II ov ww watteren, doorstikken ★ a ~ed bath robe een gewatteerde badjas

quin [kwɪn] inform zn → quintuplet

quince [kwɪns] zn kwee(peer)

quinine ['kwɪniːn] zn kinine

quintessence [kwɪn'tesəns] form zn ❶ perfect voorbeeld, toonbeeld ❷ het wezenlijke, essentie, kern

quintessential [kwɪntɪ'senʃəl] bnw wezenlijk, typisch ★ the ~ bad guy de ultieme schurk, dé schurk

quintet [kwɪn'tet] zn kwintet

quintuplet ['kwɪntjuplɪt] zn één v.e. vijfling

quip [kwɪp] I zn geestige opmerking ★ make a quip about his new shoes iets geestigs zeggen over zijn nieuwe schoenen II ov ww grappen, schertsen

quirk [kwɜːk] zn eigenaardigheid, gril ★ by a (strange) ~ of fate door een (vreemde) speling van het lot

quirky bnw eigenaardig, eigenzinnig ★ a ~ sense of humour een eigenaardig gevoel voor humor

quisling ['kwɪzlɪŋ] oud zn landverrader

quit [kwɪt] I ov ww [regelmatig + onregelmatig] ❶ inform stoppen met, ophouden met ★ quit smoking stoppen met roken ★ quit it! hou ermee op!, kappen! ❷ inform weggaan van, ontslag nemen uit, opzeggen ★ quit your job je baan opzeggen ★ quit school school niet afmaken ★ quit business zich uit de zaken terugtrekken ❸ form verlaten ★ quit the premises het pand verlaten II onov ww [regelmatig + onregelmatig] ❶ inform (ermee) stoppen, (ermee) ophouden ★ let's quit laten we ermee kappen / nokken ❷ inform weggaan, er vandoor gaan, ontslag nemen, opzeggen ❸ form huis ontruimen (door huurder) ★ give notice to quit de huur / dienst opzeggen

quite [kwaɪt] bijw ❶ geheel, volkomen, absoluut ★ ~ impossible absoluut / totaal onmogelijk ★ ~ the worst / most expensive verreweg het slechtst / duurst ★ ~ frankly eerlijk gezegd ★ ~ so juist!, zo is het! ★ it isn't ~ what we were looking for het is niet helemaal / precies wat wij zochten ★ ~ another een heel andere ★ ~ other heel anders ★ it is ~ the thing now het is nu zeer in de mode ❷ GB tamelijk, nogal, best ★ ~ tired nogal vermoeid ★ I ~ like meat ik houd best wel van vlees ★ ~ a few / bit heel wat ★ it took ~ some time het duurde nogal een tijdje ❸ USA zeer ★ examine sth ~ thoroughly iets zeer grondig onderzoeken ★ ~ a lady een hele dame

quits [kwɪts] inform zn quitte ★ be ~ quitte staan ★ call it ~ quitte staan, zand erover, besluiten te stoppen

quitted ww [verleden tijd + volt. deelw.] → quit

quitter ['kwɪtə] zn iemand die bij moeilijkheden ervandoor gaat, iemand die het opgeeft

quiver ['kwɪvə] I onov ww trillen, beven II zn ❶ trilling ❷ pijlkoker

quiz [kwɪz] I zn ❶ quiz ❷ USA tentamen, test II ov ww ondervragen

quizmaster ['kwɪzmɑːstə] zn quizmaster, spelleider

quizzical ['kwɪzɪkl] bnw ❶ vragend ❷ spottend, geamuseerd

quoit [kɔɪt] zn werpring ★ (game of) ~s ringwerpen

Quorn GB zn quorn (vleesvervanger op basis van paddenstoelen)

quorum ['kwɔːrəm] zn quorum (aantal leden vereist voor het geldig zijn v.e. vergadering)

quota ['kwəʊtə] zn ❶ aandeel, deel ★ have done your ~ of the work jouw deel van het werk gedaan hebben ❷ quota, quotum ★ set ~s for sth quota's instellen voor iets

quotable ['kwəʊtəbl] bnw wat aangehaald / genoteerd kan worden, het citeren waard

quotation [kwəʊ'teɪʃən] zn ❶ aanhaling (van passage), citaat, het aanhalen / citeren ❷ prijsopgave (van aannemer, verzekeraar), offerte ❸ notering (van prijs, aandeel)

quotation marks zn mv aanhalingstekens

quote [kwəʊt] I ov ww ❶ citeren, aanhalen ★ ~...

un~ begin citaat... einde citaat ❷ noemen, opgeven ⟨bepaald voorbeeld, bepaalde informatie⟩ ❸ opgeven ⟨prijs van offerte⟩, noteren ⟨prijs van valuta, aandelen⟩ ★ *~ sb (a price of) £8,000 for sth* iem. £8000 vragen voor iets **II** *zn* ❶ citaat ❷ – prijsopgave, offerte ▼ inform *~s* [mv] aanhalingstekens

quoth [kwəʊθ] *onov ww* oud zei

quotidian [kwɒˈtɪdɪən] *bnw* ❶ alledaags ❷ dagelijks

quotient [ˈkwəʊʃənt] *zn* quotiënt

Qur'an [kərˈɑːn] *zn* Koran

q.v. *afk, quod vide* q.v., zie (dit / daar)

R

r [ɑːr] *zn, letter* r ★ *R as in Robert* de r van Rudolf ★ *the three R's (reading, (w)riting, (a)rithmetic)* ≈ lezen, schrijven en rekenen

R USA *afk, restricted* ⟨van film, beneden de 18 jaar alleen toegankelijk onder begeleiding van volwassen iemand⟩

rabbi [ˈræbaɪ] *zn* rabbi, rabbijn

rabbit [ˈræbɪt] **I** *zn* konijn **II** *onov ww,* GB inform *~ on* wauwelen, doorkakelen

rabbit hutch *zn* konijnenhok

rabbit punch *zn* nekslag

rabbit warren *zn* ❶ konijnenveld, konijnengebied ⟨met veel holen⟩ ❷ *fig* doolhof

rabble [ˈræbl] *zn* ❶ min gepeupel ❷ tuig, gespuis

rabble-rouser *zn* volksmenner, demagoog

rabble-rousing *bnw* opruiend

rabid [ˈræbɪd] *bnw* ❶ woest, dolzinnig ❷ verbeten ❸ hondsdol

rabies [ˈreɪbiːz] *zn* hondsdolheid

RAC [ɑːreɪˈsiː] *afk, Royal Automobile Club* Koninklijke Automobilistenvereniging

raccoon [rəˈkuːn] *zn* USA wasbeer

race [reɪs] **I** *zn* ❶ race, wedstrijd ★ *race against time / the clock* race tegen de klok ★ *the races* [mv] paardenrennen ⟨groot evenement⟩ ❷ ras, afkomst ★ *the human race* de mensheid **II** *ov ww* ❶ snel laten gaan, voortjagen ★ *be raced to hospital* met een rotvaart naar het ziekenhuis gebracht worden ❷ een wedstrijd houden met ★ *race your brothers* een wedstrijd houden met je broers ❸ om het hardst laten rijden / lopen, enz. ⟨honden, duiven, paarden⟩, racen met ⟨motor, auto⟩ **III** *onov ww* ❶ snellen, jagen, vliegen ★ *race through sth* door iets heen vliegen / schieten ★ *race to do sth* zo snel mogelijk proberen iets te doen ❷ racen, om het hardst rijden / lopen, enz. ❸ op hol slaan ⟨van hart, gedachten⟩ ❹ *~ against* racen tegen

racecourse [ˈreɪskɔːs] *zn* (paarden)renbaan

racehorse [ˈreɪshɔːs] *zn* renpaard, harddraver

racer [ˈreɪsə] *zn* ❶ hardloper ❷ renpaard ❸ racewagen, racefiets, raceboot

racetrack [ˈreɪstræk] *zn* ❶ racebaan, circuit ❷ USA (paarden)renbaan

racial [ˈreɪʃəl] *bnw* ras(sen)- ★ *~ discrimination* rassendiscriminatie

racing [ˈreɪsɪŋ] *zn* ❶ het wedrennen ❷ de rensport ⟨vaak in samenstellingen⟩ ★ *motorcycle ~* motorsport ★ *horse ~* paardenrennen, paardensport

racism [ˈreɪsɪzəm] *zn* racisme

racist [ˈreɪsɪst] **I** *zn* racist **II** *bnw* racistisch

rack [ræk] **I** *zn* ❶ rek ⟨voor kleren, kruiden, wijn enz.⟩, bagagerek ★ USA *buy clothes off the rack* confectiekleding kopen ❷ gesch pijnbank ★ fig *put sb on the rack* iem. op de pijnbank leggen ★ fig *be on the rack* in angstige spanning zitten, in onzekerheid verkeren ❸ ribstuk ⟨van lam⟩ ▼ *go to rack and ruin* naar de maan gaan **II** *ov ww* ❶ pijnigen, teisteren, afbeulen ★ *rack your brains* je het hoofd breken ❷ inform *~ up* binnenhalen, behalen ⟨punten, winst⟩

racket ['rækɪt] zn ❶ herrie, lawaai, drukte ❷ sport racket ❸ zwendel

racketeer [rækə'tɪə] zn geldafperser, chanteur, zwarthandelaar

racketeering [rækə'tɪərɪŋ] zn gangsterpraktijken ⟨afpersing, chantage, omkoperij⟩

racoon zn → raccoon

racquet ['rækɪt] zn sport racket

racquets, rackets, racquetball sport zn soort squash

racy ['reɪsɪ] bnw pittig, pikant, gewaagd

radar ['reɪ:da:] zn radar ★ fig be back on the ~ weer op de radar verschijnen, weer (de) aandacht krijgen ★ fig go off the ~ van de radar verdwijnen, uit de aandacht verdwijnen

radial ['reɪdɪəl] I bnw straalvormig, stervormig, straal- II zn, radial tyre radiaalband

radiance ['reɪdɪəns] zn straling, schittering

radiant ['reɪdɪənt] I bnw ❶ stralend ★ a ~ bride / smile / sun een stralende bruid / glimlach / zon ❷ stralings- ★ ~ energy stralingsenergie

radiate ['reɪdɪeɪt] I ov ww uitstralen ⟨licht, warmte, vertrouwen⟩ II onov ww ❶ stralen, uitstralen ★ the love that ~d from her de liefde die zij uitstraalde ❷ straalsgewijs uitlopen

radiation [reɪdɪ'eɪʃən] zn straling

radiation sickness zn med stralingsziekte

radiator ['reɪdɪeɪtə] zn ❶ radiator ⟨van centrale verwarming⟩ ❷ koeler, radiateur ⟨van motor⟩

radical ['rædɪkl] I bnw ❶ radicaal ook pol , drastisch ★ ~ reforms drastische / ingrijpende hervormingen ❷ wezenlijk, fundamenteel ★ a ~ difference een fundamenteel verschil II zn ❶ pol radicaal ❷ scheik radicaal, vrije radicaal ★ free ~s vrije radicalen

radicalism ['rædɪkəlɪzəm] zn radicalisme

radicalize, GB radicalise ov ww radicaler / radicaal maken

radii ['reɪdɪaɪ] zn mv → radius

radio ['reɪdɪəʊ] I zn ❶ radio ★ on the ~ op de radio ❷ radiotelefonie ★ contact sb by ~ met iem. in contact treden via (de) radio II onov ww berichten, seinen ⟨via radio⟩ ★ ~ for help via de radio(zender) om hulp vragen / seinen III ov ww berichten, seinen ⟨via radio⟩ ★ ~ sb for help via de radio(zender) iem. om hulp vragen / seinen

radioactive [reɪdɪəʊ'æktɪv] bnw radioactief

radioactivity [reɪdɪəʊæk'tɪvətɪ] zn radioactiviteit

radio button comp zn checkbox ⟨hokje dat aangevinkt kan worden⟩

radiography [reɪdɪ'ɒɡrəfɪ] zn radiografie, röntgenologie

radiologist [reɪdɪ'ɒlədʒɪst] zn radioloog

radiology [reɪdɪ'ɒlədʒɪ] zn radiologie

radio play zn hoorspel ⟨op de radio⟩

radio set zn radio

radio telescope zn radiotelescoop

radiotherapy [reɪdɪəʊ'θerəpɪ] zn radiotherapie ⟨behandeling met radioactieve stralen⟩, bestraling(stherapie)

radish ['rædɪʃ] zn radijs

radium ['reɪdɪəm] zn radium

radius ['reɪdɪəs] zn [mv: radii] ❶ straal, halve middellijn ⟨van cirkel⟩ ★ within a 6-mile ~ binnen een straal van zes mijl ❷ anat

spaakbeen

RAF afk, mil Royal Airforce RAF ⟨Britse Koninklijke Luchtmacht⟩

raffish ['ræfɪʃ] dicht bnw liederlijk

raffle ['ræfəl] I zn loterij II ov ww, raffle off verloten

raft [rɑ:ft] I zn ❶ vlot ⟨van hout, rubber enz.⟩ ❷ inform lading, hoop ★ a raft of new measures een lading / massa nieuwe maatregelen II onov ww per vlot reizen ★ white-water rafting wildwatervaren, rafting

rafter ['rɑ:ftə] zn dakspar, balk

rag [ræg] zn ❶ doek, lap ❷ populair krantje ❸ muz ragtime ❹ vod, lomp(en) ★ in rags in lompen, in kapotte kleren ★ not a rag to cover yourself geen kleren aan je lijf ★ inform glad rags zondagse kloffie ★ (from) rags to riches van armoede naar rijkdom ▼ inform lose your rag over de rooie gaan II ov ww GB plagen, pesten, stangen, een streek leveren III onov ww, USA inform ~ on ★ rag on sb iem. plagen / pesten, iem. aan het hoofd zeuren, vitten / hakken op iem.

ragamuffin ['ræɡəmʌfɪn] dicht zn schooiertje

ragbag ['ræɡbæɡ] zn ❶ allegaartje ❷ inform slons

rag doll zn lappenpop

rage [reɪdʒ] zn ❶ woede ★ fly into a rage woedend worden ★ be in a rage woedend zijn ❷ inform rage, manie ❸ be all the rage een rage zijn, hartstikke in zijn II onov ww ❶ woeden, razen ★ a raging fire een felle / hevige brand ★ a raging headache een barstende hoofdpijn ★ a raging debate een heftige discussie ❷ ~ at/ against tekeergaan tegen

ragged ['ræɡɪd] bnw ❶ haveloos, gerafeld, onverzorgd ❷ ruig, ruw, rauw ❸ ongelijk, met uitsteeksels / kartels, grillig ⟨lijn⟩, onregelmatig ⟨ademhaling⟩ ▼ inform run sb ~ iem. afpeigeren, iem. afbeulen

raglan ['ræɡlən] bnw ❶ raglan-, zonder schoudernaad ★ ~ sleeves raglanmouwen ❷ met raglanmouwen ⟨jas, sweater⟩

ragtag ['ræɡtæɡ] bnw bij elkaar geraapt, ongeorganiseerd

ragtime zn ragtime ⟨Amerikaanse zwarte dansmuziek uit het begin van de 20e eeuw⟩

rag week liefdadigheidsweek ⟨georganiseerd door studenten⟩

raid [reɪd] I zn ❶ inval, overval, razzia ❷ rooftocht ❸ (lucht)aanval II ov ww ❶ een inval doen in, een razzia houden in, overvallen ★ raid a bank een bank overvallen ❷ aanvallen ❸ plunderen, leegroven ★ humor raid the fridge de koelkast plunderen

raider ['reɪdə] zn overvaller

rail [reɪl] I zn ❶ hek(werk), leuning, reling ❷ [meestal mv] spoorrails ★ by rail per spoor ★ fig get back on the rails er weer bovenop komen ★ fig go off the rails ontsporen, het spoor bijster raken ❸ stang, staaf, rail ⟨voor schilderijen, gordijnen⟩, roede II ov ww ❶ van een afrastering / hek voorzien ★ rail sth in iets omheinen ★ rail sth off iets afrasteren, iets met hekken afscheiden ❷ per spoor verzenden III onov ww ❶ schelden ❷ ~ at/against tekeergaan tegen

railhead ['reɪlhed] *zn* begin- / eindpunt v. spoorweg

railing ['reɪlɪŋ] *zn* ❶ hek, leuning, reling ❷ spijl ⟨van hek⟩

raillery ['reɪlərɪ] *form zn* scherts, grappen

railroad ['reɪlrəʊd] **I** *zn* USA spoorweg ★ *on the ~* over het spoor **II** *ov ww* inform haastig afdoen, jagen ★ *~ a bill through* een wet erdoor drukken ★ *~ sb into doing sth* iem. onder flinke druk dwingen om iets te doen

railway ['reɪlweɪ] *zn* GB spoorweg, spoor ★ *light ~* smalspoor ★ *use the ~* per trein reizen ★ *work on the ~s* bij de spoorwegen werken

railway line GB *zn* spoorlijn

railway yard *zn* spoorwegemplacement

rain [reɪn] **I** *zn* regen ★ *acid rain* zure regen ★ *(as) right as rain* helemaal in orde, kerngezond ★ *soft rain* gezapig buitje regen ★ *torrential / driving rain* slagregen ★ *the rains* [mv] regentijd ★ *(come) rain or shine* weer of geen weer **II** *onov ww* ❶ regenen, neerstromen ★ *it's raining* het regent ❷ *~ down* neerkomen, neerdalen ★ *stones were raining down on his head* het regende stenen op zijn hoofd ♦ *it never rains but it pours* een ongeluk komt zelden alleen **III** *ov ww* ❶ regenen, neerstromen / -dalen ❷ *~ down* down neerkomen / -dalen ★ *rain down blows on sb's chest and head* iem. bekogelen met klappen op de borst en het hoofd ❸ *~ rain off/out* ★ *be rained off* / USA *out* niet doorgaan / afgelast worden vanwege de regen ⟨van wedstrijd, evenement⟩

rainbow ['reɪnbəʊ] *zn* regenboog

rain check *zn* nieuw kaartje ⟨voor afgelaste wedstrijd⟩ ★ inform *take a ~ on sth.* iets te goed houden

raincoat ['reɪnkəʊt] *zn* regenjas

raindrop ['reɪndrɒp] *zn* regendruppel

rainfall ['reɪnfɔːl] *zn* regen

rainforest ['reɪnfɒrɪst] *zn* regenwoud

rainproof ['reɪnpruːf] *bnw* regendicht, waterdicht

rainstorm ['reɪnstɔːm] *zn* stortbui

rainwater ['reɪnwɔːtə] *zn* regenwater

rainy ['reɪnɪ] *bnw* regenachtig

raise [reɪz] **I** *ov ww* ❶ heffen, opsteken, optillen, opslaan ⟨ogen⟩ ★ *~ your hand* je hand opsteken / optillen ❷ rechtop zetten, opheffen, omhoog brengen ★ *~ yourself* je oprichten ★ *~ clouds of dust* stofwolken opwerpen ★ *~ a ship* een schip lichten ❸ verhogen ⟨prijs, belasting enz.⟩, verheffen ⟨stem⟩ ❹ oprichten ⟨monument⟩, doen ontstaan ⟨gevoelens, gebouwen⟩, op de been brengen ⟨leger⟩, bij elkaar brengen ⟨geld⟩ ★ *~ a laugh* gelach ontketenen ★ *~ £10,000 for sth* £10.000 bij elkaar brengen voor iets ❺ naar voren brengen, opwerpen ⟨vraag, enz.⟩ ★ *~ doubts* twijfels oproepen ★ *~ an issue with sb* een zaak ter sprake brengen bij iem. ❻ grootbrengen ⟨kind⟩, fokken ⟨dier⟩, kweken, telen ⟨gewas⟩ ❼ dicht wekken, doen opstaan ⟨uit de dood⟩ ❽ opheffen ⟨embargo, blokkade⟩, opbreken ⟨beleg⟩ ❾ bereiken ⟨via radio / telefoon⟩ ❿ meer bieden ⟨bij kaartspel⟩ ★ *~ sb fifty dollars* vijftig dollar meer bieden dan iem. ⓫ wisk verheffen tot ⟨een macht⟩ ★ *3 ~d to the*

power of 3 is 27 3 tot de 3e macht is 27 **II** *zn* USA salarisverhoging, opslag

raised *bnw* ❶ verhoogd ★ *on a ~ platform* op een verhoging ★ *in a ~ voice* met stemverheffing ★ *~ temperatures* verhoogde temperaturen ❷ opgetild, omhoog ★ *with their legs ~* met hun benen omhoog

raisin ['reɪzən] *zn* rozijn

rake [reɪk] **I** *zn* ❶ hark ❷ oud losbol, boemelaar ❸ helling **II** *ov ww* ❶ bijeenharken, (aan)harken, krabben, rakelen, (bijeen)schrapen, verzamelen ★ *rake the soil smooth* de grond egaal harken ★ *rake your fingers through your hair* je vingers door je haar heen halen ❷ bestrijken ⟨van kanon, licht, camera⟩ ❸ inform *~ in* (het hopen) binnenhalen ★ *be raking it in* bakken geld verdienen ❹ *~ over* ★ *rake over the past* het verleden oprakelen ❺ *~ up* oprakelen ⟨het verleden⟩, bijeenharken, bij elkaar brengen **III** *onov ww* ❶ harken ❷ krabben ❸ *~ around* (door)snuffelen, doorzoeken ★ *rake around in your pockets for your keys* in je zakken zoeken naar je sleutels ❹ *~ through* (door)snuffelen, doorzoeken ★ *rake through your pockets for some coins* in je zakken zoeken naar wat munten

rake-off inform *zn* (illegale) provisie

rakish ['reɪkɪʃ] *bnw* ❶ zwierig, vlot ★ *wear your hat at a ~angle* je hoed losjes schuin op je hoofd dragen ❷ oud ouderwets, lichtzinnig

rally ['rælɪ] **I** *zn* ❶ bijeenkomst, demonstratie, betoging ★ *hold / stage a ~* een bijeenkomst houden / organiseren ❷ sterrit, rally ❸ sport slagwisseling ❹ herstel ⟨van koersen, krachten⟩ **II** *ov ww* verzamelen, groeperen, bijeenbrengen ★ *~ support for sb* steun verzamelen voor iem. **III** *onov ww* ❶ zich verzamelen, bijeenkomen ❷ zich herstellen ⟨van krachten, koersen⟩ ❸ *~ round* ★ *~ round sb* zich scharen om iem., (met zijn allen) iem. te hulp schieten ❹ *~ to* zich aansluiten bij ★ *~ to the defence of sb* achter iem. gaan staan

ram [ræm] **I** *ov ww* ❶ rammen ★ *ram a van* een busje rammen ★ *ram sth home* iets erin hameren, iets overduidelijk maken ❷ aan- / vaststampen ❸ stoten ⟨met⟩, proppen ★ *ram the key into the lock* de sleutel in het slot rammen / stoten ★ *ram al your things into one suitcase* al je spullen in een koffer proppen **II** *onov ww* *~ into* rammen ⟨in / op⟩ ★ *ram into a bus* een bus rammen **III** *zn* ❶ dierk ram ❷ stormram ❸ hydraulische ram, plunjer

RAM [ræm] *afk, comp* random access memory RAM, werkgeheugen

ramble ['ræmbl] **I** *onov ww* ❶ afdwalen, kakelen, bazelen ❷ GB rondtrekken, (lange) wandeling / wandeltocht maken, eropuit gaan ⟨in de natuur⟩ ❸ tieren, welig groeien, woekeren ❹ *~ on* raaskallen, doorkakelen **II** *zn* ❶ GB (lange) wandeltocht ❷ lange uitweiding, verward verhaal / stuk

rambler ['ræmblə] *zn* ❶ GB wandelaar, trekker ❷ klimroos

rambling ['ræmblɪŋ] **I** *bnw* ❶ rommelig uitgebouwd ⟨van stad, enz.⟩, alle kanten

ra

opgaand ❷ onsamenhangend ⟨van tekst⟩,
verward ❸ wildgroeiend **II** zn GB het wandelen
⟨in de natuur⟩, het rondtrekken ★ ~*s* [mv]
wartaal, verward verhaal / stuk, lange
uitweiding
rambunctious [ræm'bʌŋkʃəs] USA bnw
onstuimig, uitgelaten
ramekin zn eenpersoonsovenschaaltje
ramification [ræmɪfɪ'keɪʃən] zn ⟨vaak mv⟩
(meestal onaangenaam / ingewikkeld) gevolg,
complicatie
ramp [ræmp] **I** zn ❶ glooiing, talud, helling(baan)
⟨bv. voor invaliden⟩ ❷ GB oneffenheid ⟨in
wegdek⟩, drempel, uitholling ❸ USA oprit, afrit
❹ vliegtuigtrap **II** ov ww ~ **up** opvoeren,
verhogen, vergroten ★ *ramp up production* de
productie opvoeren
rampage [ræm'peɪdʒ] **I** zn ★ *be on the* ~ tieren,
tekeergaan **II** onov ww als een gek tekeergaan
★ *hooligans* ~*d through the streets* vandalen
trokken een spoor van vernieling door de
straten
rampant ['ræmpənt] bnw ❶ alom heersend,
onstuitbaar ★ ~ *inflation* gierende inflatie
★ *corruption is* ~ *in the Third World countries*
corruptie tiert welig in de derdewereldlanden,
corruptie viert hoogtij in de derdewereldlanden
❷ (te) weelderig ⟨van plantengroei⟩
rampart ['ræmpɑːt] zn wal, bolwerk
ram-raid GB **I** zn ramkraak **II** ov ww een
ramkraak plegen op, ramkraken
ramrod ['ræmrod] zn laadstok ⟨van ouderwets
geweer⟩ ★ *straight as a* ~ kaarsrecht
ramshackle ['ræmʃækl] bnw bouwvallig, gammel,
krakkemikkig
ran [ræn] ww [verleden tijd] → **run**
ranch [rɑːntʃ] USA zn ❶ (vee)boerderij, fokkerij
❷ zaak, bedrijf ❸ **ranch house** bungalow
rancher ['rɑːntʃə] USA zn ❶ veeboer, fokker
❷ boerenknecht, knecht op een ranch
rancid ['rænsɪd] bnw ranzig
rancorous ['ræŋkərəs] bnw haatdragend,
rancuneus
rancour ['ræŋkə] zn wrok, rancune

rand [rænd] zn rand ⟨munt(eenheid)⟩ van
Zuid-Afrika)
random ['rændəm] **I** zn ★ *at* ~ zomaar, op goed
geluk, in het wilde weg **II** bnw willekeurig ★ *a* ~
selection een willekeurige selectie
randy ['rændɪ] bnw geil, wellustig, wulps
rang [ræŋ] ww [verleden tijd] → **ring**
range [reɪndʒ] **I** zn ❶ assortiment, reeks ★ *a wide*
~ *of health products* een ruime sortering
gezondheidsproducten ❷ rij, serie ❸ bereik,
gebied, sfeer, draagwijdte, omvang,
(schoots)afstand, schootsveld ★ *at close* ~ van
dichtbij ★ *cars in the same price* ~ auto's van
dezelfde prijsklasse ★ *out of* ~ of buiten bereik
van ★ *out of her* ~ *of vision* uit haar gezichtsveld
★ *with a* ~ *of 7000 km* met een bereik van 7000
km ★ *medium* ~ middellange afstand
❹ (berg)keten ❺ verspreiding(sgebied), sector
❻ schietbaan ❼ (kook)fornuis ❽ weide-/
jachtgebied ★ *free* ~ *eggs* scharreleieren **II** onov
ww ❶ zich uitstrekken, reiken, bestrijken ★ ~
from... to variëren van... tot ❷ ~ **between** zich

bewegen tussen, gevonden worden tussen
★ *their ages* ~*d between 12 and 18* hun leeftijden
liepen van 12 tot 18 ❸ ~ **over** zich uitstrekken
over, omvatten, zwerven over **III** ov ww
❶ opstellen, rangschikken, plaatsen, ordenen
❷ zwerven over ⟨groot gebied⟩ ❸ laten gaan
langs / over ❹ ~ **against** ~ *yourself against*
sb / sth je opstellen tegen iemand / iets
❺ ~ **with** ★ ~ *yourself with sb* je achter iemand
scharen
range hood zn afzuigkap
ranger ['reɪndʒə] zn ❶ boswachter, parkopzichter
❷ padvindster ⟨14-19 jaar⟩, scout ❸ USA
commando
rangy ['reɪndʒɪ] bnw rank, slank
rank [ræŋk] zn ❶ rang, stand, graad ★ *of the first*
rank van de eerste rang, eersteklas ★ *promote sb*
to the rank of captain iem. tot (de rang van)
kapitein bevorderen ★ *people of all ranks*
mensen uit alle rangen en standen ★ *a family of*
rank een familie van stand ★ *pull rank (on sb)* op
je strepen gaan staan (tegenover iemand)
❷ gelid, rij ★ *the ranks* manschappen, de groep
★ *in our ranks* in onze groep, in ons midden
★ *break ranks* de gelederen verbreken ★ *close*
ranks de gelederen sluiten ★ *join the ranks of the*
50-plus zich voegen bij het leger van 50-plussers
★ *keep rank* in het gelid blijven ★ *rank and file*
soldaten en onderofficieren, het gewone volk
★ *rise from the ranks* uit de troep voortkomen,
zich opwerken ❸ taxistandplaats **II** ov ww
❶ een plaats geven, ordenen, rangschikken ★ *be*
ranked third op de derde plaats staan ❷ form in
een rij zetten / plaatsen ❸ USA hoger zijn in
rang dan ❹ ~ **among** rekenen tot **III** onov ww
❶ een plaats hebben ★ *rank next to* in rang
volgen op ★ *rank third in the world* derde zijn in
de wereld, op de derde plaats staan in de
wereldranglijst ★ *rank high / low with sb* hoog /
laag scoren bij iem., belangrijk / niet belangrijk
zijn voor iem. ❷ ~ **among/as** behoren tot,
gelden als ❸ ~ **with** ★ *rank with sth / sb* even
goed / belangrijk zijn als iets / iemand, op een
lijn staan met iets / iemand **IV** bnw ❶ smerig,
walgelijk ⟨stank⟩ ❷ puur, absoluut,
onmiskenbaar ★ *rank nonsense* klinkklare onzin
★ *rank poison* puur vergif ❸ te weelderig,
overwoekerend
ranking ['ræŋkɪŋ] **I** bnw USA hoog(st),
belangrijk(st) ★ ~ *officer* hoogste officier **II** zn
❶ klassement, ranglijst ★ *be fourth in the world*
~*s* vierde staan op de wereldranglijst
❷ klassering, plaats in een klassement
rankle ['ræŋkl] **I** onov ww knagen, (blijven) pijn
doen ★ *her betrayal still* ~*d with him* haar
verraad zat hem nog steeds dwars **II** ov ww pijn
doen, dwarszitten, verbitteren
ransack ['rænsæk] ov ww ❶ plunderen
❷ doorzoeken
ransom ['rænsəm] **I** zn losgeld ★ dicht *worth a*
king's ~ met geen goud te betalen ★ *hold sb to* ~
losgeld eisen voor iem., iem. het mes op de keel
zetten **II** ov ww loskopen, vrijkopen, losgeld
betalen voor
rant [rænt] **I** onov ww ❶ razen, tekeergaan ★ *rant*
and rave razen en tieren ❷ ~ **against** uitvaren

tegen **II** *zn* tirade, boze jammerklacht

rap [ræp] **I** *zn* ❶ tik, klop ★ *fig give a person a rap on / over the knuckles* iem. op de vingers tikken ⟨bekritiseren⟩ ❷ muz rap ⟨stijl⟩ ❸ muz rap ⟨tekst⟩ ❹ *USA* inform beschuldiging, schuld, straf ★ *a bum / bad rap* een vals beschuldiging, een oneerlijke behandeling ★ *beat the rap* zijn straf ontlopen ★ *take the rap for sth* voor iets opdraaien, de schuld krijgen van iets **II** *ov ww* ❶ tikken (op), kloppen(op) ★ *rap the table* op de tafel tikken / kloppen ★ *fig rap sb on / over the knuckles* iem. op de vingers tikken ⟨bekritiseren⟩ ❷ muz rappen ❸ fel bekritiseren ❹ ~ **out** eruit flappen ★ *rap out orders* bevelen snauwen **III** *onov ww* ❶ tikken, kloppen ★ *rap on the table* op de tafel tikken / kloppen ❷ muz rappen

rapacious [rə'peɪʃəs] form bnw roofzuchtig, hebzuchtig

rapacity [rə'pæsətɪ] form zn roofzucht, hebzucht

rape [reɪp] **I** *ov ww* verkrachten, onteren **II** *zn* ❶ verkrachting ❷ verwoesting, vernieling ⟨van een gebied, oerbos e.d.⟩ ❸ koolzaad

rapid ['ræpɪd] **I** *bnw* snel, vlug **II** *zn* [vaak mv] stroomversnelling

rapid-fire bnw ❶ razendsnel (op elkaar volgend) ❷ snelvuur-, snel vurend ⟨wapen⟩

rapidity [rə'pɪdətɪ] zn snelheid

rapier ['reɪpɪə] **I** *zn* rapier ⟨soort degen⟩ **II** *bnw* dicht scherp ★ *her ~ wit* haar vlijmscherpe humor

rapist ['reɪpɪst] zn verkrachter

rappel [ræ'pel] onov ww *USA* abseilen

rapper muz zn rapper

rapport [ræ'pɔː] zn relatie, verstandhouding

rap sheet *USA* inform zn strafblad

rapt [ræpt] bnw in vervoering, in hoger sferen ★ *listen to sth / sb with rapt attention* helemaal in vervoering naar iets / iemand luisteren ★ *rapt in thought* in gedachten verzonken ★ *a rapt audience* een verrukt publiek

rapture ['ræptʃə] zn vervoering, extase ★ *be in ~s about sth* verrukt / lyrisch zijn over iets ★ *go into ~s about / over sth* in extase raken over iets

rapturous ['ræptʃərəs] bnw verrukt, hartstochtelijk, lyrisch

rare [reə] bnw ❶ zeldzaam ❷ dun, ijl ⟨van lucht⟩ ❸ niet gaar ⟨van vlees⟩

rarebit ['reəbɪt] zn warme toast met gesmolten kaas

rarefied ['reərɪfaɪd] bnw ❶ exclusief, esoterisch, verheven ❷ dun ★ *~ air* ijle lucht

rarely ['reəlɪ] bijw zelden

raring ['reərɪŋ] bnw inform dolgraag, enthousiast ★ *be ~ to do sth* iets dolgraag willen doen ★ *~ to go* staan te trappelen van ongeduld

rarity ['reərətɪ] zn zeldzaamheid

rascal ['rɑːskl] zn ❶ kwajongen, deugniet ❷ oud schelm, schurk

rash [ræʃ] **I** *zn* ❶ huiduitslag ★ *come / break out in a rash* huiduitslag krijgen ❷ uitbarsting, explosie ★ *a rash of armed robberies* een explosie van gewapende roofovervallen **II** *bnw* overhaast, onbezonnen

rasher ['ræʃə] zn plakje spek of ham

rasp [rɑːsp] **I** *zn* ❶ rasp ❷ raspend geluid **II** *ov ww* ❶ raspen ❷ raspend / krassend zeggen

III *onov ww* krassen, schrapen, raspen ★ *with a rasping voice* met raspende / krassende stem

raspberry ['rɑːzbərɪ] zn ❶ framboos ❷ *GB* inform boegeroep, het blè roepen ★ *blow a ~ at sb* iem. uitjoelen

rat [ræt] **I** *zn* ❶ rat ★ *smell a rat* lont ruiken ★ inform *look like a drowned rat* er als een verzopen kat uitzien ❷ rotzak, klootzak, vuile hond ▼ *rats!* verdorie! **II** *onov ww* ❶ inform ~ **on** verraden, *GB* niet nakomen ⟨beloftes⟩ ❷ *USA* inform ~ **out** verraden

ratchet ['rætʃɪt] **I** *zn* techn palrad, palwiel ⟨dat door pal slechts een kant op kan draaien⟩ **II** *onov ww* ~ **up** steeds in stapjes toenemen, steeds groter worden **III** *ov ww* ~ **up** steeds in stapjes verhogen / opvoeren, steeds in stapjes doen toenemen, steeds groter maken

rate [reɪt] **I** *zn* ❶ cijfer ⟨vaak in samenstellingen⟩ ★ *crime rate* misdaadcijfer ★ *unemployment rate* werkloosheidspercentage, werkloosheidscijfer ★ *at a / the rate of* ten getale van ★ *at a rate of sixty a month* met zestig per maand ❷ snelheid ★ *at a / the rate of* met een snelheid van ★ *at that rate* als dit uitgangspunt juist is, als het zo doorgaat ❸ tarief, prijs ★ *the hourly rate (of pay)* het uurtarief ★ *going rate* gangbaar tarief ★ *prime rate* laagste bankdisconto ❹ koers ★ *the rate of interest* de rentevoet ★ *the rate of exchange* de wisselkoers ▼ *at any rate* in ieder geval ▼ *GB rates* [mv] plaatselijke belasting ⟨tot 1990⟩ **II** *ov ww* ❶ achten, schatten, aanslaan ★ *be rated very highly by sb* zeer gewaardeerd worden door iem., zeer hoog aangeslagen worden door iem. ❷ rekenen (tot), waarderen, classificeren (als), een waarde toekennen ★ *be rated as* beschouwd worden als ★ *films rated 15* films voor 15 jaar en ouder ★ *be rated number four in the world* de nummer vier in de wereld zijn ❸ *USA* inform verdienen, waard zijn ⟨vermelding, bedankje⟩ ❹ *GB* inform goed vinden, op prijs stellen **III** *onov ww* ❶ gerekend worden ❷ ~ **among/with** behoren tot ❸ ~ **as** behoren tot, gelden als

ratepayer ['reɪtpeɪə] *GB* gesch zn ❶ belastingbetaler ⟨van onroerend goed⟩ ❷ huiseigenaar

rather ['rɑːðə] **I** *bijw* ❶ liever (nog), eerder (nog) ★ *I would ~ stay* ik zou liever blijven ★ *~ than* liever dan, in plaats van ★ *our apartment, or ~ my fiancée's* ons appartement, of beter gezegd dat van mijn verloofde ★ inform *~ you than me* jij liever dan ik ❷ tamelijk, nogal, vrij(wel), een beetje ★ *a ~ sad story* een nogal / tamelijk droevig verhaal ★ *~ a good book* nogal een goed boek ★ *she left ~ suddenly* ze vertrok vrij plotseling **II** *tw*, *GB* oud nou en of!, (heel) graag!

ratification [rætɪfɪ'keɪʃən] zn bekrachtiging, ratificatie

ratify ['rætɪfaɪ] ov ww bekrachtigen, ratificeren

rating ['reɪtɪŋ] zn ❶ waardering, waarderingscijfer, klasse, classificatie, klassering ★ *receive a high / low ~* een hoge / lage waardering krijgen ★ *get an X—* voor boven de 18 gekeurd worden ⟨film⟩ ❷ *GB* matroos

ratings ['reɪtɪŋz] zn mv kijkcijfers

ra

ratio ['reɪʃɪəʊ] zn verhouding ★ a doctor-nurse ~ of 1:7 een dokter-verpleegkundige verhouding van 1 op 7

ration ['ræʃən] I zn rantsoen ★ be on short ~s op rantsoen staan II ov ww ❶ rantsoeneren, op rantsoen stellen ★ ~ yourself to ten cigarettes a day jezelf op een rantsoen zetten van tien sigaretten per dag ❷ ration out distribueren (in tijden van schaarste) ★ meat is ~ed vlees is op de bon

rational ['ræʃənl] bnw ❶ redelijk, verstandelijk ❷ rationeel

rationale [ræʃə'nɑːl] form zn basis, grond(reden), redenering, achterliggende gedachte

rationalise ww GB → rationalize

rationalism ['ræʃənəlɪzəm] zn rationalisme

rationalist ['ræʃənəlɪst] zn rationalist

rationalistic [ræʃənə'lɪstɪk] bnw rationalistisch

rationality [ræʃə'næləti] zn ❶ rationaliteit ❷ rede

rationalize ['ræʃənəlaɪz] I ov ww ❶ rationaliseren, verstandelijk verklaren ❷ reorganiseren (bedrijf) II onov ww ❶ rationaliseren, iets verstandelijk verklaren ❷ reorganiseren

ration book zn bonboekje

rationing zn distributie, rantsoenering

rat race zn concurrentiestrijd, onderlinge rivaliteit

rat run GB zn sluipweg

rattan [rə'tæn] zn rotan, rotting

rat-tat [ræt'tæt], **rat-a-tat** GB zn klopklop

rattle ['rætl] I ov ww ❶ doen rammelen / ratelen, rammelen (met), ratelen (met) ❷ nerveus maken, op stang jagen, van zijn / haar stuk brengen ★ ~d by the questions / by her smile nerveus door de vragen / haar glimlach ★ her confidence was ~d haar zelfvertrouwen wankelde ❸ ~ off afraffelen, opdreunen II onov ww ❶ rammelen, ratelen, kletteren ★ an old truck ~d by / past een oude vrachtwagen ratelde / rammelde voorbij ❷ ~ around verloren rondlopen / ronddwalen / raken (in) (te groot huis) ❸ ~ away/on er op los kletsen, maar door ratelen ❹ GB inform ~ through ★ ~ through sth iets afraffelen, door iets heen vliegen III zn ❶ gerammel, geratel ❷ rammelaar ❸ GB ratel

rattler ['rætlə] zn, USA inform ratelslang

rattlesnake ['rætlsneɪk] zn ratelslang

rattletrap ['rætltræp] USA zn rammelkast

ratty ['rætɪ] bnw ❶ ratachtig ❷ GB inform prikkelbaar, nijdig ❸ USA inform sjofel

raucous ['rɔːkəs] bnw ❶ rauw, schor ❷ luidruchtig, lawaaierig

raunchy ['rɔːntʃɪ] bnw ordinair, vulgair, goor, geil

ravage ['rævɪdʒ] I ov ww verwoesten, teisteren II zn ★ ~s vernielingen ★ survive the ~s of time de tand des tijds doorstaan

rave [reɪv] I zn, rave review zeer lovende recensie, groot housefeest II onov ww ❶ razen, ijlen ★ rave at sb tekeergaan tegen iem. ❷ lyrisch zijn / worden ★ rave about / over sth dwepen met iets, lyrisch zijn / worden over iets

ravel ['rævəl] I ov ww ❶ in de war maken, compliceren ❷ ~ out ontwarren ook fig

raven ['reɪvn] I zn raaf II bnw dicht,

raven-haired ravenzwart

ravenous ['rævənəs] bnw ❶ uitgehongerd ❷ enorm ★ a ~ appetite een ontzettende trek / honger

raver ['reɪvə] zn ❶ bezoeker v. houseparty ❷ GB oud feestnummer, feestbeest

ravine [rə'viːn] zn ravijn

raving [reɪvɪŋ] I bnw + bijw buitengewoon, extreem, hartstikke ★ a ~ beauty een spetterende schoonheid ★ ~ mad stapelgek II zn [mv] ★ the ~s het geraaskal, de wartaal (van gek, oude man / vrouw)

ravish ['rævɪʃ] ov ww ❶ dicht onteren, verkrachten ❷ verwoesten, ruïneren

ravishing ['rævɪʃɪŋ] dicht bnw verrukkelijk, betoverend

raw [rɔː] I bnw ❶ rauw, ongekookt ❷ ruw, onbewerkt, puur ★ raw materials grondstoffen ★ raw silk ruwe zijde ★ fig USA raw language grove taal ❸ onbewerkt, ongecorrigeerd (gegevens, cijfers), realistisch, openhartig (portret) ❹ onervaren, ongeoefend ❺ pijnlijk, gevoelig, ontveld ❻ guur, ruw (van weer, wind) II zn rauwe plek ★ touch sb on the raw iem. tegen het zere been schoppen ★ in the raw rauw, in ruwe staat, USA inform naakt ★ life in the raw het leven zoals het is

rawhide ['rɔːhaɪd] zn ongelooide huid

ray [reɪ] zn ❶ straal (licht e.d.) ★ inform catch / grab some rays (even) wat zon pakken ★ fig inform be a ray of sunshine het zonnetje in huis zijn ❷ sprankje, beetje ★ a ray of hope een sprankje hoop ❸ rog (vis)

rayon ['reɪɒn] zn rayon, kunstzijde

raze [reɪz] ov ww met de grond gelijkmaken ★ be razed to the ground met de grond gelijkgemaakt worden, volledig vernietigd worden

razor ['reɪzə] zn scheerapparaat, scheermes ★ an electric ~ een elektrisch scheerapparaat ★ a disposable ~ een weggooischeermes ★ cut-throat ~ (lang) scheermes

razorbill zn alk

razor blade zn scheermesje

razor's edge ['reɪzəz 'edʒ], **razor edge** ['reɪzər 'edʒ] zn ▼fig on the ~ ≈ op het scherp van de snede, zeer kritiek

razor-sharp bnw messcherp, vlijmscherp ook fig, bv. van opmerking, beeld

razor wire zn prikkeldraad met scheermesjes

razzle ['ræzl] zn ★ GB inform be on the ~ aan de zwier zijn, uit (stappen) zijn

Rd, rd afk, road str., weg, straat

re [reɪ] I zn muz re II vz betreffende ★ re: Order No 2692 betreft: Order nr. 2692

re- [riː] voorv her-, weer-, opnieuw, terug- ★ rewrite herschrijven ★ remarry opnieuw trouwen ★ replace terugzetten

reach [riːtʃ] I ov ww ❶ bereiken, (aan)komen bij ★ ~ London in Londen aankomen ★ you can always ~ me on my mobile je kunt me altijd bereiken op mijn mobieltje ★ ~ an audience of over 30 million een publiek van meer dan 30 miljoen bereiken, door meer dan 30 miljoen mensen bekeken / gezien worden ★ ~ a certain age / point een bepaald(e) leeftijd / punt bereiken ★ not ~ the top shelf niet bij de

bovenste plank kunnen ★ ~ *a conclusion /
compromise* tot een conclusie / compromis
komen ★ *the news has not ~ed here* het nieuws is
hier nog niet binnengekomen ❷ reiken,
uitstrekken, uitsteken ★ ~ *out your hand to
touch sth* je hand uitsteken / uitstrekken om iets
aan te raken ❸ aanreiken, aangeven ★ *can you
~ me down those two books* kun je me die twee
boeken aangeven ❹ pakken ★ ~ *down a book
from the top shelf* een boek van de bovenste
plank (af) pakken / nemen **II** *onov ww* ❶ reiken,
zich uitstrekken ★ *his hair ~ed to his shoulders*
zijn haar kwam tot zijn schouders ★ ~ *out to
touch sth* je hand uitsteken / uitstrekken om iets
aan te raken ★ ~ *across the table* over de tafel
reiken ★ ~ *into your pocket for your keys* je
sleutels uit je zak pakken ❷ ~ **for** grijpen naar,
pakken ❸ ~ **out to** ★ ~ *out to sb* iem. proberen
te bereiken, met iem. in contact proberen te
komen **III** *zn* ❶ bereik ★ *within easy ~*
gemakkelijk te bereiken ★ *keep out of the ~ of
children* buiten het bereik van kinderen houden
❷ kring, invloedssfeer ★ *beyond the ~ of the law*
buiten het bereik van de wet ★ *in the upper /
lower ~es of* in de bovenste / laagste regionen
van ❸ rak (v.e. rivier) ★ *the upper / lower ~es of a
river* de bovenloop / benedenloop van een rivier
❹ dicht uitgestrektheid ★ *the outer ~es of space*
de uiterste streken / gebieden van de ruimte

react [rɪ'ækt] *onov ww* ❶ reageren *ook scheik* ★ ~
badly to sth slecht op iets reageren ⟨bv.
bepaalde medicijnen⟩ ❷ ~ **against** in opstand
komen tegen, zich afzetten tegen

reaction [rɪ'ækʃən] *zn* reactie *ook scheik* ★ *what's
your ~ to that?* wat is jouw reactie / antwoord
daarop? ★ *an allergic ~ to certain foods* een
allergische reactie op bepaalde
voedingsmiddelen ★ *sb with quick ~s* iem. met
snelle reflexen, iem. met een snel
reactievermogen

reactionary [rɪ'ækʃənərɪ] **I** *zn* reactionair **II** *bnw*
tegen politieke of sociale vooruitgang,
reactionair, uiterst conservatief

reactivate [rɪ'æktɪveɪt] *ov ww* reactiveren, nieuw
leven inblazen

reactive [rɪ'æktɪv] *bnw* reagerend

reactor [rɪ'æktə] *zn* reactor

read¹ [riːd] **I** *ov ww* [onregelmatig] ❶ lezen,
oplezen, voorlezen, aflezen ★ *read a book* een
boek lezen ★ *read the clock* op de klok kijken
★ *read the meter* de meter opnemen ★ *read
music* muziek lezen ★ *read a paper* een lezing
houden ★ *the thermometer reads 33°* de
thermometer wijst 33° aan ❷ uitleggen,
begrijpen, (kunnen) verstaan, horen ★ *we didn't
know how to read her silence* we wisten niet wat
haar stilte moest betekenen ★ *she read him right*
ze had hem door ❸ GB *oud* studeren ★ *read law*
rechten studeren ❹ ontvangen ⟨radio⟩ ★ *do you
read me?* ontvang je mij?, hoor je mij? ❺ comp
lezen (schijf), inlezen (gegevens) ❻ ~ **back**
voorlezen (wat net geschreven is) ❼ ~ **into** (een
betekenis) willen leggen in ❽ ~ **off** aflezen
(gegevens, van een instrument, apparaat)
❾ ~ **out** hardop (voor)lezen ❿ ~ **to** voorlezen
★ *read a story to sb* iem. een verhaal voorlezen
⓫ ~ **through/over** doorlezen, doornemen
⓬ ~ **up** (grondig) bestuderen **II** *onov ww*
[onregelmatig] ❶ lezen ★ *read and write* lezen
en schrijven ★ *your story reads well* je verhaal is
goed geschreven ★ *be well read* belezen zijn
❷ klinken, luiden ★ *a telegram reading* een
telegram dat luidt ❸ GB *oud* studeren ★ *read for
a degree in law* rechten studeren ❹ ~ **to**
voorlezen ❺ ~ **up on** (grondig) bestuderen
III *zn* het lezen, leesstof ★ *read a* (even)
lezen ★ *it's a good read* het is een goed boek, het
leest lekker weg

read² [red] *ww* [verl. tijd + volt. deelw.] → **read¹**

readability [riːdə'bɪlətɪ] *zn* leesbaarheid

readable ['riːdəbl] *bnw* ❶ lezenswaard ❷ leesbaar
⟨letter, handschrift⟩

readdress [riːə'dres] *ov ww* doorsturen

reader ['riːdə] *zn* ❶ (voor)lezer ★ *a slow ~* een
langzame lezer ❷ GB universitair hoofddocent
❸ leesboek, bloemlezing ★ *graded ~* bewerkt
boek ⟨voor bep. niveau⟩ ❹ lezer ⟨elektronisch
apparaat⟩, leesapparaat, reader

readership ['riːdəʃɪp] *zn* ❶ de lezers ❷ GB
universitair hoofddocentschap

readily ['redɪlɪ] *bijw* ❶ graag ★ *he'll ~ help you* hij
helpt je graag ❷ gemakkelijk ★ ~ *available
everywhere* overal gemakkelijk te krijgen

readiness ['redɪnəs] *zn* ❶ gereedheid ★ *be in ~ for
winter* klaarstaan voor, gereedstaan voor ★ *salt stock
increased in ~ for winter* zoutvoorraad vergroot
alvast ter voorbereiding op de winter
❷ bereidheid, bereidwilligheid ★ *express your ~
to do sth* je bereid tonen iets te doen

reading ['riːdɪŋ] *zn* ❶ (het) lezen, lees- ⟨vaak in
samenstellingen⟩ ★ ~ *list* leeslijst ★ *matter /
material* leesstof, lectuur ★ ~ *room* leeszaal ★ *on
first ~* bij het de eerste keer lezen ★ *your report
makes (for) interesting ~* je verslag is interessante
lectuur ❷ lezing, voordracht ❸ lectuur, leesstof
★ *light ~* lichte lectuur ★ *background ~*
achtergrondliteratuur ❹ (meter)stand ❺ lezing,
interpretatie, opvatting ❻ behandeling ⟨van
wetsontwerp⟩ ★ *first / second / third ~* eerste /
tweede / derde behandeling in de Kamer

reading comprehension *zn* leesvaardigheid

readjust [riːə'dʒʌst] **I** *onov ww* zich weer
aanpassen ★ ~ *after a divorce* het leven weer
oppakken na een scheiding **II** *ov ww* weer
aanpassen, weer goed zetten

readjustment [riːə'dʒʌstmənt] *zn* heraanpassing,
het weer goed zetten, herschikking

readmission [riːəd'mɪʃən] *zn* het opnieuw
toelaten

readmit [riːəd'mɪt] *ov ww* opnieuw toelaten ★ *be
~ted to hospital* opnieuw opgenomen worden in
het ziekenhuis

read-out comp *zn* uitdraai, uitlezing ⟨van
computeroutput, op scherm of papier⟩

ready ['redɪ] **I** *bnw* ❶ klaar ★ GB ~ *meal*
kant-en-klare maaltijd ★ *be ~ and waiting to do
sth* klaarstaan om iets te doen ★ ~ *to (leave)*
klaar om (te vertrekken), op het punt om (te
vertrekken) ★ *be ~ for a new job* klaar zijn voor
een nieuwe baan, toe zijn aan een nieuwe baan
★ *be ~ for a holiday* aan vakantie toe zijn ★ *get ~*
(zich) klaarmaken ★ *make ~ for* (zich)

voorbereiden voor / op, (zich) klaarmaken voor ★ ~, *stead, go!* klaar? af! ❷ bereid(willig) ★ *be ~ to help* klaarstaan om te helpen ★ *she is very ~ at excuses* ze staat direct klaar met een excuus ❸ vaardig, vlug, gemakkelijk ★ *have ~ access to sth* snelle toegang hebben tot iets ★ *~ to hand* bij de hand ★ *a ~ answer to your question* een snel antwoord op je vraag ★ *~ wit* gevatheid ❹ contant ★ *~ money / cash* contant geld **II** *zn* ★ *at the ~* in de aanslag, paraat ★ *always have your camera at the ~* houd je camera altijd bij de hand / paraat ★ GB inform *readies* [mv] contanten, het nodige geld **III** *ov ww* form voorbereiden, klaarmaken **IV** *bijw* kant-en-klaar, van tevoren ⟨vaak in samenstellingen⟩ ★ *~-salted crisps* zoute chips ★ *~-cooked meals* kant-en-klare maaltijden
ready-made [redɪˈmeɪd] *bnw* ❶ confectie-⟨kleding⟩, kant-en-klaar ⟨maaltijd⟩ ❷ voorgekauwd, stereotiep
ready-to-wear [redɪtəˈweə] oud *bnw* confectie-
reaffirm [ri:əˈfɜːm] *ov ww* opnieuw bevestigen
reafforest [ri:əˈfɒrɪst] GB *ov ww* herbebossen
reafforestation [ri:əfɒrɪˈsteɪʃən] GB *zn* herbebossing
real [rɪəl] **I** *bnw + bijw* echt, werkelijk, reëel ★ *real money* baar geld ★ *in real life* in het echt, in de echte wereld ★ *a real life scene* een levensecht tafereel ★ *that's the real thing* dat is het pas, dat is het ware ★ *get real!* doe eens normaal! ★ *be for real* echt zijn, serieus zijn ★ inform *do sth for real* iets echt doen ★ inform *are you for real?* meen je dat? **II** *bijw*, USA inform echt, erg ★ *she's real cute* zij is erg / echt leuk
real estate *zn* onroerend goed, onroerende zaken
real estate agent *zn* USA vastgoedmakelaar
realisation *zn* GB → realization
realise *ww* GB → realize
realism [ˈrɪəlɪzəm] *zn* realisme, werkelijkheidszin
realist [ˈrɪəlɪst] *zn* realist
realistic [rɪəˈlɪstɪk] *bnw* realistisch ook kunst , praktisch, nuchter ★ *~ally, there's little difference between X and Y* reëel beschouwd / in werkelijkheid is er weinig verschil tussen X en Y
reality [rɪˈælətɪ] *zn* werkelijkheid, realiteit ★ *virtual ~* virtual reality, virtuele werkelijkheid
reality check inform *zn* iets dat je weer met beide benen op de grond zet
realizable, realisable [rɪəˈlaɪzəbl] *bnw* realiseerbaar, te verwezenlijken
realization [rɪəlaɪˈzeɪʃən] *zn* ❶ bewustwording, besef ❷ realisatie, verwezenlijking
realize [ˈrɪəlaɪz] *ov ww* ❶ beseffen, inzien, zich realiseren ❷ form (te gelde) maken ⟨droom, ambitie⟩, realiseren ❸ form opbrengen ⟨bezittingen⟩, verkopen ❹ form opbrengen ★ *~ $7000* 7000 dollar opbrengen ★ *~ a large profit* een flinke winst opleveren
really [ˈrɪəlɪ] **I** *bijw* ❶ werkelijk, echt ★ *I don't know what ~ happened* ik weet niet wat er echt is gebeurd ❷ echt, beslist, heus ★ *I ~ must go now* ik moet er nu echt vandoor ❸ inform heel, erg ★ *be ~ hungry* ontzettende honger hebben **II** *tw* inderdaad, heus ★ *~?* o ja? ★ *not ~!* och kom!

realm [relm] *zn* ❶ gebied, domein ★ *the ~ of literature* de wereld van de literatuur ❷ dicht rijk ⟨van koning, keizer enz⟩
realtor [ˈrɪəltə, -tɔ:] *zn* USA makelaar in onroerende goederen
realty [ˈrɪəltɪ] *zn* huizen- / grondbezit, onroerend goed
ream [ri:m] **I** *zn* ❶ stapel, massa ★ *reams of information* bergen informatie ❷ GB riem ⟨hoeveelheid papier⟩ **II** *ov ww*, USA inform belazeren
reanimate [ri:ˈænɪmeɪt] form *ov ww* reanimeren
reanimation [ri:ænɪˈmeɪʃən] [form] *zn* reanimatie
reap [ri:p] *ov ww* oogsten ook fig , maaien ★ *reap the benefits of sth* de vruchten plukken van iets ★ *you reap what you sow* wat men zaait, zal men oogsten ⟨zoals jij anderen behandelt, zo zullen ze jou behandelen⟩
reaper [ˈri:pə] *zn* maaier, oogster, maaimachine ★ *the Grim Reaper* Magere Hein
reappear [ri:əˈpɪə] *onov ww* weer verschijnen
reappearance [ri:əˈpɪərəns] *zn* het opnieuw verschijnen
reappoint [ri:əˈpɔɪnt] *ov ww* opnieuw aanstellen
reappraisal [ri:əˈpreɪzəl] *zn* herwaardering
rear [rɪə] **I** *zn* ❶ achterkant, achterste gedeelte ★ *at the rear* aan de achterkant ★ *bring up the rear* fig de achterhoede vormen, achteraan komen ❷ inform achterste, kont **II** *bnw* achter-, achterste ★ *the rear door* de achterdeur ★ *rear end* achterkant, inform achterste, inform achterwerk **III** *ov ww* ❶ grootbrengen ⟨kinderen, jonge dieren⟩, kweken, fokken ★ *be reared on computer games* opgegroeid zijn met computerspelletjes ❷ bouwen, oprichten ❸ verheffen, opheffen **IV** *onov ww*, **rear up** steigeren form, **rear up** zich verheffen, oprijzen
rear-admiral *zn* schout-bij-nacht
rearguard [ˈrɪəgɑ:d] *zn* achterhoede
rearguard action *zn* ★ *fight a ~* een achterhoedegevecht leveren
rear light *zn* achterlicht
rearm [ri:ˈɑ:m] **I** *ov ww* herbewapenen **II** *onov ww* (zich) herbewapenen
rearmament [ri:ˈɑ:məmənt] *zn* herbewapening
rearmost [ˈrɪəməʊst] form *bnw* achterste
rearrange [ri:əˈreɪndʒ] *ov ww* ❶ herschikken ❷ verplaatsen ⟨afspraak⟩, verschuiven ★ *the meeting has been ~d for next week* de vergadering is naar volgende week verschoven
rearrangement [ri:əˈreɪndʒmənt] *zn* ❶ herschikking ❷ verplaatsing, verschuiving ⟨van afspraak⟩
rearward [ˈrɪəwəd] *bnw + bijw* ❶ achterste, achteraan ❷ achterwaarts
rearwards [ˈrɪəwədz] *bijw* ❶ achterste, achteraan ❷ achterwaarts
reason [ˈri:zən] **I** *zn* ❶ reden ★ *all the more ~* een reden te meer ★ *be beyond (all) ~* onredelijk zijn ★ form *by ~ of* vanwege, op grond van ★ *for obvious ~s* om redenen die voor de hand liggen ★ *for some ~* om de een of andere reden ★ *for whatever ~* om welke reden dan ook ★ *for ~s of safety* om veiligheidsredenen ★ *she asked him the*

~ *for his decision* zij vroeg hem de reden van zijn besluit ★ *no* ~ daarom ⟨als antwoord op een waarom-vraag⟩ ★ *with (good)* ~ met reden, terecht ★ *without* ~ zonder reden, onterecht ❷ redelijkheid, rede, billijkheid ★ *listen to* ~ naar rede luisteren ★ *see* ~ tot rede komen ★ *within* ~ redelijkwijs, binnen wat redelijk is ★ *it stands to* ~ het spreekt vanzelf ❸ verstand, rede ★ *lose your* ~ je verstand verliezen **II** *ov ww* beredeneren, redeneren, aannemen ★ ~ *sth out* iets beredeneren, iets uitdokteren **III** *onov ww* redeneren ★ *try to* ~ *with sb* iem. proberen tot rede te brengen, met iem. proberen te praten

reasonable ['ri:zənəbl] *bnw* ❶ redelijk ❷ billijk, schappelijk ⟨van prijs⟩

reasonably ['ri:zənəbli] *bijw* ❶ vrij, tamelijk ★ *in* ~ *good weather* in tamelijk goed weer ❷ redelijk ★ *behave* ~ zich redelijk gedragen ❸ redelijkerwijs

reasoning ['ri:zənɪŋ] *zn* redenering

reassemble [ri:ə'sembl] **I** *ov ww* weer in elkaar zetten **II** *onov ww* opnieuw bijeenkomen

reassert [ri:ə's3:t] *ov ww* ❶ opnieuw beweren ❷ weer laten gelden

reassertion [ri:ə's3:ʃən] *zn* herhaalde bewering

reassess [ri:ə'ses] *ov ww* ❶ opnieuw onderzoeken, heroverwegen, herwaarderen ❷ opnieuw schatten ⟨kosten, schade⟩

reassessment [ri:ə'sesmənt] *zn* ❶ heroverweging, herwaardering ❷ nieuwe schatting

reassurance [ri:ə'ʃɔ:rəns] *zn* geruststelling

reassure [ri:ə'ʃɔ:] *ov ww* geruststellen

reassuring [ri:ə'ʃɔ:rɪŋ] *bnw* geruststellend

rebate ['ri:beɪt] *zn* korting, aftrek, rabat

rebel[1] ['rebl] **I** *zn* opstandeling, oproerling, rebel **II** *bnw* opstandig, rebellen- ★ ~ *leader* rebellenleider

rebel[2] [rɪ'bel] *onov ww* in opstand komen, rebelleren ★ ~ *against your parents* zich afzetten tegen je ouders

rebellion [rɪ'beljən] *zn* opstand, oproer ★ *rise in* ~ *against* in opstand komen tegen

rebellious [rɪ'beljəs] *bnw* opstandig, rebels

rebirth [ri:'b3:θ] *zn* wedergeboorte, wederopleving

reboot [ri:'bu:t] *ov ww* comp rebooten ⟨systeem herstarten⟩

reborn [ri:'bɔ:n] *bnw* herboren

rebound[1] ['ri:baʊnd] *zn* terugspringende bal, rebound ★ *on the* ~ van de weeromstuit, als reactie, zich herstellend ★ *I met her when she was on the* ~ ik ontmoette haar toen het net uit was haar vorige vriend

rebound[2] [ri:'baʊnd] *onov ww* ❶ terugspringen, terugstuiten ❷ zich herstellen ⟨van prijzen, koersen⟩ ❸ ~ **on** (weer) neerkomen op ★ *the effects of their tampering with nature are ~ing on themselves* zij vinden nu zelf last van de effecten van hun geknoei met de natuur

rebuff [rɪ'bʌf] form **I** *zn* afwijzing, weigering **II** *ov ww* afwijzen, afstoten, weigeren

rebuild [ri:'bɪld] *ov ww* herbouwen, weer opbouwen

rebuke [rɪ'bju:k] **I** *ov ww* berispen **II** *zn* berisping

rebut [rɪ'bʌt] form *ov ww* weerleggen

rebuttal [rɪ'bʌtl] form *zn* weerlegging

recalcitrance [rɪ'kælsɪtrəns] form *zn* verzet, weerspannigheid, recalcitrant gedrag

recalcitrant [rɪ'kælsɪtrənt] form *bnw* recalcitrant, weerspannig

recall [rɪ'kɔ:l] **I** *ov ww* ❶ zich herinneren ❷ weer in het geheugen / voor de geest roepen, herinneren aan ❸ terugroepen ⟨producten naar fabriek, ambassadeur⟩ ❹ weer oproepen ⟨speler, voor een team⟩ **II** *onov ww* zich herinneren **III** *zn* ❶ herinnering, geheugen ★ *have total* ~ *of sth* zich alles van iets herinneren ❷ terugroeping ⟨van producten naar fabriek, van ambassadeur⟩ ▼ *beyond / past* ~ onherroepelijk

recant [rɪ'kænt] **I** *ov ww* (openlijk) herroepen **II** *onov ww* zijn mening herroepen, zijn dwaling (openlijk) toegeven

recapitulate [ri:kə'pɪtjʊleɪt], inform **recap** ['ri:kæp] **I** *ov ww* recapituleren, kort samenvatten **II** *onov ww* recapituleren, het kort samenvatten

recapitulation [ri:kəpɪtjʊ'leɪʃən], inform **recap** ['ri:kæp] *zn* recapitulatie, korte samenvatting

recapture [ri:'kæptʃə] **I** *ov ww* ❶ heroveren, terugnemen ❷ weer oproepen, weer tot leven brengen ❸ weer vangen **II** *zn* terugname, herovering

recast [ri:'kɑ:st] *ov ww* ❶ omwerken ❷ een andere rol geven ⟨acteur⟩, aan een andere acteur / actrice geven ⟨rol⟩

recede [rɪ'si:d] *onov ww* ❶ achteruitgaan, (terug)wijken, zich terugtrekken ❷ geleidelijk verdwijnen, langzaam minder worden ⟨bv. van pijn⟩

receipt [rɪ'si:t] *zn* ❶ kwitantie, reçu ❷ form ontvangst ★ *on* ~ *of* na ontvangst van ▼ ~*s* [mv] inkomsten, recette

receivable [rɪ'si:vəbl] *bnw* nog te innen, nog te ontvangen ⟨van rekeningen, schulden⟩

receive [rɪ'si:v] **I** *ov ww* ❶ ontvangen, krijgen ★ ~ *information* informatie ontvangen ★ ~ *a phone call* een telefoontje krijgen ★ ~ *a visit from sb* bezoek krijgen van iem. ★ *be ~d well by the public* goed ontvangen worden door het publiek ★ *are you receiving us?* ontvang je ons?, hoor je ons ⟨via de radio⟩ ❷ GB helen ★ ~ *stolen goods* gestolen goederen helen **II** *onov ww* GB helen

received [rɪ'si:vd] *bnw* algemeen aanvaard, standaard- ★ *Received Pronunciation* Algemeen Beschaafd Engels

receiver [rɪ'si:və] *zn* ❶ ontvanger ⟨voor radio, tv⟩ ❷ hoorn ⟨van telefoon⟩ ❸ ontvanger, iemand die iets ontvangt ❹ GB heler ❺ official receiver curator ⟨van failliete boedel⟩

recent ['ri:sənt] *bnw* kortgeleden, van onlangs, recent ★ *in* ~ *years* (in) de laatste jaren ★ *the* ~ *past* het recente verleden ★ *a* ~ *development* een nieuwe / recente ontwikkeling

recently ['ri:səntli] *bijw* onlangs, kort geleden, de laatste tijd ★ *until* ~ tot voor kort

receptacle [rɪ'septəkl] form *zn* vergaarbak, container, bak, vat

reception [rɪ'sepʃən] *zn* ❶ ontvangst, onthaal,

re

receptie ⟨officiële ontvangst⟩, opvang ⟨bv. van vluchtelingen⟩ ★ *meet with a warm ~* warm onthaald worden ⟨van boek, film, persoon⟩ ❷ receptie ⟨in hotel e.d.⟩ ★ *we'll meet you in ~* we treffen elkaar bij de receptie ❸ ontvangst ⟨van radio, tv, mobieltje⟩ ★ *bad / poor ~* slechte ontvangst / verbinding

receptionist [rɪ'sepʃənɪst] *zn* receptionist

reception room *GB zn* ontvangkamer

receptive [rɪ'septɪv] *bnw* ontvankelijk, vatbaar ★ *be ~ to new ideas* openstaan voor nieuwe ideeën

receptivity [rɪsep'tɪvətɪ] *zn* → receptive

receptor [rɪ'septə] *biol zn* receptor

recess [rɪ'ses] I *zn* ❶ reces, vakantie ★ *be in ~* op reces zijn ❷ schorsing, verdaging ⟨van rechtzaak⟩ ❸ *USA* pauze ⟨op school⟩ ❹ nis, alkoof, hoek ❺ schuilhoek, uithoek ★ *in the dark ~es of his mind* in de donkere krochten van zijn geest, diep verborgen in zijn geest II *ov ww* laten inspringen, verzinken, inbouwen III *onov ww USA* op reces gaan, op vakantie gaan

recession [rɪ'seʃən] *zn* achteruitgang, recessie ★ *be in deep ~* in een diepe recessie verkeren

recessive [rɪ'sesɪv] *biol bnw* recessief ⟨van genen, eigenschappen, tegenover dominant⟩

recharge [riː'tʃɑːdʒ] I *ov ww* herladen, weer opladen ★ *fig ~ your batteries* jezelf weer opladen II *onov ww inform* zichzelf weer opladen, nieuwe energie krijgen

rechargeable *bnw* oplaadbaar ⟨van batterij⟩

recharger *zn* oplader ⟨voor batterij, mobieltje enz.⟩

recidivism [rɪ'sɪdɪvɪzəm] *zn* recidive, herhaling van misdrijf

recidivist [rɪ'sɪdɪvɪst] *zn* recidivist

recipe ['resɪpɪ] *zn* recept

recipient [rɪ'sɪpɪənt] *form zn* ontvanger ★ *undisclosed ~s* anonieme ontvangers ⟨bv. van e-mails⟩

reciprocal [rɪ'sɪprəkl] *bnw* wederzijds, wederkerig, als tegenprestatie

reciprocate [rɪ'sɪprəkeɪt] *form* I *ov ww* ❶ wederdienst bewijzen, wederkerig van dienst zijn ★ *~ sb's hospitality* iem. op zijn beurt gastvrij ontvangen ❷ uitwisselen, beantwoorden ⟨liefde, gevoelens aan een ander⟩ II *onov ww* (op zijn / haar beurt) antwoorden, iets terugdoen

reciprocity [resɪ'prɒsətɪ] *form zn* ❶ gelijke behandeling v. weerskanten, wederkerigheid ❷ wisselwerking

recital [rɪ'saɪtl] *zn* ❶ concert, recital ❷ voordracht ⟨van poëzie⟩ ❸ (lang) verhaal, (lange) opsomming

recitation [resɪ'teɪʃən] *zn* ❶ voordracht ❷ (lang) verhaal

recitative [resɪtə'tiːv] *zn* recitatief ⟨in opera⟩

recite [rɪ'saɪt] I *ov ww* ❶ voordragen, opzeggen ❷ opnoemen, opsommen II *onov ww* voordragen, opzeggen

reckless ['rekləs] *bnw* roekeloos ★ *~ driving* roekeloos rijgedrag

reckon ['rekən] I *ov ww* ❶ *inform* denken, menen, aannemen, vermoeden ★ *what do you ~?* wat denk jij ★ *do you ~ he'll come?* denk je

dat hij komt? ★ *they ~ to finish by tomorrow* zij denken / verwachten morgen klaar te zijn ❷ houden voor, beschouwen ★ *be ~ed to be his best film yet* beschouwd worden als zijn beste film tot nu toe ❸ berekenen, uitrekenen II *onov ww* ❶ inform menen, denken ★ *you ~?* denk je dat? ❷ ~ **on** rekenen op ❸ ~ **with** rekening houden met, afrekenen met ★ *a man to be ~ed with* een man met wie je rekening moet houden ★ *if he hits you again, he'll have me to ~ with* als hij je nog een keer slaat, dan krijgt hij met mij te maken ❹ ~ **without** geen rekening houden met

reckoning ['rekənɪŋ] *zn* ❶ berekening ❷ verrekening, vergelding, afrekening ▾ *GB be in / into the ~ for* kandidaat / kanshebber zijn voor ▾ *GB be out of the ~ for* geen kandidaat / kanshebber (meer) zijn voor

reclaim [rɪ'kleɪm] *ov ww* ❶ terugwinnen ❷ terugvorderen, terugeisen ❸ recyclen, hergebruiken ❹ droogmaken, ontginnen

reclamation [reklə'meɪʃən] *zn* ❶ terugwinning ❷ ontginning, drooglegging ❸ terugvordering

recline [rɪ'klaɪn] *onov ww* ❶ (achterover)leunen ❷ liggen ❸ steunen

reclining seat *zn* stoel met verstelbare rugleuning

recluse [rɪ'kluːs] *zn* kluizenaar

reclusive *bnw* afgezonderd, teruggetrokken

recognise *ww GB* → recognize

recognition [rekəg'nɪʃən] *zn* ❶ herkenning ❷ erkenning ⟨van een staat, probleem, feit⟩ ❸ erkenning, waardering ★ *in ~ of* als waardering voor, uit erkentelijkheid voor

recognizable [rekəg'naɪzəbl] *bnw* herkenbaar

recognize ['rekəgnaɪz] *ov ww* ❶ herkennen ❷ erkennen ⟨staat, probleem, feit⟩ ★ *~ sth as a problem* iets als probleem erkennen, toegeven dat iets een probleem is ★ *be ~d as a brilliant scientist* erkend worden als briljant wetenschapper

recoil[1] ['rɪkɔɪl] *zn* terugslag, terugstoot ⟨van vuurwapen⟩

recoil[2] [rɪ'kɔɪl] *onov ww* ❶ terugdeinzen, terugschrikken ★ *~ in horror* vol afschuw terugdeinzen ❷ terugstoten ⟨van vuurwapen⟩ ❸ ~ **from** terugdeinzen voor

recollect [rekə'lekt] I *ov ww* zich (weten te) herinneren II *onov ww* het zich (weten te) herinneren

recollection [rekə'lekʃən] *zn* herinnering

recommence [riːkə'mens] I *ov ww* opnieuw beginnen II *onov ww* opnieuw beginnen

recommend [rekə'mend] *ov ww* aanbevelen, aanraden, adviseren ★ *~ed price* adviesprijs ★ *this book has much to ~ it* dit boek is zeer aanbevelenswaardig ★ *strongly ~ that* ten stelligste aanraden dat

recommendable [rekə'mendəbl] *bnw* aanbevelenswaardig

recommendation [rekəmen'deɪʃən] *zn* ❶ aanbeveling, advies ★ *on the ~ of* op aanraden van ❷ *USA* aanbevelingsbrief

recompense ['rekəmpens] *form* I *zn* ❶ vergoeding, schadeloosstelling ❷ beloning II *ov ww* ❶ vergoeden, schadeloosstellen

❷ belonen

reconcile ['rekənsaɪl] *ov ww* **❶** verzoenen, overeenbrengen, (met elkaar) in overeenstemming brengen ★ *try to ~ socialism with democracy* socialisme met democratie proberen te verenigen ★ *father and son were ~d* vader en zoon hadden zich verzoend **❷** ~ *to/with* verzoenen met ★ *become ~d with your family* je verzoenen met je family ★ ~ *o.s. to sth* zich schikken in iets

reconciliation [rekənsɪlɪ'eɪʃən] *zn* verzoening, vereniging

recondite ['rekəndaɪt] *bnw* obscuur, duister

recondition [ri:kən'dɪʃən] *ov ww* herstellen, opknappen, renoveren

reconnaissance [rɪ'kɒnɪsəns] *zn* verkenning

reconnoitre, USA **reconnoiter** [rekə'nɔɪtə] *ov ww* verkennen

reconquer [ri:'kɒŋkə] *ov ww* heroveren

reconsider [ri:kən'sɪdə] *ov ww* **❶** heroverwegen **❷** herroepen

reconsideration [ri:kənsɪdə'reɪʃən] *zn* heroverweging

reconstitute form *ov ww* **❶** opnieuw samenstellen, reorganiseren (bedrijf) **❷** water toevoegen aan (gedroogd voedsel) ★ *~d orange juice* sinaasappelsap (van poeder met water)

reconstruct [ri:kən'strʌkt] *ov ww* **❶** opnieuw opbouwen **❷** reconstrueren (gebeurtenis)

reconstruction [ri:kən'strʌkʃən] *zn* **❶** reconstructie (van gebeurtenis) **❷** wederopbouw

reconstructive [ri:kən'strʌktɪv] *bnw* reconstruerend ★ ~ *surgery* reconstructiechirurgie

record[1] ['rekɔ:d] I *zn* **❶** verslag, rapport, aantekening ★ *medical ~s* medisch dossier ★ *keep a ~ of* aantekeningen houden van, bijhouden ★ *for the ~* voor de goede orde, officieel ★ *off the ~* vertrouwelijk, niet voor publicatie bestemd ★ *put / set the ~ straight* de zaken recht zetten **❷** reputatie, antecedenten, staat van dienst (ook in samenstellingen) ★ *have a (criminal) ~* een strafblad hebben ★ *have a good safety ~* een goede staat van dienst hebben op het gebied van de veiligheid ★ *a war ~* een oorlogsverleden ★ *be on ~ (as)* te boek staan (als), algemeen bekend staan (als) ★ *the coldest winter on ~* de koudste winter in de geschiedenis, de koudste winter ooit ★ *go on (the) ~ as saying that* publiekelijk verklaren dat **❸** opname, (grammofoon)plaat ★ *record, hoogste prestatie* ★ *beat / break / cut a ~* een record breken ★ *set a new ~* een nieuw record vestigen **❹** afschrift, document **❺** getuigenis ★ *bear ~ of* getuigenis afleggen van II *bnw* record- ★ *in ~ time* in een recordtijd ★ *a ~ audience* een recordpubliek

record[2] [rɪ'kɔ:d] *ov ww* **❶** registreren, te boek stellen, optekenen, aantekenen **❷** vastleggen (op geluidsdrager), een geluidsopname maken van, opnemen **❸** vermelden, melding maken van

record-breaking *bnw* die / dat een record breekt, record-

recorder [rɪ'kɔ:də] *zn* **❶** blokfluit **❷** (band)recorder **❸** rechter **❹** griffier **❺** archivaris

record-holder *zn* recordhouder

recording [rɪ'kɔ:dɪŋ] *zn* opname

record player *zn* platenspeler, grammofoon

records ['rekɔ:dz] *zn mv* archieven

recount[1] ['ri:kaunt] I *zn* nieuwe telling II *ov ww* opnieuw tellen

recount[2] [rɪ'kaunt] form *ov ww* (uitvoerig) vertellen

recoup [rɪ'ku:p] *ov ww* terugwinnen, terugverdienen

recourse [rɪ'kɔ:s] form *zn* toevlucht ★ *have ~ to* zijn toevlucht nemen tot

recover [rɪ'kʌvə] I *ov ww* **❶** terugkrijgen, terugvinden ★ ~ *the use of your left arm* je linkerarm weer kunnen gebruiken ★ ~ *consciousness* weer bijkomen ★ ~ *damages from* schadevergoeding krijgen van ★ ~ *o.s. / one's senses* bijkomen, tot bezinning komen **❷** terugwinnen, terugverdienen ★ ~ *the costs* de kosten eruit halen II *onov ww* genezen, herstellen, bijkomen, er weer bovenop komen

recoverable [rɪ'kʌvərəbl] *bnw* **❶** terug te krijgen **❷** winbaar (bv. olie-, gasvoorraden uit de grond)

recovery [rɪ'kʌvəri] *zn* **❶** herstel ★ *best wishes for your ~!* beterschap! ★ *beyond / past ~* onherstelbaar, ongeneeslijk **❷** het terugkrijgen, het terugwinnen

recovery room med *zn* verkoeverkamer, recovery

recreate [ri:krɪ'eɪt] *ov ww* herscheppen

recreation[1] [rekrɪ'eɪʃən] *zn* **❶** ontspanning, recreatie, vermaak **❷** GB vrijetijdsbesteding

recreation[2] [ri:krɪeɪʃən] *zn* herschepping

recreational [rekrɪ'eɪʃənəl] *bnw* recreatie-, recreatief, ontspannings-

recreation ground *zn* speelterrein, speeltuin, recreatieterrein

recreation room *zn* speelkamer, recreatiekamer

recrimination [rekrɪmɪ'neɪʃən] *zn* **❶** tegenverwijt, tegenbeschuldiging **❷** het elkaar beschuldigen

recruit [rɪ'kru:t] I *ov ww* werven, rekruteren, aantrekken II *onov ww* rekruten / personeel werven III *zn* **❶** rekruut **❷** nieuweling

recruitment [rɪ'kru:tmənt] *zn* rekrutering, (personeels)werving

rectal anat *bnw* rectaal, van / via de endeldarm

rectangle ['rektæŋgl] *zn* rechthoek

rectangular [rek'tæŋgʊlə] *bnw* rechthoekig

rectification [rektɪfɪ'keɪʃən] *zn* rectificatie, rechtzetting, verbetering

rectify ['rektɪfaɪ] form *ov ww* rechtzetten, verbeteren, herstellen

rectilinear [rektɪ'lɪnɪə] *bnw* rechtlijnig

rectitude ['rektɪtju:d] form *zn* rechtschapenheid, oprechtheid

rector ['rektə] *zn* **❶** rector **❷** predikant (van anglicaanse kerk)

rectorship ['rektəʃɪp] *zn* ambt v. rector, rectoraat

rectory ['rektəri] *zn* pastorie, predikantswoning

rectum anat *zn* rectum, endeldarm

recumbent [rɪ'kʌmbənt] form *bnw* (achterover)liggend

recuperate [rɪ'ku:pəreɪt] I *onov ww* herstellen, er

re

weer bovenop komen **II** *ov ww* <u>GB</u> terugwinnen ⟨verliezen⟩, terugkrijgen

recuperation [rɪku:pə'reɪʃən] *zn* herstel

recuperative [rɪ'ku:pərətɪv] *bnw* herstellend, herstellings-

recur [rɪ'kɜ:] *onov ww* terugkeren, terugkomen, zich herhalen ★ *~ring decimals* repeterende decimalen

recurrence [rɪ'kʌrəns] *zn* herhaling, terugkeer

recurrent [rɪ'kʌrənt] *bnw* (telkens) terugkerend

recycle [ri:'saɪkl] *ov ww* recyclen, hergebruiken, verwerken tot nieuw product

recycling [ri:'saɪklɪŋ] *zn* ❶ het recyclen, hergebruik ❷ herbruikbaar afvalmateriaal ⟨oud papier, lege flessen e.d.⟩

red [red] **I** *bnw* ❶ rood ❷ *go / turn red* blozen, rood worden ★ *roll out the red carpet for sb* de rode loper uitrollen voor iem. ★ *give sb the red carpet treatment* de rode loper uitrollen voor iem. ★ *Red Cross* Rode Kruis ★ *red herring* afleidingsmanoeuvre ★ *red meat* rood vlees ★ *red tape* bureaucratie, bureaucratische rompslomp ★ *red wine* rode wijn **II** *zn* ❶ rood, (de) rode ★ *be in / get into the red* rood ⟨komen te⟩ staan ★ *see red* woedend worden ❷ rode wijn

Red [red] *zn* ★ *the Reds* de roden / rooien, de communisten

red-blooded *bnw* levenslustig, viriel ★ *a ~ man* een echte man

redbreast ['redbrest] *zn* roodborstje

redbrick ['redbrɪk], **redbrick university** *zn* Britse universiteit v. eind 19e eeuw of begin 20e eeuw ⟨in tegenstelling tot de oudere universiteiten van Oxford en Cambridge⟩

redcoat ['redkəʊt] *zn* gesch Eng. soldaat

redcurrant *zn* aalbes, rode bes

redden ['redn] **I** *onov ww* rood worden, blozen **II** *ov ww* rood maken

reddish ['redɪʃ] *bnw* roodachtig, rossig

redecorate [ri:'dekəreɪt] **I** *ov ww* opknappen, opnieuw schilderen en behangen **II** *onov ww* de boel opknappen, opnieuw schilderen en behangen

redeem [rɪ'di:m] *ov ww* ❶ goedmaken ★ *~ing feature* verzachtende omstandigheid ★ *~ yourself* je fout goedmaken, je fout herstellen ❷ inwisselen, te gelde maken ★ *~ coupons* coupons inruilen / inwisselen ❸ terugkopen, afkopen, vrijkopen, aflossen, inlossen ★ *~ your golden ring from the pawnshop* je gouden ring terugkopen van de bank van lening ★ *~ a loan / mortgage* een lening / hypotheek aflossen ❹ <u>rel</u> bevrijden, verlossen ❺ <u>form</u> nakomen, vervullen ★ *~ a promise / an obligation* een belofte / verplichting nakomen

redeemable [rɪ'di:məbl] *bnw* ❶ aflosbaar ❷ inwisselbaar

redeemer [rɪ'di:mə] <u>rel</u> *zn* verlosser

redemption [rɪ'dempʃən] *zn* ❶ aflossing, inwisseling, het te gelde maken, inlossing ❷ <u>rel</u> verlossing

redemptive [rɪ'demptɪv] *bnw* reddend

redeploy [ri:dɪ'plɔɪ] *ov ww* ❶ hergroeperen ❷ een andere taak / een andere functie geven, herplaatsen

redevelop [ri:dɪ'veləp] *ov ww* ❶ opnieuw ontwikkelen ❷ renoveren, saneren

red-handed [red'hændɪd] *bnw* op heterdaad ★ *be caught ~* op heterdaad betrapt worden

redhead *zn* roodharige

redheaded *bnw* roodharig

red-hot [red'hɒt] *bnw* ❶ roodgloeiend, gloeiend heet ❷ ontzettend ★ *~ anger* blinde woede, razernij ★ <u>GB</u> *the ~ favourite* de torenhoge favoriet ❸ sensationeel, opwindend, sexy ❹ zeer gewild, hot, razend populair

redirect [ri:daɪ'rekt] *ov ww* ❶ opnieuw richten, een andere bestemming geven ⟨geld, energie⟩ ❷ <u>GB</u> doorsturen ⟨naar ander adres⟩

rediscover [ri:dɪ'skʌvə] *ov ww* herontdekken

rediscovery [ri:dɪ'skʌvərɪ] *zn* herontdekking

redistribute [ri:dɪ'strɪbju:t] *ov ww* opnieuw verdelen, opnieuw distribueren

redistribution [ri:dɪstrɪ'bju:ʃən] *zn* herverdeling, nieuwe verdeling, herdistributie

red-letter *zn* ★ *~ day* heuglijke / gedenkwaardige dag, feestdag, geluksdag

red-light *bnw* ★ *~ district* rosse buurt

redneck ['rednek] *zn*, <u>USA</u> <u>min</u> ⟨blanke, conservatieve⟩ arbeider ⟨in de zuidelijke staten⟩, ultrarechtse bekrompen plattelander

redo [ri:'du:] *ov ww* ❶ overdoen, opnieuw doen ❷ opknappen, anders inrichten

redolence ['redələns] *zn* geur, welriekendheid

redolent ['redələnt] *bnw* ❶ ⟨wel⟩riekend ★ *~ of / with* geurend naar, ruikend naar ❷ herinnerend ★ *be ~ of* herinneren aan, doen denken aan

redouble [ri:'dʌbl] *ov ww* verdubbelen

redoubtable [rɪ'daʊtəbl] <u>dicht</u> *bnw* geducht

redound [rɪ'daʊnd] <u>form</u> *onov ww* grotelijks bijdragen ★ *~ to sb's credit / honour* iem. tot eer strekken

redraft [ri:'drɑ:ft] **I** *ov ww* opnieuw ontwerpen / opstellen, herschrijven **II** *zn* gewijzigd(e) ontwerp / opzet

redraw [ri:'drɔ:] *ov ww* ❶ opnieuw tekenen ❷ opnieuw trekken ⟨grens⟩

redress [rɪ'dres] <u>form</u> **I** *zn* herstel, vergoeding **II** *ov ww* weer goedmaken, herstellen, vergoeden

red-rimmed *bnw* roodomrand ⟨van ogen⟩

redskin ['redskɪn] <u>min</u> <u>oud</u> *zn* roodhuid

red snapper *zn* rode snapper ⟨vissoort⟩

reduce [rɪ'dju:s] **I** *ov ww* ❶ verlagen, verminderen, verzwakken ★ *~ costs* kosten verlagen ★ *~ inflation* de inflatie terugbrengen ★ *~ to £20* afprijzen op 20 pond, in prijs verlagen tot 20 pond ★ *~ by half* met de helft verminderen ❷ ⟨laten⟩ inkoken ⟨soep, saus⟩ ❸ *~ to* ⟨terug⟩brengen tot, herleiden tot ★ *~ to ash / dust* in de as leggen ★ *~ sb to tears / silence* iem. tot tranen / zwijgen brengen ★ *be ~d to poverty* tot armoede vervallen ★ *~ to powder* fijnmaken ★ *~ a problem to* een probleem herleiden tot ★ *~ sb to a nervous wreck* een geestelijk wrak van iem. maken ★ *be ~d to do sth* gedwongen worden iets te doen **II** *onov ww* ❶ inkoken ⟨van soep, saus⟩ ❷ <u>USA</u> afvallen, afslanken

reducible [rɪ'dju:səbl] *bnw* reduceerbaar, herleidbaar

reduction [rɪ'dʌkʃən] *zn* ❶ vermindering,

verlaging ❷ korting ❸ verkleining ⟨van foto, kopie⟩

reductive [rɪ'dʌktɪv] <u>form</u> bnw vereenvoudigend, reducerend

redundance pay <u>GB</u> zn afvloeiingspremie, ontslagvergoeding

redundance scheme zn afvloeiingsregeling

redundancy [rɪ'dʌndənsɪ] zn ❶ <u>GB</u> ontslag, werkloosheid ★ *face* ~ ontslag te wachten staan, werkloos dreigen te worden ★ *compulsory / voluntary redundancies* gedwongen / vrijwillig ontslagen ★ *take / accept (voluntary)* ~ je ontslag accepteren, vrijwillig ontslag nemen ❷ overtolligheid ❸ overvloed(igheid)

redundant [rɪ'dʌndənt] bnw ❶ <u>GB</u> werkloos, boventallig verklaard ★ *be made* ~ werkloos worden ❷ overbodig, overtollig

reduplicate [rɪ'dju:plɪkeɪt] **I** ov ww verdubbelen **II** onov ww verdubbelen

redwood ['redwʊd] zn sequoia(boom)

re-echo [ri:'ekəʊ] **I** ov ww ❶ weerkaatsen, laten weerklinken ❷ (steeds) herhalen **II** onov ww weerklinken, weergalmen

reed [ri:d] zn ❶ riet ⟨plant⟩ ❷ riet ⟨in mondstuk van hobo, klarinet e.d.⟩

re-educate [ri:'edjʊkeɪt] ov ww ❶ heropvoeden ❷ herscholen, omscholen

re-education zn ❶ heropvoeding ❷ herscholing, omscholing

reedy ['ri:dɪ] bnw ❶ schel ⟨van geluid⟩ ❷ vol riet

reef [ri:f] **I** zn ❶ rif ❷ reef ⟨zeilen⟩ **II** ov ww, **reef in** reven ⟨zeilen⟩

reefer ['ri:fə] zn, **reefer jacket** jekker, jopper ⟨soort jas⟩ <u>oud</u> <u>inform</u> joint

reef knot <u>GB</u> zn platte knoop

reek [ri:k] **I** onov ww ❶ stinken ★ *reek of rotten eggs* naar rotte eieren stinken / ruiken ❷ fig rieken ★ *reek of racism* naar racisme rieken **II** zn stank

reel [ri:l] **I** zn ❶ klos(je), haspel, spoel ★ *off the reel* vlot, zonder haperen ❷ (film(strook), filmrol ❸ reel ⟨Schotse, Ierse dans(muziek)⟩ **II** ov ww ~ *in* ophalen, inhalen ⟨vis⟩, binnenhalen ⟨publiek, geld⟩ ❶ ~ *off* afraffelen, opdreunen ❷ ~ *out* uitrollen, afwinden, afrollen **III** onov ww ❶ wankelen, waggelen ❷ duizelen, draaien ★ *my head reels* het duizelt me ❸ de 'reel' dansen

re-elect [ri:r'lekt] ov ww herkiezen

re-election [ri:r'lekʃən] zn herverkiezing

re-eligible [ri:'elɪdʒəbl] bnw herkiesbaar

re-emerge [ri:r'mɜ:dʒ] onov ww opnieuw verschijnen

re-enact [ri:r'nækt] ov ww weer opvoeren, reconstrueren, naspelen

re-enactment [ri:r'næktmənt] zn reconstructie ⟨bv. van misdaad⟩, het naspelen, het opnieuw opvoeren

re-enter [ri:'entə] **I** ov ww ❶ terugkeren, herintreden, opnieuw meedoen aan ❷ weer inschrijven ❸ weer binnengaan **II** onov ww weer binnenkomen

re-entry [ri:'entrɪ] zn herintreding, terugkeer

reeve [ri:v] gesch zn baljuw

re-examination [ri:ɪgzæmɪ'neɪʃən] zn nieuw onderzoek

re-examine [ri:ɪg'zæmɪn] ov ww opnieuw onderzoeken

ref [ref] zn <u>inform</u> scheids → **referee**

ref. [ref] *afk, reference* verwijzing

refashion [ri:'fæʃən] ov ww een nieuwe vorm geven, omvormen

refectory [rɪ'fektərɪ] zn refter ⟨eetzaal op school, universiteit⟩

refer [rɪ'fɜ:] **I** onov ww ~ *to* verwijzen naar, betrekking hebben op, doelen op, zinspelen op, vermelden, zich wenden tot, een beroep doen op, form raadplegen ★ ~*ring to* onder verwijzing naar ★ ~ *to your notes / a dictionary* je aantekeningen / een woordenboek raadplegen **II** ov ww ~ *to* ★ ~ *sb to* iemand (door)verwijzen naar, iemand (door)sturen naar

referable [rɪ'fɜ:rəbl] form bnw toe te schrijven

referee [refə'ri:] **I** zn ❶ scheidsrechter ❷ <u>GB</u> referentie ⟨bij sollicitatie⟩ **II** ov ww scheidsrechter zijn van / bij, fluiten **III** onov ww scheidsrechter zijn

reference ['refərəns] **I** zn ❶ verwijzing, vermelding ★ *make a* ~ verwijzen naar, vermelden ★ *make a passing* ~ terloops verwijzen naar ❷ zinspeling, toespeling ❸ het naslaan, raadpleging ★ *for easy* ~ om makkelijk na te slaan, om makkelijk op te zoeken ★ *for future* ~ om later te gebruiken ★ *a work of* ~ een naslagwerk ❹ verwijzingsteken ★ *our* ~ ons kenmerk ❺ USA referentie ⟨bij sollicitatie⟩, getuigschrift ❻ betrekking, verband ★ *in / with* ~ *to* met betrekking tot, naar aanleiding van ★ *without* ~ *to* zonder te letten op ★ *frame of* ~ referentiekader ★ *point of* ~ referentiepunt **II** ov ww ❶ verwijzen naar ❷ van verwijzingen voorzien

reference book zn naslagwerk

reference library zn bibliotheek met naslagwerken ⟨niet om uit te lenen⟩

referendum [refə'rendəm] zn [mv: referendums, referenda] volksstemming

referral [rɪ'fɜ:rəl] zn (door)verwijzing

refill[1] [ri:'fɪl] zn ❶ (nieuwe) vulling ⟨voor potlood, pen enz.⟩, hervulling ❷ tweede portie / drankje / kopje

refill[2] [ri:'fɪl] opnieuw vullen, (weer) aanvullen, hervullen

refine [rɪ'faɪn] ov ww ❶ zuiveren, raffineren, veredelen ⟨ruwe grondstoffen⟩ ❷ verfijnen, verbeteren

refined [rɪ'faɪnd] bnw ❶ geraffineerd ⟨olie, suiker⟩ ❷ verfijnd, elegant, beschaafd

refinement [rɪ'faɪnmənt] zn ❶ verfijning, verbetering ❷ verfijndheid, beschaafdheid ❸ raffinage ⟨van olie, suiker⟩

refinery [rɪ'faɪnərɪ] zn raffinaderij

refit[1] ['ri:fɪt] zn opknapbeurt ⟨met nieuwe uitrusting / inrichting en apparatuur⟩

refit[2] [ri:'fɪt] ov ww (helemaal) opknappen ⟨met nieuwe uitrusting / inrichting en apparatuur⟩

reflate [ri:'fleɪt] ov ww reflatie veroorzaken van ★ *a plan to* ~ *the economy* een economisch herstelplan

reflect [rɪ'flekt] **I** ov ww ❶ weerspiegelen, terugkaatsen ★ ~ *credit (up)on* tot eer strekken ❷ weergeven **II** onov ww ❶ nadenken,

re

(over)peinzen ★ ~ *that* bedenken dat
❷ ~ **(up)on** nadenken over, effect hebben op, in een kwaad daglicht stellen, een blaam werpen op ★ *their mistakes* ~ *on me* hun vergissingen bezorgen mij een slechte naam ★ ~ *well on sb / sth* iemand / iets tot eer strekken, iemand / iets een goede naam bezorgen ★ ~ *badly on sb / sth* iemand / iets in een kwaad daglicht stellen, nadelig zijn voor iemand / iets

reflection [rɪ'flekʃən] *zn* ❶ weerspiegeling *ook fig*, (spiegel)beeld, weerkaatsing ★ *fig be a ~ on today's society* iets zeggen over de tegenwoordige maatschappij ❷ overdenking, het nadenken, gedachte ★ *on* ~ bij nader inzien

reflective [rɪ'flektɪv] *bnw* ❶ nadenkend, peinzend ❷ reflecterend, weerspiegelend ★ *fig be ~ of sth* iets zeggen over iets, iets laten zien

reflector [rɪ'flektə] *zn* reflector

reflex ['ri:fleks] I *zn* reflex(beweging) ★ *have good / quick ~es* een goed reactievermogen hebben II *bnw* reflex-, vanzelf reagerend ★ *a ~ action* een reflexbeweging

reflexive [rɪ'fleksɪv] *bnw* ❶ taalk wederkerend ❷ reflex-

refloat [ri:'fləʊt] *ov ww* vlot trekken, vlot brengen (schip)

reforestation *zn* herbebossing

reform [rɪ'fɔ:m] I *ov ww* hervormen, verbeteren, bekeren, tot inkeer brengen II *onov ww* zich bekeren, zich beteren III *zn* hervorming ★ *economic / democratic ~s* economische / democratische hervormingen

re-form [ri:'fɔ:m] I *onov ww* zich opnieuw vormen II *ov ww* opnieuw vormen

reformation [refə'meɪʃən] *zn* form hervorming, verbetering

Reformation [refə'meɪʃən] *zn* rel Hervorming, Reformatie (in 16e eeuw)

reformer [rɪ'fɔ:mə] *zn* hervormer

refract [rɪ'frækt] *ov ww* breken (licht(stralen))

refraction [rɪ'frækʃən] *zn* (straal)breking

refractive [rɪ'fræktɪv] *bnw* brekend, brekings-

refractory [rɪ'fræktərɪ] *bnw* ❶ form onhandelbaar, weerspannig ❷ moeilijk te genezen / behandelen (van ziekte)

refrain [rɪ'freɪn] I *zn* zich onthouden ★ ~ *from sth* afzien van iets ★ *please ~ from smoking* niet roken s.v.p. II *zn* refrein

refresh [rɪ'freʃ] *ov ww* ❶ opfrissen, verfrissen, weer fit / fris / energiek enz. maken ★ ~ *yourself with a cold drink / a light meal* een verfrissend koud drankje / een lichte maaltijd gebruiken ★ ~ *your memory* je geheugen opfrissen ❷ USA bijvullen (drankje) ❸ verversen, vernieuwen (internetpagina)

refresher course [rɪ'freʃə kɔ:s], USA refresher *zn* bijscholingscursus

refreshing [rɪ'freʃɪŋ] *bnw* ❶ verfrissend ❷ aangenaam, verrassend

refreshment [rɪ'freʃmənt] *zn* ❶ opfrissing, verfrissing, verkwikking ❷ [vaak mv] iets te eten en te drinken ★ *stop for ~* stoppen om ergens iets te nuttigen ★ ~*s will be sold on board* aan boord kunt u een hapje en een drankje kopen

refrigerate [rɪ'frɪdʒəreɪt] *ov ww* koelen

refrigeration [rɪfrɪdʒə'reɪʃən] *zn* koeling ★ *keep under ~* koel / gekoeld bewaren

refrigerator [rɪ'frɪdʒəreɪtə] *zn* koelkast, ijskast

refuel [ri:'fju:əl] I *ov ww* ❶ (opnieuw) voltanken ❷ weer doen oplaaien (gevoelens, angst), weer aanwakkeren II *onov ww* (opnieuw) tanken

refuge ['refju:dʒ] *zn* ❶ toevlucht(soord), schuilplaats, bescherming, opvang ★ *take / seek ~ from the heat / rain* beschutting zoeken tegen de hitte / regen, schuilen voor de hitte / regen ★ *take ~ in* zijn toevlucht nemen tot ★ *a ~ for abused children* een opvang(tehuis) voor misbruikte kinderen ❷ GB vluchtheuvel ★ *central* ~ vluchtheuvel

refugee [refjʊ'dʒi:] *zn* vluchteling

refund¹ ['ri:fʌnd] *zn* terugbetaling ★ *receive a ~* je geld terugkrijgen

refund² [rɪ'fʌnd] *ov ww* terugbetalen

refurbish [ri:'fɜ:bɪʃ] *ov ww* renoveren, weer (als) nieuw maken, opknappen

refusal [rɪ'fju:zəl] *zn* weigering ★ *a blunt ~* een botte weigering ★ *first ~* optie, eerste keus ★ *have (the) first ~ of a house* een optie hebben op een huis ★ *meet with ~* geweigerd worden

refuse¹ ['refju:s] form *zn* afval

refuse² [rɪ'fju:z] I *ov ww* weigeren ★ *politely ~ an invitation* beleefd een uitnodiging afslaan ★ ~ *sb admission* iem. de toegang ontzeggen II *onov ww* weigeren ★ *flatly ~ to do sth* botweg weigeren iets te doen ★ ~ *to help sb* iem. niet willen helpen

refuse collector *zn* vuilnisophaler

refuse dump *zn* vuilnisbelt

refuser [rɪ'fju:zə] *zn* weigeraar

refutable ['rɪfju:təbl] *bnw* weerlegbaar

refutation [refjʊ'teɪʃən] *zn* weerlegging

refute [rɪ'fju:t] *ov ww* weerleggen

regain [rɪ'geɪn] *ov ww* ❶ herkrijgen, terugwinnen ★ ~ *your balance* je evenwicht herstellen ★ ~ *your confidence* je zelfvertrouwen terugkrijgen ❷ form weer bereiken

regal ['ri:gl] *bnw* koninklijk

regale [rɪ'geɪl] *ov ww* ~ **with** onthalen op, trakteren op (eten, drank), vermaken met (verhaal)

regalia [rɪ'geɪlɪə] form *zn* ❶ regalia, koninklijke attributen, kroonjuwelen ❷ staatsiegewaad, galakostuum

regard [rɪ'gɑ:d] I *zn* ❶ aandacht, zorg ★ *without ~ to* zonder te letten op ★ *have (little) ~ for* (weinig) rekening houden met ★ *have ~ to* in aanmerking nemen ★ *pay no ~ to* niet letten op ❷ achting ★ *hold sb in high ~* iem. hoogachten, iem. respecteren ★ *have high ~ for sb* iem. hoogachten, iem. respecteren ▼ *in / with ~ to* met betrekking to ▼ *in this / that ~* in dit / dat opzicht, wat dit / dat betreft II *ov ww* ❶ beschouwen ★ ~ *as* beschouwen als, aanzien voor ★ *be highly ~ed* zeer gerespecteerd worden, hooggeacht worden ❷ form aankijken, bekijken ★ ~ *sth thoughtfully* iets peinzend aanschouwen ▼ form *as ~s* wat betreft

regarding [rɪ'gɑ:dɪŋ] form *vz* betreffende, wat... betreft ★ *I have no comment ~ these accusations* ik heb geen commentaar wat deze beschuldigingen betreft

regardless [rɪ'gɑ:dləs] *bw* hoe dan ook,

desondanks, in ieder geval ★ *carry on ~*
desondanks / sowieso doorgaan ▼ ~ *of* zonder te
letten op, ongeacht ▼ ~ *of whether there is a
credit crunch* of er nou wel of niet een
kredietcrisis is
regards [rɪ'gɑːdz] *zn mv* ★ *give my ~ to* doe van
mij de groeten aan ★ *with kind ~* met
vriendelijke groet(en) ⟨aan het slot van brief /
mailtje⟩
regatta [rɪ'gætə] *zn* roeiwedstrijd, zeilwedstrijd
regency ['riːdʒənsɪ] *zn* regentschap
Regency ['riːdʒənsɪ] *zn* Regency ⟨tijdperk v. 1811
- 1820, met kenmerkende bouwstijl; vaak in
samenstellingen⟩
regenerate [rɪ'dʒenəreɪt] **I** *ov ww* ❶ doen
herboren worden, nieuw leven inblazen,
vernieuwen ⟨bv. stadscentrum⟩ ❷ biol
regenereren, weer doen (aan)groeien ⟨cellen⟩
II *onov ww* biol regenereren, weer (aan)groeien
⟨van cellen⟩
regeneration [rɪdʒenə'reɪʃən] *zn* ❶ herstel,
vernieuwing, nieuw leven ★ *economic ~*
economisch herstel ★ *urban ~* stadsvernieuwing
❷ biol regeneratie, het weer (doen) aangroeien
regent ['riːdʒənt] *zn* regent
regicide ['redʒɪsaɪd] *zn* ❶ koningsmoord
❷ koningsmoordenaar
regime [reɪ'ʒiːm] *zn* ❶ regime, staatsbestel,
bewind ★ *a military ~* een militair regime
❷ stelsel, systeem ★ *the new tax ~* het nieuwe
belastingstelsel ❸ regime, dieet, leefregel(s) ★ *a
slimming ~* een vermageringskuur ★ *a dietary ~*
een dieet
regimen ['redʒɪmen] *zn* leefregel(s), dieet, kuur
★ *a strict dietary ~* een streng dieet ★ *a daily ~ of
physical exercises* een dagelijks vast programma
van lichamelijke oefeningen
regiment ['redʒɪmənt] **I** *zn* ❶ regiment ❷ groot
aantal **II** *ov ww* strak indelen, kort houden,
reglementeren
regimental [redʒɪ'mentl] *bnw* regiments-
regimentation *zn* discipline, tucht
regimented [redʒɪ'mentɪd] *bnw*
gereglementeerd, gedisciplineerd, strak
region ['riːdʒən] *zn* ❶ streek, gebied ook fig
★ *coastal ~s* kustgebieden ★ *pain in the lower
back ~* pijn in de onderrug ★ *nether ~s* euf de
onderste regionen ⟨de schaamstreek⟩, de
onderwereld ★ *in the ~ of 80* om en nabij de 80
❷ GB [meestal mv] provincie, regio ⟨tegenover
de hoofdstad⟩ ★ *in the ~s* in de provincie(s), in
de regio('s)
regional ['riːdʒənl] *bnw* gewestelijk, regionaal
register ['redʒɪstə] **I** *ov ww* ❶ (laten) inschrijven,
aangeven, registreren ★ *~ a birth* een geboorte
aangeven ★ *~ o.s.* zich laten inschrijven op
kiezerslijst ❷ aanduiden, aangeven ⟨bv.
temperatuur⟩ ❸ in zich opnemen, opmerken
❹ form uitdrukken, tonen ★ *her face ~ed anger*
woede stond op haar gezicht te lezen ❺ form
indienen ⟨klacht, protest⟩ ❻ (laten) aantekenen
⟨brief⟩ **II** *onov ww* ❶ zich (laten) inschrijven ★ *~
at a hotel* je inschrijven in een hotel ❷ in zich
opnemen, doordringen ★ *it didn't ~ (with her)*
het drong niet (tot haar) door **III** *zn* ❶ register,
lijst ❷ muz register, toonomvang ❸ taalk

stijlniveau, register ❹ schuif ⟨van kachelpijp⟩
register office GB *zn* (bureau v.d.) burgerlijke
stand
registrar ['redʒɪs'trɑː] *zn* ❶ ambtenaar v.d.
burgerlijke stand ❷ hoofd administratie ⟨op
universiteit⟩ ❸ GB aankomend (medisch)
specialist
registration [redʒɪ'streɪʃən] *zn* ❶ registratie,
inschrijving, aangifte ⟨van klacht⟩, het
aangetekend versturen ⟨van brief, pakketje⟩
❷ USA kentekenbewijs ❸ GB **registration
number** (auto)kenteken
registry ['redʒɪstrɪ] *zn* archief
registry office *zn* (bureau van de) burgerlijke
stand ★ *married at a ~* getrouwd voor de wet
regress [rɪ'gres] form *onov ww* achteruitgaan
regression [rɪ'greʃən] *zn* achteruitgang, terugval
regressive [rɪ'gresɪv] *bnw* regressief,
achteruitgaand, teruglopend
regret [rɪ'gret] **I** *zn* spijt, berouw ★ *much to his ~*
tot zijn grote spijt ★ *express (your) ~ at / over sth*
(je) spijt betuigen over iets **II** *ov ww* betreuren,
spijt hebben van ★ *I ~ to say* het spijt mij te
moeten zeggen ★ *you won't ~ it* je zult er geen
spijt van krijgen
regretful [rɪ'gretfʊl] *bnw* spijtig, treurig
regretfully [rɪ'gretfʊlɪ] *bijw* ❶ met spijt /
leedwezen ❷ form helaas, spijtig genoeg
regrets [rɪ'grets] *zn mv* berouw,
verontschuldigingen, spijt ★ *have no ~ about*
geen spijt hebben over ★ form *give / send your ~*
je laten verontschuldigen
regrettable [rɪ'gretəbl] *bnw* betreurenswaardig
regrettably [rɪ'gretəblɪ] *bijw* jammer genoeg,
helaas ★ *~ few of them attended the meeting*
helaas bezochten weinig van hen de
vergadering
regroup [riː'gruːp] **I** *onov ww* zich hergroeperen
II *ov ww* hergroeperen
regular ['regjʊlə] **I** *bnw* ❶ regelmatig, geregeld,
vast ⟨klant, inkomen, werk⟩, gebruikelijk
⟨procedure⟩ ★ *a ~ heartbeat / pulse* een
regelmatige hartslag / pols ★ *on a ~ basis*
regelmatig ★ *my ~ doctor* de dokter die ik
gewoonlijk heb ★ *keep ~ hours* zich aan vaste
(werk)uren houden ★ *a ~ verb* een regelmatig
werkwoord ❷ USA gewoon, normaal,
standaard- ★ *a ~ coke* een gewone cola ★ *~ fries*
een gewone portie patat ★ *a ~ guy* een prima
vent ★ *~ petrol* gewone benzine ❸ beroeps-,
gediplomeerd ★ *~ soldiers* beroepssoldaten
❹ inform echt ★ *a ~ disaster* een regelrechte
ramp ★ *~ treat* waar genot **II** *zn* ❶ vaste klant,
stamgast ❷ vaste kracht ⟨in team⟩, basisspeler
❸ beroepsmilitair ❹ USA gewone benzine
regularity [regjʊ'lærətɪ] *zn* regelmatigheid,
regelmaat
regularization, regularisation
[regjʊlərə'zeɪʃən] *zn* regularisatie
regularize, regularise ['regjʊləraɪz] *ov ww*
regulariseren
regulate ['regjʊleɪt] *ov ww* ❶ regelen, reguleren,
reglementeren ❷ afstellen ⟨apparaat⟩, bijstellen
regulation [regjʊ'leɪʃən] **I** *zn* ❶ voorschrift, regel
★ *comply with the ~s* zich aan de voorschriften
houden ❷ regulering ⟨bv. van een markt⟩

re

II *bnw* voorgeschreven ★ ~ *speed* maximum snelheid ★ ~ *uniform* modelkleding, dienstkleding

regulative ['regjʊlətɪv] *bnw* regelend, regulerend

regulator ['regjʊleɪtə] *zn* ❶ techn regulateur ❷ waakhond, toezichthouder

regurgitate [rɪ'gɜːdʒɪteɪt] *ov ww* ❶ uitbraken ❷ als een kip zonder kop napraten / herhalen, papegaaien

rehab ['riːhæb] I *zn* inform → **rehabilitation** ★ *in* ~ aan het afkicken II *ov ww* inform → **rehabilitate**

rehabilitate [riːhə'bɪlɪteɪt] *ov ww* ❶ rehabiliteren, herstellen (in eer, ambt), reclasseren (ex-gedetineerden) ❷ revalideren ❸ renoveren (gebouw, buurt)

rehabilitation [riːhəbɪlə'teɪʃən] *zn* ❶ rehabilitatie, eerherstel ★ ~ *of prisoners* reclassering ❷ revalidatie ★ *medical* ~ revalidatie ❸ ontwenningskuur, (het) afkicken ❹ renovatie (van gebouw, buurt)

rehash [riː'hæʃ] I *zn* herbewerking, fig oude kost II *ov ww* weer uit de kast halen, opnieuw brengen

rehearsal [rɪ'hɜːsəl] *zn* repetitie, oefening

rehearse [rɪ'hɜːs] I *ov ww* ❶ repeteren (tekst, muziek), oefenen ★ *a well~d excuse* een goed voorbereid excuus ❷ herhalen, weer opzeggen II *onov ww* repeteren (voor toneel, concert)

reheat *ov ww* opwarmen (eten, drinken)

rehouse [riː'haʊz] *ov ww* een nieuw onderdak geven, herhuisvesten

reign [reɪn] I *zn* regering ★ ~ *of terror* schrikbewind ★ fig *Nadal ended the* ~ *of Roger Federer* Nadal maakte een eind aan de heerschappij van Roger Federer II *onov ww* regeren, heersen ★ fig *the* ~*ing champion* de regerend / huidige kampioen

reimburse [riːɪm'bɜːs] *ov ww* terugbetalen, vergoeden ★ ~ *expenses* onkosten vergoeden ★ ~ *sb for travelling expenses* iemands reiskosten vergoeden

reimbursement [riːɪm'bɜːsmənt] *zn* terugbetaling, vergoeding

reimport [riːɪm'pɔːt] *ov ww* weer importeren

rein [reɪn] I *zn* teugel ★ fig *give (full / free) rein to* de vrije teugel / vrij loop laten ★ fig *hold the reins* de baas zijn, de touwtjes in handen hebben ★ fig *keep a tight rein on* stevig in toom houden ★ fig *take over the reins* de leiding in handen nemen II *ov ww* ~ **back/in** inhouden, beteugelen, laten stoppen, vaart laten minderen

reincarnation ['riːɪnkɑː'neɪʃn] *zn* reïncarnatie

reindeer ['reɪndɪə] *zn* rendier

reinforce [riːɪn'fɔːs] *ov ww* versterken ★ ~*d concrete* gewapend beton

reinforcement ['riːɪn'fɔːsmənt] *zn* versterking ★ *send in* ~*s* versterkingen sturen

reinstate [riːɪn'steɪt] *ov ww* ❶ herstellen, weer aannemen in zijn / haar vorige baan ★ *she was sacked and then* ~*d one month later* zij werd ontslagen en een maand later weer aangenomen in dezelfde baan ❷ opnieuw invoeren (wet, doodstraf)

reinstatement [riːɪn'steɪtmənt] *zn* ❶ herstel, het

opnieuw aangenomen worden in je vorige baan ❷ het opnieuw invoeren (van wet, doodstraf)

reinvent *ov ww* opnieuw uitvinden ★ ~ *yourself* jezelf opnieuw uitvinden, jezelf vernieuwen

reinvest [riːɪn'vest] *ov ww* herinvesteren

reinvestment [riːɪn'vestmənt] *zn* herinvestering

reinvigorate [riːɪn'vɪgəreɪt] *ov ww* opnieuw (ver)sterken ★ *feel* ~*d after a night's sleep* je weer goed / fit voelen na een nachtje slapen

reissue [riː'ɪʃuː] I *ov ww* opnieuw uitgeven / uitbrengen II *zn* heruitgave, nieuwe uitgave

reiterate [riː'ɪtəreɪt] form *ov ww* herhalen

reiteration [riːɪtə'reɪʃən] form *zn* herhaling

reiterative [riː'ɪtərətɪv] form *bnw* herhalend

reject [rɪ'dʒekt] I *ov ww* ❶ verwerpen, afwijzen, weigeren ❷ med afstoten (orgaan) II *zn* ❶ afgekeurd product, tweedekeusartikel ❷ afgekeurde, uitgestotene

rejection [rɪ'dʒekʃən] *zn* ❶ afwijzing, verwerping ❷ med afstoting (van orgaan)

rejoice [rɪ'dʒɔɪs] *onov ww* ❶ zich verheugen ❷ ~ **at/in** zich verheugen over

rejoicing [rɪ'dʒɔɪsɪŋ] dicht *zn* (feest)vreugde

rejoicings [rɪ'dʒɔɪsɪŋz] dicht *zn mv* (feest)vreugde

rejoin¹ [rɪ'dʒɔɪn] form *ov ww* (bits) antwoorden

rejoin² [riː'dʒɔɪn] *ov ww* ❶ zich weer verenigen met, zich weer voegen bij ❷ weer lid worden van ❸ weer nemen (weg), terugkeren naar

rejoinder [rɪ'dʒɔɪndə] form *zn* (bits) antwoord

rejuvenate [rɪ'dʒuːvɪneɪt] *ov ww* weer jong maken, verjongen ★ *feel* ~*d* zich weer jong(er) voelen

rekindle [riː'kɪndl̩] *ov ww* opnieuw doen opvlammen, weer doen oplaaien, weer tot leven brengen, nieuw leven brengen in

relapse [rɪ'læps] I *zn* terugval, instorting II *onov ww* (weer) instorten, (weer) terugvallen

relate [rɪ'leɪt] I *ov ww* ❶ (onderling) verband leggen ❷ form vertellen ❸ ~ **to/with** in verband brengen met II *onov ww* ❶ in verband staan ❷ ~ **to** in verband staan met, betrekking hebben op, (goed) omgaan met, begrijpen, zich kunnen vinden in ★ *he couldn't* ~ *to her emotions* hij begreep niets van haar gevoelens, hij kon niet omgaan met haar gevoelens ★ *a subject that people can* ~ *to* een onderwerp waar mensen zich in kunnen vinden, een onderwerp dat mensen aanspreekt

related [rɪ'leɪtɪd] *bnw* verwant, samenhangend ★ *be distantly* ~ in de verte familie van elkaar zijn ★ *be* ~ *to sb* familie zijn van iem. ★ *pollution~ diseases* met vervuiling samenhangende ziektes

relation [rɪ'leɪʃən] *zn* ❶ betrekking, verhouding, relatie ★ *diplomatic / international* ~*s* diplomatieke / internationale betrekkingen ★ *in* ~ *to* in verhouding tot, met betrekking tot ★ *bear no* ~ *to* in geen verhouding staan tot ★ *public* ~*s* public relations (het zorgen voor goede betrekkingen naar buiten toe, van bedrijf / persoon), pr-afdeling ★ form *have sexual* ~*s with* seks hebben met ❷ familielid, (bloed)verwant(schap) ★ *is she any* ~ *to you?* is zij familie van jou? ★ fig *the poor* ~ het ondergeschoven kindje, het zwakke broertje

relational [rɪ'leɪʃənl] *bnw* verwant ★ comp ~ *database* relationele database

relationship [rɪ'leɪʃənʃɪp] *zn* ❶ verhouding, betrekking ★ *be in a* ~ een relatie / verhouding hebben ★ *have a close* ~ *with sb* een nauwe band hebben met iem. ★ *the* ~ *between drinking and heart disease* het verband tussen drinken en hartaandoeningen ❷ verwantschap

relative ['relətɪv] **I** *bnw* ❶ betrekkelijk, relatief ★ ~*ly speaking* relatief beschouwd, verhoudingsgewijs ★ *taalk* ~ *pronoun / clause* betrekkelijk(e) voornaamwoord / bijzin ❷ in betrekking staand ★ ~ *to* in verhouding tot, met betrekking tot **II** *zn* familielid, verwant

relativity [relə'tɪvətɪ] *zn* ❶ betrekkelijkheid ❷ *natk* relativiteit

relax [rɪ'læks] **I** *onov ww* zich ontspannen, relaxen **II** *ov ww* ❶ ontspannen ❷ verslappen, verzachten ★ ~ *the rules* de regels versoepelen ★ ~ *your concentration* je aandacht laten verslappen ★ ~ *your grip / hold* de teugels (laten) vieren

relaxation [ri:læk'seɪʃən] *zn* ❶ ontspanning ❷ versoepeling ⟨van regels e.d.⟩, verzachting

relaxed *bnw* ontspannen, ongedwongen ★ *a* ~ *atmosphere* een ontspannen sfeer

relay¹ ['ri:leɪ] *zn* ❶ aflossing ⟨van wacht, paarden⟩ ★ *work in* ~*s* in ploegen(dienst) werken ❷ relais ❸ **relay race** estafette

relay² ['ri:leɪ, rɪ'leɪ] *ov ww* ❶ doorgeven ⟨informatie⟩ ❷ relayeren, (ontvangen en weer) uitzenden ⟨radio-, tv-programma's⟩

relay³ [ri:'leɪ] *ov ww* opnieuw leggen

release [rɪ'li:s] **I** *ov ww* ❶ loslaten, bevrijden, vrijlaten ★ ~ *a prisoner* een gevangene vrijlaten ★ ~ *the tension in your muscles* de spanning in je spieren loslaten ★ ~ *the handbrake* van de handrem zetten ❷ vrijgeven ⟨informatie, gereserveerd geld⟩ ❸ uitbrengen, voor het eerst vertonen ⟨film⟩, op de markt brengen ❹ ~ *from* ontheffen van, bevrijden uit, verlossen van **II** *zn* ❶ bevrijding, vrijlating, verlossing ★ ~ *from pain* verlossing van de pijn ★ *a sense of* ~ een gevoel van bevrijding ❷ nieuwe film / cd / dvd ❸ het uitbrengen ⟨van film, toneelstuk, muziek e.d.⟩, vrijgeving ⟨van informatie⟩ ★ *go on general* ~ *next Thursday* overal te zien zijn volgende week donderdag ❹ uitlaat(klep) ⟨voor gevoelens⟩ ★ *a* ~ *from work* een uitlaatklep van het werk ❺ uitstoot ⟨van gassen⟩, uitstroom, het vrijkomen ⟨van stoffen⟩

relegate ['relɪgeɪt] *ov ww* ❶ verbannen, overplaatsen, degraderen ❷ GB *sport* degraderen

relegation [relɪ'geɪʃən] *zn* ❶ verbanning, overplaatsing, degradatie ❷ GB *sport* degradatie

relent [rɪ'lent] *onov ww* ❶ medelijden tonen, zich laten vermurwen ❷ afnemen ⟨van regen⟩, verslappen

relentless [rɪ'lentləs] *bnw* ❶ meedogenloos ❷ onophoudelijk, niet-aflatend

relevance ['relɪvəns] *zn* relevantie, belang, betekenis

relevancy ['reləvənsɪ] *zn* → **relevance**

relevant ['relɪvənt] *bnw* relevant, toepasselijk,

van belang ★ *be* ~ op zijn plaats zijn, (ermee) te maken hebben ★ ~ *to* betrekking hebbend op

reliability [rɪlaɪə'bɪlətɪ] *zn* betrouwbaarheid

reliable [rɪ'laɪəbl] *bnw* betrouwbaar

reliance [rɪ'laɪəns] *zn* vertrouwen, afhankelijkheid ★ ~ *on* vertrouwen op, afhankelijkheid van

reliant [rɪ'laɪənt] *bnw* vertrouwend ★ *be* ~ *on* vertrouwen op, afhankelijk zijn van

relic ['relɪk] *zn* ❶ overblijfsel ❷ relikwie

relief [rɪ'li:f] *zn* ❶ verlichting, opluchting, welkome afwisseling ★ *comic* ~ vrolijke noot ★ *a sigh of* ~ een zucht van verlichting ★ *(much) to her* ~ tot haar (grote) opluchting ❷ steun, hulp ⟨bij ramp⟩, ontheffing ⟨van belasting, rente⟩ ❸ ontzet ⟨van stad⟩, ontslag ❹ aflossing(sploeg), versterking, extra bus / trein ❺ reliëf ★ *in* ~ in reliëf ★ *throw into* ~ doen uitkomen

relief fund *zn* rampenfonds, steunfonds

relief road GB *zn* rondweg, omlegging

relief train *zn* extra trein

relief work *zn* hulpverlening

relief worker *zn* hulpverlener

relieve [rɪ'li:v] *ov ww* ❶ verlichten, opluchten, verzachten ★ ~ *one's feelings* lucht geven aan zijn gevoelens ★ ~ *a headache* een hoofdpijn verzachten ★ ~ *o.s.* zijn behoefte doen ★ ~ *stress* de stress verminderen ★ ~*d* opgelucht ❷ aflossen ❸ onderbreken, afwisseling brengen in ★ ~ *the boredom* de verveling doorbreken ❹ ontzetten ⟨stad⟩, bevrijden ❺ ~ *of* ★ ~ *sb of* ontheffen van, ontslaan van, beroven van

religion [rɪ'lɪdʒən] *zn* godsdienst, religie ★ inform *get* ~ religieus worden

religious [rɪ'lɪdʒəs] *bnw* religieus, godsdienstig

religiously [rɪ'lɪdʒəslɪ] *bijw* ❶ godsdienstig ❷ gewetensvol, nauwgezet

relinquish [rɪ'lɪŋkwɪʃ] *ov ww* ❶ opgeven, afstand doen van ❷ loslaten

reliquary ['relɪkwərɪ] *zn* reliekschrijn

relish ['relɪʃ] **I** *ov ww* ❶ genieten van, genoegen scheppen in, houden van ❷ verlangen naar, zich verheugen op **II** *zn* ❶ koude, pikante saus ⟨van vruchten en / of groente⟩ ❷ genoegen, plezier ★ *with great* ~ met groot genoegen

relive [ri:'lɪv] *ov ww* opnieuw beleven

reload [ri:'ləʊd] *ov ww* herladen

relocate [ri:ləʊ'keɪt] **I** *ov ww* verhuizen, verplaatsen **II** *onov ww* verhuizen

relocation [ri:ləʊ'keɪʃən] *zn* verhuizing, verplaatsing

reluctance [rɪ'lʌktns] *zn* tegenzin, onwil

reluctant [rɪ'lʌktnt] *bnw* onwillig ★ *be* ~ *to talk about it* er niet graag over praten ★ *have a* ~ *admiration for sb* een niet graag toegegeven bewondering hebben voor iem. ★ *a* ~ *smile* een aarzelende glimlach ★ ~*ly* met tegenzin

rely [rɪ'laɪ] *onov ww* ~ **on/upon** vertrouwen op, afgaan op, rekenen op, steunen op ★ *you may rely (up)on it* wees daar maar zeker van

remain [rɪ'meɪn] *onov ww* ❶ blijven ★ ~ *silent / unchanged* stil / onveranderd blijven ★ *it* ~*s true that* het blijft waar dat, het blijft een feit dat ★ *that* ~*s to be seen* dat moet je nog maar afwachten ★ ~ *at home / in New York* thuis / in New York blijven ❷ (over)blijven, nog over zijn

re

★ *with ten minutes ~ing* met nog tien minuten te gaan ★ ~ verhelpen achterblijven

remainder [rɪˈmeɪndə] I *zn* overblijfsel, rest, restant II *ov ww* opruimen

remaining *bnw* overgebleven, overblijvende ★ *the only ~ problem is* het enige probleem dat overblijft is

remains [rɪˈmeɪnz] *zn mv* ❶ overblijfselen ❷ stoffelijk overschot

remake [rɪˈmeɪk] *ov ww* ❶ overmaken, een nieuwe versie maken van ❷ nieuwe versie, remake

remand [rɪˈmɑːnd] I *ov ww* ★ *be ~ed (in custody)* in voorarrest (vast)zitten ★ ~ *on bail* onder borgstelling vrijlaten II *zn* voorarrest ★ *on* ~ in voorarrest

remand centre GB *zn* huis van bewaring

remark [rɪˈmɑːk] I *zn* opmerking II *ov ww* opmerken III *onov ww* opmerkingen maken ★ ~ *on sth* opmerkingen maken over iets

remarkable [rɪˈmɑːkəbl] *bnw* opmerkelijk, opvallend, buitengewoon

remarkably [rɪˈmɑːkəbli] *bijw* ❶ opmerkelijk, buitengewoon ❷ opmerkelijk genoeg

remarriage [riːˈmærɪdʒ] *zn* nieuw huwelijk, tweede huwelijk

remarry [riːˈmæri] I *onov ww* hertrouwen II *ov ww* opnieuw trouwen (met)

remediable [rɪˈmiːdɪəbl] *bnw* te verhelpen, te genezen

remedial [rɪˈmiːdɪəl] *bnw* verbeterend, genezend ★ ~ *course* inhaalcursus (voor mensen met achterstand) ★ ~ *measures* maatregelen tot herstel ★ ~ *teacher* speciale docent voor kinderen met achterstand en andere problemen ★ ~ *work* herstelwerk

remedy [ˈremɪdɪ] I *zn* ❶ (genees)middel ❷ remedie, middel ★ *there's no simple ~ for that problem* er is geen simpele oplossing voor dat probleem ❸ (rechts)herstel II *ov ww* verhelpen, genezen

remember [rɪˈmembə] I *ov ww* ❶ zich herinneren, nog weten, niet vergeten, onthouden ★ ~ *to lock the door* vergeet niet de deur op slot te doen ★ *I ~ locking the door* ik herinner me dat ik de deur op slot heb gedaan ❷ denken aan, gedenken ❸ bedenken (met fooi, legaat) ★ ~ *me to your parents* doe mijn groeten aan je ouders II *onov ww* (het) zich herinneren ★ *you phoned me yesterday, ~?* je hebt me gisteren gebeld, weet je wel / nog?

remembrance [rɪˈmembrəns] *zn* herinnering, herdenking, aandenken ★ *in ~ of* ter nagedachtenis van

Remembrance Day *zn* oorlogsherdenkingsdag (op de zondag het dichtst bij 11 november)

remind [rɪˈmaɪnd] *ov ww* ❶ herinneren ★ *that ~s me!* dat is waar ook! ★ ~ *me to buy beer on the way home* help me eraan herinneren bier te kopen op de terugweg ❷ ~ *of* doen denken aan

reminder [rɪˈmaɪndə] *zn* ❶ waarschuwing, aanmaning ❷ herinnering, geheugensteuntje

reminisce [remɪˈnɪs] *onov ww* herinneringen ophalen, mijmeren

reminiscence [remɪˈnɪsəns] *zn* herinnering

reminiscent [remɪˈnɪsənt] *bnw* ❶ herinnerend ★ *be ~ of* herinneren aan, doen denken aan ❷ dicht met plezier terugdenkend

remiss [rɪˈmɪs] *form bnw* nalatig, onachtzaam ★ *it was ~ of them not to invite you* het was een nalatigheid van hun kant dat je niet uitgenodigd bent ★ *be ~ in your duties* in je plichten tekortschieten

remission [rɪˈmɪʃən] *zn* ❶ (straf)vermindering ❷ kwijtschelding (van belasting, collegegeld e.d.) ❸ *med* remissie (tijdelijke) vermindering of verdwijning van ziekteverschijnselen ★ *be into ~* in remissie zijn (geen / weinig ziekteverschijnselen vertonen)

remit [rɪˈmɪt] I *zn*, GB *form* competentie, bevoegdheid ★ *fall outside the ~ of sb* buiten iemands bevoegdheid vallen II *ov ww* ❶ *form* overmaken (geld), toezenden ❷ *jur* (terug)verwijzen ❸ kwijtschelden (straf, boete)

remittance [rɪˈmɪtns] *zn* overschrijving (van geld), overgemaakt bedrag ★ *on ~ of* na overmaking / betaling van

remittent [rɪˈmɪtnt] *bnw* op- en afgaand, schommelend (van koorts)

remnant [ˈremnənt] *zn* ❶ rest, restant ❷ coupon (stof)

remodel [riːˈmɒdl] *ov ww* opnieuw modelleren, een nieuwe vorm geven, omvormen

remonstrance [rɪˈmɒnstrəns] *zn* protest, bezwaarschrift

remonstrate [ˈremənstreɪt] *onov ww* protesteren ★ ~ *with sb about sth* bij iem. zijn beklag doen over iets

remorse [rɪˈmɔːs] *zn* wroeging, berouw

remorseful [rɪˈmɔːsfʊl] *bnw* berouwvol

remorseless [rɪˈmɔːsləs] *bnw* meedogenloos

remote [rɪˈməʊt] I *bnw* ❶ ver weg, afgelegen ★ ~ *from* ver weg van ★ *a ~ ancestor* een verre voorouder ★ ~ *control* afstandsbediening ★ *a ~ village* een afgelegen dorp ❷ gering ★ *a ~ chance* een heel kleine kans ★ *not the ~st idea* geen flauw idee ★ *she wasn't even ~ly interested in his music* zij was totaal niet / in de verste verte niet geïnteresseerd in zijn muziek ❸ afstandelijk (van persoon) II *zn*, *inform techn remote control* ab (afstandsbediening)

remould [riːˈməʊld, riːˈmoʊld] I *ov ww* omvormen II *zn* GB vernieuwde / gecoverde autoband, coverband

removable [rɪˈmuːvəbl] *bnw* afneembaar

removal [rɪˈmuːvəl] *zn* ❶ verwijdering, verplaatsing, opheffing ❷ afzetting, ontslag ❸ GB verhuizing ★ ~ *van* verhuiswagen

remove [rɪˈmuːv] I *ov ww* ❶ verwijderen, afnemen, wegnemen, er af doen ★ ~ *doubts* twijfels wegnemen ★ ~ *your glasses* je bril afdoen ★ ~ *your jacket* je jas uitdoen ★ ~ *stains* vlekken verwijderen ★ *first cousin once ~d* achterneef ★ *be far ~d from sth* ver verwijderd zijn van iets ❷ opruimen, uit de weg ruimen (obstakels), opheffen (embargo) ❸ afzetten, ontslaan ★ ~ *sb from office* iem. ontslaan, iem. uit zijn ambt ontzetten II *zn*, GB *form* afstand ★ *at a safe ~* op een veilige afstand

re

remover [rɪ'muːvə] *zn* ❶ vlekkenwater, afbijtmiddel, remover (van nagellak) ❷ GB verhuizer

remunerate [rɪ'mjuːnəreɪt] *form ov ww* belonen

remuneration [rɪmjuːnə'reɪʃən] *form* beloning

remunerative [rɪ'mjuːnərətɪv] *form bnw* lonend

Renaissance [rɪ'neɪsns, 'renə'sɑːns] *zn* renaissance, *fig* (her)opleving

renal ['riːnl] *bnw* v.d. nieren, nier- ★ ~ *disease* nierkwaal, nierziekte

rename [riː'neɪm] *ov ww* hernoemen

renascent [rɪ'næsənt] *form bnw* weer oplevend, herboren

rend [rend] [onregelmatig] *dicht ov ww* ❶ verscheuren, stukscheuren ❷ klieven ★ *rend the air* de lucht doorklieven ❸ pijn doen, kwellen 〈hart〉

render ['rendə] *ov ww* ❶ form maken, doen worden ★ ~ *possible* mogelijk maken ★ *be ~ed homeless* dakloos geworden zijn ❷ form verlenen, geven ★ ~ *sb a service* iem. een dienst bewijzen ★ *for services ~ed* voor bewezen diensten ★ ~ *assistance to* hulp verlenen aan ★ ~ *judgement* een vonnis uitspreken ★ ~ *a report* een verslag uitbrengen ❸ form vertolken, spelen, weergeven ❹ vertalen ★ ~ *into Russian* in het Russisch vertalen ❺ bepleisteren ❻ **render down** uitsmelten 〈vet〉

rendering ['rendərɪŋ] *zn* ❶ weergave, vertolking, versie ❷ vertaling ❸ pleisterlaag

rendezvous ['rɒndɪvuː] **I** *zn* ❶ afspraakje, rendez-vous ❷ plaats van samenkomst, ontmoetingsplaats **II** *onov ww* samenkomen, afspreken

rendition [ren'dɪʃən] *zn* uitvoering, weergave, vertolking

renegade ['renɪɡeɪd] *zn* afvallige, overloper

renege [rɪ'niːɡ] *onov ww* ~ *on* niet nakomen 〈belofte〉, zich niet houden aan 〈afspraak, contract〉

renew [rɪ'njuː] *ov ww* ❶ vernieuwen, hernieuwen, vervangen, verversen ★ *with ~ed enthusiasm* met nieuw / hernieuwd enthousiasme ★ *feel ~ed* zich als herboren voelen ❷ hervatten, doen herleven ❸ herhalen, opnieuw doen 〈oproep, verzoek〉 ❹ verlengen 〈paspoort, bibliotheekboek〉, prolongeren

renewable [rɪ'njuːəbl] **I** *bnw* ❶ vernieuwbaar, herwinbaar, duurzaam ★ ~ *energy* duurzame energie ❷ verlengbaar **II** *zn* duurzame energiebron

renewal [rɪ'njuːəl] *zn* ❶ vernieuwing ★ *urban ~* stadsvernieuwing ❷ verlenging ❸ hervatting

rennet ['renɪt] *zn* stremsel

renounce [rɪ'naʊns] *ov ww* ❶ afstand doen van, afzien van ❷ verwerpen, niet meer erkennen, verloochenen

renovate ['renəveɪt] *ov ww* vernieuwen, opknappen, renoveren

renovation [renə'veɪʃən] *zn* renovatie

renown [rɪ'naʊn] *zn* roem ★ *win international ~* internationale roem vergaren

renowned [rɪ'naʊnd] *bnw* vermaard, beroemd

rent [rent] **I** *ov ww* ❶ huren, pachten ❷ **rent out** verhuren, verpachten **II** *onov ww* ❶ huren ❷ USA verhuurd worden ★ *rent at / for $750 a week* voor $750 te huur zijn **III** *zn* ❶ huur, pacht ★ *for rent* te huur ❷ form scheur, spleet **IV** *ww* [verl. tijd + volt. deelw.] → rend

rental ['rentl] **I** *zn* ❶ huur ❷ verhuur ❸ huursom, pachtsom ❹ USA iets dat je huurt, huurauto, huurhuis **II** *bnw* ❶ huur- ★ ~ *agreement* huurovereenkomst ★ ~ *value* huurwaarde ❷ USA gehuurd, huur- ★ *a ~ car* een huurauto

renter ['rentə] *zn* ❶ huurder, pachter ❷ USA verhuurder

rent-free *bnw* vrij van huur, pachtvrij

rentier ['rɒntɪeɪ] *zn* rentenier

renumber [riː'nʌmbə] *ov ww* hernummeren, opnieuw nummeren

renunciation [rɪnʌnsɪ'eɪʃən] *zn* het afstand doen, verwerping, verloochening

reopen [riː'əʊpən] **I** *ov ww* ❶ heropenen ❷ hervatten **II** *onov ww* weer opengaan, weer beginnen

reorder [riː'ɔːdə] *ov ww* ❶ nabestellen ❷ anders ordenen, herschikken, reorganiseren

reorganization, reorganisation [riːɔːɡənaɪ'zeɪʃən] *zn* reorganisatie

reorganize, reorganise [riː'ɔːɡənaɪz] **I** *ov ww* reorganiseren **II** *onov ww* reorganiseren

rep [rep] *zn* ❶ inform *sales representative* vertegenwoordiger, handelsreiziger ❷ inform *representative* afgevaardigde, vertegenwoordiger ★ *a union rep* een vakbondsman ❸ inform *repertory theatre* repertoiregezelschap, repertoiretheater ❹ inform *repetition* herhaling ★ *do 20 reps of this exercise* doe deze oefening 20 keer

Rep. [rep] *afk* ❶ *Representative* vertegenwoordiger, afgevaardigde ❷ *Republican* republikein

repaint [riː'peɪnt] *ov ww* overschilderen

repair [rɪ'peə] **I** *ov ww* ❶ repareren, herstellen ❷ form vergoeden, weer goedmaken **II** *onov ww* form ~ *to* zich begeven naar **III** *zn* ❶ reparatie, herstel ★ *be in need op* ~ dringend hersteld moeten worden ★ *beyond* ~ niet meer te repareren ★ *carry out* ~s herstelwerk uitvoeren ★ ~*s to roads* herstelwerkzaamheden aan de wegen ★ *running* ~s klein onderhoud 〈terwijl de machines doordraaien〉 ★ *under* ~ in reparatie ❷ onderhoud ★ *in good / bad* ~ goed / slecht onderhouden ★ *keep in good* ~ goed onderhouden

repairable [rɪ'peərəbl] *bnw* herstelbaar

repairer [rɪ'peərə] *zn* reparateur, hersteller

repairman [rɪ'peəmən] *zn* (onderhouds)monteur

repair shop *zn* reparatiewerkplaats

reparation [repə'reɪʃən] *zn* schadeloosstelling, herstelbetaling ★ *make ~ to sb for sth* iem. schadeloosstellen voor iets

repartee [repɑː'tiː] *zn* gevatte conversatie

repatriate [riː'pætrɪeɪt] *ov ww* naar het vaderland terugzenden, repatriëren

repay [riː'peɪ] *ov ww* ❶ terugbetalen ❷ vergelden, vergoeden, belonen

repayable [riː'peɪəbl] *bnw* terug te betalen

repayment [riː'peɪmənt] *zn* terugbetaling, aflossing ★ *the ~ of the mortgage* de aflossing van de hypotheek ★ *meet the ~s* de aflossing(stermijnen) betalen

re

repeal [rɪ'piːl] **I** ov ww herroepen, afschaffen ⟨wet⟩ **II** zn herroeping, afschaffing

repeat [rɪ'piːt] **I** ov ww ❶ herhalen ★ ~ a year / class een jaar / klas overdoen ★ ~ yourself in herhalingen vervallen ❷ nadoen, nazeggen, navertellen, opzeggen ❸ doorvertellen **II** onov ww ❶ repeteren, (zich) herhalen ❷ GB opbreken ⟨van voedsel⟩ ★ avoid any food that might ~ on you vermijd voedsel waar je oprispingen door krijgt **III** zn ❶ herhaling ❷ muz reprise, herhalingsteken

repeated [rɪ'piːtɪd] bnw herhaald

repeatedly [rɪ'piːtɪdli] bijw herhaaldelijk

repeater [rɪ'piːtə] zn repeteergeweer

repeat order GB zn nabestelling

repeat performance zn herhaling

repeat prescription GB zn herhaalrecept

repel [rɪ'pel] ov ww afstoten, afslaan, terugdrijven, terugslaan

repellent [rɪ'pelənt] **I** zn afweermiddel **II** bnw weerzinwekkend, afstotend

repent [rɪ'pent] form **I** ov ww berouw hebben over, spijt hebben van **II** onov ww berouw hebben

repentance [rɪ'pentəns] zn berouw

repentant [rɪ'pentənt] bnw berouwvol

repercussion [riːpə'kʌʃən] zn terugslag, (onaangenaam) gevolg ★ have serious ~s for ernstige gevolgen hebben voor

repertoire ['repətwɑː] zn ❶ repertoire, gehele werk, scala van mogelijkheden ❷ lijst van mogelijkheden ⟨computer⟩

repertory ['repətəri] zn repertoire, repertoiretheater

repertory theatre zn repertoiretheater

repetition [repr'tɪʃən] zn herhaling

repetitious [repr'tɪʃəs] bnw (zich) herhalend

repetitive [rɪ'petɪtɪv] bnw (zich) herhalend ★ ~ strain injury RSI, herhalingsoverbelasting ⟨bv. muisarm⟩

rephrase [riː'freɪz] ov ww opnieuw formuleren

replace [rɪ'pleɪs] ov ww ❶ vervangen, de plaats innemen van ★ ~ sth with iets vervangen door ❷ terugzetten, terugleggen

replaceable [rɪ'pleɪsəbl] bnw vervangbaar

replacement [rɪ'pleɪsmənt] zn vervanging, vervanger ★ med a hip / knee ~ een nieuwe heup / knie

replay¹ [riː'pleɪ] ov ww ❶ overspelen ⟨wedstrijd⟩ ❷ afspelen, terugspelen ⟨opname⟩ ❸ herhalen

replay² ['riːpleɪ] zn ❶ overgespeelde wedstrijd ❷ herhaling ⟨van beeldscène / geluidsfragment⟩

replenish [rɪ'plenɪʃ] form ov ww bijvullen, aanvullen

replenished [rɪ'plenɪʃt] form bnw vol

replenishment [rɪ'plenɪʃmənt] form zn aanvulling

replete [rɪ'pliːt] form bnw vol, verzadigd

replica ['replɪkə] zn model, kopie

replicate ['replɪkeɪt] form **I** ov ww een kopie maken van, herhalen **II** onov ww zich vermenigvuldigen door celdeling

replication [replɪ'keɪʃən] zn ❶ kopie, herhaling ❷ vermenigvuldiging door celdeling

reply [rɪ'plaɪ] **I** onov ww ❶ antwoorden ❷ ~ to beantwoorden, antwoorden op **II** ov ww antwoorden **III** zn antwoord ★ in ~ to in antwoord op, als antwoord op ★ make no ~ geen antwoord geven

reply-paid GB bnw met betaald antwoord ★ a ~ envelope een antwoordenvelope

repoman USA inform zn repoman ⟨iemand die auto's terughaalt bij mensen die niet meer (af)betalen⟩

repopulate [riː'pɒpjʊleɪt] ov ww opnieuw bevolken

report [rɪ'pɔːt] **I** ov ww ❶ verslag doen van, rapport uitbrengen van ❷ melden, van zich laten horen, rapporteren, opgeven ★ ~ missing als vermist opgeven ★ ~ sb to the police (for sth) iem. (voor iets) aangeven bij de politie ★ ~ sth to the police aangifte doen van iets bij de politie ❸ vertellen, overbrengen ★ it is ~ed men zegt ★ ~ed speech indirecte rede **II** onov ww ❶ verslag doen / uitbrengen, rapport uitbrengen ★ ~ on sth verslag uitbrengen van iets, iets verslaan ❷ zich melden ★ ~ sick zich ziek melden ❸ verslaggever zijn ❹ ~ back zich weer melden, verslag uitbrengen, rapporteren ★ ~ back with the results verslag uitbrengen van de resultaten ❺ ~ in zich melden ❻ ~ to zich melden bij, verantwoording moeten afleggen aan **III** zn ❶ verslag, rapport, bericht ★ annual ~ and accounts jaarstukken, jaarverslag en jaarrekening ★ unconfirmed ~s of a revolution onbevestigde berichten over een revolutie ❷ GB (school)rapport ❸ roep, reputatie ★ of good ~ met goede reputatie, goed bekend staand ❹ form knal, schot

report card USA zn (school)rapport

reportedly [rɪ'pɔːtɪdli] bijw naar verluidt, naar men zegt

reporter [rɪ'pɔːtə] zn verslaggever, reporter

repose [rɪ'pəʊz] form **I** zn rust **II** onov ww ❶ rusten ❷ zich bevinden **III** ov ww stellen ★ ~ trust in vertrouwen stellen in

repository [rɪ'pɒzɪtəri] zn ❶ opslagplaats, bewaarplaats ❷ magazijn, depot ❸ schat(kamer) ⟨figuurlijk⟩

repossess [riːpə'zes] ov ww weer in bezit nemen ⟨auto, huis e.d. omdat er niet meer afbetaald wordt⟩, de huur of pacht opzeggen van, onteigenen

repossession [riːpə'zeʃən] zn het weer in bezit nemen, terugneming

repot [riː'pɒt] ov ww verpotten

reprehensible [reprɪ'hensɪbl] bnw laakbaar, afkeurenswaardig

represent [reprɪ'zent] ov ww ❶ vertegenwoordigen ❷ vormen, betekenen ★ ~ a major change een grote verandering vormen / betekenen ❸ voorstellen ❹ voorhouden, wijzen op, kenbaar maken

representation [reprɪzen'teɪʃən] zn ❶ voorstelling ❷ vertegenwoordiging, inspraak ❸ GB protest, bezwaar(schrift) ★ make ~s to protest aantekenen bij

representative [reprɪ'zentətɪv] **I** zn ❶ (volks)vertegenwoordiger ★ USA House of Representatives Huis van Afgevaardigden ❷ vertegenwoordiger, handelsreiziger ❸ representant, exponent, vertegenwoordiger

⟨typerend voor een bepaalde groep mensen⟩ **II** *bnw* ❶ representatief, kenmerkend, typisch ❷ vertegenwoordigend, op vertegenwoordiging gebaseerd

repress [rɪ'pres] *ov ww* ❶ onderdrukken, bedwingen ❷ verdringen

repressed [rɪ'prest] *bnw* onderdrukt, niet geuit, gefrustreerd

repression [rɪ'preʃən] ❶ onderdrukking ❷ verdringing

repressive [rɪ'presɪv] *bnw* onderdrukkend

reprieve [rɪ'priːv] **I** *ov ww* ❶ gratie verlenen ❷ uitstellen, opschorten **II** *zn* ❶ gratie ★ *grant a ~ to sb* iem. gratie verlenen ❷ uitstel, opschorting

reprimand ['reprɪmɑːnd] **I** *zn* officiële berisping **II** *ov ww* berispen ★ *~ sb for sth* iem. om iets berispen

reprint¹ ['riːprɪnt] *zn* herdruk

reprint² [riː'prɪnt] *ov ww* herdrukken

reprisal [rɪ'praɪzəl] *zn* vergelding, represaille ★ *in ~ of* ter vergelding van ★ *take ~(s) against* represaillemaatregelen nemen tegen

reprise I *zn* herhaling, reprise **II** *ov ww* herhalen

reproach [rɪ'prəʊtʃ] **I** *zn* ❶ verwijt ★ *above / beyond ~* onberispelijk ❷ blaam, schande **II** *ov ww* verwijten

reproachful [rɪ'prəʊtfʊl] *bnw* verwijtend

reprobate ['reprəbert] *form* **I** *zn* onverlaat, snoodaard **II** *bnw* ontaard, verdorven

reprocess [riː'prəʊses] *ov ww* hergebruiken, recyclen, opnieuw verwerken

reproduce [riːprə'djuːs] **I** *ov ww* ❶ weergeven, reproduceren, kopiëren ❷ (opnieuw) voortbrengen ★ *~ yourself* jezelf voortplanten **II** *onov ww* zich voortplanten

reproducible [riːprə'djuːsəbl] *bnw* reproduceerbaar

reproduction [riːprə'dʌkʃən] *zn* ❶ reproductie, weergave, kopie ❷ voortplanting

reproductive [riːprə'dʌktɪv] *bnw* voortplantings- ★ *~ organs* voortplantingsorganen

reproof [rɪ'pruːf] *zn* verwijt, berisping, afkeuring

reprove [rɪ'pruːv] *ov ww* berispen, afkeuren ★ *a reproving glance* een verwijtende / afkeurende blik

reptile ['reptaɪl] *zn* ❶ reptiel ❷ inform ⟨laaghartige⟩ kruiper, verachtelijk iemand

reptilian [rep'tɪlɪən] *bnw* ❶ kruipend, reptiel- ❷ verachtelijk, kruiperig, laag

republic [rɪ'pʌblɪk] *zn* republiek

republican [rɪ'pʌblɪkən] **I** *zn* republikein ★ USA *Republican* lid v.d. Republikeinse Partij **II** *bnw* republikeins

repudiate [rɪ'pjuːdɪert] *form ov ww* verwerpen, afwijzen, niet (meer) erkennen

repudiation [rɪpjuːdɪ'erʃən] *form zn* verwerping, afwijzing

repugnance [rɪ'pʌɡnəns] *form zn* afkeer, weerzin

repugnant [rɪ'pʌɡnənt] *bnw* weerzinwekkend ★ *it was ~ to her* zij vond het afschuwelijk, zij walgde ervan

repulse [rɪ'pʌls] *ov ww* ❶ afslaan, terugslaan ⟨vijand(elijk leger)⟩ ❷ afwijzen ⟨aanbod⟩ ❸ doen walgen

repulsion [rɪ'pʌlʃən] *zn* ❶ tegenzin, walging

❷ natk afstoting

repulsive [rɪ'pʌlsɪv] *bnw* ❶ weerzinwekkend ❷ natk afstotend

repurchase [riː'pɜːtʃɪs] *ov ww* terugkopen

reputable ['repjʊtəbl] *bnw* fatsoenlijk, goed bekend staand

reputation [repjʊ'terʃən] *zn* ⟨goede⟩ naam, reputatie ★ *enjoy a good ~* een goede naam hebben ★ *have a ~ for being very friendly* bekend staan als zeer vriendelijk, de naam hebben zeer vriendelijk te zijn ★ *live up to one's ~* zijn naam eer aandoen

repute [rɪ'pjuːt] *zn* vermaardheid, (goede) naam ★ *by ~* bij gerucht ★ *I know him by ~* ik heb veel over hem gehoord ★ *an artist of (some) ~* een artiest van naam / faam

reputed [rɪ'pjuːtɪd] *bnw* ★ *his ~ father* zijn vermeende vader ★ *be ~ to be very friendly* bekend staan als zeer vriendelijk

reputedly [rɪ'pjuːtɪdlɪ] *bijw* naar men zegt

request [rɪ'kwest] **I** ❶ verzoek ★ *at your ~* op uw verzoek ★ *by / on ~* op verzoek ★ *grant a ~* een verzoek inwilligen ★ *make a ~* een verzoek doen ❷ form verzoeken

request stop GB *zn* halte op verzoek

requiem ['rekwɪem] *zn* requiem, uitvaartdienst

require [rɪ'kwaɪə] *ov ww* nodig hebben, vereisen, eisen ★ *~d* vereist, verplicht

requirement [rɪ'kwaɪəmənt] *zn* ❶ eis, vereiste ★ *meet the ~s* aan de gestelde eisen voldoen ❷ behoefte ★ *our daily ~ of vitamins* onze dagelijks behoefte aan vitaminen

requisite ['rekwɪzɪt] *form* **I** *bnw* vereist **II** *zn* vereiste ★ *~s* benodigdheden

requisition [rekwɪ'zɪʃən] *zn* (op)vordering ★ *bring into / call into / put in ~* vorderen **II** *ov ww* vorderen

requite [rɪ'kwaɪt] *ov ww* ❶ beantwoorden (liefde) ❷ vergoeden, vergelden

reread [riː'riːd] GB *ov ww* herlezen

re-release I *ov ww* opnieuw uitbrengen **II** *zn* het opnieuw uitbrengen, opnieuw uitgebrachte cd / dvd / film

re-route [riː'raʊt] *ov ww* omleiden ⟨verkeer⟩

rerun [riː'rʌn] **I** *zn* herhaling ⟨van film, tv-programma e.d.⟩ **II** *ov ww* herhalen ⟨film, tv-programma e.d.⟩

resale [riː'seɪl] *zn* wederverkoop, doorverkoop

reschedule [riː'ʃedjuːl] *ov ww* verzetten, verplaatsen ★ *~ the meeting for April 21* de vergadering verzetten naar 21 april

rescind [rɪ'sɪnd] *form ov ww* opheffen, intrekken, herroepen, nietig verklaren

rescue ['reskjuː] **I** *zn* ❶ redding ❷ hulp ★ *come to the ~ of... ...* te hulp komen **II** *ov ww* redden, bevrijden

rescuer ['reskjuːə] *zn* redder

rescue worker *zn* reddingswerker

research [rɪ'sɜːtʃ] **I** *zn* (wetenschappelijk) onderzoek ★ *carry out / do ~ into* onderzoek doen naar ★ *~ and development* onderzoek en ontwikkeling **II** *ov ww* ❶ (wetenschappelijk) onderzoeken, onderzoek doen naar ❷ onderzoek / research doen voor ⟨nieuw boek, reportage⟩ **III** *onov ww* onderzoek doen ★ *~ into sth* onderzoek doen naar iets

re

researcher [rɪˈsɜːtʃə] zn onderzoeker, wetenschapper

research paper zn wetenschappelijk artikel, scriptie

research scientist zn (wetenschappelijk) onderzoeker

resell [riːˈsel] ov ww opnieuw verkopen, doorverkopen

resemblance [rɪˈzembləns] zn gelijkenis ★ close ~ sprekende gelijkenis ★ bear a ~ to lijken op

resemble [rɪˈzembl] ov ww lijken op ★ closely ~ sb sprekend op iem. lijken

resent [rɪˈzent] ov ww kwaad zijn over, kwalijk nemen

resentful [rɪˈzentfʊl] bnw kwaad, boos

resentment [rɪˈzentmənt] zn rancune, wrevel, boosheid

reservation [rezəˈveɪʃən] zn ❶ reservering, boeking ★ make a ~ for reserveren voor ★ have a ~ gereserveerd hebben ❷ voorbehoud, reserve ★ have serious reserves about sth ernstige reserves hebben over / tegen iets ★ without ~ zonder voorbehoud ❸ indianenreservaat ❹ USA reservaat ▼ GB central ~ middenberm

reserve [rɪˈzɜːv] I zn ❶ reserve, (nood)voorraad ★ oil / gas ~s olie- / gasvoorraden ★ keep sth in ~ iets in reserve houden ❷ reservespeler, invaller ❸ reservetroepen ★ voorbehoud, reserve ★ without ~ zonder voorbehoud ❹ gereserveerdheid ❺ GB reservaat ❼ ophoudprijs ⟨vastgestelde minimumprijs bij veiling⟩ II ov ww ❶ reserveren, bespreken, boeken ★ ~ a table for two / a room een tafel voor twee personen / een kamer reserveren ❷ reserveren, achterhouden, bewaren, wegleggen, sparen ★ ~ a judgement (on sth) een oordeel (over iets) opschorten, nog geen oordeel geven (over iets) ❸ voorbehouden ★ ~ the right to do sth zich het recht voorbehouden iets te doen

reserved [rɪˈzɜːvd] bnw ❶ gesloten, gereserveerd, zwijgzaam ❷ besproken ⟨plaatsen⟩, gereserveerd

reserve price zn ophoudprijs ⟨vastgestelde minimumprijs bij veiling⟩

reservist [rɪˈzɜːvɪst] zn reservist

reservoir [ˈrezəvwɑː] zn ❶ (water)reservoir, stuwmeer, spaarbekken ❷ fig reserve(voorraad) ★ a huge ~ of manpower een reusachtig reservoir van / aan arbeidskrachten ❸ bak ⟨voor vloeistof bv. olie⟩, reservoir, tank

reset [riːˈset] ov ww ❶ opnieuw zetten ⟨gebroken arm / been, edelsteen⟩ ❷ (opnieuw) zetten, (opnieuw) instellen ★ he ~ the alarm for 7.15 hij zette de wekker nu op kwart over zeven ❸ terugzetten op nul (meter) ❹ comp opnieuw opstarten

resettle [riːˈsetl] I ov ww opnieuw vestigen, een nieuwe woonplaats / vaderland geven ⟨vluchtelingen⟩ II onov ww zich opnieuw vestigen

resettlement [riːˈsetlmənt] zn nieuwe vestiging

reshape [riːˈʃeɪp] ov ww een nieuwe vorm geven, hervormen

reshuffle [riːˈʃʌfl] I zn herverdeling ★ a Cabinet ~ een portefeuillewisseling II ov ww herschikken,

herverdelen, wijzigen

reside [rɪˈzaɪd] form onov ww ❶ wonen, zijn standplaats hebben ❷ ~ in berusten bij ⟨van macht e.d.⟩, bestaan uit

residence [ˈrezɪdns] zn ❶ (grote) woning, herenhuis ❷ woonplaats, standplaats ★ your place of ~ je woonplaats ★ have / take up one's ~ in (gaan) wonen in ★ writer in ~ gastschrijver ⟨schrijver die op uitnodiging van een universiteit daar verblijft en o.a. gastcolleges geeft⟩ ❸ verblijf (met een officiële verblijfsvergunning) ★ she has been denied US ~ zij heeft geen verblijfsvergunning gekregen voor de VS ❹ residentie ⟨van vorst, staatshoofd⟩

residence permit zn verblijfsvergunning

residency [ˈrezɪdnsɪ] zn ❶ verblijf (met officiële verblijfsvergunning of op uitnodiging van een universiteit) ★ a writer in ~ een gastschrijver ★ they have been granted permanent ~ zij hebben een vaste verblijfsvergunning gekregen ❷ USA med klinische opleidingsperiode

resident [ˈrezɪdnt] I zn ❶ inwoner, vaste bewoner ❷ gast ⟨in hotel⟩ ❸ USA med specialist in opleiding II bnw ❶ (in)wonend ★ be ~ in New York in New York wonen ❷ vast ⟨van inwoner⟩ ★ the ~ population de vaste inwoners ★ bird standvogel

residential [rezɪˈdenʃəl] bnw woon- ★ ~ district woonwijk ★ ~ hotel familiehotel ★ ~ school kostschool ★ ~ street straat met woonhuizen

residual [rɪˈzɪdjʊəl] bnw resterend, overblijvend ★ ~ income netto-inkomen

residuary [rɪˈzɪdjʊərɪ] bnw overblijvend, overgebleven

residue [ˈrezɪdjuː] zn rest, restant, (netto) overschot

resign [rɪˈzaɪn] I ov ww afstand doen van, overgeven, opgeven ★ ~ o.s. to zich neerleggen bij, berusten in ★ ~ your post je ambt neerleggen II onov ww ontslag nemen, aftreden, opstappen

resignation [rezɪgˈneɪʃən] zn ❶ ontslag, aftreden ★ send in one's ~ zijn ontslag indienen ❷ berusting, gelatenheid

resigned [rɪˈzaɪnd] bnw gelaten ★ be ~ to sth iets gelaten accepteren, berusten in iets

resilience [rɪˈzɪlɪəns] zn veerkracht ook fig

resilient [rɪˈzɪlɪənt] bnw veerkrachtig ook fig

resin [ˈrezɪn] zn hars

resinous [ˈrezɪnəs] bnw harsig, harsachtig

resist [rɪˈzɪst] I ov ww ❶ weerstand bieden aan, weerstaan, bestand zijn tegen ★ ~ (the) temptation de verleiding weerstaan ★ he couldn't ~ asking her about her new boyfriend hij kon het niet nalaten haar naar haar nieuwe vriend te vragen ❷ zich verzetten tegen II onov ww weerstand bieden, zich verzetten

resistance [rɪˈzɪstns] zn ❶ weerstand, verzet ★ the body's ~ to infection de weerstand van het lichaam tegen infectie(s) ★ passive ~ passief verzet ★ put up / offer ~ weerstand bieden, zich verzetten ★ the Resistence het Verzet ⟨tijdens een oorlog⟩ ❷ techn weerstand

resistant [rɪˈzɪstnt] bnw weerstand biedend, bestand, immuun ★ heat-~ hittebestendig ★ shock-~ stootvast ★ ~ to antibiotics resistent tegen antibiotica, immuun voor antibiotica ★ *be ~ to change* zich verzetten tegen verandering(en), tegen verandering(en) zijn

resistor [rɪ'zɪstə] *zn* elek zn weerstand(je)

resit GB I *zn* overdoen, opnieuw afleggen ⟨examen⟩ II *zn* herexamen, herkansing

reskilling GB *zn* omscholing

resolute ['rezəlu:t] *bnw* vastberaden, vastbesloten, ferm

resolution [rezə'lu:ʃən] *zn* ❶ besluit, resolutie ★ *pass / adopt / carry a ~* een resolutie aannemen ⟨door een vergadering, overheid⟩ ❷ ontknoping, oplossing ⟨van probleem⟩ ❸ vastberadenheid ❹ voornemen (bv. met Nieuwjaar) ★ *make good ~s* goede voornemens maken ❺ resolutie ⟨van beeldscherm, printer, tv⟩

resolve [rɪ'zɒlv] I *ov ww* ❶ oplossen ⟨probleem e.d.⟩ ❷ ontbinden, herleiden ★ *~ into sth* herleiden tot iets, veranderen in iets II *onov ww* besluiten, beslissen ★ *~ to tell the truth* besluiten de waarheid te vertellen ★ *she ~d on leaving England as soon as possible* ze besloot Engeland zo snel mogelijk te verlaten III *zn* vastberadenheid

resolved [rɪ'zɒlvd] form *bnw* vastbesloten ★ *be ~ to do sth* vastbesloten zijn iets te doen

resonance ['rezənəns] *zn* resonantie, weerklank

resonant ['rezənənt] *bnw* weerklinkend, resonerend, klankvol

resort [rɪ'zɔ:t] I *zn* ❶ (vakantie)oord ⟨vaak in samenstellingen⟩, populaire plaats ★ *beach ~* badplaats met strand ★ *seaside ~* badplaats aan zee ★ *ski ~* skicentrum ❷ redmiddel ★ *in the last ~* als niets meer helpt, in laatste instantie ❸ form toevlucht ★ *without ~ to* zonder zijn toevlucht te nemen tot II *onov ww ~ to* zijn toevlucht nemen tot

resound [rɪ'zaʊnd] *onov ww* weerklinken, galmen ★ *~ with laughter* weergalmen van het lachen

resounding [rɪ'zaʊndɪŋ] *bnw* ❶ luid klinkend, galmend ❷ eclatant, daverend, zeer groot ★ *a ~ defeat* een verpletterende nederlaag ★ *a ~ victory* een klinkende overwinning

resource [rɪ'zɔ:s] I *zn* ❶ ⟨vaak mv⟩ hulpbron ★ *human ~s* personeel, personeelszaken ★ *natural ~s* natuurlijke hulpbronnen / rijkdommen ❷ middel, hulpmiddel ❸ vindingrijkheid, initiatief ★ *show considerable ~ in* het voortouw nemen in / bij ★ *a man of ~* iem. die zich goed weet te redden ★ *he is full of ~* hij weet altijd raad ★ *have no inner ~s* zichzelf niet weten te redden ★ *be left to your own ~s* aan je lot overgelaten zijn II *ov ww* form financieren, van geldmiddelen voorzien

resourceful [rɪ'zɔ:sfʊl] *bnw* inventief, vindingrijk

resources [rɪ'zɔ:sɪz] *zn mv* (financiële) middelen ★ *pool your ~* hutje bij mutje leggen, je geld bij elkaar leggen ★ *I'm at the end of my ~* ik zie geen uitweg meer, ik heb gedaan wat ik kon ★ *a man of no ~* iem. die zichzelf niet bezig kan houden, iem. zonder middelen

respect [rɪ'spekt] I *zn* ❶ eerbied, achting, respect ★ *have ~ for sb* respect / eerbied hebben voor iem. ★ *with all (due) ~* met alle respect ★ *without*

~ *to* zonder aandacht te schenken aan ❷ opzicht ★ *in one / this ~* in een / dit opzicht ★ *in every / some ~* in alle / zekere opzichten ★ *form in ~ of* met betrekking tot ★ *form with ~ to* met betrekking tot, wat betreft II *ov ww* eerbiedigen, (hoog)achten, respecteren ★ *a highly ~ed man* een zeer geacht / gerespecteerd man, een man die in hoog aanzien staat

respectability [rɪspektə'brlətɪ] *zn* fatsoen, fatsoenlijkheid

respectable [rɪ'spektəbl] *bnw* ❶ fatsoenlijk, achtenswaardig ❷ behoorlijk ⟨inkomen, resultaat⟩, goed, aanzienlijk

respectful [rɪ'spektfʊl] *bnw* eerbiedig ★ *be ~ of sth* iets eerbiedigen, eerbied hebben voor iets

respecting [rɪ'spektɪŋ] form vz wat betreft

respective [rɪ'spektɪv] *bnw* onderscheidenlijk, respectief ★ *they went back to their ~ countries* ze gingen (ieder) terug naar hun eigen land

respectively [rɪ'spektɪvlɪ] *bijw* respectievelijk

respects [rɪ'spekts] *zn mv* eerbetuigingen, beleefde groeten ★ *give / send your ~ to sb* iem. de groeten doen ★ *pay one's ~ to sb* iem. komen begroeten ★ *pay one's last ~ to sb* iem. de laatste eer bewijzen

respiration [respɪ'reɪʃən] *zn* ademhaling

respirator ['respɪreɪtə] *zn* ❶ ademhalingsapparaat, beademing(sapparaat) ❷ gasmasker

respiratory ['respɪrətərɪ] *bnw* ademhalings- ★ *~ organs* ademhalingsorganen

respire [rɪ'spaɪə] *onov ww* ademen, ademhalen

respite ['respaɪt] *zn* uitstel, opschorting, pauze ★ *bring a brief ~ from the pain* even van de pijn verlossen ★ *without ~* zonder onderbreking

respite care *zn* respijtzorg ⟨voor bejaarde, chronisch zieke, zodat de verzorger even vrij is van de verzorging⟩

resplendence [rɪ'splendəns] dicht *zn* luister, pracht

resplendent [rɪ'splendənt] dicht *bnw* schitterend, prachtig ★ *look ~ in a red silk dress* er schitterend uitzien in een rode zijden jurk, schitteren in een rode zijden jurk

respond [rɪ'spɒnd] *onov ww* ❶ antwoorden ❷ *~ to* reageren op, antwoorden op

respondent [rɪ'spɒndənt] *zn* ❶ ondervraagde ⟨bij opinieonderzoek⟩ ❷ jur gedaagde ⟨bij echtscheiding⟩

response [rɪ'spɒns] *zn* ❶ antwoord ★ *in ~ to your letter* als antwoord op je brief ❷ reactie, weerklank ★ *in ~ to* als antwoord op, naar aanleiding van, ten gevolge van ⟨bv. klachten, publieke druk⟩ ❸ tegenzang, responsorium

responsibility [rɪspɒnsɪ'brlətɪ] *zn* verantwoordelijkheid ★ *claim ~ for the bombing* de verantwoordelijkheid voor de bomaanslag opeisen ★ *diminished ~* verminderde toerekeningsvatbaarheid ★ *it is your ~ to...* het is jouw taak om..., het is aan jou om... ★ *on your own ~* op eigen verantwoordelijkheid ★ *take / assume ~ for sth* de verantwoordelijkheid voor iets op je nemen

responsible [rɪ'spɒnsɪbl] *bnw* ❶ verantwoordelijk, aansprakelijk ★ *be ~ for sth* verantwoordelijk zijn voor iets, de schuld zijn /

re

dragen van iets ★ *be* ~ *to* verantwoording moeten afleggen aan ★ *hold sb* ~ *for sth* iem. aansprakelijk stellen voor iets ❷ belangrijk ⟨kwestie⟩, verantwoordelijk ⟨baan⟩ ❸ betrouwbaar, degelijk ★ *behave responsibly* je verantwoord gedragen

responsive [rɪ'spɒnsɪv] *bnw* ❶ reagerend ★ *be* ~ *to* (snel) reageren op ❷ ontvankelijk, open, bereid te antwoorden ★ *be* ~ *to* ontvankelijk zijn voor, instemmen met

rest [rest] **I** *onov ww* ❶ rusten, uitrusten ★ *her eyes rested on her daughter's face* haar ogen bleven rusten op haar dochters gezicht ❷ leunen, steunen, rusten ★ *rest against sth* tegen iets (aan)leunen ★ *rest on* steunen op, rusten op, gevestigd zijn op ⟨van hoop⟩ ❸ blijven ★ *rest assured that* u kunt er van op aan dat ★ *and there the matter rested* en daar bleef het bij ❹ ~ *with* berusten bij ★ *it rests with you to decide* het is aan u om te beslissen **II** *ov ww* ❶ laten rusten, rust geven ❷ steunen, liggen **III** *zn* ❶ rust, wat overblijft, overschot ★ *for the rest of his life* zijn hele verdere leven ★ *for the rest* voor het overige, voor de rest ★ *and the rest is history* en de rest is geschiedenis, en de rest weten jullie al ★ *the rest of your pizza* wat over is van je pizza ★ *two of the terrorists were killed, the rest escaped* twee terroristen werden gedood, de anderen / overigen ontsnapten ❷ rust, pauze ★ *at rest* in rust ★ *inform give it a rest!* hou eens op! ★ *lay sb to rest* iem. te ruste leggen, iem. begraven ★ *lay / put sth to rest* een einde maken aan iets ⟨geruchten, schandaal⟩ ★ *take a rest* even pauzeren / uitrusten ❸ steun, houder ❹ *muz* rust(teken)

rest area *USA zn* parkeerplaats, langs snelweg, met toiletten en eetgelegenheid

restart [ri:'sta:rt] *ov ww* opnieuw beginnen / starten, herstarten

restate [ri:'steɪt] *ov ww* herformuleren

restatement [ri:'steɪtmənt] *zn* herformulering

restaurant ['restərɒnt] *zn* restaurant

restaurant car *GB zn* restauratiewagen

restful ['restfʊl] *bnw* ❶ rustig ❷ kalmerend, rustgevend

resting place *zn* rustplaats *ook fig*

restitution [restɪ'tju:ʃən] *form zn* ❶ teruggave ❷ schadeloosstelling ★ *make* ~ *to sb for sth* iem. iets vergoeden

restive ['restɪv] *form bnw* ❶ koppig, prikkelbaar, onhandelbaar ❷ ongedurig

restless ['restləs] *bnw* ongedurig, rusteloos ★ *a* ~ *night* een woelige / rusteloze nacht

restock [ri:'stɒk] *ov ww* (opnieuw) aanvullen

restoration [restə'reɪʃən] *zn* ❶ restauratie ⟨van gebouwen⟩ ❷ herstel, herinvoering ❸ teruggave

Restoration [restə'reɪʃən] *zn gesch* Restauratie ⟨herstel v. Engels koningschap in 1660⟩

restorative [rɪ'stɒrətɪv] **I** *bnw* herstellend, versterkend **II** *zn oud* versterkend middel

restore [rɪ'stɔ:] *ov ww* ❶ herstellen, restaureren ⟨gebouwen e.d.⟩, weer invoeren ⟨wet, doodstraf⟩ ★ ~ *to health* genezen ★ ~ *order / peace* de orde / vrede herstellen ★ ~ *sth to its original state* iets in de oorspronkelijke staat terugbrengen

❷ teruggeven, weer op zijn plaats zetten ★ ~ *sth to its owner* iets aan de eigenaar teruggeven

restorer [rɪ'stɔ:rə] *zn* restaurateur ⟨van kunstwerken⟩

restrain [rɪ'streɪn] *ov ww* ❶ bedwingen, weerhouden, in bedwang houden ★ ~ *o.s.* zich inhouden ★ ~ *your anger* je woede bedwingen ❷ beperken ⟨bv. prijsstijgingen⟩

restrained [rɪ'streɪnd] *bnw* beheerst, rustig, kalm

restrainedly [rɪ'streɪnɪdlɪ] *bijw* gematigd, beheerst, kalm

restraint [rɪ'streɪnt] *zn* ❶ beperking ⟨ook in samenstellingen⟩ ★ *export* ~*s* exportbeperkingen ★ *without* ~ onbeperkt ★ *head* ~ hoofdsteun ❷ terughoudendheid, (zelf)beheersing ★ *show / exercise* ~ zich beheerst gedragen ❸ dwang ★ *under* ~ onder dwang

restrict [rɪ'strɪkt] *ov ww* beperken

restricted [rɪ'strɪktɪd] *bnw* ❶ beperkt ★ <u>GB</u> ~ *area* gebied met snelheidslimiet ❷ vertrouwelijk ★ ~ *document* geheim document

restriction [rɪ'strɪkʃən] *zn* beperking ★ *impose / place* ~*s on* beperkingen opleggen aan ★ *lift / remove speed* ~*s* snelheidsbeperkingen opheffen

restrictive [rɪ'strɪktɪv] *bnw* beperkend

restroom ['restru:m] *zn USA* toilet ⟨in openbare gelegenheden⟩

result [rɪ'zʌlt] **I** *zn* ❶ gevolg, resultaat ★ *as a* ~ *of* ten gevolge van ★ *with the* ~ *that* met als gevolg dat ❷ afloop, uitkomst, uitslag, resultaat ★ *for best* ~ om het beste resultaat te krijgen ★ *the* ~*s of this research* de resultaten van dit onderzoek ★ <u>GB</u> *need to get a* ~ een goed resultaat nodig hebben ★ *get* ~*s* resultaat / resultaten boeken **II** *onov ww* ❶ ~ *from* volgen uit, het gevolg zijn van ❷ ~ *in* uitlopen op, resulteren in

resultant [rɪ'zʌltnt] *bnw* eruit voortvloeiend

resume [rɪ'zju:m] *form* **I** *ov ww* ❶ weer beginnen (met), hervatten, hernemen ❷ weer innemen, weer gaan naar ★ ~ *your seat* weer gaan zitten **II** *onov ww* weer beginnen, hervatten, hernemen

resumé ['rezju:meɪ] *zn* ❶ resumé, samenvatting ❷ *USA* curriculum vitae, cv

resumption [rɪ'zʌmpʃən] *form zn* hervatting

resurface [ri:'sɜ:fɪs] **I** *ov ww* van nieuw wegdek voorzien **II** *onov ww* (weer) bovenkomen, weer opduiken

resurgence [rɪ'sɜ:dʒəns] *zn* heropleving

resurgent [rɪ'sɜ:dʒənt] *bnw* weer oplevend, herlevend

resurrect [rezə'rekt] *ov ww* ❶ weer ophalen, weer uit de kast halen ⟨oude plannen, ideeën⟩ ❷ weer tot leven brengen, uit de dood doen opstaan ★ *fig* ~ *your career* je carrière nieuw leven inblazen

resurrection [rezə'rekʃən] *zn* ❶ verrijzenis ❷ opleving ⟨in je carrière⟩, het weer uit de kast halen ⟨van oude plannen⟩

resuscitate [rɪ'sʌsɪteɪt] *ov ww* ❶ weer tot leven wekken, bijbrengen, reanimeren ❷ weer tot leven brengen, doen opbloeien ⟨bv. de economie⟩

resuscitation [rɪ'sʌsɪteɪʃən] *zn* ❶ reanimatie, opwekking uit de dood ❷ opleving, opbloei

retail¹ ['ri:teɪl] **I** *bnw* detailhandels-, kleinhandels-

★ ~ *price* detailhandelsprijs, winkelprijs, verkoopprijs ★ ~ *shop* / *store* winkel, detailhandel ★ ~ *trade* detailhandel, kleinhandel **II** *ov ww* **❶** in het klein verkopen, in de (detail)winkel verkopen **III** *onov ww* **❶** in het klein verkocht worden ★ ~ *for* / *at* in de winkel te koop zijn voor **IV** *zn* detailhandel, kleinhandel

retail² [riːˈteɪl] *ov ww* uitvoerig vertellen, rondvertellen

retailer [ˈriːteɪlə] *zn* detailhandelaar, kleinhandelaar, winkelier

retain [rɪˈteɪn] *ov ww* **❶** behouden ★ ~ *control over sth* de controle houden over iets ★ ~ *your independence* je onafhankelijkheid behouden **❷** onthouden ⟨feiten, herinneringen⟩ **❸** tegenhouden, vasthouden **❹** nemen ⟨advocaat⟩, inhuren ★ ~*ing fee* vooruitbetaald honorarium

retainer [rɪˈteɪnə] *zn* **❶** vooruitbetaald honorarium **❷** USA beugel ⟨voor gebitscorrectie⟩

retake [riːˈteɪk] **I** *ov ww* **❶** opnieuw nemen **❷** opnieuw opnemen ⟨geluid, beeld⟩ **❸** opnieuw afleggen ⟨examen⟩ **II** *zn* **❶** nieuwe opname ⟨van beeld, geluid⟩ **❷** herkansing **❸** het opnieuw nemen ⟨van strafschop, foto enz.⟩

retaliate [rɪˈtælɪeɪt] *onov ww* wraak nemen, terugslaan ★ ~ *against sb for sth* wraak nemen op iem. voor iets ★ ~ *against an attack* represailles nemen tegen een aanval

retaliation [rɪtælɪˈeɪʃən] *zn* vergelding, wraak ★ *in* ~ *for* als vergelding voor

retaliatory [rɪˈtælɪətɔːrɪ] *bnw* vergeldings- ★ ~ *attack* vergeldingsaanval ★ ~ *measures* vergeldingsmaatregelen

retard¹ [rɪˈtɑːd] form *ov ww* ophouden, vertragen

retard² [ˈrɪtɑːd] *zn* min imbeciel

retardation [rɪtɑːˈdeɪʃən] *zn* vertraging, het achterblijven ⟨in groei⟩

retarded [rɪˈtɑːdɪd] min *bnw* achterlijk

retch [retʃ] *onov ww* kokhalzen

retd *afk, retired* gep., gepensioneerd

retell [riːˈtel] *ov ww* navertellen, opnieuw vertellen, anders vertellen

retention [rɪˈtenʃən] *zn* **❶** behoud, het vasthouden **❷** geheugen, het onthouden **❸** med retentie ⟨het vasthouden van stoffen in het lichaam⟩

retentive [rɪˈtentɪv] *bnw* vasthoudend ★ ~ *memory* sterk geheugen

rethink [riːˈθɪŋk] **I** *ov ww* heroverwegen, nog eens bekijken **II** *zn* heroverweging, het opnieuw bekijken

reticence [ˈretɪsəns] *zn* zwijgzaamheid, terughoudendheid

reticent [ˈretɪsnt] *bnw* zwijgzaam, gesloten, terughoudend

retina [ˈretɪnə] *zn* netvlies

retinue [ˈretɪnjuː] *zn* gevolg ⟨van vorst, belangrijk persoon⟩

retire [rɪˈtaɪə] **I** *onov ww* **❶** met pensioen gaan, ontslag nemen, stil gaan leven, afscheid nemen ⟨van een sport⟩ **❷** zich terugtrekken ★ ~ *from public life* zich terugtrekken uit het openbare leven **❸** sport opgeven ★ *he had to* ~ *injured* hij moest gewond opgeven **❹** dicht naar bed gaan

II *ov ww* **❶** ontslaan, pensioneren, met pensioen sturen **❷** buiten gebruik stellen, wegdoen ⟨oude apparaten⟩

retired [rɪˈtaɪəd] *bnw* **❶** gepensioneerd ★ ~ *teacher* leraar met pensioen, gewezen leraar **❷** teruggetrokken

retiree USA *zn* gepensioneerde

retirement [rɪˈtaɪəmənt] *zn* **❶** pensionering, pensioen, ontslag, afscheid ⟨van een sport⟩ ★ *take* ~ met pensioen gaan, stoppen met werken ★ *sport come out of* ~ na je afscheid terugkeren **❷** teruggetrokkenheid, afzondering, eenzaamheid

retirement pension *zn* ouderdomspensioen, AOW

retiring [rɪˈtaɪərɪŋ] *bnw* **❶** pensioen-, met pensioen gaand ★ ~ *age* pensioengerechtigde leeftijd ★ *the* ~ *director* de scheidende directeur **❷** bescheiden

retort [rɪˈtɔːt] **I** *ov ww* vinnig antwoorden **II** *zn* **❶** vinnig antwoord **❷** retort, distilleerkolf

retouch [riːˈtʌtʃ] *ov ww* retoucheren, bijwerken

retrace [rɪˈtreɪs] *ov ww* volgen, (weer) nagaan ★ ~ *one's steps* op zijn schreden terugkeren

retract [rɪˈtrækt] **I** *ov ww* **❶** intrekken, terugtrekken, herroepen ⟨bewering⟩ **❷** intrekken ⟨klauwen, landingsgestel e.d.⟩ **II** *onov ww* ingetrokken (kunnen) worden ⟨van klauwen, landingsgestel e.d.⟩

retractable [rɪˈtræktəbl] *bnw* intrekbaar, inklapbaar

retraction [rɪˈtrækʃən] *zn* **❶** intrekking, herroeping ⟨van bewering⟩ **❷** intrekking ⟨van klauwen, landingsgestel e.d.⟩

retrain [riːˈtreɪn] **I** *ov ww* omscholen **II** *onov ww* zich (laten) omscholen ★ ~ *as an architect* zich omscholen tot architect

retread [riːˈtred] *zn* band met nieuw loopvlak, coverband

retreat [rɪˈtriːt] **I** *onov ww* (zich) terugtrekken, terugwijken ★ ~ *from sth* zich terugtrekken uit iets, afzien van iets ★ ~ *to the country* zich terugtrekken op het platteland **II** *zn* **❶** terugtocht, signaal tot terugtocht ★ *beat a* ~ er vandoor gaan, zich terugtrekken ★ *sound the* ~ de aftocht blazen **❷** toevluchtsoord, wijkplaats **❸** retraite, (periode van) afzondering **❹** het zich terugtrekken, het afzien van ★ *a* ~ *from reality* een ontvluchting van de werkelijkheid ★ *this seems a* ~ *from his earlier views* dit lijkt erop dat hij zich distantieert van zijn vroegere opvattingen

retrench [rɪˈtrentʃ] *onov ww* bezuinigen

retrenchment [rɪˈtrentʃmənt] *zn* bezuiniging

retribution [retrɪˈbjuːʃən] *zn* vergelding, genoegdoening, straf

retributive [rɪˈtrɪbjʊtɪv] *bnw* vergeldend

retrieval [rɪˈtriːvəl] *zn* **❶** het terughalen, het terugvinden ★ *beyond* ~ onherstelbaar, reddeloos verloren **❷** comp retrieval ⟨opzoeken en zichtbaar maken van data⟩

retrieve [rɪˈtriːv] *ov ww* **❶** terugkrijgen, terugvinden, terechtbrengen **❷** comp oproepen ⟨informatie uit database⟩, ophalen **❸** herstellen **❹** apporteren

retriever [rɪˈtriːvə] *zn* retriever ⟨jachthond⟩

re

retro- ['retrəʊ] *voorv* retro-, terug-
retroactive [retrəʊ'æktɪv] *bnw* met terugwerkende kracht
retrofit *ov ww* aanpassen, vernieuwen ⟨met nieuwe onderdelen / spullen⟩, aanbrengen ⟨nieuwe onderdelen / spullen in oude modellen / machines⟩
retrograde ['retrəgreɪd] *bnw* achteruitgaand, achterwaarts ★ *a ~ step fig* een stap achteruit / terug
retrogressive [retrəʊ'gresɪv] *bnw* achteruitgaand ★ *a ~ step fig* een stap achteruit / terug ★ *a ~ change* een verandering ten slechte
retrospect ['retrəspekt] *zn* terugblik ★ *in ~* achteraf, terugblikkend
retrospection [retrə'spektʃən] *form zn* terugblik
retrospective [retrə'spektɪv] **I** *bnw* ❶ terugziend, terugblikkend ❷ met terugwerkende kracht ⟨van wet, beslissing⟩ ★ *with ~ effect from 1 January* met terugwerkende kracht vanaf 1 januari **II** *zn* overzichtstentoonstelling, retrospectief
retrovirus ['retrəʊvaɪərəs] *zn* med retrovirus
return [rɪ'tɜːn] **I** *ov ww* ❶ terugplaatsen, teruggeven, terugzetten, terugsturen ★ *~ a ball / blow* terugslaan ★ *~ a verdict of guilty* schuldig bevinden ❷ beantwoorden, terugbetalen ★ *too busy to ~ the call* te druk om terug te bellen ★ *~ the compliment* het compliment beantwoorden ★ *~ fire* terugschieten ❸ opleveren, opbrengen ★ *~ a profit* een winst opleveren ❹ GB afvaardigen, (ver)kiezen **II** *onov ww* terugkeren, terugkomen, teruggaan ★ *~ home from her trip to...* terugkeren / thuiskomen van haar reis naar... ★ *~ to Ireland* terugkeren naar Ierland ★ *~ to work* weer aan het werk gaan ★ *have ~ed to normal* weer normaal zijn ★ *~ to a question* op een vraag terugkomen **III** *zn* ❶ terugkeer ★ *on his ~ from Spain* bij zijn terugkeer uit Spanje ★ *many happy ~s (of the day)!* nog vele jaren! ★ *by ~ (of post)* per omgaande ❷ teruggave, terugbetaling ❸ GB retour(tje) ❹ omzet, opbrengst, rendement ❺ opgave, rapport, aangifte ★ *a tax ~* een belastingaangifte ❻ tegenprestatie ★ *in ~* als tegenprestatie, in ruil ★ *there's no ~* er is geen weg terug ❼ sport terugspeelbal, return **IV** *bnw* ❶ GB retour-, terug- ★ *~ address* (adres van de) afzender, retouradres ★ *~ journey* terugreis ★ *~ ticket* retourbiljet ❷ tegen-, terug- ★ *~ match* revanchewedstrijd, returnwedstrijd ★ *a ~ visit* een tegenbezoek
returnable [rɪ'tɜːnəbl] *bnw* ❶ terug te betalen ⟨van borg e.d.⟩, terug te geven ❷ met statiegeld ★ *~ bottles* statiegeldflessen ❸ in te leveren ★ *is ~ kan / moet ingeleverd worden*
returner GB *zn* herintreedster, herintreder
returning officer GB *zn* voorzitter v. stembureau
reunion [riː'juːnjən] *zn* ❶ hereniging ❷ reünie
reunite [riːjuː'naɪt] **I** *ov ww* herenigen **II** *onov ww* zich herenigen
rev [rev] **I** *ov ww, rev up* het toerental opvoeren van ★ *rev up the engine* de motor sneller laten lopen, **rev up** stimuleren, oppeppen **II** *onov ww*, **rev up** er een schepje bovenop gooien,

een paar stappen harder zetten **III** *zn* omwenteling ⟨van motor⟩, toer
Rev. [rev] *afk*, *Reverend* Eerw., Eerwaarde
revalidation centre *zn* revalidatiecentrum
revalidation clinic *zn* ontwenningskliniek, afkickcentrum
revaluation [revælju:'eɪʃən] *zn* revaluatie, herwaardering, opwaardering
revalue [riː'vælju:] *ov ww* revalueren, herwaarderen, opwaarderen
revamp [riː'væmp] *ov ww* moderniseren, vernieuwen, opknappen
rev counter *zn* toerenteller
reveal [rɪ'viːl] *ov ww* openbaren, bekendmaken, onthullen ★ *~ o.s.* zich tonen ★ *~ o.s. as a talented writer* zich ontpoppen als talentvol schrijver
revealing [rɪ'viːlɪŋ] *bnw* ❶ veelzeggend ❷ (veel) onthullend ★ *a ~ dress* een gewaagde / blote jurk ★ *~ outfit* kleding die niets te raden laat
revel ['revəl] **I** *onov ww* ❶ pret maken ❷ *~ in* genieten van, zwelgen in **II** *zn* dicht feestelijkheid ★ *the ~s begin at 10.00 p.m.* de feestelijkheden beginnen / het feest begint om tien uur 's avonds
revelation [revə'leɪʃən] *zn* onthulling, openbaring
reveller ['revələ] *zn* pretmaker
revelry ['revəlrɪ] *zn* pretmakerij
revenge [rɪ'vendʒ] **I** *zn* ❶ wraak ★ *take ~ on / against* wraak nemen op, zich wreken op ★ *have your ~ on sb* je wreken op iem. ❷ revanche **II** *ov ww* wreken ★ *~ yourself on sb* je wreken op iem. ★ *form she swore to be ~d on all* zij zwoer zich op allen te wreken
revengeful [rɪ'vendʒfʊl] *bnw* wraakzuchtig
revenue ['revənju:] *zn* ❶ inkomen, inkomsten ⟨soms in meervoud met dezelfde betekenis als het enkelvoud⟩ ★ *lost ~s* gederfde inkomsten ❷ belastinginkomsten ★ *tax ~s* belastinginkomsten
reverberate [rɪ'vɜːbəreɪt] *onov ww* weerkaatsen, weerklinken, natrillen ★ *fig ~ through* doorklinken in, doorwerken in
reverberation [rɪvɜːbə'reɪʃən] *zn* ❶ weerkaatsing, nagalm, natrilling ❷ doorwerking, weerslag
revere [rɪ'vɪə] *form ov ww* (ver)eren, met eerbied opzien tegen
reverence ['revərəns] *form zn* eerbied, verering
reverend ['revərənd] **I** *zn* geestelijke **II** *bnw* eerwaarde ★ *the Reverend John Smith* de eerwaarde heer J.S. ★ *(the) Reverend Father* (de) weleerwaarde pater ★ *Reverend Mother* (zeer)eerwaarde Moeder ⟨moeder-overste⟩
reverent ['revərənt] *form zn* eerbiedig
reverential [revə'renʃəl] *form zn* eerbiedig
reverie ['revərɪ] *zn* mijmering
reversal [rɪ'vɜːsəl] *zn* ❶ omkering, het wisselen, ommekeer ❷ tegenslag, terugslag
reverse [rɪ'vɜːs] **I** *ov ww* ❶ omkeren, omschakelen ★ *~ charges* degene die gebeld wordt de gesprekskosten laten betalen ★ *~ roles* van rol wisselen ❷ achteruitrijden ❸ herroepen, intrekken ★ *~ a sentence* een vonnis vernietigen ★ *USA ~ yourself on a decision* terugkomen van een beslissing **II** *onov ww* achteruitrijden **III** *zn*

❶ tegenovergestelde, omgekeerde ★ *in ~ achterstevoren*, in omgekeerde volgorde ❷ achterkant ❸ tegenslag ❹ achteruit ⟨van auto⟩ ★ *put in ~* in zijn achteruit zetten **IV** *bnw* tegenovergesteld, omgekeerd ★ *~ gear* de achteruit ⟨van auto⟩ ★ *in ~ order* achterstevoren, in omgekeerde volgorde

reversible [rɪ'vɜːsəbl] *bnw* omkeerbaar ★ *a ~ jacket* een jasje dat je ook binnenstebuiten kan dragen

reversing light GB *zn* achteruitrijlicht

reversion [rɪ'vɜːʃən] *zn* ❶ terugkeer ❷ teruggave ⟨aan vorige eigenaars⟩

revert [rɪ'vɜːt] *onov ww ~ to* terugkeren naar, terugkomen op, teruggaan naar ⟨bepaald onderwerp⟩, terugvallen in ⟨oude gewoonte⟩, terugvallen aan ⟨oorspronkelijke eigenaar⟩ ★ *~ to normal* weer normaal worden ★ *~ to type* de / zijn oude gewoonten weer oppakken

review [rɪ'vjuː] **I** *zn* ❶ herziening, heroverweging, beoordeling, overzicht, terugblik ★ *be under ~* in kwestie bekeken worden ★ *under ~* in kwestie ❷ recensie, bespreking ❸ inspectie, parade ★ *pass in ~* de revue laten passeren ❹ tijdschrift **II** *ov ww* ❶ nog eens onder de loep nemen, opnieuw bekijken / beoordelen ❷ terugkijken op, de revue laten passeren ❸ inspecteren ⟨bij parade⟩ ❹ recenseren, bespreken

reviewer [rɪ'vjuːə] *zn* recensent

revile [rɪ'vaɪl] *ov ww* uitschelden, tekeergaan tegen

revise [rɪ'vaɪz] **I** *ov ww* ❶ herzien, wijzigen ★ *~ your opinion* je mening herzien ❷ corrigeren, verbeteren, herzien ★ *a ~d edition* een herziene uitgave ❸ GB bestuderen, herhalen ⟨leerstof, voor test, examen⟩ **II** *onov ww* GB leerstof herhalen, studeren ⟨voor test, examen⟩

revision [rɪ'vɪʒən] *zn* ❶ herziening, wijziging, correctie ❷ herziene uitgave ❸ GB herhaling ⟨van leerstof⟩, studie ⟨voor een test, examen⟩

revitalize, revitalise [riː'vaɪtəlaɪz] *ov ww* nieuwe kracht geven, er weer gezond laten uitzien

revival [rɪ'vaɪvəl] *zn* ❶ (her)opleving ❷ reprise ⟨toneel⟩, heropvoering

revive [rɪ'vaɪv] **I** *ov ww* ❶ doen herleven, weer tot leven brengen, doen opbloeien, opnieuw invoeren ⟨oud gebruik⟩ ❷ bijbrengen, weer tot leven brengen ❸ weer opvoeren ⟨toneelstuk⟩ **II** *onov ww* ❶ herleven, opleven, opbloeien ❷ bijkomen

revocation [revə'keɪʃən] *zn* herroeping ⟨van wet⟩, intrekking ⟨van vergunning⟩

revoke [rɪ'vəʊk] *ov ww* herroepen ⟨wet⟩, intrekken ⟨vergunning⟩

revolt [rɪ'vəʊlt] **I** *zn* opstand ★ *rise in ~ against* in opstand komen tegen **II** *ov ww* doen walgen ★ *be ~ed by sth* van iets walgen **III** *onov ww* in opstand komen ★ *~ against* in opstand komen tegen

revolting [rɪ'vəʊltɪŋ] *bnw* weerzinwekkend, walgelijk

revolution [revə'luːʃən] *zn* ❶ revolutie ook *fig*, ommekeer ★ *the Industrial / Digital Revolution* de industriële / digitale revolutie ★ *a sexual ~* een seksuele revolutie ❷ omwenteling, toer,

omloop

revolutionary [revə'luːʃənərɪ] **I** *bnw* revolutionair ★ *~ armies* revolutionaire strijdkrachten ★ *~ ideas* revolutionaire / opzienbarende / grensverleggende ideeën **II** *zn* revolutionair

revolutionize, revolutionise [revə'luːʃənaɪz] *ov ww* 'n ommekeer teweegbrengen in

revolve [rɪ'vɒlv] **I** *onov ww* draaien ★ *~ around the sun* om de zon draaien ★ *his whole life ~s around music* zijn hele leven draait om muziek **II** *ov ww* omwentelen, (om)draaien

revolver [rɪ'vɒlvə] *zn* revolver

revolving [rɪ'vɒlvɪŋ] *bnw* draaiend ★ *~ door* draaideur ★ *~ stage* ronddraaiend podium, draaitoneel

revue [rɪ'vjuː] *zn* revue

revulsion [rɪ'vʌlʃən] *zn* walging, weerzin

reward [rɪ'wɔːd] **I** *zn* beloning ★ *a ~ for good behaviour* een beloning voor goed gedrag ★ *reap the ~s of sth* de vruchten van iets plukken **II** *ov ww* belonen

rewarding [rɪ'wɔːdɪŋ] *bnw* lonend, de moeite waard

rewind [riː'waɪnd] *ov ww* terugspoelen

reword [riː'wɜːd] *ov ww* anders stellen, anders formuleren

rework *ov ww* bewerken

rewrite [riː'raɪt] *ov ww* omwerken, bewerken, herschrijven

rhapsodize, GB **rhapsodise** *onov ww* lyrisch / zeer enthousiast zijn

rhapsody ['ræpsədɪ] *muz zn* rapsodie

rhetoric ['retərɪk] *zn* ❶ retoriek, holle frasen ★ *empty ~* holle retoriek ❷ retorica, redenaarskunst

rhetorical [rɪ'tɒrɪkl] *bnw* gekunsteld, hoogdravend, retorisch

rheumatic [ruː'mætɪk] *bnw* reumatisch ★ *~ fever* acuut reuma

rheumatism ['ruːmətɪzəm] *zn* reuma

rheumatoid ['ruːmətɔɪd] *bnw* reumatoïde, reumatisch ★ *~ arthritis* chronisch(e) gewrichtsreuma, reumatische artritis

Rhine [raɪn] *zn* (de) Rijn

rhino ['raɪnəʊ] *zn* neushoorn

rhinoceros [raɪ'nɒsərəs] *zn* neushoorn

rhododendron [rəʊdə'dendrən] *zn* rododendron

rhomboid ['rɒmbɔɪd] *zn* (scheefhoekig) parallellogram

rhombus ['rɒmbəs] *zn* ruit (als vorm)

rhubarb ['ruːbɑːb] *zn* rabarber

rhyme [raɪm] **I** *zn* ❶ rijm(pje), poëzie ★ *without ~ or reason* zonder slot of zin, zonder enige reden ❷ rijmwoord **II** *ov ww* laten rijmen ★ *~ with* laten rijmen op **III** *onov ww* rijmen

rhyming slang ['raɪmɪŋ slæŋ] GB *zn* rijmend slang ⟨Engels jargon waarin bv. "loaf of bread" gebruikt wordt voor "head"⟩

rhythm ['rɪðəm] *zn* ritme ★ *have no sense of ~* geen maatgevoel hebben

rhythmic ['rɪðmɪk], **rhythmical** ['rɪðmɪkəl] *bnw* ritmisch

rhythm method *zn* periodieke onthouding

RI *afk*, *Rhode Island* staat in de VS

rib [rɪb] **I** *zn* ❶ rib ★ *a bruised / broken rib* een gekneusde / gebroken rib ❷ ribstuk ★ *rib(s) of* *beef ribstuk ★ spare rib* sparerib ❸ rib, spant ⟨van boot⟩ ❹ ribbel, richel **II** *ov ww* <u>inform</u> plagen

ribald ['rɪbld] *bnw* onbehoorlijk, schunnig

ribaldry ['rɪbəldrɪ] *zn* schunnige taal

ribbed [rɪbd] *bnw* geribbeld ⟨van kledingstukken⟩

ribbing ['rɪbɪŋ] *zn* ribbelpatroon

ribbon ['rɪbən] *zn* ❶ lint, strook ★ *blue* ~ eerste prijs ★ *cut / tear sth to* ~s iets aan flarden scheuren ❷ *gesch* schrijfmachinelint

ribbon development GB *zn* lintbebouwing

ribcage ['rɪbkeɪdʒ] *zn* ribbenkast

rice [raɪs] *zn* rijst ★ *brown rice* bruine rijst ★ *fried milk* gebakken rijst, nasi ★ *(plain) white rice* (gewone) witte rijst

rice paper *zn* rijstpapier

rice pudding *zn* rijstebrij

rich [rɪtʃ] *bnw* ❶ rijk ★ *rich in* rijk aan ★ *the rich* [mv] de rijken ❷ vruchtbaar ⟨van land⟩ ❸ machtig ⟨van voedsel⟩ ❹ vol, warm ⟨van kleur, klank⟩ ❺ kostbaar ▼ *that's rich!* dat is een goeie! ▼ *that's rich coming from you!* Ja, dat moet jij zeggen!

riches ['rɪtʃɪz] *dicht mv* rijkdom(men)

richly ['rɪtʃlɪ] *bijw* ❶ ten volle ★ *deserve a thing* ~ iets dubbel en dwars verdienen ❷ rijkelijk ★ ~ *decorated* rijkelijk / uitbundig versierd ❸ sterk, diep, warm ⟨van kleur, klank⟩ ❹ zeer ★ ~ *varied / comic* zeer gevarieerd / komisch

richness ['rɪtʃnəs] *zn* ❶ rijkdom ❷ rijkheid ❸ diepte, warmte, volheid

rick [rɪk] **I** *zn* hoop hooi, hooischelf ⟨op het land⟩ **II** *ov ww* GB verdraaien, verstuiken, verrekken

rickets ['rɪkɪts] *zn* Engelse ziekte, rachitis

rickety ['rɪkətɪ] *bnw* wankel, gammel

rickshaw *zn* riksja

ricochet ['rɪkəʃeɪ] **I** *onov ww* terugstuiten, opstuiten ⟨van kogel, steen e.d.⟩ ★ ~ *off the rock* afketsen op de rots, opstuiten / terugstuiten van de rots **II** *zn* terugstuitende / opstuitende kogel / steen, verdwaalde kogel

rid [rɪd] *ov ww* [onregelmatig] ❶ bevrijden ★ *be / get rid of* af zijn / afkomen van ★ *be well rid of sth* ergens mooi vanaf zijn ★ *we're well rid of her* we zijn gelukkig van haar af ★ *want rid of sb / sth* van iemand / iets af willen ❷ ~ *of* ontdoen van

riddance ['rɪdns] *zn* ★ *good* ~ *to him* die zijn we gelukkig kwijt

ridden ['rɪdn] *ww* [volt. deelw.] → **ride**

riddle ['rɪdl] **I** *zn* raadsel ★ *talk / speak in* ~s in raadselen spreken **II** *ov ww* doorzeven

riddled ['rɪdld] *bnw* ❶ vol, bezaaid ★ *be* ~ *with* vol zitten van, barsten van, wemelen van ❷ doorzeefd ★ ~ *with bullets* met kogels doorzeefd

ride [raɪd] **I** *ov ww* [onregelmatig] ❶ berijden, rijden op / in ★ *ride a bike* fietsen ★ USA *ride the bus / subway to school* de bus / metro nemen naar school ★ USA *ride the elevator* met de lift gaan, de lift nemen ❷ te paard / op de fiets / op een motor rijden door / op / over ❸ laten rijden ⟨kind, op knie⟩ ❹ drijven op, varen op, zweven op / in ⟨water, lucht⟩ ❺ plagen, jennen ❻ ~ **down** omverrijden ❼ ~ **out** doorstaan **II** *onov ww* [onregelmatig] ❶ rijden ★ *ride in a*

car in een auto (mee)rijden ⟨als passagier⟩ ★ *ride on a bike* fietsen ★ *ride on the bus* met de bus gaan ★ *ride on a horse* paardrijden ★ *ride on sb's shoulders / back* op iemands schouders / rug zitten ★ *go riding* uit rijden gaan ★ *be riding for a fall* (te) roekeloos handelen / rijden, zijn ondergang tegemoet gaan ★ *let it ride!* laat maar zitten! ★ *be riding high* succes hebben ❷ drijven, varen, zweven ⟨in lucht, op water⟩ ★ *ride at anchor* voor anker liggen ❸ ~ **off** wegrijden ❹ ~ **on** afhangen van ❺ ~ **up** omhoogkruipen, opkruipen ⟨bv. van rok, jurk⟩ **III** *zn* ❶ rit, reis, tocht ★ *a ride on the roller coaster* een ritje in de achtbaan ★ *a ride in a balloon* een ballontocht ★ *fig be in for a bumpy ride* het moeilijk krijgen ★ *fig give sb a rough ride* het iem. moeilijk maken ★ *go for a ride (on your bike)* een ritje (gaan) maken (op de fiets) ★ *come / go along for the ride* voor de lol / gezelligheid meedoen ★ *fig take sb for a ride* iem. er tussen nemen ❷ USA lift ★ *hitch a ride to Denver* naar Denver liften ★ *give sb a ride* iem. een lift geven ❸ kermisattractie waar je ritjes in kan maken ⟨bv. achtbaan, draaimolen⟩ ❹ <u>dicht</u> ruiterpad

rider ['raɪdə] *zn* ❶ ruiter, (be)rijder ❷ toegevoegde clausule, toevoeging

ridge [rɪdʒ] *zn* ❶ heuvelrug, bergkam ❷ richel ❸ vorst, nok ❹ rug ⟨van hogedrukgebied⟩

ridged [rɪdʒd] *bnw* ❶ ribbelig, geribbeld ❷ kamvormig

ridicule ['rɪdɪkjuːl] **I** *zn* spot ★ *hold sb / sth up to* ~ iemand / iets belachelijk maken **II** *ov ww* belachelijk maken

ridiculous [rɪ'dɪkjʊləs] *bnw* belachelijk

riding ['raɪdɪŋ] *zn* het (paard)rijden ⟨ook in samenstellingen⟩ ★ *go* ~ / USA *horseback* ~ uit rijden gaan, gaan paardrijden ★ ~ *breeches* rijbroek ★ ~ *crop* rijzweepje

riding school *zn* ruiterschool, manege

rife [raɪf] *bnw* algemeen heersend, wijdverbreid ★ *rife with* vol van, wemelend van

riffle ['rɪfəl] **I** *ov ww* snel doorbladeren **II** *onov ww* ~ *through* snel doorbladeren

riff-raff *zn* gepeupel, tuig

rifle ['raɪfəl] **I** *zn* geweer **II** *ov ww* ❶ doorzoeken ❷ (leeg)plunderen, leegroven ❸ *sport* hard schieten / gooien, knallen **III** *onov ww* ~ *through* doorzoeken

rifleman ['raɪfəlmən] *zn* infanterist, schutter

rifle range *zn* schietbaan

rift [rɪft] *zn* ❶ breuk, tweedracht ★ *heal the rift* de breuk helen ❷ spleet, scheur

rig [rɪg] **I** *zn* ❶ boortoren, booreiland, boorplatform ❷ tuigage ⟨van schip⟩ ❸ installatie, apparaat, toestel ❹ USA truck met oplegger **II** *ov ww* ❶ manipuleren, knoeien met ★ *rig the market* kunstmatig prijsdaling / prijsstijging bewerken ❷ optuigen ⟨schip⟩ ❸ installeren, in elkaar zetten, (stiekem) monteren ★ *a car rigged with explosives* een auto met (verstopte) explosieven ❹ ~ **out** optuigen, uitdossen, uitrusten ❺ ~ **up** in elkaar flansen

rigged [rɪgd] *bnw* opgetuigd

rigging ['rɪgɪŋ] *zn* tuigage ⟨van schip⟩

right [raɪt] **I** *bnw* ❶ juist, goed, waar, rechtmatig, rechtvaardig ★*(that's)* ~! dat is juist!, gelijk heb je! ★*~ you are!* natuurlijk!, gelijk heb je! ★*you were ~ to punish them* je had gelijk / deed er goed aan ze te straffen ★*Mr Right* de ware Jacob ★*get sth* ~ iets goed begrijpen ★*on the ~ side of forty* nog geen veertig (jaar oud) ★*~ side up* niet kantelen ❷ in orde ★*(all)* ~ oké, afgesproken, in orde ★*are you ~ now?* zit je goed?, ben je weer (helemaal) opgeknapt? ★*not feel quite ~* zich niet helemaal in de orde voelen ★*get sth* ~ iets in orde brengen / maken ★*set / put* ~ verbeteren, in orde brengen / maken, terechtwijzen, gelijkzetten ❸ recht(s) ★*take a ~ turn* rechts afslaan ★*the ~ wing of a political party* de rechtervleugel van een politieke partij ❹ inform echt, volkomen ★*a ~ idiot* een ontzettende / echte idioot ★*make a ~ mess of sth* een grote puinhoop maken van iets **II** *bijw* ❶ precies ★*~ on time* precies op tijd ★*~ now* nu, op dit moment ❷ direct ★*~ after eight o'clock* direct na acht uur ★*~ away / off* direct ★*I'll be ~ back* ik ben zo terug ❸ helemaal ★*be ~ behind sb* helemaal achter iem. staan ★*go ~ to the end of the platform* ga helemaal naar het einde van het perron ★*Right Honourable* Zeer Geachte ❹ juist, goed ★*she did ~ to call the police* zij deed er goed aan de politie te bellen ★*guess* ~ goed gokken ★*serves you ~!* net goed!, je verdiende loon! ★*everything went ~* alles ging goed ❺ rechts ★*~ and left* overal ★*turn ~* rechts afslaan **III** *zn* ❶ recht ★*be in the ~* de zaak bij het juiste eind hebben, in zijn recht staan ★*(as) of ~* rechtens ★*by / of ~* rechtens ★*by ~ of* krachtens ★*by ~s* eigenlijk ★*equal ~s for women* gelijke rechten voor vrouwen ★*have a ~ to* recht hebben op / om ★*in his own ~* op zichzelf, van zichzelf ★*be within your ~s* in je recht staan ★*sell the ~s of your new book* de rechten van je nieuwe boek verkopen ★*~ of way* recht van overpad, recht van doorgang, overpad, voorrang (in het verkeer) ★*have ~ of way* voorrang hebben ❷ rechterkant, rechterhand ★inform *make / take a ~* naar rechts gaan, rechts afslaan ★*on your ~* rechts van je ★*to the ~* rechts ★pol *the Right* rechts, de conservatieven, de rechtervleugel ❸ sport rechtse ❹ gerechtheid, billijkheid ★*the difference between ~ and wrong* het verschil tussen recht en kwaad ★*the ~s and wrongs of sth* de goede en slechte kanten van iets ★*do ~ by sb* billijk zijn jegens iem., iem. rechtvaardig behandelen ★*put / set to ~s* rechtzetten, in orde brengen **IV** *tw* ❶ goed, in orde, oké ★*~, let's do it* oké, laten we beginnen ★GB inform *too ~!* inderdaad!, ★inform *~ on!* zo is het!, zo mogen we het horen!, goed zo! ❷ afgesproken **V** *ov ww* ❶ rechtzetten, herstellen, weer in orde brengen ★*it will ~ itself* het komt vanzelf weer in orde ★*~ a wrong* een onrecht herstellen ❷ rechtop zetten ★*the ship ~ed itself* het schip kwam weer recht **VI** → **alright**

right angle *zn* rechte hoek
right-angled ['raɪtæŋgld] *bnw* rechthoekig
righteous ['raɪtʃəs] *bnw* ❶ rechtvaardig, rechtschapen ❷ gerechtvaardigd ★*her ~ indignation* haar terechte verontwaardiging

rightful ['raɪtfʊl] *bnw* ❶ rechtmatig ★*return sth to the ~ owner* iets aan de rechtmatige eigenaar teruggeven ❷ rechtvaardig
right-hand [raɪt'hænd] *bnw* ❶ rechts ★*~ man* fig rechterhand, trouwe helper ❷ voor / aan de rechterhand ⟨bv. handschoen⟩
right-handed [raɪt'hændɪd] *bnw* rechts, rechtshandig, met de rechterhand, voor de rechterhand gemaakt
right-hander [raɪt'hændə] *zn* ❶ iemand die rechts is ❷ klap met de rechterhand
rightist ['raɪtɪst] **I** *zn* rechts georiënteerde, rechts iemand **II** *bnw* rechts(georiënteerd)
rightly ['raɪtlɪ] *bnw* ❶ terecht ★*and ~ so* en terecht, en met recht ❷ juist, goed ★*if I remember ~* als ik het me goed herinner ★*I can't ~ say what went wrong* ik kan niet goed zeggen wat er fout ging, ik kan niet met zekerheid zeggen wat er mis ging
right-minded [raɪt'maɪndɪd] *bnw* weldenkend
rightness ['raɪtnɪs] *zn* juistheid, billijkheid, rechtmatigheid
rightsize **I** *ov ww* afslanken, inkrimpen ⟨bedrijf⟩ **II** *onov ww* afslanken, inkrimpen ⟨van een bedrijf⟩
right-wing *bnw* pol rechts, tot de rechtervleugel behorend
right-winger *zn* ❶ pol lid v.d. rechtervleugel ❷ sport rechtsbuiten
rigid ['rɪdʒɪd] onbuigzaam, streng, star *bnw* stijf ★*~ with fear* verstijfd van angst
rigidity [rɪ'dʒɪdətɪ] *zn* ❶ starheid, onbuigzaamheid, strengheid ❷ stijfheid
rigmarole ['rɪgmərəʊl] *zn* ❶ rompslomp ❷ gezwam, onzinnig verhaal
rigor mortis *zn* lijkverstijving, rigor mortis
rigorous ['rɪgərəs] *bnw* streng, hard
rigour ['rɪgə] *zn* ❶ strengheid, hardheid ★*~s* verschrikkingen, ontberingen, ongemakken ⟨van de winter, de moderne tijd⟩ ❷ accuratesse, grote nauwkeurigheid
rile [raɪl] *ov ww* kwaad maken
rill [rɪl] *zn* beekje
rim [rɪm] **I** *zn* ❶ rand ★*spectacles with silver rims* een bril met een zilveren montuur ❷ velg **II** *ov ww* form van een rand voorzien, omranden ★*golden-rimmed glasses* een bril met een gouden montuur ★*red-rimmed eyes* roodomrande ogen
rime [raɪm] dicht *zn* rijp
rimless ['rɪmləs] *bnw* zonder rand(en), zonder montuur ⟨van bril⟩
rind [raɪnd] *zn* ❶ schil ⟨van citroen, sinaasappel⟩ ❷ (kaas)korst ❸ (spek)zwoerd
rinderpest ['rɪndəpest] *zn* veepest
ring [rɪŋ] **I** *zn* ❶ ring ★*a silver ring* een zilveren ring ★*a wedding ring* een trouwring ❷ kring, cirkel, piste, circus, (ren)baan ★*sit in a ring* in een kring zitten ★*the ring* het boksen, de bokswereld, het circus ★*run rings round sb* iem. ver achter zich laten ❸ gelui, gebel, gekletter ★*there's a ring (at the door)* er wordt gebeld ★*answer on the third ring* opnemen bij het de derde keer overgaan ⟨van telefoon⟩ ★*three rings* driemaal bellen ★GB inform *give sb a ring* iem. bellen, iem. opbellen ★*the ring of hooves* het

ri

hoefgekletter ❹ klank ★ *have a familiar ring* vertrouwd / bekend klinken ★ *have a hollow ring to it* niet oprecht / gemeend klinken ★ *have a ring of truth* oprecht / echt klinken ❺ kliek, combinatie, bende **II** *ov ww* [onregelmatig] ❶ bellen, rinkelen, (laten) klinken, luiden ★ *ring the bell* bellen ❷ GB (op)bellen, telefoneren ❸ GB ~ back terugbellen ❹ ~ in inluiden (het nieuwe jaar) ❺ ~ round rondbellen naar, afbellen ❻ ~ up GB opbellen, aanslaan (op kassa), optellen, noteren (een bedrag) **III** *ov ww* [regelmatig] ❶ ringen (vogel) ❷ omringen, omcirkelen **IV** *onov ww* [onregelmatig] ❶ rinkelen, overgaan (van telefoon), luiden (van klokken), bellen ❷ GB (op)bellen, telefoneren ❸ weerklinken ★ *ring with laughter* weerklinken van het gelach ❹ klinken ★ *ring hollow* onoprecht / ongemeend klinken ★ *ring true* oprecht / gemeend klinken ❺ GB ~ back terugbellen ❻ GB ~ in (op)bellen ★ *ring in to a tv-programme* bellen naar een tv-programma ★ *ring in sick* je ziek melden (over de telefoon) ❼ GB ~ off het gesprek beëindigen, ophangen ❽ dicht ~ out weerklinken ❾ ~ round rondbellen, iedereen afbellen ❿ GB ~ up opbellen

ring binder *zn* ringband, multomap
ringer ['rɪŋə] *zn* ❶ klokkenluider ❷ bel (van telefoon) ▾ inform *be a dead ~ for sb* het evenbeeld zijn van iem., sprekend op iem. lijken
ringfence GB *ov ww* oormerken, reserveren (voor een bepaald doel) (geld, fondsen)
ring finger *zn* ringvinger
ringleader ['rɪŋˌliːdə] *zn* leider, baas (van een bende, groep raddraaiers)
ringlet ['rɪŋlɪt] *zn* haarkrulletje
ringmaster ['rɪŋmɑːstə] *zn* spreekstalmeester, ceremoniemeester (in circus)
ring-pull GB *zn* lipje (om blikje te openen) ★ *ringopener*
ring road GB *zn* rondweg
ringside ['rɪŋsaɪd] *bnw* dicht bij de ring (bij boksen), dicht bij de circuspiste ★ *a ~ seat* een plek op de eerste rij
ringtone ['rɪŋtəʊn] *zn* ringtoon, beltoon
ringworm ['rɪŋwɜːm] *zn* ringworm
rink [rɪŋk] *zn* ❶ schaatsbaan, (kunst)ijsbaan ❷ ijshockeybaan ❸ rolschaatsbaan
rinse [rɪns] **I** *zn* ❶ spoeling, spoelbeurt ★ *give sth a ~* iets (om)spoelen ❷ kleurspoeling ❸ mondwater **II** *ov ww* ❶ (om)spoelen ❷ ~ out omspoelen, uitspoelen, afspoelen
riot ['raɪət] **I** *zn* ❶ oproer, rel ★ *run riot* de vrije loop laten (van verbeelding, gevoelens), wild opgroeien / worden, doorslaan (bv. van kinderen), woekeren (van planten) ❷ vrolijke bende ★ *a riot of colour* een bonte kleurenpracht ★ *a riot of emotions* een krachtige mix van gevoelens ❸ oud inform giller, knaller **II** *onov ww* rellen schoppen, in opstand komen
riot act *zn* ★ *read sb the ~* iem. flink de les lezen, iem. ernstig waarschuwen
rioter ['raɪətə] *zn* relschopper
riotous ['raɪətəs] *bnw* ❶ oproerig, rellerig ❷ luidruchtig

rip [rɪp] **I** *ov ww* ❶ scheuren, openscheuren, openrijten ★ *rip apart* aan stukken scheuren ★ *rip a hole in* een gat scheuren / maken in ★ *rip open* openscheuren ★ *rip to shreds* aan stukken scheuren ❷ rukken, losscheuren, afpakken ★ *the storm ripped the roof off* door de storm waaide het dak eraf ★ *rip off your tie* je stropdas afrukken ❸ inform ~ off ★ *rip sb off* iem. oplichten, iem. afzetten ★ *rip off sth* iets stelen, iets jatten ❹ ~ up verscheuren (brief), beëindigen (plan) **II** *onov ww* ❶ scheuren ❷ zich laten gaan ★ *let rip* zich helemaal laten gaan, uit je bol gaan, de vrije hand laten ★ *let rip at sb* tekeergaan tegen iem., iem. flink uitkafferen ★ *let it / things rip* de boel maar laten waaien ❸ snellen, vliegen ★ *let rip* vol gas geven ★ *let her rip* vol gas met die auto, trap 'm op zijn staart ❹ ~ into ★ *rip into sb* inhakken op iem. (met kritiek) **III** *zn* scheur
riparian [raɪˈpeərɪən] *bnw* aan / op de oever
ripcord ['rɪpkɔːd] *zn* trektouw (v. parachute)
ripe [raɪp] *bnw* ❶ rijp ★ *ripe lips* volle rode lippen ★ *be ripe for change* rijp voor verandering zijn ❷ inform stinkend, smerig (van geur) ❸ inform op het randje, gewaagd (van humor, taal)
ripen ['raɪpən] **I** *onov ww* rijp worden, rijpen **II** *ov ww* rijp maken, (doen) rijpen
rip-off inform *zn* ❶ afzetterij, zwendel ❷ slechte, illegale kopie (bv. van dure merkartikelen)
riposte [rɪˈpɒst] form **I** *zn* gevat antwoord **II** *onov ww* ad rem antwoorden
ripping ['rɪpɪŋ] GB oud inform *bnw* fantastisch, reuze
ripple ['rɪpl] **I** *zn* ❶ rimpeling, golfje(s) ★ *it excited ~s of interest* het wekte hier en daar / nu en dan wat belangstelling ★ *a ~ of fear went through the crowd* er ging een golf van angst door de menigte ❷ gekabbel, geroezemoes **II** *ov ww* rimpelen, laten golven **III** *onov ww* ❶ rimpelen, golven, zich als een golf verspreiden ❷ kabbelen, murmelen
ripple effect *zn* uitdijend effect
rip-roaring *bnw* luidruchtig, oorverdovend, geweldig
rise [raɪz] **I** *onov ww* [onregelmatig] ❶ groter / hoger worden, opkomen (van zon, maan), rijzen (ook van brood), (op)stijgen, wassen ★ *her colour rose* zij kreeg (meer) kleur ★ *smoke rising from the chimneys* rook die opstijgt uit de schoorstenen ★ *spirits rose* de stemming werd beter ★ *rising unemployment / sales* stijgende werkloosheid / verkoop ★ *her voice rose* haar stem steeg / werd luider ❷ (zich) opsteken, (zich) verheffen, in opstand komen ★ *rise against sb* in opstand komen tegen iem. ★ *rise in arms* de wapens opnemen ★ *rise in rebellion* in opstand komen ★ form *rise early* vroeg opstaan ★ *rise from the dead* uit de dood opstaan ★ *rise from the table* van tafel opstaan ★ oud *rise and shine!* op en monter!, kom je bed uit! ❹ opgaan, omhooggaan, vooruitkomen ★ *rise to be sth* opklimmen tot iets ★ *rise to fame* beroemd worden ★ *rise to the top* de top bereiken ★ *rise in the world* carrière maken ❺ ontstaan, ontspringen (van rivier), opsteken

ri

⟨van de wind⟩ ❻ oplopen ⟨van grond⟩ ❼ form
uiteengaan ⟨van vergadering⟩ ❽ ~ **above** zich
verheffen boven, uitsteken boven, verheven zijn
boven ★ *rise above sth* boven iets staan
❾ ~ **from** ontspringen uit, voortkomen uit
❿ ~ **to** het aankunnen, ingaan op ★ *he did not
rise to the occasion* hij wist niet wat hem te doen
stond ⓫ ~ **up** in opstand komen, zich
verheffen, stijgen **II** *zn* ❶ stijging, verhoging,
het rijzen, het omhooggaan ★ *the rise and fall of*
het op- en neergaan van, het stijgen en dalen
van ★ *prices are on the rise* de prijzen gaan
omhoog ❷ helling, verhoging ❸ GB
loonsverhoging ❹ opkomst ★ *the rise and fall of*
de opkomst en ondergang van ★ *the story of her
rise to the top* het verhaal over hoe zij de top
bereikt / carrière maakt ❺ oorsprong,
aanleiding ★ *give rise to* aanleiding geven tot,
veroorzaken ▾ *get / take a rise out of a p.* iem.
nijdig maken
risen [rɪzn] *ww* [volt. deelw.] → **rise**
riser ['raɪzə] *zn* ★ *an early* ~ iem. die (altijd) vroeg
opstaat
risible ['rɪzɪbl] *bnw* belachelijk, bespottelijk
rising ['raɪzɪŋ] **I** *zn* ❶ opstand ❷ opgang,
opkomst ⟨van zon, maan⟩ ❸ stijging, verhoging
II *bnw* ❶ opkomend, aankomend, stijgend ★ GB
the ~ generation de aankomende generatie ★ fig
a ~ star een rijzende ster ❷ oplopend,
omhooggaand ★ ~ *ground* oplopend terrein
risk [rɪsk] **I** *zn* risico, gevaar ★ *run risks* gevaar
lopen, risico (durven) lopen ★ *run the risk of* het
risico lopen te / van ★ *at the risk of* voor risico
van, op gevaar van ★ *at your own risk* op eigen
risico ★ *put at risk* in gevaar brengen ★ *take risks*
risico's nemen ★ *take the risk of leaving them
alone for fifteen minutes* het erop wagen ze voor
een kwartier alleen te laten **II** *ov ww* riskeren,
wagen ★ *risk your life* je leven op het spel
zetten, je leven riskeren
risky ['rɪskɪ] *bnw* gewaagd, riskant
rissole ['rɪsəʊl] *cul zn* rissole
rite [raɪt] *zn* rite, plechtigheid ★ *rites of passage*
overgangsriten
ritual ['rɪtjʊəl] **I** *zn* ritueel **II** *bnw* ritueel
ritzy ['rɪtsɪ] *bnw* chic, luxueus
rival ['raɪvəl] **I** *zn* mededinger, concurrent, rivaal
★ *have no* ~s ongeëvenaard zijn **II** *bnw*
mededingend, concurrerend, rivaliserend **III** *ov
ww* wedijveren met, (trachten te) evenaren
rivalry ['raɪvəlrɪ] *zn* rivaliteit, wedijver,
concurrentie
rive [raɪv] *ov ww* (vaneen) scheuren, rukken,
splijten ★ *a country riven by civil war* een land
verscheurd door een burgeroorlog
river ['rɪvə] *zn* rivier, stroom ★ *down* ~
stroomafwaarts ★ *up* ~ stroomopwaarts ★ *sell sb
down the* ~ iem. bedriegen, iem. laten vallen
riverbank ['rɪvəbæŋk] *zn* rivieroever, waterkant
river bed *zn* rivierbedding
riverside ['rɪvəsaɪd] **I** *zn* rivieroever **II** *bnw* aan
de rivieroever ★ *a* ~ *restaurant* een restaurant
aan de rivier / aan het water
rivet ['rɪvɪt] **I** *zn* klinknagel **II** *ov ww*
❶ (vast)klinken ★ *be* ~*ed on the spot* als aan de
grond genageld zijn ⟨van ontzetting, verbazing⟩

❷ ook fig boeien ★ *be* ~*ed by* geboeid zijn door
❸ vestigen ⟨ogen⟩, concentreren ⟨de aandacht⟩
★ *all eyes were* ~*ed on / to the screen* alle ogen
waren gericht op het scherm
riveting ['rɪvɪtɪŋ] *bnw* betoverend, meeslepend,
fantastisch
rivulet ['rɪvjʊlət] *zn* riviertje, beekje
RN *afk* ❶ *Royal Navy* Koninklijke Marine
❷ *registered nurse* gediplomeerd
verpleegkundige
roach [rəʊtʃ] *zn* ❶ voorn ❷ USA inform kakkerlak
❸ inform stickie
road [rəʊd] *zn* weg ook fig , straat ★ *be in sb's /
the road* in de weg staan ★ *by road* over de weg,
met de auto / bus ★ inform *down the road* in de
toekomst, later ★ *get out of the* ~ uit de
weg gaan ★ *main road* hoofdstraat ★ *on the road*
op / bij de weg, op weg, onderweg, op tournee,
zwervend ★ fig *be on the road to recovery* aan de
beterende hand zijn ★ inform *one for the road*
afzakkertje ★ fig *the road to success* de weg naar
succes ★ inform *hit the road* vertrekken,
weggaan
roadblock ['rəʊdblɒk] *zn* ❶ wegversperring
❷ USA belemmering, hindernis
road hog *zn* wegpiraat
roadhouse ['rəʊdhaʊs] USA oud *zn*
wegrestaurant
road map *zn* wegenkaart
road pricing GB *zn* rekeningrijden
road rage *zn* agressie in het verkeer
road sense *zn* verkeersinzicht
roadshow ['rəʊdʃəʊ] *zn* ❶ radio- / tv-programma
op locatie ❷ promotietour
roadside ['rəʊdsaɪd] **I** *zn* kant v.d. weg **II** *bnw*
aan de kant v.d. weg ★ *a* ~ *restaurant* een
wegrestaurant
road sign *zn* verkeersbord
road test *zn* testrit, wegtest, USA rijexamen
road toll *zn* verkeersongelukken op de weg
roadway ['rəʊdweɪ] *zn* rijweg
roadworks ['rəʊdwɜːks] *zn mv* werk aan de
weg(en), werk in uitvoering
roadworthy ['rəʊdwɜːðɪ] *bnw* geschikt voor het
verkeer
roam [rəʊm] **I** *onov ww* zwerven ★ fig *her eyes
roamed over the pages* haar ogen dwaalden over
de bladzijden **II** *ov ww* zwerven door / in
★ *roam the streets* op straat zwerven ⟨van
kinderen⟩
roan [rəʊn] *zn* roan ⟨paard met witte haren in de
vacht van de romp⟩
roar [rɔː] **I** *onov ww* ❶ brullen ⟨ook van leeuw⟩,
bulderen ★ *roar with laughter* bulderen van het
lachen ❷ loeien, razen ❸ rollen ⟨van donder⟩
II *ov ww* brullen, bulderen **III** *zn* ❶ gebrul,
gebulder ★ *a roar of laughter* een bulderende
lach ★ *set the table in a roar* de gasten doen
schateren ❷ geloei, geraas
roaring ['rɔːrɪŋ] *bnw* ❶ brullend, bulderend,
loeiend ❷ laaiend ⟨van vuur⟩ ❸ inform
geweldig, flink ★ ~ *drunk* stomdronken ★ *be a* ~
success een geweldig succes zijn ★ *do a* ~ *trade*
gouden zaken doen
roast [rəʊst] **I** *ov ww* ❶ braden, roosteren ⟨vlees,
vis, groente⟩ ❷ branden ⟨koffiebonen⟩, poffen

ro

⟨aardappelen, kastanjes⟩ ❸ een flinke uitbrander geven **II** *onov ww* braden, roosteren **III** *zn* ❶ gebraad, stuk gebraden / geroosterd vlees ❷ USA barbecue **IV** *bnw* geroosterd, gebraden, gepoft

roaster ['rəʊstə] *zn* ❶ braadpan, braadslee, braadrooster ❷ braadoven ❸ koffiebrander

roasting ['rəʊstɪŋ] inform **I** *zn* uitbrander ★ *give sb a ~* iem. de mantel uitvegen **II** *bnw*, **roasting hot** gloeiend heet ★ *I'm ~* ik zweet me te pletter

rob [rɒb] *ov ww* ❶ beroven, bestelen ★ *they robbed him of his mobile* ze hebben zijn mobieltje gestolen ★ *she was robbed of her bag* haar tas was (van haar) gestolen ★ *rob Peter to pay Paul* het ene gat met het andere stoppen ❷ inform *rob somebody blind* iemand en poot uitdraaien

robber ['rɒbə] *zn* dief, rover

robbery ['rɒbərɪ] *zn* roof, diefstal ★ *an armed ~* een gewapende overval

robe [rəʊb] **I** *zn* ❶ kamerjas, peignoir, badjas ❷ ⟨vaak mv met zelfde betekenis als enkelvoud⟩ toga, ambtsgewaad, robe ★ *in purple robes* in paarse toga's, in een paarse toga **II** *ov ww* ⟨be⟩kleden, zich kleden ★ *robed in* gekleed in

robin ['rɒbɪn] *zn* roodborstje

robot ['rəʊbɒt] *zn* robot

robotic *bnw* ❶ robot- ★ *a ~ arm* een robotarm ❷ robotachtig, als een robot ⟨bv. van bewegingen⟩

robust [rəʊ'bʌst] *bnw* ❶ robuust, sterk ❷ fors, flink ❸ stevig, krachtig ⟨van smaak⟩

rock [rɒk] **I** *zn* ❶ rots, grote steen ★ *the Rock* de Rots v. Gibraltar ★ *solid as a rock* betrouwbaar, oersolide, zo stevig als wat ★ *be (caught / stuck) between a rock and a hard place* tussen twee kwaden in zitten ❷ USA steen⟨tje⟩ ★ *throw rocks at the police* stenen gooien naar de politie ❸ GB zuurstok, kaneelstok, suikerstok ❹ muz rock ▾ *on the rocks* met ijsblokjes ⟨van drankje⟩ mislukt, in de vernieling **II** *ov ww* ❶ schommelen, wiegen ❷ ⟨doen⟩ schudden ⟨door explosie, aardbeving⟩, schokken **III** *onov ww* ❶ schommelen, wiegelen ❷ schudden, schokken ❸ inform geweldig zijn

rock bottom [rɒk'bɒtəm] *zn* laagste punt ★ *hit ~* een absoluut dieptepunt bereiken

rock-bottom [rɒk'bɒtəm] *bnw* allerlaagst ★ *~ prices* laagst mogelijke prijzen

rock climbing *zn* het bergbeklimmen

rocker ['rɒkə] *zn* ❶ USA schommelstoel ❷ muz rocker ❸ gebogen hout onder wieg / schommelstoel ▾ inform *off one's ~* gek, niet goed wijs

rockery ['rɒkərɪ] GB *zn* rotspartij ⟨in tuin⟩, rotstuin

rocket ['rɒkɪt] **I** *zn* ❶ raket, vuurpijl ❷ rucola, raketsla ❸ GB inform uitbrander ★ *give sb a ~* iem. op zijn donder geven **II** *onov ww* ❶ omhoogschieten ⟨van prijzen e.d.⟩ ❷ inform flitsen, schieten, vliegen ★ *~ out of a side street* uit een zijstraat schieten ★ *~ to number one* razendsnel op nummer een staan ★ *~ to stardom* pijlsnel een ster / sterren worden **III** *ov ww* ❶ met raketten bestoken ❷ inform pijlsnel

laten worden ★ *~ sb to stardom* iem. pijlsnel het sterrendom brengen, iem. pijlsnel tot ster maken

rocket launcher *zn* raketwerper, bazooka

rocket science inform *zn* ★ *it isn't ~* je hoeft er niet het buskruit voor uitgevonden te hebben, je hoeft er geen Einstein voor te zijn

rock face *zn* rotswand

rock garden *zn* rotstuin, tuin met rotspartijen erin

rock-hard *bnw* keihard

Rockies [rɒkɪz] *zn mv* inform Rocky Mountains

rocking chair *zn* schommelstoel

rocking horse *zn* hobbelpaard

rock-solid *bnw* keihard ook fig , oersterk

rocky ['rɒkɪ] *bnw* ❶ rotsachtig ★ *the Rocky Mountains* de Rocky Mountains, het Rotsgebergte ⟨in de USA⟩ ❷ gammel, wankel

rod [rɒd] *zn* ❶ staaf, stang, stok, staf, roe⟨de⟩ ★ *rule with a rod of iron* met ijzeren vuist regeren ★ *a rod to beat sb with* een stok om de hond mee te slaan ❷ hengel ★ *fishing rod* hengel ▾ *make a rod for your own back* je eigen graf graven

rode [rəʊd] *ww* ⟨verleden tijd⟩ → ride

rodent ['rəʊdnt] *zn* knaagdier

rodeo [rəʊ'deɪəʊ] *zn* rodeo

roe [rəʊ], **roe deer** *zn* ree, kuit ⟨van vis⟩ ★ *hard roe* kuit ★ *soft roe* hom

roger ['rɒdʒə] *tw* begrepen ⟨in mobiele communicatie in vluchtverkeer enz.⟩

rogue [rəʊg] **I** *zn* ❶ humor kwajongen ❷ oud schurk ❸ uitgestoten buffel / olifant **II** *bnw* ❶ uitgestoten, solitair ⟨van buffel / olifant⟩ ❷ louche, van het rechte pad geraakt, schurkachtig ★ *a ~ state* een schurkenstaat

roguish ['rəʊgɪʃ] *bnw* ondeugend, kwajongensachtig

role [rəʊl] *zn* ❶ toneel- of filmrol ★ *the leading role* de hoofdrol ★ *play the role of Othello* Othello spelen ❷ rol, functie ★ *play a significant role in a conflict* een belangrijke rol spelen in een conflict

role model *zn* rolmodel ⟨als goed voorbeeld⟩

role play *zn* rollenspel

roll [rəʊl] **I** *ov ww* ❶ ⟨op⟩rollen, wentelen ★ *roll sb onto his side* iem. op zijn zij rollen ★ *roll the trolley to the checkout* het winkelwagentje naar de kassa rijden ★ *he was a writer, singer and actor, all rolled into one* hij was schrijver, zanger en acteur, alles in een ❷ uitrollen ⟨deeg⟩ ❸ laten lopen ⟨camera⟩, laten draaien ⟨pers⟩ ❹ doen rollen / slingeren / schommelen ❺ *~ back* terugdraaien ⟨wet, regel e.d.⟩, terugschroeven, verlagen ⟨kosten, prijzen⟩, terugdringen, terugdrijven ❻ *~ down* naar beneden draaien ⟨autoraampje⟩, naar beneden rollen ⟨mouwen, broekspijpen⟩ ❼ *~ out* uitrollen ⟨deeg, rol papier⟩, lanceren, op de markt brengen ⟨nieuw product⟩ ❽ *~ over* omdraaien, omverrollen, omvergooien ❾ *~ up* oprollen ⟨mouwen⟩, naar boven draaien ⟨autoraampje⟩ **II** *onov ww* ❶ rollen, wentelen, rijden ★ *roll down the hill* van de heuvel af rollen ★ *roll to a stop* tot stilstand komen ⟨van auto⟩ ★ *Russian tanks started rolling into the city*

of G. Russische tanks reden de stad G. binnen ★ *be rolling in money* zwemmen in het geld ★ <u>inform</u> *be ready to roll* klaar zijn om te beginnen / vertrekken ★ <u>inform</u> *let's roll!* aan de slag! ❷ schommelen, waggelen 〈van manier van lopen〉, rollen, slingeren 〈van schip, vliegtuig〉, deinen, golven ❸ draaien 〈van camera, pers〉 ❹ roffelen, donderen, rommelen ❺ *~ along/on* voortrollen ❻ *~ in* binnenstromen 〈van geld〉, binnenvallen, arriveren 〈van persoon〉 ❼ *~ over* zich omdraaien, <u>inform</u> zich zomaar gewonnen geven ❽ *~ up* zich oprollen III *zn* ❶ rol ★ *rolls of fat* vetrollen ★ *a roll of film* een filmrolletje ★ *a roll of wallpaper* een rol behang(papier) ❷ broodje ★ *Swiss roll* opgerolde cake ❸ buiteling, koprol ★ *forward / backward roll* een koprol voor- / achterover ★ <u>inform</u> *a roll in the hay* een vrijpartij ❹ slingering 〈van schip〉, rol(vlucht) 〈van vliegtuig〉 ❺ (officiële namen)lijst ★ *electoral roll* kieslijst ❻ gedreun, gerommel 〈van onweer〉, geroffel ❼ het rollen 〈bv. van dobbelsteen〉 ★ <u>inform</u> *be on a roll* lekker bezig zijn
rollator [rəʊˈleɪtə] *zn* rollator
rollback *zn* ❶ prijsverlaging ❷ het terugdraaien 〈van een wet, belastingverhoging〉
roll-call [ˈrəʊlkɔːl] *zn* appel 〈het afroepen van de namen〉
rolled gold *zn* doublé
rolled oats *zn mv* havermout
roller [ˈrəʊlə] *zn* ❶ roller, rol(letje), wals ❷ krulspeld ❸ roller, breker 〈soort grote golf〉
rollerblade *zn* (inline)skate, rollerblade
roller blind *zn* GB rolgordijn
roller coaster *zn* achtbaan
roller skate *zn* rolschaats
roller towel *zn* handdoek op rol
rollicking [ˈrɒlɪkɪŋ] *bnw* uitgelaten, (erg) vrolijk
rolling [ˈrəʊlɪŋ] *bnw* golvend, glooiend 〈van landschap〉, deinend
rolling pin *zn* deegroller
rolling stock *zn* rijdend materieel
roll-on *zn* (deodorant)roller
roll-on-roll-off *bnw* ★ *roll-on roll-off ferry* rij-op-rij-afveerboot
roll-out *zn* lancering 〈van nieuw product〉, introductie op de markt
roll-top desk *zn* cilinderbureau
roll-up GB <u>inform</u> *zn* sjekkie
roly-poly [rəʊlɪˈpəʊlɪ] I *zn*, **roly-poly pudding** vruchtenpudding 〈van opgerold, met jam belegd deeg〉 II *bnw* <u>inform</u> mollig
ROM [rɒm] *afk*, <u>comp</u> *Read-Only Memory* ROM
roman *bnw* romein ★ *~ letter(s)* type romein, staande drukletter
Roman [ˈrəʊmən] I *zn* Romein II *bnw* ❶ Romeins ★ *~ nose* arendsneus ★ *~ numerals* Romeinse cijfers ❷ rooms(-katholiek) ★ *~ Catholic* rooms-katholiek
romance [rəʊˈmæns] I *zn* ❶ romance, idylle ❷ het romantische, romantiek ❸ romantisch verhaal ❹ middeleeuws ridderverhaal II *onov ww* fantaseren III *ov ww* oud het hof maken
Romance [rəʊˈmæns] *bnw* Romaans ★ *~ languages* Romaanse talen

Romanesque [rəʊməˈnesk] *bnw* romaans, in de romaanse stijl 〈van gebouwen〉
Romania [rəʊˈmeɪnɪə] *zn* Roemenië
Romanian [rəʊˈmeɪnɪən] I *zn* ❶ Roemeen(se) ❷ Roemeens 〈taal〉 II *bnw* Roemeens
romantic [rəʊˈmæntɪk] I *bnw* romantisch II *zn* romanticus
romanticism [rəʊˈmæntɪsɪzəm] *zn* romantiek
romanticize, romanticise [rəʊˈmæntɪsaɪz] *ov ww* romantisch(er) voorstellen (dan het is), romantiseren
Romany [ˈrɒmənɪ] *zn* ❶ zigeuner ❷ Romani 〈zigeunertaal〉
romp [rɒmp] I *zn* ❶ <u>inform</u> stuk / film / boek vol actie en avontuur ❷ stoeipartij ❸ <u>inform</u> avontuurtje, vrijpartij ❹ <u>sport</u> gemakkelijke overwinning II *onov ww* ❶ stoeien, ravotten ❷ <u>inform</u> gemakkelijk behalen ★ *romp to a win / victory* makkelijk winnen ★ *romp home* op zijn sloffen winnen ★ *romp through sth* iets met gemak halen, door iets heen vliegen
rompers [ˈrɒmpəz] USA *zn mv* kruippakje
romper suit GB *zn* kruippakje
roof [ruːf] I *zn* dak ★ *roof of the mouth* verhemelte ★ *be under a p.'s roof* iemands gast zijn ★ <u>inform</u> *go through the roof* de pan uit rijzen 〈van prijzen〉, ontploffen, uit je vel springen ★ *have a roof over your head* een dak boven je hoofd hebben ★ <u>inform</u> *hit the roof* ontploffen, uit je vel springen ★ *raise the roof* een ontzettend kabaal maken, tekeergaan II *ov ww* onder dak brengen, overdekken
roof garden *zn* daktuin
roofing [ˈruːfɪŋ] *zn* ❶ dakbedekking ❷ dakwerk
roof rack GB *zn* imperiaal
rooftop [ˈruːftɒp] *zn* dak ★ *shout sth from the ~s* iets van de daken schreeuwen
rook [rʊk] *zn* ❶ roek ❷ toren 〈schaakspel〉
rookery [ˈrʊkərɪ] *zn* ❶ roekennesten, roekenkolonie ❷ kolonie 〈v. pinguïns, zeehonden e.d.〉
rookie [ˈrʊkɪ] *zn* groentje, nieuweling
room [ruːm] I *zn* ❶ kamer, zaal ★ *a double room* een tweepersoonskamer ★ *a single room* een eenpersoonskamer ★ USA *room and board* kost en inwoning ❷ ruimte, plaats ★ *make room for* ruimte maken voor ★ *take up too much room* te veel ruimte innemen ★ *there's no room / not enough room to swing a cat* je kunt je er je kont niet keren ❸ gelegenheid, aanleiding ★ *there's room for improvement* er kan nog wel wat verbeterd worden ★ *no room for hope* geen hoop meer II *onov ww* USA op (een) kamer(s) wonen ★ *room together* met iem. op één kamer wonen, een kamer / flat delen met iem. ★ *room with a p.* met iem. op één kamer wonen, een kamer / flat delen met iem.
roomer [ˈruːmə] USA *zn* kamerbewoner
roomie [ˈruːmɪ] *zn*, *roommate* slapie, huisgenoot, flatgenoot, kamergenoot
room-mate *zn* ❶ GB kamergenoot ❷ USA huisgenoot, flatgenoot, kamergenoot
room service *zn* bediening op de (hotel)kamer
roomy [ˈruːmɪ] *bnw* ruim, breed
roost [ruːst] I *zn* roest, (kippen)stok, nachthok ★ *go to ~* op stok gaan ★ *rule the ~* de baas zijn,

ro

de lakens uitdelen **II** *onov ww* op stok gaan
★ *his curses came home to* ~ zijn vloeken
kwamen op zijn eigen hoofd neer ★ *he had his
chickens come home to* ~ hij kreeg zijn trekken
thuis

rooster ['ru:stə] USA *zn* haan

root [ru:t] **I** *zn* ❶ wortel ⟨van plant, tand, haar⟩
★ *pull up by the roots* met wortel en tak
uitroeien ★ *put down roots* wortelen, wortel
schieten ⟨van plant⟩, zich ergens vestigen / thuis
gaan voelen ★ *take root* wortel schieten ⟨van
planten, ideeën⟩ ★ *root and branch* grondig,
totaal ❷ kern, bron, oorsprong, grondslag,
oorzaak ★ *the root of the problem* de kern /
oorzaak van het probleem ★ *have its root(s) in*
wortelen in, zijn oorsprong hebben in ★ *be / lie
at the root of* ten grondslag liggen aan ★ *be
proud of your Ghanaian roots* trots zijn op je
Ghanese oorsprong / roots ★ *root idea*
kerngedachte, grondgedachte ❸ wisk wortel ★ *3
is the square root of 9* 3 is de vierkantswortel van
9 **II** *ov ww* ❶ doen wortel schieten ★ *deeply
rooted in* diepgeworteld in ★ *rooted to the
ground / spot* als aan de grond genageld
❷ ~ *out* uitroeien ⟨corruptie⟩, tevoorschijn
brengen, opscharrelen, opsnorren ❸ ~ *up*
ontwortelen, met wortel en al uittrekken /
uitgraven **III** *onov ww* ❶ wortelen, wortel
schieten ❷ snuffelen, wroeten ★ *root through
your papers for sth* tussen je papieren zoeken
naar iets ❸ ~ *for* zich inzetten voor, steunen

root canal *zn* ❶ wortelkanaal ❷ inform **root
canal treatment** wortelkanaalbehandeling

root crop *zn* wortelgewas

rootless ['ru:tləs] *bnw* ontworteld, ontheemd

rootstock ['ru:tstɒk] *zn* wortelstok

root vegetable *zn* knolgewas

rope [rəʊp] **I** *zn* ❶ (dik) touw, kabel, koord ★ *the
rope* de strop ★ *the ropes* de touwen ⟨van
boksring⟩ ★ *be on the ropes* in de touwen liggen,
bijna verslagen zijn ★ *give sb (enough) rope (to
hang himself)* iem. de vrije hand laten (om zijn
eigen ondergang te bewerken) ★ *know the ropes*
het klappen van de zweep kennen, van wanten
weten ★ *show sb the ropes* iem. wegwijs maken,
iem. de kneepjes van het vak leren ❷ snoer ★ *a
rope of pearls* een parelsnoer **II** *ov ww*
❶ (vast)binden ⟨met 'n lasso vangen
❸ ~ *in* afperken met touw(en), inpalmen ★ *be
roped in to do sth* zich laten strikken om iets te
doen ❹ ~ *into* strikken voor, verleiden tot
★ *have been roped into doing sth* zich hebben
laten verleiden iets te doen ❺ ~ *off* afzetten
⟨met touwen⟩ ❻ ~ *up* vastbinden

rope ladder *zn* touwladder

ropy, ropey ['rəʊpɪ] GB inform *bnw* ❶ slecht,
krakkemikkig ❷ zwakjes ★ *feel a bit ropy* zich
wat zwakjes voelen

ro-ro *afk, roll-on roll-off* → **roll-on-roll-off**

rosary ['rəʊzərɪ] *zn* rozenkrans

rose [rəʊz] **I** *zn* ❶ roos ★ GB inform *it's not all
roses* het is niet allemaal rozengeur en
maneschijn ★ *everything's coming up roses (for
him)* het pakt allemaal goed uit (voor hem)
★ GB inform *put the roses back in sb's cheeks*
iem. weer een gezonde kleur geven ❷ roze

❸ sproeidop **II** *bnw* roze **III** *ww* [verleden tijd] →
rise

roseate ['rəʊzɪət] dicht *bnw* rooskleurig, roze

rosebed ['rəʊzbed] *zn* rozenperk

rosebud ['rəʊzbʌd] *zn* rozenknopje

rose-coloured, USA **rose-colored** *bnw*
rooskleurig ook fig ★ *view the world through* ~
spectacles / glasses de wereld door een roze bril
zien, een optimistische kijk op de wereld
hebben

rose hip *zn* rozenbottel

rosemary ['rəʊzmərɪ] *zn* rozemarijn

rose-tinted GB *bnw* rooskleurig, optimistisch
★ *see everything through* ~ *spectacles / glasses*
alles door een roze bril zien

rosette [rəʊ'zet] *zn* rozet

rose water *zn* rozenwater

rose window *zn* roosvenster

rosewood ['rəʊzwʊd] *zn* rozenhout

rosin ['rɒzɪn] **I** *zn* (viool)hars **II** *ov ww* met hars
bestrijken

roster ['rɒstə] **I** *zn* dienstrooster **II** *ov ww*
inroosteren

rostra ['rɒstrə] *zn mv* → **rostrum**

rostrum ['rɒstrəm] *zn* [mv: **rostra**]
spreekgestoelte, podium

rosy ['rəʊzɪ] *bnw* ❶ roze ❷ rooskleurig ★ *paint a
rosy picture of sth* een rooskleurig beeld
schetsen van iets

rot [rɒt] **I** *ov ww* doen rotten, bederven **II** *onov
ww* rotten, verrotten, bederven ★ *rot away*
wegrotten **III** *zn* ❶ rotheid, bederf, rotte plek
★ *dry rot* droogrot, bruine rot ⟨in hout⟩ ★ GB
then the rot sets in dat was het begin van het
einde, vanaf toen ging het mis / bergafwaarts
★ GB *stop the rot* het verval / de neergang
stoppen ❷ GB oud onzin ★ *talk rot* onzin
verkopen

rota ['rəʊtə] *zn* (dienst)rooster

rotary ['rəʊtərɪ] **I** *bnw* roterend, ronddraaiend
★ *a* ~ *engine* een rotatiemotor **II** *zn* USA rotonde

rotate [rəʊ'teɪt] **I** *onov ww* ❶ draaien, wentelen
❷ rouleren **II** *ov ww* ❶ (doen) draaien, wentelen
❷ laten rouleren

rotation [rəʊ'teɪʃən] *zn* ❶ draaiing, omwenteling,
het draaien ❷ het rouleren, afwisseling ★ *in* ~
bij toerbeurt, om de beurt ★ ~ *of crops*
wisselbouw

rote [rəʊt] *zn* ★ *say by rote* van buiten / machinaal
opzeggen ★ *learn sth by rote* iets uit het hoofd
leren

rotor ['rəʊtə], **rotor blade** *zn* (draai)wiek ⟨v.e.
helikopter⟩

rotten ['rɒtn] *bnw* ❶ (ver)rot ❷ corrupt ★ ~ *to the
core* door en door corrupt ❸ inform waardeloos,
beroerd, slecht ★ *a* ~ *actor* een waardeloos
acteur ★ *a* ~ *day* een klotedag, een rotdag ★ *feel
* ~ *je beroerd / rot voelen* ❹ inform verdomd,
stom ★ *they didn't want her* ~ *money* dat
stomme geld van haar wilden ze niet

rotund [rəʊ'tʌnd] form *bnw* mollig, gezet, rond

rotunda [rəʊ'tʌndə] *zn* rotonde ⟨rond bouwwerk
met koepel⟩

rouble ['ru:bl] *zn* roebel

rouge [ru:ʒ] oud **I** *zn* rouge **II** *ov ww* mer rouge
opmaken

rough [rʌf] **I** *bnw* ❶ ruw, ruig ★ ~ *terrain* ruw terrein ★ *a ~ neighbourhood* een ongure buurt ❷ globaal, ruw, onaf ★ ~ *copy* klad ★ *a ~ draft* een ruwe schets, een onaffe versie ★ *a ~ estimate* een ruwe schatting ★ *give sb a ~ idea of sth* iem. een globaal idee geven van iets ❸ guur, stormachtig ❹ rauw, ruw, onbehouwen, wild ★ *be ~ on sth* wild / onzorgvuldig / ruw omgaan met iets ★ *be ~ on sb* onvriendelijk / naar zijn tegen iem., iem. hard aanpakken ❺ hard, zwaar, moeilijk ★ *a ~ night* een zware nacht ⟨door weinig slaap⟩ ★ *have had a ~ time* een zware tijd achter de rug hebben ★ ~ *work* zwaar werk ❻ GB inform niet lekker ★ *feel a bit ~* zich niet erg lekker voelen **II** *ov ww* ❶ ~ *out* ruw schetsen, in grote lijnen schetsen ❷ ~ *up* aftuigen ▼ ~ *it* zich ontberingen getroosten, (even) heel primitief leven / wonen **III** *zn* ❶ voorlopige opzet, ruwe schets, klad ★ *in ~* in het klad ❷ ruw terrein, ruig, niet gemaaid deel van golfterrein ▼ *the ~ and tumble* de harde / ruwe strijd, het gerouwdouw, wild gedrag ▼ *take the ~ with the smooth* het leven nemen zoals het is **IV** *bijw* GB wild, ruw ★ *live ~* zwerven, op straat / in de openlucht leven ★ *sleep ~* in de buitenlucht / op straat slapen, zwerven

roughage [ˈrʌfɪdʒ] *zn* vezelrijk voedsel

rough-and-ready [rʌfənˈredɪ] *bnw* ❶ eenvoudig, primitief, bruikbaar ❷ onbehouwen, ruw, ongemanierd

rough-and-tumble [rʌfənˈtʌmbl] *bnw* wild, woest ⟨van gedrag, bij het spelen⟩

rough-cast I *zn* ruwe pleisterkalk **II** *bnw* ruw gepleisterd

roughen [ˈrʌfən] **I** *ov ww* ruw maken **II** *onov ww* ruw worden

rough-hewn [rʌfˈhjuːn] *ov ww* ❶ ruw (gehakt / gesneden) ❷ figuur, grof, onbehouwen

rough-house USA **I** *onov ww* keet / heibel maken **II** *ov ww* ongenadig op de kop geven, heibel maken met

roughly [ˈrʌflɪ] *bijw* ❶ ruwweg, ongeveer ★ ~ *speaking* globaal genomen ❷ ruw, grof ★ *grab sb ~* iem. ruw beetpakken ★ ~ *chopped onions* grofgehakte uien

roughneck [ˈrʌfnek] inform *zn* ruwe klant

roughshod [ˈrʌfʃɒd] *bnw* ★ *ride* / USA *run ~ over* met voeten treden, ringeloren, zich niet storen aan

roulette [ruːˈlet] *zn* roulette ★ *Russian ~* Russische roulette ⟨met revolver met één kogel⟩

round [raʊnd] **I** *bijw* ❶ rond, om ★ ~ *about half past seven* rond halfacht, om ongeveer half acht ★ ~ *about 60 men* ongeveer zestig man ★ *I'll be ~ at 6* ik kom om 6 uur ★ *dance ~* in een kring / cirkel dansen ★ *look ~* omkijken, rondkijken ★ *order the car ~* de wagen laten voorkomen ★ *show sb ~* iem. rondleiden ★ *turn ~* omkeren, omdraaien ★ *walk ~ to the back* omlopen naar de achterkant ❷ in het rond, rondom ★ *all ~* rondom, overal, naar alle kanten, in alle opzichten ★ *measure eight inches ~* twintig centimeter in doorsnee zijn / meten **II** *vz* rond, om ★ ~ *the world* de wereld rond ★ *come ~ the corner* de hoek om komen ★ *look ~ the room* de kamer rond kijken ★ *put your arms ~ sb* je

armen om iem. heen slaan ★ ~ *here* hier in de buurt **III** *bnw* ❶ rond ★ ~ *cheeks* ronde / bolle wangen ★ ~ *trip* rondreis, heen- en terugreis, retourtje ❷ afgerond ★ *a ~ figure / sum* een rond bedrag ★ *a ~ dozen* een heel / vol dozijn **IV** *zn* ❶ ronde, rondte, omvang, kring, reeks ★ *a ~ of applause* een applaus ★ *do* / *go* / *make the ~s* de ronde doen ⟨van gerucht⟩, langsgaan ★ *in the ~* vrijstaand ⟨van kunstwerk⟩, op een rond toneel in het midden, van alle kanten (beschouwd) ★ *play a ~ of golf* een ronde golf spelen ⟨18 holes⟩ ★ *the daily ~* de dagelijkse routine, de dagelijkse bezigheden ★ *order a ~ of drinks* een rondje bestellen ❷ snee, schijf, plak ★ *a ~ of bread* een boterham, een sandwich ★ *a ~ of toast* een stuk / snee toast ★ *cut a cucumber into ~s* een komkommer in plakjes / schijfjes snijden ❸ schot, geweerschot ★ ~ *of fire* salvo ★ *ten ~s of ammunition* tien patronen ❹ muz canon **V** *ov ww* ❶ rondmaken, ronden, afronden ❷ gaan om, varen om, komen om ★ ~ *a corner* een hoek omgaan ❸ ~ *down* afronden ❹ ~ *off* afronden, afmaken ❺ ~ *out* vervolledigen, afmaken ❻ ~ *up* bijeendrijven, razzia houden, oppakken, naar boven afronden **VI** *onov ww* ❶ rond worden, zich ronden ❷ ~ *on* zich keren tegen, plotseling uithalen naar

roundabout [ˈraʊndəbaʊt] **I** *zn* ❶ GB verkeersrotonde ❷ GB draaimolen **II** *bnw* ❶ een omweg makend ★ *take a ~ route* een omweg maken ❷ omslachtig, wijdlopig ★ *in a ~ way* een indirecte manier, op een omslachtige wijze

rounded [ˈraʊndɪd] *bnw* ❶ (af)gerond, met ronde hoeken ❷ compleet, evenwichtig, afgerond

roundel [ˈraʊndl] *zn* ❶ schijfje, rond plaatje ❷ medaillon

rounders [ˈraʊndəz] GB *zn mv* soort honkbal

round-eyed [raʊndˈaɪd] *bnw* met grote ogen

roundly [ˈraʊndlɪ] *bijw* botweg, rondweg, ronduit

round robin *zn* competitie / toernooi waarin elke deelnemer tegen elke andere uitkomt

round-table *bnw* rondetafel- ★ ~ *talks* rondetafelgesprekken

round-the-clock *bnw* de klok rond, de hele tijd door ★ ~ *nursing care* 24 uurszorg

round-trip USA *bnw* retour- ★ ~ *ticket* retourtje

round-up *zn* ❶ overzicht ❷ het bijeendrijven ⟨van vee, verdachten⟩, razzia

rouse [raʊz] *ov ww* ❶ form wakker maken ❷ (op)wekken, opschrikken, opporren ★ ~ *o.s.* zich vermannen ★ ~ *o.s. to do sth* zich ertoe aanzetten iets te doen ★ ~ *sb's anger* iem. woedend maken ❸ form prikkelen ★ *be easily ~d* snel geprikkeld / kwaad zijn

rousing [ˈraʊzɪŋ] *bnw* ❶ opwindend, bezielend ❷ enthousiast ★ *a ~ applause* een enthousiast applaus

roust [raʊst] USA *ov ww* verdrijven, verjagen ★ ~ *sb out of bed* iem. zijn bed uit jagen

roustabout [ˈraʊstəbaʊt] USA *zn* (los) werkman, ongeschoolde arbeider, dokwerker

rout [raʊt] **I** *zn* totale nederlaag ★ *put to rout* totaal verslaan **II** *ov ww* totaal verslaan

route [ruːt] **I** *zn* route, weg ★ *take the shortest ~* de kortste weg nemen ★ *en ~* onderweg **II** *ov ww*

(ver)zenden, sturen ★ *be ~d via Newcastle* over / via Newcastle gaan
route planner *zn* routeplanner
router ['rəʊtə] *zn* comp router
routine [ru:'ti:n] I *zn* ❶ routine, normale / dagelijkse gang van zaken ❷ sleur ❸ nummer (in een show) II *bnw* routine-, gewoon ★ *~ check* routinecontrole ★ *~ duties* dagelijkse plichten ★ *~ tasks* routineklussen
rove [rəʊv] I *onov ww* rondzwerven, ronddolen, dwalen ★ oud *have a roving eye* (steeds) naar andere vrouwen / mannen kijken ★ *a roving reporter* een reizende reporter II *ov ww* rondzwerven door, ronddolen door
rover ['rəʊvə] dicht *zn* zwerver
row[1] [raʊ] I *zn* ❶ ruzie ★ *be in a row with* ruzie hebben met ★ *have a blazing row about / over* een knallende ruzie hebben over ❷ herrie, drukte ★ *what's the row?* wat is er aan de hand? ★ *make / kick up a row* herrie schoppen II *onov ww* ruzie hebben / maken, ruziën
row[2] [rəʊ] I *zn* ❶ rij ★ *in a row* op een rij, achter elkaar ❷ huizenrij, straat ❸ roeitochtje ★ *go for a row* gaan roeien II *onov ww* roeien III *ov ww* roeien ★ *row a boat* (in) een boot roeien ★ *row sb back to the island* iem. terug naar het eiland roeien
rowboat USA *zn* roeiboot
rowdy ['raʊdɪ] I *bnw* lawaaierig, rumoerig II *zn* oud lawaaischopper, ruwe klant
rower ['rəʊə] *zn* roeier
rowing ['rəʊɪŋ] *zn* het roeien
rowing boat GB *zn* roeiboot
rowlock ['rɒlək] GB *zn* dol(pen)
royal ['rɔɪəl] I *bnw* ❶ konings-, koninklijk ★ *Royal Academy / Society* Koninklijk Academie v. Schone Kunsten / Wetenschappen ★ *~ blue* diepblauw ★ *the ~ family* de koninklijke familie ❷ vorstelijk, schitterend ★ *be given a ~ welcome* een vorstelijk onthaal krijgen II *zn* inform lid v. Koninklijk huis
Royalist ['rɔɪəlɪst] I *zn* royalist, koningsgezinde II *bnw* koningsgezind
royalty ['rɔɪəltɪ] *zn* ❶ vorstelijke personen, (leden van het) koninklijk huis ❷ [meestal mv] royalty 〈percentage van de opbrengst〉
rpm [ɑ:pi:'em] *afk, revolutions per minute* omwentelingen per minuut
RSI [ɑ:res'aɪ] *afk, comp Repetitive Strain Injury* RSI, herhalingsoverbelasting
RSPCA *afk, GB Royal Society for the Prevention of Cruelty to Animals* dierenbescherming
Rt Hon *afk, GB Right Honourable* Zeer Geachte
Rt Revd, Rt. Rev. *afk, GB Right Reverend* zeereerwaarde
rub [rʌb] I *ov ww* ❶ wrijven, inwrijven, afwrijven ★ *rub your eyes* je ogen uitwrijven ★ *rub one's hands* zich in de handen wrijven ★ *rub noses* de neuzen tegen elkaar wrijven ★ inform *rub shoulders with* in aanraking komen met, omgaan met ★ inform *rub sb up the wrong way* iem. prikkelen, iem. kwaad maken ❷ poetsen, boenen ❸ masseren ❹ schuren ❺ ~ **down** afwrijven, stevig afdrogen, masseren, afschuren, roskammen ❻ ~ **in** inwrijven, (blijven) doorzagen over ★ *rub it in (to a p.)* het iem.

inpeperen ❼ ~ **off** eraf wrijven ❽ ~ **out** GB uitgummen, GB uitvegen, USA inform om zeep helpen ❾ ~ **together** tegen elkaar wrijven II *onov ww* ❶ poetsen, wrijven ★ *rub harder* harder wrijven ❷ schuren ★ *his new shoes were rubbing* zijn nieuwe schoenen schuurden ❸ GB inform ~ **along** ★ *rub along together / with sb* goed op kunnen schieten met elkaar / met iem. ❹ ~ **off** er langzaam af gaan, eraf slijten ★ *rub off on sb* overgaan op iem. ★ *let's hope some of her enthusiasm rubs off on the others* laten we hopen dat de anderen iets van haar enthousiasme overnemen / meekrijgen III *zn* ❶ poetsbeurt, wrijfbeurt ★ *give it a rub* het eens opwrijven ❷ massage ★ *give sb a rub* iem. masseren ❸ form moeilijkheid ★ *there's the rub* daar zit 'm de kneep
rubber ['rʌbə] I *zn* ❶ rubber ❷ GB gum ❸ GB bordenwisser ❹ USA inform condoom ❺ robber 〈serie wedstrijden〉 II *bnw* ❶ rubberen, van rubber ❷ elastieken ★ *~ band* elastiekje
rubberneck ['rʌbənek] USA inform *onov ww* nieuwsgierig (om)kijken ★ *~ at the scene of the accident* nieuwsgierig (om)kijken naar de plaats van het ongeluk
rubber plant *zn* rubberplant, ficus
rubber-stamp *ov ww* als vanzelfsprekend goedkeuren
rubbery ['rʌbərɪ] *bnw* ❶ rubberachtig ❷ slap, rubberen 〈benen, knieën〉
rubbing ['rʌbɪŋ] *zn* drukk rubbing 〈afdruk van een reliëfversiering〉
rubbing alcohol USA *zn* ontsmettingsalcohol
rubbish ['rʌbɪʃ] *zn* ❶ afval, vuilnis ★ *household ~* huisvuil, huishoudelijk afval ❷ rotzooi, troep ❸ onzin ★ *talk a load of ~* een hoop onzin uitkramen ❹ inform waardeloos ★ *~ music* waardeloze muziek II *ov ww* waardeloos vinden, als onzin bestempelen, afkraken
rubbishy ['rʌbɪʃɪ] GB inform *bnw* ❶ waardeloos ❷ onzinnig
rubble ['rʌbl] *zn* puin
rub-down ❶ wrijfbeurt, schuurbehandeling ❷ USA massage
rubella med *zn* rodehond
rubicund ['ru:bɪkʌnd] dicht *bnw* blozend
rubric ['ru:brɪk] *zn* rubriek
ruby ['ru:bɪ] I *zn* ❶ robijn ❷ robijnrood II *bnw* robijnrood
ruche [ru:ʃ] *zn* ruche 〈aan dameskleding, gordijnen e.d.〉
ruck [rʌk] *zn* ❶ kluwen 〈vechtende〉 mensen, menigte ❷ 〈de〉 massa, 〈het〉 gewone, dagelijks leven II *ov ww, ruck up* (ver)kreukelen III *onov ww, ruck up* verkreukelen
rucksack ['rʌksæk] *zn* rugzak
ructions ['rʌkʃənz] inform *zn mv* herrie, gelazer, ontevredenheid
rudder ['rʌdə] *zn* roer 〈van schip, vliegtuig〉
rudderless ['rʌdələs] *bnw* stuurloos
ruddy ['rʌdɪ] *bnw* ❶ rood, blozend ❷ GB inform verdomd(e)
rude [ru:d] *bnw* ❶ onbeleefd, onbeschoft, lomp, grof ★ *be rude to sb* iem. beledigen ❷ ruw ★ *rude things* grofheden ❸ dicht primitief ★ *a rude bench* een eenvoudige bank ❹ hard, streng

★ *a rude awakening* een koude douche ★ *get a rude shock* een zeer onaangename verrassing te verwerken krijgen

rudeness ['ru:dnəs] *zn* onbeschoftheid, lompheid, grofheid

rudimentary [ru:dɪ'mentərɪ] *bnw* ❶ elementair, basis- ★ ~ *knowledge* basiskennis ❷ rudimentair, niet (verder) ontwikkeld

rudiments ['ru:dɪmənts] form *zn mv* eerste beginselen, kern

rue [ru:] form *ov ww* berouw hebben over / van, betreuren

rueful ['ru:fʊl] *bnw* verdrietig, treurig

ruff [rʌf] *zn* ❶ verenkraag ❷ gesch Spaanse plooikraag

ruffle ['rʌfəl] **I** *ov ww* ❶ verfrommelen, verstoren, in de war brengen, verwarren ★ ~ *the leaves of a book* een boek doorbladeren ★ *the bird* ~*d its feathers* de vogel zette zijn veren op ★ ~ *sb's feathers* iem. kwaad maken ❷ rimpelen ❸ van zijn stuk brengen, van de wijs brengen **II** *zn* kanten manchet, (geplooide) kraag / boord

rug [rʌg] *zn* ❶ (haard)kleedje ❷ GB (reis)deken

rugby ['rʌgbɪ] *zn* rugby

rugged ['rʌgɪd] *bnw* ❶ ruw, ruig, rotsachtig, hoekig ❷ woest aantrekkelijk ★ *his* ~ *good looks* zijn woest aantrekkelijke schoonheid ❸ hard, nors ★ *a* ~ *individualist* een strenge / verbeten individualist ❹ krachtig, sterk, robuust, solide ⟨van kleding⟩

rugger ['rʌgə] GB inform *zn* rugby

ruin ['ru:ɪn] **I** *ov ww* ❶ vernielen, verwoesten ❷ verpesten ⟨kans⟩, bederven ⟨sfeer⟩ ❸ ruïneren, te gronde richten **II** *zn* ❶ ondergang, verval ★ *bring to ruin* te gronde richten ★ *come / run to ruin* te gronde gaan ★ *gambling was the ruin of him* door het gokken ging hij ten onder ❷ [vaak in mv] ruïne ★ *be in ruins* in puin liggen ⟨van gebouw e.d.⟩, in duigen liggen, kapot zijn ⟨van huwelijk, droom⟩ ★ *fall into ruin* in verval raken, instorten ★ fig *the ruins of his life* de puinhopen van zijn leven ★ *Roman ruin(s)* Romeinse ruïne(s)

ruination [ru:ɪ'neɪʃən] form *zn* ❶ vernieling ❷ ondergang

ruinous ['ru:ɪnəs] *bnw* ❶ rampzalig, desastreus ❷ vervallen, ingestort, in puin

rule [ru:l] **I** *zn* ❶ regel ★ *cold winters are the rule* koude winters zijn normaal / zijn de regel ★ *as a rule* in de regel, doorgaans ★ *bend / stretch the rules* de regels soepel interpreteren, de regels naar je hand zetten ★ *break the rules* de regels overtreden ★ *follow / obey the rules* zich aan de regels houden, de voorschriften volgen ★ *golden rule* gulden regel ★ *there are no hard and fast rules for...* er zijn geen vaste regels voor... ★ *make it a rule not to drink coffee after 4 pm* er een gewoonte van maken geen koffie te drinken na vier uur 's middags ★ *rules and regulations* regels en voorschriften ★ *rules of the road* verkeersregels, het rechts / links houden ★ *rule of thumb* vuistregel ★ *work to rule* modelactie houden ❷ heerschappij, bestuur ★ *under military rule* onder militair bewind ❸ oud liniaal, duimstok **II** *ov ww* ❶ heersen over, besturen, regeren, fig beheersen ★ *rule the*

roost de baas zijn, de lakens uitdelen ★ *be ruled by* zich laten leiden door, helemaal bepaald worden door ❷ bepalen, beslissen ❸ trekken, liniëren ★ *ruled paper* geliniëerd papier ❹ ~ *off* een lijn trekken onder ❺ ~ *out* uitsluiten **III** *onov ww* ❶ heersen, regeren ★ fig *rule supreme* alleen aan de top staan, de allerbeste zijn ❷ bepalen, beslissen ★ *rule on a case* beslissen over een zaak, een uitspraak doen over een zaak

rule book *zn* reglement, gedragscode, gedragsregels

ruler ['ru:lə] *zn* ❶ regeerder, heerser, bestuurder ❷ liniaal

ruling ['ru:lɪŋ] **I** *zn* beslissing, rechterlijke uitspraak **II** *bnw* ❶ leidend, heersend ★ *the* ~ *classes* de heersende klassen ❷ alles bepalend, overheersend

rum [rʌm] **I** *zn* rum **II** *bnw*, GB oud vreemd, raar ★ *a rum fellow* een gekke / rare kerel

Rumania [ru:'meɪnɪə] *zn* Roemenië

Rumanian [ru:'meɪnɪən] **I** *zn* ❶ Roemeen(se) ❷ het Roemeens **II** *bnw* Roemeens

rumble ['rʌmbl] **I** *onov ww* ❶ rommelen, dreunen, denderen ★ *tanks rumbling past the church* tanks die langs de kerk denderen ❷ GB ~ *on* eindeloos (voort)duren, maar doorgaan **II** *zn* ❶ gerommel, gedreun ❷ storend signaal, brom ⟨elektronica⟩

rumbling ['rʌmblɪŋ] *zn* ❶ gemopper ★ *there have been* ~*s about...* er wordt geklaagd / gemopperd over ❷ gerommel ❸ gerucht ★ *there were* ~*s of a war* er deden geruchten de ronde over een oorlog

rumbustious [rʌm'bʌstʃəs] GB *bnw* lawaaierig, druk, uitgelaten

ruminant ['ru:mɪnənt] dierk **I** *zn* herkauwer **II** *bnw* herkauwend ★ ~ *animals* herkauwers

ruminate ['ru:mɪneɪt] *onov ww* ❶ form (nog eens) overdenken, diep nadenken ★ ~ *on / over / about sth* over iets piekeren / peinzen ❷ herkauwen

rumination [ru:mɪ'neɪʃən] form *zn* overdenking, overpeinzing, gepeins

ruminative ['ru:mɪnətɪv] form *bnw* peinzend, beschouwend

rummage ['rʌmɪdʒ] **I** *onov ww* rommelen, snuffelen ★ ~ *about / around in sth* rondsnuffelen in iets ★ ~ *in a drawer for a pair of clean socks* een la doorzoeken op zoek naar een schoon paar sokken **II** *zn* het rondsnuffelen, het doorzoeken ★ *have a* ~ *around in the drawer* op zoek naar iets de la overhoophalen, rondsnuffelen in de la

rummage sale USA *zn* rommelmarkt, liefdadigheidsbazaar

rummy ['rʌmɪ] *zn* rummy ⟨kaartspel⟩

rumour ['ru:mə] *zn* gerucht ★ ~ *it is that* er wordt gezegd dat ★ *spread* ~*s* geruchten verspreiden / rondstrooien

rumoured ['ru:məd] *bnw* ★ *it is* ~ *that* het gerucht gaat dat ★ *Jackson is* ~ *to have a fourth child* het gerucht gaat dat Jackson een vierde kind heeft

rump [rʌmp] *zn* ❶ overschot(je), restant ❷ staart(stuk), achterste ❸ humor billen

ru

rumple ['rʌmpl] **I** *zn* rimpel, kreukel **II** *ov ww* in de war maken, verkreukelen

rumpsteak ['rʌmpsterk] *zn* lendenbiefstuk, entrecote

rumpus ['rʌmpəs] *zn* hooglopende ruzie, tumult, herrie ★ *make / kick up a ~* lawaai schoppen

run [rʌn] **I** *ov ww* [onregelmatig] ❶ lopen (over) ★ *run its course* gewoon doorgaan ★ *run one's head against* met het hoofd lopen tegen ★ *run sb home* doen wie er het eerste thuis is ★ *run a marathon* een marathon lopen ★ *run a mile* een mijl afleggen ★ *run a race* deelnemen aan een wedstrijd (race), geven (cursus) ★ *run a race* een wedstrijd organiseren ❷ leiden, aan het hoofd staan van, sturen ★ *run errands* boodschappen doen ★ *run a hotel* een hotel runnen / exploiteren ★ *run the show* de touwtjes in handen hebben ❸ laten lopen (machine, trein, bus enz.), laten gaan, rijden, laten stromen ★ *run hot water for a bath* heet water laten stromen voor een bad ★ *run blood* bloed verliezen, bloeden ★ *we can't afford to run a car* we kunnen ons geen auto veroorloven ★ *run extra trains* extra treinen laten rijden ★ *run sb home* thuis brengen (met de auto) ❹ brengen (artikel, toneelstuk), verkopen ❺ halen (door), strijken met, snel laten gaan ★ *run your fingers through your hair* je vingers door je haar halen ★ *run your eyes over the page* je ogen / blik snel over de bladzijde laten gaan ❻ rijgen ❼ (binnen)smokkelen (drugs, geweren) ❽ comp draaien, starten (programma), uitvoeren (bewerking) ❾ (na)jagen, achterna zitten ★ *run sb close* iem. vlak op de hielen zitten ❿ laten meedoen ⓫ *~ by/past* ★ *run sth by / past sb* iets aan iem. voorleggen ★ *run that by me again* zeg dat nog eens ⓬ *~ down* overrijden, aanrijden, omverrijden, laten leeglopen (accu, batterij), opmaken, uitputten, opsporen, vinden, verminderen (bv. productie), afgeven op ★ *he was much run down* hij was zo goed als op ⓭ GB *~ in* inrijden (auto), oud inrekenen (crimineel) ⓮ *~ into* ★ *she ran her car into the car in front of her* zij botste op de auto voor haar ⓯ *~ off* laten weglopen / wegstromen, uit de mouw schudden, afdrukken, wegjagen, verdrijven, houden (wedstrijd), eraf lopen / rennen (overgewicht) ★ *run off some more copies* nog wat kopieën maken ★ *run sb off his legs* iem. van de sokken lopen ★ *run off a race* een wedstrijd houden / organiseren ⓰ *~ over* overrijden, laten gaan over, repeteren, herhalen ★ *be / get run over* overreden worden ★ *run over an account* een rekening nalopen ★ *run sth over in your mind* nog een keer nagaan in je gedachten ⓱ dicht *~ through* doorsteken ⓲ *~ up* doen oplopen (rekening, schuld), opdrijven, haastig bouwen, in elkaar flansen, optellen, ophijsen (vlag) **II** *onov ww* [onregelmatig] ❶ hardlopen, rennen ★ *run in the 100 metres / in a race* de honderd meter / een race lopen ★ *run for it* het op een lopen zetten ❷ zich haasten ★ *just run and wash your hands* ga even snel je handen wassen ★ *run around* rondrennen ❸ gaan (van machine, trein, bus enz.), lopen, rijden, stromen

★ *run on diesel* op diesel rijden / lopen ★ *it runs in the family* het zit in de familie ★ *run in one's head* iem. door het hoofd spelen ★ *your nose is running* je hebt een loopneus ★ *the road runs through the valley* de weg loopt door de vallei ★ *run on the rocks* te pletter lopen ★ *run behind schedule* op het schema achterlopen ★ *run smooth* gesmeerd gaan ★ *this software will run on any PC* deze software doet het op elke pc ★ *his thoughts ran to his dead parents* zijn gedachten gingen naar zijn dode ouders ★ *leave the tap running* de kraan laten lopen ★ *tears were running down her cheeks* de tranen stroomden over haar wangen ★ *all trains are running ten minutes late* alle treinen hebben tien minuten vertraging ★ *this train only runs at weekends* deze trein rijdt alleen in het weekend ❹ luiden (van tekst) ★ *the story ran as follows* het verhaal ging als volgt ❺ (voort)duren, gelden ★ *your contract has still four months to run* je contract is nog vier maanden geldig ★ *this discussion will run and run* deze discussie gaat maar door ★ *his new film ran for six months* zijn nieuwe film heeft zes maanden gedraaid ❻ doorlopen, uitlopen (van kleurstoffen), zich snel verspreiden, smelten (van was) ❼ worden, raken ★ *my blood ran cold* het bloed stolde me in de aderen ★ *run dry* opdrogen, op raken ★ *run to fat* dik worden ★ *run low* op raken ★ *run low on...* bijna geen... meer hebben ★ *run high* hoog oplopen / zijn, hooggespannen zijn ★ *feeling ran high* de gemoederen raakten verhit ★ *run wild* in het wild opgroeien ❽ USA ladderen (van nylonkousen) ❾ *~ across* (toevallig) tegenkomen, toevallig vinden ❿ *~ after* achternalopen ook fig , m.b.t. vrouwen ★ *much run after* zeer gezocht ⓫ USA *~ around with* optrekken met, omgaan met ⓬ *~ at* inrennen op, bedragen ★ *inflation is running at 5%* de inflatie bedraagt momenteel 5% ⓭ *~ away* weglopen, ervandoor gaan, op hol slaan ★ *run away from home* van huis weglopen ★ *run away from a situation / problem* weglopen voor een situatie / probleem ★ *run away with a lot of money* met een hoop geld ervandoor gaan ★ *don't let your imagination run away with you* laat je niet meeslepen door je verbeelding ★ *don't run away with the impression that all beers are tasteless* geloof niet al te snel dat alle bieren smakeloos zijn ⓮ *~ back* teruglopen ★ *run back over sth* iets nog eens nagaan ⓯ *~ down* aflopen, leeglopen, opraken, uitgeput raken, vervallen ⓰ USA *~ for* kandidaat zijn voor ⓱ *~ into* in botsing komen met, vervallen tot, binnenlopen, binnenrijden (gebied met slecht weer), toevallig ontmoeten, tegen het lijf lopen ★ *run into debt* schulden maken ★ *run into five editions* vijf drukken beleven ★ *it runs into millions* het loopt in de miljoenen ★ *run into problems / trouble* in de problemen raken ⓲ *~ off* de benen nemen, weglopen, wegstromen, wegvloeien ★ *run off with sth* er met iets vandoor gaan ⓳ *~ on* doordraven, doorratelen, doorlopen, doorgaan ★ *run on longer than expected* langer duren dan verwacht ⑳ ~ **out** aflopen, opraken, verlopen, ongeldig worden, op z'n eind raken, lekken / lopen uit ★ *time is running out* de tijd dringt ★ *their money ran out* hun geld raakte op ㉑ ~ **out of** gebrek krijgen aan, zonder komen te zitten, geen voorraad meer hebben van ★ *we have run out of water* ons water is op ★ *run out of money* door je geld heen raken ㉒ ~ **out on** ★ *run out on your wife* weglopen van je vrouw ㉓ ~ **over** overlopen, overstromen, uitlopen ⟨van vergadering⟩ ㉔ ~ **through** doorlopen, lopen / gaan door, doornemen ⟨rol, stukken, lijst⟩, opmaken ⟨geld, erfenis⟩ ㉕ ~ **to** (op)lopen tot, gaan tot, toereikend zijn voor, GB zich kunnen permitteren ★ *our budget won't run to buying new clothes for ourselves* ons budget staat het niet toe nieuw kleren voor onszelf te kopen ★ *I don't think you can run to a new car* ik denk niet dat je je een nieuwe auto kunt permitteren ㉖ ~ **together** in / door elkaar lopen ㉗ ~ **up against** oplopen tegen, stuiten op ㉘ ~ **with** druipen van ⟨het bloed⟩ **III** *zn* ❶ loopas, het rennen, loop, galop, vaart ★ *at a run* op een drafje ★ *break into a run* gaan rennen ★ *dry run* proef, repetitie ★ *go for a run* (een stuk) gaan rennen ★ *have a run for one's money* waar voor z'n geld krijgen ★ *make a run for it* er snel vandoor gaan ★ *on the run* op de loop, in de weer, aan de gang ❷ looptijd, periode, reeks ★ *in the long run* op den duur, uiteindelijk ★ *in the short run* op korte termijn ★ *she had a long run of power* ze was lang aan de macht ★ *the play had a run of 50 nights* het stuk werd 50 maal achter elkaar gespeeld ★ *run of office* ambtsperiode ★ *a run of good luck* een lange periode (van) geluk ★ *have a run of bad luck* de wind tegen hebben ⟨figuurlijk⟩ ★ *a ten-match unbeaten run* een serie van tien ongeslagen wedstrijden ❸ uitstapje, rit ★ *the daily school run* het dagelijkse ritje van en naar school ❹ oplage ❺ toeloop, stormloop, run ⟨op de dollar, euro⟩ ★ *a run on* een plotselinge vraag naar ★ *there was a run on the bank* de bank werd bestormd ❻ run ⟨bij cricket, honkbal⟩ ❼ vrije toegang, vrij gebruik ★ *she was allowed the run of their house* zij mocht overal komen ❽ (kippen)ren ❾ piste, baan, parcours ❿ soort ★ *the common run of men* het gewone slag mensen ★ *in the normal run of events* bij een normale gang van zaken ⓫ USA ladder (in panty) ⓬ USA kandidaatstelling ⓭ muz loopje ▼ inform *the runs* [mv] diarree, de schijterij

runabout ['rʌnəbaʊt] GB inform *zn*, **runabout-car** toerwagentje

runaround ['rʌnəraʊnd] *zn* ★ *he'll give me the* ~ hij zal me met een kluitje in het riet sturen

runaway ['rʌnəweɪ] **I** *zn* weggelopen kind, vluchteling **II** *bnw* ❶ weggelopen, op de vlucht ★ ~ *marriage / match* huwelijk waarbij bruid geschaakt is ❷ op hol geslagen ⟨paard⟩, onbestuurbaar, zonder bestuurder ⟨auto⟩ ❸ op hol geslagen ★ *a ~ inflation* een op hol geslagen inflatie ★ *a ~ victory* een gemakkelijk behaalde overwinning

rundown *zn* ❶ vermindering, afname ❷ overzicht

run-down *bnw* ❶ vervallen ❷ uitgeput

rung [rʌŋ] **I** *zn* sport ⟨van ladder⟩ ★ *fig be a few rungs above sb on the social ladder* een paar treden boven iem. staan op de maatschappelijke ladder **II** *ww* [volt. deelw.] → **ring**

run-in ['rʌnɪn] *zn* ❶ aanvaring ⟨fig⟩ ❷ GB aanloop ⟨naar een wedstrijd⟩

runnel ['rʌnl] dicht *zn* ❶ goot ❷ beekje

runner ['rʌnə] *zn* ❶ renner, hardloper ★ GB inform *do a* ~ er snel vandoor gaan ❷ renpaard ❸ koerier ❹ smokkelaar ❺ techn ijzer ⟨onder slee, schaats⟩, glijder ❻ techn sleuf, roede ❼ plantk uitloper ❽ loper ⟨stuk tapijt / stof⟩

runner bean *zn* plantk pronkboon

runner-up *zn* (gedeelde) tweede in een wedstrijd

running ['rʌnɪŋ] **I** *zn* ❶ het rennen, hardlopen ★ *be out of the* ~ eruit liggen ★ GB inform *make the* ~ het tempo aangeven, de leiding hebben ★ *be in the* ~ kans hebben ❷ leiding, bestuur, exploitatie ❸ het smokkelen **II** *bnw* ❶ doorlopend, achter elkaar ★ *a* ~ *battle* een gevecht / strijd zonder eind ★ *a* ~ *joke* een zich steeds herhalende grap ★ *six weeks* ~ zes weken achter elkaar ★ *keep a* ~ *total of your expenses* een totaalstand bijhouden van je onkosten ❷ etterend ★ *a* ~ *sore* een etterende wond ❸ strekkend

running costs *zn mv* lopende kosten, bedrijfskosten

running order *zn* volgorde ⟨van een programma, show⟩ ★ *be in* ~ goed werken ⟨van een machine⟩

running time *zn* speeltijd, (speel)duur

runny *bnw* lopend, druipend ★ *a* ~ *nose* een loopneus

run-of-the-mill *bnw* doodgewoon, alledaags

runt [rʌnt] *zn* ❶ kleinste / zwakste dier van een worp ❷ min onderdeurtje, kleintje

run-through ['rʌnθruː] *zn* herhaling, repetitie

run-up *zn* aanloop ook fig ★ *fig in the* ~ *to Christmas* in de aanloop naar Kerstmis

runway ['rʌnweɪ] *zn* ❶ startbaan, landingsbaan ❷ plankier, catwalk

rupee [ruːˈpiː] *zn* roepie

rupture ['rʌptʃə] **I** *ov ww* ❶ een breuk veroorzaken, doen breken / barsten ❷ doorbreken, verbreken **II** *onov ww* een breuk hebben, breken, barsten **III** *zn* breuk, scheuring

rural ['rʊərəl] *bnw* landelijk, plattelands-

ruse [ruːz] *zn* list

rush [rʌʃ] **I** *onov ww* ❶ (zich) haasten, jachten, overijld te werk gaan, stormen, vliegen, rennen ★ *rush to answer the phone* zich haasten om de telefoon op te nemen ★ *rush to conclusions* al te snel conclusies trekken ❷ zich storten, stromen ⟨van water, bloed⟩ ❸ ~ **around/about** zich haasten ❹ ~ **at** afstormen op ❺ ~ **in** binnenvallen, naar binnen stormen ❻ ~ **into** zich storten in ❼ ~ **off** wegsnellen ❽ ~ **on** voortsnellen ❾ ~ **out** naar buiten stormen **II** *ov ww* ❶ haastig vervoeren / zenden, meeslepen ★ *rush sb to the hospital* iem. met grote spoed naar het ziekenhuis brengen ❷ opjagen, haastig doen, overrompelen ★ *refuse to be rushed* zich niet laten haasten ★ *rush a bill*

ru

through een wetsontwerp erdoor jagen ★ *rush your meal* je maaltijd snel naar binnen werken ★ *rush sb into doing sth* iem. dwingen iets (te) snel te doen ❷ bestormen, stormenderhand nemen, afstormen op ★ *rush the stage* het toneel / podium op stormen ❹ **~ out** snel op de markt brengen, snel produceren **III** *zn* ❶ haast ★ *be in a rush* haast hebben ★ *make a rush for the doors* naar de deuren stormen / vliegen ★ *what's the rush?* waarom heb je zo'n haast? ★ *rush order* spoedorder ❷ toeloop, bestorming, stormloop, aandrang ★ *a rush for / on* een plotselinge vraag naar ❸ stroom 〈van vloeistof, wind, mensen〉, vloed ★ *a rush of cold air* een stroom koude lucht ★ *a rush of excitement* een golf van opwinding ★ *rush of tears* tranenvloed ❹ drukte, geren, gedrang ★ *the Christmas rush* de kerstdrukte ❺ geraas, geruis 〈van water〉 ❻ roes, sterk gevoel, kick ❼ <u>plantk</u> bies

rushed *bnw* gehaast ★ *be ~* haast hebben ★ *feel ~* zich gehaast voelen

rush hour *zn* spitsuur

rush job ['rʌʃdʒɔb] *zn* haastklus

rusk [rʌsk] *zn* ≈ beschuit

russet ['rʌsɪt] *zn* ❶ <u>dicht</u> roodbruin ❷ goudrenet

Russia ['rʌʃə] *zn* Rusland

Russian ['rʌʃən] **I** *zn* ❶ Rus(sin) ❷ het Russisch **II** *bnw* Russisch ★ *~ salad* stormenderhand salade met mayonaise ★ *~ roulette* Russische roulette 〈met revolver met één kogel〉

rust [rʌst] **I** *zn* roest **II** *ov ww* doen roesten **III** *onov ww* roesten, verroesten ★ *rust away* wegroesten

rustic ['rʌstɪk] **I** *zn* <u>min</u> boer(enkinkel) **II** *bnw* ❶ landelijk, boers ❷ rustiek, van onbewerkt hout / materiaal

rustle ['rʌsəl] **I** *onov ww* ruisen, ritselen **II** *ov ww* ❶ doen ritselen ❷ stelen 〈vee〉 ❸ <u>USA</u> **~ up** bij elkaar scharrelen, in elkaar flansen **III** *zn* geritsel, geruis

rustproof ['rʌstpruːf] *bnw* roestvrij

rusty ['rʌstɪ] *bnw* ❶ roestig, verroest ❷ <u>fig</u> stroef 〈door gebrek aan oefening of studie〉 ★ *his French is a little ~* zijn Frans is een beetje stroef ❸ roestbruin, roestkleurig

rut [rʌt] *zn* ❶ karrenspoor ❷ <u>fig</u> sleur ★ *be (stuck) in a rut* vastzitten in een sleur ★ *get into a rut* in een sleur raken ❸ bronst

ruthless ['ruːθləs] *bnw* meedogenloos

rutted ['rʌtɪd] *bnw* ingesleten 〈van weg〉

rutting ['rʌtɪŋ] *bnw* bronstig, bronst- ★ *the ~ season* de bronsttijd

RV <u>USA</u> *zn, recreational vehicle* camper, kampeerwagen

rye [raɪ] *zn* ❶ rogge ❷ **rye bread** roggebrood

S

s [es] **I** *zn* ❶ letter s ❷ *S as in Sugar* de s van Simon **II** *afk* ❶ *second* s., seconde ❷ *shilling* s., shilling

S *afk* ❶ *Small* S, Small, klein 〈kledingmaat〉 ❷ *South(ern)* Z., zuid(elijk)

SA *afk* ❶ *South Africa* Z.-Afr., Zuid-Afrika ❷ *South America* Z.-Am., Zuid-Amerika ❸ *South Australia* Zuid-Australië

Sabbath ['sæbəθ] *zn* ❶ sabbat ★ *keep the ~* sabbat houden / vieren ❷ rustdag 〈zaterdag voor de joden, zondag voor de christenen〉

sabbatical [sə'bætɪkl] **I** *zn* sabbatsjaar, verlofperiode **II** *bnw* ★ *~ year* sabbatsjaar ★ *~ leave / term* verlofperiode 〈voor studiereis e.d.〉

saber USA *zn* → **sabre**

sable ['seɪbl] **I** *zn* ❶ sabelmarter ❷ sabelbont **II** *bnw* zwart

sabotage ['sæbətɑːʒ] **I** *zn* sabotage **II** *ov ww* saboteren

saboteur [sæbə'tɜː] *zn* saboteur

sabre ['seɪbə] *zn* sabel

saccharin ['sækərɪn] *zn* sacharine, zoetstof

saccharine ['sækəriːn] *bnw* ❶ zoet ❷ zoetsappig, sentimenteel

sachet ['sæʃeɪ] *zn* ❶ sachet ★ *a ~ of shampoo* klein zakje shampoo ❷ geurzakje ★ *she kept a ~ of lavender in her drawer* ze bewaarde een zakje met lavendel in haar la

sack [sæk] **I** *zn* ❶ zak, USA (papieren) boodschappentas ★ <u>inform</u> *get the sack* ontslagen worden, eruit vliegen ★ <u>inform</u> *give sb the sack* iem. ontslaan, iem. de laan uit sturen ★ <u>inform</u> *hit the sack* z'n bed in duiken ❷ *plundering* ★ *the sack of Rome* de plundering van Rome **II** *ov ww* ❶ <u>inform</u> de laan uit sturen, ontslaan ❷ plunderen

sackcloth ['sækklɒθ] *zn* jute ★ *wear ~ and ashes* berouw tonen

sackful ['sækfʊl] *zn* zak ★ *a ~ of rice* een zak rijst ★ *by the ~* met zakken vol, in enorme hoeveelheden

sacking ['sækɪŋ] *zn* ❶ <u>inform</u> het ontslaan ❷ jute

sack race ['sækreɪs] *zn* (het) zaklopen

sacrament ['sækrəmənt] *zn* sacrament ★ *the Sacrament* de eucharistie

sacramental [sækrə'mentl] *bnw* sacramenteel ★ *~ wine* miswijn

sacred ['seɪkrɪd] *bnw* ❶ heilig, gewijd ★ *a ~ site* heilige grond, heilige plaats ★ *nothing is ~ to them* ze hebben nergens ontzag voor, niets is heilig voor hen ❷ onschendbaar

sacrifice ['sækrɪfaɪs] **I** *ov ww* (op)offeren, opgeven **II** *zn* ❶ opoffering, offer ★ *make ~s to do sth* zich veel ontzeggen om iets te doen ★ *make the final / supreme ~* voor zijn vaderland sterven ❷ offerande

sacrificial [sækrə'fɪʃəl] *bnw* offer- ★ *a ~ animal* een offerdier

sacrilege ['sækrɪlɪdʒ] *zn* heiligschennis 〈ook fig.〉

sacrilegious [sækrə'lɪdʒəs] *bnw* heiligschennend

sacristy ['sækrɪstɪ] *zn* sacristie

sacrum ['seɪkrəm] *anat zn* heiligbeen

sad [sæd] *bnw* ❶ droevig, treurig, triest ★ *sad to*

say... helaas... ❷ hopeloos, schandalig ❸ *inform* saai, suf

sadden ['sædn] *ov ww* droevig maken
saddle ['sædl] **I** *zn* ❶ zadel ★ ~ *cover* zadeldek ★ *fig* *to be in the* ~ de baas zijn ★ underline{*GB*} lendenstuk ★ ~ *of lamb* lamszadel **II** *ov ww* ❶ zadelen ★ ~ *(up) a horse* een paard zadelen ❷ belasten, in de schoenen schuiven ★ ~ *sb with sth* iem. met iets opzadelen
saddlebag ['sædlbæg] *zn* zadeltas(je) ⟨m.b.t. paard, fiets, motor⟩
saddler ['sædlə] *zn* zadelmaker
saddlery ['sædləri] *zn* ❶ zadelmakerij ❷ zadelmakersartikelen
saddlesore *bnw* met zadelpijn
saddo underline{*GB*} *inform* *zn* saaie piet / muts ★ *she's a ~ who never wants to go out* ze is saai en gaat nooit uit
sadism ['seɪdɪzəm] *zn* sadisme
sadist ['seɪdɪst] *zn* sadist
sadistic [sə'dɪstɪk] *bnw* sadistisch
sadly ['sædli] *bijw* ❶ helaas, jammer genoeg, heel erg ★ ~ *neglected* compleet verwaarloosd ★ *be ~ mistaken* er helemaal naast zitten
sadness ['sædnəs] *zn* ❶ verdriet ❷ droevigheid
sadomasochism [seɪdəʊ'mæsəkɪzəm] *zn* sadomasochisme
sae *afk* ❶ *stamped addressed envelope* antwoordenvelop ❷ *self-addressed envelope* retourenvelop
safari [sə'fɑːri] *zn* safari
safari suit *zn* safaripak
safe [seɪf] **I** *zn* ❶ brandkast ❷ (bewaar)kluis **II** *bnw* ❶ veilig ★ *safe from* beveiligd / beschut tegen ★ *in safe keeping* in veilige bewaring ★ *keep sth safe* iets veilig opbergen ★ *be on the safe side* het zekere voor het onzekere nemen ★ *safe and sound* gezond en we ★ *better safe than sorry* voor alle zekerheid ❷ gerust ★ *it is safe to touch* je kunt er gerust aankomen ❸ betrouwbaar ❹ underline{*GB*} *inform* cool, gaaf
safe-deposit box *USA* *zn* kluis (in bank)
safeguard ['seɪfgɑːd] **I** *zn* ❶ vrijgeleide ❷ bescherming ❸ beveiliging **II** *ov ww* beschermen, beveiligen ★ *it is best you ~ him against her* je kunt hem het best tegen haar beschermen
safe house *zn* schuilplaats, onderduikadres
safety ['seɪfti] *zn* veiligheid ★ ~ *first!* veiligheid gaat vóór alles! ★ *there's ~ in numbers* met meer mensen is het veiliger, in een grote groep is het veiliger
safety belt *zn* veiligheidsgordel ⟨in auto⟩
safety catch *zn* ❶ veiligheidspal ⟨van vuurwapens⟩ ❷ veiligheidsgrendel ⟨op machine⟩
safety curtain *zn* brandscherm
safety-deposit box underline{*GB*} *zn* kluis (in bank)
safety lock *zn* veiligheidsslot
safety net *zn* vangnet
safety pin *zn* veiligheidsspeld
safety valve *zn* ❶ veiligheidsklep ❷ *fig* uitlaatklep
saffron ['sæfrən] **I** *zn* saffraan(geel) **II** *bnw* saffraan(geel)

sag [sæg] **I** *onov ww* ❶ doorbuigen / -zakken ❷ afnemen, minder worden ❸ (scheef) hangen ❹ *econ* dalen, teruglopen **II** *zn* ❶ verzakking ❷ doorhanging ❸ (prijs)daling
saga ['sɑːgə] *zn* ❶ (lang) verhaal ❷ sage ❸ familiekroniek
sagacious [sə'geɪʃəs] *form* *bnw* ❶ schrander ❷ wijs
sage [seɪdʒ] **I** *zn* ❶ salie ❷ wijze ⟨persoon⟩ **II** *bnw* wijs
saggy *bnw* doorzakkend / -buigend, met een kuil ⟨bv. van matras⟩
Sagittarius [sædʒɪ'teərɪəs] *zn* Boogschutter ⟨sterrenbeeld⟩
said [sed] **I** *bnw* voornoemd(e) **II** *ww* [verleden tijd + volt. deelw.] → **say**
sail [seɪl] **I** *ov ww* ❶ besturen ❷ zweven (door) ❸ varen / zeilen op ★ *sail the seas* de zeeën bevaren **II** *onov ww* ❶ (uit)varen ❷ zweven ❸ zeilen ★ *it's plain sailing* het gaat van een leien dakje, er is niets aan ★ *sail close to / near the wind* scherp bij de wind varen, iets doen / zeggen wat op het kantje af is ★ *fig* *sail through sth* iets met gemak halen ⟨bv. een examen⟩ ❹ ~ *into* aanpakken ★ *sail into sth* onmiddellijk iets aanpakken ★ *sail into sbd* iem. onder handen nemen **III** *zn* ❶ zeil ★ *set sail for America* naar Amerika varen ❷ schip, schepen ❸ zeiltochtje ★ *10 days' sail* 10 dagen varen
sailboard *zn* surfplank, zeilplank
sailcloth ['seɪlklɒθ] *zn* zeildoek
sailing ['seɪlɪŋ] *zn* ❶ het zeilen ★ *go* ~ (gaan) zeilen, een zeiltochtje maken ★ *plain* ~ makkelijk ⟨van karwei⟩ ❷ bootreis ❸ afvaart
sailing boat underline{*GB*} *zn* zeilboot
sailing ship *zn* zeilschip
sailor ['seɪlə] *zn* ❶ zeeman ❷ matroos ★ *be a good* ~ zeebenen hebben, nooit zeeziek worden
sailor suit *zn* matrozenpakje
saint [seɪnt] *zn* ❶ heilige, sint ★ ~'s *day* naamdag, heiligendag ★ *All Saints' Day* Allerheiligen ⟨1 november⟩ ★ *provoke a* ~ iem. het bloed onder de nagels vandaan halen ❷ iemand met engelengeduld, engel ★ *Latter-day Saints* mormonen
sainthood ['seɪnthʊd] *zn* heiligheid
saintly ['seɪntli] *bnw* ❶ vroom ❷ volmaakt
sake [seɪk] *zn* ★ *for the sake of...* omwille van... ★ *for my sake* voor mij ★ *for God's / goodness' / heaven's / Pete's sake* in godsnaam, in hemelsnaam
salable *USA* *bnw* → **saleable**
salacious [sə'leɪʃəs] *form* *bnw* ❶ wellustig, wulps ❷ obsceen, gewaagd ⟨grap, roddel⟩
salad ['sæləd] *zn* salade, sla
salad cream *zn* slasaus
salad dressing *zn* dressing
salad oil *zn* slaolie
salamander ['sæləmændə] *zn* salamander
salami [sə'lɑːmi] *zn* salami
salaried ['sælərɪd] *bnw* bezoldigd, met een salaris
salary ['sæləri] *zn* salaris, bezoldiging
sale [seɪl] *zn* ❶ verkoop ★ *on sale* te koop, verkrijgbaar ★ *for sale* te koop ★ *put up for sale* te koop aanbieden ★ *make a sale* (erin slagen) iets (te) verkopen ★ *lose a sale* iets niet verkopen

sa

★ *on sale or return* in commissie ★ USA *on sale* in de uitverkoop ❷ verkoping, veiling ★ *bring-and-buy sale* rommelmarkt ⟨voor een goed doel⟩ ★ GB *a sale of work* een liefdadigheidsveiling

saleable ['seɪləbl] *bnw* verkoopbaar ★ ~ *value* verkoopwaarde

saleroom ['seɪlruːm] GB *zn* verkooplokaal, veilinglokaal

sales *zn mv* ❶ omzet, afdeling verkoop ❷ uitverkoop

sales campaign *zn* verkoopcampagne

sales clerk USA *zn* winkelbediende, verkoper

salesgirl oud *zn* verkoopster

salesman ['seɪlzmən] *zn* ❶ vertegenwoordiger ★ *travelling* ~ vertegenwoordiger ❷ USA verkoper

sales manager *zn* verkoopleider

salesperson *zn* ❶ winkelbediende, verkoper ❷ vertegenwoordiger

sales pitch *zn* verkooppraatje

salesroom ['seɪlzruːm] USA *zn* verkooplokaal, veilinglokaal

sales slip USA *zn* kassabon

sales talk *zn* verkooppraatje

sales tax *zn* omzetbelasting

sales volume *zn* omzet

saleswoman ['seɪlzwʊmən] *zn* ❶ verkoopster ❷ vertegenwoordigster

salient ['seɪlɪənt] *bnw* in het oog vallend, opvallend

saline ['seɪlaɪn] I *zn* zoutoplossing II *bnw* ❶ zout(houdend) ★ ~ *solution* zoutoplossing ★ ~ *drip* infuus ❷ zilt

salinity [sə'lɪnɪtɪ] *zn* zoutgehalte

saliva [sə'laɪvə] *zn* speeksel

salivary [sə'laɪvərɪ] *bnw* speeksel- ★ ~ *glands* speekselklieren

salivate ['sælɪveɪt] *onov ww* kwijlen

sallow ['sæləʊ] *bnw* vaal / ziekelijk geel

sally ['sælɪ] I *zn* ❶ uitval ❷ uitstapje ❸ geestige opmerking II *onov ww* oud ~ *forth/out* eropuit trekken

salmon ['sæmən] *zn* ❶ zalm ★ ~ *steak* zalmmoot ❷ zalmkleur

salmonella [sælmə'nelə] *zn* salmonella(bacterie)

salon ['sælɒn] *zn* ❶ (kap)salon ❷ chique kledingboetiek ❸ salon, ontvangkamer ❹ salon ⟨bijeenkomst van kunstenaars⟩

saloon [sə'luːn] *zn* ❶ grote luxe kajuit, salon ⟨op boot⟩ ❷ USA bar ❸ GB sedan ⟨personenauto⟩

saloon bar GB *zn* rustige bar ⟨in brief⟩

salt [sɔːlt] I *zn* zout ★ *take with a pinch / grain of salt* met een korreltje zout nemen ★ *rub salt into sb's wounds* zout in de wonden strooien, het nog erger maken ⟨voor iemand⟩ ▼ *to be worth one's salt* efficiënt / capabel zijn, deugen ▼ *salt of the earth* iemand / mensen van wie je op aan kunt II *ov ww* ❶ zouten, pekelen ❷ pittig maken ❸ zout strooien ❹ ~ *away* apart zetten ⟨geld⟩ ❺ ~ *down* (in)pekelen

salt-and-pepper *bnw* peper-en-zoutkleurig

salt cellar GB *zn* zoutvaatje

salted ['sɔːltɪd] *bnw* gezouten

saltpetre [sɒlt'piːtə] *zn* salpeter

salt shaker USA *zn* zoutvaatje

saltwater ['sɔːltwɔːtə] *zn* zeewater

salty ['sɔːltɪ] *bnw* ❶ zout(ig) ❷ pittig ❸ oud pikant

salubrious [sə'luːbrɪəs] form *bnw* gezond

salutary ['sæljʊtərɪ] *bnw* heilzaam ★ *a ~ experience* een goede ervaring

salutation [sælju:'teɪʃən] *zn* ❶ (be)groet(ing) ❷ aanhef ⟨in brief⟩

salute [sə'luːt] I *zn* ❶ (militaire) groet ❷ saluut(schot) ★ *take the* ~ de parade afnemen II *ov ww* ❶ begroeten, salueren voor ❷ huldigen, prijzen III *onov ww* salueren, groeten

salvage ['sælvɪdʒ] I *zn* ❶ berging, redding ❷ geborgen / geredde goederen II *ov ww* bergen, redden

salvage company *zn* bergingsmaatschappij

salvation [sæl'veɪʃən] *zn* ❶ redding ❷ zaligheid, verlossing

Salvation Army *zn* Leger des Heils

salve [sælv] I *zn* ❶ zalf ❷ II *ov ww* sussen ★ *to ~ one's conscience* zijn geweten sussen

salver ['sælvə] *zn* dienblad

salvo ['sælvəʊ] *zn* salvo ★ *opening ~ (against)* openingsaanval (op) ★ *a ~ of applause* een daverend applaus

SAM [sæm] *afk*, surface-to-air missile grondluchtraket

Samaritan [sə'mærɪtn] *zn* ▼ *a good ~* een barmhartige samaritaan ⟨iemand die je helpt als je problemen hebt⟩

same [seɪm] *aanw vnw* zelfde, dezelfde, hetzelfde ★ *same again?* nog eentje? ★ *same here!* ik ook zo! ★ *all the same* toch, niettemin ★ *just the same* in ieder geval, toch wel ★ *one and the same* precies dezelfde / hetzelfde ★ *much the same* nagenoeg het zelfde ★ *at the same time* tegelijk(ertijd) ★ *same to you* van hetzelfde, insgelijks ★ *it's all the same to me* het maakt mij niet(s) uit ★ *if it's all the same to you, I'd like to go now* als je het niet erg vindt, wil ik nu weg

sameness ['seɪmnəs] *zn* ❶ gelijkheid ❷ eentonigheid

same-sex *bnw* homo- ★ ~ *marriage* homohuwelijk

samey GB inform *bnw* saai, monotoon

samovar ['sæməvɑː] *zn* samowaar

sample ['sɑːmpl] I *zn* ❶ monster, staal ★ *free* ~ gratis monster ❷ proef, proeve ★ *random* ~ steekproef ★ *take a* ~ een proef nemen ❸ voorbeeld ❹ muz sample II *ov ww* ❶ proeven ⟨voedsel⟩ ❷ een monster geven / nemen v. ❸ keuren ❹ proeven van ★ ~ *country life* (even) proeven van het buitenleven ❺ een steekproef nemen uit ❻ muz samplen

sampler ['sɑːmplə] *zn* ❶ merklap ❷ monster(boek), staal(kaart) ❸ muz sampler ❹ muz verzamel-cd

sanatorium [sænə'tɔːrɪəm] *zn* sanatorium, herstellingsoord

sanctification [sæŋktɪfɪ'keɪʃən] *zn* ❶ heiliging ❷ wijding

sanctify ['sæŋktɪfaɪ] *ov ww* heiligen, wijden

sanctimonious [sæŋktɪ'məʊnɪəs] *bnw* schijnheilig

sanction ['sæŋkʃən] I *zn* sanctie ★ *apply / impose ~s against* sancties instellen / opleggen tegen

★ *lift ~s* sancties opheffen **II** *ov ww*
❶ bekrachtigen ❷ sanctie geven aan
sanctity ['sæŋktɪtɪ] *zn* ❶ heiligheid
❷ onschendbaarheid
sanctuary ['sæŋktʃʊərɪ] *zn* ❶ heiligdom, kerk
❷ allerheiligste ❸ vrijplaats, asiel ★ *take / seek ~*
z'n toevlucht zoeken, asiel vragen ❹ reservaat
★ *bird ~* vogelreservaat
sanctum ['sæŋktəm] *zn* heiligdom
sand [sænd] **I** *zn* ❶ zand ★ *sands* zandvlakte ★ *the
sands are running out* de tijd is bijna om
❷ zandbank **II** *ov ww* ❶ zand strooien op
⟨gladde wegen⟩ ❷ ~ **down** polijsten, schuren
sandal ['sændl] *zn* sandaal
sandalwood *zn* sandelhout
sandbag ['sændbæg] **I** *zn* zandzak **II** *ov ww* met
zandzakken versterken
sandbank ['sændbæŋk] *zn* zandbank
sandblast ['sændblɑːst] *ov ww* zandstralen
sandbox USA *zn* zandbak
sandcastle ['sændkɑːsəl] *zn* zandkasteel
sand dune *zn* duin
sander ['sændə] *zn* schuurmachine
sandglass ['sændglɑːs] *zn* zandloper
sandman ['sændmæn] *zn* Klaas Vaak
sandpaper ['sændpeɪpə] **I** *zn* schuurpapier **II** *ov
ww* schuren
sandpiper ['sændpaɪpə] *zn* oeverloper ⟨vogel⟩
sandpit ['sændpɪt] GB *zn* zandbak
sandstone ['sændstəʊn] *zn* zandsteen
sandstorm ['sændstɔːm] *zn* zandstorm
sandwich ['sænwɪdʒ] **I** *zn* sandwich ⟨dubbele
boterham⟩ ★ *ride / sit ~* tussen twee anderen te
paard zitten **II** *ov ww* ❶ inklemmen ⟨tussen⟩
★ *be ~ed between the needs of elderly parents and
kids* klem zitten tussen de zorg voor bejaarde
ouders en zorg voor kinderen ❷ inschuiven
sandwich bar *zn* ≈ lunchroom
sandwich board *zn* advertentiebord ⟨vóór en
achter iemand af hangend⟩
sandwich course *zn* cursus afgewisseld met
praktijkstages, duaalopleiding
sandy ['sændɪ] *bnw* ❶ zanderig ❷ rossig ⟨van
haar⟩
sane [seɪn] *bnw* ❶ gezond ❷ verstandig
sang [sæŋ] *ww* [verleden tijd] → **sing**
sanguine ['sæŋgwɪn] *bnw* ❶ optimistisch,
opgewekt ❷ fris, gezond
sanitarium [ˌsænɪˈteərɪəm] USA *zn* sanatorium
sanitary ['sænɪtərɪ] *bnw* ❶ gezondheids-,
hygiënisch ★ *a ~ towel / pad /* USA *napkin* een
maandverband ❷ schoon
sanitation [ˌsænɪˈteɪʃən] *zn* ❶ ⟨bevordering van
de⟩ volksgezondheid ★ USA *~ department*
ministerie van volksgezondheid ❷ sanitatie
⟨sanitaire voorzieningen en
rioolwaterverwerking⟩ ❸ waterhuishouding
sanity ['sænɪtɪ] *zn* ❶ ⟨geestelijke⟩ gezondheid
❷ gezond verstand ★ *doubt one's ~* aan iemands
gezonde verstand beginnen te twijfelen ❸ *jur*
toerekeningsvatbaarheid
sank [sæŋk] *ww* [verleden tijd] → **sink**
Santa [sæntə] *zn* ★ *~ (Claus)* de Kerstman
sap [sæp] **I** *zn* ❶ ⟨levens⟩sap ❷ kracht ❸ *oud* sul
II *ov ww* ❶ uitputten ★ *sap sb's strength / energy*
iemands kracht(en) ondermijnen, iemands

energie uitputten ❷ het sap onttrekken aan
sapient ['seɪpɪənt] form *bnw* wijs
sapling ['sæplɪŋ] *zn* jonge boom
sapphic ['sæfɪk] *bnw* lesbisch, saffisch
sapphire ['sæfaɪə] **I** *zn* saffier **II** *bnw* saffierblauw
sarcasm ['sɑːkæzəm] *zn* sarcasme ★ *biting ~*
bijtende spot
sarcastic [sɑːˈkæstɪk] *bnw* sarcastisch
sarcophagi [sɑːˈkɒfəgi] *zn mv* → **sarcophagus**
sarcophagus [sɑːˈkɒfəgəs] *zn* [mv: **sarcophagi**]
sarcofaag ⟨stenen doodskist⟩
sardine [sɑːˈdiːn] *zn* sardientje ★ *like ~s* als
haring(en) in een ton
sardonic [sɑːˈdɒnɪk] *bnw* sardonisch, cynisch,
bitter ★ *~ laughter* hoongelach
sarge [sɑːdʒ] *zn* inform → **sergeant**
sari ['sɑːrɪ] *zn* sari
sarky GB inform *bnw* sarcastisch
SARS *afk, severe acute respiratory syndrome* SARS
⟨besmettelijke longziekte⟩
sartorial [sɑːˈtɔːrɪəl] *bnw* kleermakers-,
(maat)kledings-
sash [sæʃ] *zn* ❶ sjerp ❷ schuifraam
sash window [sæʃˈwɪndəʊ] *zn* schuifraam
sassy ['sæsɪ] USA *bnw* brutaal
sat [sæt] *ww* [verleden tijd + volt. deelw.] → **sit**
Sat. *afk, Saturday* zaterdag
SAT USA onderw *afk, scholastic aptitude test* ≈
havo- / vwo-examen
Satan ['seɪtən] *zn* Satan
satanic [səˈtænɪk] *bnw* satanisch
satchel ['sætʃəl] *zn* ❶ pukkel ⟨schooltas⟩ ❷ geldtas
sate [seɪt] form *ov ww* verzadigen ★ *be sated with*
genoeg hebben van
satellite ['sætəlaɪt] *zn* ❶ satelliet ❷ aanhanger
satellite dish *zn* schotelantenne
satellite state *zn* satellietstaat
satiate ['seɪʃɪeɪt] *ov ww* (over)verzadigen
satiation [ˌseɪʃɪˈeɪʃən] *zn* verzadiging
satiety [səˈtaɪətɪ] *zn* form oververzadiging ★ *to ~*
te overvloedig
satin ['sætɪn] **I** *zn* satijn **II** *bnw* satijnen
satire ['sætaɪə] *zn* satire, hekeldicht
satirical [səˈtɪrɪkl], **satiric** [səˈtɪrɪk] *bnw* satirisch
satirist ['sætərɪst] *zn* ❶ satiricus ❷ hekeldichter
satirize, **satirise** ['sætəraɪz] *ov ww* hekelen, een
satire maken / zijn op
satisfaction [ˌsætɪsˈfækʃən] *zn* ❶ tevredenheid,
genoegen, voldaanheid ★ *to everybody's ~* naar /
tot ieders tevredenheid ❷ voldoening,
bevrediging ★ *get / take ~ from* voldoening
krijgen van, plezier hebben aan ★ *in ~ of* ter
voldoening van ❸ genoegdoening ★ *demand ~*
genoegdoening eisen
satisfactory [ˌsætɪsˈfæktərɪ] *bnw* ❶ bevredigend
★ *the patient's condition was ~* de toestand van
de patiënt was naar tevredenheid ❷ voldoende,
goed genoeg ★ *a ~ answer* een afdoend
antwoord
satisfied ['sætɪsfaɪd] *bnw* ❶ tevreden ★ *~ with*
tevreden met / over ❷ voldaan ❸ overtuigd ★ *be
~ that* ervan overtuigd zijn dat
satisfy ['sætɪsfaɪ] **I** *ov ww* ❶ tevredenstellen,
bevredigen ★ *~ sb's curiosity* iemands
nieuwsgierigheid bevredigen ❷ voldoen aan
★ *~ all the requirements* aan alle vereisten

voldoen ★ ~ *a need / demand* aan een vraag
voldoen ❸ overtuigen ★ ~ *o.s. of* zich overtuigen
van ❹ stillen ⟨v. honger⟩ II *onov ww* voldoen(de
zijn)
saturate ['sætʃəreɪt] *ov ww* ❶ verzadigen ★ ~ *the
market* de markt verzadigen ★ *the towns are ~d
with refugees* de steden zitten vol vluchtelingen
❷ doordrenken
saturation [sætʃə'reɪʃən] *zn* (over)verzadiging
Saturday ['sætədeɪ] *zn* zaterdag ★ rel *Holy ~*
paaszaterdag
saturnine ['sætənaɪn] form *bnw* somber,
zwaarmoedig
satyr ['sætə] *zn* sater
sauce [sɔːs] *zn* ❶ saus ❷ USA reg gestoofd fruit,
compote ★ *none of
your ~!* houd je brutale mond!t ▼ *what is ~ for
the goose is ~ for the gander* gelijke monniken,
gelijke kappen
sauce boat *zn* sauskom
saucepan ['sɔːspən] *zn* steelpan
saucer ['sɔːsə] *zn* schotel(tje)
saucy ['sɔːsɪ] *bnw* ❶ brutaal ❷ oud pikant,
ondeugend ⟨bv. ansichtkaart⟩
sauerkraut ['saʊəkraʊt] *zn* zuurkool
sauna ['sɔːnə] *zn* sauna
saunter ['sɔːntə] I *zn* wandelingetje II *onov ww*
❶ slenteren, kuieren ❷ flaneren
sausage ['sɒsɪdʒ] *zn* worst(je)
sausage roll *zn* worstenbroodje
sauté ['saʊteɪ] I *zn* gerecht van licht gebakken
hapjes II *bnw* licht gebakken III *ov ww* licht (en
snel) bakken, sauteren
savage ['sævɪdʒ] I *bnw* ❶ wreed, woest ❷ fel,
heftig ★ *his pay cut was a ~ blow* zijn
salarisverlaging was een zware slag ★ *a ~ report*
een vernietigend verslag ❸ oud inform brutaliteit ★ *none of
II *zn* wilde, woesteling III *ov ww* ❶ bijten ⟨v.
paard⟩, vertrappen, aanvallen ★ *he was ~d by a
dog* hij werd wild aangevallen door een hond
❷ neerhalen, kraken ★ *the film was ~d* de film
kreeg een vernietigende kritiek
savagery ['sævɪdʒərɪ] *zn* ❶ wreedheid ❷ wilde
staat
savannah, savanna [sə'vænə] *zn* savanne,
(sub)tropische grasvlakte
savant ['sævənt] *zn* (hoog)geleerde
save [seɪv] I *ov ww* ❶ redden ★ *save sb from
himself* iem. tegen zichzelf beschermen ★ *be
saved* zalig worden ★ *save one's skin* zijn hachje
redden ❷ bewaren, houden, comp saven ★ *save
a seat for sb* een plaats vrijhouden voor iem.
★ comp *save as...* opslaan als... ❸ sparen,
besparen ★ *save (your) money on petrol* geld
besparen op benzine ★ *save o.s.* zich ontzien
❹ voorkómen ★ *that would save us phoning
them* dan hoeven wij hen niet te bellen ★ *save
me from...* praat me niet van... II *onov ww*
sparen ★ *save (up) for sth* sparen voor iets III *zn*
sport redding ★ *make a save* de bal
(tegen)houden IV *vz* behalve ★ *save (for) one
woman* op een vrouw na, met uitzondering van
een vrouw
saver ['seɪvə] *zn* ❶ spaarder ❷ bespaarder, vnl. in
samenstellingen ★ *energy ~* energiebesparend(e)
apparaat / gewoonte ★ *time ~* tijdbespaarder

saving ['seɪvɪŋ] I *zn* besparing II *bnw* besparend
⟨vaak in samenstellingen⟩ ★ *energy-~*
energiebesparend ★ *time-~* tijdbesparend
saving clause *zn* voorbehoud
savings ['seɪvɪŋz] *zn mv* ❶ spaargeld(en)
❷ bezuinigingen
savings account *zn* spaarrekening
savings bank *zn* spaarbank
saviour, USA savior ['seɪvjə] *zn* verlosser
savour, USA savor ['seɪvə] I *ov ww* ❶ proeven
❷ genieten (van) II *onov ww* ~ *of* smaken naar,
rieken naar III *zn* ❶ smaak ❷ aroma ❸ form
bekoring ★ *lose its ~* zijn glans verliezen
savoury, USA savory ['seɪvərɪ] I *zn* ❶ (pikant)
tussengerecht ❷ open tosti II *bnw* ❶ smakelijk
❷ hartig, pikant
savoy [sə'vɔɪ] *zn* savooiekool
savvy ['sævɪ] inform I *bnw* ❶ gis, wijs ❷ gewiekst,
schrander II *zn* gewiektsheid, gezond verstand
III *ov ww* oud snappen ★ ~? gesnopen?
saw [sɔː] I *zn* ❶ zaag ★ *circular saw* cirkelzaag
★ *musical saw* zingende zaag ❷ oud gezegde,
spreuk II *ww* [verleden tijd] → see III *ov ww*
❶ (door)zagen ★ *saw a tree down* een boom
omzagen ❷ (door)snijden IV *onov ww* zagen
sawdust ['sɔːdʌst] *zn* zaagsel
sawed *ww* [verleden tijd + volt. deelw.] → **saw**
sawmill ['sɔːmɪl] *zn* houtzagerij
sawn [sɔːn] *ww* [volt. deelw.] → **saw**
sax [sæks] *zn* sax
Saxon ['sæksən] gesch I *zn* Angelsakser II *bnw*
Angelsaksisch
saxophone ['sæksəfəʊn] *zn* saxofoon
saxophonist [sæk'sɒfənɪst] *zn* saxofonist
say [seɪ] I *ov ww* [onregelmatig] ❶ zeggen ★ *what
do you say to...* wat zou je ervan zeggen als we
eens... ★ *what does the letter say?* wat staat er in
de brief? ★ *I wouldn't say no* graag, ik zeg geen
nee ★ USA inform *say what?* wat? ★ *there's no
saying how she'll react* niet valt niet te
voorspellen / zeggen hoe zij zal reageren
★ inform *that said* dat gezegd hebbend ★ *to say
nothing of the money wasted* om nog maar te
zwijgen over het weggegooide geld ★ *who's to
say (that)...* wie zal het zeggen (of...), wie weet
(of...) ★ *who says she won't get the job?* wie zegt
dat zij die baan niet krijgt? ★ *you can say that
again!* dat kun je wel zeggen, ja!, zeg dat wel!
★ *you said it!* dat kun je wel zeggen, ja!, zeg dat
well, USA goed idee! ❷ opzeggen ★ *say one's
prayers* bidden ★ *say grace* dankgebed
uitspreken voor / na de maaltijd II *onov ww*
[onregelmatig] zeggen ★ *I say!* zeg! ★ *well, I say*
nou, nou ★ *says you* volgens jou, dan ★ *it says in
the paper* in de krant staat ★ *that's to say...* dat
wil zeggen..., tenminste... ★ *you don't say so!* je
meent het! ★ *it says much for* het pleit ten
zeerste voor ★ *say when!* zeg maar ho!, zeg
maar tot hoe ver! ★ *when all is said and done* al
met al ★ *not to say* om niet te zeggen III *zn*
❶ wat men te zeggen heeft ★ *have / say one's
say* zijn zegje doen ❷ zeggenschap ★ *have a say
in sth* iets te zeggen hebben over iets
saying ['seɪɪŋ] *zn* gezegde ★ *as the ~ goes / is* zoals
het spreekwoord zegt
say-so *zn* ❶ toestemming ★ *on my ~* op mijn

woord / gezag, met mijn toestemming
❷ beslissingsrecht ★ *have the final ~ on sth*
uiteindelijk beslissen over iets
SC *afk, South Carolina* staat in de VS
scab [skæb] *zn* ❶ korstje ⟨v. wond⟩ ❷ schurft
❸ onderkruiper (bij staking)
scabbard ['skæbəd] *zn* schede ⟨v. zwaard enz.⟩
scabby ['skæbɪ] *bnw* ❶ met korsten bedekt
❷ schurftig
scabies ['skeɪbiːz] *zn* schurft
scabrous ['skeɪbrəs] *bnw* ❶ schunnig ❷ ruw,
oneffen
scaffold ['skæfəʊld] *zn* ❶ stellage, steiger
❷ schavot
scaffolding ['skæfəʊldɪŋ] *zn* steigers, stellage
scald [skɔːld] **I** *ov ww* ❶ branden ⟨aan heet
vloeistof of stoom⟩ ❷ met heet water uitwassen
❸ tegen de kook aan brengen ★ *fig like a ~ed
cat* als de gesmeerde bliksem **II** *zn* brandwond
en / of blaar
scalding ['skɔːldɪŋ] *bnw* kokend (heet) ★ *~ tears*
hete tranen
scale [skeɪl] **I** *zn* ❶ schaal, maat ★ *draw to ~* op
schaal tekenen ★ *out of ~* buiten proportie ★ *on
a large / small ~* op grote / kleine schaal ❷ USA
weegschaal ★ GB USA *(pair of) ~s* weegschaal
★ *tip / turn the ~s* de doorslag geven ❸ schub,
schil ★ *she touched the fish's ~s* ze raakte de
schubben van de vis aan ★ *remove the ~s from
s.o.'s eyes* iem. de ogen openen ❹ ketelsteen,
tandsteen ❺ talstelsel ★ *binary ~* tweetallig
stelsel ★ *~ of notation* talstelsel ❻ rangorde ★ *the
social ~* de maatschappelijke ladder ❼ muz
toonladder **II** *ov ww* ❶ form (be)klimmen ★ *fig
they ~d new heights* ze bereikten nieuwe /
ongekende hoogten ❷ van de schubben
ontdoen, schubben ⟨vis⟩ ❸ tandsteen
verwijderen van ★ *the dental hygienist ~d his
teeth* de mondhygiënist(e) verwijderde het
tandsteen ❹ op schaal voorstellen ★ *he ~d the
area* hij stelde het gebied op schaal voor
❺ aanpassen ⟨bv. lettergrootte⟩ ❻ *~ down/
back* verlagen, verkleinen ★ *the search
operation was ~d down* de zoekcampagne werd
verkleind ❼ *~ up* verhogen, vergroten
scallion USA *zn* sjalot
scallop ['skæləp] *zn* sint-jakobsschelp, kamschelp
scallywag ['skæləwæg] *zn* deugniet, apenkop,
rakker
scalp [skælp] **I** *zn* ❶ scalp ❷ hoofdhuid **II** *ov ww*
❶ scalperen ❷ USA inform zwart handelen in
⟨toegangskaartjes⟩
scalpel ['skælpl] *zn* scalpel, ontleedmes
scaly ['skeɪlɪ] *bnw* geschubd
scam [skæm] inform *zn* bedrog, zwendel
scamp [skæmp] oud *zn* rakker, deugniet
scamper ['skæmpə] *onov ww* weghollen, snel
maken dat je wegkomt ★ *the boy ~ed up the tree*
de jongen klom snel in de boom
scampi ['skæmpɪ] *zn* ❶ grote garnalen
❷ garnalengerecht
scan [skæn] **I** *zn* ❶ (het) scannen, (het) (punt voor
punt) afzoeken ❷ comp scan ❸ med scan, (met
scanner gemaakte) opname **II** *ov ww*
❶ aftasten, (punt voor punt) afzoeken ❷ comp
scannen ★ *scan in a document* een document

inscannen ★ *they scanned the photos into their
computer* ze hebben de foto's op hun computer
ingescand ❸ med scannen, een scan maken van
❹ aandachtig / kritisch bekijken, scherp
opnemen, doornemen ★ *Sue scanned through
the tv times* Sue keek de tv-gids aandachtig door
scandal ['skændl] *zn* ❶ schandaal, schande
❷ opspraak, laster ❸ ergernis
scandalize, scandalise ['skændəlaɪz] *ov ww*
ergernis wekken bij, choqueren
scandalmonger ['skændlmʌŋgə] *zn*
kwaadspreker, roddelaar
scandalous ['skændələs] *bnw* ❶ ergerlijk,
schandelijk ❷ lasterlijk
Scandinavian [skændɪˈneɪvɪən] **I** *zn*
❶ Scandinaviër ❷ Scandinavisch **II** *bnw*
Scandinavisch
scanner comp med *zn* scanner ⟨aftastapparaat⟩
scansion ['skænʃən] *zn* scandering ⟨in een
gedicht⟩
scant [skænt] *bnw* gering, weinig ★ *a ~ ten
minutes* een kleine tien minuten ★ *pay ~
attention to* weinig / nauwelijks aandacht
besteden aan
scanty ['skæntɪ] *bnw* ❶ krap ❷ schaars ★ *scantily
dressed* schaars gekleed
scapegoat ['skeɪpgəʊt] *zn* zondebok
scapula ['skæpjʊlə] anat *zn* schouderblad
scapular ['skæpjʊlə] *bnw* v.d. schouder(bladen)
scar [skɑː] **I** *zn* ❶ litteken ❷ aardk steile rotswand
II *ov ww* ❶ een litteken bezorgen ★ *scarred* vol met littekens
littekens bedekken ★ *scarred* vol met littekens
III *onov ww* een litteken vormen
scarab ['skærəb] *zn* mestkever, scarabee
scarce [skeəs] *bnw* schaars, zeldzaam ★ *make o.s.
~* zich uit de voeten maken
scarcely ['skeəslɪ] *bijw* ❶ nauwelijks ❷ haast niet
★ *~ any* bijna geen
scarceness ['skeəsnəs] *zn* schaarste, gebrek,
schaarsheid
scarcity ['skeəsətɪ] *zn* schaarste
scare [skeə] **I** *ov ww* ❶ bang maken, laten
schrikken ★ *the hell out of* iem. de stuipen
op het lijf jagen ❷ *~ away* wegjagen ❸ *~ off*
afschrikken **II** *onov ww* bang worden ★ *she ~s
easily* ze schrikt erg gauw **III** *zn* ❶ schrik,
paniek, angst ⟨ook in samenstellingen⟩ ★ *have a
little ~* een beetje schrikken ★ *~ story*
ijzingwekkend verhaal, sensatieverhaal ★ *health
~* gezondheidsalarm ⟨bij een nieuwe ziekte,
nieuw virus⟩ ❷ bangmakerij
scarecrow ['skeəkrəʊ] *zn* ❶ vogelverschrikker
❷ boeman
scared [skeəd] *bnw* bang ★ *be ~ stiff / ~ to death*
doodsbang zijn
scaredy-cat *zn* bangerik
scaremonger ['skeəmʌŋgə] *zn* onrustzaaier
scarf [skɑːf] *zn* [mv: **scarves**] ❶ sjaal, das
❷ hoofddoek
scarlet ['skɑːlət] *bnw* scharlaken, (vuur)rood
scarlet fever *zn* roodvonk
scarp [skɑːp] *zn* steile helling
scarper ['skɑːpə] *onov ww* weglopen, 'm smeren
scarves [skɑːvz] *zn* mv → **scarf**
scary ['skeərɪ] *bnw* eng, schrikaanjagend
scathing ['skeɪðɪŋ] *bnw* vernietigend, bijtend

SC

scatter ['skætə] **I** ov ww ❶ (uit)strooien, verstrooien ❷ (ver)spreiden ★ ~ hope hoop doen vervliegen **II** onov ww zich verspreiden
scatterbrain ['skætəbreɪn] zn warhoofd
scatterbrained ['skætəbreɪnd] bnw warhoofdig
scatter cushion zn sierkussentje
scattered ['skætəd] bnw sporadisch ★ ~ fighting continued hier en daar werd nog steeds gevochten ★ ~ showers verspreide buien
scatty ['skætɪ] bnw getikt, warrig
scavenge ['skævɪndʒ] **I** ov ww ❶ doorzoeken ⟨afval⟩ ❷ eten ⟨aas⟩ **II** onov ww ❶ afval doorzoeken op zoek naar eten, enz. ❷ aas eten
scavenger ['skævɪndʒə] zn ❶ aaseter ❷ aaskever ❸ morgenster ⟨iem. die in de ochtend het vuilnis dat klaarstaat op straat doorzoekt⟩
scenario [sɪ'nɑːrɪəʊ] zn scenario, draaiboek ★ cancellation is the likely ~ afzegging is zeer waarschijnlijk ★ in the worst-case ~ in het ergste geval
scene [siːn] zn ❶ plaats, plek ★ ~ of action plaats v. handeling ★ the police arrived at the ~ de politie arriveerde ter plekke ★ ~ of the crime plaats delict, plaats van het misdrijf ❷ tafereel, toneel, decor, scène ★ behind the ~s achter de schermen / coulissen ★ the ~ is laid / set in de scène speelt zich af in ★ quit the ~ van het toneel verdwijnen ★ steal the ~ de show stelen ★ he appeared on the ~ hij verscheen ten tonele ★ set the ~ for sth iets voorbereiden ❸ scène ★ she made quite a ~ ze maakte een hele scène ❹ landschap, uitzicht ★ she admired the ~ from the window ze bewonderde het landschap door het raam ❺ scene, wereldje ★ it's not my ~ het ligt mij niet, dat is niets voor mij ★ the political ~ het politieke wereldje
scene-of-crime bnw ★ ~ officer technisch rechercheur
scenery ['siːnərɪ] zn ❶ natuurschoon, landschap ❷ decor(s)
scenic ['siːnɪk] bnw schilderachtig ★ ~ route toeristische route
scent [sent] **I** zn ❶ geur, reuk, parfum ★ he has a wonderful ~ for hij heeft een fijne neus voor ❷ spoor, lucht ⟨van bv. wild⟩ ★ get ~ of de lucht krijgen van ★ put / throw off the ~ misleiden **II** ov ww ❶ ruiken, fig vermoeden ❷ met geur vervullen, parfumeren
scentless ['sentləs] bnw reukloos, zonder geur
scepter zn USA → sceptre
sceptic ['skeptɪk] zn scepticus
sceptical ['skeptɪkl] bnw sceptisch, twijfelend
scepticism ['skeptɪsɪzəm] zn scepticisme
sceptre ['septə] zn scepter
schedule ['ʃedjuːl] **I** zn ❶ programma, schema ★ a full / busy ~ een vol / druk programma ★ on ~ zoals gepland, op schema ❷ USA dienstregeling, rooster ★ on ~ precies op tijd ❸ tabel, lijst **II** ov ww ❶ plannen, op het programma zetten ★ be ~d for op het programma staan voor ❷ een tabel / lijst / rooster maken van, in een tabel / lijst / rooster opnemen ★ is ~d to leave now moet volgens de dienstregeling nu vertrekken
schema ['skiːmə] techn zn korte schets, schema
schematic [skɪ'mætɪk] bnw schematisch

scheme [skiːm] **I** zn ❶ plan ❷ schema, stelsel ★ in the grand ~ of things in het grote algemene plan ❸ (gemeen) spelletje, intrige **II** ov ww beramen **III** onov ww konkelen, samenspannen ★ they are scheming against her ze spannen samen tegen haar ★ ~ to do sth (in het geheim) plannen maken om iets te doen
schemer ['skiːmə] zn intrigant
scheming ['skiːmɪŋ] bnw listig, uit op slinkse streken
schism ['skɪzəm] zn ❶ schisma, (kerkelijke) afscheiding ❷ sekte
schismatic [skɪz'mætɪk] bnw schismatiek, een schisma veroorzakend
schizophrenia [skɪtsə'friːnɪə] zn schizofrenie
schizophrenic [skɪtsə'frenɪk] **I** zn schizofreen persoon **II** bnw schizofreen
schmuck [ʃmʌk] zn straatt schlemiel, mafkees
scholar ['skɒlə] zn ❶ geleerde ★ not much of a ~ geen studiebol ❷ leerling, beursstudent
scholarly ['skɒləlɪ] bnw ❶ wetenschappelijk ❷ geleerd
scholarship ['skɒləʃɪp] zn ❶ studiebeurs ❷ geleerdheid
scholastic [skə'læstɪk] bnw ❶ school-, academisch ❷ schools ❸ scholastisch
school [skuːl] **I** zn ❶ school ★ GB at ~ op school ★ USA in ~ op school ★ skip / cut ~ spijbelen ★ comprehensive ~ scholengemeenschap ★ GB first / primary ~ ≈ basisschool ★ USA high / secondary ~ ≈ havo / vwo ★ lower ~ lagere klassen v. public school ★ public ~ particuliere kostschool, openbare basisschool ⟨buiten Groot-Brittannië⟩ ❷ inform universiteit, faculteit **II** ov ww scholen, trainen, africhten
school age zn leerplichtige leeftijd
school bag zn schooltas
schoolboy ['skuːlbɔɪ] zn schooljongen
schooldays ['skuːldeɪz] zn mv schooljaren / -tijd
schoolgirl ['skuːlɡɜːl] zn schoolmeisje
schooling ['skuːlɪŋ] zn ❶ onderwijs, scholing ❷ dressuur
school leaver zn schoolverlater
schoolmate ['skuːlmeɪt] zn schoolkameraad / -makker
school patrol zn verkeersbrigadier, klaar-over
schoolroom ['skuːlruːm] zn leslokaal, klaslokaal
schoolteacher ['skuːltiːtʃə] zn onderwijzer(es), leraar, lerares
schoolwork ['skuːlwɜːk] zn huiswerk, schoolwerk
schooner ['skuːnə] zn ❶ schoener ❷ USA (groot) bierglas
sciatic [saɪ'ætɪk] bnw heup-
sciatica [saɪ'ætɪkə] zn ischias
science ['saɪəns] zn ❶ natuurwetenschap(pen) ★ natural ~ natuurwetenschappen ❷ wetenschap, wetenschappelijk onderzoek ★ engineering ~s spijbelen ★ veterinary ~ diergeneeskunde ❸ techniek, vaardigheid ★ ~ and art theoretische en praktische vaardigheid ★ the (noble) ~ schermen, boksen
science fiction zn sciencefiction
scientific [saɪən'tɪfɪk] bnw wetenschappelijk
scientist ['saɪəntɪst] zn ❶ wetenschapper, geleerde ⟨m.n. in de exacte vakken⟩

❷ natuurkundige ❸ bioloog ❹ scheikundige

sci-fi ['saɪfaɪ] zn sciencefiction

scintillating bnw sprankelend ★ a ~ conversation / performance een sprankelende conversatie / voorstelling

scion ['saɪən] zn ❶ ent, loot ❷ form spruit, telg

scissors ['sɪzəz] zn mv schaar ★ ~ and paste knip- en plakwerk

sclerosis [sklɪə'rəʊsɪs] zn sclerose, (weefsel)verharding

scoff [skɒf] I ov ww, GB inform gulzig opeten, naar binnen schrokken II onov ww ~ at spotten met, lachen om

scold [skəʊld] ov vw een uitbrander / standje geven

scone [skɒn, skəʊn] zn klein rond cakeje

scoop [skuːp] I zn ❶ schop, schep(je) ❷ spatel ❸ het scheppen (in één beweging) ★ with a ~ in één keer ★ at one ~ in één slag ❹ primeur, scoop (van bv. krant) II ov ww ❶ (uit)scheppen, hozen ❷ naar zich toe halen (in één beweging) ❸ te slim / vlug af zijn ❹ ~ out uithollen ❺ ~ up opscheppen, oppakken, opstrijken ★ they ~ed up the big prize ze wonnen de grote prijs

scoopful ['skuːpfʊl] zn schep, lepel ★ a ~ of sugar een schep suiker

scoop neck zn (laag uitgesneden) ronde hals (in jurk, T-shirt)

scoot [skuːt] onov ww ❶ rennen ❷ 'm smeren

scooter ['skuːtə] zn ❶ step, autoped ❷ scooter

scope [skəʊp] I zn ❶ (draag)wijdte, bereik, omvang ★ they broadened their ~ ze verbreedden hun bereik ❷ strekking ★ what is the ~ of this programme? waar gaat dit programma over? ❸ gelegenheid (tot ontplooiing) ★ ~ for improvement ruimte voor verbetering ★ free / full ~ vrij spel II ov ww, scope out onderzoeken, in kaart brengen

scorch [skɔːtʃ] I ov ww ❶ (ver)schroeien ❷ bijtend bekritiseren II onov ww ❶ (ver)schroeien ❷ woest rijden, scheuren

scorcher ['skɔːtʃə] inform zn ❶ snikhete dag ❷ iets heel bijzonders / goeds ❸ snelheidsduivel

scorching ['skɔːtʃɪŋ] bnw snikheet, bloedheet, gloeiend (heet)

score [skɔː] I ov ww ❶ behalen, scoren ★ ~ a success succes hebben ★ ~ a goal een goal scoren, een (doel)punt maken ❷ opschrijven, aantekenen ★ ~ sth against / to a p. iets op iemands rekening schrijven ❸ door- / onderstrepen ❹ orkestreren, arrangeren ❺ ~ off bakzeil doen halen, aftroeven ❻ ~ out/through doorhalen, wegstrepen II onov ww ❶ een punt maken, winnen, succes hebben, boffen ❷ (drugs) scoren inform iemand in bed krijgen, een nummertje maken III zn ❶ aantal punten, stand van spel ❷ stand van zaken ★ on that ~ wat dat betreft ★ know the ~ weten hoe de vork in de steel zit ❸ partituur, filmmuziek ❹ kras, schram, striem, streep ❺ twintigtal ★ ~s of times honderden keren ★ by ~s bij hopen ❻ rekening ★ settle a ~ een rekening vereffenen ★ pay off old ~s even afrekenen (met iemand) ❼ rake opmerking / zet, bof, treffer

scoreboard ['skɔːbɔːd] zn scorebord

scorecard ['skɔːkɑːd] zn scorekaart, scoreformulier

scorer ['skɔːrə] zn ❶ (doel)puntenmaker, scorer ❷ puntenteller

scorn [skɔːn] I ov ww verachten, minachten, beneden zich achten ★ ~ an invitation minachtend een uitnodiging afwijzen II zn (voorwerp van) verachting ★ heap / pour ~ on min-/ verachten

scornful ['skɔːnfʊl] bnw minachtend

Scorpio ['skɔːpɪəʊ] zn Schorpioen ⟨sterrenbeeld⟩

scorpion ['skɔːpɪən] zn schorpioen

Scot [skɒt] zn [mv: Scots] Schot

scotch [skɒtʃ] ov ww een eind maken aan ⟨bv. geruchten⟩

Scotch [skɒtʃ] I zn whisky (uit Schotland) II bnw Schots ★ ~ broth stevige soep gebonden met gerst ★ ~ cap Schotse muts / baret ★ ~ egg gekookt ei met worstvlees en paneermeel als omhulsel ★ ~ fir grove den ★ ~ mist zeer fijne motregen ★ USA ~ tape® ⟨doorzichtig⟩ plakband

scot-free [skɒt'friː] bnw ❶ ongestraft, straffeloos ★ go ~ vrijuit gaan ❷ ongedeerd

Scotland ['skɒtlənd] zn Schotland

Scotland Yard [skɒtlənd jɑːd] zn Scotland Yard ⟨(hoofdbureau v.) Londense politie⟩

Scots [skɒts], **Scottish** ['skɒtɪʃ] I zn taalk Schots II bnw Schots III zn mv → Scot

Scotsman ['skɒtsmən] zn Schot

Scotswoman ['skɒtswʊmən] zn Schotse

scoundrel ['skaʊndrəl] zn schurk

scour ['skaʊə] ov ww ❶ aflopen, afstruinen ★ ~ the shops de winkels aflopen ❷ reinigen, (op)wrijven, (uit)schuren

scourer ['skaʊərə] zn schuurspons

scourge [skɜːdʒ] I zn ❶ plaag, gesel ★ the ~ of drugs de (overlast gevende) drugsplaag ★ the ~ of war de gesel van de oorlog ❷ criticus II ov ww teisteren

scout [skaʊt] I ov ww ❶ verkennen ❷ sport scouten ❸ minachtend afwijzen ❹ ~ out opsporen II onov ww ❶ op verkenning zijn ❷ ~ (around) for speuren naar III zn ❶ scout, padvinder ❷ mil verkenner ❸ mil verkenningsvaartuig / -vliegtuig ❹ mil verkenning ❺ ontdekker, scout, begeleider ★ talent ~ talentenjager

scout leader zn hopman

scowl [skaʊl] I zn dreigende / kwade blik II onov ww ❶ dreigend kijken, fronsen ❷ ~ at ★ ~ at sbd iem. kwaad / dreigend aankijken

scrabble ['skræbl] I ov ww bijeengraaien II onov ww ❶ graaien ★ they ~d for the sweets ze graaiden naar de snoepjes ❷ krabbelen ★ the dog ~d to get out de hond krabbelde om eruit te komen ❸ stoeien

scraggy ['skrægɪ] bnw mager, schriel

scram [skræm] onov ww opkrassen ★ ~! donder op! ★ go ~ 'm smeren

scramble ['skræmbl] I ov ww ❶ klutsen ★ ~d eggs roereieren ❷ vervormen, verdraaien ⟨bv. telefoongesprek, tegen afluisteren⟩ II onov ww ❶ klauteren ★ ~ through one's exam door een examen rollen ❷ zich verdringen ★ ~ for sth vechten om iets III zn ❶ klimpartij ❷ gedrang,

sc

wedloop ❸ motorcross
scrambler ['skræmblə] zn geluidsvervormer
scrap [skræp] **I** zn ❶ stukje, beetje, zweem ★ it didn't make a ~ of difference het maakte geen enkel verschil ★ ~s [mv] kliekjes, restjes ❷ (kranten)knipsel, uitgeknipt plaatje ★ ~ of paper vodje papier ❸ oud ijzer, schroot, afval ★ sell sth for ~ iets als oud ijzer verkopen ★ ~ iron schroot, oud roest ❹ ruzie, herrie **II** ov ww ❶ schrappen, afgelasten, cancelen ❷ afdanken, aan de kant zetten ❸ slopen **III** onov ww herrie / ruzie hebben
scrapbook ['skræpbʊk] zn plakboek
scrape [skreɪp] **I** ov ww ❶ (af)krabben, schrap(p)en ★ ~ one's chin zich scheren ★ ~ one's boots / shoes zijn schoenen schoonmaken ★ ~ one's plate zijn bord helemaal leegeten ★ ~ the (bottom of the) barrel de laatste reserves bijeenschrapen ❷ schuren (langs), krassen ❸ ~ **away/off** (er) afkrabben, wegkrabben ❹ ~ **back** ★ ~ back one's hair je haar strak naar achteren kammen ❺ ~ **down** afschrap(p)en ❻ ~ **out** uithollen / -krabben ❼ ~ **together/up** bijeenschrapen **II** onov ww ❶ schuren (langs), krassen ❷ zuinig leven ❸ ~ **by** net rondkomen ❹ ~ **in** net halen, op het nippertje bereiken ❺ ~ **through** (het) nèt halen ★ ~ through an exam met de hakken over de sloot slagen ▼ ~ home nipt / net winnen **III** zn ❶ schaafwond ❷ moeilijkheid ★ be in / get into a ~ in de knel zitten / raken ❸ (het) krassen, krabbel(tje)
scraper ['skreɪpə] zn ❶ (voet)schrapper ❷ (verf)krabber
scrap heap zn schroothoop ★ go on the ~ afgedankt worden
scraping ['skreɪpɪŋ] zn (vaak mv) afschrapsel, krullen (van hout), restjes, kliekjes
scrap paper zn kladpapier
scrappy ['skræpɪ] bnw ❶ onsamenhangend ❷ USA vechtlustig
scratch [skrætʃ] **I** ov ww ❶ (zich) krabben, krassen, schrammen ❷ schrappen ❸ afgelasten ❹ ~ **out** doorhalen, wegschrappen ❺ ~ **together/up** bij elkaar schrapen **II** onov ww ❶ krassen, krabben ❷ muz scratchen **III** zn ❶ schram ❷ (ge)kras ❸ krabbel(tje) ★ ~ of the pen krabbel(tje) ❹ sport startlijn ★ start from ~ helemaal van voren af aan beginnen, zonder voorbereiding beginnen ★ sport to come (up) to ~ aan de start verschijnen, klaar zijn, aan de eisen / voorwaarden voldoen ★ bring (up) to ~ klaar maken, aan de eisen laten voldoen **IV** bnw bij elkaar geraapt
scratch card zn kraskaart
scratch pad USA zn kladblok
scratch paper USA zn kladpapier
scratchy ['skrætʃɪ] bnw ❶ krassend ★ a ~ record een grammofoonplaat vol krassen ❷ krabbelig (van handschrift) ❸ kriebelig
scrawl [skrɔːl] **I** zn krabbel(tje) **II** ov ww krabbelen, (slordig / haastig) opschrijven
scrawny ['skrɔːnɪ] bnw broodmager
scream [skriːm] **I** onov ww gillen, krijsen, schreeuwen, gieren ★ he ~ed at me hij schreeuwde tegen mij ★ he ~ed out in pain hij schreeuwde van de pijn **II** ov ww gillen, krijsen,

schreeuwen **III** zn ❶ gil, schreeuw, (ge)krijs ❷ inform giller ★ she is a ~ ze is een giller
scree [skriː] zn (berghelling met) steenslag
screech [skriːtʃ] **I** zn krijs, gil **II** onov ww ❶ krijsen ❷ knarsend piepen ★ the car ~ed to a halt de auto kwam piepend tot stilstand
screed [skriːd] zn ❶ lange en vervelende brief / toespraak ❷ waslijst met klachten
screen [skriːn] **I** zn ❶ scherm, beeldscherm, doek ★ small ~ beeldscherm (tv, monitor) ★ the big ~ het witte doek (bioscoop(scherm)) ❷ scherm, (tussen)schot, koorhek ❸ scherm, bescherming ★ ~ of indifference masker v. onverschilligheid ❹ rooster, hor ❺ ruit (v. auto) **II** ov ww ❶ doorlichten ❷ verfilmen, vertonen (film) ❸ af- / beschermen, maskeren ★ they ~ed off their garden ze hebben hun tuin afgeschermd ❹ screenen, iemands antecedenten nagaan ★ they ~ed out unsuitable applicants ze hebben ongeschikte sollicitanten uitgeselecteerd ★ ~ your phone calls even snel je telefoonberichten bekijken (om te kijken welke je direct wilt horen)
screen door USA zn hordeur
screen dump comp zn screendump, afbeelding van het scherm
screening ['skriːnɪŋ] zn ❶ doorlichting, onderzoek, screening ❷ vertoning (v. film)
screenplay ['skriːnpleɪ] zn scenario, script
screen saver zn screensaver, schermbeveiliging
screenstar ['skriːnstɑː] zn filmster
screen test zn proefopname (voor film, tv)
screenwasher ['skriːnwɒʃə] zn ruitensproeier
screenwiper ['skriːnwaɪpə] zn ruitenwisser
screenwriter ['skriːnraɪtə] zn scenarioschrijver
screw [skruː] **I** ov ww ❶ vastdraaien / -schroeven, aandraaien, opschroeven ❷ omdraaien ❸ plat naaien (oplichten) ❹ vulg neuken ❺ ~ **down** dichtschroeven ❻ ~ **out of** ★ ~ money out of sb iemand geld afpersen ❼ ~ **up** verzieken, verpesten, verfrommelen, verkreukelen ★ ~ sth up iets verprutsen ★ ~ up one's face z'n gezicht vertrekken ★ ~ sbd up iem. in de war brengen ★ ~ one's courage up zich vermannen ★ ~ one's eyes up de ogen samenknijpen ▼ ~ you! val dood!, je kan m'n reet kussen! **II** onov ww ~ **around** rondlummelen, vreemdgaan **III** zn ❶ schroef, bout ★ there's a ~ loose de zaak zit niet (helemaal) goed ★ he has a ~ loose hij is niet helemaal snik ★ put the ~(s) on sb iem. de duimschroeven aanzetten ★ a turn of the ~ een verdere aanscherping (v.e. maatregel) ❷ draai(ing) ❸ inform cipier ❹ vulg sekspartner ★ have a ~ neuken
screwball ['skruːbɔːl] USA inform zn halvegare
screw cap zn schroefdop
screwdriver ['skruːdraɪvə] zn schroevendraaier
screwed-up bnw ❶ van streek ★ he is ~ about his exam hij zit in de rats over zijn examen ❷ verpest ❸ verfrommeld
screwy ['skruːɪ] bnw getikt, idioot
scribble ['skrɪbl] **I** zn ❶ gekrabbel ❷ kattebelletje, krabbeltje **II** ov ww, **scribble down** pennen, (be)krabbelen **III** onov ww krabbelen
scribbler ['skrɪblə] zn (prul)schrijver
scribe [skraɪb] zn kopiist

scrimmage ['skrɪmɪdʒ] zn ❶ scrimmage, worsteling om de bal ⟨bij rugby, American football⟩ ❷ gedrang, vechtpartij

scrimp ['skrɪmp] onov ww ❶ bezuinigen ❷ het zuinig aan doen

scrip [skrɪp] zn recepis, voorlopig aandeel

script [skrɪpt] I zn ❶ tekst, draaiboek ❷ schrift, handschrift ❸ origineel geschrift ❹ GB ingeleverd (examen)werk II ov ww (uit)schrijven, het draaiboek schrijven voor ★ ~ed jokes van tevoren voorbereide grappen

script girl zn regieassistente

scriptural ['skrɪptʃərəl] bnw m.b.t. de Bijbel

scripture ['skrɪptʃə] zn ❶ de Bijbel ★ Holy Scripture de Bijbel ❷ Bijbeltekst ❸ heilig boek

Scriptures ['skrɪptʃəz] zn mv de Bijbel

scriptwriter ['skrɪptraɪtə] zn scenarioschrijver

scroll [skrəʊl] I zn ❶ (boek)rol ❷ lijst, krul, volute II onov ww scrollen, op en neer (laten) schuiven ⟨op beeldscherm⟩ ★ ~ through a list door een lijst scrollen III ov ww scrollen door, op en neer (laten) schuiven ⟨op beeldscherm⟩ ★ ~ a list door een lijst scrollen

scroll bar zn comp scrollbar, schuifbalk

scrooge zn vrek

scrotum ['skrəʊtəm] zn scrotum, balzak

scrounge [skraʊndʒ] I zn bietser, scharrelaar II ov ww bietsen

scrounger ['skraʊndʒə] zn bietser, klaploper

scrub [skrʌb] I ov ww ❶ wassen, schrobben ❷ schrappen (bv. plan, reis) II onov ww ❶ wassen, schrobben ★ ~ up schrobben tot het steriel is ⟨van handen v. chirurg⟩ III zn ❶ wasbeurt, schoonmaakbeurt ★ a good ~ een flinke beurt ★ give a p. a good ~ iem. eens goed onder handen nemen ❷ (terrein met) struikgewas

scrubber ['skrʌbə] zn ❶ schrobber ❷ vulg slet, lellebel

scrubbing ['skrʌbɪŋ] zn schrobbeurt ★ a good ~ een flinke beurt

scrubbing brush ['skrʌbɪŋ brʌʃ], USA **scrub brush** ['skrʌb brʌʃ] zn schrobber

scrubby ['skrʌbɪ] bnw ❶ klein, nietig ❷ bedekt met struikgewas ❸ borstelig

scruff [skrʌf] zn, GB inform smeerpoets ▼ seize / take by the ~ of the neck bij het nekvel pakken

scruffy ['skrʌfɪ] bnw smerig, min

scrum ['skrʌm], form **scrummage** ['skrʌmɪdʒ] zn scrum ⟨bij rugby⟩

scrumptious ['skrʌmpʃəs] zn verrukkelijk ⟨vnl. eten⟩

scrunch [skrʌntʃ] I ov ww ❶ verfrommelen ★ he ~ed up the paper hij verfrommelde het papier ❷ ineenpersen ★ she ~dried her hair ze kneep haar haar droog II onov ww knerpen ⟨v. sneeuw⟩

scruple ['skru:pl] I zn gewetensbezwaar, scrupule, schroom ★ have no ~s about... geen scrupules voelen over... ★ make no ~ to... er niet voor terugschrikken om... II onov ww aarzelen, schromen

scrupulous ['skru:pjʊləs] bnw ❶ angstvallig, scrupuleus ❷ (al te) punctueel

scrutinize, scrutinise ['skru:tɪnaɪz] ov ww kritisch onderzoeken

scrutiny ['skru:tɪnɪ] zn ❶ kritisch onderzoek ★ come under close ~ onder de loep genomen worden ❷ officieel onderzoek inzake (betwijfelde) juistheid v.e. stemming

scuba ['sku:bə] zn aqualong ⟨cilinder(s) met gecomprimeerde lucht voor een duiker⟩

scuba diving zn scubaduiken

scud [skʌd] dicht onov ww (voort)jagen, snellen ⟨v. wolken⟩

scud missile zn mil scudraket

scuff [skʌf] I ov ww schaven, schuren ★ ~ one's feet sloffen, schuifelen II zn, **scuff mark** slijtplek

scuffle ['skʌfəl] I zn handgemeen, vechtpartijtje II onov ww ❶ vechten, slaags raken ❷ schuifelen, sloffen

scull [skʌl] I zn ❶ roeiriem ❷ scull ⟨roeiboot met 2 riemen per roeier⟩ II onov ww roeien

scullery ['skʌlərɪ] zn bijkeuken

sculpt [skʌlpt] ov ww beeldhouwen

sculptor ['skʌlptə] zn beeldhouwer

sculptress ['skʌlptrəs] zn beeldhouwster

sculptural ['skʌlptʃərəl] bnw ❶ (als) gebeeldhouwd ❷ beeldhouwers-

sculpture ['skʌlptʃə] I zn ❶ beeldhouwwerk ❷ beeldhouwkunst II ov ww beeldhouwen

scum [skʌm] zn ❶ schuim ❷ uitschot ★ scum of the earth tuig ⟨van de richel⟩, slecht volk

scumbag inform min zn schoft, ploert

scummy ['skʌmɪ] bnw ❶ schuimachtig, met schuim bedekt ❷ ploerterig

scupper ['skʌpə] I zn spuigat II ov ww ❶ dwarsbomen, laten mislukken ❷ tot zinken brengen

scurf [skɜːf] zn hoofdroos

scurrilous ['skʌrɪləs] bnw gemeen, schunnig ★ he made ~ remarks about her hij maakte gemene opmerkingen over haar

scurry ['skʌrɪ] I zn ❶ getrippel, drukte ❷ draf, holletje ▼ a ~ of snow sneeuwjacht ▼ ~ of dust stofwolk II onov ww zich haasten, dribbelen ★ ~ for cover haastig dekking zoeken

scurvy ['skɜːvɪ] zn scheurbuik

scuttle ['skʌtl] I ov ww ❶ dwarsbomen, laten mislukken ★ he deliberately ~d the plan hij verstoorde met opzet het plan ❷ tot zinken brengen II onov ww zich ijlings uit de voeten maken, gejaagd (weg)lopen ★ he took her purse and ~d off hij pakte haar portemonnee en ging er snel vandoor

scuttlebut USA plat zn praatjes, roddels, geruchten

scuzzy inform bnw smerig

scythe [saɪð] I zn zeis II ov ww maaien

SD afk, South Dakota staat in de VS

SE [es'iː] afk, southeast(ern) Z.O., zuidoost(elijk)

sea [siː] zn ❶ zee ★ by sea over zee ★ by the sea aan zee ★ on the high seas in volle zee ★ be at sea de kluts kwijt zijn, varen ★ put to sea uitvaren ★ within the four seas in Groot-Brittannië ❷ massa, overvloed, zee ★ a sea of spam een grote hoeveelheid ongevraagde mail

sea air zn zeelucht

sea bass zn zeebaars

seabed ['siːbed] zn zeebedding / -bodem

seabird ['siːbɜːd] zn zeevogel

se

seaboard ['si:bɔ:d] *zn* kustlijn
seaborne ['si:bɔ:n] *bnw* over zee vervoerd, overzees
sea breeze *zn* zeebries
sea change *zn* aardverschuiving, grote verandering
sea chest *zn* scheepskist
sea dog inform *zn* zeerob, zeebonk
seafarer ['si:feərə] *zn* zeeman / -vaarder
seafaring ['si:feərɪŋ] **I** *zn* het varen **II** *bnw* varend ★ ~ *man* zeeman, matroos
seafood ['si:fu:d] *zn* zeevis ⟨als gerecht⟩, schaal- / schelpdieren ⟨als gerecht⟩
seafront ['si:frʌnt] *zn* ❶ boulevard aan zee ❷ zeekant
seagoing ['si:gəʊɪŋ] *bnw* voor de grote vaart, zee-
sea horse USA *zn* zeepaardje
seal [si:l] **I** *ov ww* ❶ be- / verzegelen, sluiten, (dicht)plakken ★ *the deal was sealed* de overeenkomst werd bezegeld ★ *he sealed the box with tape* hij plakte de doos met plakband dicht ★ *a sealed envelope* een gesloten enveloppe ★ *my lips are sealed* ik mag niets zeggen ❷ ~ *in* insluiten ❸ ~ *off* ★ *the scene of crime was sealed off by the police* de plaats van de misdaad werd door de politie hermetisch afgesloten ❹ ~ *up* sluiten, dichten ★ *the doors had been sealed up by the painter* de deuren waren door de schilder dichtgeschilderd **II** *zn* ❶ zeehond, zeehondenbont, rob ❷ (lak)zegel, bezegeling, stempel ★ *seal of approval* goedkeuring ★ *return the seals* aftreden als minister ★ *given under my hand and seal* door mij getekend en gezegeld ★ *set / put the seal on* bezegelen, fig bekronen ❸ afsluiter, sluiting
sea lane *zn* vaarroute
sealant *zn* afdichtmiddel ⟨kit of impregneermiddel om materiaal te beschermen tegen water, lucht e.d.⟩
sea legs *zn mv* zeebenen ★ *find / get one's ~* zeebenen krijgen
sealer ['si:lə] *zn* robbenjager
sea level *zn* zeespiegel
sealing wax ['si:lɪŋwæks] *zn* zegelwas, -lak
sea lion *zn* zeeleeuw
sealskin ['si:lskɪn] *zn* robbenbont
seam [si:m] **I** *zn* ❶ naad ★ *come apart at the seams* bij de naden losraken, fig uit elkaar beginnen te vallen, fig (geestelijk) instorten ❷ litteken ❸ aardk dunne tussenlaag **II** *ov ww* zomen
seaman ['si:mən] *zn* zeeman, matroos ★ *ordinary ~* lichtmatroos
seamanship ['si:mənʃɪp] *zn* bekwaamheid als zeeman, zeevaartkunde
sea mile *zn* zeemijl ⟨1852 meter⟩
seamless ['si:mləs] *bnw* ❶ naadloos ❷ fig probleemloos
seamstress ['si:mstrɪs] *zn* naaister
seamy ['si:mɪ] *bnw* fig duister, onguur, minder fraai ★ *the ~ side* de zelfkant v. het leven, de verkeerde kant, de keerzijde
seance ['seɪɑ̃s, 'seɪɑ:ns] *zn* seance, zitting ⟨waarin men bv. probeert contact te leggen met geesten van overleden personen⟩
sea nettle *zn* kwal

seaplane ['si:pleɪn] *zn* watervliegtuig
seaport ['si:pɔ:t] *zn* zeehaven
sea power *zn* zeemogendheid, marine
sear [sɪə] *onov ww* ❶ schroeien ★ *sear meat* vlees dichtschroeien ❷ verzengen
search [sɜ:tʃ] **I** *ov ww* ❶ doorzoeken, zoeken, natrekken, onderzoeken ★ ~ *the Internet for sth* op internet zoeken naar iets ❷ fouilleren ❸ ~ *out* grondig nasporen, goed uitzoeken, opsporen ▼ inform ~ *me!* weet ik veel! **II** *onov ww* ❶ zoeken ❷ ~ *for* zoeken naar **III** *zn* (het) zoeken, (het) doorzoeken, zoekactie, zoekopdracht ★ *in ~ of* op zoek naar ★ *do a ~ on the internet for* op internet zoeken naar
search command *zn* comp zoekopdracht
search engine *zn* comp zoekmachine
searching [sɜ:tʃɪŋ] *bnw* ❶ onderzoekend ★ *a ~ look* een onderzoekende blik ❷ streng ❸ diepgaand, doordringend ★ *a ~ question* een diepgaande vraag
searchlight ['sɜ:tʃlaɪt] *zn* zoeklicht
search party ★ *zn* ❶ reddingsploeg ❷ zoektocht
search warrant *zn* huiszoekingsbevel
searing ['sɪərɪŋ] *bnw* ❶ verzengend, brandend ❷ intens, fel, heftig ★ *a ~ pain* een intense pijn ★ ~ *criticism* felle kritiek
seascape ['si:skeɪp] *zn* zeegezicht
seashell ['si:ʃel] *zn* (zee)schelp
seashore ['si:ʃɔ:] *zn* kust, strand
seasick ['si:sɪk] *bnw* zeeziek
seasickness ['si:sɪknəs] *zn* zeeziekte
seaside ['si:saɪd] *zn* kust ⟨ook in samenstellingen⟩ ★ ~ *resort* badplaats ★ ~ *hotel* badhotel, hotel aan de kust ★ *go to the ~* naar (een badplaats aan) de kust gaan
season ['si:zən] **I** *zn* jaargetijde, seizoen, (geschikte) tijd ★ *dry ~* droge jaargetijde ★ *rainy ~* regentijd, regenseizoen ★ GB *the festive ~* de feestdagen, kerst en Nieuwjaar ★ *close ~* gesloten jacht / vistijd ★ *low / high ~* laag- / hoogseizoen ★ *dead / dull / off ~* slappe tijd ★ *silly ~* komkommertijd ★ *spawning ~* paartijd ★ *in ~* verkrijgbaar ⟨v. vissen⟩, tochtig, bronstig ⟨v. dieren⟩ ★ *oysters are in ~* in is het de tijd voor oesters ★ *out of ~* niet te krijgen ⟨v. seizoengevoelige goederen⟩, buiten het (jacht)seizoen **II** *ov ww* ❶ kruiden, toebereiden ❷ laten drogen / liggen ⟨hout⟩
seasonable ['si:zənəbl] *bnw* overeenkomstig de tijd v.h. jaar ★ ~ *temperatures* temperaturen normaal voor de tijd van het jaar
seasonal ['si:zənl] *bnw* seizoen-, van het seizoen ★ ~ *work* seizoenarbeid
seasoned ['si:zənd] *bnw* ❶ gehard, doorgewinterd, geroutineerd, verstokt ❷ gekruid ⟨v. eten⟩ ❸ uitgewerkt ⟨v. hout⟩
seasoning ['si:zənɪŋ] *zn* ❶ (het) kruiden ❷ kruiderij
season's greetings *zn* ≈ fijne feestdagen en gelukkig nieuwjaar ⟨op ansichtkaarten enz.⟩
season ticket *zn* seizoenkaart, abonnement
seat [si:t] **I** *zn* ❶ (zit)plaats, stoel, bank ★ *take a seat* gaan zitten ❷ zetel ⟨bv. in parlement⟩ ★ *a safe seat* plaats / district waar een politieke

se

partij vrijwel zeker gaat winnen ❾ zitvlak, zitting ★ *fly by the seat of your pants* iets op je gevoel doen ❹ zetel, centrum, haard ★ *seat of war* toneel v.d. strijd ❺ houding (te paard) ❻ oud buiten(goed) ★ *the Duke's seat* het landgoed van de hertog II *ov ww* ❶ doen zitten, plaatsen, een plaats geven ★ *this car seats four people* deze auto biedt plaats aan vier mensen ★ *form please be seated* neemt u alstublieft plaats ❷ v. zitting of zitvlak voorzien ❸ een zetel bezorgen (in het Parlement)

seat belt ['siːtbelt] *zn* veiligheidsgordel

seating ['siːtɪŋ] *zn* (zit)plaatsen (meestal in samenstellingen) ★ *~ accommodation* zitplaatsen ★ *the ~ arrangements* de tafelschikking

sea urchin *zn* zee-egel

sea wall *zn* zeedijk, zeewering

seaward ['siːwəd] *bnw + bijw* zeewaarts

seawards ['siːwədz] *bijw* zeewaarts

seaway ['siːweɪ] *zn* ❶ vaarroute naar zee ❷ vaarroute (op zee)

seaweed ['siːwiːd] *zn* zeewier

seaworthy ['siːwɜːðɪ] *zn* zeewaardig

sebaceous [sɪ'beɪʃəs] *bnw* talg- ★ *~ gland* talgklier

sec [sek] *afk* ❶ *second(s)* seconde(n) ★ inform *just a sec* een ogenblikje ★ inform *I'll be back in a sec* ik ben zo terug ❷ *secretary* secretaresse, secretaris

secateurs [sekə'tɜːz] *zn mv* snoeischaar

secede [sɪ'siːd] *onov ww* zich afscheiden, zich terugtrekken (uit) ★ *Belgium ~d from the Netherlands in 1830* België scheidde zich in 1830 van Nederland af

secession [sɪ'seʃən] *zn* afscheiding ★ *War of Secession* Am. Burgeroorlog

seclude [sɪ'kluːd] *ov ww* afzonderen, uitsluiten

secluded [sɪ'kluːdɪd] *bnw* afgezonderd ★ *live a ~ life* een teruggetrokken leven leiden ★ *~ spot* eenzaam / rustig plekje

seclusion [sɪ'kluːʒən] *zn* ❶ afzondering ★ *keep sbd in ~* iem. in afzondering houden ❷ uitsluiting

second¹ ['sekənd] I *bnw* tweede, ander, op tweede plaats komend ★ *be ~ to none* voor niemand onderdoen ★ *every ~ day* om de andere dag ★ *~ childhood* kindsheid ★ *~ cousin* achterneef / -nicht ★ *~ sight* helderziendheid ★ *~ string* reserve, slag om de arm ★ *~ teeth* blijvend gebit ★ *on ~ thoughts* bij nader inzien II *zn* ❶ seconde, ogenblikje ★ *in / within ~s* binnen een paar seconden, even later ❷ tweede ★ *be a good ~* niet ver na nr. 1 binnenkomen ★ *~s* [mv] → **tweede** portie ❸ artikel met klein gebrek, artikel van mindere kwaliteit ❹ muz tweede stem ❺ met veel genoegen (als beoordeling v. examen op universiteit) ★ *upper ~* ≈ goed ★ *lower ~* ≈ruim voldoende III *bnw* secondant, begeleiding, helper III *bijw* ten tweede IV *ov ww* (onder)steunen, helpen

second² [sɪ'kɒnd] *ov ww* ~ *to* detacheren bij, overplaatsen naar

secondary ['sekəndərɪ] *bnw* ❶ bij-, bijkomend, ondergeschikt, secundair ❷ onderw voortgezet ★ *~ education* voortgezet onderwijs ★ *~ school* middelbare school

second best *zn* niet de / het allerbeste, op een na de beste ★ *come off ~* op de tweede plaats eindigen ★ *settle for ~* met minder genoegen (moeten) nemen

second-best [sekənd-'best] *bnw* op één na de beste, minder ★ *my ~ suit* mijn op een na beste pak ★ *~ seats* niet de allerbeste plaatsen

second-class *bnw* tweedeklas-, tweederangs- ★ *a ~ citizen* een tweederangsburger

second-degree *bnw* tweedegraads- ★ *~ burn* tweedegraadsverbranding

seconder ['sekəndə] *zn* voorstander ★ *he was a ~ of the motion* hij steunde de motie

second-guess *ov ww* ❶ voorspellen ❷ USA achteraf kritiek hebben op

second hand *zn* secondewijzer

second-hand [sekənd'hænd] *bnw* ❶ tweedehands ★ *~ coat* tweedehands jas ❷ uit de tweede hand ★ *~ news* nieuws uit de tweede hand

secondly ['sekəndlɪ] *bijw* ten tweede

second-rate [sekənd'reɪt] *bnw* tweederangs, inferieur ★ *this hotel is ~* dit hotel is inferieur

secrecy ['siːkrəsɪ] *zn* geheimhouding ★ *in ~* in het geheim

secret ['siːkrɪt] I *zn* geheim ★ *keep a ~* een geheim bewaren ★ *keep sth a ~ from sb* iets geheim / verborgen houden voor iem. ★ *in ~* in het geheim ★ *be in on a ~* ervan weten, op de hoogte zijn ★ *open ~* publiek geheim II *bnw* ❶ geheim ★ *~ service* geheime inlichtingendienst ❷ vertrouwelijk ★ *a ~ conversation* een vertrouwelijk gesprek ❸ verborgen ★ *the letters were kept ~ under the mattress* de brieven waren verborgen onder de matras

secretarial [sekrət'eərɪəl] *bnw* secretariaats-

secretariat [sekrə'teərɪət] *zn* secretariaat

secretary ['sekrətərɪ] *zn* ❶ secretaresse, secretaris ★ *confidential ~* privésecretaris / -esse ❷ minister, staatssecretaris ★ *GB Secretary of State* minister (van een belangrijk ministerie) ★ *USA Secretary of State* minister v. Buitenlandse Zaken ★ *GB Foreign Secretary* minister v. Buitenlandse Zaken

Secretary General *zn* secretaris-generaal

secretaryship ['sekrətərɪʃɪp] *zn* secretariaat

secrete [sɪ'kriːt] *ov ww* ❶ form verbergen ❷ afscheiden ★ *the skin ~s perspiration* de huid scheidt transpiratie af

secretion [sɪ'kriːʃən] *zn* afscheiding, uitscheiding(sproduct)

secretive ['siːkrətɪv] *bnw* terughoudend, gesloten, geheimzinnig

secretly ['siːkrɪtlɪ] *bijw* in het geheim, heimelijk

secretory [sɪ'kriːtərɪ] *bnw* de afscheiding bevorderend, afscheidend

sect [sekt] *zn* sekte

sectarian [sek'teərɪən] I *zn* (fanatiek) lid v.e. sekte II *bnw* ❶ sektarisch ❷ fanatiek

sectarianism [sekt'eərɪənɪzəm] *zn* sektarisme, sektegeest

section ['sekʃən] I *zn* ❶ sectie, (ge)deel(te), paragraaf, (wets)artikel ❷ afdeling, groep ★ *a large ~ of the population* een groot deel van de bevolking ★ *the fruit and vegetables ~* de groente- en fruitafdeling ❸ (baan)vak, weggedeelte ❹ partje ⟨v. citrusvrucht⟩ ❺ (door)snede ❻ med insnijding, snee, incisie ★ *perform a ~ on* snijden in ❼ USA (stads)wijk, district II *ov ww* ❶ med insnijden, snijden in ❷ biol prepareren ❸ GB gedwongen in psychiatrisch ziekenhuis opnemen ❹ in secties verdelen ❺ *~ off* afscheiden, afbakenen ★ *the road was ~ed off* de weg was afgebakend

sectional ['sekʃənl] *bnw* ❶ in secties, enz. verdeeld, uit losse delen bestaand ❷ sectie-, groeps-

section mark *zn* paragraafteken

sector ['sektə] *zn* sector ★ *the private ~* de private sector, de marktsector ★ *the public ~* de publieke sector, de overheidssector

secular ['sekjulə] *bnw* seculier, wereldlijk, leken- ★ *a ~ school* een openbare school ★ *a ~ state* een wereldlijke staat ★ *a ~ order* een lekenorde

secularism ['sekjulərɪzəm] *zn* secularisme, secularisatie

secularize, secularise ['sekjulərɑɪz] *ov ww* seculariseren, aan de invloed van de kerk onttrekken

secure [sɪ'kjʊə] I *bnw* veilig, zeker, vast II *ov ww* ❶ versterken, beveiligen, waarborgen, vastleggen / -zetten, op- / wegbergen ★ *a ~d loan* een gedekte lening, een lening met onderpand ❷ bemachtigen, (te pakken) krijgen ❸ *~ against* ★ *he ~d himself against losses* hij verzekerde zich tegen verliezen

security [sɪ'kjʊərətɪ] *zn* ❶ veiligheid, geborgenheid, zekerheid, beveiliging ★ *national ~* nationale veiligheid ★ *for the child's ~* voor de geborgenheid van het kind ★ *heightened ~* verhoogde veiligheid(smaatregelen) ❷ beveiligingsdienst, bewakingsdienst ❸ waarborg, onderpand ★ *on ~ of his house* met zijn huis als borg ❹ econ effect

security blanket *zn* knuffeldeken

Security Council *zn* pol Veiligheidsraad ⟨v.d. Verenigde Naties⟩

security guard *zn* beveiligingsbeambte

security risk *zn* veiligheidsrisico

security service *zn* veiligheidsdienst

sedan [sɪ'dæn] *zn* ❶ draagstoel ❷ USA sedan ⟨personenauto⟩

se

sedan chair *zn* draagstoel

sedate [sɪ'deɪt] I *bnw* bedaard, rustig, stil ★ *at a ~ pace* in een rustig tempo ★ *a ~ area* een stille buurt II *ov ww* kalmeren ⟨d.m.v. kalmeringsmiddel⟩

sedation [sɪ'deɪʃən] *zn* verdoving, slaaptoestand ★ *under ~* onder de kalmerende middelen, onder verdoving

sedative ['sedətɪv] I *zn* kalmerend middel II *bnw* kalmerend ⟨medicijn⟩

sedentary ['sedəntərɪ] *bnw* ❶ zittend ★ *a ~ job* zittend werk ❷ een vaste woon- of standplaats hebbend ★ *~ bird* standvogel

sedge [sedʒ] *zn* moerasgras, zegge

sediment ['sedɪmənt] *zn* ❶ neerslag, bezinksel ❷ afzetting

sedimentary [sedɪ'məntərɪ] *bnw* sedimentair ★ *~ rock* afzettingsgesteente

sedimentation [sedɪmən'teɪʃən] *zn* sedimentatie,

bezinking, afzetting

sedition [sɪ'dɪʃən] *zn* opruiing

seditious [sɪ'dɪʃəs] *bnw* oproerig, opruiend

seduce [sɪ'dju:s] *ov ww* verleiden

seducer [sɪ'dju:sə] *zn* verleider

seduction [sɪ'dʌkʃən] *zn* verleiding

seductive [sɪ'dʌktɪv] *bnw* verleidelijk, verlokkend

sedulous ['sedjuləs] form *bnw* ijverig, naarstig

see [si:] I *ov ww* ⟨onregelmatig⟩ ❶ zien ★ *seeing is believing* eerst zien, dan geloven ★ *see you (soon)* tot ziens ★ *I'll be seeing you* tot kijk ★ *I'll see him damned / hanged first!* hij kan doodvallen! ★ *he will never see fifty again* hij is over de vijftig ★ *I have seen better days* ik heb betere dagen gekend ★ *see things* dingen zien, hallucineren ❷ brengen ★ *see sb to bed* iem. naar bed brengen ★ *see a p. home* iem. thuisbrengen ❸ bezoeken, (als gast) ontvangen ★ *please see him in* laat jij hem binnen? ★ *see the doctor* de dokter raadplegen, naar dokter gaan ❹ zorg dragen voor, oppassen op ★ *see sth done* zorgen dat iets gedaan wordt ★ *mind you see the lights out* zorg dat het licht uit is ❺ snappen, begrijpen ★ *see the problem* het probleem begrijpen ❻ *~ off* wegbrengen, wegjagen ★ *I will see him off to the bus* Ik breng hem wel naar de bus ❼ *~ out* uitlaten, naar de deur brengen, overleven ★ *please see her out* breng haar even naar de deur ★ *these strong shoes will see me out* deze sterke schoenen zullen mij overleven ❽ *~ through* ★ *see sth through* iets doorzetten / afmaken, iets tot een goed einde brengen ★ *see a p. through* iem. er door heen helpen II *onov ww* ⟨onregelmatig⟩ ❶ zien, inzien, snappen ★ *we'll see* we zullen (wel) zien ★ *I see* zit dat zo!, ik begrijp het ★ *you see? you see?* snap je? ★ *see if I don't* reken er op! ❷ vinden, menen ★ *see fit / good* het raadzaam achten om ❸ *~ after/about* zorgen voor ❹ *~ into* onderzoeken, inzicht hebben in ❺ *~ over* bezichtigen ❻ *~ through* doorzien ★ *he saw through my plan* hij doorzag mijn plan ❼ *~ to* zorgen voor, zorg dragen voor ★ *will you see to it that Billy is picked up at the station* zorg jij ervoor dat Billy van het station wordt afgehaald III *zn* zetel ⟨m.n. van bisschop⟩ ★ *Holy See* Heilige Stoel

seed [si:d] I *zn* ❶ zaad ★ *go / run to seed* verlopen, verwilderen, in het zaad schieten ★ *he has really gone to seed* hij heeft zijn beste jaren wel gehad ★ *raise from seed* kroost verwekken ★ *grow from seed* vanuit zaad (op)kweken ❷ sport geplaatste speler II *ov ww* ❶ sport selecteren ★ *be seeded fourth* als vierde geplaatst zijn ❷ ontpitten ❸ (be)zaaien III *onov ww* zaad vormen

seedbed ['si:dbed] *zn* ❶ zaaibed ❷ broeinest ★ *a ~ for terrorists* een broeinest van terroristen

seedcorn ['si:dkɔ:n] *zn* ❶ zaaigraan ❷ USA maïs

seedless ['si:dləs] *bnw* zonder pit(ten)

seedling ['si:dlɪŋ] *zn* kiemplant, zaailing

seed money *zn* startkapitaal

seed potato *zn* pootaardappel

seedy ['si:dɪ] *bnw* sjofel, verlopen ★ *a ~ hotel* een onfris hotel

seeing ['si:ɪŋ] I *bnw* ziend II *vw* aangezien ★ inform *~ it is you* aangezien jij het bent

Seeing Eye dog USA *zn* blindengeleidehond
seek [si:k] **I** *ov ww* [onregelmatig] **❶** zoeken,
trachten te bereiken / verkrijgen ★ *seek help*
hulp zoeken / vragen ★ *seek compensation*
vergoeding proberen te verkrijgen ★ *(much)
sought after* (zeer) gewild **❷** ~ **out** (op)zoeken
II *onov ww* [onregelmatig] **❶** proberen ★ *they
sought to restore order* ze probeerden de orde te
herstellen **❷** ~ **after/for** (af)zoeken naar
seem [si:m] *onov ww* schijnen ★ *it should / would
seem* naar het schijnt ★ *it seemed like a good idea*
het leek me goed idee ★ *it seems like your
marriage is over* het ziet ernaar uit dat je
huwelijk voorbij is ★ *is seems as if / though...* het
lijkt (erop) alsof...
seeming ['si:mɪŋ] *bnw* schijnbaar
seemingly ['si:mɪŋlɪ] *bijw* schijnbaar
seemly ['si:mlɪ] *oud bnw* betamelijk
seen [si:n] *ww* [volt. deelw.] → **see**
seep [si:p] *onov ww* sijpelen ★ *seep away*
wegsijpelen, *fig* geleidelijk opraken / weggaan
seepage ['si:pɪdʒ] *zn* lekkage
seer ['si:ə] *zn* ziener, profeet
seersucker *zn* seersucker (dunne, op crêpe
lijkende stof)
seesaw ['si:sɔ:] **I** *zn* **❶** wip **❷** op- en neergaande
beweging, schommeling **II** *bnw* op- en
neergaand **III** *onov ww* **❶** wippen **❷** op- en
neergaan, wisselen, schommelen
seethe [si:ð] *onov ww* **❶** zieden, koken ⟨v. woede⟩
❷ ~ **with** ★ *the beach is ~d with German tourists*
op het strand wemelt het van de Duitse
toeristen
see-through *bnw* doorkijk-, doorschijnend
segment ['segmənt] **I** *zn* **❶** segment, deel, stukje,
partje **❷** lid ⟨v. insect⟩ **II** *ov ww* **❶** verdelen, in
segmenten onderverdelen **❷** *biol* zich delen
segmentation [segmən'teɪʃən] *zn* segmentatie,
celdeling
segregate ['segrɪgeɪt] *ov ww* scheiden,
afzonderen
segregation [segrɪ'geɪʃən] *zn* (af)scheiding,
segregatie ★ *racial* ~ rassenscheiding
segue **I** *zn* naadloze / vloeiende overgang **II** *onov
ww* naadloos overgaan ★ ~ *into* vloeiend
overgaan in
seismic ['saɪzmɪk] *bnw* aardbevings-
seismograph ['saɪzməgrɑːf] *zn* seismograaf
seismology [saɪz'mɒlədʒɪ] *zn* seismologie
seize [si:z] **I** *ov ww* **❶** grijpen, pakken, nemen ★ ~
a chance / an opportunity een kans /
gelegenheid aangrijpen ★ ~*d by / with*
aangegrepen door, getroffen door **❷** *jur*
confisqueren, in beslag nemen **II** *onov ww*
❶ ~ **up** het begeven, vastlopen **❷** ~ **(up)on**
aangrijpen, afkomen op
seizure ['si:ʒə] *zn* **❶** inbeslagname
❷ (machts)greep **❸** aanval, vlaag ★ *an epileptic* ~
een epileptische aanval
seldom ['seldəm] *bijw* zelden
select [sɪ'lekt] **I** *ov ww* uitkiezen, kiezen **II** *bnw*
❶ select, uitgelezen **❷** gedistingeerd, chic,
exclusief
selection [sɪ'lekʃən] *zn* **❶** keuze, keur ★ *natural* ~
natuurlijke selectie **❷** bloemlezing
selection committee *zn* benoemingscommissie,

sollicitatiecommissie, keuzecommissie
selective [sɪ'lektɪv] *bnw* (uit)kiezend, selectief, op
keuze gebaseerd
selectivity [sɪlek'tɪvətɪ] *zn* selectiviteit
selector [sɪ'lektə] *zn* **❶** lid van keuzecommissie,
selecteur, keuzeheer **❷** keuzeschakelaar
self [self] *zn* **❶** (eigen) ik, ego ★ *my former self* wat
ik was ★ *think only about / of self* alleen maar
aan zichzelf / jezelf denken **❷** persoon ★ *cheque
drawn to self* cheque aan eigen order
self- *voorv* zelf-, eigen-, van / voor zichzelf
self-absorbed [selfəb'sɔːbd] *bnw* in zichzelf
verdiept, totaal in zichzelf gekeerd ★ *he is
totally* ~ hij denkt alleen maar aan zichzelf
self-abuse [selfə'bju:s] *zn* **❶** zelfverwijt **❷** *oud*
zelfbevrediging
self-addressed *bnw* aan zichzelf geadresseerd
★ ~ *envelope* antwoord- / retourenvelop
self-advertise *onov ww* reclame maken voor
jezelf / voor eigen zaak
self-appointed [selfə'pɔɪntɪd] *bnw* zonder
autoriteit, zichzelf opgelegd, zich opwerpend
(als) ★ *he is a* ~ *leader* hij heeft zichzelf
opgeworpen als leider
self-assembly GB *zn* het zelf monteren ★ ~
kitchen unit zelfbouwkeuken
self-assertion [selfə'sɜːʃən] *zn* geldingsdrang,
aanmatiging
self-assertive *bnw* assertief, erg zelfverzekerd
self-assurance *zn* zelfverzekerdheid
self-assured *bnw* zelfverzekerd
self-aware *bnw* zelfbewust, zichzelf kennend
self-belief *zn* zelfvertrouwen, geloof in jezelf
self-build *zn* **❶** zelfbouw **❷** zelfbouwhuis
self-catering *bnw* met kookgelegenheid /
keukentje
self-centred [self'sentəd], USA **self-centered**
[self'sentərd] *bnw* egocentrisch
self-certification *zn* eigen verklaring ⟨bij ziekte,
i.t.t. doktersverklaring⟩
self-command [selfkə'mɑːnd] *zn* zelfbeheersing
self-complacency *zn* zelfvoldaanheid
self-complacent [selfkəm'pleɪsənt] *bnw*
zelfvoldaan
self-conceit [selfkən'si:t] *zn* verwaandheid
self-conceited *bnw* verwaand
self-confessed *bnw* openlijk, onverholen ★ *he is
a* ~ *liar* hij is naar eigen zeggen een leugenaar
self-confidence [self'kɒnfɪdns] *zn* zelfvertrouwen
self-confident *bnw* vol zelfvertrouwen
self-congratulatory *bnw* zelfgenoegzaam,
verwaand
self-conscious [self'kɒnʃəs] *bnw* verlegen, zich
van zichzelf bewust
self-contained [selfkən'teɪnd] *bnw* autonoom,
eenzelvig, vrij(staand), afzonderlijk ★ *a* ~ *flat*
een etage met vrije opgang, een zelfstandige
flat ⟨met eigen keuken, badkamer enz.⟩
self-contradictory *bnw* tegenstrijdig, met
zichzelf in tegenspraak
self-control [selfkən'trəʊl] *zn* zelfbeheersing
self-controlled *bnw* beheerst
self-critical *bnw* vol zelfkritiek
self-defeating [selfdɪ'fi:tɪŋ] *bnw* in de weg staand
self-defence, USA **self-defense** [selfdɪ'fens] *zn*

se

❶ zelfverdediging **❷** jur noodweer ★ *in* ~ uit noodweer

self-denial [selfdɪˈnaɪəl] *zn* zelfverloochening, zelfopoffering

self-destruction [selfdɪˈstrʌkʃən] *zn* zelfvernietiging, zelfmoord

self-determination *zn* **❶** zelfbeschikking(srecht) **❷** vrije wil

self-determined *bnw* onafhankelijk

self-discipline [selfˈdɪsɪplɪn] *zn* zelfdiscipline

self-discovery *zn* het zichzelf leren kennen, zelfontdekking

self-doubt *zn* onzekerheid

self-drive [selfˈdraɪv] *bnw* zonder chauffeur 〈huurauto〉, met eigen auto 〈vakantie〉

self-educated [selfˈedjuːkeɪtɪd] *bnw* autodidact, ontwikkeld zonder scholing

self-effacement *zn* wegcijfering v. zichzelf, bescheidenheid

self-effacing [selfrˈfeɪsɪŋ] *bnw* bescheiden

self-employed [selfɪmˈplɔɪd] *bnw* zelfstandig, zijn eigen baas ★ *go* ~ voor jezelf beginnen

self-esteem [selfrˈstiːm] *zn* zelfrespect

self-evident [selfˈevɪdnt] *bnw* vanzelfsprekend

self-explanatory [selfɪkˈsplænətəri] *bnw* onmiskenbaar, (zonder meer) duidelijk ★ *the phrase is* ~ de uitdrukking verklaart zichzelf

self-expression *zn* zelfexpressie

self-fulfilling [selfʊlˈfɪlɪŋ] *bnw* vanzelf in vervulling gaand

self-governing *bnw* onafhankelijk, autonoom

self-government *zn* zelfbestuur

self-harm **I** *zn* zelfverminking, automutilatie **II** *onov ww* zichzelf verwonden, automutileren

self-help [selfˈhelp] *zn* **❶** onafhankelijkheid, zelfstandigheid **❷** zelfhulp

self-importance [selfɪmˈpɔːtns] *zn* eigendunk

self-important *bnw* gewichtig (doend)

self-imposed [selfɪmˈpəʊzd] *bnw* zichzelf opgelegd

self-induced *bnw* zelf teweeggebracht / toegebracht

self-indulgence *zn* genotzucht

self-indulgent [selfɪnˈdʌldʒənt] *bnw* gemak- / genotzuchtig

self-inflicted [selfɪnˈflɪktɪd] *bnw* zichzelf toegebracht

self-interest [selfˈɪntrəst] *zn* eigenbelang

self-interested *bnw* uit eigenbelang, zelfzuchtig

selfish [ˈselfɪʃ] *bnw* egoïstisch

selfless [ˈselfləs] *bnw* onbaatzuchtig

self-made [selfˈmeɪd] *bnw* ★ ~ *man* iem. die zichzelf opgewerkt heeft

self-opinionated *bnw* eigenwijs

self-pity [selfˈpɪti] *zn* zelfbeklag / -medelijden

self-portrait [selfˈpɔːtrɪt] *zn* zelfportret

self-possessed [selfpəˈzest] *bnw* kalm, beheerst

self-possession *zn* zelfverzekerdheid, zelfbeheersing

self-preservation [selfprezəˈveɪʃən] *zn* zelfbehoud

self-proclaimed *bnw* zichzelf noemend, zichzelf uitgevend voor

self-raising [selfˈreɪzɪŋ] GB *bnw* zelfrijzend ★ ~ *flour* zelfrijzend bakmeel

self-regard [selfrˈgɑːd] *zn* egoïsme, eigenbelang

self-regarding *bnw* egoïstisch

self-reliance [selfrˈlaɪəns] *zn* onafhankelijkheid

self-reliant *bnw* onafhankelijk

self-respect [selfrˈspekt] *zn* zelfrespect

self-respecting *bnw* zichzelf respecterend, met zelfrespect

self-restraint [selfrˈstreɪnt] *zn* zelfbeheersing

self-righteous [selfˈraɪtʃəs] *bnw* zelfingenomen

self-rising USA *bnw* ★ ~ *flour* zelfrijzend bakmeel

self-rule [selfˈruːl] *zn* autonomie, zelfbestuur

self-sacrifice [selfˈsækrɪfaɪs] *zn* zelfopoffering

self-sacrificing *bnw* zelfopofferend

selfsame [ˈselfseɪm] *bnw* precies de- / hetzelfde ★ *he asked me the* ~ *question* hij stelde me precies dezelfde vraag

self-satisfaction [selfsætɪsˈfækʃən] *zn* eigendunk, zelfvoldaanheid

self-satisfied *bnw* zelfvoldaan

self-seeker *zn* egoïst

self-seeking [ˈselfsiːkɪŋ] **I** *zn* egoïsme **II** *bnw* egoïstisch

self-service *zn* zelfbediening(s-)

self-serving *bnw* uit eigenbelang, goed voor zichzelf zorgend

self-starter [selfˈstɑːtə] *zn* **❶** zelfstandige medewerker die van aanpakken weet **❷** oud starter, startmotor

self-styled [selfˈstaɪld] *bnw* zichzelf aangemeten, zichzelf noemend

self-sufficiency *bnw* **❶** onafhankelijkheid **❷** autarkie

self-sufficient [selfsəˈfɪʃənt] *bnw* **❶** onafhankelijk ★ *be fully* ~ *in oil production* de olieproductie volledig in eigen hand hebben **❷** autarkisch

self-supporting [selfsəˈpɔːtɪŋ] *bnw* zichzelf bedruipend, in eigen behoeften voorziend

self-willed [selfˈwɪld] *bnw* eigenzinnig

self-worth *zn* eigenwaarde

sell [sel] **I** *ov ww* [onregelmatig] **❶** verkopen ★ *sell short* te kort doen, onderschatten ★ *sell up a p.* de bezittingen van iem. (laten) verkopen ★ *sell sb a pup* knollen voor citroenen verkopen ★ *sell yourself* jezelf goed verkopen 〈bv. bij een sollicitatie〉 **❷** verraden, er tussen nemen ★ *I felt sold* ik voelde me bekocht **❸** ~ *off* uitverkopen **❹** ~ *on* doorverkopen ★ *the car was sold on* de auto werd doorverkocht ★ *be sold on sth* enthousiast zijn over iets **II** *onov ww* [onregelmatig] **❶** verkocht worden ★ *they sell like hot cakes* / *wild fire* ze gaan als warme broodjes over de toonbank **❷** ~ *out* de idealen voor geld of roem laten varen, verraden, (uit)verkopen, al zijn aandelen verkopen ★ *be sold out of sth* iets niet meer in voorraad hebben, door de voorraad van iets heen zijn **III** *zn* **❶** verkoop(methode) ★ *a hard / soft sell* een agressieve / vriendelijke verkoopmethode **❷** inform verlakkerij ★ *a real sell* je reinste verlakkerij

sell-by date *zn* uiterste verkoopdatum

seller [ˈselə] *zn* **❶** verkoper, handelaar **❷** verkoopsucces

selling point *zn* aanbeveling, positief aspect ★ *is a selling-point* strekt tot aanbeveling

selling price *zn* verkoopprijs, winkelprijs

Sellotape [ˈseləteɪp] *zn* GB plakband

se (margin tab)

sell-out zn ❶ uitverkochte voorstelling ❷ verraad
selvedge, USA **selvage** ['selvɪdʒ] zn zelfkant
(v.e. stof)
selves [selvz] pers vnw [mv] → self
semantics [sɪ'mæntɪks] zn seinsysteem,
betekenisleer
semaphore ['seməfɔ:] zn seinsysteem met
vlaggen, het seinen (met vlaggen)
semblance ['sembləns] zn gedaante, schijn,
gelijkenis ★ there is little ~ between them ze
lijken weinig op elkaar ★ some ~ of normality
iets dat lijkt op een normale toestand
semen ['si:mən] zn sperma
semi ['semɪ] zn → **semi-detached**², **semi-final**
semi- voorv semi-, half-
semibreve ['semɪbri:v] muz zn hele noot
semicircle ['semɪsɜ:kl] zn halve cirkel
semicircular [semɪ'sɜ:kjʊlə] bnw halfrond
semicolon [semɪ'kəʊlən] zn puntkomma
semiconductor [semɪkən'dʌktə] zn halfgeleider
semi-detached¹ [semɪdɪ'tætʃt] bnw ★ ~ house
twee-onder-een-kapwoning
semi-detached² zn halfvrijstaand huis,
twee-onder-een-kapwoning
semi-final [semɪ'faɪnl] zn halve finale
semi-finalist zn halvefinalist
seminal ['semɪnl] bnw kiem-, zaad- ★ a ~ piece of
music een toonaangevend / oorspronkelijk
muziekstuk
seminar ['semɪnɑ:] zn ❶ cursus, studiegroep,
groep studenten ❷ congres
seminary ['semɪnərɪ] zn seminarie
semi-official [semɪə'fɪʃəl] bnw officieus
semi-precious [semɪ'preʃəs] bnw ★ ~ stone
halfedelsteen
semiquaver ['semɪkweɪvə] zn zestiende noot
semi-skilled bnw halfgeschoold
semi-skimmed GB bnw ★ ~ milk halfvolle melk
Semite ['si:maɪt] zn Semiet
Semitic [sɪ'mɪtɪk] bnw semitisch
semitone ['semɪtəʊn] zn halve toon
semolina [semə'li:nə] zn griesmeel
senate ['senɪt] zn senaat
senator ['senətə] zn senator, lid v.d. Am. Senaat
senatorial [senə'tɔ:rɪəl] bnw senaats-
send [send] I ov ww [onregelmatig] ❶ zenden,
verzenden, uitzenden, op- / versturen ★ send sb
an email iem. een mailtje sturen ★ send a p.
away / packing iem. de laan uit sturen ★ send a
p. to Coventry iem. negeren, iem. gezamenlijk
boycotten ★ send word berichten ★ send a p.
about his business iem. de laan uit sturen
❷ doen gaan / worden ★ send a p. crazy / mad
iem. gek maken ★ send a p. flying iem. op de
vlucht jagen ★ send a p. rolling / tumbling iem.
omver doen vallen ❸ gooien, schieten
❹ ~ **down** wegsturen (van de universiteit
wegens wangedrag), naar beneden doen gaan /
zenden, GB opsluiten (in de gevangenis) ❺ ~ **forth**
uitgeven / -zenden, afgeven ❻ ~ **in** inzetten (bv.
troepen), inzenden ★ send in one's card zijn
kaartje afgeven ★ have one's name sent in zich
laten aandienen ❼ ~ **off** ver- / wegzenden,
afgeven, uitgeleide doen, GB het veld uit sturen
❽ ~ **on** doorsturen ❾ ~ **out** uitzenden,
verspreiden, uitstoten ❿ ~ **up** persifleren,

parodiëren, USA opsluiten (in de gevangenis)
▼ send forth / out leaves bladeren krijgen II onov
ww [onregelmatig] ❶ ~ **for** laten komen
❷ ~ **out for** bestellen, laten bezorgen
sender ['sendə] zn afzender ★ return to ~ retour
afzender
send-off ['sendɒf] zn ❶ uitgeleide, afscheid ★ he
was given a wonderful ~ hij kreeg een
fantastisch afscheid ❷ gunstige recensie
send-up ['sendʌp] zn parodie
senile ['si:naɪl] bnw seniel, ouderdoms-
senility [sə'nɪlətɪ] zn seniliteit
senior ['si:nɪə] I zn ❶ oudere, superieur, sport
gevorderde, leerling uit de bovenbouw ★ he is
my ~ by two years hij is twee jaar ouder dan ik,
hij heeft twee dienstjaren meer dan ik ★ he is
my ~ hij is ouder dan ik, hij heeft langere
diensttijd dan ik ❷ USA eindexamenleerling,
ouderejaars leerling / student II bnw oudere,
oudste, hoogste (in rang), senior ★ ~ partner
oudste vennoot ★ ~ citizen 65-plusser, 60-plusser
seniority [si:nɪ'ɒrətɪ] zn hogere leeftijd,
anciënniteit
senior moment inform zn ogenblik van
vergeetachtigheid ★ have a ~ het even kwijt zijn
sensation [sen'seɪʃən] zn ❶ gewaarwording,
gevoel ★ he had no ~ in his left hand hij had
geen gevoel meer in zijn linkerhand ❷ sensatie
★ cause / make a ~ opschudding verwekken ★ ~
among the audience grote reactie bij het publiek
sensational [sen'seɪʃənl] bnw sensationeel,
opzienbarend
sensationalism [sen'seɪʃənəlɪzəm] zn
sensatiezucht
sensationalist [sen'seɪʃənəlɪst] bnw sensatie-
sensationalize, GB **sensationalise** ov ww
opblazen, tot een sensatieverhaal maken
sense [sens] I zn ❶ verstand, besef, betekenis, zin
★ in a ~ in zekere zin ★ in the broadest ~ in de
ruimste zin / betekenis ★ ~ of gevoel van / voor,
besef van ★ ~ of duty plichtsbesef ★ ~ of humor
gevoel voor humor ★ common ~ gezond
verstand ★ it does not make ~ het kan niet juist
zijn, het heeft geen betekenis ★ are you out of
your ~s? ben je gek (geworden)? ★ bring sb to his
~s iem. tot bezinning brengen ★ come to one's
~s tot inkeer komen, zijn verstand terugkrijgen
★ have the good ~ to de tegenwoordigheid van
geest hebben om ★ frighten sb out of his ~s iem.
de doodsschrik op het lijf jagen ★ talk ~
verstandig praten ★ take the ~ of the meeting de
algemene stemming bij een vergadering peilen
★ moral ~ moraal ❷ gevoel(en), zintuig ★ ~ of
direction / locality oriëntatievermogen ★ ~ of
smell reukvermogen II ov ww ❶ (aan)voelen,
bespeuren ❷ USA begrijpen
senseless ['sensləs] bnw ❶ bewusteloos ★ he was
knocked ~ hij werd bewusteloos geslagen
❷ zinloos, onverstandig ★ their actions were ~
hun acties waren zinloos
sense organ zn zintuig
sensibility [sensə'bɪlətɪ] zn ❶ gevoeligheid (v.
kunstenaar), ontvankelijkheid
❷ lichtgeraaktheid
sensible ['sensɪbl] bnw ❶ verstandig, praktisch
★ a ~ pair of shoes praktische schoenen ❷ zich

se

bewust (**to, of** van)

sensitive ['sensətɪv] bnw ❶ gevoelig ★ ~ *plant* kruidje-roer-mij-niet ❷ lichtgeraakt, (over)gevoelig ❸ vertrouwelijk, geheim ⟨informatie⟩

sensitivity [sensə'tɪvətɪ] zn gevoeligheid

sensitize, sensitise ['sensətaɪz] ov ww gevoelig maken

sensor ['sensə] zn sensor, voeler, aftaster

sensorial [sen'sɔːrɪəl] bnw zintuiglijk

sensory ['sensə:rɪ] bnw zintuiglijk

sensual ['sensjʊəl] bnw sensueel, zinnelijk

sensualist ['sensjʊəlɪst] zn zinnelijk iemand

sensuality [sensjʊ'ælətɪ] zn sensualiteit, zinnelijkheid

sensuous ['sensjʊəs] bnw zinnelijk ★ ~ *lips* zinnelijke lippen

sent [sent] ww [verleden tijd + volt. deelw.] → send

sentence ['sentəns] I zn ❶ zin ❷ jur vonnis, oordeel, straf ★ *custodial* ~ gevangenisstraf ★ *pass / pronounce* ~ het vonnis uitspreken II ov ww jur veroordelen, vonnissen ★ ~ *sb to one year in prison* iem. veroordelen tot een jaar gevangenisstraf

sententious [sen'tenʃəs] bnw opgeblazen, bombastisch, banaal ★ *he is a* ~ *man* hij is een pompeuze man

sentient ['senʃənt] form bnw met waarnemingsvermogen / gevoel ★ ~ *beings* wezens met gevoel

sentiment ['sentɪmənt] zn ❶ emotie, gevoel(ens) ★ *my* ~s *exactly* daar ben ik het helemaal mee eens ❷ sentimentaliteit

sentimental [sentɪ'mentl] bnw gevoelvol, wat tot het hart spreekt, sentimenteel ★ *of great* ~ *value* van grote emotionele waarde

sentimentalist [sentɪ'mentəlɪst] zn sentimenteel iemand

sentimentality [sentɪmen'tælɪtɪ] zn sentimentaliteit

sentinel ['sentɪnəl] zn wacht(post), schildwacht ★ *stand* ~ op wacht staan

sentry ['sentrɪ] zn wacht(post), schildwacht ★ *keep / stand* ~ op wacht staan

sentry box zn schildwachthuisje

separable ['sepərəbl] bnw scheidbaar

separate[1] ['seprət] bnw afzonderlijk, apart, gescheiden ★ *they have gone* ~ *ways* ieder is zijn eigen weg gegaan ★ *they have* ~ *bedrooms* ieder heeft zijn eigen slaapkamer ★ ~ *maintenance* alimentatie

separate[2] ['sepəreɪt] I ov ww ❶ sorteren, (af)scheiden, afzonderen, ontbinden ⟨in factoren⟩ ❷ ~ **out** onderscheiden, afscheiden, eruit halen II onov ww ❶ scheiden, uiteengaan ★ *they're* ~d zij zijn uit elkaar ❷ zich afscheiden

separates zn mv afzonderlijk combineerbare kledingstukken

separation [sepə'reɪʃən] zn scheiding, (het) uit elkaar / uiteen gaan / zijn ★ *judicial / legal* ~ scheiding van tafel en bed

separation allowance zn kostwinnersvergoeding

separatism ['sepərətɪzəm] zn separatisme, streven naar afscheiding

separatist ['sepərətɪst] I zn separatist, voorstander van afscheiding II bnw ★ *a* ~ *movement* een afscheidingsbeweging

separator ['sepəreɪtə] zn separator, (melk)centrifuge, roomafscheider

sepia ['siːpɪə] zn sepia, donkerzwart, roodbruin ⟨m.n. de kleur van oude foto's⟩

sepsis ['sepsɪs] zn infectie, bloedvergiftiging

Sept. afk, September sept, september

September [sep'tembə] zn september

septic ['septɪk] bnw septisch, infecterend, geïnfecteerd, ontstoken ★ ~ *matter* pus, etter ★ *go / become sceptic* ontsteken, geïnfecteerd raken ▼ ~ *tank* septic tank ⟨als opvang voor afvalwater⟩

septicaemia [septɪ'siːmɪə] zn bloedvergiftiging

septuagenarian [septjʊədʒə'neərɪən] zn zeventigjarige

sepulchral [sɪ'pʌlkrəl] bnw ❶ somber ❷ graf-, begrafenis-

sepulchre ['sepəlkə] oud zn graf

sequel ['siːkwəl] zn ❶ vervolg, gevolg, resultaat ❷ vervolgaflevering

sequence ['siːkwəns] zn ❶ volgorde, opeenvolging, reeks ★ *in* ~ achter elkaar, op volgorde ★ ~ *of events* opeenvolging van gebeurtenissen ❷ scène ⟨v. film⟩

sequential [sɪ'kwenʃəl] bnw (erop)volgend, als gevolg, als complicatie

sequester [sɪ'kwestə] ov ww ❶ afzonderen ❷ jur beslag leggen op

sequestrate [sɪ'kwestreɪt] ov ww ❶ in beslag nemen ❷ jur beslag leggen op

sequestration [siːkwəs'treɪʃən] zn jur beslaglegging

sequin ['siːkwɪn] zn lovertje

sequoia [sɪ'kwɔɪə] zn sequoia, mammoetcipres

seraph ['serəf] zn [mv: seraphim] seraf ⟨engel v.d. hoogste rang⟩

seraphim ['serəfɪm] zn mv → seraph

Serb [sɜːb] I zn Serviër II bnw Servisch

Serbia ['sɜːbɪə] zn Servië

Serbo-Croat ['sɜːbəʊ'krəʊæt] I zn ❶ Servo-Kroaat ❷ Servo-Kroatisch II bnw Servo-Kroatisch

serenade [serə'neɪd] I zn serenade II ov ww een serenade brengen (aan)

serene [sɪ'riːn] bnw kalm, bedaard

serenity [sɪ'renətɪ] zn sereniteit, kalmte

serf [sɜːf] zn slaaf, lijfeigene

serfdom [sɜːfdəm] zn slavernij, lijfeigenschap

sergeant, serjeant ['sɑːdʒənt] zn ❶ sergeant, wachtmeester ❷ brigadier (v. politie) ★ *Sergeant at Arms* deurwaarder in Hoger- en Lagerhuis

sergeant major [sɑːdʒənt 'meɪdʒə] zn sergeant-majoor

serial ['sɪərɪəl] I zn tv-serie, feuilleton II bnw ❶ serie- ★ *in* ~ *form* als vervolgverhaal / feuilleton ★ ~ *killer* seriemoordenaar ❷ opeenvolgend ▼ ~ *port* seriële poort ⟨op je computer, om iets aan te sluiten⟩

serialize, serialise ['sɪərɪəlaɪz] ov ww in afleveringen publiceren / uitzenden

series ['sɪəriːz] zn serie(s), reeks(en)

serious ['sɪərɪəs] bnw ❶ ernstig, serieus, oprecht, belangrijk ★ *are you* ~? meen je dat? ★ *you can't be* ~ dat meen je toch niet ★ *a* ~ *matter* /

problem een ernstig(e) zaak / probleem ❷ zwaar ★ ~ *damage* zware schade ❸ *inform* aanzienlijk ★ ~ *money* een hoop geld ❹ straatt echt, absoluut ★ ~ *bad* echt slecht

seriously ['sɪərɪəslɪ] *bijw* in ernst, zonder gekheid ★ *take sb / sth* ~ iemand / iets serieus nemen ★ ~ *wounded* zwaargewond ★ ~? meen je dat?, werkelijk?

seriousness ['sɪərɪəsnəs] *zn* ernst

sermon ['sɜːmən] *zn* preek ★ rel *Sermon on the Mount* Bergrede

sermonize, sermonise ['sɜːmənaɪz] *onov ww* preken

serotonin [ˌsɪərəˈtəʊnɪn] *zn* biol serotonine

serpent ['sɜːpənt] *zn* slang

serpentine ['sɜːpəntaɪn] *bnw* kronkelend, slingerend ⟨weg, rivier⟩

serrated [seˈreɪtɪd] *bnw* getand als een zaag, gezaagd

serried ['serɪd] *bnw* ★ ~ *ranks* gesloten gelederen

serum ['sɪərəm] *zn* ❶ serum, vaccin ❷ serum ⟨(bloed)wei⟩

servant ['sɜːvənt] *zn* ❶ bediende, knecht, dienstbode ★ *public / civil* ~ ambtenaar ❷ diena(a)r(es)

serve [sɜːv] I *ov ww* ❶ voldoende zijn (voor), dienst doen, baten, helpen ★ *this will* ~ *four people* dit is genoeg voor vier personen ★ *nothing would* ~ *him but the best* hij was niet tevreden voor hij het beste had ★ ~ *a need in* een behoefte voorzien ★ ~ *a purpose* beantwoorden aan een doel ★ ~ *one's purpose* in de kraam te pas komen ★ ~ *the purpose of* dienst doen als ★ *it has* ~*d its turn* het heeft zijn dienst gedaan ★ ~ *sb a turn* iem. een dienst bewijzen ★ *when occasion* ~*s* als de gelegenheid zich voordoet ★ *as the tide* ~*s* wanneer het getij gunstig is ❷ in dienst zijn (bij) ★ ~ *a company* in dienst zijn van / bij een onderneming ★ ~ *one's apprenticeship* als leerling in dienst zijn, het vak leren ★ ~ *an office* een ambt bekleden ❸ uitdienen ★ ~ *time* (in de gevangenis) zitten ★ ~ *one's time* zijn tijd uitdienen, zijn straf uitzitten ★ ~ *a sentence* een straf uitzitten ❹ behandelen ★ ~*s you right* net goed! ★ *if memory* ~*s* als ik me goed herinner ★ ~ *sb a trick* iem. een poets bakken ❺ bedienen ⟨in winkel⟩ ❻ opdienen, serveren ★ ~ *sb with* iem. bedienen van / met ❼ sport serveren ▼ ~ *out* uitdelen, verstrekken, uitdienen ⟨contract⟩, GB opdienen ❽ ~ *round* ronddelen, uitdelen ❾ ~ *up* opvoeren (show, vermaak), opdienen ▼ ~ *a summons* 'n dagvaarding betekenen II *onov ww* ❶ dienen, dienst doen ★ ~ *as* dienst doen als, dienen tot ★ ~ *on a committee* zitting hebben in een comité ❷ bedienen (in winkel, restaurant) ★ ~ *at table* bedienen ❸ sport serveren III *zn* sport serve, service

server ['sɜːvə] *zn* ❶ comp server ❷ sport serveerder ❸ (serveer)lepel / -vork ❹ USA ober, serveerster ❺ misdienaar, koornknaap

servers ['sɜːvəz] *zn mv* set opscheplepels

service ['sɜːvɪs] I *zn* ❶ dienst, instelling, dienstbaarheid ★ *at your* ~ tot uw dienst ★ *be out of* ~ buiten dienst zijn, niet (meer) rijden (v. bus, trein) ★ mil *active* ~ actieve dienst ★ *civil* ~

overheidsdienst ★ *military* ~ militaire dienst ★ *national* ~ dienstplicht ★ *can I be of* ~ *to you?* kan ik u van dienst zijn? ★ *can this be of any* ~ *to you?* heb je hier (nog) wat aan? ★ *do sb a* ~ iem. een dienst bewijzen ★ *On Her Majesty's* ~ Dienst ⟨op poststuk⟩ ★ *have seen* ~ veel gebruikt zijn ★ *local* ~ buurtverkeer ★ *merchant* ~ koopvaardij(vloot) ❷ onderdeel van de krijgsmacht ⟨leger, marine. luchtmacht⟩ ★ *have seen* ~ een ervaren soldaat / zeeman zijn ❸ bediening, service (in restaurant) ❹ vakkundige verzorging, onderhoud ❺ kerkdienst, liturgische muziek ★ *choral* ~ gezongen kerkdienst ★ *divine* ~ kerkdienst, godsdienstoefening ★ *plain* ~ stille (niet gezongen) kerkdienst ❻ servies ❼ sport service, opslag ❽ betekening (v. vonnis) II *bnw* ❶ dienst- ★ ~ *lift* dienstlift ❷ militair III *ov ww* ❶ een onderhoudsbeurt geven ❷ – voorzien van, verzorgen

serviceable ['sɜːvɪsəbl] *bnw* nuttig, bruikbaar, praktisch ★ *these shoes have been very* ~ deze schoenen hebben zeer goed voldaan

service area *zn* stopplaats (aan autoweg, met wegrestaurant, benzinestation enz.)

service centre *zn* servicepunt

service charge *zn* ❶ administratiekosten, behandelingskosten ❷ bedieningsgeld ❸ servicekosten

service contract *zn* onderhoudscontract

service flat *zn* verzorgingsflat

service hatch *zn* doorgeefluik

service industry *zn* dienstverlenend bedrijf, tertiaire sector

serviceman ['sɜːvɪsmən] *zn* ❶ militair ❷ (onderhouds)monteur

service pipe *zn* gas- of waterleiding

service provider *zn* ❶ dienstverlener ❷ IT provider

service road *zn* ventweg

services GB *zn mv* stopplaats ⟨aan autoweg, met wegrestaurant, benzinestation enz.⟩

service station *zn* benzinestation, servicestation

serviette [sɜːvɪˈet] GB *zn* servet

servile ['sɜːvaɪl] *bnw* slaafs, kruiperig

servility [sɜːˈvɪlətɪ] *zn* kruiperigheid, slaafsheid

serving ['sɜːvɪn] *zn* portie

serving spoon *zn* opscheplepel

servitude ['sɜːvɪtjuːd] *zn* ❶ slavernij ❷ dienstbaarheid ★ *a life of* ~ een leven van dienstbaarheid

sesame ['sesəmɪ] *zn* sesamzaad

session ['seʃən] *zn* ❶ zitting(speriode), bijeenkomst, sessie (ook in samenstellingen) ★ *a recording* ~ een opnamesessie ★ *a drinking* ~ een zuippartij ★ *be in* ~ zitting houden ❷ academiejaar, schooljaar ❸ muz (jam)sessie

sestet [ses'tet] *zn* sextet

set [set] I *ov ww* [onregelmatig] ❶ zetten, stellen, plaatsen ★ *set eyes on* zien, aanschouwen ★ *set foot on* betreden ★ *set limits to* paal en perk stellen aan ★ *set high / low standards* hoge / lage eisen stellen ❷ brengen, veroorzaken, richten ★ *set everybody laughing* iedereen doen lachen ★ *set fire to* in brand steken ★ *set on fire* in brand steken ★ *set sail* uitvaren ★ *set free*

se

bevrijden, vrijlaten ★ *set loose* vrijlaten, loslaten ★ *set going* op gang brengen ★ *set on edge* prikkelen, irriteren ★ *set right* in orde brengen, verbeteren, rechtzetten, rehabiliteren ★ *set at rest* kalmeren, tot bedaren brengen ❸ instellen ⟨apparaat⟩, gelijkzetten ⟨klok⟩ ❹ vaststellen, opstellen ★ *set a date / price for sth* een datum / prijs voor iets vaststellen ❺ opgeven ⟨taak, huiswerk⟩ ❻ laten plaatsvinden / afspelen ★ *the film is set in Sweden* de film speelt zich af in Zweden ❼ klaarzetten ★ *set the table* de tafel dekken ❽ zetten ⟨gebroken been⟩ ★ *his leg was set in hospital* zijn been is in het ziekenhuis gezet ❾ vatten, inzetten ⟨edelsteen⟩ ▾ *set one's face against* stelling nemen tegen ▾ *set little / much by* weinig / veel waarde hechten aan ▾ *set store by* grote waarde hechten aan ❿ ~ **against** stellen tegenover, opzetten tegen ★ *set himself against me* hij stelde zich tegenover mij ★ *she set him against me* ze zetten hem tegen me op ⓫ ~ **apart** opzijleggen ★ *my tickets were set apart* mijn kaartjes werden opzijgelegd ⓬ ~ **aside** aan de kant zetten ★ *our drawings were set aside* onze tekeningen werden aan de kant gezet ⓭ ~ **back** terugzetten, achteruitzetten, hinderen ★ *he was set back a year* hij is een jaar teruggezet ★ *the chairs were set back* de stoelen werden achteruitgezet ★ *they were set back by the crisis* ze werden door de crisis gehinderd ⓮ ~ **before** voorleggen ★ *the plans were set before them* de plannen werden aan hen voorgelegd ⓯ ~ **by** terzijde leggen, reserveren ⓰ ~ **down** neerzetten ★ *set down as* beschouwen als, houden voor ★ *set down to* toeschrijven aan ⓱ ~ **forth** uiteenzetten ⓲ ~ **off** doen uitkomen, doen afgaan, aan het... brengen ★ *the pretty necklace set off her neck* de leuke ketting deed haar hals mooi uitkomen ★ *they set off the fireworks* ze deden het vuurwerk afgaan ★ *she set the baby off crying* ze bracht de baby aan het huilen ★ *set off against* stellen tegenover ⓳ ~ **on** ophitsen tegen ★ *they set the dog on the cat* ze hitsten de hond tegen de kat op ⓴ ~ **out** uitstallen, klaarzetten, uiteenzetten ★ *the books were set out at the fair* de boeken waren op de markt uitgestald ★ *the table was set out beautifully* de tafel was mooi klaargezet ★ *the ideas were set out* de ideeën werden uiteengezet ㉑ ~ **up** rechtop zetten, opstellen, beginnen, installeren, veroorzaken, klaarzetten ★ *he set up the statue* hij zette het beeld rechtop ★ *he set up a new file* hij begon aan een nieuw bestand ★ *they set up the bookcase* ze installeerden de boekenkast ★ *inform she is innocent and he set her up* ze is onschuldig en hij heeft haar erin laten lopen ★ *set sb up in business* iem. in een zaak zetten ★ *set yourself up for* zich voorbereiden op ★ *have a drink to set yourself up* neem een borrel ter voorbereiding ㉒ ~ **upon** aanvallen ★ *set upon by a dog* aangevallen door een hond **II** *onov ww* [onregelmatig] ❶ ondergaan ⟨v. zon, maan⟩ ❷ vast worden, stollen ❸ zetten ⟨v.e. vrucht⟩ ❹ ~ **about** beginnen, aanpakken ★ *she set about the problem* ze pakte het probleem aan ❺ ~ **forth** op weg gaan ❻ ~ **in** definitief

beginnen ★ *the rain set in* het begon echt te regenen ❼ ~ **off** vertrekken ❽ ~ **out** vertrekken, beginnen, zich ten doel stellen ★ *they set out to conquer Rome* ze wilden Rome gaan veroveren ★ *set out on a journey* op reis gaan ❾ ~ **to** beginnen, aanvallen ★ *set to work* aan het werk gaan ❿ ~ **up** ★ *set up in business* een zaak beginnen **III** *zn* ❶ stel ⟨bijeenhorende zaken⟩, rij, serie, set ★ *set of teeth* gebit ❷ toestel, installatie, apparatuur ❸ set ⟨onderdeel v.e. partij tennis, volleybal⟩ ❹ filmlocatie ❺ stand, kring(en) ★ *he belongs to the top set* hij hoort bij de hoogste stand ❻ richting, loop ❼ ⟨wiskundige⟩ verzameling **IV** *bnw* ❶ vast(gesteld) ★ *set price* vaste prijs ★ *the books are set* verplichte lijst met boeken ❷ gesteld ❸ opgesteld, vastgesteld ❹ strak, stijf, onveranderlijk ★ *set in his ways* eigengereid ★ *set ideas* vastgeroeste ideeën ★ *set fair* bestendig ⟨v. weer, omstandigheden⟩ ★ *set teeth* opeengeklemd tanden ❺ klaar, gereed ★ *all set* iedereen klaar ★ *be set on sth* ergens zijn zinnen op gezet hebben, verzot zijn op iets

setback ['setbæk] *zn* tegenslag, terugval, fig klap ★ *suffer a ~* tegenslag ondervinden

set point *zn* setpoint, setpunt ⟨beslissend punt voor de set⟩

settee [se'ti:] *zn* sofa, bank

setter ['setə] *zn* setter ⟨(jacht)hond⟩

setting ['setɪŋ] *zn* ❶ omgeving, achtergrond ★ *what a beautiful ~* wat een prachtige omgeving ★ *the ~ of the story* de achtergrond van het verhaal ❷ in- / afstelling, stand ⟨thermostaat⟩ ❸ muzikaal arrangement ★ *the ~ of the poem* het muziekarrangement van het gedicht ❹ montuur ⟨v. edelsteen⟩, montering ★ *the ~ of a microscope* de montering van een microscoop ❺ couvert ⟨bij diner⟩

settle ['setl] **I** *ov ww* ❶ regelen, afspreken, in orde maken, vereffenen ★ *~ one's affairs* zijn zaken in orde maken, zijn zaken regelen ★ *let's ~ the bill* laten we de rekening betalen ❷ vestigen, installeren, koloniseren ★ *he ~d himself in the best chair* hij ging in de beste stoel zitten ★ *the islands were ~d in 1653* de eilanden werden in 1653 gekoloniseerd ❸ beslissen, besluiten ❹ doen bedaren ★ *~ one's children* zijn kinderen kalmeren ❺ ~ **down** tot bedaren / rust brengen ❻ ~ **up** (definitief) in orde brengen, vereffenen, afrekenen **II** *onov ww* ❶ zich vestigen, vaste woonplaats kiezen ★ *he ~d in London* hij vestigde zich in Londen ❷ gaan zitten, zich installeren ★ *~ to sleep* gaan liggen om te slapen ❸ geregeld gaan leven ❹ bedaren ★ *the baby ~d* de baby werd rustig ❺ bezinken, neerslaan ⟨in vloeistof⟩ ★ *stand beer to ~* bier neerzetten om helder te laten worden ★ *the sediment ~d at the bottom* het bezinksel bleef onderin liggen ❻ zich vastzetten ★ *the snow ~d on the roofs* de sneeuw bleef op de daken liggen ❼ ~ **down** geregeld gaan leven, wennen, vast worden, tot bedaren / rust komen ★ *~ down in front of the telly* zich installeren voor de tv ★ *~ down to sth* zich toeleggen op iets, aan iets beginnen ❽ ~ **for** genoegen nemen met ❾ ~ **in** zich installeren / vestigen

se

⓿ ~ **on** ★ *they ~d on this house* ze besloten dit huis te nemen ★ *on a date* een datum vaststellen **⓫** ~ **out** neerslaan (in vloeistof)

settled ['setld] *bnw* ❶ geregeld, verrekend ★ ~ *matter* uitgemaakte zaak ❷ gevestigd ❸ vast, bedaard, bezadigd ★ ~ *habit* vaste gewoonte ★ ~ *weather* rustig, bestendig weer

settlement ['setlmənt] *zn* ❶ kolonie, nederzetting, kolonisatie ❷ overeenkomst, regeling ★ *make a* ~ *with* een schikking treffen met ❸ verrekening ★ *in* ~ *of* ter vereffening van

settler ['setlə] *zn* kolonist

set-to ['settuː] *zn* ruzie ★ *they had ~'s* zij hadden woorden

set-up *zn* ❶ structuur, organisatie ★ *the club's present* ~ de huidige structuur van de club ★ *the whole* ~ *is run by one person* de hele organisatie wordt door een persoon geleid ❷ regeling ❸ inform valstrik, hinderlaag ❹ comp installatieprocedure

seven ['sevən] **I** *telw* zeven **II** *zn* zeven

seventeen [sevən'tiːn] *telw* zeventien

seventeenth [sevən'tiːnθ] *telw* zeventiende

seventh ['sevənθ] *telw* zevende

seventieth ['sevəntɪəθ] *telw* zeventigste

seventy ['sevəntɪ] *telw* zeventig ★ *be in one's seventies* in de zeventig zijn

sever ['sevə] *ww* ❶ (af)scheiden, afhouwen, verbreken ★ ~ *o.s. from* breken met

several ['sevrəl] *bnw* verscheiden(e) ★ ~ *times / people* een aantal keren / mensen ★ *they went their* ~ *ways* ieder ging zijn eigen weg ★ *they ~ly identified the prisoners* ieder voor zich identificeerden zij de gevangenen ★ jur *jointly and ~ly* hoofdelijk en gezamenlijk

severance ['sevərəns] *zn* verbreking, scheiding ★ *the* ~ *of links with the government* de verbreking van banden met de regering

severance pay *zn* ontslagvergoeding

severe [sɪ'vɪə] *bnw* ❶ streng, meedogenloos, hard ★ *a* ~ *punishment* een meedogenloze straf ★ *leave ~ly alone* zijn handen afhouden van ❷ ernstig, zwaar ★ ~ *injuries* ernstige / zware verwondingen ★ ~ *problems* ernstige / serieuze problemen ❸ sober, eenvoudig ★ *a* ~ *hairstyle* een eenvoudig kapsel ❹ hevig, ruw (v. weer)

severity [sɪ'verətɪ] *zn* ❶ strengheid, hevigheid, hardheid ❷ soberheid

sew [səʊ] [onregelmatig] *ov ww* ❶ naaien, vastnaaien, innaaien, hechten ❷ ~ **on/in** aannaaien, aanzetten ❸ ~ **up** dichtnaaien (bv. wond), inform regelen, met succes afsluiten ★ inform *they had it all sewn up* ze hadden het helemaal voor elkaar

sewage ['suːɪdʒ] *zn* rioolvuil / -water

sewage farm GB *zn* rioolwaterzuivering(sinstallatie)

sewage works GB *zn* waterzuivering(sinstallatie)

sewed *ww* [verleden tijd + volt. deelw.] → sew

sewer ['suːə] *zn* riool

sewerage ['suːərɪdʒ] *zn* ❶ riolering ❷ rioolwater

sewing ['səʊɪŋ] *zn* (het) naaien, naaiwerk

sewing machine ['səʊɪŋməʃiːn] *zn* naaimachine

sewn [səʊn] *ww* [volt. deelw.] → sew

sex [seks] **I** *zn* ❶ seks ★ *have sex* vrijen ★ *(have)*

safe sex veilig vrijen ❷ geslacht ★ *the opposite sex* het andere geslacht ★ *the fair(er) sex* het zwakke geslacht (vrouwen) **II** *ov ww* ❶ seksen (geslacht bepalen) ❷ inform ~ **up** oplvrijen, opleuken, sappiger maken (v. tekst)

sexagenarian [seksədʒə'neərɪən] *zn* zestigjarige

sex appeal *zn* sexappeal, seksuele aantrekkingskracht

sex bomb [seksbɒm] *zn* seksbom

sex change *zn* geslachtsverandering

sex drive *zn* geslachtsdrift, zin in seks

sex education *zn* seksuele voorlichting

sexism ['seksɪzəm] *zn* seksisme

sexist ['seksɪst] *zn* seksist

sexless ['seksləs] *bnw* ❶ geslachtloos ❷ seksueel ongevoelig ❸ seksloos, niet sexy

sex object *zn* lustobject, seksobject

sex offender *zn* zedendelinquent

sexology *zn* seksuologie

sexpot inform *zn* ❶ seksbom, stoeipoes ❷ sexy vrouw

sextet [seks'tet] *zn* ❶ muz sextet ❷ zestal

sexton ['sekstn] *zn* koster

sexual ['sekʃʊəl] *bnw* geslachtelijk, seksueel ★ ~ *reproduction* geslachtelijke voortplanting

sexuality [sekʃʊ'ælətɪ] *zn* seksualiteit

sex worker *zn* sekswerker, prostituee

sexy ['seksɪ] *bnw* ❶ sexy, pikant ❷ inform aantrekkelijk ★ *hunger is not a sexy subject for journalists* journalisten lopen niet echt warm voor het onderwerp honger

sez [sez] *ww* ★ *sez you!* je kan wel zo veel zeggen!

SF *afk, Science Fiction* sf, sciencefiction

sh [ʃ] *tw* sst!

shabby ['ʃæbɪ] *bnw* ❶ haveloos, onverzorgd ❷ armoedig, armzalig ❸ schandalig ★ *that was* ~ *behaviour* dat was schandalig gedrag

shack [ʃæk] **I** *zn* hut, keet, huisje **II** *onov ww* ~ **up (with)** samen (gaan) wonen (met), hokken (met)

shackle ['ʃækl] **I** *zn* ❶ boei ★ *throw off the ~s of slavery* de ketenen van de slavernij verbreken ❷ beugel, sluiting **II** *ov ww* ❶ boeien, kluisteren ❷ form belemmeren

shade [ʃeɪd] **I** *zn* ❶ schaduw(plek) ★ *sit in the* ~ in de schaduw zitten ★ fig *put sth in the* ~ iets in de schaduw stellen ❷ scherm, lampenkap, zonneklep, stolp, USA rolgordijn ❸ schakering, tint, nuance ★ *a* ~ *better* ik voel me een klein beetje beter **II** *ov ww* ❶ beschermen, afschermen ★ ~ *one's eyes* zijn hand boven de ogen houden ❷ shade in arceren **III** *onov ww* ~ **into** overgaan in

shades [ʃeɪds] USA inform *zn mv* zonnebril

shading ['ʃeɪdɪŋ] *zn* ❶ (het) schaduwen, arcering (in tekeningen) ❷ nuance, nuancering

shadow ['ʃædəʊ] **I** *zn* ❶ schaduw (bv. op een muur, de grond) ★ fig *in the* ~ *of* onder de schaduw van, vlak bij ★ fig *live in the* ~ *of sb* bij iem. in de schaduw staan ★ inform *five o'clock* ~ stoppelbaard die tegen de avond verschijnt ❷ schim, geest ❸ kring ★ ~*s under the eyes* kringen onder de ogen ❹ schijn(tje), zweem ★ *beyond / without the* ~ *of a doubt* zonder ook maar de minste twijfel **II** *ov ww* ❶ schaduwen, volgen (als een schaduw) ❷ in de schaduw

sh

zetten
shadow cabinet *zn* schaduwkabinet
shadow minister *zn* schaduwminister
shadowy ['ʃædəʊɪ] *bnw* ❶ schaduwrijk
❷ onduidelijk ★ ~ *arms deals* onduidelijke /
schimmige wapentransacties
shady ['ʃeɪdɪ] *bnw* ❶ schaduwrijk
❷ onbetrouwbaar, twijfelachtig, louche ★ *a ~
person* een onbetrouwbare persoon
shaft [ʃɑ:ft] **I** *zn* ❶ schacht (v. lift, mijn)
★ *ventilating ~* luchtschacht ❷ schacht (v. pijl,
speer), steel (v. gereedschap) ❸ stang ❹ straal
★ *~ of light* lichtstraal ❺ dicht pijl, schicht
❻ disselboom **II** *ov ww* ❶ inform belazeren
❷ vulg neuken
shag [ʃæg] **I** *zn* ❶ aalscholver ❷ vulg nummertje
(seks) ❸ shag (tabak) **II** *ov ww* vulg neuken
III *onov ww* vulg neuken
shagged, shagged out GB vulg *bnw*
afgepeigerd, doodop
shaggy ['ʃægɪ] *bnw* ruig(harig)
shah [ʃɑ:] *zn* sjah
shake [ʃeɪk] **I** *ov ww* [onregelmatig] ❶ (doen)
schudden ★ *~ your fist at sb* iem. dreigen met de
vuist ★ *~ hands* een hand geven ❷ doen
wankelen, van streek brengen, schokken
❸ ~ **down** af- / uitschudden, USA afpersen
❹ ~ **off** (van zich) afschudden ❺ ~ **out** leeg- /
uitschudden, uitspreiden ★ *the seeds were ~n out
on the grass* de zaadjes werden over het gras
uitgespreid ❻ ~ **up** doen elkaar schudden,
wakker maken, reorganiseren **II** *onov ww*
[onregelmatig] ❶ schudden ★ *he shook with
laughter* hij schudde van het lachen ★ *let's ~ on
it* geef me de vijf!, je hand erop! ★ USA *~! geef
me de vijf!, je hand erop! ❷ wankelen, van
streek raken, schokken ❸ trillen, beven,
vibreren ★ *~ in your shoes* beven v. schrik
❹ inform ~ **down** (beginnen te) wennen, op
orde komen, gaan slapen (niet in bed, maar in
stoel, op grond) ★ *the company was shaking
down after the merger* het bedrijf kwam weer op
orde na de fusie **III** *zn* ❶ schok, ruk, het
schudden ★ *give it a good ~* goed schudden ★ *in
a ~ / two ~s* in een wip ❷ (t)rilling ★ *he was all of
a ~* hij stond te rillen als een rietje ★ *get the ~s*
de bibbers krijgen, trillen (v.d. zenuwen,
alcohol) ❸ milkshake
shakedown ['ʃeɪkdaʊn] *zn* ❶ grondig onderzoek,
(politie)inval ❷ USA afpersing ❸ laatste test(rit /
-vlucht)
shaken ['ʃeɪkən] *ww* [volt. deelw.] → shake
shake-out inform *zn* reorganisatie (waarbij de
zwakkere bedrijven afvallen of overgenomen
worden)
shaker ['ʃeɪkə] *zn* shaker (voor cocktails)
shake-up inform *zn* reorganisatie (om de
efficiëntie te verhogen)
shaky ['ʃeɪkɪ] *bnw* wankel, beverig, zwak ★ *~
promise* vage belofte ★ *get off to a ~ start*
moeizaam op gang komen ★ *my English is a bit
~* mijn Engels is een beetje zwak
shale [ʃeɪl] *zn* zachte leisteen
shall [ʃæl] *hww* zal, zullen, zult, moet ★ *I ~ never
forget his kindness* ik zal zijn vriendelijkheid
nooit vergeten ★ *nobody ~ be permitted*

niemand mag worden toegelaten ★ *~ I do the
cooking?* zal ik koken?
shallot [ʃə'lɒt] *zn* sjalot
shallow ['ʃæləʊ] *bnw* ❶ ondiep, laag ★ *the ~ end
of the pool* het ondiepe gedeelte van het
zwembad ★ *~ breathing* vlakke ademhaling
❷ oppervlakkig ★ *~ arguments* oppervlakkige
argumenten
shallows ['ʃæləʊz] *zn mv* ondiepe plaats,
ondiepte, zandbank ★ *fish from the ~ of the
Atlantic* vis uit de ondiepe delen van de
Atlantische Oceaan
shalt [ʃælt] *ww* form (gij) zult ★ *thou ~ not kill* gij
zult niet doden
sham [ʃæm] **I** *zn* ❶ namaak, schijn, verlakkerij,
kitsch ★ *the reforms are a sham* de
hervormingen zijn een schijnvertoning
❷ komediant, bedrieger ★ *he was a sham* hij
was niet wat hij zei dat hij was **II** *bnw* vals, niet
echt, voorgewend ★ *a sham marriage* een
schijnhuwelijk **III** *onov ww* simuleren,
voorwenden ★ *sham dead / ill / sleep* zich dood /
ziek / slapend houden
shamble ['ʃæmbl] *onov ww* sloffen, schuifelen
shambles ['ʃæmblz] *zn* janboel, bende, rotzooi
★ *the room is a ~* de kamer is een een grote
bende ★ *my life was in a ~* mijn leven lag in
puin
shame [ʃeɪm] **I** *zn* ❶ schaamte ★ *for ~!* foei!,
schaam je! ★ *put to ~* beschamen ★ *~ on you!*
foei!, schaam je! ★ *have no ~* geen schaamte
kennen, schaamteloos zijn ❷ schande, zonde
★ *what a ~!* zonde!, wat jammer! **II** *ov ww*
beschamen, te schande maken, schande
brengen over ★ *their behaviour has ~d the team*
hun gedrag beschaamde het team ★ *~ sb into
doing sth* iem. zich zo laten schamen dat hij iets
gaat doen (wat hij eerst niet wilde)
shamefaced [ʃeɪm'feɪst] *bnw* bedeesd, schuchter
shamefacedly [ʃeɪm'feɪsɪdlɪ] *bijw* beschaamd
shameful ['ʃeɪmfʊl] *bnw* schandelijk
shameless ['ʃeɪmləs] *bnw* schaamteloos
shammy ['ʃæmɪ] *zn* gemzenleer, zeemleer
shampoo [ʃæm'puː] **I** *zn* ❶ shampoo,
haarwasmiddel ❷ haarwassing, wasbeurt ★ *give
yourself a ~* je haar wassen met shampoo **II** *ov
ww* het haar wassen, shampooën, met shampoo
reinigen
shamrock ['ʃæmrɒk] *zn* klaverblad (embleem van
Ierland)
shank [ʃæŋk] *zn* ❶ anat (scheen)been ❷ schacht,
steel ★ *the ~ of a key* de steel van een sleutel
shan't [ʃɑ:nt] *samentr*, shall not → shall
shanty ['ʃæntɪ] *zn* hut, keet
shanty town *zn* sloppen(wijk), krotten
shape [ʃeɪp] **I** *zn* ❶ vorm, gedaante ★ *take ~* vaste
vorm aannemen ★ *is that the ~ of things to
come?* staat ons dat te wachten? ★ *lick / knock /
whip into ~* fatsoeneren, in een betere vorm
brengen ❷ (lichamelijke) conditie ★ *be in ~* in
(goede) conditie zijn, in vorm zijn ★ *be out of ~*
in slechte conditie zijn **II** *ov ww* ❶ vormen,
modelleren, maken, regelen, beïnvloeden ★ *it
~d my life* het beïnvloedde mijn leven ❷ ~ **to**
aanpassen aan ★ *~ according to the latest fashion*
aanpassen aan de laatste mode **III** *onov ww* ❶

★ ~ *well* er goed voorstaan ★ *it is shaping (up) well* het begint er aardig op te lijken ❷ ~ **up** zich ontwikkelen ★ *he ~d up well* hij presteerde goed

shaped [ʃeɪpt] *bnw* gevormd ★ *egg~* eivormig

shapeless ['ʃeɪpləs] *bnw* vormeloos ★ *a ~ garment* een vormeloos kledingstuk

shapely ['ʃeɪplɪ] *bnw* goedgevormd, mooi, knap

shard [ʃɑːd] *zn* scherf

share [ʃeə] **I** *ov ww* ❶ delen, verdelen ★ *we ~d our chocolate with him* we hebben onze chocola met hem gedeeld ★ *we ~d our lunch* we hebben onze lunch verdeeld ★ *we ~d the bad news* we hebben het slechte nieuws verteld ❷ ~ **out** verdelen, uitdelen **II** *onov ww* ❶ delen, verdelen ★ ~ *and* ~ *alike* gelijk opdelen ❷ meedelen, vertellen ★ *thanks for sharing* dank je dat je het met ons hebt willen delen **III** *zn* ❶ (aan)deel, portie ★ *go ~s* samen delen ❷ *econ* aandeel, effect ❸ *ploegschaar* ▼ *fig a ~ of the cake / pie* een stuk van de koek (een deel van de opbrengst)

shareholder ['ʃeəhəʊldə] *zn* GB aandeelhouder

share-out *zn* uitdeling, verdeling

share price *zn* aandelenkoers

shareware ['ʃeəweə] *zn* comp shareware (software die je eerst gratis kunt uitproberen)

sharia *zn* sharia (islamitische wetgeving)

shark [ʃɑːk] *zn* ❶ haai ❷ afzetter, woekeraar ❸ USA uitblinker

sharp [ʃɑːp] **I** *bnw + bijw* ❶ scherp, puntig ★ *a ~ contrast* een scherp / duidelijk contrast ❷ goed bij, pienter, gehaaid ★ *a ~ mind* een heldere geest ★ ~ *at sums* vlug in het rekenen ❸ bits, vinnig, gemeen ★ ~ *words* gemene woorden ★ oud ~ *practices* oneerlijke praktijken ❹ vlug, plots, scherp ★ *a ~ bend* een scherpe bocht ★ *a ~ pain* plotseling een scherpe pijn ★ *look ~!* vlug, opschieten! ★ ~*'s the word* opschieten geblazen, dus ❺ hevig ★ ~ *frost* hevige vorst ❻ *muz* (met een halve toon) verhoogd, te hoog, kruis ★ *muz A ~* aïs **II** *bijw* ❶ scherp ★ *turn ~ left* scherp naar links draaien ❷ *precies* ★ *at 6 o'clock ~* klokslag zes uur, om zes uur precies **III** *zn* ❶ *muz* kruis, noot met kruis ❷ lange, dunne naald

sharpen ['ʃɑːpən] *ov ww* ❶ scherp maken, slijpen ❷ verscherpen ★ ~ *(up) your skills* je vaardigheden aanscherpen / verbeteren ❸ halve toon verhogen

sharpener ['ʃɑːpənə] *zn* (punten- / messen)slijper

sharp-eyed *bnw* scherpziend, oplettend

sharpshooter ['ʃɑːpʃuːtə] *zn* scherpschutter

sharp-witted [ʃɑːp'wɪtɪd] *ov ww* gevat, scherpzinnig, ad rem

shat [ʃæt] *ww* [verl. tijd + volt. deelw.] → **shit**

shatter ['ʃætə] *ov ww* ❶ verbrijzelen, vernietigen, (in stukken) breken ❷ schokken (zenuwen), in de war brengen ❸ uitputten ★ *I was ~ed* ik was volkomen uitgeput, ik was afgepeigerd ❹ de bodem inslaan ★ *he ~ed my hopes* hij sloeg mijn hoop de bodem in

shatterproof ['ʃætəpruːf] *bnw* onsplinterbaar

shave [ʃeɪv] **I** *ov ww* [onregelmatig] ❶ scheren ❷ scheren langs ★ *his shot ~ed the goalpost* zijn schot scheerde langs de doelpaal ❸ ~ **off** afscheren, afschaven, er afhalen ★ *he ~d a*

second off the Olympic record hij haalde een seconde van het olympisch record af **II** *onov ww* [onregelmatig] zich scheren **III** *zn* het scheren ★ *have a ~* zich (laten) scheren ★ *it was a close ~* het was op het nippertje, het was op het kantje af

shaved [ʃeɪvd] *ww* [verleden tijd + volt. deelw.] → **shave**

shaven *ww* [volt. deelw.] → **shave**

shaver ['ʃeɪvə] *zn* scheerapparaat

shaving ['ʃeɪvɪŋ] *zn* (het) scheren ★ ~*s* [mv] (hout)krullen

shaving brush *zn* scheerkwast

shaving cream *zn* scheercrème

shaving foam *zn* scheerschuim

shaving tackle *zn* scheergerei

shawl [ʃɔːl] *zn* sjaal, omslagdoek

she [ʃiː] **I** *pers vnw* zij **II** *zn* inform vrouwtje, wijfje ★ *is it a he or a she* is het een mannetje of een vrouwtje ★ *a she-bear* een berin

sheaf [ʃiːf] *zn* [mv: sheaves] schoof (graan), bundel (papieren)

shear [ʃɪə] [onregelmatig] **I** *ov ww* ❶ scheren (schapen) ❷ knippen (metaal) ❸ ★ *shorn of* beroofd van ❹ ~ **off** afbreken, afknappen ★ *the plane ~ed off the tops of the trees* het vliegtuig heeft de toppen van de bomen afgeschoren **II** *onov ww* ~ **off** afbreken, afknappen (bv. van bout, vliegtuigvleugel)

shears [ʃɪəz] *zn mv* grote schaar ★ *edging ~* tuinschaar ★ *pinking ~* kartelschaar

sheath [ʃiːθ] *zn* ❶ schede ❷ omhulsel, hoes ❸ nauwsluitende jurk

sheathe [ʃiːð] *ov ww* ❶ in de schede steken, steken in ❷ dicht bekleden ★ *the fields were ~d in snow* de velden waren bedekt met sneeuw

sheathing ['ʃiːðɪŋ] *zn* (beschermende) bekleding, omhulsel

sheath knife *zn* dolk

sheaves [ʃiːvz] *zn mv* → **sheaf**

shebang [ʃɪ'bæŋ] USA *zn* zootje ★ *the whole ~* het hele zootje

shed [ʃed] **I** *zn* ❶ schuur, keet, afdak ❷ loods **II** *ov ww* [onregelmatig] ❶ zich ontdoen van, afwerpen (van horens), verliezen (van haar), wisselen (van tanden), ruien ★ *he shed layers of clothing* hij ontdeed zich van diverse lagen kleding ★ *shed a few pounds* een paar ponden afvallen / kwijtraken ❷ vergieten ★ *much blood was shed* er werd veel bloed vergoten

she'd [ʃiːd] *samentr* ❶ *she had* → **have** ❷ *she would* → **will**

she-devil *zn* duivelin

shedloads *zn mv* ladingen, massa's ★ *that'll cost ~* dat kost scheppen / bakken met geld

sheen [ʃiːn] *zn* glans, pracht

sheep [ʃiːp] *zn* schaap ★ *the black ~* het zwarte schaap ★ *separate the ~ from the goats* het kaf van het koren scheiden

sheepdog ['ʃiːpdɒg] *zn* herdershond

sheepfold ['ʃiːpfəʊld] *zn* schaapskooi

sheepish ['ʃiːpɪʃ] *bnw* schaapachtig, stompzinnig ★ *she gave him a ~ look* ze keek hem stompzinnig aan

sheep-pen *zn* schaapskooi

sheepskin ['ʃiːpskɪn] *zn* ❶ schapenleer, nappa(leer) ❷ schapenvacht

sh

sheepstation ['ʃiːpsteɪʃən] zn AUS schapenfokkerij

sheer [ʃɪə] I bnw + bijw ❶ louter, puur ★ by ~ luck door zuiver / puur geluk ★ ~ chocolate zuivere chocolade ❷ niets anders dan ★ the ~ size / weight de omvang / het gewicht alleen al ❸ klinkklaar ★ ~ nonsense klinkklare onzin ❹ loodrecht, steil ★ the cliff dropped ~ into the sea de klif ging loodrecht naar beneden de zee in ❺ ijl, doorschijnend ★ ~ cloth zeer dunne stof II onov ww ~ off uit de weg gaan, (erg) uitwijken III zn ❶ dunne stof ❷ zwenking

sheet [ʃiːt] I zn ❶ vel (papier), blad, krantje ★ a free ~ een huis aan huis blad ❷ laken ★ as white as a ~ lijkbleek ★ fitted ~ hoeslaken ❸ plaat (van glas, metaal, plastic) ❹ vlak(te) ★ a ~ of ice een ijsvlakte ❺ scheepv schoot ❻ grote hoeveelheid ★ a ~ of fire een vuurzee ★ come down in ~s in stromen neerkomen (neerslag) ▼ a clean ~ een schone lei II ov ww met laken, enz. bedekken ★ ~ (home) met schoot vastzetten (v. zeil)

sheet anchor zn ❶ plechtanker ❷ fig laatste redmiddel

sheeting ['ʃiːtɪŋ] zn ❶ lakenstof ❷ bekleding ★ plastic / metal ~ plastic / metalen bekleding

sheet lightning zn weerlicht

sheet metal zn ❶ gewalst metaal ❷ plaatstaal, plaatijzer

sheet music zn muz bladmuziek

sheikh [ʃiːk, ʃeɪk] zn sjeik

sheikhdom ['ʃeɪkdəm] zn sjeikdom

shekel ['ʃekl] zn ❶ sikkel (oud(e) Hebreeuws(e) munt / gewicht), zilverling ❷ sjekel (Israëlische munt)

shelf [ʃelf] zn [mv: **shelves**] ❶ plank, schap, vak ★ off the ~ uit voorraad leverbaar ★ take sth off the shelves iets uit de schappen / winkels halen (onveilig product) ★ fig on the ~ aan de kant (gezet) ❷ (rots)rand ❸ klip, zandbank ★ continental ~ continentaal plat

shelf company zn brievenbusfirma

shelf filler zn vakkenvuller

shelf life zn houdbaarheid (van levenswaren e.d.) ★ limited ~ beperkte houdbaarheid

shell [ʃel] I zn ❶ schelp, schaal ★ fig come out of one's ~ loskomen ★ fig retire / withdraw into one's ~ in zijn schulp kruipen ❷ dop, peul ★ in the ~ in de dop ❸ (om)huls(el) ❹ geraamte, romp ❺ USA patroon II ov ww ❶ schillen, pellen, uit dop / schaal halen ❷ mil bombarderen, onder artillerievuur nemen ❸ ~ inform out dokken, betalen ★ have to ~ out $900 000 for a small apartment $900.000 moeten neerleggen voor een klein appartement III onov ww ~ inform out (flink) dokken, (veel) betalen ★ have to ~ out for sth flink moeten dokken voor iets

she'll [ʃiːl] samentr, she will → will

shellac [ʃəˈlæk] I zn schellak II ov ww met schellak vernissen

shell company zn lege vennootschap

shell crater zn granaattrechter

shellfire ['ʃelfaɪə] zn granaatvuur

shellfish ['ʃelfɪʃ] zn schaal- en schelpdieren

shellproof ['ʃelpruːf] bnw bomvrij

shell shock ['ʃelʃɒk] zn shocktoestand (in oorlog)

shell suit zn (nylon) trainingspak

shelter ['ʃeltə] I zn ❶ beschutting, bescherming, onderdak ★ take / seek ~ from the rain schuilen voor de regen ❷ schuilplaats, doorgangshuis, asiel ❸ ligtent ❹ tram- / wachthuisje II ov ww beschutten, beschermen, een schuilplaats / onderdak verlenen ★ ~ed life onbezorgd leven ★ ~ed trades beschermde bedrijven III onov ww (zich ver)schuilen

shelve [ʃelv] I ov ww ❶ op de plank zetten, wegzetten ★ fig he ~d the idea for a little while hij heeft het idee een tijdje uitgesteld ❷ van planken / schappen voorzien II onov ww glooien, geleidelijk aflopen

shelves [ʃelvz] zn mv → shelf

shelving ['ʃelvɪŋ] zn ❶ (kast)planken, schappen ❷ materiaal voor planken

shenanigans [ʃɪˈnænɪɡənz] zn mv ❶ verlakkerij ❷ uitgelaten, dolzinnig gedoe, keet

shepherd ['ʃepəd] I zn herder II ov ww hoeden, (ge)leiden ★ teachers ~ed parents into the hall docenten leidden de ouders de zaal in

shepherd's pie zn (lams)gehakt met puree

sherbet ['ʃɜːbət] zn ❶ USA sorbet ❷ GB bruispoeder (om te eten of frisdrank v. te maken)

sheriff ['ʃerɪf] zn USA hoofd van de politie (in een county of district) ★ GB High Sheriff ≈ commissaris v.d. koningin

she's [ʃiːz] samentr ❶ she is → be ❷ she has → have

shh tw → sh

shield [ʃiːld] I zn ❶ schild, wapenschild ❷ bescherming, beschermer II ov ww beschermen, afschermen, de hand boven het hoofd houden ★ he ~ed his children from the press hij beschermde zijn kinderen tegen de pers

shier [ʃaɪə] bnw [vergrotende trap] → shy

shiest [ʃaɪst] bnw [overtreffende trap] → shy

shift [ʃɪft] I ov ww ❶ (ver)schuiven, verleggen ★ he ~ed the blame on me hij gaf mij de schuld ★ ~ one's ground het over een andere boeg gooien ★ he can ~ his food hij weet wel raad met zijn eten ❷ verwisselen ★ he ~ed the gears hij schakelde ❸ verwijderen ★ he ~ed the stains hij verwijderde de vlekken ❹ kwijtraken ★ try and ~ stock de voorraad proberen kwijt te raken ★ she had ~ed her cold zo was haar verkoudheid kwijt II onov ww ❶ veranderen (van), wisselen (van) ★ the wind had ~ed to the east de wind was naar het oosten gedraaid ❷ (ver)schuiven, zich verplaatsen ★ the cargo ~ed de lading begon te werken ❸ zich (zien te) redden ★ they will have to ~ for themselves ze zullen zichzelf moeten zien te redden ❹ draaien ★ he ~ed about in his chair hij draaide op zijn stoel ❺ schakelen ★ ~ into third gear schakelen naar de derde versnelling III zn ❶ verandering, verschuiving ★ there has been a recent ~ towards involving more staff onlangs deed men een poging om het personeel er meer in te betrekken ★ ~ of crops wisselbouw ❷ verhuizing ❸ ploeg (van arbeiders) ❹ werktijd

shifting ['ʃɪftɪŋ] bnw ★ ~ sands drijfzand, fig steeds veranderende wereld (bv. van de mode,

sh

sociale zekerheid⟩

shift key zn hoofdlettertoets

shiftless ['ʃɪftləs] bnw zonder initiatief, waar niets vanuit gaat

shifty ['ʃɪftɪ] bnw louche, onbetrouwbaar, schichtig ★ ~ look schichtige blik

Shiite zn sjiiet ⟨lid v. bepaalde stroming binnen de islam⟩

shilling ['ʃɪlɪŋ] zn shilling ⟨munt / geldeenheid in gebruik tot 1971⟩

shilly-shally ['ʃɪlɪʃælɪ] onov ww weifelen, aarzelen

shimmer ['ʃɪmə] I zn glinstering II onov ww glinsteren

shimmy ['ʃɪmɪ] I zn USA shimmy ⟨dans waarbij je flink met je schouders en heupen naar voren en achteren beweegt⟩ II onov ww ❶ de shimmy dansen, met ruime schouder- en heupbewegingen dansen / lopen ❷ abnormaal slingeren ⟨van voorwielen⟩, trillen

shin [ʃɪn] I zn scheen ★ shin of beef runderschenkel ★ kick in the shins tegen de schenen trappen II onov ww klauteren ★ shin up a tree een boom in klauteren

shin bone ['ʃɪnbəʊn] zn scheenbeen

shindig ['ʃɪndɪɡ] inform zn ⟨wild⟩ feestje

shindy ['ʃɪndɪ] inform zn ruzie, heibel

shine [ʃaɪn] I onov ww ⟨regelmatig + onregelmatig⟩ ❶ schijnen, (uit)blinken, schitteren, glanzen ❷ ~ at uitblinken in ❸ ~ out helder uitkomen ❹ ~ through doorheen schijnen ★ the meaning finally shone through de betekenis werd eindelijk duidelijk II ov ww ⟨regelmatig + onregelmatig⟩ ❶ schijnen ★ John shone the torch in his face John scheen met zijn zaklantaarn in zijn gezicht ❷ USA poetsen III zn ❶ zonneschijn ★ rain or ~ weer of geen weer ❷ glans, schittering ★ take the ~ out of van zijn glans beroven, in de schaduw stellen ❸ USA poetsbeurt ★ USA take a ~ to aardig / leuk beginnen te vinden

shiner ['ʃaɪnə] zn inform blauw oog

shingle ['ʃɪŋɡl] I zn ❶ dakspaan, plank ⟨van dak⟩ ❷ kiezelsteen, kiezels ❸ USA naambord ★ hang out one's ~ een eigen bedrijf vestigen II ov ww dekken ⟨met dakspanen⟩

shingles ['ʃɪŋɡlz] zn mv med gordelroos

shingly ['ʃɪŋɡlɪ] bnw vol kiezel(s)

shin guard ['ʃɪnɡɑːd] zn scheenbeschermer

shining ['ʃaɪnɪŋ] bnw ★ ~ example lichtend voorbeeld

shin pad zn scheenbeschermer

shinty ['ʃɪntɪ] zn sport shinty ⟨soort hockey⟩

shiny ['ʃaɪnɪ] bnw glimmend

ship [ʃɪp] I zn schip ★ when one's ship comes in als het schip met geld binnenkomt ★ leave / abandon / desert a sinking ship een zinkend schip verlaten II ov ww ❶ aan boord nemen ★ ship the oars de riemen inhalen ★ fig ship a sea 'n stortzee overkrijgen ❷ verzenden, versturen ★ the new version will be shipped in November to all users de nieuwe versie zal in november aan alle gebruikers verstuurd worden ❸ ~ out verschepen ~ off wegsturen III onov ww aanmonsteren, aan boord gaan

shipboard ['ʃɪpbɔːd] zn (scheeps)boord ★ on ~ aan boord

ship broker zn scheepsmakelaar, cargadoor

shipbuilding ['ʃɪpbɪldɪŋ] zn scheepsbouw

shipload ['ʃɪpləʊd] zn scheepslading, scheepsvracht

shipmaster ['ʃɪpmɑːstə] zn kapitein, kapitein-reder

shipmate ['ʃɪpmeɪt] zn scheepsmaat, kameraad

shipment ['ʃɪpmənt] zn (ver)zending, lading

shipowner ['ʃɪpəʊnə] zn reder

ship owner zn reder

shipper ['ʃɪpə] zn ❶ verscheper ❷ importeur, exporteur

shipping ['ʃɪpɪŋ] zn ❶ scheepvaart, schepen ❷ verscheping ❸ verzending, expeditie ★ USA $9,95 ~ and handling $9.95 (aan) verzendingskosten

shipping agent zn expediteur

shipping lane zn scheepvaartroute

shipshape ['ʃɪpʃeɪp] bnw + bijw netjes, in orde

shipwreck ['ʃɪprek] I zn schipbreuk II ov ww schipbreuk doen lijden III onov ww schipbreuk lijden ★ ~ed crew schipbreukelingen

shipwright ['ʃɪpraɪt] zn scheepsbouwer

shipyard ['ʃɪpjɑːd] zn scheepswerf

shire ['ʃaɪə] zn graafschap ★ the Shires Leicestershire en Northamptonshire

shirk [ʃɜːk] ov ww zich onttrekken aan, verzuimen, ontduiken, spijbelen, lijntrekken

shirker ['ʃɜːkə] zn lijntrekker

shirt [ʃɜːt] zn ❶ overhemd, sport shirt ★ keep one's ~ on zich kalm houden ★ get a p.'s ~ off iem. nijdig maken ★ put one's ~ (up)on sth zijn laatste cent zetten op iets ★ inform he would give you the ~ off his back hij zou alles doen om je te helpen ❷ overhemdbloes

shirt front ['ʃɜːtfrʌnt] zn frontje ⟨kledingstuk⟩

shirtsleeves zn mv hemdsmouwen ★ in (one's) ~ in hemdsmouwen

shirt tail zn hemdslip

shirty ['ʃɜːtɪ] GB inform bnw nijdig, pissig

shit [ʃɪt] vulg I zn ❶ stront ★ have a shit schijten ★ have the shits diarree hebben ★ fig be in deep shit echt goed in de problemen zitten ★ feel like shit je hondsberoerd voelen ★ treat sb like shit iem. honds behandelen ❷ rotzooi, onzin ★ talk shit onzin verkopen, uit zijn nek lullen ❸ klootzak ★ he's an arrogant shit hij is een arrogante lul ❹ hasj ▼ no shit! je meent het! ▼ not give a shit about sth / sb schijt hebben aan iets / iemand ▼ then the shit will hit the fan dan heb je de poppen aan het dansen, dan breekt de pleuris uit ▼ beat the shit out of sb iem. helemaal tot moes slaan II onov ww ⟨onregelmatig⟩ schijten III ov ww ★ shit o.s. het in zijn broek doen ⟨ook van angst, de zenuwen⟩ IV tw verdomme, shit

shitless vulg bnw enorm, te pletter ★ be scared ~ je het apelazarus schrikken

shitty ['ʃɪtɪ] bnw vulg kloterig, klote-

shiver ['ʃɪvə] I onov ww rillen, trillen ★ ~ with cold / fear rillen van de kou / van angst II zn rilling ★ ~s down my back de rillingen over mijn rug ★ give sb the ~s iem. doen rillen

shivery ['ʃɪvərɪ] bnw rillerig

sh

shoal [ʃəʊl] *zn* ❶ school ⟨van vissen⟩ ★ *in ~s* bij de vleet ❷ zandbank

shock [ʃɒk] **I** *zn* ❶ schok, ergernis, ontzetting ★ *come as a ~ to sb* een complete verrassing zijn voor iem. ❷ zenuwinstorting, shock(toestand) ❸ (elektrische) schok ❹ bos ⟨haar⟩ **II** *ov ww* ❶ schokken, ergernis wekken, aanstoot geven, choqueren ★ *be ~ed at* zich ergeren aan, hevig ontsteld zijn door / over, geschokt zijn door ❷ een (elektrische) schok / stoot geven

shock absorber *zn* schokbreker

shocker [ˈʃɒkə] inform *zn* ❶ schokkend iets / nieuws / bericht, gruwelroman / -film enz. ❷ onmogelijk iemand ❸ GB schrikbarend slecht iets ★ *the match was a ~* de wedstrijd was ongelooflijk slecht

shock horror GB humor *tw* schokkend hoor

shocking [ˈʃɒkɪŋ] *bnw* schokkend, ergerlijk, gruwelijk, zeer onbehoorlijk ★ *~ news* schokkend nieuws ★ *~ behaviour* onbehoorlijk / stuitend gedrag

shocking pink *bnw* knalroze

shockproof [ˈʃɒkpruːf] *bnw* shockproof, schokbestendig

shock therapy *zn* shocktherapie

shock wave *zn* schokgolf, (lucht)drukgolf

shod [ʃɒd] form *bnw* geschoeid ★ *poorly shod* slecht geschoeid

shoddy [ˈʃɒdɪ] *bnw* (van) slechte kwaliteit, flut-, inferieur

shoe [ʃuː] **I** *zn* ❶ schoen ★ *if I were in your shoes,...* als ik jou was...., in jouw plaats... ★ USA *if the shoe fits(, wear it)* wie de schoen past(, trekke hem aan) ★ USA *athletic shoe* tennisschoen ★ USA *the shoe is on the other foot* het is precies andersom ❷ hoefijzer **II** *ov ww* schoeien, beslaan

shoehorn [ˈʃuːhɔːn] **I** *zn* schoenlepel **II** *ov ww* proppen, persen

shoelace [ˈʃuːleɪs] *zn* schoenveter

shoemaker [ˈʃuːmeɪkə] *zn* schoenmaker

shoe polish *zn* schoensmeer

shoeshine [ˈʃuːʃaɪn] *zn* poetsbeurt, het schoenpoetsen

shoestring [ˈʃuːstrɪŋ] *zn* USA schoenveter ★ *live on a ~ (budget)* van erg weinig rond moeten komen

shoetree [ˈʃuːtriː] *zn* schoenspanner

shone [ʃɒn] *ww* [verleden tijd + volt. deelw.] → **shine**

shoo [ʃuː] **I** *ov ww* ❶ 'kst' roepen tegen ❷ *~ away* verjagen, wegjagen **II** *tw* kst!

shook [ʃʊk] *ww* [verleden tijd] → **shake**

shoot [ʃuːt] **I** *ov ww* ❶ schieten ⟨ook bal, pijl⟩, doodschieten, aanschieten, neerschieten ★ *~ sb dead* iem. doodschieten ❷ jagen op, afjagen, afschieten ❸ uitsteken, vooruitsteken ★ *his hand shot out to catch it* hij stak zijn hand uit om het te grijpen ❹ toewerpen ⟨blik⟩, afvuren ⟨vragen⟩ ❺ audio-vis filmen, kieken, opnemen ★ *the film was shot in the USA* de film is in de VS opgenomen ❻ spuiten ⟨heroïne⟩ ▼ *~ a line* opscheppen ▼ *be / get shot of sth* iets kwijt zijn / kwijtraken ❼ *~ down* neerschieten ★ *~ down (in flames)* niets heel laten van iets ⟨bv. een voorstel⟩ **II** *onov ww* ❶ een geweer / pistool enz.

afvuren, schieten ❷ (pijnlijk) steken ★ *a ~ing pain* een stekende pijn ❸ (weg)schieten, snel bewegen ★ *a ball of fire shot across the sky* een vuurbal schoot door de lucht ★ *~ to fame / celebrity* heel snel beroemd worden ★ *a ~ing star* een vallende ster ❹ *~ ahead of* voorbijschieten ❺ *~ up* omhoogschieten ⟨in lengte, van prijzen⟩ ★ *the child shot up* het kind was snel gegroeid **III** *zn* ❶ scheut, loot ❷ filmopname, fotosessie ❸ jacht **IV** *tw* ❶ verdomme ❷ USA spreek op

shooter [ˈʃuːtə] *zn* ❶ schutter ⟨ook in sport⟩, jager ❷ vuurwapen

shooting [ˈʃuːtɪŋ] *zn* ❶ (het) schieten, schietpartij ❷ (het) jagen, jacht(partij) ❸ (het) opnemen, draaien ⟨van film⟩, opname

shooting gallery *zn* schiettent

shooting match *zn* schietwedstrijd ▼ *the whole ~* de hele santenkraam

shooting range *zn* schietbaan

shooting stick *zn* zitstok

shoot-out *zn* schietpartij, vuurgevecht

shop [ʃɒp] **I** *zn* ❶ winkel, zaak, inform kantoor ★ *come to the wrong shop* aan het verkeerde adres zijn ★ *mind the shop* op de winkel passen, (de zaak) waarnemen ★ *shut up shop* de zaak sluiten ⟨'s avonds⟩, de zaak opdoeken ★ *set up shop* een (eigen) zaak beginnen ★ *set up shop (as a translator)* voor jezelf beginnen (als vertaler) ★ *talk shop* over het vak praten ★ *closed shop* bedrijf met verplicht vakbondslidmaatschap voor werknemers ★ *duty-free shop* winkel met belastingvrije artikelen ❷ werkplaats ▼ *all over the shop* overal ▼ *be all over the shop* de kluts kwijt zijn **II** *ov ww,* GB inform verlinken **III** *onov ww* ❶ winkelen, boodschappen doen, shoppen ❷ *~ around* kijken en vergelijken ⟨in winkels⟩

shopaholic [ˌʃɒpəˈhɒlɪk] **I** *zn* koopziek persoon **II** *bnw* koopziek

shop assistant GB *zn* winkelbediende

shop floor [ʃɒpˈflɔː] *zn* werkvloer, personeel ⟨tegenover het management⟩

shopkeeper [ˈʃɒpkiːpə] *zn* winkelier

shoplifter [ˈʃɒplɪftə] *zn* winkeldief

shoplifting [ˈʃɒplɪftɪŋ] *zn* winkeldiefstal

shopper [ˈʃɒpə] *zn* ❶ koper, klant ❷ boodschappentas (op wieltjes) ▼ *personal ~* iem. die de boodschappen voor je doet of je daarbij adviseert

shopping [ˈʃɒpɪŋ] *zn* ❶ boodschappen, inkopen ★ *do the ~* de boodschappen doen ❷ het winkelen ★ *go ~* gaan winkelen / shoppen ★ *~ cart / trolley* winkelwagentje

shopping bag *zn* boodschappentas

shopping centre *zn* winkelcentrum

shopping list *zn* boodschappenlijstje

shopping mall *zn* (overdekt) winkelcentrum

shopping precinct *zn* autovrij winkelcentrum

shopping spree *zn* extreme koopbui ★ *go on a ~* eens flink gaan shoppen

shop-soiled [ˈʃɒpsɔɪld] *bnw* GB licht beschadigd ⟨v. showmodel⟩

shop steward *zn* vakbondsgedelegeerde

shop window *zn* etalage

shopworn [ˈʃɒpwɔːn] *bnw* USA licht beschadigd ⟨v. showmodel⟩

sh

shore [[ɔː] **I** zn ❶ kust, oever, strand ★ *on* ~ aan land ★ *in* ~ ⟨dichter⟩ bij de kust ★ *off* ~ buitengaats, vóór de kust ❷ schoor, stut **II** *ov ww*, **shore up** stutten, fig (onder)steunen **III** *ww* [verleden tijd] → **shear**
shoreline [ˈʃɔːlaɪn] *zn* kustlijn, oever, waterkant
shorn [[ɔːn] *ww* [volt. deelw.] → **shear**
short [[ɔːt] **I** *bnw* ❶ kort, klein ★ *for one* ~ *hour* een uurtje ★ ~ *mile* zowat een mijl ★ *at* ~ *range* van dichtbij, op korte afstand ★ ~ *story* novelle ★ ~ *cut* kortere weg ⟨binnendoor⟩ ★ *make* ~ *work of* kort metten maken met ★ *for* ~ kortweg, in het kort ★ *Maddy, that's* ~ *for Matilda* Maddy, dat is een verkorting van Matilda ★ *in* ~ in het kort, kortom ★ *in the* ~ *run* op korte termijn ❷ kortaf ★ *be very* ~ *with sb* erg kortaf zijn tegen iem. ❸ te kort, bekrompen, karig ★ ~ *measure / weight* (te) krappe maat / gewicht ★ *in* ~ *supply* beperkt leverbaar ★ *they were one player* ~ ze hadden een speler te weinig / kort ★ *be* ~ *of sth* gebrek hebben aan iets, zonder iets zitten ★ ~ *of funds* slecht bij kas ★ ~ *of six* nog geen zes ▼ ~ *circuit* kortsluiting ▼ ~ *drink* borrel, cocktail, aperitief **II** *bijw* ❶ niet genoeg ★ *come / fall* ~ *(of)* te kort schieten (in), niet voldoen (aan) ★ *cut* ~ besnoeien, een eind maken aan, afbreken, onderbreken ★ *cut it* ~ het kort maken ★ *go* ~ *of* gebrek hebben aan ★ *jump* ~ niet ver genoeg springen ★ *run* ~ op raken ★ *run* ~ *of* gebrek krijgen aan, zonder komen te zitten ★ *little / nothing* ~ *of marvellous* bijna / beslist wonderbaarlijk ★ *nothing* ~ *of a miracle* alleen een wonder (nog) ★ *somewhere* ~ *of London* ergens in de buurt van Londen ★ ~ *of lying I'll see what I can do for you* ik zal mijn uiterste best voor je doen, maar ik ga me niet wagen aan een leugen ★ *keep it* ~ *and sweet* houd het kort en krachtig ❷ plotseling, opeens ★ *stop* ~ opeens stilstaan ★ *take sb up* ~ iem. onderbreken ★ *be caught / taken* ~ overvallen worden, plotseling naar de wc moeten ★ *turn* ~ *(round)* zich plotseling omdraaien ❸ econ à la baisse ★ *sell* ~ speculeren à la baisse **III** *zn* ❶ korte (voor)film ❷ borrel ❸ kortsluiting
shortage [ˈʃɔːtɪdʒ] *zn* tekort ★ ~ *of* tekort aan ★ ~ *of staff* personeelstekort
shortbread [ˈʃɔːtbred] *zn* sprits
shortcake [ˈʃɔːtkeɪk] *zn* gebak met vruchten en room
short-change *ov ww* afzetten, te weinig wisselgeld geven aan, bedriegen
short-circuit [ʃɔːtˈsɜːkɪt] *ov ww* ❶ kortsluiten ❷ verijdelen ❸ bekorten
shortcoming [ˈʃɔːtkʌmɪŋ] *zn* tekortkoming
shortcrust pastry *zn* kruimeldeeg
short cut fig *zn* kortere weg, efficiëntere werkwijze
shorten [ˈʃɔːtn] *ov ww* (ver)minderen, verkorten, korter maken
shortening [ˈʃɔːtənɪŋ] *zn* ❶ bakvet ❷ verkorting, verkorte vorm
shortfall [ˈʃɔːtfɔːl] *zn* tekort, deficit
shorthand [ˈʃɔːhænd] *zn* steno ⟨met behulp van afkortingen en tekens zeer snel opschrijven van gesproken tekst⟩
short-handed [ʃɔːtˈhændɪd] *bnw* met te weinig personeel

shorthand typist *zn* stenotypiste
short-haul *bnw* over korte afstand ★ ~ *flights* korte vluchten
shortish [ˈʃɔːtɪʃ] *bnw* nogal klein
shortlist [ˈʃɔːtlɪst] **I** *zn* lijst van genomineerden, shortlist **II** *ov ww* nomineren, op de shortlist plaatsen
short-lived *bnw* van korte duur, kortlevend
shortly [ˈʃɔːtlɪ] *bijw* ❶ binnenkort, kort daarna ★ ~ *before / after* kort ervoor / erna ❷ kortaf
shortness [ˈʃɔːtnəs] *zn* gebrek ★ ~ *of breath* kortademigheid ★ ~ *of money* gebrek aan geld
short-range [ʃɔːtˈreɪndʒ] *bnw* ❶ op korte termijn ❷ korteafstands- ⟨raket⟩
shorts [ʃɔːts] *zn mv* ❶ korte broek ❷ USA boxershort
short-sighted [ʃɔːtˈsaɪtɪd] *bnw* ❶ bijziend ❷ kortzichtig ⟨van beleid, plannen⟩
short-staffed *bnw* onderbezet, met te weinig personeel ★ *be* ~ een personeelstekort hebben
short-tempered *bnw* kortaangebonden, opvliegend
short-term [ʃɔːtˈtɜːm] *bnw* op korte termijn ★ ~ *credit* kortlopend krediet ★ ~ *memory* kortetermijngeheugen
short-termism *zn* kortetermijndenken
short wave *zn* korte golf ⟨radio⟩
short-winded [ʃɔːtˈwɪndɪd] *bnw* kortademig
shorty [ˈʃɔːtɪ] *zn* kleintje ⟨persoon⟩
shot [ʃɒt] **I** *zn* ❶ schot ⟨ook in sport⟩, hagel, kogel(s) ★ *have / take a shot at sb* schieten op iem. ★ *be a good / bad shot* een goede / slechte schutter zijn ★ *a shot at goal* een schot op het doel ★ fig *the opening shot* de eerste opmerking / woorden ⟨in een discussie⟩ ❷ audio-vis (korte) opname, beeldje ★ *take shots* opnamen maken ★ *the opening shot* de openingsscène ❸ poging, kans, gooi ★ *have / get / take a shot at sth* een gooi doen naar iets, iets proberen (te bereiken) ★ *give sth your best shot* je uiterste best doen ⟨voor iets⟩ ❹ borrel ❺ injectie, spuitje ⟨heroïne⟩ ★ fig *a shot in the arm* een stimulans, een opsteker ▼ *like a shot* meteen, als de wind ▼ inform *big shot* hoge pief ▼ *not by a long shot* bij lange na niet ▼ *put the shot* kogelstoten ▼ *a shot in the dark* een slag in de lucht, een gok **II** *bnw* ❶ inform kapot, vernield ❷ inform uitgeput, afgepeigerd ❸ changeant ⟨geweven⟩ **III** *ww* [verleden tijd + volt. deelw.] → **shoot**
shotgun [ˈʃɒtɡʌn] *zn* jachtgeweer ▼ USA inform *ride* ~ voorin zitten ⟨naast de bestuurder⟩
shotgun wedding oud iron *zn* gedwongen huwelijk, moetje
shot put *zn* ★ *the* ~ (het) kogelstoten
should [ʃʊd] *hww* [verleden tijd] → **shall** ❶ moeten ★ *I wonder whether he* ~ *know* ik vraag me af of hij het wel moet weten ❷ mocht(en) ★ ~ *you like a copy, please tell me* mocht u een exemplaar willen, zeg het me ❸ zou(den) ★ *why* ~ *I* waarom zou ik ★ *I* ~ *think not* geen sprake van
shoulder [ˈʃəʊldə] **I** *zn* ❶ schouder ★ ~ *to* ~ schouder aan schouder, tegen elkaar aan ★ *put / set one's* ~*s to the wheel* zijn schouders eronder

sh

zetten, (flink) aanpakken ★ have broad ~s 'n brede rug hebben ★ rub ~s with in aanraking komen met, omgaan met ❷ USA vluchtstrook, verharde berm ▼ give sb the cold ~ iem. met de nek aankijken, iem. negeren ▼ GB hard ~ vluchtstrook, verharde berm **II** ov ww ❶ op de schouder(s) nemen ★ mil ~ arms! schouder het geweer! ★ ~ it zet je schouders eronder ★ ~ the responsibility / blame de verantwoordelijkheid / schuld op zich nemen ❷ (weg)duwen (met de schouder), (ver)dringen ★ ~ your way through a crowd je een weg banen door de menigte ★ ~ sb aside iem. opzijdringen **III** onov ww ❶ duwen (met de schouder), dringen ★ ~ past sb iem. opzij duwen

shoulder blade ['ʃəʊldəbleɪd] zn schouderblad
shoulder pad zn schoudervulling
shoulder strap ['ʃəʊldəstræp] zn ❶ schouderband(je) ❷ draagriem (voor over je schouder)
shouldn't ['ʃʊdnt] samentr, should not → shall
shout [ʃaʊt] **I** onov ww ❶ schreeuwen, juichen ★ it's all over but the ~ing de zaak is (zo goed als) beslist ❷ ~ at schreeuwen tegen, uitjouwen ❸ ~ out uitschreeuwen ★ she was ~ing out in pain ze schreeuwde het uit van de pijn **II** ov ww ❶ schreeuwen, gillen ❷ ~ at schreeuwen tegen ★ ~ insults at sb iem. beledigingen naar het hoofd slingeren ❸ ~ down overschreeuwen ❹ ~ out hard (op)roepen ⟨bv. bevelen⟩, uitschreeuwen **III** zn schreeuw ★ inform give me a ~ when they're ready geef even een kik wanneer ze klaar zijn ★ GB inform my ~! ik trakteer!
shove [ʃʌv] **I** ov ww duwen, schuiven, dringen ★ ~ it aside duw het opzij ★ ~ in one's pocket in de zak steken ★ inform ~ it! sodemieter op ★ inform they can ~ it ze kunnen mijn rug op, ze kunnen het in hun reet steken **II** onov ww ❶ duwen, dringen ★ ~ harder harder duwen ❷ inform ~ off ophoepelen ★ ~ off! donder op! ❸ ~ over/up ★ ~ over / up schuif eens op **III** zn zet, duw
shovel ['ʃʌvl] **I** zn (laad)schop **II** ov ww ❶ scheppen ❷ naar binnen werken / schuiven ⟨grote hoeveelheden voedsel⟩
shovelful ['ʃʌvlfʊl] zn schop(vol)
show [ʃəʊ] **I** ov ww [onregelmatig] ❶ (aan)tonen, tentoonstellen, uitstallen, vertonen ⟨film, tv-programma⟩, laten zien, showen ★ show your emotions / feelings je emoties / gevoelens tonen ★ show o.s. (ergens) laten zien ★ show sb over / around the house iem. het huis laten zien ★ show one's hand / cards zijn kaarten op tafel leggen ⟨figuurlijk⟩ ❷ wijzen, bewijzen ★ it shows / goes to show that... het maakt (over)duidelijk dat..., het bewijst dat... ❸ blijk geven van ❹ brengen, leiden ★ let me show you to the bathroom ik zal je even laten zien waar de badkamer is ★ show sb the way iem. de weg wijzen ❺ ~ in binnenlaten ❻ ~ off pronken met, laten zien, goed doen uitkomen ❼ ~ out uitlaten ❽ ~ round rondleiden ❾ ~ up boven laten komen, aan het licht brengen ★ show sth up iets duidelijk doen uitkomen ★ show sb up iem. in verlegenheid brengen **II** onov ww

[onregelmatig] ❶ zich laten zien, te zien zijn, vertoond worden ⟨van film, tv-programma⟩ ★ they used cheap cotton, and it shows ze hebben goedkoop katoen gebruikt, en dat is te zien ook ❷ ~ off zich aanstellen, opscheppen ❸ ~ through doorschijnen ⟨bv. van onderkleding door bovenkleding⟩ ❹ ~ up zich vertonen, verschijnen ★ show up well een goed figuur slaan **III** zn ❶ (uiterlijk) vertoon, de buitenkant, schijn ★ show of force / strength machtsvertoon ★ only for show voor het oog ★ make a show of sth iets voor de schijn doen ❷ show, voorstelling ★ fig put up a good / bad show goed / slecht voor de dag komen, een goed / armzalig figuur slaan ★ get the show on the road aan de slag gaan ★ steal the show de show stelen, alle aandacht trekken ❸ tentoonstelling ★ on show te zien, tentoongesteld ❹ ⟨radio- / tv⟩programma ❺ inform organisatie, zaak(je), boel ★ run the show de baas zijn, de touwtjes in handen hebben ★ give away the show de boel verklappen ▼ vote by show of hands stemmen door de handen op te steken
showbiz ['ʃəʊbɪz] zn → show business
showboat ['ʃəʊbəʊt] zn showboot, drijvend theater
show business ['ʃəʊbɪznəs] zn amusementsbedrijf / -industrie
showcase ['ʃəʊkeɪs] **I** zn ❶ vitrine ❷ iets waarmee je laat zien wat je kan of in huis hebt ★ the festival was a ~ for world music het festival biedt een goede staalkaart van wereldmuziek, het festival laat goed zien wat er allemaal is aan wereldmuziek **II** ov ww goed laten zien, onder de aandacht brengen
showdown ['ʃəʊdaʊn] zn ❶ onthulling, ontknoping ❷ confrontatie
showed ww [verleden tijd + volt. deelw.] → show
shower ['ʃaʊə] **I** zn ❶ (regen)bui ❷ douche ★ have / take a ~ (je) douchen, een douche nemen ❸ fig stortvloed ❹ USA feestje met veel cadeaus ⟨voor baby die op komst is, voor aanstaande bruid⟩ **II** ov ww doen neerstorten, doen dalen, zich uitstorten ★ ~ sth upon a p. iem. met iets overstelpen **III** onov ww douchen
shower cap zn douchemuts
showerproof bnw waterafstotend ⟨niet waterdicht in zware buien⟩
showery ['ʃaʊərɪ] bnw buiig, regenachtig
showgirl ['ʃəʊɡɜːl] zn revuemeisje
show house GB zn modelwoning
showing ['ʃəʊɪŋ] zn voorstelling ★ attend a private ~ een besloten voorstelling bijwonen
showman ['ʃəʊmən] zn ❶ showman ⟨iemand die het publiek bespeelt⟩ ❷ eigenaar v. circus e.d.
showmanship ['ʃəʊmənʃɪp] zn kunst om zijn nummer / politiek te verkopen
shown [ʃəʊn] ww [volt. deelw.] → show
show-off ['ʃəʊɒf] zn opschepper, showbink
showpiece ['ʃəʊpiːs] zn 'paradepaard', pronkstuk
showplace ['ʃəʊpleɪs] zn bezienswaardigheid
showroom ['ʃəʊruːm] zn toonzaal, showroom
showstopper inform zn ❶ succesnummer ❷ succes, topper
show trial zn schijnproces, showproces

showy ['ʃəʊɪ] *bnw* ❶ schitterend ❷ opzichtig, pronkerig

shrank [ʃræŋk] *ww* [verleden tijd] → shrink

shrapnel ['ʃræpnl] *zn* granaatsplinters

shred [ʃred] **I** *zn* reep, flard ★ *not a ~ of evidence* geen spoor v. bewijs ★ *a reputation in ~s* een reputatie aan flarden ★ *tear sth to ~s* iets aan flarden scheuren, fig niets heel laten van iets **II** *ov ww* ❶ aan flarden / repen scheuren / snijden, rafelen ★ *~ded wheat* ≈ tarwevlokken ⟨ontbijtgerecht met melk⟩ ❷ versnipperen ⟨papier⟩

shredder ['ʃredə] *zn* shredder, papierversnipperaar

shrew [ʃru:] *zn* ❶ spitsmuis ❷ oud feeks

shrewd [ʃru:d] *bnw* schrander, gewiekst, scherp(zinnig) ★ *have a ~ idea of what is wrong* heel goed weten wat er mis is ★ *a ~ guess* een intelligente gok

shriek [ʃri:k] **I** *onov ww* ❶ gieren, krijsen, gillen ❷ gillen, schreeuwen **II** *zn* krijs, gil

shrift [ʃrɪft] *zn* ★ *give short ~ to* korte metten maken met, te kort doen ★ *get short ~ from sb* te kort gedaan worden door iem.

shrill [ʃrɪl] **I** *bnw* schril, schel ★ *a ~ voice* een schelle stem ★ *~ protests* felle protesten **II** *onov ww* gieren, gillen, schel / schril klinken **III** *ov ww* gillen

shrimp [ʃrɪmp] *zn* ❶ garnaal ❷ inform klein kereltje

shrine [ʃraɪn] *zn* ❶ graf v.e. heilige, heiligdom ❷ reliekschrijn ⟨kistje / kastje waarin relikwieën bewaard worden⟩

shrink [ʃrɪŋk] **I** *onov ww* [onregelmatig] ❶ (in elkaar) krimpen, verschrompelen, verminderen ★ *~ rapidly / fast* snel minder worden ⟨van aantallen⟩ ❷ ~ at huiveren voor ❸ ~ (back) from terugdeinzen voor, huiveren voor **II** *ov ww* [onregelmatig] doen krimpen, verminderen **III** *zn*, USA inform psych (psychiater)

shrinkage ['ʃrɪŋkɪdʒ] *zn* inkrimping, krimp, vermindering (v. waarde)

shrinking violet inform *zn* erg verlegen iemand

shrink-wrap *ov ww* in krimpfolie verpakken

shrivel ['ʃrɪvəl] **I** *ov ww* doen ineenschrompelen **II** *onov ww* ❶ ineenkrimpen ❷ **shrivel up** ineenschrompelen ★ *the leaves had ~led up in the sun* de bladeren waren in de zon verschrompeld, **shrivel up** opdrogen ⟨bv. van een geldbron⟩

shroud [ʃraʊd] **I** *zn* ❶ doodskleed ❷ waas, sluier **II** *ov ww* ❶ in doodskleed wikkelen ❷ hullen ★ *~ed in secrecy* gehuld in een waas van geheimzinnigheid

Shrove Tuesday [ʃrəʊv] *zn* Vastenavond

shrub [ʃrʌb] *zn* heester, struik

shrubbery ['ʃrʌbərɪ] *zn* heesters

shrug [ʃrʌg] *ov ww* ❶ ★ *~ one's shoulder* de schouders ophalen ❷ ~ **off** naast zich neerleggen, negeren, van zich af schudden **II** *zn* het schouderophalen ★ *give a ~* de schouders ophalen

shrunk [ʃrʌŋk] *ww* [volt. deelw.] → shrink

shrunken ['ʃrʌŋkən] *ww* [volt. deelw.] → shrink

shuck [ʃʌk] USA **I** *zn* dop, peul, schil ★ *inform oud ~s!* verdorie!, waardeloos! **II** *ov ww* ❶ doppen,

openen ❷ ~ **off** afschudden, uitgooien ⟨kleding⟩

shudder ['ʃʌdə] **I** *onov ww* huiveren, rillen, trillen ★ *I ~ to think...* ik huiver bij de gedachte... ★ *~ at sth* huiveren voor / bij iets **II** *zn* huivering, rilling ★ *give the ~s* doen huiveren

shuffle ['ʃʌfəl] **I** *ov ww* ❶ (dooreen)schuiven, door elkaar doen ★ *~ the cards* de kaarten schudden, fig de taken anders verdelen ★ *~ the papers on your desk* met de papieren op je bureau rommelen, de papieren op je bureau herschikken ★ *~ one's feet* met je voeten steeds heen en weer schuiven ❷ (eromheen) draaien ★ *don't ~, give a straight answer* draai er niet omheen, geef een eerlijk antwoord ★ *~ off the responsibility of* de verantwoordelijkheid van zich afschuiven **II** *onov ww* ❶ niet stil (kunnen) zitten ❷ schuifelen, sloffen ❸ ~ **through** rommelend / bladerend zoeken in **III** *zn* schuifelende loop, geschuifel ★ *give the cards a good ~* schud de kaarten goed door elkaar

shun [ʃʌn] *ov ww* ❶ (ver)mijden, ontlopen ❷ links laten liggen

shunt [ʃʌnt] **I** *zn* ❶ med shunt, bypass ❷ – (ketting)botsing **II** *ov ww* (op zijspoor) rangeren, omleiden (via andere route), fig op een zijspoor zetten ★ *the blame was ~ed onto me* de schuld werd op mij geschoven

shunter ['ʃʌntə] *zn* rangeerder

shush [ʃuʃ] **I** *ov ww* sst zeggen tegen, doen zwijgen **II** *onov ww* **III** *tw* sst

shut [ʃʌt] **I** *ov ww* [onregelmatig] ❶ sluiten, dichtdoen ★ *shut the door on sb* de deur sluiten voor iem. ❷ ~ **away** ★ *shut away sth* iets (veilig) wegbergen ★ *shut o.s. away* je afzonderen ❸ ~ **down** stopzetten, uitzetten, dichtdoen ❹ ~ **in** klemmen, in- / opsluiten, het uitzicht belemmeren ★ *we were shut in by trees* we konden door de bomen niets zien ❺ ~ **off** afsluiten (gas, water e.d.), uitzetten (apparaat), uitsluiten ★ *shut o.s. off* zichzelf afzonderen / uitsluiten ❻ ~ **out** buitensluiten, uitsluiten ❼ ~ **to** dicht doen ❽ ~ **up** (helemaal) sluiten, opsluiten, insluiten, afsluiten, de mond snoeren, tot zwijgen brengen ★ *shut up shop* de zaak sluiten **II** *onov ww* [onregelmatig] ❶ dichtgaan, (zich) sluiten ★ *shut up!* hou je mond! ❷ ~ **down** stoppen, dichtgaan ⟨van school, fabriek⟩ **III** *bnw* dicht, gesloten

shutdown ['ʃʌtdaʊn] *zn* stopzetting, stillegging ★ *a production ~* een tijdelijke stopzetting van de productie

shut-eye inform *zn* dutje

shutter ['ʃʌtə] *zn* ❶ luik (voor raam) ★ GB *put up the ~s* de zaak sluiten ❷ audio-vis sluiter

shuttle ['ʃʌtl] **I** *zn* ❶ pendel(dienst) ❷ schietspoel ❸ schuitje (van naaimachine) **II** *onov ww* pendelen, heen en weer reizen ★ *the bus ~s between airport and station* de bus pendelt tussen luchthaven en station heen en weer **III** *ov ww* per pendeldienst vervoeren

shuttlecock ['ʃʌtlkɒk] *zn* shuttle (in badminton)

shuttle train *zn* pendeltrein

shy [ʃaɪ] **I** *bnw* ❶ verlegen, schuw ★ *don't be shy, have another biscuit* wees niet zo verlegen, neem nog een koekje ★ *be shy about doing sth*

sh

iets niet zo graag doen ★ *be shy of* zich niet
inlaten met, vies zijn van ❷ USA *inform* te kort
★ *win just shy of a million* net iets minder dan
een miljoen winnen ★ *the were still one member
shy* ze kwamen nog een lid te kort **II** *ov ww*
gooien **III** *onov ww* ❶ schichtig worden, opzij
springen ★ *the horse shied* het paard sprong
opzij ❷ ~ **away from** (terug)schrikken voor
shyster ['ʃaɪstə] USA *zn* beunhaas, advocaat v.
kwade zaken
Siamese [saɪə'mi:z] **I** *zn* siamees, Siamese kat
II *bnw* ★ ~ **cat** siamees, Siamese kat ★ ~ **twins**
Siamese tweeling
Siberian [saɪ'bɪərɪən] **I** *zn* Siberiër **II** *bnw*
Siberisch
sibilant ['sɪbɪlənt] **I** *zn* sisklank **II** *bnw* sissend
sibling ['sɪblɪŋ] *zn* broer, zuster
sibling rivalry *zn* rivaliteit tussen broers en
zussen
sibyl ['sɪbɪl] *zn* waarzegster, profetes
sick [sɪk] **I** *bnw* ❶ ziek, misselijk, naar ★ *the sick*
[mv] de zieken ★ GB *be sick* (moeten) overgeven,
braken ★ *get sick* ziek worden ★ *call in sick* je
ziek melden ★ *I am sick (and tired) of it* ik ben
het spuugzat ★ *sick to the stomach* misselijk,
ontdaan, onthutst ★ dicht *be sick at heart*
bedroefd / treurig zijn ★ *turn sick* misselijk
worden ★ *be laid sick* te ziek zijn om te werken
★ *be worried sick* doodongerust zijn ★ *sick
headache* migraine ❷ wrang, luguber ★ *sick
humour* wrange / zwarte humor ❸ ziek,
gestoord ★ *a sick mind* een perverse / gestoorde
geest **II** *zn*, GB *inform* braaksel, kots **III** *ov ww*,
GB *inform* ~ **up** (uit)kotsen
sick bag GB *zn* kotszakje
sickbay ['sɪkbeɪ] *zn* ziekenboeg
sickbed ['sɪkbed] *zn* ziekbed
sicken ['sɪkən] **I** *ov ww* ziek maken, doen walgen
II *onov ww* ziek worden, walgen ★ GB *she is
~ing for measles* ze krijgt de mazelen ★ ~ *of sth*
iets beu worden, genoeg krijgen van iets
sickening ['sɪkənɪŋ] *bnw* walgelijk, ziekelijk
sickle ['sɪkl] *zn* sikkel
sick leave ['sɪkli:v] *zn* ziekteverlof
sickly ['sɪklɪ] *bnw* ❶ ziekelijk, ongezond, bleek ★ ~
smile flauw lachje ❷ wee (van smaak, lucht),
weeïg ★ ~ *sweet* mierzoet
sickness ['sɪknəs] *zn* ❶ ziekte ❷ GB misselijkheid
sickness benefit GB *zn* ziekte-uitkering (door de
staat)
sick note *zn* doktersverklaring, verklaring /
briefje van ouders (bij ziekte)
sick pay *zn* ziekte-uitkering, door werkgever of
staat
sickroom ['sɪkru:m] *zn* ziekenzaal
side [saɪd] **I** *zn* ❶ kant, zijkant, zijde ★ *side by side*
zij aan zij ★ *by / at sb's side* naast iem. ★ *by the
side of* naast ★ *be lying on your side* op je zij
liggen ★ *do sth on the side* iets erbij / ernaast
doen ★ *have sth on the side* iets als bijgerecht
hebben ★ *on the right side of 40* nog geen 40
jaar ★ *on the wrong side of 40* over de 40 ★ *on
your mother's / father's side* van je
moederskant / vaderskant ★ *on the left-hand /
right-hand side* aan de linkerkant / rechterkant,
links / rechts ★ inform *be on the fat / short side*

aan de dikke / korte kant zijn, nogal dik / kort
zijn ★ *get on the wrong / right side of sb* iem.
tegen / voor je innemen ★ *sunny side up* ≈
spiegelei ★ *be on the safe side* het zekere voor
het onzekere nemen ★ *put sth to one side* iets
terzijde leggen (bv. een probleem) ★ *this side of
Christmas* voor Kerstmis ★ *laugh on the wrong
side of one's face* lachen als een boer die kiespijn
heeft ❷ flank, helling (van berg) ❸ aspect, kant
★ *your feminine side* je vrouwelijke kant ★ *she
wanted to hear his side of the story* ze wilde zijn
kant / versie van het verhaal horen ★ *the darker
side of life* de schaduwzijde van het leven ★ *look
on the bright side!* zie / bekijk het positief! ★ *the
other side of the coin* de keerzijde van de
medaille ❹ partij ★ *be at sb's side* aan iemands
kant staan ★ *on the side of* op de hand van
★ inform *whose side are you on?* aan wiens kant
sta je ★ *take sides (with)* partij kiezen (voor)
❺ elftal, team ★ fig *let the side down*
teleurstellen **II** *onov ww* ~ **with** partij kiezen
voor ★ *he sided with me* hij koos mijn kant
side benefit *zn* gunstig neveneffect
sideboard ['saɪdbɔ:d] *zn* ❶ GB dressoir ❷ buffet
▼ GB *inform* ~s bakkebaarden
sideburns ['saɪdbɜ:n] *zn mv* USA bakkebaarden
sidecar ['saɪdka:] *zn* zijspan
side chapel *zn* zijkapel ★ *a ~ to the church* een
zijkapel bij de kerk
side dish ['saɪdɪʃ] *zn* bijgerecht
side drum *zn* kleine trom
side effect ['saɪdɪfekt] *zn* neveneffect, bijwerking
side issue ['saɪdɪʃu:] *zn* nevenprobleem, bijzaak
sidekick ['saɪdkɪk] inform *zn* ❶ (vaste) assistent,
hulp(je), sidekick ❷ makker, kameraad
sidelight ['saɪdlaɪt] *zn* ❶ GB zijlicht, stadslicht (op
auto) ❷ fig bijkomstige / toevallige informatie
★ ~ *information* verhelderende informatie
sideline ['saɪdlaɪn] **I** *zn* ❶ zijlijn ★ *watch from the
~s* toeschouwer zijn, niet meedoen / ingrijpen
★ *wait on the ~s* klaar staan (om in te vallen of
mee te doen), afwachten (tot de situatie
duidelijker is geworden), niet meedoen /
ingrijpen ❷ bijbaantje ❸ nevenartikel ★ *sell
books as a ~* boeken ernaast verkopen **II** *onov
ww* ★ *be ~d* uitgeschakeld zijn (door blessure),
aan de kant gezet zijn
sidelong ['saɪdlɒŋ] *bnw + bijw* zijdelings
side mirror *zn* zijspiegel ★ *the ~ of the car was
broken* de zijspiegel van de auto was stuk
side-on GB **I** *bijw* van opzij ★ *the car was hit side
on* de auto werd van opzij aangereden **II** *bnw*
van opzij ★ *a ~ view* een blik van opzij
side order *zn* bijgerecht
side road *zn* zijweg, zijstraat
side-saddle *zn* ❶ zijwaartse zit op paard ★ *ride ~*
paardrijden in amazonezit ❷ damezadel
sideshow ['saɪdʃəʊ] *zn* ❶ extra attractie
❷ bijzaak
side split *zn* spagaat
side-splitting ['saɪdsplɪtɪŋ] *bnw* om je dood te
lachen (grap)
sidestep ['saɪdstep] *ov ww* opzij gaan voor,
ontwijken ★ ~ *the issue* de kwestie omzeilen
side street *zn* zijstraat
sidestroke ['saɪdstrəʊk] *zn* zijslag ★ *swim the ~* de

zijslag zwemmen

side swipe zn ❶ kritische opmerking tussendoor ❷ USA het aan de zijkant schampen van twee auto's

sidetrack ['saɪdtræk] I zn zijspoor II ov ww afleiden, doen afdwalen ★ *she got ~ed by the design* ze werd afgeleid door het ontwerp

sidewalk ['saɪdwɔːk] USA zn trottoir

sideways ['saɪdweɪz] I bnw, **sideward**, USA **sidewise** (van) terzijde, zijdelings ★ *she gave me a ~ glance* ze keek me van opzij / zijdelings aan II bijw, **sidewards**, USA **sidewise** (van) terzijde, zijdelings ★ *he looked ~ at me* hij keek me van opzij / zijdelings aan

siding ['saɪdɪŋt] zn ❶ rangeerspoor ❷ USA gevelbekleding, van hout, aluminium e.d. op buitenmuren

sidle ['saɪdl] onov ww ❶ zijdelings lopen ★ *a beggar ~d up to me* een bedelaar kwam zijdelings naar mij toegelopen ❷ met eerbied / schuchter naderen

SIDS afk, sudden infant death syndrome wiegendood

siege [siːdʒ] zn belegering, beleg ★ *lay ~ to* belegeren ★ *raise / lift the ~* het beleg opheffen ★ *in a state of ~* in staat van beleg ★ *under ~* onder beleg

siege mentality zn gevoel dat iedereen tegen je / jullie is, defensieve, wantrouwende houding

sieve [sɪv] I zn zeef ★ *have a head / memory like a ~* erg vergeetachtig zijn II ov ww zeven

sift [sɪft] ov ww ❶ zeven, ziften ❷ strooien ⟨o.a. suiker⟩ ❸ nauwkeurig uitpluizen ❹ ~ through onderzoeken, doorzoeken ★ *he sifted through the documents* hij doorzocht de documenten

sifter ['sɪftə] zn ❶ zeef(je) ❷ strooier ⟨om suiker, meel te strooien⟩

sigh [saɪ] I zn zucht ★ *a sigh of relief* een zucht van opluchting II onov ww ❶ zuchten ❷ ~ for smachten naar

sight [saɪt] I zn ❶ gezichtsvermogen ★ *lose one's ~* blind worden ❷ (ge)zicht, blikveld, gezichtsveld ★ *a common ~* een normaal verschijnsel ★ *on ~, at (first) ~* op het eerste gezicht ★ *in ~* in zicht, in het gezicht ★ *get out of my ~!* uit mijn ogen! ★ *in their ~, he can do nothing wrong* wat hem betreft, kan hij niets verkeerd doen ★ inform *out of ~!* geweldig! ★ fig *out of ~, out of mind* uit het oog, uit het hart ★ *catch ~ of* in het oog krijgen, in het oog krijgen ★ *lose ~ of* uit het oog verliezen ★ *know sb by ~* iem. kennen van gezicht ❸ bezienswaardigheid, schouwspel ★ *see all the ~s* alle bezienswaardigheden bekijken / aflopen ★ fig *you're a ~ for sore eyes!* ik ben blij dat ik je (eens) zie ❹ vertoning ★ *what a ~ you look!* wat zie je eruit! ❺ inform heleboel ★ *a ~ smarter* beduidend slimmer ▼ *raise / lower one's ~s* verwachtingen / ambities hoger / lager stellen ▼ *set one's ~s on sth* iets op het oog hebben, iets willen hebben / halen / bereiken II ov ww in het oog krijgen, waarnemen ★ *land was ~ed* ze kregen land in zicht ★ *two storks were ~ed* er werden twee ooievaars waargenomen

sighted ['saɪtɪd] bnw ziende ★ *partially ~* slechtziend

sighting ['saɪtɪŋ] zn waarneming ★ *there has been no ~ of the bird* de vogel is niet waargenomen

sightless ['saɪtləs] bnw blind

sightly ['saɪtlɪ] bnw fraai

sight-read ov ww van het blad spelen / zingen

sightseeing ['saɪtsiːɪŋ] zn bezichtiging van bezienswaardigheden ★ *tour* rondrit voor toeristen ★ *~ bus* bus voor rondritten

sightseer ['saɪtsiːə] zn toerist

sign [saɪn] I zn ❶ teken, voorteken ★ *negative sign* minteken ★ *a sign of spring* een teken van de lente ★ *there is no sign of him* hij is nergens te vinden ★ *sign of life* levensteken ★ *there was no sign of life in the flat* uit niets bleek dat er iem. aanwezig was in het appartement ★ *a sign of the times* een teken des tijds ★ *in sign of* ten teken van ★ *give a sign* een teken geven ★ *sign of the zodiac* sterrenbeeld ❷ bord, uithangbord, reclameplaat ★ *follow the signs!* volg de borden! ★ *an exit sign* een uitgangsbord ★ *an illuminated sign* een lichtreclame II ov ww ❶ (onder)tekenen ★ *sign one's name (to)* ondertekenen ❷ **sign up** contracteren, laten tekenen ★ *sign (up) a new player* een nieuwe speler contracteren ❸ door een teken aanduiden ★ *sign assent* toestemmend knikken ❹ ~ away schriftelijk afstand doen van ❺ ~ in de presentielijst tekenen voor, inchecken ★ *sign sb in* iem. inchecken / inschrijven, voor iem. de presentielijst tekenen ❻ ~ off afsluiten, voor akkoord verklaren / tekenen ⟨bv. urenbriefje, accountantsverklaring⟩ ★ *he signed off the programme* hij sloot het programma af ❼ ~ on contracteren ⟨nieuwe werknemer, speler⟩, aanmonsteren ★ *the sailors were signed on* de zeelieden werden aangemonsterd ❽ ~ out uitchecken, een lijst tekenen bij vertrek ★ *sign sb out* iem. uitchecken / uitschrijven, voor iem. de lijst tekenen bij vertrek ★ *the librarian signed out the book* de bibliothecaris leende het boek uit ❾ ~ up inschrijven, opgeven III onov ww ❶ (onder)tekenen ★ *sign with a big record company* bij een grote platenmaatschappij tekenen ❷ in gebarentaal spreken, een teken geven ★ *he signed to her to go* hij gaf haar een teken dat ze kon gaan ❸ ~ for tekenen voor ⟨bestelling⟩, tekenen bij ⟨club, bedrijf⟩ ★ *sign for Arsenal* voor / bij Arsenal gaan spelen ❹ ~ in de presentielijst tekenen, inchecken ❺ ~ off afsluiten, afnokken ★ *they signed off at four* ze nokten om vier uur af ❻ ~ on tekenen ⟨als o.a. lid⟩, aanmonsteren, GB zich inschrijven als werkloos ★ *sign on for three years* voor drie jaar tekenen, een contract voor drie jaar krijgen / nemen ❼ ~ out uitchecken, een lijst tekenen bij vertrek ❽ ~ up zich inschrijven / opgeven, tekenen ⟨als o.a. lid⟩, aanmonsteren ★ *the sailors signed up to go* de zeelieden monsterden aan om mee te gaan

signal ['sɪgnl] I zn signaal, teken, sein, verkeerslicht ★ *a ~ of respect* een teken van respect ★ *an engaged ~* een ingeroepaston ★ *a ~ failure* een seinstoring II ov ww seinen, (door signalen / tekens) te kennen geven, aankondigen ★ *he ~led that he was ready* hij gaf een teken dat hij klaar was ★ *~ sb to follow* si

iemand een teken geven om te volgen **III** *onov ww* seinen, (door signalen / tekens) te kennen geven ★ ~ *to sb* to follow iemand een teken geven om te volgen **IV** *bnw form* buitengewoon, opmerkelijk ★ *a ~ victory* een schitterende overwinning

signal box ['sɪɡnlbɒks] *zn* seinhuisje

signalize, signalise ['sɪɡnəlaɪz] *ov ww* ❶ signaleren, markeren, doen opvallen ★ ~ *a change in stature* een veranderde status aangeven ❷ Aus USA verkeerslichten plaatsen

signaller, USA **signaler** ['sɪɡnələ] *zn* mil seiner

signatory ['sɪɡnətərɪ] **I** *zn* ondertekenaar **II** *bnw* ondertekend hebben ★ *a ~ country* een land dat ondertekend heeft

signature ['sɪɡnətʃə] *zn* ❶ handtekening, signatuur, ondertekening ★ *digital ~* digitale handtekening ❷ muz vóórtekening ★ ~ *tune* herkenningsmelodie

signboard ['saɪnbɔːd] *zn* ❶ (uithang)bord ❷ USA aanplakbord

signer ['saɪnə] *zn* ondertekenaar

signet ['sɪɡnɪt] *zn* zegel

signet ring [sɪɡnɪtrɪŋ] *zn* zegelring

significance [sɪɡ'nɪfɪkəns] *zn* betekenis, gewichtigheid ★ *of no ~* van geen betekenis

significant [sɪɡ'nɪfɪkənt] *bnw* veelbetekenend ★ ~ *figure* elk cijfer behalve 0

signification [sɪɡnɪfɪ'keɪʃən] *zn* betekenis

signify ['sɪɡnɪfaɪ] *ov ww* betekenen, aanduiden, te kennen geven ★ *it signifies nothing* het betekent niets

sign language *zn* gebarentaal

signpost ['saɪnpəʊst] **I** *zn* ❶ handwijzer, wegwijzer ❷ stok v. uithangbord **II** *ov ww* bewegwijzeren

silage ['saɪlɪdʒ] **I** *zn* ingekuild veevoer **II** *ov ww* inkuilen

silence ['saɪləns] **I** *zn* stilte, (het) zwijgen ★ *stunned ~* oorverdovende stilte ★ *put to ~* tot zwijgen brengen ★ *break ~* stilzwijgen verbreken ★ *the right to ~* het zwijgrecht **II** *ov ww* tot zwijgen brengen

silencer ['saɪlənsə] *zn* ❶ geluiddemper ❷ GB knalpot

silent ['saɪlənt] *bnw* stil, zwijgend, zwijgzaam ★ ~ *film* stomme film ★ *be ~* zwijgen ★ gesch *William the Silent* Willem de Zwijger

silhouette [sɪluː'et] **I** *zn* silhouet, schaduwbeeld **II** *ov ww* ★ *be ~d against* zich aftekenen tegen

silicon ['sɪlɪkən] *zn* silicium

silicone ['sɪlɪkəʊn] *zn* silicone

silk [sɪlk] **I** *zn* ❶ zijde ★ *watered silk* moiré zijde, gevlamde zijde ❷ koninklijk raadgever ★ *take silk* koninklijk raadgever worden **II** *bnw* ★ *you can't make a silk purse out of a sow's ear* je kunt geen ijzer met handen breken, je kunt van een boer geen heer maken

silken ['sɪlkən] *bnw* zijdeachtig, zijdezacht, zijden

silkworm ['sɪlkwɜːm] *zn* zijderups

silky ['sɪlkɪ] *bnw* → silken

sill [sɪl] *zn* ❶ drempel ❷ vensterbank

silly ['sɪlɪ] **I** *bnw* ❶ dwaas, idioot ❷ flauw, kinderachtig ★ *become ~* gek / seniel worden ★ *knock a p. ~* iem. suf slaan ★ *spoil sb ~* iem. schandalig verwennen ★ *the ~ season* de

komkommertijd **II** *zn* mallerd, gekkie

silo ['saɪləʊ] **I** *zn* (graan)silo, kuil voor groenvoer **II** *ov ww* inkuilen

silt [sɪlt] **I** *zn* slib **II** *ov ww* ~ **up** doen dichtslibben **III** *onov ww* ~ **up** dichtslibben

silver ['sɪlvə] **I** *zn* zilver, (zilver)geld, tafelzilver **II** *bnw* zilveren, zilverachtig **III** *ov ww* verzilveren, zilverwit maken

silver foil *zn* zilverpapier

silver leaf *zn* bladzilver

silver-plated [sɪlvə'pleɪtɪd] *bnw* verzilverd

silversmith ['sɪlvəsmɪθ] *zn* zilversmid

silverware ['sɪlvəweə] *zn* tafelzilver, zilverwerk

silvery ['sɪlvərɪ] *bnw* met zilveren klank, zilverachtig

SIM [sɪm] *afk, Subscriber Identity Module* sim

simcard ['sɪmkɑːd] *zn* simkaart

simian ['sɪmɪən] **I** *zn* aap **II** *bnw* aap-, apen-

similar ['sɪmɪlə] **I** *zn* gelijke **II** *bnw* ★ ~ *(to)* gelijk(vormig) aan, gelijkend op, dergelijk

similarity [sɪmɪ'lærətɪ] *zn* gelijkvormigheid, overeenkomst

similarly ['sɪmɪləlɪ] *bijw* evenzo, op dezelfde manier, gelijk

simile ['sɪmɪlɪ] *zn* uitgebreide vergelijking 〈stijlfiguur〉

similitude [sɪ'mɪlɪtjuːd] *zn* gelijkenis, evenbeeld

simmer ['sɪmə] **I** *ov ww* laten sudderen **II** *onov ww* sudderen, koken 〈van woede〉 **III** *zn* gesudder

simper ['sɪmpə] **I** *zn* onnozele glimlach **II** *onov ww* gemaakt / onnozel lachen

simple ['sɪmpl] *bnw* eenvoudig, enkelvoudig, ongekunsteld, gewoon, onnozel ★ *it's ~ madness* het is gewoonweg dwaasheid

simple-hearted [sɪmpl'hɑːtɪd] *bnw* oprecht, eenvoudig

simple-minded [sɪmpl'maɪndɪd] *bnw* eenvoudig, zwakzinnig

simpleton ['sɪmpltn] *zn* dwaas, sul

simplicity [sɪm'plɪsətɪ] *zn* eenvoud, ongekunsteldheid

simplify ['sɪmplɪfaɪ] *ov ww* ❶ vereenvoudigen ❷ te eenvoudig voorstellen

simplistic [sɪm'plɪstɪk] *bnw* simplistisch, oppervlakkig

simply ['sɪmplɪ] *bijw* simpel(weg), eenvoudig(weg), domweg

simulate ['sɪmjʊleɪt] *ov ww* veinzen, nabootsen

simulation [sɪmjʊ'leɪʃən] *zn* simulatie

simulator ['sɪmjʊleɪtə] *zn* simulant, simulator

simultaneity [sɪməltə'neɪətɪ] *zn* gelijktijdigheid

simultaneous [sɪməl'teɪnɪəs] *bnw* gelijktijdig

sin [sɪn] **I** *zn* zonde ★ *capital / cardinal / mortal sin* doodzonde ★ *original sin* erfzonde ★ *seven deadly sins* zeven hoofdzonden ★ *swear like sin* vloeken als een ketter ★ *ugly as sin* spuuglelijk **II** *onov ww* zondigen

sin bin GB *zn* ❶ strafbankje ❷ tuchtschool, afkickcentrum

since [sɪns] **I** *vz* sinds, sedert ★ *he has worked here ~ 1995* hij werkt hier al sinds 1995 **II** *vw* ❶ (aan)gezien ★ *they took the bus ~ they were rather late* ze namen de bus aangezien ze aan de late kant waren ❷ sedert, sinds ★ *it is long ~ I saw you* ik heb je al lang niet gezien **III** *bijw*

❶ sindsdien ★ *she has been writing ever ~* ze schrijft sindsdien ❷ geleden ★ *a long ~ vanished tribe* een lang verdwenen stam

sincere [sɪn'sɪə] *bnw* oprecht ★ *please accept our ~ sympathy* van harte gecondoleerd

sincerely [sɪn'sɪəlɪ] *bijw* oprecht ★ *I ~ hope so* Ik hoop oprecht van wel ★ *yours ~* hoogachtend

sincerity [sɪn'serətɪ] *zn* eerlijkheid, oprechtheid

sinew ['sɪnju:] *zn* ❶ pees ❷ samenbindend element ★ *taxes are the ~s of the state* belastingen zijn de basis voor de structuur van de staat

sinews ['sɪnju:z] *zn mv* spieren, spierkracht ★ *the ~ of war* dat waar de oorlog op drijft: geld

sinewy ['sɪnju:ɪ] *bnw* ❶ pezig ❷ gespierd, sterk

sinful ['sɪnfʊl] *bnw* ❶ zondig ❷ schandelijk, schandalig ★ *a ~ waste of money* een schandalige geldverspilling ★ *humor a ~ chocolate cake* een verleidelijke chocoladetaart

sing [sɪŋ] I *ov ww* [onregelmatig] ❶ zingen, bezingen ★ *sing another tune* uit een ander vaatje tappen ★ *sing s.o.'s praises* iem. ophemelen ❷ USA ~ out uitzingen, brullen II *onov ww* [onregelmatig] ❶ zingen ★ *sing flat / sharp* vals zingen ★ *to sing for one's supper* moeten werken voor de kost ★ *sing small* een toontje lager zingen ❷ zoemen, suizen ❸ ~ of bezingen

singe [sɪndʒ] I *zn mv* schroeiplek II *ov ww* afschroeien, (ver)schroeien ★ *have one's hair ~d* het haar krullen ★ *fig ~ one's feathers / wings* de vingers branden

singer ['sɪŋə] *zn* zanger(es)

singing ['sɪŋɪŋ] *zn* (het) zingen, gezang, zang(kunst) ★ *he had a fine ~ voice* hij kon mooi zingen

single ['sɪŋl] I *bnw* ❶ enkel, afzonderlijk ❷ vrijgezel, alleenstaand ★ *~ room* eenpersoonskamer ★ *~ combat / fight* tweegevecht II *zn* ❶ kaartje enkele reis ❷ alleenstaande, vrijgezel ❸ enkelspel III *ov ww* ~ out uitkiezen, eruit pikken

single-breasted [sɪŋgl'brestɪd] *bnw* met één rij knopen

single carriage way GB *zn* tweebaansweg

single cream GB *zn* dunne room

single currency GB *zn* eenheidsmunt

single-decker GB *zn* gewone bus

single-engined GB *bnw* éénmotorig

single file GB *zn* enkele rij ★ *walk in ~* in ganzenpas lopen

single-handed [sɪŋgl'hændɪd] *bnw* eigenhandig ★ *a ~ accomplishment* een prestatie door een persoon, zonder hulp v. anderen ★ *he achieved this ~ly* hij kreeg dit zonder hulp voor elkaar

single-hearted GB *bnw* oprecht

single-income household GB *zn* huishouden met één inkomen

single-lens reflex camera GB *zn* spiegelreflexcamera

single market GB *zn* gezamenlijke markt

single-minded [sɪŋgl'maɪndɪd] GB *bnw* doelbewust

single-mindedness GB *zn* doelbewustheid

singleness ['sɪŋglnəs] GB *zn* concentratie ★ *~ of mind / purpose* doelbewustheid

single parent GB *zn* alleenstaande ouder

single room GB *zn* eenpersoonskamer

single-seater GB *zn* eenpersoonsvliegtuig

single-sex GB *bnw* niet gemengd

singlet ['sɪŋglət] *zn* singlet ⟨(mouwloos) hemd⟩

singleton ['sɪŋgltn] *zn* één enkele kaart in een kleur ⟨kaartspel⟩

single-use *bnw* wegwerp- ★ *~ camera* wegwerpcamera

singly ['sɪŋlɪ] *bijw* apart-, één voor één

singsong ['sɪŋsɒŋ] *zn* dreun-, zangavondje

singular ['sɪŋgjʊlə] I *bnw* zonderling, vreemd, uniek, enkelvoudig ★ *all and ~* allen en ieder in het bijzonder ★ *~ly* bij uitstek II *zn* taalk enkelvoud(ig woord)

singularity [sɪŋgjʊ'lærətɪ] *zn* → singular

Sinhalese [sɪnhə'li:z] I *zn* Singalees II *bnw* Singalees

sinister ['sɪnɪstə] *bnw* sinister, onheilspellend, kwaadaardig, onguur

sink [sɪŋk] I *zn* gootsteen, wasbak ★ *sink of iniquity* poel v. ongerechtigheid II *ov ww* [onregelmatig] ❶ ook fig doen zinken, laten zakken, dalen ★ *the enemy sank the ship* de vijand bracht het schip tot zinken ★ *they sank the bucket down slowly* ze lieten de emmer langzaam zakken ❷ graven, boren ★ *they sank the drill into the rocks* ze dreven de boor de rotsen in ❸ laten hangen ★ *she sank her head* ze liet haar hoofd hangen ★ *sink o.s. / one's own interests* de eigen belangen opzij zetten III *onov ww* [onregelmatig] ❶ zinken, dalen, zakken ★ *sink or swim* pompen of verzuipen, erop of eronder ★ *we're sunk* we zijn verloren ★ *sunken cheeks* ingevallen wangen ★ *sunken eyes* diepliggende ogen ❷ achteruitgaan ★ *interest in the project sank* belangstelling voor het project verflauwde ❸ bezwijken ★ *his heart sank* de moed begaf hem ❹ gaan liggen ⟨wind⟩ ❺ ~ back terugvallen ★ *she sank back in a chair* ze liet zich in een stoel terugvallen ❻ ~ in tot iemand doordringen, bezinken, inzinken

sinker ['sɪŋkə] *zn* zinklood

sinking ['sɪŋkɪŋ] *zn* ❶ (het) (doen) zinken ❷ beklemd gevoel ★ *that ~ feeling* dat bange gevoel

sinking fund *zn* amortisatiefonds

sink unit *zn* aanrechtblok

sinner ['sɪnə] *zn* zondaar ★ *as I am a ~* zowaar ik leef

Sinn Fein [ʃɪn 'feɪn] *zn* pol Sinn Fein ⟨Ierse nationalistische partij⟩

sinology [saɪ'nɒlədʒɪ] *zn* sinologie

sinuosity [sɪnjʊ'ɒsətɪ] *zn* bocht(igheid)

sinuous ['sɪnjʊəs] *bnw* bochtig, kronkelend

sinus ['saɪnəs] *zn* ❶ holte ❷ schedelholte

sip [sɪp] I *zn* teugje, slokje II *ov+onov ww* nippen aan, met kleine teugjes drinken

siphon ['saɪfən] *zn* ❶ hevel ❷ sifon

sir [sɜ:] I *zn* mijnheer II *ov ww* met 'sir' aanspreken

Sir [sɜ:] *zn* Sir ⟨titel⟩ ★ *Dear Sir,* Geachte heer, ⟨in brief⟩

sire [saɪə] I *zn* ❶ stamvader, (voor)vader ❷ Sire II *ov ww* de vader zijn van ⟨bij dieren⟩

siren ['saɪərən] *zn* ❶ sirene ❷ zeekoe

si

sirloin ['sɜːlɔɪn] zn lendenstuk v. rund

sis [sɪs] zn zus(je)

SIS [esar'es] afk, Secret Intelligence Service Britse geheime dienst

sisal ['saɪsəl] zn sisal ★ ~ grass sisal

siskin zn sijs

sissy ['sɪsɪ] I zn min mietje II bnw min mietjesachtig

sister ['sɪstə] zn ❶ zus, zuster ❷ non ❸ hoofdverpleegster

sisterhood ['sɪstəhʊd] zn zusterschap

sister-in-law ['sɪstərɪnlɔː] zn schoonzuster

sisterly ['sɪstəlɪ] bnw zusterlijk

Sistine ['sɪstaɪn, 'sisti:n] bnw ★ the ~ Chapel de Sixtijnse Kapel

sit [sɪt] I ov ww ❶ neerzetten ★ she sat the child down ze zette het kind neer in een stoel ❷ laten zitten / plaatsnemen ★ the hall will sit 100 people in de zaal kunnen 100 personen plaatsnemen ❸ afleggen ★ sit an examination examen doen ❹ berijden ★ she sits a horse well ze berijdt een paard goed II onov ww [onregelmatig] ❶ zitten ★ sit at home werkeloos thuis zitten ★ sit heavy on bezwaren, zwaar zijn ★ sit slight / loosely on van weinig betekenis zijn voor ★ sit in judgement stem in het kapittel hebben ★ ook fig sit tight stevig in het zadel zitten ❷ liggen, zich bevinden ★ the tv was sitting in a pool of water de tv stond in een plas water ❸ passen, staan ★ sit ill on niet passen bij ❹ (zitten te) broeden ★ the swan sat on its nest de zwaan zat te broeden ❺ ~ back achterover gaan zitten ❻ ~ down gaan zitten ❼ ~ for poseren, vertegenwoordigen, doen, afleggen ★ he sat for an exam hij legde examen af ❽ ~ in bezetten, aan bezetting deelnemen ❾ ~ in on aanwezig zijn bij ★ they sat in on the meeting ze woonden de vergadering bij ❿ ~ in for ★ sit in for vervangen, de plaats innemen van ⓫ ~ out niet deelnemen aan, buiten blijven, tot het eind toe blijven (bij), langer blijven dan ⓬ ~ under (geregeld) onder het gehoor zijn van ⓭ ~ up rechtop gaan zitten ★ that will make him sit up daar zal hij van opfrissen / -kijken ⓮ ~ (up)on blijven, behandelen, beraadslagen over, zitting hebben in, op z'n nummer zetten, op de kop zitten ★ don't be sat on laat je niet op de kop zitten ★ sit on a p.'s head iem. onder de duim houden of negeren ★ sit on the fence zich afzijdig houden III zn houding te paard

sitcom ['sɪtkɒm] zn, situation comedy komische tv-serie

sit-down [sɪt'daʊn] zn ❶ staking (waarbij de werkplaats bezet wordt) ❷ adempauze

site [saɪt] I zn ❶ terrein, perceel, kavel ❷ plaats, ligging, locatie ❸ zetel ❹ vindplaats (van informatie) (internet) II ov ww plaatsen

sit-in ['sɪtɪn] zn bezetting

sitter ['sɪtə] zn ❶ model ❷ oppas, babysitter

sitting ['sɪtɪŋ] zn ❶ zittingsperiode ❷ poseren ★ a portrait ~ can be tiring poseren voor een portret kan vermoeiend zijn ❸ broedsel ❹ terechtzitting

sitting duck zn gemakkelijk doelwit, eenvoudige prooi

sitting room zn zitkamer

situate ['sɪtʃʊeɪt] ov ww plaatsen

situated ['sɪtʃʊeɪtɪd] bnw gelegen ★ be ~ on liggen aan / op ★ well ~ in goeden doen

situation [sɪtʃʊ'eɪʃən] zn ❶ toestand, situatie ❷ ligging, stand ❸ gelegenheid ★ take advantage of the ~ van de gelegenheid gebruik maken ❹ betrekking ❺ euf problematische situatie, noodgeval

sit-up zn sit-up (buikspieroefening)

six [sɪks] telw zes ★ six of one and half a dozen of the other lood om oud ijzer ★ at sixes and sevens in de war, overhoop

sixfold ['sɪksfəʊld] bnw zesvoudig

sixpack zn ❶ verpakking van zes stuks (vooral blikjes drank) ❷ inform wasbord (gespierde buik)

sixpence ['sɪkspəns] gesch zn zesstuiverstuk

sixpenny ['sɪkspənɪ] gesch bnw ❶ van zes stuivers ❷ kwartjes- ★ ~ bit / piece zesstuiverstuk

sixteen [sɪks'tiːn] telw zestien

sixteenth [sɪks'tiːnθ] I bnw zestiende ★ she came ~ ze werd zestiende II zn zestiende deel

sixth [sɪksθ] I telw zesde ★ ~ form bovenbouw vwo II zn zesde deel

sixthly ['sɪksθlɪ] telw ten zesde

sixties ['sɪkstiːz] zn mv ★ the ~ de jaren zestig (van de twintigste eeuw)

sixtieth ['sɪkstɪəθ] bnw zestigste

sixty ['sɪkstɪ] telw zestig ★ the sixties de jaren zestig ★ in one's sixties in de zestig ★ ~ four dollar question de hamvraag

size [saɪz] I zn ❶ grootte, omvang ★ of some size behoorlijk groot ★ is the size of is zo groot als ★ of a size even groot ❷ maat, afmeting ★ what size do you take? welke maat hebt u? II ov ww ❶ naar grootte of maat sorteren, passend maken ❷ lijmen, gladmaken van papier ❸ ~ up taxeren, schatten, een beeld vormen van

sizeable, sizable ['saɪzəbl] bnw nogal groot, aanzienlijk

sizzle ['sɪzəl] I zn gesis II onov ww sissen ★ sizzling hot bloedheet

sizzler ['sɪzlə] zn ❶ sisser ❷ bloedhete dag ❸ straatt lekker stuk ❹ straatt knoert

skate [skeɪt] I zn ❶ schaats ❷ vleet (vis) II onov ww ❶ schaatsen ❷ skaten ★ ~ over thin ice een gevoelig onderwerp behandelen

skateboard ['skeɪtbɔːd] I zn rol- / schaatsplank, skateboard II onov ww skateboarden

skater ['skeɪtə] zn schaatser

skating rink ['skeɪtɪŋrɪŋk] zn ijsbaan, rolschaatsbaan

skeet [skiːt] zn (het) kleiduivenschieten

skein [skeɪn] zn ❶ knot, streng ❷ vlucht wilde ganzen

skeletal ['skelɪtəl] bnw ❶ skelet-, v.h. skelet ❷ broodmager ❸ schematisch ★ a ~ storyline een summier plot

skeleton ['skelɪtn] zn ❶ geraamte, skelet ❷ schema, kern ★ a ~ staff een absoluut minimum aan personeel ★ a ~ in the closet / cupboard een lijk in de kast (onaangename verrassing) ★ ~ key loper ★ ~ service zeer beperkte dienst

skeptical USA bnw → **sceptical**

skerry ['skerɪ] zn klip, rif

sketch [sketʃ] **I** *zn* ❶ schets ⟨afbeelding⟩ ❷ ton sketch ⟨humoristisch toneelstukje⟩ ❸ *fig* schets ⟨kort verslag⟩ **II** *ov ww* ❶ schetsen ⟨afbeelden⟩ ❷ *fig* schetsen ⟨kort verslag geven⟩
sketchbook ['sketʃbʊk] *zn* schetsboek
sketchy ['sketʃɪ] *bnw* oppervlakkig, niet afgewerkt ★ *a ~ meal* haastige maaltijd
skew [skju:] **I** *zn* schuinte, schuin **II** *ov ww* afbuigen ★ *the taxes have been skewed towards the rich* de belastingen zijn scheef in het voordeel van de rijken **III** *onov ww* hellen ★ *the car skewed to the other side* de auto helde over naar de andere kant ★ *skewed vision* scheef beeld
skewbald ['skju:bɔ:ld] *bnw* met witte vlekken
skewer ['skju:ə] **I** *zn* vleespen, spit **II** *ov ww* doorsteken met vleespen
skew-eyed *bnw* scheel
skew-whiff *bnw* schuin
ski [ski:] **I** *zn* ski ★ *ski lift* skilift **II** *onov ww* skiën
skid [skɪd] **I** *zn* ❶ het slippen, slip ❷ remblok, remschoen ❸ USA weg v. boomstammen voor houttransport ❹ ★ *skid mark* remspoor **II** *onov ww* ❶ slippen, glijden ❷ USA vervoeren over weg van boomstammen
skid lid ['skɪdlɪd] GB *zn* veiligheidshelm
skier ['ski:ə] *zn* skiër
skiff [skɪf] *zn* skiff ⟨eenpersoonsroeiboot⟩
ski jump *zn* skischans
ski jumping *zn* (het) skispringen, (het) schansspringen
skilful ['skɪlfʊl] *bnw* bedreven, bekwaam
skill [skɪl] *zn* vaardigheid, (verworven) bedrevenheid
skilled [skɪld] *bnw* geschoold, vakkundig ★ *~ labour* geschoold werk
skillet ['skɪlɪt] *zn* USA koekenpan
skillful *bnw* USA → **skilful**
skim [skɪm] *ov ww* ❶ langs (iets) strijken / scheren ❷ afromen, afschuimen ❸ → **over** vluchtig bekijken, oppervlakkig behandelen ★ *skimmed milk* magere melk ★ *skimmed money* zwart geld ★ *skim stones on the water* steentjes keilen ★ *ook fig skim the cream off* afromen
skimmer ['skɪmə] *zn* schuimspaan
skimp [skɪmp] **I** *ov ww* kort houden, karig (toe)bedelen ★ *he ~ed his speech* hij bekortte zijn toespraak **II** *onov ww* zuinig zijn, bekrimpen ★ *~ on portions* beknibbelen op hoeveelheden
skimpy ['skɪmpɪ] *bnw* krap, karig, krenterig ★ *she wore a ~ black dress* ze droeg een kort zwart jurkje
skin [skɪn] **I** *zn* ❶ huid, huid van vliegtuig of schip, vlies, schil ❷ leren wijnzak ★ *inner / true skin* lederhuid ★ *outer skin* opperhuid ★ *jump out of one's skin* buiten zichzelf zijn, zich doodschrikken ★ *save one's skin* het er levend afbrengen ★ *I would not be in your skin* ik zou niet graag in jouw schoenen staan ★ *thick skin* een dikke huid ★ *get under a p.'s skin* iem. irriteren, iem. fascineren ★ *by / with the skin of one's teeth* op het nippertje af, ternauwernood ★ *wear sth next to the skin* iets op het blote lijf dragen **II** *ov ww* ❶ villen, ontvellen, (af)stropen, pellen ★ *keep your eyes skinned* kijk goed uit je doppen ❷ → **over** genezen

skin cancer *zn* huidkanker
skin colour *zn* huidskleur
skin condition *zn* huidaandoening
skin-deep [skɪn'di:p] *bnw* oppervlakkig ★ *beauty is but ~* schoonheid zit alleen maar aan de buitenkant
skin-dive ['skɪndaɪv] *onov ww* duiken ⟨zonder duikpak⟩
skin-diver *zn* duiker ⟨zonder duikpak⟩
skin diving *zn* onderwatersport, duiksport
skin-flick ['skɪnflɪk] *zn* GB pornofilm
skinflint ['skɪnflɪnt] *zn* vrek, gierigaard
skinful ['skɪnfʊl] *zn* leren (wijn)zak vol ★ *when he's got his ~* als hij flink wat op heeft
skin game *zn* oplichterij, afzetterij
skinhead ['skɪnhed] *zn* kaalkop, skinhead
skinny ['skɪnɪ] *bnw* broodmager, vel over been, nauwsluitend ★ *a ~ dress* een nauwsluitende jurk
skint [skɪnt] *bnw* straatt blut, platzak
skintight [skɪn'taɪt] *bnw* nauw passend
skip [skɪp] **I** *ov ww* overslaan ★ *skip the formalities* de formaliteiten laten voor wat ze zijn ★ *my heart skipped a beat* mijn hart sloeg over **II** *onov ww* ❶ huppelen ❷ (touwtje)springen ★ *skip (it)* er tussenuit knijpen ❸ → **over** overslaan **III** *zn* ❶ sprong(etje), dat wat overgeslagen is / moet worden / wordt ❷ bak ❸ kooi ⟨in mijnschacht⟩ ❹ kiepkar
skipper ['skɪpə] **I** *zn* ❶ schipper, (scheeps)kapitein ❷ sport aanvoerder ❸ USA commandeerend onderofficier, sergeant **II** *ov ww* aanvoeren, bevel voeren (over) ⟨als kapitein⟩
skipping rope GB *zn* springtouw
skirl [skɜ:l] **I** *zn* geluid v.e. doedelzak **II** *onov ww* geluid maken v.e. doedelzak
skirmish ['skɜ:mɪʃ] **I** *zn* schermutseling **II** *onov ww* schermutselen
skirt [skɜ:t] **I** *zn* ❶ rok ❷ slip, pand ❸ rand, buitenwijk, zoom ⟨van bos⟩ ❹ straatt meid, griet **II** *ov ww* ❶ bewegen langs de rand van ★ *we ~ed the mountains* we reden om de bergen heen ❷ grenzen aan ❸ vermijden ★ *she ~ed the matter* ze vermeed de kwestie
skirting board GB *zn* plint
skit [skɪt] *zn* parodie
skitter ['skɪtə] *onov ww* rennen, snel bewegen
skittish ['skɪtɪʃ] *bnw* ❶ dartel, frivool ❷ schichtig
skittle ['skɪtl] *zn* kegel ★ *~s* kegelspel
skive [skaɪv] *onov ww* zich drukken, niet komen werken ★ *he wasn't ill, he was skiving* hij was niet ziek, hij drukte zich
skivvy ['skɪvɪ] *zn*, inform fig dienstmeisje ★ *he treats me like a ~* hij behandelt mij als een dienstmeisje
skulk [skʌlk] *onov ww* sluipen, op de loer liggen, zich verschuilen, zich onttrekken aan, lijntrekken ★ *journalists ~ed around* er slopen journalisten rond
skull [skʌl] *zn* schedel, doodskop
skullcap ['skʌlkæp] *zn* kalotje
skunk [skʌŋk] **I** *zn* ❶ bunzing ❷ skunk ⟨bont⟩ ❸ straatt vuns, schoft ★ *drunk as a ~* ladderzat **II** *ov ww* USA totaal verslaan
sky [skaɪ] **I** *zn* ❶ lucht, hemel ❷ klimaat, streek ★ *fig the sky's the limit* ≈ er is geen grens aan de

sk

mogelijkheden ▼ *out of a clear sky* als een donderslag bij heldere hemel II *ov ww* inform hoog hangen van schilderij, hoog gooien

sky-blue *bnw* hemelsblauw

skybox ['skaɪbɒks] *zn* viploge ⟨boven aan stadiontribune⟩

skydiver ['skaɪdaɪvə] *zn* parachutist in vrije val

sky-high *bnw* hemelhoog

skyjack ['skaɪdʒæk] *ov ww* kapen ⟨van vliegtuig⟩

skyjacking ['skaɪdʒækɪŋ] *zn* vliegtuigkaping

skylab ['skaɪlæb] *zn* ruimtelaboratorium

skylark ['skaɪlɑːk] *zn* leeuwerik

skylight ['skaɪlaɪt] *zn* dakraam, bovenlicht

skyline ['skaɪlaɪn] *zn* silhouet (v. landschap / stad)

skyrocket ['skaɪrɒkɪt] I *zn* vuurpijl II *onov ww* snel de hoogte ingaan, de hoogte in schieten

skyscape *zn* luchtgezicht

skyscraper ['skaɪskreɪpə] *zn* wolkenkrabber

skywards ['skaɪwədz], **skyward** ['skaɪwəd] *bijw* hemelwaarts

skyway *zn* ❶ luchtroute ❷ USA verkeersweg op hoog niveau ❸ luchtbrug

skywriting ['skaɪraɪtɪŋ] *zn* luchtschrijven, luchtschrift

slab [slæb] I *zn* ❶ platte steen, trottoirtegel ❷ sectietafel ⟨in mortuarium⟩ ❸ plak ★ *a slab of chocolate* een plak chocola II *ov ww* met tegels plaveien

slack [slæk] I *zn* ❶ slap hangend deel v. bijv. touw of zeil ❷ dood tij ❸ slappe tijd ❹ kolengruis ▼ *create some ~* een marge inbouwen ▼ *at least give me some ~* geef me dan tenminste een beetje de kans II *bnw* ❶ slap, los ❷ lui, traag, laks ★ *how ~ of you!* wat laks van jou! ★ *~ water* dood tij III *onov ww* ❶ treuzelen, lijntrekken ❷ nalatig zijn (in) ★ *they were ~ing in their homework* ze waren nalatig in hun huiswerk ❸ *~ off* verslappen, kalmpjes aan (gaan) doen ★ *the wind ~ed off* de wind luwde

slacken ['slækən] I *ov ww* laten vieren, slap doen worden II *onov ww* ❶ vieren, slap worden ★ *the line ~ed* het touw begon slap te hangen ❷ vaart minderen, afnemen

slacker ['slækə] *zn* lijntrekker

slacks [slæks] *zn mv* USA vrijetijdsbroek

slag [slæg] I *zn* ❶ GB inform slet ❷ slak(ken), sintel(s) II *ov ww* ❶ inform afkraken ★ *he slagged his girl-friend* hij kraakte zijn vriendin af ❷ *~ off* afkraken ★ *they slagged their boss off* ze kraakten hun baas af

slain [sleɪn] *ww* [volt. deelw.] → slay

slake [sleɪk] *ov ww* lessen, blussen ⟨van kalk⟩

slalom ['slɑːləm] *zn* slalom

slam [slæm] I *ov ww* ❶ hard dichtslaan, harde klap geven, plotseling in werking stellen, neersmijten ★ *he slammed the door* hij sloeg de deur dicht ★ *the instructor slammed on the brakes* de instructeur ging op de remmen staan ★ *the teacher slammed the book on the table* de leraar smeet het boek op tafel ❷ inform sterk bekritiseren ❸ slem maken ⟨bij kaartspel⟩ II *onov ww ~ into* met een klap iets doen ★ *the car slammed into the tree* de auto sloeg met een klap tegen de boom III *zn* ❶ harde klap ❷ slem

slander ['slɑːndə] I *zn* laster II *onov ww* (be)lasteren

slanderer ['slɑːndərə] *zn* lasteraar, kwaadspreker

slanderous ['slɑːndərəs] *bnw* lasterlijk

slang [slæŋ] I *zn* ❶ taalk slang, Bargoens, platte taal ❷ groeptaal, jargon II *ov ww* uitkafferen

slangy ['slæŋɪ] *bnw* taalk zoals slang ⟨zoals in straattaal⟩

slant [slɑːnt] I *zn* ❶ helling ❷ USA kijk ⟨op de zaak⟩ ❸ steelse blik ❹ steek onder water ❺ schuine streep ★ *on a / the ~* schuin II *ov ww* ❶ schuin houden / zetten ❷ een andere draai geven aan, een andere kijk op de zaak geven ★ *the report was ~ed against him* het rapport was partijdig in zijn nadeel III *onov ww* ❶ schuin lopen / staan ★ *the sunlight ~ed through the window* het zonlicht kwam schuin door het raam heen ❷ gekleurd zijn, bevooroordeeld zijn ★ *the press was ~ed towards the elderly* de pers was gekant tegen de ouderen

slanting ['slɑːntɪŋ] *bnw* schuin, hellend, naar één kant overhellend ★ *~ views* rechts / links georiënteerde politieke opvattingen

slantwise ['slɑːntwaɪz] *bnw* schuin

slap [slæp] I *zn* klap (met de vlakke hand), slag ★ *ook fig a slap in the face* een klap in het gezicht ★ *slap on the back* schouderklopje, felicitatie(s) II *ov ww* ❶ slaan, klappen ★ *she slapped him in the face* ze sloeg hem (met de vlakke hand) in het gezicht ❷ *~ down* neerkwakken ★ *she slapped it down in front of him* ze kwakte het voor hem neer ❸ *~ on* opsmijten ★ *she slapped lots of cream on* ze deed er veel zalf op III *bijw* pardoes, met een klap

slapdash ['slæpdæʃ] I *zn* nonchalance, geklodder II *bnw* nonchalant, slordig, achteloos ★ *their paintwork is ~* hun schilderwerk is slordig

slap-happy *bnw* ❶ inform uitgelaten ❷ inform nonchalant, onbekommerd ★ *their methods are ~* hun methodes zijn onoordacht

slapstick ['slæpstɪk] I *zn* ❶ slapstick ⟨platte humor⟩ ❷ gooi- en smijtfilm II *bnw* lawaaierig, boertig

slap-up ['slæpʌp] *bnw* ❶ pico bello ❷ chic ★ *~ meal* maaltijd met alles erop en eraan

slash [slæʃ] I *zn* ❶ houw, jaap ★ *a ~ with a sword* een houw met een zwaard ❷ schuine streep (het teken /) ★ *vulg have a ~* gaan pissen II *ov ww* ❶ houwen, snijden, een jaap geven ★ *she ~ed her wrists* ze sneed haar polsen door ❷ striemen ★ *the rain ~ed across my face* de regen striemde over mijn gezicht ❸ drastisch verlagen / verminderen / inkorten ⟨bv. van prijzen / personeel / tekst⟩ ★ *~ed sleeve* splitmouw ★ *~ing criticism* meedogenloze kritiek

slasher ['slæʃə] *zn* messentrekker, moordenaar ★ *~ film / movie* griezel- / geweldsfilm

slat [slæt] *zn* ❶ dun latje ❷ luchtv neusvleugel

slate [sleɪt] I *zn* ❶ lei(steen), leikleur ❷ USA voorlopige kandidatenlijst ▼ *a clean ~* een schone lei II *bnw* leien III *ov ww* ❶ USA kandidaat stellen ❷ met leien dekken ❸ uitvaren tegen, scherp kritiseren, met kritiek afmaken ★ *he ~d her* hij voer tegen haar uit

slater ['sleɪtə] *zn* leidekker

slating ['sleɪtɪŋ] *zn* ❶ dakwerk v. lei ❷ afbrekende kritiek

slaty ['sleɪtɪ] bnw leiachtig

slaughter ['slɔ:tə] I zn slachting, bloedbad II ov ww (af)slachten

slaughterer ['slɔ:tərə] zn slachter, (massa)moordenaar

slaughterhouse ['slɔ:təhaʊs] zn slachthuis

Slav [slɑ:v] I zn Slaaf II bnw Slavisch

slave [sleɪv] I zn slaaf, slavin ★ ook fig ~ labour slavenarbeid, -werk II onov ww zich afbeulen

slave driver zn slavendrijver

slaver ['sleɪvə] I zn ❶ slavenhandelaar, slavenschip ❷ kwijl II ov ww kwijlen

slavery ['sleɪvərɪ] zn slavernij

slave trade zn slavenhandel

Slavic ['slɑ:vɪk], **Slavonic** [slə'vɒnɪk] bnw Slavisch

slavish ['sleɪvɪʃ] bnw slaafs

slay [sleɪ] [onregelmatig] ov ww oud doden ★ be slain sneuvelen

sleazy ['sli:zɪ] bnw vies, louche en verlopen, vodderig, slonzig ★ a ~ person een louche persoon ★ a ~ Bed and Breakfast een vies pension

sled [sled] I zn slee II onov ww sleeën, per slee vervoeren

sledge [sledʒ] zn slee

sledgehammer ['sledʒhæmə] zn voorhamer

sleek [sli:k] I bnw ook fig glad, glanzend II ov ww glad maken, gladstrijken

sleep [sli:p] I zn slaap ★ go to ~ in slaap vallen ★ put to ~ in slaap brengen, wegmaken (onder narcose), laten inslapen (euthanasie plegen) ★ lose ~ slaapgebrek lijden, te weinig slapen ★ fig the big ~ de lange slaap (de dood) II ov ww [onregelmatig] logies geven, laten slapen, (kunnen) bergen ★ ~ away / off one's headache zijn hoofdpijn door slapen kwijtraken ★ ~ it off zijn roes uitslapen ★ the hotel can ~ 300 het hotel heeft 300 bedden III onov ww [onregelmatig] ❶ slapen ★ ~ over / (up)on a matter (nog eens) 'n nachtje slapen over een kwestie ★ ~ like a log / top slapen als een os ❷ ~ in lang door blijven slapen, zich verslapen ❸ ~ out niet thuis overnachten, niet intern zijn ❹ ~ with slapen met (vrijen)

sleeper ['sli:pə] zn ❶ slaper ❷ slaapwagen ❸ dwarsligger (tussen rails) ★ heavy ~ iem. die vast slaapt

sleeping sickness zn slaapziekte

sleepless ['sli:pləs] bnw slapeloos

sleepwalk ['sli:pwɔ:k] onov ww slaapwandelen

sleepy ['sli:pɪ] bnw slaperig, dromerig

sleepyhead ['sli:pɪhed] zn slaapkop

sleet [sli:t] I onp ww hagelen, sneeuwen II zn hagel met regen, natte sneeuw

sleety ['sli:tɪ] bnw → sleet

sleeve [sli:v] zn ❶ mouw ❷ hoes ★ an album ~ een hoes van een album ★ laugh in one's ~ heimelijk lachen ★ have sth up one's ~ iets achter de hand hebben ★ wear one's heart upon one's ~ het hart op de tong dragen ★ laugh in one's ~ in zijn vuistje lachen

sleeveless ['sli:vləs] bnw zonder mouwen, mouwloos

sleigh [sleɪ] zn slee

sleight [slaɪt] zn ❶ goocheltruc ❷ handigheidje, slimmigheid

sleight-of-hand zn ❶ vingervlugheid ❷ handigheid, truc

slender ['slendə] bnw ❶ slank, dun, mager, karig ❷ zwak ★ ~ abilities beperkte vermogens

slept [slept] ww [verleden tijd + volt. deelw.] → sleep

sleuth [slu:θ] zn speurder, detective ★ ~(-hound) bloedhond, speurhond

slew [slu:] I zn ❶ draai, zwenking ❷ poel, moeras II ww [verleden tijd +] **slay** III onov ww zwenken ★ the car slewed in the snow de auto zwenkte in de sneeuw IV ov ww omdraaien ★ the pilot slewed the plane de piloot keerde het vliegtuig om

slice [slaɪs] I zn ❶ schijf (pizza of taart) ❷ snee, plak(je) ❸ deel ❹ stuk ★ get a ~ of the action meedoen met een evenement ❺ visschep, spatel ★ ~ of bread and butter boterham ▼ fig a ~ of the cake / pie een stuk van de koek (een deel van de opbrengst) II ov ww in sneetjes snijden, afsnijden

slicer ['slaɪsə] zn ❶ snijder, snijmachine (bv. voor brood) ❷ schaaf (voor groenten enz.)

slick [slɪk] I zn olievlek II bnw ❶ vlot, handig ❷ ook fig glad, soepel ★ ~ advertising geraffineerde reclame ❸ gewiekst III ov ww ❶ glad maken, polijsten ❷ ~ down gladkammen (van haar), plakken IV bijw precies, pardoes

slicker ['slɪkə] zn ❶ USA olie- / regenjas ❷ gladjanus

slid [slɪd] ww [verleden tijd + volt. deelw.] → slide

slide [slaɪd] I zn ❶ (het) glijden, enz., glijbaan / -plank, hellend vlak ❷ geleider ❸ dia(positief) ❹ objectglaasje (van microscoop) ❺ schuifje, schuifraampje ❻ aardverschuiving II onov ww [onregelmatig] schuiven, (uit)glijden ★ ~ into sin tot zonde vervallen ★ let things ~ Gods water over Gods akker laten lopen III ov ww openschuiven

slide fastener zn USA rits(sluiting)

sliding ['slaɪdɪŋ] bnw ★ ~ door schuifdeur ★ ~ rule rekenliniaal ★ ~ scale variabele schaal ★ ~ seat glijbankje ★ USA ~ time variabele werktijd

slight [slaɪt] I zn geringschatting, kleinering II bnw ❶ tenger, licht, klein ★ she is ever so ~ ze is vreselijk tenger ❷ zwak, gering, vluchtig, klein ★ a ~ chance een kleine kans ★ not the ~est absoluut niet III ov ww met geringschatting behandelen, kleineren

slightly ['slaɪtlɪ] bijw enigszins

slim [slɪm] I bnw ❶ slank, dun, zwak, slim II ov ww ❶ inkorten (v. programma) ❷ ~ down inkrimpen ★ the company had to slim down het bedrijf moest inkrimpen III onov ww aan de lijn doen

slime [slaɪm] I zn ❶ slijk ❷ slib ❸ slijm II ov ww ❶ met slijm bedekken ❷ glippen

slimming ['slɪmɪŋ] zn ❶ vermageringskuur ❷ afslanken ★ ~ diet vermageringsdieet

slimy ['slaɪmɪ] bnw ❶ vies, walgelijk ❷ kruiperig ❸ glibberig, (zo) glad (als een aal)

sling [slɪŋ] I zn ❶ katapult ❷ lus, strop ❸ mitella, draagverband ❹ geweerriem ❺ USA grog II ov ww [onregelmatig] ❶ slingeren, gooien ★ ~ it over your shoulder gooi het over je schouder

sl

❷ vastsjorren aan de schouder... geweer!

slink [slɪŋk] [onregelmatig] *onov ww* ❶ sluipen ❷ ~ **away** ~ **off** wegsluipen

slip [slɪp] I *ov ww* ❶ loslaten, vieren, laten glijden, ontsnappen ★ *the lion slipped its cage* de leeuw ontsnapte uit zijn kooi ❷ heimelijk toestoppen ★ *she slipped him a note* ze stopte hem een briefje toe ❸ ~ **on/off** aan- / uittrekken ★ *slip on / off a coat* een jas aanschieten / uitgooien II *onov ww* ❶ (uit)glijden, los- / wegschieten, van zijn plaats schieten ★ *the rope slipped* het touw schoot los ❷ 'n fout maken ❸ zich vergissen ★ *it has slipped (from) memory / mind* het is me ontschoten ★ *the car is slipping along splendidly* de wagen loopt prima ★ *slip into another suit* vlug even een ander pak aanschieten ★ *slip carriage* treinrijtuig dat tijdens rijden wordt losgelaten, slipwagen ❹ ~ **away/out** er tussenuit knijpen ❺ ~ **by** ongemerkt voorbijgaan ❻ ~ **up** zich vergissen, wegstoppen ⟨vooral in ~*ed feet*⟩ III *zn* ❶ vergissing ❷ strook, reep(je) ❸ onderjurk ❹ onderbroekje ★ *slip road* af- / oprit ★ *give a person the slip* iem. ontglippen ★ *Freudian slip* freudiaanse vergissing ★ *slip of the pen* schrijffoutje ★ *slip of the tongue* verspreking ★ *make a slip* misstap begaan ★ *slip of a boy* tenger jongetje

slip cover *zn* hoes

slip-on ['slɪpɒn] *zn* ★ ~ *shoe* instapschoen

slipover ['slɪpəʊvə] *zn* slip-over, mouwloze trui, spencer

slipper ['slɪpə] I *zn* ❶ pantoffel ❷ remschoen II *ov ww* ★ *in ~ed feet* met pantoffels aan

slippery ['slɪpərɪ] *bnw* ❶ glad, glibberig ❷ onbetrouwbaar ★ *a ~ fish* een onbetrouwbaar persoon ❸ gewetenloos

slippy ['slɪpɪ] *bnw* glad

slipshod ['slɪpʃɒd] *bnw* slordig

slipstream ['slɪpstriːm] *zn* luchtstroom, zuiging ⟨achter bewegend voer- / vaartuig⟩

slip-up ['slɪpʌp] *zn* vergissing, misrekening

slipway ['slɪpweɪ] *zn* scheepshelling

slit [slɪt] I *zn* spleet, split II *ov ww* af- / opensnijden, scheuren

slither ['slɪðə] *onov ww* glibberen, glijden

slithery ['slɪðərɪ] *bnw* glibberig

sliver ['slɪvə] I *zn* ❶ splinter, stuk(je) ❷ reepje vis ⟨als aas⟩ II *ov ww* splijten, een splinter / stukje afhalen van, in reepjes snijden of breken

slob [slɒb] *zn* inform lui en slordig persoon

slobber ['slɒbə] I *zn* kwijl, dom, aanstellerig gepraat II *onov ww* ❶ kwijlen ❷ ~ **over** sentimenteel doen, natte zoenen geven ★ *the dog ~ed over me* de hond kwijlde over me III *onov ww* knoeien, kwijlen, huilen

slobbery ['slɒbərɪ] *bnw* kwijlerig, nat v. kwijl

sloe [sləʊ] *zn* sleedoorn, sleepruim

slog [slɒg] I *zn* ❶ harde klap, gezwoeg II *ov ww* ❶ goed raken, hard slaan ❷ ~ **away at** hard werken aan

slogan ['sləʊgən] *zn* strijdkreet, leuze, slagzin

slogger ['slɒgə] *zn* iemand die hard slaat, zwoeger

sloop [sluːp] *zn* sloep

slop [slɒp] I *zn* ❶ gemors ❷ sentimenteel gedoe ❸ spoeling ⟨veevoer⟩ II *ov ww* ❶ bekladden, bemorsen, morsen ❷ kwakken, smijten III *onov ww* ❶ gemorst worden ❷ ~ **around** oude, slordige kleren dragen ❸ ~ **out** GB toiletemmer / po leegmaken ❹ ~ **over** overstromen, overlopen

slop basin, slop bowl *zn* spoelkom

slope [sləʊp] I *zn* helling, talud ★ *dry ~ / dry-ski ~* borstelbaan ★ *on the ~* schuin II *ov ww* doen hellen, schuin zetten, afschuinen ★ *mil ~ arms!* geweer op schouder! III *onov ww* ❶ hellen, schuin liggen / staan ❷ ~ **about** rondhangen ❸ ~ **off** er vandoor gaan

sloping ['sləʊpɪŋ] *bnw* schuin ★ ~ *shoulders* afhangende schouders

sloppy ['slɒpɪ] *bnw* ❶ nat, drassig ❷ slordig ★ ~ *eater* slordige eter ❸ flodderig ★ *inform* ~ *joe* losse trui ❹ sentimenteel

slosh [slɒʃ] I *zn* ❶ straatt klap, bons ❷ plas, geplas II *ov ww* ❶ knoeien (met water) ❷ ~ **on** er dik opkwakken / -smeren III *onov ww* klotsen, plassen, ploeteren ★ ~ *through the mud* door de modder ploeteren

sloshed [slɒʃt] *bnw* inform dronken

slot [slɒt] I *zn* ❶ gleuf, sleuf ⟨insteekplaats⟩ ❷ ruimte, plaats, gaatje ★ *the plane missed its slot to take off* het vliegtuig miste zijn gaatje om te stijgen ❸ zendtijd II *ov ww* ❶ gleuf maken in ❷ ~ **in** een plaats / tijd vinden voor ★ *do you have time to slot me in?* kun je tijd voor me vinden? ❸ ~ **together** in elkaar passen

sloth [sləʊθ] *zn* ❶ lui- / traagheid ❷ luiaard ⟨dier⟩

slothful ['sləʊθfʊl] *bnw* lui, traag

slot machine ['slɒtməʃiːn] *zn* ❶ (verkoop)automaat ❷ USA (fruit)automaat

slouch [slaʊtʃ] I *zn* slungelige gang / houding ★ ~ *hat* flambard II *onov ww* ❶ slungelachtig doen ❷ (slap) naar beneden hangen ❸ ~ **about** rondlummelen

slough¹ [slʌf] I *zn* ❶ afgestoten slangenhuid ❷ (wond)roof, korst ❸ depressie ★ *the economic* ~ de economische depressie II *ov ww* ~ **off** de huid afwerpen ⟨van slang, reptiel⟩, weg- / afvallen, laten vallen, opgeven III *onov ww* fig afstoten, eraf vallen

slough² [slaʊ] *zn* moeras ★ *form* ~ *of despair* vertwijfeling

slovenliness ['slʌvənlɪnəs] *zn* slonzigheid

slovenly ['slʌvənlɪ] *bnw* slordig

slow [sləʊ] I *bnw + bijw* ❶ langzaam, vertraagd, traag ⟨van begrip⟩ ★ *the clock is (ten minutes) slow* de klok loopt (tien minuten) achter ★ *be slow to* niet vlug reageren op ★ *he is slow to anger* hij wordt niet gauw kwaad ★ *be not slow to* er vlug bij zijn (om) ★ *go slow* niet overijld te werk gaan, achter lopen ★ *slow and sure* langzaam maar zeker ★ *slow march* paradepas ★ *slow poison* langzaam werkend vergif ★ *be slow in* geen haast maken met, niet correct zijn in of met ❷ saai II *onov ww* ~ **down/up** vertragen, langzamer gaan, rijden of laten werken, kalm(er) aan (gaan) doen

slowcoach ['sləʊkəʊtʃ] *zn* treuzelaar, slome

slowdown ['sləʊdaʊn] *zn* ★ *slow-down strike* langzaamaanactie

slow motion [sləʊ'məʊʃən] I *zn* ★ *in* ~ in een

vertraagde opname, in vertraagd tempo **II** *bnw*
vertraagd
slow-worm ['sləʊwɜːm] *zn* hazelworm
SLR *afk, single-lens reflex* ★ SLR camera
spiegelreflexcamera
sludge [slʌdʒ] *zn* slik, drab, sneeuwmodder
slue [sluː] *zn* → **slew**
slug [slʌg] **I** *zn* ❶ slak (zonder huisje) ❷ slok ★ *a
quick slug of alcohol* een snelle slok alcohol
❸ kogel, prop **II** *ov ww* een klap geven
sluggard ['slʌgəd] *zn* luiwammes, leegloper
sluggish ['slʌgɪʃ] *bnw* lui, traag(werkend), flauw
⟨van markt⟩ ★ *a ~ economy* een trage economie
sluice [sluːs] **I** *zn* sluis, sluiswater **II** *ov ww* ❶ doen
uitstromen, uit- / af- / doorspoelen ★ *he ~d the
walls* hij spoelde de muren af ❷ ~ out laten
uitstromen ★ *they ~d out the water* ze lieten het
water uitstromen **III** *onov ww* ❶ vrij
doorstromen ★ *it is sluicing down* het regent
pijpenstelen ❷ ~ out uitstromen, uitspoelen
★ *the water ~d out of the lock* het water
stroomde de sluis uit
sluice gate ['sluːsgeɪt] *zn* sluisdeur
slum [slʌm] **I** *zn* slop, achterbuurt, krot ★ *slum
brat* boefje **II** *ov ww* zich moeten behelpen ⟨in
slechtere omstandigheden⟩ ★ *we slummed it
during our holidays* we hebben ons tijdens onze
vakantie moeten behelpen
slumber ['slʌmbə] **I** *zn* slaap, sluimering **II** *onov
ww* slapen, sluimeren
slummy ['slʌmɪ] *bnw* vervallen, vuil
slump [slʌmp] **I** *zn* plotselinge (sterke) prijsdaling,
malaise, achteruitgang in populariteit **II** *onov
ww* plotseling sterk dalen, kelderen
slung [slʌŋ] *ww* [verl. tijd + volt. deelw.] → **sling**
slunk [slʌŋk] *ww* [verl. tijd + volt. deelw.] → **slink**
slur [slɜː] **I** *ov ww* ❶ tot één lettergreep
verbinden, in elkaar laten lopen ★ *she slurred
her speech* ze sprak onduidelijk ❷ ~ over (losjes)
over ⟨iets⟩ heen praten ★ *he slurred over the fact*
hij verdoezelde het feit **II** *onov ww* ❶ muz
legato spelen / zingen, slepen ❷ ~ over
vervagen **III** *zn* muz verbindingsboogje,
legatoteken ★ *cast a slur upon* een smet werpen
op
slurp [slɜːp] **I** *zn* geslurp **II** *ov+onov ww* slurpen
slurring ['slɜːrɪŋ] *bnw* slecht gearticuleerd
slurry ['slʌrɪ] *zn* vloeistof-poedermengsel, brij
slush [slʌʃ] *zn* ❶ modder, sneeuwdrab / -modder
❷ inform vals sentiment
slush fund *zn* smeergeldfonds
slushy ['slʌʃɪ] *bnw* ❶ modderig ❷ vals
sentimenteel
slut [slʌt] *zn* min slet
sluttish ['slʌtɪʃ] *bnw* hoerig
sly [slaɪ] **I** *zn* ★ *on the sly* in het geniep **II** *bnw*
geniepig, geslepen, sluw ★ *sly dog* sluwe vos
slyboots ['slaɪbuːts] *zn* inform slimme vos, sluw
heerschap
SM *afk, sadomasochism* SM, sadomasochisme
smack [smæk] **I** *zn* ❶ smaak(je), geur(tje) ❷ tikje,
tikkeltje ❸ smak, klap ★ fig *~ in the eye* klap in
het gezicht ❹ (het) smakken ⟨van o.a. tong⟩,
klapzoen ❺ straatt heroïne **II** *ov ww* ❶ meppen
❷ smakken ★ *~ one's lips (over)* likkebaarden
(bij), smakken met de lippen **III** *onov ww*

❶ klappen ❷ smakken ❸ ~ of rieken / smaken
naar, doen denken aan **IV** *bijw* ★ *I had the wind
~ against me* ik had de wind pal tegen
smacker ['smækə] *zn* ❶ klapzoen ❷ dreun ❸ GB
inform pond ❹ USA inform dollar
small [smɔːl] **I** *bnw* ❶ klein ❷ kleingeestig, flauw
❸ onbenullig ❹ zwak ⟨van stem⟩ ★ *~ ad* kleine
advertentie ★ inform *~ beer* dun bier,
onbenulligheid / -heden ★ *~ change* kleingeld
★ *~ fry* klein grut, onbelangrijke mensen /
dingen ★ *~ hand* gewoon handschrift ★ *~ print*
de kleine lettertjes ★ *~ hours* eerste uren na
middernacht ★ *~ blame to him* hij had groot
gelijk ★ *look ~* beteuterd kijken ★ *on the ~ side*
nogal klein ★ *sing ~* een toontje lager zingen
★ *~ talk* oppervlakkige conversatie ★ *live in a ~
way* bescheiden leven ★ *~ wonder!* wat een
wonder **II** *zn* smal, dun gedeelte ★ *the ~ of the
back* onder in de rug ★ *in ~* in het klein
smallholder ['smɔːlhəʊldə] *zn* kleine boer
smallholding ['smɔːlhəʊldɪŋ] *zn* klein
(boeren)bedrijf
smallish ['smɔːlɪʃ] *bnw* vrij klein
small-minded [smɔːl'maɪndɪd] *bnw* kleingeestig
smallness ['smɔːlnəs] *zn* klein formaat,
kleingeestigheid ★ *his ~ over this issue* zijn
kleingeestigheid in dezen → **small**
smallpox ['smɔːlpɒks] *zn* pokken
small-scale *bnw* op kleine schaal, kleinschalig,
miniatuur-
small-time [smɔːl'taɪm] *bnw* derderangs,
onbelangrijk
smarmy ['smɑːmɪ] *bnw*, GB inform flemerig
smart [smɑːt] **I** *bnw* ❶ pijnlijk, slim, vlug,
gevat, geestig ★ inform *a ~ guy would not do
that* een slimme vent zou dat niet doen
❷ handig ★ *a ~ move* een handige zet
❸ behoorlijk, keurig, chic ★ *she always looks ~*
ze ziet er altijd chic uit **II** *onov ww* ❶ pijn doen
★ *the wound ~s* de wond schrijnt ❷ zich
gekwetst voelen, lijden ❸ ~ for boeten voor
★ *you shall ~ for this!* daar zul je voor bloeden!
smart card *zn* chipkaart
smarten ['smɑːtn] **I** *ov ww* ~ up opknappen,
verbeteren, mooi maken **II** *onov ww* ~ up zich
verstandig gedragen ★ *~ yourself up* gedraag je
verstandig
smash [smæʃ] **I** *ov ww* ❶ slaan, smashen ⟨hoge
bal hard neerwaarts slaan⟩ ❷ vernielen,
verpletteren ★ *~ into a tree* tegen een boom
botsen ★ *~ things up* de boel kort en klein slaan
❸ ~ up kapot slaan **II** *onov ww* ❶ kapot vallen,
te pletter slaan, botsen ❷ op de fles gaan **III** *zn*
❶ smak, hevige klap / slag, vernieling, botsing,
ongeluk ★ *he heard a terrible ~* hij hoorde een
vreselijke klap ❷ smash ⟨bij tennis⟩ **IV** *bijw* met
een klap, pardoes ★ *he landed ~ against a wall*
hij landde met een klap tegen een muur
smash-and-grab *bnw* ★ *~ raid* snelle overval
smashed [smæʃt] *bnw* ❶ laveloos, stomdronken
❷ onder de drugs
smasher ['smæʃə] *zn* ❶ iemand die alles breekt /
kapot maakt, vernietigend(e) argument / slag
❷ prachtexemplaar, kanjer, toffe vent
smash hit *zn* reuzesucces
smashing ['smæʃɪŋ] *bnw*, GB inform geweldig,

gaaf

smash-up ['smæʃʌp] *zn* inform harde botsing / klap

smattering ['smætərɪŋ] *zn* ❶ oppervlakkige kennis ★ *have a ~ of* een beetje weten van ★ *speak a ~ of French* een heel klein beetje Frans spreken ❷ een klein beetje ★ *a ~ of snow* een dun laagje sneeuw

smear [smɪə] **I** *zn* veeg, med uitstrijkje **II** *ov ww* ❶ besmeren, (in)smeren (met) ❷ vuil maken, lasteren ★ *~ campaign* lastercampagne

smeary ['smɪərɪ] *bnw* vuil, vettig

smell [smel] **I** *zn* reuk, lucht, geur, stank ★ *take a ~ at* ruiken aan **II** *ov+onov ww* [regelmatig + onregelmatig] ❶ ruiken ★ *~ a rat* lont ruiken ❷ *~ about* rondsnuffelen ❸ *~ at* ruiken aan ❹ *~ of* ruiken naar ❺ *~ out* opsporen, uitvissen

smelled [smeld] *ww* [verleden tijd + volt. deelw.] → smell

smelling salts ['smelɪŋsɔːlts] *zn* reukzout

smelly ['smelɪ] *bnw* vies ruikend

smelt [smelt] **I** *zn* spiering **II** *ww* [verleden tijd + volt. deelw.] → smell **III** *ov ww* smelten

smelter ['smeltə] *zn* smelter ⟨van metaal⟩

smile [smaɪl] **I** *zn* glimlach **II** *ov ww* met een lach uitdrukken **III** *onov ww* ❶ glimlachen ❷ *~ at* lachen om, toelachen ❸ *~ away* stil voor zich heen lachen

smirch [smɜːtʃ] **I** *zn* smet **II** *ov ww* oud bezoedelen

smirk [smɜːk] **I** *zn* gemaakt lachje **II** *onov ww* gemaakt / hautain lachen

smite [smaɪt] *ov ww* [onregelmatig] ❶ slaan ❷ ook fig treffen ★ *smitten by / with* smoorverliefd zijn op, volledig ondersteboven zijn van

smith [smɪθ] *zn* smid

smithereens [smɪðə'riːnz] *zn mv* ★ *smash to ~* kort en klein slaan

smithy ['smɪðɪ] *zn* smederij

smitten ['smɪtn] *ww* [volt. deelw.] → smite

smock [smɒk] **I** *zn* kiel, mouwschort **II** *ov ww* smokken ⟨borduren⟩

smocking ['smɒkɪŋ] *zn* smokwerk

smog [smɒg] *zn* smog ⟨= smoke + fog⟩

smoke [sməʊk] **I** *zn* ❶ rook, walm, damp ★ *go up in ~* in rook opgaan ★ *no ~ without fire* waar rook is, moet vuur zijn ❷ sigaret, sigaar ★ *have a ~* roken ❸ rookpauze **II** *ov ww* ❶ roken ⟨sigaret e.d.⟩ ❷ *~ out* uitroken **III** *onov ww* roken, walmen

smoke alarm *zn* rookmelder

smoke bomb ['sməʊkbɒm] *zn* rookbom

smoke-dried [sməʊk'draɪd] *bnw* gerookt

smoke-free *zn* rookvrij

smokeless ['sməʊkləs] *bnw* rookloos

smoker ['sməʊkə] *zn* roker

smoke screen *zn* rookgordijn

smokestack ['sməʊkstæk] *zn* schoorsteen

smoking ['sməʊkɪŋ] *zn* (het) roken ★ *no ~* verboden te roken ★ *give up ~* stoppen met roken

smoking ban *zn* rookverbod

smoky ['sməʊkɪ] *bnw* rokerig

smolder USA → smoulder

smolt [sməʊlt] *zn* jonge zalm

smooch [smuːtʃ] **I** *zn* ❶ (klap)zoen ❷ vrijpartijtje **II** *onov ww* ❶ knuffelen, vrijen ❷ ⟨langzaam, dicht tegen elkaar⟩ dansen

smooth [smuːð] **I** *bnw + bijw* ❶ kalm ⟨van zee of water⟩ ❷ zacht ⟨van smaak⟩ ❸ vleiend ❹ vloeiend, vlot, glad, effen, vlak ★ *everything went ~(ly)* alles ging gesmeerd ★ *~ face* uitgestreken gezicht ★ *~ tongue* mooiprater ★ *~ words* mooie praatjes **II** *ov ww* ❶ glad maken ❷ *~ away/out/over* glad- / wegstrijken, uit de weg ruimen ★ *the difficulties were ~ed over* de moeilijkheden werden rechtgetrokken ❸ *~ down* vergoelijken, goed praten, bedaren, kalmeren **III** *onov ww* ❶ glad worden ❷ *~ down* tot rust komen

smooth-faced *bnw* ❶ met uitgestreken gezicht ❷ gladgeschoren

smoothie ['smuːðɪ] *zn* ❶ gladjanus, charmeur ❷ shake van melk, yoghurt of ijs met vruchten

smote [sməʊt] *ww* [verleden tijd] → smite

smother ['smʌðə] **I** *ov ww* ❶ doven, in de doofpot stoppen ❷ smoren, verstikken, doen stikken, onderdrukken ★ *~ed in smoke* in rook gehuld ★ *~ a p. in blankets* iem. inpakken in dekens ❸ *~ by/with* overladen met **II** *onov ww* stikken **III** *zn* verstikkende rook / stoom, walm, stof(wolk)

smoulder ['sməʊldə] **I** *zn* smeulend vuur **II** *onov ww* smeulen

smudge [smʌdʒ] **I** *zn* veeg, vlek, vuile vlek **II** *ov ww* vuil maken, bevlekken

smudgy ['smʌdʒɪ] *bnw* → smudge

smug [smʌg] *bnw* ❶ zelfingenomen ★ *she felt smug after her success* Na haar succes was ze zelfingenomen ❷ ⟨burgerlijk⟩ netjes, precies, braaf ❸ bekrompen

smuggle ['smʌgl] *ov ww* smokkelen

smuggler ['smʌglə] *zn* smokkelaar

smuggling ['smʌglɪŋ] *zn* smokkel, het smokkelen

smut [smʌt] *zn* ❶ roetdeeltje, (zwarte) vlek, vuil(igheid) ❷ pornografie ★ *talk smut* vieze praatjes verkopen

smutty ['smʌtɪ] *bnw* vuil

snack [snæk] **I** *zn* snelle hap, (hartig) hapje **II** *onov ww* iets tussendoor eten

snack bar ['snækbɑː] *zn* snackbar, cafetaria, snelbuffet

snaffle ['snæfəl] **I** *zn* trens ⟨paardenbit⟩ **II** *ov ww* straatt gappen, mee- / wegpikken ★ *shall we ~ his beer?* zullen we zijn biertje pikken?

snafu [snæ'fuː] *zn*, USA straatt *situation normal: all f***ed up* verwarring, chaos, gedonder

snag [snæg] **I** *zn* ❶ knoest, stomp ❷ ladder ❸ fig moeilijkheid ★ *there is one snag* er is één probleempje **II** *ov ww* scheuren ★ *the thorn snagged her sweater* de doorn haalde haar trui open

snail [sneɪl] *zn* ❶ slak ❷ treuzelaar ★ *at a ~'s pace* met een slakkengang

snailfish ['sneɪlfɪʃ] *zn* zeeslak

snail mail *zn* iron (gewone) post ⟨versus e-mail⟩

snake [sneɪk] **I** *zn* slang, valsaard ★ *a ~ in the grass* een addertje onder het gras ★ *~s and ladders* gezelschapsspel ⟨vgl. ganzenbordspel⟩ **II** *onov ww* kronkelen, kruipen, schuiven

snakebite ['sneɪkbaɪt] *zn* slangenbeet

snake charmer ['sneɪktʃɑːmə] *zn* slangenbezweerder

snake pit ['sneɪkpɪt] *zn* ❶ <u>ook fig</u> slangenkuil ❷ <u>inform</u> gekkenhuis

snaky ['sneɪkɪ] *bnw* ❶ slangachtig, kronkelend ❷ sluw, vals

snap [snæp] **I** *ov ww* ❶ (doen) afknappen, breken ★ *he snapped the branches* hij brak de takken ❷ knippen (met) ★ *she snapped her fingers* ze knipte met haar vingers ❸ kieken, op de foto zetten ❹ ~ **up** mee- / wegpikken, gretig aannemen ★ *the food was snapped up* het eten was zo weg ❺ ~ **off** afbreken, afbijten ★ *she snapped the candle off* ze brak het kaarsje eraf ★ *snap a person's head / nose off* iem. bits in de rede vallen, iem. afsnauwen **II** *onov ww* ❶ (af)knappen ★ *the branch snapped* de tak brak ★ fig *his nerves snapped* zijn zenuwen knapten af ❷ happen, bijten ★ *the dog snapped at his leg* de hond hapte naar zijn been ❸ snauwen ★ *she snapped that he should leave* zij snauwde dat hij moest vertrekken ❹ klikken, klappen ★ *snap shut* met een klik dichtgaan ❺ ~ **out of fig** uitbreken ★ *snap out of it* abrupt uit een roes ontwaken, abrupt van gewoonte / stemming veranderen ❻ ~ **into** er op af vliegen ❼ ~ **at** happen naar, toehappen, snauwen tegen ★ *he snapped at her* hij snauwde haar af **III** *zn* ❶ het knappen, knak, breuk ★ *the snap of a branch* de krak van een tak ❷ fut ★ *a brief snap of energy* een korte uitbarsting van energie ❸ korte periode ★ *cold snap* 'n paar koude dagen ❹ kaartspelletje ❺ foto ★ *holiday snap* fotokiekje ❻ knap, krak, klik, pang ★ *snap it went* knap zei 't **IV** *bnw* haastig ★ *a snap decision* een snelle beslissing

snapdragon ['snæpdrægən] *zn* <u>plantk</u> leeuwenbek

snap fastener ['snæpfɑːsnə] *zn* drukknoop

snappish ['snæpɪʃ] *bnw* ❶ bijterig (van hond) ❷ vinnig

snappy ['snæpɪ] *bnw* pittig ★ *make it* ~ vlug, opschieten!

snapshot ['snæpʃɒt] **I** *zn* op aanslag gericht schot-, momentopname **II** *ov ww* een kiekje nemen

snare [sneə] **I** *zn* ❶ strik ❷ verleiding ❸ snaar ⟨van trom⟩ ★ ~ *drum* kleine trom **II** *ov ww* strikken, vangen

snarl [snɑːl] **I** *zn* ❶ kwaadaardige grijns ❷ knoop ★ *in a* ~ in de knoop **II** *ov ww* ~ **up** verwarren, verhinderen ★ *the sewing machine* ~*ed up the material* de stof kwam in de naaimachine vast te zitten **III** *onov ww* ❶ grommen, grauwen, snauwen ★ *he* ~*ed at me* hij snauwde mij af ❷ in de war raken ❸ ~ **up** vastlopen, in de knoop raken ★ *the traffic is all* ~*ed up* het verkeer is helemaal in de knoop

snarl-up *zn* verkeerschaos, warboel

snatch [snætʃ] **I** *ov ww* ❶ pakken, grissen, pikken, happen ★ ~ *a kiss* een kusje stelen ❷ kidnappen ❸ ~ **away** wegrukken ❹ ~ **up** bemachtigen, oppikken **II** *onov ww* ~ **at** grijpen naar, aangrijpen **III** *zn* ❶ greep ❷ (brok)stuk, episode, korte periode ★ ~*es of song* flarden muziek ★ ~ *of sleep* kort slaapje ★ *by* ~*es* bij vlagen, te hooi

en te gras

snatchy ['snætʃɪ] *bnw* ongeregeld, zo nu en dan

snazzy ['snæzɪ] *bnw* <u>inform</u> geweldig, fantastisch

sneak [sniːk] **I** *ov ww* heimelijk (iets) doen ★ *they* ~*ed him in by the back door* ze brachten hem stilletjes via de achterdeur naar binnen **II** *onov ww* ❶ (weg)sluipen ❷ zich achterbaks gedragen ❸ ~ **up on** besluipen ❹ ~ **on** klikken ★ *they* ~*ed on me* ze hebben me verklikt **III** *bnw* ❶ heimelijk, geheim ❷ onverwacht ★ *a* ~ *attack* een onverhoedse aanval **IV** *jeugdt* klikspaan

sneaker ['sniːkə] *zn* USA gymschoen, sportschoen

sneaking ['sniːkɪŋ] *bnw* stiekem, gluiperig ★ *have a* ~ *sympathy for sb* iem. diep in z'n hart wel mogen

sneak thief *zn* zakkenroller, insluiper

sneer [snɪə] **I** *zn* grijns, hatelijkheid ★ *the* ~ *on his face* de grijns op zijn gezicht ★ *the* ~ *was painful* de hatelijkheid was pijnlijk **II** *onov ww* ❶ spottend lachen, grijnzen ❷ ~ **at** sarcastische opmerkingen maken over, bespotten, honen

sneerer ['snɪərə] *zn* sarcast

sneeze [sniːz] **I** *zn* nies(geluid) **II** *onov ww* niezen ★ *not to be* ~*d at* niet mis, de moeite waard, niet te versmaden

snick [snɪk] **I** *zn* (kleine) insnijding, keep **II** *ov ww* inkepen, insnijding maken, afknippen ★ *he* ~*ed himself while shaving* hij sneed zich onder het scheren ★ *she* ~*ed her ponytail off* ze knipte haar paardenstaart af **III** *onov ww* klikkend geluid maken

snicker ['snɪkə] *onov ww* zacht grinniken

snide [snaɪd] *bnw* gemeen, spottend, sarcastisch ★ *a* ~ *comment* een gemene opmerking

sniff [snɪf] **I** *ov ww* opsnuiven, in de gaten krijgen **II** *onov ww* ❶ snuiven, de neus ophalen ❷ ~ **about** de neus steken in ★ *she's always* ~*ing about in other people's business* ze steekt haar neus altijd in andermans zaken ❸ ~ **at** ruiken aan, <u>inform</u> de neus optrekken voor ★ ~ *at a job offer* de neus ophalen voor een aangeboden baan **III** *zn* ★ *take a* ~ *of fresh air* een frisse neus (gaan) halen

sniffle ['snɪfəl] **I** *zn* gesnotter **II** *onov ww* snotteren

sniffy ['snɪfɪ] *bnw* arrogant, smalend

snifter ['snɪftə] *zn* straatt borrel

snigger ['snɪgə] **I** *zn* gegrinnik **II** *onov ww* (gemeen) grinniken

snip [snɪp] **I** *zn* ❶ knip ❷ stukje, snippertje ★ *a snip of paper* een stukje papier ❸ <u>inform</u> koopje ★ *the jeans are a snip at that price* de jeans zijn tegen die prijs een koopje **II** *ov ww* (af-/door)knippen, (af)knijpen ⟨met de nagels⟩

snipe [snaɪp] **I** *onov ww* zware kritiek leveren, uit hinderlaag (dood)schieten **II** *zn* snip

sniper ['snaɪpə] *zn* sluipschutter

snippet ['snɪpɪt] *zn* snipper(tje), stuk(je), fragment ★ ~ *of information* stukje informatie

snitch [snɪtʃ] **I** *zn* verklikker, informant **II** *onov ww* ❶ klikken ❷ gappen

snivel ['snɪvəl] **I** *onov ww* ❶ (huichelend) janken, grienen ❷ snotteren **II** *zn* gejank, gegrien

snob [snɒb] *zn* snob, parvenu

snobbery ['snɒbərɪ] *zn* snobisme

snobbish ['snɒbɪʃ] *bnw* snobachtig, snobistisch

snog [snɒg] I *zn* vrijpartij II *onov ww* knuffelen, vrijen

snook [snu:k] *zn* snoek ★ *cock a ~ at* een lange neus maken naar

snooker ['snu:kə] *zn* snooker, obstructiestoot ★ *play ~* snookeren

snoop [snu:p] I *onov ww* rondneuzen, de neus in andermans zaken steken

snooper ['snu:pə] *zn* bemoeial

snooty ['snu:tɪ] *bnw* inform verwaand

snooze [snu:z] I *zn* dutje II *onov ww* dutten

snooze button GB *zn* sluimerknop

snore [snɔ:] I *zn* (ge)snurk II *onov ww* snurken

snorkel ['snɔ:kl] I *zn* snorkel II *onov ww* snorkelen

snort [snɔ:t] I *zn* (ge)snuif II *onov ww* ❶ briesen ❷ ronken ★ *~ with laughter* het uitproesten III *ov ww* ❶ snuiven ★ *~ cocaine* cocaïne snuiven ❷ *~ out* briesend uiten

snorter ['snɔ:tə] *zn* snuiver, cocaïnesnuiver

snot [snɒt] *zn* ❶ vulg snot ❷ vulg snotneus

snotty ['snɒtɪ] *bnw + bijw* ❶ snotterig ❷ verwaand

snout [snaʊt] *zn* ❶ snuit ❷ inform informant ❸ straatt sigaret ❹ straatt tabak

snow [snəʊ] I *onp ww* sneeuwen II *zn* ❶ sneeuw ❷ straatt cocaïne, heroïne III *ov ww* besneeuwen ★ ook fig *be snowed under* ondergesneeuwd raken, overstelpt worden IV *onov ww* sneeuwwit worden

snowball ['snəʊbɔ:l] I *zn* sneeuwbal II *ov+onov ww* sneeuwballen gooien (naar) ★ *keep ~ing* escaleren

snowbird ['snəʊbɜ:d] *zn* sneeuwvink

snowblower GB *zn* sneeuwblazer, sneeuwruimer

snowboard ['snəʊbɔ:d] I *zn* snowboard II *onov ww* snowboarden

snow boot ['snəʊbu:t] *zn* sneeuwlaars

snowbound ['snəʊbaʊnd] *bnw* ingesneeuwd, door sneeuwval opgehouden

snow-capped ['snəʊkæpt] *bnw* met besneeuwde top

snow chain *zn* sneeuwketting

snow-clad ['snəʊklæd], **snow-covered** *bnw* form besneeuwd

snow-covered ['snəʊ-kʌvəd] *bnw* besneeuwd

snowdrift ['snəʊdrɪft] *zn* sneeuwbank

snowdrop ['snəʊdrɒp] *zn* sneeuwklokje

snowfall ['snəʊfɔ:l] *zn* sneeuwval

snowfield ['snəʊfi:ld] *zn* sneeuwvlakte

snowflake ['snəʊfleɪk] *zn* sneeuwvlok

snow goose *zn* sneeuwgans

snow line *zn* sneeuwgrens

snowman ['snəʊmæn] *zn* sneeuwpop ★ *the Abominable Snowman* de verschrikkelijke sneeuwman

snowplough, USA **snowplow** ['snəʊplaʊ] *zn* sneeuwploeg

snowshoe ['snəʊʃu:] *zn* sneeuwschoen

snowslide ['snəʊslaɪd] *zn* sneeuwlawine

snowstorm ['snəʊstɔ:m] *zn* hevige sneeuwbui, sneeuwstorm

snow-white *bnw* sneeuwwit ★ *Snow White* Sneeuwwitje

snowy [snəʊi] *bnw* sneeuwachtig, besneeuwd

SNP *afk, Scottish National Party* Nationale Schotse Partij

snub [snʌb] I *zn* hatelijke terechtwijzing II *bnw* stomp III *ov ww* op z'n nummer zetten, bits / hooghartig afwijzen ★ *they snubbed the important invitation* ze wezen de belangrijke uitnodiging hooghartig af

snuff [snʌf] I *zn* ❶ stuk verbrande pit ❷ snuif, snufje ★ *take ~* snuiven ★ *up to ~* niet van gisteren II *ov ww* ❶ inform snuiven, snuiten ⟨van kaars⟩ ★ *~ it* opkrassen, doodgaan ❷ *~ out* uitdoven, fig een eind maken aan, vulg uit de weg ruimen ⟨van persoon⟩ ★ *he was ~ed out with a shot* hij werd met een schot uit de weggeruimd III *onov ww ~ out* er tussenuit knijpen, doodgaan

snuffle ['snʌfəl] I *ov ww* snuffelen aan II *onov ww* ❶ snuiven, snuffelen ❷ door de neus praten, met neusgeluid praten / zingen III *zn* gesnuffel, neusgeluid ★ *the ~(s)* verstopte neus

snuff movie *zn* pornofilm met echte moord

snug [snʌg] I *bnw* ❶ behaaglijk, knus, gezellig ❷ goed gedekt ★ *be as snug as a bug in a rug* een leventje hebben als een prins ★ *he has a snug income* hij verdient een aardig sommetje ★ *lie snug* lekker (warm) liggen, zich gedekt houden II *zn* gezellig klein vertrek in pub of inn III *onov ww* zich behaaglijk nestelen, lekker (knus) gaan liggen ★ *they snugged down in the hay* ze gingen lekker in het hooi liggen IV *ov ww* iets plaatsen zodat het behaaglijk is ★ *the mother snugged her baby down in the cot* de moeder legde haar baby behaaglijk neer in het bedje

snuggery ['snʌgərɪ] *zn* gezellig plekje, knus hokje

snuggle ['snʌgl] I *ov ww* knuffelen II *onov ww* lekker (knus) gaan liggen, zich behaaglijk nestelen ★ *she ~d up to him* ze ging lekker tegen hem aan zitten

so [səʊ] I *bijw* ❶ zo, aldus ★ *it's so kind of you* dat is heel vriendelijk van u ★ *so much* zo zeer, zo veel ★ *and so it continued* en aldus ging het verder ★ *if so* zo ja, als dat zo is ★ *so far, so good* tot dusver gaat het goed ★ *so much for today* genoeg voor vandaag ★ *so much for him* en nu praten we niet meer over hem ★ USA *so long* tot ziens ★ *and so on, and so forth* enzovoorts ★ *five or so* 'n stuk of vijf, ongeveer vijf ★ *so and so* Dinges, je-weet-wel ★ *it rained so much that the river flooded* het regende zo hard dat de rivier overstroomde ★ *he revised well so as to pass his test* hij studeerde hard om voor zijn toets te slagen ★ *so what?* en wat dan nog? ★ *so so* (maar) zozo ❷ dus ★ *and so it was me who lied* en dus was ik het die loog ★ *five or so* vijf dus ❸ hervattend ★ *I hope so* dat hoop ik ★ *I think so* ik denk van wel ★ *just / quite so* precies ★ *so am I / did I* ik ook ★ *so I am / did* dat ben / heb ik ook II *vw* ❶ zodat ★ *so that* op- / zodat ★ *they whispered so that no one else would hear* ze fluisterden zodat niemand het zou horen ❷ daarom, dus ★ *it didn't work, so we are back where we started* het werkte niet, dus zijn ze terug bij het begin

soak [səʊk] I *ov ww* ❶ drenken, (door)weken,

soppen, doordringen ★ *soak o.s.* zich verdiepen ★ *soaked* doornat, dronken ★ *soaked through (with)* doornat (van) ❷ zuipen, zat voeren ❸ ~ **off** afweken, losweken ❹ ~ **up** (doen) opzuigen, opnemen, gretig in zich opnemen, laten intrekken ★ *she soaked up the knowledge* ze liet de kennis tot zich doordringen II *ov ww* ❶ ~ **in** doordringen in ★ *the liquid soaked in* de vloeistof werd geabsorbeerd ❷ ~ **into** doordringen in ★ *the rain soaked into my glove* de regen drong in mijn handschoen door ❸ ~ **through** doorsijpelen III *zn* ❶ weken ❷ plensbui, regen ❸ *inform* zuiplap

soaker ['səʊkə] *zn* plensbui

soaking ['səʊkɪŋ] *bnw* ★ ~ *wet* doornat

soap [səʊp] I *zn* zeep ★ *soap bubble* zeepbel ★ *soap dish* zeepbakje ★ *soap opera* melodramatisch radio / tv-feuilleton ★ *soft soap* zachte zeep, *fig* vleierij II *ov ww* inzepen ★ *soap one's hands* zich in de handen wrijven

soapbox ['səʊpbɒks] *zn* ❶ zeepbakje ❷ zeepkist ★ ~ *orator* zeepkistredenaar

soapstone ['səʊpstəʊn] *zn* aardk zeepsteen, speksteen

soapsuds ['səʊpsʌdz] *zn mv* zeepsop

soapy ['səʊpɪ] *bnw* ❶ zeep-, vol zeep ❷ zeepachtig ❸ vleierig, zalvend ★ ~ *water* zeepwater

soar [sɔː] *onov ww* stijgen, zich verheffen, zweven

sob [sɒb] I *zn* snik II *ov ww* snikken III *onov ww* ★ *sob story* sentimenteel verhaal

sober ['səʊbə] I *bnw* ❶ nuchter ❷ matig, sober ❸ beheerst, rustig ❹ stemmig ★ *as ~ as a judge* volkomen nuchter ★ ~ *suit* stemmig pak II *ov ww* ❶ ontnuchteren ❷ doen bedaren ❸ ~ **up** nuchter maken ★ *she ~ed him up* ze maakte hem nuchter III *onov ww* ❶ bedaren ❷ nuchter worden ❸ ~ **up** nuchter worden ★ *I ~ed up* ik werd nuchter

soberness ['səʊbənɪs] *zn* ❶ nuchterheid ❷ matigheid

sobersides ['səʊbəsaɪdz] *zn* bezadigd man, nuchterling

sobriety [sə'braɪətɪ] *zn* nuchterheid, gematigdheid

sobriquet ['səʊbrɪkeɪ] *zn* bij- / scheldnaam

sob stuff *zn* sentimentele kost

so-called [səʊ'kɔːld] *bnw* zogenaamd

soccer ['sɒkə] *zn* voetbal

sociability [səʊʃə'bɪlətɪ] *zn* gezelligheid

sociable ['səʊʃəbl] I *bnw* vriendelijk, prettig in de omgang, gezellig II *zn* tweepersoonsbrik / -driewieler, S-vormige canapé

social ['səʊʃəl] I *zn* gezellig avondje II *bnw* ❶ sociaal, maatschappelijk ❷ levend in maatschappij ❸ gezellig ★ ~ *evil* prostitutie ★ ~ *science* sociologie ★ ~ *security* bijstandsuitkering, sociale zekerheid ★ ~ *service* overheidsvoorziening ★ ~ *studies* sociale wetenschappen, gammavakken, maatschappijleer ★ ~ *work* maatschappelijk werk ★ ~ *worker* maatschappelijk werkende

socialise *ww GB* → socialize

socialism ['səʊʃəlɪzəm] *zn* socialisme

socialist ['səʊʃəlɪst] I *zn* socialist II *bnw* socialistisch

socialistic [səʊʃə'lɪstɪk] *bnw* min socialistisch

socialite ['səʊʃəlaɪt] *zn* iemand die tot de grote wereld behoort

sociality [səʊʃɪ'ælətɪ] *zn* gemeenschapsgevoel

socialize ['səʊʃəlaɪz] I *ov ww* socialistisch inrichten II *ov+onov ww* ❶ socialiseren ❷ nationaliseren ❸ zich sociabel gedragen, zich onder de mensen begeven

society [sə'saɪətɪ] I *zn* ❶ maatschappij, samenleving ❷ vereniging ❸ genootschap ❹ wereld van beroemdheden II *bnw* mondain, betreffende beroemdheden

society pages *zn mv* nieuwsrubriek over beroemdheden

sociological [səʊʃɪə'lɒdʒɪkəl] *bnw* sociologisch

sociologist [səʊʃɪ'ɒlədʒɪst] *zn* socioloog

sociology [səʊʃɪ'ɒlədʒɪ] *zn* sociologie

sock [sɒk] I *zn* ❶ sok ❷ zooltje ⟨los in schoen⟩ ❸ mep II *ov ww* slaan, raken ★ *sock it to sb* iem. er van langs geven

socket ['sɒkɪt] *zn* ❶ GB stopcontact ❷ (oog)kas, holte ⟨van tand⟩ ★ ~ *joint* kogelgewricht ★ *her arm had come out of its* ~ haar arm was uit de kom (geschoten)

sod [sɒd] I *zn* ❶ graszode ★ *under the sod* onder de groene zoden ❷ rotzak ★ *silly sod* mafkees II *ov ww* met zoden bedekken III *onov ww* ★ *sod it!* de pot op (ermee)! ★ *vulg sod off!* rot op!, oplazeren!

soda ['səʊdə] *zn* ❶ soda ❷ frisdrank (met prik) ❸ USA ijssorbet ★ *baking soda* zuiveringszout ★ *caustic soda* natronloog ★ *washing soda* soda ⟨om mee te wassen⟩

soda fountain *zn* sifon

soda water *zn* sodawater

sodden ['sɒdn] *zn* ❶ klef, doorweekt ❷ stomdronken

sodium ['səʊdɪəm] *zn* natrium

sodomize, sodomise ['sɒdəmaɪz] *onov ww* sodomie bedrijven

sodomy ['sɒdəmɪ] *zn* sodomie

sofa ['səʊfə] *zn* sofa

sofa bed *zn* bedbank

soft [sɒft] *bnw + bijw* ❶ zacht, slap ★ *this material is soft* deze stof is zacht ❷ zachtaardig, sentimenteel ★ *the dog is soft* de hond is zachtaardig ❸ getikt, onnozel ★ *soft in the head* onnozel ❹ zwak (markt, valuta) ★ *have a soft spot for sb* een zwak hebben voor iem. ❺ makkelijk ★ *it's a soft job* het is een makkelijk baantje

softball ['sɒftbɔːl] *zn* softbal ⟨soort honkbal⟩

soft-boiled *bnw* zachtgekookt

soften ['sɒfən] I *ov ww* ❶ zacht(er) maken, vermurwen ❷ murw maken ★ ~ *up the enemy with a new weapon* de vijand met een nieuw wapen vermurwen II *onov ww* zacht(er) worden, zich laten vermurwen

softener ['sɒfnə] *zn* wasverzachter, zachtmakend middel

soft focus *zn* zachte focus, onscherpte

soft fruit GB *zn* zacht fruit (bessen, aardbeien, enz.)

soft furnishings GB *zn* stoffering

soft goods GB *zn* textiel

soft-headed *bnw* onnozel

SO

soft-hearted [sɒft'hɑːtɪd] *bnw* weekhartig, toegeeflijk

softie ['sɒftɪ] *zn* doetje, sukkel, softie

softish ['sɒftɪʃ] *bnw* nogal zacht

soft landing *zn* zachte landing

soft lighting *zn* gedempt licht

softness ['sɒftnɪs] *zn* zachtheid

soft-spoken *bnw* met zachte vriendelijke stem, sympathiek

software ['sɒftweə] *zn* comp software, programmatuur

softwood *zn* zachte houtsoort, vurenhout

softy *zn* → **softie**

soggy ['sɒgɪ] *bnw* ❶ drassig, nat ❷ klef ⟨brood of cake⟩ ❸ sullig

soil [sɔɪl] I *zn* ❶ grond, teelaarde ❷ vlek, veeg ❸ vuil, drek ❹ bodem ★ *native soil* geboortegrond II *ov ww* vuil maken III *onov ww* vuil worden

soil pipe *zn* rioolbuis

soil science *zn* bodemkunde

soiree [swaː'reɪ] *zn* soiree ★ *musical ~* muziekavond

sojourn ['sɒdʒən] I *zn* verblijf(plaats) II *onov ww* verblijven

solace ['sɒləs] I *zn* (ver)troost(ing) II *ov ww* troosten

solar ['səʊlə] *bnw* m.b.t. de zon, zonne-, zons- ★ *~ system* zonnestelsel ★ *~ panel* zonnepaneel

solar energy *zn* zonne-energie

sold [səʊld] *ww* [verleden tijd + volt. deelw.] → **sell**

solder ['səʊldə] I *zn* soldeer II *ov ww* solderen

soldering iron *zn* soldeerbout

soldier ['səʊldʒə] I *zn* soldaat, militair II *onov ww* ❶ dienen ⟨als soldaat⟩ ❷ ~ **on** moedig volhouden, volharden, stoer doorsjouwen

soldierly ['səʊldʒəlɪ] *bnw* krijgshaftig, soldatesk

sole [səʊl] I *zn* ❶ zool ❷ tong ⟨vis⟩ ★ *Dover sole* tong II *bnw* enig, enkel III *ov ww* (ver)zolen

solecism ['sɒlɪsɪzəm] *zn* ❶ ongemanierdheid ❷ taalfout

solely ['səʊllɪ] *bijw* alleen, enkel

solemn ['sɒləm] *bnw* plechtig, ernstig ★ *a ~ ass* een idioot die belangrijk wil zijn

solemnity [sə'lemnətɪ] *zn* plechtigheid

solemnize, solemnise ['sɒləmnaɪz] *ov ww* plechtig vieren, inzegenen, plechtig maken

sol-fa ['sɒlfaː] I *zn* solfège II *onov ww* zingen op do-re-mi, enz.

solicit [sə'lɪsɪt] I *ov ww* ❶ jur uitlokken ⟨als strafbaar feit⟩ ❷ dringend vragen (om) ★ *he ~ed their views* hij vroeg om hun mening ❸ lastig vallen ⟨in ongunstige zin⟩ ★ *~ at the door* colporteren ❹ tippelen, aanspreken ⟨door prostituee⟩ II *onov ww* jur zich prostitueren

solicitation [səlɪsɪ'teɪʃən] *zn* ❶ jur uitlokking ⟨als strafbaar feit⟩ ❷ dringend verzoek ❸ het aanspreken op straat ⟨als strafbaar feit⟩

solicitor [sə'lɪsɪtə] *zn* ❶ GB ≈ advocaat-procureur, juridisch adviseur, ≈ notaris ❷ USA colporteur

Solicitor-General [səlɪsɪtə'dʒenrəl] *bnw* ≈ advocaat-generaal

solicitous [sə'lɪsɪtəs] *bnw* ❶ begerig ❷ bezorgd ★ *~ to* er op uit om

solicitude [sə'lɪsɪtjuːd] *zn* zorg, aandacht ★ *her*

touching ~ for me haar ontroerende zorg om mij

solid ['sɒlɪd] I *zn* ❶ vast lichaam ❷ stereometrische figuur II *bnw* ❶ vast, stevig, degelijk ❷ gezond ⟨principes⟩ ❸ eensgezind ❹ kubiek- ❺ massief ★ *be / go ~ for* eensgezind zijn in / voor ★ *a ~ hour* een heel uur lang ★ USA *the Solid South* het Democratische Zuiden

solidarity [sɒlɪ'dærətɪ] *zn* solidariteit, saamhorigheidsgevoel

solidify [sə'lɪdɪfaɪ] I *ov ww* in vaste toestand brengen, stevig / vast, enz. maken ★ *they solidified their relationship* ze verstevigden hun relatie II *onov ww* in vaste toestand komen, stevig / vast, enz. worden ★ *the pudding solidified* de pudding werd stevig

solidity [sə'lɪdətɪ] *zn* stevigheid, het solide / vast, enz. zijn

soliloquy [sə'lɪləkwɪ] *zn* ❶ alleenspraak ❷ het in zichzelf praten

solitaire ['sɒlɪteə] *zn* ❶ solitairspel ❷ patience

solitary ['sɒlɪtərɪ] *bnw* eenzaam, enige, enkel, alleenlevend ★ *take a ~ walk* alleen gaan wandelen ★ *~ confinement* eenzame opsluiting, cellulaire gevangenisstraf

solitude ['sɒlɪtjuːd] *zn* eenzaamheid

solo ['səʊləʊ] *zn* solo, alleen- ★ *a solo performance* een solo-optreden

soloist ['səʊləʊɪst] *zn* solist(e)

solstice ['sɒlstɪs] *zn* zonnewende, zonnestilstand

solubility [sɒljʊ'bɪlətɪ] *zn* oplosbaarheid

soluble ['sɒljʊbl] *bnw* oplosbaar ★ *~ tablets* oplostabletten ★ *~ glass* waterglas

solution [sə'luːʃən] *zn* ❶ oplossing ❷ solutie

solvable ['sɒlvəbl] *bnw* oplosbaar

solve [sɒlv] *ov ww* oplossen ★ *~ a problem* een probleem oplossen

solvency ['sɒlvənsɪ] *zn* solventie ⟨vermogen om te betalen⟩

solvent ['sɒlvənt] I *zn* oplossingsmiddel, tinctuur II *bnw* ❶ oplossend ❷ econ solvabel

somatic [sə'mætɪk] *bnw* lichamelijk, lichaams- ★ *~ cell* lichaamscel

sombre ['sɒmbə] *bnw* somber

sombreness ['sɒmbənəs] *zn* somberheid

some [sʌm] I *telw* ❶ wat, een paar, enige, sommige ❷ ongeveer, een ★ *some 40 people* ongeveer 40 mensen ❸ nogal wat, heel wat ★ *you'll need some courage* je zult behoorlijk wat moed nodig hebben ❹ een of ander(e), een zeker(e) ★ *some chap or other* een of andere vent ★ *some little way* een eindje ❺ iron geweldig ★ *some chance* geen schijn van kans ★ *he is some scholar* dat is me nog eens een geleerde ★ *some day* op een (goeie) dag II *onbep vnw* ❶ enige(n), sommige(n), een stuk of wat ★ *some prefer steaks* sommige mensen prefereren steak ❷ een beetje, wat ★ *please take some* neem er wat van III *bijw* een beetje, een tikje ★ *she needs looking after some* er moet een beetje voor haar gezorgd worden

somebody ['sʌmbədɪ] I *onbep vnw* iemand II *zn* ★ *a sb* een heel iem.

somehow ['sʌmhaʊ] *bijw* ❶ op één of andere manier ❷ om de één of andere reden ★ *~ or other* op de één of andere manier

someone ['sʌmwʌn] *onbep vnw* één of andere persoon, iemand

someplace ['sʌmpleɪs] *bijw* ergens

somersault ['sʌməsɔlt] I *zn* duikeling, radslag II *onov ww* duikelen

something ['sʌmθɪŋ] *onbep vnw* iets, wat ★ *sth dreadful* iets vreselijks ★ *sth like* zo iets als, ongeveer ★ *sth of* iets van, zo'n soort ★ *sth or other* het een of ander ★ *or sth* of zoiets

sometime ['sʌmtaɪm] I *bijw* ❶ te zijner tijd, wel 'ns een keer (in de toekomst) ★ *~ or other* te zijner tijd, wel 'ns een keer (in de toekomst) ❷ enige tijd ★ *they left ~ after 11* ze vertrokken enige tijd na elven II *bnw* vroeger, voorheen ★ *a ~ president* een vroegere president

sometimes ['sʌmtaɪmz] *bijw* soms

somewhat ['sʌmwɒt] *bijw* enigszins, een beetje

somewhere ['sʌmweə] *bijw* ergens

somnambulist [sɒm'næmbjʊlɪst] *zn* slaapwandelaar

somnolence ['sɒmnələns] *zn* slaperigheid

somnolent ['sɒmnələnt] *bnw* slaperig, slaapwekkend

son [sʌn] *zn* zoon, jongen (aanspreekvorm) ★ *can you tell me the way, son?* kun je me de weg vertellen, jongeman? ★ *son of a bitch* klootzak ★ *son of a gun* stoere bink ★ inform *old son* ouwe jongen

sonar ['səʊnə] *zn* sonar

sonata [sə'nɑːtə] *zn* sonate

sonatina [sɒnə'tiːnə] *zn* sonatine

song [sɒŋ] *zn* ❶ lied(je), gezang, het zingen ❷ poëzie ❸ lyriek ★ *Song of Songs* het Hooglied ★ *burst into song* beginnen te zingen ★ *I got it for a song* ik kreeg het voor een appel en een ei ★ *make a song (and dance) about* een hoop drukte / ophef maken over

songbird ['sɒŋbɜːd] *zn* zangvogel

songbook ['sɒŋbʊk] *zn* zangbundel, liedbundel

songster ['sɒŋstə] *zn* ❶ zanger, zangvogel ❷ lyrisch dichter

songstress ['sɒŋstrəs] *zn* zangeres, liedjesschrijfster, zangvogel

songwriter ['sɒŋraɪtə] *zn* tekstdichter en componist

sonic ['sɒnɪk] *bnw* geluid(s)- ★ *~ barrier* geluidsbarrière

son-in-law *zn* schoonzoon

sonnet ['sɒnɪt] *zn* sonnet

sonneteer [sɒnɪ'tɪə] *zn* sonnettendichter

sonny ['sʌnɪ] *zn* ventje, kereltje

sonority [sə'nɒrətɪ] *zn* sonoriteit

sonorous ['sɒnərəs] *bnw* ❶ geluidgevend ❷ klankvol, sonoor ❸ melodieus ❹ schoon klinkend

soon [suːn] *bijw* spoedig, weldra, gauw ★ *as (so) soon as* zodra ★ *I would just as soon not go* ik ging net zo lief niet

sooner ['suːnə] *bijw* ❶ eerder ❷ liever ★ *she'd ~ die than marry him* ze zou nog liever doodgaan dan met hem trouwen ★ *no ~... than* nauwelijks... of ★ *~ or later* vroeg of laat, vandaag of morgen ★ *the ~ the better* hoe eerder hoe beter

soot [sʊt] I *zn* roet II *ov ww* met roet bedekken

soothe [suːð] *ov ww* sussen, kalmeren

soothsayer ['suːθseɪə] *zn* waarzegger / -ster

sooty ['sʊtɪ] *bnw* roetkleurig, met roet bedekt

sop [sɒp] I *zn* stukje brood in jus / melk, enz. gedrenkt, zoethoudertje, aanbod (om iemand mee om te kopen) II *ov ww* ❶ soppen, drenken, doornat maken ❷ *~ up* opnemen / -zuigen

sophism ['sɒfɪzəm] *zn* sofisme, drogreden

sophist ['sɒfɪst] *zn* sofist, drogredenaar

sophisticate [sə'fɪstɪkeɪt] *zn* wereldwijs, sociaal ontwikkeld persoon, intellectueel

sophisticated [sə'fɪstɪkeɪtɪd] *bnw* ❶ wereldwijs, sociaal ontwikkeld ❷ geavanceerd, geraffineerd, subtiel ★ *~ technology* geavanceerde technologie ★ *a ~ hairstyle* een trendy kapsel ❸ intellectueel ontwikkeld

sophistication [səfɪstɪ'keɪʃən] *zn* ❶ wereldwijsheid, sociale ontwikkeling ❷ geavanceerdheid, subtiliteit, raffinement ❸ intellectuele ontwikkeling

sophomore ['sɒfəmɔː] *zn* USA tweedejaarsstudent(e)

soporific [sɒpə'rɪfɪk] I *zn* slaapmiddel, slaapverwekkend middel / medicijn / enz. II *bnw* slaapverwekkend (middel)

sopping ['sɒpɪŋ] *bnw* doorweekt

soppy ['sɒpɪ] *bnw* sentimenteel

soprano [sə'prɑːnəʊ] *zn* sopraan

sorbet ['sɔːbeɪ] *zn* sorbet, vruchten(room)ijs met limonade

sorcerer ['sɔːsərə] *zn* tovenaar

sorceress ['sɔːsərəs] *zn* tovenares, heks

sorcery ['sɔːsərɪ] *zn* toverij, hekserij

sordid ['sɔːdɪd] *bnw* onverkwikkelijk (kwestie), vuil, laag, gemeen ★ *I'd prefer not to hear all the ~ details* ik wil de smerige details liever niet horen

sordidness ['sɔːdɪdnəs] *zn* gemeenheid

sore [sɔː] I *zn* zeer, pijnlijke plek, zweer ★ *cold sore* koortsuitslag ★ fig *old sores* oude wonden, oud zeer ★ *an open sore* een open wond II *bnw* ❶ zeer, pijnlijk, gevoelig ★ *sore throat* keelpijn ★ fig *sore point / subject* gevoelige kwestie, teer punt ❷ bedroefd, gekrenkt, kwaad ★ *he feels sore about this matter* hij is hier erg kwaad over ❸ ernstig, dringend ★ *they are in sore need of blood* ze hebben dringend bloed nodig ★ *sore head* hoofdpijn, hoofd met builen en schrammen ★ *he was like a bear with a sore head* hij had gruwelijk de pest in

sorely ['sɔːlɪ] *bijw* erg ★ *I'm ~ tempted to buy it* ik ben sterk geneigd om het te kopen

sorrel ['sɒrəl] I *zn* ❶ vos (paard) ❷ zuring ❸ roodbruin II *bnw* roodbruin, rossig

sorrow ['sɒrəʊ] I *zn* ❶ verdriet, droefheid ❷ leed(wezen), berouw ★ *drown one's ~s* zijn zorgen verdrinken II *onov ww* bedroefd zijn, treuren

sorrowful ['sɒrəʊfʊl] *bnw* treurig, bedroefd

sorry ['sɒrɪ] *bnw* ❶ bedroefd ★ *I'm ~ to hear that* ik vind het jammer dat te horen ❷ berouwvol ★ *(I'm) (so) ~* het spijt me, neem me niet kwalijk ★ *be / feel ~ for* het spijt hebben van, het vervelend vinden voor ❸ medelijdend ★ *be / feel ~ for o.s.* met zichzelf te doen hebben, in de put zitten ❹ ellendig ★ *a ~ state of affairs* een miserabel toestand ★ *a ~ excuse* een pover excuus

SO

sort [sɔːt] **I** *ov ww* ❶ sorteren, indelen ★ *sort the good from te bad* het goed van het kwaad scheiden ❷ ~ **out** uitzoeken, sorteren ★ *he sorted out the papers* hij sorteerde de documenten ❸ ~ **through** ❹ sorteren, doorzoeken ★ *sort through the papers looking for documenten* sorteren op zoek naar ID werk ★ *you're well sorted* jullie passen goed bij elkaar **III** *zn* soort ★ *all sorts of* allerlei ★ *a good sort* een goede vent ★ *he is a good sort* hij deugt niet ★ *he's not my sort* ik moet 'm niet ★ *nothing of the sort* geen kwestie van ★ *a meal of sorts* schamele maaltijd ★ *a writer of some sort* een soort (van) schrijver ★ *it's sort of moist* het lijkt wel vochtig, het is wat vochtig, geloof ik ★ *he sort of refused* hij weigerde zo'n beetje ★ *out of sorts* niet lekker, uit zijn humeur, verdrietig

sorter ['sɔːtə] *zn* sorteerder

sortie ['sɔːtiː] *zn* ❶ mil uitval ❷ luchtv operatie ❸ uitje, het even uitgaan

SOS *afk, save our souls* SOS, noodsignaal

so-so ['səʊ-səʊ] *bnw + bijw* (maar) zozo ★ *I'm feeling* ~ ik voel me niet zo geweldig

sot [sɒt] *zn* zatlap

sottish ['sɒtɪʃ] *bnw* bezopen, idioot

soufflé ['suːfleɪ] *zn* soufflé

sough [saʊ] **I** *zn* gesuis, zucht **II** *onov ww* suiz(el)en

sought [sɔːt] *ww* [verleden tijd + volt. deelw.] → **seek**

soul [səʊl] *zn* ❶ ziel, geest ❷ muz soul ★ *not a soul* geen levend mens, geen sterveling ★ *poor soul* arme ziel ★ *he was the life and the soul of* hij was het middelpunt van

soul-destroying *bnw* geestdodend

soulful ['səʊlfʊl] *bnw* zielvol, met vuur, gevoelvol ★ *a ~ glance* een dieptreurige blik

soulless ['səʊlləs] *bnw* zielloos, dood(s)

soul-searching *zn* gewetensonderzoek

sound [saʊnd] **I** *zn* ❶ geluid, klank ★ ~ *wave* geluidsgolf ❷ sonde, peiling ❸ zee-engte **II** *bnw* ❶ gezond ★ *safe and* ~ gezond en wel, behouden ❷ degelijk, flink, solide ★ ~ *sleep* vaste slaap ★ *a* ~ *thrashing* een flink pak slaag ★ *of* ~ *mind* bij zijn volle verstand ❸ betrouwbaar, deugdelijk **III** *bijw* ★ ~ *asleep* vast in slaap **IV** *ov ww* ❶ laten horen, luiden, doen klinken, blazen op ★ ~ *the retreat* de aftocht blazen ❷ polsen, peilen, onderzoeken ★ ~ *an opinion* mening peilen **V** *onov ww* ❶ klinken ❷ onderduiken ⟨van walvis⟩ ❸ USA ~ **off** zijn mening zeggen, zich laten horen

sound bite *zn* kernachtige uitspraak

soundboard *zn* klankbord

sound card *zn* comp geluidskaart

sounding ['saʊndɪŋ] *zn* ❶ peiling ❷ gepeilde / te peilen plaats ★ *take* ~*s* peilen

sounding board ['saʊndɪŋbɔːd] *zn* ook fig klankbord, klankbodem

soundless ['saʊndləs] *bnw* geluidloos

soundness ['saʊndnɪs] *zn* deugdelijkheid, correctheid

soundproof ['saʊndpruːf] **I** *bnw* geluiddicht **II** *ov ww* geluiddicht maken

sound system *zn* geluidsinstallatie, muziekinstallatie

soundtrack ['saʊndtræk] *zn* geluidsband ⟨v. film⟩, filmmuziek

soup [suːp] **I** *zn* soep ★ *clear soup* heldere soep ★ *in the soup* in moeilijkheden **II** *ov ww* ~ **up** opvoeren ⟨van motor⟩

soup kitchen ['suːpkɪtʃɪn] *zn* ❶ gaarkeuken, centrale keuken ❷ mil veldkeuken

sour ['saʊə] **I** *bnw* ❶ zuur, wrang ❷ nors ★ USA inform *be sour on* een hekel hebben aan **II** *ov ww* zuur maken ★ *illness soured their relationship* ziekte verzuurde hun relatie **III** *onov ww* ❶ zuur worden ❷ USA ~ **on** afkerig raken van ★ *the whole affair soured on me* de hele kwestie ging me danig tegenstaan

source [sɔːs] **I** *zn* ook fig bron, oorsprong **II** *ov ww* verkrijgen (uit bepaalde bron), uitzoeken waar iets te krijgen is ★ *the oil was ~d in the desert* de olie kwam uit de woestijn

source code *zn* comp broncode

sourcing *zn* sourcing ⟨het zoeken naar geschikte toeleveranciers⟩ ★ ~ *new suppliers* het zoeken naar nieuwe leveranciers

sour cream *zn* zure room

sourdough ['saʊədəʊ] *zn* zuurdesem

sourpuss ['saʊəpʊs] *zn* zuurpruim

souse [saʊs] **I** *zn* ❶ pekel ❷ haring / varkensspoten, enz. in de pekel ❸ onderdompeling ★ *give sb a* ~ iem. kopje onder houden ★ *get a thorough* ~ doornat worden **II** *ov ww* pekelen, onderdompelen ★ *he ~d the chips with vinegar* hij sprenkelde flink wat azijn over de patat

soused [saʊst] *bnw* ❶ bezopen, dronken ❷ doornat

south [saʊθ] **I** *zn* zuiden ★ USA *the South* de staten in het zuiden v.d. VS ★ *(to the)* ~ *of* ten zuiden van **II** *bnw* zuidelijk, zuid(en)-, zuider- ★ *the* ~*wind* de zuidenwind ★ *the* ~ *side* de zuidkant ★ *South Sea(s)* Stille Zuidzee **III** *bijw* in / naar het zuiden **IV** *onov ww* ❶ naar het zuiden varen ❷ door de meridiaan gaan

southbound ['saʊθbaʊnd] *bnw* in zuidelijke richting, (op weg) naar het zuiden

south-east [saʊθˈiːst] **I** *zn* zuidoost(en) **II** *bnw* zuidoostelijk

south-easter [saʊθˈiːstə] *zn* zuidoostenwind

south-easterly [saʊθˈiːstəlɪ] **I** *zn* zuidoostenwind **II** *bnw* zuidoostelijk

south-eastern [saʊθˈiːstən] *bnw* zuidoostelijk

southerly ['sʌðəlɪ] **I** *bnw* zuidelijk, zuiden- **II** *zn* zuidenwind

southern ['sʌðən] *bnw* ❶ zuidelijk ❷ zuider-

southerner ['sʌðənə] *zn* zuiderling, iemand uit het zuiden

southernmost ['sʌðənməʊst] *bnw* meest zuidelijk, zuidelijkst

South Pole ['saʊθ pəʊl] *zn* geo Zuidpool

southward ['saʊθwəd] *bnw + bijw* zuidwaarts

southwards ['saʊθwədz] *bijw* naar het zuiden

south-west [saʊθˈwest] **I** *zn* zuidwest(en) **II** *bnw* zuidwestelijk

south-wester [saʊθˈwestə] *zn* zuidwestenwind

south-westerly [saʊθˈwestəlɪ] **I** *zn* zuidwestenwind **II** *bnw* zuidwestelijk

south-western [saʊθˈwestən] *bnw* zuidwestelijk

souvenir [suːvəˈnɪə] *zn* souvenir

souwester [sau'westə] *zn* zuidwester

sovereign ['sɒvrɪn] **I** *zn* **❶** soeverein, vorst **❷** gouden munt **II** *bnw* **❶** soeverein ★ *a ~ state* een volkomen zelfstandige staat **❷** hoogst, onovertroffen

sovereignty ['sɒvrəntɪ] *zn* soevereiniteit, oppergezag

soviet ['səʊvɪət] *zn* sovjet

sow[1] [saʊ] *zn* **❶** zeug **❷** ★ *have the wrong sow by the ear* de verkeerde te pakken hebben, het bij het verkeerde eind hebben ★ *as drunk as a sow* stomdronken

sow[2] [səʊ, USA soʊ] *ov ww* [regelmatig + onregelmatig] zaaien, poten ★ *sow the wind and reap the whirlwind* wind zaaien en storm oogsten ★ *sow one's wild oats* z'n wilde haren nog niet kwijt zijn

sower ['səʊə] *zn* zaaier, zaaimachine

sown [səʊn] *ww* [volt. deelw.] → **sow**[2]

soy [sɔɪ] *zn* soja

soybean ['sɔɪbiːn] *zn* sojaboon

soy sauce *zn* ketjap

sozzled ['sɒzəld] *bnw* dronken

spa [spɑː] *zn* **❶** badplaats, kuuroord **❷** geneeskrachtige bron

space [speɪs] **I** *zn* **❶** ruimte **❷** tijdsruimte, poos **❸** drukk spatie **II** *ov ww* **❶** op gelijke afstanden opstellen **❷** spatiëren ★ *~d payments* termijnbetaling(en) **III** *onov ww* ★ *~ out* in een roes raken (door drugs) ★ *be ~d out* in een roes verkeren

space-age *zn* ruimtetijdperk

space bar *zn* comp spatiebalk

spacecraft ['speɪskrɑːft] *zn* ruimtevaartuig

spaceman ['speɪsmæn] *zn* ruimtevaarder, kosmonaut

spacer ['speɪsə] *zn* comp spatiebalk

spaceship ['speɪsʃɪp] *zn* ruimteschip

space shuttle *zn* spaceshuttle, ruimteveer

spacesuit ['speɪssuːt] *zn* ruimte(vaarders)pak

space travel *zn* ruimtevaart

space wagon *zn* auto ruimtewagen (ruime (gezins)auto)

spacing ['speɪsɪŋ] *zn* **❶** spatiëring, tussenruimte **❷** spatie

spacious ['speɪʃəs] *bnw* ruim, uitgestrekt ★ *a ~ house* een ruime woning

spade [speɪd] **I** *zn* **❶** spade, schop ★ *call a ~ a ~* het beestje bij de naam noemen **❷** schoppenkaart **II** *ov ww* (om)spitten

spadework ['speɪdwɜːk] *zn* **❶** grondig werk **❷** fig pionierswerk

Spain [speɪn] *zn* Spanje

spam [spæm] *zn* **❶** spam (gekookte ham in blik) **❷** spam (massa ongevraagde e-mail)

span [spæn] **I** *zn* **❶** reik- / spanwijdte **❷** vleugelbreedte **❸** spanne, hoeveelheid ★ *a poor concentration span* een korte concentratieduur ★ *our life is but a span* ons leven is maar kort **❹** USA spanning (boog of overspanningsgedeelte van brug) ★ *bridge of four spans* brug met vier spanningen **II** *ww* [verleden tijd] → **spin** **III** *ov ww* (om- / over)spannen, overbruggen

spangle ['spæŋgl] **I** *zn* lovertje, glinsterend spikkeltje **II** *ov ww* **❶** met lovertjes versieren **❷** bezaaien ★ *star~d banner* Amerikaanse vlag, met sterren bezaaide vlag

Spanglish ['spæŋglɪʃ] *zn* taalk Spanglish (mengelmoestaal: Engels / Spaans)

Spaniard ['spænjəd] *zn* Spanjaard, Spaanse

spaniel ['spænjəl] *zn* spaniël, patrijshond

Spanish ['spænɪʃ] *bnw* m.b.t. Spanje, Spaans ★ *~ castle* luchtkasteel ★ *~ main* kust- en zeegebied N.O. v. Zuid-Amerika

spank [spæŋk] **I** *ov ww* slaan (met platte hand), op achterwerk slaan **II** *zn* klap

spanking ['spæŋkɪŋ] **I** *zn* billenkoek, pak voor de broek **II** *bnw* prima, flink, groot ★ *at a ~ pace* in een razendsnel tempo

spanner ['spænə] *zn* moersleutel ★ *adjustable ~* Engelse sleutel, bahco ★ *open-end(ed) ~* steeksleutel ★ *ring ~* ringsleutel ★ *throw a ~ into the works* roet in het eten gooien

spar [spɑː] **I** *zn* **❶** paal, mast **❷** spaat (mineraal) **II** *onov ww* **❶** boksen (een vorm van trainen) **❷** twisten, (be)vechten

spare [speə] **I** *zn* reserve ★ *do you have a ~?* hebt u een reserveonderdeel? **II** *bnw* **❶** mager, schraal ★ *a ~ meal* een karige maaltijd **❷** reserve-, extra- ★ *~ cash* geld over, spaargeld ★ *~ room* logeerkamer ★ *~ time* vrije tijd, tijd over ★ *~ wheel* reservewiel ★ *~ part* reserveonderdeel ★ *~ part surgery* transplantatie v. organen **III** *ov ww* **❶** bezuinigen, (be)sparen ★ *no expense* kosten noch moeite bepalen **❷** over hebben, missen ★ *can you ~ some money?* heb je wat geld over? ★ *can you ~ me...* kun je... even missen, kan ik... van je hebben / krijgen ★ *~ o.s.* zich ontzien ★ *~ the rod and spoil the child* wie zijn kind lief heeft, kastijdt het ★ *enough and to ~* in overvloed, meer dan genoeg

sparing ['speərɪŋ] *bnw* matig, karig, zuinig ★ *he is ~ with praise* hij is zuinig met zijn complimenten

spark [spɑːk] **I** *zn* **❶** vonk, ontlading **❷** sprankje, greintje **❸** ★ *a bright ~* een slimme vent **II** *onov ww* vonken (uitslaan), starten ★ *the engine ~ed* de motor startte **III** *ov ww* **❶** plotseling doen ontstaan, veroorzaken ★ *the fireworks ~ed a fire* het vuurwerk veroorzaakte brand **❷** ~ **off** fig iets stimuleren ★ *it ~ed off their relationship* zo ontstond hun verhouding

sparkle ['spɑːkl] **I** *zn* sprankje, schittering ★ *the performance lacked ~* de voorstelling miste levendigheid **II** *onov ww* **❶** bruisen, mousseren ★ *sparkling wine* mousserende wijn **❷** sprankelen, schitteren, vonken schieten

sparkler ['spɑːklə] *zn* **❶** sterretje (vuurwerk) **❷** diamant

sparkling ['spɑːklɪŋ] *bnw* ★ *~ water* spuitwater ★ *~ wines* mousserende wijnen

spark plug *zn* bougie

sparring ['spɑːrɪŋ] *bnw* ★ *~ match* vriendschappelijke bokswedstrijd ★ *~ partner* tegenstander bij oefenwedstrijd

sparrow ['spærəʊ] *zn* mus ★ *house ~* huismus

sparrowhawk ['spærəʊhɔːk] *zn* sperwer, USA torenvalk

sparse [spɑːs] *bnw* schaars, fig dun gezaaid ★ *~ population* dun gezaaide bevolking

sp

sparseness ['spɑ:snəs] *zn* schaarsheid
sparsity ['spɑ:sətɪ] *zn* → **sparseness**
Spartan ['spɑ:tən] **I** *zn* Spartaan **II** *bnw* Spartaans
spasm ['spæzəm] *zn* ❶ kramp ❷ opwelling ★ ~s *of laughter* lachstuip
spasmodic [spæz'mɒdɪk] *bnw* ❶ krampachtig ❷ met vlagen, onregelmatig
spastic ['spæstɪk] *bnw* spastisch
spat [spæt] **I** *zn* ❶ beschermhoes voor vliegtuigwiel ❷ broed / zaad v. oesters, enz. ❸ *inform* ruzie **II** *ww* [verleden tijd + volt. deelw.] → **spit**
spate [speɪt] *zn* ❶ overstroming, stroom ★ *the river is in* ~ de rivier is hoog / sterk gezwollen ❷ *fig* (toe)vloed
spatial ['speɪʃəl] *bnw* ruimtelijk, m.b.t. ruimte ★ *a ~ representation* een ruimtelijke voorstelling
spatter ['spætə] **I** *zn* ❶ het bekladden ❷ spat(je) ⟨neerslag⟩, buitje **II** *ov ww* ❶ besprenkelen, bespatten ❷ *fig* bekladden **III** *onov ww* spatten, sprenkelen, kladden ★ *the rain ~ed down* de regen spatte omlaag
spatula ['spætjʊlə] *zn* spatel
spawn [spɔ:n] **I** *zn* kuit, gebroed, zwamdraden / -vlok **II** *ov ww* voortbrengen **III** *onov ww* kuitschieten, eieren leggen
spay [speɪ] *ov ww* steriliseren ⟨v. dieren⟩
speak [spi:k] [onregelmatig] *onov ww* ❶ spreken, zeggen, tegen elkaar spreken, van zich laten horen ★ *he hasn't spoken for ages* hij heeft al tijden niets van zich laten horen ★ *strictly ~ing* eigenlijk gezegd ★ *so to ~* om zo te zeggen ★ *(this is) B. ~ing* u spreekt met B. ★ *B. ~ing?* spreek ik met B? ★ *be well spoken* verzorgd / beschaafd spreken ★ ~ *one's mind* oprecht zijn mening zeggen, geen blad voor de mond nemen ❷ aanspreken ★ *his performance spoke to the audience* zijn voorstelling sprak het publiek aan ❸ ~ *for* spreken namens / voor, bespreken, getuigen van, pleiten voor ★ ~ *well for* pleiten voor ★ *that ~s for itself* dat behoeft geen nader betoog, dat is vanzelfsprekend ★ *I'll ~ for his good character* ik sta in voor zijn goede karakter ❹ ~ *of* spreken over ★ *nothing to ~ of* niets noemenswaardigs ❺ ~ *out* hardop spreken, uitspreken, vrijuit spreken ❻ ~ *to* aan- / toespreken, getuigen van ★ *I can ~ to his having been there* ik kan getuigen dat hij er geweest is ❼ ~ *up* duidelijk zeggen, zijn mond niet meer houden, harder spreken ★ *she spoke up for him* ze nam het voor hem op
speak-easy *zn USA* illegaal kroegje
speaker ['spi:kə] *zn* ❶ spreker ❷ luidspreker ★ *the Speaker* de voorzitter van het Lagerhuis GB
speakership ['spi:kəʃɪp] *zn* voorzitterschap
speaking ['spi:kɪŋ] *bnw* spreek- ★ *be on ~ terms with a p.* iem. goed kennen ★ *be no longer on ~ terms* niet meer spreken tegen ★ ~ *acquaintance* oppervlakkige kennis ★ *have a ~ knowledge of English* Engels kunnen spreken
speaking trumpet *zn* ❶ spreektrompet ❷ (scheeps)roeper
speaking tube *zn* spreekbuis
spear ['spɪə] **I** *zn* ❶ speer ❷ lansknecht ★ ~ *side* mannelijke linie **II** *ov ww* doorboren, spietsen, aan de speer rijgen

spearhead ['spɪəhed] **I** *zn* ❶ speerpunt ❷ spits ⟨ook v. leger⟩ **II** *onov ww* de spits afbijten
spearmint ['spɪəmɪnt] *zn* kruizemunt
spec [spek] *zn, specification* beschrijving, gegeven, kenmerk ▼ *on spec* op de bonnefooi
special ['speʃəl] **I** *zn* ❶ special ❷ extra editie, extra prijs, extra trein ❸ documentaire ❹ hulpagent **II** *bnw* ❶ speciaal, bijzonder ★ *jur* ~ *verdict* vonnis bij bijzondere rechtspleging ★ ~ *areas* noodgebieden ★ ~ *committee* commissie v. gedelegeerden ★ ~ *constable* (burger)hulpagent, politievrijwilliger ★ ~ *delivery* expressebestelling ★ ~ *licence* machtiging om huwelijk te sluiten zonder afkondiging, enz. ★ ~ *pleading* het naar voren brengen v. extra bewijsmateriaal, spitsvondig geredeneer ★ ~ *school* school voor bijzonder onderwijs ❷ extra
specialisation *zn GB* → **specialization**
specialise *ww GB* → **specialize**
specialism ['speʃəlɪzəm] *zn* specialisatie, specialisme
specialist ['speʃəlɪst] *zn* specialist ★ ~ *service* afdeling voor adviezen en diensten
speciality [speʃɪ'ælətɪ] *zn* specialiteit, bijzondere eigenschap, speciaal onderwerp / vak
specialization ['speʃəlaɪz] *zn* specialisatie
specialize ['speʃəlaɪz] *onov ww* ❶ specialiseren, nader bepalen ★ *the shop specialised in confectionery* de winkel was in banket gespecialiseerd ❷ ~ *in* zich speciaal gaan toeleggen op
specially ['speʃəlɪ] *bijw* speciaal, (in het) bijzonder
specialty ['speʃəltɪ] *zn USA* → **speciality**
species ['spi:ʃɪz] *zn* ❶ soort(en) ⟨levensvormen⟩ ❷ vorm
specific [spə'sɪfɪk] *bnw* ❶ specifiek ❷ soortelijk, soort- ❸ bepaald
specifically [spə'sɪfɪkəlɪ] *bijw* specifiek, met name ★ *I ~ told you not to* Ik heb je met name gezegd dat je dat niet moest doen
specification [spesɪfɪ'keɪʃən] *zn* specificatie
specificity [spesɪ'fɪsətɪ] *zn* het specifiek zijn, specifieke eigenschap
specifics [spə'sɪfɪks] *zn mv* details
specify ['spesɪfaɪ] *ov+onov ww* specificeren, nader bepalen
specimen ['spesəmɪn] *zn* ❶ staaltje, (voor)proef ❷ voorbeeld, exemplaar ★ *what a ~!* wat een nummer / vent! ★ ~ *copy* present exemplaar
specious ['spi:ʃəs] *bnw* ❶ schoonschijnend ★ *her ~ hair gloss is fake* haar mooi uitziende haarglans is niet echt ❷ (op het oog) aanvaardbaar ★ *a ~ argument* een argument dat juist lijkt maar het niet is
speck [spek] **I** *zn* stippeltje, vlekje, stip ★ ~ *of dust* stofje **II** *ov ww* (be)spikkelen
speckle ['spekl] **I** *zn* spikkeltje **II** *ov ww* (be)spikkelen
speckless ['spekləs] *bnw* smetteloos
specs [speks] *zn* ❶ → **spectacles** ❷ *USA inform techn* [mv] gegevens, beschrijvingen, kenmerken → **spec**
spectacle ['spektəkl] *zn* tafereel, schouwspel, gezicht ★ *a strange ~* een vreemd gezicht ★ *he is a sad ~* je krijgt medelijden als je hem ziet ★ *make a ~ of o.s.* zich (belachelijk) aanstellen,

voor schut staan ▼ ~ *case* brillendoos

spectacled ['spektəkld] *bnw* met een bril op ★ ~ *cobra / snake* brilslang

spectacles ['spektəklz] *zn mv* bril

spectacular [spek'tækjələ] **I** *bnw* opzienbarend, spectaculair, opvallend, sensationeel **II** *zn* schouwspel, spectaculaire show

spectator [spek'tertə] *zn* toeschouwer

spectral ['spektral] *bnw* ❶ spookachtig, spook- ❷ spectraal, van het spectrum

spectre ['spektə] *zn* spook(verschijning)

specula ['spekjələ] *zn mv* → **speculum**

speculate ['spekjələrt] *onov ww* ❶ peinzen, bespiegelen ★ ~ *about what might happen* filosoferen over wat zou kunnen gebeuren ❷ speculeren ⟨in de handel⟩

speculation [spekjʊ'lerʃən] *zn* ❶ beschouwing ❷ speculatie

speculative ['spekjʊlətɪv] *bnw* speculatief ★ *those claims are highly* ~ die beweringen zijn uiterst speculatief

speculator ['spekjʊlertə] *zn* speculant

speculum ['spekjʊləm] *zn* [mv: **specula**] speculum ⟨dokterssspiegel⟩

sped [sped] *ww* [verl. tijd + volt. deelw.] → **speed**

speech [spi:tʃ] *zn* ❶ spraak, (het) spreken ★ *have* ~ *with* spreken met ★ *hold one's* ~ zijn mond houden ❷ speech, toespraak ★ *free* ~ het vrije woord ★ *taalk part of* ~ woordsoort ★ *taalk figure of* ~ stijlfiguur

speech day *zn* prijsuitreiking ⟨op school⟩

speechify ['spi:tʃɪfar] *onov ww* oreren, speechen

speechless ['spi:tʃləs] *bnw* ❶ sprakeloos, zwijgzaam ❷ onbeschrijfelijk ★ ~ *admiration* sprakeloze bewondering

speech-reading *zn* (het) liplezen

speech recognition *zn* comp spraakherkenning

speech therapist *zn* logopedist

speech therapy *zn* logopedie

speed [spi:d] **I** *zn* ❶ snelheid, spoed ★ *at full* ~ met / op topsnelheid ❷ versnelling ⟨v. fiets⟩ ❸ amfetamine **II** *onov ww* [regelmatig + onregelmatig] ❶ zich haasten, spoeden ❷ (te) snel rijden ★ *he was caught* ~*ing* hij werd gepakt voor te snel rijden ★ ~*ing ticket* boete voor te snel rijden ❸ ~ **up** het tempo opvoeren

speedboat ['spi:dbəʊt] *zn* raceboot

speed bump *zn* → **speed hump**

speed dating *zn* speeddaten

speeder ['spi:də] *zn* snelheidsregelaar

speed hump *zn* verkeersdrempel

speeding ['spi:dɪŋ] *zn* (het) te hard rijden

speed limit *zn* maximumsnelheid

speedometer [spi:'dɒmɪtə] *zn* snelheidsmeter

speedo® *zn* zwembroek van een bepaald merk

speed trap *zn* snelheidscontrole

speedway ['spi:dweɪ] *zn* motorracebaan, modderbaan

speedwell ['spi:dwel] *zn* plantk ereprijs

speedy ['spi:dɪ] *bnw* met spoed, spoedig, snel

spell [spel] **I** *zn* ❶ toverspreuk, betovering ★ *cast a* ~ *on* betoveren ★ *be under the* ~ *of* in de ban zijn van ❷ (korte) periode, tijdje ★ *cold* ~ periode van koud weer, periode van kou ★ ~ *of rain* tijdje regen ★ *take a* ~ *at the oars* 'n tijdje roeien **II** *ov ww* [regelmatig + onregelmatig]

❶ spellens, ontcijferen, betekenen ★ *those clouds* ~ *rain* die wolken betekenen regen ★ *o-n-e* ~*s one* o-n-e is de spelling van een ❷ ~ **out** (voluit) spellen

spellbinding ['spelbaɪndɪŋ] *bnw* fascinerend

spellbound ['spelbaʊnd] *bnw* als aan de grond genageld, betoverd, gefascineerd ★ ~ *by the film* geboeid door de film

spell check *ov ww* comp spellingcontrole uitvoeren

spell checker *zn* spellingcontroleprogramma

spelled *ww* [verleden tijd + volt. deelw.] → **spell**

spelling ['spelɪŋ] *zn* spelling ★ ~ *checker* spellingcontrole, -checker

spelt [spelt] **I** *ww* [verleden tijd + volt. deelw.] → **spell II** *zn* spelt ⟨soort tarwe⟩

spencer ['spensə] vero *zn* korte overjas, slip-over

spend [spend] **I** *ov ww* [onregelmatig] ❶ besteden, uitgeven ❷ doorbrengen ★ ~ *your holidays abroad* je vakantie in het buitenland doorbrengen ❸ verbruiken, verspelen ★ *she spent all her money foolishly* ze heeft al haar geld verkwist ★ ~*ing money* zakgeld **II** *wkd ww* [onregelmatig] ★ *the storm has spent itself* de storm is uitgeraasd ★ ~ *o.s.* zich uitputten / -sloven **III** *zn* uitgave ★ *the average* ~ de gemiddelde uitgave

spendable ['spendəbl] *bnw* te besteden ★ ~ *money* geld dat uitgegeven mag worden

spend-all *zn* verkwister

spender ['spendə] *zn* ❶ uitgever ⟨van geld⟩ ❷ opmaker ★ *be a lavish* ~ royaal met geld omgaan

spendthrift ['spendƟrɪft] *zn* opmaker

spent [spent] **I** *bnw* uitgeput, op, versleten, leeg ⟨huls⟩ ★ *all my energy was* ~ al mijn energie was op ★ *the night is far* ~ de avond / nacht is bijna om **II** *ww* [verleden tijd + volt. deelw.] → **spend**

sperm [spɜ:m] *zn* sperma(cel)

sperm whale *zn* potvis

spew [spju:] *ov+onov ww* spuwen, (uit)braken

sphere [sfɪə] *zn* ❶ bol, hemellichaam ❷ sfeer, terrein ★ ~ *of activity* activiteitengebied

spherical ['sferɪkl] *bnw* bolvormig, bol-

sphinx [sfɪŋks] *zn* sfinx

spic *bnw* → **spick**

spice [spaɪs] **I** *zn* ❶ vleugje, tikje ❷ specerij ❸ fig het pikante ★ *it added* ~ *to her life* het voegde iets pikants aan haar leven toe **II** *ov ww* ❶ ook fig kruiden ❷ ~ **up** iets interessanter maken

spiciness ['spaɪsɪnəs] *zn* kruidigheid

spick [spɪk] *bnw* ★ ~ *and span* op orde, opgeruimd en netjes

spicy ['spaɪsɪ] *bnw* ❶ kruidig, geurig ❷ pikant, pittig

spider ['spaɪdə] *zn* spin

spidery ['spaɪdərɪ] *bnw* spinachtig, spichtig

spiel [ʃpi:l, spi:l] **I** *zn* inform verhaal, reclametekst ★ *a salesman's* ~ verkooppraatje **II** *ov ww* ❶ afdraaien ⟨v. speech⟩ ❷ ophangen ⟨v. verhaal⟩

spike [spaɪk] **I** *zn* ❶ (metalen) punt, piek, pen, lange bout / spijker ★ *a metal* ~ *on the fence* een metalen punt op de schutting ❷ schoennagel ❸ aar, maïskolf **II** *ov ww* ❶ van punten, enz. voorzien ❷ vastspijkeren, vernagelen ❸ iets

sp

toevoegen (meestal een drankje)

spikes [spaɪks] *zn mv* ❶ atletiekschoenen ⟨met metalen punten⟩ ❷ metalen punten ⟨op sneeuwbanden⟩

spiky ['spaɪkɪ] *bnw* met scherpe punten, stekelig ⟨ook v. personen⟩

spill [spɪl] I *ov ww* [regelmatig + onregelmatig] morsen, gemorst worden, omgooien, overlopen ★ *he ~ed the milk* hij liet de melk overlopen ★ ~ *the beans* de boel verraden ★ ~ *blood* bloed vergieten II *zn* ❶ (het) morsen ★ ~ *of milk* (beetje) gemorste melk ★ *coffee ~s* koffievlekken ❷ val(partij) ★ *have a ~* een smak maken ★ *the horse gave me a ~* het paard wierp me af

spillage ['spɪlɪdʒ] *zn* gemors, lozing ⟨van bv. olie⟩

spilled *ww* [verleden tijd + volt. deelw.] → spill

spillway ['spɪlweɪ] *zn* (water)overlaat

spilt [spɪlt] *ww* [verleden tijd + volt. deelw.] → spill

spin [spɪn] I *ov ww* [onregelmatig] ❶ spinnen ⟨draad⟩, snel doen / laten draaien, draaieffect geven ⟨aan bal⟩ ★ *spin clothes* kleren centrifugeren ★ *spin a coin* een munt opgooien ❷ fabriceren (van een verhaal) ★ *spin a yarn* een sterk verhaal vertellen ❸ *ook fig* ~ **off** uit de mouw schudden, afdraaien, (af)dalen ★ *spin off stories one after the other* het ene na het andere verhaal uit de mouw schudden ❹ ~ **out** uitrekken / -spinnen ★ *the plot was spun out* II *onov ww* [onregelmatig] ❶ snel draaien, rondtollen, voortsnellen (bij sport) ★ *the top spun fast* de tol draaide snel ❷ ★ *send sb spinning* iem. doen duizelen / tollen ❸ ~ **along** voortrollen, voortpeddelen / -rollen III *zn* ❶ draaiing, voortsnellen (bij sport) ★ *give the wheel a spin* geef het wiel een draai ❷ *sport* draaieffect ❸ tochtje, ritje, dans ★ *go for a spin* een eindje gaan fietsen / rijden ★ *get into a spin* lelijk in de knoei zitten

spina bifida ['spaɪnə'bɪfɪdə] *zn* open rug(getje)

spinach ['spɪnɪdʒ] *zn* spinazie

spinal ['spaɪnl] I *zn* stekel, ruggengraat II *bnw anat* ruggen(graat)- ★ *the ~ column* de ruggengraat

spindle ['spɪndl] *zn* ❶ spoel, klos ❷ spil, as, stang ❸ spindle ⟨voor cd's⟩

spindly ['spɪndlɪ] *bnw* spichtig ★ ~ *plant* sprieterige plant

spin doctor *zn* ❶ *inform* (politieke) woordvoerder ❷ *inform* mannetjesmaker, spindoctor

spin-dry *ov ww* centrifugeren

spin dryer *zn* centrifuge

spine [spaɪn] *zn* ❶ stekel, doorn ❷ ruggengraat ★ *the film sent shivers down my spice* de film gaf me rillingen over de rug ❸ rug ⟨v. boek⟩

spine-chiller [spaɪn'tʃɪlə] *zn* griezelverhaal ⟨film, roman⟩

spine-chilling [spaɪn'tʃɪlɪŋ] *bnw* griezelig, huiveringwekkend ★ *a ~ tale* een huiveringwekkend verhaal

spineless ['spaɪnləs] *bnw* zonder ruggengraat ⟨vooral fig.⟩, futloos ★ *min he is ~* hij heeft geen ruggengraat

spinnaker ['spɪnəkə] *zn* ballonfok

spinner ['spɪnə] *zn* ❶ spinmachine ❷ effectbal ❸ tolletje ❹ kunstvlieg ⟨als aas bij vissen⟩

spinney ['spɪnɪ] *zn* bosje, struikgewas

spinning ['spɪnɪŋ] *bnw* ★ ~ *house* spinhuis ★ ~ *wheel* spinnewiel

spin-off *zn* bijproduct, nevenproduct, derivaat

spinster ['spɪnstə] *zn oud* jongedochter, oude vrijster

spiny ['spaɪnɪ] *bnw* stekelig, doornig

spiral ['spaɪərəl] I *bnw* spiraalvormig, spiraal- ★ ~ *staircase* wenteltrap III *ov ww* spiraalvormig maken ★ ~ *the bandage round your leg* draai het verband om je been IV *onov ww* ❶ spiraalvormig lopen ❷ snel stijgen ★ *prices ~led out of control* de prijsstijging was onbeheersbaar

spire ['spaɪə] *zn* ❶ (toren)spits, punt, top ❷ (gras)spriet ❸ kronkeling

spirit ['spɪrɪt] I *zn* ❶ geest ★ *corporate ~* teamgeest ★ *free ~* onafhankelijk persoon ★ *rel Holy Spirit* Heilige Geest ★ *the poor in ~* de armen van geest ▼ *in ~* in gedachten ▼ *the ~ is willing (but the flesh is weak)* de geest is gewillig (maar het vlees is zwak) ▼ *as / if / when the ~ moves me* als ik de geest krijg ❷ spook ❸ (levens)moed, energie, pit, fut ❹ spiritus ★ GB *white ~* terpentine ❺ [mv] ★ ~s sterke drank, levensgeesten, gemoedsstemming ★ *animal ~s* levenslust, opgewektheid ★ *in high / great ~s* opgeruimd, opgewekt ★ *in low ~s* neerslachtig ★ *out of ~s* neerslachtig ★ *be in low ~s* somber zijn ★ *raise sb's ~s* iem. opbeuren II *ov ww* ~ **away/off** heimelijk doen verdwijnen, wegtoveren

spirited ['spɪrɪtɪd] *bnw* levendig, vurig, geanimeerd, pittig ★ *a ~ discussion* een levendige discussie

spiritism ['spɪrɪtɪzəm] *zn* spiritisme

spirit lamp *zn* spirituslamp

spiritless ['spɪrɪtləs] *bnw* levenloos, apathisch, zonder geest

spirit level *zn* waterpas

spiritual ['spɪrɪtʃʊəl] I *bnw* geestelijk, intellectueel, spiritueel II *zn muz* ≈ godsdienstig lied

spiritualism ['spɪrɪtʃʊəlɪzəm] *zn* spiritualisme, spiritisme

spirituality [spɪrɪtʃʊ'ælətɪ] *zn* spiritualiteit, geesteslevan

spit [spɪt] I *zn* ❶ (braad)spit ❷ landtong ❸ steek ⟨met spade⟩ ❹ speeksel, spuug, schuim ⟨v. schuimwesp⟩ ★ *all it needs it some spit and polish* het hoeft alleen maar een beetje gepoetst te worden ▼ *the dead / very spit of his father* het evenbeeld v. zijn vader II *ov ww* [onregelmatig] spuwen, spugen ★ *spit it out!* kom / zeg op! ★ *spit abuse* scheldwoorden naar het hoofd smijten III *onov ww* [onregelmatig] ❶ blazen ⟨v. kat⟩, sputteren, spuwen ❷ spatten, spetteren, motregenen ★ *it is just spitting* er valt maar een druppeltje (regen) ★ *spit of rain* buitje / spatje regen ▼ *she's the spitting image of her grandmother* ze lijkt sprekend op haar grootmoeder ❸ ~ **upon** spugen op, *fig* verachten

spite [spaɪt] I *zn* wrevel, rancune, wrok, boosaardigheid ★ *out of ~* uit wraak ★ *(in) ~ of* in weerwil van, ondanks ★ *have a ~ against a p.*

iets tegen iem. hebben II *ov ww* dwars zitten, ergeren, pesten, plagen

spiteful ['spaɪtfʊl] *bnw* rancuneus, hatelijk

spitfire ['spɪtfaɪə] *zn* driftkop

spittle ['spɪtl] *zn* speeksel

spittoon [spɪ'tu:n] *zn* spuwbak

spiv [spɪv] *zn*, GB *inform* zwendelaar, nietsnut

splash [splæʃ] I *zn* ❶ plas ❷ klets, kwak, plek ★ ~ *of soda* scheutje spuitwater ★ ~ *of rye* slokje whisky ❸ sensatie ★ *make a* ~ opzien baren, sensatie verwekken II *ov ww* (be)spatten, rondspatten ★ ~ *a story over the front page* een verhaal met vette koppen op de voorpagina zetten III *onov ww* ❶ ploeteren, kletsen ⟨met water⟩, klateren, plenzen ❷ ~ **down** *the rain was ~ing down* de regen kwam met bakken uit de hemel ❸ ~ **out** (*on*) *he ~ed out on lots of beer* hij gaf veel geld uit aan bier

splashdown ['splæʃdaʊn] *zn* landing in zee ⟨v. ruimtecapsule⟩, plons

splatter ['splætə] I *ov ww* bespatten ★ *he was ~ed with mud* hij werd met modder bespat II *onov ww* klateren, plassen, (op)spatten ★ *heavy drops ~ed on the window* zware druppels spatten op het raam III *zn mv* vlek, spat, spetter ★ *a ~ of mud on her clothes* een moddervlek op haar kleren

splay [spleɪ] I *zn* afschuining II *bnw* schuin, wijd uitstaand III *ov ww* afschuiven, schuin zetten ★ *he ~ed his fingers out* hij spreidde zijn vingers uit IV *onov ww* schuin spreiden, wijder worden ★ *the skirt ~ed from the waste* de rok werd vanuit de taille wijder

spleen [spli:n] *zn* ❶ milt ❷ weltschmerz, zwaarmoedigheid ★ *vent one's* ~ zijn gemoed luchten

splendid ['splendɪd] *bnw* prachtig, groots, prima, schitterend

splendour, USA **splendor** ['splendə] *zn* pracht, luister, glans

splenetic [splɪ'netɪk] *bnw* droevig / slecht gehumeurd

splenic ['splenɪk] *bnw* m.b.t. de milt ★ ~ *fever* miltvuur

splice [splaɪs] I *zn* las, houtverbinding II *ov ww* splitsen ⟨touw⟩, in elkaar vlechten, verbinden ⟨hout⟩

splicer ['splaɪsə] *zn* plakapparaat ⟨voor beeld- / geluidsband⟩

splint [splɪnt] I *zn* ❶ spaan ★ *use a* ~ *to light a fire* een houtspaan gebruiken om vuur aan te steken ❷ med spalk II *ov ww* spalken

splinter ['splɪntə] I *zn* splinter, scherf ★ ~ *group* splintergroep II *ov ww* versplinteren

splinter-proof *bnw* scherfvrij

split [splɪt] ⟨onregelmatig⟩ I *ov ww* ❶ splitsen, splijten ★ ~ *the difference* het verschil delen ★ ~ *hairs / words* muggenziften ★ ~ *(one's sides) with laughter* barsten v. het lachen ❷ ~ **on** verlinken ❸ ~ **off** afsplitsen ❹ ~ **up** verdelen ★ *they* ~ *up the party* ze verdeelden het gezelschap II *onov ww* ❶ zich splitsen, zich (ver)delen ❷ klikken ❸ *inform* ~ **up** uiteengaan ★ *they* ~ *up ze gingen uit elkaar* III *zn* ❶ scheuring, scheur, breuk ❷ afsplitsing, afgescheiden groep / partij

❸ ⟨glas⟩ whisky met spuitwater IV *bnw* gespleten, gesplitst ★ ~ *vote* stem(ming) op meer dan één kandidaat ★ *taalk* ~ *infinitive* gedeeld infinitief ★ ~ *personality* meervoudige persoonlijkheid ⟨psychose⟩ ★ ~ *second* fractie van een seconde ★ ~ *level (house)* woning met vloeren op verschillend niveau ★ *comp* ~ *screen* gesplitst scherm

split personality *zn* meervoudige persoonlijkheid ⟨psychose⟩

split second *zn* fractie van een seconde

splitting ['splɪtɪŋ] *bnw* ★ ~ *headache* barstende hoofdpijn

split-up *zn* ❶ verbreking van de relatie, scheiding, breuk ❷ opsplitsing ⟨bv. v. aandelen⟩

splodge [splɒdʒ], **splotch** [splɒtʃ] *zn* veeg, vlek, smet, spat

splurge [splɜːdʒ] I *zn* uitspatting, geldsmijterij, vertoon II *onov ww* ❶ met geld smijten ❷ ~ *on* veel geld uitgeven aan III *ov ww* verspillen, verkwisten

splutter ['splʌtə] I *zn* gesputter, gestotter II *onov ww* vochtig praten, sputteren

spoil [spɔɪl] I *ov ww* ⟨regelmatig + onregelmatig⟩ ❶ schaden, bederven, in de war sturen ★ *the event ~t their party* de gebeurtenis bedierf hun feestje ❷ verwennen II *zn* ⟨ook als mv⟩ opbrengst, buit

spoiled [spɔɪld] I *bnw* verwend ★ ~ *child* verwend kind II *ww* [verleden tijd + volt. deelw.] → **spoil**

spoiler ['spɔɪlə] *zn* spoiler ⟨auto⟩

spoilsport ['spɔɪlspɔːt] *zn* spelbederver

spoilt [spɔɪlt] *ww* [verleden tijd + volt. deelw.] → **spoil**

spoke [spəʊk] I *zn* spaak II *ww* [verleden tijd] → **speak**

spoken ['spəʊkən] I *ww* [volt. deelw.] → **speak** II *bnw* gesproken ★ *the* ~ *word* het gesproken woord

spokesman ['spəʊksmən] *zn* woordvoerder

spokesperson ['spəʊkspɜːsən] *zn* woordvoerder

spokeswoman ['spəʊkswʊmən] *zn* woordvoerster

spoliation [spəʊlɪ'eɪʃən] *zn* plundering, roof

sponge [spʌndʒ] I *zn* ❶ spons ★ *give it a* ~ spons het even af ★ ~ *cake* Moskovisch gebak ★ ~ *bag* toilettas ★ *throw in the* ~ zich gewonnen geven ❷ klaploper, parasiet II *ov ww* ❶ afsponsen ❷ ~ **down** afsponsen ❸ ~ **out** uitwissen ❹ ~ **up** opnemen / -zuigen met een spons III *onov ww* ❶ parasiteren ❷ ~ **off** op ⟨iemands⟩ zak teren

sponge finger *zn* lange vinger ⟨koekje⟩

sponger ['spʌndʒə] *zn* *inform* klaploper

spongy ['spʌndʒɪ] *bnw* sponsachtig

sponsor ['spɒnsə] I *zn* sponsor, borg ★ *stand* ~ *for* borg staan voor II *ov ww* borg staan voor, financieel steunen ★ ~ed *programme* ⟨door derden⟩ gefinancierd programma ★ ~ed *by* aangeboden door, onder auspiciën van

sponsorship ['spɒnsəʃɪp] *zn* auspiciën, het sponsor zijn ⟨geld geven aan een organisatie ter ondersteuning van het doel⟩ ★ *the* ~ *of arts* financiële steun aan kunst

spontaneity [spɒntə'neɪɪtɪ] *zn* spontaniteit

spontaneous [spɒn'teɪnɪəs] *bnw* ❶ spontaan

❷ vanzelf, uit zichzelf

spoof [spu:f] **I** zn parodie, satire **II** ov ww USA bij de neus nemen

spook [spu:k] **I** ov ww bang maken ★ *his horse was ~ed by the thunder* zijn paard schrok van de donder ★ *he is easily ~ed* hij is schrikkachtig **II** zn spook

spooky ['spu:kɪ] bnw spookachtig

spool [spu:l] **I** zn spoel **II** ov ww ❶ op spoel winden (van magnetisch band, draad en overig buigbaar materiaal) ❷ comp sturen, doorsturen ★ *~ a file to a folder* een bestand naar een map verplaatsen **III** onov ww vanzelf afwinden ★ *it ~ed free* het wond zichzelf af

spoon [spu:n] **I** zn lepel ★ *wooden ~* houten (pol)lepel ★ GB *win / take the wooden ~* de poedelprijs winnen / krijgen ★ *be born with a silver ~ in one's mouth* van rijke ouders zijn, een gelukskind zijn **II** ov ww lepelen, scheppen **III** onov ww vrijen

spoonbill ['spu:nbɪl] zn lepelaar

spoon-feed ov ww ❶ voeren (met lepel) ❷ fig voorkauwen ★ *the students were spoon-fed* de studenten kregen alles voorgekauwd

spoonful ['spu:nful] zn lepel (hoeveelheid)

spoor [spʊə] **I** zn spoor (van wild beest) **II** onov ww het spoor volgen

sporadic [spə'rædɪk] bnw sporadisch

sporadically [spə'rædɪklɪ] bijw sporadisch

spore [spɔ:] zn ❶ spore (van plant of zwam) ❷ kiem

sporran ['spɒrən] zn tasje gedragen op kilt (door Schotten)

sport [spɔ:t] **I** zn ❶ sport, spel, vermaak ★ *make ~ of* voor de gek houden ★ *~s jacket* sportjasje ❷ het jagen ❸ fideel / sportief persoon, USA playboy ★ *he's a good ~* hij is een goeie vent ❹ fig speelbal ❺ biol speling der natuur **II** ov ww ❶ dragen, pronken met ❷ erop na houden **III** onov ww spelen, zich vermaken ★ *the children ~ed in the water* de kinderen vermaakten zich in het water

sporting ['spɔ:tɪŋ] bnw ❶ sport-, jacht- ★ *~ event* sportevenement ❷ sportief ❸ fair ★ *it was ~ of him to let me go first* het was aardig dat hij me eerst liet gaan ★ *~ chance* eerlijke kans

sportingly ['spɔ:tɪŋlɪ] bijw schertsend

sportive ['spɔ:tɪv] bnw speels, voor de grap

sports ['spɔ:ts] zn mv ❶ sport, takken van sport ★ *go in for ~* veel aan sport doen ❷ sportwedstrijden ★ *athletic ~* atletiek(wedstrijden) ★ *~ car* sportwagen

sportsman ['spɔ:tsmən] zn ❶ sportman, sportliefhebber ❷ jager ❸ sportieve kerel

sportsmanlike ['spɔ:tsmənlaɪk] bnw sportief

sportsmanship ['spɔ:tsmənʃɪp] zn sportiviteit

sportswear ['spɔ:tsweə] zn sportkleding, vrijetijdskleding

sportswoman ['spɔ:tswʊmən] zn sportliefhebster

sporty ['spɔ:tɪ] bnw sportief (uitziend)

spot [spɒt] **I** zn ❶ plek, plaats ★ *on the spot* ter plaatse, direct er bij, op staande voet ★ *be on the spot* er als de kippen bij zijn, bijdehand zijn ★ *be in a (tight) spot* in de knoei zitten ★ *black spot* gevaarlijk verkeerspunt (waar veel ongelukken gebeuren) ★ *blind spot* blinde vlek, dode hoek,

zwakke plek ★ *hot spot* gevaarlijk gebied, interessant, mooi gebied, uitgaansgelegenheid ★ *spot cash* contant geld ★ *have a soft spot for sb* een zwak hebben voor iem. ❷ vlek, spikkeltje ❸ puistje ❹ beetje, tikje ★ *let's have a spot of lunch* laten we wat gaan eten ★ *in a spot of trouble* in de narigheid ❺ acquit(bal) (bij biljarten) ❻ reclamespot ❼ neutje, drankje ▼ *knock the spots off* glansrijk de baas zijn ▼ *inform spot on* precies goed, de spijker op zijn kop **II** ov ww ❶ vlek(ken) maken (op), een smet werpen (op) ❷ stippelen ❸ plaatsen, lokaliseren ❹ in de gaten krijgen ★ *we spotted him in the crowd* we ontdekten hem in de menigte ★ *well spotted!* goed gezien **III** onov ww ❶ vlekken krijgen, vlekken ❷ spetteren

spot check zn steekproef

spotless ['spɒtləs] bnw smetteloos

spotlight ['spɒtlaɪt] **I** zn ❶ spotlight (op toneel) ★ *in the ~* in het middelpunt v.d. belangstelling ❷ zoeklicht **II** ov ww ❶ met zoeklichten beschijnen, in het volle licht zetten ❷ aller ogen richten op

spotted ['spɒtɪd] bnw ❶ gevlekt, bont ★ *~ fever* nekkramp, vlektyfus (alg. ziekte met koorts en vlekken) ❷ met puistjes ▼ *~ dick* jan-in-de-zak, rozijnenpudding

spotter ['spɒtə] zn artillerieverkenner (vliegtuig)

spotty ['spɒtɪ] bnw ❶ gevlekt ❷ ongelijkmatig

spouse [spaʊz] zn ❶ echtgenoot, echtgenote, eega ❷ bruid(egom)

spout [spaʊt] **I** zn ❶ tuit ❷ spuit(gat), goot, waterpijp ❸ straal ▼ *up the ~* in de knoei **II** ov ww ❶ spuiten, gutsen, stromen ❷ inform verkondigen

sprain [spreɪn] **I** zn verstuiking **II** ov ww verstuiken

sprang [spræŋ] ww [verleden tijd] → **spring**

sprat [spræt] zn sprot ★ *throw a ~ to catch a herring / mackerel / whale* een spiering uitgooien om een kabeljauw te vangen

sprawl [sprɔ:l] **I** zn ❶ luie houding ❷ spreiding ★ *urban ~* de zich uitdijgende buitenwijken **II** onov ww ❶ languit (gaan) liggen ❷ naar alle kanten uitsteken (van ledematen) ❸ wijd uitlopen (van handschrift)

spray [spreɪ] **I** zn ❶ sproeier, verstuiver, vaporisator ❷ wolk parfum, stuifwolk ❸ bloemtakje, twijgje ★ *~ funeral ~* graftak **II** ov ww ❶ besproeien ❷ verstuiven

spray can zn spuitbus

sprayer ['spreɪə] zn sproeier, vaporisator, verstuiver

spray gun zn spuitpistool, verfspuit

spread [spred] **I** ov ww (onregelmatig) ❶ verspreiden, verbreiden, (uit)spreiden ★ *~ over 10 years* over 10 jaar uitsmeren / verdelen ❷ uitstrekken, wijd uit zetten ★ *~ one's wings* zijn vleugels uitslaan ❸ (uit)smeren (van brood) ❹ dekken (van tafel) ❺ ~ out uitspreiden **II** onov ww (onregelmatig) ❶ wijd uit (gaan) staan ❷ zich verbreiden, zich verspreiden ★ *the news ~ like wildfire* het nieuws verspreidde zich als een lopend vuurtje **III** zn ❶ smeerbeleg ★ *sandwich ~* broodbeleg ❷ uitstalling, spreiding ★ *a nice* ~ een rijk gedekte tafel ❸ omvang, wijdte, breedte ★ *middle-age* ~ buikje op middelbare leeftijd

spread-eagled *bnw* met armen en benen gestrekt

spreader ['spredə] *zn* (water)verspreider

spreadsheet ['spredʃi:t] *zn* ❶ comp rekenblad, werkblad ❷ calculatieprogramma

spree [spri:] *zn* ★ *shopping* ~ extreme koopbui ★ *go on the* ~ aan de zwier gaan

sprig [sprɪg] *zn* twijgje, takje

sprigged [sprɪgd] *bnw* met takjes en loofwerk versierd ⟨van een jurk⟩

sprightly ['spraɪtlɪ] *bnw* vrolijk, dartel

spring [sprɪŋ] I *zn* ❶ lente, voorjaar ❷ veer ⟨van horloge⟩, veerkracht ★ ~ *bed* springveren matras ★ ~ *mattress* springverenmatras ❸ sprong ❹ bron, oorsprong II *ov ww* ⟨onregelmatig⟩ ❶ doen springen ★ ~ *a leak* lek beginnen te raken ❷ plotseling aankomen met ★ ~ *sth on a person* iem. met iets op het dak vallen ❸ opjagen ⟨van wild⟩ III *onov ww* ⟨onregelmatig⟩ ❶ springen, ontspringen ★ ~ *at a person* op iem. afspringen ★ *where do you* ~ *from?* waar kom jij ineens vandaan? ★ *the trap sprang shut* de val sprong dicht ★ ~ *to fame* ineens beroemd worden ★ ~ *to one's feet* plotseling opstaan ★ *tears sprang (in)to her eyes* tranen sprongen haar in de ogen ❷ plantk uitkomen, opschieten ❸ ~ **up** opspringen, opveren, plotseling ontstaan, zich plotseling voordoen, opschieten ⟨van plant⟩ ❹ ~ **from** ontstaan uit, voortkomen uit

springboard ['sprɪŋbɔ:d] *zn* springplank

springbok ['sprɪŋbɒk] *zn* gazelle

spring break *zn* ≈ voorjaarsvakantie

spring clean *zn* grote schoonmaak

spring-clean *ov ww* grote schoonmaak houden

springer ['sprɪŋə] *zn* kleine patrijshond

spring roll *zn* loempia

spring tide *zn* springtij

springtime ['sprɪŋtaɪm] *zn* voorjaar

springy ['sprɪŋɪ] *bnw* veerkrachtig, elastisch

sprinkle ['sprɪŋkl] I *ov ww* (be)sprenkelen, (be)strooien II *onov ww* licht regenen III *zn* klein beetje, tikje ★ *chocolate* ~s hagelslag ★ ~ *of snow* licht sneeuwbuitje

sprinkler ['sprɪŋklə] *zn* strooier, tuinsproeier, sproeiwagen

sprinkling ['sprɪŋklɪŋ] *zn* (be)sprenkeling, kleine hoeveelheid ★ *a* ~ *of snow* een kleine hoeveelheid sneeuw

sprint [sprɪnt] I *zn* sprint II *onov ww* sprinten

sprinter ['sprɪntə] *zn* sprinter ⟨iemand die hardloopt⟩

sprit [sprɪt] *zn* scheepv spriet ⟨voor het zeil⟩

sprite [spraɪt] *zn* kabouter, fee, (bos)geest

spritsail ['sprɪtseɪl] *zn* scheepv sprietzeil

spritz [sprɪts] *zn* spuitje met een verstuiver of spuitbus

sprocket ['sprɒkɪt] *zn* tandwiel

sprog [sprɒg] *zn* straatt kind, broekie, groentje

sprout [spraʊt] I *zn* scheut, loot ★ *(Brussels)* ~s spruitjes II *ov ww* ★ ~ *horns / hair* hoorns / haar beginnen te krijgen III *onov ww* uitbotten, uitlopen

spruce [spru:s] I *zn* spar(renhout) ★ ~ *fir* spar

II *bnw* keurig, netjes III *ov ww* netjes maken, opdirken ★ ~ *yourself (up)* jezelf opknappen

sprung [sprʌŋ] I *ww* [volt. deelw.] → **spring** II *bnw* gebarsten

spry [spraɪ] *bnw* vlug, kwiek, kittig ★ *look spry!* vlug!

spud [spʌd] I *zn* ❶ schoffel ❷ pieper ⟨aardappel⟩ II *ov ww* rooien, wieden, uitsteken

spume [spju:m] I *zn* schuim II *onov ww* schuimen

spun [spʌn] I *bnw* ★ *spun glass* glaswol ★ *spun silk* zijdegaren II *ww* [verleden tijd + volt. deelw.] → **spin**

spunk [spʌŋk] *zn* ❶ pit, moed, lef ❷ vulg sperma ❸ Aus sexy man

spunky ['spʌŋkɪ] *bnw* ❶ vurig, moedig ❷ vulg Aus aantrekkelijk

spur [spɜ:] I *zn* ❶ spoor ⟨(metalen) uitsteeksel⟩ ❷ uitstekende punt of tak, uitloper ❸ prikkel ★ *on the spur of the moment* spontaan, zo maar voor de vuist weg ❹ verbindingsweg tussen twee autosnelwegen ▼ *win one's spurs* (ge)ridder(d) worden, zijn sporen verdienen II *ov ww* ❶ de sporen geven ★ *spurred* met sporen aan ❷ ~ **on** aansporen, aanvuren

spurge [spɜ:dʒ] *zn* wolfsmelk ⟨plant⟩

spurious ['spjʊərɪəs] *bnw* vals, niet echt ★ ~ *claims* valse aanspraken

spurn [spɜ:n] I *ov ww* met verachting afwijzen ★ *he* ~*ed the company of women* hij wees vrouwelijk gezelschap af II *zn* verachting, versmading

spurt [spɜ:t] I *zn* ❶ plotselinge straal ★ *a* ~ *of water* een plotselinge straal water ❷ uitbarsting ★ *a burst of energy* een uitbarsting van energie ★ *by* ~*s* bij vlagen II *onov ww* ❶ spurten, sprinten ❷ alles op alles zetten ❸ spatten ⟨van pen⟩ III *ov ww* spuiten

sputter ['spʌtə] I *zn* gesputter, gestamel II *ov ww* brabbelen III *onov ww* sputteren, spetteren, knetteren

sputum ['spju:təm] *zn* sputum, opgehoest slijm

spy [spaɪ] I *zn* spion II *ov ww* ❶ ~ **out** (stiekem) opnemen, verkennen, proberen achter... te komen ★ *spy out the land* terrein verkennen, poolshoogte nemen ★ *I spy with my little eye...* ik zie, ik zie wat jij niet ziet... ❷ ~ **(up)on** bespioneren

spy-hole ['spaɪhəʊl] *zn* kijkgaatje

squab [skwɒb] *zn* ❶ nestjong ⟨van duif of roek⟩ ❷ ⟨zacht dik⟩ kussen

squabble ['skwɒbl] I *zn* kibbelpartij, ruzie II *onov ww* kibbelen, ruzie maken ★ *they are squabbling who should be first* ze kibbelen wie de eerste mag zijn

squad [skwɒd] *zn* ❶ groep, ploeg ❷ (politie)patrouille ★ *The Flying Squad* ME, Mobiele Eenheid

squad car *zn* USA overvalwagen, patrouillewagen ⟨politie⟩

squadron ['skwɒdrən] *zn* eskadron ⟨bij de cavalerie⟩, eskader ⟨bij de marine⟩, escadrille ⟨bij de luchtmacht⟩

squalid ['skwɒlɪd] *bnw* ❶ vunzig, smerig ❷ gemeen

squall [skwɔ:l] I *zn* ❶ windstoot ❷ vlaag II *onov ww* gillen, brallen

squally ['skwɔːlɪ] *bnw* winderig, stormachtig

squalor ['skwɒlə] *zn* ❶ vunzigheid, smerigheid ❷ ellende

squander ['skwɒndə] *ov ww* verkwisten, vergooien

square [skweə] I *zn* ❶ vierkant ★ *back to ~ one* terug naar het begin ★ *~ dance* quadrille ❷ *wisk* kwadraat ❸ plein, exercitieterrein ❹ huizenblok ❺ carré ❻ veld ⟨op dam-, schaakbord⟩ ❼ *techn* winkelhaak, tekenhaak ❽ oud conservatief▼ *be out of ~ with the rest* niet in overeenstemming met de rest zijn, uit de toon vallen II *bnw* ❶ vierkant ★ *~ root* vierkantswortel ★ *~ measure* vlaktemaat ❷ stoer, stevig ❸ eerlijk, oprecht, betrouwbaar, ondubbelzinnig ❹ gelijk, quitte ★ *get a ~ deal* eerlijk behandeld worden ★ *get things ~ with sb* het in orde maken met iem., met iem. afrekenen ❺ oud conservatief, conformistisch, burgerlijk III *ov ww* ❶ vierkant maken, recht / haaks maken ★ *~ your shoulders* je schrap zetten ❷ wisk in kwadraat brengen ❸ in orde maken, afrekenen ★ *~ accounts* afrekenen ★ *~ the circle* de oppervlakte v.d. cirkel berekenen, het onmogelijke proberen ❹ omkopen ❺ *~ to/with* in overeenstemming brengen met, aanpassen aan ❻ *~ up* vereffenen, afrekenen, betalen IV *onov ww* ❶ recht / haaks staan op ❷ overeenstemmen ❸ *~ up to* zich schrap zetten tegenover, energiek aanpakken ★ *~ up to sb* een vechtlustige houding aannemen tegen iem. ❹ *~ with* kloppen met ★ *it ~s with my calculations* het klopt met mijn berekeningen V *bijw* ❶ direct ★ *the ball hit me ~ in the face* de bal raakte me direct in het gezicht ❷ oprecht, ronduit ★ *be ~* wees oprecht

squarely ['skweəlɪ] *bijw* vierkant, duidelijk, onomwonden

squash [skwɒʃ] I *zn* ❶ sport squash ★ sport *play ~* squashen ❷ pulp, moes, vruchtvlees v. pompoen ❸ limonade ⟨v. vruchtensap⟩ ❹ gedrang II *ov ww* ❶ kneuzen, plat drukken, tot moes maken / slaan ❷ de mond snoeren ❸ dringen III *onov ww* geplet worden

squashy ['skwɒʃɪ] *bnw* ❶ zacht ❷ sentimenteel

squat [skwɒt] I *zn* hurkende houding II *bnw* kort, gedrongen III *ov ww* kraken ⟨van huis, stuk land⟩ IV *onov ww* ❶ hurken ❷ (gaan) zitten, gaan liggen ❸ kruipen met lichaam tegen de grond

squatter ['skwɒtə] *zn* kraker, iemand die onrechtmatig een stuk land bewoont

squaw [skwɔː] *zn* indiaanse vrouw

squawk [skwɔːk] I *zn* schreeuw II *onov ww* krijsen

squeak [skwiːk] I *zn* gepiep ★ *it was a narrow ~* het scheelde maar een haar II *onov ww* piepen ★ *straatt ~ (on)* ⟨iemand⟩ verraden

squeaker ['skwiːkə] *zn* ❶ piepertje, jong vogeltje ❷ verrader

squeaky ['skwiːkɪ] *bnw* piepend, krakend

squeal [skwiːl] I *zn* gil II *ov ww* (uit)gillen III *onov ww* ❶ gillen, gieren, tekeergaan, een keel opzetten ❷ straatt ~ *on* verraden

squeamish ['skwiːmɪʃ] *bnw* ❶ (gauw) misselijk ❷ kieskeurig, pijnlijk nauwgezet, overgevoelig

★ *she's ~ about snakes* ze is doodsbang voor slangen

squeegee ['skwiːdʒiː] *zn* ❶ vloertrekker, zwabber ❷ inform iem. die autoruiten wast bij stoplichten

squeeze [skwiːz] I *ov ww* ❶ (tegen zich aan)drukken, druk uitoefenen op, knijpen, uitknijpen ★ *she ~d his hand* ze gaf hem een stevige hand ★ *~ to death* dooddrukken ★ *~ o.s. in* zich nestelen in ❷ uitpersen, afpersen ★ *~ an orange* een sinaasappel uitpersen ❸ knellen ★ *he ~d his thumb in the door* hij knelde zijn duim in de deur II *onov ww* ❶ (zich) dringen ★ *she ~d into the aircraft seat* ze perste zich in de vliegtuigstoel ❷ *~ through* het met moeite halen ★ *he only just ~d through the opening* hij wist zich met moeite door de opening te dringen ❸ *~ up* opschuiven III *zn* ❶ kneep(je), (hand)druk, gedrang, hartelijke omhelzing ★ *she gave him a good ~* ze gaf hem een hartelijke omhelzing ❷ afdruk ⟨van munt⟩ ❸ afpersing ★ *put the ~ on a person* iem. onder druk zetten, chantage plegen op iem. ▼ *it was a ~* het was 'n hele toer ▼ *at a ~* als het er om gaat

squelch [skweltʃ] I *zn* zuigend geluid ⟨als schoenen op een natte vloer⟩ II *ov ww* ❶ de mond snoeren ❷ verpletteren, de kop indrukken ★ *the rebellion was ~ed* de opstand werd de kop ingedrukt III *onov ww* zuigend geluid maken ⟨als bij lopen door modder⟩

squid [skwɪd] *zn* ❶ pijlinktvis ❷ kunstaas

squiffy ['skwɪfɪ] *bnw* ❶ aangeschoten ❷ scheef

squiggle ['skwɪgl] I *zn* golvend lijntje II *onov ww* wriemelen, kronkelen

squint [skwɪnt] I *zn* ❶ scheelzien ★ *have a fearful ~* vreselijk scheel kijken ❷ zijdelingse blik ★ *have a ~ at* eventjes kijken naar II *bnw* scheel III *onov ww* ❶ loensen, scheel kijken ❷ *~ at* turen naar

squint-eyed [skwɪnt'aɪd] *bnw* scheel

squire ['skwaɪə] I *zn* ❶ landjonker ★ *the ~* de (land)heer van het dorp ❷ gesch schildknaap II *ov ww* escorteren

squirm [skwɜːm] I *onov ww* ❶ wriemelen, kronkelen ❷ iets op z'n hart hebben, niet op z'n gemak zijn ★ *he ~ed when he saw her* hij voelde zich niet op zijn gemak toen hij haar zag II *zn* (lichaams)kronkel

squirrel ['skwɪrəl] *zn* eekhoorn

squirt [skwɜːt] I *zn* ❶ straal, spuitje ★ *a ~ of water* een straaltje water ❷ kleine opdonder II *onov ww* spuiten III *ov ww* (uit)spuiten ★ *he ~ed cream over the cake* hij spoot room over de taart

squirt gun *zn* waterpistool

squish [skwɪʃ] I *zn* soppend geluid II *ov ww* tot moes maken III *onov ww* nat zijn, soppen, drassig zijn

Sr. USA Sr. *afk, Senior* Sr., senior

SRN *afk, State Registered Nurse* gediplomeerd verpleegkundige

SSE *afk, south southeast* zuidzuidoost

SSW *afk, south southwest* zuidzuidwest

St. [sənt] *afk* ❶ *Saint* Sint ❷ *Street* straat

Sta. *afk, Station* station

stab [stæb] I *zn* dolksteek, doodsteek ★ *have / make a stab at* 'n gooi doen naar ▼ *a stab in the* *dark* een slag in de lucht **II** *ov ww* ❶ steken ⟨vnl. met dolk⟩ ❷ de doodsteek geven ★ *stab in the back* in de rug aanvallen **III** *onov ww* ~ *at* steken naar

stability [stəˈbɪlətɪ] *zn* stabiliteit, evenwichtigheid, standvastigheid

stabilization, stabilisation [steɪbəlaɪˈzeɪʃən] *zn* stabilisatie

stabilize, stabilise [ˈsteɪbəlaɪz] *ov+onov ww* stabiliseren

stable [ˈsteɪbl] **I** *zn* stal **II** *bnw* hecht, vast, standvastig, stabiel **III** *ov ww* op stal zetten **IV** *onov ww* op stal staan

stable boy [ˈsteɪblbɔɪ] *zn* stalknecht

stableman [ˈsteɪblmæn] *zn* stalknecht

stabling [ˈsteɪblɪŋ] *zn* het stallen, stalling

staccato [stəˈkɑːtəʊ] *bnw + bijw* staccato

stack [stæk] **I** *zn* ❶ stapel, hoop, boekenstelling, stapelkast ❷ comp stapelgeheugen ❸ groep schoorstenen ⟨op dak⟩, (schoorsteen)pijp ❹ steile, kale rots **II** *ov ww* ❶ stapelen ❷ steken ⟨valsspelen met kaarten⟩ ★ fig ~ *the cards* de zaak bekonkelen ❸ ~ *up* opstapelen, BN optassen ★ *a row of cars* ~*ed up behind him* er vormde zich een file achter hem **III** *onov ww* ❶ stapelbaar zijn ★ *the beds* ~ de bedden zijn stapelbaar ❷ luchtv rondvliegen in afwachting van landing

stacked [stækt] *bnw* ❶ opgestapeld ❷ inform welgevormd, met grote borsten ❸ comp als batch, als macro, als een reeks opdrachten

stadium [ˈsteɪdɪəm] **I** *zn* ❶ stadion ❷ stadium

staff [stɑːf] **I** *zn* ❶ staf, (leidinggevend) personeel ★ *editorial* ~ redactie ❷ stut ❸ [mv staves] notenbalk **II** *ov ww* van personeel e.d. voorzien

staff college *zn* ≈ militaire academie

staff room *zn* docentenkamer

stag [stæg] *zn* ❶ (mannetjes)hert ★ *stag beetle* vliegend hert ❷ beursspeculant

stag beetle *zn* vliegend hert ⟨insect⟩

stage [steɪdʒ] **I** *zn* ❶ fase, stadium ★ *it is just a* ~ *he is going through* hij maakt alleen maar een fase door ❷ stellage, steiger, podium, toneel ★ *go on the* ~ bij het toneel gaan ★ ~ *direction* toneelaanwijzing ★ ~ *door* artiesteningang ★ ~ *fright* plankenkoorts ★ ~ *whisper* goed hoorbaar gefluister ★ ~ *fever* vurige bewondering voor toneel ❸ verdieping, etage ★ *the upper* ~ *was built in the previous century* de bovenste verdieping is in de vorige eeuw gebouwd ❹ objecttafel ⟨van microscoop⟩ ❺ gesch postkoets, diligence ❻ etappe, traject **II** *ov ww* ❶ opvoeren, ten tonele / voor het voetlicht brengen ❷ ensceneren, op touw zetten ★ *they* ~*d a demonstration* ze hebben een demonstratie georganiseerd

stagecoach [ˈsteɪdʒkəʊtʃ] *zn* ❶ diligence ❷ USA postkoets

stagecraft [ˈsteɪdʒkrɑːft] *zn* toneelkunst

stage-dive *onov ww* stagediven

stage-manage *ov ww* ensceneren

stage manager [steɪdʒˈmænɪdʒə] *zn* toneelmeester

stagger [ˈstægə] **I** *ov ww* ❶ doen wankelen, ontstellen ❷ op verschillende tijden doen vallen ★ *they* ~*ed their holidays* ze verspreidden hun

vakanties ★ ~*ed office hours* variabele werktijden ❸ zigzagsgewijs of om en om plaatsen ⟨van spaken in fietswiel⟩ **II** *onov ww* wankelen, waggelen ★ *they* ~*ed home after too much alcohol* ze zwalkten naar huis na te veel alcohol **III** *zn* wankeling ★ *he walks with a slight* ~ hij wankelt bij het lopen een beetje

staggering [ˈstægərɪŋ] *bnw* ❶ wankelend, weifelend ❷ schrikbarend, onthutsend ★ ~ *blow* klap die hard aankomt

staghound [ˈstæghaʊnd] *zn* jachthond

staging [ˈsteɪdʒɪŋ] *zn* ❶ mise-en-scène ❷ stellage, steiger(werk)

stagnancy [ˈstægnənsɪ] *zn* stagnatie

stagnant [ˈstægnənt] *bnw* ❶ stilstaand ❷ lui, traag, fig dood

stagnate [stægˈneɪt] *onov ww* ❶ stilstaan ❷ op 'n dood punt staan of komen ★ *progress had* ~*d* vorderingen waren op een dood punt gekomen

stagnation [stægˈneɪʃən] *zn* stagnatie

stag night *zn* hengstenbal ⟨vrijgezellenfeest voor bruidegom⟩

stag party *zn* hengstenbal ⟨vrijgezellenfeest voor bruidegom⟩

stagy [ˈsteɪdʒɪ] *bnw* theatraal

staid [steɪd] *bnw* bedaard, bezadigd, degelijk ★ *she was* ~ *in her ways* ze was niet avontuurlijk

stain [steɪn] **I** *zn* ❶ vlek, smet ❷ kleurstof, verfstof, beits **II** *ov ww* ❶ vlek(ken) maken op ❷ kleuren, verven, beitsen ❸ onteren, bezoedelen ★ ~*ed glass windows* gebrandschilderde ramen **III** *onov ww* vlekken geven, afgeven ⟨van stoffen⟩

stainless [ˈsteɪnləs] *bnw* ❶ vlekkeloos ❷ vlekvrij, roestvrij

stair [steə] *zn* trede, trap ★ *(flight of)* ~*s* trap ★ ~ *carpet* traploper

staircase [ˈsteəkeɪs], **stairway** [ˈsteəweɪ] *zn* trap ⟨constructie met treden⟩ ★ *grand* ~ staatsietrap ★ *moving* ~ roltrap ★ *spiral* ~ wenteltrap

stairwell [ˈsteəwel] *zn* trappenhuis

stake [steɪk] **I** *zn* ❶ paal, staak, brandstapel ❷ aandeel, belang ★ *he has a* ~ *in the country* hij heeft belang bij het welzijn van het land ❸ inzet ⟨bij weddenschap enz.⟩ ★ *be at* ~ op het spel staan ★ *play for high* ~*s* spelen om een hoge inzet **II** *ov ww* ❶ aan een paal vastbinden ❷ op het spel zetten ★ *I* ~ *my life on it* ik verwed er mijn leven onder ❸ ~ *out* als eigendom markeren, als standpunt innemen, observeren ★ *experts have* ~*d out opposite opinions* deskundigen hebben tegenovergestelde standpunten ingenomen

stale [steɪl] **I** *bnw* ❶ niet fris meer, muf, verschaald ★ *one's mind gets* ~ *by...* je wordt suf van... ★ sport *go* ~ overtraind raken ❷ oud(bakken) ★ ~ *joke* ouwe mop **II** *onov ww* oud worden, verschalen ★ *the bread was staling* het brood begon uit te drogen

stalemate [ˈsteɪlmeɪt] **I** *zn* ❶ pat(stelling), schaakmat **II** *ov ww* pat zetten

stalk [stɔːk] **I** *zn* ❶ stengel, steel ★ *have your eyes on* ~*s* je ogen op steeltjes hebben, je ogen uitkijken ❷ schacht ⟨van veer⟩ **II** *ov ww* ❶ besluipen ⟨van prooi⟩ ❷ (hinderlijk) achtervolgen, lastig vallen, stalken **III** *onov ww*

st

❶ (statig) schrijden **❷** ook fig voortschrijden
stalker ['stɔ:kə] zn **❶** sluipjager **❷** stalker
stall [stɔ:l] I zn **❶** stalletje, kiosk, kraam **❷** stal,
box, hok **❸** koorbank, koorstoel **❹** stallesplaats
❺ douchecel, kleedhokje **❻** het afslaan ⟨van
motor⟩ II ov ww **❶** stallen **❷** op stal houden,
vetmesten **❸** afschepen ★ I'll ~ her ik zal haar
aan de praat houden III onov ww **❶** vastrijden,
vastlopen **❷** afslaan ⟨van motor⟩ **❸** luchtv
snelheid verliezen en afglijden
stall-fed ['stɔ:lfed] bnw vetgemest
stallholder ['stɔ:lhəʊldə] zn kraamhouder
stallion ['stæljən] zn hengst
stalwart ['stɔ:lwət] I zn getrouwe, trawant II bnw
❶ robuust, stoer, struis **❷** trouw
stamen ['steɪmən] zn meeldraad
stamina ['stæmɪnə] zn (innerlijke) kracht, pit,
energie, uithoudingsvermogen ★ moral ~
karaktervastheid
stammer ['stæmə] I zn het stotteren II ov+onov
ww stotteren, stamelen
stammerer ['stæmərə] zn stotteraar
stamp [stæmp] I zn **❶** (ge)stamp **❷** stempel, merk
★ set one's ~ (up)on zijn stempel drukken op
★ the ~ of Roman origin de kenmerken van
Romeinse oorsprong ★ fig bear the ~ het
stempel dragen **❸** postzegel ★ ~ machine
postzegelautomaat **❹** soort, karakter II ov ww
❶ stampen **❷** (be)stempelen **❸** frankeren,
zegelen ★ ~ed addressed envelope gefrankeerde
retourenvelop **❹** karakteriseren, kenmerken ★ ~
flat plattrappen **❺** ~ out uittrappen,
vernietigen, verdelgen, uitroeien III onov ww
stampen ★ ~ing ground lievelingsplek(je)
stamp collector ['stæmpkəlektə] zn
postzegelverzamelaar
stampede [stæm'pi:d] I zn **❶** wilde, massale
vlucht ⟨van dieren⟩ **❷** paniek **❸** toeloop, oploop,
stormloop **❹** USA massabeweging II onov ww
massaal op hol slaan
stance [stɑ:ns] zn **❶** houding ⟨bij golf⟩ **❷** fig
houding ★ his ~ towards the issue had changed
zijn standpunt tegenover de kwestie was
veranderd
stanchion ['stɑ:nʃən] I zn stut II ov ww stutten
stand [stænd] I ov ww ⟨onregelmatig⟩ **❶** doen
staan, plaatsen, zetten ★ ~ sb in good stead iem.
goed van pas komen **❷** doorstaan, uithouden,
volhouden ★ ~ one's ground je positie volhouden
★ ~ the test of time de tand des tijds doorstaan
❸ verdragen, uitstaan, bestand zijn tegen ★ they
can't ~ each other ze kunnen elkaar niet
uitstaan ★ he can ~ a good deal hij kan heel wat
hebben ★ ~ fire vijandelijk vuur trotseren,
kritiek trotseren (op) **❹** trakteren (op) **❺** ~ for
steunen, voorstaan, betekenen, symboliseren,
GB kandidaat zijn voor, peter / meter zijn voor,
verdragen ★ I won't ~ for that dat neem ik niet
❻ ~ off tijdelijk ontslaan **❼** ~ up (rechtop)
zetten, opstellen, uitsteken II onov ww
⟨onregelmatig⟩ **❶** zijn, staan, gaan staan ★ ~ six
feet 1 m 80 lang zijn ★ ~ accused beschuldigd
zijn ★ ~ alone bovenaan staan, alleen staan ★ ~
candidate kandidaat zijn ★ ~ (your) trial
terechtstaan ★ ~ at ease op de plaats rust staan
❷ blijven staan, er (nog) staan ★ the score ~s at

two all de score is two two **❸** standhouden ★ ~
your ground standhouden, niet toegeven, niet
wijken ★ my opinion ~s ik verander niet van
mening **❹** van kracht blijven, geldig zijn, steek
houden, gehandhaafd blijven ★ the invitation ~s
de uitnodiging blijft ★ ~ to lose / win op
verliezen / winnen staan ★ ~ well with goed
aangeschreven staan bij, op goede voet staan
met **❺** ~ aside aan de kant staan, zich afzijdig
houden ★ ~ away opzij gaan staan **❼** ~ back
achteruit gaan staan **❽** ~ by erbij (blijven /
gaan) staan, lijdelijk toezien, klaar (gaan) staan
om te helpen, een handje helpen, in de buurt
blijven ★ ~ by your friend je vriend bijstaan ★ ~
by one's promise zich houden aan zijn belofte
❾ ~ down teruggaan naar zijn plaats, zich
terugtrekken ★ the president stood down de
president trad af **❿** ~ in for waarnemen voor,
invallen voor **⓫** ~ off aan de kant gaan staan,
op een afstand blijven, zich afzijdig houden,
scheepv afhouden **⓬** ~ on staan op,
aanhouden ★ don't ~ on formality laten we niet
formeel zijn **⓭** ~ out in het oog vallen,
volhouden, niet toegeven **⓮** ~ to blijven bij,
trouw blijven ★ ~ to it that blijven volhouden
dat ★ ~ to your guns bij je standpunt blijven,
niet toegeven ★ ~ to your word woord houden
⓯ ~ up opstaan, rechtop blijven / gaan staan
★ it wouldn't ~ up in court dat zou geen stand
houden in de rechtszaal ▼ a chance kans
hebben ▼ ~ corrected erkennen dat men schuld
heeft ▼ ~ in awe of ontzag hebben voor,
respecteren ▼ it ~s to reason het spreekt vanzelf
III zn **❶** stand, stilstand, oponthoud ★ be at a ~
stil staan ★ come to a ~ tot stand komen
❷ standaard, rek, tafeltje, statief **❸** tribune
❹ standplaats **❺** standpunt ★ make a ~ (against)
stelling nemen (tegen) ★ take your ~ on uitgaan
van, je baseren op ★ take your ~ postvatten, zich
op het standpunt stellen **❻** kraam, kiosk
★ one-night ~ één enkele voorstelling, korte
affaire ⟨figuurlijk⟩
standard ['stændəd] I zn **❶** standaard **❷** vaandel
❸ standaardmaat **❹** maatstaf, norm ★ raise the ~
de norm verhogen II bnw **❶** standaard,
normaal ★ ~ joke stereotiepe mop **❷** algemeen
erkend / gewaardeerd ★ ~ English algemeen
beschaafd Engels ▼ ~ lamp staande ⟨schemer- /
lees-⟩lamp
standard-bearer ['stændədbeərə] zn
vaandeldrager
standardization, standardisation
[stændədaɪ'zeɪʃən] zn standaardisering
standardize, standardise ['stændədaɪz] ov ww
normaliseren, als normaal vaststellen,
algemeen erkennen
standby ['stændbaɪ] I zn **❶** hulp in nood,
uitkomst, steun **❷** reserve II bnw **❶** nood-
❷ reserve-
stand-in ['stændɪn] zn invaller, plaatsvervanger
standing ['stændɪŋ] I zn **❶** duur, ouderdom ★ of
long ~ wat al lang bestaat, van oudsher
gevestigd **❷** reputatie, aanzien II bnw **❶** staand
★ ~ jump sprong zonder aanloop ★ ~ room
staanplaats(en) **❷** blijvend, voortdurend,
permanent ★ ~ invitation altijd welkom ★ ~ joke

vaste grap ★ ~ *orders* reglement
standing committee *zn* vaste commissie
stand-offish [stænd'ɒfɪʃ] *bnw* terughoudend, gereserveerd, hautain
standpoint ['stændpɔɪnt] *zn* standpunt
standstill ['stændstɪl] *zn* stilstand ★ *be at a ~* stilstaan, stilliggen ★ *come to a ~* stil komen te liggen
stand-to ['stændtuː] *zn* mil appel
stand-up ['stændʌp] I *zn* ❶ staande boord ❷ staande lunch II *bnw* staand ★ ~ *comedian* conferencier die staande voor een publiek grappen vertelt ★ ~ *fight* eerlijk gevecht ★ ~ *row* flinke ruzie
stank [stæŋk] *ww* [verleden tijd] → **stink**
stanza ['stænzə] *zn* couplet
staple ['steɪpl] I *zn* ❶ hoofdbestanddeel, hoofdproduct, hoofdexportartikel, basisvoedsel ❷ ruwe grondstof ❸ vezel ❹ kram, hechtnietje II *bnw* hoofd-, stapel- ★ ~ *diet* hoofdvoedsel III *ov ww* ❶ (vast)nieten, krammen ❷ sorteren ⟨van wol⟩
stapler ['steɪplə] *zn* nietmachine
star [stɑː] I *zn* ster(retje), gesternte ★ *stars and stripes* vlag van de VS ★ *star shell* lichtkogel II *bnw* ❶ ster-, hoofd- ★ *star witness* hoofdgetuige ❷ eersterangs, prima III *ov ww* ❶ met sterren tooien / versieren ❷ sterretjes zetten bij ❸ als ster laten optreden ★ *starring* met in de hoofdrol ★ *star it* als ster optreden, de hoofdrol spelen IV *onov ww* de hoofdrol spelen, als ster optreden ★ *she starred in the film* zij was de hoofdrolspeelster in de film
starboard ['stɑːbəd] *zn* stuurboord
starch [stɑːtʃ] I *zn* ❶ zetmeel, stijfsel ❷ fig stijfheid, stijve vormelijkheid II *ov ww* stijven
starched ['stɑːtʃt] *bnw* ❶ in de plooi ❷ fig stijf, vormelijk, in de plooi
starchy ['stɑːtʃɪ] *bnw* ❶ zetmeelrijk ★ ~ *food* meelkost ❷ gesteven ❸ vormelijk
star-crossed *bnw* niet voor het geluk geboren, ongelukkig
stardom ['stɑːdəm] *zn* de status van ster
stardust ['stɑːdʌst] *zn* kosmisch stof, sterrenhoop ⟨bij elkaar horende sterren in het heelal⟩ ★ *have ~ in one's eyes* tot over zijn oren verliefd zijn
stare [steə] I *zn* (hol) starende blik, blik II *onov ww* (nieuwsgierig) kijken, grote ogen opzetten, staren ★ *that will make him* ~ dat zal hem doen opkijken ★ *it* ~*s you in the face* het ligt vlak voor je neus, het is overduidelijk III *ov ww* ❶ aanstaren ★ ~ *a person out of countenance* iem. de ogen doen neerslaan ❷ ~ *at* aangapen
starfish ['stɑːfɪʃ] *zn* zeester
stargazer *zn* sterrenkijker, dromer
stargazing *zn* sterrenkijkerij
stark [stɑːk] I *bnw* ❶ absoluut, volkomen ★ ~ *nonsense* klinkklare onzin ★ ~ *contrast* scherp contrast ❷ spiernaakt ❸ star, stijf ★ ~ *lines* strakke lijnen ❹ grimmig ★ ~ *reality* grimmige werkelijkheid II *bijw* volkomen ★ ~ *blind* stekeblind ★ ~ *mad* stapelgek ★ ~ *naked* spiernaakt
starkers ['stɑːkəz] *bnw* spiernaakt
starlet ['stɑːlət] *zn* sterretje
starlight ['stɑːlaɪt] *zn* sterrenlicht

starling ['stɑːlɪŋ] *zn* spreeuw
starlit ['stɑːlɪt] *bnw* door sterren verlicht, met sterren
starry ['stɑːrɪ] *bnw* met sterren bezaaid, met schittering ★ ~ *sky* sterrenlucht
starry-eyed *bnw* in vervoering, euforisch
star-spangled ['stɑːspæŋgld] *bnw* met sterren bezaaid ★ ~ *banner* vlag v. VS, (woorden uit) volkslied v. VS
star-studded *bnw* ❶ bezaaid met sterren ❷ fig met een sterrenbezetting (toneel, film)
start [stɑːt] I *ov ww* ❶ beginnen ❷ veroorzaken ❸ aan de gang krijgen, op gang / weg helpen, aanzetten ❹ ~ *up* starten, aanzetten II *onov ww* ❶ beginnen, aan de gang gaan, ontstaan, aanslaan (van motor) ★ *to ~ with* om te beginnen ★ ~ *into existence* plotseling ontstaan ★ ~*ing block* startblok ★ ~ *working* beginnen te werken ★ ~ *to work* beginnen te werken ❷ vertrekken ❸ (op)springen, (op)schrikken ❹ ~ *at* schrikken van ❺ ~ *for* beginnen naar ❻ ~ *from/with* uitgaan van ❼ ~ *off/out* beginnen, aan het werk gaan, vertrekken ❽ ~ *up* opspringen, opschrikken, plotseling ontstaan, aanslaan, starten III *zn* ❶ vertrekpunt, beginpunt, start ★ *make an early* ~ (te) vroeg beginnen, vroeg op pad gaan ★ *by fits and* ~*s* op ongeregelde tijden, onregelmatig ★ *from ~ to finish* van het begin tot het eind ★ *give a person a* ~ iem. op weg helpen ❷ voorsprong ★ *get a ~ on a person* iem. vóór zijn ★ *get off to a flying* ~ een geweldig goede start maken, vliegende start ❸ schrik ★ *it gave me a* ~ het deed me schrikken ★ *wake up with a* ~ wakker schrikken
START [stɑːt] *afk, Strategic Arms Reduction Talks* besprekingen tot vermindering van strategische wapens
starter ['stɑːtə] *zn* ❶ starter, beginner ★ *he is a slow* ~ hij komt langzaam op gang ❷ deelnemer (aan wedstrijd), degene die startsein geeft (bij wedstrijd) ❸ begin ❹ voorgerecht ★ *for* ~*s* als voorgerecht, om mee te beginnen
starting ['stɑːtɪŋ] *bnw* ★ ~ *gate* starthek ★ ~ *point* uitgangspunt ★ ~ *post* startpaal
startle ['stɑːtl] *ov ww* ❶ opschrikken, doen schrikken ★ *be* ~*d* schrikken ❷ opjagen
startling ['stɑːtlɪŋ] *bnw* verrassend, ontstellend, alarmerend ★ *his poor results were* ~ zijn slechte resultaten waren alarmerend
starvation [stɑː'veɪʃən] I *zn* voedselgebrek II *bnw* honger-
starve [stɑːv] I *ov ww* uithongeren, honger laten lijden ★ ~ *a person into submission* iem. door uithongeren tot toegeven dwingen II *onov ww* ❶ honger lijden, honger / trek hebben, verhongeren ❷ niet eten, vasten ❸ ~ *for* hunkeren naar
stash [stæʃ] I *zn* geheime voorraad, voorraad drugs II *ov ww* verbergen, verborgen houden
state [steɪt] I *zn* ❶ staat, rijk ★ *United States (of America)* Verenigde Staten (v. Amerika) ★ *the ~ of the Netherlands* het rijk der Nederlanden ❷ staat, stand, toestand ★ ~ *of affairs* toestand, stand v. zaken ★ *be in a terrible* ~ vreselijk opgewonden / overstuur zijn ❸ staatsie, praal

st

★ *in* ~ in pracht en praal ★ *lie in* ~ opgebaard liggen **II** *bnw* **❶** staats- ★ ~ *funeral* staatsbegrafenis **❷** staatsie- **III** *ov ww* **❶** opgeven, mededelen, melden ★ *as ~d above* zie boven **❷** uiteenzetten, formuleren, verklaren, beweren ★ ~ *the obvious* het voor de hand liggende beweren

State [stett] *zn* ★ USA ~ *attorney* officier van justitie in een staat ★ ~ *Department* ministerie v. buitenlandse zaken der VS ★ ~ *of the Union* jaarlijkse toespraak van president van de VS tot Congres ★ *the* ~s de VS ★ ~ *Registered nurse* gediplomeerd verpleegster

statecraft ['stettkrɑ:ft] *zn* staatkunde, staatkundig beleid

stated ['stettɪd] *bnw* gegeven, vastgesteld ★ *at* ~ *intervals* op gezette tijden

stateless ['stettləs] *bnw* staatloos

stately ['stettlɪ] *bnw* statig, imposant

statement ['stettmənt] *zn* verklaring ★ ~ *of affairs* boekhouding, balans

state of affairs *zn* stand van zaken

state of emergency *zn* noodtoestand

state of mind *zn* gemoedstoestand, mentaliteit

state-of-the-art *bnw* hypermodern, (technologisch) geavanceerd

state-owned *bnw* staats-, overheids-, genationaliseerd

stateroom ['stettru:m] *zn* **❶** staatsiezaal **❷** scheepv luxe hut

statesman ['stettsmən] *zn* staatsman, politicus

statesmanlike *bnw* als van een goed staatsman

statesmanship ['stettsmənʃɪp] *zn* (goed) staatsmanschap, staatkunde

static ['stætɪk] *bnw* **❶** statisch, in evenwicht, gelijkblijvend ★ ~ *caravan* stacaravan **❷** atmosferische storing ★ ~ *electricity* statische elektriciteit

statics ['stætɪks] *zn mv* **❶** statica ⟨leer van het evenwicht van lichamen en krachten⟩ **❷** luchtstoringen ⟨op radio⟩

station [stetʃən] **I** *zn* **❶** station ⟨spoorweg, radio, tv⟩ ★ *terminal* ~ eindstation **❷** ⟨stand⟩plaats, post, politiebureau ★ *naval* ~ marinebasis **❸** positie, rang, stand ★ *above one's* ~ boven zijn stand ★ *of* ~ hooggeplaatst **❹** statie, statiekerk ★ ~s *of the Cross* kruiswegstaties **❺** Aus veeboerderij **II** *ov ww* stationeren, plaatsen ★ *the soldiers were* ~ed *abroad* de soldaten waren in het buitenland gestationeerd ★ *he* ~ed *his car behind mine* hij parkeerde zijn auto achter de mijne

stationary ['stetʃənərɪ] *bnw* **❶** stationair **❷** stilstaand, vast, onveranderlijk

stationer ['stetʃənə] *zn* kantoorboekhandelaar

stationery ['stetʃənərɪ] *zn* kantoorbenodigdheden, postpapier ★ *Stationery Office* staatsdrukkerij / -uitgeverij

Stationery Office *zn* ≈ staatsdrukkerij en -uitgeverij

stationmaster ['stetʃənmɑːstə] *zn* stationschef

station wagon ['stetʃənwægən] *zn* USA stationwagon

statistical [stə'tɪstɪkl] *bnw* statistisch

statistician [stætr'stɪʃən] *zn* statisticus

statistics [stə'tɪstɪks] *zn mv* statistiek ⟨als

kennisgebied⟩

statuary ['stætjʊərɪ] **I** *zn* beeldhouwkunst, beeldhouwwerk(en), beeldhouwer **II** *bnw* beeldhouw-

statue ['stætjuː] *zn* standbeeld

statuesque [stætjʊ'esk] *bnw* statig

statuette [stætjʊ'et] *zn* beeldje

stature ['stætʃə] *zn* gestalte, postuur ★ *man of* ~ man van formaat

status ['stettəs] *zn* status, positie, rechtspositie

status bar *zn* comp statusbalk, taakbalk

status symbol *zn* statussymbool

statute ['stætjuːt] *zn* wet, statuut, verordening, reglement

statute book ['stætjuːtbʊk] *zn* ≈ Staatsblad

statute law *zn* jur geschreven recht

statutory ['stætjʊtərɪ] *bnw* statutair, volgens de wet

staunch [stɔ:ntʃ] **I** *bnw* **❶** sterk, hecht **❷** betrouwbaar, sterk, trouw **II** *ov ww* stelpen ★ ~ *blood from a wound* bloed uit een wond stelpen

stave [stetv] **I** *zn* **❶** duig ⟨onderdeel van een ton⟩ **❷** sport ⟨van ladder⟩ **❸** couplet **❹** notenbalk **II** *ov ww* ⟨regelmatig + onregelmatig⟩ **❶** ★ ~ *a cask* een vat / ton maken **❷** ~ *in* in duigen slaan, lek stoten of slaan **❸** ~ *off* afwenden, opschorten

staves [stetvz] *zn mv* notenbalken → **staff**

stay [stet] **I** *onov ww* **❶** blijven, wachten ★ *stay to / for dinner* blijven eten ★ *it's come to stay* het is van blijvende aard gebleken **❷** logeren ★ *come and stay* kom(en) logeren **❸** ~ *behind* achterblijven ⟨ook in ontwikkeling⟩, nablijven ⟨op school⟩ **II** *ov ww* **❶** tegenhouden, terughouden, uithouden, vertragen ★ *stay out the play* blijven tot het stuk uit is ★ *stay the course* uithouden, volhouden ★ *stay sb's hand* iem. nog weerhouden **❷** uitstellen ★ *the judge stayed the case* de rechter stelde de zaak tijdelijk uit **❸** stillen ★ *stay one's appetite* zijn eetlust / honger stillen **❹** ~ *for* wachten op **III** *kww* **❶** ★ *stay gone / away* wegblijven ★ *stay put* daar blijven **❷** ~ *in* binnenblijven **IV** *zn* **❶** verblijf, stilstand, oponthoud ★ *make a stay* blijven, zich ophouden ★ *put a stay on* een halt toeroepen aan, bedwingen **❷** uitstel **❸** stut, steun **❹** scheepv stag ★ *the ship is in stays* het schip gaat overstag

stay-at-home ['stetæthəʊm] **I** *zn* huismus, iemand die het liefst thuis zit ★ ~ *mother* ≈ niet-werkende moeder **II** *bnw* honkvast

stayer ['stetə] *zn* **❶** volhouder **❷** langeafstandsrenner, wielrenner achter motor

staying power ['stetɪŋpaʊə] *zn* uithoudingsvermogen

stays [stetz] *zn mv* korset

staysail ['stetsetl] *zn* scheepv stagzeil

STD *afk, Sexually Transmitted Disease* soa, seksueel overdraagbare aandoening ⟨geslachtsziekte⟩

stead [sted] *zn* plaats ★ *it stood me in good* ~ het is mij goed van pas gekomen

steadfast ['stedfɑːst] *bnw* **❶** standvastig, onwrikbaar **❷** strak ⟨van blik⟩

steady ['stedɪ] **I** *zn* straatt vaste vrijer **II** *bnw*

❶ stevig, vast, gestadig, trouw ★ *go ~* vaste verkering hebben ★ *~! rustig (aan)!, maak je niet zo druk!* ❷ bedaard, rustig, oppassend ★ *~ does the trick* kalmpjes aan, dan breekt het lijntje niet ★ scheepv *keep her ~* rechtzo die gaat ★ scheepv *as you go* rechtzo die gaat **III** *ov ww* vastheid geven aan, bestendig maken ★ scheepv *~ the helm* het roer in zelfde stand houden **IV** *onov ww* ~ **down** rustig / kalm worden

steady-going *bnw + bijw* bedaard, bezadigd

steak [stek] *zn* runderlap, plat stuk vlees, filet, moot vis ★ *T-bone* ~ biefstuk van de rib

steal [sti:l] **I** *ov ww* [onregelmatig] ❶ stelen ❷ stilletjes iets doen ★ *~ a glance at* een steelse blik werpen op **II** *onov ww* [onregelmatig] ❶ sluipen, glijden, onmerkbaar gaan of komen ★ *he stole to the kitchen* hij liep stilletjes naar de keuken ❷ *~ away* ongemerkt weggaan ❸ *~ out* er stilletjes vandoor gaan ❹ het stelen ❺ inform koopje

stealth [stelθ] *zn ★ by ~* heimelijk, in stilte

stealthy ['stelθɪ] *bnw* heimelijk, steels

steam [sti:m] **I** *zn* stoom, damp, wasem ★ *on / under one's own ~* op eigen kracht, zonder hulp van anderen ★ *to get up ~* moed verzamelen, fig de mouwen opstropen **II** *ov ww* doen beslaan ★ *~ed (up)* nijdig, opgewonden **III** *onov ww* ❶ beslaan ❷ *~ up*

steamboat ['sti:mbəʊt] *zn* stoomboot

steamer ['sti:mə] *zn* ❶ stoomboot ❷ stoomkoker

steam gauge *zn* manometer

steam iron *zn* stoomstrijkijzer

steamship ['sti:mʃɪp] *zn* stoomschip

steamy ['sti:mɪ] *bnw* ❶ beslagen, nevelig ❷ inform hartstochtelijk

stearin ['stɪərɪn] *zn* stearine

steed [sti:d] *zn* paard, strijdros

steel [sti:l] **I** *zn* ❶ staal, wetstaal ★ *cold* ~ stalen wapens (zoals sabel, bajonet) ★ *a foe worthy of his* ~ een waardig tegenstander ❷ balein (in korset) **II** *bnw* stalen, staal- **III** *ov ww* stalen, harden

steel band *zn* muz steelband

steel-clad ['sti:lklæd] *bnw* geharnast, gepantserd

steel drum *zn* steeldrum

steel-plated [sti:l'pleɪtɪd] *bnw* gepantserd

steel wool *zn* staalwol

steelwork ['sti:lwɜ:k] *zn* staalwaren

steely ['sti:lɪ] *bnw* ❶ van staal ❷ staalachtig

steelyard ['sti:lja:d] *zn* unster (soort weegschaal)

steep [sti:p] **I** *zn* steile helling **II** *bnw* ❶ steil ❷ abnormaal (hoog) ★ *the bill was* ~ de rekening was erg hoog **III** *ov ww* ❶ indompelen, onderdompelen, weken, drenken ❷ fig onderdompelen, drenken ★ *to ~ o.s. in* zich verdiepen in ★ *~ed in debts* tot over de oren in de schulden ★ *~ed in history* doordrenkt van het verleden ★ *~ed in liquor* stomdronken

steepen ['sti:pən] **I** *onov ww* steil worden **II** *ov ww* steil maken

steeple ['sti:pl] *zn* spitse toren, torenspits

steeplechase ['sti:pltʃeɪs] *zn* atletiekwedstrijd met hindernissen

steeplejack ['sti:pldʒæk] *zn* hoogtewerker (man die schoorstenen, torens e.d. repareert)

steer [stɪə] **I** *ov ww* stier, os **II** *ov ww* sturen, richten ★ *he ~ed her to the table* hij leidde haar naar de tafel ★ *the ship was ~ed to safety* het schip werd in veiligheid geloodst **III** *onov ww* ❶ sturen, koers zetten ★ *the ship ~ed between the rocks* het schip laveerde tussen de rotsen ❷ naar het roer luisteren, zich laten sturen ★ *the car ~ed well* de auto liet zich goed sturen

steerage ['stɪərɪdʒ] *zn* achtersteven, achterdek, tussendek

steering committee *zn* stuurgroep, beleidscommissie

steering gear *zn* stuurinrichting

steering wheel ['stɪərɪŋwi:l] *zn* stuur(wiel)

steersman ['stɪəzmən] *zn* stuurman

stein [staɪn] *zn* bierkan, bierkroes

stellar ['stelə] *bnw* sterren-

stem [stem] **I** *zn* ❶ stengel, stam (ook van woord), steel (ook van pijp) ❷ schacht, boeg, voorsteven ★ *from stem to stern* van voor tot achter **II** *ov ww* ❶ stelpen, dempen ❷ stremmen, stuiten, tegenhouden, ingaan tegen, het hoofd bieden aan ★ *stem the tide* het tij doodzeilen (tegen het getij in zeilen), (moedig) optornen tegen, fig de stroom indammen (van vluchtelingen, e.d.) **III** *onov ww* ~ **from** afstammen, teruggaan op

stench [stentʃ] *zn* stank, (onaangename) lucht

stencil ['stensɪl] **I** *zn* stencil, sjabloon, mal **II** *ov ww* stencilen

stenographer [stə'nɒgrəfə] *zn* stenograaf

stenography [stə'nɒgrəfɪ] *zn* steno(grafie)

stentorian [sten'tɔ:rɪən] *bnw ★ ~ voice* stentorstem

step [step] **I** *zn* ❶ (voet)stap, pas, tred ★ *step by step* stap voor stap ★ *make / take a step* een stap doen ★ *watch one's steps* behoedzaam / voorzichtig te werk gaan ★ fig *false step* verkeerde stap ★ *turn one's steps to* zijn schreden richten naar ★ *in step* in de pas ★ *keep in step* in de pas blijven ★ *keep step* lopen op (de maat v.) ★ *keep (in) step with* gelijke tred houden met ★ *fall into step* in de pas gaan lopen ★ *out of step* uit de pas ★ *break step* uit de pas gaan ❷ tree, sport (van ladder) ❸ maatregel, daad ★ *the step was not taken lightly* de maatregel werd weloverwogen genomen ❹ muz toon, interval ❺ mil promotie ★ *get one's step(s)* promotie maken **II** *ov ww* ❶ trapsgewijs plaatsen ❷ ~ on inform sneller laten gaan ★ *step on the gas* accelereren ❸ ~ up opvoeren, versnellen **III** *onov ww* ❶ stappen, treden, trappen, opstappen ★ *step this way* wilt u mij volgen ★ *step high* steppen (van paard) ★ *won't you step inside?* kom je er niet even in? ❷ ~ aside opzij gaan staan, afdwalen, een misstap doen ❸ ~ aside/down af- / terugtreden ❹ ~ back teruggaan (figuurlijk), zich terugtrekken ❺ ~ between tussenbeide komen ❻ ~ in er in stappen, naar binnen gaan, er even tussen komen ❼ ~ off uitstappen (van bus, trein) ❽ ~ out uitrijden, mil de pas verlengen, uitstappen, naar buiten gaan ★ *step out briskly* flink / stevig doorstappen ❾ ~ outside naar buiten stappen, eruit gaan ❿ ~ up naar voren komen, promotie maken

st

stepbrother ['stepbrʌðə] *zn* stiefbroer
stepdaughter ['stepdɔːtə] *zn* stiefdochter
stepfather ['stepfɑːðə] *zn* stiefvader
stepladder ['steplædə] *zn* trapje
stepmother ['stepmʌðə] *zn* stiefmoeder
stepparent ['steppeərənt] *zn* stiefouder
steppe [step] *zn* steppe
stepped-up *bnw* opgevoerd ⟨van een motor⟩
stepping stone ['stepɪŋstəʊn] *zn* ❶ steen om op te stappen ⟨vnl. in beek⟩ ❷ eerste stap op de (maatschappelijke) ladder
steps *zn mv* stoep, trapje
stepsister ['stepsɪstə] *zn* stiefzuster
stepson ['stepsʌn] *zn* stiefzoon
stereo ['steriəʊ] **I** *zn* ❶ stereotype ❷ foto, driedimensionale foto / film ❸ stereo **II** *bnw* ❶ stereo(fonisch) ★ ~ *recording* geluidsopname in stereo ❷ driedimensionaal
stereophonic [steriə'fɒnɪk] *bnw* stereofonisch
stereoscope ['steriəskəʊp] *zn* stereoscoop
stereoscopic [steriə'skɒpɪk] *bnw* stereoscopisch
stereotype ['steriəʊtaɪp] **I** *zn* stereotype **II** *ov ww* stereotype maken van
stereotyped ['steriətaɪpt] *bnw* stereotiep
sterile ['steraɪl] *bnw* onvruchtbaar, onproductief, steriel
sterility [stə'rɪlətɪ] *zn* steriliteit, (het) steriel zijn
sterilization, sterilisation [sterəlar'zeɪʃən] *zn* sterilisatie
sterilize, sterilise ['sterɪlaɪz] *ov ww* ❶ onvruchtbaar maken ❷ steriliseren, kiemvrij (en houdbaar) maken ⟨van melk e.d.⟩
sterling ['stɜːlɪŋ] **I** *bnw* ❶ van standaardgehalte ❷ onvervalst, echt ❸ degelijk **II** *zn* (pond) sterling ★ *pound* ~ pond sterling ★ ~ *area* sterlinggebied, gebied waar de sterling geldt, de Gemenebest
stern [stɜːn] **I** *zn* ❶ achtersteven ❷ achterste ⟨van dier⟩ **II** *bnw* streng, hard
sternmost ['stɜːnməʊst] *bnw* scheepv achterst
sternum ['stɜːnəm] *anat zn* borstbeen
steroids ['stiərɔɪdz, 'sterɔɪdz] *zn mv* steroïden
stethoscope ['steθəskəʊp] *zn* stethoscoop
stevedore ['stiːvədɔː] *zn* stuwadoor, iem. die schepen laadt
stew [stjuː] **I** *zn* stamppot, stoofschotel ★ *Irish stew* Ierse stoofpot ⟨met aardappels, vlees en uien⟩ ★ *be in a (regular) stew* (behoorlijk) in de rats zitten **II** *ov ww* stoven, smoren **III** *onov ww* bakken, smoren, inform 't benauwd hebben ★ *the tea is stewed* de thee heeft gekookt ★ *let him stew in his own juice / grease* laat hem maar in zijn eigen sop gaar koken
steward ['stjuːəd] **I** *zn* ❶ scheepv luchtv steward ❷ beheerder ⟨van landgoed⟩ **II** *ov ww* beheren
stewardess [stjuːə'des] *zn* stewardess
stewardship ['stjuːədʃɪp] *zn* beheer
stick [stɪk] *zn* ❶ stok, staf ★ *give the* ~ met de stok geven ★ *a* ~ *to beat sb with* een stok om de hond mee te slaan ★ fig *get hold of the wrong end of the* ~ het bij het verkeerde eind hebben ❷ staaf, steel, tak ❸ dirigeerstok ❹ inform stickie, joint ❺ inform onvriendelijke kritiek ❻ bonenstaak, mager persoon ★ *not a* ~ *was left standing* er werd geen steen op de andere gelaten ▼ *cut one's* ~ (gaan) vertrekken ▼ *be in a*

cleft ~ in een moeilijk parket zitten ▼ *go to* ~*s* naar de knoppen gaan ▼ *a few* ~*s of furniture* een paar meubeltjes **II** *ov ww* [onregelmatig] ❶ steken, doorsteken ❷ vastplakken, inform vastzetten ★ ~ *down an envelope* een envelop dichtplakken ★ ~ *bills* affiches aanplakken ❸ zetten, stoppen, plaatsen ❹ uithouden, uitstaan, inform slikken, accepteren ★ *I can't* ~ *him* ik kan hem niet zetten ★ *I won't* ~ *that* dat neem ik niet ❺ ~ *at* blijven bij, doorgaan met, volhouden ★ *I* ~ *at my resolution* ik houd me aan mijn besluit ❻ ~ *in* inplakken, inlassen ❼ ~ *on* plakken op, opplakken ★ ~ *it on* een overdreven prijs vragen, overdrijven ❽ ~ *out* naar buiten / voren steken ★ ~ *it out* het uitzingen, het uithouden ❾ ~ *up* overeind zetten ★ ~ *'em up!* handen omhoog! ★ fig ~ *up for* opkomen voor, in de bres springen voor ❿ ~ *up* bedreigen, in de war brengen, in verlegenheid brengen ★ *that will* ~ *him up* daar zal hij geen raad mee weten **III** *onov ww* [onregelmatig] ❶ blijven hangen / steken / zitten, vast blijven zitten ★ ~ *where you are* blijf waar je bent ★ ~ *at home* thuis blijven ★ *the nickname stuck* de bijnaam bleef hangen ★ ~ *in the mud* treuzelen, niet met z'n tijd meegaan ❷ klitten, kleven, plakken ★ *it won't* ~ het blijft niet plakken ❸ ~ *around* in de buurt blijven ❹ ~ *by* trouw blijven, zich houden aan ❺ ~ *in* blijven steken in, binnen blijven ★ inform *they stuck in all day* ze bleven de hele dag binnen ❻ ~ *out* naar buiten / voren steken ★ *it* ~*s out a mile* dat ligt er dik bovenop ★ ~ *out for better terms / a higher price* het been strak houden, niet toegeven ❼ ~ *to* trouw blijven aan, blijven bij, volhouden, blijven hangen aan ★ *he stuck to his word* hij bleef trouw aan zijn woord ❽ ~ *up* overeind staan, aanhouden ★ *his hair stuck up* zijn haar stond recht overeind ★ ~ *up out of the water* boven het water uitsteken
sticker ['stɪkə] *zn* ❶ plakkertje, sticker, etiket ❷ fig volhouder, bijter(tje), doorzetter
stick figure *zn* getekend poppetje (eenvoudige lijnen), stereotiep figuur
stick insect *zn* wandelende tak
stick-in-the-mud ['stɪkɪnðəmʌd] *zn* inform ≈ conservatieveling
stickleback ['stɪklbæk] *zn* stekelbaarsje
stickler ['stɪklə] *zn* ★ *be a* ~ *for* erg staan op, een voorstander zijn van
stick-on *bnw* zelfklevend
sticks inform *zn mv* platteland
stick shift *zn* versnellingspook
stick-up ['stɪkʌp] *zn* USA ⟨gewapende⟩ overval
sticky ['stɪkɪ] **I** *zn* geeltje ⟨zelfklevend memoblaadje⟩ **II** *bnw* ❶ kleverig, klitterig, taai, lastig, penibel ★ *he'll come to a* ~ *end* het zal slecht met hem aflopen ❷ aarzelend ★ *be very* ~ *about sth* veel bezwaren maken tegen iets
stiff [stɪf] **I** *zn* lijk **II** *bnw* ❶ stijf, onbuigzaam, stram, stroef, stevig ★ ~ *demand* forse eis ★ ~ *price* gepeperde prijs ★ *keep a* ~

expression ernstig blijven, zich goed houden ★ *keep a ~ upper lip* zich flink houden ★ *~ denial* hardnekkige ontkenning ★ *~ market* vaste markt ❷ vormelijk ❸ moeilijk ★ *~ exams* moeilijke examens ★ *~ subject* (onderwerp / vak waar men) een hele kluif (aan heeft) ★ *~ climb* hele klim ❹ inform onredelijk, kras ★ *isn't that a bit ~?* is dat niet een beetje overdreven? ▼ *he bores me ~* hij verveelt me gruwelijk ▼ *it scared me ~* hij joeg me de doodsschrik op het lijf

stiffen ['stɪfən] I *ov ww* ❶ stijf maken ❷ *fig* meer ruggengraat geven II *onov ww* verstijven

stiffener ['stɪfənə] *zn* hartversterkertje, borreltje

stiff-necked [stɪf'nekt] *bnw* koppig, halsstarrig, hardnekkig

stiff upper lip *zn* stoïcisme, het zich flink houden

stifle ['staɪfəl] I *ov ww* doen stikken, de kop indrukken, onderdrukken, smoren ★ *she ~d a scream* ze onderdrukte een schreeuw II *onov ww* (ver)stikken

stifling ['staɪflɪŋ] *bnw* verstikkend, zwoel, benauwd

stigma ['stɪgmə] *zn* ❶ rel stigma, wondteken van Christus ❷ fig stigma, brandmerk, schandvlek

stigmatic [stɪg'mætɪk] *bnw* gestigmatiseerd

stigmatize, stigmatise ['stɪgmətaɪz] *ov ww* brandmerken, stigmatiseren

stile [staɪl] *zn* ❶ verhoging onder een hek ★ *help a lame dog over a ~* een arme tobber een handje helpen ❷ tourniquet

stiletto [stɪ'letəʊ] *zn* ❶ stiletto, korte dolk ❷ schoen met naaldhak ★ *~ heel* stilettohak, naaldhak

still [stɪl] I *zn* ❶ stilte ❷ distilleerketel ❸ filmfoto II *bnw* ❶ stil, rustig ★ *~ waters run deep* stille wateren hebben diepe gronden ★ *~ life* stilleven ❷ niet mousserend (van wijn) III *ov ww* ❶ distilleren ❷ stillen ❸ kalmeren IV *bijw* ❶ nog, nog altijd ★ *she's ~ living at home* ze woont nog altijd thuis ❷ toch, toch nog ★ *~, we weren't very happy* toch waren we niet erg blij

stillbirth ['stɪlbɜːθ] *zn* geboorte van dood kind

stillborn ['stɪlbɔːn] *bnw* doodgeboren

stilt [stɪlt] *zn* stelt ★ *on ~s* hoogdravend, bombastisch

stilted ['stɪltɪd] *bnw* ❶ op stelten ❷ hoogdravend

stimulant ['stɪmjʊlənt] I *zn* prikkel, opwekkend middel II *bnw* prikkelend

stimulate ['stɪmjʊleɪt] *ov ww* prikkelen, (op)wekken, stimuleren, aansporen

stimulation [stɪmjʊ'leɪʃən] *zn* stimulatie, prikkeling

stimulative ['stɪmjʊlətɪv] *bnw* stimulerend, prikkelend

stimulus ['stɪmjʊləs] *zn* stimulans

sting [stɪŋ] I *zn* ❶ steek, wroeging ❷ angel ❸ plantk brandhaar ▼ *the breeze has a ~ in it* de wind is verkwikkend II *ov ww* [onregelmatig] inform afzetten, het vel over de neus halen III *onov ww* [onregelmatig] pijn doen, branden ⟨ogen⟩

stinger ['stɪŋə] *zn* ❶ klap die aankomt of pijn doet ❷ vinnig antwoord

stinging ['stɪŋɪŋ] *bnw* stekend, grievend ★ *~ blow* gevoelige slag

stingy ['stɪndʒɪ] *bnw* gierig, vrekkig

stink [stɪŋk] I *ov ww* [onregelmatig] ruiken ★ *you can ~ it a mile off* het stinkt een uur in de wind II *onov ww* [onregelmatig] ❶ stinken ★ *~ of* stinken naar ★ fig *it ~s of money* het stinkt naar geld ❷ waardeloos zijn, niet deugen III *zn* stank ★ *~ trap* stankafsluiter

stinker ['stɪŋkə] *zn* ❶ rotvent, mispunt ❷ moeilijke opgave ⟨probleem⟩

stinking ['stɪŋkɪŋ] *bnw* ❶ rot, gemeen ❷ ontzettend ★ *~ drunk* stomdronken

stint [stɪnt] I *zn* ❶ taak, opgelegde portie werk ★ *he worked a ~ as reporter* hij heeft een tijdje als verslaggever gewerkt ❷ strandloper ⟨vogel⟩ II *ov ww* karig zijn met, karig toebedelen ★ *don't ~ money* spaar geen kosten ★ *~ a person for money* iem. kort houden

stipend ['staɪpend] *zn* salaris, bezoldiging

stipendiary [star'pendjərɪ] I *zn* bezoldigd politierechter II *bnw* bezoldigd ★ *~ magistrate* bezoldigd politierechter

stipple ['stɪpl] I *zn* punteerets, punteeretswerk II *ov ww* punteren, stippelen

stipulate ['stɪpjʊleɪt] I *ov ww* bepalen, bedingen, erop staan ★ *she ~d the time* zij bepaalde de tijd II *onov ww* ★ *~ for* bedingen

stipulation [stɪpjʊ'leɪʃən] *zn* stipulatie, bepaling, beding

stir [stɜː] I *ov ww* ❶ roeren, verroeren, bewegen ❷ oppoken ⟨van vuur⟩ ❸ in beweging brengen, (op)wekken ★ *stir a person's blood* iemands bloed sneller doen stromen, iem. aansporen ★ *stir your stumps!* opschieten!, doorlopen! ❹ werken op ⟨de verbeelding⟩ ❺ *~ up* door elkaar roeren, omhoog doen komen, opwekken, opruien (tot), doen oplaaien II *onov ww* ❶ zich verroeren, zich bewegen ★ *be deeply stirred* diep getroffen zijn, diep onder de indruk zijn ★ *nobody stirring yet?* is er nog niemand op?, is er nog niemand bij de hand? ★ *no news stirring* er is geen nieuws ★ *stir out (of the house)* buiten komen, het huis uit komen ❷ wakker worden III *zn* ❶ beweging, beroering ★ *give it a stir* er in roeren, er in poken ★ *not a stir of air* bladstil ❷ sensatie, herrie ★ *make a great stir* grote sensatie verwekken

stirrer ['stɜːrə] *zn* roerapparaat ★ *an early ~* iem. die altijd vroeg op is

stirring ['stɜːrɪŋ] *bnw* emotioneel, sensationeel, (veel)bewogen ★ *~ times* veelbewogen tijden

stirrup ['stɪrəp] *zn* stijgbeugel

stitch [stɪtʃ] I *zn* ❶ steek ★ *drop a ~* een steek laten vallen ★ *without a ~ of clothing* zonder een draad aan het lijf ★ *not a ~ on* zonder een draad aan het lijf ❷ hechting ★ *put a ~ in* (een wond) hechten ★ *a ~ in time saves nine* voorkomen is beter dan genezen ❸ steek in de zij II *ov ww* ❶ (vast)naaien, stikken ❷ hechten ❸ borduren, bestikken ❹ *~ up* dichtnaaien, vastnaaien ★ *~ sb up* iem. er in luizen

stitching ['stɪtʃɪŋ] *zn* borduursel, naaisel

stoat [stəʊt] *zn* hermelijn, wezel

stock [stɒk] I *zn* ❶ voorraad ★ *in ~* in voorraad ★ *lay / take in ~* voorraad inslaan ★ *take ~* inventaris opmaken, de stand van zaken opnemen ★ *take ~ of sth* de ontwikkelingen

st

overdenken ★ *subject to ~ being unsold* zolang de voorraad strekt ★ *out of ~* niet meer voorhanden, uitverkocht ❷ agrar veestapel ❸ econ [vaak als mv] aandeel, aandelenkapitaal ★ *have money in the ~s* staatsobligaties hebben ❹ afkomst ❺ cul bouillon ❻ schouderstuk ⟨van vuurwapen⟩ ▼ *be on the ~s* op stapel staan ▼ *be the laughing ~ of everyone* door iedereen uitgelachen worden II *bnw* ❶ voorhanden, voorraad- ❷ gewoon, vast, stereotiep, afgezaagd ★ *~ phrase* vaste uitdrukking III *ov ww* ❶ inslaan ⟨van voorraad⟩, in voorraad nemen ❷ bevoorraden, voorzien van, uitrusten ⟨met⟩ ❸ in voorraad hebben

stockade [stɒˈkeɪd] I *zn* palissade II *ov ww* palissaderen

stockbreeder [ˈstɒkbriːdə] *zn* veefokker

stockbroker [ˈstɒkbrəʊkə] *zn* effectenmakelaar

stockbroking [ˈstɒkbrəʊkɪŋ] *zn* effectenhandel

stock car [ˈstɒkkɑː] *zn* ❶ veewagen ⟨aan trein⟩ ❷ seriemodel auto met speciale voorzieningen voor races

stock company *zn* ❶ ton repertoiregezelschap ❷ econ maatschappij op aandelen

stock cube *zn* bouillonblokje

stock exchange *zn* ❶ econ effectenbeurs ❷ econ beursnoteringen

stock-farmer *zn* veefokker

stockfish [ˈstɒkfɪʃ] *zn* stokvis

stockholder [ˈstɒkhəʊldə] *zn* USA houder v. aandelen / effecten

stocking [ˈstɒkɪŋ] *zn* ❶ kous ❷ sok ⟨van paard⟩

stockinged [ˈstɒkɪŋd] *bnw* ★ *~ feet* kousenvoeten

stock-in-trade [stɒkɪnˈtreɪd] *zn* ❶ bedrijfsinventaris ❷ goederenvoorraad ❸ gereedschappen ★ *that's his ~* daar weet hij wel weg mee

stockist [ˈstɒkɪst] *zn* leverancier

stockjobber [ˈstɒkdʒɒbə] *zn* hoekman, beursspeculant

stockjobbing [ˈstɒkdʒɒbɪŋ] *zn* effectenhandel, speculatie

stock market *zn* econ effectenbeurs

stockpile [ˈstɒkpaɪl] I *zn* (hamster)voorraad II *ov+onov ww* hamsteren

stockpiling [ˈstɒkpaɪlɪŋ] *zn* voorraadvorming

stockrider [ˈstɒkraɪdə] *zn* Australische veehouder te paard, Australische cowboy

stockroom [ˈstɒkruːm] *zn* magazijn

stock-still [stɒkˈstɪl] *bnw* doodstil

stocktaking [ˈstɒkteɪkɪŋ] *zn* inventarisatie, opmaken van tussentijdse balans

stocky [ˈstɒkɪ] *bnw* stevig, gezet, kort en dik

stockyard [ˈstɒkjɑːd] *zn* omsloten ruimte voor vee op veemarkt

stodge [stɒdʒ] *zn* zware maaltijd, (onverteerbare) kost

stodgy [ˈstɒdʒɪ] *bnw* zwaar, moeilijk verteerbaar

stoic [ˈstəʊɪk] I *zn* stoïcijn II *bnw* stoïcijns

stoical [ˈstəʊɪkl] *bnw* stoïcijns

stoicism [ˈstəʊɪsɪzəm] *zn* stoïcisme

stoke [stəʊk] I *ov ww* stoken, brandstof / kolen bijgooien II *onov ww* ★ *~ (up)* schransen

stoker [ˈstəʊkə] *zn* stoker

stole [stəʊl] I *zn* stola II *ww* [verleden tijd] → steal

stolen [ˈstəʊlən] *ww* [volt. deelw.] → steal

stolid [ˈstɒlɪd] *bnw* bot, flegmatisch, onaandoenlijk

stolidity [stəˈlɪdətɪ] *zn* flegmatisme, onaandoenlijkheid

stomach [ˈstʌmək] I *zn* maag, buik ★ *it turns my ~* ik word er misselijk van ▼ *have the ~ to* de moed hebben om (te) ▼ *feel sick / USA feel sick to your ~* misselijk zijn II *ov ww* verteren, verdragen, (voor lief) nemen

stomach ache *zn* maagpijn, buikpijn

stomp [stɒmp] *zn* ❶ USA hospartij, gehos ❷ stomp ⟨soort jazzdans⟩

stone [stəʊn] I *zn* ❶ GB steen, kei ★ *leave no ~ unturned* geen middel onbeproefd laten, overal zoeken ★ *mark with a white ~* met een krijtje aan de balk schrijven ★ *operation for ~* operatie voor gal-, nier- en andere stenen ★ *throw ~s at* met stenen gooien, bekladden ★ *~'s throw* steenworp ❷ pit ❸ Eng. gewichtseenheid ⟨6,35 kg⟩ II *bnw* ❶ steen-, van steen ★ *Stone Age* stenen tijdperk ❷ volkomen ★ *~ cold* steenkoud ★ *~ deaf* stokdoof ★ *~ dead* morsdood III *ov ww* ❶ stenigen, met stenen gooien naar ❷ ontpitten

stone-blind [stəʊnˈblaɪnd] *bnw* stekeblind

stone-cold *bnw* volkomen ★ *~ sober* broodnuchter

stoned [stəʊnd] *bnw* ❶ ontpit, zonder pit ❷ stomdronken, onder de (invloed van) drugs

stoneless [ˈstəʊnləs] *bnw* zonder pit

stonemason [ˈstəʊnmeɪsən] *zn* steenhouwer

stoneware [ˈstəʊnweə] *zn* (extra hard) aardewerk

stonework [ˈstəʊnwɜːk] *zn* metselwerk, steenwerk

stony [ˈstəʊnɪ] *bnw* ❶ (steen)hard, hardvochtig ★ *~ broke* op zwart zaad, blut

stony-faced *bnw* uiterlijk onbewogen, zonder een spier te vertrekken

stood [stʊd] *ww* [verleden tijd + volt. deelw.] → stand

stooge [stuːdʒ] *zn* ❶ zondebok ❷ USA mikpunt, aangever ⟨van conferencier⟩

stool [stuːl] I *zn* ❶ kruk, knielbankje, voetbankje ★ *he fell between two ~s* hij miste zijn kans door te lang aarzelen ★ *~ of repentance* zondaarsbankje ❷ stoelgang, ontlasting ❸ jacht lokvogel II *ov ww* USA lokken ⟨met lokvogel⟩

stool pigeon [ˈstuːlpɪdʒən] *zn*, USA straatt lokvogel

stoop [stuːp] I *ov ww* ★ *~ one's head* het hoofd buigen II *onov ww* ❶ (zich) bukken, voorover houden, voorover lopen / staan / zitten ❷ zich vernederen / verwaardigen ★ *he would not ~ to stealing* stelen was beneden zijn waardigheid III *zn* ❶ kromme rug, gebukte houding ★ *he has a shocking ~* hij loopt vreselijk voorover ❷ neerbuigendheid, vernedering ❸ USA stoep

stop [stɒp] I *ov ww* ❶ stoppen, ophouden met, doen ophouden, afzetten, neerleggen ⟨werk⟩ ★ *stop a gap* als noodhulp / stoplap dienen ★ *stop it!* hou op! ★ *stop sb's mouth* iem. de mond snoeren ★ *stop the way* de weg versperren ★ *stop sb from* iem. beletten te ❷ tegenhouden, stilleggen, weerhouden, stil doen staan ★ *stop a cheque* een cheque blokkeren ★ *stop payment* ophouden te betalen, (uit)betaling staken ★ *stop sb's salary* iemands salaris inhouden ❸ afsluiten, verstoppen, dichtstoppen ★ *stop the leaking hole* stop het lekkend gat dicht ★ *stop a tooth* een kies / tand vullen ★ *stop one's ears* zijn oren dichtstoppen, niet willen luisteren ★ *stopped trumpet* gedempte trompet ❹ versperren, stelpen, tegenhouden, muz dempen ❺ ~ up doen verstoppen, dichtstoppen ★ *be stopped up* verstopt raken **II** onov ww ❶ stoppen, ophouden, niet meer werken / gaan, stil (blijven) staan ★ *the rain stopped* de regen hield op ★ *stop dead* plotseling stilstaan ★ *stop short* ineens stilstaan, plotseling ophouden ❷ logeren, blijven ★ *let's stop for a while* laten we even blijven ❸ ~ at logeren bij / te ❹ ~ in binnenblijven ❺ ~ out uitblijven ❻ ~ up opblijven **III** zn ❶ (het) (doen) stoppen, stopplaats, halte, stilstand ★ *put a stop to* blokkeren, vasthouden, een eind maken aan ★ *without a stop* zonder ophouden, zonder tussenstop ★ *come to a (full) stop* (helemaal) vast komen te zitten, (volkomen) tot stilstand komen ★ *make a stop* stilstaan, halt houden, pauzeren ❷ pin, pal ❸ register ⟨v. orgel⟩, klep, demper ❹ punt ⟨leesteken⟩ ★ GB *full stop* punt ▼ *pull out another stop* uit een ander vaatje (beginnen te) tappen ▼ *pull out the sympathetic stop* sympathiek worden, op het gevoel werken

stopcock ['stɒpkɒk] zn afsluitkraan

stopgap ['stɒpgæp] zn stoplap, noodhulp, noodmaatregel, bladvulling, stopwoord

stop-go zn, GB econ hollen-of-stilstaanbeleid

stop light zn (rood) stoplicht

stopover ['stɒpəʊvə] zn USA reisonderbreking

stoppage ['stɒpɪdʒ] zn inhouding, blokkering ★ *there is a ~ somewhere* de zaak stokt ergens ★ *sport ~ time* blessuretijd

stopper ['stɒpə] **I** zn stop, stopper ⟨om tabak in pijp te stoppen⟩ ★ *put a ~ on* een eind maken aan **II** ov ww stop op een fles doen

stop press [stɒp'pres] zn laatste nieuws, nagekomen berichten

storage ['stɔ:rɪdʒ] zn opslag, (het) opslaan, opslagruimte, pakhuis, opslagkosten ★ *in cold ~* in koelhuis / -cel opgeslagen ★ fig *put your plan into cold ~* je plan in de ijskast zetten

storage battery, storage cell zn accu(mulator)

store [stɔ:] **I** zn ❶ voorraad, hoeveelheid ★ *have / hold in ~* in petto hebben ★ *lay in ~* voorraden vormen, reserves kweken ★ *~ of information* vraagbaak ★ *~ of knowledge* schat(kamer) v. kennis / wetenschap ★ *what the future may have in ~ for us* wat de toekomst voor ons in petto heeft ❷ goederen ❸ opslagplaats, magazijn, depot ❹ USA winkel ★ ~s [mv] ★ USA *consignment ~* tweedehandskledingzaak ★ *cooperative ~* coöperatiewinkel ★ *general ~* warenhuis, bazaar ★ *multiple ~* grootwinkelbedrijf, warenhuis ★ USA *mind the ~* op de winkel passen, (de zaak) waarnemen ▼ *set great ~ by* veel waarde hechten aan **II** ov ww ❶ bevoorraden, voorzien van het nodige ❷ opdoen, opslaan ★ ~ *the mind with knowledge* de nodige kennis opdoen ❸ kunnen bergen ★ ~

cattle mestvee ❹ ~ up opslaan, bewaren ❺ ~ with voorzien van

storehouse ['stɔ:haʊs] zn ❶ pakhuis, voorraadschuur ❷ schatkamer

storekeeper ['stɔ:ki:pə] zn ❶ mil magazijnmeester ❷ USA winkelier

storeroom ['stɔ:ru:m] zn provisiekamer

storey ['stɔ:rɪ] zn verdieping, etage ★ *first ~* begane grond ★ *second ~* eerste etage ★ fig *the upper ~* bovenverdieping ⟨hersenen⟩

storeyed ['stɔ:rɪd] bnw met verdiepingen

storied ['stɔ:rɪd] bnw met historische taferelen of opschriften versierd, historisch vermaard

stork [stɔ:k] zn ooievaar

storm [stɔ:m] **I** zn storm, (hevige) bui / regen, noodweer ★ *take by ~* stormenderhand veroveren ★ *~ of applause* stormachtig applaus ★ *~ in a teacup* storm in een glas water **II** ov ww ❶ bestormen ★ *~ing party* stormtroep ❷ ~ at tekeergaan tegen **III** onov ww ❶ woeden, razen ❷ USA stormen ❸ ~ out boos weggelopen

stormbound ['stɔ:mbaʊnd] zn door storm / noodweer opgehouden

storm cloud zn donkere wolk, naderend onheil

storm cone zn stormkegel ⟨aan seinmast⟩

storm-tossed ['stɔ:mtɒst] bnw ook fig door de storm(en) geslingerd

storm troops zn mv stormtroepen

stormy ['stɔ:mɪ] bnw stormachtig, storm-

story ['stɔ:rɪ] zn ❶ verhaal, geschiedenis, legende, gerucht, leugentje, mop ★ *the ~ goes* het gerucht gaat / het verhaal wil ★ *that's quite another / a different ~* now nu liggen de zaken heel anders ★ *but that's another ~* maar dat is weer een ander verhaal, maar dat staat er buiten ★ *to cut / make a long ~ short* om een lang verhaal kort te maken ★ *short ~* novelle ❷ USA verdieping, etage

storybook ['stɔ:rɪbʊk] zn verhalenboek

story line zn plot, intrige ⟨van film, boek⟩

storyteller ['stɔ:rɪtelə] zn ❶ verteller ❷ fantast, jokker

stoup [stu:p] zn wijwaterbak(je)

stout [staʊt] **I** zn donker bier **II** bnw ❶ dik, gezet ❷ dapper, krachtig, stoer, stevig

stout-hearted [staʊt'hɑ:tɪd] bnw dapper, resoluut

stove [staʊv] **I** zn kachel (toe)stel om op te koken **II** ww [verleden tijd] → stave

stow [staʊ] ov ww ❶ pakken, inpakken, (vakkundig) laden, opbergen, wegbergen ❷ ~ away opbergen, wegstoppen, als verstekeling meereizen

stowage ['staʊɪdʒ] zn ❶ → stow ❷ stuwage(geld) ★ *in safe ~* veilig opgeborgen

stowaway ['staʊəweɪ] zn verstekeling

str. afk, *strait* strait ⟨zee⟩straat

straddle ['strædl] **I** ov ww schrijlings zitten op, wijdbeens staan boven, aan weerskanten liggen van ★ *~ a horse* schrijlings te paard zitten ★ *he stood straddling the ditch* hij stond schrijlings over de sloot ★ *~ the white line* midden op de weg rijden **II** zn ❶ spreidstand, spreidsprong ❷ econ stellage ⟨dubbele optie⟩

strafe [strɑ:f] ov ww zwaar bombarderen, beschieten

straggle ['strægl] onov ww ❶ slenteren, achterblijven, langzaam trekken of gaan, treuzelen, sjokken ❷ verspreid of verward groeien / hangen / liggen ★ *the town ~s out into the country* de stad breidt zich uit ❸ ~ **behind** achterblijven, niet meekomen ❹ ~ **in/out** in groepjes naar binnen / buiten komen

straggler ['stræglə] zn achterblijver

straggling ['stræglɪŋ], **straggly** ['stræglɪ] bnw (in groepjes) verspreid, onsamenhangend, loshangend, onregelmatig (gegroeid)

straight [streɪt] I zn recht stuk of traject II bnw ❶ recht, rechtstreeks, recht op de man af ★ ~ *hair* sluik haar ★ ~ *thinking* logisch denken ★ *keep one's face* ~ geen spier vertrekken ❷ eerlijk, oprecht, betrouwbaar ★ *get a thing* ~ iets recht zetten, iets goed begrijpen ❸ in orde, op orde ★ *put* ~ in orde brengen ★ *put o.s.* ~ *with the world* zich rehabiliteren ❹ puur, onvermengd ★ *whisky* ~ whisky puur ❺ inform hetero ★ USA *vote the* ~ *ticket* voor het partijprogram stemmen III bijw recht(streeks), rechtop, direct, zonder omhaal / omwegen, ronduit ★ *I'd better come* ~ *to the point* ik val maar meteen met de deur in huis ★ ~ *off* rechtstreeks, direct ★ ~ *on* rechtdoor, rechttoe, rechtaan ★ ~ *out* ronduit ★ *go* ~ goed / netjes oppassen ★ *hit* ~ *from the shoulder* met een rechte treffen ⟨bij boksen⟩ ★ *ride* ~ dwars door het terrein rijden ★ *shoot* ~ gericht schieten IV zn recht stuk of traject

straightaway ['streɪtəweɪ] bijw meteen, zonder omhaal

straighten ['streɪtn] I ov ww ❶ rechtmaken / -zetten / -leggen, strekken, in orde brengen ★ ~ *(out)* ontwarren ★ *she* ~*ed her hair* ze ontkroesde haar haar ❷ ~ **up** in orde brengen II onov ww ❶ recht worden, rechttrekken ❷ ~ **up** rechtop gaan staan

straightforward [streɪt'fɔːwəd] bnw ❶ oprecht, ronduit ★ *be* ~ *and tell me* zeg het me ronduit ❷ ongekunsteld, eenvoudig ★ *the job is* ~ het werk is eenvoudig

strain [streɪn] I zn ❶ (over)belasting, ook fig druk ★ *is a* ~ *on* vergt heel wat van ★ *put a* ~ *on o.s.* zich geweld aandoen ❷ verrekking ⟨van spier⟩, verdraaiing ⟨van de waarheid⟩ ❸ (in)spanning, streven ❹ afkomst, geslacht ★ *of good* ~ van goede afkomst ❺ aard, karakter(trek) ★ *a* ~ *of melancholy* iets droevigs ❻ toon, melodie, stijl, trant ★ *in the same* ~ op dezelfde toon, in dezelfde trant II ov ww ❶ spannen, (op)rekken ❷ inspannen, zwoegen, overspannen, (te) veel vergen van, verrekken, forceren ★ ~ *one's ears* de oren spitsen ★ ~ *every nerve* alle krachten inspannen, alle middelen te baat nemen ★ ~ *the law* de wet verkrachten ❸ verdraaien ⟨van feiten⟩ III onov ww ❶ zich inspannen ★ *she had to* ~ *to hear him* ze moest zich inspannen om hem te horen ❷ ~ **at** rukken aan, trekken aan, moeite hebben met ★ *the dog* ~*ed at the lead* de hond trok aan de riem ❸ ~ **through** doorsijpelen ★ *the juice* ~*ed through* het sap sijpelde erdoor IV ov ww ❶ zeven, filteren ❷ ~ **off/out** uitzeven, filtreren ★ *she* ~*ed off the water* ze liet het water uitlekken

strained [streɪnd] bnw gespannen ⟨van verhoudingen⟩, gewrongen, geforceerd, gedwongen, onnatuurlijk

strainer ['streɪnə] zn zeef, vergiet

strait [streɪt] zn ★ *the Straits* Straat v. Malakka ★ *Straits of Dover* Nauw v. Calais ★ *be in dire / desperate* ~*s* ernstig in (de) moeilijkheden zitten ★ ~*(s)* zeestraat

straitened ['streɪtnd] bnw ★ *be in* ~ *circumstances* het niet breed hebben, er moeilijk voorzitten ★ *be* ~ *for* gebrek hebben aan

straitjacket ['streɪtdʒækɪt] zn dwangbuis

strait-laced [streɪt'leɪst] bnw streng, stipt

strand [strænd] I zn ❶ streep ⟨in haar⟩, lok, wrong ❷ streng, vezel ❸ lit strand II onov ww vastlopen, stranden ★ *be* ~*ed* (hulpeloos) vastzitten, stranden, fig aan de grond zitten

stranded ['strændɪd] bnw ❶ getwijnd ❷ vastgelopen ★ *hair* ~ *with grey* haar met grijs erdoor

strange [streɪndʒ] bnw vreemd, raar, eigenaardig ★ ~ *to say* vreemd genoeg ★ *be* ~ *to* vreemd staan tegenover

stranger ['streɪndʒə] zn vreemde(ling) ★ ~ *to* onbekend met, vreemd aan ★ *he is no* ~ *to sorrow* hij weet wat verdriet is ★ inform *don't be a* ~! laat nog eens wat van je horen!

strangle ['stræŋgl] ov ww ❶ worgen, knellen ⟨om de nek⟩ ❷ onderdrukken ★ *all resistance was* ~*d* elk verzet werd onderdrukt

stranglehold ['stræŋglhəʊld] zn wurggreep, macht

strangler ['stræŋglə] zn wurger

strangulate ['stræŋgjʊlət] ov ww dichtknijpen, dichtknellen ★ ~*d hernia* beklemde breuk

strangulation [stræŋgjʊ'leɪʃən] zn wurging

strap [stræp] I zn ❶ riem(pje), band(je) ★ *the* ~ aframmeling met riemen ❷ lus ⟨in tram of van laars⟩ ❸ metalen band, beugel ❹ mil schouderbedekking II ov ww ❶ afranselen ★ ~ *(up)* met riem vastmaken, met hechtpleister hechten ❷ ~ **together** bij elkaar gespen

strapless ['stræpləs] bnw zonder schouderbandjes

strapped [stræpt] bnw ❶ vastgebonden, verbonden ❷ inform platzak ★ *be* ~ *for cash* krap bij kas zitten

strapping ['stræpɪŋ] I zn ❶ riemen, riemleer ❷ pleister II bnw potig, struis ★ *two* ~ *lads came to my aid* twee potige kerels kwamen me helpen

strata ['streɪtə] zn mv → stratum

strategic [strə'tiːdʒɪk] bnw strategisch

strategics [strə'tiːdʒɪks] zn mv krijgstactiek

strategist ['strætədʒɪst] zn strateeg

strategy ['strætədʒɪ] zn strategie, strijdplan, beleidsplan

stratification [strætɪfɪ'keɪʃən] zn gelaagdheid ★ *social* ~ maatschappelijke gelaagdheid

stratify ['strætɪfaɪ] ov ww laag voor laag (op elkaar) leggen

stratosphere ['strætəsfɪə] zn stratosfeer

stratum ['strɑːtəm] zn [mv: **strata**] (geologische) laag

stratus ['streɪtəs] zn stratus, laagwolk

straw [strɔː] I zn ❶ stro(halm), rietje, strootje ★ ~*s which show the way the wind blows* tekenen van de naderende storm ★ catch at a ~ zich aan een strohalm vastgrijpen ★ it's the last ~ that breaks the camel's back de laatste loodjes wegen het zwaarst ★ that's the last ~ dat is de druppel die de emmer doet overlopen ★ man of ~ stroman, stropop, karakterloos iem. ★ not worth a ~ geen rooie cent waard ★ ~ poll opiniepeiling ❷ strohoed **II** bnw strooien

strawberry ['strɔːbərɪ] zn aardbei ★ the ~ leaves de hertogskroon ★ ~ mark aardbeivlek (op huid)

strawboard ['strɔːbɔːd] zn strobord, karton

stray [streɪ] **I** zn verdwaald persoon of dier, zwerver, dakloze **II** bnw ❶ verdwaald, verspreid, los(lopend) ★ ~ bullet verdwaalde kogel ❷ sporadisch, toevallig **III** onov ww ❶ (af)dwalen, zwerven, weglopen ★ the toddler ~ed from its parents de peuter bleef niet bij zijn ouders lopen ❷ fig de verkeerde kant opgaan

stray cat zn zwerfkat

streak [striːk] **I** zn ❶ streep ★ the silver ~ het Kanaal ❷ flits ★ ~ of lightning bliksemstraal ★ like a ~ als de weerlicht ❸ beetje, tik(keltje) ★ he has a ~ of humour in him hij heeft gevoel voor humor **II** onov ww ❶ snellen, ijlen ❷ inform naakt over plein e.d. rennen ❸ ~ off zich uit de voeten maken ❹ ~ with strepen ★ his hair was ~ed with grey zijn haar had grijze strepen

streaker ['striːkə] zn iemand die naakt over plein e.d. rent

streaky ['striːkɪ] bnw gestreept, geaderd, doorregen (van vlees)

stream [striːm] **I** zn ❶ stroom, beek(je) ★ down- / up- stroomaf- / -opwaarts ❷ groep met zelfde leerprogram **II** ov ww doen stromen **III** onov ww ❶ stromen, lopen (van ogen) ★ ~ing cold hevige verkoudheid ❷ wapperen ★ the banners ~ed de vaandels wapperden

streamer ['striːmə] zn ❶ loshangend lint, serpentine, wimpel ❷ streamer (korte reclametekst op boek, e.d.)

streamline ['striːmlaɪn] zn stroomlijn ★ ~d gestroomlijnd

streamlined ['striːmlaɪnd] bnw gestroomlijnd

street [striːt] zn straat ★ the Street Fleet Street, USA Wall Street ★ in / on the ~ op straat ★ ~ corner work straathoekwerk ★ go on the ~s gaan tippelen, in de prostitutie gaan ★ man in the ~ de gewone man ★ inform he's not in the same ~ with you hij staat bij jou in de schaduw ★ that's exactly up my ~ dat is net iets voor mij ★ USA on easy ~ in goeden doen ★ ~ lighting straatverlichting ★ ~ value handelswaarde

streetcar ['striːtkɑː] zn USA tram

street cred zn straatimago, populariteit (onder de jeugd)

streetlamp ['striːtlæmp] zn straatlantaarn

street-smart ['striːtsmɑːt] bnw doorgewinterd (wat betreft het grotestadsleven)

streetwalker ['striːtwɔːkə] zn prostituee

streetwise ['striːtwaɪz] bnw doorgewinterd (m.b.t. het grotestadsleven)

strength [streŋθ] zn ❶ kracht(en), sterkte ❷ mil sterktelijst ★ in great ~ in groten getale ★ on the ~ of krachtens, op grond van ★ up to ~ op volle sterkte ★ brute ~ grof geweld

strengthen ['streŋθən] **I** ov ww versterken ★ ~ a person's hands iem. kracht geven **II** onov ww sterker worden

strenuous ['strenjʊəs] bnw inspannend, krachtig, energiek ★ ~ life leven van zwoegen en strijd

stress [stres] **I** zn ❶ druk, spanning, gewicht ★ the material was under ~ het materiaal stond onder spanning ❷ gespannenheid, stress ❸ nadruk, accent ★ under ~ of weather in zwaar weer **II** ov ww ❶ de nadruk leggen op ❷ belasten ★ I'd just like to ~ that... ik zou er alleen op willen wijzen dat...

stressful ['stresfʊl] bnw vermoeiend, zorgelijk, zwaar

stress mark zn klemtoonteken

stretch [stretʃ] **I** ov ww ❶ (uit)strekken, uitrekken, (op)rekken, spannen, (uit)leggen ★ ~ o.s. zich uitrekken ★ ~ out a tablecloth een tafelkleed uitrekken ❷ prikkelen, uitdagen ★ activities that ~ the imagination activiteiten die de fantasie prikkelen ❸ ruim interpreteren ★ ~ the truth het niet zo nauw nemen met de waarheid ❹ afleggen (van lijk) ❺ overdrijven ★ ~ the law / truth de wet / waarheid geweld aandoen ❻ ~ forth uitsteken **II** onov ww ❶ zich (uit)strekken, (zich) uitrekken, reiken (tot), lopen tot ★ the fields ~ed to the sea de weilanden reikten tot aan de zee ❷ ~ down to zich uitstrekken tot, lopen tot ❸ ~ out flink aanpakken **III** zn ❶ uitrekking, spanning, uitgestrektheid, overdrijving, misbruik ❷ periode, duur, een jaar dwangarbeid / gevangenisstraf ❸ afstand-, wandeling, stuk, traject ❹ scheepv slag (bij laveren) ★ at a ~ aan één stuk ★ at full ~ helemaal gestrekt, tot het uiterste gespannen ★ by a ~ of language door de taal geweld aan te doen ★ give a ~ zich uitrekken ★ on the ~ in spanning, gespannen

stretcher ['stretʃə] zn ❶ brancard, draagberrie ★ ~-bearer ziekendrager ❷ opvouwbaar bed, stretcher ❸ spanraam

stretchy ['stretʃɪ] bnw langgerekt, elastisch

strew [struː] [regelmatig + onregelmatig] ov ww bezaaien, verspreid liggen op, (be)strooien

strewn [struːn] ww [volt. deelw.] → strew

stricken ['strɪkən] bnw ❶ getroffen, geteisterd, geslagen ★ ~ in years hoogbejaard ★ ~ field veldslag, slagveld ❷ verslagen, bedroefd

strict [strɪkt] bnw strikt, stipt, nauwgezet, streng

strictly ['strɪktlɪ] bijw ★ ~ speaking strikt genomen

stricture ['strɪktʃə] zn ❶ (ziekelijke) vernauwing, strictuur ❷ kritiek ★ pass ~s on kritiek uitoefenen

stridden ww [volt. deelw.] → stride

stride [straɪd] **I** zn ook fig (grote) stap ★ take sth in one's ~ iets en passant even meenemen / afdoen ★ get into one's ~ op dreef komen **II** ov ww [onregelmatig] schrijlings staan of zitten op **III** onov ww [onregelmatig] ❶ grote stappen nemen, schrijden ★ make great ~s grote vorderingen maken ❷ ~ over stappen over

stridency ['straɪdnsɪ] zn schelheid

strident ['straɪdnt] bnw ❶ knarsend, schel ❷ scherp ★ ~ criticism scherpe kritiek

strife [straɪf] zn vijandige rivaliteit, strijd, conflict

strike [straɪk] **I** ov ww [onregelmatig] ❶ slaan

st

(met), raken ★ ~ *a blow for* vechten voor ★ ~ *me
dead / handsome / ugly if...* ik mag doodvallen
als... ★ ~ *hands* de hand erop geven, met
handslag bekrachtigen ★ ~ *it lucky* boffen
❷ toevallig tegenaan lopen, stoten op ★ *the ship
struck a rock* het schip voer tegen een rots aan
★ ~ *a blow* een slag toebrengen ❸ aantreffen,
komen aan / bij ★ ~ *oil* fortuin maken, olie
aanboren ★ ~ *oil* olie vinden ★ ~ *a happy
medium* de gulden middenweg vinden
❹ afbreken ⟨van tent⟩, strijken ⟨van vlag, zeil⟩
★ ~ *camp* opbreken ★ ~ *one's flag* zich
overgeven, het onderspit delven ❺ afstrijken
⟨van zand in een maat⟩ ⟨van lucifer⟩ ❻ aanslaan
★ ~ *a different note* een andere toon aanslaan
★ ~ *a pose* poseren ❼ aanstrijken, aangaan ★ ~ *a
deal* een overeenkomst sluiten ❽ opvallen ★ *it
struck her he might be ill* het viel haar op dat hij
misschien ziek was ❾ opkomen bij ★ *it didn't ~
me* het kwam niet bij me op ★ *be struck dumb*
verstomd staan ★ *how does his playing ~ you?*
wat denk je van zijn spel? ★ ~ *cuttings* stekken
nemen ★ ~ *root(s)* wortel schieten ★ ~ *terror into
every heart* alle harten met schrik vervullen ★ ~
into a waltz een wals inzetten ★ ~ *spurs into a
horse* een paard de sporen geven ★ ~ *upon an
idea* een idee krijgen ★ ~ *an attitude* een
houding aannemen ★ ~ *an average* een
gemiddelde nemen ★ ~ *a balance* balans
opmaken ❿ ~ **down** neerslaan, vellen ★ *be
struck down* tegen de vlakte gaan ⓫ ~ **off**
afslaan, drukken, afdraaien, doorhalen ★ ~ *sb
off (the list)* iem. royeren ⓬ ~ **out** doorhalen
★ ~ *out a new idea* een nieuw denkbeeld
ontwikkelen ★ ~ *out a new line* nieuwe wegen
inslaan ⓭ ~ **through** doorhalen ★ ~ *through
the darkness* door de duisternis dringen ⓮ ~ **up**
aanheffen, sluiten ★ ~ *up the band!* muziek! ★ ~
up a friendship vriendschap aanknopen **II** *onov
ww* [onregelmatig] ❶ toeslaan, treffen ★ *his
hour has struck* zijn laatste uur heeft geslagen
★ ~ *home* raak slaan ❷ staken ❸ inslaan ⟨van
bliksem⟩ ★ ~ *into a street* een straat inslaan
❹ zich vastzetten, zich vasthechten ❺ ~ **at** slaan
naar ★ ~ *at the root of* in het hart / de kern
aantasten ❻ ~ **in** naar binnen slaan ⟨van
ziekte⟩, er tussen komen, invallen ★ ~ *in with*
meegaan met, zich aansluiten bij ❼ ~ **out**
armen en benen uitslaan ★ ~ *out for* krachtige
pogingen doen om te bereiken ❽ ~ **up**
inzetten, beginnen te spelen / zingen **III** *zn*
❶ slag ❷ *sport* slag ⟨honkbal⟩ ❸ aanval
❹ vondst ⟨van olie, erts enz.⟩ ❺ staking ★ *air* ~
luchtaanval ★ *lucky* ~ gelukstreffer ★ *unofficial* ~
wilde staking ★ *go on* ~ in staking gaan
strike-bound *bnw* lamgelegd, gesloten, dicht
⟨wegens staking⟩
strike-breaker ['straɪkbreɪkə] *zn* stakingsbreker,
werkwillige
strike force *zn* aanvalsmacht
strike fund *zn* stakingskas
strike pay *zn* stakingsuitkering
striker ['straɪkə] *zn* ❶ staker ❷ slagpin ❸ harpoen
❹ strijkhout ❺ *sport* slagman, spitsspeler,
aanvaller
striking ['straɪkɪŋ] *bnw* opvallend, markant,

treffend
string [strɪŋ] **I** *zn* ❶ touw(tje), koord, band, veter
★ *pull* ~s invloed aanwenden ★ ~ *of the tongue*
tongriem ★ *on a* ~ aan een touwtje ❷ snoer,
snaar ★ *touch the* ~s de snaren roeren, bespelen
★ *have another* ~ *to your bow* nog een pijl op je
boog hebben ★ *fig first* ~ voornaamste troef ★ *I
have a second* ~ ík heb nog iets achter de hand
★ *harping on the same* ~ op het zelfde aanbeeld
hameren ❸ vezel ❹ draad ⟨van boon⟩ ❺ rij,
reeks, file ★ ~ *of horses* renstal ★ ~s [mv] strijkers
⟨van orkest⟩ ★ <u>inform</u> *USA* ~s [mv] beperkingen,
bepaalde voorwaarden ★ <u>inform</u> *USA* *no* ~s
attached zonder beperkende bepalingen,
zonder kleine lettertjes, onvoorwaardelijk ★ *pull
the* ~s achter de schermen zitten, de eigenlijke
macht hebben **II** *ov ww* [onregelmatig]
❶ besnaren, bespannen ❷ aan snoer rijgen
❸ *USA* bij de neus nemen ★ *strung up*
overgevoelig, hypernerveus ★ ~ *facts together*
feiten met elkaar in verband brengen ★ *highly
strung* hypernerveus, overgevoelig ❹ ~ **along**
aan het lijntje houden, beduvelen ❺ ~ **out** in rij
of reeks plaatsen ❻ ~ **up** aan (elkaar) knopen,
binden, spannen, overspannen maken,
opknopen **III** *onov ww* [onregelmatig]
❶ draderig worden ❷ ~ **along** meedoen /
-gaan ❸ ~ **out** uitgespreid zijn
string band *zn* strijkorkest
string bass *zn* contrabas
string bean *zn* snijboon
stringed [strɪŋd] *bnw* besnaard, snaar-
stringency ['strɪndʒənsɪ] *zn* ❶ bindende kracht,
strengheid ⟨van wetten⟩ ❷ (geld)schaarste
❸ klemmend karakter ⟨van betoog⟩
stringent ['strɪndʒənt] *bnw* ❶ bindend, streng,
strikt ❷ knellend ❸ krap, moeilijk ⟨van handel⟩
stringer ['strɪŋə] *zn* ❶ correspondent ⟨van krant⟩
❷ verbindingsbalk, verbindingsstijl
stringy ['strɪŋɪ] *bnw* draderig, pezig
strip [strɪp] **I** *zn* ❶ strook, reep ★ *magnetic* ~
magneetstrip ❷ lat ❸ landingsbaan
❹ clubkleuren ★ *comic* ~ stripverhaal **II** *ov ww*
❶ uitkleden, uittrekken, ontbloten
❷ (af)stropen, (af)schillen, (er) afhalen ★ ~ *a
sergeant* een sergeant degraderen ❸ leeghalen
★ ~ *a cow* een koe leegmelken ★ ~ *a tree* een
boom kaalvreten ★ ~ *a person naked* iem. totaal
uitschudden ❹ ~ **of** ontdoen van **III** *onov ww*
❶ zich uitkleden ❷ doldraaien ⟨van schroef⟩
strip cartoon *zn* stripverhaal
stripe [straɪp] *zn* ❶ streep, chevron ❷ striem
striped [straɪpt] *bnw* gestreept
strip light *zn* tl-buis
stripper ['strɪpə] *zn* ❶ stripteasedanser(es) ❷ ≈
iets dat wegneemt ★ *paint* ~ verfafbrander
stripy ['straɪpɪ] *bnw* gestreept
strive [straɪv] [onregelmatig] *onov ww* ❶ zich
inspannen, vechten, strijden ❷ ~ **after/for**
streven naar
striven ['strɪvən] *ww* [volt. deelw.] → strive
strode [strəʊd] *ww* [verleden tijd] → stride
stroke [strəʊk] **I** *zn* ❶ slag, klap, houw ★ ~ *of
genius* geniale zet ★ ~ *of luck / fortune*
buitenkansje, bof ★ *finishing* ~ genadeslag ★ *row*
~ als achterste man roeien, het tempo

aangeven ★ *on the ~ of five* op slag van vijven ★ *be off one's ~* zijn draai niet hebben, de kluts kwijt zijn ❷ streek, haal, streling ❸ <u>med</u> beroerte ❹ zwemslag **II** *ov ww* strijken, aaien, strelen ★ *~ a person down* iem. kalmeren

stroll [strəʊl] **I** *zn* wandeling(etje) ★ *take a ~* wandeling maken **II** *onov ww* slenteren, op z'n gemak lopen, wandelen, zwerven

stroller ['strəʊlə] *zn* ❶ wandelwagentje ❷ wandelaar

strolling ['strəʊlɪŋ] *bnw* rondtrekkend

strong [strɒŋ] **I** *bnw* ❶ sterk, krachtig, zwaar ⟨van tabak, bier⟩ ★ *be ~ on / in* ergens goed in zijn ★ *~ language* krachttermen ★ *mathematics is not my ~ point* ik ben niet sterk in wiskunde ❷ vast ⟨van geldkoers, prijzen⟩ ❸ overdreven **II** *bijw* ★ *he's going it ~!* hij overdrijft behoorlijk! ★ *come it ~* overdrijven ★ *I feel so ~ly about it* mijn mening staat vast ★ *still going ~* nog goed in vorm / conditie, nog steeds actief

strong-arm *bnw* hardhandig

strongbox ['strɒŋbɒks] *zn* geldkist, documentenkist, brandkast

strongheaded [strɒŋ'hedɪd] *bnw* koppig

stronghold ['strɒŋhəʊld] *zn* fort, burcht, bolwerk

strongman ['strɒŋmæn] *zn* sterke man, leider

strong-minded [strɒŋ'maɪndɪd] *bnw* zelfbewust, resoluut

strongroom ['strɒŋruːm] *zn* kluis

strong-willed *bnw* vastberaden, wilskrachtig

strop [strɒp] *zn* scheerriem

stroppy ['strɒpɪ] *bnw* tegendraads, dwars, koppig

strove [strəʊv] *ww* [verleden tijd] → **strive**

struck [strʌk] *ww* [verleden tijd + volt. deelw.] → **strike**

structural ['strʌktʃərəl] *bnw* structureel

structure ['strʌktʃə] **I** *zn* (op)bouw, bouwwerk, structuur **II** *ov ww* structureren ★ *the lessons are ~d around the students' interests* de lessen zijn gestructureerd rondom de interesses van de student

struggle ['strʌgl] **I** *zn* ❶ worsteling ★ *~ for life / existence* strijd om het bestaan ❷ pogingen ❸ probleem ★ *it was a ~ to make herself heard* ze had grote moeite om zich verstaanbaar te maken **II** *onov ww* worstelen, vechten, tegenspartelen ★ *~ to one's feet* met moeite opstaan ★ *~ into one's coat* zich met moeite in zijn jas werken ❷ *~* te moeite hebben om

strum [strʌm] **I** *zn* getrommel, getjingel **II** *ov ww* trommelen, tjingelen

strumpet ['strʌmpɪt] *zn* humor hoer

strung [strʌŋ] *ww* [verl. tijd + volt. deelw.] → **string**

strut [strʌt] **I** *zn* ❶ trotse stap of gang ❷ stut **II** *ov ww* stutten **III** *onov ww* trots stappen

stub [stʌb] **I** *zn* ❶ stronk ❷ stompje ❸ peukje **II** *ov ww* ❶ de stronken verwijderen (uit) ❷ stoten ⟨van teen⟩ ★ *stub out a cigarette* een sigarettenpeukje uitdoven

stubble ['stʌbl] *zn* stoppels

stubbly ['stʌblɪ] *bnw* stoppelig

stubborn ['stʌbən] *bnw* ❶ hardnekkig, moeilijk te bewerken ★ *a ~ stain* een lastige vlek ❷ koppig, onverzettelijk ★ *a ~ person* een koppig persoon

stubby ['stʌbɪ] *bnw* → **stub**

stucco ['stʌkəʊ] **I** *zn* pleisterkalk, stuc **II** *ov ww* stukadoren

stuck [stʌk] *ww* [verleden tijd + volt. deelw.] → **stick**

stuck-up [stʌk'ʌp] *bnw* verwaand

stud [stʌd] **I** *zn* ❶ dekhengst ❷ fokstal, renstal ❸ knop(je), spijker, knoopje ❹ <u>inform</u> kanjer, stuk ★ *studs* beslag **II** *ov ww* ❶ met knopjes beslaan / versieren ❷ verspreiden over, bezaaien ★ *plain studded with trees* vlakte met overal bomen

student ['stjuːdnt] *zn* student, leerling, wetenschapper ★ *~ nurse* leerling-verpleegkundige ★ *~ in / of* iem. die studeert in, iem. die zich interesseert voor

studied ['stʌdɪd] *bnw* bestudeerd, gemaakt, gekunsteld

studio ['stjuːdɪəʊ] *zn* atelier, studio

studious ['stjuːdɪəs] *bnw* ❶ vlijtig, ijverig ❷ nauwgezet, precies, opzettelijk bedoeld

study ['stʌdɪ] **I** *ov ww* ❶ (be)studeren ❷ USA *~ up* erin pompen, blokken **II** *onov ww* studeren ★ *~ for the Bar* voor rechtbankadvocaat studeren ★ *~ for the Church* voor geestelijke studeren **III** *zn* ❶ studie, etude, studieobject, studeerkamer ❷ ★ *in a brown ~* verstrooid, afwezig ★ *his face was a ~ of concentration* zijn gezicht was één en al concentratie

stuff [stʌf] **I** *zn* ❶ stof, materiaal, spul, goedje ★ *green ~* groente ★ *~ and nonsense* klinkklare onzin ★ *man with plenty of good ~ in him* man met een hart van goud ★ *that's the (right) ~!* dat is 't, zo moet 't ★ *that's the ~ to give them zo* moet je ze aanpakken ★ *straatt do your ~* ga je gang ❷ waardeloze rommel ★ *poor / sorry ~* niet veel soeps ❸ essentie, eigenschappen ★ *he has the ~ to be a good leader* hij heeft de kwaliteiten van een goede leider ❹ heroïne, cocaïne, hasj **II** *bnw* wollen ★ *~ gown* toga van gewoon advocaat **III** *ov ww* ❶ (vol)stoppen, volproppen ★ *~ a person (up)* iem. wat op de mouw spelden ★ *~ o.s.* te veel eten ★ *he can get ~ed!* hij kan barsten! ★ *~ed nose* verstopte neus ❷ stofferen ❸ opvullen, farceren ⟨van wild⟩ ★ USA *~ed shirt* opgeblazen idioot ❹ opzetten ⟨van dier⟩ **IV** *onov ww* schransen, schrokken ★ *he ~ed himself* hij schranste

stuffing ['stʌfɪŋ] *zn* vulling, pakking ★ *knock the ~ out of sb* iem. van zijn stuk brengen

stuffy ['stʌfɪ] *bnw* ❶ benauwd, bedompt, verstopt ⟨van neus⟩ ❷ conventioneel, bekrompen ★ *~ ideas* bekrompen ideeën

stultification [stʌltɪfɪ'keɪʃən] *zn* bespotting

stultify ['stʌltɪfaɪ] *ov ww* belachelijk maken, tenietdoen

stumble ['stʌmbl] **I** *onov ww* ❶ struikelen, stuntelen ★ *stumbling stone* steen des aanstoots ❷ hakkelen ★ *~ through one's speech* zijn speech stuntelig afdraaien ★ *stumbling block* struikelblok, handicap ❸ *~ across/(up)on* toevallig aantreffen, tegen het lijf lopen ❹ *~ along* voortstrompelen ❺ *~ through* moeizaam door iets heen komen ★ *he managed to ~ through his exams* hij haalde met moeite zijn examen **II** *zn* misstap, struikeling

st

stump [stʌmp] I *zn* ❶ stomp(je) ❷ (boom)stronk II *ov ww* ❶ USA uitdagen ❷ in verlegenheid brengen ★ *be ~ed for an answer* niet weten wat te zeggen ★ straatt ~ **up** betalen, dokken III *onov ww* klossen, stommelen, onbehouwen lopen

stumper ['stʌmpə] *zn* lastig probleem, moeilijke taak

stumps [stʌmps] *zn mv* straatt benen ★ *stir your ~!* doorlopen!

stumpy ['stʌmpɪ] *bnw* ❶ dik en kort, gezet ❷ met stompjes, afgesleten

stun [stʌn] *ov ww* ❶ bewusteloos slaan, bedwelmen, verdoven (van hard geluid) ★ *stun a person by a blow on the head* iem. met een klap op het hoofd overweldigen ❷ schokken ★ *the tragedy has stunned the village* de tragedie heeft het dorp diep geschokt

stung [stʌŋ] *ww* [verleden tijd + volt. deelw.] → sting

stunk [stʌŋk] *ww* [verleden tijd + volt. deelw.] → stink

stunner ['stʌnə] *zn* ❶ iets waar je van achterover slaat ❷ kanjer ❸ straatt stuk, kei, reuzenvent

stunning ['stʌnɪŋ] *bnw* ❶ versuffend, oorverdovend ❷ straatt denderend, fantastisch ★ *ook fig ~ blow* geweldige slag

stunt [stʌnt] I *zn* stunt, opzienbarende actie ★ *~ man* stuntman ★ *~ woman* stuntvrouw II *onov ww* luchtv stunten, (acrobatische) toeren doen

stunted ['stʌntɪd] *bnw* achtergebleven (in groei), klein gebleven, dwerg-

stupefaction ['stju:pɪˈfækʃən] *zn* verdoving, verbijstering

stupefy ['stju:pɪfaɪ] *ov ww* verdoven, afstompen, versuffen, stomverbaasd doen staan

stupendous [stju:ˈpendəs] *bnw* verbluffend, kolossaal

stupid ['stju:pɪd] I *zn* sufferd, stommerik II *bnw* dom, stom, suf

stupidity [stjuˈpɪdətɪ] *zn* domheid

stupor ['stju:pə] *zn* ❶ verdoving, bedwelming ★ *a drunken ~* een stomdronken toestand ❷ apathie

sturdy ['stɜːdɪ] *bnw* fors, krachtig, stevig ★ *a ~ child* een stevig kind

sturgeon ['stɜːdʒən] *zn* steur

stutter ['stʌtə] I *zn* gestotter II *onov ww* stotteren, stamelen III *ov ww* ~ **out** stamelend uitbrengen

stutterer ['stʌtərə] *zn* stotteraar(ster)

sty [staɪ] *zn* ❶ strontje (op oog) ❷ stal, kot

style [staɪl] I *zn* ❶ stijl ★ *that's the right ~* zo moet 't ★ *marry in ~* in stijl trouwen ❷ soort, genre, model, trant ★ *new hair ~* nieuw haarmodel ❸ distinctie, klasse ★ *Old / New Style* Juliaanse / Gregoriaanse kalender II *ov ww* ❶ vormgeven ★ *she ~d her hair* ze bracht haar haar in model ❷ betitelen ★ *be ~d as* de titel dragen van

styling ['staɪlɪŋ] *zn* vormgeving, modellering, styling

stylish ['staɪlɪʃ] *bnw* stijlvol, chic

stylist ['staɪlɪst] *zn* stilist

stylistic [starˈlɪstɪk] *bnw* stilistisch

stylize, stylise ['staɪlaɪz] *ov ww* stileren

stylus ['staɪləs] *zn* ❶ schrijfstift, etsnaald ❷ naald (van platenspeler) ❸ comp invoerapparaat in de

vorm van een pen

stymie ['staɪmɪ] *ov ww* dwarsbomen, fig lamleggen, buiten spel zetten

styptic ['stɪptɪk] I *zn* bloedstelpend middel, aluinstift II *bnw* bloedstelpend

suave [swɑːv] *bnw* hoffelijk, minzaam

sub [sʌb] I *inform* plaatsvervanger ★ *he asked his sub to step in* hij vroeg zijn plaatsvervanger om over te nemen II *bnw* ondergeschikt III *onov ww* ❶ invallen ❷ ~ **for** invallen

sub- [sʌb] *voorv* ❶ onder-, sub- ❷ adjunct- ❸ bij- ❹ enigszins

subaltern ['sʌbəltn] I *zn* ❶ subalterne officier ❷ ondergeschikte II *bnw* ondergeschikt

subclass ['sʌbklɑːs] *zn* onderklasse

subcommittee ['sʌbkəmɪtɪ] *zn* subcommissie

subconscious [sʌbˈkɒnʃəs] I *zn* onderbewustzijn II *bnw* onderbewust

subcontract[1] [sʌbˈkɒntrækt] *zn* toeleveringscontract

subcontract[2] [sʌbkənˈtrækt] I *onov ww* een toeleveringscontract sluiten II *ov ww* ~ **out** uitbesteden ★ *they ~ed the work out* ze besteedden het werk uit

subcontractor [sʌbkənˈtræktə] *zn* onderaannemer

subculture ['sʌbkʌltʃə] *zn* subcultuur

subdivide ['sʌbdɪvaɪd] I *ov ww* onderverdelen II *onov ww* zich splitsen

subdivision ['sʌbdɪvɪʒən] *zn* onderverdeling, afdeling

subdue [səbˈdjuː] *ov ww* ❶ temperen, matigen ★ *~d* gedempt, ingetogen, stemmig ❷ verzwakken ❸ onderwerpen, bedwingen

subeditor [sʌbˈedɪtə] *zn* redacteur, ander dan hoofdredacteur

subgroup ['sʌbɡruːp] *zn* subgroep(ering)

subheading ['sʌbhedɪŋ] *zn* kopje, ondertitel

subhuman [sʌbˈhjuːmən] *bnw* niet menselijk, dierlijk

subject[1] ['sʌbdʒekt] I *zn* ❶ onderwerp, thema ★ *end of ~!* discussie gesloten! ❷ (school)vak, vakgebied, subject (in de logica) ❸ reden, oorzaak ★ *~ for* aanleiding tot ❹ patiënt, proefpersoon ❺ onderdaan II *bnw* ★ *~ to* onderworpen aan, onderhevig aan ★ *the patient is ~ to migraine* de patiënt is onderhevig aan migraineaanvallen III *bijw* ★ *~ to* afhankelijk van ★ *~ to the consent of* behoudens toestemming van

subject[2] [səbˈdʒekt] *ov ww* ❶ onderwerpen ❷ ~ **to** blootstellen aan

subject index *zn* zaakregister

subjection [səbˈdʒekʃən] *zn* afhankelijkheid, onderwerping

subjective [səbˈdʒektɪv] I *bnw* subjectief II *zn* taalk onderwerp

subjectivity [səbˈdʒekˈtɪvətɪ] *zn* subjectiviteit

subject matter ['sʌbdʒektmætə] *zn* (behandelde) stof, onderwerp, thema

subjoin [sʌbˈdʒɔɪn] *ov ww* toevoegen

subjugate ['sʌbdʒuɡeɪt] *ov ww* onderwerpen ★ *public health has been ~d to inspection* de volksgezondheid is onderworpen aan inspectie

subjugation [sʌbdʒuˈɡeɪʃən] *zn* onderwerping

subjunctive [səbˈdʒʌŋktɪv] I *zn* aanvoegende wijs

st

II *bnw* ★ *~ mood* aanvoegende wijs
sublease [sʌb'liːs] **I** *zn* onderverhuur(contract)
II *ov ww* onderverhuren
sublet [sʌb'let] *ov ww* onderverhuren
sublimate ['sʌblɪmeit] *ov ww* sublimeren, zuiveren, veredelen
sublime [sə'blaɪm] **I** *bnw* verheven, subliem, hooghartig **II** *ov ww* sublimeren, zuiveren, veredelen **III** *zn mv* verhevene ★ *go from the ~ to the ridiculous* van het ene in het andere uiterste vallen
subliminal [sʌb'lɪmɪnl] *bnw* ❶ in een (zeer korte) flits ★ *~ advertising* subliminale reclame ⟨wordt onderbewust opgenomen⟩ ❷ onder de bewustzijnsdrempel
sublimity [sʌ'blɪmətɪ] *zn* → sublime
submachine gun [sʌbmə'riːn gʌn] *zn* licht machinepistool
submarine [sʌbmə'riːn] **I** *zn* onderzeeër **II** *bnw* onderzees **III** *ov ww* torpederen vanuit onderzeeër
submerge [səb'mɜːdʒ] **I** *ov ww* onder water zetten, (onder)dompelen ★ *~d rock* blinde klip **II** *onov ww* onder water gaan, onderduiken
submergence [səb'mɜːdʒəns], **submersion** [səb'mɜːʃən] *zn* onderdompeling, het onder water gaan
submersible [səb'mɜːsɪbl] *bnw* overstroombaar ★ *~ boat* onderzeeër
submission [səb'mɪʃən] *zn* onderdanigheid, nederigheid
submissive [səb'mɪsɪv] *bnw* onderdanig
submit [səb'mɪt] **I** *ov ww* ❶ onderwerpen ❷ vóórleggen, in het midden brengen ★ *~ a proposal* een voorstel voorleggen ❸ (menen te mogen) opmerken **II** *onov ww* (zich) onderwerpen ★ *he ~ted* hij gaf zich gewonnen
subnormal [sʌb'nɔːml] *bnw* beneden de norm, achterlijk
subordinate[1] [sə'bɔːdɪnət] **I** *zn* ondergeschikte **II** *bnw* ondergeschikt ★ *~ clause* bijzin
subordinate[2] [sə'bɔːdɪneɪt] *ov ww* *~ to* ondergeschikt maken aan
subordination [səbɔːdɪ'neɪʃən] *zn* ondergeschiktheid, onderschikking
subpoena [səb'piːnə] **I** *zn* dagvaarding **II** *ov ww* dagvaarden
subscribe [səb'skraɪb] **I** *ov ww* ❶ deelnemen in, bijeenbrengen ⟨van geld⟩ ❷ *~ to* zich abonneren op, onderschrijven **II** *ov+onov ww* ondertekenen, intekenen, inschrijven, inschrijven voor ★ *~ one's name (to)* ondertekenen
subscriber [səb'skraɪbə] *zn* intekenaar, inschrijver, abonnee
subscription [səb'skrɪpʃən] *zn* abonnement ★ *~ fee / rate* abonnementsprijs
subsection ['sʌbsekʃən] *zn* onderafdeling, (sub)paragraaf
subsequent ['sʌbsɪkwənt] *bnw* (daarop)volgend, later ★ *~ to* volgend op ★ *~ upon* volgend uit
subsequently ['sʌbsɪkwəntlɪ] *bijw* daarna, later
subserve [səb'sɜːv] *ov ww* dienen, bevorderlijk zijn voor ★ *~ the common good* het algemeen welzijn bevorderen
subservience [səb'sɜːvɪəns] *zn* kruiperigheid,

onderdanigheid
subservient [səb'sɜːvɪənt] *bnw* onderdanig, kruiperig ★ *~ to* ondergeschikt aan
subside [səb'saɪd] *onov ww* ❶ inzakken, (ver)zakken ❷ (be)zinken, afnemen ⟨in hevigheid⟩, bedaren ❸ zich neerlaten of neervlijen ★ *~ into a chair* zich in een stoel laten zakken
subsidence ['sʌbsɪdəns] *zn* ❶ bezinksel, inzinking, verzakking ❷ afname ⟨van wind⟩ ❸ bedaring
subsidiaries [səb'sɪdɪərɪz] *zn mv* hulptroepen
subsidiary [səb'sɪdɪərɪ] **I** *zn* ❶ hulpmiddel ❷ dochtermaatschappij **II** *bnw* ❶ hulp- ❷ bij- ❸ ondergeschikt ★ *~ company* dochtermaatschappij ★ *~ stream* zijrivier
subsidization, subsidisation [sʌbsɪdaɪ'zeɪʃən] *zn* subsidiëring
subsidize, subsidise ['sʌbsɪdaɪz] *ov ww* subsidiëren, financieel steunen
subsidy ['sʌbsɪdɪ] *zn* subsidie
subsist [səb'sɪst] **I** *ov ww* provianderen **II** *onov ww* ❶ bestaan ❷ (voort)leven
subsistence [səb'sɪstns] *zn* ❶ bestaan, middel(en) van bestaan ❷ kost(winning), bestaansminimum ★ *~ allowance / money* onderhoudstoelage
subsoil ['sʌbsɔɪl] *zn* grond onder de oppervlakte, ondergrond
subspecies ['sʌbspiːʃiːz] *zn* onderklasse, ondersoort
substance ['sʌbstns] *zn* ❶ stof, substantie ★ *jur USA controlled ~* ≈ verdovend middel ❷ wezen, essentie, hoofdzaak, kern ❸ stevigheid, degelijkheid ❹ vermogen ★ *a man of ~* een vermogend man
substance abuse *zn* drugsgebruik, -misbruik
substandard [sʌb'stændəd] *bnw* onder de norm
substantial [səb'stænʃəl] *bnw* ❶ aanzienlijk, stevig, flink ❷ essentieel, gegrond, werkelijk, bestaand ❸ vermogend
substantials [səb'stænʃəlz] *zn mv* het wezenlijke, de hoofdzaken
substantiate [səb'stænʃɪeɪt] *ov ww* de deugdelijkheid aantonen van, bewijzen, verwerkelijken
substantiation [səbstænʃɪ'eɪʃən] *zn* verwerkelijking
substantive ['sʌbstəntɪv] **I** *zn* zelfstandig naamwoord **II** *bnw* ❶ zelfstandig ❷ wezenlijk, aanzienlijk ★ *the ~ verb* het werkwoord 'zijn'
substitute ['sʌbstɪtjuːt] **I** *zn* vervanger, vervangmiddel, surrogaat ★ *there is no ~ for quality* er is bestaat geen substituut voor kwaliteit **II** *ov ww* vervangen, in de plaats stellen, substitueren
substitution [sʌbstɪ'tjuːʃən] *zn* vervanging, substitutie
substratum ['sʌbstrɑːtəm, sʌb'streɪtəm] *zn* onderlaag, grond(slag)
substructure ['sʌbstrʌktʃə] *zn* onderbouw, grondslag, fundament
subsume [səb'sjuːm] *ov ww* onder één noemer brengen, opnemen ★ *the tasks can be ~d under three categories* de taken kunnen in drie categorieën worden onderverdeeld

su

subtenant ['sʌbtenənt] *zn* onderhuurder
subtend [sʌb'tend] *ov ww* ❶ <u>wisk</u> staan tegenover ⟨een hoek⟩ ❷ onderspannen ⟨van boog⟩
subtense ['sʌbtens] *zn* wisk staande zijde, koorde
subterfuge ['sʌbtəfjuːdʒ] *zn* uitvlucht, draaierij om eruit te komen ★ *by* ~ onder valse voorwendsel
subterranean [sʌbtə'reɪnɪən] *bnw* ❶ ondergronds ❷ heimelijk
subtitle ['sʌbtaɪtl] I *zn* ondertitel ⟨van film⟩, tweede titel II *ov ww* ondertitelen
subtle ['sʌtl] *bnw* ❶ ijl, teer ❷ subtiel, (ver)fijn(d) ★ ~ *distinction* uiterst fijne onderscheiding ❸ zeer kritisch ★ *a* ~ *comment* een kritische opmerking ❹ spitsvondig, geraffineerd ★ *let's try a more* ~ *approach* laten we een slimmere manier proberen ❺ sluw ★ *he is* ~ *in his ways* hij heeft een sluwe manier van doen
subtlety ['sʌtltɪ] *zn* subtiliteit
subtopia [sʌb'təʊpɪə] *zn* saaie, onaantrekkelijke woonwijk(en)
subtract [səb'trækt] *ov ww* aftrekken ⟨bij sommen⟩
subtraction [səb'trækʃən] *zn* aftrekking ⟨bij sommen⟩
subtropical [sʌb'trɒpɪkl] *bnw* subtropisch ★ ~ *fruit* zuidvruchten
suburb ['sʌbɜːb] *zn* voorstad
suburban [sə'bɜːbən] I *zn* inwoner van voorstad II *bnw* ❶ van / wonend in een voorstad ❷ kleinburgerlijk, bekrompen ★ ~ *line* / *service* openbaar vervoer verbinding met voorstad
suburbia [sə'bɜːbɪə] *zn* de (mensen in / van de) buitenwijken
subvention [səb'venʃən] I *zn* subsidie ⟨geld van de overheid⟩ II *ov ww* subsidiëren
subversion [səb'vɜːʃən] *zn* omverwerping ⟨van gezag⟩
subversive [səb'vɜːsɪv] *bnw* subversief ★ ~ *literature* revolutionaire literatuur
subvert [səb'vɜːt] *ov ww* omverwerpen ⟨van gezag⟩
subway ['sʌbweɪ] *zn* ❶ tunnel ❷ USA metro, ondergrondse
sub-zero *bnw* onder nul
succeed [sək'siːd] I *onov ww* ❶ slagen ❷ succes hebben ★ *he* ~*ed in escaping* hij slaagde erin te ontkomen II *ov+onov ww* ❶ opvolgen ❷ ~ *to* volgen op ★ ~ *to the throne of* opvolger als vorst van
success [sək'ses] *zn* succes, goed gevolg ★ *achieve* / *meet with* ~ succes behalen / boeken
successful [sək'sesfʊl] *bnw* ❶ succesvol, -rijk, geslaagd ★ *be* ~ *in persuading sb* erin slagen iem. over te halen ❷ voorspoedig
succession [sək'seʃən] *zn* ❶ erfgenamen, nakomelingen ❷ op(eenvolging, successie ★ *in* ~ *to* als opvolger van ❸ serie, reeks ★ *in* ~ achter elkaar
successive [sək'sesɪv] *bnw* achtereenvolgend, successievelijk
successively [sək'sesɪvlɪ] *bijw* achtereenvolgens, successievelijk
successor [sək'sesə] *zn* opvolger
succinct [sək'sɪŋkt] *bnw* beknopt, bondig

succour ['sʌkə] I *zn* bijstand, steun, hulp II *ov ww* helpen, te hulp komen, bevrijden
succulence ['sʌkjʊləns] *zn* sappigheid
succulent ['sʌkjʊlənt] I *zn* vetplant, succulent II *bnw* sappig
succumb [sə'kʌm] *onov ww* ❶ bezwijken ❷ ~ *to* sterven aan, zwichten voor
such [sʌtʃ] I *bnw* ❶ zulk (een), zo'n ★ *another such* nog zo een ❷ zodanig, van dien aard ★ *no such thing* niets van dien aard, geen kwestie van ❸ zo, zodanig, zo groot ★ *such is life* zo is het leven ★ *such as* zoals, zoals bijvoorbeeld ★ *in such and such a house* in dat en dat huis ★ *we note your remarks and in reply to such* wij hebben nota genomen van uw opmerkingen en in antwoord daarop II *bijw* ★ *such as* zoals
suchlike ['sʌtʃlaɪk] *bnw* dergelijk, van dien aard
suck [sʌk] I *ov ww* ❶ opnemen, zuigen (op) ★ *suck a person's brains* de ideeën van iem. anders overnemen ★ *suck dry* uitzuigen, leegzuigen ★ *suck one's underlip* op z'n lippen bijten ❷ ~ *from* halen uit ❸ ~ *in* inzuigen, in zich opnemen ❹ ~ *out of* halen uit ❺ ~ *up* opzuigen, opnemen, doen verdwijnen II *onov ww* ❶ zuigen ★ *the pump doesn't suck* de pomp zuigt niet ❷ <u>straatt</u> waardeloos zijn, niet deugen III *zn* ❶ (het) zuigen ❷ <u>straatt</u> sof ❸ slokje ★ *take a suck at* nippen aan, 'n slokje nemen van ★ *what a suck!* lekker mis, w, at een sof
sucker ['sʌkə] *zn* ❶ sukkel, stommeling ❷ zuignap, zuigleer, zuigbuis ❸ spruit, loot ❹ speenvarken ❺ zuigvis ❻ walvisjong ▼ *be a* ~ *for sth* verzot zijn op iets
suckle ['sʌkl] *ov ww* ❶ zogen ❷ fig grootbrengen
suckling ['sʌklɪŋ] *zn* zuigeling, nog zuigend dier
suction ['sʌkʃən] *zn* (het) zuigen, zuiging
suction cup *zn* zuignap
suction pump ['sʌkʃənpʌmp] *zn* zuigpomp
sudden ['sʌdn] I *zn* ★ *(all) of a* ~ plotseling II *bnw* plotseling, overijld
suddenly ['sʌdnlɪ] *bijw* plotseling
suds [sʌdz] *zn mv* zeepsop
sue [suː] I *ov ww* een proces aandoen ★ *sue sb for negligence* iem. wegens nalatigheid laten vervolgen II *onov ww* ❶ ~ *for* verzoeken ★ *sue for damages* een eis tot schadevergoeding instellen
suede [sweɪd] *bnw* suède
suet ['suːɪt] *zn* niervet
suffer ['sʌfə] I *ov ww* ❶ lijden, de dupe zijn van ★ ~ *the consequences* lijden onder de gevolgen ❷ ondergaan, verdragen, uitstaan ★ *I can't* ~ *her* ik kan haar niet uitstaan ❸ (toe)laten ★ ~ *fools gladly* laat de gekken in vreugde leven II *onov ww* ❶ lijden, te lijden hebben, er onder lijden, beschadigd worden ★ *business is* ~*ing from high taxes* het zakenleven lijdt onder hoge belastingen ❷ boeten ★ *you'll* ~ *for this!* hier zul je voor boeten! ❸ ~ *by* schade lijden door, geschaad worden door ❹ ~ *from* lijden aan
sufferance ['sʌfərəns] *zn* stilzwijgende toestemming, geduld worden ★ *be admitted on* ~ ergens geduld worden
sufferer ['sʌfərə] *zn* lijder, slachtoffer
suffering ['sʌfərɪŋ] *zn* beproeving, ellende
suffice [sə'faɪs] I *ov ww* voldoende zijn voor ★ ~ *it*

to say wij mogen volstaan met te zeggen **II** *onov ww* tevreden stellen, voldoende zijn ★ *it ~s that is genoeg*

sufficiency [sə'fɪʃənsɪ] *zn* voldoende hoeveelheid, voldoende om (te) bestaan

sufficient [sə'fɪʃənt] *bnw* voldoende, genoeg

suffix ['sʌfɪks] **I** *zn* achtervoegsel **II** *ov ww* als suffix hechten aan, achtervoegen

suffocate ['sʌfəkeɪt] **I** *ov ww* doen stikken, verstikken ★ *suffocating* zeer benauwd **II** *onov ww* stikken

suffocation [sʌfə'keɪʃən] *zn* verstikking

suffrage ['sʌfrɪdʒ] *zn* stemrecht

suffragette [sʌfrə'dʒet] *zn gesch* suffragette ⟨militante voorvechtster van vrouwenkiesrecht tussen 1900-1910⟩

suffuse [sə'fju:z] *ov ww* vloeien over ⟨van licht⟩, stromen over ⟨van tranen⟩, overdekken, overgieten ★ *eyes ~d with tears* ogen vol tranen ★ *sky ~d with light* verlichte hemel

suffusion [sə'fju:ʒən] *zn* ❶ verspreiding ❷ schijnsel ❸ blos

sugar ['ʃʊgə] **I** *zn* ❶ suiker ❷ USA schatje ❸ USA heroïne ❹ USA poen, geld ★ *granulated ~* kristalsuiker ★ *icing / powdered ~* poedersuiker **II** *ov ww* ❶ (be)suikeren ❷ stroop om de mond smeren ❸ verbloemen ★ *~ the pill* de pil vergulden

sugar basin, sugar bowl *zn* suikerpot

sugar beet *zn* suikerbiet

sugar candy *zn* kandij

sugar cane ['ʃʊgəkeɪn] *zn* suikerriet

sugar cube, sugar lump *zn* suikerklontje

sugar daddy *zn,* USA *humor* rijke oudere heer ⟨vriend van jonge vrouw⟩

sugar gum *zn* eucalyptus

sugarplum ['ʃʊgəplʌm] *zn* suikerboontje, bonbon

sugary ['ʃʊgərɪ] *bnw* suikerachtig, suikerzoet

suggest [sə'dʒest] *ov ww* ❶ opperen, wijzen op, voorstellen ★ *an idea* een idee aan de hand doen, op een idee brengen ★ *the idea ~s itself* het idee komt vanzelf bij je op ★ *~ed list price* adviesprijs ❷ suggereren, doen denken aan ★ *does the name ~ anything to you?* zegt de naam u iets? ★ *I ~ that* is het niet zo, dat ★ *I don't ~ that* ik wil niet zeggen dat

suggestible [sə'dʒestɪbl] *bnw* beïnvloedbaar, suggestibel ★ *children are highly ~* kinderen zijn erg voor suggestie vatbaar

suggestion [sə'dʒestʃən] *zn* ❶ indruk, vermoeden ★ *any ~ of fraud should be reported* elk voermoeden van fraude moet worden gerapporteerd ★ *that is full of ~* daar zit heel wat in ❷ voorstel, idee ★ *at / on the ~ of* op voorstel van ❸ suggestie, insinuatie ❹ zweem, spoor ★ *any ~ of fraud, let me know* elk spoor van fraude moet je me laten weten

suggestive [sə'dʒestɪv] *bnw* ❶ waar veel inzit, met veel stof tot nadenken ❷ vol ideeën ❸ suggestief ★ *~ of* wat doet denken aan

suicidal [su:ɪ'saɪdl] *bnw* zelfmoord-, suïcidaal

suicide ['su:ɪsaɪd] *zn* zelfmoord(enaar)

suit [su:t] **I** *zn* ❶ verzoek(schrift), aanzoek ❷ form verzoek ❸ aanklacht, proces ❹ pak, mantelpak ★ *suit of clothes* pak ★ *suit of armour* wapenrusting ★ *suit of harness* tuig ⟨van paard⟩

❺ ameublement ❻ kleur ⟨in kaartspel⟩ ★ *long / short suit* veel / weinig kaarten van dezelfde kleur ⟨bij kaartspel⟩, iets dat men goed / slecht kent ★ *follow suit* bekennen een voorbeeld volgen **II** *ov ww* ❶ oud verzoeken ❷ naar de zin maken ★ *suit the action to the word* de daad bij het woord voegen ❸ ~ voorzien van ★ *suit yourself!* zoals je wil! **III** *onov ww* ❶ conveniëren, schikken, gelegen komen ❷ passen (bij / voor), staan ★ *the part doesn't suit him* de rol ligt hem niet

suitability [su:tə'bɪlətɪ] *zn* geschiktheid, gepastheid ★ *~ for the job* geschiktheid voor de baan

suitable ['su:təbl] *bnw* geschikt, gepast, passend

suitcase ['su:tkeɪs] *zn* (platte) koffer

suite [swi:t] *zn* ❶ suite ⟨kamer⟩, ameublement ❷ gevolg ⟨vnl. van koning⟩ ❸ muz suite

suited ['su:tɪd] *bnw* ★ *~ for / to* geschikt voor ★ *be ~ to each other* bij elkaar passen

suitor ['su:tə] *zn* ❶ minnaar ❷ oud verzoeker ❸ jur eiser

sulfate *zn* USA → sulphate

sulfur *zn* USA → sulphur

sulfuric *bnw* USA → sulphuric

sulfurous *bnw* USA → sulphurous

sulk [sʌlk] **I** *zn* mokken, pruilen ★ *to be in the sulks* aan het mokken zijn **II** *onov ww* pruilen, mokken

sulky ['sʌlkɪ] *bnw* nukkig, bokkig, onwillig, chagrijnig, pruilend

sullen ['sʌlən] *bnw* uit zijn / haar humeur, knorrig, nors, somber

sully ['sʌlɪ] *ov ww* een smet zijn op, bevlekken, vuil maken, bezoedelen ★ *her name is sullied* haar naam is bezoedeld

sulphate ['sʌlfeɪt] *zn* scheik sulfaat

sulphur ['sʌlfə] *zn* scheik zwavel

sulphuric [sʌl'fjʊərɪk] *bnw* scheik zwavel- ★ *~ acid* zwavelzuur

sulphurous ['sʌlfərəs] *bnw* GB zwavelachtig

sultan ['sʌltn] *zn* sultan

sultana [sʌl'tɑ:nə] *zn* ❶ soort rozijn ❷ maîtresse ⟨van vorst⟩

sultry ['sʌltrɪ] *bnw* ❶ drukkend ❷ ook fig zwoel

sum [sʌm] **I** *zn* ❶ som, bedrag, somma ★ *do sums* sommen maken ★ *good at sums* goed in rekenen ★ *sums* rekenen ❷ totaal ★ *in sum* in totaal ★ *sum total* totaal ❸ samenvatting, kern, waar het op neerkomt ★ *in sum* kort samengevat ★ *the sum (and substance) of...* de essentie van..., in één woord **II** *ov ww* ❶ ★ *sum a person up* zich 'n oordeel vormen over iem. ❷ ~ up opsommen, optellen, samenvatten

summarily ['sʌmərəlɪ] *bijw* summier, beknopt

summarize, summarise ['sʌməraɪz] *ov ww* samenvatten

summary ['sʌmərɪ] **I** *zn* samenvatting **II** *bnw* kort, beknopt, summier ★ *do ~ justice / punishment to* standrechtelijk vonnissen / straffen ★ *deal ~ with* korte metten maken met

summation [sə'meɪʃən] *zn* optelling, totaal

summer ['sʌmə] **I** *zn* zomer ★ *Indian ~* warme nazomer **II** *onov ww* de zomer doorbrengen

summer house *zn* zomerhuisje

summer school *zn* zomercursus

su

summer time ['sʌmə taɪm] zn ❶ zomertijd ❷ zomer ⟨seizoen⟩

summery ['sʌmərɪ] bnw zomerachtig

summing-up ['sʌmɪŋ'ʌp] zn ❶ samenvatting ❷ eindoordeel, (eind)conclusie ⟨van rechter⟩, slotpleidooi ⟨van⟩ ⟨van advocaat⟩

summit ['sʌmɪt] zn ❶ top, toppunt ❷ topconferentie

summon ['sʌmən] ov ww ❶ dagvaarden, (op)roepen ❷ bijeenroepen, verzamelen ❸ ~ up vergaren, bijeenrapen, optrommelen

summoner ['sʌmənə] zn deurwaarder

summons ['sʌmənz] zn mv ❶ oproep(ing) ★ a ~ for non-payment een oproep wegens niet betalen ❷ dagvaarding ★ answer a person's ~ gevolg geven aan iemands oproep

sump [sʌmp] zn ❶ mijnput ❷ GB oliereservoir ⟨van auto⟩

sumptuous ['sʌmptjʊəs] bnw kostbaar, overdadig, weelderig

sun [sʌn] I zn zon ★ against the sun tegen de klok in ★ with the sun met de klok mee ★ his sun is set hij heeft zijn tijd gehad ★ sun visor doorzichtig zonnescherm ★ beneath the sun (hier) op aarde ★ sun lounge serre ★ make hay while the sun shines men moet het ijzer smeden als het heet is II onov ww (zich) in de zon koesteren, zonnen

Sun. afk, Sunday zondag

sun-baked ['sʌnbeɪkt] bnw zonovergoten, uitgedroogd

sunbathe ['sʌnbeɪð] onov ww zonnebaden

sunbeam ['sʌnbiːm] zn zonnestraal

sunblind ['sʌnblaɪnd] zn markies, zonnescherm

sunburn ['sʌnbɜːn] zn zonnebrand, zonnebruin ★ ~ed / ~t (ge)bruin(d) door de zon

sundae ['sʌndeɪ] zn USA sorbet, coupe met vruchtenijs

Sunday ['sʌndeɪ] zn zondag ★ one's ~ best z'n zondagse kleren, z'n paasbest ★ Mothering ~ Moederdag ★ ~ paper zondagskrant ★ when two ~s come together met sint-juttemis

sun deck zn zonneterras, boven- / onderdek

sunder ['sʌndə] I zn scheiding ★ in ~ in tweeën, van elkaar, gescheiden II ov ww scheiden, splijten

sundial ['sʌndaɪəl] zn zonnewijzer

sundown ['sʌndaʊn] zn USA zonsondergang

sundowner [sʌndaʊnə] zn ❶ borrel ❷ AUS landloper

sun-dried ['sʌn-draɪd] bnw in de zon gedroogd

sundry ['sʌndrɪ] I zn ★ all and ~ allemaal en iedereen ★ sundries diversen II bnw diverse, verscheiden(e), allerlei

sunfish ['sʌnfɪʃ] zn koningsvis

sunflower ['sʌnflaʊə] zn zonnebloem

sung [sʌŋ] ww [volt. deelw.] → sing

sunglasses ['sʌnglɑːsɪz] zn zonnebril

sunk [sʌŋk] ww [volt. deelw.] → sink

sunken ['sʌŋkən] bnw ❶ gezonken, onder water ★ ~ rock blinde klip ❷ ingevallen ⟨van wangen⟩, diepliggend ⟨van ogen⟩ ❸ hol

sunlamp ['sʌnlæmp] zn ❶ hoogtezon ❷ zonlichtlamp ⟨voor filmopnames⟩

sunlight ['sʌnlaɪt] zn zonlicht

sunlit ['sʌnlɪt] bnw door de zon verlicht

sunny ['sʌnɪ] bnw zonnig

sunproof ['sʌnpruːf] bnw lichtecht

sunray ['sʌnreɪz] zn zonnestraal

sunrise ['sʌnraɪz] zn zonsopgang

sunroof ['sʌnruːf] zn open dak, schuifdak

sunset ['sʌnset] zn zonsondergang ★ ~ slow avondrood ★ ~ of life levensavond

sunshade ['sʌnʃeɪd] zn parasol, zonnescherm

sunshine ['sʌnʃaɪn] zn zonneschijn

sunspot ['sʌnspɒt] zn zonnevlek, sproet

sunstroke ['sʌnstrəʊk] zn zonnesteek

suntan ['sʌntæn] I zn gebruinde huid II onov ww bruinen, bruin branden

suntanned ['sʌntænd] bnw bruin, gebruind

sun-up ['sʌn-ʌp] zn USA zonsopgang

sunwise ['sʌnwaɪz] bijw met de klok mee

sup [sʌp] I zn → bite slokje II ov ww nippen aan, met kleine teugjes drinken

super ['suːpə] bnw grandioos, prima

super- ['suːpə] voorv super-, over-

superabundance [suːpərə'bʌndəns] zn grote overvloed

superabundant [suːpərə'bʌndənt] bnw meer dan overvloedig, in rijke mate

superannuate [suːpər'ænjʊeɪt] ov ww ❶ ontslaan wegens leeftijd, pensioneren ❷ afdanken ★ ~d gepensioneerd, afgedankt, verouderd ★ be ~d met pensioen gaan, van school gaan

superannuation [suːpərænjʊ'eɪʃən] zn pensionering

superb [suː'pɜːb] bnw voortreffelijk, zeer indrukwekkend, groots, meesterlijk

superbug zn, inform med ziekenhuisbacterie, MRSA-bacterie

supercargo ['suːpəkɑːgəʊ] zn supercarga

supercharger ['suːpətʃɑːdʒə] zn compressor

supercilious [suːpə'sɪlɪəs] bnw verwaand

supercup ['suːpəkʌp] zn voetb supercup

super-duper [suːpə'duːpə] bnw geweldig, grandioos

superficial [suːpə'fɪʃəl] bnw oppervlakkig

superficiality [suːpəfɪʃɪ'ælətɪ] zn oppervlakkigheid

superfine ['suːpəfaɪn] bnw zeer fijn, uiterst geraffineerd, voortreffelijk

superfluity [suːpə'fluːətɪ] zn overtolligheid, overvloed

superfluous [suː'pɜːfluəs] bnw overbodig, overtollig

supergrass ['suːpəgrɑːs] zn verrader, verklikker

superheat [suːpə'hiːt] ov ww oververhitten

superhighway zn ❶ USA autosnelweg ❷ comp digitale snelweg

superhuman [suːpə'hjuːmən] bnw bovenmenselijk

superimpose [suːpərɪm'pəʊz] ov ww ❶ (er) bovenop plaatsen ❷ ~ (up)on plaatsen op, bouwen op ★ a yellow star ~d on a blue cross een gele ster over een blauwe ster heen

superinduce [suːpərɪn'djuːs] ov ww ❶ form (eraan) toevoegen ❷ (er nog bij) veroorzaken

superintend [suːpərɪn'tend] ov+onov ww toezicht houden op, met controle belast zijn op

superintendence [suːpərɪn'tendəns] zn toezicht

superintendent [suːpərɪn'tendənt] zn ❶ inspecteur, opzichter ❷ directeur

❾ hoofdinspecteur ⟨van politie⟩ ★ *medical ~* geneesheer-directeur
superior [su:'prɪərɪə] **I** zn meerdere, superieur, overste ★ *Mother Superior* kloostermoeder **II** bnw ❶ uitmuntend, voortreffelijk, opper-, boven-, hoofd-, hoger-, beter-, groter- ❷ arrogant, verwaand ❸ *biol* bovenstandig ★ *~ letter / figure* letter / cijfer boven de lijn ★ *be ~ to* verheven zijn boven, staan boven ★ *~ to* hoger / beter dan, machtiger dan
superiority [su:pɪərɪ'ɒrətɪ] zn ❶ superioriteit ❷ *superiority over*voorrang boven ❸ meerderheid, groter aantal ❹ overmacht
superlative [su:'pɜːlətɪv] **I** zn ❶ overtreffende trap ❷ superlatief ★ *we lacked ~s for his work* voor zijn werk kwamen we lovende woorden tekort **II** bnw allervoortreffelijkst, grandioos, buitengewoon ★ *~ degree* overtreffende trap
superman ['su:pəmæn] zn superman
supermarket ['su:pəmɑːkt] zn supermarkt
supermarket trolley ['su:pəmɑːkt 'trɒlɪ] zn winkelwagentje
supernatural [su:pə'nætʃərəl] **I** zn ★ *the ~* het bovennatuurlijke ★ *~ism* geloof in het bovennatuurlijke **II** bnw bovennatuurlijk
supernumerary [su:pə'nju:mərərɪ] **I** zn ❶ overtollige persoon / zaak ❷ figurant **II** bnw ❶ boventallig, extra ❷ overbodig
superordinate [su:pə'dɪnət] bnw ❶ bovengeschikt, superieur ❷ taalk hyperoniem
superpose [su:pə'pəʊz] ov ww ❶ er boven(op) plaatsen ❷ *~ on* plaatsen op
superposition [su:pəpə'zɪʃən] zn superpositie
superpower ['su:pəpaʊə] zn supermacht
superscription [su:pə'skrɪpʃən] zn opschrift, inscriptie
supersede [su:pə'si:d] ov ww vervangen, in de plaats stellen of komen van
supersensitive [su:pə'sensɪtɪv] bnw overgevoelig, hypersensitief
supersession [su:pə'seʃən] zn vervanging
supersize ['su:pəsaɪz] zn grootste portie (van maaltijd, drank) (in restaurant)
supersonic [su:pə'sɒnɪk] bnw supersonisch
supersonic bang zn klap bij het doorbreken van de geluidsbarrière
supersonics zn mv (studie van de) hoogfrequente geluidsgolven
superstar ['su:pəstɑː] zn superster
superstition [su:pə'stɪʃən] zn bijgeloof
superstitious [su:pə'stɪʃəs] bnw bijgelovig
superstore zn grote supermarkt
superstructure ['su:pəstrʌktʃə] zn ❶ bovenbouw ❷ (op grondstelling opgebouwde) theorie
supertax ['su:pətæks] zn extra belasting boven bepaald inkomen
supervene [su:pə'vi:n] onov ww er (nog) bij / tussen komen
supervention [su:pə'venʃən] zn tussenkomst
supervise ['su:pəvaɪz] **I** ov ww met toezicht belast zijn, toezicht houden op, controleren **II** onov ww surveilleren, toezicht houden
supervision [su:pə'vɪʒən] zn supervisie, controle
supervisor ['su:pəvaɪzə] zn ❶ inspecteur, (afdelings)chef, controleur ❷ studiebegeleider, promotor

supervisory [su:pə'vaɪzərɪ] bnw toezichthoudend, controle-, toeziend
supine ['su:paɪn] **I** zn supinum **II** bnw ❶ achteroverliggend ❷ traag, lui
supper ['sʌpə] zn lichte avondmaaltijd, souper ★ *rel the Last Supper* het Laatste Avondmaal ★ *the Lord's Supper* de eucharistie, het Avondmaal ★ *have ~* het avondmaal gebruiken ★ *what's for ~?* wat eten we vanavond?
supplant [sə'plɑːnt] ov ww (listig) verdringen, eruit werken
supple ['sʌpl] bnw ❶ buigzaam, soepel, lenig ❷ gedwee, gewillig
supplement ['sʌplɪmənt] **I** zn supplement, aanvulling, bijvoegsel **II** ov ww aanvullen, toevoegen
supplementary [sʌplɪ'mentərɪ] bnw aanvullend
suppleness ['sʌplnəs] zn gratie ⟨van beweging⟩, soepelheid, souplesse
suppliant ['sʌplɪənt] **I** zn smekeling, verzoeker **II** bnw smekend
supplicate ['sʌplɪkeɪt] **I** ov ww nederig verzoeken of vragen **II** onov ww ❶ een nederig verzoek richten tot ❷ *~ for* smeken om
supplication [sʌplɪ'keɪʃən] zn smeekbede
supplier [sə'plaɪə] zn leverancier
supplies [sə'plaɪz] zn mv voorraden, goedgekeurde gelden, budget ★ *vote ~* onkostenbudget goedkeuren ★ *food ~* voedselvoorziening ★ *power ~* stroomvoorziening ★ *water ~* watervoorziening
supply[1] [sə'plaɪ] zn ❶ voorraad ❷ levering, bevoorrading, proviandering, voorziening ★ *~ and demand* vraag en aanbod ★ *food supplies* voedselvoorziening ❸ vervanger ★ *~ teacher* vervanger
supply[2] [sə'plaɪ] ov ww ❶ voorzien in / van, (kunnen) leveren, geven ★ *~ the demand* voldoen aan de (aan)vraag ★ *~ a want* in een lacune voorzien ❷ aanvullen, vervullen ★ *~ line* toevoerlijn ❸ *~ with* voorzien van
support [sə'pɔːt] **I** ov ww ❶ steunen ❷ stutten, staande houden ❸ onderhouden ★ *she has no means to ~ herself* ze kan zichzelf niet onderhouden ❹ uithouden, verdragen ❺ fig staan achter ❻ volhouden (van bewering), in stand houden **II** zn ❶ steun, ondersteuning ★ *in ~ of* ter ondersteuning van ❷ (levens)onderhoud ★ *means of ~* bron van inkomsten ❸ stut, steunsel ❹ mil ★ *troops in ~* steuntroepen
supportable [sə'pɔːtəbl] bnw draaglijk, uit te houden
supporter [sə'pɔːtə] zn ❶ aanhanger ❷ supporter ❸ donateur
supportive [sə'pɔːtɪv] bnw (onder)steunend, hulpvaardig
suppose [sə'pəʊz] ov ww ❶ veronderstellen ★ *~ he knew* (en) als hij het nu eens wist ❷ vermoeden, geloven, denken ★ *be ~d to* moeten ★ *not be ~d to* niet mogen ★ *the ~d teacher* de vermeende leraar ★ *supposing* als, indien ★ *always supposing* mits ★ *~dly* naar men mag aannemen, vermoedelijk
supposition [sʌpə'zɪʃən] zn veronderstelling
suppositional [sʌpə'zɪʃənəl] bnw verondersteld,

su

hypothetisch

suppositious [sʌpə'zɪʃəs] *bnw* ❶ vals, niet echt ❷ hypothetisch

suppository [sə'pɒzɪtərɪ] *zn* zetpil

suppress [sə'pres] *ov ww* ❶ onderdrukken ★ *she ~ed the pain* ze onderdrukte de pijn ❷ verbieden (van krant, boek) ❸ achterhouden

suppression [sə'preʃən] *zn* onderdrukking

suppressive [sə'presɪv] *bnw* onderdrukkend

suppressor [sə'presə] *zn* onderdrukker

suppurate [sʌpʊərett] *onov ww* etteren

suppuration [sʊpʊə'reɪʃən] *zn* ettering

supra- ['suːprə] *voorv* ❶ voor- ❷ boven-

supremacy [su'preməsɪ] *zn* suprematie, hoogste gezag of macht ★ *naval ~* overmacht op zee

supreme [su'priːm] *bnw* ❶ hoogste, opperste ★ *~ folly* het toppunt van dwaasheid ★ *~ fidelity* trouw tot in de dood ★ *Supreme Pontiff* de paus ★ *the Supreme Being* de Allerhoogste ⟨God⟩ ❷ oppermachtig

supremely [su'priːmlɪ] *bijw* → **supreme** in hoge mate ★ *she is ~ confident* ze is ervan overtuigd

surcharge [sɜːtʃɑːdʒ] **I** *zn* ❶ overlading, overbelasting ❷ extra betaling, extra belasting ❸ toeslag, strafport, opdruk (op postzegel) ❹ overbelasting **II** *ov ww* ❶ overbelasten, overladen ❷ extra laten betalen

surcoat [sɜːkəʊt] *zn* wapenrok

sure [ʃɔː] **I** *bnw* ❶ zeker, waar ★ *I know for sure* ik weet het zeker ★ *he is sure to come* hij komt zeker ★ *for sure* zeker ★ *make sure* dich ervan vergewissen, eraan denken, niet vergeten ❷ veilig, betrouwbaar ★ *a sure thing* een zekerheid ❸ verzekerd ★ *he is very sure of himself* hij is erg zelfverzekerd ★ *make sure of* zich verzekeren van ★ *be sure* er zeker van zijn ★ *to be sure* weliswaar, nog wel ★ *I'm sure I didn't mean to* het was heus mijn bedoeling niet om ★ *be sure to* denk eraan dat je ★ *feel sure* ervan overtuigd zijn **II** *bijw* USA (ja)zeker ★ *as sure as eggs is eggs* zo zeker als 2 x 2 vier is ★ *sure enough* zeker, nou en of

sure-fire *bnw* onfeilbaar, zeker ★ *~ winner* geheide winnaar

sure-footed [ʃɔː'fʊtɪd] *bnw* ❶ stevig op de benen ❷ fig betrouwbaar

surely ['ʃɔːlɪ] *bijw* ❶ gerust ❷ toch (wel) ★ *~ you don't expect me to believe that* je verwacht toch niet dat ik dat geloof ❸ USA zeker ★ *~ not* beslist niet

surety ['ʃɔːrətɪ] *zn* borg

surf [sɜːf] **I** *zn* branding **II** *onov ww* surfen

surface ['sɜːfɪs] **I** *zn* ❶ oppervlakte ❷ buitenkant ★ *of / on the ~* aan de oppervlakte, oppervlakkig ★ *break the ~* aan de oppervlakte komen **II** *ov ww* ❶ naar de oppervlakte brengen ❷ van een wegdek voorzien **III** *onov ww* opduiken

surface mail *zn* post via land of zee ⟨niet-luchtpost⟩

surfboard ['sɜːfbɔːd] *zn* surfplank

surfeit ['sɜːfɪt] *zn* overlading, oververzadiging

surfer ['sɜːfə] *zn* surfer, windsurfer

surfing ['sɜːfɪŋ] *zn* (het) surfen

surf-riding *zn* surfen

surge [sɜːdʒ] **I** *zn* ❶ golf, golven ❷ plotselinge toename ★ *a ~ in electricity* een stroompiek

II *onov ww* ❶ (hoog) golven, deinen ❷ toenemen ❸ ~ forward plotseling naar voren gaan ★ *the crowd ~d forward* de menigte ging plotseling naar voren ❹ ~ up opwellen

surgeon ['sɜːdʒən] *zn* ❶ chirurg ❷ arts ★ *dental ~* tandarts ★ *manipulative ~* manueel therapeut ★ *veterinary ~* veearts

surgery ['sɜːdʒərɪ] *zn* ❶ chirurgie, operatieve ingreep ★ *corrective ~* plastische chirurgie ★ *cosmetic ~* plastische chirurgie ★ *dental ~* tandheelkunde ❷ spreekkamer, spreekuur, apotheek (van arts)

surgical ['sɜːdʒɪkl] *bnw* chirurgisch ★ *~ case* instrumententas

surly ['sɜːlɪ] *bnw* humeurig, knorrig, nors

surmise [sə'maɪz] **I** *zn* gissing, vermoeden **II** *ov ww* gissen, vermoeden ★ *he ~d that it was her* hij vermoedde dat zij het was

surmount [sə'maʊnt] *ov ww* ❶ te boven komen, overwinnen ★ *the opposition has been ~ed* de tegenstand is overwonnen ❷ staan op ★ *~ed by a crown* met een kroon erop

surmountable [sə'maʊntəbl] *bnw* overwinbaar

surname ['sɜːneɪm] *zn* achternaam

surpass [sə'pɑːs] *ov ww* overtreffen

surplice ['sɜːplɪs] *zn* koorhemd

surplus ['sɜːpləs] **I** *zn* teveel, overschot ★ *an operating ~* bedrijfswinst **II** *bnw* overtollig ★ *~ goods* legergoederen die niet meer gebruikt en daarom verkocht worden ★ *~ population* overbevolking ★ *~ value* meerwaarde

surprise [sə'praɪz] **I** *zn* verrassing, verbazing ★ *to my ~* tot mijn verwondering ★ *take by ~* overrompelen, bij verrassing (in)nemen **II** *ov ww* verwonderen, verrassen, overrompelen ★ *be ~d at* zich verwonderen / verbazen over ★ *I should not be ~d if* het zou me niet verwonderen als ★ *I'm ~d at you* ik sta van je te kijken (als verwijt) ★ *~ a person into* iem. onverhoeds brengen tot **III** *bnw* verrassings- ★ *~ visit* onverwacht bezoek

surprising [sə'praɪzɪŋ] *bnw* verwonderlijk, wonderbaarlijk

surreal [sə'rɪəl] *bnw* surrealistisch

surrealism [sə'rɪəlɪzəm] *zn* surrealisme

surrealist [sə'riːəlɪst] *zn* surrealist

surrender [sə'rendə] **I** *ov ww* ❶ overgeven ❷ opgeven, afstand doen van ★ *~ a policy* een polis afkopen **II** *onov ww* zich overgeven, capituleren **III** *zn* overgave

surreptitious [sʌrəp'tɪʃəs] *bnw* heimelijk (verkregen), clandestien ★ *a ~ look* een stiekeme blik

surrogate ['sʌrəgət] **I** *zn* ❶ (plaats)vervanger ⟨speciaal van bisschop⟩ ❷ vervangmiddel, surrogaat **II** *bnw* vervangend ★ *~ mother* draagmoeder

surround [sə'raʊnd] **I** *ov ww* omringen, omsingelen, omgeven **II** *zn mv* omgeving ★ *the immediate ~s* de onmiddellijke omgeving

surrounding [sə'raʊndɪn] *bnw* naburig

surroundings [sə'raʊndɪŋz] *zn mv* omgeving

surtax ['sɜːtæks] **I** *zn* extra belasting **II** *ov ww* extra belasten

surveillance [sɜː'veɪləns] *zn* toezicht

survey[1] ['sɜːveɪ] *zn* ❶ overzicht, rapport

❷ onderzoek, enquête **❸** inspectie, taxatie **❹** opmeting

survey² [sə'vei] *ov ww* **❶** inspecteren, in ogenschouw nemen, bekijken **❷** opmeten, opnemen, taxeren

surveying [sər'veɪɪŋ] *zn* **❶** landmeting, landmeter **❷** landmeetkunde

surveyor [sə'veɪə] *zn* **❶** opzichter **❷** inspecteur **❸** landmeter **❹** taxateur ★ *~ship* inspecteurschap

survival [sə'vaɪvəl] *zn* **❶** het overleven **❷** overblijfsel ★ *~ of the fittest* het blijven voortbestaan van de sterksten ★ *~ kit* overlevingsuitrusting

survive [sə'vaɪv] **I** *onov ww* **❶** overleven **❷** nog (voort)leven of bestaan **II** *ov ww* overleven ★ *he ~d his son* hij overleefde zijn zoon

survivor [sə'vaɪvə] *zn* **❶** langst levende ★ *a ~ of last year's football team* een. overgebleven uit voetbalteam van vorig jaar **❷** overlevende, geredde ★ *he was among the ~s* hij behoorde tot degenen die niet omgekomen waren

susceptibility [səseptə'bɪlətɪ] *zn* ontvankelijkheid ★ *increased ~ to colds* vatbaarder voor verkoudheid

susceptible [sə'septɪbl] *bnw* ontvankelijk, gemakkelijk te beïnvloeden, lichtgeraakt, gauw verliefd ★ *~ of* vatbaar voor ★ *~ to* gevoelig voor

sushi ['su:ʃi] *zn* sushi ⟨Japanse snack⟩

suspect¹ ['sʌspekt] **I** *zn* verdachte **II** *bnw* verdacht

suspect² [səs'pekt] **I** *ov ww* verdenken, wantrouwen **II** *onov ww* vermoeden, geloven **❷** argwaan koesteren

suspend [sə'spend] *ov ww* **❶** opschorten, verdragen, uitstellen, schorsen, tijdelijk intrekken ★ *~ payments* de betalingen staken ★ *~ed animation* schijndood **❷** ophangen ★ *be ~ed* zweven **❸** ~ *from* ophangen aan, ontheffen van

suspender [sə'spendə] *zn* **❶** sokophouder **❷** jarretelle

suspenders [sə'spendəz] *zn mv* USA bretels

suspense [sə'spens] *zn* (angstige) spanning, onzekerheid ★ *~ account* voorlopige rekening ★ *don't keep us in ~* laat ons niet in onzekerheid

suspension [sə'spenʃən] *zn* **❶** schorsing, (tijdelijke) stopzetting **❷** scheik suspensie **❸** techn ophanging, vering ★ *~ of fighting* gevechtspauze ★ *~ bridge* hangbrug ★ *~ lamp* hanglamp

suspensive [sə'spensɪv] *bnw* form hangende, opschortend

suspensory [sə'spensərɪ] *bnw* opschortend ★ *~ bandage* draagverband, suspensoir

suspicion [səs'pɪʃən] *zn* **❶** argwaan, wantrouwen, verdenking **❷** (flauw) vermoeden, spoortje, tikkeltje ★ *lurking ~* vaag vermoeden

suspicious [səs'pɪʃəs] *bnw* **❶** verdacht **❷** achterdochtig ★ *be ~ of* wantrouwen

sustain [sə'steɪn] *ov ww* **❶** steunen **❷** verdragen **❸** doorstaan **❹** lijden **❺** in stand houden, staande of gaande houden **❻** volhouden **❼** aanhouden **❽** staven, bevestigen ★ *~ing food* versterkend voedsel

sustainable [sə'steɪnəbl] *bnw* **❶** houdbaar **❷** duurzaam

sustained [sə'steɪnd] **I** *bnw* aanhoudend, volhoudend, samenhangend **II** *tw* ★ USA *~!* (door rechter) toegewezen!

sustenance ['sʌstɪnəns] *zn* **❶** steun **❷** voeding, voedsel

suture ['su:tʃə] **I** *zn* **❶** hechting **❷** schedelnaad **II** *ov ww* hechten

svelte [svelt] *bnw* soepel, slank

SW *afk, southwest(ern)* zuidwest(elijk)

swab [swɒb] **I** *zn* **❶** zwabber, vaat- / wrijfdoek, ook fig dweil **❷** wattenbolletje **❸** med uitstrijkje **II** *ov ww* opdweilen, schoonmaken

swaddle ['swɒdl] *ov ww* inbakeren, inpakken ⟨van baby⟩

swaddling clothes *zn* oud windsels, luiers ★ *he is just out of swaddling-bands* hij komt pas kijken

swag [swæg] *zn* straatt buit, roof

swagger ['swægə] **I** *zn* **❶** branie, lef **❷** zwierigheid, gepronk **II** *bnw* chic, zwierig **III** *onov ww* **❶** branieachtig lopen **❷** pronken

swain [sweɪn] *zn* **❶** aanbidder **❷** oud boerenzoon

swallow ['swɒləʊ] **I** *ov ww* **❶** (in)slikken ★ *~ the bait* erin vliegen ★ *~ your words* je woorden terugnemen ★ *be ~ed up by* opgaan aan **❷** verslinden **❸** ~ *down* inslikken **❹** ~ *up* verzwelgen **II** *onov ww* slikken **III** *zn* **❶** zwaluw ★ *one ~ does not make a summer* één zwaluw maakt nog geen zomer ★ *~ dive* zwaluwsprong **❷** slok

swallowtail ['swɒləʊteɪl] *zn* **❶** zwaluwstaart **❷** koninginnenpage (vlinder) **❸** rok ★ *~ed coat* gevorkt, in rok ★ *~ed coat* rok

swam [swæm] *ww* [verleden tijd] → swim

swamp [swɒmp] **I** *zn* moeras **II** *ov ww* vol of onder water doen lopen ★ *be ~ed with* overstelpt worden met **III** *onov ww* overstromen

swampy ['swɒmpɪ] *bnw* moerassig, drassig

swan [swɒn] *zn* zwaan ★ *letterk Swan of Avon* Shakespeare ★ fig *black swan* witte raaf ★ *mute swan* knobbelzwaan

swank [swæŋk] **I** *zn* branie **II** *onov ww* bluffen

swanky ['swæŋkɪ] *bnw* **❶** opschepperig **❷** piekfijn, chic

swansdown ['swɒnzdaʊn] *zn* zwanendons

swansong ['swɒnsɒŋ] *zn* zwanenzang

swap [swɒp], **swop** **I** *zn* ruil(handel), ruilobject ★ *do a swap* ruilen **II** *ww* **❶** (uit)wisselen ★ *swap stories* elkaar verhalen vertellen **❷** verruilen, (om)ruilen, omwisselen ★ *swap places* van plaats verwisselen

swarm [swɔ:m] **I** *zn* zwerm ★ *a ~ of bees* een zwerm bijen **II** *onov ww* **❶** zwermen **❷** ~ *with* wemelen van

swarthy ['swɔ:ðɪ] *bnw* donker(bruin), gebruind, zwart

swash [swɒʃ] **I** *zn* geklots **II** *onov ww* klotsen, kletsen, plonzen

swashbuckler ['swɒʃbʌklə] *zn* ijzervreter, vuurvreter

swashbuckling ['swɒʃbʌklɪŋ] **I** *zn* branie(schopperij), bluf **II** *bnw* branieachtig, blufferig

swastika ['swɒstɪkə] *zn* swastika, hakenkruis

swat [swɒt] **I** *ov ww* (dood)slaan ⟨van vlieg⟩ **II** *zn* mep, klap

SW

swath [swɔːθ] *zn* strook, stuk ★ *cut a wide ~ through sth* ergens een spoor van vernieling trekken

swathe [sweɪð] **I** *ov ww* inbakeren, zwachtelen, omhullen **II** *zn* strook, stuk ★ *cut a wide ~ through sth* ergens een spoor van vernieling trekken

sway [sweɪ] **I** *ov ww* ❶ beïnvloeden, bewerken ❷ (be)heersen (over) ★ *be swayed by* zich laten beïnvloeden door **II** *onov ww* zwaaien, zwiepen, slingeren ★ *the car swayed from side to side* de auto slingerde heen en weer **III** *zn* ❶ zwaai ❷ heerschappij, overwicht, invloed, macht ★ *hold sway over sb* de scepter zwaaien, heersen over iem.

swear [sweə] [onregelmatig] **I** *ov ww* ❶ (be)zweren, beëdigen, onder ede verklaren ★ *~ against* onder ede beschuldigen ★ *not enough to ~ by* een schijntje ★ *~ to secrecy* onder ede geheimhouding laten beloven ❷ ~ *by* zweren bij ❸ ~ *in* beëdigen ❹ ~ *off* afzweren ❺ ~ *to* zweren op **II** *onov ww* ❶ zweren ❷ vloeken ❸ ~ *at* vloeken op

swear word ['sweəwɜːd] *zn* vloek

sweat [swet] **I** *ov ww* [regelmatig + onregelmatig] ❶ doen zweten ❷ afbeulen, uitbuiten **II** *onov ww* [regelmatig + onregelmatig] ❶ zweten ❷ zwoegen **III** *zn* ❶ zweet, het uitzweten ★ *cold ~* het klamme zweet ★ *be in a ~* in de rats zitten ★ *in / by the ~ of one's brow* in het zweet des aanschijns ❷ lastig werk ★ *it's an awful ~* het is een heel karwei

sweatband ['swetbænd] *zn* zweetband

sweated ['swetɪd] **I** *bnw* onderbetaald, tegen hongerloon gemaakt ★ *~ labour* tegen hongerloon verrichte arbeid, slavenarbeid **II** *ww* [verleden tijd + volt. deelw.] → **sweat**

sweater ['swetə] *zn* sportieve pullover

sweat gland *zn* zweetklier

sweatshirt *zn* katoenen sporttrui

sweatshop ['swetʃɒp] *zn* omschr bedrijf waar werknemers worden uitgebuit

sweaty ['swetɪ] *bnw* bezweet

Swede [swiːd] *zn* Zweed

Sweden ['swiːdn] *zn* Zweden

Swedish ['swiːdɪʃ] *bnw* Zweeds

sweep [swiːp] **I** *ov ww* [onregelmatig] ❶ vegen ❷ snellen door, slaan over, woeden over, teisteren ★ *the country was swept by war* het land werd geteisterd door oorlog ★ *~ the keys / strings* zijn vingers (snel) over de toetsen / snaren laten glijden ❸ bestrijken ★ *~ the board* met de hele inzet gaan strijken ❹ afzoeken, afdreggen ★ *~ the horizon with your eyes* je ogen langs de horizon laten gaan ❺ wegvagen, drijven, voeren, meeslepen, in vervoering brengen ★ *~ a constituency* alle stemmen van een kiesdistrict op zich verenigen ★ *be swept along* meegesleept worden ★ *~ the enemy before you* de vijand voor je uit drijven ❻ ~ *away* wegvagen ★ *his memory was swept away* zijn herinnering werd weggevaagd ❼ ~ *off* wegvoeren, met één streek wegvagen ★ *be swept off your feet* ondersteboven geworpen worden, overdonderd worden ❽ ~ *up* opvegen, aanvegen ❾ ~ *with* meeslepen **II** *onov ww* [onregelmatig] ❶ gaan, snellen, woeden ★ *the cavalry swept down the valley* de ruiters snelden door het dal ★ *~ down on* neerschieten op ❷ strijken over, zich uitstrekken, met een wijde bocht lopen ★ *the mountains swept down to the sea* de bergen strekten zich uit tot aan de zee ❸ vegen ★ *a new broom ~s clean* nieuwe bezems vegen schoon ❹ statig schrijden ★ *~ out of the room* statig de kamer uitschrijden, de kamer uit vliegen ❺ ~ *along* voortsnellen ★ *the wind swept along the windows* de wind suisde langs de ramen ❻ ~ *by* voorbij schrijden / snellen ❼ ~ *over* razen over, slaan over ❽ ~ *through* gaan / snellen door ★ *fear swept through his limbs* angst voer hem door de leden **III** *zn* ❶ schoorsteenveger ❷ lange roeiriem ❸ het vegen ★ *give the room a ~* de kamer vegen ❹ bocht, draai, zwaai, slag ❺ omvang, bereik, sector ❻ stroming, beweging ❼ schoonmaakbeurt ★ *make a clean ~ (of sth)* schoon schip maken, alle prijzen winnen die er te behalen zijn

sweeper ['swiːpə] *zn* ❶ veger ❷ straatveger, schoorsteenveger ❸ veegmachine ❹ libero ⟨voetbal⟩

sweeping ['swiːpɪŋ] *bnw* ❶ vegend, zich uitstrekkend over een (grote) oppervlakte ❷ (te) veelomvattend, (te) algemeen ★ *a ~ statement* een onweerlegbare uitspraak ❸ overweldigend, radicaal, kolossaal

sweepstake ['swiːpsterk] *zn* [ook als mv] sweepstake, wedren

sweet [swiːt] **I** *zn* ❶ GB bonbon, snoepje ❷ dessert ❸ inform lieveling ★ *~s* snoep, dessert, aangename dingen ★ USA *~ corn* suikermaïs **II** *bnw* ❶ lief, leuk, zoet ★ *have a ~ tooth* van zoet houden ★ *~ one* lieve schat ★ *be ~ on* verliefd zijn op ★ *at your own ~ will* net zo als je wilt, zo maar vanzelf ★ *~ pepper* paprika ★ *~ potato* bataat ❷ fris ★ *clean and ~* netjes ❸ heerlijk ruikend ★ *~ pea* lathyrus

sweet-and-sour *bnw* zoetzuur

sweetbread ['swiːtbred] *zn* zwezerik

sweeten ['swiːtn] **I** *ov ww* ❶ verzachten, veraangenamen, verlichten ★ *~ it up* aangenamer maken ★ *make ~* you like it *~ed?* suiker erin? **II** *onov ww* zoet worden

sweetener ['swiːtənə] *zn* ❶ zoetstof(tabletje) ❷ douceurtje

sweetening ['swiːtnɪŋ] *zn* suiker, zoetstof

sweetheart ['swiːthɑːt] *zn* ❶ oud liefste, schattebout ❷ vriendje / vriendinnetje ⟨romantisch⟩ ❸ verkering ★ *they are ~s* zij hebben verkering

sweetie ['swiːtɪ] *zn* ❶ jeugdt snoepje ❷ schatje

sweeting ['swiːtɪŋ] *zn* zoete appel

sweetish ['swiːtɪʃ] *bnw* zoetig, vrij zoet

sweetly ['swiːtlɪ] *bijw* zoet, lief, charmant ★ *the bike runs ~* de fiets loopt lekker

sweetmeat ['swiːtmiːt] *zn* bonbon, snoepje

sweetness ['swiːtnəs] *zn* zoetheid ★ *~ and light* poeslief gedrag

sweet-scented [swiːt'sentɪd] *bnw* aromatisch, geurend, geparfumeerd

sweet shop ['swiːtʃɒp] *zn* snoepwinkel, kiosk

sweet-tempered [swiːˈtempəd] *bnw* zacht, lief

swell [swel] **I** *zn* ❶ zwelling ❷ deining ❸ *inform* grote meneer, hoge piet ❹ <u>straatt</u> kei ⟨in bepaald (school)vak⟩ **II** *ov ww* [regelmatig + onregelmatig] ❶ doen zwellen ❷ opblazen ★ to ~ the chorus of admiration in het koor van bewonderaars meezingen **III** *onov ww* [regelmatig + onregelmatig] ❶ zwellen, uitdijen, aanzwellen, opzetten, uitzetten ❷ bol gaan staan, zich opblazen ★ ~ with pride zich opblazen van trots **IV** *bnw* ❶ <u>USA</u> eersteklas, prima ❷ <u>oud</u> chic **V** *bijw* <u>USA</u> grandioos, prachtig

swell box [swelbɒks] *zn* <u>muz</u> zwelkast

swelling [ˈswelɪŋ] **I** *zn* zwelling, buil, gezwel **II** *bnw* zwellend

swelter [ˈsweltə] *onov ww* stikken van de hitte

sweltering [ˈsweltərɪŋ] **I** *zn* drukkende hitte **II** *bnw* snikheet

swept [swept] *ww* [verleden tijd + volt. deelw.] → **sweep**

swerve [swɜːv] **I** *zn* afbuiging, afwijking **II** *onov ww* afbuigen, afwijken, zwenken **III** *ov ww* doen afbuigen, doen afwijken ★ he ~d his motorbike round the corner hij boog met zijn motorfiets om de bocht

swift [swɪft] **I** *zn* gierzwaluw **II** *bnw* ★ ~ to take offence gauw op zijn teentjes getrapt

swift-footed [swɪftˈfʊtəd] *bnw* snel ter been

swig [swɪɡ] **I** *zn* teug **II** *ov+onov ww* <u>straatt</u> drinken, zuipen

swill [swɪl] **I** *zn* spoeling, spoelwater ★ <u>USA</u> plat swell ~ fijne, chique spullen of kleding, heerlijkheden **II** *ov ww* ❶ spoelen, zuipen ❷ ~ out uitspoelen

swim [swɪm] **I** *ov ww* [onregelmatig] zwemmen, overzwemmen, laten zwemmen **II** *onov ww* ❶ zwemmen, drijven ★ swim with the tide meedoen met de rest ★ swim a person a 100 yards 100 yards tegen iem. zwemmen ★ eyes swimming with tears ogen vol tranen ❷ draaien ⟨voor de ogen⟩, duizelen ★ she swam into the room zij kwam de kamer binnen zweven **III** *zn* ❶ (het) zwemmen, zwempartij ❷ kuil (in rivier) waar veel vis zit ★ have a swim (gaan) zwemmen ★ go for a swim (gaan) zwemmen ★ be in the swim meedoen, op de hoogte zijn van wat er zoal gebeurt

swimmer [ˈswɪmə] *zn* ❶ zwemmer ❷ zwemvogel

swimming costume *zn* zwempak

swimmingly [ˈswɪmɪŋli] *bnw* makkelijk, moeiteloos

swimming pool *zn* zwembad

swimsuit [ˈswɪmsuːt] *zn* badpak, zwembroek

swindle [ˈswɪndl] **I** *zn* zwendel, oplichterij ★ it's a ~ het is zwendel **II** *ov ww* ★ ~ money out of a person iem. geld afzetten

swindler [ˈswɪndlə] *zn* oplichter

swine [swaɪn] *zn* zwijn(en) ★ ~ plague / fever varkenspest ★ ~'s snout paardenbloem

swineherd [ˈswaɪnhɜːd] *zn* varkenshoeder

swing [swɪŋ] **I** *zn* ❶ (het) zwaaien, zwaai, schommeling, slag ★ ~ of the pendulum wisseling van de macht tussen politieke partijen, het heen en weer gaan ⟨van de publieke opinie⟩ ❷ schommel ❸ vaart, (kwieke)

gang ★ in full ~ in volle gang, bruisend van activiteit ★ get into ~ op dreef komen, zijn draai krijgen ❹ vlot ritme ❺ <u>muz</u> swing ❻ <u>sport</u> slag ★ fig take one's ~ at sth iets te lijf gaan ⟨een probleem aanpakken⟩ **II** *ov ww* [onregelmatig] ❶ doen / laten zwaaien, doen / laten slingeren, doen / laten schommelen ★ ~ a child onto one's shoulder een kind op zijn schouder wippen ★ there was no room to ~ a cat (in) je kon je er niet wenden of keren ★ ~ a hammock een hangmat ophangen ★ ~ into line in linie brengen of komen ❷ beïnvloeden, manipuleren ★ ~ the lead zijn snor drukken, lijntrekken ❸ swingen ★ the door swung to de deur sloeg dicht **III** *onov ww* ❶ schommelen, zwaaien, slingeren, draaien, zwenken ❷ hangen ❸ <u>inform</u> het goed doen, modieus zijn ❹ <u>muz</u> swingen ❺ kwiek lopen, lustig marcheren ❻ <u>straatt</u> ~ for opgehangen worden voor ❼ ~ from hangen aan, bengelen aan ❽ ~ on draaien om ❾ ~ round (zich) omdraaien, omzwenken

swing door [swɪŋˈdɔː] *zn* tochtdeur

swinge [swɪndʒ] *ov ww* afranselen

swingeing [ˈswɪndʒɪŋ] *bnw* <u>GB</u> kolossaal ★ ~ tax increases enorme belastingtoenames

swinger [ˈswɪŋə] *zn* levensgenieter, bon vivant

swinging [ˈswɪŋɪŋ] *bnw* ❶ actief, lustig, kwiek ❷ *fig* bruisend

swing state *zn*, <u>USA</u> *pol* omschr staat waar Democraten noch Republikeinen een duidelijke meerderheid hebben

swinish [ˈswaɪnɪʃ] *bnw* beestachtig

swipe [swaɪp] **I** *zn* harde slag, mep **II** *ov ww* ❶ hard slaan, flink raken ❷ <u>straatt</u> gappen, wegpikken ❸ door een afleesapparaat halen ⟨van een magneetkaart⟩ **III** *onov ww* slaan, uithalen ★ she ~d at him with her handbag ze haalde naar hem uit met haar handtasje

swirl [swɜːl] **I** *zn* snelle beweging van vis **II** *onov ww* warrelen, wervelen **III** *ov ww* draaien ★ he ~ed her around hij draaide haar in het rond

swish [swɪʃ] **I** *zn* gesuis **II** *bnw* ❶ exclusief ❷ <u>straatt</u> reuzechic **III** *ov ww* ❶ ruisen ⟨van zijde⟩ ❷ suizen ★ she ~ed passed ze suisde voorbij ❸ fluiten ⟨van kogel⟩ ❹ zwiepen **IV** *ov ww* zwiepen ★ he ~ed the door open hij zwiepte de deur open

Swiss [swɪs] **I** *zn* Zwitser(s) **II** *bnw* Zwitsers

switch [swɪtʃ] **I** *ov ww* ❶ (plotseling) draaien, wenden, richten ★ ~ allegiance overlopen naar het andere kamp ❷ aan de knop draaien, (over)schakelen ❸ op ander spoor leiden, rangeren ❹ (ver)wisselen, <u>elek</u> omschakelen ❺ ~ off uit- / afdraaien, uitschakelen, verbinding verbreken, andere richting geven, afleiden ❻ ~ on aandraaien, inschakelen, aansluiten, verbinden **II** *onov ww* ❶ omschakelen, overschakelen ★ the car ~ed to the other lane de auto veranderde van rijbaan ★ ~ed on met de ogen open, onder de invloed van drugs ❷ ~ (on/over) to overgaan op **III** *zn* ❶ schakelaar, knop ❷ (spoor)wissel ❸ twijg, roe ❹ haarstukje

switchback [ˈswɪtʃbæk] *zn* ❶ zigzagspoorlijn ⟨tegen helling⟩ ❷ roetsjbaan

SW

switchblade ['swɪtʃbleɪd] zn ★ ~ knife stiletto
switchboard ['swɪtʃbɔːd] zn ❶ schakelbord, telefooncentrale
Switzerland ['swɪtsələnd] zn Zwitserland
swivel ['swɪvəl] **I** zn ❶ wervel ❷ draaibank **II** ov+onov ww draaien (als) om een wervel
swivel chair zn draaistoel
swizzle stick ['swɪzlstɪk] zn swizzlestick, stokje om dranken te roeren
swollen ['swəʊlən] ww [volt. deelw.] → swell
swoon [swuːn] zn ★ al flauwte **II** onov ww ❶ oud flauwvallen, in zwijm vallen ❷ langzaam wegsterven
swoop [swuːp] **I** zn forse ruk, slag ★ at / in one fell ~ met / in één klap **II** onov ww ❶ een inval doen ❷ ~ **down upon** neerschieten op ⟨als 'n roofvogel⟩, aanvallen ❸ ~ **up** (weg)grissen, inrekenen
swop [swɒp] → swap
sword [sɔːd] zn zwaard, degen, sabel ★ a double-edged ~ een tweesnijdend zwaard ook fig , zaak met positieve en negatieve kant ★ cross / measure ~s de degens kruisen ★ put to the ~ over de kling jagen ★ ~ law militaire dictatuur ★ the ~ of justice het zwaard der gerechtigheid ★ ~ lily gladiool
swordfish ['sɔːdfɪʃ] zn zwaardvis
swordplay ['sɔːdpleɪ] zn ❶ (het) schermen ❷ debat
swordsman ['sɔːdzmən] zn zwaardvechter, (geoefend) schermer ★ ~ship schermkunst
swore [swɔː] ww [verleden tijd] → swear
sworn [swɔːn] **I** ww [volt. deelw.] → swear **II** bnw ❶ gezworen ❷ beëdigd ★ a ~ translator een beëdigd vertaler
swot [swɒt] **I** zn serieuze student, blokker **II** onov ww blokken, zwoegen ★ he swotted for his exam hij blokte voor zijn examen
swum [swʌm] ww [volt. deelw.] → swim
swung [swʌŋ] ww [verleden tijd + volt. deelw.] → swing
sybarite ['sɪbəraɪt] zn (verwijfde) genieter
sycamore ['sɪkəmɔː] zn ❶ esdoorn ❷ wilde vijgenboom ❸ USA plataan
sycophancy ['sɪkəfənsɪ] zn pluimstrijkerij, hielenlikkerij
sycophant ['sɪkəfənt] zn verklikker, aanbrenger, vleier
sycophantic [sɪkə'fæntɪk] bnw kruiperig, als een hielenlikker
syllabic [sɪ'læbɪk] bnw ★ ~ sound klank die lettergreep kan vormen
syllable ['sɪləbl] zn lettergreep, syllabe ★ not a ~! geen woord!, geen kik!
syllabus ['sɪləbəs] zn ❶ lijst, overzicht ❷ rooster, program ★ ~ design leerplanontwikkeling
syllogism ['sɪlədʒɪzəm] zn syllogisme, sluitrede
sylph [sɪlf] zn ❶ luchtgeest ❷ lit slank(e) meisje / vrouw
sylvan ['sɪlvən] bnw woud-
symbol ['sɪmbl] zn ❶ symbool, zinnebeeld ❷ teken ⟨dat begrip, eenheid voorstelt⟩, letter, cijfer
symbolic [sɪm'bɒlɪk] bnw symbolisch, zinnebeeldig ★ be ~ of het teken zijn van
symbolism ['sɪmbəlɪzəm] zn symboliek

symbolize, symbolise ['sɪmbəlaɪz] ov ww symbool zijn van, symboliseren
symmetrical [sɪ'metrɪkl], **symmetric** [sɪ'metrɪk] bnw symmetrisch
symmetry ['sɪmətrɪ] zn symmetrie, evenredigheid
sympathetic [sɪmpə'θetɪk] **I** zn sympathische zenuw **II** bnw hartelijk, prettig, sympathisch
sympathize, sympathise ['sɪmpəθaɪz] onov ww ❶ meevoelen, sympathiseren, deelneming voelen ❷ ~ **with** condoleren
sympathizer, sympathiser ['sɪmpəθaɪzə] zn aanhanger, sympathisant
sympathy ['sɪmpəθɪ] zn ❶ sympathie ❷ medegevoel, deelneming, solidariteit(sgevoel), eensgezindheid, medelijden, gelijkgestemde gevoelens ❸ correlatie ❹ condoleantie, medeleven
symphonic [sɪm'fɒnɪk] bnw symfonisch
symphony ['sɪmfənɪ] zn symfonie ★ ~ orchestra symfonieorkest
symposium [sɪm'pəʊzɪəm] zn ❶ symposium, wetenschappelijke bijeenkomst ❷ reeks artikelen van verschillende schrijvers over hetzelfde onderwerp
symptom ['sɪmptəm] zn ❶ symptoom, med klacht ❷ teken
symptomatic [sɪmptə'mætɪk] bnw ★ be ~ of wijzen op
synagogue ['sɪnəgɒg] zn synagoge
sync [sɪŋk] zn ★ be out of sync niet gelijklopen
synchronic [sɪŋ'krɒnɪk] bnw gelijktijdig, synchroon
synchronisation zn GB → synchronization
synchronise ww GB → synchronize
synchroniser ww GB → synchronizer
synchronism ['sɪŋkrənɪzəm] zn ❶ gelijktijdigheid, synchronisme ❷ synchronische tabel
synchronization [sɪŋkrənaɪ'zeɪʃən] zn synchronisatie
synchronize ['sɪŋkrənaɪz] **I** ov ww ❶ synchroniseren ❷ gelijk zetten ⟨van klok⟩ **II** onov ww gelijktijdig (laten) gebeuren, samenvallen
synchronizer ['sɪŋkrənaɪzə] zn flitscontact ⟨aan camera⟩
synchronous ['sɪŋkrənəs] bnw → synchronic
syncom ['sɪnkɒm] zn communicatiesatelliet
syncopate ['sɪnkəpeɪt] ov ww syncoperen
syncopation [sɪnkə'peɪʃən] zn syncopering
syncope ['sɪŋkəpɪ] zn ❶ flauwte, bewusteloosheid ❷ muz letterk syncope
syndic ['sɪndɪk] zn ❶ magistraat ❷ senaatslid van universiteit ⟨in Cambridge⟩ ★ the Syndics De Staalmeesters
syndicalism ['sɪndɪkəlɪzəm] zn syndicalisme
syndicalist ['sɪndɪkəlɪst] zn syndicalist
syndicate[1] ['sɪndɪkət] zn ❶ syndicaat, belangengroepering, consortium ❷ vakbond ❸ senaat van universiteit ⟨in Cambridge⟩
syndicate[2] ['sɪndɪkeɪt] ov ww ❶ tot syndicaat e.d. verenigen ❷ gelijktijdig in verschillende kranten publiceren
syndrome ['sɪndrəʊm] zn syndroom, ziektebeeld
synod ['sɪnəd] zn synode, kerkvergadering

sw

synonym ['sɪnənɪm] *zn* synoniem
synonymous [sɪ'nɒnɪməs] *bnw* synoniem, overeenkomend in betekenis
synopsis [sɪ'nɒpsɪs] *zn* overzicht, korte samenvatting
synoptic [sɪ'nɒptɪk] *bnw* beknopt
syntactic [sɪn'tæktɪk] *bnw* syntactisch, grammaticaal ⟨van zinnen⟩
syntax ['sɪntæks] *zn* syntaxis, grammatica ⟨van zinnen⟩
synthesis ['sɪnθəsɪs] *zn* synthese, samenvoeging
synthesize, synthesise ['sɪnθəsaɪz] *ov ww* ❶ kunstmatig vervaardigen ❷ samenstellen, samenvoegen
synthesizer, synthesiser ['sɪnθəsaɪzə] *zn* synthesizer
synthetic [sɪn'θetɪk] *bnw* synthetisch, kunstmatig, kunst-
syphilis ['sɪfəlɪs] *zn* syfilis
syphilitic [sɪfə'lɪtɪk] **I** *bnw* syfilitisch **II** *zn* syfilislijder
syphon *zn* → **siphon**
Syria ['sɪrɪə] *zn* Syrië
Syrian ['sɪrɪən] **I** *zn* Syriër, Syrische **II** *bnw* Syrisch
syringe [sɪ'rɪndʒ] **I** *zn* ❶ med injectiespuit, spuit(je) ★ med *hypodermic* ~ injectiespuit ⟨onderhuids⟩ **II** *ov ww* med inspuiten, bespuiten
syrup ['sɪrəp] *zn* ❶ stroop ❷ siroop
syrupy ['sɪrəpɪ] *bnw* ❶ stroperig ❷ fig weeïg, zoetsappig
system ['sɪstəm] *zn* ❶ systeem, stelsel ★ *the educational* ~ het onderwijssysteem ★ *solar* ~ zonnestelsel ★ *read on* ~ volgens werkschema studeren ❷ gestel, lichaamsgesteldheid ★ *nervous* ~ zenuwgestel ❸ USA maatschappij, politiek stelsel ❹ net ⟨van spoorweg, verkeer⟩ ★ www *distributed* ~ aantal computers dat een netwerk vormt ★ www *operating* ~ besturingssysteem
systematic [sɪstə'mætɪk] *bnw* systematisch, stelselmatig
systematize, systematise ['sɪstəmətaɪz] *ov ww* systematiseren, rangschikken
system crash *zn* comp totale systeemstoring
systemic [sɪ'stemɪk] *bnw* het (hele) gestel / lichaam betreffende
system requirements *zn mv* comp systeemeisen
systems analyst *zn mv* comp systeemanalist

T

t [tiː] **I** *zn*, letter t ★ *T as in Tommy* de t van Theo ★ *to a T* perfect **II** *afk* ❶ it 't ❷ tempo t ❸ time tijd
ta [tɑː] *tw*, inform GB dank u, dank je
tab [tæb] **I** *zn* ❶ label, etiket ❷ lipje, lusje ❸ rekening ★ *pick up the tab* de rekening betalen ★ *put sth on the tab* iets op de rekening zetten ▼ *keep tab(s) on* in het oog houden, controleren **II** *ov ww* voorzien van label / etiket ★ USA fig *he was tabbed as the next coach* hij werd als nieuwe coach genoemd **III** *afk* ❶ tabulator tabulator ❷ tabloid (newspaper) sensatiekrant
tabard ['tæbəd] *zn* tabberd
tabby ['tæbɪ] **I** *zn* ❶ cyperse kat ❷ poes **II** *bnw* gestreept
tabernacle ['tæbənækl] *zn* ❶ tabernakel ❷ gesch loofhut, tent ★ *Feast of Tabernacles* Loofhuttenfeest ❸ bedehuis ⟨o.a. bij methodisten⟩
tab key *zn* tabtoets
table ['teɪbl] **I** *zn* ❶ tafel ★ *clear the* ~ de tafel afruimen ★ *set the* ~ de tafel dekken ★ *go to* ~ aan tafel gaan ★ *go to the* ~ aan het Avondmaal deelnemen ★ *lay an account on the* ~ een verslag bespreken, USA een verslag uitstellen ★ *the ~s are turned* de rollen zijn omgedraaid ★ *he turned the* ~ *upon his opponent* hij versloeg zijn tegenstander met diens eigen argumenten ❷ het eten, kost ❸ plateau ❹ tabel ★ ~ *of contents* inhoudsopgave ❺ wisk tafel ⟨v. vermenigvuldiging⟩ **II** *ov ww* ❶ rangschikken ❷ indienen ⟨v. voorstel, motie, enz.⟩ ❸ USA uitstellen, opschorten
tableau ['tæbləʊ] *zn* ❶ tableau ❷ tableau vivant
tablecloth ['teɪblklɒθ] *zn* tafelkleed
table lamp *zn* tafellamp
tableland ['teɪbllænd] *zn* plateau ⟨hoogvlakte⟩
table manners *zn mv* tafelmanieren
table mat ['teɪblmæt] *zn* GB onderzetter
tablespoon ['teɪblspuːn] *zn* ❶ opscheplepel ❷ eetlepel ⟨als maat⟩
tablet ['tæblət] *zn* ❶ tablet ★ ~ *of soap* stuk zeep ❷ gedenkplaat ★ *the terms are not written on / set in ~s of stone* de voorwaarden kunnen veranderd worden ❸ wastafeltje ❹ kladblok, aantekenboekje
table tennis *zn* tafeltennis
table top ['teɪbltɒp] *zn* tafelblad
tableware ['teɪblweə] *zn* tafelgerei, bestek
tabloid ['tæblɔɪd] *zn* sensatieblad, boulevardblad
taboo, tabu [tə'buː, tæ'buː] **I** *zn* taboe ⟨verboden / te mijden zaak⟩ ★ *put under* ~ taboe verklaren, in de ban doen **II** *bnw* ❶ verboden, taboe ❷ heilig **III** *ov ww* ❶ in de ban doen ❷ verbieden
tabular ['tæbjʊlə] *bnw* tabellarisch, tabel-
tabulate ['tæbjʊleɪt] *ov ww* rangschikken in tabellen
tabulator [tæbjə'leɪtə] *zn* tabulator, tabtoets
tachometer [tə'kɒmɪtə] *zn* snelheidsmeter, toerenteller

ta

tacit ['tæsɪt] *bnw* stilzwijgend

taciturn ['tæsɪtɜːn] *bnw* zwijgzaam, stil ★ *William the Taciturn* Willem de Zwijger

taciturnity [ˌtæsɪ'tɜːnətɪ] *zn* zwijgzaamheid

tack [tæk] **I** *zn* ❶ kopspijker, USA punaise ★ *they got down to brass tacks* ze sloegen spijkers met koppen ❷ koers ⟨van schip⟩, fig gedragslijn ★ *change (one's) tack* het over een andere boeg gooien ★ *try a different tack* het over een andere boeg gooien ❸ rijgsteek ❹ scheepv hals ⟨v. zeil⟩ ❺ kleverigheid ⟨v. vernis⟩ ❻ kost ⟨eten⟩ ★ *soft tack* wittebrood, lekkere kost ★ *hard tack* scheepsbeschuit ❼ tuig ⟨v. paard⟩ ❽ inform rotzooi, kitsch **II** *ov ww* ❶ vastspijkeren ❷ rijgen ❸ ~ **on** losjes rijgen, fig terloops toevoegen ★ *tack onto* toevoegen **III** *onov ww* ❶ fig v. koers veranderen ❷ laveren, overstag gaan

tackle ['tækl] **I** *zn* ❶ sport tackle ❷ takel ❸ tuig, gerei ★ *fishing* ~ vistuig ❹ inform eten, drinken **II** *ov ww* ❶ (flink / met kracht) aanpakken, bestrijden ★ ~ *the crisis* de crisis aanpakken ★ ~ *him about his mistakes* hem over zijn fouten aanvallen ❷ beginnen met, aanvallen ⟨aan tafel⟩ ❸ sport tackelen ❹ optuigen ⟨v. paard⟩

tacky ['tækɪ] *bnw* ❶ inform smakeloos, onhandig ❷ USA haveloos ❸ kleverig

tact [tækt] *zn* tact

tactful ['tæktfʊl] *bnw* tactvol, discreet

tactic ['tæktɪk] *zn* tactiek, tactische zet

tactical ['tæktɪkl] *bnw* tactisch ★ ~ *voting* strategisch stemmen

tactician [tæk'tɪʃən] *zn* tacticus

tactics ['tæktɪks] *zn mv* tactiek ★ *delayed* ~ vertragingstactiek

tactile ['tæktaɪl] *bnw* ❶ tast-, tactiel ★ ~ *sense* tastzin ★ *a* ~ *person* iem. die van lichamelijke aanraking houdt ❷ tastbaar

tactless ['tæktləs] *bnw* tactloos, ontactisch

tadpole ['tædpəʊl] *zn* kikkervisje, dikkopje

taffy ['tæfɪ], USA toffee *zn* inform Welshman

tag [tæg] **I** *zn* ❶ etiket, insigne, kenteken, label ❷ lus ❸ aanhangsel, refrein ❹ aanhaling, zegswijze, gemeenplaats ❺ taalk question tag ⟨aangeplakte vraag⟩ ❻ punt ⟨v. staart⟩, metalen punt ⟨v. veter⟩ ❼ krijgertje ⟨spel⟩ ❽ inform naam ⟨tag ⟨opmaakcode⟩⟩ **II** *ov ww* ❶ aanhechten ★ *tag a few words on to the letter* een paar woorden onder aan de brief toevoegen ❷ van labels / lusjes / chip enz. voorzien, etiketteren, markeren, comp van opmaakcodes voorzien ❸ USA bestempelen als ❹ (af)tikken ⟨bij krijgertje spelen⟩ **III** *onov ww* ❶ op de voet volgen ★ *the wives tag along* de echtgenotes komen / reizen mee

tag end *zn* USA restje, laatste stukje

tag line *zn* USA clou, slogan

tail [teɪl] **I** *zn* ❶ staart ★ *turn tail* er vandoor gaan ★ *the tail wags the dog* de minst belangrijke persoon / partij neemt de beslissing ★ GB *be on sb's tail* dicht achter iem. rijden ★ *chase your (own) tail* rondrennen ⟨zonder iets gedaan te krijgen⟩ ★ inform *they're chasing tail* ze zitten achter de meiden aan ❷ (uit)einde ❸ file, queue ❹ aanhang ❺ (na)sleep ❻ inform achterste ❼ sluitcode ❽ pand ⟨v. jas⟩ ❾ steel ⟨v. hark⟩ ❿ econ cijfers achter de komma **II** *ov ww*

❶ schaduwen, in het oog houden ❷ v. steel ontdoen ⟨fruit⟩ ❸ de achterhoede vormen van **III** *onov ww* ❶ GB ★ ~ **back** een file vormen ❷ ~ **after** op de voet volgen ❸ ~ **away/off** geleidelijk afnemen, steeds minder interesse hebben → **tails**

tailback ['teɪlbæk] GB *zn* file

tailboard ['teɪlbɔːd] *zn* USA laadklep

tailcoat ['teɪlkəʊt] *zn* ❶ jacquet ❷ rok

tail end [teɪl'end] *zn* (uit)einde

tailgate ['teɪlgeɪt] **I** *zn* achterklep, laadklep ⟨v. vrachtauto⟩, vijfde / derde deur ⟨v. auto⟩ **II** *ov ww* bumperkleven achter

tailgater ['teɪlgeɪtə] *zn* bumperklever

tailings ['teɪlɪŋz] *zn mv* afval

tail lamp, tail light *zn* achterlicht

tailor ['teɪlə] **I** *zn* kleermaker ★ *the* ~ *makes the man* de kleren maken de man **II** *ov ww* ❶ maken ⟨kleren⟩ ❷ aanpassen ★ ~*ed to your needs* afgestemd op je behoeften **III** *onov ww* kleermaker zijn

tailoring ['teɪlərɪŋ] *zn* kleermakerswerk

tailor-made *bnw* ❶ op maat gemaakt ❷ fig perfect geschikt

tails *zn mv* ❶ muntzijde ★ *heads or ~?* kruis of munt? ❷ jacquet

taint [teɪnt] **I** *zn* smet, vlek, fig bederf ★ *hereditary* ~ erfelijke belasting ★ *with no ~ of* met geen spoor / zweem van **II** *ov ww* bevlekken, bezoedelen, aantasten ★ *of a ~ed stock* erfelijk belast

taintless ['teɪntləs] *bnw* vlekkeloos, smetteloos

take [teɪk] **I** *ov ww* [onregelmatig] ❶ nemen, gebruiken ⟨eten, drinken⟩, maken, doen, inwinnen, kopen ★ *not to be taken* niet om in te nemen ★ *take your time!* kalm aan! ★ *take it easy!* kalm aan! ★ *he took his final exam* hij deed eindexamen ★ *have your photo taken* je laten fotograferen ❷ veroveren, betrappen, innemen, afpakken, slaan ⟨schaakstuk bv.⟩ ❸ opnemen ⟨temperatuur bv.⟩ ❹ meenemen ★ fig *the actor takes the audience with him* de toneelspeler sleept het publiek mee ★ fig *she is weg with him* zij is weg van hem ❺ oplopen, vatten ⟨kou⟩ ★ *they were taken ill* ze werden ziek ★ *he was taken with a fever* hij kreeg koorts ❻ behalen ⟨titel bv.⟩ ❼ treffen ❽ begrijpen, beschouwen, opvatten, opnemen ★ *I take it that...* ik neem aan dat... ❾ aanvaarden, aannemen ★ *we take you at your word* we geloven je op je woord ★ *take comfort* troost putten ★ *take it or leave it* kiezen of delen ⟨om nodig zijn⟩ ★ *it takes a chemist to see this* je moet chemicus zijn om dit te begrijpen ★ *that takes a lot of doing* het zal niet meevallen ★ *take it from me* neem het maar van mij aan **II** *ov ww* ❶ ~ **about** rondleiden ❷ ~ **apart** uit elkaar halen, de pan hakken, scherp bekritiseren ❸ ~ **away** wegnemen, meenemen, afnemen ★ *take o.s. away* er vandoor gaan ❹ ~ **back** terugbrengen, terugnemen ❺ ~ **back to** doen herinneren aan ❻ ~ **down** afnemen, laten zakken ⟨broek bv.⟩, neerhalen, afbreken, voorbijstreven, noteren, 'n toontje lager doen zingen ❼ ~ **for** houden voor ❽ ~ **from** afnemen, afnemen van, slikken van ★ *take it from me* neem het maar van mij aan ❾ ~ **in** ontvangen ⟨geld⟩, binnendringen, inademen, in zich opnemen, omheinen, beetnemen, bezoeken, bijwonen, innemen ⟨kleding bv.⟩, binnenkrijgen ★ *take in his poor cousin* zijn arme neef in huis nemen ❷⓿ ~ **off** uittrekken ⟨kleding bv.⟩, vrij nemen ⟨van werk⟩, van het repertoire nemen, afnemen, afzetten, opheffen, wegbrengen, ten grave slepen, afdruk maken, imiteren ★ *take o.s. off* weggaan, zich v. kant maken ❷❶ ~ **on** aannemen, op zich nemen, overnemen ★ *take on more passengers* meer passagiers aan boord nemen ❷❷ ~ **out** uitnemen, verwijderen, aanvragen, inform uitschakelen, inform elimineren ★ *he takes her out* hij gaat met haar uit, hij leidt haar ten dans ★ *take it out in goods* laten betalen met goederen ★ *take it out on you* zich op jou afreageren ★ *such a thing takes it out of you* zoiets vergt veel van je ★ *take out insurance* een verzekering afsluiten ★ USA *take out a pizza* een pizza afhalen ❷❸ ~ **over** overnemen, overbrengen ★ *take us over the shop* ons de zaak laten zien ★ *take over* verbinden met ❷❹ ~ **round** rondleiden ❷❺ ~ **through** doornemen met ★ *he took me through the report* hij nam het rapport met mij door ❷❻ ~ **up** opnemen, afhalen, opbreken ⟨straat⟩, opgraven, afbinden ⟨slagader bv.⟩, betalen, inschrijven op ⟨lening⟩, snappen, arresteren, standje geven, ingaan op, reageren op, zich bemoeien met, bekleden, innemen ⟨korter maken⟩, in beslag nemen, aanvaarden ★ *take up duties* een ambt aanvaarden ★ *take up arms* de wapens opnemen ★ *take up squash* gaan squashen ⟨sport beoefenen⟩ ★ *I take you up on your promise* ik houd je aan je belofte **II** *onov ww* [onregelmatig] ❶ (wat) worden, een succes zijn ★ *the vaccine didn't take* de pokken kwamen niet op ❷ ~ **after** aarden naar, lijken op ❸ GB inform ~ **against** een hekel hebben aan ❹ ~ **off** afnemen, opstijgen ⟨v. vliegtuig bv.⟩, inform vertrekken, succes hebben ❺ ~ **on** opgang maken, tekeergaan ★ *take on with* het aanleggen met ❻ ~ **over** overnemen ❼ ~ **to** vluchten naar, beginnen te, zich toeleggen op ★ *he takes to her* hij voelt zich tot haar aangetrokken ★ *take to drinking* aan de drank raken ❽ ~ **up** beter worden ⟨v. weer⟩, verder gaan met ⟨verhaal bv.⟩, innemen ⟨ruimte bv.⟩ ★ *take up for* het opnemen voor ★ inform *take up with* het aanleggen met **III** *zn* ❶ media opname, *fig* visie ★ *what's your take on the royal family* hoe denk jij over de koninklijke familie ❷ ontvangst(en) ★ inform *he was on the take* hij liet zich omkopen ❸ vangst ❹ kopij

takeaway ['teɪkəweɪ] GB *zn* ❶ afhaalmaaltijd ❷ afhaalrestaurant

take-home *bnw* ★ ~ **pay** / **wages** nettoloon

taken ['teɪkən] *ww* [volt. deelw.] → take

take-off *zn* ❶ vertrek, start ⟨v. vliegtuig bv⟩, afzet ⟨voor sprong⟩ ❷ parodie

takeout ['teɪkaʊt] USA *zn* ❶ afhaalmaaltijd ❷ afhaalrestaurant

takeover ['teɪkəʊvə] *zn* overname

taker ['teɪkə] *zn* ❶ afnemer, koper ★ *no ~s for this article* geen kopers voor dit artikel ★ *any ~s?* wie biedt? ❷ gebruiker ❸ aannemer ⟨v.

weddenschap⟩

take-up *zn* gebruikmaking ⟨v. bijstand bv.⟩

taking ['teɪkɪŋ] **I** *zn* (het) nemen, ontvangst ★ *for the ~* voor het oprapen **II** *bnw* ❶ aantrekkelijk, boeiend ❷ besmettelijk

takings ['teɪkɪŋz] *zn mv* verdiensten

talc [tælk] *ww* [tælk] talk, talkpoeder ❷ mica

talcum powder ['tælkəm 'paʊdə] *zn* talkpoeder

tale [teɪl] *zn* ❶ verhaal ★ *be full of tales about* veel te vertellen hebben ★ *tale of a tub* praatje voor de vaak ★ *tell tales* kletsen, uit de school klappen, klikken ★ *tale of woe* triest verhaal ❷ geschiedenis ❸ smoesje, sprookje, leugen

tale bearer *zn* roddelaar, verklikker

talent ['tælənt] *zn* ❶ talent ★ *a man of many ~s* een man van veel talenten ❷ talentvol persoon

talented ['tæləntɪd] *bnw* getalenteerd, begaafd

talent scout, talent spotter *zn* talentenjager

talisman ['tælɪzmən] *zn* talisman

talk [tɔːk] **I** *ov ww* ❶ spreken over ★ *we're are talking millions of people* we hebben het over miljoenen mensen ★ *talk U.S.* Amerikaans praten ★ *talk business* over zaken praten, spijkers met koppen slaan ★ *talk shop* over je vak praten ★ *talk s.o.'s head off* iem. de oren v.h. hoofd praten ★ *talk nineteen to the dozen* honderduit praten ★ *talk things over* de zaken bespreken ★ *talk it out* hem uitpraten ★ *I'll talk him out of it* ik zal het hem uit het hoofd praten ★ *take time to talk out the problem* tijd nemen om het probleem goed door te praten ★ USA *talk turkey* ronduit spreken, geen blad voor de mond nemen ★ *they don't talk the same language* ze zitten niet op dezelfde golflengte ❷ ~ **around/round** ompraten ❸ ~ **away** verpraten ⟨tijd⟩ ❹ ~ **down** tot zwijgen brengen ⟨in debat⟩, kalmeren, GB geringschattend praten over ❺ ~ **into** overreden (om) ❻ ~ **through** doorpraten ❼ ~ **up** ophemelen **II** *onov ww* ❶ praten, spreken ★ *talk big* / *tall* opscheppen ❷ ~ **about/of** praten over ★ *get talked about* over de tong gaan ❸ ~ **around/round** omheen praten ❹ ~ **at** aanpraten tegen ❺ ~ **away** urenlang praten ❻ ~ **back** brutaal antwoord geven ❼ ~ **down to** neerbuigend praten tegen ❽ ~ **to** spreken / praten met, aanspreken ⟨op gedrag bv.⟩ **III** *zn* ❶ gepraat ★ *it made plenty of talk* het gaf veel stof tot praten ★ *he talks the talk, but doesn't walk the walk* hij praat overtuigend, maar hij doet niet wat hij zegt ❷ gesprek ★ *he is the talk of the town* iedereen praat over hem ❸ voordracht ❹ bespreking ★ *talks* [mv] onderhandelingen ❺ praatjes, gerucht

talkative ['tɔːkətɪv] *bnw* praatziek

talker ['tɔːkə] *zn* ❶ prater ❷ bluffer

talkie ['tɔːkɪ] *zn* oud geluidsfilm

talking ['tɔːkɪŋ] *bnw* sprekend ★ ~ **book** gesproken boek ★ GB ~ **shop** praatcollege

talking point *zn* gespreksthema, discussiepunt

talking-to *zn* strafpreek ★ *he got a sound ~* er werd een hartig woordje met hem gesproken

talk show *zn* praatprogramma ⟨op tv, radio⟩

tall [tɔːl] *bnw* ❶ lang, hoog, groot ★ *a tall building* een hoog gebouw ★ *a tall person* een lang persoon ★ *a tall drink* een longdrink ★ USA

ta

stand / walk tall zich trots voelen ❷ *inform* overdreven ★ *a tall story* 'n sterk / kras verhaal ★ *talk tall* opscheppen

tallboy ['tɔːlbɔɪ] *zn* GB hoge latafel

tallish ['tɔːlɪʃ] *bnw* nogal hoog / lang

tallow ['tæləʊ] *zn* ❶ talk ⟨dierlijk vet⟩ ❷ kaarsvet

tally ['tælɪ] I *zn* ❶ stand, score ★ *keep a ~ of the wins* de gewonnen partijen bijhouden / tellen ❷ aantal ★ *buy goods by the ~* kopen bij het dozijn, de honderd, enz. ❸ overeenstemming, duplicaat ★ *they fit like two tallies* ze passen precies bij elkaar ❹ rekening II *ov ww* ❶ tellen, optellen ❷ ~ **up** optellen III *onov ww* kloppen, overeenkomen

talon ['tælən] *zn* klauw ⟨v. roofvogel⟩

TAM *afk, television audience measurement* kijkcijfers

tamable, tameable ['teɪməbl] *bnw* te temmen

tambour ['tæmbʊə] *zn* trom

tambourine [tæmbə'riːn] *zn* tamboerijn

tame [teɪm] I *bnw* ❶ tam, getemd, gedwee, mak ❷ saai ★ *a tame party* een saai feest II *ov ww* temmen ★ *tame inflation* de inflatie bedwingen

tamer ['teɪmə] *zn* temmer

tamp [tæmp] *ov ww* ❶ aanstampen ⟨grond⟩, opvullen, stoppen ⟨pijp⟩ ❷ ~ **out** uitdoven ⟨sigaret⟩

tamper ['tæmpə] *onov ww* ~ **with** knoeien aan / met, ⟨met de vingers⟩ zitten aan, zich bemoeien met ★ *the brakes have been ~ed with* er is met de remmen geknoeid

tampon ['tæmpɒn] *zn* tampon

tan [tæn] I *zn* ❶ (geel)bruine kleur ❷ – gebruinde huidskleur II *bnw* ❶ geelbruin ❷ USA zongebruind III *ov ww* looien IV *onov ww* bruin worden ⟨v. huid⟩ ★ *tanned* zongebruind

tang [tæŋ] *zn* ❶ sterke smaak ❷ scherpe geur, lucht ❸ zweem, tikje

tangent ['tændʒənt] I *zn* ❶ wisk tangens ❷ raaklijn ▼ *fly / go off at a ~* fig plotseling v. koers veranderen op een ander onderwerp overgaan II *bnw* rakend

tangential [tæn'dʒenʃəl] *bnw* ❶ oppervlakkig, nauwelijks relevant ❷ tangentiaal

tangerine ['tændʒəriːn] I *zn* mandarijn II *bnw* oranjerood

tangibility [tændʒə'bɪlətɪ] *zn* tastbaarheid

tangible ['tændʒɪbl] *bnw* ook fig tastbaar, evident

tangle ['tæŋgl] I *zn* ❶ verwarring, verwarde toestand, wirwar ★ *in a ~* in de war ⟨haar⟩ ★ *all knots and ~s* totaal in de war ❷ inform conflict II *ov ww* in de war maken ★ *get ~d* in de war raken III *onov ww* ❶ in de war raken ★ *~d* ingewikkeld ⟨van proces⟩ ❷ inform ~ **with** in conflict raken met

tangly ['tæŋglɪ] *bnw* ingewikkeld, verward

tangy ['tæŋɪ] *bnw* met scherpe smaak ⟨bv. v. citroen⟩

tank [tæŋk] I *zn* ❶ tank, reservoir, bassin ❷ poel ❸ mil tank ❹ USA politiecel II *ov ww* USA tanken ★ *tank the car up* de auto voltanken III *onov ww* ❶ USA het slecht doen ❷ straatt zuipen

tankard ['tæŋkəd] *zn* (bier)pul

tanked [tæŋkt], GB **tanked-up** *bnw* inform dronken

tanker ['tæŋkə] *zn* ❶ tankschip ❷ tankwagen

tank top *zn* ⟨mouwloos⟩ T-shirt, topje

tanner ['tænə] *zn* looier

tannery ['tænərɪ] *zn* looierij

tannin ['tænɪn] *zn* tannine, looizuur

tanning ['tænɪŋ] *zn* ❶ bruining ❷ afranseling

tantalize, tantalise ['tæntəlaɪz] *ov ww* doen watertanden

tantamount ['tæntəmaʊnt] *bnw* gelijkwaardig ★ *it is ~ to* het komt neer op

tantrum ['tæntrəm] *zn* vervelende bui ⟨humeur⟩, woedeaanval ★ *she went into one of her ~s* ze kreeg weer een woedeaanval ★ *get into / throw a ~* een driftbui krijgen, uit zijn hum raken

tap [tæp] I *zn* ❶ kraan, tap ★ *turn a tap on / off* een kraan open- / dichtdoen ★ *the hot / cold tap* de heet- / koudwaterkraan ★ *on tap* op de tap / uit het vat, fig altijd beschikbaar, USA gepland ❷ tikje, klopje ❸ afluisterapparatuur ★ *het tapdansen* ❺ punctie ★ *a spinal tap* een ruggenprik II *ov ww* ❶ tikken ❷ afluisteren ❸ aftappen, aansteken ⟨vat⟩, aanbreken ⟨fles⟩ ★ *tap a till* geldlade lichten ❹ v. kraan voorzien ❺ exploiteren, gebruikmaken van ❻ verzoeken ★ *tap my dad for money* mijn vader om geld bedelen ❼ USA benoemen ★ *be tapped to replace sb* aangewezen om iem. te vervangen ❽ ~ **out** typen, tikken III *onov ww* ❶ zacht tikken, zacht kloppen ❷ ~ **into** exploiteren, gebruiken

tapas ['tɑːpɑːs] *zn mv* cul tapas

tape deck *zn* bandrecorder

tape measure *zn* meetlint, rolmaat

tape recorder *zn* bandrecorder

tape recording *zn* bandopname

tap-dancing *zn* (het) tapdansen

tape [teɪp] I *zn* ❶ lint, band, plakband, finishlint, GB meetlint ★ fig *red tape* bureaucratische rompslomp ★ *masking tape* afplakband ★ *adhesive tape* plakband ❷ geluidsband ★ *magnetic tape* geluidsband ❸ telegrafische koersberichten II *ov ww* ❶ opnemen ⟨op geluids- of beeldband⟩ ❷ vastbinden, vastplakken, verbinden ⟨met lint, verband bv.⟩ ★ *inform she got him taped* zij had hem door ❸ ~ **up** verbinden, vastplakken

taper ['teɪpə] I *zn* ❶ kaars ❷ (was)pit ❸ zwak licht ❹ taps toelopend voorwerp ❺ geleidelijke vermindering II *ov ww* taps / spits doen toelopen III *onov ww* ❶ taps / spits toelopen ★ *~ing fingers* spits toelopende vingers ★ *~ed off to a point* spits / in 'n punt uitlopend ❷ ~ **off** geleidelijk verminderen

tapestry ['tæpɪstrɪ] *zn* ❶ tapijtwerk ❷ wandtapijt ❸ schakering ⟨v. emoties bv.⟩

tapeworm ['teɪpwɜːm] *zn* lintworm

tapioca [tæpɪ'əʊkə] *zn* tapioca

tapir ['teɪpə] *zn* tapir

taproom ['tæpruːm] *zn* gelagkamer

tap water *zn* leidingwater

tar [tɑː] I *zn* teer II *ov ww* ❶ (be)teren ★ *tar and feather sb* iem. met teer en veren bedekken ⟨als straf⟩ ❷ fig zwart maken ★ *they are tarred with the same brush / stick* ze zijn met het zelfde sop overgoten

ta-ra *tw, inform* GB doei, doeg

ta

tarantula [təˈræntjʊlə] *zn* tarantula, vogelspin
tardy [ˈtɑːdɪ] *bnw* ❶ laat ❷ USA te laat ⟨school⟩ ❸ langzaam, traag
tare [teə] *zn* ❶ voederwikke ❷ tarra(gewicht)
target [ˈtɑːgɪt] I *zn* ❶ schietschijf ★ *off the ~* ernaast ❷ mikpunt ★ *a sitting ~* een eenvoudig doelwit, een gemakkelijke prooi ❸ doel, streven ★ *meet the ~* het doel bereiken ★ *below ~* beneden het gestelde doel II *ov ww* mikken / richten op
target area *zn* doelgebied
target date *zn* streefdatum
tariff [ˈtærɪf] *zn* ❶ (tol)tarief ★ *~ duty* invoerrecht, uitvoerrecht ❷ GB tarievenlijst
tarmac [ˈtɑːmæk] *zn* ❶ teermacadam ❷ platform ⟨v. luchthaven⟩
tarn [tɑːn] *zn* bergmeertje
tarnish [ˈtɑːnɪʃ] I *zn* ❶ matheid ❷ aanslag II *ov ww* ❶ bezoedelen (bv. reputatie) ❷ mat / dof maken III *onov ww* ❶ mat / dof worden ❷ aanslaan
tarot [ˈtærəʊ] *zn* tarot
tarpaulin [tɑːˈpɔːlɪn] *zn* zeildoek, dekkleed
tarragon [ˈtærəgən] *zn* dragon
tarry [ˈtɑːrɪ] I *bnw* teerachtig, geteerd II *onov ww* oud ❶ talmen ❷ verblijven
tart [tɑːt] I *zn* ❶ taart(je), vlaai ❷ inform del II *bnw* ❶ wrang, zuur, scherp ❷ vinnig, bits III *ov ww ~ up* opkalefateren ★ *tart yourself up* je opdirken
tartan [ˈtɑːtn] *zn* ❶ tartan, (stof / plaid) in Schotse ruit ❷ Schotse Hooglander
tartar [ˈtɑːtə] *zn* ❶ tandsteen ❷ wijnsteen ❸ woesteling
Tartar [ˈtɑːtə] I *zn* Tartaar II *bnw* Tartaars
tartaric [tɑːˈtærɪk] *bnw* ★ *~ acid* wijnsteenzuur
task [tɑːsk] I *zn* ❶ taak ★ *take / bring / bring sb to task* iem. onder handen nemen ❷ huiswerk II *ov ww* ❶ taak opgeven ★ *be tasked with writing the speech* als opdracht krijgen de rede te schrijven ❷ veel vergen van
task bar *zn* comp taakbalk
task force *zn* strijdmacht met speciale opdracht
taskmaster [ˈtɑːskmɑːstə] *zn* opdrachtgever ★ *a hard ~* een harde leermeester
tassel [ˈtæsəl] I *zn* kwastje II *ov ww* v. kwastje(s) voorzien
taste [teɪst] I *ov ww* ook fig proeven ★ *~ victory* de overwinning proeven II *onov ww* ook fig smaken III *zn* ❶ smaak, voorkeur ★ *add salt to ~* zout naar smaak toevoegen ★ *it leaves a bad / nasty ~ in the mouth* het nare / vieze smaak achterlaten ★ *I have lost my sense of ~* m'n smaak is weg ★ *everyone to his ~* ieder z'n meug ★ *there is no accounting for ~* over smaak valt niet te twisten ★ *she has a ~ for drawing* ze tekent graag ★ *remark in bad ~* onkiese / onbehoorlijke opmerking ★ *it's an acquired ~* je moet het léren waarderen ❷ voorproef ❸ ervaring ❹ inform 'n weinig, slokje
taste bud *zn* smaakpapil
tasteful [ˈteɪstfʊl] *bnw* smaakvol, v. goede smaak getuigend
tasteless [ˈteɪstləs] *bnw* ❶ v. slechte smaak getuigend, smakeloos ❷ zonder smaak
taster [ˈteɪstə] *zn* ❶ proever, voorproever

❷ proefje
tasty [ˈteɪstɪ] *bnw* smakelijk, met een sterke smaak
tat [tæt] *zn*, inform GB vodden
tater [ˈteɪtə] *zn* straat aardappel
tatter [ˈtætə] I *zn* vod, lap ★ *in ~s* aan flarden II *ov ww* aan flarden scheuren III *onov ww* aan flarden gaan, aftakelen
tattered [ˈtætəd] *bnw* haveloos
tattle [ˈtætl] I *zn* ❶ gebabbel ❷ geklik II *onov ww* ❶ babbelen ❷ klikken ★ *~ on your sister* over je zusje klikken
tattler [ˈtætlə] *zn* ❶ babbelaar ❷ klikspaan ❸ ruiter ⟨vogel⟩
tattletale [ˈtætlteɪl] *zn* USA klikspaan
tattoo [təˈtuː] I *zn* ❶ tatoeëring, tatoeage ❷ taptoe, militair schouwspel ★ *beat / sound the ~* taptoe slaan / blazen ★ *beat the devil's ~* nerveus met de vingers trommelen II *ov ww* ❶ tatoeëren III *onov ww* trommelen
tatty [ˈtætɪ] inform *bnw* kitscherig, haveloos, verward ★ *~ curtains* sjofele gordijnen
taught [tɔːt] *ww* [verleden tijd + volt. deelw.] → teach
taunt [tɔːnt] I *zn* schipscheut, spotternij, hoon II *ov ww* honen, beschimpen ★ *~ the boy about his curly hair* de jongen pesten om zijn krullen
Taurus [ˈtɔːrəs] *zn* Stier ⟨sterrenbeeld⟩
taut [tɔːt] *bnw* strak, gespannen
tauten [ˈtɔːtn] I *ov ww* spannen II *onov ww* zich spannen
tautology [tɔːˈtɒlədʒɪ] *zn* tautologie
tawdry [ˈtɔːdrɪ] I *zn* goedkope opschik II *bnw* ❶ opzichtig, opgedirkt ❷ smakeloos
tawny [ˈtɔːnɪ] *bnw* getaand, taankleurig ⟨geelbruin⟩
tax [tæks] I *zn* ❶ belasting ★ *value-added tax* belasting op toegevoegde waarde ★ *raise tax / taxes* de belasting verhogen ★ *before / after tax* bruto / netto ❷ last II *ov ww* ❶ belasten ❷ veel vergen van ★ *tax your patience* je geduld op de proef stellen ❸ vaststellen ⟨kosten⟩ ❹ form *~ with* beschuldigen van
taxability [tæksəˈbɪlɪtɪ] *zn* belastbaarheid
taxable [ˈtæksəbl] *bnw* belastbaar
tax assessment *zn* belastingaanslag
taxation [tækˈseɪʃən] *zn* belasting
tax bracket *zn* belastingschijf
tax break *zn* (tijdelijk) belastingvoordeel
tax collector *zn* belastingontvanger
tax-deductible *bnw* aftrekbaar v.d. belastingen
tax dodger *zn* belastingontduiker
tax evasion *zn* belastingontduiking
tax-free *bnw* belastingvrij
tax haven *zn* belastingparadijs
taxi [ˈtæksɪ] I *zn* taxi ★ *hail a taxi* een taxi (aan)roepen II *onov ww* ❶ met de taxi gaan ❷ taxiën ⟨v. vliegtuig⟩ III *ov ww*, *~ in* een taxi vervoeren
taxicab [ˈtæksɪkæb] *zn* taxi
taxidermy [ˈtæksɪdɜːmɪ] *zn* taxidermie
taxi driver [ˈtæksɪdraɪvə] *zn* taxichauffeur
taximeter [ˈtæksɪmiːtə] *zn* taximeter
taxi rank *zn* GB taxistandplaats
taxi strip *zn* startbaan
taxiway *zn* startbaan

ta

taxman ['tæksmæn] *zn* belastingambtenaar ★ *cheat the* ~ de belasting oplichten

taxpayer ['tækspeɪə] *zn* belastingbetaler

tax return *zn* belastingteruggave

TB [tiː'biː] *afk, tuberculosis* tbc, tuberculose

tbsp *afk, tablespoonful* eetlepel ⟨maat⟩

tea [tiː] *zn* ❶ thee, kopje thee ★ *have tea* theedrinken ★ *at tea* bij de thee ★ *make tea* thee zetten ★ *not for all the tea in China* voor geen goud ter wereld ★ *tea and sympathy* troost ❷ GB lichte theemaaltijd ★ *afternoon tea / five o'clock tea* lichte maaltijd met thee, broodjes, zoetigheid ❸ GB ⟨vroege⟩ avondmaaltijd ★ *high tea* warme maaltijd met thee ❹ <u>straatt</u> sterkedrank

tea bag *zn* theezakje

tea caddy *zn* GB theebus

teacake ['tiːkeɪk] *zn* GB rozijnencakeje

teach [tiːtʃ] [onregelmatig] I *ov ww* onderwijzen, leren ★ ~ *history* geschiedenis geven ★ ~ *you (how) to knit* je leren breien ★ USA *she ~es school* ze is onderwijzeres ★ *that will ~ you!* dat zal je leren! II *onov ww* lesgeven

teacher ['tiːtʃə] *zn* leraar, onderwijzer

teach-in *zn* discussiebijeenkomst, (politiek) debat / forum

tea cosy, USA tea cozy *zn* theemuts

teacup [tiːkʌp] *zn* theekopje ★ *storm in a* ~ storm in een glas water

teak [tiːk] *zn* ❶ teakboom ❷ teakhout

teakettle ['tiːketl] *zn* theeketel

teal [tiːl] *zn* taling ⟨wilde eend⟩

tea leaves *zn mv* theebladeren ★ *read* ~ de toekomst voorspellen ⟨vgl. koffiedikkijken⟩

team [tiːm] I *zn* ❶ team, groep, ploeg, elftal ★ *be in a team* in het elftal zitten ❷ span ⟨paarden⟩ ❸ vlucht ⟨vogels⟩ II *onov ww* **inform** ~ **up** een team vormen, (gaan) samenwerken III *ov ww* combineren

team spirit *zn* teamgeest

teamster ['tiːmstə] *zn* USA vrachtwagenchauffeur

teamwork ['tiːmwɜːk] *zn* ❶ teamwerk ❷ samenwerking

tea party *zn* theevisite, theepartij

teapot ['tiːpɒt] *zn* theepot

tear[1] [teə] *ov ww* [onregelmatig] ❶ (ver)scheuren, openrijten ★ *tear in two* in tweeën scheuren ★ *he could not tear himself away* hij kon zich niet losmaken / vrijmaken ★ *torn between good and evil* in tweestrijd tussen goed en kwaad ❷ trekken (aan), uitrukken ⟨haren⟩ ▼ GB **inform** *that's torn it* nu is alles bedorven ❸ ~ **apart** verscheuren, kapotscheuren, overhoop halen, afkraken ❹ ~ **down** afscheuren, afbreken ⟨gebouw⟩ ❺ ~ **up** verscheuren, verwoesten ★ *tear up the contract* het contract verscheuren II *onov ww* [onregelmatig] ❶ rennen, vliegen, razen, tekeergaan ★ *tear into the house* het huis binnenrennen ★ *tear up the stairs* de trap opstormen ★ *a storm was tearing through the area* een storm raasde door het gebied ❸ trekken ❹ ~ **at** rukken aan ❺ ~ **about** wild rondvliegen ❻ ~ **along** voortslepen, scheuren ⟨v. auto⟩, voortrennen III *zn* scheur

tear[2] [tɪə] *zn* ❶ traan ★ *reduce you to tears* je in tranen krijgen ★ *be close / near to tears* bijna moeten huilen ★ *fight back the tears* tegen de de tranen vechten ❷ druppel

teardrop ['tɪədrɒp] *zn* traan

tearful ['tɪəfʊl] *bnw* ❶ vol tranen ❷ betraand

tear gas *zn* traangas

tearing ['teərɪŋ] *bnw* woest ★ ~ *pain* vlammende pijn ★ *be in a* ~ *hurry* een verschrikkelijke haast hebben

tear jerker ['tɪədʒɜːkə] *zn* smartlap, tranentrekker

tearless ['tɪələs] *bnw* zonder tranen

tear-off ['teərɒf] *bnw* ★ ~ *calendar* scheurkalender

tea room *zn* lunchroom

tear-stained *bnw* betraand ★ ~ *face* behuild gezicht

tease [tiːz] I *zn* ❶ plaaggeest ❷ flirt ⟨uitdagende vrouw⟩ ❸ **inform** teaseradvertentie II *ov ww* ❶ plagen, kwellen ⟨dier bv.⟩ ❷ kammen, kaarden ⟨wol⟩ ❸ <u>vulg</u> opgeilen ❹ ~ **for** lastig vallen om ❺ ~ **out** ontwarren

teaser ['tiːzə] *zn* ❶ plager ❷ **inform** moeilijk geval ❸ teaseradvertentie, <u>lokkertje</u>

tea service, tea set *zn* theeservies

tea shop *zn* ❶ theewinkel ❷ lunchroom

teaspoon ['tiːspuːn] *zn* theelepel

teaspoonful ['tiːspuːnfʊl] *zn* theelepel ★ *two ~s of vinegar* twee theelepels azijn

tea-strainer *zn* theezeefje

teat [tiːt] *zn* ❶ tepel ⟨v. dier⟩, uier ❷ GB speen

tea towel *zn* thee- / droogdoek

tea tray *zn* theeblad

tea trolley *zn* theewagen, theeboy

tech [tek] *zn,* <u>onderw</u> **inform** *technical (college)* ≈ hogere technische school

technical ['teknɪkl] *bnw* ❶ technisch ❷ vaktechnisch ★ ~ *terms* vaktermen

technicality [teknɪ'kælətɪ] *zn* ❶ technische term ❷ technisch karakter ★ *only technicalities* slechts formaliteiten

technically ['teknɪklɪ] *bijw* technisch

technicals ['teknɪklz] *zn mv* technische details

technician [tek'nɪʃən] *zn* technicus

technicolour ['teknɪkʌlə] *zn* technicolor ★ *in* ~ in felle kleuren

technique [tek'niːk] *zn* techniek, werkwijze

techno- ['teknəʊ] *voorv* techno-, technologie betreffend

technocracy [tek'nɒkrəsɪ] *zn* technocratie

technocrat ['teknəkræt] *zn* technocraat

technological [teknə'lɒdʒɪkl] *bnw* technologisch

technologist [tek'nɒlədʒɪst] *zn* technoloog

technology [tek'nɒlədʒɪ] *zn* technologie

tectonic [tek'tɒnɪk] *bnw,* <u>aardk</u> <u>bouw</u> tektonisch

teddy bear ['tedɪ beə] *zn* teddybeer

tedious ['tiːdɪəs] *bnw* saai, vervelend

tedium ['tiːdɪəm] *zn* ❶ saaiheid ❷ verveling

tee [tiː] I *zn sport* afslagplaats ⟨golf⟩, tee ⟨golf⟩ ★ *to a tee* perfect II *ov ww* ~ **off** beginnen, **inform** USA ergeren ★ *teed off* pissig III *onov ww* ~ **off** afslaan ⟨golf⟩

teem [tiːm] *onov ww* ❶ vol zijn, krioelen ❷ ~ **with** wemelen van, gieten van ❸ gieten ★ *the rain is teeming down* het stortregent

teeming ['tiːmɪŋ] *bnw* wemelend

teen [ti:n] *inform* I *zn* tiener II *bnw* tiener-
teenage ['ti:neɪdʒ] *bnw* tiener-
teenager ['ti:neɪdʒə] *zn* tiener
teens [ti:nz] *zn mv ★ be in one's ~* in de tienerleeftijd zitten ⟨tussen 13 en 19 jaar⟩ *★ in his early / late ~* in zijn vroege / late tienerjaren
teepee *zn → tepee*
tee shirt *zn* T-shirt
teeter ['ti:tə] I *zn* USA wip(plank) II *onov ww* **❶** wankelen *★ ~ on high heels* op hoge hakken wiebelen *★ ~ on the edge / brink of bankruptcy* op de rand staan van een faillissement **❷** USA wippen
teeth [ti:θ] *zn mv → tooth*
teethe [ti:ð] *onov ww* tanden krijgen
teething ['ti:ðɪŋ] *zn* het tanden krijgen *★ ~ ring* bijtring *★ ~ troubles / problems* kinderziekten ⟨figuurlijk⟩, eerste moeilijke periode
teetotal [ti:'təʊtl] *bnw* geheelonthouders-, alcoholvrij
teetotalism [ti:'təʊtəlɪzəm] *zn* geheelonthouding
teetotaller [ti:'təʊtələ], USA **teetotaler** *zn* geheelonthouder
tel. *afk, telephone* tel.
telecamera ['telɪkæmrə] *zn* televisiecamera
telecast ['telɪkɑːst] *zn* televisie-uitzending
telecommunications [telɪkəmju:nɪ'keɪʃənz] *zn mv* telecommunicatie
telegram ['telɪgræm] *zn* telegram
telegraph ['telɪgrɑːf] I *zn* telegraaf II *onov ww* telegraferen III *ov ww* inkorten
telegraphese [telɪgrə'fi:z] *zn* telegramstijl
telegraphy [tɪ'legrəfɪ] *zn* telegrafie
telemarketing ['telɪmɑːkətɪŋ] *zn* telemarketing, telefonische klantenwerving
telemeter ['telɪmi:tə] *zn* afstandsmeter
telepathy [tɪ'lepəθɪ] *zn* telepathie
telephone ['telɪfəʊn] I *zn* telefoon *★ pick up / answer the ~* de telefoon opnemen *★ ~ exchange* telefooncentrale *★ is he on the ~?* is hij aangesloten?, is hij aan de telefoon / lijn? *★ a message on the ~* telefonische boodschap *★ the ~ is ringing* de telefoon gaat II *ov ww* telefoneren III *onov ww* telefoneren
telephone box *zn* GB telefooncel
telephone call *zn* telefoongesprek
telephone directory *zn* telefoongids
telephonic [telɪ'fonɪk] *bnw* telefonisch, telefoon-
telephonist [tɪ'lefənɪst] *zn* GB telefonist(e)
telephony [tɪ'lefənɪ] *zn* telefonie
telephoto lens [telɪ'fəʊtəʊ lenz] *zn* telelens
telescope ['telɪskəʊp] I *zn* telescoop II *onov ww* in elkaar geschoven / gedrukt worden III *ov ww* **❶** in elkaar schuiven **❷** inkorten
telescopic [telɪ'skopɪk] *bnw* telescopisch
telethon ['telɪθon] *zn* tv-marathon
Teletype ['telɪtaɪp] I *zn* telex II *ov ww* telexen III *onov ww* een telex sturen
teletypewriter [telɪ'taɪpraɪtə] *zn* telex
televise ['telɪvaɪz] *ov ww* uitzenden ⟨via televisie⟩
television ['telɪvɪʒən] *zn* televisie *★ watch ~* tv kijken
television set *zn* televisietoestel
teleworking ['teləwɜːkɪŋ] *onov ww* telewerk, het thuiswerken

telex ['teleks] I *zn* telex II *ov ww* telexen III *onov ww* een telex sturen
tell [tel] [onregelmatig] I *ov ww* **❶** vertellen, zeggen *★ tell the truth* de waarheid zeggen *★ I couldn't tell you* ik zou het niet weten *★ I'll tell you what, why don't we try it* weet je wat, we proberen het gewoon *★ tell it like it is* zeggen waar het op staat *★ I've told him off* ik heb hem goed gezegd waar het op stond *★ inform you're telling me!* wat je zegt! *★ I told you (so)* ik had je het toch al gezegd *★ tell a person good-bye* afscheid nemen van iem. **❷** (op)tellen ⟨stemmen bv.⟩ *★ 25 all told* 25 alles bij elkaar **❸** uit elkaar houden *★ can you tell them apart / one from the other?* kun je ze uit elkaar houden? II *onov ww* **❶** vertellen, zeggen *★ blood will tell* het bloed kruipt waar het niet gaan kan *★ time will tell* de tijd zal het leren *★ you never can tell* je kunt nooit weten *★ stupid past telling* onbeschrijfelijk dom **❷** klikken *★ that would be telling!* dat verklap ik je lekker niet! *★ I will not tell on you* ik zal het niet (van je) verklappen **❸** effect hebben, indruk maken *★ every shot told* elk schot was raak *★ his work tells on him* je kunt het hem aanzien dat hij hard werkt *★ it did not tell in the least with him* het maakte helemaal geen indruk op hem **❹** GB *~ against* pleiten tegen **❺** *dicht* ~ *of* getuigen van
teller ['telə] *zn* **❶** verteller **❷** stemopnemer ⟨lid v.h. Parlement⟩ **❸** kassier
telling ['telɪŋ] *bnw* **❶** indrukwekkend **❷** tekenend
telling-off [telɪŋ'ɒf] *zn* uitbrander
telltale ['telteɪl] I *zn* **❶** klikspaan, kletskous **❷** verklikker ⟨waarschuwingsinstrument⟩ II *bnw* onthullend *★ watch out for those ~ signs!* let op die veelzeggende tekenen!
telly ['telɪ] GB *inform zn* tv
temerity [tɪ'merətɪ] *zn* onbezonnenheid, roekeloosheid, lef
temp [temp] I *zn* uitzendkracht II *onov ww* werken als uitzendkracht III *afk, temperature* temperatuur
temper ['tempə] I *zn* **❶** aard, aanleg **❷** stemming, humeur *★ keep your ~* kalm blijven *★ have a hot ~* snel kwaad zijn *★ lose your ~* kwaad worden *★ ~s got frayed* ze raakten geïrriteerd **❸** boze bui, driftbui *★ have a ~* zeer humeurig zijn *★ fly into a ~* een driftbui krijgen *★ what a ~ he is in!* wat heeft hij een boze bui! II *ov ww* **❶** matigen, verzachten, temperen **❷** harden ⟨staal⟩
temperament ['temprəmənt] *zn* temperament, aard
temperamental [temprə'mentl] *bnw* **❶** aangeboren **❷** onberekenbaar, grillig, humeur vol kuren
temperamentally [temprə'mentəlɪ] *bijw* van nature
temperance ['tempərəns] *zn* **❶** matigheid **❷** (geheel)onthouding *★ ~ drinks* alcoholvrije dranken
temperate ['tempərət] *bnw* matig, gematigd *★ ~ zone* gematigde luchtstreek
temperature ['temprɪtʃə] *zn* **❶** temperatuur *★ fig raise / lower the ~* de opwinding doen toenemen / afnemen **❷** verhoging *★ he had a ~*

te

hij had verhoging
tempest ['tempɪst] zn ook fig storm ★ USA ~ in a teapot storm in een glas water
tempestuous [tem'pestjʊəs] bnw onstuimig, stormachtig
Templar ['templə] zn gesch tempelier
template ['templət] zn mal, patroon, comp sjabloon
temple ['templ] zn ❶ tempel ❷ slaap ⟨v.h. hoofd⟩
tempo ['tempəʊ] zn tempo
temporal ['tempərəl] bnw ❶ tijdelijk, van de tijd ❷ wereldlijk ★ the Lords Temporal wereldlijke leden v. Hogerhuis ❸ anat slaap- ★ ~ bone slaapbeen ★ ~ lobe slaapkwab
temporality [tempə'rælətɪ] zn tijdelijkheid ★ temporalities wereldlijk bezit
temporary ['tempərərɪ] I zn noodhulp, tijdelijke kracht II bnw tijdelijk ★ delete ~ files tijdelijke bestanden ★ ~ officer reserveofficier
temporize, temporise ['tempəraɪz] onov ww form tijd rekken / proberen te winnen, slag om de arm houden, laveren
tempt [tempt] ov ww verleiden, bekoren ★ I am ~ed to discontinue this ik voel er veel voor hiermee op te houden ★ ~ fate het lot tarten
temptation [temp'teɪʃən] zn verleiding, bekoring ★ give in / yield / succumb to (the) ~ bezwijken voor de verleiding
tempter ['temptə] zn verleider
tempting ['temptɪŋ] bnw verleidelijk ★ ~ offer verleidelijk aanbod
temptress ['temptrəs] zn verleidster
ten [ten] telw tien ★ ten to one tien tegen één, hoogstwaarschijnlijk ▼ the upper ten de elite
tenable ['tenəbl] bnw houdbaar, te verdedigen, geldend
tenacious [tɪ'neɪʃəs] bnw vasthoudend, volhardend ★ a ~ illness een hardnekkige ziekte ★ a ~ memory 'n sterk geheugen ★ fig be ~ of life taai zijn
tenacity [tɪ'næsətɪ] zn vasthoudendheid
tenancy ['tenənsɪ] zn ❶ huur(termijn), pacht(termijn) ❷ bekleden v. ambt ❸ verblijf
tenant ['tenənt] I zn huurder, pachter II ov ww pachten, huren
tend [tend] I onov ww ❶ geneigd zijn ★ tend to / towards neigen tot / naar ★ people tend to think that... mensen denken vaak dat... ❷ in een richting gaan ★ the stock market tends upwards de aandelenmarkt gaat omhoog ❸ ~ to zorgen voor II ov ww ❶ zorgen voor, hoeden ⟨dieren⟩, bedienen ⟨machine⟩ ★ tend the garden de tuin verzorgen ❷ USA de klanten helpen in ★ tend bar achter de bar staan
tendency ['tendənsɪ] zn ❶ neiging, aanleg ❷ tendens, trend ❸ stemming ⟨op beurs⟩
tendentious [ten'denʃəs] bnw form tendentieus
tender ['tendə] I zn ❶ inschrijving, tender, aanbod, offerte ★ the work will be put up / out for ~ het werk zal worden aanbesteed ❷ geleideschip ❸ tender ⟨v. locomotief⟩ ❹ betaalmiddel II bnw teder, zacht, mals ⟨v. vlees⟩ ★ the ~ passion de liefde ★ ~ of bezorgd voor ❷ gevoelig, pijnlijk ★ still ~ and swollen nog steeds pijnlijk en dik ❸ liefhebbend ★ the kitten needs ~ loving care het katje heeft veel

liefde en warmte nodig ❹ jong ★ his ~ years prille jeugd III ov ww aanbieden ★ he ~ed his resignation hij diende z'n ontslag in ★ ~ an oath to sb een. 'n eed opleggen IV onov ww ~ for inschrijven op ⟨werk⟩
tenderfoot ['tendəfʊt] zn, inform USA nieuweling
tender-hearted bnw teergevoelig
tenderize, tenderise ['tendəraɪz] ov ww mals maken ⟨vlees⟩
tenderloin ['tendəlɔɪn] zn ❶ biefstuk v.d. haas, varkenshaas ❷ USA rosse buurt
tendon ['tendən] zn ❶ pees ❷ spanwapening ⟨betonbouw⟩
tendril ['tendrɪl] zn scheut, rank, dunne twijg
tenement ['tenɪmənt] zn ❶ woning, huurflat, pachtgoed ❷ ★ ~ house huurkazerne, flatgebouw
tenet ['tenɪt] zn dogma, leerstelling
tenfold ['tenfəʊld] bnw tienvoudig
tenner ['tenə] zn inform ★ ❶ GB bankbiljet van tien pond ❷ USA bankbiljet van tien dollar
tennis ['tenɪs] zn tennis
tennis-court ['tenɪskɔːt] zn tennisbaan
tenon ['tenən] zn (houten) pen ★ ~-and-mortise joint pen-en-gatverbinding
tenor ['tenə] zn ❶ tenor ❷ altviool ❸ geest, strekking ★ the ~ of the questions de teneur van de vragen ❹ gang ⟨v. zaken⟩ ❺ afschrift
tenpin ['tenpɪn] zn kegel ★ ~ bowling bowlingspel, bowlen
tense [tens] I zn taalk grammaticale tijd ★ the present and the past ~ de tegenwoordige en de verleden tijd II bnw (in)gespannen, strak ★ those were ~ days dat waren dagen v. spanning III ov ww spannen ★ fig be all ~d up helemaal zenuwachtig zijn IV onov ww gespannen worden
tensile ['tensaɪl] bnw rekbaar, elastisch ★ ~ strength treksterkte
tension ['tenʃən] zn ❶ (in)spanning ★ ease the ~ with a wisecrack de spanning verminderen met een geintje ❷ spankracht
tensity ['tensətɪ] zn spanning
tensor ['tensə] zn strekspier
tent [tent] zn ❶ tent ★ pitch a tent een tent opzetten / opslaan ❷ wiek, prop gaas / watten
tentacle ['tentəkl] zn tentakel, vangarm ⟨v. octopus⟩, voelhoorn ★ the ~s of the government de klauwen van de overheid
tentative ['tentətɪv] I zn poging, proef II bnw ❶ voorlopig ⟨v. afspraak bv.⟩, voorzichtig ⟨v. stap, conclusie bv.⟩, experimenteel ❷ weifelend ⟨v. blik bv.⟩
tenterhooks ['tentəhʊkz] zn ★ be on ~ ongerust / in spanning zijn
tenth [tenθ] I telw tiende II zn ❶ tiende (deel) ❷ muz decime
tenuous ['tenjʊəs] bnw subtiel, vaag ⟨v. verband bv.⟩, zwak ⟨v. argument bv.⟩
tenure ['tenjʊə] zn ❶ ambtsperiode ★ during his ~ of office gedurende zijn ambtsperiode ❷ vaste aanstelling ❸ eigendomsrecht
tepee ['tiːpiː] zn tipi ⟨tent⟩
tepid ['tepɪd] bnw lauw
tepidity [te'pɪdətɪ] zn lauwheid

tercentenary [tɜ:sen'ti:nərɪ] *zn* driehonderdste gedenkdag

tercet ['tɜ:sɪt] *zn* drieregelig vers

tergiversate ['tɜ:dʒɪvəːseɪt] *form onov ww* ❶ ontwijkend antwoorden ❷ afvallig worden

term [tɜ:m] **I** *zn* ❶ termijn, <u>onderw</u> trimester / semester, zittingsduur ⟨van rechtbank⟩ ★ *term has not yet started* de scholen / colleges zijn nog niet begonnen ★ *his term of office expired* zijn ambtsperiode liep af ★ *for a term of years* voor een aantal jaren ★ *serve a 10-year term* een gevangenisstraf van 10 jaar uitzitten ❷ vastgestelde dag, afloopdatum ❸ term, woord ★ *flattering terms* vleiende bewoordingen ★ *guarded terms* bedekte termen ★ *he only thinks in terms of money* hij denkt alleen maar aan geld ★ *be on Christian / first name term* elkaar bij de voornaam noemen ❹ [mv] ★ *terms* voorwaarden ❷ *terms and conditions* bepalingen en voorwaarden ★ *surrender on terms* zich voorwaardelijk overgeven ★ *terms of trade* ruilvoet ❺ [mv] ★ *terms* overeenkomst, relatie ★ *come to terms about sth* het eens worden over iets ★ *come to terms with sth* in het reine komen met iets, <u>psych</u> iets verwerken ★ *they were brought to terms* ze werden overtuigd ★ *I'm on good terms with him* ik sta op goede voet met hem ★ *they met on equal terms* ze gingen op voet v. gelijkheid om met elkaar ★ *marry on equal terms* huwen in gemeenschap v. goederen ★ *they are not on speaking terms* ze praten niet (meer) met elkaar ★ *terms of reference* studie- / onderzoeksopdracht, taakomschrijving / -stelling **II** *ov ww* noemen

termagant ['tɜ:məgənt] <u>dicht</u> *zn* feeks

terminal ['tɜ:mɪnl] **I** *zn* ❶ eindpunt, terminal ⟨v. vliegveld, station, haven⟩ ❷ <u>comp</u> werkstation ❸ (pool)klem (elektriciteit) **II** *bnw* ❶ ongeneeslijk, <u>humor</u> ~ *boredom* dodelijke verveling ❷ slot-, <u>eind</u>- ❸ <u>plantk</u> eindstandig

terminate [tɜ:mɪnett] **I** *ov ww* beëindigen, opzeggen ⟨contract bv.⟩ **II** *onov ww* eindigen, aflopen

termination [tɜ:mɪ'neɪʃən] *zn* ❶ afloop, einde, beëindiging ❷ abortus ★ ~ *of pregnancy* zwangerschapsonderbreking

terminology [tɜ:mɪ'nɒlədʒɪ] *zn* terminologie

terminus ['tɜ:mɪnəs] *zn* ❶ <u>GB</u> kopstation ❷ eind(punt)

termite ['tɜ:maɪt] *zn* termiet

tern [tɜ:n] *zn* ❶ stern ❷ drietal

terrace ['terəs] *zn* ❶ terras ❷ bordes ❸ <u>GB</u> huizenrij op helling

terraced ['terəst] *bnw* ❶ terrasvormig ★ ~ *roof* terrasdak, plat dak ❷ <u>GB</u> rijtjes- ★ ~ *house* rijtjeshuis

terrain [te'reɪn] *zn* terrein

terrestrial [tə'restrɪəl] **I** *zn* aardbewoner **II** *bnw* aards, ondermaans, land- ★ ~ *globe* aardbol, globe ★ *digital* ~ *tv* digitale ethertelevisie

terrible ['terɪbl] *bnw* verschrikkelijk, ontzettend ★ *be* ~ *at cooking* ontzettend slecht kunnen koken

terribly ['terɪblɪ] *bijw* vreselijk, verschrikkelijk, geweldig ★ *it goes* ~ *wrong* het gaat verschrikkelijk fout

terrier ['terɪə] *zn* terriër

terrific [tə'rɪfɪk] *bnw* ❶ uitstekend, fantastisch ❷ schrikbarend

terrifically [tə'rɪfɪklɪ] *bijw* verschrikkelijk

terrified ['terɪfaɪd] *bnw* doodsbang ★ ~ *of spiders* doodsbang voor spinnen

terrify ['terɪfaɪ] *ov ww* doodsbang maken, schrik aanjagen ★ *he was terrified into signing the contract* hij werd zo geïntimideerd dat hij het contract tekende

terrifying ['terɪfaɪɪŋ] *bnw* afschuwelijk

territorial [terɪ'tɔ:rɪəl] **I** *bnw* territoriaal ⟨ook v. gedrag⟩, land-, grond- ★ ~ *waters* territoriale wateren / zone **II** *zn* soldaat van de vrijwillige landweer

territory ['terɪtərɪ] *zn* ❶ territorium, gebied ★ *fig that comes / goes with the* ~ dat hoort erbij ❷ <u>econ</u> rayon ❸ <u>USA</u> gebied dat nog niet alle rechten v.e. staat heeft ★ *mandated* ~ mandaatgebied

terror ['terə] *zn* ❶ angst, paniek ★ *strike* ~ *into you* je doodsbang maken ★ *form it doesn't hold any* ~*s for me* het boezemt mij geen angst in ❷ terreur, verschrikking ❸ pestkop ★ <u>iron</u> *holy* ~ schrik van de familie ⟨persoon⟩

terrorism ['terərɪzəm] *zn* terrorisme

terrorist ['terərɪst] **I** *zn* terrorist **II** *bnw* terroristisch ★ ~ *attack* terroristische aanslag

terrorize, terrorise ['terəraɪz] *ov ww* terroriseren

terror-stricken *bnw* hevig verschrikt

terse [tɜ:s] *bnw* kort, beknopt

tertiary ['tɜ:ʃərɪ] *bnw* tertiair ★ ~ *education* tertiair / hoger onderwijs

tessellated ['tesəletɪd] *bnw* met mozaïek(en) ingelegd

test [test] **I** *zn* ❶ test, proef(werk), tentamen ★ *oral / written test* mondeling / schriftelijke overhoring ★ *mental test* intelligentietest ★ *stand the test of time* de tijd trotseren ❷ beproeving, toets(steen) ★ *put to the test* op de proef stellen ❸ <u>scheik</u> reagens ❹ wedstrijd **II** *ov ww* ❶ toetsen, testen, <u>med</u> onderzoeken ★ *test the water(s)* de stemming peilen ★ *test the car out* de auto uitproberen ❷ beproeven, op de proef stellen **III** *onov ww* als resultaat hebben ★ *he tested negative* zijn testresultaat was negatief

testament ['testəmənt] *zn* testament ★ <u>fig</u> *a* ~ *to* een bewijs van

testamentary [testə'mentərɪ] *bnw* testamentair

test ban *zn* kernstopverdrag

test case *zn* <u>jur</u> testcase, proefproces

tester ['testə] *zn* ❶ iemand die test ❷ klankbord ❸ tester ⟨met parfum⟩ ❹ baldakijn ❺ hemel ⟨v. ledikant⟩

test flight *zn* testvlucht

test-fly I *onov ww* proefvlucht maken **II** *ov ww* invliegen ⟨vliegtuig⟩

testicle ['testɪkl] *zn* testikel, zaadbal

testify ['testɪfaɪ] **I** *ov ww* verklaren, getuigen van **II** *onov ww* ❶ getuigen ❷ ~ *to* getuigen van, getuigenis afleggen van

testimonial [testɪ'məʊnɪəl] *zn* ❶ getuigschrift ❷ huldeblijk

testimony ['testɪmənɪ] *zn* getuigenis, verklaring onder ede, bewijs ★ *give* ~ getuigenis afleggen ★ *bear* ~ *against* getuigen tegen ★ *bear* ~ *to / of*

te

te

getuigen van

test match *zn* sport testmatch

test paper *zn* ❶ proefwerk ❷ scheik reageerpapier

test pilot *zn* testpiloot

test tube *zn* reageerbuisje

test-tube baby *zn* reageerbuisbaby

testy ['testɪ] *bnw* prikkelbaar

tetanus ['tetənəs] *zn* tetanus, stijfkramp

tether ['teðə] **I** *zn* touw, ketting ‹v. grazend dier› ★ *he is at the end of his ~* hij is ten einde raad, hij is uitgepraat ★ *it is beyond my ~* het gaat m'n begrip te boven **II** *ov ww* vastbinden ★ *~ the dog by a short rope* de hond kort houden

Teutonic [tju:'tɒnɪk] *bnw* Teutoons, Germaans, Duits

Texan ['teksən] **I** *zn* Texaan **II** *bnw* v. Texas, Texaans

Tex-Mex **I** *zn* tex-mex **II** *bnw* Mexicaans-Texaans ‹culinair, muziek›

text [tekst] **I** *zn* ❶ tekst ★ *set text* verplicht boek ‹voor examen› ❷ sms'je ❸ USA leerboek **II** *ov ww* sms'en

textbook ['tekstbʊk] **I** *zn* ❶ leerboek ❷ tekstboek **II** *bnw* volgens het boekje

textile ['tekstaɪl] **I** *zn* textiel **II** *bnw* textiel-, geweven

text message **I** *zn* sms-bericht ★ *send a ~* een sms'je versturen **II** *ov ww* sms'en

textual ['tekstʃʊəl] *bnw* m.b.t. de tekst ★ *~ analysis* tekstanalyse ❷ letterlijk

texture ['tekstʃə] *zn* ❶ textuur, weefsel ★ *it has a silky ~* het voelt aan als zijde ❷ structuur, bouw

TFT screen *zn* tft-scherm ‹thin film transistor liquid crystal scherm›

Thai [taɪ] **I** *zn* ❶ Thailander, Thaise ❷ Thai ‹taal› **II** *bnw* Thais, Thailands

thalidomide [θə'lɪdəmaɪd] *zn* ★ *~ baby* softenonkind

Thames [temz] *zn* Theems ‹rivier› ★ GB *he won't set the ~ on fire* hij heeft het buskruit niet uitgevonden

than [ðən] *vw* dan ★ *larger than* groter dan

thang [θæn] *zn,* USA plat ding ★ *it's your ~* het is jouw zaak, je moet het zelf weten

thank [θæŋk] *ov ww* (be)danken ★ *~ you for your message* hartelijk dank voor je bericht ★ *~ you* dank je / u ‹bij aanneming›, alstublieft, ja graag ★ *no, ~ you* nee, dank je / u ‹bij weigering› ★ iron *~ you for nothing!* daar hebben we veel aan (gehad)! ★ iron *~ you for the potatoes* wil je me de aardappels even aangeven? ★ *I'll ~ you to mind your own business* bemoei je alsjeblieft met je eigen zaken ★ *~ your lucky stars* je gelukkig prijzen ★ *I have my father to ~ for that* dat heb ik aan mijn vader te danken

thankful ['θæŋkfʊl] *bnw* dankbaar, blij

thankless ['θæŋkləs] *bnw* ondankbaar

thanks [θæŋks] **I** *tw* inform bedankt, dank je, dankjewel ★ *many ~* hartelijk dank, dank je wel hartelijk ★ *no ~* graag gedaan ★ iron *but no ~* bedankt, maar laat het maar zitten **II** *zn mv* dank ★ *give / return ~* danken ‹aan tafel› ★ *~ to you* dankzij jou ★ min *no ~ to you* niet vanwege jouw inzet ★ *~ to your stupidity* als gevolg van jouw domheid ★ *we received your letter with ~* in

dank ontvingen wij uw schrijven ★ *small ~ we had for it* we kregen stank voor dank

thanksgiving ['θæŋksgɪvɪŋ] *zn* form dankzegging

Thanksgiving Day *zn* Thanksgiving Day ‹feestdag in USA en Canada›

thank-you *bnw* dank- ★ *~ speech* dankwoord ★ *~ note* bedankbriefje

that [ðæt] **I** *aanw vnw* dat, die ★ *who is that lady?* wie is die dame? ★ *that's that!* dat is dat, dat is klaar! ★ *that's right!* in orde! ★ *don't talk like that* zó moet je niet praten ★ GB *that's a good boy* dan ben je een brave jongen ★ *he has that trust in you* hij heeft zoveel vertrouwen in je ★ *put that and that together* breng de dingen met elkaar in verband ★ *there was that in his manner* hij had iets in zijn optreden ★ *they did that much (at least)* zóveel hebben ze (in ieder geval) gedaan ★ *and all that* en dergelijke ★ *that is (to say)* dat wil zeggen ★ *and difficult at that!* en bovendien erg moeilijk! **II** *betr vnw* die, dat, welk(e), wat ★ *the book that I sent you* het boek dat ik je gezonden heb ★ *Mrs. Smith, Helen Burns that was* Mevr. Smith, geboren Helen Burns **III** *vw* ❶ dat ❷ opdat

thatch [θætʃ] **I** *zn* ❶ (dak)stro ❷ rieten dak ❸ inform dik hoofdhaar **II** *ov ww* met riet dekken

thaw [θɔ:] **I** *zn* dooi **II** *onov ww* ❶ dooien ❷ ook fig ontdooien ★ *the ice thaws* het ijs smelt **III** *ov ww* (laten) ontdooien

the [ðɪ] *lw* de, het ★ *the more so as* te meer omdat ★ *he is the man for it* hij is dé man ervoor ★ *the more..., the less...* hoe meer..., des te / hoe minder... ★ *all the better* des te beter ★ *the stupidity!* wat stom! ★ *she plays the clarinet* zij speelt klarinet ★ *born on the 12th of August* op 12 augustus geboren

theatre, USA **theater** ['θɪətə] *zn* ❶ theater, schouwburg, aula ‹v. school bv.› ❷ toneel, dramatische literatuur / kunst ❸ GB operatiezaal ❹ gebied ★ *~ of war* front ❺ med *operating* theater operatiekamer / -zaal

theatregoer, USA **theatergoer** ['θɪətəgəʊə] *zn* schouwburgbezoeker

theatrical [θɪ'ætrɪkl] *bnw* ❶ theatraal, overdreven ❷ toneel-

theatricals [θɪ'ætrɪklz] *zn mv* ❶ toneel(zaken) ★ *private ~* amateurtoneel ❷ fig vertoning, aanstellerij

thee [ði:] *pers vnw* oud U ‹enkelvoud›

theft [θeft] *zn* diefstal

their [ðeə] *bez vnw* hun ★ *it's ~ choice* het is hun keuze

theirs [ðeəz] *bez vnw* de / het hunne ★ *she was a friend of ~* zij was één v. hun vrienden ★ *it is not ~ to judge* het is niet aan hen om te oordelen

theism ['θi:ɪzm] *zn* theïsme

them [ðəm] *pers vnw* hen, hun, ze, zich ★ *give them instructions* hun instructies geven ★ *Tim saw them first* Tim zag hen / ze het eerst ★ *is it them already?* zijn ze er al? ★ *they closed the door behind them* ze deden de deur achter zich dicht

thematic [θɪ'mætɪk] *bnw* thematisch

theme [θi:m] *zn* ❶ thema, onderwerp ★ *a*

recurrent / recurring ~ een terugkerend onderwerp ❷ herkenningsmelodie
theme park *zn* amusementspark ⟨rond één thema⟩
theme song *zn* titellied ⟨v.e. film e.d.⟩, herkenningsmelodie
themselves [ðəmˈselvz] *wkd vnw* zich(zelf), henzelf, zij zelf ⟨meervoud⟩ ★ *they enjoy* ~ zij amuseren zich ★ *they tried to do it* ~ ze probeerden het zelf te doen
then [ðen] **I** *zn* dan ★ *by then* tegen die tijd ★ *not till then* toen pas ★ *till then* tot die tijd ★ *every now and then* nu en dan **II** *bijw* dan, toen, daarop, vervolgens ★ *what happened then?* wat gebeurde er toen / daarna? ★ *then and there* direct, op staande voet ★ *right then, no more excuses* nou dan, nu geen smoesjes meer ★ *if you didn't like the party, then you should have left* als je het feest niet leuk vond, dan had je (maar) moeten weggaan **III** *bnw* form toenmalig ★ *the then King* de toenmalige koning
thence [ðens] *bijw* form vandaar, om die reden
theocracy [θɪˈɒkrəsɪ] *zn* theocratie
theologian [θiːəˈləʊdʒɪən] *zn* theoloog, godgeleerde
theological [θiːəˈlɒdʒɪkl] *bnw* theologisch
theology [θɪˈɒlədʒɪ] *zn* theologie, godgeleerdheid
theoretical [θɪəˈretɪkl] *bnw* theoretisch
theoretician [θɪərəˈtɪʃən] *zn* theoreticus
theorist [ˈθɪərɪst] *zn* theoreticus
theorize, theorise [ˈθɪəraɪz] *onov ww* theoretiseren
theory [ˈθɪərɪ] *zn* theorie
therapeutic [θerəˈpjuːtɪk] *bnw* therapeutisch, geneeskrachtig
therapeutics [θerəˈpjuːtɪks] *zn mv* therapie
therapist [ˈθerəpɪst] *zn* therapeut
therapy [ˈθerəpɪ] *zn* therapie, behandeling ★ *complementary* ~ alternatieve therapie
there [ðeə] **I** *bijw* ❶ daar, er ★ ~ *are a lot of buildings* er zijn veel gebouwen ★ *inform I've been* ~ ik weet er alles van ★ *he's not all* ~ hij is niet goed wijs ★ *it's neither here nor* ~ het raakt kant noch wal ★ ~ *and then* op staande voet ★ ~ *'s a dear* je bent een beste meid ★ ~ *you are!* dáár ben je!, precies! ⟨als bevestiging⟩, alsjeblieft! ⟨ter demonstratie⟩ ★ ~ *it is* het is nu eenmaal niet anders ★ *from* ~ daarvandaan ★ *near* ~ daar in de buurt ❷ daarheen ★ ~ *and back* heen en terug **II** *tw* daar, nou ★ ~, ~! kom, rustig maar!
thereabouts [ˈðeərəbaʊts] *bijw* ❶ in de buurt ❷ daaromtrent
thereafter [ðeərˈɑːftə] *bijw* form daarna
thereby [ðeəˈbaɪ] *bijw* form daardoor, daarbij ★ ~ *hangs a tale* daar zit een verhaal aan vast
therefore [ˈðeəfɔː] *bijw* daarom, bijgevolg, dus
therein [ðeərˈɪn] *bijw* daarin, erin ★ ~ *lies the problem* daarin zit het probleem
thereof [ðeərˈɒv] *bijw* form daarvan, ervan
thereupon [ðeərəˈpɒn] *bijw* form daarna
thermal [ˈθɜːml] **I** *zn* ❶ thermiek ❷ [mv] ★ ~*s* thermische kleding **II** *bnw* warmte- ★ ~ *underwear* thermisch ondergoed ★ *luchtv* ~

barrier warmtebarrière, warmtegrens ★ ~ *imaging* warmtebeeldtechniek
thermic [ˈθɜːmɪk] *bijw* ❶ warmte- ❷ heet ⟨bron⟩
thermodynamics [θɜːməʊdaɪˈnæmɪks] *zn mv* thermodynamica
thermometer [θɜːˈmɒmɪtə] *zn* thermometer ★ ⟨clinical⟩ ~ koortsthermometer
thermonuclear [θɜːməʊˈnjuːklɪə] *bnw* thermonucleair ★ ~ *bomb* waterstofbom
thermoplastic [θɜːməʊˈplæstɪk] *bnw* thermoplast(isch)
thermos [ˈθɜːməs] *zn* thermosfles
thermostat [ˈθɜːməstæt] *zn* thermostaat
thermostatic [θɜːməˈstætɪk] *bnw* ★ *with* ~ *control* met thermostaat
thesaurus [θɪˈsɔːrəs] *zn* ❶ thesaurus, lexicon ❷ fig schatkamer
these [ðiːz] *aanw vnw* deze ⟨meervoud⟩ ★ *I've lived here* ~ *3 years* ik woon hier al 3 jaar
thesis [ˈθiːsɪs] *zn* ❶ dissertatie ❷ (te verdedigen) stelling
thews [θjuːz] *zn mv* (spier)kracht, spieren
thewy [ˈθjuːɪ] *bnw* gespierd
they [ðeɪ] *pers vnw* zij, ze ⟨meervoud⟩, men ★ *as they say* naar men zegt
thick [θɪk] **I** *bnw + bijw* ❶ dik ★ ~ *type* vette letter ❷ vol, dicht opeen ★ ~ *with bushes* dicht begroeid met / vol struiken ★ ~ *with smoke* vol rook ★ *the donations come in* ~ *and fast* de schenkingen stromen binnen ❸ onduidelijk klinkend, hees ⟨v. stem⟩, zwaar ⟨v. accent⟩ ★ *speak* ~ / *with a* ~ *tongue* moeilijk spreken ❹ dik bevriend ★ *they are very* ~ *together* ze zijn dikke vrienden ❺ dom ❻ fig inform sterk, kras ★ *lay it on* ~ drukte maken over, overdrijven **II** *zn* ❶ dikte, dikste gedeelte ❷ kritieke deel, hoogtepunt ★ *the* ~ *of the battle* het heetst v.d. strijd ★ *through* ~ *and thin* door dik en dun
thicken [ˈθɪkən] **I** *ov ww* verdikken, binden ⟨saus, jus, soep⟩ **II** *onov ww* dik(ker) worden ★ ~*ing of the arteries* slagaderverkalking ❷ talrijker / ingewikkelder worden
thickener [ˈθɪkənə] *zn* bindmiddel
thicket [ˈθɪkɪt] *zn* struikgewas
thickheaded [θɪkˈhedɪd] *inform bnw* dom
thickly [ˈθɪklɪ] *bijw* ❶ dik ❷ met zware tong sprekend, moeilijk sprekend
thickness [ˈθɪknəs] *zn* ❶ dikte ❷ laag
thickset [θɪkˈset] *bnw* ❶ gedrongen ⟨v. figuur⟩ ❷ dicht beplant
thick-skinned *bnw* ook fig dikhuidig
thief [θiːf] *zn* dief ★ *be as thick as thieves* dikke vrienden zijn
thief-proof *bnw* inbraakvrij
thieve [θiːv] *onov ww* stelen
thievery [ˈθiːvərɪ] *zn* dieverij
thieving [ˈθiːvɪŋ] **I** *zn* diefstal **II** *bnw* inform ★ *you* ~ *scumbag!* jij vuile dief!
thievish [ˈθiːvɪʃ] *bnw* diefachtig
thigh [θaɪ] *zn* dij
thimble [ˈθɪmbl] *zn* ❶ vingerhoed ❷ dopje, kabelkous
thimbleful [ˈθɪmblfʊl] *zn* ❶ vingerhoed ❷ heel klein beetje
thin [θɪn] **I** *bnw* ❶ dun, mager, schraal ★ *I'm getting a little thin op top* ik word een beetje

th

kaal ★ *thin as a rake* mager als een lat ★ *GB we had a thin time* we hadden het niet breed ★ *a thin attendance* geringe opkomst ★ fig *on thin ice* op gevaarlijk terrein ❷ ijl 〈v. lucht〉 ❸ doorzichtig ★ *thin excuse* pover excuus ★ *a thin joke* flauwe grap **II** *ov ww* ❶ verdunnen ❷ verminderen ❸ *~ out* uitdunnen **III** *onov ww* ❶ dunner worden 〈bv. v. haar〉 ❷ afnemen

thine [ðaɪn] oud *bez vnw* ❶ uw, van u ❷ de / het uwe

thing [θɪŋ] *zn* ❶ ding, zaak, iets ★ *among other ~s* onder andere ★ *how are ~s at home?* hoe gaat het thuis? ★ *for one ~... for another...* enerzijds..., anderzijds..., ten eerst..., ten tweede... ★ *neither one ~ nor another* noch dit, noch dat ★ *what with one ~ and another* kortom ★ *there's no such ~ as a free lunch* voor niets gaat de zon op ★ *try to be all ~s to all men / people* proberen alles te zijn voor iedereen ★ *be a ~ of the past* tot het verleden behoren ★ *~s English* wat op Engels betrekking heeft ★ *the first ~ we did* het eerste dat we deden ★ *first ~s first* wat het zwaarst is moet het zwaarst wegen ★ *they made a good ~ of it* ze verdienden er een aardige duit aan ★ inform *no great ~s* niet veel zaaks ★ *the latest ~ in shoes* het laatste snufje op het gebied v. schoenen ★ *she had done any old ~* ze had v. alles bij de hand gehad ★ *~s real* eigendom ★ *that ~ Smith* die Smith, die vent van Smith ★ *it is not quite the ~* het is niet zoals het hoort ★ *skirts are quite the ~* rokken zijn helemaal in (de mode) ★ inform *I am not feeling at all the ~* ik voel me niet in orde / goed ★ *I have a ~ about / for fashion* ik heb iets met mode ★ *he knows a ~ or two* hij is bij de tijd ★ *see ~s* hallucinaties hebben ★ *he takes ~s too seriously* hij neemt het te zwaar op ❷ wezen(tje) ★ *poor ~* arm schepsel / schaap ★ *dear old ~* (beste) jongen / meid ▼ *that was a close ~* dat was op het nippertje

think [θɪŋk] **I** *ov ww* [onregelmatig] ❶ denken, vinden, achten, geloven ★ *I ~ you're right* ik geloof dat je gelijk hebt ★ *~ no harm* geen kwaad vermoeden ❷ zich herinneren ★ *I can't ~ what it was called* ik kan niet op de naam komen ❸ nadenken over, bedenken ★ *~ money* alleen aan geld denken ❹ *~ out* uitdenken, ontwerpen 〈plan〉, overwegen ❺ *~ over* overdenken ❻ *~ through* doordenken, goed nadenken over ❼ *~ up* bedenken, verzinnen **II** *onov ww* [onregelmatig] ❶ denken ★ *we ~ not* we denken / vinden v. niet ★ *I thought as much* ik vermoedde het al ★ *not be ~ing straight* niet helder nadenken ★ *~ (alike) with sb* het met iem. eens zijn ★ *~ aloud / out loud* hardop denken ★ *~ to o.s.* bij zichzelf denken ★ *~ hard* ingespannen denken ★ *~ big* grootschalig denken ❷ (erover) nadenken, zich bedenken ★ *~ twice / again before doing sth* nog eens goed nadenken voordat je iets doet ★ *he thought better of it* hij bedacht zich ❸ zich voorstellen ★ *just ~!* stel je eens voor!, denk je eens even in! ❹ *~ about* denken over ★ *don't even ~ about it!* waag het niet! ❺ *~ back to* terugdenken aan ❻ *~ of* denken aan / over / van ★ *~ little of sb* niet veel op hebben met, geen hoge dunk hebben v. iem.

★ *~ little of sth* ergens de hand niet voor omdraaien ★ *what were you ~ing of* waar zat je met je gedachten **III** *zn* inform gedachte, overweging ★ *just have a ~ about it* denk er 'ns even over na ★ *you've got another ~ coming* je hebt het verkeerd begrepen

thinkable ['θɪŋkəbl] *bnw* denkbaar

thinker ['θɪŋkə] *zn* denker

thinking ['θɪŋkɪŋ] **I** *zn* ❶ het denken ★ *way of ~* zienswijze ★ *put on your ~ cap* denk eens goed na ★ *wishful ~* hoopvol denken ★ *good ~!* goed idee! ❷ gedachte **II** *bnw* (na)denkend ★ *~ power* denkvermogen

thinner ['θɪnə] *zn* thinner, verdunner

thin-skinned *bnw* overgevoelig

third [θɜːd] **I** *telw* derde ★ *~ root* derde machtswortel ❷ *~ time (is) lucky (time)* driemaal is scheepsrecht ★ *he finished ~* hij eindigde op de derde plaats ★ *drive in ~ gear* in de derde versnelling rijden ★ *GB ~ age* derde levensfase 〈55+〉 **II** *zn* ❶ derde deel ❷ muz terts

third-class *bnw* ❶ derderangs- ❷ derdeklasse-

thirdly ['θɜːdlɪ] *bijw* ten derde

third-party *bnw* jur m.b.t. derden ★ *~ risks* WA-risico

third-rate *bnw* derderangs, inferieur

thirst [θɜːst] **I** *zn* dorst ★ *~ after / for / of* dorst naar **II** *onov ww* *~ after/for* dorsten naar

thirsty ['θɜːstɪ] *bnw* dorstig ★ *be ~* dorst hebben ★ fig *be ~ for a better world* hunkeren naar een betere wereld ★ inform *my car is ~* mij auto zuipt benzine

thirteen [θɜː'tiːn] *telw* dertien

thirteenth [θɜː'tiːnθ] *telw* dertiende

thirtieth ['θɜːtɪəθ] *telw* dertigste

thirty ['θɜːtɪ] *telw* dertig ★ *be in your thirties* in de dertig zijn

this [ðɪs] *aanw vnw* dit, deze 〈enkelvoud〉 ★ *this, that and the other* van alles en nog wat ★ *to this day* tot nu toe ★ *from this to A.* v. hier naar A. ★ *it's John this and John that* het is John vóór en John na ★ *this much is true* dit is waar ★ *this is to you!* op je gezondheid! ★ *he can put this and that together* hij kan verband leggen tussen de dingen ★ *this many a day* al vele dagen ★ *this terrible* zo vreselijk ★ *before this* vroeger ★ *they'll be ready by this time* ze zullen nu wel klaar zijn ★ *for all this* niettegenstaande dit alles ★ *it is like this:...* het zit zo:...

thistle ['θɪsəl] *zn* distel 〈ook nationaal embleem v. Schotland〉

thistly ['θɪslɪ] *bnw* distelachtig, vol distels

thong [θɒŋ] *zn* ❶ string 〈slipje〉 ❷ riem ❸ USA teenslipper

thorax ['θɔːræks] *zn* ❶ borstkas ❷ borststuk 〈v. insect〉

thorn [θɔːn] *zn* doorn, stekel ★ *it is a ~ in my flesh / side* het is mij 'n doorn in het oog ★ *sit on ~s* op hete kolen zitten

thorny ['θɔːnɪ] *bnw* ❶ doornachtig, stekelachtig ❷ netelig

thorough ['θʌrə] *bnw* ❶ grondig, degelijk, volmaakt ★ *a ~ investigation* een grondig onderzoek ★ *a ~ policy* politiek die van geen compromis wil weten ❷ echt, doortrapt 〈bv. schurk〉

th

thoroughbred ['θʌrəbred] I zn ❶ volbloed paard ❷ welgevoed persoon ❸ eersteklas auto, enz. II bnw ❶ volbloed, rasecht ❷ welgevoed

thoroughfare ['θʌrəfeə] zn (hoofd)straat, hoofdweg ★ no ~ afgesloten voor verkeer, geen doorgaand verkeer

thoroughgoing ['θʌrəgəʊɪŋ] bnw grondig, volledig

thoroughly ['θʌrəlɪ] bijw door en door, grondig

those [ðəʊz] aanw vnw ❶ die (meervoud), zij ⟨meervoud⟩ ❷ degenen ★ there are ~ who say er zijn er die zeggen

thou [ðaʊ] pers vnw oud gij ⟨enkelvoud⟩, U

though [ðəʊ] I vw hoewel, ofschoon ★ as ~ alsof ★ even ~ ook al ★ strange ~ it seems hoewel het vreemd lijkt II bijw maar toch, evenwel ★ I wish you had told me ~ maar ik wou dat je het me gezegd had

thought [θɔːt] I zn ❶ gedachte ★ she gave the matter a ~ ze dacht over de zaak na ★ have second ~s van mening veranderen ★ on second ~s bij nader inzien ★ without a second ~ zonder aarzelen ★ it's the ~ that counts het is de gedachte die telt ★ perish the ~ de gedachte alleen al ❷ idee, oordeel ★ there's a ~! daar zeg je wat! ★ express your ~s on the proposal je mening over het voorstel geven ❸ het denken ★ give up all ~ of finding a job alle hoop op het vinden van een baan opgeven II ww [verleden tijd + volt. deelw.] → think

thoughtful ['θɔːtfʊl] bnw ❶ attent, zorgzaam ❷ nadenkend, bedachtzaam ❸ serieus ⟨v. discussie bv.⟩

thoughtless ['θɔːtləs] bnw gedachteloos, onnadenkend, onattent

thousand ['θaʊzənd] telw duizend ★ one in a ~ één op de duizend ★ a ~ thanks duizendmaal dank ★ a ~ to one duizend tegen één ★ the upper ten ~ de elite ★ USA inform bat a ~ het uitstekend doen

thousandfold ['θaʊzəndfəʊld] bnw + bijw duizendvoudig

thousandth ['θaʊzənθ] telw duizendste

thrall [θrɔːl] zn slavernij ★ be in ~ to slaaf zijn van ★ have / hold you in ~ je boeien, je tot slaaf maken

thrash [θræʃ] I ov ww ❶ verpletterend verslaan ❷ slaan, afranselen ❸ dorsen ❹ ~ out uitwerken II onov ww ❶ slaan ❷ stampen ⟨v. schip⟩ ❸ ~ about/around (wild) om zich heen slaan, woelen

thrashing ['θræʃɪŋ] bnw ook fig pak slaag

thread [θred] I zn draad, garen ★ he had not a dry ~ on him hij had geen droge draad aan z'n lijf ★ his life hangs by a ~ z'n leven hangt aan een zijden draadje ★ his coat was worn to a ~ zijn jas was tot op de draad versleten ★ pick up the ~s de draad weer opvatten ★ there is a common ~ running through history er loopt een rode draad door de geschiedenis II ov ww ❶ rijgen ❷ doorboren ★ ~ the needle de draad in de naald steken ★ ~ your fingers through your hair je vingers door je haar laten gaan ★ ~ your way through the debris zich voorzichtig een weg banen door het puin III onov ww draden spannen

threadbare ['θredbeə] bnw ❶ (tot op de draad) versleten ❷ fig afgezaagd

threat [θret] zn bedreiging, dreigement ★ pose a ~ to your health een gevaar vormen voor je gezondheid ★ come under ~ in gevaar gebracht worden

threaten ['θretn] I ov ww ❶ (be)dreigen, een gevaar vormen voor ❷ dreigen met II onov ww dreigen, op komst zijn

threateningly ['θretnɪŋlɪ] bijw dreigend

three [θriː] telw drie ★ rel Three in One Drie-eenheid

three-cornered bnw ❶ driehoekig ★ ~ hat steek ★ ~ rip / tear winkelhaak ❷ driehoeks- ⟨v. discussie bv.⟩

three-dimensional bnw ❶ driedimensionaal ❷ stereoscopisch ⟨v. film⟩ ❸ realistisch

threefold ['θriːfəʊld] bnw drievoudig

three-legged race zn driebeenloop ⟨met aan elkaar vastgebonden benen⟩

threepence ['θrepəns] zn driestuiver(stuk)

three-piece bnw driedelig ★ ~ suit driedelig pak ★ ~ suite (driedelig) bankstel

three-ply bnw ❶ triplex ❷ driedraads

three-quarter bnw driekwart

threescore ['θriːskɔː] telw oud zestig

threesome ['θriːsəm] zn ❶ drietal ❷ triootje ❸ spel voor drie personen

three-wheeler zn driewieler

threnody ['θrenədɪ] zn dicht klaagzang, lijkzang

thresh [θreʃ] ov ww ❶ dorsen ❷ ~ out uitwerken ★ ~ out a question een kwestie grondig bespreken

threshold ['θreʃəʊld] zn ❶ drempel ★ on the ~ of aan de vooravond van ❷ grens(gebied)

threw [θruː] ww [verleden tijd] → throw

thrice [θraɪs] bijw oud driemaal, driewerf

thrift [θrɪft] zn ❶ zuinigheid, spaarzaamheid ❷ USA spaarbank

thriftless ['θrɪftləs] bnw verkwistend

thrifty ['θrɪftɪ] bnw zuinig

thrill [θrɪl] I zn ❶ spanning, (gevoel v.) opwinding ★ it gave me a ~ het gaf me een kick ★ fig the ~ of the chase de spanning van de jacht ★ ~s and spills spanning en sensatie ❷ sensatie ❸ ontroering, huivering II ov ww aangrijpen, in vervoering brengen ★ be ~ed gelukkig / dolblij zijn III onov ww form aangegrepen / ontroerd worden

thriller ['θrɪlə] zn thriller, spannende film, spannend boek

thrilling ['θrɪlɪŋ] bnw ❶ spannend ❷ sensationeel

thrive [θraɪv] [regelmatig + onregelmatig] onov ww ❶ gedijen, floreren, het goed doen ❷ ~ on heel gelukkig worden van

thrived [θraɪvd] ww [verleden tijd + volt. deelw.] → thrive

thriven ['θrɪvən] ww [volt. deelw.] → thrive

thriving ['θraɪvɪŋ] bnw voorspoedig, bloeiend

throat [θrəʊt] zn keel(gat), strot ★ clear his ~ zijn keel schrapen ★ be at each other's ~ elkaar in de haren vliegen ★ cut one's own ~ z'n eigen glazen ingooien ★ lie in one's ~ verschrikkelijk liegen ★ it sticks in my ~ het zit me dwars ★ thrust sth down s.o.'s ~ iem. iets opdringen ★ full to the ~ stampvol ★ I have it up to my ~

th

het hangt me de keel uit

throaty ['θrəʊtɪ] *bnw* ❶ keel- ❷ schor, hees

throb [θrɒb] **I** *zn* (ge)klop, (ge)bons **II** *onov ww* ❶ kloppen, bonzen ⟨vnl. v.h. hart⟩ ❷ ronken ⟨v. machine⟩

throes [θrəʊz] *zn mv* ❶ hevige pijn ❷ (barens)weeën ★ *in the ~ of* worstelend met, midden in iets (zittend)

thrombosis [θrɒm'bəʊsɪs] *zn* trombose ★ *coronary ~* hartinfarct

throne [θrəʊn] *zn* ❶ troon ★ *ascend the ~* de troon bestijgen ❷ humor wc

throng [θrɒŋ] **I** *zn* menigte, gedrang **II** *onov ww* zich verdringen, toestromen ★ *~ing with* bomvol **III** *ov ww* overstromen, bevolken

throttle ['θrɒtl] **I** *zn* smoorklep ★ *open the ~* gas geven ⟨motorfiets⟩ ★ *at full ~* vol gas ❷ gaspedaal **II** *ov ww* ❶ wurgen, doen stikken ❷ fig lam leggen, verstikken **III** *onov ww* ~ **back/down** gas / vaart minderen

through [θru:] **I** *vz* ❶ door ★ *~ the window* door het raam ★ *half-way ~ the trip* halverwege de reis ❷ via ⟨personen, instanties, enz.⟩, door middel van ★ *sold ~ Internet* via internet verkocht ❸ wegens ★ *~ no fault of his* buiten zijn schuld om ★ *it's all ~ them* het komt door hen ❹ USA tot en met ★ *Monday ~ Friday* maandag tot en met vrijdag **II** *bnw* ❶ doorgaand, door- ★ *a ~ train* een doorgaande trein ❷ klaar, er door ★ *I am ~* ik ben er door, ik ben klaar, comm ik heb verbinding ★ USA *I am ~ with you* met jou wil ik niets meer te maken hebben **III** *bijw* ❶ door ★ *too many papers to read ~* te veel kranten om door te lezen ❷ helemaal, overal ★ *it lasted all ~* het duurde de hele tijd ★ *wet ~* doornat

throughout [θru:'aʊt] *vz* door heel ★ *~ the day* de hele dag door

throughput ['θru:pʊt] *zn* ❶ (totaal van) verwerkte gegevens ❷ productie

throve [θrəʊv] *oud ww* [verleden tijd] → **thrive**

throw [θrəʊ] **I** *ov ww* [onregelmatig] ❶ (uit)werpen, (weg)gooien ★ *~ dice* dobbelstenen gooien ★ *~ feathers* ruien ★ *a kiss* een kushandje toewerpen ★ *~ the skin* vervellen ★ *a vote* een stem uitbrengen ★ *~ o.s. at a woman* een vrouw nalopen ★ *~ o.s. into* zich met hart en ziel geven aan ★ *~ o.s. upon sb's mercy* een beroep doen op iemands medelijden ❷ brengen (tot), maken ⟨scène bv.⟩, geven ⟨feest⟩, krijgen ⟨aanval⟩ ★ *~ a fit* woedend worden ★ *~ into gear* inschakelen ★ *~ two houses into one* twee huizen bij elkaar trekken ★ *they were ~n idle* ze raakten werkloos, ze kwamen stil te liggen ★ *~ into French* vertalen in het Frans ★ *~ a switch* de schakelaar aan- / uitzetten ❸ verslaan ❹ in de war brengen ★ *his negative attitude threw me* de negatieve houding bracht mij van mijn stuk ❺ draaien ⟨hout, pot bv.⟩, vormen, twijnen ⟨draad⟩ ❻ USA met opzet verliezen ❼ *~ about* heen en weer gooien, smijten ⟨met geld⟩ ❽ *~ aside* weggooien, terzijde werpen ❾ *~ away* weggooien, verspelen ⟨kans⟩, verspillen ★ *he ~s himself away on that woman* hij vergooit zich aan die vrouw ★ *kindness is ~n away on him*

vriendelijkheid is niet aan hem besteed ❿ *~ back* achteruitwerpen, achterover gooien ⟨drank, hoofd⟩, terugzetten ⟨met werk⟩ ★ *~ back the blankets* de dekens terugslaan ★ *be ~n back on your own resources* helemaal op jezelf aangewezen zijn ⓫ *~ down* neerwerpen, slopen ⓬ *~ in* ingooien ⟨bal⟩, (gratis) erbij doen, er tussen gooien ⟨opmerking⟩ ★ *~ in your hand* het opgeven ⓭ *~ off* uitgooien ⟨kleren⟩, zich bevrijden van, afgeven ⟨geur bv.⟩, produceren, uit de mouw schudden ★ *~ off an infection* een infectie kwijtraken ★ *the question threw him off* de vraag bracht hem in de war ⓮ *~ on* aanschieten ⟨kleren⟩ ★ *~ on the brakes* krachtig remmen ⓯ *~ open* openstellen ⓰ *~ out* eruit gooien, opperen, verwerpen, schieten ⟨bladeren⟩, afgeven ⟨hitte⟩, in de war brengen ★ *~ out of gear* uitschakelen ★ *~n out of work* werkloos ⓱ *~ together* samenbrengen, in elkaar flansen ★ *they were much ~n together* ze waren vaak bij elkaar ⓲ *~ up* opgooien, omhoog steken ⟨hand⟩, overgeven, braken, voortbrengen, er aan geven ★ *~ up your cards* je gewonnen geven **II** *onov ww* [onregelmatig] ❶ gooien ★ *~ in with* meedoen met ❷ *~ up* overgeven, braken **III** *zn* ❶ worp, gooi ★ fig *let me have a ~ at it* laat me het eens proberen ❷ kleed, sprei ❸ pottenbakkersschijf ❹ breuk in aardlaag

throwaway ['θrəʊəweɪ] *zn* wegwerpartikel

throw-away *bnw* wegwerp- ★ *~ society* wegwerpmaatschappij ★ *~ remark* opmerking in het wilde weg

throwback ['θrəʊbæk] *zn* ❶ tegenslag ❷ voorbeeld v. atavisme

thrower ['θrəʊə] *zn* werper, gooier

throw-in *zn* inworp

thrown [θrəʊn] *ww* [volt. deelw.] → **throw**

thru [θru:] *bnw* → **through**

thrum [θrʌm] *zn* ❶ gepingel, geroffel **II** *onov ww* trommelen, tokkelen

thrush [θrʌʃ] *zn* ❶ lijster ★ *song ~* zanglijster ❷ spruw

thrust [θrʌst] **I** *zn* ❶ stoot, aanval, ook fig steek ❷ stootkracht ❸ teneur **II** *ov ww* ❶ duwen, steken, werpen ★ *~ o.s. in* tussenbeide komen ❷ *~ aside* terzijde werpen, negeren ❸ *~ from* ontzetten uit ⟨rechten⟩ ❹ *~ on/upon* opdringen ★ *~ o.s. upon* zich opdringen bij **III** *onov ww* ❶ zich werpen ★ *~ at the burglar* de inbreker aanvallen ❷ *~ through* zich worstelen door

thruster ['θrʌstə] *zn* (raket)aandrijver

Thu. *afk.* *Thursday* donderdag

thud [θʌd] **I** *zn* doffe slag, plof **II** *onov ww* ploffen, dreunen

thug [θʌg] *zn* (gewelddadige) misdadiger

thuggery ['θʌgərɪ] *zn* ruw optreden, geweld(dadigheid)

thumb [θʌm] **I** *zn* duim ★ *be all (fingers and) ~s* erg onhandig zijn ★ *he's got you under his ~* hij heeft je onder de duim ★ *give the plans the ~s down / up* de plannen afkeuren / goedkeuren ★ *~ inform ~s up!* goed zo! ★ *twiddle your ~s* fig duimendraaien ★ *rule of ~* vuistregel **II** *ov ww* ❶ beduimelen ⟨boek⟩ ❷ vragen ★ GB *~ a lift,*

USA ~ *a ride* een lift (proberen te) krijgen
III *onov ww* ★ ~ *through a newspaper* een krant
doorbladeren

thumbnut ['θʌmnʌt] *zn* vleugelmoer

thumbtack ['θʌmtæk] *zn* USA punaise

thump [θʌmp] **I** *zn* ❶ stomp, zware slag ❷ bons
II *ov ww* ❶ dreunen op, beuken, stompen
❷ ~ **out** hard spelen ⟨op de piano⟩ **III** *onov ww*
dreunen, slaan, bonzen ⟨v. hart, v. hoofd⟩

thumper ['θʌmpə] *zn* iets ontzaglijks ⟨vooral een
leugen⟩, knoeperd

thumping ['θʌmpɪŋ] *bnw* geweldig

thunder ['θʌndə] **I** *zn* ❶ donder ★ *the roll of* ~ het
geromel van het onweer ★ *clap of* ~
donderslag ★ GB *a face like* ~ een gezicht op
onweer ★ ~*s of applause* donderend applaus
❷ gedonder **II** *onov ww* ❶ donderen ❷ tieren

thunderbolt ['θʌndəbəʊlt] *zn* bliksemstraal,
bliksem, *ook fig* donderslag

thunderclap ['θʌndəklæp] *zn* donderslag

thundercloud ['θʌndəklaʊd] *zn* onweerswolk

thunderer ['θʌndərə] *zn* donderaar ★ inform *the
Thunderer* de Times

thundering ['θʌndərɪŋ] *bnw* kolossaal

thunderous ['θʌndərəs] *bnw* ❶ donderend
❷ woedend

thunderstorm ['θʌndəstɔːm] *zn* onweer(sbui)

thunderstruck ['θʌndəstrʌk] *bnw* als door
bliksem getroffen

thundery ['θʌndərɪ] *bnw ook fig* dreigend ★ ~ *sky*
onweerslucht

Thursday ['θɜːzdeɪ] *zn* donderdag ★ rel *Holy* ~
Witte Donderdag ★ *on* ~*s* elke donderdag

thus [ðʌs] *form bijw* dus, op deze / die manier,
zo, aldus ★ *thus far* tot zo ver

thwack [θwæk] **I** *zn* (harde) klap, dreun **II** *ov ww*
een dreun geven

thwart [θwɔːt] **I** *zn* ❶ tegenwerking ❷ roeibank,
doft **II** *ov ww* form dwarsbomen, verijdelen

thy [ðaɪ] *bez vnw oud* uw ⟨enkelvoud⟩

thyme [taɪm] *zn* tijm

thyroid ['θaɪrɔɪd], **thyroid gland** *zn* schildklier

thyself [ðaɪ'self] *wkd vnw oud* u zelf

tiara [tɪ'ɑːrə] *zn* tiara, diadeem

tibia ['tɪbɪə] *anat zn* scheenbeen

tick [tɪk] **I** *ov ww* ❶ GB aanstrepen, aankruisen
❷ GB ~ **off** afvinken ⟨op lijst⟩, aftellen ⟨op
vingers⟩, een standje geven **II** *onov ww* ❶ tikken
★ inform *what makes her tick?* wat drijft haar?
❷ ~ **away/by** voorbijgaan ⟨v. tijd⟩ ❸ GB
~ **over** stationair lopen ⟨van motor⟩, fig op een
laag pitje zetten **III** *zn* ❶ (ge)tik ★ *to the tick* op
de seconde af ❷ GB vinkje, tekentje ⟨om aan te
strepen⟩ ❸ GB inform ogenblik ❹ teek ▾ GB
inform *on tick* op krediet

ticker ['tɪkə] *zn* ❶ tikker *ook comm* ❷ inform
horloge, klok ❸ oud inform hart

ticker tape *zn* ❶ serpentine ❷ tickertape
★ *ticker-tape parade* tickertape parade

ticket ['tɪkɪt] **I** *zn* ❶ kaartje, biljet, (loterij)briefje,
etiket ★ *complimentary* ~ vrijkaartje ★ *be his* ~ *to
a better life* het middel zijn tot een beter leven
★ inform *just the* ~! dát is het! ❷ bon, bekeuring
❸ inform diploma, brevet ❹ USA
kandidatenlijst v. politieke partij, partijprogram
❺ GB mil ontslag **II** *ov ww* ❶ v. etiket voorzien,

prijzen ⟨goederen⟩ ❷ v. kaartje voorzien
❸ bekeuren

ticket machine *zn* kaartjesautomaat

ticket office *zn* plaatskaartenbureau

ticket window *zn* loket

ticking ['tɪkɪŋ] *zn* beddentijk

tickle ['tɪkl] **I** *ov ww* ❶ kietelen ❷ amuseren
★ inform *be* ~*d pink* dolblij zijn **II** *onov ww*
kriebelen, kietelen **III** *zn* kriebel ★ *give sb a* ~
iem. kietelen

tickler ['tɪklə] *zn* ❶ GB moeilijke kwestie ❷ USA
aantekenboekje

ticklish ['tɪklɪʃ] *bnw* ❶ kietelig ★ *be* ~ niet tegen
kietelen kunnen ❷ netelig, teer, lastig

tidal ['taɪdl] *bnw* getij(den)- ★ ~ *wave ook fig*
vloedgolf, golf van emotie

tidbit ['tɪdbɪt] *zn* USA → **titbit**

tiddler ['tɪdlə] *zn*, GB inform (klein) visje

tiddly ['tɪdlɪ] GB inform *bnw* ❶ aangeschoten,
beetje tipsy ❷ nietig, klein

tiddlywinks ['tɪdlɪwɪŋks] *zn mv* vlooienspel

tide [taɪd] **I** *zn* getij, ook fig stroom ★ *low / high
tide* laag / hoog tij, eb / vloed ★ *the tide is in* het
is hoog water ★ *the tide is out* het is laag water
★ *the tide of events* loop der gebeurtenissen ★ fig
he goes / swims with the tide hij gaat met de
stroom mee ★ *turn the tide* het tij weten te
keren **II** *ov ww* ~ **over** tijdelijk (financieel) te
steunen, te boven komen ⟨tegenslag⟩

tidemark ['taɪdmɑːk] *zn* ❶ (hoog- / laag)waterlijn
❷ GB inform vieze rand in bad

tidewater ['taɪdwɔːtə] *zn* ❶ vloedwater ❷ USA
kuststrook

tidings ['taɪdɪŋz] *zn mv* nieuws, bericht(en)

tidy ['taɪdɪ] **I** *ov ww* ❶ opruimen, in orde
brengen ❷ ~ **away** wegbergen ❸ ~ **up**
opruimen, opknappen **II** *bnw* ❶ netjes,
opgeruimd, proper ❷ inform flink ⟨van bedrag⟩
III *zn* opbergdoosje, bakje

tie [taɪ] **I** *ov ww* ❶ (vast)binden, verbinden,
afbinden ⟨slagader⟩ ★ *tie a knot* knoop leggen
★ *tie the knot* huwelijk sluiten ★ *tied to time*
gebonden aan tijd ★ *you're not tied to this
schedule* je hoeft je niet aan dit rooster te
houden ❷ ~ **up** vastmaken, vastmeren,
vastzetten ⟨geld⟩, verbinden, afbinden ★ *be tied
up* druk(bezet) zijn, USA bijna tot stilstand
komen ⟨van verkeer⟩ **II** *onov ww* ❶ vastgemaakt
worden ❷ sport gelijk staan ❸ ~ **in with**
aansluiten bij, overeenkomen met ❹ ~ **up**
aanmeren ❺ ~ **with** gelijk staan in wedstrijd
met, kunnen wedijveren met **III** *zn* ❶ (strop)das
★ *black tie* smoking ★ *white tie* rok(kostuum),
avondkleding ❷ touw(tje), koord ❸ band
★ *strengthen the ties* de banden versterken
❹ handenbinder ❺ sport gelijk spel ❻ muz
verbindingsbalk ⟨in notatie⟩, boogje

tiebreak ['taɪbreɪk] *zn* beslissende extra game
⟨tennis⟩

tied [taɪd] *bnw* gebonden ★ GB *tied cottage*
boerderijtje waarvan de huur wordt betaald
met werken ★ GB *tied house* café v.d. brouwerij
★ *tied aid* gebonden hulp

tie-dye *ov ww* knoopverven

tiepin ['taɪpɪn] *zn* GB dasspeld

tier [tɪə] **I** *zn* ❶ rij, rang ❷ laag ⟨in organisatie⟩,

ti

verdieping 〈van taart〉 **II** *ov ww* in rijen boven elkaar zetten ★ *tiered hall* hal met oplopende zitplaatsen

tie-up [ˈtaɪʌp] *zn* ❶ verband, verwikkeling ❷ GB fusie ❸ USA staking ❹ USA stilstand, (verkeers)opstopping

tiff [tɪf] *zn* onenigheid ★ *have a tiff* kibbelen

tig [tɪg] *zn* GB krijgertje

tiger [ˈtaɪgə] *zn* ❶ tijger ★ *fig paper ~* papieren tijger 〈loos dreigement〉 ❷ formidabele tegenstander

tigerish [ˈtaɪgərɪʃ] *bnw* tijgerachtig

tight [taɪt] *bnw + bijw* ❶ krap, strak, gespannen 〈van touw〉 ★ *this coat is a ~ fit* deze jas zit vrij krap ★ *have a ~ chest* zich benauwd voelen ★ *she kept her son ~* ze hield haar zoon kort ❷ stevig, vast 〈van schroef bv.〉, streng ★ *a ~ group of friends* een hechte groep vrienden ★ *a ~ control* een streng toezicht ★ *hold on ~!* hou je goed vast! ★ *sit ~* rustig blijven zitten ★ *fig he'll sit ~* hij zal voet bij stuk houden ★ *sleep ~, Chloe* welterusten, Chloe ❸ moeilijk 〈van situatie〉 ★ *~ corner / spot* netelige situatie ❹ vol, overladen 〈van programma〉 ❺ schaars 〈van geld, tijd〉 ❻ inform zuinig, gierig ❼ scherp 〈van bocht〉 ❽ inform dronken ▼ *a ~ match* wedstrijd met twee even sterke ploegen

tighten [ˈtaɪtn] **I** *ov ww* ❶ aanhalen, spannen, vastmaken ★ *~ one's belt* de buikriem aanhalen ❷ aandraaien 〈schroef〉 ❸ verscherpen 〈maatregelen〉 ❹ *~ up* aanspannen **II** *onov ww* ❶ zich spannen ❷ krap worden 〈van geldmarkt〉 ❸ *~ up on* strenger toezien op

tight-fitting *bnw* nauwsluitend

tight-knit *bnw* hecht (verweven)

tight-lipped *bnw* ook fig met de lippen stijf op elkaar

tightrope [ˈtaɪtrəʊp] *zn* strakke koord ★ *ook fig walk a ~* koorddansen

tights [taɪts] *zn mv* ❶ maillot, tricot ❷ GB panty

tigress [ˈtaɪgrəs] *zn* tijgerin

tike *zn →* **tyke**

tile [taɪl] **I** *zn* ❶ dakpan ★ *he has a tile loose* hij heeft ze niet allemaal op een rijtje ❷ tegel ▼ GB inform *be out on the tiles* aan de zwier zijn **II** *ov ww* ❶ met pannen dekken ❷ plaveien

tiler [ˈtaɪlə] *zn* pannendekker

tiling [ˈtaɪlɪŋ] *zn* ❶ het (be)tegelen ❷ (de) pannen ❸ tegels

till [tɪl] **I** *vz* inform tot, tot aan ★ *wait till tomorrow* tot morgen wachten ★ USA *ten till nine* tien voor negen **II** *vw* inform tot(dat) ★ *shop till you drop* kopen tot je erbij neervalt **III** *zn* geldlade ★ inform *caught with your hand in the till* betrapt met de hand in de kas 〈van de baas〉 **IV** *ov ww* oud bebouwen 〈v. land〉

tiller [ˈtɪlə] **I** *zn* ❶ roerpen ❷ scheut, jonge tak **II** *onov ww* uitlopen

tilt [tɪlt] **I** *zn* ❶ schuine stand, overhelling ★ *at a tilt* schuin ❷ lichte voorkeur ❸ aanval ❹ dekzeil ❺ steekspel, ringrijden ▼ *at full tilt* in volle vaart **II** *ov ww* ❶ schuin houden, (over)hellen, kantelen ★ *your hat is tilted* je hoed staat schuin ❷ laten doorslaan 〈balans〉 **III** *onov ww* ❶ hellen, schuin staan, fig neigen ❷ ringsteken, aan steekspel deelnemen ❸ GB *~ at*

aanstormen op, aanval doen op

timber [ˈtɪmbə] *zn* ❶ hout, timmerhout ❷ bomen, woud ★ *~!* van onderen! ❸ balk, spant 〈v. schip〉 ❹ beschoeiing, hekken 〈bij wedren〉

timbered [ˈtɪmbəd] *bnw* ❶ van hout ❷ begroeid met hout

timbering [ˈtɪmbərɪŋ] *zn* beschoeiing

timber yard *zn* GB houtloods

timbre [ˈtæmbə] *zn* timbre

time [taɪm] **I** *zn* ❶ tijd ★ *what's the time?* hoe laat is het? ★ *what time does the musical start?* hoe laat begint de musical? ★ *keep time* op tijd lopen 〈van klok bv.〉, in de pas blijven ★ *the bus was (right) on time* de bus was (precies) op tijd ★ *in time* op tijd, na verloop van tijd ★ *be out of time* te laat zijn ★ *run out of time* tijd tekort hebben ★ *in due time* te zijner tijd ★ *at the time of writing* toen dit geschreven werd ★ *at one time, I loved ballroom dancing* ooit / vroeger hield ik van stijldansen ★ *by the time* tegen de tijd (dat) ★ *at this time of day* nu (nog), op dit tijdstip ★ *you won't give me the time of day* je geeft me geen enkele kans, je negeert me ★ *mean time* middelbare tijd ★ *time and tide wait for no man* neem de gunstige gelegenheid waar ❷ periode ★ *for the time being* voorlopig ★ *those were the times!* dat was nog eens 'n tijd! ★ *for old times' sake* uit oude vriendschap ★ *have a good time* zich amuseren ★ *I had the time of my life* ik heb een geweldige tijd gehad ★ *what a time I had getting it done!* wat een moeite kostte het me dat gedaan te krijgen! ★ *make (a) good time* opschieten, vooruitgang boeken ★ *serve your time* in de gevangenis zitten ★ *do time* een gevangenisstraf uitzitten ★ *they had a difficult time of it* ze hadden een moeilijke tijd ★ *down time* tijd dat een machine / computer niet gebruikt wordt, tijd over, vrije tijd ★ *long time no see* (wat hebben we elkaar al) lang niet gezien ★ *for some time* voorlopig, een hele tijd ★ *with time to spare* ruimschoots op tijd ★ sport GB *extra time* verlenging ❸ keer, maal, gelegenheid, moment ★ *any time* elk ogenblik ★ *any time!* tot uw dienst!, graag gedaan! ★ *some other time* een andere keer ★ *time after time* keer op keer ★ *time and (time) again* keer op keer ★ *time is up* de tijd is om ★ *at the same time* tegelijkertijd ★ *at times* nu en dan ★ *at one time* eens ★ *it's your time now* nu heb je de gelegenheid ★ *how many times have I told you!* hoe vaak heb ik het je niet verteld! ★ form *many a time* vaak ★ *the first time* de eerste keer ★ *two at a time* twee tegelijk ★ *for weeks at a time* weken achter elkaar ❹ muz maat ★ *in time* in de maat ★ *out of time* uit de maat ★ *in time to the music* op de maat van de muziek ★ *big time lawyer* succesvol advocaat ★ *beat time* de maat slaan ★ *keep time* maat houden ★ *make / hit the big time* een doorslaand succes zijn ★ *mess up sth big time* iets gigantisch verknoeien **II** *ov ww* ❶ regelen, vaststellen ★ *his arrival was timed to coincide with...* zijn aankomst was zo geregeld dat het samenviel met... ★ *well timed* op het juiste moment ❷ meten, klokken, controleren 〈horloge〉 ★ *time the heartbeat* de hartslag opnemen ❸ ~ **out** indelen, timen ❹ ~ **out** de vertrektijd noteren van, *comp* afgebroken worden ★ *the operation timed out* de bewerking is afgebroken ❺ ~ **with** in de maat / synchroon lopen met

time bomb *zn* tijdbom

time clock *zn* prikklok

time-consuming *bnw* tijdrovend

time fuse *zn* tijdontsteker

time-honoured ['taɪmɒnəd] *bnw* aloud, eerbiedwaardig

timekeeper ['taɪmkiːpə] *zn* ❶ tijdopnemer ❷ uurwerk ★ *GB be a good* ~ altijd op tijd lopen ❸ tijdwaarnemer ★ *GB be a good / bad* ~ altijd op tijd / te laat komen

time lag ['taɪmlæg] *zn* tijdsverschil, vertraging

timeless ['taɪmləs] *bnw* ❶ oneindig ❷ tijdloos

timely ['taɪmlɪ] *bnw* tijdig, op het geschikte moment

timeout *comp zn* time-out

time out *zn* pauze, korte (spel)onderbreking

time payment *zn* betaling in termijnen

timepiece ['taɪmpiːs] *zn form* klok, horloge

timer ['taɪmə] *zn* ❶ tijdklokje, (keuken)wekkertje ❷ tijdschakelaar

time-server ['taɪmsɜːvə] *zn* ❶ *omschr* iemand die zijn tijd uitzit ❷ opportunist

time-sharing *zn* gebruik om beurten (van gedeeld bezit, m.n. vakantiehuis)

time sheet *zn* ❶ rooster (v. werkuren), werk- / urenlijst ❷ *comp* timesharing

time switch *zn* tijdschakelaar

timetable ['taɪmteɪbl] **I** *zn* ❶ *GB* dienstregeling ❷ tijdschema ❸ rooster **II** *ov ww* indelen volgens rooster

time-worn ['taɪmwɔːn] *bnw* ❶ versleten ❷ afgezaagd

time zone *zn* tijdzone

timid ['tɪmɪd] *bnw* bedeesd, verlegen, timide, bang(elijk)

timidity [tɪ'mɪdətɪ] *zn* bedeesdheid, verlegenheid, timiditeit, angst

timing ['taɪmɪŋ] *zn* ❶ timing ❷ het tijd opnemen ❸ *muz* (het) maat houden ❹ afstelling (v. ontsteking)

timorous ['tɪmərəs] *form bnw* bang, angstig, timide, schuchter

timpani ['tɪmpənɪ] *zn mv* pauken

timpanist ['tɪmpənɪst] *zn* paukenist

tin [tɪn] **I** *zn* ❶ tin ❷ *GB* blik(je) ★ *tin of oil* blik met olie ❸ trommel **II** *bnw* tinnen, blikken ★ *GB tin can* blik(je) ★ *tin wedding anniversary* tienjarige / tinnen bruiloft ★ *(little) tin god* afgod ★ *inform tin hat* helm ★ *USA have a tin ear* geen muzikaal gehoor hebben ★ *GB it does exactly what it says on the tin* het doet wat het moet doen **III** *ov ww* ❶ vertinnen ❷ *GB* inblikken

tincture ['tɪŋktʃə] *zn* ❶ tinctuur ❷ *form* vleugje, spoortje ❸ kleur, tint

tinder ['tɪndə] *zn* tondel

tinderstick ['tɪndəstɪk] *zn* zwavelstokje

tine [taɪn] *zn* ❶ tand (v. vork) ❷ tak (v. gewei)

tinfoil ['tɪnfɔɪl] *zn* ❶ tinfolie ❷ aluminiumfolie

tinge [tɪndʒ] **I** *zn* ❶ tint, kleur ❷ zweem **II** *ov ww* een tintje geven ★ *fig* ~*d with regret* met een zweem van spijt

tingle ['tɪŋgl] **I** *zn* tinteling **II** *onov ww* ❶ tintelen, prikkelen, jeuken ★ *fig tingling with delight* opgewonden van vreugde ❷ tuiten (v. oren)

tinker ['tɪŋkə] **I** *zn* ❶ ketellapper ❷ prutser ❸ geknoei ❹ *inform GB* stout kind **II** *onov ww* ❶ liefhebberen ★ ~*ing measures* lapmiddelen ❷ ~ **with** prutsen aan

tinkerer ['tɪŋkərə] *zn* knoeier

tinkle ['tɪŋkl] **I** *zn* ❶ (het) rinkelen, gerinkel ❷ *GB* jeugdt plasje **II** *onov ww* ❶ tingelen, rinkelen ❷ *GB* jeugdt plasje doen

tinny ['tɪnɪ] *bnw* ❶ blikkerig, schel ❷ derderangs

tin-opener *zn GB* blikopener

tinsel ['tɪnsəl] *zn* klatergoud

tint [tɪnt] **I** *zn* tint **II** *ov ww* een tint geven

tinted ['tɪntɪd] *bnw* getint, gekleurd

tiny ['taɪnɪ] *bnw* (zeer) klein ★ *a tiny little dog* een piepklein hondje

tip [tɪp] **I** *zn* ❶ punt, eind(je), topje (v. vinger bv.), mondstuk (v. sigaret), pomerans (v. keu) ★ *the tip of the iceberg* het topje van de ijsberg ★ *on the tip of my tongue* op het puntje van mijn tong ❷ fooi ❸ tip, wenk, vertrouwelijke inlichting ★ *a hot tip* een waardevolle tip ❹ *GB* vuilnisbelt ★ *fig his room is a tip* zijn kamer is een zwijnenstal ❺ lichte duw of slag ❻ kiepkar **II** *ov ww* ❶ kantelen, doen hellen, schuin zetten, wippen met (stoel) ★ *tip the balance / scales* de doorslag geven ❷ kieperen, *inform* achteroverslaan (glas drank), *GB* storten (afval) ★ *tip sb over the edge / brink* iem. doen instorten ❸ fooi geven ❹ tip / wenk geven, geheime inlichting verstrekken, als goede kandidaat zien ★ *be tipped to become the chairman* getipt worden als de nieuwe voorzitter ★ *GB inform tip a man the wink* iem. 'n wenk geven ❺ (aan)tikken ❻ aanbrengen (aan uiteinde) ❼ ~ **off** waarschuwen, een hint geven ★ *the police were tipped off* de politie was getipt ❽ ~ **up** omkieperen **III** *onov ww* ❶ hellen ❷ omkantelen ❸ ~ **up** omhoog klappen

tipi *zn* → **tepee**

tip-off *zn* ❶ waarschuwing ❷ vertrouwelijke informatie, tip ❸ sprongbal (bij basketbal)

tipper ['tɪpə] *zn* ❶ fooiengever ❷ kiepauto

tippet ['tɪpɪt] *zn* stola

tipple ['tɪpl] *inform* **I** *zn* (alcoholische) drankje **II** *onov ww* pimpelen

tippler ['tɪplə] *inform zn* pimpelaar

tipster ['tɪpstə] *zn* tipgever, informant

tipsy ['tɪpsɪ] *inform bnw* aangeschoten, dronken

tiptoe ['tɪptəʊ] **I** *zn* punt(en) v.d. tenen ★ *on* ~ op zijn tenen, *fig* in spanning **II** *onov ww* ❶ op de tenen lopen / staan ❷ ~ **around** (te) voorzichtig omgaan met

tip-top *bnw* uitstekend, prima

tip-up ['tɪpʌp] *bnw* ★ ~ *seat* klapstoel

tirade [taɪ'reɪd] *zn* tirade, scheldkanonnade

tire ['taɪə] **I** *ov ww* ❶ vermoeien ❷ vervelen ❸ ~ **out** afmatten ★ *the night shift has tired him out* de nachtdienst heeft hem doodmoe gemaakt **II** *onov ww* ❶ ~ moe worden ❷ ~ **of** beu worden, vermoeid worden van ★ *I tired of his sarcasm* ik werd zijn sarcasme beu **III** *zn USA* band (om wiel) tired ['taɪəd] *bnw* ❶ moe, vermoeid ★ *get* ~ moe worden ❷ zat, verveeld ★ *to be sick and* ~ *of sth* iets helemaal zat zijn ❸ afgezaagd

tireless ['taɪələs] *bnw* onvermoeibaar

tiresome ['taɪəsəm] *bnw* vervelend

tiro *zn* → tyro

tissue ['tɪʃuː] *zn* ❶ weefsel ⟨v. stof of organisme⟩ ❷ zacht papieren doekje, servet ❸ zijdepapier

tissue paper *zn* zijdepapier, vloeipapier, toiletpapier ▾ *a tissue of lies* één grote leugen

tit [tɪt] *zn* ❶ mees ★ *blue tit* pimpelmees ★ *great tit* koolmees ❷ inform tiet, tepel ▾ *tit for tat* leer om leer, lik op stuk

titan ['taɪtn] *zn* titaan, reus

titanic [taɪ'tænɪk] *bnw* reusachtig, titanisch

titbit ['tɪtbɪt] *zn* ❶ lekker hapje ❷ interessant / pikant nieuwtje, fig juweeltje, iets moois

tithe [taɪð] *zn* tiende deel, tiend

titillate ['tɪtɪleɪt] *ov ww* strelen, kietelen, prikkelen

titillating ['tɪtɪleɪtɪŋ] *zn* amusant

titillation [tɪtɪ'leɪʃən] *zn* prikkeling

title ['taɪtl] I *zn* ❶ titel ❷ jur (eigendoms)recht II *ov ww* betitelen, titel verlenen aan ★ *my book will be* ~*d "the Champion"* mijn boek krijgt de titel "de Kampioen"

titled ['taɪtld] *bnw* getiteld, met titel

title deed ['taɪtldiːd] *zn* jur eigendomsakte

titleholder *zn* titelhouder

title page *zn* titelpagina

title role *zn* titelrol

titmouse ['tɪtmaʊs] *zn* mees

titter ['tɪtə] I *zn* gegiechel II *onov ww* giechelen

tittle-tattle ['tɪtltætl] *inform zn* geklets, geroddel

titular ['tɪtjʊlə] *bnw* ❶ titulair ★ ~ *head of state* titulair staatshoofd ★ ~ *saint* schutspatroon ❷ titel- ★ ~ *character* titelrol

tizzy ['tɪzɪ] *zn* inform (zenuwachtige) opwinding ★ *in a* ~ nerveus, gejaagd

T-junction ['tiːdʒʌŋkʃən] *zn* GB T-kruising

TN *afk, Tennessee* staat in de V̄S̄

to [tə] I *vz* ❶ naar, tot, aan, tot aan ★ *the room looks to the south* de kamer ziet uit op het zuiden ★ *to arms!* te wapen! ★ *to the day* op de dag af ★ *door to door* deur aan deur ★ *man to man* van man tot man ★ *they rose to a man* ze stonden als één man op ★ *still one week to the end* nog één week vóór we aan het einde zijn ★ *he was appointed to the post* hij werd benoemd voor de betrekking ★ *it fits you to a T* het zit je als gegoten ★ *she sang to the piano* ze zong begeleid op de piano ❷ bij ★ *the key to the safe* de sleutel van de brandkast ❸ tegen ★ *hold it to the light* houd het tegen het licht ★ *I told him to his face* ik heb 'm ronduit gezegd dat ❹ in ★ *three to the minute* drie per minuut ❺ op ★ *it's drawn to scale* het is op schaal getekend ★ *here's to you!* op je gezondheid! ❻ van ★ *they had the room to themselves* ze hadden de kamer voor zich alleen ★ *the ambassador to Spain* de ambassadeur van Spanje ★ *the solution to our problem* de oplossing van ons probleem ❼ om te ★ *I should like to go, but I have no time to* ik zou graag gaan, maar ik heb (er) geen tijd (voor) ★ *when I come to think of it* wanneer ik er aan denk ▾ *ten to one* tien tegen één, GB tien

(minuten) voor één ▾ *3 is to 9 as 9 to 27* 3 staat tot 9 als 9 tot 27 II *bijw* ★ *to and fro* heen en weer ★ *the door is to* de deur is dicht

toad [təʊd] *zn* ❶ pad ⟨dier⟩ ❷ walgelijk persoon, vuilak

toadstool ['təʊdstuːl] *zn* paddenstoel

toady ['təʊdɪ] I *zn* min gemene vleier II *onov ww* min vleien, slijmen

toast [təʊst] I *zn* ❶ heildronk, toost ★ *propose a* ~ een toost uitbrengen ❷ persoon op wie men toost ❸ geroosterd brood ★ *French* ~ wentelteefje ★ *she was the* ~ *of the town* zij werd alom gevierd ★ *she has him on* ~ zij heeft hem totaal in haar macht ★ *as warm as a* ~ lekker warm ▾ *inform be* ~ het haasje zijn II *ov ww* ❶ roosteren ❷ verwarmen ❸ toosten op

toaster ['təʊstə] *zn* broodrooster

toastmaster ['təʊstmaːstə] *zn* ceremoniemeester ⟨bij een diner⟩

tobacco [tə'bækəʊ] *zn* tabak

tobacconist [tə'bækənɪst] *zn* sigarenwinkelier

toboggan [tə'bɒgən] I *zn* tobogan II *onov ww* met een tobogan sleeën, rodelen

today [tə'deɪ] *bijw* ❶ vandaag ❷ vandaag de dag ★ *the students of* ~ de studenten van tegenwoordig

toddle ['tɒdl] *onov ww* ❶ onzeker lopen ⟨v. kind⟩, waggelen ❷ inform kuieren ❸ GB inform ~ *off* (op weg) gaan

toddler ['tɒdlə] *zn* peuter, dreumes

toddy ['tɒdɪ] *zn* ❶ palmwijn ❷ (cognac- / whisky-)grog

to-do [tə'duː] *zn* inform poeha, drukte

toe [təʊ] I *zn* ❶ teen ★ *dig your toes in* je hakken in het zand zetten ★ inform *dip a toe in sth /into the water* iets voorzichtig uitproberen ★ *keep us on our toes* ons bij de les houden ★ inform *turn up one's toes* het hoekje omgaan ★ *toe to toe* man tegen man ❷ punt, neus ⟨v. schoen⟩ II *ov ww* aanraken met tenen ▾ *toe the line* gehoorzamen

toecap ['təʊkæp] *zn* versterkte neus ⟨van schoen⟩

toehold ['təʊhəʊld] *zn* ❶ houvast, opstapje, voet aan de grond ❷ voetgreep ⟨bij klimmen⟩

toenail ['təʊneɪl] *zn* teennagel

toff [tɒf] inform I *zn* chic / rijk persoon ⟨'het heertje'⟩ II *ov ww* ~ **up** opdirken

toffee ['tɒfɪ] *zn* toffee

tofu ['təʊfuː] *zn* tofoe, tahoe

tog [tɒg] GB inform I *ov ww* ~ **out/up** uitdossen II *zn* [mv] ★ *togs* uitdossing

toga ['təʊgə] *zn* toga

together [tə'geðə] I *bijw* ❶ samen ★ *we must work* ~ we moeten samenwerken ❷ tegelijk ★ *arrive* ~ tegelijk aankomen ★ *all* ~ *now* nu allemaal tegelijk ★ ~ *with* met, alsmede, benevens ❸ aaneen ★ *for days* ~ dagenlang II *bnw* competent

togetherness [tə'geðənəs] *zn* saamhorigheid, solidariteit

toggle ['tɒgl] I *zn* staafje ⟨v. houtje-touwtjesluiting⟩, knevel II *ov ww* ❶ vastmaken (met staafje in lus e.d.), knevelen ❷ aan- / uitschakelen, omschakelen III *onov ww* comp wisselen

toggle switch *zn* techn tuimelschakelaar

toil [tɔɪl] **I** zn zware arbeid, inspanning **II** onov ww ❶ hard werken ❷ zich moeizaam voortbewegen ❸ ~ **at** zwoegen aan

toilet ['tɔɪlət] zn ❶ toilet ⟨wc⟩ ★ we needed the ~ wij moesten naar de wc ❷ toilet ⟨kleding en opmaak⟩

toilet paper zn toiletpapier

toilet roll zn GB closetrol

toilet-train ov ww zindelijk maken ⟨kind⟩

toils [tɔɪlz] dicht zn mv netten, strikken

token ['təʊkən] **I** zn ❶ teken, bewijs ★ in ~ of his appreciation ten teken van zijn waardering ★ by the same ~ evenzo, tevens ❷ aandenken ❸ munt, fiche ❹ GB tegoed- / waardebon **II** bnw symbolisch, obligaat ★ ~ payment symbolisch bedrag ter betaling ★ ~ woman excuustruus

told [təʊld] ww [verleden tijd + volt. deelw.] → tell

tolerable ['tɒlərəbl] bnw ❶ draaglijk ❷ redelijk

tolerably ['tɒlərəbli] bijw draaglijk, tamelijk

tolerance ['tɒlərəns] zn ❶ verdraagzaamheid, tolerantie ❷ het dulden ❸ speling ⟨v. machine⟩

tolerant ['tɒlərənt] bnw verdraagzaam, tolerant

tolerate ['tɒləreɪt] ov ww verdragen, toelaten

toleration [tɒlə'reɪʃən] zn verdraagzaamheid

toll [təʊl] **I** zn ❶ tol(geld) ★ take toll tol heffen ❷ fig tol, prijs, aantal slachtoffers ★ take its toll zijn tol eisen ❸ gelui, slag ⟨v. klok⟩ **II** ov ww ❶ tol heffen op ❷ luiden ⟨klok⟩ **III** onov ww ❶ luiden ⟨v. klok⟩

toll call USA zn interlokaal gesprek

tom [tɒm] zn mannetjesdier, kater

Tom [tɒm] zn ★ (every) Tom, Dick and Harry Jan en alleman, Jan, Piet en Klaas ★ peeping Tom gluurder

tomahawk ['tɒməhɔːk] zn (indianen)strijdbijl, tomahawk

tomato [tə'mɑːtəʊ, USA tə'meɪtəʊ] zn tomaat

tomb [tuːm] zn graf, (graf)tombe ★ the Tombs gevangenis, (staats)gevangenis van New York ★ tomb house grafkelder

tombola [tɒm'bəʊlə] zn GB tombola, loterij

tomboy ['tɒmbɔɪ] zn wildebras ⟨meisje⟩

tombstone ['tuːmstəʊn] zn grafsteen

tomcat ['tɒmkæt] zn kater

tome [təʊm] zn boekdeel

Tommy ['tɒmi] zn ★ GB inform ~ (Atkins) gewoon soldaat ⟨bijnaam⟩

tommy gun ['tɒmɪɡʌn] zn pistoolmitrailleur

tomorrow [tə'mɒrəʊ] bijw morgen, de dag van morgen ★ ~ morning morgenochtend ★ ~ is another day morgen komt er weer een dag ★ inform like / as if there's no ~ zonder over de gevolgen na te denken

Tom Thumb Klein Duimpje

tom-tom ['tɒmtɒm] zn tamtam ⟨handtrom⟩

ton [tʌn] zn ❶ ton ⟨GB ± 1016 kg, USA ± 907 kg⟩ ❷ register ton scheepston ⟨± 2,8 kubieke meter⟩ ❸ inform boel, grote hoeveelheid ★ that suitcase weighs a ton die koffer is loodzwaar ▼ come down on sb like a ton of bricks hevig tegen iem. uitvaren

tonal ['təʊnl] bnw de toon betreffend, tonaal

tonality [tə'nælətɪ] zn ❶ muz toonaard ❷ tonaliteit ⟨v. kleur, geluid⟩

tone [təʊn] **I** zn ❶ toon, klank, stem(buiging) ★ comm engaged tone bezettoon ★ fundamental tone grondtoon ★ in a surprised tone of voice met een verbaasde stem ❷ stemming, geest, gemoedstoestand ★ set the tone de toon aangeven ★ pessimistic in tone pessimistisch van toon ❸ tint, schakering ❹ tonus ⟨v. spieren, huid⟩ ❺ taalk klemtoon ❻ cachet ❼ muz GB hele toon **II** ov ww ❶ verster in ⟨huid, spier bv.⟩ ❷ kleuren ⟨foto⟩ ❸ stemmen ⟨instrument⟩ ❹ ~ **down** temperen, afzwakken ❺ ~ **up** versterigen **III** onov ww ❶ GB harmoniëren, goed samengaan ❷ ~ **in with** harmoniëren met

tone control zn toonregeling ⟨bij opname⟩

tone-deaf bnw zonder muzikaal gehoor, amuzikaal

toneless ['təʊnlɪs] bnw toonloos, kleurloos

tongs [tɒŋz] zn mv ❶ ~ (pair of) ~ tang ❷ GB krultang

tongue [tʌŋ] **I** zn ❶ tong, spraak ★ bite your ~ je tong afbijten ★ find your ~ weer kunnen spreken ★? not get your ~ round the foreign names de buitenlandse namen niet kunnen uitspreken ★ hold your ~! hou je mond! ★ oud keep a civil ~ in your head! hou je brutale mond! ★ ~ in cheek ironisch, spottend ⟨van opmerking⟩ ★ inform wag one's ~ (te veel) kletsen ★ have a loose ~ loslippig zijn ❷ taal ★ native ~ moedertaal ★ speak in ~s in tongen spreken ❸ geblaf ★ the dog gave ~ de hond sloeg aan ❹ klepel ❺ messing ⟨v. plank⟩ ★ ~ and groove messing en groef ❻ dissel **II** ov ww ❶ muz staccato spelen ❷ likken

tongue-tied ['tʌŋtaɪd] bnw met een mond vol tanden ⟨figuurlijk⟩

tongue twister ['tʌŋtwɪstə] zn tongbreker

tonic ['tɒnɪk] **I** zn ❶ tonic ⟨frisdrank⟩ ❷ versterkend middel, tonicum ★ herbal ~ kruidendrank ❸ lotion ❹ muz grondtoon **II** bnw ❶ toon- ★ ~ accent klemtoon ★ ~ sol-fa tonica-do ❷ versterkend, opwekkend

tonight [tə'naɪt] bijw ❶ vanavond ❷ vannacht, komende nacht

tonnage ['tʌnɪdʒ] zn ❶ tonnenmaat, laadruimte in schip ❷ vracht per ton

tonsil ['tɒnsəl] zn (keel)amandel

tonsillitis [tɒnsɪ'laɪtɪs] zn amandelontsteking

tonsure ['tɒnʃə] zn tonsuur, kruinschering

Tony ['təʊnɪ] zn [mv: Tonys] Tony ⟨theaterprijs in USA⟩

too [tuː] bijw ❶ (al) te ★ all / only too often al te vaak ★ too bad erg jammer ★ she is too too ze is overdreven (sentimenteel) ★ be none too happy with it er niet erg gelukkig mee zijn ❷ ook ★ he, too, wants to join the navy hij wil ook bij de marine ❸ bovendien, nog wel ★ bad too! en ook nog slecht!

took [tʊk] ww [verleden tijd] → take

tool [tuːl] **I** zn ❶ ook fig werktuig, gereedschap, instrument, hulpmiddel ★ GB down tools in staking gaan ★ be a tool of sb gebruikt worden door iem. ❷ tools[mv] bestek ❸ vulg penis **II** ov ww ❶ bewerken ★ tooled leather bewerkt leer ❷ ~ **up** uitrusten met gereedschap, GB inform een wapen geven **III** onov ww ❶ USA inform rijden ❷ ~ **around** rondtoeren

toolbar ['tuːlbɑː] zn comp werkbalk

to

toolbox ['tu:lbɒks] *zn* gereedschapskist

toot [tu:t] **I** *zn* getoeter **II** *onov ww* toeteren **III** *ov ww* toeteren / blazen op

tooth [tu:θ] **I** *zn* [*mv:* **teeth**] tand, kies ★ *cut a ~* een tand krijgen ⟨van kind enz.⟩★ *he spoke through his teeth* hij sprak binnensmonds ★ *have a sweet~* een zoetekauw zijn ★ inform *get your teeth into sth* ergens je tanden in zetten ★ *fight ~ and nail* uit alle macht / op leven en dood vechten ★ *set your teeth on edge* door merg en been gaan, je irriteren ★ *in the teeth of the wind* met de wind pal tegen ★ *in the teeth of these objections* niettegenstaande deze bezwaren **II** *ov ww* v. tanden voorzien

toothache ['tu:θeɪk] *zn* tandpijn, kiespijn

toothbrush ['tu:θbrʌʃ] *zn* tandenborstel

toothcomb ['tu:θkəʊm] *zn* stofkam

toothed [tu:θt] *bnw* getand

tooth fairy *zn* tandenfee ⟨geeft een dubbeltje voor een melktand⟩

toothless ['tʊθləs] *bnw* tandeloos

toothpaste ['tu:θpeɪst] *zn* tandpasta

toothpick ['tu:θpɪk] *zn* tandenstoker

toothsome ['tu:θsəm] *bnw* smakelijk, ook *fig* lekker

toothy ['tu:θɪ] *bnw* getand

tootle ['tu:tl] inform *onov ww* ❶ toeteren ❷ toeren

top [tɒp] **I** *zn* ❶ top, hoogste punt ★ *at the top of the page* bovenaan de bladzijde ★ *on (the) top of the bus* boven in de bus ★ *at the top of your voice / lungs* uit volle borst ★ *at the top her his list* zijn hoogste prioriteit ★ *on top of it all* tot overmaat v. ramp ★ ~ *of the world* in de zevende hemel ★ inform *things were getting on top of him* het werd hem allemaal teveel ★ *over the top* overdreven, extravagant ★ *without top or tail* zonder kop of staart ❷ bovenstuk, topje ⟨kledingstuk⟩ ❸ hoofd ⟨v.h. gezin⟩ ❹ kruin ★ *curly top* krullenbol ❺ wat bedekt, deksel, dop ⟨v. vulpen⟩, tafelblad, bovenleer ⟨v. schoen⟩, kap ⟨v. rijtuig⟩, buitenste blad ⟨v. groente⟩★ *big top* circustent ★ *black top* asfaltlaag ★ auto *convertible top* linnen kap ❻ oppervlakte ❼ tol ⟨speelgoed⟩▼ *blow your top* in woede uitbarsten **II** *bnw* bovenste, hoogste, top ★ *top half* bovenste helft **III** *ov ww* ❶ overtreffen ★ *to top it all, he failed* tot overmaat v. ramp lukte het hem niet ❷ groter zijn dan ★ *top a bid / an offer by € 1,000* € 1.000 hoger bieden ❸ bedekken, v. top voorzien ★ *topped with a cream sauce* bedekt met een romige saus ❹ de top bereiken ★ *top the lists / charts* de lijsten aanvoeren ❺ voltooien ★ *he has topped it off* hij heeft het voltooid ❻ v. boven raken ⟨bal⟩▼ ~ **up** opladen ⟨accu⟩, bijvullen, opwaarderen ⟨chipknip enz.⟩★ *top up the earnings* de inkomsten aanvullen▼ GB *top and tail* doppen▼ GB inform *top yourself* jezelf van kant maken **IV** *onov ww* ~ **out at** opklimmen tot

topaz ['təʊpæz] *zn* topaas

topcoat ['tɒpkəʊt] *zn* ❶ bovenste verflaag ❷ oud overjas

top drawer *zn* ❶ bovenste la ❷ fig de hogere kringen

top-drawer *bnw* ❶ uitstekend ❷ vooraanstaand,

van goeden huize

topee ['təʊpi:] *zn* tropenhelm

top-flight *bnw* eersteklas, beste, hoogste

top gear *zn*, GB ook fig hoogste versnelling

top hat *zn* hoge hoed

top-heavy [tɒp'hevɪ] *bnw* ook *fig* topzwaar

topi *zn* → topee

topiary ['təʊpɪərɪ] *bnw* ★ plantk ~ *work* vormsnoei

topic ['tɒpɪk] *zn* onderwerp v. gesprek

topical ['tɒpɪkl] *bnw* ❶ actueel ★ ~ *song* actueel lied ❷ plaatselijk ❸ uitwendig ⟨van geneesmiddel⟩

topicality [tɒpɪ'kælətɪ] *zn* actualiteit

topknot ['tɒpnɒt] *zn* ❶ haarknot ❷ kuif ⟨v. vogel⟩

topless ['tɒpləs] *bnw* topless, zonder bovenstukje

topmost ['tɒpməʊst] *bnw* bovenste, hoogste

top-notch ['tɒp'nɒtʃ] *zn* inform van de hoogste kwaliteit

topography [tə'pɒgrəfɪ] *zn* topografie, plaatsbeschrijving

topper ['tɒpə] *zn* inform *zn* hoge hoed

topping ['tɒpɪŋ] *zn* toplaag, deklaag

topple ['tɒpl] **I** *ov ww* ❶ doen kantelen ❷ ten val brengen ❸ ~ **down/over** omvergooien **II** *onov ww* ❶ tuimelen ❷ ~ **down/over** omvallen

top-ranking *bnw* hooggeplaatst, elite-

top-secret *bnw* strikt geheim

topside ['tɒpsaɪd] **I** *zn* ❶ GB biefstuk ⟨uit bovenbil⟩ ❷ scheepszij boven waterlijn **II** *bnw* aan dek

topsoil ['tɒpsɔɪl] *zn* bovengrond, toplaag

topspin ['tɒpspɪn] *zn* sport topspin

topsy-turvy ['tɒpsɪ'tɜ:vɪ] **I** *bijw* op z'n kop **II** *bnw* ❶ omgekeerd ❷ in de war **III** *zn* verwarring

top-up ['tɒpʌp] GB inform *zn* aanvulling ★ *give a ~* bijvullen ⟨drankje⟩

top-up card *zn* prepaidkaart

tor [tɔ:] *zn* rotsachtige piek

torch [tɔ:tʃ] *zn* ❶ fakkel, toorts ★ *carry a / the ~ for sb* (onbeantwoorde) liefde voor iem. koesteren ★ fig *pass (on) the ~ to sb* de fakkel doorgeven aan iem. ❷ GB zaklantaarn ★ *electric~* elektrische zaklantaarn ❸ USA brander ⟨verf-, soldeer-⟩

torchlight ['tɔ:tʃlaɪt] *zn* ❶ licht v.e. zaklantaarn ❷ fakkel ★ ~ *procession* fakkeloptocht

tore [tɔ:] *ww* [verleden tijd] → tear[1]

torment[1] ['tɔ:ment] *zn* ❶ marteling ⟨emotioneel, psychologisch⟩, kwelling, plaag

torment[2] [tɔ:'ment] *ov ww* kwellen, martelen

tormentor [tɔ:'mentə] form *zn* beul, kwelgeest

torn [tɔ:n] *ww* [volt. deelw.] → tear[1]

tornado [tɔ:'neɪdəʊ] *zn* wervelstorm, tornado

torpedo [tɔ:'pi:dəʊ] **I** *zn* ❶ torpedo ❷ *torpedo fish* sidderrog **II** *ov ww* ook *fig* torpederen

torpid ['tɔ:pɪd] *bnw* ❶ verstijfd ❷ traag ❸ in de winterslaap verkerend

torpidity [tɔ:'pɪdətɪ] *zn* ❶ traagheid, apathie ❷ verdoving ❸ gevoelloosheid

torpor ['tɔ:pə] *zn* form apathie

torque [tɔ:k] *zn* techn torsie

torrent ['tɒrənt] *zn* ook *fig* stroom, stortvloed ★ *it's coming down in ~s* het giet dat het giet

torrential [tə'renʃəl] *bnw* als een stortvloed

torrid ['tɒrɪd] *bnw* ❶ zeer heet, door de zon

verzengd ★ ~ *zone* tropische zone, hete luchtstreek ❷ hartstochtelijk ▼ *have a ~ time* een zware tijd doormaken

torsion ['tɔːʃən] *zn* techn torsie, wringing

torsional ['tɔːʃənl] *bnw* techn torsie-, wringing-

torso ['tɔːsəʊ] *zn* torso, tors, romp

tort [tɔːt] *zn* jur onrechtmatige daad

tortoise ['tɔːtəs] *zn* (land)schildpad

tortoiseshell ['tɔːtəʃel] *zn* ❶ schildpad 〈als materiaal〉 ❷ lapjeskat ❸ kleine vos 〈vlinder〉

tortuous ['tɔːtʃʊəs] *bnw* ❶ bochtig, kronkelend ❷ uiterst gecompliceerd

torture ['tɔːtʃə] **I** *zn* marteling, foltering, kwelling ★ *death by ~* marteldood **II** *ov ww* martelen, folteren, kwellen

torturer ['tɔːtʃərə] *zn* folteraar 〈iemand die martelt〉, kwelgeest

Tory ['tɔːrɪ] *zn* ❶ Tory 〈lid v.d. Engelse conservatieve partij〉 ❷ conservatief ❸ USA Britsgezinde

Toryism ['tɔːrɪɪzəm] *zn* conservatisme

toss [tɒs] **I** *ov ww* ❶ (de lucht in) gooien, werpen ★ *she tossed her head (back)* ze wierp het hoofd in de nek ★ *toss the ingredients* de ingrediënten door elkaar scheppen ★ *toss aside* van zich afwerpen ❷ (munt) opgooien 〈kruis of munt gooien〉 ★ *I'll toss you for it* we loten erom ❸ slingeren ★ *tossed (about) by the waves* heen en weer geslingerd door de golven ❹ GB ~ **about/around** wat spreken over ❺ inform ~ **down/off** achterover slaan 〈glas drank〉 ❻ ~ **off** moeiteloos produceren **II** *onov ww* ❶ tossen ❷ dobberen 〈van boot〉, woelen 〈in bed〉 ★ *be tossing and turning* liggen woelen en draaien ❸ ~ **about** woelen 〈in bed〉 ❹ ~ **up between** beslissen tussen **III** *zn* (op)gooi 〈v.e. munt〉 ★ *argue the toss* de beslissing aanvechten ★ GB inform *not give a toss* je niets kunnen schelen

toss-up ['tɒsʌp] *zn* (op)gooi ★ *it's a ~ between those two* we twijfelen tussen die twee

tot [tɒt] **I** *zn* ❶ inform klein kind, hummeltje ❷ borreltje, glaasje **II** *ov ww* inform ~ **up** optellen

total ['təʊtl] **I** *zn* totaal, geheel ★ *grand ~* eindtotaal, uiteindelijk resultaat **II** *bnw* totaal, volslagen ★ *~ eclipse* volledige verduistering **III** *onov ww* bedragen, oplopen ★ *the men ~led one hundred* het aantal mannen bedroeg honderd **IV** *ov ww* ❶ (bij elkaar) optellen ❷ inform total loss rijden ❸ ~ **up** optellen

totalitarian [təʊtælɪ'teərɪən] *bnw* totalitair 〈vnl. van regime〉

totalitarianism [təʊtælɪ'teərɪənɪzəm] *zn* totalitarisme 〈dictatoriale staatsvorm〉

totality [təʊ'tælətɪ] *zn* ❶ totaliteit ❷ totaal, totaal bedrag

tote [təʊt] **I** *zn* inform totalisator **II** *ov ww* USA dragen, brengen, vervoeren

tote bag *zn* grote (boodschappen)tas

tother ['tʌðə] *samentr, oud the other → other*

totter ['tɒtə] *onov ww* waggelen, ook fig wankelen ★ *he ~ed to his feet* hij stond wankelend op

totty ['tɒtɪ] *zn, GB min* geile meid(en)

touch [tʌtʃ] **I** *ov ww* ❶ (aan)raken, (aan)roeren,

gebruiken ★ ~ *glasses* klinken ★ *the patient barely ~ed the food* de patiënt raakte het eten nauwelijks aan ★ ~ *wood* afkloppen ★ *you always ~ lucky* jij boft altijd ❷ fig raken, ontroeren ★ ~ed *with pity* door medelijden bewogen ★ *he ~ed many lives with his sermons* hij wist veel mensen te beïnvloeden met zijn preken ❸ bereiken, evenaren, aandoen 〈haven〉 ★ *the temperature ~ed 42 degrees* de temperatuur liep tot 42 graden op ★ *he is talented, but he can't ~ his brother* hij heeft talent, maar hij kan niet aan zijn broer tippen ❹ betreffen, te maken hebben met ★ *cancer ~es us all* kanker gaat ons allemaal aan ❺ uitwerking hebben op, aantasten ★ *leaves ~ed by frost* bladeren door de vorst aangetast ❻ loskrijgen ★ ~ *sb for money* geld lospeuteren van iem. ❼ ~ **off** ruw schetsen, afvuren, ontketenen ❽ ~ **up** afmaken, bijwerken 〈verf bv.〉, retoucheren, opfrissen 〈geheugen〉, GB inform lastigvallen **II** *onov ww* ❶ raken, elkaar raken ❷ ~ **at** aandoen 〈haven〉 ❸ ~ **down** neerkomen, landen ❹ ~ **on/upon** even aanroeren 〈onderwerp〉 **III** *zn* ❶ aanraking, betasting ★ *it's warm to the ~* hij voelt warm aan ★ *at the ~ of a button* met een druk op de knop ★ *it was a near ~* hij ontsnapte ternauwernood ❷ contact, voeling ★ *get in ~ with you* contact met je opnemen ★ *be out of ~ with the shop floor* geen voeling hebben met de werkvloer ★ *lose ~ with sb* iem. uit het oog verliezen ❸ gevoel ★ *sight, ~ and smell* gezicht, gevoel en reuk ❹ kleine hoeveelheid, tikje ★ *a ~ of irony* een vleugje ironie ❺ toets, penseelstreek, fig stijl, manier ★ ~ *of nature* natuurlijke trek ★ *put the finishing / final ~ to* de laatste hand leggen aan ★ *lose your ~* het verleren ★ *find your ~* de slag te pakken krijgen ★ *have the common ~* omschr goed met gewone mensen kunnen omgaan ❻ aanslag 〈op instrument〉 ❼ oud gehalte, fig proef, waarmerk ★ *put to the ~* op de proef stellen ❽ deel v. veld buiten de zijlijn 〈rugby, voetbal〉 ▼ *play at ~* tikkertje spelen ▼ *my brother is no soft / easy ~* het is moeilijk geld los te krijgen van mijn broer

touch-and-go [tʌtʃən'gəʊ] **I** *zn* riskante zaak **II** *bnw* ❶ riskant ★ *a ~ undertaking* 'n riskante onderneming ❷ een dubbeltje op zijn kant

touchdown ['tʌtʃdaʊn] *zn* ❶ landing 〈van vliegtuig enz.〉 ❷ sport touchdown 〈Am. voetbal, rugby〉

toucher ['tʌtʃə] *zn* sport treffer

touching ['tʌtʃɪŋ] **I** *bnw* treffend, roerend **II** *vz* aangaande, betreffende

touch-judge ['tʌtʃdʒʌdʒ] *zn* grensrechter 〈rugby〉

touchline ['tʌtʃlaɪn] *zn* sport zijlijn

touch screen ['tʌtʃskriːn] *zn* comp aanraakscherm

touchstone ['tʌtʃstəʊn] *zn* toetssteen, criterium

touch-type *onov ww* blind typen

touchy ['tʌtʃɪ] *bnw* ❶ overgevoelig, lichtgeraakt ❷ teer, netelig ★ *a touch subject* een gevoelig onderwerp

tough [tʌf] **I** *bnw* ❶ moeilijk, lastig ★ *the divorce was ~ on us* de scheiding was zwaar voor ons ★ *a ~ decision* een moeilijke beslissing ❷ ook fig

to

taai, sterk ★ ~ *meat* taai vlees ★ *as* ~ *as old boots* vreselijk taai, keihard ❷ hard ★ *get* ~ *with frauds* hard optreden tegen oplichters ★ inform *a* ~ *cookie* een keiharde ❹ – tegenvallend ★ ~ *luck* tegenslag, pech (gehad) ❺ gemeen, misdadig ★ inform *a* ~ *guy* 'n zware jongen ‖ *zn* inform misdadiger ‖‖ *ov ww* inform ★ ~ *it out* het volhouden, doorbijten

toughen ['tʌfən] **I** *onov ww* ❶ harder / sterker worden ❷ taai(er) worden ‖ *ov ww* ❶ harder / sterker maken ❷ strenger maken

toughness ['tʌfnəs] *zn* hardheid

toupee, toupet ['tuːpeɪ] *zn* toupet, haarstukje

tour [tʊə] **I** *zn* ❶ (rond)reis, tournee, uitstapje ★ *the Grand Tour* rondreis (langs de cultuurcentra in Europa) ★ *conducted / guided tour* rondleiding ★ *tour of duty* diensttijd (voor militairen), detachering ★ *tour of inspection* inspectieronde ‖ *onov ww* een (rond)reis maken ‖‖ *ov ww* een (rond)reis maken door

tourism ['tʊərɪzəm] *zn* toerisme

tourist ['tʊərɪst] *zn* toerist ★ ~ *office* VVV-kantoor

tourist class *zn* toeristenklasse

touristic ['tʊərɪstɪ] *bnw* toeristisch

tourist season USA *zn* vakantieperiode, vakantietijd

tournament ['tʊənəmənt] *zn* toernooi

tousle ['taʊzəl] *ov ww* in de war brengen (haar)

tout [taʊt] **I** *ov ww* ❶ aanprijzen, aan de man proberen te brengen ❷ opdringerig werven (leden, medestanders) ❸ GB op de zwarte markt verkopen (kaartjes) ‖ *onov ww* klanten lokken ‖‖ *zn* GB zwarthandelaar (in kaartjes)

tow [təʊ] **I** *zn* ❶ sleep ★ *give sb a tow to the garage* iem. naar de garage slepen ★ *take in tow* op sleeptouw nemen ❷ sleper, sleepboot ❸ werk (hennep- en vlasvezels) ‖ *ov ww* slepen, trekken

towards [təˈwɔːdz, tɔːdʒ] *vz* ❶ in de richting van, naar, voor, om te ★ *walk* ~ *the bridge* naar de brug lopen ★ *do sth* ~ *improving education* iets doen voor de verbetering van het onderwijs ❷ jegens ★ *kind* ~ *your neighbours* vriendelijk jegens je buren ❸ tegen ★ ~ *three o'clock* tegen drie uur

towel ['taʊəl] **I** *zn* handdoek ★ *throw in the* ~ de handdoek in de ring gooien, zich gewonnen geven ‖ *ov ww* afdrogen ★ ~ *dry* droogwrijven

towel horse, towel rack / rail *zn* handdoekrekje

towelling ['taʊəlɪŋ] *zn* badstof

tower [taʊə] **I** *zn* toren ★ *the Tower (of London)* de Tower ★ *a* ~ *of strength* een rots in de branding ‖ *onov ww* ~ **over/above** hoog uitsteken boven, overtreffen

tower block *zn* GB torenflat, kantoorflat

towering ['taʊərɪŋ] *bnw* ❶ verheven ❷ torenhoog ❸ geweldig (van woude)

town [taʊn] *zn* ❶ stad ★ *in town* in de stad ★ *go (in)to town* de stad ingaan, naar het centrum gaan ★ *be / go out on the town* 'n avondje stappen ★ *paint the town red* de bloemetjes buiten zetten ★ *man / woman about town* wereldwijze man / vrouw ★ inform *go to town on sth* zich uitsloven met iets ★ *corporate town* stedelijke gemeente ★ *new town*

nieuwbouwstad ❷ USA gemeente

town clerk *zn* gemeentesecretaris

town council *zn* gemeenteraad

townee, townie [taʊˈniː] *zn* inform stadsmens

town hall *zn* stadhuis

town house *zn* ❶ huis in de stad, herenhuis ❷ USA rijtjeshuis

townscape ['taʊnskeɪp] *zn* stadsgezicht

townsfolk ['taʊnzfəʊk] *zn* stedelingen

township ['taʊnʃɪp] *zn* ❶ USA Can gemeente ❷ zwart woonoord (Z.-Afrika)

townspeople ['taʊnzpiːpl] *zn* stedelingen

town twinning *zn* jumelage (vriendschapsband tussen steden)

toxaemia, toxemia [tɒkˈsiːmɪə] *zn* bloedvergiftiging

toxic ['tɒksɪk] *bnw* giftig, vergiftigings-, toxisch ★ ~ *waste* giftige afvalstoffen

toxicity [tɒkˈsɪsəti] *zn* giftigheid, toxiciteit

toxicology [tɒksɪˈkɒlədʒɪ] *zn* toxicologie, vergiftenleer

toxin ['tɒksɪn] *zn* toxine (bacteriële gifstof)

toy [tɔɪ] **I** *zn* ❶ speeltje, (stuk) speelgoed ★ *cuddly toy* knuffel(dier) ❷ fig speelbal ‖ *onov ww* ❶ spelen ❷ ~ **with** spelen met, zich vermaken met ★ *I toyed with the idea for a while* ik heb even met de gedachte gespeeld

toy dog *zn* speelgoedhond, schoothondje

toyshop ['tɔɪʃɒp] *zn* speelgoedwinkel

trace [treɪs] **I** *zn* ❶ spoor, afdruk ★ *vanish without a* ~ spoorloos verdwijnen ★ *lose* ~ *of* het spoor kwijtraken van ❷ kleine hoeveelheid ★ *without a* ~ *of irony* zonder een greintje ironie ❸ streng (v. paard) ★ fig *kick over the* ~*s* uit de band springen ❹ afbeelding, lijn ‖ *ov ww* ❶ opsporen, volgen ❷ overtrekken ❸ schetsen ❹ afbakenen (gebied) ❺ ~ **back** terugvoeren ★ *he* ~*s his family back to* zijn familie gaat terug tot ❻ ~ **out** opsporen, tekenen ❼ ~ **over** overtrekken, calqueren

traceable ['treɪsəbl] *bnw* na te gaan ★ ~ *to* terug te brengen tot

tracer ['treɪsə] *zn* mil lichtspoorkogel

tracery ['treɪsərɪ] *zn* ❶ gesch traceerwerk in gotiek ❷ netwerk (vnl. op insectenvleugel)

trachea [trəˈkiːə] *zn* [mv: **tracheae**] luchtpijp

tracheae [trəˈkiːiː] *zn mv* → **trachea**

tracing ['treɪsɪŋ] *zn* ❶ kopie, doordruk ❷ registratie

tracing paper ['treɪsɪŋpeɪpə] *zn* calqueerpapier

track [træk] **I** *zn* ❶ ook fig spoor, weg, pad, baan ★ *off the* ~ het spoor bijster ★ *I am on his* ~ ik ben hem op het spoor ★ *the beaten* ~ de gebruikelijke weg, het platgetreden pad ★ *off the beaten* ~ weg van de gebaande paden, ongebruikelijk ★ *stop (dead) in your* ~*s* ter plekke stil blijven staan ★ *keep* ~ *of sth* iets in de gaten (blijven) houden ★ inform *make* ~*s* ervandoor gaan ❷ spoorbaan ❸ race- / renbaan ❹ nummer (op een cd), spoor (op magneetband) ❺ rupsband ❻ spoorbreedte ‖ *ov ww* ❶ het spoor volgen van ❷ trekken door ❸ slepen (boot) ❹ sporen nalaten van / op ❺ ~ **down/out** volgen, opsporen ‖‖ *onov ww* ❶ sporen (v. wielen) ❷ ~ **across** trekken over

tracked [trækt] *bnw* met rupsbanden

to

tracker ['trækə] zn ❶ opspoorder ❷ speurhond ❸ sleepboot

track event, track meet zn atletiekwedstrijd

tracking station zn grondstation ‹ruimtevaart›

tracksuit ['træksu:t] zn trainingspak, joggingpak

tract [trækt] zn ❶ gebied, uitgestrektheid ❷ anat ademhalings- / spijsverteringsstelsel ❸ verhandeling

tractable ['træktəbl] bnw gemakkelijk te behandelen, volgzaam, gedwee

tractate ['træktett] zn verhandeling

traction ['trækʃən] zn ❶ tractie, trekkracht, (het) (voort)trekken ❷ grip ‹op weg› ★ lose ~ de grip verliezen

tractor ['træktə] zn tractor, trekker

trad [træd] afk, traditional traditioneel ‹vooral v. muziek›

trade [treɪd] I zn ❶ (ruil)handel, zaken ★ foreign ~ buitenlandse handel ★ be in the ~ zaken doen ❷ beroep, vak ★ by ~ van beroep ★ two of a ~ never agree vaklui hebben altijd verschil van mening ❸ bedrijf(stak), branche ❹ (handels)transactie, sport transfer II ov ww ❶ ruilen, verhandelen ★ ~ secrets / insults geheimen / beledigingen uitwisselen ❷ ~ away/off verhandelen ❸ ~ in inruilen III onov ww ❶ handel drijven, zaken doen ❷ ~ down/up inruilen voor iets goedkopers / duurders ❸ ~ on misbruik maken van ‹iemands goedheid bv.› ❹ ~ to handel drijven met ‹vnl. bep. land›

trade commissioner zn handelsattaché

trade craft zn vakkennis

trade deficit zn tekort op de handelsbalans

trade embargo zn handelsembargo

trade gap zn tekort op de handelsbalans

trade-in [treɪd-'ɪn] bnw ❶ inruil ❷ inruilobject

trademark ['treɪdmɑ:k] zn handelsmerk, fig typisch kenmerk ★ registered ~ gedeponeerd handelsmerk

trade mission zn handelsmissie

trade name zn ❶ handelsnaam (v. artikel), merknaam ❷ firmanaam

trade-off zn afweging, compromis, wisselwerking

trade price zn (groot)handelsprijs

trader ['treɪdə] zn handelaar, koopman

tradesfolk ['treɪdzfəʊk] zn winkeliers

tradesman ['treɪdzmən] zn ❶ winkelier ❷ vakman

tradespeople ['treɪdzpi:pl] zn winkeliers

trades union zn → trade union

trade union, trades union zn GB vakbond

trade unionist zn GB vakbondslid

trade wind zn passaatwind

trading ['treɪdɪŋ] zn handel ★ ~ company handelsonderneming ★ ~ post handelsnederzetting, factorij

tradition [trə'dɪʃən] zn traditie, overlevering

traditional [trə'dɪʃənl] I bnw traditioneel II zn muz ≈ volksliedje

traditionally [trə'dɪʃənlɪ] bijw traditioneel, traditiegetrouw

traduce [trə'dju:s] form ov ww lasteren

traducer [trə'dju:sə] form zn lasteraar

traffic ['træfɪk] I zn ❶ verkeer ❷ (koop)handel ★ ~

in weapons wapenhandel II onov ww ~ in (illegale) handel drijven in

traffic circle zn USA rotonde

traffic congestion zn verkeersopstopping

traffic control zn verkeersregeling

traffic island zn vluchtheuvel

traffic jam zn verkeersopstopping

trafficker ['træfɪkə] zn min (zwart)handelaar

trafficking ['træfɪkɪŋ] zn min (zwarte) handel

traffic light zn verkeerslicht

traffic sign zn verkeersbord

traffic warden zn GB parkeerwacht(er)

tragedian [trə'dʒi:dɪən] zn ❶ treurspeldichter ❷ treurspelspeler

tragedienne [trədʒi:dɪ'en] zn ❶ treurspelschrijfster ❷ treurspelspeelster

tragedy ['trædʒədɪ] zn ❶ tragedie, drama ‹gebeurtenis› ❷ ton tragedie, treurspel

tragic ['trædʒɪk] bnw tragisch

tragicomedy [trædʒɪ'kɒmɪdɪ] zn lit tragikomedie

trail [treɪl] I zn ❶ pad, baan, weg, route ★ off the ~ het spoor bijster ★ on the ~ op het spoor ★ fig blaze a ~ de weg banen ❷ spoor ★ be hot on the ~ of sb iem. op de hielen zitten ❸ reeks ❹ sleep, staart (v. komeet) ❺ kruipende / hangende tak (v. plant) ★ vapour ~ condensatiestreep (v. vliegtuig) II ov ww ❶ slepen ❷ een spoor achterlaten van ❸ volgen, schaduwen ❹ achterliggen / -staan op III onov ww ❶ (zich) slepen ❷ hangen, kruipen (van plant) ❸ ~ along (zich) voortslepen ❹ ~ away/off wegsterven (van geluid) ❺ ~ by achterlopen met ❻ ~ off afdruipen

trailer ['treɪlə] zn ❶ aanhangwagen, oplegger ❷ USA caravan ❸ voorfilmpje ❹ kruip- / hangplant

trailer park zn USA camper- / caravanterrein, woonwagenkamp

trailer truck zn USA trekker met oplegger

train [treɪn] I zn ❶ trein ★ by ~ met de trein ★ on the ~ in de trein ★ miss the ~ te laat komen, achter het net vissen ❷ reeks, rij, karavaan ★ ~ of thought gedachtegang ★ in ~ aan de gang ★ GB set sth in ~ iets in gang zetten ❸ sleep, fig nasleep ❹ (lange) staart ❺ gevolg, stoet II ov ww ❶ opleiden, scholen ❷ trainen, africhten (dier) ❸ leiden (plant) ❹ richten (kanon) ❺ ~ up inwerken ▼ ~ it per trein gaan III onov ww ❶ (zich) trainen, een opleiding volgen ❷ ~ down/off vermageren door trainen ❸ ~ for trainen voor, studeren voor ❹ ~ off afwijken (van kogel) ❺ USA ~ with zich aansluiten bij

trained [treɪnd] bnw ervaren, geschoold ★ ~ nurse gediplomeerd verpleegster ★ ~ eye geoefend oog

trainee [treɪ'ni:] zn stagiair(e), trainee

trainer ['treɪnə] zn ❶ trainer, opleider ❷ africhter (v. dier)

training ['treɪnɪŋ] zn ❶ training, opleiding, oefening, scholing ★ physical ~ conditietraining ★ be out of / in ~ uit / in vorm zijn

training camp zn trainingskamp

training college ['treɪnɪŋkɒlɪdʒ] zn GB opleidingsschool

trainman ['treɪnmæn] zn USA spoorwegbeambte

tr

traipse [treɪps] *onov ww* ❶ rondslenteren, zwerven ❷ trekken ❸ ~ **off to** verzeild raken in

trait [treɪt] *zn* (karakter)trek

traitor ['treɪtə] *zn* verrader

traitorous ['treɪtərəs] *bnw* verraderlijk

traitress ['treɪtrəs] *zn* verraadster

trajectory [trə'dʒektərɪ] *zn* ❶ baan (van projectiel) ❷ form verloop

tram [træm] *zn* ❶ tram ❷ tramlijn

tramlines ['træmlaɪnz] *zn mv* ❶ tramrails ❷ GB inform dubbele zijlijnen (tennis)

trammel ['træml] *ov ww* form belemmeren, hinderen

tramp [træmp] **I** *zn* ❶ zwerver, landloper ❷ zware stap ❸ voetreis ★ *on the* ~ de boer op, zwervend ❹ USA inform slet **II** *onov ww* ❶ stampen, trappen ❷ sjouwen, ronddolen **III** *ov ww* ❶ trappen op ❷ sjouwen op, zwerven langs ❸ ~ **down** vertrappen

trample ['træmpl] **I** *ov ww* ❶ vertrappen, fig met voeten treden ★ ~ *out the fire* het vuur uittrappen ★ *be* ~*d to death* doodgetrapt worden ★ ~ *sb underfoot* iem. onder de voet lopen, fig over iem. heen lopen ❷ ~ **down/under** vertrappen **II** *onov ww* trappen **III** *zn* gestamp, getrappel

trampoline ['træmpəli:n] *zn* trampoline

tramway ['træmweɪ] *zn* tramrails, tramweg

trance [trɑ:ns] *zn* ❶ trance, extase, hypnose ❷ muz trance

tranny ['trænɪ] inform *zn* ❶ transseksueel ❷ GB draagbare transistorradio

tranquil ['træŋkwɪl] *bnw* kalm, rustig

tranquillity [træŋ'kwɪlətɪ] *zn* kalmte, rust

tranquillize, tranquillise ['træŋkwɪlaɪz] *ov ww* kalmeren, tot bedaren brengen

tranquillizer, tranquilliser ['træŋkwɪlaɪzə] *zn* kalmerend middel ★ *be on* ~*s* kalmerende middelen gebruiken

trans- [træns] *voorv* trans-, over- ★ *transmission* overbrenging

transact [træn'zækt] **I** *ov ww* verrichten ★ ~ *business with* zaken doen met **II** *onov ww* onderhandelen, zaken doen

transaction [træn'zækʃən] *zn* ❶ transactie, handelsovereenkomst ❷ afhandeling ❸ jur schikking

transatlantic [trænzət'læntɪk] *bnw* trans-Atlantisch

transcend [træn'send] *ov ww* te boven gaan, overtreffen

transcendent [træn'sendənt] *bnw* ❶ overtreffend ❷ voortreffelijk

transcendental [trænsen'dentl] *bnw* bovenzinnelijk ★ ~ *meditation* transcendente meditatie

transcribe [træn'skraɪb] *ov ww* ❶ overschrijven ❷ transcriberen, overbrengen (in bepaald schrift), muz bewerken

transcript ['trænskrɪpt] *zn* ❶ afschrift ❷ USA eindcijferlijst

transcription [træns'krɪpʃən] *zn* ❶ transcriptie, afschrift, het overschrijven ❷ muz arrangement

transection [træn'sekʃən] *zn* dwarsdoorsnede

transfer[1] ['trænsfɜ:] *zn* ❶ overdracht, overbrenging, sport transfer ★ ~ *of power*

machtsoverdracht ★ *a* ~ *to another department* een overplaatsing naar een andere afdeling ❷ overmaking, overboeking, overschrijving ❸ plakplaatje, overdrukplaatje ❹ iemand die overgeplaatst is ❺ overdrachtsformulier, USA overstapkaartje ❻ overstapstation

transfer[2] [træns'fɜ:] **I** *ov ww* ❶ overplaatsen, vervoeren ❷ overdragen, overbrengen ★ *Lyme disease is* ~*red through ticks* de ziekte van Lyme wordt overgedragen door teken ❸ overmaken, overschrijven (op rekening) ❹ overdrukken ❺ GB sport transfereren **II** *onov ww* ❶ overgeplaatst worden ❷ overstappen ★ ~ *to a different school* overstappen naar een andere school

transferable [træns'fɜ:rəbl] *bnw* over te dragen ★ *not* ~ persoonlijk (van kaart) ★ ~ *skills* breed inzetbare vaardigheden

transference [træns'fɜ:rəns] *zn* overdracht, overbrenging

transferor [træns'fɜ:rə] *zn* overdrager

transfiguration [trænsfɪgjʊ'reɪʃən] *zn* gedaanteverandering

transfigure [træns'fɪgə] *ov ww* ❶ veranderen v. gedaante ❷ verheerlijken

transfix [træns'fɪks] *ov ww* ❶ als aan de grond nagelen ★ *we were / stood* ~*ed* we stonden als aan de grond genageld ❷ dicht doorboren

transform [træns'fɔ:m] **I** *ov ww* ❶ (van gedaante / karakter doen) veranderen, vervormen, omvormen ❷ natk omzetten ❸ wisk herleiden **II** *onov ww* (van gedaante / karakter) veranderen

transformation [trænsfə'meɪʃən] *zn* ❶ (gedaante)verandering, transformatie ❷ vervorming, ton changement, omzetting

transformer [træns'fɔ:mə] *zn* ❶ hervormer ❷ elek transformator

transfuse [træns'fju:z] *ov ww* overbrengen, overgieten, fig inprenten ★ ~ *blood* een bloedtransfusie geven

transfusion [træns'fju:ʒən] *zn* ❶ (het) overbrengen ❷ bloedtransfusie

transgress [trænz'gres] form *ov ww* overtreden, schenden, zondigen tegen

transgression [trænz'greʃən] form *zn* overtreding, schending, zonde

transgressor [trænz'gresə] (form) *zn* overtreder

tranship [træn'ʃɪp] *ov ww* → **transship**

transient ['trænzɪənt] **I** *zn* USA passant **II** *bnw* vergankelijk, v. korte duur ★ ~ *workers* tijdelijke werkkrachten

transistor [træn'zɪstə] *zn* transistor(radio)

transit ['trænzɪt] *zn* ❶ doortocht, doorvoer ❷ vervoer ★ *in* ~ tijdens het vervoer ❸ doorgang door meridiaan ❹ USA stadsvervoer

transit circle *zn* meridiaancirkel

transit duty *zn* doorvoerrechten

transition [træn'zɪʃən] *zn* overgang(speriode)

transitional [træn'zɪʃnəl] *bnw* overgangs-

transitive ['trænsətɪv] taalk bnw overgankelijk

transitory ['trænsətərɪ] *bnw* tijdelijk, niet blijvend, vergankelijk

transit trade *zn* doorvoerhandel

translate [træn'sleɪt] **I** *ov ww* ❶ vertalen ❷ omzetten, omrekenen ★ ~ *plans into action* plannen in actie omzetten ❸ comp converteren ❹ verklaren, uitleggen, duidelijk zeggen ★ *kindly* ~ zeg het me duidelijk ‖ *onov ww* ❶ vertalen ❷ ook *fig* zich laten vertalen ❸ ~ *into/to* zich laten vertalen in, teweegbrengen

translation [træns'leɪʃən] *zn* ❶ vertaling ★ *simultaneous* ~ simultaanvertaling ❷ overdracht ⟨van goederen⟩ ❸ gravure ⟨van schilderij⟩

translator [træns'leɪtə] *zn* ❶ vertaler ❷ comp vertaalprogramma

translucence [træns'luːsəns], **translucency** [træns'luːsənsɪ] *zn* doorschijnendheid

translucent [træns'luːsənt] *bnw* doorschijnend

transmigration [trænzmaɪ'greɪʃən] *zn* ❶ zielsverhuizing ❷ verhuizing

transmission [trænz'mɪʃən] *zn* ❶ transmissie, overbrenging ★ *the* ~ *of a disease* de overdracht van een ziekte ❷ comm uitzending ⟨radio, tv⟩ ★ *a break in* ~ een onderbreking van de uitzending ❸ techn versnellingsbak

transmit [trænz'mɪt] *ov ww* ❶ overbrengen, overleveren ⟨bv. tradities⟩ ★ *sexually* ~ted *diseases* seksueel overdraagbare ziekten ❷ geleiden ⟨stroom, warmte⟩, doorlaten ⟨licht⟩ ❸ comm uitzenden, overzenden ★ ~ted *via satellite* via de satelliet uitgezonden ❹ overmaken ⟨geld⟩

transmitter [træns'mɪtə] *zn* comm zender, zendapparaat

transmutable [trænz'mjuːtəbl] *bnw* veranderbaar, verwisselbaar

transmutation [trænzmjuː'teɪʃən] *zn* transmutatie

transmute [trænz'mjuːt] *ov ww* omvormen, veranderen

transom ['trænsəm] *zn* ⟨raam boven⟩ dwarsbalk

transparency [træns'pærənsɪ] *zn* ❶ ook fig transparantie, doorzichtigheid ❷ dia ❸ transparant ⟨bij overheadprojector⟩

transparent [træns'pærənt] *bnw* ❶ ook fig transparant, doorzichtig ❷ oprecht

transpiration [trænspɪ'reɪʃən] *zn* plantk transpiratie, verdamping

transpire [træn'spaɪə] I *ov ww* plantk uitwasemen ‖ *onov ww* ❶ plantk transpireren, waterdamp afscheiden ❷ uitlekken, aan het licht komen, bekend worden ❸ inform gebeuren

transplant [træns'plɑːnt] I *zn* ❶ transplantatie ❷ transplantaat ⟨orgaan⟩ ★ ~ *operation* transplantatie ‖ *ov ww* ❶ verplanten, overplanten ❷ med transplanteren ❸ verplaatsen ⟨bv. bedrijf⟩

transplantation [trænsplɑːn'teɪʃən] *zn* ❶ med transplantatie ❷ verplanting

transport¹ ['trænspɔːt] *zn* ❶ transport, vervoer ❷ vervoermiddel, transportschip, verkeersvliegtuig ❸ dicht vervoering, vlaag van emotie ★ *in* ~*s* in vervoering ❹ gesch deportatie

transport² [træns'pɔːt] *ov ww* ❶ vervoeren, transporteren ★ *fig the film* ~*s you to exotic lands* de film neemt je mee naar exotische landen ❷ verrukken ❸ gesch deporteren

transportation [trænspɔː'teɪʃən] *zn* ❶ transport,

vervoer ❷ openbaar vervoer ❸ USA vervoermiddel ❹ USA vervoerprijs, kaartje ❺ gesch deportatie

transporter [træns'pɔːtə] *zn* ❶ (auto)vervoerder ❷ transportvliegtuig

transpose [træns'pəʊz] *ov ww* ❶ verplaatsen ❷ omzetten ❸ wisk overbrengen ⟨v. het ene lid v. een vergelijking naar het andere⟩ ❹ muz transponeren

transposition [trænspə'zɪʃən] *zn* ❶ verplaatsing ❷ muz wisk transpositie

transship [træns'ʃɪp] *ov ww* in ander schip laden, óverladen

transverse ['trænzvɜːs] I *zn* dwarsspier ‖ *bnw* dwars ★ ~ *section* dwarsdoorsnede ★ natk ~ *wave* transversale golf

transvestite [trænz'vestaɪt] *zn* travestiet

trap [træp] I *zn* ❶ val(strik) ★ *set / lay a trap for sb* een val zetten voor iem. ★ *trap of poverty* armoedeval ★ *fall into the trap of communism* in de val van het communisme lopen ❷ strik(vraag) ❸ autoval ⟨radarcontrole⟩ ❹ inform mond ★ *keep your trap shut* het voor je houden ❺ tweewielig rijtuig ❻ techn sifon ‖ *ov ww* ❶ 'n val zetten, voorzien v. vallen ❷ strikken, in de val laten lopen ❸ opsluiten ★ *be trapped inside the house* in het huis gevangen / vast zitten

trapdoor ['træpdɔː] *zn* valluik

trapeze [trə'piːz] *zn* trapeze

trapper ['træpə] *zn* strikkenzetter, pelsjager

trappings ['træpɪŋz] *zn mv* uiterlijk vertoon, sieraden, versierselen

traps [træps] *zn mv* ❶ slaginstrumenten ❷ inform spullen, boeltje

trash [træʃ] I *zn* ❶ USA afval, vuilnis ❷ fig rommel, bocht, rotzooi ★ USA *talk* ~ onzin praten ❸ USA tuig, nietsnut(ten) ★ min *white* ~ blank tuig ❹ snoeisel ‖ *ov ww* ❶ snoeien ⟨suikerriet⟩ ❷ kapot maken, fig afkraken ❸ USA weggooien

trash can *zn* USA vuilnisbak

trashy ['træʃɪ] inform *bnw* waardeloos, snert-

trauma ['trɔːmə] *zn* trauma, verwonding, psychische schok

traumatic [trɔː'mætɪk] *bnw* traumatisch

traumatize, traumatise ['trɔːmətaɪz] *ov ww* traumatiseren

travel ['trævəl] I *onov ww* ❶ reizen ★ ~ *by bus* met de bus reizen ★ *he has to* ~ *far* hij moet een grote afstand afleggen ★ ~ *light* weinig bagage meenemen ★ ~ *out of the record* v. het onderwerp afdwalen ❷ gaan, bewegen, zich voortplanten ⟨v. (geluids)golven⟩, zich verspreiden ⟨v. nieuws bv.⟩ ★ *light* ~*s faster than sound* licht gaat sneller dan geluid ❸ zich laten vervoeren ★ *these things* ~ *badly* deze artikelen kunnen slecht tegen vervoer ❹ zich bewegen, vertoeven ⟨in bep. kringen bv.⟩ ❺ inform snel gaan, vliegen ❻ lopen ⟨met basketbal⟩ ‖ *ov ww* ❶ reizen door ★ ~ *the world* over de hele wereld reizen ❷ afleggen ⟨afstand⟩ ‖‖ *zn* ❶ reis ❷ beweging ⟨van machineonderdeel⟩, slag ⟨v. zuiger⟩

travel agency *zn* reisbureau

travel agent *zn* reisagent

travel guide *zn* reisgids

travel insurance *zn* reisverzekering

travelled ['trævǝld] *bnw* bereisd

traveller ['trævǝlǝ] *zn* ❶ reiziger ❷ loopkraan

traveller's cheque *zn* travellercheque, reischeque

travelling ['trævǝlɪŋ] I *zn* (het) reizen II *bnw* ❶ reizend ★ ~ *companion* reisgenoot ❷ verplaatsbaar ★ ~ *crane* loopkraan

travelling expenses *zn* reiskosten

travels ['trævǝlz] *zn mv* ❶ (het) reizen ❷ reis(verhaal)

travel sickness *zn* reisziekte

traverse¹ ['trævɜːs] I *zn* ❶ dwarsbalk, dwarsstuk ❷ het oversteken ❸ traverse ⟨horizontale passage⟩ II *bnw* dwars

traverse² [trǝ'vɜːs] I *ov ww* ❶ (door)kruisen, oversteken ★ *the bridge ~s the canal* de brug ligt over het kanaal ❷ tegenwerken ❸ jur ontkennen II *onov ww* traverseren ⟨van paard⟩

travesty ['trævǝstɪ] I *zn* travestie, parodie, karikatuur II *ov ww* parodiëren

trawl [trɔːl] I *zn* ❶ sleepnet ❷ onderzoek II *onov ww* ❶ treilen ❷ zoeken III *ov ww* doorzoeken

trawler ['trɔːlǝ] *zn* trawler, treiler

tray [treɪ] *zn* ❶ presenteerblad ❷ bak(je), lade ★ GB *baking tray* bakplaat

treacherous ['tretʃǝrǝs] *bnw* verraderlijk, onbetrouwbaar

treachery ['tretʃǝrɪ] *zn* verraad, bedrog, onbetrouwbaarheid

treacle ['triːkl] *zn* GB stroop

treacly ['triːklɪ] *bnw* ❶ GB stroopachtig ❷ fig stroperig, suikerzoet

tread [tred] I *zn* ❶ stap, tred ❷ zool ❸ profiel ⟨ook van autoband⟩ ❹ loopvlak ⟨van wiel, lijn⟩ ❺ trede, sport ⟨van ladder⟩ II *onov ww* [regelmatig + onregelmatig] stappen, treden ★ ~ *on a spider* op een spin trappen ★ ~ *on air* verrukt zijn ★ ~ *on eggshells* voorzichtig te werk gaan ★ ~ *in s.o.'s footsteps* iem. navolgen ★ ~ *carefully / lightly* omzichtig te werk gaan III *ov ww* ❶ betreden, bewandelen ★ *well-trodden paths* platgetreden paden ★ *he ~s the boards / stage* hij is toneelspeler ❷ trappen ★ ~ *grapes* druiven treden ★ ~ *underfoot* met voeten treden ❸ ~ **down** vertrappen ❹ ~ **out** uittrappen ⟨vuur⟩, dempen ⟨opstand⟩ ★ ~ *out a path* pad maken

treadle ['tredl] *zn* ❶ trapper ⟨van naaimachine⟩ ❷ pedaal

treadmill ['tredmɪl] *zn* ❶ ook fig tredmolen ❷ loopband ⟨fitnessapparaat⟩

treason ['triːzǝn] *zn* verraad

treasonable ['triːzǝnǝbl] *bnw* verraderlijk

treasure ['treʒǝ] I *zn* ook fig schat II *ov ww* waarderen, bewaren als een schat, koesteren ★ *a ~d possession* een dierbaar bezit

treasure house ['treʒǝhaʊs] *zn* schatkamer

treasure hunt *zn* schatgraverij, vossenjacht ⟨spel⟩

treasurer ['treʒǝrǝ] *zn* ❶ thesaurier ❷ penningmeester

treasure trove ['treʒǝtrǝʊv] *zn* ❶ gevonden schat ⟨van onbekende eigenaar⟩ ❷ schat, rijke bron

treasury ['treʒǝrɪ] *zn* ❶ schatkist, schatkamer ❷ kas

Treasury *zn* ministerie v. financiën

Treasury Secretary *zn* minister v. Financiën

treat [triːt] I *ov ww* ❶ behandelen ★ ~ *sb with contempt* iem. met minachting behandelen ★ ~ *sth as a joke* iets als een grap opvatten ❷ trakteren ❸ ~ **to** trakteren op II *onov ww* ❶ trakteren ❷ onderhandelen ❸ ~ **of** handelen over III *zn* ❶ traktatie ★ *stand a* ~ trakteren ❷ feest ★ GB inform *you look a* ~ je ziet er beeldig uit ★ iron *Dutch* ~ gelegenheid waarbij ieder voor zichzelf afrekent

treatise ['triːtɪs] *zn* verhandeling

treatment ['triːtmǝnt] *zn* behandeling ★ *course of* ~ behandelmethode ★ *be under* ~ in behandeling zijn

treaty ['triːtɪ] *zn* verdrag, overeenkomst ★ *sell by private* ~ onderhands verkopen

treble ['trebl] I *zn* ❶ (het) drievoudige ❷ sopraan, jongenssopraan ❸ hoge tonen ⟨van audioapparatuur⟩ II *bnw* ❶ driemaal, drievoudig ❷ sopraan- ★ muz ~ *clef* g-sleutel III *ov ww* verdrievoudigen IV *onov ww* zich verdrievoudigen

tree [triː] I *zn* ❶ boom ❷ stamboom ❸ houten leest, schoenspanner ▾ inform *they are up a tree* ze zitten in de knel ★ inform *be out of your tree* knettergek zijn II *ov ww* ❶ in een boom jagen ⟨dier⟩ ❷ in moeilijkheden brengen

trefoil ['trefɔɪl] *zn* klaver, klaverblad

trek [trek] I *zn* lange tocht, voettocht II *onov ww* ❶ trekken ★ *go trekking* een trektocht maken ❷ sjouwen

trellis ['trelɪs] I *zn* traliewerk, trellisscherm ⟨in tuin⟩ II *ov ww* voorzien v. latten

tremble ['trembl] I *onov ww* trillen, rillen, beven ★ *his life ~s in the balance* z'n leven hangt aan een zijden draad ★ *he ~d with fear* hij beefde van angst II *zn* trilling ★ *there was a ~ in her voice* haar stem beefde ★ inform *I was all of a ~* ik rilde over mijn hele lijf

tremendous [trɪ'mendǝs] *bnw* ❶ verschrikkelijk ❷ reusachtig

tremor ['tremǝ] *zn* beving, huivering, (t)rilling, med tremor

tremulous ['tremjʊlǝs] *bnw* ❶ bevend, trillend ❷ bedeesd

trench [trentʃ] I *zn* ❶ geul, sloot, greppel ❷ loopgraaf ❸ trog ⟨in zee⟩ II *ov ww* ❶ loopgraven / greppels graven in ❷ omspitten III *onov ww* ❶ inbreuk maken op ❷ raken aan

trenchant ['trentʃǝnt] *bnw* ❶ scherp, snijdend ❷ krachtig

trench boot *zn* (hoge) rubberlaars

trench coat *zn* trenchcoat ⟨mil. regenjas met ceintuur⟩

trencherman ['trentʃǝmǝn] *zn* iron eter

trend [trend] I *zn* ❶ richting, trend, tendens ★ *buck a* ~ dwars tegen de trend ingaan ★ *set a* ~ een trend ⟨in gang⟩ zetten ❷ mode ❸ loop ⟨van gebeurtenissen⟩, strekking ★ ~ *of thought* gedachtegang II *onov ww* gaan ⟨in bepaalde richting⟩, (af)buigen, neigen

trendiness ['trendɪnǝs] *zn* modieusheid

trendsetter ['trendsetǝ] *zn* trendsetter, voorloper

tr

trendy ['trendɪ] **I** *bnw* modieus, in **II** *zn* inform trendy persoon

trepidation [trepr'deɪʃən] form *zn* ongerustheid, angst

trespass ['trespəs] **I** *onov ww* ❶ ook fig op verboden terrein komen, binnendringen ★ *no ~ing* verboden toegang ❷ **on/upon** schenden, beslag leggen op ★ *you ~ (up)on his hospitality* je maakt misbruik van zijn gastvrijheid ❸ overtreding begaan, zondigen ★ *he ~ed against the law* hij overtrad de wet **II** *zn* overtreding, inbreuk, huisvredebreuk

trespasser ['trespəsə] *zn* overtreder ⟨v.e. wet⟩, indringer ⟨op een terrein⟩ ★ *~s will be prosecuted* verboden toegang voor onbevoegden ⟨overtreders zullen worden vervolgd⟩ ★ *~s will be shot* streng verboden toegang ⟨indringers zullen worden beschoten⟩

tresses *zn mv* haarlokken, lang golvend haar

trestle ['tresəl] *zn* schraag, bok ★ ~ *table* schraagtafel

tri- [traɪ] *voorv* drie-, tri- ★ *tricycle* driewieler

triable ['traɪəbl] *bnw* ❶ te proberen ❷ te berechten

triad ['traɪæd] *zn* ❶ drietal, trits ❷ triade ⟨Chinese bende⟩ ❸ muz drieklank

trial ['traɪəl] **I** *zn* ❶ gerechtelijk onderzoek, verhoor ★ *on ~* voor het gerecht ★ *bring to ~* voor de rechter brengen ★ *commit for ~* naar openbare terechtzitting verwijzen ★ *he stood his ~* hij stond terecht ★ *he'll move for a new ~* hij zal in hoger beroep gaan ❷ proef, proefneming ★ ~ *and error* met vallen en opstaan ★ *make ~ of* beproeven ★ *I'll give you a ~* ik zal het eens met je proberen ★ *on ~* op proef ❸ beproeving, last ★ *~s and tribulations* problemen en zorgen ❹ behendigheids- / oefenwedstrijd, kwalificatiewedstrijd **II** *bnw* proef- ★ ~ *run* proefrit

trial heat *zn* voorronde, halve finale

trial period *zn* proefperiode

trial trip *zn* proefvaart

triangle ['traɪæŋgl] *zn* ❶ driehoek ❷ muz triangel ❸ drietal

Triangle ['traɪæŋgl] *zn* Driehoek ⟨sterrenbeeld⟩

triangular [traɪ'æŋgjʊlə] *bnw* ❶ driehoekig ❷ driezijdig, met drie partijen

tribal ['traɪbl] *bnw* ⟨volks⟩stam-, tribaal

tribalism ['traɪbəlɪzəm] *zn* stamverband

tribe [traɪb] *zn* ❶ stam ❷ groep, geslacht, onderorde ⟨bij dier- en plantkunde⟩ ❸ humor clan, meute

tribesman ['traɪbzmən] *zn* lid van stam

tribulation [trɪbjʊ'leɪʃən] *zn* tegenspoed, beproeving

tribunal [traɪ'bju:nl] *zn* rechterstoel, rechtbank

tribune ['trɪbju:n] *zn* ❶ tribune, spreekgestoelte ❷ tribuun

tributary ['trɪbjʊtərɪ] **I** *zn* ❶ schatplichtige staat ❷ zijrivier **II** *bnw* ❶ bijdragend ❷ schatplichtig ❸ bij-, zij-

tribute ['trɪbju:t] *zn* ❶ huldeblijk ★ *floral ~s* bloemen als huldeblijk ★ *pay the last ~ to* laatste eer bewijzen aan ★ *their success is a ~ to their perseverance* hun succes getuigt van doorzettingsvermogen ❷ bijdrage, schatting

trice [traɪs] *zn* ogenblik ★ *in a ~* in 'n wip

trick [trɪk] **I** *zn* ❶ truc, list ★ *~s of the trade* kneepjes v. het vak ★ *he knows a ~ or two* hij is niet v. gisteren ★ *do the ~* het klaarspelen, het gewenste resultaat opleveren ★ *he never misses a ~* hij laat geen kans / gelegenheid voorbijgaan ★ *have a ~ up your sleeve* een truc achter de hand houden ❷ handigheid ★ *learn the ~* de slag te pakken krijgen ★ *a ~ of thumb* handigheidje ❸ aanwensel, tic ❹ poets, grap ★ *play a ~ upon sb* iem. een streek leveren ❺ slag ⟨bij kaartspel⟩ **II** *ov ww* ❶ bedriegen, beduvelen, oplichten ★ *~ sb out of his money* iem. zijn geld aftroggelen ❷ ~ **out/up** versieren ★ *she was ~ed out in a gaudy dress* ze was gekleed in een opzichtige jurk

tricker ['trɪkə] *zn* ❶ bedrieger ❷ grappenmaker

trickery ['trɪkərɪ] *zn* bedrog, bedotterij

trickle ['trɪkl] **I** *zn* straaltje ★ *traffic moving at a ~* stapvoets rijdend verkeer **II** *onov ww* ❶ druppelen, druipen, sijpelen ❷ druppelsgewijs komen ★ *the news ~d in* het nieuws kwam langzaam binnen ❸ ~ **down to** doorsijpelen naar, uiteindelijk terechtkomen bij

trick question *zn* strikvraag

trickster ['trɪkstə] *zn* ❶ bedrieger ❷ grappenmaker

tricksy ['trɪksɪ] *bnw* ❶ schalks, speels ❷ lastig

tricky ['trɪkɪ] *bnw* ❶ inform lastig, ingewikkeld ❷ bedrieglijk ❸ vol streken, listig

tricycle ['traɪsɪkl] *zn* driewieler

trident ['traɪdnt] *zn* drietand

tried [traɪd] *bnw* beproefd

triennial [traɪ'enɪəl] **I** *zn* driejarige plant / periode **II** *bnw* ❶ driejarig ❷ driejaarlijks

trier ['traɪə] *zn* volhouder, beproever

trifle ['traɪfl] **I** *zn* ❶ kleinigheid, bagatel, fooitje ❷ form beetje ★ *a ~ disappointing* een tikje teleurstellend ❸ cake in vla ⟨dessert⟩ **II** *onov ww* ❶ beuzelen ❷ ~ **with** spelen met ⟨potlood of ander klein voorwerp⟩, lichtvaardig behandelen ★ *she is not to be ~d with* er valt niet met haar te spotten **III** *ov ww* ★ *he ~s away his time* hij verknoeit zijn tijd

trifling ['traɪflɪŋ] *bnw* onbeduidend

trigger ['trɪgə] **I** *zn* ❶ trekker ⟨van geweer⟩ ★ *pull / squeeze the ~* de trekker overhalen, vuren ❷ ook med uitlokker, aanleiding **II** *ov ww* ❶ teweegbrengen, veroorzaken, in werking stellen ⟨bv. alarm⟩ ❷ afvuren ❸ ~ **off** op gang brengen, aanleiding geven tot

trigger-happy ['trɪgəhæpɪ] *bnw* schietgraag

trigonometry [trɪgə'nɒmətrɪ] *zn* trigonometrie, driehoeksmeting

trike [traɪk] *zn* inform inform driewieler

trilby ['trɪlbɪ] *zn* deukhoed

trill [trɪl] **I** *zn* ❶ trilling ⟨v. stem⟩ ❷ muz triller **II** *onov ww* trillen, vibreren

trillion ['trɪljən] *zn* ❶ USA biljoen ★ *a ~ of reasons* duizend en één redenen ❷ GB triljoen

trilogy ['trɪlədʒɪ] *zn* trilogie

trim [trɪm] **I** *ov ww* ❶ in orde brengen, opknappen, versieren, garneren ⟨bv. kleding⟩ ★ *trim the fire* vuur oppoken ★ USA *trim the Christmas tree* de kerstboom versieren ❷ snoeien ⟨in tuin⟩, bijknippen ⟨haar⟩, fig

tr

verminderen ★ *trim the grass* het gras knippen ★ *trim the costs* snoeien in de kosten ❸ luchtv scheepv trimmen, lading gelijk verdelen ★ *trim your sails* je zeilen stellen, je beperken ❹ ~ **down** inkorten **II** onov ww ❶ ~ **down** afslanken ❷ ~ **to** zich voegen naar ⟨vnl. omstandigheden⟩ **III** zn ❶ (het) bijknippen ❷ rand, versiering ❸ goede staat ★ *in (perfect) trim* goed gestuwd ⟨v. lading⟩, in (uitstekende) conditie ★ *be out of trim* niet goed afgesteld zijn ⟨van vliegtuig, boot⟩ ★ *get the room into trim* maak de kamer in orde ★ *they were in fighting trim* ze waren klaar voor de strijd ❹ (het) trimmen ⟨v. lading⟩ ❺ USA etalagemateriaal **IV** bnw ❶ netjes, goed onderhouden, in goede conditie ❷ slank ❸ goed passend ⟨kleding⟩

trimmer ['trɪmə] zn ❶ snoeier ❷ snoeimes, trimmer ❸ politieke weerhaan

trimmings ['trɪmɪŋz] zn mv ❶ snoeisel ❷ versierselen ❸ toebehoren ★ *with all the ~* met alles erop en eraan

trinity ['trɪnəti] zn drietal

Trinity ['trɪnɪti] zn rel (heilige) Drie-eenheid

trinket ['trɪŋkɪt] zn ❶ (goedkoop) sieraad ★ *~ box* bijouteriedoosje ❷ snuisterij

trio ['triːəʊ] zn trio, drietal

trip [trɪp] **I** zn ❶ reis(je), uitstapje ❷ trip ⟨hallucinatorische ervaring⟩ ❸ ook fig misstap ❹ trippelpas **II** ov ww ❶ doen struikelen, beentje lichten ❷ overhalen ⟨schakelaar⟩ ❸ ~ **up** laten struikelen, betrappen, een fout laten maken **III** onov ww ❶ struikelen, fig misstap begaan ★ *I caught him tripping* ik betrapte hem op een fout ★ *her tongue tripped* ze viel over haar woorden, ze versprak zich ❷ trippelen, huppelen ★ *trip (it)* dansen ❸ uitstapje maken ❹ trippen ⟨met drugs⟩ ❺ ~ **up** struikelen, een fout maken

tripartite [traɪˈpaːtaɪt] bnw ❶ drieledig, driedelig, tripartiet ❷ driepartijen- ⟨van contract bv.⟩

tripe [traɪp] zn ❶ (rol)pens ⟨als voedsel⟩ ❷ inform onzin, rommel

triplane ['traɪpleɪn] zn driedekker ⟨vliegtuig⟩

triple ['trɪpl] **I** bnw drievoudig, driedubbel, driedelig ★ *~ crown* pauselijke kroon / tiara **II** ov ww verdrievoudigen **III** onov ww zich verdrievoudigen

triple jump zn hink-stap-sprong

triplet ['trɪplət] zn ❶ één v. drieling ❷ drietal ❸ muz triool ❹ drieregelig vers

triple time zn drieslagsmaat

triplets ['trɪpləts] zn mv drieling

triplex ['trɪpleks] bnw drievoudig

triplicate¹ ['trɪplɪkət] **I** zn triplo **II** bnw drievoudig, in drievoud

triplicate² ['trɪplɪkeɪt] ov ww verdrievoudigen

tripod ['traɪpɒd] zn ❶ drievoet ❷ statief ⟨van fototoestel⟩

tripper ['trɪpə] zn GB toerist

triptych ['trɪptɪk] zn triptiek, drieluik

trite [traɪt] bnw afgezaagd, versleten, alledaags

triton ['traɪtn] zn watersalamander

triumph ['traɪəmf] **I** zn ❶ triomf ★ *in ~* zegevierend ❷ zegetocht **II** onov ww ❶ zegevieren ❷ ~ **over** overwinnen

❸ zegetocht houden

triumphal [traɪˈʌmfl] bnw triomferend, triomf- ★ *~ arch* erepoort ★ *~ chariot* zegewagen

triumphant [traɪˈʌmfənt] bnw ❶ triomfantelijk ❷ zegevierend

trivet ['trɪvɪt] zn ❶ driepoot ❷ onderzetter

trivia ['trɪvɪə] zn mv onbelangrijke dingen / zaken

trivial ['trɪvɪəl] bnw ❶ onbeduidend, triviaal ❷ alledaags ★ *the ~ name of that plant is...* de populaire naam van die plant is... ★ *the ~ round of life* dagelijkse routine v. het leven

triviality [trɪvɪˈæləti] zn trivialiteit

trivialize, trivialise ['trɪvɪəlaɪz] ov ww bagatelliseren

trod [trɒd] ww [verl. tijd + volt. deelw.] → **tread**

trodden ['trɒdn] ww [volt. deelw.] → **tread**

Trojan ['trəʊdʒən] **I** zn Trojaan **II** bnw Trojaans ★ *~ horse* comp Trojaans paard

troll [trəʊl] **I** zn ❶ trol ook comp ❷ sleeplijn **II** onov ww ❶ GB inform slenteren ❷ USA vissen ⟨met sleeplijn⟩ ❸ inform ~ **for** op zoek gaan naar **III** ov ww ❶ vissen naar ❷ zoeken op ⟨bv. internet⟩

trolley ['trɒli] zn GB wagentje, karretje, serveerwagen, winkelwagentje

trombone [trɒmˈbəʊn] zn trombone

troop [truːp] **I** zn ❶ troep, menigte ❷ afdeling v. cavalerie ❸ [mv] ★ *~s* troepenmacht, krijgsmacht **II** onov ww ❶ als groep gaan, samenstromen ★ *~ into school* de school binnenstromen ❷ marcheren

troop carrier ['truːpkærə] zn troepentransportvliegtuig

trooper ['truːpə] zn ❶ cavalerist ★ *swear like a ~* vloeken als een ketter ❷ troepentransportschip ❸ USA staatspolitieagent

troopship ['truːpʃɪp] zn troepentransportschip

trophy ['trəʊfi] zn trofee, zegeteken, overwinningsbuit / -prijs

tropic ['trɒpɪk] zn keerkring ★ *Tropic of Cancer* Kreeftskeerkring ★ *Tropic of Capricorn* Steenbokskeerkring ★ *the ~s* de tropen

tropical ['trɒpɪkl] bnw tropisch ★ *~ outfit* tropenuitrusting ★ *~ year* zonnejaar

trot [trɒt] **I** ov ww ❶ laten draven / lopen ★ *he trotted me round the town* hij nam me mee door de hele stad ❷ laten rijden ⟨op de knie⟩ ★ *they trot you off your legs* ze laten je je dood lopen ❸ ~ **out** laten (op)draven, weer tevoorschijn halen, op de proppen komen met ★ *trot it out!* zeg op! **II** onov ww ❶ draven ❷ inform lopen ★ *trot along!* maak dat je wegkomt! **III** zn ❶ draf ★ *at a trot* op 'n draf ★ *at full trot* in volle galop ❷ inform tippel ★ *shall we go for a trot* zullen we 'n eindje gaan lopen ★ GB *they'll keep you on the trot* ze zullen je wel aan de gang houden ★ *break into a trot* het op een drafje zetten ❸ GB dreumes ❹ USA spiekbriefje ▼inform *be on the trots / have the trots* diarree hebben ★ GB inform *on the trot* achter elkaar

trotter ['trɒtə] zn ❶ varkenspoot, schapenpoot ❷ draver ⟨paard⟩

trouble ['trʌbl] **I** zn ❶ probleem, moeilijkheid ★ *get into ~* zich moeilijkheden op de hals halen ★ *make ~ for sb* iem. moeilijkheden bezorgen

❷ zorg, verdriet ★ *a ~ shared is a ~ halved* gedeelde smart is halve smart ❸ kwaal, ziekte ❹ moeite, (over)last, ongemak ★ *no ~ (at all)!* graag gedaan!, geen moeite! ★ *go to a lot of ~ to help you* zich veel moeite getroosten jou te helpen ★ *put him to a lot of ~* hem veel last bezorgen ★ *it is more ~ than it is worth* het loont de moeite niet ❺ onrust, onlust ★ *make / cause ~* herrie schoppen ★ *the Troubles* het Noord-Ierse conflict ❻ techn storing, pech ⟨v. motor bv.⟩ ❼ lastig persoon **II** *ov ww* ❶ verontrusten, verstoren ★ *ask him what is troubling him* vraag hem waarover hij zich zorgen maakt ❷ kwellen ★ *his conscience / back is troubling him* hij heeft last van zijn geweten / rug ❸ form lastig vallen, storen ★ *we'll ~ you to do this with* u zo goed zijn dat voor ons te doen? **III** *onov ww* moeite doen ★ *without troubling to say 'excuse me'* zonder de moeite te nemen om 'pardon' te zeggen

troubled ['trʌbld] *bnw* ❶ verontrust ★ *be ~ about* zich zorgen maken over ★ *be ~ with* last hebben van ★ *what a ~ look you wear!* wat zie je er bezorgd uit! ❷ verdrietig ❸ verstoord ★ *fish in ~ waters* in troebel water vissen

troublemaker ['trʌblmeɪkə] *zn* onruststoker

troubleshooter ['trʌblʃuːtə] *zn* troubleshooter, probleemoplosser

troublesome ['trʌblsəm] *bnw* lastig, vervelend

trough [trɒf] *zn* ❶ trog ★ GB *fig have your snout in the ~* graaien ❷ pijp(leiding) ❸ golfdal ❹ dieptepunt ★ *peaks and ~s* pieken en dalen

trounce [traʊns] *ov ww* ❶ sport volkomen verslaan, in de pan hakken ❷ afstraffen

trouncing ['traʊnsɪŋ] *zn* afstraffing, ook fig pak slaag

troupe [truːp] *zn* troep ⟨van toneelspelers, acrobaten⟩

trouper ['truːpə] *zn* ❶ lid v. een troep ❷ betrouwbare vriend

trouser ['traʊzə] *bnw* → **trousers** broek- ★ *~ pocket* broekzak

trousers ['traʊzəz] *zn mv* broek ★ *(pair of) ~* lange broek ★ fig *wear the ~* de broek aan hebben ★ fig *catch him with his ~ down* hem in een penibele situatie aantreffen

trouser suit *zn* broekpak

trousseau ['truːsəʊ] *zn* uitzet ⟨van bruid⟩

trout [traʊt] *zn* forel(len) ★ *~ farm* forelkwekerij

trove [trəʊv] *zn* → **treasure trove**

trowel ['traʊəl] *zn* ❶ troffel ★ *lay it on with a ~* het er dik opleggen ❷ schepje ⟨voor planten⟩

troy [trɔɪ] *zn* ★ *troy (weight)* gewichtsstandaard voor goud, zilver en edelstenen ★ *troy ounce* 31,1 gram

truancy ['truːənsɪ] *zn* het spijbelen

truant ['truːənt] **I** *zn* spijbelaar ★ *play ~* spijbelen **II** *bnw* ❶ spijbelend ❷ rondslenterend **III** *onov ww* ❶ spijbelen ❷ rondslenteren

truce [truːs] *zn* wapenstilstand ★ *call a ~* de wapens (tijdelijk) neerleggen ★ *~ of God* godsvrede

truck [trʌk] **I** *zn* ❶ (zware) vrachtwagen, truck ❷ GB (open) goederenwagon ❸ wagenonderstel ⟨v. trein⟩ ❹ ruil(handel) ❺ inform rommel ❻ USA groente ⟨voor de markt⟩ ▾GB *have / want no ~ with* niets te maken hebben / willen hebben met **II** *ov ww* ❶ USA per vrachtwagen vervoeren ❷ (ver)ruilen **III** *onov ww* USA in een vrachtwagen rijden

trucker ['trʌkə] USA *zn* ❶ vrachtwagenchauffeur, trucker ❷ groentekweker

truck farm *zn* USA groentekwekerij, tuinbouwbedrijf

trucking ['trʌkɪŋ] USA *bnw* ★ *~ business (company)* transportbedrijf

truckle ['trʌkl] **I** *zn* wieltje **II** *onov ww* ❶ *~ for* bedelen om ❷ *~ to* fig kruipen voor

truckle bed *zn* onderschuifbed (op wieltjes)

truckload ['trʌkləʊd] *zn* (vracht)wagenlading ★ fig *a ~of talent* heel veel talent

truculent ['trʌkjʊlənt] form *bnw* ❶ strijdlustig, wreed ❷ fig vernietigend

trudge [trʌdʒ] **I** *zn* vermoeiende wandeling ★ *on the ~* aan de tippel **II** *ov ww* sjokkend afleggen (afstand) **III** *onov ww* ❶ sjokken, ploeteren ❷ *~ out* op pad gaan

true [truː] **I** *bnw + bijw* ❶ waar, juist ★ *a true story* een waar gebeurd verhaal ★ *it is / holds true for me as well* dat geldt ook voor mij ★ *that may be true, but...* dat moge waar zijn, maar... ❷ zuiver, echt ★ *true copy* gelijkluidend afschrift ★ *true to facts* volgens de feiten ★ *true to life* naar het leven ★ *true to nature* natuurgetrouw ★ *true north* ware / geografische noorden ★ *true to type* rasecht ★ *come true* uitkomen ★ *that rings true* dat klinkt echt ★ *speak true* de waarheid spreken ❸ trouw, loyaal ★ *remain / stay true to her husband* trouw blijven aan haar echtgenoot ❹ techn recht ★ *my watch goes true* m'n horloge loopt goed ★ *out of true* scheef ❺ *~ to* (ge)trouw aan **II** *ov ww* in juiste stand brengen (wiel, paal of balk)

true-blue [truː'bluː] **I** *zn* betrouwbare kerel **II** *bnw* ❶ eerlijk, trouw ❷ GB (ras)echt, aarts- ❸ GB orthodox

true-born [truː'bɔːn] *bnw* echt, geboren

truffle ['trʌfəl] *zn* truffel

truism ['truːɪzəm] *zn* ❶ onbetwiste waarheid ❷ gemeenplaats

truly ['truːlɪ] *bijw* ❶ waarlijk, oprecht ★ *I'm ~ sorry* het spijt me echt ★ *speak ~* de waarheid zeggen ❷ werkelijk, echt ★ *you're ~ amazing!* je bent echt fantastisch! ❸ juist, terecht ★ *yours ~* hoogachtend ⟨bij ondertekening v. brieven⟩, humor ondergetekende ⟨ik, mij⟩

trump [trʌmp] **I** *zn* ❶ troef(kaart) ★ *no ~(s)* sans atout ⟨bij bridge⟩ ★ inform *it's turned up ~s* het is goed uitgevallen, het is meegevallen ❷ inform fijne vent ❸ oud trompet(geschal), bazijn **II** *ov ww* ❶ aftroeven ❷ overtroeven ❸ *~ up* verzinnen (verhaal bv.)

trumpery ['trʌmpərɪ] **I** *zn* rommel, onzin **II** *bnw* prullerig, onbeduidend

trumpet ['trʌmpɪt] **I** *zn* ❶ trompet, bazuin ★ fig *blow your own ~* opscheppen ❷ trompetgeschal, getrompetter ⟨v. olifant⟩ **II** *ov ww* uitbazuinen, met trompetgeschal aankondigen ★ *~ forth s.o.'s praise* iemands loftrompet steken **III** *onov ww* trompetteren ⟨v. olifant⟩

truncate ['trʌŋkeɪt] **I** *bnw* afgeknot **II** *ov ww* besnoeien, afknotten, inkorten

truncation [trʌŋ'keɪʃən] *zn* beknotting, inkorting

tr

truncheon ['trʌntʃən] zn (gummi)stok ‹van politieagent›, knuppel

trundle ['trʌndl] I ov ww ❶ laten rollen / rijden ★ ~ a hoop hoepelen ❷ ~ out tevoorschijn halen II onov ww ❶ rollen, rijden ❷ sjokken

trunk [trʌŋk] zn ❶ boomstam ❷ hutkoffer, kist ❸ slurf ‹van olifant› ❹ romp ❺ USA bagageruimte, kofferruimte ‹van auto› ❻ schacht ‹van zuil› ❼ hoofdkanaal, hoofdlijn ‹vnl. van spoorweg›

trunk road zn GB hoofdweg

trunks [trʌŋks] zn mv sportbroek ★ swim(ming) ~ zwembroek

truss [trʌs] I zn ❶ spant, steun ❷ med breukband II ov ww ❶ (vast)binden, armen langs lichaam binden ❷ versterken ‹(dak)constructie› ❸ cul opbinden ‹kip› ❹ ~ up (vast)binden, opbinden ‹kip›

trust [trʌst] I zn ❶ vertrouwen, hoop ★ I don't take it on ~ ik neem het niet op goed geloof aan ❷ krediet ★ goods on ~ goederen op krediet ❸ machtiging, hoede ★ he is in my ~ hij is onder mijn hoede ★ they were committed to my ~ ze werden toevertrouwd aan mijn zorgen ❹ stichting ❺ USA trust, kartel ‹combinatie v. zelfst. ondernemingen› II ov ww ❶ vertrouwen (op), (v. harte) hopen ★ ~ him for it! laat dat gerust aan hem over! ★ inform not ~ him as far as you can throw him hem helemaal niet vertrouwen ❷ toevertrouwen ★ they ~ed it to me ze vertrouwden het mij toe ★ they ~ed me with it ze vertrouwden het mij toe ❸ krediet verschaffen III onov ww ❶ ★ ~ to o.s. op eigen krachten vertrouwen ❷ ~ in vertrouwen op

trustee [trʌs'ti:] zn (gevolmachtigd) beheerder, curator, executeur, regent ‹van instelling›

trustful ['trʌstfʊl] bnw vertrouwend

trust fund zn ❶ (beheer)stichting ❷ beheerd kapitaal

trusting ['trʌstɪŋ] bnw goedgelovig

trustworthy ['trʌstwɜːðɪ] bnw te vertrouwen, betrouwbaar

trusty ['trʌstɪ] bnw vertrouwbaar

truth [tru:θ] zn ❶ waarheid, echtheid ★ in ~ inderdaad ★ bald ~ naakte waarheid ★ universal ~ algemeen geldende waarheid ★ nothing could be further from the ~ niets is minder waar ❷ waarheidsliefde, oprechtheid ❸ nauwkeurigheid ★ out of ~ niet zuiver, scheef

truthful ['tru:θfʊl] bnw ❶ waarheidlievend, eerlijk ❷ getrouw ‹van afbeelding›

try [traɪ] I ov ww ❶ proberen ★ don't try this at home probeer dit thuis niet ★ don't try your hand at it probeer het maar niet ★ GB try it on with sb proberen iem. te bedriegen / versieren ★ GB try it on with a teacher een docent uitproberen ❷ beproeven, testen ★ well tried beproefd ❸ proeven ❹ jur onderzoeken ★ try-on room paskamer ❺ ~ on aanpassen ‹kleren› ★ try this on for size kijken of dit past / geschikt is ❻ ~ out (uit)proberen, proefrit / proefvlucht maken met ★ try the matter out doorzetten II onov ww ❶ ~ back terugkomen op ❷ ~ for solliciteren naar ❸ USA ~ out for solliciteren naar, auditie doen voor III zn poging ★ let me have a try laat mij het eens proberen ★ nice /

good try, but... leuk geprobeerd, maar...

trying ['traɪɪŋ] bnw ❶ lastig ‹van gedrag› ❷ zwaar, inspannend, vermoeiend

try-on ['traɪɒn] zn ❶ (het) passen ‹van kleren› ❷ poging tot bedrog

try-out ['traɪaʊt] zn ❶ proef, test ❷ try-out, proefuit- / opvoering ‹voor publiek› ‹van toneel, film› ❸ USA oefenwedstrijd

tryst [trɪst] dicht zn afspraak, samenkomst

tsar [zɑː], **tzar** zn tsaar

tsarina [zɑː'riːnə] zn tsarina

T-shirt ['ti:ʃət] zn T-shirt

T-square ['ti:skweə] zn tekenhaak

tsunami [tsu:'nɑːmi] zn tsunami, vloedgolf

TT [ti:'ti:] afk, Tourist Trophy snelheidswedstrijd voor motoren

TU [ti:ju:] afk, Trade Union vakbond

tub [tʌb] zn ❶ kuipje ‹voor margarine, ijs bv.› ❷ vaatje, tobbe, ton ★ lucky tub grabbelton ❸ badkuip, bad ❹ inform dikzak ❺ humor schuit

tuba [tju:bə] zn tuba

tubby ['tʌbi] bnw rond, dik

tube [tju:b] zn ❶ pijp, buis, med voedingssonde ★ bronchial tube luchtpijp ❷ tube ★ a tube of paint een tube verf ❸ tube ‹binnenband› ❹ inform televisie ❺ GB metro ▼ go down the tube(s) naar z'n grootje gaan

tubeless ['tju:bləs] bnw tubeless, zonder binnenband

tuber ['tju:bə] zn knol ‹van plant›, aardappel

tubercle ['tju:bəkl] zn ❶ med knobbel(tje) ❷ knolletje

tubercular [tju:'bɜːkjʊlə], **tuberculous** [tju:'bɜːkjʊləs] bnw tuberculeus

tuberculosis [tju:bɜːkjʊ'ləʊsɪs] zn tuberculose

tube station zn GB metrostation

tubing ['tju:bɪŋ] zn ❶ buizenstelsel ❷ (gummi)slang

tub-thumping [tju:'bθʌmpɪŋ] zn, GB min bombast, demagogie

tubular ['tju:bjʊlə] bnw buisvormig ★ ~ boiler vlampijpketel ★ ~ steel furniture (stalen) buismeubelen

tubule ['tju:bju:l] zn buisje

TUC [ti:ju:si:] afk, Trades Union Congress Centrale Organisatie van Vakverenigingen

tuck [tʌk] I ov ww ❶ (weg)stoppen, instoppen ❷ plooien, omslaan ❸ opstropen ‹mouw› ❹ samentrekken, optrekken ❺ ~ away verstoppen, wegstoppen, GB verorberen ★ be tucked away on an island verscholen liggen op een eiland ❻ ~ in instoppen, intrekken ❼ ~ up instoppen II onov ww ❶ GB ~ in lekker beginnen te eten (op eten) ❷ GB ~ into zich tegoed doen aan III zn ❶ plooi, omslag ❷ buikcorrectie ‹operatie› ❸ inform GB lekkers, snoep

tucker ['tʌkə] I zn, inform Aus kost, eten II ov ww USA vermoeien ★ be ~ed out uitgeput zijn

Tue. afk, Tuesday di, dinsdag

Tuesday ['tju:zdeɪ] zn dinsdag

tuff [tʌf] zn tuf(steen)

tuft [tʌft] I zn bosje, groepje bomen II ov ww versieren met bosje ★ tufted duck kuifeend

tug [tʌg] I zn ❶ ruk ★ fig I felt a great tug at

parting scheiden viel me zwaar ❷ felle strijd ❸ GB sleepboot **II** *onov ww* ❶ rukken, trekken ❷ zwoegen **III** *ov ww* trekken aan ★ *he tugged him in* hij sleepte 'm met de haren erbij

tugboat ['tʌgbəʊt] *zn* sleepboot

tug of war *zn* touwtrekwedstrijd, fig touwtrekkerij

tuition [tjuː'ɪʃən] *zn* ❶ lesgeld ❷ onderwijs ★ *private ~* privéles

tulip ['tjuːlɪp] *zn* tulp

tumble ['tʌmbl] **I** *onov ww* ❶ vallen, tuimelen, instorten, omvallen ★ *everything ~d about him* het was alsof alles om hem heen instortte ★ *I ~d across on him* ik liep hem tegen het lijf ★ *it has ~d down* het is ingestort ★ *~ into bed* het bed inrollen ★ *~ out / up!* opstaan! ❷ woelen ⟨in bed⟩ ❸ duikelen ❹ *~ in* instorten, binnenvallen ❺ GB inform *~ to* iets snappen **II** *ov ww* ❶ doen omvallen, ondersteboven gooien ❷ neerschieten ⟨wild⟩ ❸ *~ over* omvergooien **III** *zn* ❶ tuimeling, val ★ *ook fig take a ~* een duikvlucht maken ❷ warboel ★ *everything was in a ~* alles was in de war

tumbledown ['tʌmbldaʊn] *bnw* bouwvallig

tumble dryer, tumble drier *zn* droogtrommel

tumbler ['tʌmblə] *zn* ❶ drinkglas, whiskyglas ❷ duikelaartje ❸ acrobaat ❹ droogtrommel

tummy ['tʌmɪ] *zn* jeugdt buik

tumour ['tjuːmə], USA **tumor** *zn* tumor, gezwel

tumuli ['tjuːmjʊlaɪ] *zn mv* → **tumulus**

tumult ['tjuːmʌlt] *zn* ❶ tumult, opschudding, rumoer, oploop ❷ verwarring

tumultuous [tjʊ'mʌltʃʊəs] *bnw* ❶ lawaaierig, rumoerig ❷ verward

tumulus ['tjuːmjʊləs] *zn* [mv: **tumuli**] grafheuvel

tuna ['tjuːnə] *zn* tonijn

tundra ['tʌndrə] *zn* toendra

tune [tjuːn] **I** *zn* ❶ wijsje, melodie ★ *carry a tune* wijs houden ★ *I call the tune* ik heb het voor het zeggen ★ *change your tune* een toontje lager (gaan) zingen ★ *dance to the tune of sb* naar de pijpen van iem. dansen ❷ muz toon, stemming ★ *sing in tune* goed op toon zingen ★ *sing out of tune* vals zingen ★ *be in tune* zuiver gestemd zijn, fig in goede conditie zijn ❸ overeenstemming ★ *be out of tune with* niet in overeenstemming zijn met ▼ *he had to pay to the tune of 100 pound* hij moest maar liefst 100 pond betalen **II** *ov ww* ❶ stemmen ❷ afstellen ⟨motor bv.⟩ ❸ *~ in* afstemmen ❹ *~ to* afstemmen op, aanpassen aan ❺ trainen, ontwikkelen ❻ *~ up* stemmen ⟨instrument⟩, afstellen ⟨apparaat⟩ **III** *onov ww* ❶ *~ in* woordje gaan meespreken, afstemmen ⟨bij radio⟩ ★ *fig be tuned in to their taste* afgestemd zijn op hun smaak ❷ *~ out* ophouden met luisteren ❸ *~ up* stemmen, zich voorbereiden ❹ *~ with* harmoniëren met

tuneful ['tjuːnfʊl] *bnw* welluidend

tuneless ['tjuːnləs] *bnw* onwelluidend

tuner ['tjuːnə] *zn* tuner, radio zonder versterker

tune-up *zn* techn afstelling ★ *give a car a ~* een auto (opnieuw) afstellen

tungsten ['tʌŋstn] *zn* wolfraam

tunic ['tjuːnɪk] *zn* ❶ tuniek ❷ uniformjas ❸ rok ⟨van bolgewas⟩

tuning fork ['tjuːnɪŋfɔːk] *zn* muz stemvork

tuning peg, tuning pin *zn* muz stemschroef

Tunisian [tjʊ'nɪzɪən] **I** *zn* Tunesiër, Tunesische **II** *bnw* Tunesisch

tunnel ['tʌnl] **I** *zn* ❶ tunnel ★ *drive a ~* een tunnel boren ❷ ⟨mollen⟩gang ★ *~ shaft* tunnelschacht **II** *onov ww* tunnel maken, gang graven

tunny ['tʌnɪ] *zn* GB tonijn

tup [tʌp] **I** *zn* ram **II** *ov ww* dekken

tuppence *zn* → **twopence**

tuppenny ['tʌpənɪ] *bnw* oud van twee pence → **twopenny**

turban ['tɜːbən] *zn* tulband

turbaned ['tɜːbənd] *bnw* met tulband

turbid ['tɜːbɪd] *bnw* ❶ troebel, dik ❷ verward

turbidity [tɜː'bɪdətɪ] *zn* ❶ troebelheid ❷ verwardheid

turbine ['tɜːbaɪn] *zn* turbine

turbo- ['tɜːbəʊ] *voorv* turbo-

turbojet ['tɜːbəʊdʒet] *zn* turbomotor, turbinestraalvliegtuig

turboprop ['tɜːbəʊprɒp] *zn* ❶ turbopropvliegtuig ❷ schroefturbine

turbot ['tɜːbət] *zn* tarbot

turbulence ['tɜːbjʊləns] *zn* ❶ onstuimigheid, beroering ❷ turbulentie, werveling

turbulent ['tɜːbjʊlənt] *bnw* wervelend, onstuimig, turbulent

turd [tɜːd] inform *zn* ❶ drol ❷ min rotkerel, rotmeid

tureen [tjʊə'riːn] *zn* (soep)terrine

turf [tɜːf] **I** *zn* [mv: **turves**] ❶ gras(tapijt), graszode ❷ *the turf* de renbaan ★ *he is on the turf* hij is betrokken bij de rensport ❸ inform eigen stek **II** *ov ww* ❶ turf steken ❷ graszoden leggen op ❸ GB inform *~ out* eruit gooien

turf accountant *zn* bookmaker

turgid ['tɜːdʒɪd] *bnw* gezwollen, hoogdravend ⟨van taal⟩

turgidity [tɜː'dʒɪdətɪ] *zn* hoogdravendheid

Turk [tɜːk] *zn* Turk ▼ *Turk's head* Turkse knoop

turkey ['tɜːkɪ] *zn* ❶ kalkoen ❷ USA fiasco, flop ❸ USA domme gans ▼ *talk ~* duidelijke taal spreken, ter zake komen ▼ *cold ~* cold turkey ⟨ontwenningsverschijnselen van drugs⟩ harde waarheid

Turkey ['tɜːkɪ] *zn* Turkije

Turkish ['tɜːkɪʃ] *bnw* Turks ★ *~ delight* Turks fruit ★ *~ towel* ruwe handdoek

turmoil ['tɜːmɔɪl] *zn* verwarring, herrie, opwinding

turn [tɜːn] **I** *ov ww* ❶ (doen) draaien, doen keren, omslaan ⟨bladzijde bv.⟩, naar het hoofd doen stijgen ★ *not know which way / where to turn* zich geen raad weten ★ *turn colour* v. kleur verschieten ★ *it turned the day* het deed de kansen keren ★ *she didn't turn a hair* ze vertrok geen spier ★ *turn a penny* een eerlijk stuk brood verdienen ❷ richten, wenden ★ *turn your attention to me!* richt je aandacht op mij! ★ *he turns his hand to it* hij pakt het aan ★ *he turned his hand to anything* hij deed van alles ❸ doen worden, maken, veranderen, vertalen ★ *turn sth to account* zijn voordeel doen met iets, iets benutten ★ *turn loose* loslaten, afvuren ❹ omzetten ★ *turn a profit* winst maken

tu

❺ omploegen ❻ afwenden ⟨slag bv.⟩ ❼ omgaan ⟨hoek⟩, omtrekken ❽ vormen ★ *they turned me a compliment* ze maakten me een compliment ❾ ~ **away** wegsturen, ontslaan ❿ ~ **back** terugsturen, omslaan ⟨dekens bv.⟩ ⓫ ~ **down** verwerpen, afwijzen, de bons geven, lager / zachter zetten ⟨kamer bv.⟩, omslaan ⟨dekens bv⟩, indraaien ⟨schroef bv⟩ ⓬ ~ **in** inleveren, uitleveren ⟨aan politie bv.⟩, naar binnen draaien, ergens in jagen / sturen ★ *turn yourself in to the police* jezelf bij de politie aangeven ⓭ ~ **into** veranderen in ⓮ ~ **off** uitdraaien, uitzetten, wegsturen, produceren, doen afknappen ★ *turn off the lights* de lichten uitdoen ★ *turn it off!* hou op! ★ *your leaflet turns the voters off* jouw folder jaagt de kiezers weg ⓯ ~ **on** opendraaien, richten op, aanzetten tot, (seksueel) opwinden / prikkelen ★ inform *whatever turns you on* wat je zelf het prettigst vindt ⓰ ~ **out** uitdraaien, naar buiten draaien, eruit gooien, leegmaken ⟨broekzak bv.⟩, GB beurt geven ⟨kamer bv.⟩, produceren, uitschenken ★ *a well turned-out man* een net gekleed man ⓱ ~ **over** omdraaien, overdragen, doorbladeren, omzetten ⟨handel⟩, starten ⟨motor⟩ ★ *the boat was turned over* de boot sloeg om ★ *turn over a problem* nadenken over een probleem ⓲ ~ **up** hoger / harder zetten / draaien, aan de oppervlakte brengen, vinden, opslaan, opzetten ⟨kraag bv.⟩, omslaan ⟨mouwen bv.⟩, openleggen ⟨kaart⟩, GB misselijk maken, opgeven **II** *onov ww* ❶ draaien, zich keren ★ *the tide turns* het tij keert ❷ zich richten ★ *his thoughts turned to his past* zijn gedachten keerden terug naar zijn verleden ❸ veranderen, worden, geel worden ⟨van blad bv.⟩, zuur worden ⟨van melk bv.⟩ ★ *he has turned 70* hij is 70 geworden ★ *he turns after his mother* hij aardt naar zijn moeder ★ *this made my head turn* dit deed me duizelen ★ *turn in on yourself* in jezelf gekeerd raken ❹ ~ **about** ronddraaien ★ *turn about!* rechtsomkeert! ❺ ~ **around/ round** zich omdraaien ❻ ~ **away from** zich afwenden van ❼ ~ **back** terugkeren ★ *there's no turning back* er is geen weg terug ❽ ~ **down** inslaan ⟨straat bv.⟩ ❾ inform ~ **in** naar bed gaan ❿ ~ **into** inslaan ⟨straat bv⟩, veranderen in ⓫ ~ **off** afslaan ⟨in zijweg⟩, inform afhaken, zich afkeren ⓬ ~ **on** zich keren tegen, GB afhangen van ⓭ ~ **out** (tevoorschijn) komen, blijken te zijn, presteren, opstaan, in staking gaan ⓮ ~ **over** zich omkeren, kantelen, aanslaan ⟨van motor⟩ ⓯ ~ **to** zich wenden tot, raadplegen, zich toeleggen op, veranderen in ⓰ ~ **up** zich voordoen, gebeuren **III** *zn* ❶ draai(ing), wending, richting, bocht ★ *no left turn* linksaf slaan verboden ★ *in the turn of a hand* in 'n ommezien ★ *at every turn* telkens weer ★ fig *you're taking a turn for the better / worse* het gaat de goede / slechte kant op met jou ★ *an elegant turn of phrase* een elegante formulering ❷ keerpunt, verandering ★ fig *turn of the tide* verandering in de algemene toestand ★ *the turn of the century* de eeuwwisseling ★ GB *on the turn* kerend, aan het omslaan ⟨v. weer⟩ ❸ beurt ★ *they took turns* ze wisselden elkaar af

★ *he took his turn* het was nu zijn beurt ★ *it came to my turn* het werd mijn beurt ★ *turn and turn about* om beurten ★ *by / in turns* achtereenvolgens ★ *have I been speaking / talking out of turn?* heb ik voor mijn beurt gesproken?, heb ik (soms) iets verkeerds gezegd? ❹ dienst ★ *he will do you a good turn* hij zal je 'n goede dienst bewijzen ★ *one good turn deserves another* de ene dienst is de andere waard ❺ aard, aanleg ★ *turn of mind* manier van denken, aangelegd ❻ GB oud vlaag, aanval ⟨v. woede, ziekte⟩, schok ★ *it gave me quite a turn* het bracht me totaal in de war ❼ nummer ⟨v. voorstelling⟩, toer ⟨v. acrobaat⟩ ❽ wandelingetje, ritje, ronde ❾ slag (in touw) ❿ muz dubbelslag teken ▼ *the meat was done to a turn* het vlees was precies gaar genoeg

turnabout [ˈtɜːnəbaʊt] *zn* ❶ ommekeer ★ *~ is fair play* je verdiende loon, ieder op zijn beurt ❷ USA draaimolen

turnaround [ˈtɜːnəraʊnd] *zn* ❶ los- en laadtijd ⟨v. schip⟩, omdraaitijd ⟨v. vliegtuig⟩ ❷ tijd waarin een karwei wordt voltooid, doorlooptijd ❸ ommekeer, verbetering

turncoat [ˈtɜːnkəʊt] *zn* overloper

turning [ˈtɜːnɪŋ] *zn* ❶ - (zij)straat, afslag ★ *take a wrong ~* een verkeerde weg inslaan ❷ bocht ❸ omslag

turning point *zn* keerpunt

turnip [ˈtɜːnɪp] *zn* raap, knol

turnkey [ˈtɜːnkiː] **I** *bnw* kant-en-klaar, gebruiksklaar **II** *zn* cipier

turn-off [ˈtɜːnɒf] *zn* ❶ inform afknapper, iets afschrikwekkends ❷ afslag, zijweg

turn-on *zn* inform opwindend persoon / iets

turnout [ˈtɜːnaʊt] *zn* ❶ opkomst ⟨op vergadering, verkiezing⟩, deelname, verzamelde menigte ❷ opmars, (het) uitrukken ❸ GB staking ❹ USA uitwijkplaats ⟨op de weg⟩ ❺ productie ❻ uitrusting ❼ wisselspoor

turnover [ˈtɜːnəʊvə] **I** *zn* ❶ omzet ❷ omverwerping ❸ verandering v. politiek ❹ verloop ⟨v. personeel⟩ ❺ omslag ⟨van envelop, kous⟩ ❻ appelflap **II** *bnw* omgeslagen

turnover tax *zn* omzetbelasting

turnpike [ˈtɜːnpaɪk] *zn* tolweg

turn signal *zn* USA richtingaanwijzer

turnstile [ˈtɜːnstaɪl] *zn* tourniquet, draaihek

turntable [ˈtɜːnteɪbl] *zn* ❶ draaischijf ⟨voor locomotief, v. platenspeler⟩ ❷ draaitafel

turn-up [ˈtɜːnʌp] *zn* ❶ opstaande rand ❷ omslag ⟨v. broek⟩ ❸ worp ⟨van dobbelsteen⟩ ❹ iets onverwachts ★ *there's a ~ for the books!* dat is nog eens een verrassing!

turpentine [ˈtɜːpəntaɪn] *zn* terpentijn

turpitude [ˈtɜːpɪtjuːd] form *zn* verdorvenheid

turps [tɜːps] *zn* inform terpentijn

turquoise [ˈtɜːkwɔɪz] *bnw* turquoise

turret [ˈtʌrɪt] *zn* ❶ torentje ❷ geschuttoren

turreted [ˈtʌrɪtɪd] *bnw* ❶ voorzien v. torentjes ❷ torenvormig ⟨spits van schelp⟩

turtle [ˈtɜːtl] *zn* ❶ zeeschildpad ❷ schildpadsoep ▼ *turn ~* omslaan, kapseizen

turtle dove [ˈtɜːtldʌv] *zn* tortelduif

turtleneck [ˈtɜːtlnek] *zn* col(trui)

turves [tɜːvz] *zn* *mv* → **turf**

Tuscan ['tʌskən] **I** zn Toscaan, Toscaanse **II** bnw Toscaans

Tuscany ['tʌskənɪ] zn Toscane

tush [tʊʃ] inform zn kont(je)

tusk [tʌsk] zn (slag)tand

tusked [tʌskt] zn met slagtanden

tussle ['tʌsəl] **I** zn worsteling, strijd **II** onov ww vechten

tussock ['tʌsək] zn ❶ (gras)pol ❷ (haar)lok

tut [tʌt], **tut-tut** **I** tw kom, kom! **II** onov ww 'kom, kom' roepen

tutelage ['tjuːtɪlɪdʒ] zn ❶ voogdij(schap) ❷ onderwijs ★ under his ~ onder zijn leiding

tutelary ['tjuːtɪlərɪ] bnw beschermend

tutor ['tjuːtə] **I** zn ❶ privéleraar, bijlesleraar ★ private ~ privéleraar ❷ studiebegeleider, mentor ❸ leerboek **II** ov ww ❶ (bij)les geven ❷ de voogdij hebben over **III** onov ww als privédocent werken

tutorial [tjuː'tɔːrɪəl] zn ❶ werkcollege ❷ leerprogramma

tux [tʌks] **I** zn inform → **tuxedo II** ov ww ★ tux up o.s. z'n smoking aantrekken

tuxedo [tʌk'siːdəʊ] USA zn ❶ smoking ★ ~ed in smoking ❷ smokingjasje

TV afk, television tv

TV guide zn tv-gids

TV set [tiːviː set] zn televisie(apparaat)

twang [twæŋ] **I** zn ❶ getokkel, geploink ❷ neusklank, accent **II** onov ww tjingelen, tokkelen (op instrument) ★ ~ on a fiddle zagen op viool **III** ov ww tokkelen op ★ ~ a bow pijl afschieten

tweak [twiːk] **I** zn ❶ ruk, kneep ❷ inform truc **II** ov ww ❶ trekken aan (oor bv.), knijpen in ❷ inform verbeteren

twee [twiː] bnw inform lief, mooi

tweed [twiːd] zn ❶ tweed (ruig wollen weefsel) ❷ [mv] ★ ~s kostuum van tweed

Tweedledum [twiːdl'dʌm] ▼ ~ and Tweedledee lood om oud ijzer

tweedy ['twiːdɪ] bnw gekleed in tweed

'tween-decks bnw tussendeks

tweet [twiːt] zn getjilp

tweeter ['twiːtə] zn tweeter, luidspreker voor hoge tonen

tweezers ['twiːzəz] zn mv pincet, epileertang ★ a pair of ~ een pincet

twelfth [twelfθ] **I** telw twaalfde **II** zn twaalfde deel

Twelfth Night [twelfθ naɪt] bnw Driekoningen

twelve [twelv] telw twaalf

twentieth ['twentɪəθ] telw twintigste

twenty ['twentɪ] telw twintig ★ be in your twenties in de twintig zijn

twerp [twɜːp] inform zn vervelende vent, rotvent

twice [twaɪs] bijw twee keer ★ in ~ in twee keer ★ I'll think ~ before... ik zal me nog wel eens bedenken voordat...

twiddle ['twɪdl] **I** zn ❶ draai ❷ krul ❸ riedeltje (op instrument) **II** ov ww spelen met (klein voorwerp) ★ ~ one's thumbs met de duimen draaien, niets uitvoeren **III** onov ww spelen

twig [twɪg] **I** zn ❶ twijg ❷ wichelroede ★ inform hop the twig sterven ★ in prime twig netjes uitgedost **II** ov ww, GB inform begrijpen,

snappen

twiggy ['twɪgɪ] bnw ❶ als een twijg ❷ vol twijgen

twilight ['twaɪlaɪt] zn ❶ schemering, schemerlicht ❷ verval, slotfase ★ the ~ of her career de nadagen van haar carrière

twin [twɪn] **I** zn ❶ tweelingbroer / zus ★ twins [mv] tweeling ★ conjoined twins Siamese tweeling ★ fraternal twins twee-eiige tweeling ★ identical twins eeneiige tweeling ❷ één v. een paar, tegenhanger **II** bnw ❶ tweeling- ❷ gepaard **III** ov ww zich innig verbinden met ★ these cities are twinned with each other deze steden zijn zustersteden

twin beds zn mv lits-jumeaux

twine [twaɪn] **I** zn getwijnd garen, bindtouw **II** ov ww ❶ twijnen ❷ vlechten (krans bv.) ★ ~ your arms around sb je armen om iem. heen slaan **III** onov ww (zich) slingeren

twin-engined [twɪn'endʒɪnd] bnw tweemotorig (van vliegtuig)

twinge [twɪndʒ] zn ❶ steek, pijnscheut ❷ knaging (van geweten bv.)

twinkle ['twɪŋkl] **I** onov ww ❶ glinsteren ★ his eyes ~d with laughter zijn ogen schitterden van pret ❷ flikkeren, knipperen, fonkelen (van sterren) **II** ov ww knipperen met (ogen) **III** zn ❶ knippering (met oogleden), knipoog ★ in a ~ in een ommezien ❷ schittering

twinkling zn ❶ schittering, fonkeling ❷ knippering ★ in the ~ of an eye in een oogwenk

twins [twɪnz] zn mv → **twin**

twinset ['twɪnset] zn truitje met bijpassend vest, twinset

twirl [twɜːl] **I** zn ❶ (snelle) draai ❷ krul (van letter) **II** onov ww (rond)draaien **III** ov ww (rond)draaien

twirler ['twɜːlə] zn USA majorette

twist [twɪst] **I** ov ww ❶ (in elkaar) draaien, wringen ★ ~ your ankle je enkel verstuiken ★ ~ed intestine kronkel in de darm ★ ~ the lion's tail Groot-Brittannië tergen ❷ vlechten (haar bv.) ❸ fig verdraaien (woorden bv.) **II** onov ww ❶ draaien, kronkelen ★ the road ~s and turns de weg kronkelt ❷ zich wringen, vertrekken (van gezicht) ❸ de twist dansen **III** zn ❶ draaiing ★ give it a ~ geef er een draai aan ★ ~ of the wrist handigheidje ❷ kromming, bocht ★ the tube has got a ~ de pijp is krom ★ a ~ of lemon een citroenschilletje ❸ fig wending, afwijking, gril ★ a cruel ~ of fate / fortune een wrede speling van het lot ★ take a new ~ een nieuwe wending krijgen ❹ twist (dans)

twist drill zn spiraalboor

twister ['twɪstə] zn ❶ USA cycloon, tornado ❷ GB inform bedrieger, draaier

twisty ['twɪstɪ] bnw kronkelig, bochtig

twit [twɪt] inform **I** zn sufferd, sukkel **II** ov ww bespotten

twitch [twɪtʃ] **I** zn ❶ zenuwtrek ❷ ruk ❸ pijnscheut **II** ov ww rukken (aan), trekken (aan) **III** onov ww trillen, trekken (van spier)

twitter ['twɪtə] **I** zn ❶ gesjilp ❷ zenuwachtigheid ★ they were all in a ~ ze waren allemaal erg opgewonden **II** onov ww ❶ sjilpen ❷ inform

tw

kwetteren

two [tu:] *telw* twee(tal) ★ *divide into two* in tweeën delen ★ *two or three* enkele ★ *in two twos* in 'n oogwenk ★ *he knows how to put two and two together* hij weet hoe de vork aan de steel zit ★ inform *that makes two of us* dat geldt ook voor mij

two-bit *bnw* USA goedkoop, waardeloos
two-dimensional *bnw* tweedimensionaal
two-edged [tu:'edʒd] *bnw* ❶ tweesnijdend ❷ ambigu
two-faced [tu:'feɪst] *bnw* onoprecht, huichelachtig
twofold ['tu:fəʊld] *bnw* tweevoudig
two-handed [tu:hændɪd] *bnw* ❶ tweehandig ❷ voor twee handen ⟨van zwaard⟩ ❸ voor twee personen
two-party system *zn* tweepartijenstelsel
twopence ['tʌpəns] GB *zn* dubbeltje ★ *he doesn't care a ~* hij geeft er geen zier om
twopenny ['tʌpənɪ] GB *bnw* ❶ onbeduidend ❷ ter waarde v. twee stuivers ★ *~ halfpenny* goedkoop, onbeduidend
two-piece *bnw* tweedelig
two-ply ['tu:plaɪ] *bnw* ❶ tweelagig ❷ dubbeldraads
twosome ['tu:səm] *zn* tweetal
two-stroke ['tu:strəʊk] *bnw* ★ *~ motor* tweetaktmotor
two-time ['tu:taɪm] I *bnw* tweevoudig II *ov ww* USA bedriegen, ontrouw zijn
two-tone *bnw* ❶ tweetonig ❷ tweekleurig
two-way [tu:weɪ] *bnw* tweeweg- ★ *~ traffic / street* tweerichtingsverkeer / -weg ★ *~ switch* hotelschakelaar ★ *~ radio* apparaat met zend- en ontvanginrichting ★ *~ trade* wederzijdse handel ★ GB *~ mirror* doorkijkspiegel
TX *afk, Texas* staat in de VS
tycoon [taɪ'ku:n] *zn* USA groot zakenman, magnaat, tycoon
tying ['taɪɪŋ] *ww* [teg. deelw.] → **tie**
tyke [taɪk] *zn* ❶ ondeugend kind ❷ straathond
tympanum ['tɪmpənəm] *zn* trommelvlies
type [taɪp] I *zn* ❶ type, model, voorbeeld, (zinne)beeld ❷ soort ★ *he's not your type* hij is niet je type ★ *this type of behaviour* dit soort gedrag ❸ lettervorm, gegoten letter ❹ zetsel ★ *in bold type* vet gedrukt II *ov ww* ❶ typen ❷ symboliseren ❸ bepalen ★ *type the blood* de bloedgroep bepalen ❹ *~ up* typen III *onov ww* typen
typecast ['taɪpkɑ:st] *ov ww* ❶ typecasten ⟨selecteren voor film-, tv-rol⟩ ❷ steeds dezelfde soort rol geven
typeface ['taɪpfeɪs] *zn* lettertype, letterbeeld
typescript ['taɪpskrɪpt] *zn* getypte tekst, typoscript
typeset ['taɪpset] *ov ww* drukk zetten
typesetter ['taɪpsetə] *zn* ❶ letterzetter ❷ zetmachine
typewrite ['taɪprait] *ov ww* tikken, typen
typewriter ['taɪpraitə] *zn* schrijfmachine
typhoid ['taɪfɔɪd] I *zn* tyfus II *bnw* tyfeus
typhoon [taɪ'fu:n] *zn* tyfoon ⟨tropische cycloon⟩
typhus ['taɪfəs] *zn* vlektyfus
typical ['tɪpɪkl] *bnw* typisch, kenmerkend ★ *it is ~*

of him het typeert hem
typify ['tɪpɪfaɪ] *ov ww* typeren, kenmerken
typing ['taɪpɪŋ] I *zn* (het) typen, tikwerk II *bnw* tik- ★ *~ error / mistake* tikfout
typist ['taɪpɪst] *zn* typiste ★ *he is a fast ~* hij kan snel typen
typo ['taɪpəʊ] inform *zn* ❶ typefout ❷ drukker
typographer [taɪ'pɒgrəfə] *zn* grafisch vormgever
typographic [taɪpə'græfɪk], **typographical** [taɪpə'græfɪkl] *bnw* typografisch
typography [taɪ'pɒgrəfɪ] *zn* typografie, grafische vormgeving
typology [taɪ'pɒlədʒɪ] *zn* typologie, typeleer
tyrannical [tɪ'rænɪkl], **tyrannous** ['tɪrənəs] *bnw* tiranniek
tyrannize, tyrannise ['tɪrənaɪz] *ov ww* tiranniseren
tyranny ['tɪrənɪ] *zn* tirannie
tyrant ['taɪərənt] *zn* tiran
tyre ['taɪə] GB, USA tire *zn* (buiten)band ⟨van wiel⟩ ★ *spare tyre* reserveband, iron zwembandje ⟨vetrol⟩ ★ *radial tyre* radiaalband
tyre chain *zn* sneeuwketting
tyred [taɪəd] *bnw* voorzien v. band(en)
tyre gauge *zn* bandenspanningsmeter
tyro ['taɪərəʊ] *zn* beginneling
tzar [zɑ:], **tsar** *zn* tsaar

U

u [ju:] *zn*, *letter* u ★ *U as in Uncle* de u van Utrecht

U [ju:] *afk* **❶** USA Aus *University* universiteit **❷** *universal* voor alle leeftijden ⟨film⟩ **❸** *ungraded* zeer slecht ⟨toetsresultaat⟩ **❹** *you* jij, u ⟨in tekstberichten⟩ ★ *CU* ⟨see you⟩ tot ziens

UAE [ju:eɪˈi:] *afk, United Arab Emirates* Verenigde Arabische Emiraten

ubiquitous [juːˈbɪkwɪtəs] *bnw* alomtegenwoordig, overal te vinden

ubiquity [juːˈbɪkwətɪ] *zn* alomtegenwoordigheid

U-boat [ˈjuːbəʊt] *zn* (Duitse) onderzeeër

udder [ˈʌdə] *zn* uier

UEFA [juːˈiːfə, juːˈeɪfə] *afk, Union of European Football Associations* UEFA ⟨Europese Voetbal Unie⟩

UFO [juːefˈəʊ] *afk, unidentified flying object* ufo, onbekend vliegend voorwerp

ufology [juːˈfɒlədʒɪ] *zn* literatuur / wetenschap omtrent ufo's

ugh [əx] *tw* bah!

uglify [ˈʌglɪfaɪ] *ov ww* lelijk maken

ugliness [ˈʌglɪnəs] *zn* lelijkheid

ugly [ˈʌglɪ] *bnw* **❶** lelijk ★ *ugly duckling* lelijk eendje **❷** onaangenaam, kwaadaardig, dreigend ★ *an ugly customer* een lastpak ★ *ugly tongues* boze tongen ★ *the atmosphere turned ugly* de sfeer werd dreigend ★ *crime raises its ugly head* criminaliteit steekt helaas weer de kop op

UK [juːkeɪ] *afk, United Kingdom* Verenigd Koninkrijk, Groot-Brittannië

ulcer [ˈʌlsə] *zn* (maag)zweer ★ *you're giving me ~s* ik krijg nog eens een maagzweer van je, ik maak me grote zorgen om je

ulcerate [ˈʌlsəreɪt] *ww* etteren, zweren ★ *~d stomach* maagzweer

ulna [ˈʌlnə] *anat* zn ellepijp

ulster [ˈʌlstə] *zn* **❶** lange herenwinterjas **❷** ★ *Ulster* Noord-Ierland

ulterior motive [ʌlˈtɪərɪə ˈməʊtɪv] *bnw* bijbedoeling, geheime agenda

ultimate [ˈʌltɪmət] **I** *zn* **❶** uiterste, beste, summum, toppunt ★ *the ~ in luxury* het toppunt van luxe **❷** eind- / slotresultaat ★ *in the ~* ten slotte **II** *bnw* **❶** laatste, uiterste, ultieme **❷** definitief

ultimately [ˈʌltɪmətlɪ] *bijw* ten slotte, uiteindelijk

ultimatum [ʌltɪˈmeɪtəm] *zn* ultimatum ★ *issue an ~* een ultimatum stellen

ultra- *voorv* ultra-, hyper-, zeer

ultramarine [ʌltrəməˈriːn] *zn* ultramarijn, helder blauw **II** *bnw* ultramarijn, helder blauw

ultrasonic [ʌltrəˈsɒnɪk] *bnw* ultrasoon

ultrasound [ˈʌltrəsaʊnd] *zn* med echo(grafie) ★ *have an ~* een echo laten maken

ultraviolet [ʌltrəˈvaɪələt] *bnw* ultraviolet, uv-

ululate [ˈjuːlʊlet] *onov ww* lang en hoog gillen, jammeren

ululation [juːljʊˈleɪʃən] *zn* gegil, geweeklaag

umber [ˈʌmbə] **I** *zn* omber, geel- / roodbruin **II** *bnw* omberkleurig, geel- / roodbruin

umbilical cord [ʌmˈbɪlɪkl kɔːd] *zn* navelstreng

umbrage [ˈʌmbrɪdʒ] *zn* aanstoot ★ *take ~ at* aanstoot nemen aan

umbrella [ʌmˈbrelə] *zn* **❶** paraplu, parasol **❷** bescherming, overkoepelingsorgaan

umbrella stand *zn* paraplubak

umph [ʌmf] *tw* hm!

umpire [ˈʌmpaɪə] **I** *zn* scheidsrechter, arbiter **II** *ov+onov ww* optreden als scheidsrechter

umpteen [ˈʌmpˈtiːn] *telw* inform tig, heel wat

umpteenth [ˈʌm(p)ˈtiːnθ] *bnw* zoveelste

un- [ʌn] *voorv* on-, niet ★ *unfair* oneerlijk ★ *unhappy* ongelukkig ★ *unable* niet in staat

'un [ən] → one

UN [juːen] *afk, United Nations* VN, Verenigde Naties

unabashed [ʌnəˈbæʃt] *bnw* onbeschaamd, schaamteloos, niet verlegen

unabated [ʌnəˈbeɪtɪd] *bnw* onverzwakt, onverminderd

unable [ʌnˈeɪbl] *bnw* niet in staat, onbekwaam

unabridged [ʌnəˈbrɪdʒd] *bnw* onverkort, volledig

unacceptable [ʌnəkˈseptəbl] *bnw* onaanvaardbaar ★ *find sth ~* iets niet juist vinden

unaccommodating [ʌnəˈkɒmədeɪtɪŋ] *bnw* niet inschikkelijk, niet meewerkend

unaccompanied [ʌnəˈkʌmpənɪd] *bnw* zonder begeleiding, alleen, solo-

unaccountable [ʌnəˈkaʊntəbl] *bnw* **❶** onverklaarbaar, onbegrijpelijk **❷** niet verantwoordelijk, geen verantwoordelijkheid nemend

unaccounted [ʌnəˈkaʊntɪd] *bnw* ~ **for** ontbrekend, kwijt ★ *one is ~ for* er ontbreekt er een, er is er een kwijt

unaccustomed [ʌnəˈkʌstəmd] *bnw* ongewoon, niet gewend ★ *~ to* niet gewend aan

unacquainted [ʌnəˈkweɪntɪd] *bnw* onbekend, niet bekend ★ *be ~ with* niet kennen

unadulterated [ʌnəˈdʌltəreɪtɪd] *bnw* **❶** zuiver, echt **❷** volkomen, compleet ★ *an ~ villain* een doortrapte schurk

unaffected [ʌnəˈfektɪd] *bnw* **❶** eerlijk, open, natuurlijk, ongedwongen **❷** niet beïnvloed

unafraid [ʌnəˈfreɪd] *bnw* niet bang, onverschrokken

unaided [ʌnˈeɪdɪd] *bnw* zonder hulp ★ *the ~ eye* het blote oog

unalloyed [ʌnəˈlɔɪd] *bnw* onvermengd, zuiver

unalterable [ʌnˈɔːltərəbl] *bnw* onveranderlijk, niet te beïnvloeden

unaltered [ʌnˈɔːltəd] *bnw* ongewijzigd, onaangetast

unambiguous [ʌnæmˈbɪgjʊəs] *bnw* ondubbelzinnig, duidelijk, helder

unambitious [ʌnæmˈbɪʃəs] *bnw* bescheiden, niet eerzuchtig

unanimity [juːnəˈnɪmɪtɪ] *zn* eenstemmigheid, eensgezindheid

unanimous [juːˈnænɪməs] *bnw* unaniem, eensgezind ★ *a ~ decision* een unaniem besluit

unannounced [ʌnəˈnaʊnst] *bnw* onaangekondigd

unanswerable [ʌnˈɑːnsərəbl] *bnw* **❶** onweerlegbaar **❷** niet te beantwoorden

unanswered [ʌnˈɑːnsəd] *bnw* onbeantwoord,

un

onopgelost ★ *it remains ~* het blijft een raadsel

unappreciated [ʌnəˈpriːʃreɪtɪd] *bnw* niet gewaardeerd, miskend

unapproachable [ʌnəˈprəʊtʃəbəl] *bnw* ontoegankelijk, onvriendelijk

unarguable [ʌnˈɑːgjʊəbl] *bnw* ontegenzeggelijk, absoluut

unarmed [ʌnˈɑːmd] *bnw* ongewapend

unashamed [ʌnəˈʃeɪmd] *bnw* schaamteloos

unasked [ʌnˈɑːskt] *bnw* ongevraagd, niet gesteld ⟨vraag⟩ ★ *for advice* ongevraagd advies ★ *the question went ~* de vraag werd niet gesteld

unassailable [ʌnəˈseɪləbl] *bnw* onaantastbaar, onverslaanbaar

unassertive [ʌnəˈsɜːtɪv] *bnw* bescheiden

unassisted [ʌnəˈsɪstɪd] *bnw* ❶ zonder hulp ❷ ongewapend, bloot ⟨oog⟩

unassuming [ʌnəˈsjuːmɪŋ] *bnw* niet aanmatigend, bescheiden, pretentieloos

unattached [ʌnəˈtætʃt] *bnw* niet gebonden, alleenstaand, ongebonden

unattended [ʌnəˈtendɪd] *bnw* niet vergezeld, onbeheerd ★ *any bags left ~ will be destroyed* onbeheerd achtergelaten bagage wordt vernietigd

unattractive [ʌnəˈtræktɪv] *bnw* onaantrekkelijk

unauthorized, unauthorised [ʌnˈɔːθəraɪzd] *bnw* niet-geautoriseerd, ongeldig, onwettig, niet gemachtigd, zonder toestemming ★ *unauthorised access* toegang zonder toestemming ★ *unauthorised biography* niet-geautoriseerde biografie

unavailable [ʌnəˈveɪləbl] *bnw* niet beschikbaar, niet te spreken, niet toegankelijk

unavailing [ʌnəˈveɪlɪŋ] *bnw* vergeefs

unavoidable [ʌnəˈvɔɪdəbl] *bnw* onvermijdelijk

unaware [ʌnəˈweə] *bnw* zich niet bewust van

unawares [ʌnəˈweəz] *bijw* onbewust, ongemerkt, onverhoeds ★ *they were taken ~* ze werden (er door) overvallen / verrast

unbalanced [ʌnˈbælənst] *bnw* ❶ onevenwichtig, eenzijdig ❷ psychisch niet in orde

unbearable [ʌnˈbeərəbl] *bnw* ondraaglijk, verschrikkelijk

unbeatable *bnw* onverslaanbaar, onovertroffen

unbeaten [ʌnˈbiːtn] *bnw* onovertroffen, ongeslagen

unbecoming [ʌnbɪˈkʌmɪŋ] *bnw* ❶ ongepast, niet netjes ⟨gedrag⟩ ★ *conduct ~ a soldier* gedrag dat niet past bij een soldaat ❷ niet flatteus ★ *an ~ dress* een onflatteuze jurk

unbeknownst [ʌnbɪˈnəʊnst], **unbeknown** *bnw* onbekend ★ *~ to* zonder medeweten van

unbelief [ʌnbɪˈliːf] *zn* ongeloof

unbelievable [ʌnbɪˈliːvəbl] *bnw* ongelofelijk, ongeloofwaardig

unbeliever [ʌnbɪˈliːvə] *zn* ongelovige

unbelieving [ʌnbɪˈliːvɪŋ] *bnw* ongelovig

unbend [ʌnˈbend] *onov ww* (zich) ontspannen, losser worden

unbending [ʌnˈbendɪŋ] *bnw* onbuigzaam, star

unbiased, unbiassed [ʌnˈbarəst] *bnw* onbevooroordeeld

unbidden [ʌnˈbɪdn] *bnw* ongevraagd, onverwacht

unbleached [ʌnˈbliːtʃt] *bnw* ongebleekt

unborn [ʌnˈbɔːn] *bnw* ongeboren

unbound [ʌnˈbaʊnd] *bnw* niet gebonden

unbounded [ʌnˈbaʊndɪd] *bnw* onbegrensd

unbridled [ʌnˈbraɪdld] *bnw* ongebreideld, tomeloos, oneindig

unbroken [ʌnˈbrəʊkən] *bnw* ononderbroken, (nog) niet gebroken, ongeschonden

unbuckle [ʌnˈbʌkl] *ov ww* losgespen ★ *~ a belt* een riem losmaken

unburden [ʌnˈbɜːdn] *ov ww* zich bevrijden van, ontlasten ★ *~ yourself* je hart uitstorten

unbutton [ʌnˈbʌtn] *ov ww* losknopen

uncalled [ʌnˈkɔːld] *bnw* ★ **for** ongewenst, nergens goed voor, grof ★ *that remark is ~ for* die opmerking had je beter voor je kunnen houden

uncanny [ʌnˈkænɪ] *bnw* geheimzinnig, griezelig, vreemd

uncaring [ʌnˈkeərɪŋ] *bnw* zich niet bekommerend om, onverschillig

unceasing [ʌnˈsiːsɪŋ] *bnw* onophoudelijk

unceremonious [ʌnserɪˈməʊnɪəs] *bnw* bot, informeel

uncertain [ʌnˈsɜːtn] *bnw* onzeker, twijfelachtig, onbetrouwbaar, onduidelijk ★ *it remains ~* het blijft onduidelijk ★ *in no ~ terms* in duidelijke bewoordingen

uncertainty [ʌnˈsɜːtəntɪ] *zn* twijfelachtigheid, onbetrouwbaarheid, onzekerheid, onduidelijkheid ★ *~ surrounding sth* onzekerheid over / rond iets

unchain [ʌnˈtʃeɪn] *ov ww* ontketenen, loslaten

unchallengeable [ʌnˈtʃælɪndʒəbl] *bnw* onbetwistbaar

unchallenged [ʌnˈtʃælɪndʒd] *bnw* ❶ ongehinderd, zonder tegenstand ❷ onbetwist, onaangetast (bv. v. record)

unchangeable [ʌnˈtʃeɪndʒəbl] *bnw* onveranderlijk, niet te veranderen

unchanged [ʌnˈtʃeɪndʒd] *bnw* onveranderd

unchanging [ʌnˈtʃeɪndʒɪŋ] *bnw* onveranderlijk, niet veranderend

uncharitable [ʌnˈtʃærɪtəbl] *bnw* liefdeloos, onbarmhartig

uncharted [ʌnˈtʃɑːtɪd] *bnw* niet in kaart gebracht ★ *~ territories / waters* onbekend terrein

unchecked [ʌnˈtʃekt] *bnw* niet gecontroleerd, onbelemmerd ★ *go ~* onbelemmerd doorgaan, doorgaan zonder dat er iets aan gedaan wordt

uncivil [ʌnˈsɪvɪl] *bnw* onbeleefd

uncivilized, uncivilised [ʌnˈsɪvəlaɪzd] *bnw* onbeschaafd

unclaimed [ʌnˈkleɪmd] *bnw* niet opgehaald, niet opgeëist

unclassified [ʌnˈklæsɪfaɪd] *bnw* niet (meer) geheim

uncle [ˈʌŋkl] *zn* oom ★ *Bob's your ~* klaar is Kees, dik voor elkaar ★ *Uncle Sam* inform de Verenigde Staten ★ *talk like a Dutch ~* iem. streng toespreken, iem. de les lezen ★ *say / cry ~* zich gewonnen geven, genade zeggen

unclean [ʌnˈkliːn] *bnw* onrein, smerig, vies ★ *~ thoughts* onzedige gedachten

unclear [ʌnˈklɪə] *bnw* onduidelijk ★ *I am ~ about it* het is me niet duidelijk

unclouded [ʌnˈklaʊdɪd] *bnw* onbewolkt ★ *~*

happiness onverdeeld geluk

uncoil [ʌnˈkɔɪl] *ov+onov ww* (zich) ontrollen, afwikkelen

uncomfortable [ʌnˈkʌmftəbl] *bnw*
❶ ongemakkelijk, verontrustend ❷ niet op zijn gemak

uncommitted [ʌnkəˈmɪtɪd] *bnw* niet gebonden, neutraal

uncommon [ʌnˈkɒmən] *bnw* ongewoon ★ *not* ~ vaak voorkomend

uncommunicative [ʌnkəˈmjuːnɪkətɪv] *bnw* gesloten, gereserveerd

uncompromising [ʌnˈkɒmprəmaɪzɪŋ] *bnw* onverzoenlijk, niets ontziend, niet tot schikking bereid, niet inschikkelijk

unconcealed [ʌnkənˈsiːld] *bnw* openlijk, onverholen

unconcern [ʌnkənˈsɜːn] *zn* onbezorgdheid, onverschilligheid

unconcerned [ʌnkənˈsɜːnd] *bnw* ❶ niet betrokken (**in/with** / bij) ❷ onverschillig (**about** over), onbezorgd

unconditional [ʌnkənˈdɪʃənl] *bnw* onvoorwaardelijk

unconditioned [ʌnkənˈdɪʃənd] *bnw*
❶ onvoorwaardelijk ❷ niet-geconditioneerd, natuurlijk

uncongenial [ʌnkənˈdʒiːnɪəl] *bnw* onsympathiek, onaangenaam

unconnected [ʌnkəˈnektɪd] *bnw* ❶ losstaand, zonder verband, onsamenhangend ❷ zonder invloedrijke relaties ❸ niet aangesloten ‹bv. op elektriciteitsnet›

unconscionable [ʌnˈkɒnʃənəbl] *bnw* ontzaglijk, onredelijk

unconscious [ʌnˈkɒnʃəs] **I** *zn* het onderbewustzijn **II** *bnw* ❶ onbewust ★ *he was* ~ *of the danger* hij was zich niet van het gevaar bewust ❷ bewusteloos

unconsciousness [ʌnˈkɒnʃəsnəs] *zn* bewusteloosheid

unconsidered [ʌnkənˈsɪdəd] *bnw* ❶ onbezonnen, ondoordacht ❷ genegeerd, onbelangrijk

uncontested [ʌnkənˈtestɪd] *bnw* onbetwist

uncontrollable [ʌnkənˈtrəʊləbl] *bnw* ❶ niet te beheersen, niet te beïnvloeden, onhandelbaar ❷ onbeheerst ★ ~ *laughter* onbedaarlijk gelach

uncontrolled [ʌnkənˈtrəʊld] *bnw* onbelemmerd, niet onder controle

unconventional [ʌnkənˈvenʃənl] *bnw* onconventioneel, niet gebonden aan vormen, vrij

unconvincing [ʌnkənˈvɪnsɪŋ] *bnw* niet overtuigend

uncork [ʌnˈkɔːk] *ov ww* ontkurken, opentrekken ‹van fles›

uncountable [ʌnˈkaʊntəbl] *bnw* niet te tellen, ontelbaar

uncountable noun *taalk zn* niet telbaar zelfstandig naamwoord

uncouth [ʌnˈkuːθ] *bnw* oud onbeleefd

uncover [ʌnˈkʌvə] *ov ww* ❶ ontbloten, bloot leggen ★ ~ *a secret* een geheim ontdekken ❷ het deksel verwijderen van

uncritical [ʌnˈkrɪtɪkl] *bnw* klakkeloos, onkritisch

uncrowned [ʌnˈkraʊnd] *bnw* ongekroond, nog niet gekroond ★ fig ~ *king of sth* ongekroonde koning van iets

unction [ˈʌŋkʃən] *zn* ❶ zalving, sacrament der zieken ★ *Extreme Unction* Heilig Oliesel ❷ zin, animo

unctuous [ˈʌŋktʃʊəs] *bnw* zalvend, slijmerig

uncultivated [ʌnˈkʌltɪveɪtɪd] *bnw* ❶ onbebouwd ❷ onbeschaafd, onontwikkeld

uncultured [ʌnˈkʌltʃəd] *bnw* ❶ onbeschaafd, onontwikkeld ❷ onbebouwd

uncurbed [ʌnˈkɜːbd] *bnw* tomeloos, ongetemd

uncut [ʌnˈkʌt] *bnw* ❶ niet geknipt, niet opengesneden, ongesnoeid ★ ~ *nails* ongeknipte nagels ❷ ongeslepen ‹diamant› ❸ onverkort, niet ingekort, ongecensureerd ❹ onversneden ‹drugs, drank›

undaunted [ʌnˈdɔːntɪd] *bnw* onverschrokken, onbevreesd

undecided [ʌndɪˈsaɪdɪd] *bnw* onbeslist, (nog) niet tot een beslissing gekomen

undemonstrative [ʌndɪˈmɒnstrətɪv] *bnw* gesloten, terughoudend

undeniable [ʌndɪˈnaɪəbl] *bnw* ontegenzeglijk, niet te ontkennen

under [ˈʌndə] **I** *bijw* hieronder, (daar)onder ★ *kids aged 10 and* ~ kinderen van 10 of jonger ★ *go* ~ kopje onder gaan, zinken, onder narcose raken **II** *vz* ❶ onder, lager / minder dan, beneden ★ ~ *65* jonger dan 65 ★ ~ *attack* onder vuur ★ *be* ~ *the impression that* de indruk hebben dat ★ *be* ~ *sb's control* sterk door iem. beïnvloed worden ★ *be* ~ *investigation* onderwerp van onderzoek zijn ★ ~ *the influence (of)* onder invloed (van) ★ ~ *the counter* illegaal, onder de toonbank ★ ~ *certain conditions* onder bepaalde voorwaarden ★ ~ *the circumstances* in deze omstandigheden, in dit geval ★ ~ *difficult circumstances* onder moeilijke omstandigheden ★ ~ *the regime of* onder / tijdens het regime van ❷ krachtens, volgens ★ ~ *Dutch law* volgens de Nederlandse wet

under- [ˈʌndə] *voorv* onder-

underage [ʌndəˈreɪdʒ] *bnw* minderjarig, te jong voor iets

underbid [ʌndəˈbɪd] *ov ww* minder bieden dan, te weinig bieden ‹bridge›

underbrush [ˈʌndəbrʌʃ] *zn* kreupelhout

undercarriage [ˈʌndəkærɪdʒ] *zn* landingsgestel ‹v. vliegtuig›, onderstel ‹v. wagen›

undercharge [ʌndəˈtʃɑːdʒ] *ov ww* te weinig berekenen

underclothes [ˈʌndəkləʊðz] *zn mv* onderkleren, ondergoed

underclothing [ˈʌndəkləʊðɪŋ] *zn* onderkleding, ondergoed

undercoat [ˈʌndəkəʊt] *zn* grondverf(laag)

undercover [ʌndəˈkʌvə] *bnw* geheim, heimelijk ★ ~ *agent* geheim agent, infiltrant

undercurrent [ˈʌndəkʌrənt] *zn* ❶ onderstroom ❷ verborgen invloed, onderdrukte gevoelens

undercut [ʌndəˈkʌt] *ov ww* ❶ tegen lagere prijs verkopen dan concurrent ★ ~ *competitors* iets aanbieden tegen lagere prijs dan concurrenten ❷ ondermijnen, ondergraven ★ ~ *efforts* pogingen ondermijnen ❸ sport bal v. onderen raken

un

underdeveloped [ʌndədr'veləpt] *bnw* onderontwikkeld

underdog ['ʌndədɒg] *zn* (waarschijnlijke) verliezer, zwakkere, verdrukte

underdone [ʌndə'dʌn] *bnw* niet doorbakken, niet gaar

underdressed [ʌndə'drest] *bnw* te koud gekleed, niet gepast gekleed

underestimate [ʌndər'estɪmeɪt] **I** *zn* onderschatting, te lage waardering **II** *ov ww* onderschatten, te laag waarderen

underexpose [ʌndərɪk'spəʊz] *ov ww* onderbelichten

underfed [ʌndə'fed] *ov ww* ondervoed ★ ~ *children* ondervoede kinderen

underflow ['ʌndəfləʊ] *zn* → undercurrent

underfoot [ʌndə'fʊt] *bijw* onder de voet(en) ★ *trample sb* ~ iem. vertrappen, over iem. heen lopen, iem. vernederen

undergo [ʌndə'gəʊ] [onregelmatig] *ov ww* ondergaan, lijden ★ ~ *an operation* een operatie ondergaan ★ ~ *radical political changes* aan ingrijpende politieke veranderingen onderhevig zijn

undergraduate [ʌndə'grædʒʊət] *zn* <u>onderw</u> student (aan universiteit)

underground ['ʌndəgraʊnd] **I** *zn* **❶** GB metro **❷** ondergrondse ⟨(politiek) illegaal verzet⟩ **II** *bnw* **❶** ondergronds ★ ~ *activities* geheime activiteiten **❷** radicaal, experimenteel ★ ~ *movie* experimentele film **III** *bijw* ondergronds ★ *go* ~ zich verbergen (voor politie, overheid), onderduiken

undergrowth ['ʌndəgrəʊθ] *zn* kreupelhout

underhand [ʌndə'hænd] *bnw* **❶** onderhands ⟨worp, serve⟩ **❷** onderhands, slinks, oneerlijk

underhanded [ʌndə'hændɪd] *bnw* onderhands, slinks, oneerlijk

underlay ['ʌndəleɪ] *zn* ondertapijt, ondervloer

underlie [ʌndə'laɪ] [onregelmatig] *ov ww* liggen onder, ten grondslag liggen aan

underline [ʌndə'laɪn] *ov ww* onderstrepen, aandacht vestigen op

underling ['ʌndəlɪŋ] *zn* <u>min</u> ondergeschikte, loopjongen

undermanned [ʌndə'mænd] *bnw* met onvoldoende bemanning / personeel

undermentioned [ʌndə'menʃənd] *bnw* hieronder vermeld

undermine [ʌndə'maɪn] *ov ww* ondermijnen

underneath [ʌndə'niːθ] **I** *zn* onderkant ★ *the* ~ *of the car* de onderkant van de auto **II** *bnw* onder- ★ *the* ~ *part* de onderkant **III** *bijw* hieronder, daaronder, beneden ★ *with nothing* ~ met niets eronder (aan) ★ ~, *I am very shy* diep van binnen, ben ik erg verlegen **IV** *vz* onder, beneden ★ ~ *the table* onder de tafel

undernourished [ʌndə'nʌrɪʃd] *bnw* ondervoed

underpants ['ʌndəpænts] *zn mv* onderbroek

underpass ['ʌndəpɑːs] *zn* onderdoorgang, (voetgangers-)tunnel

underpay [ʌndə'peɪ] *ov ww* onderbetalen, niet voldoende uitbetalen

underpin [ʌndə'pɪn] *ov ww* de basis zijn van, onderbouwen, steunen

underplay [ʌndə'pleɪ] *ov ww* **❶** onderwaarderen,

bagatelliseren, minder erg voorstellen dan het is **❷** duiken ⟨kaartspel⟩

underpopulated [ʌndə'pɒpjʊleɪtɪd] *bnw* (te) dun bevolkt

underprivileged [ʌndə'prɪvəlɪdʒd] *bnw* kansarm

underrate [ʌndə'reɪt] *ov ww* onderschatten, te laag inschatten ★ *his art is* ~*d* zijn kunst wordt niet op waarde geschat

underscore[1] ['ʌndəskɔː] *zn* laag streepje ⟨(leesteken)⟩, onderstreping

underscore[2] [ʌndə'skɔː] *ov ww* onderstrepen, <u>fig</u> benadrukken

under-secretary [ʌndə'sekrətəri] *zn* onderminister, tweede secretaris, hoge ambtenaar ★ ~ *of state* onderminister, staatssecretaris

undersell [ʌndə'sel] *ov ww* goedkoper verkopen dan, onder de waarde verkopen ★ ~ *yourself* jezelf niet goed verkopen, jezelf tekortdoen

underside ['ʌndəsaɪd] *zn* onderkant

undersign [ʌndə'saɪn] *ov ww* ondertekenen ★ *the* ~*ed* de ondertekenaar(s)

undersized [ʌndə'saɪzd] *bnw* onder de gemiddelde maat, te klein

understaffed [ʌndə'stɑːft] *zn* onderbezet

understand [ʌndə'stænd] [onregelmatig] *ov ww* begrijpen, snappen, (ergens uit) opmaken, verstaan ★ *I'm sorry, I don't* ~ het spijt me, ik snap het niet ★ *do you* ~? is dat duidelijk?, snap je? ★ *is that understood?!* is dat helder?! ★ *from what you say I* ~... uit wat je zegt, maak ik op... ★ *am I to* ~ *that...?* moet ik hieruit aannemen dat...? ★ *give sb to* ~ *that* iem. te kennen geven dat, iem. laten weten dat ★ *it is understood that...* stilzwijgend wordt aangenomen dat..., naar we vernemen..., het is helder dat... ★ *what do you* ~ *by this?* wat versta je hieronder? ★ *we could not make ourselves understood* we konden ons niet verstaanbaar maken

understandable [ʌndə'stændəbl] *bnw* begrijpelijk (to voor)

understandably [ʌndə'stændəbli] *bijw* begrijpelijkerwijs

understanding [ʌndə'stændɪŋ] **I** *zn* **❶** begrip, verstand, interpretatie ★ *this is beyond my* ~ dit gaat mijn verstand te boven ★ *my* ~ *is* zoals ik het begrijp... **❷** afspraak, overeenkomst, verstandhouding ★ *have an* ~ elkaar (goed) begrijpen, een afspraak hebben ★ *on the* ~ *that...* op voorwaarde dat... ★ *come to / arrive at / reach an* ~ tot een overeenkomst komen, een regeling treffen **II** *bnw* begripvol ★ *un* ~ *ear* een luisterend oor

understate [ʌndə'steɪt] *ov ww* minder / lager voorstellen dan het is ★ *he is understating his age* hij doet zich jonger voor dan hij is

understatement [ʌndə'steɪtmənt] *zn* constatering die iets (opzettelijk) te zwak uitdrukt, understatement ★ *to say... would be an* ~ ... is te zwak uitgedrukt

understood [ʌndə'stʊd] *ww* [verleden tijd + volt. deelw.] → understand

understudy ['ʌndəstʌdi] **I** *zn* doublure ⟨vervanger voor toneelspeler / -speelster⟩ **II** *ov ww* doublure zijn voor, instuderen v.e. rol ter eventuele vervanging v.e. toneelspeler

undertake [ˌʌndəˈteik] [onregelmatig] *ov ww*
❶ ondernemen, op zich nemen ❷ garanderen, zich verbinden, zich vastleggen op
undertaker [ˈʌndəteikə] *zn*
begrafenisondernemer
undertaking [ˈʌndəˈteikɪŋ] *zn* ❶ onderneming ★ *that's quite an* ~ dat is een hele onderneming ❷ overeenkomst, verbintenis ★ *a written* ~ een schriftelijke overeenkomst ❸ uitvaartverzorging ★ ~ *business* begrafenisonderneming ★ ~ *parlour* rouwkamer
underthings [ˈʌndəθɪŋz] *zn mv* ondergoed
undertone [ˈʌndətəʊn] *zn* ondertoon, gedempte toon ★ *with an* ~ *of* met een ondertoon van ★ *speak in an* ~ met gedempte stem spreken
undertow [ˈʌndətəʊ] *zn* onderstroom (in zee)
undervalue[1] [ˈʌndəˈvælju:] *zn* te kleine waarde
undervalue[2] [ˈʌndəˈvælju:] *ww* onderwaarderen, onderschatten
underwater [ˈʌndəˈwɔ:tə] *bnw* onderzee(s), onderwater-, onder water gelegen
underwear [ˈʌndəweə] *zn* ondergoed
underweight [ˈʌndəˈweit] *bnw* onder het (normale) gewicht, te licht
underwent [ˈʌndəˈwent] *ww* [verleden tijd] → undergo
underworld [ˈʌndəwɜ:ld] *zn* ❶ onderwereld, misdadigerswereld ❷ onderwereld, schimmenrijk
underwrite [ˈʌndəˈrait] *I ov ww* ❶ verzekeren, afsluiten ⟨verzekering⟩ ❷ investeren in, waarborgen, zich garant stellen voor, zich verplichten tot het kopen van (niet-geplaatste aandelen) *II onov ww* verzekeringen afsluiten, assureren, verzekeringszaken doen
underwriter [ˈʌndəraitə] *zn* ❶ assuradeur, verzekeraar ❷ bedrijf dat niet geplaatste aandelen koopt
underwriting [ˈʌndəraitɪŋ] *zn* ❶ assurantie(zaken), verzekeringsbedrijf ❷ garantie ⟨van emissie⟩
undeserved [ˌʌndɪˈzɜ:vd] *bnw* onverdiend
undesirable [ˌʌndɪˈzaɪərəbl] *I zn* ongewenst persoon *II bnw* ongewenst, niet begeerlijk ★ ~ *aliens* ongewenste vreemdelingen
undetermined [ˌʌndɪˈtɜ:mɪnd] *bnw* onbeslist, besluiteloos
undeterred [ˌʌndɪˈtɜ:d] *bnw* onverschrokken, niet afgeschrikt
undeveloped [ˌʌndɪˈveləpt] *bnw* onontwikkeld
undid [ʌnˈdɪd] *ww* [verleden tijd] → undo
undies [ˈʌndɪz] *zn mv* inform ondergoed
undigested [ˌʌndɪˈdʒestɪd] *bnw* niet verteerd, onverteerd
undignified [ʌnˈdɪgnɪfaɪd] *bnw* onwaardig, ongepast, onfatsoenlijk
undiluted [ˌʌndaɪˈlju:tɪd] *bnw* onverdund, puur
undiscerning [ˌʌndɪˈsɜ:nɪŋ] *bnw* kortzichtig, geen onderscheid makend
undisciplined [ʌnˈdɪsəplɪnd] *bnw* ongedisciplineerd, onopgevoed
undisclosed [ˌʌndɪsˈkləʊzd] *bnw* geheim, verborgen, anoniem
undisputed [ˌʌndɪsˈpju:tɪd] *bnw* onbetwist
undistinguished [ˌʌndɪˈstɪŋgwɪʃt] *bnw* onbetekenend, middelmatig
undisturbed [ˌʌndɪsˈtɜ:bd] *bnw* ongestoord,

onverstoord
undivided [ˌʌndɪˈvaɪdɪd] *bnw* ongedeeld, onverdeeld, volledig ★ *may I have your* ~ *attention?* mag ik uw volledige aandacht?
undo [ʌnˈdu:] [onregelmatig] *I ov ww* ❶ ongedaan maken, tenietdoen ★ *undo a change* een wijziging ongedaan maken ❷ losmaken, openmaken ★ *undo a belt* een riem losmaken ★ *undo a screw* een schroef losdraaien *II onov ww* ongedaan maken
undoing [ʌnˈdu:ɪŋ] *zn* (oorzaak van) ondergang / ongeluk ★ *be the* ~ *of sb* iemands ondergang zijn ★ *be sb's* ~ iemands ondergang zijn
undone [ʌnˈdʌn] *bnw + bijw* ❶ niet gedaan, niet af ★ *the work was still* ~ het werk was nog steeds niet gedaan ❷ ongedaan gemaakt, los(gemaakt), niet dicht / vast ★ *what is done cannot be* ~ gedane zaken nemen geen keer ★ *my shoelace came* ~ mijn veter ging los ★ *this button is* ~ deze knoop zit niet dicht ❸ oud geruïneerd
undoubted [ʌnˈdaʊtɪd] *bnw* ongetwijfeld, ontwijfelbaar
undreamed of [ʌnˈdri:md ɒf] *bnw* ongehoord, onvoorstelbaar ★ ~ *possibilities* onvoorstelbare mogelijkheden
undress[1] [ˈʌndres] *zn* ★ *in a state of* ~ (half)naakt
undress[2] [ʌnˈdres] *I ov ww* blootleggen, uit- / ontkleden *II onov ww* uitkleden, blootleggen
undressed [ʌnˈdrest] *bnw* ongekleed, uitgekleed ★ *get* ~ zich uitkleden
undue [ʌnˈdju:] *bnw* ongepast, onredelijk ★ ~ *influence* te grote invloed
undulate [ˈʌndjəleɪt] *onov ww* golven, trillen
undulation [ˌʌndjʊˈleɪʃən] *zn* golving, trilling
unduly [ʌnˈdju:lɪ] *bijw* overdreven, te zeer ★ *not* ~ niet overdreven, niet te veel
undying [ʌnˈdaɪɪŋ] *bnw* form onsterfelijk ★ *declare* ~ *love for sb* iem. eeuwige liefde beloven
unearned [ʌnˈɜ:nd] *bnw* onverdiend ★ ~ *income* inkomen uit vermogen
unearth [ʌnˈɜ:θ] *ov ww* aan het licht brengen, opdiepen, opgraven ★ ~ *a secret* een geheim blootleggen
unearthly [ʌnˈɜ:θlɪ] *bnw* akelig, griezelig, spookachtig ★ *at an* ~ *hour* op een belachelijk laat / vroeg uur
unease [ʌnˈi:z], **uneasiness** [ʌnˈi:zɪnəs] *zn* onbehaaglijkheid, ongerustheid ★ *a sense of* ~ een onbehaaglijk gevoel, ongerustheid
uneasy [ʌnˈi:zɪ] *bnw* ❶ ongemakkelijk, onbehaaglijk, ongerust ★ ~ *silence* ongemakkelijke stilte ★ ~ *about* / *at* bezorgd over ❷ onrustig ★ *sleep uneasily* onrustig slapen
uneconomic [ˌʌni:kəˈnɒmɪk] *bnw* verliesgevend, oneconomisch, onrendabel
uneconomical [ˌʌni:kəˈnɒmɪkəl] *bnw* oneconomisch, onrendabel
uneducated [ʌnˈedjʊkeɪtɪd] *bnw* ongeschoold, onontwikkeld
unemployable [ˌʌnɪmˈplɔɪəbl] *bnw* ongeschikt voor werk, kansloos ⟨op de arbeidsmarkt⟩
unemployed [ˌʌnɪmˈplɔɪd] *bnw* werkloos ★ *the* ~ de werklozen
unemployment [ˌʌnɪmˈplɔɪmənt] *zn*

un

❶ werkloosheid ★ ~ *rate* werkloosheidscijfer
❷ USA werkeloosheidsuitkering ★ *be on employment* een werkeloosheidsuitkering ontvangen

unemployment benefit *zn* werkloosheidsuitkering

unending [ʌnˈendɪŋ] *bnw* oneindig, onophoudelijk, zonder ophouden

unenviable [ʌnˈenvɪəbl] *bnw* niet benijdenswaardig, onaangenaam

unequal [ʌnˈiːkwəl] *bnw* ❶ ongelijk ★ ~ *treatment* ongelijke behandeling ★ ~ *match* ongelijke wedstrijd ❷ niet goed genoeg ★ *he was ~ to the job* hij kon het werk niet aan

unequalled [ʌnˈiːkwəld] *bnw* ongeëvenaard

unequivocal [ʌnɪˈkwɪvəkl] *bnw* ondubbelzinnig, duidelijk

unerring [ʌnˈɜːrɪŋ] *bnw* onfeilbaar

unethical [ʌnˈeθɪkl] *bnw* onethisch

uneven [ʌnˈiːvən] *bnw* ongelijk, ongelijkmatig

uneventful [ʌnɪˈventfʊl] *bnw* zonder gebeurtenissen v. belang ★ *these are ~ times* het zijn rustige tijden

unexceptionable [ʌnɪkˈsepʃənəbl] *bnw* form onberispelijk, voortreffelijk

unexceptional [ʌnɪkˈsepʃənl] *bnw* gewoon, niet bijzonder

unexpected [ʌnɪkˈspektɪd] *bnw* onverwacht

unexplained [ʌnɪkˈspleɪnd] *bnw* onverklaard

unexpressed [ʌnɪkˈsprest] *bnw* onuitgedrukt ★ ~ *emotions* niet geuite gevoelens

unfading [ʌnˈfeɪdɪŋ] *bnw* niet verwelkend, blijvend, kleurecht

unfailing [ʌnˈfeɪlɪŋ] *bnw* voortdurend, onuitputtelijk

unfair [ʌnˈfeə] *bnw* oneerlijk, onsportief ★ ~ *dismissal* ontslag zonder reden ★ *an ~ advantage* een oneerlijke voorsprong

unfaithful [ʌnˈfeɪθfʊl] *bnw* ❶ ontrouw, overspelig, niet loyaal ★ *be ~ to* ontrouw zijn aan ★ *be ~ with* overspel plegen met ❷ niet nauwkeurig ★ *an ~ translation* een onnauwkeurige vertaling

unfaltering [ʌnˈfɔːltərɪŋ] *bnw* ❶ onwankelbaar, vast ❷ zonder te stotteren, niet aarzelend

unfamiliar [ʌnfəˈmɪljə] *bnw* onbekend ★ ~ *with* onbekend met

unfashionable [ʌnˈfæʃənəbl] *bnw* niet modieus, ouderwets

unfasten [ʌnˈfɑːsən] *ov ww* losmaken, openmaken

unfathomable [ʌnˈfæðəməbl] *bnw* niet te peilen, ondoorgrondelijk

unfavourable [ʌnˈfeɪvərəbl] *bnw* ongunstig

unfeasible [ʌnˈfiːzəbl] *bnw* ondoenlijk, ongeloofwaardig

unfeeling [ʌnˈfiːlɪŋ] *bnw* onsympathiek, bot, ongevoelig

unfeigned [ʌnˈfeɪnd] *bnw* ongeveinsd, onvervalst, echt

unfinished [ʌnˈfɪnɪʃt] *bnw* ❶ onaf, onafgewerkt, onafgedaan ★ ~ *business* openstaand probleem, niet-afgeronde zaak ❷ onbewerkt ★ ~ *wood* onbewerkt hout

unfit [ʌnˈfɪt] *bnw* ❶ ongepast, ongeschikt ❷ niet in goede conditie

unfitting [ʌnˈfɪtɪŋ] *bnw* ongeschikt, ongepast

unflagging [ʌnˈflægɪŋ] *bnw* onvermoeibaar, voortdurend

unflappable [ʌnˈflæpəbl] *bnw* onverstoorbaar, stoïcijns

unfledged [ʌnˈfledʒd] *bnw* ❶ onervaren ❷ zonder veren, niet kunnen vliegen

unflinching [ʌnˈflɪntʃɪŋ] *bnw* zich niet gewonnen gevend, vastberaden

unfold [ʌnˈfəʊld] I *ov ww* ontvouwen, openklappen II *onov ww* ❶ zich ontvouwen, zich uitspreiden, opengaan ❷ gebeuren, ontwikkelen ★ *he watched the tragedy ~* hij keek toe hoe de ramp zich voltrok

unforeseen [ʌnfɔːˈsiːn] *bnw* onvoorzien ★ *due to ~ circumstances* wegens onvoorziene omstandigheden

unforgettable [ʌnfəˈgetəbl] *bnw* onvergetelijk

unforgivable [ʌnfəˈgɪvəbl] *bnw* onvergeeflijk

unforgiving [ʌnfəˈgɪvɪŋ] *bnw* onverzoenlijk

unfortunate [ʌnˈfɔːtʃənət] I *zn* ongelukkige II *bnw* onfortuinlijk, ongelukkig ★ *it is ~ that* het is jammer dat

unfortunately [ʌnˈfɔːtʃənətlɪ] *bijw* ❶ ongelukkigerwijs ❷ helaas, jammer genoeg

unfounded [ʌnˈfaʊndɪd] *bnw* ongegrond

unfreeze [ʌnˈfriːz] *ov ww* ontdooien

unfrequented [ʌnfrɪˈkwentɪd] *bnw* niet (vaak) bezocht

unfriendly [ʌnˈfrendlɪ] *bnw* onsympathiek, onaardig ★ ~ *welcome* koele ontvangst ★ ~ *weather* slecht weer

unfulfilled [ʌnfʊlˈfɪld] *bnw* ❶ onbevredigd ❷ onvervuld, niet in vervulling gegaan

unfurl [ʌnˈfɜːl] *ov+onov ww* ❶ (zich) ontrollen, (zich) ontplooien ❷ uitspreiden ★ *to ~ the sails* de zeilen hijsen ★ ~ *an umbrella* een paraplu opendoen

unfurnished [ʌnˈfɜːnɪʃt] *bnw* ongemeubileerd ★ ~ *with* niet voorzien van

ungainly [ʌnˈgeɪnlɪ] *bnw* onbeholpen, boers

ungenerous [ʌnˈdʒenərəs] *bnw* ❶ krenterig, gierig ❷ kleinzielig, hard

ungiving [ʌnˈgɪvɪŋ] *bnw* onbuigzaam

unglue [ʌnˈgluː] *ov ww* losweken, losgaan ★ *come ~d* mislukken, uit elkaar vallen

ungodly [ʌnˈgɒdlɪ] *bnw* ❶ goddeloos, zondig ❷ ergerlijk, onmenselijk ★ *an ~ hour* een onchristelijk uur

ungovernable [ʌnˈgʌvənəbl] *bnw* niet bestuurbaar, onhandelbaar

ungraceful [ʌnˈgreɪsfʊl] *bnw* niet charmant, lomp

ungracious [ʌnˈgreɪʃəs] *bnw* ondankbaar, onvriendelijk, niet aardig ★ ~ *answer* onbeleefd antwoord ★ ~ *task* ondankbare taak

ungrateful [ʌnˈgreɪtfʊl] *bnw* ❶ ondankbaar ❷ onaangenaam ★ *an ~ task* een ondankbare taak

ungrudgingly [ʌnˈgrʌdʒɪŋlɪ] *bijw* zonder te mopperen

unguarded [ʌnˈgɑːdɪd] *bnw* niet beschermd, onbewaakt ★ *in an ~ moment* in een onbewaakt ogenblik

unguent [ˈʌŋgwənt] *zn* zalf, smeersel

unhampered [ʌnˈhæmpəd] *bnw* ongehinderd

unhappy [ʌn'hæpɪ] *bnw* ❶ ongelukkig, ontevreden ★ *be ~ with* niet gelukkig zijn met ❷ ongepast, noodlottig ★ *an ~ remark* een misplaatste opmerking ★ *an ~ coincidence* een noodlottig toeval

unhealthy [ʌn'helθɪ] *bnw* ❶ ongezond ❷ verliesgevend

unheard [ʌn'hɜːd] *bnw* ❶ ongehoord, onfatsoenlijk, ongebruikelijk ★ *this is ~of!* dit is ongehoord!, dit is nog nooit voorgekomen! ★ *~of violence* onvoorstelbaar geweld ❷ niet gehoord, niet verhoord, onbekend ★ *her prayers went ~* haar gebeden werden niet verhoord

unheeded [ʌn'hiːdɪd] *bnw* verwaarloosd, genegeerd ★ *go ~* genegeerd worden

unheeding [ʌn'hiːdɪŋ] *bnw* achteloos ★ *~ of* niet lettend op

unhelpful [ʌn'helpfʊl] *bnw* ❶ niet hulpvaardig ❷ nutteloos

unhesitating [ʌn'hezɪteɪtɪŋ] *bnw* zonder aarzelen, prompt

unhinge [ʌn'hɪndʒ] *ov ww* ontwrichten, iemand uit z'n evenwicht slaan

unhitch [ʌn'hɪtʃ] *ov ww* losmaken, loslaten

unholy [ʌn'həʊlɪ] *bnw* ❶ goddeloos, zondig ★ *~ alliance* duivels pact ❷ inform verschrikkelijk ★ *~ noise* hels kabaal

unhook [ʌn'hʊk] *ov ww* loshaken, losmaken

unhoped [ʌn'həʊpt] *bnw* ★ *~ for* onverhoopt, beter dan verwacht

unhurt [ʌn'hɜːt] *bnw* ongedeerd

uni inform GB *afk, university* universiteit

uni- ['juːnɪ] *voorv* één-, uni-

UNICEF, Unicef ['juːnɪsef] *afk, United Nations International Children's Emergency Fund* Unicef

unicorn ['juːnɪkɔːn] *zn* eenhoorn

unicycle ['juːnɪsaɪkl] *zn* eenwieler

unidentified [ʌnaɪˈdentɪfaɪd] *bnw* niet geïdentificeerd, onbekend, naamloos ★ *~ flying object* ufo, vliegende schotel

unification [juːnɪfɪˈkeɪʃən] *zn* unificatie, eenmaking / -wording

uniform ['juːnɪfɔːm] I *zn* uniform ★ *out of ~* in burger ★ *in full ~* in groot tenue II *bnw* uniform, eenvormig, gelijk ★ *a ~ movement* een gelijktijdige beweging

uniformed ['juːnɪfɔːmd] *bnw* in uniform

uniformity [juːnɪˈfɔːmətɪ] *zn* uniformiteit, eenvormigheid

unify ['juːnɪfaɪ] *ov ww* verenigen, samenbrengen

unilateral [juːnɪˈlætərəl] *bnw* eenzijdig ★ *~ declaration* eenzijdige verklaring

unimaginable [ʌnɪˈmædʒɪnəbl] *bnw* onvoorstelbaar, ondenkbaar

unimaginative [ʌnɪˈmædʒɪnətɪv] *bnw* zonder enige fantasie, oninteressant

unimpaired [ʌnɪmˈpeəd] *bnw* ongeschonden

unimpeachable [ʌnɪmˈpiːtʃəbl] *bnw* onbetwistbaar, onberispelijk

unimportant [ʌnɪmˈpɔːtnt] *bnw* onbelangrijk

unimpressed [ʌnɪmˈprest] *bnw* niet onder de indruk

unimpressive [ʌnɪmˈpresɪv] *bnw* niet of weinig indrukwekkend

uninformed [ʌnɪnˈfɔːmd] *bnw* niet op de hoogte (gebracht), niet ingelicht

uninhibited [ʌnɪnˈhɪbɪtɪd] *bnw* ongeremd, onbevangen

uninitiated [ʌnɪˈnɪʃɪeɪtɪd] *bnw* oningewijd, niet ingewijd ★ *the ~* mensen die er geen verstand van hebben, leken

uninspired [ʌnɪnˈspaɪəd] *bnw* ongeïnspireerd, saai

uninspiring [ʌnɪnˈspaɪərɪŋ] *bnw* niet inspirerend, saai, oninteressant

unintelligent [ʌnɪnˈtelɪdʒənt] *bnw* niet intelligent, dom

unintelligible [ʌnɪnˈtelɪdʒəbl] *bnw* onbegrijpelijk

unintended [ʌnɪnˈtendɪd] *bnw* onbedoeld, onopzettelijk

unintentional [ʌnɪnˈtenʃənl] *bnw* onbedoeld, onopzettelijk

uninterested [ʌnˈɪntrəstɪd] *bnw* ongeïnteresseerd

uninteresting [ʌnˈɪntrəstɪŋ] *bnw* oninteressant

uninterrupted [ʌnɪntəˈrʌptɪd] *bnw* ononderbroken, ongehinderd, ongestoord

uninvited [ʌnɪnˈvaɪtɪd] *bnw* ongevraagd, ongewenst, niet uitgenodigd

uninviting [ʌnɪnˈvaɪtɪŋ] *bnw* niet aantrekkelijk

union ['juːnjən] *zn* ❶ vereniging, (vak)bond, club ★ *GB student ~* studentenvereniging ❷ unie, verbond, bondgenootschap ★ *State of the Union (Address)* jaarlijkse toespraak van de president van de VS aan het Congres ★ *monetary ~* monetaire unie ★ *the European Union* de Europese Unie ❸ verbintenis, huwelijk, *form* seks ❹ overeenstemming, harmonie, eendracht

unionism ['juːnjənɪzəm] *zn* ❶ vakbeweging ❷ gesch pol unionisme

unionist ['juːnjənɪst] I *zn* voorstander v. (politieke) unie II *bnw* unionistisch

unionize, unionise ['juːnjənaɪz] *ov ww* verenigen tot een vakbond, lid worden van een vakbond

Union Jack *zn* vlag van het Verenigd Koninkrijk ⟨rode en witte staande en diagonale kruisen op een blauwe achtergrond⟩

unique [juˈniːk] *bnw* ❶ buitengewoon, opmerkelijk, ongeëvenaard ★ *a ~ figure* een opmerkelijk figuur ❷ uniek, enig ⟨in soort⟩ ★ *be ~ to* alleen voorkomen bij

uniquely [juˈniːklɪ] *bijw* op zeer bijzondere wijze, uniek, enkel en alleen

unisex ['juːnɪseks] *bnw* uniseks, gelijk ⟨voor beide seksen⟩ ★ *~ clothing / dress* gelijke kleding voor mannen en vrouwen

unison ['juːnɪsən] *zn* ❶ muz eenklank ❷ overeenstemming ★ *in ~* tegelijk, eensgezind, muz unisono

unit ['juːnɪt] *zn* ❶ onderdeel ⟨van een groter geheel⟩, hoofdstuk, afdeling, appartement ⟨in flatgebouw⟩, apparaat ★ *family unit* gezin ★ *kitchen unit* keukenkastje ★ *the intensive care unit* de intensive care ★ *an air-conditioning unit* een airconditioner ❷ stuk ★ *how many units have you sold?* hoeveel stuks heb je verkocht? ❸ (maat)eenheid ❹ aandeel ⟨in een beleggingsmaatschappij⟩ ★ *unit price* prijs per aandeel ★ *unit trust* beleggingsfonds

unitary ['juːnɪtərɪ] *bnw* ❶ eenheids-, een eenheid vormend ❷ pol gecentraliseerd

un

unite [ju'naɪt] I *ov ww* (doen) verenigen II *onov ww* zich verenigen

united [ju'naɪtɪd] *bnw* ❶ verenigd ★ *the United Nations* de Verenigde Naties ★ *the United Kingdom* het Verenigd Koninkrijk (Engeland, Schotland, Wales en Noord-Ierland) ★ *the United States (of America)* de Verenigde Staten (van Amerika) ❷ saamhorig, hecht ★ *present a ~ front* saamhorigheid tonen, met één mond spreken ❸ gezamenlijk, onverdeeld ★ *a ~ effort* een gezamenlijke inspanning

unity ['ju:nətɪ] *zn* eenheid, overeenstemming ★ *in ~* eensgezind

universal [ju:nɪ'vɜ:səl] I *zn* algemeen principe II *bnw* universeel, algemeen (geldend) ★ *~ truth* universele waarheid ★ *~ remote* universele afstandsbediening

universe ['ju:nɪvɜ:s] *zn* universum, heelal, fig wereld ★ *in the ~* in het heelal, humor van de hele wereld

university [ju:nɪ'vɜ:sətɪ] *zn* universiteit, hogeschool ★ *have a ~ degree* afgestudeerd zijn ★ *go to ~* (gaan) studeren

university extension *zn* volksuniversiteit

unjust [ʌn'dʒʌst] *bnw* onrechtvaardig

unjustifiable [ʌn'dʒʌstɪfarəbl] *bnw* niet te rechtvaardigen, onverantwoord

unjustified [ʌn'dʒʌstɪfaɪd] *bnw* ongerechtvaardigd, oneerlijk

unkempt [ʌn'kempt] *bnw* slordig, onverzorgd ★ *an ~ appearance* een onverzorgd uiterlijk

unkind [ʌn'kaɪnd] *bnw* onvriendelijk, onaardig

unknot [ʌn'nɒt] *ov ww* losknopen, losmaken

unknowing [ʌn'nəʊɪŋ] *bnw* onkundig, niet op de hoogte ★ *~ of* zich niet bewust van ★ *~ly* zonder het in de gaten te hebben, zonder het te weten

unknown [ʌn'nəʊn] I *zn* onbekende ★ *the ~* het onbekende, de onbekende(n) II *bnw* ongekend, onbekend ★ *an ~ quantity* een onbekende grootheid ★ *for some ~ reason* om een of andere onbekende reden ★ *to her, he had left* zonder dat zij het wist, was hij weggegaan

unlace [ʌn'leɪs] *ov ww* losrijgen

unlatch [ʌn'lætʃ] *ov ww* openen

unlawful [ʌn'lɔ:fʊl] *bnw* ongeoorloofd, onwettig ★ *~ entry* huisvredebreuk ★ *~ killing* moord, doodslag

unleaded [ʌn'ledɪd] *bnw* loodvrij

unlearn [ʌn'lɜ:n] *ov ww* afleren, verleren

unleash [ʌn'li:ʃ] *ov ww* loslaten ★ *~ one's rage upon* zijn woede op iem. koelen

unleavened [ʌn'levənd] *bnw* ongedesemd

unless [ʌn'les] *vw* tenzij ★ *not ~* alleen als

unlettered [ʌn'letəd] *bnw* ongeletterd, met een lage opleiding

unlicensed [ʌn'laɪsənst] *bnw* zonder vergunning ★ *~ restaurant* een restaurant zonder drankvergunning

unlike [ʌn'laɪk] I *bnw* ongelijk ★ *they are very ~* ze zijn erg verschillend II *vz* anders dan, in tegenstelling tot ★ *most people in* tegenstelling tot de meeste mensen ★ *that is ~ her* dat past niet bij haar ★ *not ~* niet veel anders dan ★ *it is ~ anything else* het is anders dan al het andere, het is heel bijzonder

unlikely [ʌn'laɪklɪ] *bnw* ❶ onwaarschijnlijk ★ *they are ~ to go* zij gaan waarschijnlijk niet ★ *in the ~ event that* in het onwaarschijnlijke geval dat ❷ atypisch, niet goed bij elkaar passend ★ *an ~ couple* een bijzonder stel

unlimited [ʌn'lɪmɪtɪd] *bnw* onbeperkt, niet begrensd, vrij

unlisted [ʌn'lɪstɪd] *bnw* niet geregistreerd ★ USA *~ number* geheim nummer ★ econ *~ securities* incourante fondsen ★ *~ company* private onderneming

unload [ʌn'ləʊd] *ov ww* ❶ uitladen, lossen ★ *~ the car* de auto uitladen ❷ zich ontdoen van, dumpen, ontladen ★ *he ~ed his mind* hij stortte zijn hart uit

unlock [ʌn'lɒk] *ov ww* ontsluiten, openbaar maken, openbreken ★ *~ a mystery* een geheim ontsluieren

unlooked-for [ʌn'lʊktfɔ:] *bnw* onverwacht, ongewenst

unloose [ʌn'lu:s], **unloosen** [ʌn'lu:sən] *ov ww* ontspannen, losmaken

unlovely [ʌn'lʌvlɪ] *bnw* onaantrekkelijk, lelijk

unlucky [ʌn'lʌkɪ] *bnw* geen geluk hebbend / brengend, ongeluks-, ongelukkig

unmade [ʌn'meɪd] *bnw* niet opgemaakt ⟨v. bed⟩, onverhard ⟨v. weg⟩

unmake [ʌn'meɪk] *ov ww* ❶ tenietdoen ❷ ruïneren ★ *~ sb* iem. ruïneren

unman [ʌn'mæn] *ov ww* ontmannen, castreren

unmanageable [ʌn'mænɪdʒəbl] *bnw* onhandelbaar, niet te besturen, lastig

unmanly ['ʌn'mænlɪ] *bnw* niet mannelijk, verwijfd

unmanned [ʌn'mænd] *bnw* onbemand, onbeheerd

unmannered [ʌn'mænəd], **unmannerly** [ʌn'mænəlɪ] *bnw* ongemanierd

unmarked [ʌn'mɑ:kt] *bnw* ❶ niet van tekens voorzien, niet opvallend ★ *an ~ police car* een onopvallende politieauto ★ *an ~ grave* een anoniem graf, een graf zonder steen ❷ niet gedekt ⟨sport⟩

unmarketable [ʌn'mɑ:kɪtəbl] *bnw* onverkoopbaar

unmarried [ʌn'mærɪd] *bnw* ongetrouwd

unmask [ʌn'mɑ:sk] *ov+onov ww* ontmaskeren

unmatched [ʌn'mætʃt] *bnw* ❶ ongeëvenaard, weergaloos ❷ niet bij elkaar passend

unmentionable [ʌn'menʃənəbl] *bnw* onbeschrijflijk, niet in woorden te vatten

unmentionables [ʌn'menʃənəblz] *zn mv* ❶ humor ondergoed ❷ geslachtsdelen

unmerciful [ʌn'mɜ:sɪfʊl] *bnw* ongenadig, onbarmhartig

unmindful [ʌn'maɪndfʊl] *bnw* onachtzaam, onattent, achteloos ★ *~ of* zonder acht te slaan op, zonder te denken aan

unmistakable [ʌnmɪ'steɪkəbl] *bnw* onmiskenbaar

unmitigated [ʌn'mɪtɪgertɪd] *bnw* onverminderd, absoluut ★ *an ~ lie* een absolute leugen

unmoved [ʌn'mu:vd] *bnw* onbewogen, onaangedaan

unnamed [ʌn'neɪmd] *bnw* niet met name genoemd, naamloos, onbekend ★ *~ sources* niet nader genoemde bronnen

un

unnatural [ʌn'nætʃərəl] bnw onnatuurlijk, geforceerd, tegennatuurlijk

unnaturally [ʌn'nætʃərəlɪ] bnw onnatuurlijk ★ not ~ vanzelfsprekend

unnecessary [ʌn'nesəsərɪ] bnw onnodig, overbodig

unnerve [ʌn'nɜ:v] ov ww zenuwachtig / bang maken ★ ~d zenuwachtig, bang

unnoticed [ʌn'nəʊtɪst] bnw onopgemerkt ★ go ~ onopgemerkt blijven

unobservant [ʌnəb'zɜ:vənt] bnw onopmerkzaam ★ be ~ of niet in acht nemen

unobserved [ʌnəb'zɜ:vd] bnw onopgemerkt, ongezien

unobserving [ʌnəb'zɜ:vɪŋ] bnw onoplettend

unobtainable [ʌnəb'teɪnəbl] bnw niet te krijgen / bereiken, onverkrijgbaar, onbereikbaar

unobtrusive [ʌnəb'truːsɪv] bnw niet opdringerig, onopvallend

unoccupied [ʌn'ɒkjʊpaɪd] bnw ❶ onbewoond, onbezet ❷ niet bezig

unofficial [ʌnə'fɪʃəl] bnw officieus, niet geautoriseerd ★ ~ strike wilde staking

unopposed [ʌnə'pəʊzd] bnw ongehinderd, zonder tegenkandidaat

unorganized, unorganised [ʌn'ɔ:gənaɪzd] bnw ongeorganiseerd, niet aangesloten bij een vakbond

unorthodox [ʌn'ɔ:θədɒks] bnw onconventioneel, ongewoon, ongebruikelijk

unpack [ʌn'pæk] ov+onov ww uitpakken

unpaid [ʌn'peɪd] bnw ❶ niet betaald, onbezoldigd ★ ~ leave onbetaald verlof ❷ ongefrankeerd

unparalleled [ʌn'pærəleld] bnw zonder weerga

unpardonable [ʌn'pɑ:dənəbl] bnw onvergeeflijk, verschrikkelijk

unparliamentary [ʌnpɑːlə'mentərɪ] bnw onparlementair

unperturbed [ʌnpə'tɜ:bd] bnw onverstoord

unpleasant [ʌn'plezənt] bnw onplezierig, onprettig, onaangenaam

unpleasantness [ʌn'plezəntnəs] zn onprettige toestand, ruzie

unpolished [ʌn'pɒlɪʃt] bnw onbeschaafd, ongepolijst

unpopular [ʌn'pɒpjʊlə] bnw impopulair

unpractical [ʌn'præktɪkl] bnw onpraktisch

unprecedented [ʌn'presɪdentɪd] bnw ❶ zonder precedent, niet eerder voorgekomen ❷ weergaloos

unpredictable [ʌnprɪ'dɪktəbl] bnw onvoorspelbaar

unprejudiced [ʌn'predʒʊdɪst] bnw onbevooroordeeld

unprepared [ʌnprɪ'peəd] bnw onvoorbereid ★ ~ for niet voorbereid op ★ come ~ onvoorbereid zijn

unpretentious [ʌnprɪ'tenʃəs] bnw bescheiden, niet aanmatigend

unprincipled [ʌn'prɪnsɪpld] bnw gewetenloos, zonder scrupules

unproductive [ʌnprə'dʌktɪv] bnw onproductief, weinig opleverend

unprofessional [ʌnprə'feʃənl] bnw niet professioneel

unprofitable [ʌn'prɒfɪtəbl] bnw onproductief, onrendabel ★ an ~ business een verliesgevende zaak

unpromising [ʌn'prɒmɪsɪŋ] bnw weinig belovend

unprompted [ʌn'prɒmptɪd] bnw spontaan, uit zichzelf

unprotected [ʌnprə'tektɪd] bnw onbeschermd ★ ~ sex onveilige seks

unprovable [ʌn'pruːvəbl] bnw niet te bewijzen

unproved [ʌn'pruːvd], unproven [ʌn'pruːvən] bnw niet bewezen

unprovided [ʌnprə'vaɪdɪd] bnw niet voorzien, niet verschaft ★ ~ with niet voorzien van ★ leave sb ~ for iem. onverzorgd / zonder middelen van bestaan achterlaten

unprovoked [ʌnprə'vəʊkt] bnw onuitgelokt, zonder uitdaging

unqualified [ʌn'kwɒlɪfaɪd] bnw ❶ onbevoegd, ongeschikt ❷ onvoorwaardelijk, volledig ★ you have my ~ support u heeft mijn onvoorwaardelijke steun

unquestionable [ʌn'kwestʃənəbl] bnw onbetwistbaar, onomstotelijk, zeker

unquestioned [ʌn'kwestʃənd] bnw onbetwistbaar ★ go ~ niet in twijfel getrokken worden

unquestioning [ʌn'kwestʃənɪŋ] bnw onvoorwaardelijk ★ ~ obedience onvoorwaardelijke gehoorzaamheid

unquiet [ʌn'kwaɪət] bnw onrustig, ongerust

unquote [ʌn'kwəʊt] tw einde citaat ★ it is quote ~ hip het is zogenaamd hip

unravel [ʌn'rævəl] I ov ww ontknopen, ontwarren, uitpluizen II onov ww ❶ uiteenvallen, mislukken ❷ rafelen

unreadable [ʌn'riːdəbl] bnw onleesbaar

unreal [ʌn'rɪəl] bnw ❶ irreëel, onwerkelijk, niet realistisch ❷ heel goed / bijzonder ★ this is ~! dit is wat!

unrealistic [ʌnrɪə'lɪstɪk] bnw onrealistisch

unreality [ʌnrɪ'ælɪtɪ] zn onwerkelijkheid

unreasonable [ʌn'riːzənəbl] bnw onredelijk, oneerlijk

unreasoning [ʌn'riːzənɪŋ] bnw irrationeel

unrecognized, unrecognised [ʌn'rekəgnaɪzd] bnw niet erkend, niet herkend, onbekend ★ go unrecognised niet (h)erkend worden

unrelated [ʌnrɪ'leɪtɪd] bnw geen verband met elkaar houdend, niet verwant

unrelenting [ʌnrɪ'lentɪŋ] bnw meedogenloos, onverbiddelijk

unreliable [ʌnrɪ'laɪəbl] bnw onbetrouwbaar

unremitting [ʌnrɪ'mɪtɪŋ] bnw aanhoudend, voortdurend

unrequited [ʌnrɪ'kwaɪtɪd] bnw onbeantwoord ⟨v. liefde⟩

unreserved [ʌnrɪ'zɜ:vd] bnw ❶ openhartig, vrijmoedig ❷ niet besproken ⟨plaats⟩

unreservedly [ʌnrɪ'zɜ:vɪdlɪ] bijw zonder voorbehoud

unresponsive [ʌnrɪ'spɒnsɪv] bnw niet reagerend, bewusteloos, koel ★ ~ to niet reagerend op

unrest [ʌn'rest] zn onrust, rusteloosheid ★ ethnic ~ etnische spanningen

unrestrained [ʌnrɪ'streɪnd] bnw ongedwongen,

un

onbeperkt

unrestricted [ʌnrɪˈstrɪktɪd] *bnw* ❶ onbeperkt, onbegrensd ❷ zonder specifieke snelheidslimiet

unrewarding [ʌnrɪˈwɔːdɪŋ] *bnw* onbevredigend, teleurstellend ★ ~ *task* ondankbare taak

unripe [ʌnˈraɪp] *bnw* onrijp

unrivalled, unrivaled [ʌnˈraɪvəld] *bnw* ongeëvenaard

unroll [ʌnˈrəʊl] *ov+onov ww* ontplooien, (zich) ontrollen

unruffled [ʌnˈrʌfəld] *bnw* onaangedaan, niet van zijn stuk gebracht

unruly [ʌnˈruːlɪ] *bnw* onstuimig, onhandelbaar, lastig

unsafe [ʌnˈseɪf] *bnw* onveilig, gevaarlijk, onbetrouwbaar ★ ~ *sex* onveilige seks

unsaid [ʌnˈsed] *bnw* onuitgesproken, verzwegen ★ *be left* ~ niet uitgesproken worden

unsanitary [ʌnˈsænɪtərɪ] *bnw* ongezond, onhygiënisch

unsatisfactory [ʌnsætɪsˈfæktərɪ] *bnw* onbevredigend

unsatisfied [ʌnˈsætɪsfaɪd] *bnw* onbevredigd, ontevreden ★ *go* ~ onbevredigd blijven

unsavoury, USA **unsavory** [ʌnˈseɪvərɪ] *bnw* onsmakelijk, onfris ★ *an* ~ *character* een onfris type

unscathed [ʌnˈskeɪðd] *bnw* ongedeerd, ongeschonden, onbeschadigd

unscientific [ʌnsaɪənˈtɪfɪk] *bnw* onwetenschappelijk

unscrew [ʌnˈskruː] *ov ww* losschroeven

unscrupulous [ʌnˈskruːpjʊləs] *bnw* gewetenloos

unseasonable [ʌnˈsiːzənəbl] *bnw* abnormaal voor het seizoen ★ *it is unseasonably cold* het is abnormaal koud voor deze tijd van het jaar

unseat [ʌnˈsiːt] *ov ww* van zetel beroven / verwijderen, doen vallen, *fig* wippen ★ ~ *a minister* een minister ten val brengen

unsecured [ʌnsɪˈkjʊəd] *bnw* ongedekt, onbeveiligd, niet vast ★ ~ *loan* ongedekte lening

unseeing [ʌnˈsiːɪŋ] *bnw ook fig* zonder (iets) te zien, blind ★ *with* ~ *eyes* met wezenloze blik

unseemly [ʌnˈsiːmlɪ] *bnw* ❶ ongelegen, ongepast ❷ lelijk

unseen [ʌnˈsiːn] **I** *zn* het onzichtbare ★ *the* ~ *de* geestenwereld **II** *bnw* ongezien, onzichtbaar ★ *sight* ~ zonder het gezien te hebben, zonder te weten wat het inhoudt

unselfish [ʌnˈselfɪʃ] *bnw* onbaatzuchtig

unserviceable [ʌnˈsɜːvɪsəbl] *bnw* onbruikbaar

unsettle [ʌnˈsetl] *ov ww* van streek brengen, verwarren

unsettled [ʌnˈsetld] *bnw* ❶ onopgelost, onbetaald ⟨rekening⟩ ❷ onzeker, in de war, onrustig ❸ onbestendig ★ ~ *weather* wisselvallig weer

unshaded [ʌnˈʃeɪdɪd] *bnw* onbeschaduwd, zonder scherm

unshakable [ʌnˈʃeɪkəbl], **unshakeable** *bnw* onwankelbaar

unshaken [ʌnˈʃeɪkən] *bnw* ❶ niet geschokt ❷ onwrikbaar

unshapely [ʌnˈʃeɪplɪ] *bnw* niet mooi gevormd, lelijk

unsightly [ʌnˈsaɪtlɪ] *bnw* lelijk, onooglijk

unskilful [ʌnˈskɪlfʊl] *bnw* onbekwaam

unskilled [ʌnˈskɪld] *bnw* ❶ onbedreven ❷ geen bedrevenheid vereisend ★ ~ *labour* ongeschoolde arbeid

unsociable [ʌnˈsəʊʃəbl] *bnw* ❶ ongezellig ❷ niet te combineren met een sociaal leven ★ *work* ~ *hours* buiten normale werktijden werken

unsocial [ʌnˈsəʊʃəl] *bnw* niet te combineren met een sociaal leven ★ *work unsociable hours* buiten normale werktijden werken

unsolicited [ʌnsəˈlɪsɪtɪd] *bnw* ongevraagd, ongewenst

unsolved *bnw* onopgelost ★ *go* ~ onopgelost blijven

unsophisticated [ʌnsəˈfɪstɪkeɪtɪd] *bnw* ❶ eenvoudig, ongekunsteld ❷ niet verfijnd, niet cultureel ontwikkeld

unsound [ʌnˈsaʊnd] *bnw* ongezond, onveilig, ondeugdelijk ★ *of* ~ *mind* krankzinnig

unsparing [ʌnˈspeərɪŋ] *bnw* meedogenloos, niets ontziend

unspeakable [ʌnˈspiːkəbl] *bnw* onbeschrijfelijk, afschuwelijk

unspecified [ʌnˈspesɪfaɪd] *bnw* niet gespecificeerd

unspoiled [ʌnˈspɔɪld], **unspoilt** [ʌnˈspɔɪlt] *bnw* onaangetast, onbeschadigd

unspoken [ʌnˈspəʊkən] *bnw* niet geuit, onuitgesproken

unstable [ʌnˈsteɪbl] *bnw* ❶ onvast, wankel, onstabiel ❷ licht ontvlambaar, labiel ★ *mentally* ~ (geestelijk) labiel ❸ scheik onstabiel

unstained [ʌnˈsteɪnd] *bnw* ❶ ongeverfd, ongebeitst ❷ onbesmet

unsteady [ʌnˈstedɪ] *bnw* onvast, onrustig, wankel, onbetrouwbaar ★ *be* ~ *on your feet* wankel ter been zijn ★ ~ *behaviour* wisselvallig gedrag

unstinting [ʌnˈstɪntɪŋ] *bnw* royaal, kwistig, onbeperkt

unstoppable [ʌnˈstɒpəbl] *bnw* onstuitbaar, niet te stoppen

unstrap [ʌnˈstræp] *ov ww* (de riemen) losgespen (van), losmaken

unstressed [ʌnˈstrest] *bnw* zonder nadruk ★ ~ *syllable* lettergreep zonder nadruk / klemtoon

unstring [ʌnˈstrɪŋ] *ov ww* ❶ ontsnaren ❷ van zijn stuk brengen ★ *be unstrung* van zijn stuk gebracht zijn

unstuck [ʌnˈstʌk] *bnw* ❶ los ★ *the tape came* ~ het plakband liet los ❷ mislukt, ontspoord ★ *the plan came* ~ het plan mislukte ★ *during the war he came* ~ tijdens de oorlog is hij ontspoord

unstudied [ʌnˈstʌdɪd] *bnw* spontaan, natuurlijk

unsubstantial [ʌnsəbˈstænʃəl] *bnw* ❶ onwerkelijk ❷ insolide, niet degelijk, slap ⟨voedsel⟩ ★ ~ *food* eten dat de maag niet vult, een slappe hap

unsubstantiated [ʌnsəbˈstænʃɪeɪtɪd] *bnw* onbevestigd, ongefundeerd ★ ~ *rumour* onbevestigd gerucht

unsuccessful [ʌnsəkˈsesfʊl] *bnw* zonder succes, niet geslaagd, zonder resultaat ★ *my attempt was* ~ mijn poging slaagde niet, mijn poging strandde

unsuitable [ʌnˈsuːtəbl] *bnw* ongeschikt, ongepast ★ ~ *for small children* niet geschikt voor kleine

un

kinderen

unsuited [ʌnˈsuːtɪd] *bnw* ongeschikt ★ ~ *to / for* niet geschikt voor

unsung [ʌnˈsʌŋ] *bnw* niet bezongen, miskend ★ *an ~ hero* een miskende held

unsure [ʌnˈʃʊə] *bnw* onzeker ★ *be ~ of yourself* onzeker zijn

unsuspected [ʌnsəˈspektɪd] *bnw* niet vermoed, onontdekt

unsuspecting [ʌnsəˈspektɪŋ] *bnw* geen kwaad vermoedend, argeloos

unswayed [ʌnˈsweɪd] *bnw* onbevooroordeeld

unswerving [ʌnˈswɜːvɪŋ] *bnw* onwankelbaar, onwrikbaar

unsympathetic [ʌnsɪmpəˈθetɪk] *bnw* geen belangstelling tonend, onaardig

untangle [ʌnˈtæŋgl] *ov ww* ontwarren, ontrafelen

untapped [ʌnˈtæpt] *bnw fig* onaangesproken, (nog) niet aangeboord

untasted [ʌnˈteɪstɪd] *bnw* niet geproefd, onaangeroerd ⟨eten⟩ ★ *the food was left ~* het eten was onaangeroerd

untaught [ʌnˈtɔːt] *bnw* niet onderwezen, onwetend

untaxed [ʌnˈtækst] *bnw* onbelast

unteachable [ʌnˈtiːtʃəbl] *bnw* hardleers

untenable [ʌnˈtenəbl] *bnw* onhoudbaar, niet te verdedigen

untenanted [ʌnˈtenəntɪd] *bnw* onbewoond, niet verhuurd

untended [ʌnˈtendɪd] *bnw* onverzorgd

unthinkable [ʌnˈθɪŋkəbl] *bnw* ondenkbaar, onwaarschijnlijk ★ *the ~* iets onwaarschijnlijks, iets verschrikkelijks

unthinking [ʌnˈθɪŋkɪŋ] *bnw* onbezonnen ★ ~ *moment* onbewaakt ogenblik

unthinkingly [ʌnˈθɪŋkɪŋlɪ] *bijw* zonder na te denken, onbezonnen

unthought [ʌnˈθɔːt] *bnw* ondenkbaar ★ ~ *of* onvermoed

untidy [ʌnˈtaɪdɪ] *bnw* slordig, onopgeruimd, rommelig

untie [ʌnˈtaɪ] *ov ww* losmaken, losknopen, bevrijden ★ ~ *sb's hands* iem. de vrije hand geven

until [ənˈtɪl] **I** *vz* tot (aan) ★ ~ *midnight* tot middernacht ★ *(up) ~ now* tot nu toe **II** *vw* tot(dat) ★ ~ *I met him, I was very restless* ik was erg onrustig totdat ik hem ontmoette ★ *not ~ three o'clock* pas om drie uur

untilled [ʌnˈtɪld] *bnw* ongecultiveerd, braakliggend

untimely [ʌnˈtaɪmlɪ] *bnw* ongelegen, niet op de juiste tijd, voortijdig ★ *an ~ death* een voortijdige dood

untiring [ʌnˈtaɪərɪŋ] *bnw* onvermoeibaar, taai

unto [ˈʌntʊ] *vz oud* tot, tot aan

untold [ʌnˈtəʊld] *bnw* **❶** talloos, onnoemelijk veel / groot **❷** (nog) niet verteld

untouchable [ʌnˈtʌtʃəbl] **I** *zn* **❶** iemand die, iets dat onaantastbaar is **❷** paria, kasteloze **II** *bnw* onaantastbaar, onovertroffen

untouched [ʌnˈtʌtʃt] *bnw* onaangeraakt, ongerept ★ *the food remained ~* het eten werd niet aangeraakt ★ ~ *countryside* ongerepte

natuur

untoward [ʌntəˈwɔːd] *bnw* ongepast, ongewenst ★ *nothing ~* niets dat niet door de beugel kan

untrained [ʌnˈtreɪnd] *bnw* ongeoefend ★ *an ~ eye* een ongeoefend oog, een leek

untrammelled [ʌnˈtræmld] *bnw* onbelemmerd, onbeperkt

untranslatable [ʌntrænsˈleɪtəbl] *bnw* onvertaalbaar

untried [ʌnˈtraɪd] *bnw* **❶** (nog) niet geprobeerd **❷** onervaren **❸** *jur* (nog) niet berecht / verhoord

untroubled [ʌnˈtrʌbld] *bnw* ongestoord, kalm, onbewogen ★ ~ *conscience* zuiver geweten

untrue [ʌnˈtruː] *bnw* **❶** onwaar **❷** ontrouw

untruth [ʌnˈtruːθ] *zn* onwaarheid

untruthful [ʌnˈtruːθfʊl] *bnw* leugenachtig

untuned [ʌnˈtjuːnd] *bnw* ongestemd, niet afgestemd

unused[1] [ʌnˈjuːst] *bnw* niet gewend ★ *be ~ to sth* iets niet gewend zijn

unused[2] [ʌnˈjuːzd] *bnw* ongebruikt

unusual [ʌnˈjuːʒʊəl] *bnw* niet gebruikelijk, ongewoon, bijzonder ★ *there is nothing ~ about him* er is niets vreemd aan hem

unusually [ʌnˈjuːʒʊəlɪ] *bijw* ongebruikelijk, ongewoon

unutterable [ʌnˈʌtərəbl] *bnw* vreselijk

unvaried [ʌnˈveərɪd] *bnw* onveranderd, eentonig, zonder afwisseling, ongevarieerd

unvarnished [ʌnˈvɑːnɪʃt] *bnw* **❶** niet gevernist, ongelakt **❷** onverbloemd ⟨waarheid⟩

unvarying [ʌnˈveərɪŋ] *bnw* zonder afwisseling, onveranderlijk

unveil [ʌnˈveɪl] **I** *ov ww* ontsluieren, onthullen ★ ~ *the truth* de waarheid onthullen ★ *the ~ing of a statue* de onthulling van een standbeeld **II** *onov ww* de sluier afdoen

unversed [ʌnˈvɜːst] *bnw form* onervaren

unvoiced [ʌnˈvɔɪst] *bnw* **❶** onuitgesproken **❷** *taalk* stemloos

unwanted [ʌnˈwɒntɪd] *bnw* niet verlangd, ongewenst, niet (meer) nodig ★ ~ *pregnancy* (geval v.) ongewenste zwangerschap ★ *an ~ child* een ongewenst / ongeliefd kind

unwarranted [ʌnˈwɒrəntɪd] *bnw* onnodig, oneerlijk

unwary [ʌnˈweərɪ] *bnw* onvoorzichtig, onoplettend

unwatered [ʌnˈwɔːtəd] *bnw* zonder water, niet besproeid, niet verdund met water

unwavering [ʌnˈweɪvərɪŋ] *bnw* onwankelbaar, standvastig

unwearable [ʌnˈweərəbl] *bnw* niet te dragen

unwearied [ʌnˈwɪərɪd] *bnw* onvermoeid

unwearying [ʌnˈwɪərɪŋ] *bnw* onvermoeibaar

unwelcome [ʌnˈwelkəm] *bnw* onwelkom, vervelend, ongewenst ★ *make sb feel ~* iem. zich niet welkom laten voelen

unwell [ʌnˈwel] *bnw* onwel ★ *I feel ~* ik voel me niet goed

unwholesome [ʌnˈhəʊlsəm] *bnw ook fig* ongezond, onaangenaam

unwieldy [ʌnˈwiːldɪ] *bnw* log, lastig te hanteren, zwaar, groot

unwilling [ʌnˈwɪlɪŋ] *bnw* met tegenzin, onwillig ★ *he was ~ to help me* hij wilde me niet helpen

un

★ *be unable or ~ to do sth* iets niet kunnen of niet willen doen ★ *~ly* tegen zijn zin

unwind [ʌn'waɪnd] [onregelmatig] **I** *ov ww* afwinden **II** *onov ww* **❶** ontspannen, kalmeren, rustig worden **❷** zich ontrollen

unwise [ʌn'waɪz] *bnw* onverstandig

unwitting [ʌn'wɪtɪŋ] *bnw* zonder het te weten, onwetend

unwittingly [ʌn'wɪtɪŋlɪ] *bijw* onopzettelijk, onbewust, zonder het te weten

unwomanly [ʌn'wʊmənlɪ] *bnw* onvrouwelijk

unwonted [ʌn'wəʊntɪd] *bnw* ongewoon, atypisch

unworkable [ʌn'wɜːkəbl] *bnw* onuitvoerbaar, niet te bewerken

unworldly [ʌn'wɜːldlɪ] *bnw* **❶** naïef **❷** onwereldlijk, niet materialistisch **❸** onwezenlijk

unworried [ʌn'wʌrɪd] *bnw* niet geplaagd, onbezorgd

unworthy [ʌn'wɜːðɪ] *bnw* onwaardig, niet passend ★ *be ~ of sth / sb* niet passen bij iets / iemand, niet goed genoeg zijn voor iets / iemand, iets / iemand niet verdienen

unwound [ʌn'waʊnd] *ww* [verl. tijd + volt. deelw.] → unwind

unwrap [ʌn'ræp] *ov ww* uitpakken, loswikkelen ★ *~ a present* een cadeautje uitpakken

unwritten [ʌn'rɪtn] *bnw* ongeschreven ★ *an ~ rule* een ongeschreven regel

unyielding [ʌn'jiːldɪŋ] *bnw* onverzettelijk, streng, hard

unzip [ʌn'zɪp] *ov ww* openritsen, losmaken ⟨v. ritssluiting⟩, ontzippen ⟨v. computerbestand⟩

up [ʌp] **I** *bijw* **❶** op, omhoog, (naar) boven, naar ★ *lift sb up* iem. optillen ★ *put your hand up* je hand opsteken ★ *stand up* opstaan ★ *sit up rechtop (gaan) zitten ★ *from 2 dollars up* vanaf 2 dollar ★ *from my birth up* van mijn geboorte af ★ *children aged 10 and up* kinderen van 10 en ouder ★ *up there* daar / daarboven ★ *up North* in / naar het noorden ★ *up in the mountains* (ergens boven) in de bergen ★ *up in the bathroom* boven in de badkamer ★ *he lives three floors up* hij woont op de derde verdieping ★ *he is high up in the company* hij heeft een hoge positie in het bedrijf ★ *go up to the city* naar de stad gaan ★ *turn up the volume* het geluid harder zetten ★ *sales are going up* de verkoopcijfers gaan omhoog ★ *up and down the country* door het hele land ★ *look sb up and down* iem. van top tot teen bekijken **❷** *~ to* aan, tot ★ *up to now* tot op heden ★ *up to then* tot op dat moment ★ *up to the ceiling* tot aan het plafond ★ *up to 10 dollars* maximaal 10 dollar ★ *I've had it up to here!* ik heb er schoon genoeg van! ★ *what are you up to?* wat ben je aan het doen?, wat doe je nu? ★ *he is up to no good* hij doet dingen die niet mogen ★ *I don't feel up to it* ik voel me er niet sterk genoeg voor ★ *she was up to all kinds of tricks* zij haalde allerlei streken uit ★ *it is not up to much* het stelt niet veel voor ★ *it doesn't come up to what I expected* het beantwoordt niet aan wat ik verwachtte ★ *he is not up to his work* hij kan z'n werk niet aan ★ *it is up to you* het is uw / jouw beslissing, zegt u / zeg jij het maar ★ *it is up to us to stop this* het komt op ons aan om dit tegen te houden ★ *look up to the sky* omhoog / naar de hemel kijken ★ *go / run up to sb* naar iem. toe gaan / rennen ★ *bring sb up to speed* iem. van de laatste stand van zaken op de hoogte brengen ★ *be up to your neck / ears / eyes in sth* tot aan je nek ergens in zitten **❸** *~ against* ★ *you will be up against much trouble* je zult tegenover veel moeilijkheden komen te staan **II** *vz* op, in ★ *up and down* op en neer ★ *up the stairs* de trap op ★ *up the road / street* verder de straat in ★ *up the hill* de heuvel op ★ *up the river* stroomopwaarts ★ *up hill and down dale* heuvel op, heuvel af, bergop, bergaf ★ *that's right up my street* dat komt mij goed uit, dat is echt iets voor mij ★ *vulg up yours!* je kan me wat!, oprotten! **III** *bnw* **❶** op, omhoog, gestegen ★ *the up escalator* de roltrap omhoog ★ *be in an up mood* een opgewekt humeur hebben ★ *unemployment figures are up* de werkeloosheid is gestegen ★ *the tide is up* het is hoog water ★ *sth is up* er is iets aan de hand ★ *what's up?* wat is er aan de hand? ★ *his blood is up* hij is razend ★ *be up* wakker, werkend, aan de gang ★ *is he up yet?* is hij al wakker? ★ *I've been up since six* ik ben al vanaf zes uur op ★ *be up and about* op de been zijn, uit de veren zijn ★ *my computer is up and running again* mijn computer werkt weer ★ *the hunt is up* de jacht is begonnen **❸** verstreken, afgelopen ★ *time is up!* de tijd is om! ★ *my contract is almost up* mijn overeenkomst loopt bijna af **❹** voor ★ *Ajax was one up at half time* Ajax stond bij rust één punt voor ★ *put yourself up for election* jezelf verkiesbaar stellen **❺** opgebroken ★ *the road is up* de weg is opgebroken **❻** thuis in ★ *he is well up in this subject* hij is goed in dit onderwerp thuis ★ *he is up on this matter* hij is op de hoogte van deze kwestie **❼** *~ for* beschikbaar, bereid ★ *are you up for it?* durf jij het aan?, wil jij het? ★ *I'm up for anything* ik vind alles goed ★ *I was up for an exam* ik moest examen doen ★ *the contract is up for renewal* het contract moet verlengd worden ★ *he was up for murder* hij stond terecht voor moord **IV** *zn* opwaartse beweging, positieve kant ★ *the ups and downs (of life)* voor- en tegenspoed (in het leven) ★ *on the up and up* aan de beterende hand, USA eerlijk, openhartig **V** *onov ww* **❶** verhogen ★ *the landlord upped the rent* de huisbaas verhoogde de huur ★ *up the ante* de inzet verhogen **❷** (plotseling) opspringen ★ *up and do sth* plotseling iets (gaan) doen

up- [ʌp] *voorv* op-, naar

up-and-coming [ʌpən'kʌmɪŋ] *bnw* veelbelovend ★ *an ~ actress* een veelbelovend actrice

upbraid [ʌp'breɪd] *ov ww* berispen, verwijten ★ *~ for / with* iem. berispen om / wegens

upbringing ['ʌpbrɪŋɪŋ] *zn* opvoeding

upcoming ['ʌpkʌmɪŋ] *bnw* aanstaande, verwacht

up-country [ʌp'kʌntrɪ] *bnw* **❶** onwetend, naïef **❷** in het binnenland ★ *~ regions* in het binnenland gelegen gebieden

update¹ ['ʌpdeɪt] *zn* **❶** meest recente informatie, laatste stand van zaken ★ *news ~* laatste nieuws

★ **give sb an ~ on** iem. bijpraten over, iem. het laatste nieuws geven over ❷ comp nieuwe versie, update

update² [ʌp'deɪt] *ov ww* ❶ bijwerken met de laatste informatie, up-to-date maken, actualiseren, moderniseren ★ ~ *sb on* iem. bijpraten over, iem. het laatste nieuws geven over ❷ comp updaten

upend [ʌp'end] *ov ww* ❶ ondersteboven zetten, omkeren ❷ sport tackelen

upfront I *bnw* ❶ vooraf, vooruit, van tevoren ★ ~ *costs* vooruit te betalen kosten ❷ recht voor z'n raap, onverbloemd, eerlijk **II** *bijw*, **up front** ❶ vooraf, vooruit, van tevoren ★ *pay* ~ vooraf betalen ❷ voorin, vooraan ❸ recht voor z'n raap, onverbloemd, eerlijk

upgrade¹ [ˈʌpɡreɪd] *zn* ❶ betere plaats ⟨bv. in vliegtuig⟩ ❷ comp verbeterde versie, upgrade

upgrade² [ʌpˈɡreɪd] *ov ww* ❶ opwaarderen, bevorderen, verbeteren (positie) ❷ comp upgraden ⟨nieuwere versie installeren⟩

upheaval [ʌpˈhiːvəl] *zn* omwenteling, opschudding, ontreddering

upheld [ʌpˈheld] *ww* [verl. tijd + volt. deelw.] → uphold

uphill¹ [ˈʌphɪl] *bnw* bergop, moeilijk ★ ~ *struggle* moeilijke strijd

uphill² [ʌpˈhɪl] *bijw* ❶ moeizaam ❷ bergopwaarts

uphold [ʌpˈhəʊld] [onregelmatig] *ov ww* ❶ bevestigen, handhaven ★ jur ~ *a decision* een uitspraak bevestigen ❷ (moreel) steunen

upholster [ʌpˈhəʊlstə] *ov ww* meubileren, stofferen ★ *an ~ed chair* een beklede stoel

upholsterer [ʌpˈhəʊlstərə] *zn* stoffeerder

upholstery [ʌpˈhəʊlstəri] *zn* ❶ stoffering, bekleding ❷ stoffeerderij

upkeep [ˈʌpkiːp] *zn* onderhoud(skosten)

upland [ˈʌplənd] *bnw* in / uit / van het hoogland

uplift¹ [ˈʌplɪft] *zn* ❶ opbeuring, beter gevoel, steun ❷ stijging

uplift² [ʌpˈlɪft] *ov ww* opvrolijken, iemand zich beter laten voelen

upmarket [ˈʌpmɑːkɪt] *bnw* exclusief, chic ★ ~ *shop* chique zaak

upon [əˈpɒn] *vz* ❶ op ★ *he fell upon his knees* hij viel op zijn knieën ★ *happen upon sth* stuiten op iets ★ *depend upon* vertrouwen op ★ *thousands upon thousands of birds* vele duizenden vogels ❷ meteen na(dat) ★ *upon entering the room, she sat down* meteen na binnenkomst in de kamer ging ze zitten ❸ vlakbij ★ *the end of year is upon us* het is bijna het eind van het jaar

upper [ˈʌpə] **I** *zn* ❶ bovengedeelte (v. schoen) ★ *he's on his ~s* hij is (bijna) blut ❷ USA inform pepmiddel, amfetamine **II** *bnw* hoger, boven(ste) ★ ~ *arm* bovenarm ★ ~ *lip* bovenlip ★ ~ *case (letter)* hoofdletter ★ ~ *limit* bovengrens ★ GB ~ *school* school voor kinderen tussen de 14 en 18 ★ *the ~ crust* de bovenlaag, de hoogste kringen ★ *the ~ echelons* de bovenlaag, het hogere management ★ *hold / have the ~ hand* de overhand voeren, een voorsprong hebben ★ *get / take / gain the ~ hand* de overhand krijgen, een voorsprong krijgen

upper-class *bnw* uit de hoogste kringen, van zeer goeden huize

uppercut [ˈʌpəkʌt] *zn* opstoot ⟨boksen⟩, uppercut

uppermost [ˈʌpəməʊst] *bnw + bijw* hoogst, boven(ste) ★ *it is ~ in my mind* het heeft voor mij de hoogste prioriteit, ik denk er voortdurend aan

uppity [ˈʌpɪti] *bnw*, USA plat verwaand, brutaal

upraise [ʌpˈreɪz] *ov ww* opheffen

upright [ˈʌpraɪt] **I** *zn* ❶ verticale balk / stut, paal ⟨v. doel⟩ ❷. piano **II** *bnw* ❶ recht, verticaal ★ GB ~ *chair* eetkamerstoel, stoel zonder armleuningen ★ *an ~ piano* een piano ⟨in tegenstelling tot een vleugel⟩ ❷ eerbaar, oprecht, eerlijk **III** *bijw* rechtop ★ *sit / stand bolt ~* plotseling rechtop gaan zitten / staan ★ *pull yourself ~* rechtop gaan staan / zitten

uprising [ˈʌpraɪzɪŋ] *zn* opstand ⟨rebellie⟩

uproar [ˈʌprɔː] *zn* ❶ rumoer, lawaai ❷ grote verontwaardiging ★ *be in ~ about* zeer verontwaardigd zijn over

uproarious [ʌpˈrɔːriəs] *bnw* lawaaierig, onstuimig ★ ~ *applause* stormachtig / tumultueus applaus

uproot [ʌpˈruːt] **I** *ov ww* ontwortelen, uit de grond trekken, van huis en haard verdrijven **II** *onov ww* verhuizen, emigreren

uprush [ˈʌprʌʃ] *zn* opwelling, stroom ★ *an ~ of joy* een opwelling van vreugde

upscale [ˈʌpskeɪl] *bnw* USA exclusief, chic

upset¹ [ˈʌpset] *zn* ❶ omslag, omkanteling ❷ schok, ontsteltenis, onaangename verrassing ★ *stomach ~* indigestie, maagklachten

upset² [ʌpˈset] **I** *bnw* van streek ★ *he is very ~* hij is erg van streek ★ *my stomach is ~* mijn maag is van streek **II** *ov ww* ❶ v. streek brengen ★ *did I ~ you?* heb ik je / u van streek gebracht? ★ *this is very ~ting* dit is erg onplezierig ★ *this meal has ~ my stomach* mijn maag is van streek door deze maaltijd ❷ in de war sturen, laten mislukken ★ *this ~s our plans* dit stuurt onze plannen in de war ❸ per ongeluk omgooien

upshot [ˈʌpʃɒt] *zn* resultaat, eind van het liedje ★ *the ~ of it is that...* het komt erop neer dat... ★ *in the ~* uiteindelijk

upside [ˈʌpsaɪd] *zn* ❶ bovenkant ★ ~ *down* ondersteboven, in de war ★ *turn sth ~ down* iets overhoop halen ★ *turn sb's life ~ down* iemands leven op zijn kop zetten / in de war gooien ❷ positieve kant ★ *the ~ is* het positieve ervan is

upstage¹ [ʌpˈsteɪdʒ] *ov ww* fig in de schaduw stellen, naar de achtergrond dringen, overschaduwen

upstage² [ʌpˈsteɪdʒ] *zn* achter op het podium

upstairs [ʌpˈsteəz] **I** *bnw* boven- ★ *the ~ bathroom* de badkamer boven **II** *zn mv* bovenverdieping ★ *we're redecorating the ~* we zijn de bovenverdieping aan het opknappen **III** *bijw* de trap op, (naar) boven ★ *go ~* de trap opgaan, naar boven gaan

upstanding [ʌpˈstændɪŋ] *bnw* oprecht, hoogstaand

upstart [ˈʌpstɑːt] **I** *zn* nieuwkomer die het beter lijkt te weten, opschepper **II** *bnw* USA jong en succesvol ★ ~ *company* jong en succesvol bedrijf

upstream [ʌpˈstriːm] *bnw* tegen de stroom op, stroomopwaarts

upsurge [ˈʌpsɜːdʒ] *zn* plotselinge toename

up

upswing ['ʌpswɪŋ] *zn* toename, opleving ★ *be on the ~* een opleving laten zien

uptake ['ʌptɛɪk] *zn* ❶ interesse, aanmelding ❷ opname, het begrijpen ★ *be quick / slow on the ~* snel / langzaam van begrip zijn

uptight [ʌp'taɪt] *bnw* ❶ snel geïrriteerd, nerveus ❷ stijfjes

up-to-date [ʌptə'deɪt] *bnw* ❶ bij(gewerkt), actueel, modern ★ *bring sb ~ with* iem. bijpraten over, iem. de laatste informatie verstrekken over ★ *keep the books ~* de boeken bijhouden

uptown [ʌp'taʊn] *bijw* naar de buitenwijken v.d. stad, weg van het centrum

upturn ['ʌptɜːn] *zn* econ opleving

upward ['ʌpwəd] **I** *bnw* stijgend **II** *bijw* opwaarts, naar boven ★ *~ of 20 pounds* meer dan 20 pond ★ *12 and ~* 12 en hoger / ouder

upwards [ʌpwədz] *bijw* opwaarts, naar boven ★ *~ of 20 pounds* meer dan 20 pond ★ *12 and ~* 12 en hoger / ouder

upwind ['ʌpwɪnd] *bnw + bijw* tegen de wind in

uranium [jʊəˈreɪnɪəm] *zn* uranium ★ *depleted ~* verarmd uranium

U-rated *bnw* geschikt voor alle leeftijden ⟨van film⟩

urban ['ɜːbən] **I** *zn* ⟨jeugdcultuur⟩ urban **II** *bnw* stedelijk, stads- ★ *~ renewal* stedelijke vernieuwing ★ *~ sprawl* uitgestrekte buitenwijken ★ *~ warrior* stadsguerrilla, activist ★ *~ myth* broodje-aapverhaal

urbane [ɜːˈbeɪn] *bnw* hoffelijk, wellevend

urbanize, urbanise ['ɜːbənaɪz] *ov ww* verstedelijken, urbaniseren

urchin ['ɜːtʃɪn] *zn* ❶ schoffie, straatkind ❷ zee-egel

urge [ɜːdʒ] **I** *zn* aandrang, verlangen ★ *feel / have an urge to do sth* aandrang voelen om iets te doen, iets willen doen **II** *ov ww* ❶ ernstig verzoeken, aandringen op, sterk aanraden, aansporen ★ *I urge you to be careful* ik raad je sterk aan voorzichtig te doen ❷ bepleiten, aandringen op ★ *he urged it on me* hij probeerde mij er van te doordringen ❸ *~ on* aanmoedigen, aansporen

urgency ['ɜːdʒənsɪ] *zn* dringende noodzaak, urgentie ★ *it's a matter of ~* er is haast bij ★ *a sense of ~* een gevoel van urgentie

urgent ['ɜːdʒənt] *bnw* dringend, spoedeisend, urgent ★ *we are in ~ need of* we hebben dringend behoefte aan

urinal [GB jʊəˈraɪnl] [USA 'jʊərɪnəl] *zn* urinoir

urinary ['jʊərɪnərɪ] *bnw* urine- ★ *~ tract infections* urineweginfecties

urinate ['jʊərɪneɪt] *onov ww* urineren

urine ['jʊərɪn] *zn* urine ★ *pass ~* urineren ★ *give a ~ sample* een plastest doen

URL *afk, comp Uniform Resource Locator* URL

urn [ɜːn] *zn* ❶ urn, vaas ❷ koffie- / theeketel

urologist [jʊəˈrɒlədʒɪst] *zn* med uroloog

Ursa ['ɜːsə] *zn* ★ *Ursa Major* Grote Beer ★ *Ursa Minor* Kleine Beer

us [ʌs] *pers vnw* ons, wij

US [juːˈes] *afk, United States* Verenigde Staten

USA [juːesˈeɪ] *afk, United States of America* Verenigde Staten van Amerika

usable ['juːzəbl] *bnw* bruikbaar

usage ['juːsɪdʒ] *zn* ❶ (taal)gebruik ★ *in common ~* algemeen gebruikt ❷ gebruik ★ *~ fee* gebruikskosten ★ *water ~* waterverbruik

USB *afk, comp Universal Serial Bus* USB

use¹ [juːs] *zn* ❶ gebruik, toepassing, verbruik ★ *make (good) use of* (goed) gebruikmaken van ★ *have the use of sth* iets kunnen gebruiken, ergens toegang toe hebben ★ *come into use* in gebruik komen ★ *put in(to) use* in gebruik nemen ★ *get / go out of use* in onbruik raken ★ *have no use for* niet kunnen gebruiken, niet kunnen waarderen ★ *she lost the use of her right arm* zij kan haar rechterarm niet meer gebruiken ❷ nut ★ *she is no use at this* zij kan hier niets van ★ *make yourself of use* maak jezelf behulpzaam, doe eens wat ★ *it has its uses* het is soms wel nuttig ★ *it's (of) no use* geen zin / nut hebben ★ *there's no use (in) talking* praten heeft geen zin ★ *what's the use of that?* wat heeft dat voor zin / nut? ★ *put sth to good use* goed gebruik maken van iets

use² [juːz] **I** *ov ww* ❶ gebruiken, gebruik maken van, benutten ★ *you used me!* je hebt me gebruikt! ★ *I could use a drink* ik kan een drankje wel gebruiken ★ *use your head* je verstand gebruiken ★ *use drugs* drugs gebruiken ★ *use sth as an excuse* iets als excuus gebruiken ❷ *~ up* opmaken, gebruiken ★ *he used up all the hot water* hij heeft al het warme water gebruikt **II** *hww* ★ *he used to live in A.* vroeger woonde hij in A. ★ *she used to* ze had de gewoonte om ★ *he used not to do it* vroeger deed hij het niet ★ *he didn't use to do it* vroeger deed hij het niet

use-by date ['juːz-baɪ deɪt] *zn* uiterste houdbaarheidsdatum

used [juːzd] *bnw* tweedehands, gebruikt

useful ['juːsfʊl] *bnw* nuttig, bruikbaar, handig ★ *that comes in ~* dat komt goed van pas ★ *prove ~* van pas komen ★ *~ at* handig met, goed in ★ *make yourself ~* helpen, je verdienstelijk maken ★ *inform make yourself ~!* doe ook eens wat! ★ *my radio is at the end of its ~* life mijn radio is aan het eind van zijn leven

useless ['juːsləs] *bnw* ❶ nutteloos, onnuttig ★ *prove ~* nutteloos blijken ★ *it's ~* het heeft geen zin ★ *worse than ~* irritant vervelend ❷ *inform* niet goed, slecht ★ *be ~ at* slecht zijn in ★ *he's ~ with computers* hij snapt niets van computers

user ['juːzə] *zn* gebruiker ★ *road user* weggebruiker ★ *drug user* druggebruiker ★ *user guide* gebruiksvoorschrift(en) ★ *comp user interface* (gebruikers)interface ★ *comp user group / base* gebruikers(groep)

user-friendly *bnw* gebruiksvriendelijk

user name *zn* comp gebruiksnaam

usher ['ʌʃə] **I** *zn* zaalwachter, plaatsaanwijzer, ouvreuse, bode **II** *ov ww* ❶ binnenleiden ❷ *~ in* inleiden, het begin zijn van

usherette [ʌʃəˈret] *zn* plaatsaanwijsster, ouvreuse

USS [juːesˈes] *afk, United States Ship* schip uit de VS

usual ['juːʒʊəl] **I** *zn* het gebruikelijke ★ *the ~, sir?* uw vaste drankje, meneer? **II** *bnw* gewoon, gebruikelijk, normaal ★ *more than ~* meer dan normaal ★ *it's ~ practice to* het is gebruikelijk om ★ <u>iron</u> *as per ~* (zo)als gewoonlijk ★ *as ~* (zo)als gewoonlijk ★ *he's not his ~ self* hij is zichzelf niet

usually ['juːʒʊəlɪ] *bijw* gewoonlijk, meestal

usurer ['juːʒərə] *zn* woekeraar, iemand die geld uitleent tegen rente

usurious [jʊˈʒʊərɪəs] *bnw* woekerachtig ★ *~ interest rate* woekerrente

usurp [jʊˈzɜːp] *ov ww* onrechtmatig in bezit nemen

usury ['juːʒərɪ] *zn* het in rekening brengen van woekerrente

UT *afk, Utah* staat in de VS

utensil [juːˈtensəl] *zn* gebruiksvoorwerp, werktuig ★ *cooking ~s* keukengerei

uterine ['juːtəraɪn] *bnw* baarmoeder- ★ *intra-~ device* spiraaltje ‹voorbehoedmiddel›

uterus ['juːtərəs] *zn* baarmoeder

utilise *ww* GB → **utilize**

utilitarian [juːtɪlɪˈteərɪən] *bnw* nuttigheids-, utilitair, nut beogend

utilitarianism [juːtɪlɪˈteərɪənɪzəm] *zn* utilisme, nuttigheidsleer

utility [juːˈtɪlətɪ] *zn* ① (openbare) voorziening ★ *public / private utilities* openbare / private nutsbedrijven ② nut ★ *utilities* gebruiksvoorwerpen

utility bill *zn* gas-, water-, elektrarekening

utility company *zn* nutsbedrijf

utility program *zn* comp hulpprogramma

utility room *zn* bijkeuken, wasmachineruimte

utility vehicle *zn* pick-up, open bestelwagen

utilize ['juːtɪlaɪz] *ov ww* gebruik maken van, benutten

utmost ['ʌtməʊst] I *zn* het meeste, het beste ★ *make the ~ of sth* het beste uit iets halen ★ *do one's ~* zijn uiterste best doen ★ *at the ~* op z'n hoogst II *bnw* hoogste, uiterste, verste

Utopia [juːˈtəʊpɪə] *zn* utopie, Utopia

utopian [juːˈtəʊpɪən] *bnw* utopisch, utopistisch

utter ['ʌtə] I *bnw* volkomen, totaal, volslagen ★ *complete and ~ nonsense* volledige onzin II *ov ww* zeggen, geluid maken, uiten, uiting geven aan ★ *without ~ing a word* zonder een woord te zeggen

utterance ['ʌtərəns] *zn* uiting, uitspraak ★ *give ~ to sth* iets uitspreken

utterly ['ʌtəlɪ] *bijw* totaal, volkomen

uttermost ['ʌtəməʊst] *bnw* verste, hoogste, uiterste

U-turn ['juːtɜːn] *zn* ① U-bocht ★ *do a ~* keren ★ *no ~* verboden te keren ② zwaai van 180 graden, totale ommezwaai

uvula ['juːvjʊlə] *zn* huig

uvular ['juːvjʊlə] *bnw* huig- ★ *~ fricative* harde g-klank

V

v [viː] I *zn, letter* v ★ *V as in Victory* de v van Victor II *afk* ① *versus* tegen ② *very* zeer ③ *vide (see)* zie ④ *volt(age)* volt

VA *afk, Virginia* staat in de VS

vac [væk] *afk* ① *vacation* vakantie ② *vacuum cleaner* stofzuiger

vacancy ['veɪkənsɪ] *zn* ① lege plaats / kamer ‹bv. in pension› ★ *vacancies* kamer(s) vrij ② vacature ★ *currently no vacancies* momenteel geen vacatures ③ leegte, ledigheid, wezenloosheid ★ *stare into ~* in de leegte / ruimte staren

vacant ['veɪkənt] *bnw* ① onbezet, leeg(staand), openstaand ★ *the offices are still ~* de kantoren staan nog steeds leeg ② leeg, wezenloos ★ *a ~ look* een wezenloze blik ③ nietszeggend ④ vacant

vacate [vəˈkeɪt] *ov ww* ① ontruimen ‹van huis› ② neerleggen ‹van ambt›, afstand doen van ‹troon› ③ annuleren ‹van contract›

vacation [vəˈkeɪʃən] *zn* ① USA vakantie ★ *paid ~* betaald verlof ② ontruiming ③ annulering ‹van contract›

vaccinate ['væksɪneɪt] *ov ww* vaccineren, inenten

vaccination [væksɪˈneɪʃən] *zn* vaccinatie, inenting

vaccine ['væksiːn] *zn* vaccin, entstof

vacillate ['væsɪleɪt] *onov ww* ① aarzelen ② schommelen ★ *his temperature ~s* zijn temperatuur schommelt

vacillation [væsɪˈleɪʃən] *zn* ① schommeling ② aarzeling

vacillator ['væsɪleɪtə] *zn* weifelaar

vacua *zn mv* → **vacuum**

vacuity [væˈkjuːətɪ] *zn* (lucht)ledige ruimte, wezenloosheid, dwaasheid ★ *their conversation was full of vacuities* hun gesprek zat vol dwaasheden

vacuous ['vækjʊəs] *bnw* ① (lucht)ledig ② leeghoofdig, wezenloos, dom

vacuum ['vækjʊəm] I *zn* ① [mv: -s & vacua] (lucht)ledige ruimte ★ *~ bottle* thermosfles ② [mv: -s] stofzuigers ★ *~ cleaner* stofzuiger II *ov ww* inform stofzuigen

vagabond ['vægəbɒnd] I *zn* vagebond, zwerver II *bnw* zwervend

vagary ['veɪgərɪ] *zn* gril, kuur ★ *the vagaries of the weather* de grilligheden van het weer

vagina [vəˈdʒaɪnə] *zn* ① vagina, schede ② plantk (blad)schede

vaginal [vəˈdʒaɪnl] *bnw* ① vagina-, vaginaal ② plantk schedeachtig

vagrancy ['veɪgrənsɪ] *zn* ① zwervend leven, landloperij ② afdwaling ‹figuurlijk›

vagrant ['veɪgrənt] I *zn* zwerver, vagebond II *bnw* zwervend, afdwalend

vague [veɪg] *bnw* vaag, onbestemd, onbepaald

vain [veɪn] *bnw* ① ijdel, prat (op) ★ *take a person's name in vain* iemands naam ijdel gebruiken ② vergeefs, nutteloos ★ *in vain* tevergeefs

vainglorious [veɪnˈglɔːrɪəs] *bnw* ijdel, verwaand, grootsprakig

vainglory [veɪnˈglɔːrɪ] *zn* grootspraak,

verwaandheid

vainly ['veɪnlɪ] *bijw* tevergeefs

vale [veɪl] *zn* form dal ★ *this vale of tears* dit tranendal

valediction [vælɪ'dɪkʃən] *zn* form vaarwel, afscheid ★ *the pope gave his ~ and left* de paus gaf zijn afscheidsgroet en vertrok

valentine ['væləntaɪn] *zn* ❶ Valentijnslief(je) ❷ Valentijnskaart ★ *Valentine's Day* Valentijnsdag ‹14 februari›

valet ['vælɪt] **I** *zn* bediende ★ *~ parking* het door medewerkers van een hotel parkeren van auto's van gasten **II** *onov ww* bediende zijn **III** *ov ww* auto schoonmaken

valiant ['væljənt] *bnw* dapper, moedig

valid ['vælɪd] *bnw* ❶ valide, geldig ❷ gefundeerd, deugdelijk ★ *~ criticism* gefundeerde kritiek

validate ['vælɪdeɪt] *ov ww* ❶ geldig verklaren ★ *~ a passport* een paspoort geldig verklaren ❷ bekrachtigen, bevestigen

validation [vælɪ'deɪʃən] *zn* bevestiging

validity [və'lɪdətɪ] *zn* ❶ geldigheid ❷ validiteit, deugdelijkheid

valise [və'liːz] *zn* ❶ valies ❷ mil ransel

valley ['vælɪ] *zn* dal, vallei

valorous ['vælərəs] *bnw* moedig

valour ['vælə] *zn* moed, dapperheid

valuable ['væljʊbl] *bnw* ❶ erg waardevol, kostbaar, van grote waarde ❷ te schatten

valuables ['væljʊblz] *zn mv* waardevolle bezittingen, kostbaarheden

valuation [vælju'eɪʃən] *zn* schatting, taxatie ★ *at a ~* tegen taxatieprijs ★ *put a ~ on* waarderen, aanslaan

value ['væljuː] **I** *zn* ❶ waarde ★ *~ in exchange* ruilwaarde ★ *you get ~ for your money* je krijgt waar voor je geld ❷ prijs ★ *~ today* valuta per heden ★ *to the ~ of £10* ter waarde van £10 ★ *marketable ~* marktwaarde ★ *appraised ~* taxatiewaarde **II** *ov ww* ❶ waarderen, achten ★ *he ~s himself on it* gaat er prat op ❷ schatten, taxeren

value judgement *zn* waardeoordeel

valueless ['væljʊləs] *bnw* waardeloos

valuer ['væljʊə] *zn* taxateur

valve [vælv] *zn* klep, ventiel, buis ★ *~connection* ventielslangetje

vamp [væmp] **I** *zn* inform vamp, fatale vrouw, verleidster **II** *ov ww* ❶ oplappen ❷ muz improviseren ❸ verleiden ❹ *~ up* in elkaar flansen, improviseren, oplappen, inpalmen

vampire ['væmpaɪə] *zn* ❶ vampier ★ *biol ~ bat* soort vleermuis ❷ uitzuiger ‹figuurlijk›

vampiric [væm'pɪrɪk] *bnw* vampierachtig

van [væn] *zn* ❶ (bestel- / vracht)wagen, USA minibus ★ *removal van* verhuiswagen ❷ voorhoede ❸ pioniers ‹figuurlijk›

vandal ['vændl] **I** *zn* vandaal **II** *bnw* vandalistisch

vandalism ['vændəlɪzəm] *zn* vandalisme

vandalize, vandalise ['vændəlaɪz] *ov ww* vernielen

vane [veɪn] *zn* ❶ weerhaan ❷ wimpel, vaan ❸ wiek ‹van molen› ❹ schoep ‹van schroef› ❺ vizier ‹landmetersinstrument›

vanguard ['vænɡɑːd] *zn* voorhoede

vanilla [və'nɪlə] *zn* vanille

vanish ['vænɪʃ] *onov ww* verdwijnen ★ *~ into smoke* in rook opgaan ★ *~ into thin air* in het niets verdwijnen ★ *~ing point* verdwijnpunt

vanity ['vænətɪ] *zn* ❶ ijdelheid ❷ zinloosheid, futiliteit ❸ USA toilettafel

vanity bag, vanity case *zn* toilettas, beautycase

Vanity Fair *zn* letterk Kermis der IJdelheid

vanity plate *zn* USA nummerplaat ‹met zelfgekozen letter- / cijfercombinatie›

vanity unit *zn* ingebouwde wastafel

vanquish ['væŋkwɪʃ] *ov ww* overwinnen, bedwingen

vanquisher ['væŋkwɪʃə] *zn* overwinnaar

vantage point ['vɑːntɪdʒ pɔɪnt] *zn* ook fig uitkijkpunt

vapor *zn* → vapour

vaporization, vaporisation [veɪpərar'zeɪʃən] *zn* verdamping

vaporize, vaporise ['veɪpəraɪz] **I** *ov ww* ❶ vaporiseren, verstuiven ❷ doen verdampen ❸ besproeien **II** *onov ww* verdampen

vaporizer, vaporiser ['veɪpəraɪzər] *zn* verstuiver

vaporous ['veɪpərəs] *bnw* ❶ dampig, damp- ❷ fig opgeblazen, vaag

vapour ['veɪpə] **I** *zn* damp, nevel, wasem **II** *ov ww* doen verdampen **III** *onov ww* ❶ verdampen ❷ uitwasemen ❸ grootsprakig zijn, opscheppen

vapour trail *zn* condensatiestreep ‹v. vliegtuig›

variability [veərɪə'bɪlətɪ] *zn* het veranderlijk zijn

variable ['veərɪəbl] **I** *zn* wisk variabele **II** *bnw* variabel, veranderlijk, ongelijk

variables ['veərɪəblz] *zn mv* veranderlijke winden

variance ['veərɪəns] *zn* onenigheid, verschil, tegenspraak ‹in verklaring› ★ *they are at ~* ze zijn het niet eens ★ *at ~ with* in strijd met ★ *set at ~* tegen elkaar opzetten

variant ['veərɪənt] **I** *zn* variant **II** *bnw* ❶ afwijkend ❷ veranderlijk

variation [veərɪ'eɪʃən] *zn* ❶ variatie, afwijking ★ *an annual ~ of three degrees* een afwijking van drie graden per jaar ❷ variëteit, verscheidenheid ★ *a variety of plants* allerlei soorten planten ❸ verandering, afwisseling ★ *little ~ in a diet* weinig afwisseling in een dieet

varicella [værɪ'selə] *zn* waterpokken

varicose ['værɪkəʊs] *bnw* spatader- ★ *~ veins* spataderen

varied ['veərɪd] *bnw* gevarieerd, bont ‹van kleur›

variegated ['veərɪəɡeɪtɪd] *bnw* ❶ bont ‹van kleur› ❷ afwisselend, afgewisseld

variegation [veərɪə'ɡeɪʃən] *zn* (kleur)schakering, verscheidenheid ‹in kleur›

variety [və'raɪətɪ] *zn* ❶ variatie, verscheidenheid ★ *a ~ of reasons* tal van redenen ❷ verandering, afwisseling ★ *~ is the spice of life* verandering van spijs doet eten ❸ soort, variëteit ★ *a new ~* een nieuw soort ❹ variété ‹theater›

variety store, variety shop *zn* USA bazaar

variform ['veərɪfɔːm] *bnw* met verschillende vormen, veelvormig

various ['veərɪəs] *bnw* ❶ verschillend, verscheiden ❷ afwisselend

varnish ['vɑːnɪʃ] **I** *zn* ❶ vernis, glazuur ❷ vernisje ‹figuurlijk›, schijn **II** *ov ww* ❶ opsmukken, verbloemen ❷ vernissen

varsity ['vɑːsətɪ] USA zn ❶ universiteit
❷ universiteitsteam ⟨voet-, basketbal⟩ ★ ~ match
roeiwedstrijd tussen Oxford en Cambridge
vary ['veərɪ] I ov ww ❶ variëren, veranderen
❷ muz variaties maken op II onov ww afwijken,
verschillen ★ vary inversely as omgekeerd
evenredig zijn met
vascular ['væskjʊlə] bnw vaat-, vasculair ★ ~
system vaatstelsel
vase [vɑːz] zn vaas
vasectomy [və'sektəmɪ] zn vasectomie,
sterilisatie
vaseline ['væsəliːn] zn vaseline
vassal ['væsəl] I zn ❶ vazal ❷ fig slaaf II bnw
slaafs
vast [vɑːst] bnw onmetelijk, reusachtig,
veelomvattend ★ a vast desert een onmetelijke
woestijn
vat [væt] I zn vat, kuip II ov ww in vat doen,
kuipen
VAT [viː eɪ tiː, væt] afk, Value Added Tax btw,
belasting toegevoegde waarde
Vatican ['vætɪkən] I zn Vaticaan II bnw Vaticaans
vault [vɔːlt] I zn ❶ wijnkelder, gewelf, grafkelder
❷ kluis ⟨bank⟩ ❸ sprong II ov ww ❶ springen
⟨steunend op handen of stok⟩ ❷ overwelven
vaulted ['vɔːltɪd] bnw gewelfd
vaulter ['vɔːltə] zn springer
vaulting ['vɔːltɪŋ] zn gewelf
vaunt [vɔːnt] ov ww ⟨overdadig⟩ roemen
vaunter ['vɔːntə] zn snoever
VC afk ❶ Viet Cong Vietcong ❷ Vice Chairman
vicevoorzitter ❸ Vice Chancellor vicekanselier
⟨i.h.b. universiteitsfunctionaris⟩ ❹ Victoria Cross
Victoriakruis
VCR [viːsiː'ɑːr] afk, video cassette recorder
videorecorder
VD afk, venereal disease geslachtsziekte
've [v] ww → have
veal [viːl] zn kalfsvlees
vector ['vektə] zn ❶ wisk vector ❷ bacillendrager
vedette [vɪ'det] zn ❶ vedette, beroemd persoon
❷ ruiterwacht
veer [vɪə] I zn wending, draai II ov ww ❶ doen
draaien, wenden ⟨van schip⟩ ❷ ~ away/out
vieren ⟨van kabel⟩ III onov ww ❶ van koers
veranderen ❷ omslaan ⟨van wind⟩ ❸ draaien
❹ ~ away verlaten, afbuigen ❺ ~ round
⟨bij⟩draaien
veg [vedʒ] inform zn ❶ → vegetable ❷ →
vegetarian ★ meat and two veg meal maaltijd
van vlees met aardappelen en groente
vegan ['viːɡən] I zn veganist II bnw veganistisch
vegetable ['vedʒɪtəbl] I zn ❶ plant ❷ groente
★ ~s groenten ⟨ook aardappelen⟩ II bnw
plantaardig, planten- ★ ~ earth / mould
teelaarde ★ ~ garden moestuin ★ ~ kingdom
plantenrijk
vegetable oil zn plantaardige olie
vegetarian [vedʒə'teərɪən] I zn vegetariër II bnw
vegetarisch
vegetarianism [vedʒə'teərɪənɪzəm] zn
vegetarisme
vegetate ['vedʒɪteɪt] onov ww ❶ groeien ⟨als
plant⟩ ❷ vegeteren ⟨figuurlijk⟩
vegetation [vedʒɪ'teɪʃən] zn ❶ vegetatie, het

vegeteren ❷ plantenleven, plantengroei
vegetative ['vedʒɪtətɪv] bnw ❶ vegetatief,
vegeterend ❷ planten-, plantaardig ❸ groei-
❹ med onwillekeurig
veggie ['vedʒiː] I zn vegetariër II bnw vegetarisch
★ ~ burger vegetarische burger
vehemence ['viːəmans] zn onstuimigheid,
vurigheid, heftigheid
vehement ['viːəmənt] bnw ❶ onstuimig, vurig
❷ heftig, hevig
vehicle ['viːɪkl] zn ❶ voertuig ❷ drager, medium,
vehikel, geleider
vehicular [vɪ'hɪkjʊlə] bnw voertuig- ★ ~ traffic
verkeer van rij- en voertuigen
veil [veɪl] I zn ❶ sluier, voile ★ beyond the veil na
dit leven ★ she took the veil ze werd non ❷ rel
gordijn, voorhang ❸ dekmantel ⟨figuurlijk⟩
★ they drew a veil over it ze deden er het
zwijgen toe II ov ww ❶ sluieren ❷ bedekken
⟨figuurlijk⟩, vermommen
vein [veɪn] I zn ❶ ader ❷ nerf ❸ fig stemming,
geest ★ be in a talkative vein op z'n praatstoel
zitten ❹ vleugje ★ there is a wilful vein in her ze
heeft iets eigenwijs over zich II ov ww
marmeren, aderen
velcro® ['velkrəʊ] zn (nylon) klittenband,
klittenbandsluiting
veld [velt] zn open vlakte
vellum ['veləm] zn ❶ perkament ❷ manuscript
op perkament
velocity [vɪ'lɒsətɪ] zn snelheid
velodrome ['velədrəʊm] zn wielerbaan
velvet ['velvɪt] I zn ❶ fluweel ★ be on ~ op fluweel
zitten ❷ zachte huid om groeiend gewei ⟨bij
een hert⟩ II bnw fluwelen
velveteen [velvə'tiːn] zn katoenfluweel
velvety ['velvətɪ] bnw fluweelachtig
venal ['viːnl] bnw omkoopbaar
venality [viː'nælətɪ] zn omkoopbaarheid
vend [vend] ov ww verkopen, venten
vendetta [ven'detə] zn bloedwraak
vending machine ['vendɪŋmə'ʃiːn] zn automaat
vendor, vender ['vendə] zn ❶ verkoper
❷ verkoopautomaat ★ petrol ~ benzinepomp
veneer [vɪ'nɪə] I zn ❶ fineer(bladen), fineerhout
❷ vernisje ⟨figuurlijk⟩ II ov ww ❶ fineren ❷ met
'n vernisje bedekken ⟨figuurlijk⟩
venerable ['venərəbl] bnw ❶ eerbiedwaardig
❷ oud hoogeerwaarde ⟨in anglicaanse kerk⟩
venerate ['venəreɪt] ov ww vereren
veneration [venə'reɪʃən] zn verering
venereal [vɪ'nɪərəl] bnw venerisch, geslachts-
Venetian [vɪ'niːʃən] I zn Venetiaan(se) II bnw
Venetiaans ★ ~ blind jaloezie, zonnescherm
vengeance ['vendʒəns] zn wraak ★ with a ~! van
jewelste!, in het kwadraat, en hoe! ★ take ~ on /
upon wraak nemen op
vengeful ['vendʒfʊl] bnw wraakzuchtig
venial ['viːnɪəl] bnw vergeeflijk ★ ~ sin dagelijkse
zonde
veniality [viːnɪ'ælətɪ] zn vergeeflijkheid
Venice ['venɪs] I zn Venetië II bnw Venetiaans
venison ['venɪsən] zn reebout, wildbraad
venom ['venəm] zn vergif, venijn
venomous ['venəməs] bnw (ver)giftig, venijnig
vent [vent] I zn ❶ opening, luchtgat, uitlaat ★ air

ve

vent ventilatierooster ❷ schoorsteenkanaal ❸ uitweg, opening ★ *he gave vent to his indignation* hij gaf lucht aan / uitte z'n verontwaardiging ❹ luchtgat ❺ vingergaatje ⟨van instrument⟩ ❻ split ⟨in jas⟩ **II** *ov ww* ❶ gat boren ⟨in vat⟩ ❷ lucht geven aan, uiten ★ *vent itself* een uitweg vinden

ventilate ['ventɪleɪt] *ov ww* ❶ ventileren, luchten ❷ *fig* kenbaar maken ❸ luchten ⟨van grieven⟩

ventilation [ventɪ'leɪʃən] *zn* ventilatie

ventilator ['ventɪleɪtə] *zn* ventilator

ventricle ['ventrɪkl] *zn* ❶ ventrikel, (lichaams- / orgaan-)holte ❷ hartkamer

ventriloquism [ven'trɪləkwɪzəm] *zn* het buikspreken

ventriloquist [ven'trɪləkwɪst] *zn* buikspreker

ventriloquy [ven'trɪləkwɪ] *zn* het buikspreken

venture ['ventʃə] **I** *zn* ⟨riskante⟩ onderneming, risico, speculatie ★ *joint ~* gezamenlijke onderneming **II** *ov ww* riskeren, wagen, op het spel zetten ★ *nothing ~d, nothing gained* wie niet waagt, die niet wint **III** *onov ww* ~ **out** zich buiten wagen

venture capital *zn* risicodragend kapitaal

venturer ['ventʃərə] *zn* waaghals, avonturier

venturesome ['ventʃəsəm] *bnw* riskant, (stout)moedig, avontuurlijk, gedurfd ★ *~ undertaking* gewaagde onderneming

venue ['venjuː] *zn* plaats van bijeenkomst, locatie ★ *the main ~ for live performances* de zaal / locatie bij uitstek voor live optredens

veracious [və'reɪʃəs] *bnw* waarheidlievend, waar

veracity [və'ræsətɪ] *zn* waarheid(sliefde), geloofwaardigheid

veranda, verandah [və'rændə] *zn* veranda

verb [vɜːb] *zn* werkwoord

verbal ['vɜːbl] *bnw* ❶ verbaal, mondeling ❷ woord(en)-, letterlijk ❸ werkwoordelijk ★ *~ criticism* tekstkritiek

verbalize, verbalise ['vɜːbəlaɪz] *ov ww* verwoorden

verbatim [vɜː'beɪtɪm] *bnw* woordelijk

verbose [vɜː'bəʊs] *bnw* breedsprakig, woordenrijk

verbosity [vɜː'bɒsətɪ] *zn* breedsprakigheid

verdict ['vɜːdɪkt] *zn* ❶ uitspraak ⟨van rechter⟩ ❷ oordeel, beslissing ★ *deliver / return a ~* uitspraak doen

verdigris ['vɜːdɪgrɪs] *bnw* kopergroen

verdure ['vɜːdʒə] *zn* groen, gebladerte

verge [vɜːdʒ] **I** *zn* ❶ rand, grens ★ *she was on the ~ of fainting* ze viel bijna flauw ❷ berm, grasrand ★ *the car landed on the ~* de auto belandde in de berm **II** *onov ww* ~ **on** grenzen aan ★ *fear verging on panic* angst, paniek bijna

verger ['vɜːdʒə] *zn* koster

verifiable ['verɪfaɪəbl] *bnw* verifieerbaar

verification [verɪfɪ'keɪʃən] *zn* verificatie, bekrachtiging

verifier ['verɪfaɪə] *zn* verificateur ⟨iemand die echtheid controleert⟩

verify ['verɪfaɪ] *ov ww* ❶ verifiëren, de juistheid van iets controleren ❷ bewijzen, bevestigen

verisimilitude [verɪsɪ'mɪlɪtjuːd] *zn* ❶ waarschijnlijkheid ❷ schijnwaarheid

veritable ['verɪtəbl] *bnw* echt, waar

verity ['verətɪ] *zn* waarheid

vermilion [və'mɪljən] **I** *zn* vermiljoen **II** *bnw* vermiljoen

vermin ['vɜːmɪn] *zn* ❶ schadelijke dieren, ongedierte ❷ schoelje

vernacular [və'nækjʊlə] **I** *zn* ❶ landstaal, spreektaal ❷ vaktaal **II** *bnw* ❶ inheems ❷ moedertaal-, dialect-

vernal ['vɜːnl] *bnw* lente-, voorjaars-

verruca [və'ruːkə] *zn* wrat

versatile ['vɜːsətaɪl] *bnw* ❶ veelzijdig (ontwikkeld) ❷ op veel manieren te gebruiken ⟨van apparaat⟩ ❸ flexibel ⟨van geest⟩

versatility [vɜːsə'tɪlətɪ] *zn* ❶ veelzijdigheid ❷ veranderlijkheid

verse [vɜːs] *zn* ❶ letterk vers, versregel ★ *letterk blank ~* blank / rijmloos verse ❷ poëzie ❸ muz couplet

versed [vɜːst] *bnw* ervaren, bedreven ★ *be well ~ in* zeer bedreven zijn in

versification [vɜːsɪfɪ'keɪʃən] *zn* verskunst, versbouw

versifier ['vɜːsɪfaɪə] *zn* verzenmaker, rijmelaar

versify ['vɜːsɪfaɪ] *onov ww* verzen maken

version ['vɜːʃən] *zn* ❶ versie, bewerking ❷ vertaling

verso ['vɜːsəʊ] *zn* ❶ ommezijde in boek ❷ keerzijde ⟨van penning⟩

versus ['vɜːsəs] *vz* contra

vertebra ['vɜːtɪbrə] *zn* wervel ★ *~e* [mv] wervelkolom

vertebrae ['vɜːtɪbreɪ] *zn mv* → **vertebra**

vertebral ['vɜːtɪbrəl] *bnw* ❶ wervel- ❷ gewerveld, vertebraal

vertebrate ['vɜːtɪbrət] **I** *zn* biol gewerveld dier, vertebraat **II** *bnw* ❶ gewerveld ❷ met ruggengraat ⟨figuurlijk⟩

vertex ['vɜːteks] *zn* [mv: **vertices**] ❶ (top)punt, kruin ❷ hoekpunt

vertical ['vɜːtɪkl] **I** *zn* ❶ loodlijn ❷ verticaal vlak **II** *bnw* verticaal, loodrecht ★ *~ angle* overstaande hoek, tophoek

vertices ['vɜːtɪsiːz] *zn mv* → **vertex**

vertiginous [və'tɪdʒɪnəs] *bnw* duizelingwekkend

vertigo ['vɜːtɪgəʊ] *zn* duizeling ⟨vooral door hoogtevrees veroorzaakt⟩

verve [vɜːv] *zn* geestdrift, vuur

very ['verɪ] **I** *bnw* ❶ waar, echt ★ *they were her very words* dat was letterlijk wat ze zei ❷ juist, precies ★ *in this very room* in deze (zelfde) kamer ★ *he snatched it from under my very eyes* hij griste het vlak onder m'n ogen weg ★ *you are the very man I want* je bent juist de man die ik hebben moet ★ *he is the very picture of his mother* hij is precies z'n moeder ❸ enkel, alleen al ★ *the very fact that you lie...* het feit dat je liegt alleen al... ★ *his very pupils say this* z'n eigen leerlingen zeggen het ★ *it's the very minimum you can do* het is het allerminste wat je kunt doen **II** *bijw* ❶ aller- ❷ zeer, heel ★ *they did their very best* ze deden hun uiterste best ★ *I was very pleased* ik vond het buitengewoon aardig ★ *the very last drop* de allerlaatste druppel

vesicle ['vesɪkl] *zn* blaar, blaasje

vesper ['vespə] *zn* ❶ vesper ❷ oud avond ★ *Vesper*

ve

Avondster

vessel ['vesəl] *zn* ❶ vat, bloedvat ❷ vaartuig, schip

vest [vest] **I** *zn* ❶ USA vest ★ *a bullet-proof vest* een kogelvrij vest ❷ GB (onder)hemd **II** *ov ww* ❶ bekleden ⟨met macht⟩ ★ *he was vested with power* hij was bekleed met macht ❷ begiftigen ★ *be vested in* berusten bij ⟨van bevoegdheid, macht⟩ ★ *vested rights* onvervreemdbare rechten

vestibule ['vestɪbjuːl] *zn* ❶ vestibule, portaal ⟨van kerk⟩ ❷ voorhof ⟨ook van oor⟩

vestige ['vestɪdʒ] *zn* spoor, overblijfsel

vestment ['vestmənt] *zn* (ambts)gewaad, priestergewaad

vest-pocket *bnw* ❶ USA in zakformaat ❷ miniatuur

vestry ['vestrɪ] *zn* sacristie, consistoriekamer

vet [vet] **I** *zn* ❶ → veterinarian ❷ → veteran **II** *ov ww* behandelen, grondig onderzoeken ★ *people working with children are vetted* mensen die met kinderen werken, worden gescreend

vetch [vetʃ] *zn* wikke

veteran ['vetərən] **I** *zn* ❶ veteraan ❷ oud-militair ★ *~ car* antieke auto **II** *bnw* ❶ oud, ervaren ❷ vergrijsd in de dienst

veterinarian [vetərɪ'neərɪən] *zn* USA dierenarts, veearts

veterinary ['vetərɪnərɪ] *bnw* veterinair, diergeneeskundig ★ GB *~ surgeon* dierenarts

veto ['viːtəʊ] **I** *zn* veto, verbod **II** *ov ww* verbieden ★ *they have the right to veto* ze hebben het recht om het te verwerpen

vex [veks] *ov ww* plagen, ergeren, hinderen ★ *he was vexed at it* hij ergerde zich erover ★ *a vexed question* veel besproken kwestie

vexation [vek'seɪʃən] *zn* plagerij, kwelling, ergernis

vexatious [vek'seɪʃəs] *bnw* hinderlijk, ergerlijk, verdrietig

vexing ['veksɪŋ] *bnw* plagend, vervelend, ergerlijk

VHF *afk, Very High Frequency* FM

via [vaɪə] *vz* via

viability [vaɪə'bɪlətɪ] *zn* ❶ levensvatbaarheid ❷ uitvoerbaarheid ⟨financieel⟩

viable ['vaɪəbl] *bnw* levensvatbaar, uitvoerbaar ⟨financieel⟩

viaduct ['vaɪədʌkt] *zn* viaduct

vial ['vaɪəl] *zn* medicijnflesje

vibes [vaɪbz] *zn mv, inform vibrations* uitstraling van gevoelens ★ *fig bad ~* slechte vibraties, slechte sfeer

vibrant ['vaɪbrənt] *bnw* vibrerend, trillend (**with** van)

vibrate [vaɪ'breɪt] **I** *ov ww* doen slingeren, doen trillen **II** *onov ww* ❶ slingeren, schommelen ❷ vibreren, trillen

vibration [vaɪ'breɪʃən] *zn* trilling, vibratie

vibrator [vaɪ'breɪtə] *zn* vibrator

vibratory ['vaɪbrətərɪ] *bnw* trillend

vicar ['vɪkə] *zn* predikant, dominee ⟨anglicaanse Kerk⟩

vicarage ['vɪkərɪdʒ] *zn* het huis van de predikant

vicarious [vɪ'keərɪəs] *bnw* ❶ plaatsvervangend, voor anderen gedaan ❷ gedelegeerd

vice [vaɪs] **I** *zn* ❶ verdorvenheid, fout, gebrek,

ondeugd ❷ inform vice president ❸ techn bankschroef ★ *he held her in a vice* hij hield haar in een ijzeren greep vast **II** *bijw* ★ *vice versa* vice versa

vice- [vaɪs] *voorv* vice-, plaatsvervangend

vice-chair *zn* vicepresidentschap

vice-chairman *zn* vicevoorzitter

vicegerent [vaɪs'dʒerənt] **I** *zn* plaatsvervanger **II** *bnw* plaatsvervangend

viceregal [vaɪs'riːgl] *bnw* van een onderkoning

viceroy ['vaɪsrɔɪ] *zn* onderkoning

vice squad *zn* zedenpolitie

vicinity [vɪ'sɪnətɪ] *zn* buurt, nabijheid

vicious ['vɪʃəs] *bnw* ❶ lit (moreel) slecht ❷ nijdig, boosaardig, venijnig ★ *~ criticism* boosaardige kritiek ❸ wreed, vals ⟨hond⟩

vicious circle *zn* vicieuze cirkel

vicissitudes [vɪ'sɪsɪtjuːdz] *zn mv* wederwaardigheden, lotgevallen ★ *~ of fortune* de wisselvalligheden van succes

vicissitudinous [vɪsɪsɪ'tjuːdɪnəs] *bnw* wisselvallig

victim ['vɪktɪm] *zn* (slacht)offer ★ *fall (a) ~ to* het slachtoffer worden van

victimize, victimise ['vɪktɪmaɪz] *ov ww* tot slachtoffer maken

victor ['vɪktə] *zn* overwinnaar

Victorian [vɪk'tɔːrɪən] *bnw* ❶ victoriaans ⟨uit de tijd van koningin Victoria⟩ ❷ victoriaans ⟨preuts, hypocriet⟩

victorious [vɪk'tɔːrɪəs] *bnw* zegevierend

victory ['vɪktərɪ] *zn* overwinning

victual ['vɪtl] *zn oud* ★ *~s* proviand, levensmiddelen

video ['vɪdɪəʊ] **I** *zn* ❶ video ⟨recorder⟩ ❷ video ⟨cassette⟩ ❸ video ⟨clip⟩ **II** *ov ww* op video opnemen

videophone ['vɪdɪəʊfəʊn] *zn* beeldtelefoon

vie [vaɪ] *onov ww* wedijveren

Vienna [vɪ'enə] **I** *zn* Wenen **II** *bnw* Wener

Viennese [vɪə'niːz] **I** *zn* Weense(n), Wener(s) **II** *bnw* Wener-, Weens

view [vjuː] **I** *zn* ❶ (ver)gezicht, uitzicht ❷ beschouwing, bezichtiging ★ *leave out of view* buiten beschouwing laten ★ *on view* te kijk, te bezichtigen, ter controle ★ *in view of* in aanmerking genomen, gezien ❸ gezichtskring ★ *in view* in het gezicht, zichtbaar ❹ standpunt, idee, denkbeeld ★ *point of view* standpunt ❺ bedoeling ★ *with the view of* met de bedoeling om ★ *with a view to* met het oog op ★ *have views upon* 'n oogje hebben op ★ *have in view* op het oog hebben ❻ prentbriefkaart, kiekje ★ *to the view* openbaar **II** *ov ww* bekijken, beschouwen, televisie kijken

viewer ['vjuːə] *zn* ❶ opzichter, inspecteur, kijker ⟨tv⟩ ❷ bezichtiger ⟨om iets te kopen⟩ ❸ zoeker

viewfinder ['vjuːfaɪndə] *zn* zoeker

viewpoint ['vjuːpɔɪnt] *zn* ❶ standpunt ❷ gezichtspunt

vigil ['vɪdʒɪl] *zn* ❶ vigilie, (nacht)wake ❷ dag vóór een heiligendag ⟨vooral vastendag⟩ ★ *keep ~* waken

vigilance ['vɪdʒɪləns] *zn* ❶ omzichtigheid, waakzaamheid ❷ med slapeloosheid

vigilant ['vɪdʒɪlənt] *bnw* omzichtig, waakzaam

vigilante [vɪdʒɪ'læntɪ] *zn* ❶ lid van de vrijwillige

burgerwacht ❷ nachtwacht ★ *neighbourhood* ~ buurtpreventie

vignette [vɪ'njet] *zn* ❶ vignet ❷ tafereeltje ❸ karakterschets (figuurlijk)

vigorous ['vɪɡərəs] *bnw* ❶ krachtig, vitaal, energiek ❷ *fig* gespierd (van stijl)

vigour ['vɪɡə] *zn* kracht, gezondheid, vitaliteit, activiteit

vile [vaɪl] *bnw* ❶ walgelijk, verdorven, gemeen ❷ afschuwelijk, vies (weer of sigaar)

vilification [vɪlɪfɪ'keɪʃən] *zn* laster

vilify ['vɪlɪfaɪ] *ov ww* belasteren, beschimpen

villa ['vɪlə] *zn* villa

village ['vɪlɪdʒ] *zn* dorp ★ ~ *green* dorpsplein, dorpswei, brink

villager ['vɪlɪdʒə] *zn* dorpsbewoner

villain ['vɪlən] *zn* ❶ schurk ❷ iron rakker ❸ gesch horige

villainous ['vɪlənəs] *bnw* ❶ schurkachtig, gemeen ❷ abominabel

villainy ['vɪlənɪ] *zn* schurkerij

villein ['vɪlən] *zn* horige

vindicate ['vɪndɪkeɪt] *ov ww* ❶ bewijzen ★ *the new study* ~*s the report* de nieuwe studie bewijst de juistheid van het rapport ❷ van verdenking / blaam zuiveren, rehabiliteren ★ *this information* ~*s the report* deze informatie rechtvaardigt het rapport ❸ verdedigen, rechtvaardigen ★ *has* ~*d to himself a place in literature* heeft zich een plaats weten te verwerven in de letterkunde

vindication [vɪndɪ'keɪʃən] *zn* ❶ rechtvaardiging ❷ rehabilitatie

vindictive [vɪn'dɪktɪv] *bnw* rancuneus, wraakgierig ★ jur ~ *(of exemplary) damages* boete opgelegd als straf en schadevergoeding

vine [vaɪn] *zn* ❶ wijnstok ❷ klimplant

vinegar ['vɪnɪɡə] *zn* azijn ★ *balsamic* ~ balsamicoazijn

vinegary ['vɪnɪɡərɪ] *bnw* ook fig azijnachtig, zuur

vinery ['vaɪnərɪ] *zn* druivenkas

vineyard ['vɪnjɑːd] *zn* wijngaard

viniculture ['vɪnɪkʌltʃə] *zn* wijnbouw

vinous ['vaɪnəs] *bnw* wijn-, wijnachtig

vintage ['vɪntɪdʒ] I *zn* ❶ wijnoogst ❷ wijn uit bepaald jaar ❸ merk, gehalte, kwaliteit, soort ★ *a meat pie of dubious* ~ een vleespastei van een twijfelachtige kwaliteit II *bnw* ❶ van bepaald jaar (kwaliteitsaanduiding van wijn e.d.) ❷ klassiek ★ *do /* car oldtimer, klassieke auto ★ ~ *wine* zeer goede wijn (van bepaald jaar)

vintner ['vɪntnə] *zn* wijnhandelaar

vinyl ['vaɪnəl] *zn* vinyl

viol ['vaɪəl] *zn* viola

viola [vɪ'əʊlə] *zn* ❶ muz altviool ❷ plantk viooltje

violate ['vaɪəleɪt] *ov ww* ❶ overtreden ❷ breken (van gelofte) ❸ onteren, ontwijden, schenden

violation [vaɪə'leɪʃən] *zn* ❶ overtreding ❷ schennis, inbreuk

violator ['vaɪəleɪtə] *zn* overtreder, schender

violence ['vaɪələns] *zn* geweld(dadigheid), gewelddaad ★ *do /* use ~ *to* geweld aandoen ★ *domestic* ~ huiselijk geweld

violent ['vaɪələnt] *bnw* ❶ gewelddadig ❷ hevig, heftig ❸ hel (van kleur) ★ *die a* ~ *death* gewelddadige dood sterven ★ *lay* ~ *hands on o.s.* de hand aan zichzelf slaan

violet ['vaɪələt] I *zn* plantk viooltje ★ *African* ~ Kaaps viooltje II *bnw* violet

violin [vaɪə'lɪn] *zn* viool

violinist [vaɪə'lɪnɪst] *zn* violist

violist ['vaɪəlɪst] *zn* altist

violoncellist [vaɪələn'tʃelɪst] *zn* cellist

violoncello [vaɪələn'tʃeləʊ] *zn* cello, violoncel

VIP *afk, Very Important Person* vip, zeer belangrijk persoon

viper ['vaɪpə] *zn* adder

viperish ['vaɪpərɪʃ] *bnw* ❶ venijnig ❷ fig adderachtig

virago [vɪ'rɑːɡəʊ] *zn* feeks

Virgil ['vɜːdʒɪl] *zn* Vergilius, Virgil

virgin ['vɜːdʒɪn] I *zn* maagd ★ *the Blessed Virgin* de Heilige Maagd ★ *the Virgin Mother* de Heilige Maagd Maria, de Moedermaagd ★ *the Virgin Queen* koningin Elizabeth I II *bnw* ❶ maagdelijk ❷ onbevlekt, ongerept ❸ onbetreden (gebied) ❹ gedegen (metaal) ★ *extra* ~ extra virgine ((olijfolie) uit eerste persing)

virginal ['vɜːdʒɪnl] *bnw* maagdelijk

virginhood ['vɜːdʒɪnhʊd], **virginity** [vɜː'dʒɪnətɪ] *zn* maagdelijkheid, kuisheid

Virgo ['vɜːɡəʊ] *zn* Maagd (sterrenbeeld)

viridescent [vɪrɪ'desənt] *bnw* groenachtig

virile ['vɪraɪl] *bnw* ❶ mannelijk, manmoedig, krachtig ❷ form form

virility [vɪ'rɪlətɪ] *zn* mannelijkheid

virtu [vɜː'tuː] *zn* ❶ liefde voor / kennis van de kunst ❷ kunstwaarde ★ *articles of* ~ kunstvoorwerpen

virtual ['vɜːtʃʊəl] *bnw* virtueel, schijnbaar, potentieel (aanwezig)

virtuality [vɜːtʃʊ'ælətɪ] *zn* ❶ wezen, essentie ❷ latent vermogen

virtually ['vɜːtʃʊəlɪ] *bijw* zo goed als ★ *it is* ~ *completed* het is zo goed als voltooid

virtue ['vɜːtʃuː] *zn* ❶ deugd(zaamheid) ★ *make a* ~ *of necessity* van de nood een deugd maken ❷ (genees)kracht ★ *by /* in ~ *of* krachtens ❸ (goede) eigenschap

virtuosi [vɜːtʃʊ'əʊsiː] *zn* *mv* → virtuoso

virtuosity [vɜːtʃʊ'ɒsətɪ] *zn* ❶ virtuositeit ❷ virtuozen, kunstkenners

virtuoso [vɜːtʃʊ'əʊsəʊ] *zn* [mv: **virtuosi**] ❶ kunstkenner ❷ virtuoos

virtuous ['vɜːtʃʊəs] *bnw* deugdzaam

virulence ['vɪrʊləns] *zn* ❶ kwaadaardigheid ❷ heftigheid, giftigheid ★ *he spoke with great* ~ hij sprak met grote heftigheid

virulent ['vɪrʊlənt] *bnw* ❶ vergiftig, kwaadaardig ❷ hevig, heftig

virus ['vaɪərəs] *zn* ❶ virus (ook met betrekking tot computers), (ver)gif, smetstof ❷ fig kwaadaardigheid, gif

virus scanner *zn* comp virusscanner

visa ['viːzə] *zn* visum

visage ['vɪzɪdʒ] *zn* gelaat

vis-à-vis ['viːzɑ'viː] I *zn* ❶ tegenhanger ❷ gesprek onder vier ogen ❸ USA partner II *bijw* recht tegenover elkaar III *vz* vis-à-vis, (recht) tegenover

viscera ['vɪsərə] *zn* inwendige organen

visceral ['vɪsərəl] *bnw* ❶ ingewands- ❷ inwendig

viscid ['vɪsɪd] *bnw* kleverig

vi

viscose ['vɪskəʊz] *zn* viscose
viscosity [vɪ'skɒsətɪ] *zn* viscositeit, kleverigheid
viscount ['vaɪkaʊnt] *zn* burggraaf
viscountess [vaɪkaʊn'tɪs] *zn* burggravin
viscous ['vɪskəs] *bnw* kleverig, taai
visibility [vɪzə'bɪlətɪ] *zn* zichtbaarheid ★ ~ *good* zicht goed ⟨in verkeersinformatie of weerbericht⟩
visible ['vɪzɪbl] I *zn* iets zichtbaars II *bnw* ❶ zichtbaar ❷ duidelijk, merkbaar ★ *his love is clearly* ~ zijn liefde is duidelijk merkbaar
visibly ['vɪzɪblɪ] *bijw* zichtbaar, zienderogen
Visigoth ['vɪzɪgɒθ] *zn* West-Goot
Visigothic [vɪzɪ'gɒθɪk] *bnw* West-Gotisch
vision ['vɪʒən] *zn* ❶ visie, inzicht ❷ gezichtsvermogen, het zien ❸ visioen, verschijning
visional ['vɪʒənəl] *bnw* ❶ visionair ❷ ingebeeld
visionary ['vɪʒənərɪ] I *zn* ❶ ziener ❷ fantast II *bnw* ❶ fantastisch ❷ ingebeeld
visit ['vɪzɪt] I *zn* ❶ bezoek ★ *domiciliary* ~ huisbezoek, huiszoeking ★ *flying* ~ bliksembezoek ❷ inspectie, visitatie ❸ USA praatje II *ov ww* ❶ bezoeken ★ *~ing hours* bezoekuren ❷ inspecteren ❸ visiteren ★ *~ed* behekst ❹ form rel ~ (up)on wreken III *onov ww* ❶ USA een praatje maken ❷ logeren ★ *they ~ at my house* ze komen wel ⟨eens⟩ bij me thuis
visitant ['vɪzɪtnt] *zn* ❶ trekvogel ❷ form bezoeker
visitation [vɪzɪ'teɪʃən] *zn* ❶ visitatie, huisbezoek ⟨van geestelijke⟩, inspectie ❷ bezoeking, al te lang bezoek
visiting ['vɪzɪtɪŋ] *bnw* bezoek-, gast- ★ *I am not on ~ terms with him* ik kom niet bij hem thuis ★ *sport* ~ *team* gasten
visiting card *zn* visitekaartje
visitor ['vɪzɪtə] *zn* ❶ gast, bezoeker ❷ inspecteur ★ *~s' book* gastenboek ⟨in hotel⟩
visor ['vaɪzə] *zn* vizier ⟨van helm⟩, klep ⟨van pet⟩, scherm voor ogen, zonneklep van auto
vista ['vɪstə] *zn* ❶ vergezicht ❷ perspectief
visual ['vɪʒʊəl] I *zn* comm beeld II *bnw* ❶ visueel, gezichts-, oog- ❷ zichtbaar ★ *~ arts* beeldende kunsten ★ *we witnessed it ~ly* we waren er ooggetuige van
visualization, visualisation [vɪʒʊələ'zeɪʃən] *zn* visualisatie, verbeelding
visualize, visualise ['vɪʒʊəlaɪz] *ov ww* visualiseren, verbeelden
visualizer, visualiser ['vɪʒʊəlaɪzə] *zn* ❶ (reclame)ontwerper ❷ visualizer ⟨projecteert afbeeldingen uit boek⟩
visually impaired ['vɪʒʊəlɪ ɪm'peəd] I *bnw* slechtziend II *zn* ★ *the* ~ de slechtzienden
vital ['vaɪtl] *bnw* ❶ levens-, vitaal ❷ noodzakelijk, essentieel ★ med ~ *signs* levensfuncties ⟨vnl. hartslag, bloeddruk⟩ ★ ~ *parts* edele delen ★ ~ *statistics* bevolkingsstatistiek
vitality [vaɪ'tælətɪ] *zn* vitaliteit, levensvatbaarheid, levenskracht
vitamin ['vɪtəmɪn] *zn* vitamine
vitiate ['vɪʃɪeɪt] *ov ww* ❶ bederven ⟨van lucht⟩ ❷ vervalsen ⟨van waarheid⟩, ongeldig maken ⟨van document⟩
viticulture ['vɪtɪkʌltʃə] *zn* wijnbouw
vitreous ['vɪtrɪəs] *bnw* glasachtig, glas-, glazen

★ ~ *china* glasporselein
vitrify ['vɪtrɪfaɪ] I *ov ww* in glas doen veranderen II *onov ww* in glas veranderd worden
vitriol ['vɪtrɪəl] *zn* ❶ vitriool ❷ sarcasme
vitriolic [vɪtrɪ'ɒlɪk] *bnw* ❶ vitriool- ❷ sarcastisch, sardonisch, bijtend ★ ~ *remark* sarcastische opmerking
vituperate [vɪ'tju:pəreɪt] *ov ww* ❶ (be)schimpen ❷ (uit)schelden
vituperation [vaɪtju:pər'eɪʃən] *zn* geschimp, scheldwoorden
vivacious [vɪ'veɪʃəs] *bnw* levendig, opgewekt
vivacity [vɪ'væsətɪ] *zn* opgewektheid
vivarium [vaɪ'veərɪəm] *zn* [mv: vivaria] aquarium, terrarium
vivid ['vɪvɪd] *bnw* levendig, helder ⟨van kleur of licht⟩
vivify ['vɪvɪfaɪ] *ov ww* levend maken, bezielen, opwekken
viviparous [vɪ'vɪpərəs] *bnw* levendbarend
vivisection [vɪvɪ'sekʃən] *zn* vivisectie
vixen ['vɪksən] *zn* ❶ wijfjesvos ❷ feeks, helleveeg
vixenish ['vɪksənɪʃ] *bnw* feeksachtig
viz. [vɪz] *afk, videlicet* namelijk
VJ *afk, muz video jockey* vj, videojockey
vocable ['vəʊkəbl] *zn* woord
vocabulary [və'kæbjʊlərɪ] *zn* woordenlijst, woordenschat
vocal ['vəʊkl] I *zn* klinker(teken), vocaal, zang II *bnw* ❶ stem-, mondeling, vocaal ★ ~ *ligaments* stembanden ★ ~ *performer* stemkunstenaar ❷ luid(ruchtig), stemhebbend ⟨fonetiek⟩ ★ ~ *with* weerklinkend van
vocalic [və'kælɪk] *bnw* klinker-
vocalist ['vəʊkəlɪst] *zn* zanger(es)
vocalize, vocalise ['vəʊkəlaɪz] *ov+onov ww* ❶ iron spreken, zingen, schreeuwen ❷ stemhebbend maken
vocation [və'keɪʃən] *zn* ❶ roeping ★ *he has never had the sense of* ~ hij heeft nooit echt roeping gevoeld ❷ beroep ★ *he mistook his* ~ hij heeft het verkeerde beroep gekozen
vocational [və'keɪʃənl] *bnw* ❶ roepings- ❷ beroepsopleiding ★ ~ *guidance* beroepskeuzebegeleiding ★ ~ *teacher* vakonderwijzer
vociferate [və'sɪfəreɪt] I *onov ww* schreeuwen, brullen, razen II *ov ww* schreeuwen ★ *he was vociferating curses* hij schreeuwde vloeken
vociferation [vəʊsɪfə'reɪʃən] *zn* geschreeuw
vociferous [və'sɪfərəs] *bnw* uitbundig
vodka ['vɒdkə] *zn* wodka
vogue [vəʊg] *zn* het algemeen in gebruik zijn, mode, populariteit, trek ★ *be in / the* ~ erg in de mode zijn ★ *out of* ~ uit de mode
voice [vɔɪs] I *zn* ❶ stemhebbende klank, stem, spraak, geluid, geschreeuw, inspraak ★ *a* ~ *in the matter* inspraak hebben ★ *give* ~ *to* uiting geven aan ★ *raise your* ~ je stem verheffen ★ *be in* ~ goed bij stem zijn ★ *be out of* ~ niet bij stem zijn ★ *with one* ~ eenstemmig ❷ grammaticale vorm ★ *active / passive* ~ bedrijvende / lijdende vorm II *ov ww* uitdrukking geven aan ⟨gevoelens⟩, weergeven
voice box *zn* strottenhoofd
voiced [vɔɪst] *bnw* ❶ met stem ❷ taalk

VO

stemhebbend 〈fonetiek〉

voiceless ['vɔɪsləs] *bnw* ❶ stemloos ❷ monddood

voice-over *zn* voice-over, commentaarstem

void [vɔɪd] **I** *zn* ❶ leegte ❷ (ledige) ruimte ★ *talk in the void* in de ruimte praten **II** *bnw* ❶ ongeduldig, nietig 〈van contract〉 ❷ onbezet, ledig ★ *fall void* vacant komen ★ *void of* zonder ★ *void of sense* zonder zin of betekenis ❸ *form* nutteloos **III** *ov ww* ❶ ongeldig maken / verklaren ★ *the marriage was declared void* het huwelijk werd ongeldig verklaard ❷ ledigen ❸ lozen 〈van urine〉 ❹ ontlasten

voidable ['vɔɪdəbl] *bnw* jur vernietigbaar

vol. *afk, volume* volume 〈deel uit reeks〉

volatile [vɒlə'tɪlətɪ] *bnw* ❶ vluchtig 〈vloeistoffen〉 ❷ kortstondig, snel, voorbijgaand 〈van computergeheugen〉 ❸ veranderlijk, wispelturig

volcanic [vɒl'kænɪk] *bnw* vulkanisch

volcano [vɒl'keɪnəʊ] *zn* vulkaan ★ *an active ~* een werkende vulkaan

vole [vəʊl] *zn* woelmuis

volition [və'lɪʃən] *zn* (het) willen, wilskracht ★ *by his own ~* uit vrije wil

volley ['vɒlɪ] **I** *zn* ❶ salvo ❷ stroom 〈figuurlijk〉, vloed 〈van woorden〉 ❸ *sport* volley 〈bij tennis〉 **II** *ov ww* ❶ een salvo afvuren ❷ uitstoten 〈van geluid〉 ❸ *sport* bal terugslaan vóór hij de grond heeft geraakt 〈bij tennis〉 **III** *onov ww* ❶ tegelijk losbarsten 〈van kanonnen〉 ❷ losbranden ❸ kronkelen 〈van rook〉

volleyball ['vɒlɪbɔːl] *zn* volleybal

volt [vəʊlt] *zn* volt, wending

voltage ['vəʊltɪdʒ] *zn* elektrische spanning ★ *~ regulator* spanningsregelaar

volubility [vɒljʊ'bɪlətɪ] *zn* welbespraaktheid

voluble ['vɒljʊbl] *bnw* ❶ woordenrijk, rad van tong ❷ *plantk* kronkelend

volume ['vɒljuːm] *zn* ❶ volume, geluidssterkte ❷ omvang, massa ★ *~ of traffic* verkeersaanbod ★ *~s of smoke* massa (opkringelende) rook ❸ boekdeel, schriftrol ❹ jaargang

volume control *zn* volumeregelaar

volume discount *econ zn* kwantumkorting

voluminous [və'ljuːmɪnəs] *bnw* ❶ uit vele delen bestaande ❷ productief 〈schrijver〉 ❸ omvangrijk, lijvig

voluntarism ['vɒləntərɪzəm] *zn* principe dat bepaalde sociale taken door vrijwilligers worden uitgevoerd

voluntary ['vɒləntərɪ] **I** *bnw* ❶ vrijwillig ★ *~ work* onbetaald werk ❷ gecontroleerd 〈van spierbeweging〉 **II** *zn* ❶ vrijwillige bijdrage 〈in wedstrijd of werk〉 ❷ *muz* geïmproviseerd tussenspel 〈in kerk〉

volunteer [vɒlən'tɪə] **I** *bnw* ❶ vrijwillig ❷ vrijwilligers- ❸ *plantk* vanzelf opkomend **II** *ov ww* ten beste geven ★ *we ~ed our services* we boden vrijwillig onze diensten aan **III** *onov ww* zich als vrijwilliger aanbieden **IV** *zn* vrijwilliger

voluptuary [və'lʌptjʊərɪ] **I** *zn* wellusteling **II** *bnw* wellustig

voluptuous [və'lʌptjʊəs] *bnw* weelderig 〈van vormen〉, wellustig, wulps

vomit ['vɒmɪt] **I** *zn* braaksel **II** *ov ww* (uit)braken **III** *onov ww* braken

voodoo ['vuːduː] **I** *zn* toverij **II** *ov ww* USA beheksen

voracious [və'reɪʃəs] *bnw* gulzig, vraatzuchtig

voracity [və'ræsətɪ] *zn* gulzigheid, vraatzuchtigheid

vortex ['vɔːteks] *zn* [mv: *vortices*] draaikolk, maalstroom

Vosges [vəʊʒ] *zn* ★ *the ~* de Vogezen

vote [vəʊt] **I** *onov ww* ❶ *pol* stemmen ❷ voorstellen ★ *I vote that we go* ik stel voor dat we vertrekken ❸ *~ down* verwerpen 〈van maatregelen〉, overstemmen ❹ *~ for* stemmen voor, stemmen op ❺ *~ out* door stemmen uitsluiten 〈van persoon〉 ❻ *~ in* verkiezen ★ *they voted him in* hij werd verkozen **II** *zn* ❶ *pol* stem(ming) ★ *by ten votes* met een meerderheid van tien stemmen ★ *put to a / the vote* in stemming brengen ★ *come to a / the vote* tot stemming overgaan ★ *he was within a vote of obtaining the post* het scheelde maar één stem of hij had de baan gekregen ★ *they took a vote on it* ze lieten erover stemmen ★ *vote of censure* motie van wantrouwen ★ *vote in supply* toegestane gelden ★ *a vote of this amount was passed* dit bedrag werd gevoteerd ❷ stembriefje ❸ stemrecht

voter ['vəʊtə] *zn* kiezer, stemgerechtigde

votive ['vəʊtɪv] *bnw* votief, gelofte-

vouch [vaʊtʃ] **I** *ov ww* staven 〈van bewering〉 **II** *onov ww* ❶ getuigen ❷ *~ for* instaan voor

voucher ['vaʊtʃə] *zn* ❶ bon, cadeaubon, (waarde)coupon ❷ bonnetje, reçu, declaratie 〈voor vergoeding〉

vouchsafe [vaʊtʃ'seɪf] *ov ww* ❶ *form* zich verwaardigen toe te geven / staan ★ *they ~d me a visit* zij verwaardigden zich mij een bezoek te brengen ❷ verzekeren, garanderen

vow [vaʊ] **I** *zn* eed, gelofte ★ *be under a vow* zich plechtig hebben verbonden ★ *take the vow(s)* kloostergelofte afleggen **II** *ov ww* ❶ zweren ★ *'never again!', he vowed* 'nooit weer!', zwoer hij ❷ *form* ~ *to* wijden aan ★ *he vowed himself to God* hij wijdde zich aan God

vowel ['vaʊəl] *zn* klinker(teken) ★ *~ gradation* ablaut ★ *~ mutation* umlaut

voyage ['vɔɪɪdʒ] **I** *zn* lit (zee)reis ★ *ook fig ~ of discovery* ontdekkingsreis **II** *ov ww* bevaren **III** *onov ww* reizen

voyager ['vɔɪɪdʒə] *zn* reiziger, zeevaarder

voyeur [vwa:'jɜ:] *zn* gluurder, voyeur

VP *afk, Vice-President* vicepresident

VR *afk, Victoria Regina* koningin Victoria

vs *afk, versus* tegen

VS *afk, veterinary surgeon* dierenarts

VSOP *afk, Very Special Old Pale* VSOP 〈ouderdomsaanduiding van cognac〉

VT *afk, Vermont* staat in de VS

vulcanite ['vʌlkənaɪt] *zn* eboniet

vulcanize, vulcanise ['vʌlkənaɪz] *ov ww* vulkaniseren

vulgar ['vʌlgə] *bnw* ❶ volks-, gewoon-, algemeen bekend ★ *~ superstition* volksbijgeloof ❷ vulgair, ordinair, grof, laag ★ *~ joke* ordinaire grap

vulgarian [vʌl'geərɪən] *zn* proleterig, ordinair

vulgarisation *zn* GB → vulgarization

vulgarise *ww* GB → vulgarize

vulgarism ['vʌlgərɪzəm] *zn* ❶ plat gezegde ❷ laag-bij-de-grondse manier van doen
vulgarity [vʌl'gærətɪ] *zn* vulgariteit
vulgarization [vʌlgəraɪ'zeɪʃən] *zn* vulgarisering, popularisatie, verruwing
vulgarize ['vʌlgəraɪz] **I** *ov ww* vulgariseren, populariseren, verruwen **II** *onov ww* vulgair worden
vulgate ['vʌlgeɪt] *zn* omgangstaal
Vulgate ['vʌlgeɪt] *zn* Vulgaat
vulnerability [vʌlnərə'bɪlətɪ] *zn* kwetsbaarheid
vulnerable ['vʌlnərəbl] *bnw* kwetsbaar
vulpine ['vʌlpaɪn] *bnw* ❶ vosachtig, vossen- ❷ listig, sluw, slim
vulture ['vʌltʃə] *zn* gier
vulva ['vʌlvə] *zn* vulva
vying ['vaɪɪŋ] *ww* [teg. deelw.] → **vie**

W

w ['dʌblju:] **I** *zn, letter* w ★ *W as in William* de w van Willem **II** *afk* ❶ *west(ern)* W., westen, westelijk ❷ *watt(s)* W, watt
WA *afk, Washington* staat in de VS
wacko USA *inform bnw* lijp, idioot
wacky ['wækɪ] *inform bnw* idioot, vreselijk excentriek
wad [wɒd] **I** *zn* ❶ prop ❷ vulsel ❸ pakje ⟨bankbiljetten⟩, rolletje **II** *ov ww* ❶ opvullen, met watten voeren ❷ tot een prop maken
wadding ['wɒdɪŋ] *zn* opvulsel, watten
waddle ['wɒdl] **I** *zn* waggelgang **II** *onov ww* waggelen
wade [weɪd] **I** *ov ww* doorwaden **II** *onov ww* ❶ waden, baggeren (door) ★ *fig wade through a book* een boek doorworstelen ❷ *inform* ~ *in* tussenbeide komen ❸ *inform* ~ *into* te lijf gaan
wader ['weɪdə] *zn* ❶ waadvogel ❷ lieslaars
wading bird *zn* waadvogel
wading pool USA *zn* pierenbad
wafer ['weɪfə] *zn* ❶ wafel ❷ hostie
wafer-thin *bnw* flinterdun
waffle ['wɒfəl] **I** *zn* ❶ wafel ❷ geklets **II** *onov ww* ❶ GB kletsen ❷ USA weifelen, geen beslissing nemen
waffle iron *zn* wafelijzer
waft [wɒft, wɑːft] **I** *onov ww* zweven, waaien **II** *ov ww* laten zweven, voeren **III** *zn* vleugje, rookwolkje, sliertje
wag [wæg] **I** *ov ww* ❶ heen en weer bewegen, schudden ★ *wag one's finger* de vinger dreigend heen en weer bewegen ★ *wag one's head* met z'n hoofd schudden ❷ kwispelen **II** *onov ww* ❶ heen en weer bewegen / gaan ★ *set the tongues wagging* de tongen in beweging brengen ❷ kwispelen **III** *zn* ❶ schuddende beweging ★ *with a wag of his head* hoofdschuddend ❷ *oud* grappenmaker
wage [weɪdʒ] **I** *zn* loon ★ *wage(s)* loon ★ *minimum wage* minimumloon **II** *ov ww* voeren ⟨oorlog, campagne⟩ ★ *wage war on* oorlog voeren tegen
waged GB *bnw* ❶ betaald ⟨werk⟩ ❷ met betaald werk, met een inkomen
wage earner *zn* ❶ loontrekker ❷ kostwinner
wage freeze *zn* loonstop
wage packet GB *zn* loonzakje
wager ['weɪdʒə] *oud* **I** *zn* weddenschap ★ *lay / make a* ~ een weddenschap aangaan, wedden **II** *ov ww* (ver)wedden **III** *onov ww* wedden
waggish ['wægɪʃ] *oud bnw* schalks
waggle ['wægl] **I** *ov ww* heen en weer / op en neer bewegen **II** *zn* beweging heen en weer / op en neer, wiebelende beweging
wagon, waggon ['wægən] *zn* ❶ wagen ★ *covered* ~ huifkar ★ *a horse-drawn* ~ een paard en wagen ❷ GB goederenwagen, wagon ▼ *inform be on the* ~ van de blauwe knoop zijn ⟨geen alcohol gebruiken⟩ ▼ *inform fall off the* ~ weer aan de drank gaan
wagtail ['wægteɪl] *zn* kwikstaart
waif [weɪf] *zn* zwervertje, verwaarloosd / dakloos

wa

kind ★ <u>GB</u> *waifs and strays* dakloze kinderen / dieren

wail [weɪl] I *ov ww* jammeren II *onov ww* ❶ jammeren, weeklagen ❷ huilen, loeien (v. wind, sirene) III *zn* ❶ geweeklaag ❷ gehuil, geloei (v. wind, sirene)

wainscot [ˈweɪnskət] <u>GB</u> oud *zn* plint

waist [weɪst] *zn* middel, taille ★ *stripped to the ~* met ontbloot bovenlijf

waistband [ˈweɪstbænd] *zn* broeksband, rokband

waistcoat [ˈweɪskəʊt] <u>GB</u> *zn* vest

waist-deep [weɪst'di:p] *bnw + bijw* tot aan het middel

-waisted [ˈweɪstɪd] *bnw* met een... taille ★ *a slim~ woman* een vrouw met een slanke taille

waist-high *bnw* tot aan het middel

waistline [ˈweɪstlaɪn] *zn* taille

wait [weɪt] I *onov ww* ❶ wachten ★ *wait and see* rustig afwachten, de kat uit de boom kijken ★ *(just) you wait!* wacht maar af! ★ *keep sb waiting* iem. laten wachten ★ *wait a minute / second* wacht eens even ❷ bedienen (aan tafel) ❸ ~ **about/around** blijven / staan wachten, rondhangen ❹ ~ **behind** nog even blijven ❺ ~ **for** wachten op ★ *there's a taxi waiting for you* er staat een taxi voor je klaar ❻ <u>GB</u> ~ **in** thuisblijven (voor een afspraak) ❼ ~ **on** ★ *wait on sb* iemand bedienen (aan tafel) ★ *wait on sth* op iets wachten, iets afwachten ❽ ~ **up** opblijven (tot iemand thuis komt) ★ <u>USA</u> *wait up!* wacht even! II *ov ww* ❶ afwachten (je kans, beurt) ❷ bedienen ★ <u>USA</u> *wait tables* kelneren, bedienen (in restaurant) ❸ ~ **out** ★ *wait out the storm* wachten tot de storm voorbij is III *zn* wachttijd ★ *we had a long wait for* we moesten lang wachten op ★ *lie in wait for* op de loer liggen voor

waiter [ˈweɪtə] *zn* kelner ★ ~! ober! ▼ *dumb ~* etenslift

waiting [ˈweɪtɪŋ] *zn* ❶ (het) wachten ★ *no ~* verboden stil te staan (en te parkeren) ❷ bediening

waiting game *zn* afwachtende houding ★ *play a / the ~* de kat uit de boom kijken

waiting list *zn* wachtlijst

waiting room *zn* wachtkamer

waitress [ˈweɪtrəs] *zn* serveerster

waive [weɪv] *ov ww* afstand doen van, afzien van

wake [weɪk] I *ov ww* [onregelmatig] ❶ wekken ❷ oproepen (herinneringen, gevoelens) ❸ ~ **up** wakker maken / schudden II *onov ww* [onregelmatig] ❶ wakker zijn / worden, waken ❷ ~ **up** wakker worden ★ *wake up to a consciousness / sense that* beginnen in te zien dat III *zn* ❶ (nacht)wake ❷ kielzog, kielwater ★ *fig in the wake of* volgend op, in het spoor van

wakeful [ˈweɪkfʊl] form *bnw* slapeloos, wakker

waken [ˈweɪkən], **waken up** form I *ov ww* ❶ wekken, wakker maken / schudden ❷ oproepen (herinneringen, gevoelens) II *onov ww* wakker zijn / worden, waken

wake-up call *zn* ❶ waarschuwing ❷ wektelefoontje

waking *bnw* wakker ★ *every ~ hour* elk uur dat je / iemand niet slaapt

walk [wɔːk] I *onov ww* ❶ lopen, wandelen ★ *walk up to sb* naar iem. toe lopen, op iem. af lopen ❷ rondwaren (van spook) ❸ <u>inform</u> pootjes hebben, verdwijnen ❹ <u>inform</u> je baan opzeggen ❺ ~ **about** wandelen, rondlopen ❻ ~ **away** ★ *walk away from* gemakkelijk achter zich laten ★ *walk away with sth* er met iets vandoor gaan ❼ ~ **in** binnenlopen, eens aanlopen ★ *walk in!* binnen zonder kloppen! ★ *walk in on sb* iem. overvallen, onverwachts bij iem. binnenstappen ❽ ~ **into** ★ *walk into sth* ergens tegenaan lopen / botsen ★ *walk into a job* in een baan rollen ★ *walk into a trap* in een val lopen zich te goed doen aan ❾ ~ **off** (kwaad) weglopen, niet meer meedoen ★ *walk off with* er vandoor gaan met ❿ ~ **on** doorlopen, verder gaan ⓫ ~ **out** het werk neerleggen, staken ★ *walk out of sth* uit iets weglopen (overleg, vergadering) ★ *walk out on sb* iem. in de steek laten ⓬ ~ **over** de vloer aanvegen met, gemakkelijk de overwinning behalen ★ *don't let them walk all over you* laat niet over je heen lopen, laat niet met je sollen II *ov ww* lopen / wandelen in / op / met ★ *walk sb home* iem. naar huis brengen ★ *walk it* te voet gaan ★ *walk the streets* flaneren, over straat lopen ★ *walk one's legs off* lopen tot men er bij neervalt ★ <u>GB</u> *walk sb off his feet* iem. laten lopen tot hij er bij neervalt ❷ stapvoets doen gaan (paard), laten stappen, uitlaten ★ *walk the dog* de hond uitlaten ❸ ~ **off** eraf lopen, kwijtraken door wandelen III *zn* ❶ wandeling ★ *ten minutes' walk* 10 minuten lopen ★ *go for / take a walk* (gaan) wandelen ❷ manier v. lopen, gang ❸ wandellaan(tje), wandelpad ▼ *walk of life* beroep, positie ▼ *from all walks of life* uit alle rangen en standen

walkabout [ˈwɔːkəbaʊt] *zn* ❶ rondgang door het publiek (van vorst, politicus) ★ *fig* <u>inform</u> *have go ~* verdwenen zijn, niet te vinden zijn ❷ trek(tocht) van Aboriginals

walker [ˈwɔːkə] *zn* ❶ voetganger, wandelaar ❷ <u>USA</u> looprek (voor ouderen, kinderen)

walkie-talkie [wɔːkɪˈtɔːkɪ] *zn* walkietalkie, draagbare zender

walk-in *bnw* inloop- (kast, spreekuur)

walking [ˈwɔːkɪŋ] I *zn* ❶ (het) lopen, (het) wandelen ❷ (het) snelwandelen II *bnw* wandelend

walking bus <u>GB</u> *zn* groep schoolkinderen (van / naar school, onder begeleiding van ouders)

walking frame *zn* looprek

walking papers <u>USA</u> *zn* ontslag

walking stick *zn* wandelstok

walk-on *bnw* ★ ~ *part* figurantenrol

walkout [ˈwɔːkaʊt] *zn* (het) (kwaad) weglopen (als protest), werkonderbreking

walkover [ˈwɔːkəʊvə] *zn* gemakkelijke overwinning

walk-up *zn* <u>USA</u> flat / kantoor zonder lift

walkway [ˈwɔːkweɪ] *zn* <u>USA</u> gang, passage, loopbrug (in de lucht, tussen gebouwen)

wall [wɔːl] I *zn* ❶ wand, muur ★ *blank wall* blinde / kale muur ★ *supporting wall* dragende muur ★ *wall of partition* scheidsmuur ★ *fig be up against a brick wall* tegen een muur aanlopen ★ *within these four walls* binnenskamers ❷ stadswal

▼ *drive sb up the wall* iem. razend maken ▼ GB inform *go / climb up the wall* woedend / gek worden, doordraaien ▼ GB inform *go to the wall* het onderspit delven, failliet gaan ▼ USA inform *off the wall* gek (alleen predicatief) bizar ▼ *be bouncing off the walls* staan te springen (van ongeduld / opwinding) **II** *ov ww* ❶ ~ *in* ommuren ❷ ~ **off** afsluiten met een muur ❸ ~ **up** dichtmetselen (ramen, deuren enz.) opsluiten (gevangene)

wallaby ['wɒləbɪ] *zn* wallaby (kleine kangoeroe)

wallet ['wɒlɪt] *zn* ❶ portefeuille ❷ GB (opberg)map (voor documenten)

wallflower ['wɔːlflaʊə] *zn* ook fig muurbloem(pje)

Walloon [wɒ'luːn] **I** *zn* Waal **II** *bnw* Waals

wallop ['wɒləp] inform **I** *zn* klap, mep, opdonder **II** *ov ww* ❶ hard slaan, afranselen, een mep geven ❷ grondig verslaan, inmaken

walloping ['wɒləpɪŋ] inform **I** *zn* afranseling, pak slaag **II** *bnw* kolossaal

wallow ['wɒləʊ] **I** *onov ww* rollen, rondwentelen ★ *in the mud* (zich) wentelen in de modder ★ ~ *in money* zwemmen in het geld ★ ~ *in self-pity* zwelgen in zelfmedelijden **II** *zn* rondwenteling (in de modder, bad)

wall painting ['wɔːlpeɪntɪŋ] *zn* muurschildering, fresco

wallpaper ['wɔːlpeɪpə] **I** *zn* ❶ behang(selpapier) ❷ comp wallpaper, achtergrond (van bureaublad) **II** *ov ww* behangen

wall-to-wall *bnw* ❶ kamerbreed, vast (van vloerbedekking) ❷ inform de hele tijd door, alles opvullend

wally ['wɒlɪ] GB inform *zn* sul, sukkel, idioot

walnut ['wɔːlnʌt] *zn* ❶ walnoot ❷ (wal)notenboom ❸ notenhout

walrus [wɔːlrəs] *zn* walrus

waltz [wɔːls] **I** *zn* wals (dans) **II** *onov ww* ❶ walsen ❷ banjeren ★ ~ *into the house* zomaar / doodleuk het huis in lopen / banjeren ★ inform ~ *off with sth* er met iets vandoor gaan ★ ~ *through sth* door iets heen rollen (iets moeilijks) **III** *ov ww* walsen met

wan [wɒn] *bnw* ❶ bleek, flets, ziekelijk ❷ zwak, flauw (van licht, glimlach)

wand [wɒnd] *zn* ❶ (tover)staf ★ *magic wand* toverstokje ❷ stokje, staafje

wander ['wɒndə] **I** *onov ww* ❶ zwerven, dwalen, ronddolen ❷ afdwalen, van de hak op de tak springen ★ ~ *from the subject* van het onderwerp afdwalen ★ *before my mind starts ~ing* voordat ik met mijn gedachten afdwaal ❸ kronkelen (van weg, rivier) ❹ ~ *about* rondzwerven ❺ ~ **off** rondzwerven, afdwalen **II** *ov ww* ronddolen door, zwerven in / op / door **III** *zn* zwerftocht, eindje lopen ★ *go for / take a* ~ zomaar een eindje gaan lopen, een beetje ronddolen

wanderer ['wɒndərə] *zn* zwerver, (rond)trekker

wanderings ['wɒndərɪŋz] *zn mv* omzwervingen

wanderlust ['wɒndəlʌst] *zn* zwerflust, reislust, treklust

wane [weɪn] **I** *zn* het afnemen ★ *be on the wane* afnemen, tanende zijn, minder worden **II** *onov ww* afnemen (ook van maan), tanen, minder worden

wangle ['wæŋgl] inform *ov ww* voor elkaar krijgen, gedaan krijgen, bekonkelen, regelen ★ ~ *money out of sb* geld van iem. lospeuteren / ontfutselen ★ ~ *an invitation to a party* een uitnodiging voor een feestje versieren

wank [wæŋk] GB vulg **I** *onov ww* zich aftrekken **II** *ov ww* aftrekken

wanker ['wæŋkə] GB min vulg *zn* rukker

want [wɒnt] **I** *ov ww* ❶ wensen, willen ★ *wanted* gevraagd (in advertentie), gezocht (door de politie) ★ *I want you to do it* ik wil dat jij het doet ★ *I want it done at once* ik wil dat het direct gedaan wordt ❷ inform nodig hebben, vereisen ★ *the door wants painting* de deur moet geverfd worden ❸ inform moeten ★ *you don't want to overdo it* je moet het niet overdrijven ❹ form missen, ontberen **II** *onov ww* ❶ gebrek lijden ★ *let him want for nothing* laat het hem aan niets ontbreken ❷ inform ~ **in** naar binnen willen (van hond, kat), mee willen doen ❸ inform ~ **out** naar buiten willen (van hond, kat), ermee willen stoppen ★ *want out of your relationship* met je relatie willen kappen / stoppen **III** *zn* ❶ behoefte ★ *the wants and needs of our customers* de noden en behoeften van onze klanten ★ *be in want of* nodig hebben ❷ gemis, gebrek ★ *for want of money / a better word* bij gebrek aan geld / een beter woord ❸ armoede ★ *live in want* in armoede leven

want ad USA *zn* advertentie onder 'gevraagd'

wanting ['wɒntɪŋ] *bnw* ❶ ontbrekend ★ *they were ~ in discipline* het ontbrak hun aan discipline, ze misten de discipline ❷ onvoldoende ★ *be found* ~ niet aan de verwachtingen blijken te voldoen

wanton ['wɒntən] *bnw* ❶ form moedwillig, zinloos ❷ oud wellustig, wulps (van vrouw)

WAP [wɒp] *afk, Wireless Application Protocol* wap (voor het internetten via je mobieltje)

war [wɔː] *zn* oorlog ook fig ★ *a civil war* een burgeroorlog ★ *a war of nerves* een zenuwenoorlog ★ *a war of words* een woordenstrijd ★ *war to the bitter end* strijd op leven en dood ★ *be at war with* in oorlog zijn met ★ *go to war* ten strijde trekken ★ *make / wage war on* oorlog voeren tegen ★ *the war on drugs / against crime* de strijd tegen drugs / tegen de misdaad ★ inform *he has been in the wars* hij is behoorlijk toegetakeld

warble ['wɔːbl] **I** *onov ww* zingen, slaan (van vogel), kwelen (van mens) **II** *ov ww* zingen (van vogel), kwelen (van mens) **III** *zn* gezang (van vogel), gekweel (van mens)

warbler ['wɔːblə] *zn* ❶ zanger (zangvogel) ❷ humor kweler, zanger (mens)

war crime *zn* oorlogsmisdaad

war cry *zn* strijdkreet

ward [wɔːd] **I** *zn* ❶ zaal, afdeling (in ziekenhuis) ★ *the children's ward* de kinderafdeling ❷ GB stadsdistrict ❸ jur pupil (van voogd) ★ *ward of court* pupil **II** *ov ww* ~ **off** afweren, behoeden voor, pareren

warden ['wɔːdn] *zn* ❶ beheerder, hoofd ❷ opziener, wachter ★ *traffic* ~ parkeerwacht ❸ USA gevangenisdirecteur

wa

warder ['wɔːdə] GB *zn* cipier, bewaker
wardrobe ['wɔːdrəʊb] *zn* ❶ kleerkast
❷ garderobe
wardroom ['wɔːdruːm] *zn* officiersmess
ware [weə] *zn* ❶ [meestal mv] waar, koopwaar
⟨ook in samenstellingen⟩ ★ *kitchenware*
keukenspullen ★ *sell your wares* je spullen /
(koop)waar verkopen ❷ aardewerk
warehouse ['weəhaʊs] **I** *zn* pakhuis,
opslagplaats, magazijn **II** *ov ww* opslaan
warfare ['wɔːfeə] *zn* oorlog(voering), strijd
★ *biological / chemical ~* biologische /
chemische oorlogvoering
war game *zn* ❶ militaire oefening ❷ oorlogsspel
⟨in het echt of op computer⟩
warhead ['wɔːhed] *zn* projectielkop, raketkop
★ *nuclear ~s* kernkoppen
warhorse ['wɔːhɔːs] *zn* ❶ inform veteraan,
ijzervreter ⟨soldaat, oude rot ⟨politicus⟩⟩
❷ strijdros
warlike ['wɔːlaɪk] *bnw* oorlogszuchtig,
krijgshaftig ★ ~ *preparations* voorbereidingen
tot oorlog
warlock ['wɔːlɒk] *zn* tovenaar
warlord ['wɔːlɔːd] *zn* krijgsheer
warm [wɔːm] **I** *bnw* ❶ warm, heet ★ *a warm coat*
een warme jas ★ fig *warm colours* warme
kleuren ★ inform *you're getting warm / warmer!*
je bent warm / warmer! ⟨bij zoekspelletje⟩
❷ hartelijk, enthousiast ★ *a warm welcome* een
hartelijk welkom **II** *ov ww* ❶ (ver)warmen,
warm maken, opwarmen ★ *warm the heart of sb*
iem. opvrolijken ❷ ~ *up* warm(er) / gezellig(er)
maken, ook fig opwarmen ⟨eten, spieren⟩,
verwarmen, in de stemming brengen ⟨publiek⟩
★ *warm up the engine* de motor op temperatuur
brengen, de motor laten warmdraaien **III** *onov*
ww ❶ warm worden ❷ ~ *to* ★ *warm to sb* wat
gaan voelen voor iem., iem. mogen ★ *warm to*
sth enthousiast (beginnen te) raken over iets,
warmlopen voor iets ❸ ~ *up* warm(er) /
gezellig(er) worden, zich warmlopen, een
warming-up doen, warmdraaien **IV** *bijw* inform
warm ★ *wrap up warm* je warm kleden /
inpakken **V** *zn* warmte ★ *come into the warm*
kom binnen in de warmte
warm-blooded [wɔːm'blʌdɪd] *bnw* warmbloedig
warm-down *zn* coolingdown ⟨oefeningen om af
te koelen⟩
warm-hearted [wɔːm'hɑːtɪd] *bnw* hartelijk
warming ['wɔːmɪŋ] *zn* ❶ opwarming ★ *global ~*
broeikaseffect ❷ het hartelijker worden ⟨van
betrekkingen⟩
warmonger ['wɔːmʌŋɡə] *zn* oorlogshitser
warmth [wɔːmθ] *zn* ❶ warmte ❷ hartelijkheid
warm-up *zn* warming-up ⟨oefeningen om de
spieren los te maken⟩
warn [wɔːn] **I** *ov ww* ❶ waarschuwen ★ *warn sb*
of sth iem. waarschuwen voor iets ★ *warn sb*
against sth iem. waarschuwen tegen iets ★ sport
warn sb for dangerous play iem. een
waarschuwing geven voor gevaarlijk spel
❷ ~ *off* ★ *warn sb off* iemand wegjagen ★ *warn*
sb off smoking cigarettes iem. waarschuwen
geen sigaretten te roken **II** *onov ww*
❶ ~ *against* waarschuwen tegen ❷ ~ *of*

waarschuwen voor
warning ['wɔːnɪŋ] **I** *zn* waarschuwing ★ *give a*
final ~ een laatste waarschuwing geven ★ *give*
advance ~ of sth van tevoren waarschuwen voor
iets **II** *bnw* waarschuwend ★ *a ~ shot* een
waarschuwingsschot
warp [wɔːp] **I** *ov ww* ❶ doen kromtrekken
❷ vervormen, (verkeerd) beïnvloeden ★ *a*
warped sense of humour een (erg) vreemd
gevoel voor humor ★ *a warped mind* een
verdraaide / verknipte geest **II** *onov ww*
kromtrekken **III** *zn* ❶ kromming, kromtrekking
❷ schering ⟨bij het weven⟩
warpaint ['wɔːpeɪnt] *zn* ❶ oorlogsbeschildering
⟨van indianen⟩ ❷ humor make-up
warpath ['wɔːpɑːθ] *zn* oorlogspad ★ inform fig
be on the ~ kwaad zijn, ruzie zoeken
warrant ['wɒrənt] **I** *zn* ❶ bevel(schrift) ★ ~ *of*
arrest bevel tot inhechtenisneming ★ *a ~ is out*
against... er loopt een arrestatiebevel tegen... ★ *a*
~ to search the house een huiszoekingsbevel
❷ machtiging ★ *of attorney* notariële
volmacht ❸ form rechtvaardiging,
(rechts)grond ★ *there's no ~ for...* er is geen
(goede) reden om... **II** *ov ww* ❶ rechtvaardigen,
wettigen ❷ form waarborgen ★ oud *I'll ~ (you)!*
daar kun je van op aan!
warrant card GB *zn* identiteitsbewijs van
politieagent
warrant officer ['wɒrəntɒfɪsə] *zn* ❶ USA
dekofficier ❷ GB ≈ adjudant-onderofficier
warranty ['wɒrənti] *zn* garantie ★ *be still under ~*
er nog garantie op hebben, nog onder de
garantie vallen
warren ['wɒrən] *zn* ❶ konijnenveld,
konijnengebied ⟨met veel holen⟩ ❷ wirwar ⟨van
straatjes⟩, doolhof
warring ['wɔːrɪŋ] *bnw* strijdend ⟨partijen⟩
warrior ['wɒriə] *zn* krijger
warship ['wɔːʃɪp] *zn* oorlogsschip
wart [wɔːt] *zn* wrat ★ inform *love sb warts and all*
van iem. houden zoals hij / zij is, van iem.
houden met alle gebreken
warthog ['wɔːθɒɡ] *zn* wrattenzwijn
wartime ['wɔːtaɪm] **I** *zn* oorlogstijd **II** *bnw*
oorlogs-, in / onder de oorlog
war-torn *bnw* door oorlog verscheurd
warty ['wɔːti] *bnw* vol wratten
war widow *zn* oorlogsweduwe
wary ['weəri] *bnw* behoedzaam, voorzichtig
★ *wary of* op zijn hoede voor
was [wɒz,wəz] *ww* [verleden tijd] → *be*
wash [wɒʃ] **I** *ov ww* ❶ wassen, nat afnemen
★ *wash the car* de auto wassen ★ *wash your*
hands je handen wassen ★ *wash one's hands of*
niets te maken willen hebben met ❷ spoelen
★ *be washed up / ashore* aanspoelen ★ *be washed*
overboard overboord slaan ★ *wash clean*
schoonspoelen ❸ ~ *away* wegspoelen ⟨brug,
weg⟩ ❹ ~ *down* wegspoelen ⟨bv. eten met
drank⟩, helemaal afnemen ⟨aanrecht⟩ ❺ ~ *off*
afspoelen, afwassen ❻ ~ *out* uitwassen,
uitspoelen ★ *be / get washed out* niet doorgaan /
afgelast worden vanwege de regen ⟨van
wedstrijd, evenement⟩ ❼ GB ~ *up* afwassen
II *onov ww* ❶ wassen ❷ zich wassen

❸ gewassen kunnen worden ★ *wash well* goed in / tegen de was kunnen ‹zonder te verkleuren e.d.› ❹ spoelen, stromen ★ *wash ashore* aanspoelen ★ *wash overboard* overboord slaan ❺ ~ **off/out** door wassen eruit gaan ❻ ~ **up** GB de afwas doen, USA zich wassen / opfrissen ▼ *your excuse won't wash* je verontschuldiging houdt geen steek, je excuus wordt niet geloofd / geaccepteerd **III** *zn* ❶ wasbeurt, was ★ *have a wash* zich wassen ★ *your skirt is still in the wash* je rok is nog in de was ❷ deining, het spoelen, golfslag ❸ lotion, (haar)water ❹ laagje verf, muurverf ▼ *it will come out in the wash* het zal wel in orde komen ‹van probleem› het zal wel boven water komen ‹van de waarheid›

washable ['wɒʃəbl] *bnw* (af)wasbaar

washbasin ['wɒʃbeɪsən] *zn* wasbak, vaste wastafel

washboard ['wɒʃbɔːd] gesch *zn* wasbord

washcloth ['wɒʃklɒθ] *zn* USA washandje

washed-out *bnw* ❶ verkleurd, verbleekt ❷ flets, bleek, futloos ❸ weggeslagen ‹van weg, brug›

washed-up inform *bnw* afgeschreven, uitgerangeerd, geruïneerd

washer ['wɒʃə] *zn* ❶ sluiting, kraanleertje, pakking(ring) ❷ inform wasmachine

washerwoman *zn* wasvrouw

washing ['wɒʃɪŋ] *zn* ❶ was(sen) ★ *do the* ~ de was doen ❷ GB wasgoed

washing machine *zn* wasmachine

washing powder *zn* waspoeder, wasmiddel

washing-up [wɒʃɪŋ'ʌp] GB *zn* afwas

washing-up liquid GB *zn* afwasmiddel

washout ['wɒʃaʊt] *zn* ❶ inform fiasco, totale mislukking ❷ bres, gat ‹door waterwerking› ❸ evenement / wedstrijd afgelast vanwege de regen

washroom ['wɒʃruːm] *zn* USA toilet, wc

washstand ['wɒʃstænd] gesch *zn* wastafel ‹met kom en kan water›

washtub ['wɒʃtʌb] gesch *zn* wastobbe

wasp [wɒsp] *zn* wesp

WASP [wɒsp] *afk*, *White Anglo-Saxon Protestant* blanke Angelsaksische protestant ‹geslaagde Amerikaan met Britse / Europese voorouders›

waspish ['wɒspɪʃ] *bnw* venijnig, nijdig, prikkelbaar

wastage ['weɪstɪdʒ] *zn* ❶ verkwisting, verspilling ❷ GB verloop ‹van personeel›, uitval ‹van studenten› ★ *natural* ~ natuurlijk verloop

waste [weɪst] **I** *zn* ❶ verkwisting, verspilling ★ *it's a* ~ *of time / money* het is tijdverspilling / geldverspilling ★ *it's a* ~ het is zonde ★ *go to* ~ verloren gaan, weggegooid worden, onbenut blijven ❷ afval ★ *toxic* ~*(s)* giftig afval ❸ [vaak mv] braakliggend land, wildernis **II** *ov ww* ❶ verkwisten, verspillen, verknoeien, verloren laten gaan ★ ~ *your time on* je tijd verspillen aan ★ ~ *no time (in) doing sth* iets direct doen ★ ~*d money* weggegooid geld ★ *a* ~*d opportunity / chance* een gemiste kans ★ ~ *breath on* woorden verspillen aan ★ *that's* ~*d on her* dat is aan haar niet besteed ❷ USA inform vermoorden, omleggen ❸ USA inform inmaken ‹tegenstander› **III** *onov ww* ~ **away** wegkwijnen, wegteren ▼ ~ *not, want not* wie wat

bewaart die heeft wat **IV** *bnw* ❶ woest, braak(liggend) ‹van land› ★ *lie* ~ braak liggen ❷ afval-, niet meer nodig, afgewerkt ★ ~ *paper* oud papier ★ ~ *water* afvalwater ▼ *lay* ~ verwoesten

wastebasket ['weɪstbɑːskɪt] USA *zn* prullenmand

waste disposal *zn* afvalverwerking

wasteful ['weɪstfʊl] *bnw* verkwistend, verspillend ★ *be* ~ *of* verkwisten

waste-paper basket GB *zn* prullenmand

waster ['weɪstə] *zn* ❶ verkwister, verspiller ‹ook in samenstellingen› ★ *energy* ~ energieverspiller ❷ GB inform nietsnut

wastrel ['weɪstrəl] dicht *zn* nietsnut

watch [wɒtʃ] **I** *ov ww* ❶ bekijken, kijken (naar) ★ ~ *television / a match* televisie kijken / naar een wedstrijd kijken ❷ in de gaten houden, letten op ★ ~ *your luggage* let op je bagage ★ ~ *the time* de tijd in de gaten houden ★ ~ *it! / yourself!* pas op! ★ ~ *your head here* pas op dat je je hoofd hier niet stoot ★ *we're being* ~*ed* we worden in de gaten gehouden ★ *a* ~*ed pot never boils* wachten duurt altijd lang **II** *onov ww* ❶ kijken ❷ ~ **for** uitkijken naar ❸ ~ **out** uitkijken, oppassen, op zijn hoede zijn ❹ ~ **over** waken over **III** *zn* ❶ horloge ❷ wacht, waakzaamheid, hoede ★ *be on* ~ op wacht staan ★ *be on the* ~ *for* op de uitkijk staan naar, op je hoede zijn voor ★ *keep (a)* ~ de wacht houden ★ *keep* ~ *on* in de gaten houden

watchable *bnw* het bekijken waard, genietbaar ‹van film, tv-programma›

watchdog ['wɒtʃdɒg] *zn* ❶ waakhond, toezichthouder ❷ oud waakhond

watcher ['wɒtʃə] *zn* waarnemer, kenner ★ *industry / market* ~*s* kenners / volgers van de industrie / markt

watchful ['wɒtʃfʊl] *bnw* waakzaam ★ *keep a* ~ *eye on sb / sth* iemand / iets goed in de gaten houden

watchmaker ['wɒtʃmeɪkə] *zn* horlogemaker

watchman ['wɒtʃmən] oud *zn* nachtwaker, bewaker

watchstrap ['wɒtʃstræp] GB *zn* horlogebandje

watchtower ['wɒtʃtaʊə] *zn* wachttoren

watchword ['wɒtʃwɜːd] *zn* devies, slogan, leus ★ *quality is our* ~ kwaliteit is ons devies, kwaliteit is waar wij voor staan

water ['wɔːtə] **I** *zn* water ★ *hot en cold running* ~ warm en koud stromend water ★ *international / territorial* ~*s* internationale / territoriale wateren ★ *her* ~*s broke* haar vliezen braken ‹voor geboorte van kind› ★ *rel holy* ~ wijwater ★ *form by* ~ over het water, over zee ★ *pour / throw cold* ~ *on sth* een domper zetten op iets, iets (be)kritiseren ★ *that doesn't hold* ~ dat houdt geen steek, dat gaat niet op ★ *still* ~*s run deep* stille wateren hebben diepe gronden ★ *stormy / murky* ~*s* stormachtige / donkere tijden ‹die er aan komen› ★ *be dead in the* ~ totaal mislukt zijn, helemaal in het slop zitten ★ *be in deep* ~ in grote moeilijkheden zitten ★ *be in / get into hot* ~ in moeilijkheden zitten / komen ★ *it brings* ~ *to my mouth* het doet me watertanden ★ *that's* ~ *under the bridge* zand erover, dat is verleden tijd ★ *be (like)* ~ *of a duck's back* niet het minste

wa

effect hebben ★ *fig of the first* ~ van het zuiverste water ★ *make* ~ lek zijn II *form make / pass* ~ urineren ★ *high / low* ~ hoog- / laagwater ★ *fig be at low* ~ aan de grond zitten, op zwart zaad zitten ★ *(spend money) like* ~ (geld uitgeven) als water (in overvloed) ★ *test the* ~ de stemming peilen, een proefballonnetje oplaten ★ *tread* ~ watertrappelen ★ *white* ~ wildwater (in rivier), kolkend / schuimend water (op zee) ▼ *blow up / out of the* ~ wegvagen, van de kaart vegen II *ov ww* ❶ besproeien, besprenkelen, water geven, van water voorzien ❷ aanlengen ❸ ~ *down* aanlengen, verwateren, verzachten, verbloemen III *onov ww* tranen (van je ogen), wateren ★ *it makes my mouth* ~ het doet me watertanden, het water loopt me in de mond

water bird *zn* watervogel

water biscuit GB *zn* cracker

waterborne ['wɔːtəbɔːn] *bnw* ❶ over water vervoerd ❷ door (drink)water overgebracht (ziekte)

water bottle ['wɔːtəbɒtl] *zn* ❶ bidon ❷ veldfles

water butt GB *zn* regenton

water cannon *zn* waterkanon

watercolour, USA **watercolor** ['wɔːtəkʌlə] *zn* ❶ waterverf ❷ aquarel, waterverfschilderij

watercourse ['wɔːtəkɔːs] *form zn* rivier, stroom, kanaal

watercress ['wɔːtəkres] *zn* waterkers

water engineering *zn* waterbouwkunde

waterfall ['wɔːtəfɔːl] *zn* waterval

waterfowl ['wɔːtəfaʊl] *form zn* [mv: id.] watervogel

waterfront ['wɔːtəfrʌnt] *zn* waterkant, wijk / gebied aan het water, havenkwartier ★ *luxury* ~ *apartments* luxe appartementen aan het water

waterhole ['wɔːtəhəʊl] *zn* poel, drinkplaats

watering can *zn* gieter

watering place *zn* ❶ drinkplaats ❷ oud badplaats, kuuroord

water level ['wɔːtəlevəl] *zn* ❶ waterniveau, waterstand ❷ waterpas

water lily *zn* waterlelie

waterline ['wɔːtəlaɪn] *zn* waterlijn (van schip)

waterlogged ['wɔːtəlɒgd] *bnw* vol van / met water, doorweekt, kletsnat

Waterloo [wɔːtə'luː] *zn* beslissende nederlaag ★ *meet one's* ~ (ergens) zijn Waterloo vinden

water main *zn* hoofdwaterleiding

watermark ['wɔːtəmɑːk] I *zn* watermerk II *ov ww* van watermerk voorzien

water meadow ['wɔːtəmedəʊ] *zn* overloopgebied, uiterwaard

watermelon ['wɔːtəmelən] *zn* watermeloen

watermill *zn* watermolen

water pipe *zn* ❶ waterleidingsbuis ❷ waterpijp (om te roken)

water polo *zn* waterpolo

water power *zn* waterkracht

waterproof ['wɔːtəpruːf] I *bnw* waterdicht, waterbestendig II *ov ww* waterdicht maken III *zn* GB regenjas ★ ~*s* [mv] regenpak, regenbroek en regenjas

water-repellent *bnw* waterafstotend

water-resistant *bnw* bestand tegen water, waterproof

watershed ['wɔːtəʃed] *zn* ❶ keerpunt, omslag ★ GB *the 9 o'clock* ~ negen uur 's avonds (tijdstip waarvoor geen programma's vertoond mogen worden op tv die niet geschikt zijn voor kinderen) ❷ waterscheiding (tussen twee stroomgebieden)

waterside ['wɔːtəsaɪd] *zn* waterkant ★ *a* ~ *pub* een pub aan het water

waterski ['wɔːtəskiː] I *onov ww* waterskiën II *zn* waterski

waterspout ['wɔːtəspaʊt] *zn* waterhoos

water supply ['wɔːtəsəplaɪ] *zn* ❶ watervoorziening ❷ watervoorraad

water table ['wɔːtəteɪbl] *zn* grondwaterpeil

watertight ['wɔːtətaɪt] *bnw* ❶ waterdicht ❷ onaanvechtbaar ★ *a* ~ *alibi* een waterdicht alibi

water tower *zn* watertoren

water vapour *zn* waterdamp

water vole *zn* waterrat

waterway ['wɔːtəweɪ] *zn* waterweg

waterwheel ['wɔːtəwiːl] *zn* waterscheprad

waterworks ['wɔːtəwɜːks] *zn* ❶ waterleiding(bedrijf) ❷ *inform* blaas ▼ *turn on the* ~ het op een janken zetten

watery ['wɔːtərɪ] *bnw* ❶ waterig ★ ~ *eyes* tranende ogen ❷ verwaterd ❸ bleek, zwak (van licht, glimlach e.d.)

watt [wɒt] *zn* watt

wattage ['wɒtɪdʒ] *zn* wattage

wattle ['wɒtl] *zn* ❶ teenwerk, vlechtwerk van takken en twijgen ★ ~*-and-daub wall* wand v. rijshout en leem ❷ lel, halskwab

wave [weɪv] I *zn* ❶ golf *ook fig natk*, vloedgolf ★ *a wave of enthusiasm* een golf v. enthousiasme ★ *waves of demonstrators* golven / massa's demonstranten ★ *fig make waves* problemen veroorzaken ❷ golving, golf in het haar ❸ wuivend gebaar ★ *give a wave* wuiven, zwaaien II *ov ww* ❶ zwaaien (met), wuiven (met) ★ *wave your arms* met je armen zwaaien ★ *wave a hand towards sth* met een hand naar iets wijzen / zwaaien ★ *wave sb goodbye / goodbye to sb* iem. uitzwaaien ❷ doen golven, doen wapperen ❸ met een gebaar te kennen geven ★ *wave sb through* iem. gebaren door te lopen ❹ krullen, golven (haar) ❺ ~ *aside* afwijzen, wegwuiven ❻ ~ *away* beduiden weg te gaan ❼ ~ *down* beduiden te stoppen ❽ ~ *off* uitzwaaien III *onov ww* ❶ zwaaien, wuiven ❷ golven, wapperen

waveband ['weɪvbænd] *zn* golfband

wavelength [weɪvleŋθ] *zn* golflengte ★ *fig be on the same* ~ *op* dezelfde golflengte zitten

waver ['weɪvə] *onov ww* ❶ zwakker / onvast worden, haperen (van stem) ❷ flikkeren (van licht) ❸ aarzelen, weifelen ★ *not* ~ *from a decision* bij een besluit blijven

wavy ['weɪvɪ] *bnw* golvend

wax [wæks] I *zn* ❶ was, (schoen)smeer ❷ oorsmeer II *ov ww* ❶ boenen, met was inwrijven, poetsen ★ *waxed paper* vetvrij papier ❷ ontharen / epileren met was, harsen III *onov ww* ❶ toenemen, wassen (van de maan) ★ *wax and wane* toenemen en afnemen ❷ *form* worden ★ *wax lyrical about sth* lyrisch worden over iets

waxen ['wæksən] *bnw* ❶ wassen ❷ wasbleek

wax paper *USA zn* vetvrij papier

waxwork ['wækswɔːk] *zn* wassen beeld ★ *~s* [mv] wassenbeeldententoonstelling

waxy ['wæksɪ] *bnw* ❶ wasachtig ❷ wasbleek

way [weɪ] **I** *zn* ❶ wijze, manier (van doen), gewoonte, methode ★ *by way of* door middel van, bij wijze van ★ *he is by way of engaged* hij is zo'n beetje verloofd ★ *either way* hoe dan ook ★ *in a / some way* in zekere zin, in zeker opzicht ★ *in her / his own way* op haar / zijn eigen manier ★ *things are in a bad way* de zaak zit niet goed, de zaak staat er beroerd voor ★ *in this way* zo(doende), op deze manier ★ *in no way* in geen enkel opzicht ★ *we are all in the same way* we zitten allemaal in hetzelfde schuitje ★ *in a small way* op kleine schaal ★ *in a big way* op een grootse manier ★ *it's not his way to* het is niets voor hem ★ *that's only his way* zo doet hij nu eenmaal ★ *the way you look!* wat zie jij eruit! ★ *the way she dresses!* en dan moet je zien hoe ze zich kleedt! ★ *one / some way or (an)other* op de een of andere manier ★ *be in the family way* in verwachting zijn ★ *find a way of doing sth* een manier vinden om iets te doen ★ *get out of the way of* (er) uit raken ★ *get into the way of doing sth* (eraan) gewend raken iets te doen ★ *get / have your way* je zin krijgen / hebben ★ *have it your own way!* zoals je wilt! ★ *he has it all his own way with* hij kan doen wat hij wil met ★ *have it both ways* van beide kanten profiteren ★ *he has a way with people* hij weet hoe hij met mensen om moet gaan ★ *she has a little way of* ze heeft er een handje van om ★ *he has a way of blinking* hij knippert altijd met zijn ogen ★ *way of life* levenswijze, manier van leven ★ *ways and means* budget, geldmiddelen ★ *seek new ways and means of...* nieuwe manieren / wegen zoeken om... ★ *no way!* nooit!, nietes!, onmogelijk! ★ *to my way of thinking* naar mijn mening, volgens mij ★ *that's the way of the world* zo gaat het (nu eenmaal) in de wereld ★ inform *that's the way the cookie crumbles* zo gaat het nu eenmaal ★ *(that's / it) always the way* zo gaat het (nu) altijd ★ *that way* zó ★ *that's the way* zó, zó doet 't, zó hoort 't ★ *if you feel that way* als je er zó over denkt ★ inform *no two ways about it* geen twijfel over mogelijk ★ *take sth the wrong way* iets verkeerd opvatten ★ *rub sb up the wrong way* iem. kwaad maken ❷ weg ★ *across the way* aan de overkant, hiertegenover ★ *by way of* via ★ *way of the Cross* Kruisweg ★ *find the way to sb's heart* de weg naar iemands hart vinden ★ *lose your way* verdwalen ★ *make your (own) way* je weg vinden ★ *on the way (to)* op (de) weg (naar), onderweg (naar) ★ *be on your way* onderweg zijn, eraan komen ★ *the way in / out* de ingang / uitgang ★ *a way out* een uitweg ★ *on the way out* op weg naar buiten, uit de mode rakend ★ *take the easy way out* de weg van de minste weerstand kiezen ★ *in the way* in de weg ★ *get in the way* in de weg staan, hinderen ★ *get sb out of the way* iem. opzijpzetten ★ *give way to* wijken voor, plaats

maken voor, *GB* voorrang verlenen (aan), zich overgeven aan ★ *give way* het opgeven, toegeven ★ *keep / stay out of sb's way* iem. mijden ★ *make way for* uit de weg gaan voor, plaats maken voor ★ sterrenk *Milky Way* Melkweg ★ *put out of the way* uit de weg ruimen ★ *put o.s. out of the way* zichzelf / zijn eigen belangen opzij schuiven ★ *put sb in the way of* iem. op weg helpen met, iem. de gelegenheid geven om ★ *over the way* aan de overkant ★ *see one's way (clear) to doing sth / to do sth* de kans / mogelijkheid zien (om) iets te doen ★ *stand in the way* in de weg staan, tegenhouden ★ *under way* aan de gang ★ *work one's way through college* werken tijdens je studie, werkstudent zijn ★ *work your way through a book* je door een boek heen werken ★ *work your way up* je omhoogwerken ❸ richting, kant ★ *our way* onze kant op, in ons voordeel ★ *out of the way* uit de weg, afgelegen, ongewoon ★ *such chances don't often come your way* zulke kansen krijg je niet vaak ★ *cut both / two ways* goede en slechte kanten hebben ★ inform *every which way* alle kanten op ★ *he is in the retail way* hij is middenstander ★ *in the way of* op het gebied van ★ *look the other way* de andere kant op kijken ★ *the other way round* andersom ★ *this way* hierheen, volgt U maar ❹ eind(je), afstand ★ *a long way off* een heel eind weg ★ *go a long way (towards)* veel helpen (aan) / bijdragen (tot), ver reiken ★ *by a long way* verreweg ★ *make way* vooruit komen ★ *all the way from China* helemaal uit China ★ inform *go all the way* 'het' doen ⟨seks⟩ ▼ *by the way* tussen twee haakjes, overigens ▼ *that's only by the way* dat is maar terloops, daar gaat het eigenlijk niet om ▼ *go out of your way* je uitsloven ▼ *USA* inform *way to go* goed zo, goed gedaan **II** *bijw* ❶ inform ver, een eind / stuk ★ *way above my budget* ver boven mijn budget ★ *way down* helemaal naar beneden ★ *way back* lang geleden ❷ *USA* inform zeer ★ *it's way better* het is veel beter

wayfarer ['weɪfeərə] *dicht zn* reiziger ⟨te voet⟩, trekker

waylay [weɪ'leɪ] *ov ww* opwachten

way-out [weɪ'aʊt] inform *bnw* ongewoon, excentriek, te gek

wayside ['weɪsaɪd] *zn* kant van de weg ★ *go / fall by the ~* uitvallen, afvallen, niet (meer) doorgaan

wayward ['weɪwəd] *bnw* ❶ dwars, eigenzinnig ❷ grillig, onberekenbaar

WC ['dʌblju: si:] *GB afk*, water closet wc, toilet

we [wiː] *pers vnw* wij, we

weak [wiːk] *bnw* ❶ zwak ★ *a weak heart* een zwak / slecht hart ★ *be weak in German* zwak / niet zo goed zijn in Duits ❷ slap ★ *weak tea* slappe thee

weaken ['wiːkən] **I** *ov ww* verzwakken, zwak(ker) maken, verslappen **II** *onov ww* verzwakken, zwak(ker) worden, verslappen

weak-kneed [wiːk'niːd] *bnw* zwak, slap, karakterloos

weakling ['wiːklɪŋ] *zn* zwakkeling

weakly ['wiːklɪ] *bw* zwak(jes) ★ *smile ~* zwakjes

glimlachen

weak-minded [wi:kˈmaɪndɪd] *bnw* ❶ achterlijk, imbeciel ❷ slap ⟨van wil / karakter⟩

weakness [ˈwi:knəs] *zn* ❶ zwakheid, zwakte ★ *have a ~ for* een zwak hebben voor ❷ zwak punt

weal [wi:l] *zn* ❶ striem ❷ <u>dicht</u> welzijn ★ *public / common weal* algemeen welzijn

wealth [welθ] *zn* ❶ rijkdom ❷ grote hoeveelheid ★ *a ~ of experience* een schat aan ervaring

wealthy [ˈwelθɪ] *bnw* rijk

wean [wi:n] *ov ww* ❶ spenen ❷ ~ **(away) from** doen vervreemden van, afwennen ❸ ~ **off** ontwennen, afwennen ❹ ~ **on** ★ *be weaned on sth* met iets grootgebracht zijn, iets met de paplepel ingegoten gekregen hebben

weapon [ˈwepən] *zn* wapen *ook fig* ★ *smart ~* precisiewapen ★ *chemical / biological ~* chemisch / biologisch wapen ★ *~ of mass destruction* massavernietigingswapen ★ *a ~ against racism* een wapen regen racisme

weaponry [ˈwepənrɪ] *zn* wapentuig, wapens

wear [weə] **I** *ov ww* [onregelmatig] ❶ dragen, aanhebben, ophebben, gekleed gaan in ★ *wear white* in het wit zijn / gekleed gaan ❷ hebben, tonen ★ *wear a beard* een baard hebben / dragen ★ *wear a smile* glimlachen ★ *wear a troubled look* zorgelijk kijken ❸ afslijten, uitschuren, uitslijten, verslijten ★ *wear holes in your socks* gaten in je sokken krijgen ❹ <u>GB</u> <u>inform</u> pikken ★ *I won't wear it* dat neem ik niet ❺ ~ **away** uitwissen, uitslijten ❻ ~ **down** (af)slijten, afmatten, geleidelijk overwinnen ❼ ~ **in** inlopen ⟨schoenen⟩ ❽ ~ **out** verslijten, afdragen, uitputten ★ *wear yourself out* uitgeput raken **II** *onov ww* [onregelmatig] ❶ afslijten, verslijten ★ *wear thin* dun worden, zwak worden ⟨van excuus⟩, opraken ⟨van geduld⟩ ❷ zich goed houden, het uithouden ★ *it will wear for ever* het gaat nooit kapot ★ *it won't wear very long* het zal niet lang meegaan ★ *wear well* er nog goed uitzien ⟨van personen⟩, goed blijven ⟨van dingen⟩ ❸ ~ **away** (weg)slijten ❹ ~ **down** slijten ❺ ~ **off** (af)slijten, er af gaan, verdwijnen ❻ ~ **on** vorderen, voorbijgaan ❼ ~ **out** slijten, uitgeput raken **III** *zn* ❶ kleding, dracht ★ *casual wear* vrijetijdskleding, gemakkelijke kleren ❷ het dragen, gebruik ★ *for everyday wear* voor dagelijks gebruik ⟨van kleding⟩ ★ *you'll get years of wear out of this coat* deze jas gaat jaren mee, je zult jaren plezier hebben van deze jas ★ *is in excellent state of wear* ziet er nog zeer goed uit ❸ slijtage ★ *wear and tear* slijtage ★ *fair / normal wear and tear* normaal gebruik ★ *much the worse for wear* danig versleten

wearable [ˈweərəbl] *bnw* (geschikt om) te dragen

weariness [ˈwɪərɪnəs] *zn* ❶ vermoeidheid ❷ verveling

wearing [ˈweərɪŋ] *bnw* vermoeiend

wearisome [ˈwɪərɪsəm] *bnw* ❶ vermoeiend ❷ vervelend

weary [ˈwɪərɪ] **I** *bnw* ❶ moe, vermoeid ❷ beu ★ *be ~ of waiting* het wachten beu zijn ❸ vermoeiend ❹ vervelend **II** *ov ww* vermoeien, afmatten **III** *onov ww* ❶ moe

worden ❷ ~ **of** beu worden, genoeg krijgen van

weasel [ˈwi:zəl] **I** *zn* ❶ wezel ❷ <u>inform</u> gluiperd **II** *onov ww*, <u>USA</u> <u>inform</u> ~ **out** ★ *~ out of sth* ergens onderuit proberen te komen

weasel word <u>inform</u> *zn* [meestal mv] verhullend woord

weather [ˈweðə] **I** *zn* weer ★ *have bad / good ~* slecht / goed weer hebben ★ *listen to the ~* naar het weerbericht luisteren ★ <u>GB</u> *in all ~s* weer of geen weer, wat voor weer het ook is ▼ *feel a bit under the ~* je niet zo lekker voelen **II** *ov ww* ❶ doen verweren ❷ doorstaan ★ *~ the storm* de storm doorstaan, (de) zware tijden doorkomen **III** *onov ww* verweren

weather-beaten [ˈweðəbi:tn] *bnw* verweerd, in weer en wind gehard

weathercock [ˈweðəkɒk] *zn* windhaan, windwijzer

weather eye *zn* ▼ *keep a ~ on* goed in de gaten houden

weather forecast *zn* weerbericht

weathering [ˈweðərɪŋ] *zn* verwering

weatherman [ˈweðəmæn] *zn* weerman

weatherproof [ˈweðəpru:f] *bnw* weerbestendig, water- en winddicht

weather strip *zn* tochtstrip, tochtlat

weathervane [ˈweðəveɪn] *zn* windvaan, windwijzer

weave [wi:v] **I** *ov ww* [regelmatig + onregelmatig] ❶ weven, vlechten ❷ in elkaar zetten ⟨verhaal⟩, bedenken ⟨plan⟩ ❸ zich zigzaggend banen ★ *~ your way through the crowd* door de menigte heen zigzaggen **II** *onov ww* [regelmatig + onregelmatig] ❶ weven ❷ zwenken, zigzaggen ★ *~ in and out of the traffic* door het verkeer slalommen / zigzaggen **III** *zn* weeftrant, patroon, weefsel

weaver [ˈwi:və] *zn* wever

web [web] *zn* ❶ (spinnen)web ❷ netwerk, web ★ *a web of lies and deceit* een web van leugens en bedrog ❸ <u>comp</u> netwerk, internet ★ *on the web* op het web, op internet ❹ zwemvlies

web address *zn* <u>comp</u> webadres

webbed [webd] *bnw* met zwemvliezen

webbing [ˈwebɪŋ] *zn* ❶ singel(band) ⟨onder stoelzitting⟩ ❷ boordband

webcam [ˈwebkæm] *zn* <u>comp</u> webcam

webcast [ˈwebkɑ:st] *zn* <u>comp</u> live uitzending via het internet

web designer <u>comp</u> *zn* websiteontwerper

webhead <u>inform</u> <u>comp</u> *zn* internetjunk ⟨iemand die altijd op internet zit en er alles van weet⟩

weblog [ˈweblɒg] *zn* <u>comp</u> weblog ⟨dagboek op internet⟩

webmaster [ˈwebmɑ:stə] *zn* <u>comp</u> webmaster, websitebeheerder

webpage [ˈwebpeɪdʒ] *zn* <u>comp</u> webpagina

website [ˈwebsaɪt] *zn* <u>comp</u> website

wed [wed] **I** *ov ww* ❶ trouwen ❷ verenigen **II** *onov ww* trouwen

we'd [wi:d] *samentr* ❶ *we had* → **have** ❷ *we would* → **will**

Wed. *afk, Wednesday* woensdag

wedded [ˈwedɪd] *bnw* ❶ huwelijks- ★ *~ bliss* huwelijksgeluk ❷ verknocht ★ *he's ~ to his job* hij is met zijn werk getrouwd ★ *be ~ to sth* ergens nauw mee verbonden zijn, verknocht zijn aan iets, vast zitten aan iets ⟨idee, oplossing⟩

wedding ['wedɪŋ] *zn* huwelijksplechtigheid, bruiloft ★ *golden / silver ~* gouden / zilveren bruiloft, 50- / 25 jarig huwelijk(sfeest)

wedding anniversary *zn* trouwdag ⟨als gedenkdag⟩

wedding breakfast *zn* huwelijksmaal

wedding cake *zn* bruidstaart

wedding day *zn* trouwdag

wedding ring *zn* trouwring

wedge [wedʒ] **I** *zn* ❶ wig ★ *fig drive a ~* een wig drijven tussen, tweedracht zaaien tussen ★ *fig the thin end of the ~* het eerste ⟨nog onbelangrijke⟩ begin ❷ stuk ⟨kaas⟩, punt ⟨taart⟩ ❸ wedge ⟨golfstick⟩ **II** *ov ww* ❶ proppen, klemmen ★ *~d (in) between* bekneld tussen ★ *with the phone ~d under her chin* met de telefoon onder haar kin geklemd ★ *~ o.s. into a seat* zich in een stoel wurmen / proppen ❷ een wig slaan / steken in, vastzetten ★ *~ a door open / shut* een deur met een wig open- / dichthouden

wedge-shaped [wedʒˈʃeɪpt] *bnw* wigvormig

wedgie [wedʒɪ] inform *zn* ≈ het bij de bilnaad snel omhoog trekken van iemands onderbroek ⟨practical joke⟩

wedlock ['wedlɒk] *zn* echtelijke staat ★ *oud born in / out of ~* (on)echt, (on)wettig ⟨v. kind⟩

Wednesday ['wenzdeɪ] *zn* woensdag

wee I *bnw* heel klein ★ *a wee bit* een heel klein beetje ★ USA *the wee hours* de kleine uurtjes ⟨in middernacht⟩ **II** *zn,* **wee-wee** GB inform plasje ⟨in kindertaal⟩ ★ *have / do a wee* een plasje doen **III** *onov ww,* **wee-wee** GB inform een plasje doen

weed [wi:d] **I** *zn* ❶ onkruid ❷ wier ❸ inform tabak ❹ inform marihuana ❺ GB inform lange slungel, slappeling **II** *ov ww* ❶ wieden ❷ ~ out verwijderen

weedkiller ['wi:dkɪlə] *zn* onkruidverdelger

weedy ['wi:dɪ] *bnw* ❶ vol onkruid ❷ inform opgeschoten, lang en mager, spichtig ❸ inform niet sterk ⟨van karakter⟩

week [wi:k] *zn* week ★ GB *today / Tuesday week* vandaag / donderdag over een week ★ *a week from Sunday / Monday* zondag / maandag over een week ★ GB *a week (on) Sunday / Monday* zondag / maandag over een week ★ rel *Holy Week* Goede Week

weekday ['wi:kdeɪ] *zn* werkdag, doordeweekse dag

weekend [wi:k'end] **I** *zn* weekeinde ★ *at / USA on the ~s* in de weekenden ★ GB *dirty ~* weekendje met buitenechtelijke relatie **II** *onov ww* een weekeinde doorbrengen

weekender [wi:k'endə] *zn* weekendgast, -toerist

weekly ['wi:klɪ] **I** *bnw + bijw* wekelijks **II** *zn* weekblad

weeknight *zn* doordeweekse nacht

weeny inform *bnw* heel klein ★ *a ~ bit scared* een heel klein beetje bang

weep [wi:p] [onregelmatig] **I** *onov ww* ❶ wenen ★ *weep for sth* wenen / huilen om iets ❷ vocht

afscheiden ⟨van wond⟩ **II** *ov ww* vergieten ★ *weep tears* tranen schreien / storten

weepy ['wi:pɪ] **I** *bnw* huilerig **II** *zn,* **weepie** inform erg sentimente(e)l(e) film / verhaal / boek, huilfilm

weevil ['wi:vɪl] *zn* snuitkever

weft [weft] *zn* inslag ⟨bij het weven⟩

weigh [weɪ] **I** *ov ww* ❶ wegen ★ *fig ~ a ton* loodzwaar zijn ★ *70 kilos* 70 kilo wegen ★ *fig ~ the benefits against the costs* de voordelen tegen de kosten afwegen ❷ **weigh up** overwegen, inschatten, opnemen ⟨situatie, persoon⟩ ★ *~ (up) the pros and sons* de voor- en nadelen tegen elkaar afwegen ❸ lichten ★ *~ anchor* het anker lichten ❷ *~ down* zwaar beladen ⟨met bagage e.d.⟩, (terneer)drukken, doen (door)buigen ★ *be ~ed down by grief* onder verdriet gebukt gaan ❸ *~ out* afwegen **II** *onov ww* ❶ gewicht in de schaal leggen, (mee)tellen ★ *~ against sb* tegen iem. werken / spreken ❷ wegen ❸ *~ in with* het midden brengen, zijn / haar steentje bijdragen met ❹ *~ in/out* gewogen worden voor / na wedstrijd ★ *~ in at 45 kilos* voor de wedstrijd 45 kilo wegen ❺ *~ on* (zwaar) drukken op, belasten ❻ *~ with* tellen bij, gewicht in de schaal leggen bij

weighbridge ['weɪbrɪdʒ] *zn* weegbrug

weight [weɪt] **I** *zn* ❶ gewicht ★ *put on ~* aankomen, zwaarder worden ★ *lose ~* afvallen ★ *you shouldn't lift heavy ~s* je moet geen zware dingen tillen ★ *lift ~s* gewichten tillen, met gewichten werken ⟨voor je conditie⟩ ★ inform *take the ~ of your feet* gaan zitten ❷ druk, last ★ *a great ~ from my mind* een pak van mijn hart ❸ belang, gewicht, invloed ★ *carry ~* gewicht in de schaal leggen ★ *it had no ~ with me* het legde bij mij geen gewicht in de schaal ★ *pull one's ~* z'n steentje bijdragen ★ inform *throw one's ~ about / around* zich laten gelden, gewichtig doen, de baas spelen ★ *throw your ~ behind sth* je helemaal achter iets stellen ❹ grootste deel, overgrote deel ★ *the ~ of public opinion is behind the employers* de publieke opinie staat voor het grootste gedeelte achter de werkgevers ★ *win by sheer ~ of numbers* winnen omdat je met veel meer bent **II** *ov ww,* **weight down** verzwaren

weighted ['weɪtɪd] *bnw* ★ *be ~ in favour of* in het voordeel werken van, bevoordelen ★ *be ~ against* in het nadeel werken van, benadelen

weighting ['weɪtɪŋ] *zn* toelage, toeslag, standplaatstoelage

weightlifter ['weɪtlɪftə] *zn* gewichtheffer

weightlifting ['weɪtlɪftɪŋ] *zn* gewichtheffen

weighty ['weatɪ] *bnw* ❶ gewichtig, belangrijk ❷ zwaar

weir [wɪə] *zn* (stuw)dam

weird [wɪəd] *bnw* ❶ vreemd, onwerkelijk ❷ akelig, griezelig, eng

weirdo ['wɪədəʊ] *zn* rare snuiter, excentriekeling

welch [weltʃ] *ww* → **welsh**

welcome ['welkəm] **I** *ov ww* verwelkomen ook fig , welkom heten, (graag) ontvangen ★ *~ a decision / change* een beslissing / verandering toejuichen **II** *bnw* welkom ★ *a ~ change / guest* een welkome verandering / gast ★ *make sb ~*

we

iem. welkom heten ★ *you're* ~ tot je dienst, graag gedaan, niets te danken ★ *you're* ~ *to use our car* je mag gerust onze auto gebruiken ★ *you're* ~ *to it!* van mij mag je!, ga je gang! 〈gezegd wanneer je zelf iets niet wilt〉 ★ *you're* ~ *to your own opinion!* jouw mening interesseert mij geen zier! III *zn* ontvangst, verwelkoming ★ *give sb a warm* ~ iem. hartelijk ontvangen, iem. een warme ontvangst bereiden ★ *outstay / overstay one's* ~ langer blijven dan gewenst, langer blijven dan je welkom bent

welcoming *bnw* vriendelijk, hartelijk, gastvrij ★ *a* ~ *smile* een uitnodigende / hartelijke glimlach

weld [weld] I *ov ww* ❶ lassen ❷ samenvoegen, samenbinden II *onov ww* lasbaar zijn, zich laten lassen III *zn* las(naad)

welder ['weldə] *zn* lasser

welfare ['welfeə] *zn* ❶ welzijn ❷ maatschappelijk werk, welzijnszorg ❸ USA bijstand ★ *be on* ~ in de bijstand zitten

welfare state *zn* verzorgingsstaat

welfare work *zn* maatschappelijk werk

well [wel] I *bijw* ❶ goed, behoorlijk ★ *speak German very well* zeer goed Duits spreken ★ *they know each other well* ze kennen elkaar goed ★ *behave well* je goed / behoorlijk gedragen ★ *do well* het goed doen, slagen, winst maken ★ *she's doing well at school* ze doet het goed op school ★ *mother and child are doing well* moeder en kind maken het goed ★ *do well by sb* iem. goed behandelen ★ *well done!* goed zo ★ *as well* ook (nog) ★ *as well as* evengoed als, zowel als ★ *I can't very well refuse* ik kan toch eigenlijk niet weigeren ★ inform *we might as well wait for her* we kunnen net zo goed op haar wachten ❷ zeer, ruim, een heel eind ★ *well worth the effort* zeer de moeite waard ★ *well after midnight* ruim na middernacht ★ *be well aware of sth* zich zeer goed bewust zijn van iets ★ GB inform *be well away* flink opschieten, ver heen zijn 〈dronken〉 ★ *be well in with sb* in een goed blaadje staan bij iem., het (erg) goed kunnen vinden met iem. II *bnw* ❶ goed, in orde ★ *I hope all is well with the family* ik hoop dat het goed gaat met jullie / het hele gezin ★ *all's well that ends well* eind goed, al goed ★ *it's all very well to say... but* dat kun je nu wel zeggen... maar ★ *it would be as well to* het zou geen slecht idee zijn om ★ *it's just as well that she has come right away* het is maar goed dat zij direct gekomen is ★ *well enough* goed genoeg, vrij behoorlijk ★ *(that's) all well and good, but...* alles wel en goed, maar... ❷ wel, beter, gezond ★ *feel well* je goed voelen ★ *get well (soon)* (van harte) beterschap III *tw* ❶ nou, en, zo ★ *well, what did she say?* en / nou, wat zei ze? ★ *well, she has a nerve!* zo / nou, zij durft! ★ *well, well, I didn't think that would happen* nounou / zozo, ik had niet gedacht dat dat zou gebeuren ❷ nou ja ★ *she's rich. well, she's got more money than me* zij is rijk. nou ja, ze heeft meer geld dan ik ★ *well, he could have phoned me* nou ja, hij had me kunnen bellen ❸ och ja ★ *oh well, you can't win all the time* och ja, je kunt niet altijd winnen ❹ welnu, goed ★ *well, that's it for now* goed / nou, dat is het voor dit moment IV *zn*

❶ ook fig bron ❷ (boor)put ❸ trappenhuis, liftkoker, -schacht ❹ het goede ★ *leave / let well alone* als het goed is, laat het dan zo V *onov ww*, **well up** opwellen 〈van tranen, gevoelens〉, ontspringen

we'll [wi:l] *samentr* ❶ *we shall* → **shall** ❷ *we will* → **will**

well adjusted *bnw* goed aangepast, evenwichtig ★ *well-adjusted children* goed aangepaste kinderen

well advised *bnw* ❶ verstandig ★ *you would be* ~ *to accept this job* je zou er goed aan doen deze baan te accepteren ❷ weloverwogen ★ *a well-advised plan* een goed doordacht plan

well appointed *bnw* goed ingericht / uitgerust ★ *a well-appointed room* een goed ingerichte kamer

well balanced *bnw* ❶ evenwichtig, verstandig ★ *a well-balanced man* een evenwichtig man ❷ (goed) uitgebalanceerd ★ *a well-balanced diet* een uitgebalanceerd dieet

well behaved *bnw* beschaafd, fatsoenlijk, net ★ *well-behaved children* zich goed gedragende kinderen

well-being [wel'bi:ɪŋ] *zn* welzijn

well born form *bnw* van goede huize

well bred form *bnw* goed opgevoed, beschaafd

well built form *bnw* goedgebouwd

well chosen *bnw* goedgekozen ★ *with a few well-chosen words* met een paar welgekozen woorden

well connected *bnw* ❶ van goede familie ❷ met goede connecties

well defined *bnw* duidelijk omschreven / afgebakend

well disposed *bnw* welgezind ★ ~ *towards* welwillend jegens, vriendelijk tegen

well done *bnw* goed doorbakken ★ *well-done meat* goed doorbakken vlees

well earned *bnw* welverdiend ★ *a well-earned holiday* een welverdiende vrije dag

well endowed *bnw* ❶ inform fors geschapen 〈met grote penis〉, met flinke borsten ❷ goed voorzien ★ *well-endowed universities* universiteiten met veel geld

well established *bnw* lang bestaand / gevestigd ★ *a well-established hotel / tradition* een reeds lang bestaand(e) hotel / traditie

well fed *bnw* goed gevoed, doorvoed ★ *well-fed pigs* weldoorvoede varkens

well founded *bnw* gegrond, (goed) gefundeerd ★ *have well-founded fears* gegronde vrees hebben, terecht bang zijn

well groomed *bnw* (goed) verzorgd, gesoigneerd

well grounded *bnw* ❶ gegrond, (goed) gefundeerd, terecht ❷ goed onderlegd ★ *be* ~ *in sth* goed onderlegd zijn in iets

well heeled inform *bnw* rijk, goed bij kas ★ *well-heeled publishers* uitgevers met veel geld ★ *be* ~ goed in de slappe was zitten

wellies ['welɪz] *zn mv*, **wellingtons** rubberlaarzen

well informed *bnw* ❶ goed ingelicht, goed op de hoogte ★ *be* ~ *about a subject* goed ingevoerd zijn in een materie / onderwerp ❷ deskundig, goed gefundeerd ★ *a well-informed debate* /

decision een goed gefundeerde discussie / beslissing

wellington ['welɪŋtən], **wellington boot** GB *zn* rubberlaars, regenlaars

well intentioned [wel ɪn'tenʃənd] *bnw* goed bedoeld, welgemeend

well kept *bnw* ❶ goed onderhouden ★ *a well-kept garden / building* een goed onderhouden tuin / gebouw ❷ goed bewaard ★ *a well-kept secret* een goed bewaard geheim

well known *bnw* bekend, algemeen bekend ★ *a well-known fact* een algemeen bekend feit ★ *she's ~ for her role in Batman* zij is bekend vanwege haar rol in Batman

well mannered [wel'mænəd] *bnw* welgemanierd, beleefd

well matched *bnw* ❶ goed bij elkaar passend ★ *be ~* goed bij elkaar passen ❷ aan elkaar gewaagd ★ *be ~* aan elkaar gewaagd zijn ★ *well-matched opponents* gelijkwaardige tegenstanders

well meaning *bnw* ❶ goedbedoeld, welgemeend ★ *well-meaning criticism* goedbedoelde kritiek ❷ goed bedoelend, welmenend ★ *a well-meaning friend* een welmenende vriend ★ *be ~* het goed bedoelen

well-nigh [wel'naɪ] *form bijw* nagenoeg, bijna

well-off [wel'ɒf] *bnw* rijk, welgesteld, goed gesitueerd ★ *be well off for theatres* genoeg / veel theaters in de buurt hebben

well oiled inform *bnw* ❶ gesmeerd lopend, goed geolied ★ *a well-oiled machine* een goed geoliede machine ❷ GB dronken, zat

well preserved *bnw* goed geconserveerd ★ *well-preserved ruins* goed geconserveerde ruïnes ★ *be rather ~ for her age* er tamelijk goed uitzien voor haar leeftijd

well read *bnw* belezen ★ *a well-read man* een belezen man ★ *be very ~* zeer belezen zijn

well spoken *bnw* ❶ treffend, welgekozen ★ *with well-spoken words* met welgekozen woorden ❷ beschaafd, welsprekend ★ *be ~* verzorgd / beschaafd spreken

well thought of *bnw* geacht, gerespecteerd

well thought out *bnw* weldoordacht

well thumbed *bnw* beduimeld ★ *a well-thumbed book* een beduimeld boek

well timed *bnw* goed getimed, op het juiste moment (komend / gedaan) ★ *a well-timed intervention* een ingreep op het juiste moment ★ *be ~* op het juiste moment komen

well-to-do [weltə'du:] *bnw* welgesteld, rijk

well tried *bnw* beproefd ★ *a well-tried method* een beproefde methode

well trodden *bnw* veel betreden ★ *well-trodden paths* platgetreden / veel betreden paden ★ fig *well-trodden territory* bekend terrein

well turned *bnw* ❶ welgekozen, goed geformuleerd ★ *a well-turned phrase* een prachtige volzin ❷ welgevormd

well versed *bnw* (zeer) bedreven, (zeer) ervaren ★ *be ~ in* zeer bedreven / ervaren zijn in

well-wisher ['welwɪʃə] *zn* gelukwenser, iemand die iemand anders het beste toewenst, begunstiger

well worn *bnw* ❶ afgezaagd ★ *a well-worn phrase* een cliché ❷ versleten, veel gedragen / gebruikt ★ *a well-worn jacket* een afgedragen jasje

welly ['welɪ] *zn, wellington* rubberlaars

welsh [welʃ] *onov ww* zijn woord niet houden ★ *~ on a promise* zijn belofte niet nakomen ★ *~ on a bet* er vandoor gaan zonder (een verloren weddenschap) te betalen ★ *~ on a deal* je niet aan een afspraak houden

Welsh [welʃ] I *zn* ❶ taal van Wales ❷ ★ *the ~* de bewoners v. Wales II *bnw* van / uit Wales ★ *~ rabbit / rarebit* toast met gesmolten kaas

Welshman ['welʃmən] *zn* bewoner v. Wales

welt [welt] *zn* striem

welter ['weltə] *zn* ❶ chaos, warboel ❷ stortvloed, lading ★ *a ~ of information* een berg aan / stortvloed van informatie ❸ weltergewicht

welterweight ['weltəwert] *zn* weltergewicht (bokser tussen lichtgewicht en middengewicht)

wench [wentʃ] humor *zn* meisje, deerne

wend [wend] *ov ww* ★ dicht *wend one's way to* zich begeven naar, zijn schreden richten naar

went [went] *ww* [verleden tijd] → go

wept [wept] *ww* [verleden tijd + volt. deelw.] → weep

were [wə] *ww* [verleden tijd] → be

we're [wɪə] *samentr, we are* → be

weren't [wɜːnt] *samentr, were not* → be

west [west] I *zn* westen ★ *to the west of* ten westen van ★ *the West* het Westen II *bnw* westelijk ★ *the west wind* de westenwind ★ *the west side* de westkant ★ *the West End* het West End (van Londen) ★ *West Point* West Point (militaire academie in de VS) ★ *the West Country* het Z.W. van Engeland ★ *the West Bank* de Westelijke Jordaanoever III *bijw* in / naar het westen ★ *west of* ten westen van ★ *go west* het hoekje om gaan

westbound ['westbaʊnd] *bnw* in westelijke richting, (op weg) naar het westen

westerly ['westəlɪ] I *bnw* westelijk, westen- II *zn* westenwind

western ['westən] I *bnw* ❶ westelijk, westen- ❷ westers II *zn* western (film)

Western ['westən] *bnw* westers ★ *~ Empire* West-Romeinse Rijk

westerner ['westənə] *zn* ❶ westerling ❷ iemand uit het westen

westernize, westernise ['westənaɪz] *ov ww* westers maken

westernmost ['westənməʊst] *bnw* meest westelijk

westward ['westwəd] *bnw + bijw* westwaarts

westwards ['westwədz] *bijw* naar het westen, in westelijke richting

wet [wet] I *bnw* ❶ nat, vochtig ★ *wet with sweat* nat van het zweet ★ *wet through* doornat, kletsnat ▸ *soaking / dripping wet* kletsnat, zeiknat ★ fig *wet behind the ears* nog niet droog achter de oren ❷ regenachtig (dag, weer) ❸ GB inform zwak, slap ▾ USA inform *be all wet* ernaast zitten, het mis hebben II *ov ww* [regelmatig + onregelmatig] ❶ natmaken, bevochtigen ❷ plassen (in) ★ *wet the bed* in bed plassen ★ *nearly / almost wet yourself* het bijna in je broek doen (van angst, van het lachen)

we

III zn ❶ nat(tigheid), regen ★ *come in out of the wet* uit de regen naar binnen komen ❷ *GB* gematigd conservatief ❸ *GB inform* slappeling

wetland zn nat / waterrijk natuurgebied

wet-look [wet-lʊk] bnw wetlook-, alsof het nat is ★ *a ~ hairdo* een wetlookkapsel

wetness ['wetnəs] zn vochtigheid, natheid

wetsuit ['wetsu:t] zn duikpak, surfpak

wetted [wetɪd] ww [verleden tijd + volt. deelw.] → **wet**

we've [wi:v] samentr, we have → **have**

whack [wæk] inform **I** ov ww ❶ slaan (op), meppen ❷ *GB* gooien, smijten ★ *~ sth in the corner / on the floor* iets in de hoek / op de grond smijten **II** onov ww, *GB* vulg *~ off* zich aftrekken **III** zn ❶ smak, klap, mep ★ *give the ball a ~* de bal een mep geven ❷ (aan)deel, portie ★ *have done your fair ~ of sth* je (afgesproken) aandeel aan iets geleverd hebben ★ *pay the full ~* de volle mep betalen ▼ *have / take a ~ at* een slag slaan naar, proberen ▼ *USA be out of ~* kapot / defect zijn, het niet goed doen, je niet lekker voelen

whacked [wækt], **whacked out** *GB* bnw zeer moe, afgepeigerd

whacking ['wækɪŋ] *GB* inform bnw + bijw kolossaal, enorm ★ *a ~ great lie* een kolossale leugen

whacky ['wækɪ] bnw → **wacky**

whale [weɪl] zn walvis ★ inform *have a ~ of a time* zich geweldig / reusachtig vermaken ★ *blue ~* blauwe vinvis

whalebone ['weɪlbəʊn] zn balein

whaler ['weɪlə] zn walvisvaarder ⟨ook schip⟩

whaling ['weɪlɪŋ] zn walvisvangst

wham [wæm] **I** tw boem, pats **II** zn klap, dreun **III** onov ww knallen, dreunen **IV** ov ww met een dreun / hard slaan

whammy inform zn tegenspoed, pech ★ *a double ~* dubbele pech, een dubbele tegenvaller

wharf [wɔ:f] zn kade, laad- / lossteiger

what [wɒt] **I** vr vnw ❶ wat voor, welk(e), wat ★ *what time is it?* hoe laat is het? ★ *what kind of car does she drive?* in wat voor auto rijdt zij? ★ *what do you call that?* hoe noem je dat?, hoe heet dat? ★ *what is today?* de hoeveelste is het vandaag? ★ *what's his name?* hoe heet hij? ★ *what little he knew* het kleine beetje dat hij wist ★ *he made the best of what shelter could be found* hij profiteerde zoveel mogelijk van het beetje beschutting dat hij kon vinden ★ *what about a cup of tea?* zin in een kopje thee? ★ *what about...?* hoe staat / zit het met...? ★ *what for?* waarom?, waarvoor? ★ *what if we...* en als we nu eens... ★ *... and what's more ...* en bovendien, ... en sterker nog ★ *what next?* wat zullen we nou krijgen? ★ *what of it?* wat zou dat?, nou en? ★ *... and what not ...* en wat al niet ★ *... and what have you ...* en wat al niet ★ *... or what ...* of zo, ... of iets dergelijk ★ *are we leaving now or what?* vertrekken we nu nog? ★ *so what?* nou en?, wat dan nog? ★ *what though* wat zou het als ★ *I'll tell you what* ik zal je eens wat vertellen ★ *what with* bij, met, aangezien ★ *I didn't get any sleep, what with the loud music and car alarms* ik deed geen oog dicht door de luide muziek en de autoalarmen ★ inform *what's (up) with you?* wat is er met jou aan de hand? ★ inform *what's with all these happy people?* waarom al deze blije mensen? ❷ wat (een) ⟨in uitroepen⟩ ★ *what music!* wat een muziek ★ *what a nuisance / surprise!* wat een ellende / verrassing! **II** betr vnw wat, dat wat ★ *she gave me what she had* zij gaf mij wat ze had ★ *we knew what was going to happen* we wisten wat er ging gebeuren ★ *he told me what is what* hij legde me (precies) uit hoe de zaak zat ★ *know what's what* de feiten kennen, weten hoe de zaak in elkaar steekt **III** tw hè, wat

whatchamacallit [wɒtʃəmə'kɔ:lɪt] zn inform hoe heet het ook weer, dinges

whatever [wɒt'evə] **I** onbep vnw wat / welke... ook ★ *we'll stay here ~ happens* we blijven hier wat er ook gebeurt ★ *take ~ help you can get from others* maak gebruik van elke hulp die je maar kunt krijgen van anderen ★ *~ you do, don't listen to him* wat je ook doet, luister niet naar hem ★ *for ~ reason* om welke reden dan ook ★ *or ~* of zoiets, of iets dergelijks **II** vr vnw wat / welke... (toch) ★ *~ happened to...?* wat is er toch gebeurd met...? ★ *~ does he want?* wat moet hij toch? **III** bijw ❶ helemaal, totaal ★ *show no interest ~* helemaal geen belangstelling tonen ★ *it has nothing ~ to do with you* het heeft helemaal niets met jou te maken ❷ inform hoe dan ook ★ *back sb ~* iem. altijd steunen **IV** tw mij best!, zal wel!

whatnot ['wɒtnɒt] inform zn wat al niet, noem maar op

whatsoever ['wɒtsəʊ'evə] bijw helemaal, totaal ★ *show no interest ~* helemaal geen belangstelling tonen ★ *it has nothing ~ to do with you* het heeft helemaal niets met jou te maken ★ *no money ~* absoluut geen geld

wheat [wi:t] zn tarwe

wheaten ['wi:tn] *GB* bnw tarwe-

wheatmeal ['wi:tmi:l] *GB* zn tarwemeel, volkorentarwemeel

wheedle ['wi:dl] ov ww met gevlei gedaan krijgen (van) ★ *~ sb out of sth* iets v. iem. aftroggelen ★ *~ sb into* iem. door mooipraten krijgen tot ★ *~ your way into a club* met geslijm een club binnenkomen

wheel [wi:l] **I** zn ❶ wiel, rad ★ *reinvent the ~* het wiel opnieuw uitvinden ★ *fig ~s* [mv] raderwerk, machinerie ★ *the ~s of government* de ambtelijke molen(s) ★ inform *~s* [mv] auto ★ *set the ~s in motion* de zaak aan het rollen / in beweging brengen ★ *~s within ~s* zeer ingewikkelde zaak ★ *big ~* reuzenrad, hoge piet ❷ stuur ★ *at / behind the ~* aan het stuur, belast met de leiding ★ *take the ~* rijden ★ *on (oiled) ~s* gladjes, gesmeerd **II** ov ww ❶ duwen, rijden ★ *she ~ed him into his bedroom* ze reed / rolde hem zijn slaapkamer binnen ★ *~ one's bicycle* met de fiets aan de hand lopen ★ *~ your shopping trolley to the exit* je winkelwagentje naar de uitgang duwen / rijden ❷ (doen) omdraaien, doen zwenken ❸ *~ in* presenteren ⟨nieuw product⟩ ❹ *~ in/out* ★ *~ in / out the same arguments again* weer met dezelfde argumenten aan komen (dragen) **III** onov ww

❶ rijden, rollen ❷ zwenken, (om)draaien ★ fig *a lot of ~ing and dealing* een hoop geritsel / gesjoemel / gekonkel ❸ cirkelen ⟨van vogels⟩ ❹ ~ **round** (om)zwenken, (zich) omdraaien

wheelbarrow ['wi:lbærəʊ] *zn* kruiwagen

wheelbase ['wi:lbeɪs] *zn* wielbasis

wheelchair ['wi:ltʃeə] *zn* rolstoel

wheelchair access *zn* toegangsmogelijkheid voor rolstoelers ★ ~ *to all facilities* alle faciliteiten zijn toegankelijk voor rolstoelers

wheel clamp GB *zn* wielklem

wheeled [wi:ld] *bnw* met / op wielen ★ *a six-~ car* een auto met zes wielen

wheeler-dealer inform *zn* konkelaar, ritselaar, regelaar, gladjanus

wheelhouse ['wi:lhaʊs] *zn* stuurhut

wheelie ['wi:lɪ] *zn* wheelie ⟨het op één wiel rijden⟩

wheelie bin GB *zn* kliko, afvalcontainer

wheelwright ['wi:lraɪt] *zn* wagenmaker

wheeze [wi:z] I *onov ww* piepen ⟨bij het ademhalen⟩, hijgen II *ov ww* hijgend / piepend uitbrengen III *zn* ❶ gepiep, gehijg ❷ USA mop met een baard, oud(e) grap(je) ❸ GB oud plannetje, trucje

wheezy ['wi:zɪ] *bnw* piepend, hijgend

whelk [welk] *zn* wulk ⟨schelp van⟩ zeeslak⟩

whelp [welp] I *zn* welp, jonge hond II *onov ww* jongen, werpen

when [wen] I *bijw* wanneer ★ *when did you meet him?* wanneer heb je hem ontmoet ★ *I'll tell you when to start* ik zeg het wel wanneer je kunt beginnen ★ *say when* zeg maar hoeveel ⟨bij inschenken⟩ ★ *that's when* toen ★ *since when?* sinds wanneer? ★ *her parents separated in 2007, since when she has seen her father only twice* haar ouders zijn in 2007 gescheiden en sindsdien heeft ze haar vader maar twee keer gezien ★ *a day when everything seems to go wrong* een dag waarop alles mis lijkt te gaan II *vw* ❶ toen, wanneer ★ *when I was a young boy...* toen ik nog een klein jongetje was... ★ *when it stops raining, we'll go for a walk* wanneer het stopt met regenen, maken we een wandeling ★ *he'd just gone outside when the phone rang* hij was net naar buiten toen de telefoon ging ❷ als, wanneer ★ *... when you never listen to one another* ... als je nooit naar elkaar luistert ❸ terwijl ★ *why does she rent a car when she could easily buy one?* waarom huurt ze een auto terwijl ze er makkelijk een kan kopen III *zn* ★ *the when and the where* de plaats en de tijd

whence [wens] oud *bijw* vanwaar ★ *~ comes it that* hoe komt het dat

whenever [wen'evə], **whensoever** [wensoʊ'evə] I *bijw* ❶ wanneer ook maar, om het even wanneer ★ *call me ~ you want. This week or next week,* ~ bel me wanneer je maar wilt. Deze of volgende week, het maak niet uit ❷ wanneer... (toch) ★ *~ did I do that?* wanneer heb ik dat (toch) gedaan? II *vw* telkens wanneer / als ★ *~ I hear that piece of music, I think of my mother* telkens als ik dat muziekstuk hoor, moet ik aan mijn moeder denken

where [weə] I *bijw* waar, waarheen ★ *~ are you going?* waar ga je naartoe ★ *do you know ~ this road leads to?* weet jij waar deze weg naartoe gaat? ★ *~ do they live?* waar wonen zij? ★ *that's ~ the two lovers met* daar ontmoetten de twee geliefden elkaar ★ *this is ~ I live* hier woon ik ★ *New York, ~ we stayed for three weeks* New York, waar we drie weken hebben doorgebracht II *vw* ❶ terwijl ★ *~ she liked wine, he preferred beer* terwijl zij van wijn hield, had hij liever bier ❷ daar waar ★ *everything has changed ~ she is concerned* alles is veranderd wat haar betreft III *zn* waar ★ *the ~ and when* de plaats en de tijd

whereabouts ['weərəbaʊts] I *zn mv* verblijfplaats II *bijw* waar ongeveer

whereas [weər'æz] *vw* ❶ form terwijl toch, terwijl daarentegen ★ *we thought the new system was complicated ~ in fact it was really simple* we vonden het nieuwe systeem ingewikkeld terwijl het in feite erg eenvoudig was ❷ jur aangezien

whereby [weə'baɪ] form *betr vnw* waardoor, waarbij

wherefore ['weəfɔ:] I *bijw* oud waarom II *zn* ★ *the whys and the ~s* de redenen waarom

wherein [weər'ɪn] form *bijw* waarin

whereof [weər'ɒv] oud *bijw* waarvan

whereon [weər'ɒn] oud *bijw* waarop

whereupon [weərə'pɒn] form *vw* waarna, waarop

wherever [weər'evə], **wheresoever** ['weərsoʊ'evə] I *bijw* waar toch (heen) ★ *~ did you find that ring?* waar in 's hemelsnaam heb je die ring vandaan ★ *or ~* of waar dan ook II *vw* waar(heen) ook, overal waar(heen) ★ *she's followed by screaming fans ~ she goes* waar zij ook heen gaat, ze wordt achtervolgd door schreeuwende fans

wherewithal ['weəwɪðɔ:l] *zn* [altijd met the] benodigde middelen, geld

whet [wet] *ov ww* ❶ scherpen, aanzetten ❷ prikkelen, opwekken

whether ['weðə] *vw* of ★ *he asked ~ I liked reggae* hij vroeg of ik van reggae hield ★ *~... or of...* of, hetzij... hetzij... ★ *~ you like it or not* of je het nu leuk vindt of niet ★ *~ doubts about ~ or not to send new troops to Iraq* twijfels over het wel of niet nieuwe troepen sturen naar Irak

whetstone ['wetstəʊn] *zn* slijpsteen

whew [hwju:] *tw* pff, poeh, oef

whey [weɪ] *zn* wei ⟨van melk⟩

which [wɪtʃ] I *vr vnw* wie, wat, welk(e) ★ *~ DVD did you like best?* welke dvd vond je het mooist? ★ *~ of the sisters is the richest?* welke van de zussen / welke zus is het rijkst ★ *I can't tell ~ is ~* ik kan ze niet uit elkaar houden II *betr vnw* die, dat, welke, wat ★ *the DVD's ~ you bought* de dvd's die je gekocht heb ★ *choose any book - it doesn't matter ~* kies een boek - het maakt niet uit welke ★ *his best book, ~ sold more than a million copies, was about Kurt Cobain* zijn beste boek, waarvan er meer dan een miljoen exemplaren zijn verkocht, ging over Kurt Cobain

whichever [wɪtʃ'evə] *betr vnw* welk(e) ook ★ *~ player / ~ of them wins will earn $60,000* de

wh

speler / hij die wint, verdient $60.000 ★ ~ *way*
you look at it hoe je het ook bekijkt ★ *take ~*
flight is cheaper boek de vlucht die het
goedkoopst is
whiff [wɪf] *zn* zuchtje, vleugje ★ *a ~ of perfume*
een vleugje parfum ★ *a ~ of danger / adventure*
een zweem van gevaar / avontuur
Whig [wɪg] *gesch zn* whig, liberaal
while [waɪl] **I** *vw* ❶ terwijl ★ *my husband watches*
the kids – I do the shopping mijn man past op de
kinderen terwijl ik de boodschappen doe
❷ form hoewel ★ *~ I see what you mean, I partly*
disagree hoewel ik begrijp wat je bedoelt, ben ik
het gedeeltelijk met je oneens **II** *zn* tijd(je),
poosje ★ *all the ~* de hele tijd ★ *for a ~* even, een
tijdje ★ *in a little ~* zometeen, spoedig ★ *once in*
a ~ af en toe ★ *between ~s* zo nu en dan, tussen
de bedrijven door ★ *worth ~* de moeite waard
★ *it's not worth the ~* het is (voor mij) de
moeite niet waard **III** *ov ww* ★ *~ away the time*
de tijd doorkomen / verdrijven
whilst [waɪlst] GB form *vw* terwijl
whim [wɪm] *zn* gril, nuk ★ *on a whim* in een
opwelling ★ *do sth at whim* iets lukraak / in het
wilde weg doen
whimper ['wɪmpə] **I** *onov ww* janken, jammeren
II *zn* zacht gejank / gejammer ★ fig *end with a ~*
een zachte dood sterven
whimsical ['wɪmzɪkl] *bnw* ❶ grillig, speels
❷ eigenaardig
whimsy ['wɪmzɪ] *zn* ❶ grilligheid, speelsheid
❷ eigenaardigheid
whine [waɪn] **I** *onov ww* ❶ zeuren, dreinen,
jengelen ❷ janken ❸ gieren, loeien ⟨van
apparaten, machines⟩ **II** *zn* ❶ gezeur, geklaag,
klacht ❷ gejammer, gejank ❸ het gieren, geloei
⟨van apparaten, machines⟩
whiner ['waɪnə] *zn* zeurpiet
whinge GB inform **I** *onov ww* klagen, zeuren
II *zn* (jammer)klacht
whinny ['wɪnɪ] **I** *onov ww* hinniken **II** *zn*
gehinnik
whip [wɪp] **I** *zn* ❶ zweep ★ fig *crack the whip* de
zweep erover leggen, achter de broek zitten
❷ lid dat voor stemming zijn partijleden
oproept ❸ oproeping voor whip,
partijdiscipline ★ *three-line whip* dringende
oproep, dwingend stemadvies ❹ cul mousse
II *ov ww* ❶ de zweep leggen over, met de
zweep slaan / geven, geselen ❷ snel (doen)
bewegen, zwiepen, schieten ★ *the wind whipped*
his long hair into his face de wind zwiepte zijn
lange haar in zijn gezicht ❸ opzwepen ⟨golven,
publiek⟩ ★ *whip into a frenzy* tot razernij
opzwepen ❹ kloppen ⟨room, eiwitten⟩ ❺ GB
inform jatten, gappen ❻ ~ **off** weggrissen,
uitgooien ❼ ~ **out** snel tevoorschijn halen,
eruit flappen ❽ ~ **up** haastig in elkaar draaien /
flansen ⟨bv. maaltijd⟩, opzwepen, aanvuren
III *onov ww* ❶ wippen, schieten, zwiepen ★ *with*
the wind whipping into his face met de wind die
zijn gezicht geselde / die hem in het gezicht
striemde ★ *rain was whipping across the window*
panes regen striemde de ruiten ❷ ~ **round** zich
snel omdraaien ❸ ~ **through** ★ *whip through*
sth door iets heen schieten, snel door iets heen

gaan
whip hand *zn* ★ *have the ~ of sb* de baas zijn
over iem., iem. in zijn macht hebben
whiplash ['wɪplæʃ] *zn* ❶ zweepslag, slag van /
met een zweep ❷ med **whiplash injury**
whiplash, zweepslag ⟨nekletsel⟩
whipped [wɪpt] *bnw* ★ ~ **cream** slagroom
whippet ['wɪpɪt] *zn* whippet ⟨kleine hazewind⟩
whipping ['wɪpɪŋ] *zn* ❶ pak slaag met zweep,
afranseling ❷ nederlaag
whipping boy *zn* zondebok
whipping cream *zn* slagroom vóórdat het
geklopt wordt
whippy ['wɪpɪ] *bnw* zwiepend, lenig
whip-round *zn* geldinzameling ★ *have a ~ for*
sb / a present bij iedereen geld ophalen voor
iemand / een cadeau
whirl [wɜːl] **I** *onov ww* ❶ ronddraaien, wervelen,
dwarrelen ❷ ⟨rond⟩tollen ⟨van hoofd,
gedachten⟩, duizelen ★ *my mind is ~ing with all*
the new information het duizelt mij van alle
nieuwe informatie ❸ ~ **around/about** zich
snel omdraaien **II** *ov ww* ❶ ronddraaien, doen
wervelen, doen dwarrelen ❷ ~ **around/about**
snel omdraaien **III** *zn* ❶ drukte, tumult,
maalstroom ★ *the social ~ of Berlin* het drukke
sociale leven van Berlijn ★ *a ~ of events* een
maalstroom van gebeurtenissen ❷ werveling,
draaikolk, dwarrelende beweging ❸ roes ★ *my*
brain / head is in a ~ mijn hoofd loopt (me) om
❹ inform poging ★ *give sth a ~* iets eens
(uit)proberen
whirligig ['wɜːlɪgɪg] *zn* ❶ tol ⟨speelgoed⟩ ❷ fig
mallemolen ★ *the ~ of time / fashion* de
mallemolen van het leven / van de mode
whirlpool ['wɜːlpuːl] *zn* ❶ draaikolk, maalstroom
ook fig ❷ **whirlpool bath** wervelbad,
bubbelbad
whirlwind ['wɜːlwɪnd] **I** *zn* ❶ wervelwind
❷ maalstroom ★ *a ~ of emotions* een
maalstroom van gevoelens **II** *bnw* stormachtig,
bliksem- ★ *a ~ romance* een stormachtige
romance ★ *a ~ tour* een bliksemtour
whirr, whir [wɜː] **I** *onov ww* gonzen, snorren
II *zn* een gonzend / snorrend geluid
whisk [wɪsk] **I** *zn* garde, eierklopper **II** *ov ww*
❶ ⟨met garde / snelle beweging⟩ slaan,
(op)kloppen ❷ ~ **away/off** (razend)snel
wegvoeren / -halen, weggrissen ★ ~ *sb off* iem.
snel meenemen / afvoeren / wegbrengen
III *onov ww* zich snel bewegen, stuiven ★ ~
through Africa in een sneltreinvaart door Afrika
gaan, snel door Afrika sjezen
whisker ['wɪskə] *zn* snorhaar ⟨van kat / hond⟩
★ *oud ~s* [mv] bakkebaard(en) ★ *win by a ~* net
aan winnen ★ *within a ~* op een haar na
whiskey ['wɪskɪ] *zn* whiskey ⟨niet-Schotse
sterkedrank⟩
whisky ['wɪskɪ] *zn* whisky ⟨Schotse sterkedrank⟩
whisper ['wɪspə] **I** *zn* ❶ gefluister ★ *talk in a ~ /*
in ~s fluisterend praten ❷ gerucht **II** *ov ww*
❶ fluisteren ❷ geruchten / een gerucht
verspreiden over ★ *it was ~ed that...* het gerucht
deed de ronde dat... **III** *onov ww* ❶ fluisteren
❷ geruchten / een gerucht verspreiden ★ ~
about sth praatjes rondstrooien over iets

whispering campaign ['wɪspərɪŋ kæm'peɪn] *zn* fluistercampagne

whist [wɪst] *zn* whist ⟨kaartspel⟩

whistle ['wɪsəl] **I** *zn* **❶** gefluit, fluitend geluid ⋆ *give a* ~ fluiten **❷** fluit(je) ⋆ *blow a* ~ op een fluit(je) blazen ⋆ *the final* ~ het laatste fluitsignaal ⋆ *wet one's* ~ z'n keel smeren ▾ *as clean as a* ~ brandschoon ▾ *blow the* ~ *on sb* een boekje over iem. opendoen, iem. erbij lappen **II** *ov ww* fluiten ▾ ~ *a tune* een deuntje fluiten **III** *onov ww* **❶** fluiten ▾ ~ *at sb* naar iem. fluiten **❷** ~ **for** ⋆ fig *she can* ~ *for it* ze kan ernaar fluiten

whistle-blower *zn* fig klokkenluider, verrader

whistle-stop tour *zn* reis / tournee waarbij in korte tijd veel plaatsen worden bezocht ⟨m.n. door politicus⟩

whit [wɪt] *oud zn* ⋆ *not a / one whit* geen zier

Whit [wɪt] *bnw* pinkster- ⋆ *Whit Monday* tweede pinksterdag ⋆ *Whit Saturday* pinksterzaterdag

white [waɪt] **I** *bnw* **❶** wit **❷** (lijk)bleek ⋆ *go / turn* ~ lijkbleek worden ⋆ ~ *as* ~ *as a sheet* lijkbleek **❸** blank ⟨huidskleur⟩ **❹** GB met melk / room ⟨koffie, thee⟩ **❺** eerlijk, goed ⋆ ~*r than* ~ goudeerlijk **II** *zn* **❶** wit, witheid, wit gedeelte ⋆ *wear* ~ in het wit gekleed zijn ⋆ *the* ~*s of their eyes* het wit van hun ogen ⋆ ~*s* [mv] witte kleding, wit tenue, witte spullen ⟨bij de was⟩ **❷** blanke **❸** eiwit **❹** inform witte wijn

whitebait ['waɪtbeɪt] *zn* witvis

whiteboard *zn* (wit) (school)bord

white-bread USA inform *bnw* doodgewoon, doorsnee, alledaags

white-collar *bnw* witteboorden- ⋆ ~ *crime* witteboordencriminaliteit ⋆ ~ *workers* ambtenaren, kantoormensen

white elephant *zn* duur en nutteloos voorwerp

Whitehall ['waɪthɔːl] *zn* de (Britse) regering

white-hot [waɪt'hɒt] *bnw* witgloeiend, witheet

White House *zn* ⋆ *the* ~ het Witte Huis, fig de Amerikaanse president

white-knuckle *bnw* bloedstollend, doodeng ⟨van rit in achtbaan e.d.⟩

white meat *zn* wit vlees, kip, kalf enz.

whiten ['waɪtn] **I** *ov ww* bleken, wit maken **II** *onov ww* wit worden

whitener ['waɪtnə] *zn* bleekmiddel

whitewash ['waɪtwɒʃ] **I** *zn* **❶** witkalk **❷** vergoelijking **II** *ov ww* **❶** witten **❷** vergoelijken, schoonpraten, goed (proberen te) praten

whither ['wɪðə] *oud bijw* waarheen, waarnaar ⋆ *form* ~ *socialism?* waar gaat het heen met het socialisme?

whiting ['waɪtɪŋ] *zn* [mv: whiting] wijting

whitish ['waɪtɪʃ] *bnw* witachtig, bleekjes

Whitsun ['wɪtsən] *zn* Pinksteren, pinkstertijd

Whitsuntide ['wɪtsəntaɪd] *zn* Pinksteren, pinkstertijd

whittle ['wɪtl] **I** *ov ww* **❶** (af)snijden, besnijden (hout) **❷** ~ **away** laten afnemen, reduceren **❸** ~ **down** besnoeien, reduceren, terugbrengen **II** *onov ww* ~ **away at** laten afnemen, reduceren, langzaam verminderen

whizz, whiz [wɪz] **I** *zn* inform kei, genie ⋆ *a culinary* ~ een keukenprins **II** *onov ww* suizen,

---

fluiten, snorren ⋆ inform ~ *through sth* snel iets doen, door iets heen schieten

whizz-kid, whiz-kid *zn* whizzkid ⟨jonge expert⟩

who [huː] **I** *vr vnw* wie ⋆ *who did you give the key to?* aan wie heb je de sleutel gegeven? ⋆ *who's going to cook?* wie gaat er koken? ⋆ *know who is who* de verschillende personen kennen **II** *betr vnw* die, wie ⋆ *I don't know who he is* ik weet niet wie hij is ⋆ *the man who was driving* de man die reed ⋆ *her sister, who is married to a doctor, won't come* haar zuster, die getrouwd is met een dokter, komt niet

WHO *afk, World Health Organization* WHO, Wereldgezondheidsorganisatie ⟨van de Verenigde Naties⟩

whoa [wəʊ] *tw* ho!

who'd [huːd] *samentr* **❶** *who had* → have **❷** *who would* → will

whodunnit, whodunit [huː'dʌnɪt] *zn* detective(roman / -film) ⟨waarin de schuldvraag centraal staat⟩

whoever [huː'evə] **I** *onbep vnw* wie ook ⋆ *come here,* ~ *you are* kom hier, wie je ook bent ⋆ ~ *says this is a total idiot* degene die dit zegt is volkomen gek **II** *vr vnw* wie ook maar ⋆ ~ *can it be?* wie kan dat toch zijn?

whole [həʊl] **I** *bnw* **❶** (ge)heel ⋆ *feel a* ~ *lot better* zich heel wat beter voelen ⋆ *that's the* ~ *point* dat is het hele punt, dat is juist waar het om gaat **❷** in zijn geheel ⋆ *eat / swallow* ~ in zijn geheel opeten / doorslikken **II** *zn* geheel ⋆ *the* ~ *of England* heel Engeland ⋆ *as a* ~ in zijn geheel ⋆ *on the* ~ over het geheel genomen **III** *bijw* inform totaal, geheel

wholefood ['həʊl fuːd] *zn* natuurvoeding ⋆ *eat plenty of* ~*s* veel natuurlijke voedingsmiddelen eten

wholehearted [həʊl'hɑːtɪd] *bnw* **❶** hartelijk **❷** oprecht ⋆ *agree* ~*ly with sb* het hartgrondig met iem. eens zijn ⋆ *express your* ~ *support for sth* iets met hart en ziel steunen

wholemeal ['həʊlmiːl] GB *bnw* volkoren

wholeness ['həʊlnəs] *zn* heelheid

wholesale ['həʊlseɪl] **I** *bnw* **❶** in het groot, massaal ⋆ ~ *dealer* grossier, groothandelaar **❷** op grote schaal ⋆ *the* ~ *slaughter of dolphins* het op grote schaal afslachten van dolfijnen **II** *bijw* **❶** in het groot ⟨inkopen, verkopen⟩, via de groothandel **❷** op grote schaal **III** *zn* groothandel

wholesale price *zn* groothandelsprijs

wholesaler ['həʊlseɪlə] *zn* grossier, groothandelaar

wholesome ['həʊlsəm] *bnw* gezond

whole-wheat *bnw* volkoren

who'll [huːl] *samentr, who will* → will

wholly ['həʊlɪ] *bijw* geheel, volkomen

whom [huːm] *form* **I** *vr vnw* wie ⋆ *whom did you invite?* wie heb je uitgenodigd? ⋆ *to whom should they write?* (naar) wie moeten zij schrijven? **II** *betr vnw* wie, die ⋆ *the writer whom you have quoted is Martin Amis* de schrijver die je citeerde, is Martin Amis ⋆ *her sister, whom I had never met before, picked me up at the airport* haar zus, die ik nooit eerder had ontmoet, pikte me op bij het vliegveld

wh

whoop [wu:p, hu:p] **I** *onov ww* schreeuwen, roepen **II** *ov ww* ▾ inform ~ *it up* uitbundig / luid feestvieren, lol trappen **III** *zn* uitroep, kreet

whoopee ['wu:pi:] **I** *zn* ▾ inform *make ~* lol / pret maken, 'het' doen (seks) **II** *tw* joepie!

whooping cough ['hu:pɪŋkɒf] *zn* kinkhoest

whoops *tw* oeps, oei

whoosh [wʊʃ] inform **I** *zn* geruis, gesuis ⟨van wind⟩, het stromen ⟨van water⟩ **II** *onov ww* suizen, ruisen, flitsen, razen

whopper ['wɒpə] inform *zn* ❶ knaap, kanjer ❷ enorme leugen

whopping ['wɒpɪŋ] *bnw* enorm, kolossaal ★ *a ~ great bridge* een gigantisch grote brug

whore [hɔ:] **I** *zn* hoer **II** *onov ww* hoereren

whorehouse ['hɔ:haʊs] oud *zn* hoerentent, bordeel

whorl [wɔ:l] *zn* ❶ bladerkrans ❷ spiraal ⟨van schelp, vingerafdruk⟩

who's [hu:z] *samentr, who is* → be

whose [hu:z] **I** *vr vnw* van wie / welke, van wat, wiens, wier, ervan, waarvan ★ ~ *is this coat?* van wie is deze jas? **II** *betr vnw* waarvan, van wie / welke, wiens, wier ★ *a house ~ doors are painted blue* een huis waarvan de deuren blauw zijn geschilderd ★ *a writer ~ books particularly appeal to women* een schrijver wiens boeken vooral vrouwen aanspreken

whosoever [hu:səʊ'evə] form **I** *vr vnw* wie (toch) **II** *onbep vnw* wie dan ook

who've [hu:v] *samentr, who have* → have

whup [wɒp], **whop** *ov ww* ❶ verslaan ❷ (af)ranselen, slaan

why [waɪ] **I** *bijw* waarom ★ *why did you kiss her?* waarom heb je haar gezoend? ★ *why so* waarom (dan) ★ *that's / this is why* daarom ★ *why not go to New York?* waarom ga je gewoon niet naar New York? **II** *tw* wat!, wel!, nou! ★ *why, if it isn't John!* als dat John niet is! **III** *zn* reden, (')t) waarom ★ *the whys and (the) wherefores* de redenen waarom, het hoe en waarom

WI *afk, Wisconsin* staat in de VS

wick [wɪk] *zn* ❶ pit ⟨van kaars⟩ ❷ kous ⟨van lamp⟩, pit ▾ GB inform *get on s.o.'s wick* op iemands zenuwen werken

wicked ['wɪkɪd] *bnw* ❶ slecht, verdorven ★ *a most ~ price* een schandalig hoge prijs ★ *the ~* [mv] de slechte mensen ★ humor *(there's) no peace / rest for the ~* een mens krijgt (ook) nooit even rust ❷ gemeen, boosaardig ❸ ondeugend ⟨glimlach, grap⟩ ❹ gevaarlijk ❺ straat wreed, vet, gaaf

wicker ['wɪkə] *zn* vlechtwerk, mandwerk ★ ~ *chair* rieten stoel

wickerwork ['wɪkəwɜ:k] *zn* vlechtwerk, mandenwerk, manden

wicket ['wɪkɪt] *zn* wicket ⟨cricket⟩ ★ *be on a sticky ~* in een moeilijke / vervelende situatie zitten

wide [waɪd] **I** *bnw* ❶ wijd, breed ★ *a wide river* een brede rivier ★ *a wide grin / smile* een brede grijns / lach ★ *wide eyes* wijd open ogen ❷ groot, ruim, uitgestrekt, uitgebreid ★ *a wide choice* een ruime keuze ❸ ernaast ★ *wide of* ver naast ★ *be wide of the mark* ernaast zitten, het mis hebben, (het) doel missen **II** *bijw* ❶ wijd (open), ver ★ *with his legs wide apart* wijdbeens ★ *spread sth far and wide* iets wijd en zijd verspreiden ★ *wide awake* klaarwakker ★ *wide open* wijd open, helemaal open ook fig ⟨bv. van een wedstrijd⟩ ❷ (er)naast ★ *go wide* missen ★ *shoot wide* misschieten **III** *zn* sport bal die naast gaat

wide-angle *bnw* groothoek- ⟨lens⟩

wide-eyed *bnw* ❶ met de ogen wijd open, met grote ogen ❷ naïef

widely ['waɪdlɪ] *bijw* ❶ breed, wijd, op velerlei gebied ★ *a ~ read newspaper* een veelgelezen krant ★ *be very ~ read* zeer belezen zijn ★ ~ *known* overal / wijd en zijd bekend ★ *more ~ available* veel ruimer verkrijgbaar ★ *he has travelled ~ in Europe* hij heeft veel gereisd in Europa ❷ sterk, zeer ★ *vary ~* sterk wisselen / variëren

widen ['waɪdn] **I** *onov ww* zich verbreden, wijder / groter worden ★ *the ~ing gap between rich and poor* de steeds breder / groter wordende kloof tussen rijk en arm **II** *ov ww* verbreden, wijder / groter maken, verruimen

wide-ranging *bnw* ❶ breed opgezet ❷ verreikend ⟨gevolgen, implicaties⟩

widescreen ['waɪdskri:n] *bnw* breedbeeld- ★ ~ *TV* breedbeeld-tv

widespread ['waɪdspred] *bnw* wijdverbreid, wijdverspreid, (nagenoeg) algemeen

widget inform *zn* dingetje, apparaatje

widow ['wɪdəʊ] **I** *zn* weduwe ★ *black ~* zwarte weduwe **II** *ov ww* tot weduwe / weduwnaar maken ★ *be ~ed at forty* weduwe / weduwnaar worden op veertigjarige leeftijd

widower ['wɪdəʊə] *zn* weduwnaar

widowhood ['wɪdəʊhʊd] *zn* weduwschap

width [wɪdθ] *zn* ❶ wijdte, breedte ❷ baan ⟨van stuk stof⟩

wield [wi:ld] *ov ww* ❶ gebruiken ⟨gereedschap⟩, zwaaien ⟨met mes⟩ ❷ uitoefenen ⟨macht⟩

wife [waɪf] *zn* [mv: **wives**] vrouw, echtgenote

wi-fi comp *zn, wireless fidelity* wifi ⟨voor draadloos internet⟩

wig [wɪg] **I** *zn* pruik **II** *onov ww,* USA inform ~ **out** gek worden, fig uit je bol gaan

wiggle ['wɪgl] **I** *ov ww* doen wiebelen / schommelen, (snel op en neer) bewegen ★ ~ *your toes* je tenen (op en neer) bewegen **II** *onov ww* wiebelen **III** *zn* gewiebel

wiggle room *zn* fig speelruimte

wiggly inform *bnw* kronkelig ⟨lijn, streep⟩

wigwam ['wɪgwæm] *zn* wigwam

wild [waɪld] **I** *bnw* ❶ wild, verwilderd ★ *wild animals / flowers* wilde dieren / planten ★ *wild boar* wild zwijn ★ *a wild landscape* een woest landschap ★ *run wild* verwaarloosd worden, in het wild leven / opgroeien ★ *he was rather wild in his youth* hij was nogal wild / losgeslagen in zijn jeugd ❷ razend, woest ★ *wild with anger / rage* razend van woede ★ *go wild* razend worden ★ *drive wild* razend maken ❸ ondoordacht, onbeheerst, lukraak ★ *wild guess* gissing in het wilde weg, zomaar een gok ★ *wild nonsense* klinkklare onzin ★ *wild rumours* wilde geruchten ★ *state of wild confusion* toestand v.d. grootste verwarring ❹ dol, enthousiast ★ *wild about* gek op, enthousiast over ★ *go wild* gek / enthousiast worden ❺ fantastisch, geweldig ★ *a wild time in New York* een geweldige tijd in New York ★ *wild story* fantastisch verhaal ❻ stormachtig 〈nacht, zee〉, ruw **II** *bijw* in het wild ★ *grow wild* in het wild groeien 〈van planten〉 **III** *zn* wildernis ★ *have seen lions in the wild* leeuwen in het wild gezien hebben ★ *the wilds* de woeste gebieden, de wildernis

wildcard ['waɪldkɑːd] *zn* ❶ *comp* joker 〈een willekeurig teken〉 ❷ *sport* wildcard 〈recht op deelname aan wedstrijd / toernooi voor niet-geplaatst(e) speler / ploeg〉

wildcat ['waɪldkæt] **I** *zn* wilde kat **II** *bnw* ❶ wild ★ *a ~ strike* een wilde staking ❷ financieel onbetrouwbaar, insolide ★ *~ schemes* fantastische / onbesuisde plannen

wildebeest ['wɪldəbiːst] *zn* gnoe

wilderness ['wɪldənəs] *zn* wildernis

wildfire ['waɪldfaɪə] *zn* bosbrand, natuurbrand ★ *fig spread like ~* zich als een lopend vuurtje verspreiden

wildfowl ['waɪldfaʊl] *zn* wild gevogelte 〈m.n. eenden, ganzen〉

wild-goose chase *zn* dwaze / vruchteloze onderneming

wildlife ['waɪldlaɪf] *zn* wilde natuur, wilde dieren en planten

wildly *bijw* ❶ wild, woest, uitgelaten ❷ ontzettend, zeer ★ *a ~ popular book* een ontzettend geliefd boek

wiles [waɪlz] *zn mv* streken, listen

wilful ['wɪlfʊl] *bnw* ❶ opzettelijk, moedwillig ❷ koppig, dwars

wiliness ['waɪlɪnəs] *zn* listigheid, gehaaidheid, sluwheid

will [wɪl] **I** *hww* ❶ zullen, willen ★ *she'll / she will help you* zij zal je (wel) helpen ★ *will you help me?* zul je me helpen?, help je me? ★ *he promised that he would help me* hij beloofde me te zullen helpen / dat hij me zou helpen ★ *I would like to show you sth* ik zou je graag iets laten zien ★ *would you please shut the door* kun je de deur dichtdoen alsjeblieft ★ *he will sit there for hours doing nothing* hij kan daar uren niets zitten doen ★ *he would sit by the fire* hij zat altijd bij de haard ★ *'he has refused it' - '(think) he would'* 'hij heeft geweigerd' - 'dat was te voorzien' ★ *it will be a hard job* het zal wel een moeilijk karweitje zijn ★ *the car won't start* de auto wil niet starten ❷ zullen, moeten ★ *you will have your way* jij moet altijd je zin hebben ★ *she would have her way* ze moest en zou haar zin krijgen **II** *zn* ❶ wil, wens, wilskracht ★ *a strong / iron will* een sterke / ijzeren wil ★ *against his will* tegen zijn wil, tegen wil en dank ★ *with the best will in the world* met de beste wil van de wereld ★ *of your own free will* uit eigen beweging ★ *with a will* energiek, vastberaden ★ *at (one's) will* naar willekeur ★ *where there's a will there's a way* waar een wil is, is een weg ❷ testament ★ *his last will and testament* zijn testament **III** *ov ww* ❶ nalaten, vermaken ❷ dwingen, door je wil oproepen / afdwingen ★ *she willed herself not to go* zij

dwong zichzelf niet te gaan ★ *he had thought he could do it, if he willed it enough* hij had gedacht dat hij het kon (doen), als hij het maar genoeg wilde ❸ willen, wensen ★ *if you will* als je (dat) wilt)

willies ['wɪlɪz] *inform zn mv* kriebels, zenuwen ★ *give sb the ~* iem. op de zenuwen werken

willing ['wɪlɪŋ] *bnw* bereid(willig), gewillig ★ *be ~* wel willen

willingly ['wɪlɪŋlɪ] *bijw* graag

willingness ['wɪlɪŋnəs] *zn* bereidwilligheid

will-o'-the-wisp [wɪləðə'wɪsp] *zn* ❶ dwaallichtje ❷ ongrijpbaar figuur ❸ hersenschim

willow ['wɪləʊ] *zn* wilg ★ *weeping ~* treurwilg

willowy ['wɪləʊɪ] *bnw* slank en elegant 〈van vrouw〉

willpower ['wɪlpaʊə] *zn* wilskracht

willy-nilly [wɪlɪ'nɪlɪ] *bijw* ❶ goedschiks of kwaadschiks, of hij / zij nu wil of niet ❷ zomaar, lukraak

wilt [wɪlt] **I** *onov ww* ❶ verwelken, slap gaan hangen ❷ verslappen, lusteloos / moedeloos / moe worden **II** *ov ww* doen verwelken, slap doen hangen

wily ['waɪlɪ] *bnw* sluw, gehaaid

wimp [wɪmp] **I** *zn* doetje, sukkel, (onnozele) hals **II** *onov ww inform ~ out* terugkrabbelen, ertussenuit knijpen

wimple ['wɪmpl] *zn* kap 〈v. non〉

win [wɪn] **I** *ov ww* 〈onregelmatig〉 ❶ winnen ★ *win an election / a game / a war* een verkiezing / spel / oorlog winnen ★ *you win some, you lose some* je kunt niet altijd winnen ❷ behalen, verwerven, bereiken ★ *win a contract* een contract binnenhalen ★ *win support* steun verwerven ❸ *~ back* terugwinnen ❹ *~ over/round* ★ *win sb over / round* iem. overhalen, iem. op zijn hand krijgen **II** *ov ww* 〈onregelmatig〉 ❶ winnen ★ *win by a head* met een hoofdlengte winnen ★ *win hands down* op zijn sloffen slagen / winnen ★ *inform you can't win* het is nooit goed, je krijgt nooit gelijk ★ *OK, you win* ik geef me gewonnen, jij hebt gelijk ★ *inform win or lose...* of je nu wint of verliest... ❷ *~ out* het winnen ❸ *~ through* te boven komen, zich er doorheen slaan, winnen **III** *zn* overwinning, succes

wince [wɪns] **I** *onov ww* ineenkrimpen 〈van pijn, schaamte〉, pijnlijk vertrekken 〈van gezicht〉, huiveren ★ *without wincing* zonder een spier te vertrekken **II** *zn* huivering, ineenkrimping

winch [wɪntʃ] **I** *zn* lier, windas **II** *ov ww* ophijsen 〈met een lier〉, omhooghijsen

wind¹ [waɪnd] **I** *ov ww* 〈onregelmatig〉 ❶ (op)winden, (omhoog)draaien, wikkelen ★ *wind a tape back(wards)* een band terugspoelen ★ *wind one's arm round* omhelzen, omstrengelen ★ *wind a shawl round* een sjaal omdoen ★ *wind (up) a watch* een horloge opwinden ❷ kronkelen ★ *wind its way through* zich kronkelen door, zich kronkelend een weg banen door ❸ *~ down* naar beneden draaien 〈raampje〉, terugdraaien, verminderen 〈activiteiten〉 ❹ *~ up* op- / omhoogdraaien 〈raampje〉, opwinden, op stang jagen, beëindigen, besluiten, opheffen **II** *onov ww*

wi

[onregelmatig] ❶ kronkelen, draaiend gaan, zich wenden / slingeren ❷ ~ **down** langzamer gaan lopen ⟨van apparaatje⟩, langzaam ten einde lopen, relaxen, zich ontspannen ❸ ~ **round** kronkelen ❹ ~ **up** terechtkomen, afsluiten, eindigen ★ *wind up in prison* uiteindelijk in de gevangenis belanden **III** *zn* ❶ draai, kronkel, bocht ❷ slag, (om)wenteling ★ *give sth a wind* iets opwinden

wind² [wɪnd] **I** *zn* ❶ **wind** ★ *the wind blows* de wind waait ★ *like the wind* vliegensvlug ★ *it is an ill wind that blows nobody any good* het is 'n slecht land waar het niemand goed gaat, er is altijd wel iem. die er voordeel van heeft ★ *sail close to / near the wind* scherp bij de wind varen, iets doen / zeggen wat op het kantje af is ★ *fig take the wind out of sb's sails* iem. de wind uit de zeilen nemen ★ *fig wind / winds of change* ≈ kentering van het tij ⟨historische verandering⟩ ❷ adem ★ *get one's (second) wind* (weer) op adem komen ★ *knock the wind out of sb* iem. in de maag stompen ⟨zodat hij even geen lucht heeft⟩ ❸ GB winderigheid ★ *bring up (a baby's) wind* (een baby) een boertje laten doen ★ *break wind* winden laten ★ *give wind* winderigheid veroorzaken ▼ *muz* **winds** [mv] blazerssectie ▼ *inform get wind of sth* ergens lucht van krijgen ▼ *inform get the wind up* 'm knijpen, bang / nerveus worden ▼ *inform put the wind up sb* iem. de stuipen op het lijf jagen ▼ *be in the wind op til / komst zijn* **II** *ov ww* ❶ buiten adem doen raken ★ *be winded* buiten adem zijn ❷ GB laten boeren ⟨baby⟩

windbag ['wɪndbæg] *inform zn* ❶ windbuil ❷ ouwehoer, kletskous

windbreak ['wɪndbreɪk] *zn* ❶ windscherm ❷ windkering ⟨heg, rij bomen, schutting⟩

windbreaker ['wɪndbreɪkə] *zn* USA windjack

windcheater ['wɪndtʃiːtə] *zn* GB windjack

wind chill *zn* gevoelstemperatuur

wind chill factor *zn* windchillfactor ⟨mate waarin de wind de gevoelstemperatuur beïnvloedt⟩

windfall ['wɪndfɔːl] *zn* ❶ meevallertje ❷ afgewaaide vrucht ★ *~ apples* afgewaaide appels

wind farm *zn* windmolenpark

winding ['waɪndɪŋ] *bnw* draaiend, kronkelend, bochtig ⟨van weg, rivier⟩

winding sheet *zn* lijkwade, doodskleed

wind instrument *zn* blaasinstrument

windjammer ['wɪndʤæmə] *zn* windjammer ⟨groot zeilschip⟩

windlass ['wɪndləs] *zn* windas, lier

windless ['wɪndlɪs] *bnw* windstil

windmill ['wɪndmɪl] *zn* ❶ windmolen ❷ GB molentje ⟨kinderspeelgoed⟩

window ['wɪndəʊ] *zn* ❶ raam, venster ★ *French ~* openslaande glazen deur ★ *fig a ~ on the world* een venster op de wereld ★ *open a ~ of opportunity for* een kans geven aan, een mogelijkheid bieden aan ❷ loket ❸ etalage ★ *in the ~* vóór het raam, in de etalage ★ *inform out of the ~* afgeschreven, niet meer meetellend ★ *fly / go out of the ~* volledig verdwijnen ❹ *comp* venster

window box *zn* bloembak

window cleaner *zn* ramenwasser

window dresser *zn* etaleur

window dressing *zn* ❶ (het) etaleren ❷ windowdressing ⟨het mooier / gunstiger voorstellen dat het is⟩, geflatteerde voorstelling van zaken

window frame *zn* raamkozijn

window ledge *zn* vensterbank

windowpane ['wɪndəʊpeɪn] *zn* ruit

window-shopping ['wɪndəʊʃɒpɪŋ] *zn* (het) etalages kijken

window sill *zn* vensterbank

windpipe ['wɪndpaɪp] *zn* luchtpijp

windscreen ['wɪndskriːn] GB *zn* voorruit

windscreen wiper GB *zn* ruitenwisser

windshield ['wɪndʃiːld] *zn* ❶ windscherm ⟨van motor, scooter⟩ ❷ USA voorruit

windshield wiper USA *zn* ruitenwisser

windstorm *zn* storm ⟨met weinig regen / sneeuw⟩

windsurfing ['wɪndsɜːfɪŋ] *zn* (het) windsurfen

windswept ['wɪndswept] *bnw* ❶ winderig ❷ verwaaid

wind turbine *zn* windturbine, (moderne) windmolen

wind-up I *zn* ❶ afsluiting, slot, einde ❷ GB *inform* poging iemand op stang te jagen, pesterijtje, vervelend geintje **II** *bnw* ❶ opwindbaar, opwind- ⟨bv. speelgoed⟩ ❷ slot- ★ *a ~ speech* een slotrede

windward ['wɪndwəd] *bnw + bijw* naar de wind gericht ★ *the ~ side* de loefzijde / windzijde ★ *the Windward Islands* de Bovenwindse Eilanden

windy ['wɪndɪ] *bnw* ❶ winderig ❷ breedsprakig, gezwollen ⟨van taalgebruik⟩

wine [waɪn] *zn* ❶ wijn ★ *dry / red / white wine* droge / rode / witte wijn ★ *sparkling wine* mousserende wijn, bubbelwijn ❷ wijnrood **II** *ov ww* ★ *wine and dine sb* iem. op een etentje / diner trakteren **III** *onov ww* ★ *wine and dine* uitgebreid dineren

wine cellar *zn* wijnkelder

wine glass ['waɪnglɑːs] *zn* wijnglas

wine grower *zn* wijnbouwer

wine list *zn* wijnkaart

winery ['waɪnərɪ] *zn* wijnmakerij, wijnhuis

wing [wɪŋ] **I** *zn* ❶ vleugel ⟨van insect, vogel, vliegtuig⟩ ★ *fig clip sb's wings* iem. kortwieken, iem. kort houden ★ *fig spread / stretch your wings* op eigen benen gaan staan ★ *under the wing of* onder (de) bescherming van ★ *take sb under your wing* iem. onder je hoede nemen ★ *dicht be on the wing* vliegen ⟨van insecten, vogels⟩ ★ *dicht take wing* wegvliegen, (plotseling) vertrekken ❷ vleugel ⟨van gebouw, organisatie⟩ ❸ GB spatbord ❹ *sport* buitenspeler, vleugelspeler, verre linker- / rechterzijde van een sportveld **II** *ov ww* vliegen ★ *wing one's way to* vliegen naar, snel gaan / verzonden worden naar ▼ *inform wing it* (iets) improviseren, (iets) onvoorbereid doen **III** *onov ww dicht* vliegen

wing chair *zn* oorfauteuil ⟨gemakkelijke stoel met hoofdsteunen aan beide kanten⟩

winged [wɪŋd] *bnw* met vleugels, gevleugeld

winger ['wɪŋə] zn buitenspeler, vleugelspeler
wing mirror GB zn buiten- / zijspiegel
wing nut zn vleugelmoer
wings [wɪŋz] zn mv ❶ (vliegers)insigne ⟨in de vorm van twee vleugels⟩ ★ get your ~ je vliegbrevet halen / krijgen ❷ coulissen ⟨bij toneel⟩ ★ in the ~ achter de coulissen ★ be waiting in the ~ in de coulissen klaarstaan
wingspan ['wɪŋspæn] zn vleugelspanwijdte
wink [wɪŋk] I onov ww ❶ knipperen ⟨van licht⟩ ❷ ~ at ★ wink at sb knipogen naar iem. ★ wink at sth iets oogluikend toelaten, iets door de vingers zien II ov ww knipperen, knipogen ★ wink an eye at sb iem. 'n knipoogje geven III zn ❶ knipoog ⟨ook als seintje⟩ ★ give sb a (big) wink iem. een (vette) knipoog geven ❷ ogenblik ★ I have not slept a wink ik heb geen oog dichtgedaan ★ not get / have a wink of sleep geen oog dichtdoen ★ inform have / take forty winks (even) een dutje doen
winkle ['wɪŋkl] I zn alikruik II ov ww ~ out los- / uitpeuteren ★ ~ a secret out of sb iem. een geheim ontfutselen ★ ~ sb out of a position of influence iem. uit een invloedrijke positie loswrikken / wippen
winner ['wɪnə] zn ❶ winnaar, winnend paard / punt / lot, winnende goal / ploeg ❷ inform succes ★ be onto a ~ with sth succes hebben met iets
winning ['wɪnɪŋ] bnw ❶ winnend, succesvol ❷ innemend
winnings ['wɪnɪŋz] zn mv winst ⟨bij (gok)spel⟩
winnow ['wɪnəʊ] ov ww ❶ wannen ⟨graan⟩ ❷ schiften ★ ~ down to terugbrengen tot, reduceren tot ★ ~ sth / sb out iemand / iets eruit schiften
wino ['waɪnəʊ] inform zn zuiplap
winsome ['wɪnsəm] form bnw innemend, sympathiek
winter ['wɪntə] I zn winter ★ in (the) ~ 's winters, in de winter II onov ww ❶ de winter doorbrengen ❷ overwinteren III ov ww laten overwinteren
winter sports ['wɪntəspɔːts] zn mv wintersport
wintertime ['wɪntətaɪm] zn winter(seizoen), wintertijd
wintry ['wɪntrɪ] bnw ❶ winters ❷ koud, koel ★ a ~ smile een koele glimlach
win-win bnw met alleen maar voordelen ★ a ~ situation een win-winsituatie
wipe [waɪp] I ov ww ❶ (af)vegen, afdrogen ★ wipe sth clean iets schoonvegen ★ wipe the slate clean met een schone lei beginnen ★ fig wipe the floor with sb de vloer met iem. aanvegen, iem. volkomen inmaken ★ wipe one's eyes zijn tranen drogen ★ wipe sth off the face of the earth iets van de aardbodem wegvagen ★ wipe sth off the map iets van de kaart vegen, iets met de grond gelijk maken ❷ wissen ⟨bestand, tape, herinnering⟩ ★ try to wipe sth from your mind / memory iets proberen te vergeten, iets proberen uit je geheugen te wissen ❸ ~ away wegvegen ❹ ~ down (met een nat doekje) afnemen ❺ ~ off uitwissen, afvegen ❻ ~ out uitvegen, uitwissen,

wegvagen, totaal vernietigen, inform uitputten ★ inform be wiped out bekaf / doodop zijn ❼ ~ up opvegen, opdeppen II onov ww inform ~ out onderuitgaan ⟨bij skiën, surfen⟩, een smak maken III zn ❶ veeg ★ give sth a wipe iets afvegen, schoonvegen ❷ inform zakdoek, (nat) doekje
wiper ['waɪpə] zn ruitenwisser
wire ['waɪə] I zn ❶ (metaal)draad, telefoonkabel / -lijn, stroomkabel / -draad ★ live wire schrikdraad, inform energiek persoon ★ barbed wire prikkeldraad ★ get your wires crossed elkaar verkeerd begrijpen ❷ USA microfoon ⟨verborgen⟩ ❸ USA telegram ★ by wire telegrafisch II ov ww, wire up aansluiten ⟨apparatuur, machines, op de elektriciteit⟩ ★ wired up to the Internet aangesloten op internet ❶ met draad vastzetten / versterken, aaneenrijgen ❷ voorzien van afluisterapparatuur ❸ USA telegraferen ❹ elektronisch overmaken ⟨geld⟩ III onov ww USA telegraferen
wire-cutters ['waɪəkʌtəz] zn mv draadschaar
wired bnw ❶ aangesloten op internet ❷ met afluisterapparatuur ⟨op je lichaam, in je kleren⟩ ❸ USA inform hyper, opgefokt ⟨door koffie, drugs⟩ ❹ (met draad) verstevigd ⟨van kleding⟩
wire-haired [waɪə'heəd] bnw ruwharig ⟨van hond⟩
wireless ['waɪələs] I bnw ❶ draadloos ★ ~ network / Internet draadloos netwerk / internet ★ ~ phone draadloze telefoon ❷ GB oud radio- ★ ~ set radiotoestel II zn ❶ draadloze telegrafie ❷ GB oud radio
wire netting, USA **wire mesh** zn (kippen)gaas
wiretap ['waɪətæp] USA ov ww afluisteren ⟨telefoon⟩
wiretapping ['waɪətæpɪŋ] USA zn het afluisteren ⟨van telefoon⟩
wire wool GB zn staalwol
wiring ['waɪərɪŋ] zn ❶ elektrische bedrading, alle elektrische leidingen / kabels ⟨van een gebouw, huis, apparaat⟩ ❷ draad(werk)
wiry ['waɪərɪ] bnw ❶ (mager en) gespierd, pezig ⟨van persoon⟩ ❷ stug, springerig ⟨van haar⟩
wisdom ['wɪzdəm] zn wijsheid ★ in his / her (infinite) ~ in zijn / haar (onmetelijke) wijsheid
wisdom tooth zn verstandskies
wise [waɪz] bnw wijs, verstandig ★ a wise decision een verstandige beslissing ★ be wise to leave before midnight er verstandig aan doen om voor middernacht te vertrekken ★ be / get wise to sth iets in de gaten hebben / krijgen ★ be / get wise to sb iem. doorhebben / doorkrijgen ★ be wise after the event weten hoe het zit, als het gebeurd is ★ I'm none the wiser / not any the wiser ik ben er niets wijzer op geworden ★ no one will be any the wiser (for it) niemand zal er iets van in de gaten hebben ★ put sb wise iem. inlichten, iem. op de hoogte brengen II onov ww inform ~ up iets doorkrijgen ★ wise up to sth iets doorkrijgen, iets in de smiezen krijgen ★ wise up! word eens wakker!
wisecrack ['waɪzkræk] I zn ❶ gevatte opmerking ❷ grapje, mopje II onov ww geestig / gevat uit

de hoek komen

wise guy *zn* betweter, eigenwijs persoon

wisely ['waɪzlɪ] *bijw* wijselijk

wish [wɪʃ] **I** *zn* wens, verlangen ★ *make a wish* een wens doen ★ *grant sb's wish* iemands wens in vervulling doen gaan ★ *(with) best wishes* met hartelijke groet ⟨aan het einde van brief, mail⟩ ★ *I have no wish to see her ever again* ik heb er geen behoefte aan / geen zin in haar ooit nog te ontmoeten ★ *his wish came true* zijn droom kwam uit **II** *ov ww* ❶ wensen, verlangen, toewensen ★ *wish sb luck / success* iem. geluk / succes (toe)wensen ★ *wish sb well* iem. het beste toewensen ★ *I wish I knew* ik wou dat ik het wist ★ *I wish (that) he were here* ik wou dat hij hier was ★ *don't you wish we were there?* zou je niet willen dat we er waren? ★ *wish o.s. (at home)* wensen dat men (thuis) was ★ *you wouldn't wish it on your worst enemy* dat zou je je ergste vijand nog niet toewensen ★ *you wish!* dat zou je wel willen! ❷ ~ **away** wegwensen, wensen dat iets er niet is **III** *onov ww* ❶ wensen ❷ ~ **for** verlangen, wensen

wishful thinking ['wɪʃfʊl 'θɪŋkɪŋ] *zn* ijdele hoop, wensdenken

wish list *inform* *zn* verlanglijst(je)

wishy-washy ['wɪʃɪwɒʃɪ] *bnw* ❶ slap, besluiteloos ⟨van persoon⟩ ❷ waterig ⟨van kleur⟩, flauw

wisp [wɪsp] *zn* ❶ (rook)sliert, zweem ★ *a wisp of a girl* een magere spriet ❷ dun plukje ⟨van haar, gras⟩, sliert

wispy ['wɪspɪ] *bnw* ❶ in bosjes, in slierten ❷ sprietig, spichtig

wisteria *zn* blauweregen ⟨plant⟩

wistful ['wɪstfʊl] *bnw* weemoedig, droevig, melancholiek, dromerig

wit [wɪt] **I** *zn* ❶ geestigheid, humor ★ *have a dry wit* een droog gevoel voor humor hebben ❷ geestig persoon ❸ [meestal in mv] verstand ★ *I'm at my wits' end* ik ben ten einde raad ★ *scare / frighten sb out of his wits* iem. de stuipen op het lijf jagen, iem. doodsbang maken ★ *keep / have your wits about you* alert / pienter blijven / zijn, je hoofd erbij houden / hebben ★ *pit your wits against* het opnemen tegen ★ *have quick wits* bij de pinken zijn, pienter zijn ★ *gather / collect your wits* goed (gaan) nadenken ❹ tegenwoordigheid van geest, scherpzinnigheid ★ *have the wit to seek advice from an expert* zo slim zijn om advies te vragen aan een deskundige **II** *onov ww oud* weten ★ *to wit* namelijk, te weten

witch [wɪtʃ] *zn* heks

witchcraft ['wɪtʃkrɑːft] *zn* hekserij, toverij

witch doctor ['wɪtʃdɒktə] *zn* medicijnman, tovenaar

witch-hunt *zn* heksenjacht

with [wɪð] *vz* ❶ met ★ *a hat with feathers* een hoed met veren ★ *he came with his wife* hij kwam met zijn vrouw ★ *cut it with a sharp knife* snij het met een scherp mes ★ *swim with the current* met de stroom mee zwemmen ★ *and with that he left for work* en daarop / daarmee / daarna ging hij naar zijn werk ★ *with all her faults* ondanks / met al haar fouten ❷ van ★ *wet*

with rain nat van de regen ★ *tremble with fear* trillen van angst ❸ bij ★ *live with your mother* bij je moeder wonen ★ *work with Shell* bij Shell werken ★ *leave it with her* laat het maar bij haar achter ★ *I'll be with you in a sec* ik kom zo bij je ★ *I am with you* ik ben het met je eens ★ *are you with me?* kun je me volgen? ★ *be with it* in zijn, hip zijn ★ *not be with it* er niet bij zijn met je hoofd

withdraw [wɪð'drɔː] **I** *ov ww* ❶ terugtrekken ❷ terugnemen, intrekken ⟨belofte, beschuldiging, opmerking⟩ ★ ~ *subsidies / your support* subsidies / je steun intrekken ❸ opnemen ⟨van bankrekening⟩ ★ ~ *money from the bank* geld opnemen van je bankrekening **II** *onov ww* zich terugtrekken ★ ~ *into yourself* je in jezelf terugtrekken

withdrawal [wɪð'drɔːəl] *zn* ❶ het (zich) terugtrekken, terugtrekking ❷ het terugnemen, intrekking, stopzetting ❸ geldopname ★ *make a ~ from a cash machine* geld halen uit een betaalautomaat ❹ ontwenning(speriode)

withdrawal symptoms *zn mv* ontwenningsverschijnselen

withdrawn [wɪð'drɔːn] *bnw* teruggetrokken, verlegen

wither ['wɪðə] **I** *onov ww* ❶ verwelken, verschrompelen, verdorren, (uit)drogen ★ ~*ed* dor, (uit)gedroogd, verschrompeld ❷ **wither away** vergaan, verdwijnen **II** *ov ww* ❶ doen verwelken, verschrompelen, laten verdorren, (uit)drogen ❷ in elkaar doen krimpen ⟨van schaamte e.d.⟩ ★ ~ *sb with a look* iem. vernietigend aankijken ★ *a ~ing look* een vernietigende blik

withers ['wɪðəz] *zn mv* schoft ⟨hoogste deel van rug van paard⟩

withhold [wɪð'həʊld] *form* *ov ww* onthouden, niet geven ★ ~ *information from sb* informatie achterhouden voor iem.

withholding tax *USA* *zn* voorheffing, loonbelasting

within [wɪ'ðɪn] **I** *vz* binnen (in) ★ ~ *reach* binnen bereik ★ ~ *the law* binnen de grenzen v.d. wet ★ ~ *six months* binnen zes maanden ★ ~ *the past six weeks* gedurende de afgelopen zes weken ★ ~ *a mile* nog geen mijl ★ *be ~ walking distance* te lopen zijn, binnen loopafstand zijn **II** *bijw* *form* (van) binnen, in huis ★ *hear voices ~* binnen / in huis stemmen horen ★ *from ~* van binnenuit ★ ~, *the church was beautiful* de kerk was prachtig vanbinnen

without [wɪ'ðaʊt] **I** *vz* ❶ zonder ★ *be ~ (sth)* zonder (iets) zitten ★ *we can't do ~ him* we kunnen hem niet missen ★ *go ~ (sth)* het stellen zonder (iets) ★ *it was done ~ his knowing anything about it* het was gedaan zonder dat hij er ook maar iets van wist ★ *it goes ~ saying* het spreekt vanzelf ❷ (aan de) buiten(kant) **II** *bijw* (van) buiten

withstand [wɪð'stænd] *ov ww* ❶ weerstaan, weerstand bieden (aan) ❷ bestand zijn tegen ★ ~ *high temperatures* bestand zijn tegen hoge temperaturen

witless ['wɪtləs] *bnw* stom, stupide, dom ★ *be scared / bored ~* zich dood schrikken / vervelen

witness ['wɪtnəs] **I** zn ❶ getuige ook jur ★ be ~ to sth getuige zijn van iets ★ ~ for the prosecution / the crown getuige à charge ★ ~ for the defence getuige à decharge ❷ getuigenis ★ in ~ whereof ten getuige waarvan ★ bear ~ to getuigenis afleggen van, getuigen van **II** ov ww ❶ getuige zijn van ★ ~ a car accident getuige zijn van een auto-ongeluk ★ recent years have ~ed the fall of communism de laatste jaren hebben de val van het communisme laten zien ❷ jur getuigen ★ call to ~ als getuige oproepen ❸ jur tekenen ⟨als getuige⟩ **III** onov ww ~ to getuigen van, blijk geven van

witness box ['wɪtnəsbɒks], USA **witness stand** zn getuigenbank

witticism ['wɪtɪsɪzəm] zn gevatte opmerking, geestigheid

wittiness ['wɪtɪnəs] zn geestigheid, gevatheid

wittingly ['wɪtɪŋlɪ] form bijw opzettelijk, willens en wetens

witty ['wɪtɪ] bnw geestig, gevat

wives [waɪvz] zn mv → wife

wizard ['wɪzəd] zn ❶ tovenaar ❷ genie

wizardry ['wɪzədrɪ] zn ❶ toverkunst ❷ genialiteit, uitzonderlijke begaafdheid ❸ vernuftige dingen / apparaten

wizened ['wɪznd] bnw verdroogd, verschrompeld

wobble ['wɒbl] **I** onov ww ❶ waggelen, wiebelen ❷ weifelen ❸ beven, trillen ⟨van stem⟩ **II** ov ww wiebelen met, schommelen met **III** zn ❶ een waggelende beweging ❷ weifeling, hapering

wobbly ['wɒblɪ] bnw ❶ wiebelend ⟨stoel, tafel⟩ ❷ wankel, onvast ⟨op je benen⟩ ❸ weifelend ❹ bevend, trillend ⟨van stem⟩

woe [wəʊ] zn ❶ smart, wee ★ humor woe is me wee mij ★ humor woe betide you wee u ❷ rampspoed ★ mv leed, ellende ★ to add to their woes... om het allemaal nog erger te maken...

woebegone ['wəʊbɪgɒn] dicht bnw droevig, smartelijk

woeful ['wəʊfʊl] bnw ❶ jammerlijk, rampzalig ★ a ~ lack of knowledge about our history een rampzalig gebrek aan kennis van onze geschiedenis ❷ dicht droevig, smartelijk, treurig

wog [wɒg] GB min zn neger, kleurling

woke [wəʊk] ww [verleden tijd + volt. deelw.] → wake

woken ['wəʊkən] ww [volt. deelw.] → wake

wolds [wəʊldz] GB zn mv open heuvelland ⟨vooral in plaats- en streeknamen⟩

wolf [wʊlf] **I** zn [mv: wolves] wolf ★ fig a lone wolf een eenzelvig iem., alleenganger ★ a wolf in sheep's clothing een wolf in schaapskleren ★ cry wolf loos alarm slaan ★ keep the wolf from the door zorgen dat men te eten heeft ★ throw sb to the wolves iem. voor de leeuwen gooien **II** ov ww ~ down naar binnen schrokken

wolfish ['wʊlfɪʃ] bnw ❶ wolfachtig ❷ wellustig ⟨van grijns⟩

wolf whistle zn het nafluiten ⟨van vrouwen⟩ ★ be fed up with the men's ~s het gefluit van de mannen zat zijn

wolves [wʊlvz] zn mv → wolf

woman ['wʊmən] zn [mv: women] ❶ vrouw ★ the other ~ de ander ⟨met wie een man iets heeft naast zijn vrouw / vaste vriendin⟩ ★ be your own ~ onafhankelijk zijn ★ a ~ doctor een vrouwelijke arts ★ oud kept ~ maîtresse ★ GB inform old ~ vrouw, moeder ★ ~ of the world vrouw van de wereld, mondaine vrouw ❷ wijf, mens ★ GB inform old ~ oud wijf ⟨gezegd van man⟩ ❸ werkster

womanhood ['wʊmənhʊd] zn ❶ (het) vrouw-zijn, vrouwelijkheid ❷ de vrouwen

womanish ['wʊmənɪʃ] bnw verwijfd, sentimenteel

womanize, womanise ['wʊmənaɪz] onov ww achter de vrouwen aanzitten

womanizer, womaniser ['wʊmənaɪzə] zn rokkenjager, versierder

womankind ['wʊmənkaɪnd] form zn de vrouwen, het vrouwelijk geslacht

womanly ['wʊmənlɪ] bnw vrouwelijk

womb [wu:m] zn baarmoeder, schoot

women ['wɪmɪn] zn mv → woman

womenfolk ['wɪmɪnfəʊk] oud zn vrouwvolk

Women's Lib zn vrouwenemancipatie(beweging), feminisme

women's movement zn vrouwenbeweging

women's refuge GB zn blijf-van-mijn-lijfhuis

won [wʌn] ww [verleden tijd + volt. deelw.] → win

wonder ['wʌndə] **I** zn ❶ wonder ★ fig do / work ~s (for sb / sth) wonderen doen / verrichten (voor iemand / iets) ★ (it's) no / small ~ that geen wonder dat ★ inform ~s will never cease de wonderen zijn de wereld nog niet uit ❷ verwondering ★ look at sth in ~ verbaasd / verwonderd naar iets kijken **II** ov ww ❶ zich afvragen, benieuwd zijn naar ★ I ~ what we can do to help them ik vraag me af wat we kunnen doen om hen te helpen ★ I ~ who the winners are ik ben benieuwd wie de winnaars zijn ★ I ~ why you never told me? waarom heb je me dat eigenlijk nooit gezegd? ★ I ~ whether you would let me know if... zou u mij willen meedelen of... ❷ verbaasd staan van, zich verbazen / verwonderen over ★ I shouldn't ~ if... het zou me niet verbazen als **III** onov ww ❶ verbaasd staan, zich verbazen, zich verwonderen ❷ zich iets afvragen, iets betwijfelen ★ ~ about sth je iets afvragen over iets twijfelen ❸ ~ at zich verwonderen over

wonder drug zn wondermiddel

wonderful ['wʌndəfʊl] bnw ❶ wonderlijk, verbazingwekkend ❷ prachtig, schitterend ★ you're ~! je bent / ik vind je fantastisch!

wonderingly ['wʌndərɪŋlɪ] bijw verbaasd, met verbazing, verwonderd

wonderland ['wʌndəlænd] zn wonderland, sprookjesland

wonderment ['wʌndəmənt] form zn verwondering, verbazing ★ look at sb in ~ verwonderd naar iem. kijken

wondrous ['wʌndrəs] dicht bnw (ver)wonderlijk, buitengewoon

wonky ['wɒŋkɪ] GB inform bnw wankel, wiebelend, onstabiel

wont [wəʊnt] **I** zn oud gewoonte ★ as was her wont zoals ze gewoon was te doen, zoals altijd **II** bnw form gewend, gewoon ★ be wont to do sth gewend zijn (om) iets te doen, iets

wo

gewoonlijk doen

won't [wəʊnt] *samentr, will not* → **will**

woo [wuː] *ov ww* ❶ verleiden, (voor zich proberen te) winnen, lokken ⟨stemmers, klanten⟩ ❷ oud dingen naar de hand / gunst van

wood [wʊd] *zn* ❶ hout ★ *a wood floor* een vloer van hout ★ *a wood stove* een houtkachel ★ *touch* / USA *knock on wood!* afkloppen! ★ fig *dead wood* overtollig personeel, overbodige ballast ❷ bos ★ *a walk in the woods* een wandeling in het bos / de bossen ★ *be out of the woods* uit de moeilijkheden zijn ★ *not see the wood for the trees* door de bomen het bos niet meer zien

woodcarving ['wʊdkɑːvɪŋ] *zn* ❶ houtsnijwerk ❷ houtsculptuur

woodchuck ['wʊdtʃʌk] *zn* bosmarmot

woodcock ['wʊdkɒk] *zn* houtsnip

woodcraft ['wʊdkrɑːft] *zn* kennis v.h. leven / de jacht in (de) bossen

woodcut ['wʊdkʌt] *zn* houtsnede

woodcutter ['wʊdkʌtə] oud *zn* houthakker

wooded ['wʊdɪd] *bnw* bebost

wooden ['wʊdn] *bnw* ❶ houten ★ *~ spoon* houten (pol)lepel ★ GB *win / take the ~ spoon* de poedelprijs winnen / krijgen ❷ houterig, stijf

woodland ['wʊdlənd] *zn* bosland, bebost(e) terrein(en) ★ *~s* [mv] bosland, bebost(e) terrein(en)

woodpecker ['wʊdpekə] *zn* specht

woodpile ['wʊdpaɪl] *zn* stapel brandhout, houtstapel

wood pulp *zn* houtpulp

woodshed ['wʊdʃed] *zn* houtschuur

woodsman ['wʊdzmən] *zn* ❶ bosbewoner ❷ houthakker ❸ iemand die graag door de bossen dwaalt, woudloper

woodwind ['wʊdwɪnd], **woodwind section** *zn* de houtblazerssectie (in orkest) ★ *the ~s* [mv] de houtblazerssectie

woodwork ['wʊdwɜːk] *zn* ❶ houtwerk ❷ houtbewerking ▼ *come / crawl out of the ~* plotseling (weer) opduiken

woodworm ['wʊdwɜːm] *zn* houtworm

woody ['wʊdɪ] *bnw* ❶ houtachtig, hout- ❷ bos-, bosrijk, bebost

woodyard ['wʊdjɑːd] *zn* houtopslagplaats

woof [wʊf] **I** *zn* inslag (bij het weven) **II** *tw* woef **III** *onov ww* blaffen ⟨van hond⟩

woofer ['wuːfə, 'wʊfə] *zn* woofer, luidspreker voor lage tonen

wool [wʊl] *zn* ❶ wol ❷ wollen garen / stof, wollen kleding ▼ *a dyed in the wool conservative* een volbloed conservatief, op-en-top een conservatief ▼ *pull the wool over s.o.'s eyes* iem. zand in de ogen strooien

woollen ['wʊlən] *bnw* wollen, van wol, wol-

woollens ['wʊlənz] *zn mv* wollen goederen / kleding

woolly ['wʊlɪ] **I** *bnw* ❶ wollig, donzig ❷ GB inform wollen, van wol ❸ wollig, vaag **II** *zn* GB wollen trui / vest / kledingstuk

woozy ['wuːzɪ] *bnw* licht in het hoofd, duizelig, misselijk

wop [wɒp] *zn* min spaghettivreter ⟨Italiaan⟩

word [wɜːd] **I** *zn* ❶ woord ★ *the Word (of God)* het Woord Gods ★ *the words of a song* de tekst van een liedje ★ *angry words* boze woorden ★ *dying words* laatste woorden ★ *word of command* bevel ★ *word of honour* erewoord ★ *word of mouth* mond-tot-mondreclame ★ *by word of mouth* mondeling ★ *bandy words with* disputeren met ★ *beyond words* onbeschrijfelijk ★ *not believe a word of sth* er niets van geloven ★ *not get a word in edgeways / edgewise* er geen woord tussen krijgen ★ *eat your words* je woorden terugnemen, je excuses maken ★ *words to that effect* woorden van die strekking ★ *words fail me* woorden schieten (mij) tekort ★ *give sb your word* iem. je woord geven ★ *from the word go* meteen vanaf het begin ★ *go back on your word* je woorden / belofte terugnemen ★ *hang on sb's words* aan iemands lippen hangen ★ *can I have a word with you?* kan ik u even spreken? ★ *have a word in sb's ear* iem. iets onder vier ogen vertellen, iem. iets toefluisteren ★ GB *have words with sb* woorden hebben met iem. ★ *in other words* met andere woorden ★ *in so many words* ronduit gezegd ★ *not in so many words* niet met zoveel woorden ★ *in a word* in één woord ★ *he is as good as his word* je kunt van hem op aan ★ *he hasn't a good word to say for anybody* hij heeft op iedereen wat aan te merken ★ *keep your word* (je) woord houden, je belofte nakomen ★ *a man / woman of his / her word* een man / vrouw van zijn / haar woord ★ *a man of few words* een man van weinig woorden ★ *remember, not a word to your sister* denk erom, geen woord erover tegen je zus / houd je mond tegen je zus ★ *put in a (good) word for sb* een goed woordje voor iem. doen ★ *have the last word* het laatste woord hebben ★ *the last word in* het allernieuwste op het gebied van ★ *mark my words* let op mijn woorden ★ *too stupid for words* te dom voor woorden ★ *(up)on my word!* op m'n erewoord!, nee, nou wordt ie goed! ★ *play upon words* woordspelingen maken ★ *put words into sb's mouth* iem. woorden in de mond leggen ★ *say a few words* iem. een paar woorden zeggen over, een kort praatje houden over ★ *suit the action to the word* de daad bij het woord voegen ★ *take sb at his word* iem. op zijn woord geloven ★ *take sb's word for it* iem. op zijn woord geloven ★ *take my word for it* neem dat van mij aan ★ *take the words out of sb's mouth* iem. de woorden uit de mond halen ★ *without a word* zonder iets te zeggen ★ *word for word* woord voor woord, woordelijk ❷ bericht, boodschap, nieuws ★ *word has it that...* het gerucht / verhaal gaat dat... ★ *the word is that...* het gerucht / verhaal gaat dat..., men zegt dat... ★ *leave word* een boodschap achterlaten ★ *send word to sb* iem. berichten ★ *receive word* bericht ontvangen ★ *spread the word (around)* het doorvertellen ❸ bevel ★ *give the word* (het) bevel geven, een seintje geven ★ *say the word and I'll leave* zeg het maar en ik vertrek ❹ parool, wachtwoord ★ *quick is the word* vlug zijn is de boodschap ★ *sharp's the word* opschieten! **II** *ov ww* uitdrukken, verwoorden, stellen ★ *a carefully*

WO

worded letter een nauwkeurig geformuleerde brief

word blindness [ˈwɜːd blaɪndnəs] *zn* woordblindheid, dyslexie

wordiness [ˈwɜːdɪnəs] *zn* langdradigheid, breedsprakigheid

wording [ˈwɜːdɪŋ] *zn* bewoordingen, formulering, verwoording

wordless [ˈwɜːdləs] *bnw* ❶ zonder woorden ❷ sprakeloos

word-perfect [wɜːdˈpɜːfɪkt] *bnw* tekstvast ⟨toneel⟩ ★ *be* ~ de tekst tot in de puntjes kennen, de tekst foutloos uit het hoofd kennen

word processor *zn* tekstverwerker

wordy [ˈwɜːdɪ] *bnw* breedsprakig

wore [wɔː] *ww* [verleden tijd] → **wear**

work [wɜːk] I *onov ww* ❶ werken ★ *work as a teacher* leraar zijn ★ *work in education* in het onderwijs werkzaam zijn ★ *work for a law firm* op een advocatenkantoor werken ★ *work for world peace* zich inzetten voor de wereldvrede ❷ gaan, functioneren, effect hebben ★ *inform it works for me* bij mij werkt dat goed, voor mij is dat prima ★ *the drugs didn't work* de geneesmiddelen werkten niet ★ *work loose* losgaan ⟨van schroef, touw⟩ ★ *your phone isn't working* je telefoon doet het niet ★ *your theory won't work* jouw theorie gaat niet op ★ *work in sb's favour* In iemands voordeel werken ★ *work for / against sb* in iemands voordeel / nadeel werken ❸ *form* ⟨nerveus⟩ trekken ❹ *GB* ~ *around/round to* naar... toe werken ❺ ~ *at* werken aan, doen aan ❻ ~ *in* ★ *work in with* samengaan met ❼ ~ *on* dóórwerken, werken op, werken aan, (proberen te) beïnvloeden ★ *work on a plan* volgens een plan werken ★ *the door works on a spring* de deur gaat dicht / open met een veer ★ *work on a new story* aan een nieuw verhaal werken ★ *work on sb* inpraten op iem., iem. proberen te overtuigen ❽ ~ *out* uitkomen, trainen, lukken, (gunstig) aflopen ★ *work out at* neerkomen op ❾ ~ *through* (er) doorkomen, zich werken door, doornemen ❿ ~ *towards* toewerken naar ⓫ ~ *up to* toewerken naar II *ov ww* ❶ laten werken ★ *work sb too hard* iem. te hard laten werken ❷ bedienen ⟨apparaat, machine⟩, drijven, bewegen, exploiteren ★ *she didn't know how to work the video* ze wist niet hoe ze de video moest instellen / bedienen ★ *work a mine* een mijn exploiteren ❸ bewerken, kneden, smeden ★ *work the land* het land bewerken ★ *work clay* klei kneden ★ *prostitutes working the downtown area* prostituees die de binnenstad als werkgebied hebben, prostituees die in de binnenstad werken ❹ tot stand brengen, ten uitvoer brengen, maken ★ *he'll work it* hij lapt het 'm wel, hij krijgt het wel voor elkaar ★ *work long hours* lange uren maken ★ *work sth loose* iets losmaken / loswerken / losdraaien / lospeuteren ★ *work miracles* wonderen verrichten ★ *work your way* je een weg banen ★ *work your way up* je opwerken ❺ *USA* uitrekenen, oplossen ★ ~ *in* erin (ver)werken, ertussen werken ★ *work in the butter* de boter erbij doen / mengen ❼ ~ *into* erin (ver)werken,

tot... brengen ★ *work the butter into the flour* meng / werk de boter door het meel ★ *work o.s. into* zich weten te dringen in ★ *work o.s. into a rage* zich woedend maken ❽ ~ *off* door werken aflossen ⟨schuld, lening⟩, wegwerken, door werken verdrijven ⟨woede, zenuwen, slechte bui⟩ ★ *work off your belly* je buik wegwerken, je buik wegkrijgen door je flink in te spannen ❾ ~ *out* uitwerken, berekenen, uitrekenen, oplossen ⟨problemen⟩, doorgronden ★ *I can't work her out* ik krijg maar geen hoogte van haar ❿ ~ *over* aftuigen ⓫ ~ *up* opwerken, opbouwen, aanzetten, opruien ★ *work up an appetite* de eetlust opwekken ★ *work up courage* moed verzamelen ★ *work yourself up* je druk maken, je opwinden ★ *work o.s. up into a passion* zich steeds nijdiger maken ★ *work up your notes into a report* je aantekeningen uitwerken tot een rapport III *zn* werk, arbeid ★ *a work of art* een kunstwerk ★ *at work* aan het werk, bezig, op het / zijn / haar werk ★ *be at work upon* bezig zijn met, werken aan ★ *the complete works of Mozart* de volledige werken van Mozart ★ *have your work cut out (for you)* een zware taak vóór je hebben ★ *it's all in a day's work* het is heel gewoon, het hoort er zo bij ★ *dirty work* vies / vuil werk ★ *fig do sb's dirty work* het vuile werk voor iem. opknappen ★ *get / set / go to work* aan het werk gaan ★ *writing books is hard work* boeken schrijven is hard werk ★ *be in work* werk hebben, werken ★ *a nasty piece of work* 'n klier ★ *all work and no play makes Jack a dull boy* de boog kan niet altijd gespannen zijn ★ *work in progress* werk in uitvoering ★ *make short work of* korte metten maken met, tot een gemakkelijke klus maken, snel naar binnen werken ★ *out of work* werkloos

workable [ˈwɜːkəbl] *bnw* ❶ bruikbaar, werkbaar, uitvoerbaar ❷ rendabel

workaday [ˈwɜːkədeɪ] *bnw* alledaags, saai

workaholic [wɜːkəˈhɒlɪk] *zn* workaholic, werkverslaafde, werkezel

workaround [ˈwɜːkəraʊnd] *zn* omweg ⟨om een probleem te omzeilen⟩

work-basket [ˈwɜːkbɑːskɪt] *zn* naaimand

workbench [ˈwɜːkbentʃ] *zn* werkbank

workbook [ˈwɜːkbʊk] *zn* werkboek ⟨in het onderwijs⟩

workday [ˈwɜːkdeɪ] USA *zn* werkdag

worker [ˈwɜːkə] *zn* werker, arbeider ★ *a hard / slow* ~ een harde / langzame werker ★ *domestic* ~ huishoudelijke hulp ★ *skilled / unskilled* ~*s* geschoolde / ongeschoolde werkkrachten / arbeiders

workflow [ˈwɜːkfləʊ] *zn* werkstroom ⟨volgorde van bewerkingen⟩

workforce [ˈwɜːkfɔːs] *zn* ❶ personeel(sbestand) ❷ arbeidspotentieel, werkende bevolking

workhorse [ˈwɜːkhɔːs] *zn* werkpaard

workhouse [ˈwɜːkhaʊs] *gesch zn* armenhuis

working [ˈwɜːkɪŋ] I *bnw* ❶ werkend ★ ~ *classes* arbeiders(klasse) ★ *a* ~ *mother* een (buitenshuis) werkende moeder ❷ werk-, bedrijfs- ★ ~ *conditions* arbeidsvoorwaarden / -omstandigheden ★ ~ *life* tijd dat iem. werkt ★ *a* ~ *lunch* een werklunch ❸ praktisch, bruikbaar

WO

★ ~ *knowledge* elementaire kennis ★ ~ *majority* regeerkrachtige meerderheid ‖ *zn* ❶ [meestal in mv] werking, functionering, proces ★ *know the ~s of a computer* weten hoe een computer werkt ★ *~s of the heart* wat er in het hart omgaat ❷ het werken ★ *part-time ~* het in deeltijd werken, het parttime werken
working capital *zn* werkkapitaal
working-class *bnw* arbeiders- ★ *a ~ background* een arbeidersachtergrond, een arbeidersmilieu
working day GB *zn* werkdag
working group *zn* werkgroep
working paper *zn* discussiestuk
working papers USA *zn mv* werkvergunning
working party GB *zn* werkgroep
working week GB *zn* werkweek
workload ['wɜːkləʊd] *zn* werklast, taak
workman ['wɜːkmən] *zn* arbeider, ambachtsman, vakman
workmanlike ['wɜːkmənlaɪk] *bnw* vakkundig
workmanship ['wɜːkmənʃɪp] *zn* vakmanschap, technisch kunnen ★ *of good ~* goed afgewerkt
workout ['wɜːkaʊt] *zn* (conditie)training
work permit *zn* werkvergunning
workplace *zn* werkplek ★ *in the ~* op de werkplek, op het werk
workroom *zn* werkruimte
works [wɜːks] *zn mv* ❶ fabriek, bedrijf ★ *an engineering ~* een machinefabriek ★ USA *it's in the ~* er wordt aan gewerkt, het komt eraan ❷ binnenwerk, mechanisme ❸ werk (aan de weg, bruggen e.d.) ▼*inform the (whole) ~* de hele mikmak, alles ▼*give him the ~* geef 'm de volle laag
works council GB *zn* (centrale) ondernemingsraad
workshop ['wɜːkʃɒp] *zn* ❶ werkplaats ❷ workshop, studiegroep, cursus
workstation ['wɜːksteɪʃən] *zn* ❶ werkplek ❷ comp werkstation
worktop ['wɜːktɒp], **work surface** GB *zn* werkblad (in keuken)
work-to-rule [wɜːktəˈruːl] GB *zn* stiptheidsactie, modelactie
world [wɜːld] *zn* wereld ★ *a ~ of* een (hele) massa ★ *a ~ of difference* een heel verschil, een wereld van verschil ★ GB *all the ~ (and his wife)* jan en alleman ★ *all over the ~* overal ter wereld, de hele wereld door ★ *be ~s apart* verschillen als dag en nacht ★ *be / mean (all) the ~ to sb* alles zijn / betekenen voor iem. ★ *have the best of both ~s* twee goede / gunstige dingen tegelijk hebben ★ *dicht come into the ~* ter wereld komen ★ *the ~ to come* het hiernamaals ★ *come down in the ~* aan lagerwal raken ★ *fig dead to the ~* in diepe slaap ★ *have the ~ at your feet* de wereld aan je voeten liggen ★ *(I wouldn't miss it) for the ~* (ik zou het) voor geen goud (willen missen) ★ *for all the ~ as if / like* precies als(of) ★ *a day-off will do her a / the ~ of good* een dagje vrij zal haar erg goed doen ★ *I'm not long for this ~* ik zal het niet lang meer maken ★ *go up in the ~* vooruitkomen in de wereld ★ *in the ~* ter wereld ★ *how / what / who in the ~* hoe / wat / wie in 's hemelsnaam ★ *lower ~* aarde, hel ★ *the next ~* het

hiernamaals ★ *the new / old / Western ~* de nieuwe / oude / westerse wereld ★ *the other ~* de bovennatuurlijke wereld, het hiernamaals ★ *out of this ~* onwezenlijk goed ★ *the outside ~* de buitenwereld ★ *(live) in a ~ of your own* in je eigen wereldje (leven) ★ *the ~ is your oyster* de wereld ligt voor je open, je kunt doen wat je maar wilt ★ *in the real ~* in het echt, in werkelijkheid ★ *want to see the ~* wat van de wereld willen zien ★ *inform set the ~ on fire* een groot succes zijn, iets heel bijzonders doen ★ *humor set / put the ~ to rights* alle wereldproblemen oplossen ★ *think the ~ of* een hoge dunk hebben van ★ *the Third World* de derde wereld
world champion *zn* wereldkampioen
world-class *bnw* van wereldklasse ★ *a ~ cricketer* een cricketer van wereldklasse
world economy *zn* wereldeconomie
world-famous *bnw* wereldberoemd
worldly ['wɜːldlɪ] *bnw* ❶ wereldwijs ❷ werelds, aards
worldly-wise *bnw* wereldwijs
world music *zn* wereldmuziek
world population *zn* wereldbevolking
world power *zn* wereldmacht
world record *zn* wereldrecord
World Series *zn mv* USA World Series (nationale honkbalfinale)
world trade *zn* wereldhandel
World Trade Organization *zn* Wereldhandelsorganisatie
world view *zn* wereldbeeld
world war *zn* wereldoorlog ★ USA *World War I / II* de Eerste / Tweede Wereldoorlog ★ *the First / Second World War* de Eerste / Tweede Wereldoorlog
world-weary [wɜːldˈwɪərɪ] *bnw* levensmoe
world-wide [wɜːldˈwaɪd] *bnw + bijw* wereldwijd, wereld-, over de hele wereld ★ *~ reputation* wereldnaam
World Wide Web *zn* comp wereldwijde web ((onderdeel van) internet)
worm [wɜːm] ‖ *zn* ❶ worm ❷ comp wormvirus ❸ min rotzak, verachtelijk persoon ★ *even a worm will turn* tenslotte kan men niet alles over zijn kant laten gaan, ik ben wel goed maar niet gek ‖ *ov ww* ❶ ontwormen ❷ wurmen ★ *worm o.s. into* zich op slinkse wijze weten te draaien / dringen in ★ *worm your way into sb's confidence / heart* op slinkse wijze iemands vertrouwen / hart weten te winnen ★ *worm a secret out of sb* een geheim uit iem. weten te krijgen ★ *worm your way out of sth* ergens onderuit (weten te) komen ★ *worm your way through* je door... heen wriemelen / wurmen ‖ *onov ww* zich wurmen ★ *worm through / into sth* je ergens doorheen / in wurmen / werken
worm cast ['wɜːmkɑːst] *zn* wormhoopje
worm-eaten ['wɜːmiːtn] *bnw* ❶ wormstekig (fruit) ❷ door houtworm aangetast
wormwood ['wɜːmwʊd] plantk *zn* alsem
wormy ['wɜːmɪ] *bnw* ❶ wormstekig ❷ vol wormen
worn [wɔːn] *ww* [volt. deelw.] → **wear**
worn-out [wɔːnˈaʊt] *bnw* ❶ uitgeput, doodop

❷ versleten

worried ['wʌrɪd] *bnw* bezorgd, ongerust ★ *be ~ about sth* ergens over in zitten

worrisome ['wʌrɪsəm] *bnw* zorgelijk, zorgwekkend, lastig

worry ['wʌrɪ] **I** *onov ww* ❶ zich zorgen maken, piekeren ★ *don't (you)* ~ trek je er niets van aan, wees maar niet bang ★ *not to* ~! maak je geen zorgen! ❷ ~ *about* zich zorgen maken over ❸ ~ *at* piekeren over ⟨probleem⟩, steeds zitten / friemelen aan, steeds bijten op ⟨lip⟩, heen en weer schudden ⟨bot, stuk vlees, door hond⟩ **II** *ov ww* ❶ ongerust maken, lastigvallen, vervelen, (aan het hoofd) zaniken ★ *it worries me* ik maak me er zorgen om, het baart mij zorgen ★ ~ *yourself about sth* je zorgen maken over iets ★ *the music didn't* ~ *her* ze had geen last van de muziek ★ ~ *sb with your questions* iem. lastigvallen met je vragen ❷ aanvallen, bijten naar ⟨schapen, door hond⟩ **III** *zn* ❶ zorg ★ *financial worries* financiële zorgen, geldzorgen ★ *inform no worries* (maak je) geen zorgen, geen probleem ❷ bezorgdheid, ongerustheid

worrying ['wʌrɪɪŋ] *bnw* zorgwekkend, zorgelijk

worse [wɜːs] **I** *bnw + bijw* ❶ slechter, erger ★ ~ *off* (financieel) slechter af ★ *want* ~ harder nodig hebben ★ *he is none the* ~ *for it* het heeft hem geen kwaad gedaan ★ *I like him none the* ~ *for it* ik mag hem er even / wel zo graag om ★ *much the* ~ *for wear* behoorlijk versleten ★ *the* ~ *for drink / wear* dronken ★ *to make matters / things* ~ tot overmaat v. ramp ★ *it could be* ~ het had erger gekund ★ *you could do* ~ je kunt het minder goed treffen ❷ zieker, zwakker ★ *get* ~ achteruitgaan **II** *zn* iets ergers, iets slechters ★ *from bad to* ~ van kwaad tot erger ★ ~ *was to come / follow* het ergste kwam nog ★ *a change for the* ~ een verandering ten kwade

worsen ['wɜːsən] **I** *onov ww* slechter / erger worden, verergeren, verslechteren **II** *ov ww* slechter / erger maken, verergeren

worship ['wɜːʃɪp] **I** *ov ww* aanbidden, vereren ook *fig* **II** *onov ww* de godsdienstoefeningen bijwonen, naar de kerk gaan **III** *zn* ❶ verering, aanbidding ❷ eredienst ★ *place of* ~ godshuis ▼GB *Your / His Worship* Edelachtbare

worshipful ['wɜːʃɪpfʊl] *form bnw* eerbiedig

worshipper ['wɜːʃɪpə] *zn* ❶ vereerder, aanbidder ★ *a sun* ~ een zonaanbidder ❷ gelovige, kerkganger

worst [wɜːst] **I** *zn* slechtst(e), ergst(e) ★ *at (the)* ~ in het ergste geval ★ *be at its* ~ op zijn slechtst / ergst zijn, het ergste zijn ★ ~ *of all was…* het allerergst was… ★ *if the* ~ *comes to the* ~… in het ergste geval… ★ *inform let them do their* ~, *I'm leaving anyway* laat ze maar tekeergaan, mij hebben ze er niet van af, vertrek toch ★ *fear the* ~ het ergste vrezen ★ *get the* ~ *of it* aan het kortste eind trekken, verliezen **II** *bnw + bijw* ❶ slechtst, ergst ★ ~ *dressed actor* slechtst geklede acteur ★ *come off* ~ aan het kortste eind trekken, het onderspit delven, verliezen ❷ ziekst

worsted [wʊstɪd] *zn* wol, kamgaren

worth [wɜːθ] **I** *bnw* waard ★ *be* ~ *sixty pounds / a* *fortune* zestig pond / een fortuin waard zijn ★ *it's (not)* ~ *it* het is de moeite (niet) waard ★ *it's* ~ *the trouble / effort* het is de moeite waard ★ ~ *knowing* wetenswaardig ★ *for all he is* ~ uit alle macht, zo hard hij kan ★ *he is* ~ *two millions* hij bezit twee miljoen ★ *for what it's* ~ voor wat het waard is, voor zover ik er iets over kan zeggen ★ *what's it* ~ *(to you)*? wat heb je ervoor over? **II** *zn* waarde ★ *sixty pounds' ~ of DVD's* voor zestig pond (aan) dvd's ★ *prove your* ~ tonen wat je waard bent

worthless ['wɜːθləs] *bnw* waardeloos

worthwhile ['wɜːθwaɪl] *bnw* de moeite waard

worthy ['wɜːðɪ] **I** *bnw* ❶ waardig, waard ★ ~ *of a better cause* een betere zaak waardig ★ ~ *of praise* prijzenswaardig ❷ (achtens)waardig, braaf **II** *zn* notabele, hoge ome

would [wʊd] *ww* [verleden tijd] → will

would-be ['wʊdbiː] *bnw* ❶ zogenaamd, pseudo- ❷ toekomstig, aspirant-

wouldn't ['wʊdnt] *samentr, would not* → will

wound¹ [wuːnd] **I** *zn* wond ★ *fig lick your* ~*s* je wonden likken ★ *fig open old* ~*s* oude wonden openrijten **II** *ov ww* (ver)wonden, krenken ★ *mortally / severely* ~*ed* dodelijk / ernstig gewond ★ ~*ed pride* gekwetste trots ★ ~*ing remarks* kwetsende opmerkingen

wound² [waʊnd] *ww* [verleden tijd + volt. deelw.] → wind¹

wove [wəʊv] *ww* [verleden tijd] → weave

woven ['wəʊvən] *ww* [volt. deelw.] → weave

wow [waʊ] *inform* **I** *tw* wow, jeetje **II** *ov ww* overweldigen, in verrukking brengen, imponeren **III** *zn* succes, iets geweldigs

wraith [reɪθ] *dicht zn* geestverschijning, schim

wrangle ['ræŋgl] **I** *zn* ruzie **II** *onov ww* ruzie hebben / maken, kiften ★ ~ *with sb about / over sth* met iem. over iets ruziën

wrangler ['ræŋglə] *zn* USA cowboy

wrap [ræp] **I** *ov ww* ❶ inpakken, verpakken, wikkelen, hullen ★ *she wrapped her towel around / round her body* ze wikkelde zichzelf in haar handdoek, ze wikkelde haar handdoek om haar lichaam ★ *wrapped in thought* in gepeins verzonken ❷ ~ *up* afronden, hullen, inwikkelen, inpakken ★ *be wrapped up in* geheel opgaan in ★ *wrap up a deal* een overeenkomst sluiten ★ *inform wrap it up!* hou (ermee) op!, kappen! **II** *onov ww* ~ *up* zich inpakken, *inform* ophouden ★ *wrap up warm / warmly* zich warm (aan)kleden / inpakken ★ *inform wrap up!* hou op!, kappen! **III** *zn* ❶ verpakkingsmateriaal ★ *plastic wrap* (plastic)folie, huishoudfolie ★ *gift wrap* cadeaupapier ❷ omslagdoek ❸ *cul* wrap ⟨opgerold pannenkoekje met vulling⟩ ▼*inform keep sth under wraps* iets geheim houden ▼*inform take the wraps off sth* iets openbaar maken ▼*inform it's a wrap* we stoppen ermee

wraparound *bnw* wikkel- ★ ~ *skirt* wikkelrok ★ ~ *sunglasses* halfronde zonnebril

wrapper ['ræpə] *zn* wikkel, papiertje ⟨van snoepje⟩

wrapping ['ræpɪŋ] *zn* verpakking, (in)pakmateriaal

wrapping paper *zn* inpakpapier, cadeaupapier

wrath [rɒθ] *form zn* toorn

wr

wrathful ['rɒθfʊl] form bnw toornig, verbolgen

wreak [ri:k] form ov ww aanrichten ★ ~ havoc / destruction on sth iets totaal verwoesten ★ ~ vengeance upon sb wraak nemen op iem.

wreath [ri:θ] zn ❶ krans, guirlande ❷ sliert, (rook)pluim, kringeltje ⟨rook⟩

wreathe [ri:ð] I ov ww omkransen, bekransen, omhullen ★ ~d in mist gehuld in mist, door mist omgeven ★ ~d with red flowers omstrengeld met rode bloemen II onov ww kronkelen, kringelen ⟨van rook⟩

wreck [rek] I ov ww ❶ vernietigen, vernielen ❷ doen mislukken, verpesten, in het water doen vallen ❸ doen schipbreuk lijden, doen verongelukken ★ be ~ed schipbreuk lijden, verongelukken II zn ❶ wrak ⟨van auto, vliegtuig e.d., ook fig van persoon⟩ scheepswrak ★ be a nervous ~ een bonk zenuwen zijn, geestelijk een wrak zijn ❷ ruïne, wrak ⟨krakkemikkige auto⟩, puinhoop ⟨zeer rommelige kamer⟩ ❸ schipbreuk, het vergaan ★ go to ~ and ruin te gronde gaan ❹ USA inform botsing, ongeluk

wreckage ['rekɪdʒ] zn ❶ wrakstukken ❷ schipbreuk ⟨van huwelijk, plan⟩, ondergang

wrecked [rekt] bnw ❶ verwoest, vernield, verongelukt, gestrand ❷ inform doodmoe ❸ inform ladderzat, dronken

wrecker ['rekə] zn ❶ verwoester, vernieler ★ a marriage ~ iem. die andermans huwelijk(en) kapot maakt ❷ USA takelwagen, kraanwagen

wrecking ball zn sloopkogel

wren [ren] zn winterkoninkje

wrench [rentʃ] I ov ww ❶ rukken, wringen, wrikken ★ ~ the door open de deur openrukken / openwrikken ★ ~ yourself free jezelf losrukken ❷ ontwrichten, verstuiken, verrekken, verdraaien II zn ❶ ruk, draai ★ give sth a ~ een ruk / draai geven aan iets ❷ ontwrichting, verrekking, verstuiking ★ give your ankle a ~ je enkel verstuiken / verzwikken ❸ USA moersleutel ❹ pijnlijke scheiding ★ it was a terrible ~ het afscheid viel mij / hem / haar / hen zwaar

wrest [rest] ov ww wegrukken, losrukken, ontrukken ★ ~ sth from sb iets van iem. losrukken, iets iem. uit handen rukken

wrestle ['resəl] I ov ww worstelen (met) ★ ~ sb to the ground iem. tegen de grond werken II onov ww worstelen ★ fig ~ with problems met problemen worstelen

wrestler ['reslə] zn worstelaar

wrestling ['reslɪŋ] zn het worstelen ★ ~ bout worstelpartijtje

wretch [retʃ] zn ❶ stakker ★ the poor ~ de arme stakker ❷ ellendeling

wretched ['retʃɪd] bnw ❶ slecht, miserabel ❷ ellendig, diep ongelukkig ❸ inform vervloekt, rot ★ I can't find that ~ letter ik kan die vervloekte brief niet vinden

wriggle ['rɪgl] I ov ww wriemelen (met) ★ ~ your toes je tenen snel heen en weer bewegen ★ ~ one's way through sth zich ergens doorheen kronkelen, zich ergens door wurmen II onov ww ❶ draaien, kronkelen, wriemelen ❷ fig zich kronkelen ❸ ~ out ★ ~ out of sth zich ergens uit draaien, ergens onderuit (proberen te) komen

★ ~ out of your jeans je uit je spijkerbroek proberen te wurmen III zn kronkelende beweging, wriemelende beweging

wring [rɪŋ] ov ww ⟨onregelmatig⟩ wringen, (uit)wringen ★ ~ing wet kletsnat ★ ~ sth from / out of sb iem. iets afdwingen, iets uit iem. persen ★ ~ the neck of de nek omdraaien ★ ~ sb's hand iem. (stevig) de hand drukken ★ ~ one's hands de handen wringen

wringer ['rɪŋə] USA zn wringer, mangel ★ inform be put through the ~ het zwaar gehad hebben, flink wat voor zijn / haar kiezen gekregen hebben ★ inform go through the ~ het zwaar hebben

wrinkle ['rɪŋkl] I zn ❶ rimpel, plooi, vouw(tje) ❷ probleempje ★ iron out the ~s de problemen gladstrijken, de problemen uit de wereld helpen II ov ww rimpelen, plooien ★ ~ up one's forehead zijn voorhoofd fronsen III onov ww (zich) rimpelen, plooien

wrinkly ['rɪŋklɪ] bnw rimpelig, kreukelig

wrist [rɪst] zn pols(gewricht) ★ wear sth on your ~ iets om je pols dragen

wristband ['rɪstbænd] zn ❶ horlogebandje ❷ polsband(je)

wristwatch ['rɪstwɒtʃ] zn polshorloge

writ [rɪt] I zn bevelschrift, gerechtelijk schrijven, dwangbevel, dagvaarding ★ issue / serve a writ on een dagvaarding betekenen aan ★ be served with a writ for een dwangbevel krijgen voor / om ▼ rel Holy / Sacred Writ Heilige Schrift II ww oud [verl. tijd + volt. deelw.] → write

write [raɪt] [onregelmatig] I ov ww ❶ schrijven ★ ~ in black pen met een zwarte pen schrijven ★ ~ a letter to your brother een brief schrijven aan je broer ★ USA ~ your sister je zus schrijven ★ ~ a cheque / receipt een cheque / kwitantie uitschrijven ★ ~ data to a disk gegevens wegschrijven naar een schijf ★ it is written er staat geschreven ★ ~ sth into a contract iets zwart-op-wit in een contract opnemen ★ it is written all over / on his face het staat hem op zijn gezicht te lezen ★ it is nothing to ~ home about het is niet veel bijzonders, het is niets om over naar huis te schrijven ❷ ~ back antwoorden, terugschrijven ❸ ~ down opschrijven, afschrijven ★ ~ down capital op kapitaal afschrijven ❹ ~ in invullen ⟨gegevens, ontbrekende letters⟩, invoegen ❺ ~ off afschrijven ⟨schulden, investeringen⟩ ★ ~ off sth for tax iets afschrijven voor de belasting ❻ fig ~ off afschrijven, dumpen, GB total loss rijden ⟨auto⟩ ❼ ~ out uitschrijven, voluit schrijven, uit een programma / serie schrijven ⟨acteur⟩ ★ ~ out fair in het net schrijven ❽ ~ up uitwerken ⟨aantekeningen⟩, uitschrijven ⟨verslag, artikel⟩, bespreken, recenseren II onov ww ❶ schrijven ★ this black pen won't ~ deze zwarte pen doet het niet ❷ ~ away ★ ~ away for sth iets over de post bestellen, iets schriftelijk aanvragen ❸ ~ back antwoorden, terugschrijven ★ ~ back to sb iem. antwoorden ❹ ~ in schrijven ★ ~ in (to sb) for information (iemand) schrijven om informatie te krijgen ❺ ~ off schrijven ★ ~ off for sth iets over de post bestellen, iets schriftelijk aanvragen

write-down ['raɪtdaʊn] zn afschrijving (v. waarde)

write-off ['raɪtɒf] zn ❶ afschrijving, verliespost ❷ GB total loss (auto) ❸ weggegooide tijd ★ *this year was a ~ for me* dit jaar is een verloren jaar voor mij

writer ['raɪtə] zn schrijver

writer's block zn writer's block (onvermogen van schrijver om nog iets te schrijven)

writer's cramp zn schrijfkramp

write-up ['raɪtʌp] zn recensie, kritiek, bespreking

writhe [raɪð] onov ww ❶ kronkelen ★ ~ *in pain* kronkelen van de pijn ❷ ~ **with** ineenkrimpen van

writing ['raɪtɪŋ] zn ❶ schrift, geschrift, geschreven werk(en) ★ *a piece of ~* een stuk tekst ★ *in ~* schriftelijk ★ *put in ~* op schrift stellen ★ *~s* [mv] literair oeuvre ★ *the ~ on the wall* het teken aan de wand ❷ (hand)schrift ❸ het schrijven

writing materials zn mv schrijfbenodigdheden

writing pad zn ❶ onderlegger (op bureau) ❷ schrijfblok

writing paper zn schrijfpapier, briefpapier

written ['rɪtn] I bnw schriftelijk, geschreven ★ *a ~ test / exam* een schriftelijk(e) overhoring / examen ★ *the ~ word* het geschreven woord II ww [volt. deelw.] → **write**

wrong [rɒŋ] I bnw + bijw ❶ fout, mis, verkeerd, niet in orde ★ *go ~* de verkeerde kant opgaan, misgaan ★ *you can't go ~ with white wine* met witte wijn zit je altijd goed ★ *~ side out* binnenste buiten ★ *the ~ way round* verkeerd om ★ *on the ~ side of 40* over de 40 ★ *be ~* ongelijk hebben, het mis hebben ★ *what's ~?* wat scheelt eraan?, wat is er mis? ★ *don't get me ~* begrijp me goed ★ *get it ~* het bij het verkeerde eind hebben, het verkeerd opvatten, het fout hebben ★ *get in ~ with sb* bij iem. in ongenade vallen ★ *spell a name ~* een naam verkeerd spellen ❷ slecht, verkeerd ★ *have done nothing ~* niets misdaan hebben ★ *what's ~ with eating meat now and then?* wat is er verkeerd / slecht aan het af en toe vlees eten? II zn ❶ kwaad, onrecht, iets verkeerds ★ *do sb ~* iem. onrecht aandoen ★ *do ~* iets verkeerds doen, zondigen ★ *they can do no ~* zij kunnen geen kwaad doen ★ *two ~s don't make a right* je moet geen kwaad met kwaad vergelden ❷ ongelijk ★ *be in the ~* ongelijk hebben, het mis hebben, het gedaan hebben (iets verkeerds) ★ *put in the ~* in het ongelijk stellen III ov ww ❶ verkeerd beoordelen ❷ onrecht aandoen, onheus behandelen

wrongdoer ['rɒŋduːə] form zn overtreder, kwaaddoener, zondaar

wrongdoing ['rɒŋduːɪŋ] form zn overtreding, delict, onrecht, onrechtmatige handelingen

wrong-foot ov ww op het verkeerde been zetten

wrongful ['rɒŋfʊl] bnw ❶ onrechtmatig ❷ onterecht, onrechtvaardig

wrong-headed bnw eigengereid, eigenwijs, onzinnig (van plan, idee, mening)

wrongly ['rɒŋlɪ] bijw ❶ ten onrechte ★ *be ~ accused of sth* ten onrechte beschuldigd worden van iets ❷ verkeerd ★ *translate sth ~* iets fout vertalen

wrote [rəʊt] ww [verleden tijd] → **write**

wrought [rɔːt] ww oud [verl. tijd] → **work**

wrought iron zn smeedijzer

wrung [rʌŋ] ww [verleden tijd + volt. deelw.] → **wring**

wry [raɪ] bnw ❶ zuur ★ *wry face* zuur gezicht ★ *smile wryly* lachen als een boer die kiespijn heeft ❷ wrang, bitter, ironisch ★ *wry humour* wrange humor

wt afk, weight gewicht

WTO afk, World Trade Organization Wereldhandelsorganisatie (van de Verenigde Naties)

WV afk USA West Virginia

WW afk, World War wereldoorlog ★ WWI Eerste Wereldoorlog ★ WWII Tweede Wereldoorlog

WWW afk, www World Wide Web www

WY afk, Wyoming staat in de VS

WYSIWYG [wɪziːˈwɪg] afk, comp What You See Is What You Get wysiwyg (wat je (op het scherm) ziet, krijg je afgedrukt)

wy

X

x [eks] *zn, letter* x ★ *X as in Xmas* de x van Xantippe
xenophobia [zenə'fəʊbɪə] *zn* vreemdelingenhaat / -angst
xerox ['zɪərɒks] **I** *ov ww* fotokopiëren **II** *zn* (foto)kopie
XL [eks'el] *afk, Extra Large* extra groot (kledingmaat)
Xmas ['krɪsməs] *zn inform* → Christmas
X-rated [eks'reɪtɪd] *bnw USA* met klassering X ⟨verboden voor kinderen, wegens seks of geweld⟩ ★ *an ~ movie* een film voor boven de achttien
X-ray [eks'reɪ] **I** *zn* ❶ röntgenstraal ❷ röntgenfoto, röntgenonderzoek **II** *ov ww* röntgenfoto maken van
xylophone ['zaɪləfəʊn] *zn* xylofoon

Y

y [waɪ] *zn, letter* y ★ *Y as in Yellow* de y van ypsilon
Y2K *afk, Year 2 Kilo* het jaar 2000
yacht [jɒt] *zn* (zeil)jacht ⟨schip⟩ ★ *~ club* zeilclub
yachting ['jɒtɪŋ] *zn* zeilsport
yachtsman ['jɒtsmən] *zn* zeiler
yada yada yada *tw inform* blablabla
yah [jɑː] *tw* ❶ *USA* ja ❷ och kom!, bah! ★ *yah, yah!* moet je ⟨dat / haar / hem⟩ horen!
yahoo [jə'huː] **I** *zn* bruut, beest ⟨figuurlijk⟩ **II** *tw inform* hoera, jippie
yak [jæk] **I** *zn* jak ⟨soort rund⟩ **II** *onov ww inform* ouwehoeren ★ *yak on* doorkletsen, doorratelen
yam [jæm] *zn* yam(swortel) ⟨als groente gegeten⟩
yammer ['jæmə] *inform onov ww* ❶ jammeren, klagen ❷ kakelen, veel praten
yank [jæŋk] *inform* **I** *zn* ruk ★ *give sth a yank* iets een ruk geven, aan iets rukken **II** *ov ww* ❶ plotseling (weg)trekken, rukken, trekken aan ★ *yank a door open* een deur openrukken ★ *yank sth away* iets weggrissen ❷ rukken ★ *yank at sth* aan iets rukken
Yank [jæŋk], **Yankee** ['jæŋkɪ] **I** *zn* ❶ *GB min* Amerikaan, yankee ❷ *USA* inwoner v. New England, iemand uit de noordelijke staten **II** *bnw, GB vaak min* Amerikaans
yap [jæp] **I** *onov ww* ❶ keffen ❷ kletsen **II** *zn* gekef ★ *give a yap* keffen
yard [jɑːd] *zn* ❶ yard ⟨ca. 91 cm⟩ ❷ erf, plaats(je) ⟨bij huis⟩, binnenplaats, plein ❸ emplacement, werf, terrein ❹ *USA* tuin ❺ *ra* ⟨van schip⟩ ▾ *inform the Yard* Scotland Yard
yardage ['jɑːdɪdʒ] *zn* lengte in yards
yardbird ['jɑːdbɜːd] *USA inform zn* gevangene, bajesklant
yard sale *USA zn* verkoop van (gebruikte) spullen ⟨vanuit je eigen tuin⟩
yardstick ['jɑːdstɪk] *zn* ❶ maatstok ❷ maatstaf ⟨figuurlijk⟩
yarmulke, yarmulka ['jɑːmulkə] *zn* keppeltje
yarn [jɑːn] *zn* ❶ garen, draad ❷ *inform* sterk verhaal, lang(dradig) verhaal ★ *spin a yarn* een sterk verhaal vertellen
yaw [jɔː] **I** *onov ww* slingeren ⟨van vliegtuig of schip⟩, uit de koers raken **II** *zn* (het) slingeren, verlies v.d. koers
yawl [jɔːl] *zn* ❶ yawl ⟨zeilboot met een groot zeil voor en een klein zeil achter⟩ ❷ jol
yawn [jɔːn] **I** *onov ww* ❶ gapen, geeuwen ❷ wijd geopend zijn, gapen ★ *a yawning gap / hole* een diepe kloof / gapend gat **II** *zn* ❶ geeuw ★ *give a yawn* geeuwen ❷ saai iemand / iets ★ *be a big yawn* oersaai zijn
yaws [jɔːz] *zn* framboesia ⟨tropische huidziekte⟩
yd *afk, yard(s)* yard(s)
ye [jiː] *oud* **I** *pers vnw* gij, u **II** *lw* de, het ⟨vooral gebruikt in namen van pubs en winkels, om ze oud te laten lijken⟩
yea [jeɪ] **I** *zn* een stem vóór, vóórstemmer ★ *yeas and nays* vóór- en tegenstemmers **II** *bijw oud* ja (zelfs)
yeah [jeə] *inform bijw* ja
year [jɪə] *zn* jaar ★ *last / next year* vorig / volgend

jaar ★ *all (the) year round* het hele jaar door ★ *the year dot / one* het jaar nul ★ *a year from today* vandaag over 'n jaar ★ *it will be years first before...* het kan nog wel jaren duren voordat... ★ *year after / by year* jaar na jaar ★ *sixteen years old* zestien jaar oud ★ *sixteen years of age* zestien jaar oud ★ *be getting on in years* een dagje ouder worden ★ *for / in years* sinds tijden / jaren ★ *she hadn't been there for years* ze was hier in geen tijden geweest ★ *in his declining years* op zijn oude dag ★ *financial year* boekjaar ★ *fiscal year* fiscaal jaar, belastingjaar ★ *put years on sb* iem. jaren ouder maken ★ *take years off sb* iem. jaren jonger maken

yearbook ['jɪəbʊk] *zn* jaarboek
yearling ['jɪəlɪŋ] *zn* eenjarig dier
year-long *bnw* een jaar lang
yearly ['jɪəlɪ] *bnw + bijw* jaar-, jaarlijks ★ *a ~ income of $40,000* een jaarinkomen van $40.000 ★ *twice ~* twee keer per jaar
yearn [jɜːn] *form onov ww* ❶ verlangen ★ *~ to be a scientist* ernaar verlangen wetenschapper te worden ❷ *~ for* smachten naar, hunkeren naar
yearning ['jɜːnɪŋ] *form* I *zn* vurig verlangen II *bnw* smachtend, hunkerend
yeast [jiːst] *zn* gist
yeasty ['jiːstɪ] *bnw* gistachtig, naar gist smakend
yell [jel] I *onov ww* ❶ gillen, schreeuwen ❷ USA inform een gil geven ⟨om hulp te krijgen⟩ ❸ *~ at* schreeuwen naar ❹ *~ out* het uitbrullen ★ *yell out in pain* het uitschreeuwen van de pijn ❺ *~ with* gillen van II *ov ww* ❶ gillen, schreeuwen ❷ *~ out* uitbrullen, schreeuwen III *zn* ❶ gil, schreeuw ★ *let out / give a yell* een schreeuw / gil geven, gillen ❷ USA yell ⟨van supporters, om hun ploeg / idool aan te moedigen⟩
yellow ['jeləʊ] I *bnw* ❶ geel ❷ laf II *zn* geel III *ov ww* geel maken IV *onov ww* vergelen, geel worden
yellowish ['jeləʊɪʃ], **yellowy** ['jeləʊɪ] *bnw* gelig
yelp [jelp] I *onov ww* ❶ gillen, een gil(letje) geven ❷ keffen ⟨van hond⟩, janken II *zn* ❶ gil(letje) ★ *let out a yelp* een gil geven ❷ gekef, gejank
yen [jen] *zn* ❶ yen ⟨munt⟩ ❷ USA inform intens verlangen ★ *have a yen to make documentaries* heel graag documentaires willen maken
yep [jep] *tw inform* ja
yes [jes] I *tw* ja II *zn* ❶ ja, bevestigend antwoord ★ *say yes to sth* ja zeggen tegen, instemmen met ❷ ja-stem, een stem vóór, vóórstemmer
yes-man ['jesmæn] *zn* jaknikker, jabroer
yester- ['jestə] *dicht voorv* gisteren, vorig
yesterday ['jestədeɪ] *bijw* gisteren ★ *the day before ~* eergisteren
yesteryear ['jestəjɪə] *dicht zn* verleden jaar
yet [jet] I *bijw* ❶ nog, tot nog toe, nog altijd ★ *as yet* tot nu / nog toe ★ *not yet* nog niet ★ *never yet* nog nooit ★ *yet once (more)* nog eens ★ *even yet* zelfs nu nog ★ *nor yet* en ook niet ❷ toch, nochtans ★ *he could yet become a player of great value* hij zou toch een zeer waardevolle speler kunnen worden ❸ al ★ *need you go yet?* moet je al gaan? II *vw* en toch, maar ★ *yet what is the use of it* maar waar dient dit voor
yew [juː] *zn* taxus

YHA *afk, Youth Hostels Association* StayOkay®, ≈ Jeugdherbergcentrale
Yiddish ['jɪdɪʃ] I *zn* de Jiddische taal II *bnw* Jiddisch
yield [jiːld] I *ov ww* ❶ opbrengen, voortbrengen, opleveren ★ *~ results* tot resultaat leiden ★ *~ a return* een rendement opleveren ❷ geven, verschaffen, afstaan ★ *I ~ the point* ik geef het argument toe ❸ *~ up* opleveren, afstaan II *onov ww* ❶ toegeven ❷ zich overgeven ❸ USA voorrang verlenen ❹ meegeven, doorbuigen ❺ *~ to* bezwijken voor, plaatsmaken voor ★ *~ to none* voor niemand onderdoen III *zn* productie, opbrengst, oogst
yielding ['jiːldɪŋ] *bnw* ❶ vruchtbaar, productief ❷ meegaand, meegevend
yikes [jaɪks] *inform tw* ai! ⟨bij schrik of afschuw⟩
yippee [jɪ'piː] *tw* jippie!
YMCA *afk, Young Men's Christian Association* protestantse organisatie voor jongemannen
yo [jəʊ] *tw* jeugdt hé, hoi
yob [jɒb], **yobbo** ['jɒbəʊ] GB min *zn* vandaal, pummel
yodel ['jəʊdl] I *onov ww* jodelen II *ov ww* jodelen III *zn* gejodel
yoga [jəʊɡə, jɒɡə] *zn* yoga
yogi ['jəʊɡɪ] *zn* yogi, Hindoestaans asceet
yogurt, yoghurt ['jɒɡət, jəʊɡət] *zn* yoghurt
yoke [jəʊk] I *zn* ❶ juk ook fig ❷ heup- / schouderstuk ⟨van kledingstuk⟩ II *ov ww* ❶ het juk opleggen ❷ aanspannen ⟨ossen⟩ ❸ verbinden ★ *yoke sth to sth* iets aan iets koppelen
yokel ['jəʊkl] *zn* boerenpummel
yolk [jəʊk] *zn* eidooier
yonder ['jɒndə] *bijw* ginds, daarginds
yore [jɔː] *dicht zn* ★ *of yore* ⟨van⟩ voorheen ★ *in days of yore* in vroeger dagen
you [juː] *pers vnw* ❶ jij, je, jullie, u, gij ★ *you people know that...* jullie weten toch dat... ★ *poor you!* arme ziel die je bent! ❷ men ★ *you never can tell* je kunt / men kan nooit weten
you'd [juːd] *samentr* ❶ *you had* → **have** ❷ *you would* → **will**
you'll [juːl] *samentr, you will* → **will**
young [jʌŋ] I *bnw* ❶ jong, jeugdig ★ *the ~ ones* de jongeren, de jongelui ★ *he isn't getting any ~er* hij wordt er niet jonger op ★ *~ man* jongeman ★ *~ lady* jongedame ❷ onervaren, nieuw ★ *he is still a ~ one* hij is nog onervaren ❸ junior ★ *~ mr. A. A.* junior II *zn* jong ⟨v. dieren⟩ ★ *the ~* de jeugd ★ *with ~* drachtig
youngish ['jʌŋɪʃ] *bnw* jeugdig, vrij jong
youngster ['jʌŋstə] *oud zn* jongmens, jongere ★ *the ~s* de jongelui
your [jɔː] *bez vnw* ❶ uw, je, jullie, inform van jullie ★ *clean up your mess* ruim je / jullie rotzooi op ❷ inform zo'n ★ *this band isn't your typical punk band* deze band is niet een / zo'n typische punkband
you're [jʊə] *samentr, you are* → **be**
yours [jɔːz] *bez vnw* de / het uwe, jouwe, van jou, van jullie ★ *you and ~* gij en de uwen / uw bezittingen, enz. ★ *it was ~ to do this* het was aan u om dit te doen ★ *~ truly* hoogachtend, iron ondergetekende ★ *a friend of ~* een vriend

yo

van jou / u ★ *what's ~?* wat wil je gebruiken?
★ vulg *up ~* je kan de pot op
yourself [jɔ:'self] *wkd vnw* ❶ jijzelf, uzelf, je, zich
★ *have you hurt ~?* heb je je bezeerd? ★ *(all) by ~*
(helemaal) alleen ★ inform *how's ~?* hoe gaat 't?
★ *be ~!* kalm aan!, bedaar 'n beetje! ❷ u, zelf
★ *you have to do it ~ / yourselves* je zult / jullie
zullen het zelf moeten doen
yourselves [jɔ:'selvz] *wkd vnw* [mv] → **yourself**
youth [ju:θ] *zn* ❶ jeugd ★ *from my ~ onwards (up)*
van jongs af aan ❷ jongelui ❸ jongeling,
jongeman
youthful ['ju:θfʊl] *bnw* jeugdig, jong
youth hostel *zn* jeugdherberg, StayOkay®
you've [ju:v] *samentr, you have* → **have**
yowl [jaʊl] **I** *onov ww* janken, huilen, miauwen
II *zn* gejank, gehuil, gemiauw
yo-yo ['jəʊjəʊ] *zn* jojo
yr *afk* ❶ *year* j., jaar ❷ *your* jouw, uw, jullie
yuck, yuk [jʌk] *tw* gadverdamme!
Yugoslav ['ju:ɡəʊslɑ:v] gesch **I** *zn* Joegoslaaf
II *bnw* Joegoslavisch
Yugoslavia ['ju:ɡə'slɑ:vɪə] gesch *zn* Joegoslavië
Yuletide ['ju:ltaɪd] *zn* kersttijd
yum [jʌm], **yum-yum** [jʌm'jʌm] *tw* mmm, lekker,
heerlijk
yummy ['jʌmɪ] *bnw* inform lekker, heerlijk,
prachtig
yup I *zn*, USA *young urban professional* yup **II** *tw*
inform ja, inderdaad
YWCA *afk, Young Women's Christian Association*
protestantse organisatie van jonge vrouwen

Z

z [zed] *zn, letter* z ★ *Z as in Zebra* de z van
Zaandam
zany ['zeɪnɪ] *bnw* ❶ grappig, geinig ❷ absurd
zap [zæp] **I** *ov ww* ❶ uitschakelen ⟨concurrent⟩,
verslaan, vernietigen ❷ opwarmen ⟨in
magnetron⟩ ❸ zappen ★ *zap channels* van
kanaal naar kanaal zappen ❹ snel brengen /
doen, schieten **II** *onov ww* ❶ snel bewegen,
racen ★ *zap through sth* door iets heen
schieten / vliegen ❷ zappen ⟨tv⟩
zeal [zi:l] *zn* ijver, vuur
zealot ['zelət] *zn* fanatiekeling, dweper
zealotry ['zelətrɪ] *zn* fanatisme
zealous ['zeləs] *bnw* ijverig
zebra ['zebrə, 'zi:brə] *zn* zebra
zebra crossing *zn* zebrapad
zebu ['zi:bu:] *zn* Indisch bultrund
zenith ['zenɪθ] *zn* toppunt ★ *be at its ~* op zijn
hoogtepunt zijn
zephyr ['zefə] dicht *zn* windje, koeltje
zero ['zɪərəʊ] **I** *zn* ❶ nul(punt) ★ *above / below
zero* boven / onder nul ★ *be at zero* op nul staan
★ *her chances are zero* zij heeft geen enkele kans
❷ laagste punt, dieptepunt ❸ beginpunt **II** *onov
ww* richten ⟨geweer, camera⟩ ★ *zero in on* het
vuur / je camera richten op, de aandacht
richten op
zero hour *zn* ❶ uur nul ❷ kritiek moment, uur U
zest [zest] *zn* ❶ animo, lust ★ *zest for life*
levenslust ❷ jeu, pit, iets pikants ★ *add (a) zest to*
het genot verhogen van, extra jeu geven aan
❸ stukje citroenschil / sinaasappelschil
zigzag ['zɪɡzæɡ] **I** *zn* zigzag **II** *bnw + bijw*
zigzagsgewijs, zigzaggend **III** *onov ww*
zigzaggen(d voortbewegen / gaan)
zilch [zɪltʃ] *telw* inform niks, noppes
zillion ['zɪljən] *zn* inform onbepaald groot
aantal / getal, massa ★ *~s of mosquitoes*
ontelbaar veel muggen
Zimmer frame ['zɪmə freɪm] GB *zn* looprek ⟨voor
ouderen⟩, ≈ rollator
zinc [zɪŋk] *zn* zink
zing [zɪŋ] **I** *zn* energie, enthousiasme, pit **II** *onov
ww* fluiten, vliegen, snorren ⟨van kogels e.d.⟩
Zionism ['zaɪənɪzəm] *zn* zionisme
zip [zɪp] **I** *zn* ❶ GB ritssluiting ★ *do up / undo a zip*
een rits sluiten / openen ❷ inform fut, pit,
energie ❸ gefluit / -snor ⟨van kogels of pijlen⟩
❹ USA inform niets, niks **II** *ov ww* ❶ ritsen ★ *zip
open / shut* open- / dichtritsen ★ *zip together* aan
elkaar ritsen ❷ comp zippen, comprimeren
❸ *~ up* dichtritsen ★ *could you zip me up?* kun
je de rits (op mijn rug) dichtmaken? **III** *onov
ww* ❶ vliegen, fluiten ⟨van kogels⟩
❷ *~ through* ★ *zip through sth* door iets heen
schieten / vliegen ⟨bv. boek, vragenlijst⟩ ❸ *~ up*
met een rits dichtgaan
zip code *zn* USA postcode
zip fastener *zn* ritssluiting
zip file comp *zn* zipbestand, gecomprimeerd
bestand
zipper ['zɪpə] USA *zn* ritssluiting

zippy <u>inform</u> *bnw* ❶ snel ⟨van auto⟩ ❷ pittig ⟨van smaak⟩, opwindend

zither ['zɪðə] *zn* citer

zodiac ['zəʊdɪæk] *zn* dierenriem

zodiacal [zə'daɪəkl] *zn* zodiakaal, van / in de dierenriem

zombie ['zɒmbɪ] *zn* ❶ levend lijk ❷ apathisch iemand, robot

zonal ['zəʊnl] *bnw* ❶ m.b.t. zones ❷ ingedeeld in zones

zone [zəʊn] **I** *zn* ❶ gebied, zone ★ *pedestrian zone* voetgangersgebied ★ *erogenous zones* erogene zones ❷ luchtstreek, gordel, zone **II** *ov ww* ❶ toewijzen voor bep. gebied, bestemmen ❷ in zones verdelen ❸ <u>USA</u> <u>inform</u> ~ out in slaap vallen, de aandacht verliezen

zoning ['zəʊnɪŋ] *zn* indeling v. stad in woonwijken / zones, bestemming(splan)

zonked [zɒŋkt,zɑŋkt], **zonked out** *bnw* <u>inform</u> onder invloed ⟨van alcohol of drugs⟩, van de wereld

zoo [zu:] *zn* dierentuin ★ *the London Zoo* de dierentuin van Londen

zoo-keeper *zn* oppasser in dierentuin, dierenverzorger

zoological [zəʊə'lɒdʒɪkl] *bnw* dierkundig ★ <u>form</u> ~ *garden* dierentuin

zoologist [zəʊ'ɒlədʒɪst] *zn* dierkundige

zoology [zəʊ'ɒlədʒɪ] *zn* dierkunde

zoom [zu:m] **I** *onov ww* ❶ zoemen, zoeven, racen ❷ snel in prijs stijgen, omhoogschieten ❸ <u>audio-vis</u> zoomen ❹ ~ in (on) inzoomen (op) ❺ ~ out uitzoomen **II** *zn* ❶ gezoem ❷ zoomlens

zoom lens *zn* zoomlens

zoot suit [zu:t su:t] <u>USA</u> *zn* zoot suit ⟨opzichtig twee- of driedelig herenkostuum met brede revers en wijde broekspijpen⟩

zucchini [zu:'ki:nɪ] *zn* <u>USA</u> courgette

Beknopte grammatica

ONREGELMATIGE WERKWOORDEN

infinitief	o.v.t.	volt. deelwoord	vertaling
abide	<u>form</u> abode	<u>form</u> abode	(ver)blijven
	abided	abided	verdragen, dulden
arise	arose	arisen	ontstaan
awake	awoke	awoken	wakker worden
be	was/were	been	zijn, worden
bear	bore	borne	(ver)dragen
beat	beat	beaten	(ver)slaan
become	became	become	worden
begin	began	begun	beginnen
behold	beheld	beheld	aanschouwen
bend	bent	bent	buigen
bet	bet	bet	wedden
bid	bid	bid	bieden
	bid/bade	bid/bidden	wensen
bind	bound	bound	binden
bite	bit	bitten	bijten
bleed	bled	bled	bloeden
blow	blew	blown	blazen, waaien
break	broke	broken	breken
breed	bred	bred	kweken, fokken
bring	brought	brought	brengen
broadcast	broadcast	broadcast	uitzenden
build	built	built	bouwen
burn	burnt/burned	burnt/burned	branden
burst	burst	burst	barsten
buy	bought	bought	kopen
cast	cast	cast	werpen
catch	caught	caught	vangen
choose	chose	chosen	kiezen
cling	clung	clung	zich vastgrijpen
come	came	come	komen
cost	cost	cost	kosten
creep	crept	crept	kruipen
cut	cut	cut	snijden
deal	dealt	dealt	(be)handelen
dig	dug	dug	graven
do	did	done	doen
draw	drew	drawn	tekenen, trekken
dream	dreamt/dreamed	dreamt/dreamed	dromen
drink	drank	drunk	drinken
drive	drove	driven	drijven, besturen
dwell	dwelt/dwelled	dwelt/dwelled	wonen
eat	ate	eaten	eten
fall	fell	fallen	vallen
feed	fed	fed	(zich) voeden
feel	felt	felt	(zich) voelen
fight	fought	fought	vechten
find	found	found	vinden
flee	fled	fled	vluchten
fling	flung	flung	smijten
flee	fled	fled	ontvluchten
fly	flew	flown	vliegen
forbid	forbade	forbidden	verbieden
forget	forgot	forgotten	vergeten
forgive	forgave	forgiven	vergeven
forsake	forsook	forsaken	in de steek laten
freeze	froze	frozen	(be)vriezen
get	got	got	krijgen
		USA inf gotten	
give	gave	given	geven
go	went	gone	gaan

infinitief	o.v.t.	volt. deelwoord	vertaling
grind	ground	ground	malen, slijpen
grow	grew	grown	groeien, kweken, worden
hang	hung	hung	hangen
	hanged	hanged	ophangen
have	had	had	hebben
hear	heard	heard	horen
hide	hid	hidden	(zich) verbergen
hit	hit	hit	slaan, raken, treffen
hold	held	held	(vast)houden
hurt	hurt	hurt	pijn doen, bezeren
keep	kept	kept	houden, bewaren
kneel	knelt	knelt	knielen
	USA ook kneeled	USA ook kneeled	
knit	knit	knit	samentrekken/-voegen
	knitted	knitted	breien
know	knew	known	weten
lay	laid	laid	leggen
lead	led	led	leiden
lean	leaned	leaned	leunen
	GB ook leant	GB ook leant	
leap	leapt/leaped	leapt/leaped	springen
learn	learnt/learned	learnt/learned	leren
leave	left	left	(ver)laten
lend	lent	lent	uitlenen
let	let	let	laten, verhuren
lie	lay	lain	liggen
light	lit	lit	aansteken, verlichten
	lighted (vóór zelfst. nw.)	lighted (vóór zelfst. nw.)	
lose	lost	lost	verliezen
make	made	made	maken
mean	meant	meant	bedoelen, betekenen
meet	met	met	ontmoeten
mow	mowed	mown/mowed	maaien
pay	paid	paid	betalen
put	put	put	leggen, plaatsen, zetten
quit	quit	quit	ophouden, verlaten
	GB ook quitted	GB ook quitted	
read	read	read	lezen
rid	rid	rid	bevrijden
ride	rode	ridden	rijden
ring	rang	rung	bellen, klinken
rise	rose	risen	opstaan, stijgen, rijzen
run	ran	run	rennen, lopen
saw	sawed	sawn	zagen
		USA ook sawed	
say	said	said	zeggen
see	saw	seen	zien
seek	sought	sought	zoeken
sell	sold	sold	verkopen
send	sent	sent	sturen, zenden
set	set	set	zetten, ondergaan
sew	sewed	sewn/sewed	naaien
shake	shook	shaken	schudden, beven
shed	shed	shed	vergieten, storten
shine	shone	shone	schijnen
	shined	shined	poetsen
shoot	shot	shot	schieten
show	showed	shown	tonen
		soms showed	
shrink	shrank	shrunk	krimpen
shut	shut	shut	sluiten
sing	sang	sung	zingen
sink	sank	sunk	zinken, tot zinken brengen
sit	sat	sat	zitten
sleep	slept	slept	slapen
slide	slid	slid	glijden

infinitief	o.v.t.	volt. deelwoord	vertaling
smell	smelled GB ook smelt	smelled GB ook smelt	ruiken
sow	sowed	sown	zaaien
speak	spoke	spoken	spreken
spell	spelt/spelled	spelt/spelled	spellen
spend	spent	spent	uitgeven, doorbrengen
spin	spun	spun	ronddraaien, spinnen
spill	spilled GB ook spilt	spilled GB ook spilt	morsen
spit	spat	spat	spuwen
split	split	split	splijten
spoil	spoiled GB ook spoilt	spoiled GB ook spoilt	bederven, verwennen
spread	spread	spread	(zich ver)spreiden
stand	stood	stood	staan
steal	stole	stolen	stelen
stick	stuck	stuck	steken, kleven
sting	stung	stung	steken, prikken
stink	stank/stunk	stunk	stinken
stride	strode	stridden	schrijden, stappen
strike	struck	struck	slaan, treffen, staken
strive	strove	striven	streven
swear	swore	sworn	zweren, vloeken
sweep	swept	swept	vegen
swell	swelled	swollen/swelled	(op)zwellen
swim	swam	swum	zwemmen
swing	swung	swung	zwaaien, slingeren
take	took	taken	nemen, brengen
teach	taught	taught	onderwijzen
tear	tore	torn	scheuren, rukken
tell	told	told	vertellen, zeggen
think	thought	thought	denken
throw	threw	thrown	gooien
thrust	thrust	thrust	duwen, stoten
understand	understood	understood	begrijpen, verstaan
wake	woke	woken	wekken, wakker worden
wear	wore	worn	dragen
weave	wove	woven	weven
weep	wept	wept	huilen, wenen
wet	wet/wetted	wet/wetted	nat maken
win	won	won	winnen
wind	wound	wound	winden, draaien
wring	wrung	wrung	wringen
write	wrote	written	schrijven

HET ZELFSTANDIG NAAMWOORD, MEERVOUD EN VERKLEINVORM

In het Engels wordt een zelfstandig naamwoord meestal in het meervoud gezet door er een -s achter te plaatsen:

1 house – 2 houses (huis)
1 market – 2 markets (markt)

De meeste uitzonderingen zijn gemakkelijk te herkennen:

1 victory – 2 victories (overwinning)
1 bus – 2 buses (bus)

In het Engels wordt zelden een verkleinvorm (bv.'huisje') gebruikt, al komt het suffix '-let' nog weleens voor: 'starlet' (sterretje).

HET LIDWOORD

Terwijl het Nederlands twee bepaalde lidwoorden heeft ('de' en 'het'), is er in het Engels maar één: **the**.

the bike of **the** girl – de fiets van het meisje

Het onbepaalde lidwoord ('een') komt in het Engels daarentegen in twee vormen voor:

a – wanneer er een medeklinker op volgt:

a call, **a** great song

an – wanneer er een klinker of een *h* op volgt:

an evening, **an** oval office, **an** hour

HET BIJVOEGLIJK NAAMWOORD

Het bijvoeglijk naamwoord wordt in het Engels niet verbogen:

a big plane (een groot vliegtuig)
the big plane (het grote vliegtuig)
big planes (grote vliegtuigen)

HET BIJWOORD

Engelse bijwoorden worden gevormd door **-ly** te plakken achter een stam:

the absolute majority (de absolute meerderheid)
you are absolute**ly** right (je hebt absoluut gelijk)

Als het bijvoeglijk naamwoord eindigt op een **y**, dan wordt deze vervangen door een **i**:

a hasty answer (een haastig antwoord)
he answered hast**ily** (hij antwoordde haastig)

ENGELSE WERKWOORDEN

regelmatige werkwoorden

Het vervoegen van Engelse werkwoorden is in de regel heel simpel: voor de tegenwoordige tijd wordt altijd het hele werkwoord gebruikt. Alleen in de derde persoon enkelvoud komt er een **-s** achter. Voor de verleden tijd komt er in alle persoonsvormen **-ed** achter het hele werkwoord. Dus:

	tegenwoordige tijd	verleden tijd
I (ik)	work (ik werk)	worked (ik werkte)
you (jij, u)	work	worked
he/she/it (hij/zij/het)	works	worked
we (wij)	work	worked
you (jullie)	work	worked
they (zij)	work	worked

Het voltooid deelwoord wordt gevormd met **-ed** achter het hele werkwoord: I have work**ed** (ik heb gewerkt).

HULPWERKWOORDEN

De hulpwerkwoorden 'be', 'have' en 'do' worden onregelmatig vervoegd:

	be		have		do	
	tegenw td	verl td	tegenw td	verl td	tegenw td	verl td
I (ik)	am	was	have	had	do	did
you (jij, u)	are	were	have	had	do	did
he/she/it (hij/zij/het)	is	was	has	had	does	did
we (wij)	are	were	have	had	do	did
you (jullie)	are	were	have	had	do	did
they (zij)	are	were	have	had	do	did

Andere hulpwerkwoorden ('shall', 'will') worden regelmatig vervoegd
Bij 'be' en 'have' worden persoonlijk voornaamwoord en hulpwerkwoord in de tegenwoordige tijd vaak samengetrokken; bij shall' en 'will' gebeurt dat zowel in de tegenwoordige als in de verleden tijd. Bij 'shall' en 'will' leidt dat tot identieke vormen:

	be	have	shall/will	
			tegenw td	verl td
I (ik)	I'm	I've	I'll	I'd
you (jij, u)	you're	you've	you'll	you'd
he/she/it (hij/zij/het)	he's	he has	he'll	he'd
we (wij)	we're	we've	we'll	we'd
you (jullie)	you're	you've	you'll	you'd
they (zij)	they're	they've	they'll	they'd

be
Engelse werkwoorden worden op twee manieren gebruikt: met de normale vervoeging of samen met het hulpwerkwoord 'be'.

Voor het uitdrukken van de algemene, normale gang van zaken kan men de normale vervoeging gebruiken:
   this is the building I work in (dit is het gebouw waar ik werk)

Voor het uitdrukken van iets dat op het moment zelf gaande is, wordt het werkwoord 'be' vervoegd en gevolgd door het hele (hoofd)werkwoord, waaraan **-ing** is toegevoegd (I am work+ing).
   I'm working now, but I will be ready soon (ik ben nu aan het werken, maar ik ben snel klaar)

have
Alle voltooide werkwoordsvormen worden vervoegd met 'have', ook als je in het Nederlands 'zijn' zou gebruiken:
   we have left (wij zijn weggegaan)
   I had fallen (ik was gevallen)

do
Om iets tegen te spreken kan 'do' worden gebruikt, gevolgd door het hele werkwoord:
   I dó think it's beautiful (ik vind wél dat het mooi is)
Op dezelfde manier kan iets worden benadrukt:
   I dó think it's beautiful (ik vind écht dat het mooi is)

De belangrijkste functie van 'do' is echter die in ontkennende en vragende zinnen.

ONTKENNENDE ZINNEN

In het Nederlands wordt een zin ontkennend gemaakt door er 'niet' of een ander
ontkennend woord aan toe te voegen:
  ik woon hier – ik woon hier niet
In het Engels wordt hiervoor meestal het werkwoord 'do' gebruikt, gevolgd door de
ontkenning:
  I live here – I do not live here
Maar als andere werkwoorden worden gebruikt die een *zijn* uitdrukken ('be', 'may', 'will'),
blijven deze zo staan in de ontkennende zin:
  she is – not – at home (zij is – niet – thuis)
  we may – not – be abroad (we zijn wellicht – niet – in het buitenland)

Het is gebruikelijk om werkwoorden samen te trekken met 'not':
  I do not *wordt* I don't
  he/she/it does not *wordt* he/she/it doesn't

Dus ze worden aan elkaar geschreven en de o van not wordt vervangen door een
apostrof (').
Hetzelfde gebeurt bij 'have':
  I have not *wordt* I haven't
Bij 'shall' en 'will' leidt het tot onregelmatige vormen:
  he shall not *wordt* he shan't
  we will not *wordt* we won't
Hetzelfde gebeurt ook bij de verleden tijd:
  I was not *wordt* I wasn't
  he had not *wordt* he hadn't
  we should not *wordt* we shouldn't
  you would not *wordt* you wouldn't

VRAGENDE ZINNEN

Meestal worden vragende zinnen gevormd met het werkwoord 'do', dat vervoegd wordt,
gevolgd door het persoonlijk voornaamwoord en het hele werkwoord:
  do you work here? (werkt u hier?)
  does he like candy? (houdt hij van snoep?)
Maar deze regel gaat niet op als er werkwoorden worden gebruikt die een *zijn* uitdrukken
('be', 'may', 'will'):
  are you ill? (ben je ziek?)
  when will you be back? (wanneer zul je weer terug zijn?)
Ook bij andere hulpwerkwoorden gaat de *do*-regel niet op:
  have you seen her? (heb je haar gezien?)
  can you do this?

Om een vraag te beantwoorden, wordt het hulpwerkwoord herhaald dat in de vraag
wordt gebruikt:
  – do you know that? (– weet je dat?)
  – yes, I do *of* – no, I don't (– ja *of* – nee)
Als vragende zinnen gevormd zijn met koppelwerkwoorden, worden deze herhaald:
  – are you from Holland? (kom je uit Nederland?)
  – yes, I am *of* – no, I'm not (– ja *of* – nee)

Als de vraag betrekking heeft op iets wat op dat moment gebeurt, wordt de
-ing-constructie gebruikt:
  – is she baking cookies? (is ze koekjes aan het bakken?)
  – yes, she is *of* – no, she isn't (– ja *of* – nee)

Vragende zinnen met een voltooid deelwoord worden gevormd met 'have':
- – have you seen her? (heb je haar gezien?)
- – yes, I have *of* – no, I haven't (– ja *of* – nee)

Praktische tips

HET SAMENVOEGEN VAN WOORDEN

In het Nederlands worden dikwijls twee of meer woorden samengevoegd tot één woord. In het Engels wordt dat zelden gedaan. Twee woorden die samen één begrip vormen, staan in het Engels meestal los van elkaar:

food problem	voedselprobleem
insurance company	verzekeringsmaatschappij

Woorden die kort zijn of die erg veel gebruikt worden, worden dikwijls aan elkaar geschreven:

bus stop wordt:	busstop
motor-car wordt:	motorcar

Het verbindingsstreepje wordt wel gebruikt bij samengestelde bijvoeglijke naamwoorden:

a seven-year-old girl	een meisje van zeven jaar
on-the-job training	training binnen het bedrijf

HET AFBREKEN VAN WOORDEN

Bij voorkeur voorkomt men het afbreken van een woord aan het einde van de regel, door het woord aan het begin van de nieuwe regel te schrijven. Er zijn geen eenduidige regels voor het afbreken van woorden, maar de volgende regels worden het meest toegepast.

1   Niet afgebroken wordt:
a   bij woorden met één lettergreep:
    care, week, love, enz.
b   voor de uitgang *-ed* van de verleden tijd en het voltooid deelwoord:
c   voor de uitgangen *cial, cian, cious, sion, tion* die in de uitspraak één lettergreep vormen:
    social, conscious, starvation, mission

2   Bij voorkeur worden niet afgebroken:
a   woorden met één letter aan het begin of aan het eind:
    apart, above, windy, enz.
b   korte woorden met twee lettergrepen:
    city, water, enz.
c   woorden waarvan na het verbindingsstreepje twee letters zouden overblijven (met uitzondering van bijwoorden die eindigen op *-ly*):
    against, mixer, beauty, enz.

3   Indien een woord moet worden afgebroken, gebeurt dit bij voorkeur:
a   na een klinker:
    fe-ver, de-pend
b   voor de uitgang *ing:*
    think-ing, keep-ing
c   tussen twee medeklinkers:
    mil-lion, mes-sage, recom-mend
d   voor het tweede deel van een samenstelling:
    anti-hero, tele-phone, happi-ness